Principes de gestion financière

8e édition

Richard Brealey, London Business School
Stewart Myers, Sloan School of Management, M.I.T.
Franklin Allen, Wharton School

Édition française :
Christophe Thibierge, ESCP-EAP

Avec

Nicolas Couderc, université Paris 1
Jérôme Héricourt, université Paris 1
et université Paris 12 Créteil-Val-de-Marne
Fabrice Pomiers, responsable financier chez BNP Paribas Assurance
chargé d'enseignement à l'université Paris 1 Sorbonne

Le présent ouvrage est la traduction-adaptation de PRINCIPLES OF CORPORATE FINANCE, 8e éd., de RICHARD A. BREALEY, STEWART C. MYERS, FRANKLIN ALLEN, publié par McGraw-Hill Irwin,

Publié par Pearson Education France
47 bis, rue des Vinaigriers
75010 Paris
Tél. : 01 72 74 90 00

ISBN : 2-7440-7147-1

Table des matières

Partie 2 – Le risque

Partie 5 – Politique de dividende et structure de financement

Activités

Activités

Partie 6 – Les options

Partie 9 – Planification financière et gestion à court terme

Partie 11 – Conclusion

Préface

Cet ouvrage expose la théorie et la pratique de la gestion financière des entreprises. Sur l'aspect pratique, il n'est guère besoin d'expliquer à un responsable financier l'intérêt de maîtriser les aspects opérationnels de son travail. En revanche, nous souhaitons expliquer pourquoi ce même cadre financier, pragmatique et avec les pieds sur terre, a *besoin* de la théorie.

Les gestionnaires apprennent par expérience comment résoudre les problèmes courants. Mais un bon gestionnaire est capable de réagir au changement, en sortant des sentiers battus. Pour y parvenir, il faut plus que la simple connaissance de recettes éprouvées ; il faut comprendre *pourquoi* les entreprises et les marchés financiers se comportent ainsi. En d'autres termes, il vous faut une *théorie* de la finance.

Vous êtes effrayé(e) ? Vous ne devriez pas. Une bonne théorie vous aide à comprendre ce qui se passe autour de vous. Elle vous aide à poser les bonnes questions lorsque les temps changent et que de nouveaux enjeux se présentent. Elle vous indique aussi les choses dont *vous n'avez pas* à vous soucier. Tout au long de cet ouvrage, nous vous montrons comment les décideurs utilisent la théorie financière pour résoudre des problèmes pratiques.

Bien entendu, la théorie présentée dans ce livre n'est ni parfaite ni complète – aucune théorie ne l'est. Il existe des controverses importantes sur lesquelles les chercheurs en finance se divisent encore. Nous n'avons pas minimisé ces controverses. Nous vous présentons les principaux arguments des parties prenantes, et vous disons où nous nous situons.

Enfin, même si nous nous focalisons essentiellement sur la pratique, nous soulignons toutes les fois où les dirigeants *ne font pas ce qu'ils devraient faire*. Nous n'avons pas forcément de réponse claire à ces comportements, mais nous ne voulons pas non plus les passer sous silence.

Les modifications apportées à la huitième édition

Vous avez vu le changement principal sur la couverture : le *Brealey-Myers* est devenu le *Brealey-Myers-Allen* avec l'arrivée de Franklin Allen[1]. Généralement, cela signifie qu'un des auteurs historiques va se mettre en retrait. Ce n'est pas le cas ici : Franklin apporte 50 % de plus que ce qu'il y avait déjà, sous la forme d'un élargissement et d'un approfondissement de l'ouvrage, et nous en sommes fort contents.

Ce livre est écrit pour les étudiants en gestion financière. Pour beaucoup de lecteurs, il s'agit de leur premier contact avec le monde de la finance. Aussi, dans chaque nouvelle édition, nous essayons de rendre le livre plus simple, plus clair, et plus amusant à lire.

1. Pour la version française, nous cédons à la facilité – et à la facétie – de l'acronyme *BAtMan* (pour Brealey, Allen, Thibierge, Myers et autres noms...).

Mais cet ouvrage est aussi utilisé comme référence par les décideurs opérationnels dans le monde entier. Aussi, nous essayons de rendre chaque nouvelle édition plus complète, pour qu'elle fasse autorité.

Cette édition a été améliorée tant pour l'étudiant que pour le cadre en entreprise. Voici quelques-uns des changements majeurs : il y a deux nouveaux chapitres, l'un sur le risque de crédit, qui méritait un chapitre à lui tout seul, au lieu de mentions dans différentes parties du livre. Nous détaillons désormais comment les banques estiment le risque de crédit de leurs clients. D'autre part, les scandales financiers récents montrent l'importance de la gouvernance d'entreprise, aussi le nouveau chapitre 34 étudie désormais les différents systèmes de gouvernance dans le monde. Les problèmes touchant à la motivation et au contrôle des dirigeants ne sont pas cantonnés à ce nouveau chapitre : les chapitres 2 et 12 ont été considérablement renforcés sur, respectivement, les objectifs des entreprises et la rémunération des dirigeants.

Les chapitres 13, 16 et 19 ont été réécrits, pour traiter plus clairement, respectivement, de la finance comportementale, de la politique de distribution des résultats (et pas seulement la politique de dividende), et de l'utilisation du WACC dans l'évaluation des entreprises. Le détail sur les pratiques internationales a été augmenté, au fur et à mesure de la présentation des concepts. En fait, tous les chapitres du livre ont été révisés et mis à jour.

Cette huitième édition est encore plus orientée vers Internet, avec des tableaux téléchargeables depuis notre site francophone (**www.gestionfinanciere.pearsoned.fr**) et de nouveaux sites Internet de référence.

Bien sûr, on apprend dès le cours primaire qu'il est plus facile d'ajouter que de retrancher, mais nous avons taillé dans l'ouvrage. Les lecteurs familiers des précédentes éditions remarqueront deux synthèses. Premièrement, nous avons rassemblé les chapitres sur la gestion de trésorerie et le *credit management* pour que le concept de gestion du besoin en fonds de roulement soit traité globalement. Deuxièmement, nous n'avons plus de chapitre séparé sur les dettes convertibles et les warrants : ceux-ci sont détaillés au sein du chapitre 25, avec les autres formes de dette.

Pour un meilleur apprentissage

Chaque chapitre comprend un survol introductif, un résumé, et une liste de lectures complémentaires. Il y a des tests de connaissances rapides, des questions et problèmes, et quelques problèmes avancés. Beaucoup de questions se fondent sur l'accès à des données d'entreprises actuelles, par le biais de Yahoo! Finance France, ou des sites Web des sociétés. Au total, il y a plus de 1 000 questions de fin de chapitre. Ces questions et problèmes suivent l'ordre de présentation des chapitres. Tous les tableaux de données sont téléchargeables.

Les 35 chapitres sont présentés en 11 parties, chacune nantie d'une introduction qui détaille la démarche suivie. Les parties 1 à 3 traitent de l'évaluation et des choix d'investissement, les parties 4 à 8 abordent les financements à long terme. La partie 9 détaille la planification financière et la gestion à court terme. La partie 10 traite des fusions et acquisitions, et du contrôle des entreprises. Enfin, la partie 11 conclut l'ouvrage. Certains professeurs préféreront peut-être une organisation différente. Nous avons donc fait en sorte que les parties soient modulaires, et que les thèmes puissent être présentés dans des ordres différents. Par exemple, on pourra aborder l'analyse financière et la gestion à court terme avant de lire les parties sur la valeur et le choix d'investissement.

Remerciements

Nous souhaitons remercier un grand nombre de personnes pour leurs critiques constructives des éditions précédentes et leur assistance pour préparer la présente édition : au MIT, Aleijda de Cazenove Balsan, John Cox, Kedrum Garrison, Robert Pyndick et Gretchen Slemmons ; à la London Business School, Stefania Uccheddu ; au Brattle Group, Lynda Borucki, Marjorie Fischer, Larry Kolbe, James A. Read Jr., Bente Villadsen ; chez Airbus, John Stonier ; à l'université du Maryland, Alex Triantis ; Julie Wulf et Jinghua Yan à l'université de Pennsylvanie, et enfin Simon Gervais à Duke University.

Nous voulons exprimer notre gratitude aux enseignants dont les suggestions et les commentaires ô combien argumentés ont été inappréciables pour la révision de cette édition :

Noyan Arsen, *Koc University* ; Jan Bartholdy, *ASB, Danemark* ; Penny Belk, *Loughborough University* ; Eric Benrud, *University of Baltimore* ; Peter Berman, *University of New Haven* ; Jean Canil, *University of Adelaide* ; John Cooney, *Texas Tech University* ; William Dimovski, *Deakin University, Melbourne* ; Robert Duvic, *University of Texas (Austin)* ; Robert Everett, *John Hopkins University* ; Christophe Geczy, *University of Pennsylvania* ; Stuart Gillan, *University of Delaware* ; Ning Gong, *Melbourne Business School* ; Winfried Hallerbach, *Erasmus University Rotterdam* ; Milton Harris, *University of Chicago* ; Glen Henderson, *University of Cincinnati* ; Ronald Hoffmeister, *Arizona State University* ; Ravi Jagannathan, *Northwestern University* ; Jarl Kallberg, *NYU Stern School of Business* ; Steve Kaplan, *University of Chicago* ; Arif Khurshed, *Manchester Business School* ; Ken Kim, *University of Wisconsin – Milwaukee* ; C. R. Krishnaswamy, *Western Michigan University* ; George Kutner, *Marquette University* ; David Lovatt, *University of East Anglia* ; Debbie Luccas, *Northwestern University* ; Brian Lucey, *Trinity College, Dublin* ; George McCabe, *University of Nebraska* ; Joe Messina, *San Francisco State University* ; Dag Michalson, *Bl Olso* ; Peter Moles, *University of Edinburgh* ; Claus Parum, *Copenhagen Business School* ; Dilip Patro, *Rutgers University* ; John Percival, *University of Pennsylvania* ; Latha Ramchand, *University of Houston* ; Narendar V. Rao, *North eastern University* ; Raghavendra Rau, *Purdue University* ; Tom Rietz, *University of Iowa* ; Robert Ritchey, *Texas Tech University* ; Mo Rodriguez, *Texas Christian University* ; John Rozycki, *Drake University* ; Brad Scott, *Webster University* ; Richard Simonds, *Michigan State University* ; Bernell Stone, *Brigham Young University* ; Shrivanasan Sundaram, *Ball State University* ; Avanidhar Subrahmanyam, *UCLA* ; Stephen Todd, *Loyola University – Chicago* ; Ilias Tsiakas, *University of Warwick* ; David Vang, *St. Thomas University* ; John Wald, *Rutgers University* ; Kelly Welch, *University of Kansas* ; Jil Wetmore, *Saginaw Valley State University* ; Matt Will, *University of Indianapolis* ; Art Wilson, *George Washington University* ; Pepita H. Wood, *Bubbles University*.

Cette liste est sûrement incomplète. Nous devons beaucoup à nos collègues de la London Business School, de la Sloan School of Management du MIT, et de Wharton (université de Pennsylvanie). Dans bien des cas, les idées qui apparaissent dans cet ouvrage sont autant les leurs que les nôtres. Enfin, nous témoignons notre reconnaissance renouvelée à nos femmes, Dina, Maureen et Sally, qui ne savaient pas en nous épousant qu'elles épousaient aussi les *Principes de gestion financière*.

Richard A. Brealey

Stewart C. Myers

Franklin Allen

À propos de la traduction-adaptation

L'ouvrage de R. Brealey et S. Myers n'est plus à présenter : il constitue désormais une référence internationale. L'histoire des traductions francophones de cet ouvrage mérite quelques précisions. La deuxième édition du *Brealey-Myers* fut traduite sous l'égide d'un professeur québécois, Pierre Laroche, et parut en 1992 au Canada. La cinquième édition fut traduite en France par une équipe dirigée par Jean-Marie Hommet, et parut en 1997. Compte tenu des contraintes de temps, cette édition était une traduction « pure », sans adaptation au contexte français, encore moins européen. La septième édition, sous la direction de Paul-Jacques Lehmann et Christophe Thibierge, a été adaptée au contexte européen[2] : les exemples américains ont été souvent remplacés par ceux de sociétés européennes présentant les mêmes caractéristiques, les spécificités de l'environnement français et européen ont été introduites, et les particularités américaines ont été conservées à titre documentaire, mais sous forme plus réduite. Enfin, chaque fois que cela était possible, des statistiques européennes et des calculs financiers sur les valeurs françaises ont remplacé leurs équivalents américains.

La huitième édition (celle que vous tenez entre les mains) a poursuivi ce travail d'adaptation et de mise à jour. Par exemple, les calculs de la partie 2 sont issus du marché boursier français : ils se fondent sur les données historiques des actions Vinci, Bouygues, Danone ou TF1, au lieu d'Exxon Mobil, General Motors, Coca-Cola ou Reebok dans l'ouvrage original.

Nous nous sommes efforcés de traduire le vocabulaire financier anglais. Nous avons cependant laissé leur saveur anglo-saxonne à certains termes, au risque de choquer les puristes. Il s'agit avant tout de parler le langage de la profession financière. Les termes *cash-flow*, ou *junk bond*, font désormais partie du vocabulaire des cadres financiers, et leur traduction ressemble aux efforts d'imposer « mercatique » à la place de *marketing*. En revanche, le terme *financial manager* a été traduit alternativement, suivant le contexte, par gestionnaire financier, décideur, voire dirigeant.

Nous tenons à remercier Pearson Education France pour sa confiance lors de cette difficile épreuve, et plus particulièrement Antoine Chéret, éditeur, qui a été un soutien tout au long de ces derniers mois.

Brealey, Myers et Allen concluent leur ouvrage en citant Mark Twain. Nous citerons l'académicien Edmond Jaloux, en espérant le contredire : « Les traductions sont comme les femmes : quand elles sont belles, elles ne sont pas fidèles ; quand elles sont fidèles, elles ne sont pas belles. »

Les traducteurs-adaptateurs

Compléments à l'édition française

Un site est dédié à l'ouvrage : **www.gestionfinanciere.pearsoned.fr.** Accessible à tous, il contient de nombreuses ressources complémentaires, comme l'intégralité des tableaux de données téléchargeables librement au format tableur. On y trouvera aussi un glossaire, la bibliographie de l'ouvrage, des liens vers des sites de référence. Une partie du site, réservée

2. Elle a été réalisée par : Jean-Marie Hommet (partie 1) ; Christophe Thibierge (parties 2 à 4 avec l'aide de Paul-Jacques Lehmann sur le chapitre 15) ; Pierre Gruson (parties 5 à 7) ; Paul-Jacques Lehmann (parties 8 à 10).

aux enseignants prescripteurs, permet également de télécharger des transparents, l'intégralité des figures et le texte des corrigés des exercices.

Les corrigés des exercices présentés dans l'ouvrage sont également disponibles chez le même éditeur (référence : 2-7440-7067-X). Cet ouvrage, complémentaire du manuel, permettra au lecteur de s'entraîner à la résolution de problèmes financiers.

À propos des auteurs

Richard A. Brealey est professeur émérite de finance à la London Business School. Il a été président de l'Association européenne de finance, et directeur de l'American Finance Association. Il est membre de la British Academy, a été conseiller spécial du gouverneur de la Banque d'Angleterre, et responsable financier de plusieurs institutions financières.

Stewart C. Myers est professeur de finance à la Sloan School of Management du Massachusetts Institute of Technology (MIT). Il est chercheur associé au National Bureau of Economic Research et ancien président et directeur de l'American Finance Association. Ses recherches portent principalement sur l'évaluation des actifs réels et financiers, la politique financière de l'entreprise, et les aspects financiers des politiques économiques. Il est par ailleurs directeur au Brattle Group et consultant en finance.

Franklin Allen est professeur de finance à Wharton (université de Pennsylvanie). Il a été président de l'American Finance Association, de la Western Finance Association et de la Society for Financial Studies. Ses recherches portent sur les innovations en finance, les bulles spéculatives, les systèmes financiers comparés et les crises financières. Il est conseiller scientifique de la Banque centrale de Suède.

À propos des traducteurs-adaptateurs

Christophe Thibierge est professeur de finance à ESCP-EAP. Il est notamment responsable d'un cours d'approfondissement de l'option finance (programme grande école) et du cours de finance en MBA Executive. Ses recherches portent sur les politiques de communication financière des sociétés et sur les performances boursières des actions. Il a dirigé l'adaptation française de cette huitième édition.

Nicolas Couderc est ATER à l'université Paris 1, membre du Centre d'économie de la Sorbonne et CNRS.

Jérôme Héricourt est ATER à l'université Paris 12 (Faculté des sciences économiques et de gestion - FSEG), membre du Centre d'économie de la Sorbonne.

Fabrice Pomiers est responsable financier chez BNP Paribas Assurance et chargé d'enseignement à l'université Paris 1 Sorbonne.

Partie 1

La valeur

Fin octobre 2005, la filiale finlandaise d'Air Liquide a annoncé le projet de construction d'une nouvelle unité de séparation d'air en Finlande. L'investissement de 30 millions d'euros devrait être opérationnel en 2007, et permettre la production de 860 tonnes d'oxygène par jour. Le groupe a par ailleurs des projets d'investissement dans l'Oural en Russie, pour 100 millions d'euros, dans les trois prochaines années, et en Chine, pour 500 millions d'euros sur cinq ans.

Pendant ce temps, Lafarge a participé à une joint-venture qui a investi pour un total de 160 millions de dollars en Chine continentale. À l'issue de l'opération, la capacité de production de la joint-venture sera de 21 millions de tonnes de ciment par an.

Qu'est-ce que ces projets ont de spécial ? Rien ! Ce sont quelques exemples parmi d'autres d'investissements dans de nouveaux produits ou de nouvelles technologies comme il s'en décide tous les jours dans les entreprises européennes.

On peut supposer qu'Air Liquide et Lafarge ont décidé ces investissements parce que leur valeur estimée excédait leur coût, ce qui soulève une question évidente : comment estimer la valeur d'un investissement quand la rentabilisation peut s'étaler sur les dix ou vingt ans à venir, voire davantage ?

Tel est le thème de cette première partie. Le chapitre 1 prépare le terrain. On y parle des différents types d'entreprises et du rôle du responsable financier dans l'évaluation des investissements et la recherche des financements. L'élaboration d'une théorie de la valeur commence au chapitre 2. Parvenu au chapitre 6, vous devriez être en mesure de comprendre les différents aspects d'une décision d'investissement, comme celle à laquelle Air Liquide et Lafarge ont été confrontés.

Chapitre 1

La finance et le rôle du directeur financier

Cet ouvrage traite des décisions financières des entreprises. Les entreprises sont confrontées à deux grands types de décisions financières : quels investissements l'entreprise doit-elle réaliser ? Comment les financer ? La première question implique que l'on dépense de l'argent ; la seconde, qu'on en trouve.

La clé du succès en finance consiste à créer de la valeur. C'est une proposition simple, mais qui ne nous aide pas vraiment. Cela revient à conseiller à quelqu'un qui s'intéresse à la Bourse « d'acheter bas et de vendre haut ». Le problème est de savoir comment. Dans certains domaines, il suffit de lire un livre puis d'appliquer ce qu'on a lu. Mais la finance n'en fait pas partie et c'est ce qui fait son intérêt. Qui souhaiterait travailler dans un domaine qui ne laisse aucune place à l'expérience, à la créativité, au jugement et à un brin de chance ? Cet ouvrage ne peut suppléer à ces qualités, mais il présente les concepts et les connaissances à partir desquels on peut prendre de bonnes décisions.

Nous commençons ce chapitre en expliquant ce qu'est une société de capitaux et en détaillant les responsabilités d'un directeur financier. Nous présentons ensuite quelques distinctions importantes : actifs réels ou financiers ; décisions d'investissement et de financement ; marchés financiers locaux ou internationaux.

La finance est une affaire d'argent et de marchés, mais aussi d'hommes. Le succès d'une entreprise dépend du soin avec lequel chacun travaille à la réalisation d'un objectif commun. Le responsable financier doit savoir apprécier les conflits qu'on rencontre souvent dans la gestion financière d'une entreprise. Résoudre ces conflits est particulièrement difficile quand les personnes impliquées détiennent des informations différentes. C'est un thème important que vous retrouverez tout au long de ce livre.

1 Qu'est-ce qu'une société de capitaux ?

Toutes les entreprises ne sont pas des sociétés de capitaux. Les *entreprises individuelles* sont détenues et dirigées par un seul individu. Les *sociétés de personnes* réunissent des personnes qui s'associent pour constituer le capital et gérer l'entreprise[1]. Ce livre s'intéresse quant à lui à la gestion financière des **sociétés de capitaux**, ou sociétés anonymes (SA). Expliquons cela.

Les moyennes et grandes entreprises sont, pour la plupart, des SA. Par exemple, Danone, Péchiney, Crédit Lyonnais, Peugeot et Alcatel sont des sociétés anonymes. Il en va de même des entreprises étrangères comme IBM, British Petroleum, Unilever, Nestlé, Volkswagen et Sony. Dans chaque cas, l'entreprise est la propriété de ses actionnaires qui détiennent des parts dans l'affaire. Au départ, les actions d'une SA peuvent être détenues par un petit groupe d'investisseurs, éventuellement limité aux dirigeants de l'entreprise. Dans ce cas, les actions ne font pas l'objet d'un échange public. À mesure que l'entreprise se développe, de nouvelles actions sont émises pour augmenter le capital, et ces actions peuvent être introduites en Bourse. On dit alors que l'entreprise fait **appel public à l'épargne**.

La SA est une forme d'organisation susceptible d'attirer des investisseurs très différents. On peut trouver des actionnaires qui ne possèdent qu'une seule action, un seul droit de vote et ne recevront qu'une part infime des bénéfices. Mais on peut aussi trouver des compagnies d'assurances qui détiennent des millions d'actions d'une même société, disposent en conséquence d'un grand nombre de droits de vote et reçoivent une part substantielle des bénéfices.

Les actionnaires sont propriétaires de l'entreprise, mais ils ne la dirigent pas. Ils élisent un **conseil d'administration** qui peut comprendre des membres de la direction mais également des personnes qui ne sont pas employées par elle. Ce conseil est le représentant des actionnaires. Il désigne le président et les directeurs généraux et il est supposé s'assurer que les dirigeants agissent au mieux des intérêts des actionnaires.

Cette **séparation de la gestion et de la propriété** donne à la société de capitaux plus de flexibilité et de continuité. Même si des dirigeants d'une société quittent l'entreprise ou sont licenciés et remplacés par d'autres, la société peut survivre. De même, les actionnaires actuels peuvent vendre leurs actions à de nouveaux investisseurs sans que cela ait d'incidence sur l'entreprise.

À la différence d'une entreprise individuelle ou d'une société de personnes, la société de capitaux est une **société à responsabilité limitée**, ce qui signifie que les actionnaires ne peuvent être tenus personnellement responsables des dettes de l'entreprise. En cas de faillite d'Eurotunnel, on ne pourra demander à ses actionnaires d'éponger ses dettes. Ce que peut perdre un actionnaire se limite au montant de ses actions.

Bien qu'une SA appartienne à ses actionnaires, elle est légalement distincte d'eux. Cette distinction repose sur un contrat (des statuts) qui précise l'objet de l'entreprise, le nombre de titres émis, le nombre des dirigeants, etc. La société anonyme étant distincte de ses actionnaires, elle est indépendante. Elle peut lever des capitaux en émettant de nouvelles actions, elle peut racheter une autre société et procéder à une fusion.

---

1. Les grandes banques d'investissement ont, pour la plupart, commencé comme des sociétés de personnes, mais leur croissance est devenue telle que cette forme juridique ne convenait plus. Goldman Sachs, la dernière banque d'investissement de premier rang à être demeurée une société de personnes, a émis des actions et est devenue une société de capitaux en 1998.

La SA présente aussi quelques inconvénients. Gérer juridiquement une telle société ou assurer la communication avec les actionnaires prend du temps et coûte de l'argent. À cela s'ajoute l'influence de la fiscalité. La SA étant une entité légale distincte de ses actionnaires, elle est imposée séparément. Les entreprises paient ainsi des impôts sur les bénéfices et, généralement, les actionnaires paient des impôts sur les dividendes qu'ils reçoivent.

2 Quel est le rôle du directeur financier ?

Pour mener à bien leur activité, les entreprises ont besoin d'**actifs réels**. Beaucoup de ces actifs sont des actifs corporels (machines, usines, bureaux) ; d'autres sont des actifs incorporels (marques, savoir-faire, brevets). Pour obtenir les fonds nécessaires, l'entreprise vend des morceaux de papier appelés **actifs financiers** (*titres*). Ces morceaux de papier[2] représentent des droits sur les actifs réels de l'entreprise et sur les revenus qu'ils procurent, d'où leur valeur. Par exemple, lorsqu'une entreprise emprunte de l'argent à une banque, la banque détient un actif financier. Cet actif financier donne à la banque un droit à recevoir des intérêts et au remboursement du prêt. Les actifs financiers sont constitués non seulement d'emprunts bancaires mais aussi d'actions, d'obligations, ainsi qu'un nombre étourdissant d'autres titres...[3]

Le gestionnaire financier est à la croisée de l'exploitation de l'entreprise et des **marchés financiers** sur lesquels des investisseurs achètent les actifs financiers[4]. La figure 1.1 illustre le rôle du gestionnaire financier. On y décrit la circulation des fonds entre les investisseurs qui apportent des fonds à l'entreprise et ceux qu'ils reçoivent d'elle en retour. Le processus commence par l'émission de titres destinés à lever des capitaux (flèche 1). Ces fonds sont employés à l'acquisition d'actifs réels nécessaires à l'exploitation de l'entreprise (flèche 2). À terme, si l'exploitation est profitable, les actifs réels génèrent des rentrées d'argent plus importantes que les mises de fonds initiales (flèche 3). Enfin, cet argent est soit réinvesti (flèche 4*a*), soit retourné aux financeurs (flèche 4*b*). Il va de soi que le gestionnaire n'est pas complètement libre de choisir entre 4*a* et 4*b*. Par exemple, si l'entreprise contracte un emprunt bancaire à l'étape 1, elle est dans l'obligation de rembourser le capital et les intérêts à l'étape 4*b*.

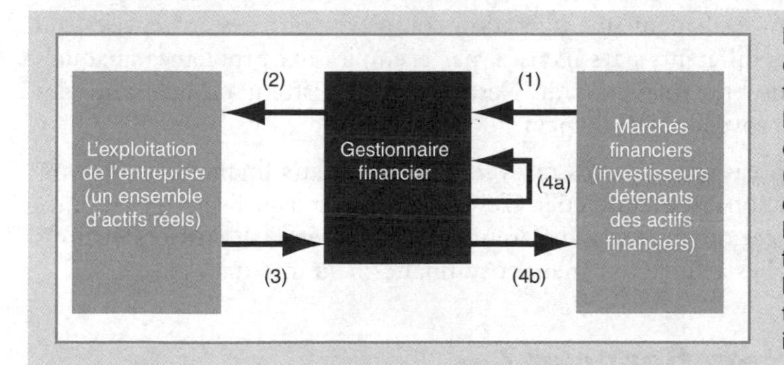

Figure 1.1 - La circulation des fonds entre les marchés financiers et l'exploitation de l'entreprise.
Les étapes sont : (1) les capitaux obtenus par la vente d'actifs financiers ; (2) l'investissement de ces capitaux dans l'exploitation de l'entreprise par l'achat d'actifs réels ; (3) les rentrées de fonds dégagées par l'exploitation de l'entreprise ; (4a) les sommes réinvesties ; (4b) les sommes retournées aux investisseurs.

2. Façon de parler : les titres sont *dématérialisés*, c'est-à-dire qu'ils ne consistent qu'en des écritures électroniques sur des comptes titres.
3. Nous passerons ces titres en revue aux chapitres 14 et 25.
4. On emploie souvent presque indifféremment les termes *marchés financiers* et *marchés de capitaux*. Cependant, les *marchés de capitaux* désignent uniquement les marchés de l'argent à long terme sur lesquels sont émis et s'échangent des titres à long terme. Le financement à court terme s'opère sur le *marché monétaire*. « Court terme » signifie moins d'un an. Nous désignerons par *marchés financiers* l'ensemble des marchés de l'argent à court terme et à long terme.

Cette figure nous renvoie aux deux questions de base qui se posent au gestionnaire financier : quels actifs réels l'entreprise doit-elle choisir ? Comment trouver l'argent pour investir ? Répondre à la première question, c'est procéder à un **choix d'investissement**. Répondre à la seconde, c'est prendre une **décision de financement**.

En règle générale, les décisions d'investissement et de financement sont *séparées*, c'est-à-dire qu'on les analyse indépendamment. Lorsqu'une opportunité d'investissement est identifiée, le directeur financier se demande d'abord si ce projet vaut plus que le capital requis pour l'entreprendre. Si tel est le cas, il se demande ensuite comment le financer.

Toutefois, la séparation des décisions d'investissement et de financement ne signifie pas que le directeur financier peut négliger les investisseurs ou les marchés financiers dans son analyse des projets d'investissement. Nous verrons au prochain chapitre que l'objectif financier fondamental de l'entreprise est la maximisation de la valeur de l'argent investi par les actionnaires dans l'entreprise. Considérez à nouveau la figure 1.1. Les actionnaires ne sont disposés à investir de l'argent (flèche 1) que si les décisions prises (flèche 2) génèrent des revenus au moins suffisants (flèche 3) ; « suffisants » signifie que les revenus générés par l'entreprise sont au moins égaux à ceux que pourraient obtenir les investisseurs s'ils investissaient ailleurs, par exemple sur les marchés financiers. Si les projets de votre entreprise génèrent des revenus insuffisants, vos actionnaires mettront leur argent ailleurs.

Les directeurs financiers des grandes entreprises doivent également adopter un point de vue mondial. Ils doivent non seulement décider dans *quels* actifs investir, mais également *où* investir. Nestlé, par exemple, est une entreprise suisse, mais elle ne réalise qu'une faible part de sa production en Suisse. Ses quelque 520 usines sont localisées dans 82 pays. Les dirigeants de Nestlé doivent donc savoir évaluer des investissements dans des pays avec des monnaies, des taux d'intérêt, des taux d'inflation et des systèmes fiscaux différents.

De même, les marchés financiers sur lesquels l'entreprise peut lever des capitaux sont internationaux. Les actions sont négociées à New York, Londres, Tokyo et ailleurs. Les obligations et les crédits bancaires franchissent aisément les frontières nationales. Une entreprise qui a besoin d'argent n'est pas obligée de l'emprunter à la banque d'à côté. La gestion de la trésorerie au jour le jour devient également une opération complexe pour des entreprises qui produisent et vendent dans différents pays. Pensez, par exemple, aux problèmes auxquels sont confrontés les responsables financiers de Nestlé qui enregistrent chaque jour des dépenses et des recettes en provenance de 82 pays.

Bien entendu, Nestlé est un cas spécial, mais rares sont les directeurs financiers à pouvoir ignorer la dimension internationale de leur métier. C'est la raison pour laquelle nous nous intéresserons tout au long de cet ouvrage aux différences entre systèmes financiers et nous examinerons les problèmes liés à l'investissement et au financement international.

3 Qui est le directeur financier ?

Le terme de *directeur* (ou *gestionnaire*) *financier* employé dans ce livre désignera toute personne ayant la responsabilité d'une décision importante d'investissement ou de financement. À l'exception des plus petites entreprises, la responsabilité de l'ensemble des décisions étudiées dans ce livre ne peut être confiée à une *seule* personne. Les responsabilités sont, dans la plupart des cas, partagées. La direction générale est bien entendu impliquée en permanence dans les décisions financières. Mais l'ingénieur qui met au point une nouvelle technique de production l'est aussi : cette technique détermine la nature des actifs réels que l'entreprise devra acquérir. Le directeur du marketing qui engage une importante campagne publicitaire prend aussi une importante décision d'investissement. Cette campagne constitue un investissement dans un actif incorporel qui engendrera à terme des ventes et des bénéfices supplémentaires.

Il y a toutefois des gestionnaires qui se spécialisent en finance. La figure 1.2 résume leurs rôles. Le **trésorier** est responsable du suivi de l'encaisse de l'entreprise, de la levée de nouveaux capitaux et des relations avec les banques, les actionnaires et les autres investisseurs qui détiennent des titres émis par l'entreprise.

Dans les petites entreprises, le trésorier est souvent le seul gestionnaire financier. Les grandes entreprises emploient généralement un **contrôleur** qui prépare les états financiers, gère la comptabilité interne et les obligations fiscales. Trésorier et contrôleur ont ainsi des fonctions différentes : la principale responsabilité qui incombe au trésorier est d'obtenir et gérer le capital de l'entreprise, celle du contrôleur consiste à s'assurer que les fonds sont utilisés de manière efficiente.

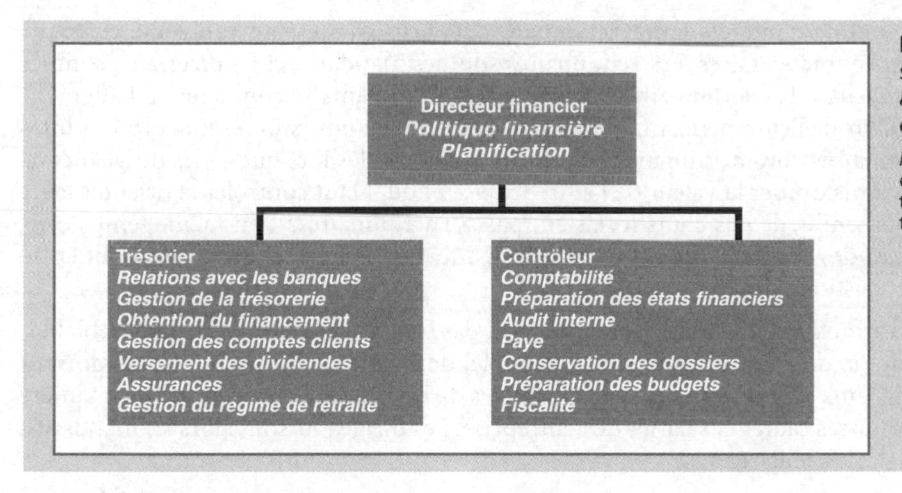

Figure 1.2 - Responsabilités généralement assignées au trésorier et au contrôleur.

Note : il ne s'agit pas ici d'une énumération exhaustive des tâches possibles d'un trésorier ou d'un contrôleur.

Les très grandes entreprises nomment généralement un **directeur financier** qui supervise le travail du trésorier et du contrôleur. Il participe activement à l'élaboration de la politique financière et de la planification de l'activité. Il a souvent des responsabilités qui s'étendent au-delà des questions strictement financières et il peut être membre du conseil d'administration.

Le contrôleur ou le directeur financier est responsable du choix des investissements. Les projets d'investissement d'envergure sont si étroitement liés au développement des produits, à la production et au marketing que les responsables de chacun de ces services sont inévitablement impliqués dans la planification et l'analyse de ces projets. Si l'entreprise dispose d'un personnel spécialisé dans la planification, ce personnel participera naturellement aux décisions d'investissement.

En raison de l'importance de beaucoup de décisions financières, la loi ou les usages exigent souvent que les décisions finales soient prises par le conseil d'administration. Par exemple, seul le conseil a le pouvoir légal de décider du montant du dividende ou d'entériner l'émission publique de titres. En général, il délègue à une personne les décisions d'investissement de petite ou moyenne envergure, mais il se réserve toujours l'approbation des projets importants.

4 La séparation de la propriété et de la gestion

Dans les grandes entreprises, la séparation de la propriété et de la gestion du capital est une nécessité pratique. Les plus grandes sociétés ont des centaines de milliers d'actionnaires. Il est impossible de les faire participer tous à la gestion de l'entreprise. L'autorité doit être déléguée aux dirigeants.

La séparation de la propriété et de la gestion a des avantages. Elle permet un transfert de propriété sans incidence sur l'exploitation de l'entreprise. Elle permet de recruter des dirigeants professionnels. Mais cette séparation pose aussi des problèmes lorsque les objectifs des dirigeants diffèrent de ceux des propriétaires. Le danger est alors que les dirigeants, loin des préoccupations des actionnaires, soient tentés par une vie facile évitant les décisions impopulaires, ou par la folie des grandeurs.

Ce genre de conflits d'intérêts entre actionnaires et dirigeants est un problème classique entre mandants et mandataires. Les actionnaires sont les mandants et les dirigeants sont les mandataires (*agents*). Les actionnaires veulent que les dirigeants se consacrent à l'augmentation de la valeur de l'entreprise, mais les dirigeants peuvent poursuivre leurs propres intérêts. Les actionnaires doivent supporter des **coûts d'agence** dès lors que 1) les dirigeants ne cherchent pas à maximiser la valeur de l'entreprise et 2) qu'il faut contrôler et orienter leurs actions. Bien entendu, de tels coûts n'existent pas si l'actionnaire est en même temps dirigeant. C'est l'un des avantages de l'entreprise individuelle. Il n'y a pas alors de conflit entre propriétaire et gestionnaire.

Les conflits entre actionnaires et dirigeants ne sont pas les seuls auxquels sera vraisemblablement confronté le directeur financier. Par exemple, de même que les actionnaires doivent inciter les dirigeants à travailler dans leur intérêt, les dirigeants doivent réfléchir à la manière de motiver les autres cadres et salariés de l'entreprise. Les dirigeants sont alors les mandants, les cadres et salariés, leurs agents.

Il existe également des coûts d'agence en matière de financement. En temps normal, les banques et les détenteurs d'obligations ont le même intérêt que les actionnaires à ce que l'entreprise prospère, mais en cas de difficultés cette belle unité peut disparaître. Des décisions difficiles peuvent alors s'avérer nécessaires pour sauver l'entreprise, mais devant des changements risqués susceptibles de menacer la sécurité de leurs prêts, les bailleurs de fonds peuvent souhaiter récupérer leur argent. Des conflits peuvent survenir si l'entreprise s'oriente vers une possible faillite. C'est alors le moment de jouer des coudes pour obtenir la meilleure place dans la file d'attente des créditeurs.

Imaginez la valeur totale d'une entreprise comme une sorte de gâteau à partager entre un certain nombre d'ayants droit : les dirigeants, les actionnaires, mais aussi les salariés de l'entreprise, les banquiers et autres investisseurs qui détiennent des créances sur elle. Même l'État, dans la mesure où il prélève l'impôt sur les bénéfices.

Tous ces ayants droit sont liés par un réseau complexe de contrats et d'accords. Par exemple, lorsqu'une banque accorde un prêt à une entreprise, elle impose un contrat formel stipulant le taux d'intérêt et les dates de remboursement, avec éventuellement des conditions restrictives sur le versement des dividendes ou sur des emprunts additionnels. Mais aucun contrat écrit ne peut couvrir toutes les éventualités. Ces contrats écrits sont incomplets et doivent être complétés par des accords et des dispositions qui facilitent le règlement d'éventuels conflits entre les différentes parties.

La résolution des problèmes entre mandants et mandataires serait facilitée si tout le monde avait la même information. C'est rarement le cas en finance. Dirigeants, actionnaires, prêteurs ont tous des informations différentes sur la valeur des actifs réels ou financiers, et il faut beaucoup de temps avant que toute l'information soit révélée. Un directeur financier doit tenir compte de ces asymétries d'information et rassurer les investisseurs qu'ils ne risquent pas de mauvaises surprises.

Voici un exemple. Supposons que vous soyez le directeur financier d'une entreprise nouvellement créée pour développer et vendre un médicament. Au cours d'une réunion avec des investisseurs potentiels, vous présentez les résultats des essais cliniques, faites état du rapport optimiste d'un laboratoire indépendant et des perspectives de profits amplement suffisants pour justifier un investissement. Ces investisseurs potentiels craignent néanmoins que vous en sachiez plus qu'eux. Comment les convaincre que vous leur dites la vérité ? Leur dire « croyez en moi » ne suffira pas ! Vous devrez peut-être donner un *signal* tangible de votre intégrité en mettant votre propre argent dans l'affaire. Les investisseurs auront probablement davantage confiance dans votre projet s'ils savent que vous-même êtes financièrement intéressé au succès de la nouvelle entreprise.

Dans les chapitres suivants, nous verrons plus attentivement comment les entreprises traitent les problèmes créés par des informations et des objectifs différents. La figure 1.3 résume les points principaux et indique les chapitres où ils seront traités.

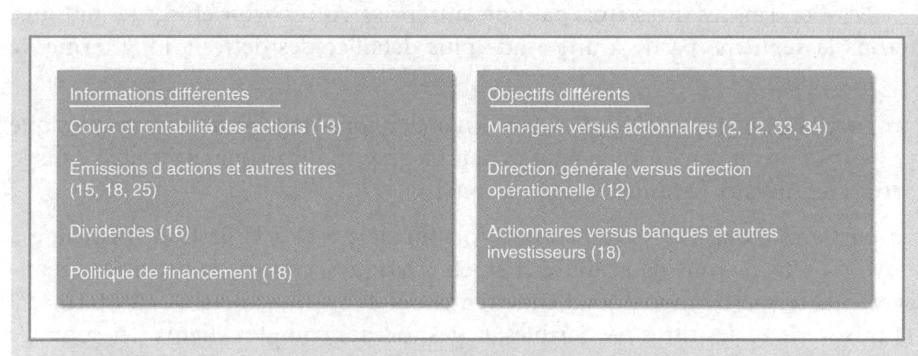

Figure 1.3 - Des informations et des objectifs différents peuvent compliquer les choix financiers. Nous abordons ces problèmes en différents endroits dans ce livre (les chiffres entre parenthèses renvoient aux chapitres correspondants).

5 Les thèmes traités dans ce livre

À propos de la séparation des décisions d'investissement et de financement, nous avons déjà dit que les décisions d'investissement précédaient habituellement les décisions de financement. C'est également dans cet ordre qu'est structuré cet ouvrage. Les trois premières parties sont presque exclusivement consacrées aux différents aspects de la décision d'investissement. La première partie traite de l'évaluation des actifs, la deuxième de la relation entre valeur et risque et la troisième de la gestion des décisions d'investissement. La discussion de ces sujets occupe les chapitres 2 à 12.

À mesure que vous avancerez, vous vous poserez des questions de base sur le financement. Par exemple, que signifie *émettre des actions* pour une entreprise ? Parmi les fonds apportés à l'entreprise et représentés par la flèche 1 dans la figure 1.1, quelle est la part apportée par les actionnaires et celle qui résulte d'emprunts ? Quels types d'emprunts émettent les entreprises ? Qui détient les actions et les créances sur les entreprises : des investisseurs individuels ou des institutions financières ? Quelles sont ces institutions et quel rôle jouent-elles dans le financement des entreprises et dans l'économie en général ? Le chapitre 14 couvre ces questions et d'autres questions similaires. Ce chapitre est autonome. Il peut être lu immédiatement, indépendamment de ceux qui le précèdent.

Ce chapitre est l'un des trois chapitres de la quatrième partie où commence l'analyse des décisions de financement. Le chapitre 13 passe en revue l'hypothèse *d'efficience des marchés financiers*. Selon cette hypothèse, les prix des titres constatés sur les marchés reflètent correctement les valeurs sous-jacentes et les informations dont disposent les investisseurs. Le chapitre 15 décrit comment les entreprises émettent des actions et s'endettent.

L'analyse des décisions de financement se poursuit dans la cinquième partie avec la politique du dividende et la combinaison entre financement par actions et endettement. Nous verrons ce qu'il advient lorsqu'une entreprise se trouve en difficultés financières en raison d'un résultat d'exploitation insuffisant ou d'un endettement excessif. Nous verrons également comment les décisions de financement peuvent influer sur les décisions d'investissement.

La sixième partie est une introduction aux options. C'est un sujet trop pointu pour être abordé au chapitre 1, mais parvenu au chapitre 20, il ne vous posera aucune difficulté. Les investisseurs peuvent échanger des options sur des actions, des obligations, des monnaies et des marchandises. On peut trouver des options cachées dans des actifs réels – c'est-à-dire des *options réelles* – et dans les titres émis par une entreprise. Après avoir étudié les options, nous consacrons la septième partie à une étude plus détaillée des dettes à long terme de l'entreprise.

Une partie importante du travail d'un directeur financier consiste à évaluer les risques que doit prendre l'entreprise et ceux qu'elle peut éviter. La gestion du risque est traitée dans la huitième partie, aux niveaux national et international.

La neuvième partie est consacrée à la planification financière et à la gestion financière à court terme. Nous y étudierons de nombreux sujets pratiques, comme la prévision financière à court et long terme, les modalités d'endettement et d'investissement à court terme, la gestion de la trésorerie et des titres négociables, la gestion des comptes clients (les sommes dues à l'entreprise par ses clients).

La dixième partie s'intéresse aux fusions et acquisitions et au contrôle et au gouvernement d'entreprise. Nous verrons dans différents pays quels sont les mécanismes mis en place pour inciter les dirigeants à se conformer aux intérêts des actionnaires et pour permettre aux investisseurs extérieurs d'exercer un contrôle suffisant.

La onzième partie est aussi notre conclusion. On y discute de certaines questions de finance encore sans réponse. Si vous pouvez être le premier ou la première à résoudre ces énigmes, vous deviendrez, à juste titre, célèbre.

Résumé

Dès le prochain chapitre, nous aborderons les concepts de base de l'évaluation des actifs. Mais avant de continuer, résumons les principaux points de cette introduction.

En général, les grandes entreprises sont des sociétés de capitaux. Les sociétés de capitaux ou sociétés anonymes ont trois caractéristiques importantes. Premièrement, elles sont juridiquement distinctes de leurs propriétaires et elles payent leurs propres impôts. Deuxièmement, la responsabilité des associés est limitée, ce qui signifie que les actionnaires de l'entreprise ne peuvent être tenus pour responsables des dettes de l'entreprise. Troisièmement, les propriétaires de l'entreprise ne sont pas, en général, ceux qui la gèrent.

La gestion financière se subdivise en deux décisions : (1) la décision d'investissement, (2) la décision de financement. En d'autres termes, l'entreprise doit décider (1) de l'importance des investissements et de la nature des actifs à acquérir, (2) des moyens financiers nécessaires.

Il n'y a souvent qu'un seul responsable financier dans les petites entreprises, le trésorier. Les grandes entreprises toutefois comptent en général à la fois un contrôleur et un trésorier. Le trésorier a pour mission d'obtenir et de gérer le financement de l'entreprise. Celle du contrôleur est de s'assurer que les fonds sont correctement employés. Au-dessus, on trouve le directeur financier.

Les actionnaires attendent des dirigeants qu'ils augmentent la valeur de leurs actions, mais les dirigeants peuvent avoir d'autres objectifs. Ce conflit potentiel d'intérêts est un problème d'agence. Le coût d'agence est la destruction de valeur attribuable à de tels conflits. Bien entendu, il peut y avoir d'autres conflits d'intérêts, par exemple entre les actionnaires et les banquiers ou les détenteurs d'obligations. Tous ces problèmes d'agence se compliquent lorsque les dirigeants (les *agents* ou mandataires) disposent de davantage ou de meilleures informations que les actionnaires (les mandants).

L'environnement du directeur financier est international et il doit comprendre comment fonctionnent les marchés financiers internationaux et comment évaluer des investissements à l'étranger. Nous soulignerons cette dimension internationale de la gestion financière de l'entreprise en différents points dans les chapitres qui suivent.

Lectures complémentaires

Les gestionnaires financiers français lisent quotidiennement *Les Echos*, *La Tribune* ou *The Wall Street Journal*.

Il existe aussi des revues spécialisées en finance et en gestion financière. Par exemple, *Euromoney*, *Corporate Finance*, le *Journal of Applied Corporate Finance*, *Risk*, *CFO Magazine* ou, en français, *Option finance*. Par ailleurs, il y a les revues académiques (c'est-à-dire de recherche) comme le *Journal of Finance*, le *Journal of Financial Economics*, *Financial Management*, la *Revue d'Économie Financière*, et les revues *Finance*, *Banque et marchés* ou *Finance, Contrôle et Stratégie*. Vous trouverez dans les chapitres suivants une bibliographie adaptée à chaque thème de recherche.

Activités

Révision des concepts

1. Qu'est-ce que la responsabilité limitée ? Toutes les entreprises sont-elles à responsabilité limitée ? *Quid* des entreprises unipersonnelles ?
2. Les entreprises investissent dans des actifs réels qu'elles financent en vendant des actifs financiers. Donnez des exemples.

Tests de connaissances

1. Remplissez les espaces vides avec les termes figurant à la fin de la série de phrases.

   « Les sociétés achètent généralement des actifs ______. Ceux-ci comprennent des actifs corporels tels que des ______ et des actifs incorporels tels que des ______. Pour acheter ces actifs, elles vendent des actifs ______ tels que des ______. La décision ______ consiste à choisir quels actifs acheter. La décision ______ consiste à trouver les moyens de les acheter. »

   Voici la liste des termes : *de financement, réels, obligations, d'investissement, avions d'affaires, financiers, marques.*
2. Test de vocabulaire. Expliquez les différences entre :
   - **a.** Actifs réels et actifs financiers.
   - **b.** Décisions d'investissement et décisions de financement.
   - **c.** Société fermée et société faisant appel public à l'épargne.
   - **d.** Responsabilité limitée ou illimitée.
   - **e.** Société de capitaux et société de personnes.
3. Les actifs suivants sont-ils réels ou financiers ?
   - **a.** Une action ordinaire.
   - **b.** Un ordinateur.
   - **c.** Une marque.
   - **d.** Un camion.
   - **e.** Un terrain inexploité.
   - **f.** Le solde du compte en banque de l'entreprise.
   - **g.** Une force de vente expérimentée et performante.
4. Quels sont les principaux inconvénients de la société de capitaux ?
5. Parmi les propositions suivantes, laquelle (ou lesquelles) décrit (décrivent) la tâche du trésorier plutôt que celle du contrôleur ?
   - **a.** Il est vraisemblablement le seul gestionnaire financier dans les petites entreprises.
   - **b.** Il examine les dépenses d'investissement pour s'assurer qu'elles ne sont pas inappropriées.

   c. Il est responsable de la gestion de l'encaisse disponible.
   d. Il est responsable de l'émission des actions.
   e. Il est responsable de l'aspect fiscal de l'entreprise.

6. Parmi les caractéristiques suivantes, lesquelles s'appliquent toujours aux sociétés de capitaux ?
   a. Responsabilité limitée.
   b. Durée de vie limitée.
   c. La propriété du capital de l'entreprise peut changer de main sans compromettre son activité.
   d. Les dirigeants peuvent être remplacés sans effet sur la propriété de l'entreprise.
   e. Les actions sont échangées sur un vaste marché.

7. Dans la plupart des grandes entreprises, la propriété et la gestion sont séparées. Quelles sont les principales conséquences de cette séparation ?

Chapitre 2

Valeur actuelle, objectifs de l'entreprise et gouvernance d'entreprise

Les entreprises investissent dans des actifs réels de nature très diverse. On y trouve des actifs corporels comme les bâtiments ou les machines, et des actifs incorporels comme les brevets. *L'objet d'une décision d'investissement est de trouver des actifs réels qui valent plus qu'ils ne coûtent.* Nous verrons dans ce chapitre ce que signifie cet objectif dans une économie où les marchés financiers fonctionnent correctement. En même temps, nous ferons nos premiers pas, mais des pas fondamentaux, dans la compréhension de l'évaluation des actifs : s'il existe un marché organisé pour un actif, la valeur de cet actif sera exactement égale à son prix de marché.

Dans certains cas, l'évaluation d'un actif pose peu de difficultés. En matière d'actif immobilier, par exemple, vous pouvez recourir aux services d'un expert. Supposons que vous soyez propriétaire d'un appartement. Il y a de fortes chances pour que l'estimation de cet expert coïncide avec le prix que vous pourriez effectivement en obtenir[1].

Le problème de l'évaluation d'un bien immobilier est ainsi simplifié par l'existence d'un marché dynamique sur lequel toutes sortes de propriétés sont vendues et achetées. Dans de nombreux cas, aucune théorie de la valeur n'est nécessaire : l'évaluation par le marché suffit.

Mais nous devons aller plus loin. En premier lieu, il est important de savoir comment un marché évalue un actif. Même si vous avez confiance dans l'estimation d'un expert, il est important de savoir *pourquoi* votre appartement vaut 250 000 €, par exemple, et non pas plus ou moins. En second lieu, le marché des actifs d'un grand nombre de sociétés est assez limité. Ce n'est pas tous les jours, par exemple, que l'on voit un haut-fourneau à vendre dans le journal.

1. Il va sans dire qu'il existe certaines formes de richesses que même des experts ne sauraient évaluer. Par exemple, personne ne sait ce que vaudraient le Taj Mahal, le Parthénon ou le château de Versailles.

Les entreprises recherchent en permanence des actifs qui ont plus de valeur pour elles qu'ils n'en ont pour d'autres. Tel appartement a plus de valeur pour vous si vous pouvez en tirer un meilleur parti que les autres. Dans ce cas, le prix des appartements semblables au vôtre ne vous renseigne pas sur sa valeur, par exemple parce que vous l'avez entretenu ou décoré différemment. C'est pourquoi il vous faut savoir comment sont déterminés les prix des actifs. En d'autres termes, il vous faut une **théorie de la valeur**.

Ce chapitre est une première étape dans l'élaboration de cette théorie. Nous partirons d'un exemple numérique simple : faut-il investir dans la construction de nouveaux bureaux dans l'espoir de les vendre avec profit l'année prochaine ? La théorie financière recommande d'investir si la **valeur actuelle nette (VAN)** d'un investissement est positive, en d'autres termes si la valeur des nouveaux bureaux *aujourd'hui* excède le montant requis de l'investissement. Dans notre exemple, la valeur actuelle nette de l'investissement sera positive parce que le taux de rentabilité de l'investissement sera supérieur au coût d'opportunité du capital.

Ce chapitre a donc pour premier objectif de définir et expliquer la valeur actuelle nette, le taux de rentabilité et le coût d'opportunité du capital. Le second objectif est d'expliquer les raisons pour lesquelles les directeurs financiers sont à la recherche d'investissements à valeur actuelle nette positive. L'accroissement de la valeur *aujourd'hui* est-il le seul objectif financier possible ? Que signifie « valeur » pour une entreprise ?

Nous en viendrons alors à l'objectif fondamental de la finance d'entreprise : la maximisation de la valeur de marché des actions de l'entreprise. Nous expliquerons pourquoi cet objectif devrait être celui de *tous* les actionnaires et pourquoi cet objectif l'emporte sur tous les autres objectifs possibles, par exemple la maximisation du profit.

Nous aborderons enfin les objectifs des dirigeants et discuterons des mécanismes destinés à rendre compatibles leurs intérêts et ceux des actionnaires. Nous nous demanderons si augmenter la valeur des actions est un objectif contraire aux intérêts des salariés, des clients et de la communauté en général.

Nous nous limiterons aux problèmes et aux exemples les plus simples de façon à rendre clairs les concepts fondamentaux. Le lecteur qui aime les complications sera comblé dans les prochains chapitres.

1 Introduction au concept de la valeur actuelle

Si l'on vous propose un investissement, comment savoir s'il est rentable ? Supposons que vous tombiez sur un terrain vacant. Votre conseiller immobilier pense qu'une pénurie d'espaces de bureaux est probable d'ici à un an et que la construction de bureaux sur ce terrain pourrait vous rapporter 420 000 €. Pour simplifier, admettons qu'il n'existe aucune incertitude sur ce chiffre. Le coût total de l'achat du terrain et de la construction des bureaux s'élève à 370 000 €. Ainsi, en investissant aujourd'hui 370 000 €, vous avez l'espoir d'obtenir 420 000 € dans un an. Vous devriez mettre ce projet à exécution si la valeur actuelle (VA) des 420 000 € anticipés est supérieure à l'investissement de 370 000 €. Il faut donc que vous vous demandiez : « Quelle est la valeur aujourd'hui des 420 000 € à recevoir dans un an, et cette valeur actuelle est-elle supérieure à l'investissement de 370 000 € ? »

1.1 Le calcul de la valeur actuelle et de la valeur future

Le premier principe fondamental de la finance est qu'*un euro aujourd'hui vaut plus qu'un euro demain*, parce qu'on peut investir l'euro d'aujourd'hui et commencer immédiatement à recevoir un intérêt. Les directeurs financiers appellent cela la **valeur temps de l'argent**. Si vous investissez 400 000 € dans des bons du Trésor qui rapportent 5 % d'intérêt par an, vous toucherez dans un an 400 000 € × 1,05 = 420 000 €. La valeur future des 400 000 € d'aujourd'hui est donc 1,05 × 400 000 € = 420 000 € dans un an.

Dans notre exemple, nous connaissons la valeur future (c'est-à-dire les 420 000 € que rapportera la construction de bureaux) et nous avons besoin de connaître la valeur actuelle de notre investissement. Il faut pour cela garder à l'esprit la notion de valeur temps de l'argent. Puisque 1 € vaut aujourd'hui plus que 1 € dans un an, 1 € l'année prochaine doit valoir moins que 1 € aujourd'hui. Ainsi, 420 000 € l'année prochaine doivent valoir moins que 420 000 € aujourd'hui – mais combien ? La réponse est 400 000 € puisque les investisseurs peuvent investir 400 000 € aujourd'hui et toucher, avec un taux d'intérêt à 5 %, 420 000 € dans un an.

Le calcul de la valeur actuelle (VA) est simple. Il suffit de faire le calcul de la valeur future à l'envers. Si le taux d'intérêt est de 5 %, alors la valeur actuelle de 420 000 € se calcule de la façon suivante : 420 000 € / 1,05 = 400 000 €. Pour trouver la valeur actuelle, on divise le flux de revenu (cash-flow, CF) futur par 1,05 ou on le multiplie par 1/1,05. Ce multiplicateur (1 / 1,05 dans notre exemple) s'appelle le *facteur d'actualisation*. Ainsi, si CF_1 représente la somme à recevoir dans une période (un an, par exemple), alors :

$$\text{VA} = \text{facteur d'actualisation} \times CF_1$$

Ce facteur d'actualisation est la valeur aujourd'hui d'un euro à recevoir dans le futur. On l'exprime généralement par l'inverse de 1 plus un **taux de rentabilité** :

$$\text{Facteur d'actualisation} = \frac{1}{1 + r}$$

Le taux de rentabilité r récompense le fait d'attendre cette somme pendant une période.

Pour calculer la valeur actuelle, on *actualise* les revenus futurs anticipés à un taux égal à la rentabilité offerte par des actifs comparables. On appelle souvent ce taux de rentabilité le **taux d'actualisation**, l'**exigence de rentabilité** ou le **coût d'opportunité du capital** (car on renonce à la rentabilité offerte par des titres lorsqu'on décide d'investir dans un projet). Dans notre exemple, le coût d'opportunité est de 5 % (on renonce à une opportunité de 5 %). On obtient la valeur actuelle en divisant 420 000 € par 1,05 :

$$\text{VA} = \text{facteur d'actualisation} \times CF_1 = \frac{420\,000}{1{,}05} = 400\,000\ €$$

Supposons à présent que vous décidiez de vendre votre projet de construction de bureaux dès le début des travaux. Quel prix pourriez-vous en obtenir ? Voilà encore une question facile. Puisqu'il rapportera 420 000 € dans un an, les acheteurs seront disposés à payer 400 000 € aujourd'hui. C'est la somme qu'ils investiraient en bons du Trésor pour recevoir 420 000 € dans un an. Vous pourriez bien entendu vendre votre projet pour une somme moindre, mais pourquoi le vendre à un prix inférieur à celui du marché ? La valeur actuelle de 400 000 € est le seul prix qui satisfasse à la fois l'acheteur et le vendeur : la valeur actuelle d'un actif correspond à son prix de marché.

1.2 La valeur actuelle nette

L'immeuble de bureaux vaut 400 000 €, mais cela ne veut pas dire que vous soyez plus riche de 400 000 €. Vous avez investi 370 000 €, de sorte que la **valeur actuelle nette (VAN)** de votre investissement est de 30 000 €. On trouve la VAN par soustraction, en retranchant l'investissement initial :

$$\text{VAN} = \text{VA} - \text{investissement} = 400\,000\,€ - 370\,000\,€ = 30\,000\,€$$

En d'autres termes, votre projet de bureaux vaut plus qu'il ne coûte : il apporte une contribution *nette* à votre richesse. La formule de la VAN peut s'écrire ici :

$$\text{VAN} = \text{CF}_0 + \frac{\text{CF}_1}{1 + r}$$

où CF_0 représente le cash-flow initial[2] (à la période 0). En général, CF_0 est un nombre négatif puisqu'il correspond à un investissement, c'est-à-dire à une *sortie de fonds*. Dans notre exemple, $\text{CF}_0 = -370\,000$ €.

1.3 Risque et valeur actuelle

Dans notre discussion du projet immobilier, nous avons retenu une hypothèse irréaliste : votre conseiller ne peut être *certain* de la valeur future des bureaux. La somme de 420 000 € correspond à la meilleure *prévision* possible, mais ce n'est pas une certitude.

Si la valeur future des bureaux est incertaine, notre calcul de la VAN est erroné. Dans la mesure où l'on peut obtenir 420 000 € avec certitude en achetant 400 000 € de bons du Trésor, personne n'achètera vos bureaux à ce prix. Vous devrez baisser votre prix pour attirer les investisseurs.

Le moment est venu d'évoquer un deuxième principe fondamental de la finance : *un euro certain vaut plus qu'un euro risqué*. La plupart des investisseurs évitent de prendre des risques si cela est possible sans sacrifier la rentabilité. Toutefois, les concepts de valeur actuelle et de coût d'opportunité du capital restent pertinents dans le cas d'investissements risqués. Il faut encore actualiser les revenus futurs par le taux de rentabilité que présentent des investissements comparables. Mais il faut alors raisonner en termes d'*espérance* de revenus et de taux de rentabilité *attendu*[3].

Les investissements ne présentent pas tous le même niveau de risque. Votre projet immobilier est plus risqué que des bons du Trésor, mais il l'est probablement moins qu'un programme de prospection minière. Supposons que votre projet immobilier soit aussi risqué qu'un investissement en Bourse dont la rentabilité est de 12 %. Ces 12 % deviennent alors le

2. Le lecteur puriste remarquera que nous parlons de cash-flow. Ce n'est hélas pas la dernière fois. La plupart des décideurs financiers, même s'ils sont nés à Sainte-Geneviève-des-Bois, parlent de cash-flow (les termes *flux monétaire* ou *flux de trésorerie* sont aussi utilisés). Est un cash-flow toute somme d'argent à recevoir ou à dépenser, de l'argent réel avec lequel on peut acheter de la bière, par exemple.

3. Nous définirons plus précisément au chapitre 9 ce qu'il faut entendre par espérance de revenu ou revenu attendu. Pour le moment, considérez que cela signifie une prévision réaliste, qui n'est ni optimiste ni pessimiste, c'est-à-dire une prévision de revenu correcte en moyenne.

véritable coût d'opportunité du capital puisque c'est la rentabilité à laquelle vous renoncez en n'investissant pas en Bourse. Le calcul de la VAN devient alors le suivant :

$$\text{VA} = \frac{420\,000}{1{,}12} = 375\,000 \text{ €}$$
$$\text{VAN} = \text{VA} - 370\,000 = 5\,000 \text{ €}$$

Si les autres investisseurs partagent vos prévisions quant à la valeur future des bureaux (420 000 €) et votre appréciation du risque, votre projet immobilier vaudra 375 000 €. Vous ne trouveriez aucun acheteur si vous tentiez de le vendre plus cher, le taux de rentabilité attendu de ces bureaux étant alors inférieur aux 12 % offerts par la Bourse. La contribution nette du projet immobilier à votre richesse sera encore positive, mais d'un montant plus modeste.

La valeur des bureaux dépend de l'échéancier des revenus et de leur incertitude. Si le projet pouvait rapporter 420 000 € instantanément, il vaudrait 420 000 €. S'il était sans risque, au même titre que des bons du Trésor, le délai d'une année réduirait sa valeur à 400 000 €. S'il est aussi risqué qu'un investissement en Bourse, l'incertitude ampute encore sa valeur de 25 000 € pour l'amener à 375 000 €.

Malheureusement, la prise en compte du temps et de l'incertitude dans l'évaluation des actifs est souvent plus compliquée que dans notre exemple. Nous traiterons donc ces deux effets séparément. Pour l'essentiel, nous laisserons volontairement de côté le problème du risque dans les chapitres 2 à 6 et nous raisonnerons comme si les revenus futurs étaient connus avec certitude. Nous reviendrons sur ce problème au chapitre 7.

1.4 Valeurs actuelles et taux de rentabilité

Le critère de la VAN peut être exprimé d'une autre façon. On peut dire que le projet « immeuble de bureaux » est intéressant dans la mesure où sa rentabilité est supérieure au coût du capital. La rentabilité de notre investissement est simplement égale au profit rapporté à l'investissement initial :

$$\text{Rentabilité} = \frac{\text{profit}}{\text{investissement}} = \frac{420\,000 - 370\,000}{370\,000}, \text{ soit } 13{,}5\ \%$$

Le coût du capital investi est une fois encore la rentabilité à laquelle on renonce en n'investissant pas en Bourse. Dans notre exemple, en supposant que le projet soit aussi risqué qu'un investissement financier, on renonce à une rentabilité de 12 %. La rentabilité de notre opération immobilière (13,5 %) étant supérieure au coût du capital (12 %), les travaux de construction peuvent commencer. Nous avons donc deux critères de décision équivalents[4] :

1. *Le critère de la VAN* : il faut entreprendre les projets dont la VAN est positive.
2. *Le critère du taux de rentabilité* : il faut entreprendre les projets dont la rentabilité est supérieure au coût d'opportunité du capital[5].

---

4. Vous pouvez vérifier par vous-même l'équivalence de ces deux règles. Si le rendement 50 000/370 000 est supérieur à r, alors la VAN, soit $-370\,000 + [420\,000 / (1 + r)]$, est *nécessairement* positive.

5. Ces deux règles de décision peuvent entrer en conflit lorsque le projet génère des cash-flows sur plus de deux périodes. Ce problème est étudié au chapitre 5.

1.5 Coût d'opportunité du capital

Le coût d'opportunité du capital est un concept tellement important qu'il mérite d'être à nouveau illustré. Supposons que vous ayez la possibilité d'investir aujourd'hui 100 000 € dans un projet, et de recevoir à la fin de l'année les sommes suivantes en fonction de la situation économique :

Récession	État normal	Expansion
80 000	110 000	140 000

Les trois scénarii ont chacun une probabilité de 1/3 de se réaliser, le revenu attendu est donc de :

$$C_1 = \left(\frac{1}{3}\right)(80\,000 + 110\,000 + 140\,000) = 110\,000\ €$$

Cela vous donne une rentabilité attendue de 10 % pour un investissement de 100 000 €. Mais à quel taux faut-il actualiser ?

Vous cherchez une action ayant le même risque que votre investissement. Supposons que l'action X-men satisfasse parfaitement à ce critère. Selon les prévisions, l'année prochaine devrait être une année normale et l'action X-men devrait valoir 110 €. Le cours de l'action vaudra 140 € en cas d'expansion et 80 € en cas de récession. Vous en concluez que les risques de l'action X-men et de votre investissement sont identiques. Le prix actuel de l'action X-men est de 95,65 €. Sa rentabilité attendue est donc de 15 % :

$$\text{Rentabilité attendue} = \frac{\text{profit attendu}}{\text{investissement}} = \frac{110 - 95{,}65}{95{,}65} = 0{,}15 \text{ soit } 15\ \%$$

Telle est la rentabilité attendue à laquelle vous renoncez en préférant investir dans votre projet plutôt que dans cette action : c'est le coût d'opportunité du capital de votre projet.

La valeur de votre projet est déterminée par l'actualisation des cash-flows anticipés au coût d'opportunité du capital :

$$\text{VA} = \frac{110\,000}{1{,}15} = 95\,650\ €$$

La VAN s'obtient en retranchant l'investissement initial :

$$\text{VAN} = 95\,650 - 100\,000 = -4\,350\ €$$

Ainsi, la valeur de votre projet est inférieure de 4 350 € à son coût et la bonne décision consiste à renoncer à ce projet. Au lieu de créer de la richesse, cela en détruirait.

Vous arrivez à la même conclusion en comparant la rentabilité attendue au coût du capital :

$$\text{Rentabilité attendue} = \frac{\text{profit attendu}}{\text{investissement}} = \frac{110\,000 - 100\,000}{100\,000} = 0{,}10 \text{ soit } 10\ \%$$

La rentabilité attendue du projet est inférieure aux 15 % auxquels peuvent s'attendre les investisseurs en Bourse. Ce projet n'est donc pas intéressant.

Bien entendu, en réalité, on ne peut restreindre toutes les situations économiques à ces trois cas (récession, état normal ou expansion) et nous avons simplifié les choses en supposant une équivalence parfaite entre la rentabilité de l'action X-men et celle du projet en question. Le point essentiel à retenir est le suivant : le coût d'opportunité du capital d'un projet d'investissement est donné par le taux de rentabilité attendu des actions *ayant le même risque* que ce projet. En actualisant les cash-flows anticipés d'un projet au coût d'opportunité du capital qui lui correspond, la valeur actuelle obtenue représente la somme que des investisseurs – y compris les actionnaires de votre entreprise – seraient disposés à investir dans ce projet. Tout projet ayant une VAN positive augmente la richesse des actionnaires de l'entreprise.

1.6 Une source d'erreur

Supposons qu'un banquier vous dise : « Votre entreprise est saine, prospère et peu endettée. Aussi ma banque est disposée à vous prêter, pour votre projet, 100 000 € à 8 %. » Cela veut-il dire que le coût du capital de ce projet est de 8 % ? S'il en était ainsi, le projet serait sauvé, puisqu'au taux de 8 % sa valeur actuelle s'établirait à 110 000 / 1,08 = 101 852 €, avec une VAN de 1 852 €.

Attention, vous faites erreur ! En premier lieu, le taux d'intérêt du crédit n'a rien à voir avec le risque de votre projet : il reflète seulement la bonne santé de votre entreprise actuelle. En second lieu, que vous preniez ou non ce crédit, vous êtes toujours confronté au même choix : investir dans un projet dont la rentabilité attendue est de 10 %, ou dans des actions de même risque qui rapportent 15 %. Un gestionnaire financier qui emprunte à 8 % et investit à 10 % n'est pas génial, mais stupide, si l'entreprise ou ses actionnaires peuvent emprunter à 8 % et investir dans un actif de même risque qui rapporte 15 %. C'est la raison pour laquelle le coût d'opportunité du capital correspondant à votre projet est de 15 %.

2 Les fondements du critère de la valeur actuelle nette

Le critère de la VAN fonctionnerait-il dans n'importe quelle situation ? Votre objectif d'investissement – gagner plus l'année prochaine que cette année – peut ne pas être partagé par d'autres. Cette question sera au cœur de cette section, qui débute par une mise en situation.

Votre premier jour de travail... Vous venez tout juste d'intégrer le département chargé des relations avec les actionnaires d'Oil of Olaf. La réunion annuelle des actionnaires doit se dérouler le jour même de votre embauche et l'on vous prie d'y assister. Au cours de la réunion, vous remarquez avec quel soin le directeur général présente les projets d'Oil of Olaf en matière d'investissement. Ce luxe de détails vous semble tout à fait justifié, dans la mesure où les sommes engagées dépassent les 10 milliards de dollars annuels.

Après la réunion officielle, vous vous glissez parmi les actionnaires qui se sont réunis autour d'un verre. Vous ne pouvez vous empêcher de surprendre une conversation relativement animée entre une femme d'un certain âge, de toute évidence à la retraite, et un homme plus jeune à l'air sévère :

La femme à la retraite. L'entreprise dépense des fortunes à vouloir exploiter de nouvelles réserves pétrolières. Pourquoi ont-ils acheté une participation de 30 % dans le projet d'exploitation des réserves de Sakhaline en Russie ? Cela va coûter plus de 12 milliards de dollars pour le mener à terme et il ne sera pas rentable avant des décennies. Que quelqu'un d'autre s'occupe du pétrole russe ! L'entreprise ferait mieux d'utiliser plus judicieusement l'argent pour nous verser des dividendes plus élevés. Je sais très bien comment j'utiliserais ce surcroît de dividendes : le dollar n'arrête pas de baisser, l'euro augmente, et je dois payer mon voyage annuel en Toscane…

Le jeune homme. Voudriez-vous voir quelques photos de ma fille Helyette ? Ne vous inquiétez pas, je n'en ai qu'une douzaine sur moi. J'ai acheté des actions Oil of Olaf pour elle. Elle a besoin de couches, pas de dividendes. Notre entreprise doit investir sur le long terme. Ce pétrole russe lui paiera ses études.

Vous êtes tenté d'intervenir mais vous hésitez. Que dire ? Ce ne sont que deux actionnaires d'Oil of Olaf parmi des milliers et déjà ils n'arrivent pas à se mettre d'accord. L'exploitation de nouvelles réserves peut-elle être bénéfique pour la petite Helyette et dommageable à la femme retraitée ? Et qu'en est-il des autres actionnaires ? Certains ont sans doute des objectifs de long terme et une aversion élevée au risque. D'autres se réjouissent de voir les actions d'Oil of Olaf grimper et générer rapidement des profits.

En fait, tous les actionnaires tomberont d'accord sur les projets d'investissement de l'entreprise, pourvu que ces investissements aient une VAN positive et que tous les actionnaires aient accès de la même manière aux marchés financiers. Nous allons à présent faire la démonstration de ce théorème.

2.1 Comment les marchés financiers parviennent à concilier les préférences pour une consommation immédiate ou une consommation future

Pensez aux revenus que vous procurera votre travail au cours des prochaines années. Si vous n'aviez aucun moyen d'anticiper sur ces revenus ou de les épargner, vous seriez contraint de les consommer à mesure que vous les recevriez. Si vous deviez percevoir l'essentiel de vos revenus à une date éloignée, vous pourriez mourir de famine avant et d'indigestion après. C'est là qu'interviennent les marchés financiers. Ils vous permettent d'échanger des euros d'aujourd'hui contre des euros futurs. Vous pourrez ainsi modérer votre consommation, en consommant à la fois maintenant et plus tard.

Supposons que vous disposiez d'un capital d'un montant de 370 000 € en liquide. Vous pouvez tout dépenser aujourd'hui. Vous pourriez également le placer, à un taux d'intérêt de 5 %, et consommer 1,05 × 370 000 € = 388 500 € dans un an. Ou alors vous pourriez couper la poire en deux en consommant 185 000 € maintenant et en plaçant les 185 000 € restants à 5 % afin de pouvoir consommer 1,05 × 185 000 € = 194 250 € l'année suivante. Vous pourriez également opter pour diverses autres combinaisons entre consommation actuelle et consommation future. La droite noire sur la figure 2.1 illustre l'éventail de combinaisons possibles. La pente de la droite est déterminée par les 5 % d'intérêt.

À présent, supposons que vous ayez également l'opportunité d'investir votre capital de 370 000 € dans le projet de construction de bureaux évoqué plus haut. Cela vous rapportera 420 000 € garantis l'année prochaine. Mais cela ne signifie pas que vous ne puissiez rien consommer aujourd'hui. Vous pouvez contracter un emprunt sur vos revenus futurs. Avec un taux d'intérêt de 5 %, vous pouvez emprunter et dépenser jusqu'à 420 000 € / 1,05 = 400 000 €. En variant les montants empruntés, vous pouvez aboutir à n'importe quelle combinaison de consommation actuelle et future. Ces combinaisons sont illustrées par la droite bleue sur la figure 2.1. Peu importent vos préférences temporelles, il est plus avantageux pour vous d'investir dans la construction de bureaux. Investir dans les bureaux crée de la valeur et vous enrichit. Cela vous propulse de la droite noire à la droite bleue sur la figure 2.1. C'est pour cela que la règle de la VAN fait sens. Chaque fois que vous acceptez un projet d'investissement dont la VAN est positive, vous obtenez des ressources supplémentaires qui peuvent être dépensées maintenant ou plus tard[6].

Supposons maintenant deux investisseurs aux préférences différentes. F est du genre fourmi, qui souhaite épargner pour plus tard ; C est du genre cigale, qui préfère dépenser tout son argent sans se soucier du lendemain. Supposons également que tous deux aient une même opportunité : investir 185 000 € et devenir acquéreur de la moitié du projet immobilier envisagé plus haut. On peut voir sur la figure 2.2 que l'investissement immobilier est clairement de nature à satisfaire F. S'il investit dans les bureaux, il touchera 0,5 × 420 000 € = 210 000 € à dépenser pour la fin de l'année. S'il investit ses 185 000 € sur les marchés financiers, il touchera seulement 1,05 × 185 000 € = 194 250 €[7].

Mais qu'en est il pour C qui désire de l'argent maintenant, et pas dans un an ? *Il se réjouit également d'investir* parce qu'il peut emprunter en fonction de ses revenus futurs qu'il touchera grâce à son projet d'investissement. Comme on peut le voir sur la figure 2.2, cet investissement lui permet de dépenser 15 000 € de plus aujourd'hui (210 000 / 1,05 = 200 000 €).

Mais il y a une condition nécessaire pour que F et C tombent d'accord pour construire ces nouveaux bureaux : les deux doivent pouvoir accéder à un marché financier bien organisé et concurrentiel, sur lequel ils peuvent emprunter et prêter au même taux. Chaque fois que les entreprises actualisent des cash-flows aux taux du marché, elles supposent implicitement que leurs actionnaires ont tous accès à des marchés financiers concurrentiels.

Il est facile de comprendre pourquoi la règle de la VAN serait inutile s'il n'existait pas de tels marchés financiers. Par exemple, supposons que C ne puisse pas emprunter facilement aujourd'hui en fonction de ses revenus futurs. Dans ce cas, il pourrait préférer dépenser son argent aujourd'hui plutôt que de l'investir dans la construction des bureaux. Si F et C étaient actionnaires de la même entreprise, il n'y aurait aucun moyen de concilier leurs objectifs respectifs.

Personne ne croit que l'hypothèse d'un marché parfaitement concurrentiel soit pleinement satisfaite dans la réalité. Cependant, plus loin dans ce livre, nous ferons état de recherches qui montrent qu'en général les marchés de capitaux fonctionnent plutôt bien. C'est une bonne raison de conserver la VAN comme objectif de l'entreprise. De plus, la VAN relève du bon sens et nous conduit à prendre de moins mauvaises décisions que les autres critères de choix des investissements. Mais pour le moment, comportons-nous comme le ferait un

---

6. La répartition exacte de la consommation actuelle et de la consommation future dépend des préférences des agents. Les lecteurs qui connaissent la théorie économique savent qu'on pourrait représenter ces préférences par l'ajout de courbes d'indifférence pour chaque individu à la figure 2.1. La combinaison optimale de consommation actuelle et de consommation future est le point de tangence entre la droite de taux d'intérêt et la courbe d'indifférence de l'individu. En d'autres termes, chaque individu emprunte ou prête de telle sorte que son taux marginal de préférence temporelle (c'est-à-dire la pente de la courbe d'indifférence) soit égal à 1 plus le taux d'intérêt.

7. Si F n'a pas 185 000 € à investir, c'est rentable pour elle d'emprunter. À la fin de l'année, elle pourra rembourser grâce au produit de la vente de ses actions dans la construction de bureaux. Cela lui laissera 210 000 – 194 250 = 15 750 € à dépenser. De la même manière, il est rentable pour C d'emprunter à 5 % pour investir dans un projet de construction qui lui rapportera 13,5 %.

économiste dans un bateau qui coule : *supposons* l'existence de gilets de sauvetage et nageons vers la terre ferme !

Figure 2.1 - Conséquences d'un investissement de 370 000 € dans la construction de bureaux. Les opportunités de consommation sont plus nombreuses grâce à la VAN positive de 30 000 € du projet. Ici, vous pouvez sélectionner un plan de consommation le long de la droite bleue qui commence à la valeur actuelle du projet, soit 400 000 €. Quelles que soient vos préférences, ce projet vous enrichit.

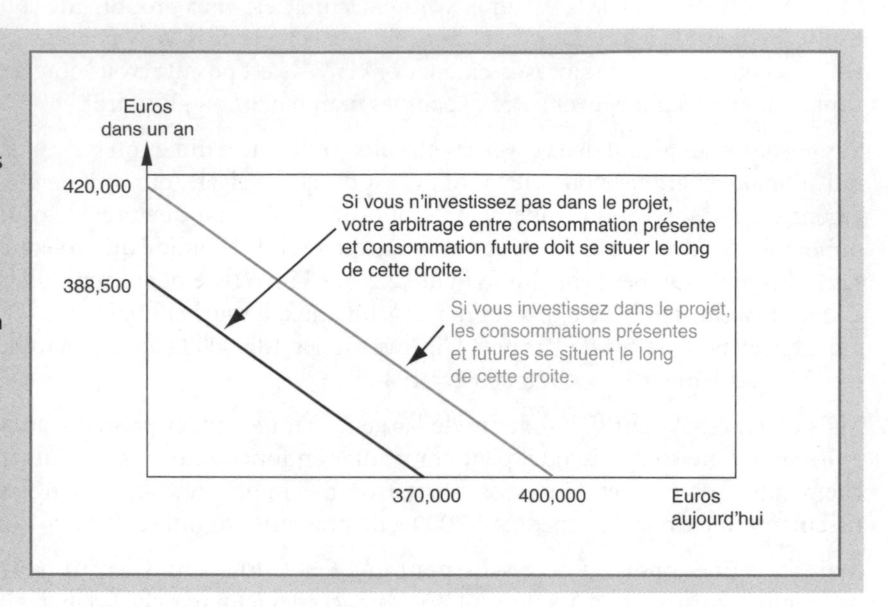

Figure 2.2 - La fourmi et la cigale détiennent toutes les deux la moitié du projet de construction. Toutes deux sont plus riches de 15 000 € grâce à cet investissement. La cigale choisit de dépenser cet argent maintenant alors que la fourmi préfère ne rien dépenser avant un an.

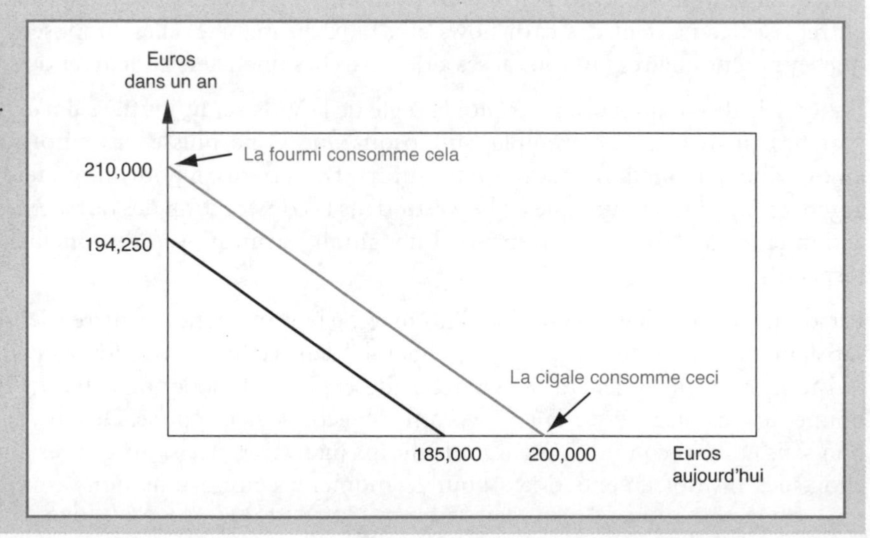

2.2 Le critère de maximisation de la valeur

Notre analyse du principe de la VAN s'est limitée jusqu'alors à la prise en compte de deux périodes et de cash-flows certains. Mais on peut étendre ce principe à des cash-flows s'étendant au-delà de la prochaine période. L'argumentation est la suivante :

1. Un gestionnaire financier doit agir dans l'intérêt des actionnaires de l'entreprise. Un actionnaire désire trois choses :

- **a.** Être le plus riche possible, c'est-à-dire maximiser sa richesse actuelle.
- **b.** Transformer cette richesse en consommation suivant un échéancier conforme à ses désirs.
- **c.** Choisir le niveau de risque de son plan de consommation.

2. Les actionnaires n'ont toutefois pas besoin de l'aide du gestionnaire financier pour déterminer le plan de consommation qui leur convient le mieux. Ils peuvent le faire eux-mêmes dès lors qu'ils ont librement accès à des marchés de capitaux concurrentiels. Ils peuvent aussi décider seuls du niveau de risque en investissant dans des titres plus ou moins risqués.
3. En conséquence, comment le gestionnaire financier peut-il aider les actionnaires de l'entreprise ? En augmentant la valeur de marché de la participation de chaque actionnaire. La manière d'y parvenir consiste à saisir toutes les opportunités d'investissement qui dégagent une VAN positive.

Des milliers de personnes se partagent la propriété des grandes entreprises. Elles sont contraintes d'en déléguer le contrôle à des dirigeants. Cela ne pose pas de problème. Les actionnaires n'ont pas à interférer dans la prise de décisions quotidiennes. En revanche, ils doivent s'assurer que l'entreprise embauche des dirigeants compétents qui reçoivent des incitations correctes pour sélectionner des projets dont la VAN est positive. Ces dirigeants n'ont pas besoin de connaître les préférences de chacun des actionnaires. Ils ont juste besoin de suivre une instruction simple : maximiser la VAN.

Dans certains pays, les marchés financiers ne fonctionnent pas si bien et des actionnaires ayant une aversion pour le risque ou des préférences temporelles différentes peuvent ne pas être d'accord sur la façon dont l'entreprise investit. Cela risque de réduire la demande d'actions d'entreprises dont la propriété se partage entre de multiples actionnaires. On retrouve en général dans ces pays plus d'entreprises familiales ou étatiques qu'ailleurs, ainsi qu'une plus grande concentration du contrôle et des richesses. Par exemple, en Indonésie, aux Philippines ou en Thaïlande, les dix plus grandes familles contrôlent la moitié des entreprises[8].

2.3 Les autres objectifs des entreprises

À entendre parfois des dirigeants, leur entreprise aurait d'autres objectifs que la maximisation de la VAN, par exemple la maximisation du profit. Cela paraît plausible. Cependant, la maximisation du profit n'est pas un objectif sensé pour une entreprise, et ce pour trois raisons :

1. La maximisation du profit laisse ouverte la question : « Le profit de quelle année ? » Les actionnaires peuvent ne pas approuver un gestionnaire qui augmenterait le profit de l'année prochaine aux dépens des profits des années suivantes.

8. Pour une étude sur ce point, voir A. Schleifer et L. H. Summers, « Breach of Trust in Corporate Takeovers », in A. J. Auerbach (ed.), *Corporate Takeovers: Causes and Consequences*, University of Chicago Press, 1988. Voir S. Claessens, S. Djankov et L. H .P. Lang, «The Separation of Ownership and Control in East Asian Corporations », *Journal of Financial Economics*, 58 (2000), pp. 81-112, et R. La Porta, F. Lopez-de-Silanes et A. Schleifer, « Corporate Ownership Around the World », *Journal of Finance*, 59 (avril 1999), pp. 30-45. Pour une analyse théorique de la propriété familiale, voir M. Burkart, F. Panunzi et A. Schleifer, « Family Firms », *Journal of Finance*, 58 (octobre 2003), pp. 2167-2201.

2. Une entreprise peut augmenter les profits à venir en *diminuant* les dividendes et en investissant la somme obtenue. Mais un faible taux de rentabilité n'est pas conforme à l'intérêt des actionnaires.

3. Il existe différentes façons comptables de calculer le profit. C'est ainsi qu'une décision d'investissement peut augmenter le profit de l'entreprise selon une méthode comptable, et le réduire selon une autre.

Contrairement à la maximisation des profits, la VAN prend en compte la valeur temps de l'argent et les différences entre le taux de rentabilité d'un projet et le coût d'opportunité du capital. Elle prend en compte les cash-flows, ce qui évite les désagréments liés à l'aspect comptable des profits.

3 Objectifs des dirigeants et gouvernance d'entreprise

Il existe un problème d'agence, soulevé dans le chapitre précédent : comment s'assurer que les dirigeants (les agents) agissent dans l'intérêt des actionnaires et non dans leur propre intérêt ? Heureusement, des dispositions institutionnelles existent qui rapprochent le porte-monnaie des actionnaires du cœur des gestionnaires.

Les actionnaires élisent le conseil d'administration de l'entreprise qui est censé les représenter. Le conseil d'administration est parfois dépeint comme étant aux bottes de la direction en place. Mais lorsque les performances de l'entreprise commencent à donner des signes de faiblesse et que les dirigeants ne proposent pas de plan de redressement crédible, le conseil se met réellement à fonctionner. Au cours des dernières années, les dirigeants de nombreuses entreprises (comme Vivendi Universal, France Télécom) ont été contraints au départ lorsque la profitabilité de ces entreprises s'est détériorée et que le besoin d'une nouvelle stratégie est devenu évident.

Si les actionnaires estiment insuffisantes à la fois les performances de l'entreprise et la pression exercée par le conseil d'administration sur les dirigeants de l'entreprise, ils peuvent essayer de changer le conseil à la prochaine élection. En cas de succès, le nouveau conseil nommera une nouvelle direction.

Dans l'hypothèse où les dirigeants ne maximisent pas la valeur des actions, il existe toujours la menace d'une OPA (offre publique d'achat) hostile. Plus le cours d'une action chute en raison d'une gestion laxiste ou d'une mauvaise stratégie, plus il est facile pour une autre entreprise ou un groupe d'investisseurs de s'emparer de la majorité de ses actions. L'ancienne équipe de dirigeants risque alors de se retrouver à la rue, remplacée par une nouvelle équipe disposée à entreprendre les changements nécessaires.

Ces dispositions font qu'on trouve peu de gestionnaires indolents ou inattentifs aux intérêts des actionnaires à la tête des grandes sociétés. Ils sont, au contraire, soumis à une intense pression pour améliorer les performances de l'entreprise[9].

9. Certains critiques estiment que les incitations créées par l'existence de stock-options sont excessivement fortes parce qu'elles poussent les dirigeants à tenter de gonfler le prix des actions afin que les options puissent être vendues rapidement, ce qui leur permet de réaliser des profits de court terme. Il existe certainement des exemples de tels comportements. WorldCom par exemple a augmenté ses profits par diverses manipulations afin de soutenir l'augmentation du prix des actions. WorldCom vient de sortir du régime de faillite, avec une direction renouvelée et un nouveau nom, MCI. Les débâcles comme celles de WorldCom semblent cependant être des exceptions.

3.1 Les dirigeants doivent-ils œuvrer dans l'intérêt des actionnaires ?

Nous avons décrit les dirigeants comme les agents des actionnaires, mais ceci soulève la question suivante : est-il *souhaitable* que les dirigeants agissent dans l'intérêt des actionnaires ? Pour satisfaire l'objectif d'enrichissement des actionnaires, les dirigeants doivent-ils se comporter en mercenaires rapaces, sans foi ni loi ?

L'essentiel de ce livre est consacré aux politiques susceptibles d'augmenter la valeur de l'entreprise. Aucune de ces politiques n'exige qu'on exploite les faibles et les pauvres. Dans la plupart des cas, faire bien (maximiser la valeur) ne s'oppose pas à faire du bien. Les entreprises profitables sont celles qui donnent satisfaction à leurs clients et qui fidélisent leurs salariés. Celles qui mécontentent clients et salariés verront probablement leurs profits et le cours de leurs actions décliner.

Bien entendu, des problèmes éthiques se posent dans la vie des affaires comme dans d'autres aspects de la vie. Des lois existent qui sanctionnent les dirigeants malhonnêtes, mais la plupart des dirigeants ne se contentent pas d'observer ces lois à la lettre ou les seuls contrats écrits. Dans la vie des affaires, comme dans la vie de tous les jours, il existe aussi des règles de comportement non écrites ou implicites. Pour travailler ensemble efficacement, il faut avoir confiance les uns en les autres. C'est ainsi que d'énormes contrats se concluent par une poignée de mains, chaque partie sachant que l'autre respectera ses engagements si les choses tournent mal. Si quelque chose entamait cette confiance, tout le monde y perdrait[10].

Dans nombre de transactions financières, une partie est mieux informée que l'autre. Cela rend possibles des tromperies et, comme les agissements des arnaqueurs sont plus spectaculaires que ceux des honnêtes gens, les rayons des librairies sont remplis de récits d'escroqueries. Comment des entreprises honnêtes peuvent-elles réagir ? En établissant des relations à long terme avec leurs clients et en se forgeant une réputation d'intégrité dans les affaires. Les grandes banques et cabinets d'affaires savent que l'actif qui a le plus de valeur est leur réputation ; lorsqu'ils prospectent de nouveaux clients, ils mettent en avant leur ancienneté et leur comportement responsable. Quand quelque chose vient compromettre cette réputation, le coût peut être énorme.

Prenons l'exemple de l'affaire Enron, et l'implication d'Arthur Andersen. Enron était un distributeur de gaz, devenu le plus grand courtier de gaz naturel en Amérique du Nord. Entre octobre 2001 (annonce de pertes importantes et d'une demande d'information de la SEC, la commission de bourse américaine) à décembre (mise en faillite), la société Enron a vu son cours boursier passer de 84 $ à moins de 1 $. En janvier 2002, le cabinet Arthur Andersen, auditeur d'Enron, reconnaît avoir détruit des documents comptables d'Enron. Arthur Andersen est le premier cabinet d'audit à être mis en examen pour crime. Les clients américains quittent ce cabinet, et les membres du réseau international Arthur Andersen Worldwide fusionnent avec des cabinets d'audit concurrents. En juin 2002, la firme américaine est condamnée, et ne peut plus certifier les comptes des sociétés. Dans cette affaire, les amendes et les arrangements (plusieurs centaines de millions de dollars) ne représentent qu'une

10. Dans beaucoup de systèmes de lois, un contrat peut être valide, même s'il n'est pas écrit. Bien évidemment, il est plus prudent de recourir à l'écrit, mais la loi protège les contractants s'il peut être prouvé qu'ils ont conclu un accord clair. Par exemple, en 1984, l'équipe dirigeante de Getty Oil a donné un accord verbal pour fusionner avec Pennzoil. Texaco a ensuite fait une enchère plus intéressante et a remporté la mise. Pennzoil a intenté un procès et a gagné, arguant du fait que Texaco avait rompu un contrat valide.

infime partie des pertes de la société. La fuite de son réseau international et d'au moins un tiers de ses clients américains représentent les coûts de sa perte de réputation.

3.2 Les entreprises devraient-elles agir dans l'intérêt des actionnaires ou de toutes les parties prenantes ?

L'idée que les entreprises devraient être gérées au nom de toutes les parties prenantes, et non dans l'intérêt des seuls actionnaires, a souvent été avancée. Ces parties prenantes incluraient les salariés, les clients, les fournisseurs et les communautés au sein desquelles les usines et les bureaux de l'entreprise sont implantés.

Selon les pays, les objectifs assignés aux entreprises changent. Aux États-Unis, en Grande-Bretagne ou dans d'autres économies de culture « anglo-saxonne », la maximisation de la valeur des actions est largement acceptée comme le principal objectif financier de l'entreprise. Dans d'autres pays, les intérêts des salariés priment. En Allemagne, par exemple, les salariés des grandes entreprises ont le droit d'élire la moitié des directeurs du conseil de surveillance. En conséquence, ils jouent un rôle important dans les mécanismes de gouvernance de l'entreprise, et les actionnaires jouent un rôle plus réduit[11]. Au Japon, les dirigeants considèrent habituellement que les intérêts des salariés et des clients sont au moins aussi importants que ceux des actionnaires. Par exemple, Toyota se donne comme objectif de « réaliser une croissance stable à long terme en travaillant dur pour trouver un juste milieu entre les exigences des gens et de la société, de l'environnement global et de l'économie mondiale… pour assurer une croissance profitant à toutes les parties prenantes, y compris à nos clients, à nos actionnaires, à nos salariés et à nos partenaires commerciaux »[12].

Les figures 2.3 et 2.4 résument les résultats d'interviews réalisées auprès de cadres de grandes entreprises dans cinq pays. Les cadres japonais, allemands et français considèrent que leurs entreprises devraient prendre en compte toutes les parties prenantes, alors que les cadres américains et anglais pensent que les actionnaires sont prioritaires. À la question de la priorité entre la sécurité de l'emploi et les dividendes, presque tous les cadres japonais et la majorité des cadres allemands et français pensent que la sécurité de l'emploi devrait primer. À l'inverse, la plupart des cadres américains et anglais considèrent que les dividendes devraient être plus importants.

À mesure que les marchés financiers se globalisent, une pression de plus en plus forte s'exerce sur les grandes entreprises dans tous les pays pour adopter la création de richesse au bénéfice des actionnaires comme objectif majeur. Un certain nombre d'entreprises allemandes, y compris DaimlerChrysler et la Deutsche Bank, se sont fait coter sur les marchés américains, en annonçant que leur objectif principal était la création de richesse pour les actionnaires. Au Japon, cette tendance n'est pas aussi marquée. Par exemple, le président de Toyota a affirmé qu'il serait irresponsable de ne servir que les intérêts des actionnaires. Toutefois, la valeur de marché des actions de Toyota est significativement plus élevée que les valeurs de

11. Les propos du banquier allemand Carl Fürstenberg (1850-1933) offrent une version extrême de la façon dont les actionnaires ont pu être considérés par certains dirigeants allemands : « Les actionnaires sont stupides et impertinents – stupides parce qu'ils donnent leur argent à quelqu'un d'autre sans disposer d'un contrôle effectif sur ce quelqu'un et impertinents parce qu'ils exigent des dividendes comme récompense de leur stupidité. » Cité par M. Hellwig, « On the Economics and Politics of Corporate Finance and Corporate Control », X. Vives, éd, Corporate Governance, Cambridge, UK : Cambridge University Press, 2000, p. 109.

12. Toyota, *Rapport annuel*, 2003, p.10.

marché de GM ou de Ford, même si GM et Ford produisent plus de voitures que Toyota. Peut-être n'existe-t-il donc pas de contradiction en pratique entre ces deux objectifs.

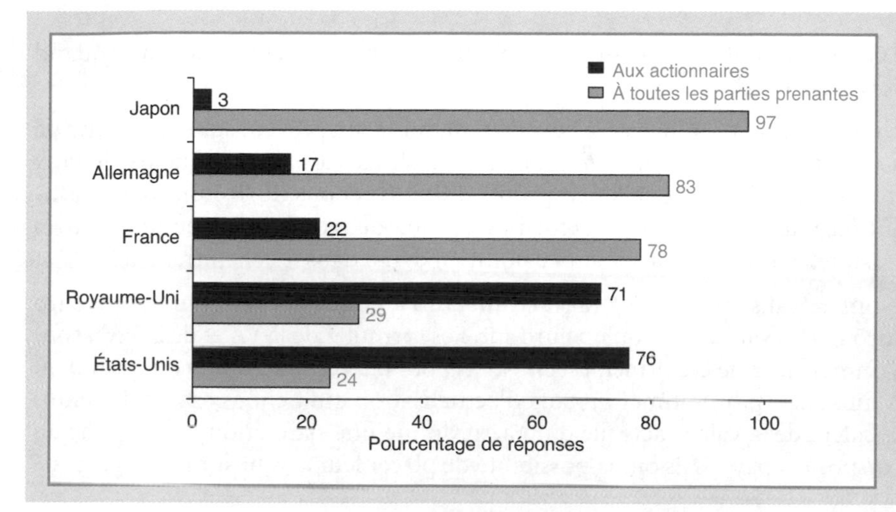

Figure 2.3 - À qui appartient l'entreprise ? Les points de vue de 378 dirigeants de cinq pays différents.

Source : M. Yoshimori, « Whose Company Is It ? The Concept of the Corporation in Japan and the West », *Long Range Planning*, vol. 28 (août 1995), pp. 33-44. Copyright 1995 avec l'autorisation de Elsevier Science.

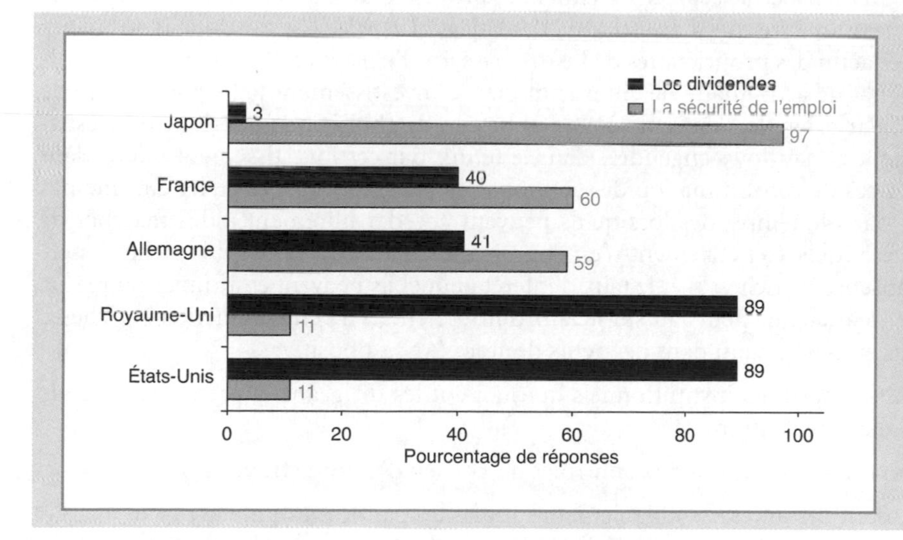

Figure 2.4 - Qu'est-ce qui est le plus important – la sécurité de l'emploi des salariés ou les dividendes des actionnaires ? Les opinions de 399 dirigeants de cinq pays différents.

Source : M. Yoshimori, « Whose Company Is It ? The Concept of the Corporation in Japan and the West », *Long Range Planning*, vol. 28 (août 1995), pp. 33-44. Copyright 1995 avec l'autorisation de Elsevier Science.

Résumé

Nous avons introduit dans ce chapitre le concept de valeur actuelle comme mode d'évaluation des actifs. Le calcul de la valeur actuelle est facile. Il suffit d'actualiser les cash-flows futurs à un taux approprié, que l'on appelle habituellement le *coût d'opportunité du capital* :

$$\text{Valeur actuelle (VA)} = \frac{CF_1}{1 + r}$$

La valeur actuelle nette est égale à la valeur actuelle à laquelle s'ajoute le cash-flow immédiat :

$$VAN = CF_0 + \frac{CF_1}{1 + r}$$

Rappelons que CF_0 est négatif si le cash-flow initial est un investissement, c'est-à-dire quand il s'agit d'une sortie de fonds.

Le taux d'actualisation est déterminé par le taux de rentabilité qui prévaut sur les marchés de capitaux. Si les cash-flows futurs sont *certains*, le taux d'actualisation est donné par le taux d'intérêt des titres sans risque tels que les emprunts d'État (ou bons du Trésor). Si les cash-flows futurs sont *incertains*, ils sont alors actualisés au taux de rentabilité attendu des titres ayant le même risque. Nous reviendrons sur ce point en détail dans les chapitres 7 à 9.

Les cash-flows sont actualisés pour deux raisons : un euro aujourd'hui vaut plus qu'un euro demain et un euro risqué vaut moins qu'un euro sûr. Les formules de la VA et de la VAN sont les expressions numériques de ces principes. On se sert des taux de rentabilité qui prévalent sur les marchés financiers pour estimer un taux d'actualisation qui tienne compte du temps et du risque. Le calcul de la valeur actuelle d'un actif donne une estimation du prix que les individus sont disposés à payer s'ils ont la possibilité de placer leur argent sur les marchés de capitaux.

Le concept de VAN permet de séparer nettement la propriété du capital d'une entreprise de sa gestion. Un gestionnaire qui n'investit que dans des actifs à VAN positive agit au mieux des intérêts de chacun des propriétaires de l'entreprise, car l'existence d'un marché des capitaux permet à chaque actionnaire de choisir un plan d'investissement taillé à la mesure de ses préférences. Par exemple, l'entreprise n'a pas besoin de choisir une politique d'investissement telle que les cash-flows engendrés dans le temps par ces investissements coïncident avec les préférences de consommation des actionnaires. Ceux-ci peuvent étaler eux-mêmes leurs dépenses dans le temps, dès lors qu'ils peuvent accéder librement à des marchés de capitaux concurrentiels. Cet étalement n'est soumis qu'à deux contraintes : la richesse personnelle (ou l'absence de richesse) et le taux d'intérêt auquel ils peuvent emprunter ou prêter. Le gestionnaire financier ne peut agir sur le taux d'intérêt, mais il peut augmenter la richesse des actionnaires en investissant dans des actifs dont la VAN est positive.

Il existe plusieurs dispositifs institutionnels qui incitent les dirigeants à prêter une grande attention à la valeur de l'entreprise :

- Les gestionnaires sont soumis aux contrôles du conseil d'administration.
- Les tire-au-flanc seront vraisemblablement supplantés par des gestionnaires plus énergiques. Cette concurrence peut opérer à l'intérieur de l'entreprise, mais des entreprises mal gérées peuvent aussi faire l'objet d'une prise de contrôle par d'autres entreprises, auquel cas l'équipe dirigeante est en général renouvelée.
- Les gestionnaires sont encouragés par des incitations, comme les stock-options, qui les récompensent largement si la richesse des actionnaires augmente, mais n'ont aucune valeur dans le cas contraire.

Il est de l'intérêt des dirigeants attentifs à la valeur des actions de prendre en compte des obligations plus larges envers la société. Se comporter correctement à l'égard des salariés, des clients, des fournisseurs, ce n'est pas seulement favoriser un bien commun, c'est aussi contribuer à la réputation de l'entreprise qui est l'un de ses actifs les plus importants.

Bien entendu, des problèmes éthiques se posent en gestion financière et, lorsque des dirigeants indélicats abusent de leur position, les relations de confiance entre tous s'en trouvent affectées.

Lectures complémentaires

Les premiers travaux sur le principe de la valeur actuelle nette sont les suivants :

I. Fisher, *The Theory of Interest*, Augustus M. Kelley Publishers, New York, 1965 (réimprimé à partir de l'édition de 1930).

J. Hirschleifer, « On The Theory of Optimal Investment Decision », *Journal of Political Economy*, 66 (août 1958), pp. 329-352.

Les deux ouvrages suivants contiennent un traitement plus rigoureux du sujet :

R. Baker, *L'évaluation des entreprises, modèles et mesures de la valeur*, Les Echos Éditions, 2002.

E. F. Fama et M. H. Miller, *The Theory of Finance*, Holt, Rinehart et Winston, New York, 1972.

Si vous désirez approfondir les raisons qui poussent les dirigeants à maximiser la richesse des actionnaires, lisez les ouvrages ou articles suivants :

L. Batsch, *Le capitalisme financier*, La Découverte, 2002.

J. Caby, G. Hirigoyen, *Création de valeur et gouvernance de l'entreprise*, Économica, 2005.

M. C. Jensen et W. H. Meckling, « Theory of the Firm, Managerial Behavior, Agency Costs, and Ownership Structure », *Journal of Financial Economics*, 3 (octobre 1976), pp. 305-360.

E. F. Fama, « Agency Problems and the Theory of the Firm », *Journal of Political Economy*, 88 (avril 1980), pp. 288-307.

M. C. Jensen, « The Modern Industrial Revolution, Exit, and the Failure of Internal Control Systems », *Journal of Applied Corporate Finance*, 6 (hiver 1994), pp. 4-24.

Une référence pour creuser un peu la question de la motivation des dirigeants à agir dans l'intérêt des actionnaires :

J. E. Core, W. R. Guay et D. F. Larcker, « Executive Equity Compensation and Incentives : a Survey », *Federal Reserve Bank of New York Economic Policy Review*, 9 (avril 2003), pp. 27-50.

Deux lectures utiles à propos de l'éthique en finance :

C. W. Smith, Jr., « Economics and Ethics : the Case of Salomon Brothers », *Journal of Applied Corporate Finance*, 5 (été 1992), pp. 23-28.

J. Brickley, C. W. Smith, Jr. et J. Zimmerman, « Ethics, Incentives and Organizational Design », *Journal of Applied Corporate Finance*, 7 (été 1997), pp. 8-19.

Activités

Révision des concepts

1. Quelle est la différence entre le taux d'actualisation et le facteur d'actualisation ?
2. Comment incorpore-t-on le risque dans le calcul de la valeur actuelle (VA) et de la valeur actuelle nette (VAN) ?
3. Écrivez la formule nécessaire au calcul de la VAN et du taux de rentabilité d'un investissement. Prouvez que la VAN est positive si et seulement si le taux de rentabilité est supérieur au coût d'opportunité du capital.

Tests de connaissances

1. CF_0 est le cash-flow initial d'un investissement et CF_1 le cash-flow à la fin de l'année 1. Le symbole r désigne le taux d'actualisation.
   a. CF_0 est-il en général positif ou négatif ?
   b. Quelle est la formule de la valeur actuelle de cet investissement ?
   c. Quelle est la formule de sa valeur actuelle nette ?
   d. Pourquoi appelle-t-on souvent *coût d'opportunité du capital* le taux d'actualisation ?
   e. Si le projet d'investissement ne comporte aucun risque, quel est le niveau approprié de r ?
2. La valeur actuelle de 150 € payés à la fin de l'année 1 étant de 130 €, quel est le facteur d'actualisation pour une période ? Quel est le taux d'actualisation ?
3. Calculez le facteur d'actualisation FA_1 pour une période lorsque le taux d'actualisation est de :
   a. 10 %
   b. 20 %
   c. 30 %
4. Un marchand paye 100 000 € un chargement d'avoine qu'il est certain de revendre 132 000 € à la fin de l'année 1.
   a. Quelle est la rentabilité de cet investissement ?
   b. Si cette rentabilité est *inférieure* au taux d'intérêt, la VAN de cet investissement est-elle négative ou positive ?
   c. Quelle est la valeur actuelle de cet investissement si le taux d'intérêt est de 10 % ?
   d. Quelle est sa VAN ?
5. Définissez le coût d'opportunité du capital. En principe, comment pourriez-vous trouver le coût d'opportunité d'un actif sans risque ? D'un actif risqué ?
6. Retournez à l'exemple numérique représenté à la figure 2.1. Supposez un taux d'intérêt de 20 %. Que feraient F et C si elles disposaient toutes les deux de 185 000 € ? Investiraient-elles dans le projet immobilier ? Emprunteraient-elles ou prêteraient-elles ? Combien consommeraient-elles à chaque période ?

7. Un dirigeant peut agir de plusieurs façons dans l'intérêt des actionnaires. Il peut, par exemple :
   a. Augmenter le plus possible leur richesse en investissant dans des actifs réels ayant une VAN positive.
   b. Modifier le plan d'investissement de l'entreprise de façon à l'adapter à la structure temporelle de leur consommation.
   c. Choisir des actifs à risque élevé ou faible selon leurs préférences.
   d. Les aider à tenir leurs comptes.

   Mais si les marchés de capitaux fonctionnent bien, les actionnaires ne voteront que pour *un seul* de ces objectifs. Lequel ? Pourquoi ?
8. Pourquoi peut-on s'attendre à ce que les dirigeants agissent dans l'intérêt des actionnaires ? Donnez plusieurs raisons.
9. Si une institution financière est entraînée dans un scandale financier, peut-on s'attendre à ce que sa valeur chute d'un montant supérieur ou inférieur à celui de toutes ses amendes ? Étayez votre réponse.

Questions et problèmes

1. Supposons qu'une entreprise achète des bons du Trésor rapportant 5 % et venant à échéance dans un an. Quelle est la VAN de cet investissement ? (*Indication* : quel est le coût d'opportunité du capital ? Ne tenez pas compte de la fiscalité.)
2. Un terrain coûte 500 000 €. Pour 800 000 € de plus, vous pouvez y construire un hôtel. Dans un an, l'ensemble terrain et hôtel vaudra 1 500 000 €. Supposez qu'une action de même risque que cet investissement ait une rentabilité de 10 %. Construirez-vous ou non l'hôtel et pourquoi ?
3. Calculez la VAN et le taux de rentabilité des investissements suivants sachant que le coût d'opportunité du capital est de 20 % pour les quatre projets.

Investissement	Cash-flow initial, CF_0	Cash-flow dans un an, CF_1
1	−10 000	+18 000
2	−5 000	+9 000
3	−5 000	+5 700
4	−2 000	+4 000

   a. Quel investissement a le plus de valeur ?
   b. Supposons que vous ne puissiez choisir qu'un seul de ces projets, car chaque investissement exige une même superficie et l'espace disponible ne peut en accueillir qu'un seul. Lequel choisissez-vous ? (*Indication :* quel est l'objectif de l'entreprise ? Obtenir un taux de rentabilité élevé ou augmenter la valeur de l'entreprise ?)
4. À la section 2.1, nous avons analysé un projet de construction de bureaux sur un terrain valant 50 000 €. Nous avons conclu que ce projet avait une VAN positive de 5 000 € au taux d'actualisation de 12 %.

   Supposons qu'une société d'ingénierie génétique, e-Coli, vous propose d'acheter ce terrain pour 58 000 €, 20 000 € payables immédiatement et 38 000 € dans un an. Le taux de rentabilité annuel des emprunts d'État est de 5 %.

   a. Supposons que vous ayez la certitude que e-Coli effectuera le second versement de 38 000 €. Devez-vous accepter son offre ou poursuivre votre projet immobilier ? Expliquez.

b. Supposons que vous ne soyez pas sûr du second versement. Vous remarquez que le taux des prêts accordés à e-Coli est de 10 %. Supposons que les créanciers de cette société aient correctement estimé son risque d'insolvabilité. Devez-vous accepter son offre ?

5. Martin Gal vient de recevoir 2 millions d'euros en héritage. Il a quatre possibilités :

a. Investir dans des titres d'État à un an qui rapportent 5 %.

b. Accorder un prêt à sa nièce France, qui souhaite depuis longtemps ouvrir une confiserie. Elle a obtenu un prêt bancaire de 900 000 € à 10 %, mais elle sollicite de Martin un prêt à 7 %.

c. Investir dans des actions, le taux de rentabilité espéré du marché étant de 12 %.

d. Investir dans l'immobilier, un investissement aussi risqué que des actions, selon Martin Gal. Le projet envisagé coûterait 1 million d'euros et vaudrait dans un an 1,1 million.

Quels sont les investissements à VAN positive ? Quel conseil donneriez-vous à Martin ?

6. Montrez que votre réponse à la question précédente serait la même si vous adoptiez le taux de rentabilité comme règle de décision.

7. Revenons à la quatrième option, l'option (d), de l'exercice 5. Supposons que la banque propose à Martin un prêt personnel de 600 000 € à 8 % (il est client de longue date de cette banque et joue au golf avec le banquier). Martin emprunte cette somme, investit 1 million dans le projet immobilier (d) et place le reste de son capital sur le marché des actions (option c). Est-ce un bon plan ? Expliquez.

8. M. Briley est à la retraite et sa retraite dépend de ses investissements. M. Mailleurz est un jeune cadre dynamique qui souhaite épargner. Ils sont tous deux actionnaires d'Airbus qui a investi 12 milliards d'euros pour développer le A380, un nouveau très gros avion. Cet investissement ne commencera à rapporter que dans plusieurs années. Supposez que cet investissement ait une VAN positive pour M. Mailleurz. Expliquez pourquoi il aura aussi une VAN positive pour M. Briley.

9. Répondez à cette question en traçant un graphique semblable à celui de la figure 2.1. Régis de Commerce dispose de 200 000 € pour consommer à la période 0 (aujourd'hui) et à la période 1 (l'an prochain). Il souhaite consommer *exactement* autant à chaque période. Le taux d'intérêt est de 8 %. Il n'y a aucun risque.

a. Combien doit-il investir et combien consommera-t-il à chaque période ?

b. Supposons que Régis ait la possibilité d'investir 200 000 € à 10 % sans risque. Le taux d'intérêt étant toujours de 8 %, que doit-il faire et combien consommera-t-il alors à chaque période ?

c. Quelle est la VAN de l'investissement (b) ?

Problèmes avancés

1. Pour 8 millions d'euros, vous pouvez acheter la cargaison d'un pétrolier, livrée à Rotterdam dans 1 an. Malheureusement, les cash-flows nets (en euros) de la vente de ce chargement sont très sensibles au taux de croissance de l'économie mondiale :

Récession	État normal	Expansion
8 millions	12 millions	16 millions

a. Sous l'hypothèse que les trois conjonctures économiques sont équiproblables, à combien s'élève le cash-flow anticipé de cet investissement ?

b. Quel est le taux de rentabilité attendu de ce projet d'investissement ?

c. Une action Bulgroz vaut 10 €. Cette action peut prendre dans un an les valeurs suivantes en fonction de la conjoncture :

Récession	État normal	Expansion
8 €	12 €	16 €

Calculez le taux de rentabilité attendu de l'action Bulgroz. Expliquez la raison pour laquelle ce taux de rentabilité est le coût d'opportunité du capital de votre projet d'investissement.

d. Calculez la VAN de ce projet. Est-ce un bon investissement ? Expliquez pourquoi.

2. Votre entreprise a identifié deux projets supplémentaires, les projets Pacôme et Hégésippe, qui nécessitent tous deux un investissement initial de 5 millions d'euros. Les cash-flows (en millions d'euros) générés par ces investissements dans un an sont les suivants :

	Récession	État normal	Expansion
Pacôme	4	6	8
Hégésippe	5	5,5	6

3. Vous vous intéressez également à trois actions, Adélard, Ladislas, et Champignac, qui ont les caractéristiques suivantes :

		Cours de l'action dans un an		
	Cours actuel	Récession	État normal	Expansion
Adélard	95,65	80	110	140
Ladislas	40	40	44	48
Champignac	10	8	12	16

a. Quels sont les cash-flows anticipés des projets Pacôme et Hégésippe ?

b. Quels sont les taux de rentabilité attendus des actions Adélard, Ladislas et Champignac ?

c. Quel est le coût d'opportunité du capital du projet Pacôme ? Du projet Hégésippe ? (*Indication :* calculez les variations en pourcentage du cours des actions Adélard, Ladislas et Champignac selon les différents états de la conjoncture. Comparez-les aux variations en pourcentage des cash-flows des projets Pacôme et Hégésippe.)

d. Quelles sont les VAN des projets Pacôme et Hégésippe ?

e. Supposons que vous décidiez de réaliser les deux projets Pacôme et Hégésippe, et que vous investissiez 5 millions dans chacun d'eux. Cette décision a une incidence sur la valeur totale de votre entreprise. Laquelle ?

Chapitre 3

Le calcul de la valeur actuelle nette

Dans le chapitre 2, nous avons vu comment évaluer un actif qui génère un cash-flow dans un an, mais nous n'avons pas expliqué comment évaluer des actifs qui génèrent des cash-flows dans deux ans et au-delà. Nous commencerons par là dans ce chapitre. Nous verrons ensuite une méthode pour alléger le calcul des valeurs actuelles et d'autres formules simplifiées. Par exemple, comment évaluer un placement qui génère des revenus constants à l'infini (une *rente perpétuelle*), et un contrat qui génère des revenus constants au cours d'une période de temps limitée (une séquence d'*annuités constantes*).

Nous nous intéresserons également aux investissements qui génèrent des revenus en croissance constante.

Le *taux d'intérêt* est un terme qui semble parfaitement clair. Cependant, nous verrons qu'il existe bien des façons différentes de le définir. Nous commencerons par expliquer la différence entre *intérêt simple* et *intérêt composé*. Nous évoquerons ensuite la différence entre taux d'intérêt nominal et taux d'intérêt réel.

Vous aurez bien mérité alors de recevoir les premiers fruits de votre investissement intellectuel dans le concept de la valeur actuelle. Ainsi, nous essayerons d'appliquer ce concept à l'évaluation des obligations. Nous étudierons dans le chapitre 4 l'évaluation des actions, puis nous nous attaquerons à la décision d'investissement de l'entreprise d'un point de vue pratique.

Par souci de simplicité, tous les problèmes de ce chapitre sont exprimés en euros, bien que les concepts soient identiques en roupies, en gourdes ou dans n'importe quelle autre monnaie.

1 L'évaluation des actifs de longue durée

Vous souvenez-vous de la façon dont on calcule la valeur actuelle (VA) d'un actif qui génère un *cash-flow* à recevoir dans un an (CF_1) ?

$$VA = FA_1 \times CF_1 = \frac{CF_1}{1 + r_1}$$

FA_1 désigne le facteur d'actualisation des cash-flows à recevoir dans un an, et r_1 est le coût d'opportunité de l'investissement de votre argent sur un an. Pour un cash-flow certain de 100 € dans un an ($CF_1 = 100$), et un taux de rentabilité des bons du Trésor à un an de 7 % ($r_1 = 0{,}07$), la valeur actuelle de ce cash-flow est égale à :

$$VA = \frac{CF_1}{1 + r_1} = \frac{100}{1{,}07} = 93{,}46 \text{ €}$$

En suivant le même principe, la valeur actuelle d'un cash-flow à recevoir dans deux ans est égale à :

$$VA = FA_2 \times CF_2 = \frac{CF_2}{(1 + r_2)^2}$$

où CF_2 représente le cash-flow à recevoir dans deux ans, FA_2, le facteur d'actualisation d'un cash-flow reçu dans deux ans, et r_2, le taux d'intérêt annuel d'un placement venant à échéance dans deux ans. Supposons que l'on reçoive un autre cash-flow de 200 € dans deux ans ($CF_2 = 200$). Le taux d'intérêt annuel d'un placement dans des bons du Trésor venant à échéance dans deux ans est de 7,7 % ($r_2 = 0{,}077$) ; un euro placé aujourd'hui dans des bons à deux ans vaudra donc $1{,}077^2 = 1{,}16$ € à la fin de la deuxième année. La valeur actuelle de notre cash-flow à recevoir dans deux ans est égale à :

$$VA = \frac{CF_2}{(1 + r_2)^2} = \frac{200}{(1{,}077)^2} = 172{,}42 \text{ €}$$

1.1 L'évaluation des cash-flows sur plusieurs périodes

Une propriété intéressante des valeurs actuelles est qu'on peut les additionner puisqu'elles sont exprimées en euros d'aujourd'hui. En d'autres termes, la VA du cash-flow A + B est égale à la VA du cash-flow A plus la VA du cash-flow B. Cette propriété a d'importantes conséquences sur l'évaluation des actifs qui génèrent des cash-flows sur plusieurs périodes. Par exemple, supposons que l'on vous propose un investissement qui génère un cash-flow de 100 € à l'année 1 et un cash-flow supplémentaire de 200 € à l'année 2. Le taux d'intérêt de l'année 1 est de 7 % et le taux d'intérêt de l'année 2 est de 7,7 %. La figure 3.1 montre que la valeur aujourd'hui du cash-flow de la première année est $CF_1 / (1 + r_1) = 100 / 1{,}07 = 93{,}46$ € et que la valeur actuelle du cash-flow de la deuxième année est $CF_2 / (1 + r_2) = 200 / 1{,}077 = 172{,}42$ €. La règle d'additivité nous montre que la valeur actuelle totale de l'investissement est :

$$VA = \frac{CF_1}{1 + r_1} + \frac{CF_2}{(1 + r_2)^2} = \frac{100}{1{,}07} + \frac{200}{(1{,}077)^2} = 265{,}88 \text{ €}$$

Nous pouvons sans hésitation appliquer ce principe pour trouver la VA de cash-flows générés sur un grand nombre d'années :

$$VA = \frac{CF_1}{1 + r_1} + \frac{CF_2}{(1 + r_2)^2} + \frac{CF_3}{(1 + r_3)^3} + \ldots$$

Cette formule est la formule des **cash-flows actualisés** (CFA ou **DCF** pour d*iscounted cash-flow*[1]). On peut l'écrire d'une façon plus concise :

$$\text{VA} = \sum \frac{\text{CF}_t}{(1 + r_t)^t}$$

où le symbole Σ désigne la somme des cash-flows. On obtient la valeur actuelle *nette* (VAN) en ajoutant le cash-flow initial (généralement négatif), comme nous l'avons déjà fait au chapitre 2 :

$$\text{VAN} = \text{CF}_0 + \text{VA} = \text{CF}_0 + \sum \frac{\text{CF}_t}{(1 + r_t)^t}$$

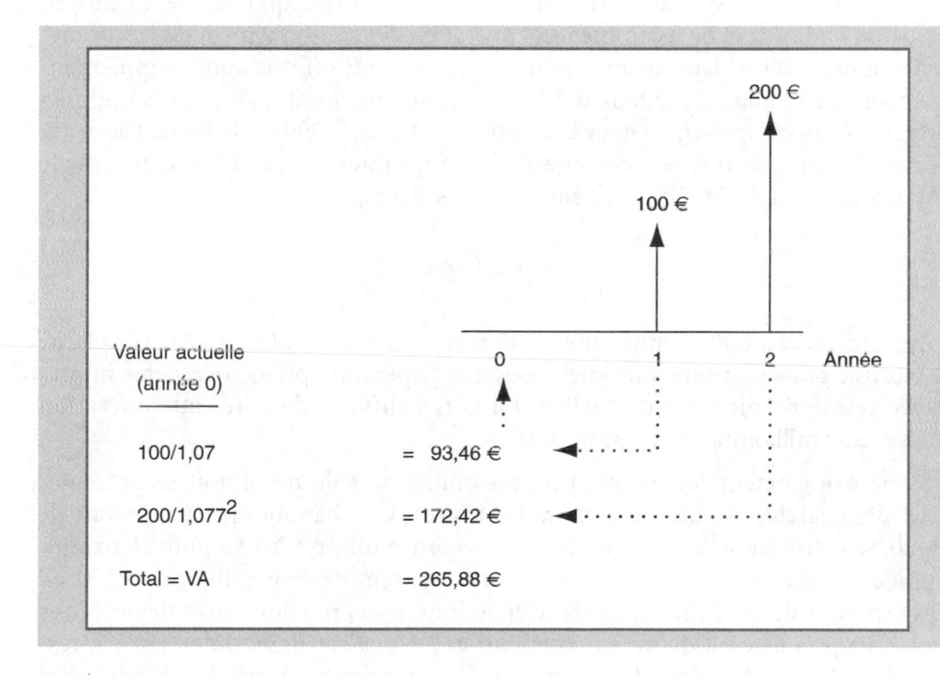

Figure 3.1 - Valeur actuelle d'un investissement rapportant un cash flow de 100 € à l'année 1 et 200 € à l'année 2.

1.2 Pourquoi le facteur d'actualisation diminue-t-il quand la durée augmente : une digression sur les « machines à euros »

Si un euro demain vaut moins qu'un euro aujourd'hui, alors un euro après-demain vaudra encore moins aujourd'hui. En d'autres termes, le facteur d'actualisation FA_2 doit être inférieur au facteur d'actualisation FA_1. Mais est-ce *nécessairement* le cas, dans la mesure où le taux d'intérêt r_t varie d'une période à l'autre ? Supposons que r_1 soit de 20 % et r_2 de 7 %.

1. Nous prions à nouveau le lecteur puriste de nous excuser : dans la suite de cet ouvrage, nous emploierons essentiellement le sigle *DCF* pour parler de la méthode des cash-flows actualisés, et ceci pour deux raisons. D'une part, c'est le terme régulièrement employé, dans les entreprises pour les choix d'investissement, ou dans les banques d'affaires pour l'évaluation des entreprises ; d'autre part, il existe non pas une, mais plusieurs traductions en français, ce qui peut ajouter à la confusion (flux monétaires escomptés, flux de trésorerie actualisés, cash-flows actualisés, etc.).

Alors

$$FA_1 = \frac{1}{1{,}20} = 0{,}83$$

$$FA_2 = \frac{1}{(1{,}07)^2} = 0{,}87$$

Apparemment, l'euro reçu après-demain ne vaut pas *automatiquement* moins qu'un euro reçu demain. Mais il y a quelque chose qui cloche dans cet exemple. Si quelqu'un pouvait emprunter et prêter à ces taux d'intérêt, il deviendrait instantanément millionnaire. Voyons comment fonctionnerait une telle « machine à euros ». Supposons que Jean-Aymard de Bossé soit la première personne à entrevoir cette opportunité. Il place 1 000 € sur un an au taux de 20 %. La rentabilité est plutôt attractive, mais il remarque qu'il existe un moyen de réaliser un profit *immédiat* et de recommencer l'opération. Son raisonnement est le suivant : son placement vaudra 1 200 € dans un an et pourra être réinvesti sur une année supplémentaire. Même s'il ignore ce que sera le taux d'intérêt dans un an, il sait qu'il pourra toujours laisser son argent sur un compte-chèques avec la certitude d'avoir 1 200 € à la fin de l'année 2. La seconde étape de son raisonnement consiste alors à emprunter sur 2 ans la valeur actuelle de 1 200 €. Au taux annuel de 7 %, cette valeur actuelle s'élève à :

$$VA = \frac{1\,200}{(1{,}07)^2} = 1\,048\text{ €}$$

Ainsi, Jean-Aymard place 1 000 €, emprunte 1 048 € et réalise un profit de 48 €. Si cela ne vous semble pas une grosse somme, souvenez-vous que l'opération peut être répétée immédiatement, avec cette fois une mise de 1 048 €. En fait, il suffirait de faire cette opération 147 fois pour devenir millionnaire (avant impôts).

Cette histoire est évidemment fantaisiste. Une possibilité pareille ne saurait se présenter longtemps sur des marchés financiers comme les nôtres. Une banque qui accepterait de rémunérer à 20 % votre dépôt à un an et de vous accorder un prêt à 7 % pour deux ans, serait vite ruinée par une ruée de petits investisseurs espérant devenir millionnaires et de millionnaires espérant devenir milliardaires. Cependant, nous pouvons tirer deux leçons de cette histoire. La première est qu'un euro demain *ne peut valoir moins* qu'un euro après-demain. En d'autres termes, la valeur d'un euro à recevoir à la fin de l'année 1 (FA_1) doit être supérieure à la valeur d'un euro à recevoir à la fin de l'année 2 (FA_2). On doit nécessairement trouver un avantage[2] à placer à deux ans plutôt qu'à un an : $(1 + r_2)^2$ doit être supérieur à $1 + r_1$.

La seconde leçon a une portée plus générale : « les machines à euros n'existent pas »[3]. Lorsque les marchés financiers fonctionnent correctement, les machines à euros sont presque instantanément éliminées par le comportement des investisseurs qui tentent d'en tirer profit. Par conséquent, méfiez-vous des soi-disant experts qui vous font miroiter « une affaire en or, sans risque ».

---

2. La rentabilité supplémentaire d'un prêt à deux ans par rapport à un prêt à un an est souvent appelée *taux de rentabilité à terme*. Notre règle implique que le taux de rentabilité à terme ne peut être négatif.

3. *Arbitrage* est le terme technique pour désigner une machine à euros. Il n'y a pas de possibilités d'arbitrage sur des marchés financiers qui fonctionnent correctement.

Conclure à l'inexistence de machines à euros n'est pas conclure que les taux d'intérêt doivent être les mêmes à chaque période. On appelle **courbe des taux** (ou **structure des taux d'intérêt à terme**) la relation entre le taux d'intérêt et l'échéance d'un cash-flow. Nous reviendrons sur la courbe des taux d'intérêt dans le chapitre 24. Pour le moment, nous ajournerons le sujet en supposant que la courbe des taux est « plate », c'est-à-dire que le taux d'intérêt est le même pour chaque échéance. Cela signifie que nous pouvons remplacer l'ensemble des taux $r_1, r_2, \ldots, r_t$, par un seul taux r et écrire la formule de la valeur actuelle comme suit :

$$VA = \frac{CF_1}{1+r} + \frac{CF_2}{(1+r)^2} + \ldots$$

1.3 Le calcul de la valeur actuelle et de la valeur actuelle nette

Vous recevez de mauvaises nouvelles de votre projet immobilier (celui dont nous parlions dans le chapitre 2). L'entrepreneur vous annonce que la construction prendra deux ans au lieu d'un, et vous demande d'étaler vos versements comme suit :

1. Un versement initial de 120 000 € (vous devez *aussi* payer immédiatement le terrain, pour 50 000 €).
2. Un versement de 100 000 € à la fin de la première année.
3. Un versement de 100 000 € lorsque l'immeuble pourra être occupé, à la fin de la seconde année.

Votre conseiller en immobilier vous assure qu'en dépit de ce retard l'immeuble vaudra 420 000 € lorsqu'il sera achevé. Tout ceci aboutit à un nouvel ensemble de prévisions de cash-flows :

Période	t = 0	t = 1	t = 2
Terrain	−50 000		
Construction	−120 000	−100 000	−100 000
Revenu			+420 000
Total	CF_0 = −170 000	CF_1 = −100 000	CF_2 = +320 000

Si le taux d'intérêt est de 5 %, la VAN est égale à :

$$VAN = CF_0 + \frac{CF_1}{1+r} + \frac{CF_2}{(1+r)^2}$$

$$= -170\,000 - \frac{100\,000}{1{,}05} + \frac{320\,000}{(1{,}05)^2}$$

Heureusement, les nouvelles de votre projet immobilier ne sont pas toutes mauvaises. L'entrepreneur accepte un étalement des versements ; la valeur actuelle de la somme que vous aurez à lui verser est inférieure à celle d'avant. Ceci compense *en partie* l'allongement des délais et du moment où vous percevrez les revenus de votre projet. On lit à la figure 3.2

que la VAN est de 25 011 €, ce qui n'est pas beaucoup moins élevé que les 30 000 € obtenus au chapitre 2. La VAN étant positive, le projet doit être entrepris[4].

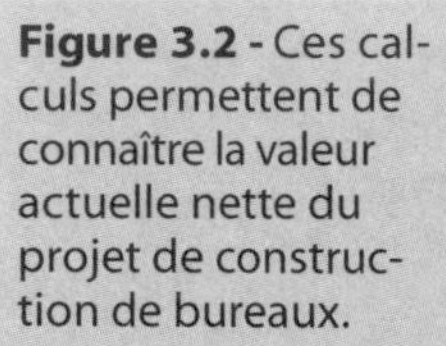

Figure 3.2 - Ces calculs permettent de connaître la valeur actuelle nette du projet de construction de bureaux.

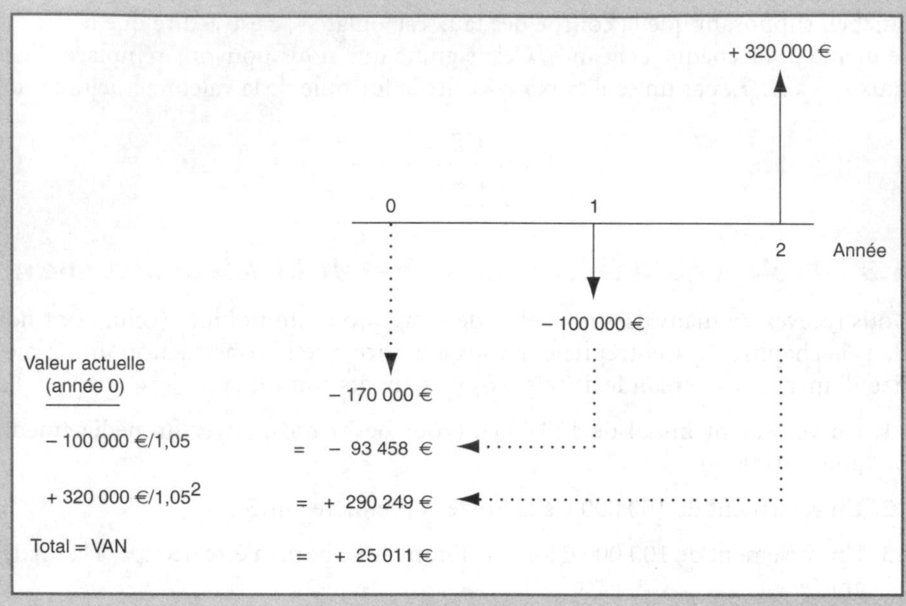

2 Quelques raccourcis : rentes perpétuelles et annuités constantes

Il existe parfois des raccourcis qui facilitent le calcul de la VA d'un actif qui génère des revenus sur plusieurs périodes. Voyons quelques exemples.

Les **rentes perpétuelles** sont des emprunts que le gouvernement n'est pas tenu de rembourser, mais qui procurent un revenu fixe chaque année, à perpétuité. Le taux de rentabilité d'une rente perpétuelle est égal au revenu annuel promis divisé par la valeur actuelle de la rente :

$$\text{Rentabilité} = \frac{\text{Cash-flow}}{\text{Valeur actuelle}}$$

$$r = \frac{\text{CF}}{\text{VA}}$$

On peut évidemment inverser cette équation pour trouver la VA en fonction du taux d'actualisation r et du cash-flow CF. Par exemple, supposons qu'une personne riche désire créer une chaire de finance dans une école de commerce, le premier versement de cette fondation ayant lieu à la fin de la première année. Si le taux d'intérêt est de 10 % et si l'objectif

4. Nous supposons ici que les cash-flows sont certains. Si les prévisions étaient incertaines, le coût d'opportunité serait plus élevé. Par exemple, à 12 %, la VAN est nulle.

est de fournir 100 000 € chaque année à perpétuité, la somme à mettre de côté aujourd'hui s'élèvera à[5] :

$$VA = \frac{CF}{r} = \frac{100\,000}{0{,}10} = 1\,000\,000\text{ €}$$

2.1 L'évaluation des rentes perpétuelles croissantes

Supposons à présent que notre bienfaiteur se rende soudainement compte que la croissance des salaires, de l'ordre de 4 % par an, n'a pas été prévue. Au lieu de fournir 100 000 € par année à perpétuité, le bienfaiteur doit alors fournir 100 000 € la première année, 1,04 × 100 000 € l'année 2, et ainsi de suite. Si nous appelons g le taux de croissance des salaires, nous pouvons alors écrire :

$$VA = \frac{CF_1}{1+r} + \frac{CF_2}{(1+r)^2} + \frac{CF_3}{(1+r)^3} + \ldots$$

$$= \frac{CF_1}{1+r} + \frac{CF_1(1+g)}{(1+r)^2} + \frac{CF_1(1+g)^2}{(1+r)^3} + \ldots$$

Heureusement, cette série géométrique[6] se simplifie. Si on suppose que r est supérieur à g, notre calcul devient :

$$\text{VA d'une rente perpétuelle en croissance}^7 = \frac{CF_1}{r-g}$$

5. On peut obtenir ce résultat en partant de la formule de la valeur actuelle

$$VA = \frac{CF}{1+r} + \frac{CF}{(1+r)^2} + \frac{CF}{(1+r)^3} + \ldots$$

Soit CF / (1 + r) = a, et 1 / (1 + r) = x. On a donc : VA = a $(1 + x + x^2 + \ldots)$ (1)
Multiplions les deux côtés de cette équation par x. On obtient : VAx = a $(x + x^2 + \ldots)$ (2)
En soustrayant (2) de (1), nous obtenons : VA $(1 - x) = a$
En conséquence, en remplaçant a et x par leur valeur,

$$VA\left(1 - \frac{1}{1+r}\right) = \frac{CF}{1+r}$$

En multipliant les deux côtés de l'équation par $(1 + r)$, et après réarrangement des termes, on obtient :

$$VA = \frac{CF}{r}$$

6. Nous devons calculer la somme d'une suite géométrique infinie $VA = a\ (1 + x + x^2 + \ldots)$, avec $a = CF_1 / (1 + r)$, et $x = (1 + g) / (1 + r)$. Nous avons montré dans la note 5 que la somme d'une telle série est a / (1 – x). En remplaçant a et x par leur valeur dans cette formule, on trouve :

$$VA = \frac{CF_1}{r-g}$$

7. Cette formule est plus connue sous l'appellation *formule de Gordon-Shapiro*. En effet, ce sont ces deux chercheurs qui l'ont appliquée au calcul de la valeur des actions (voir chapitre 4).

Donc, si notre bienfaiteur désire verser à perpétuité une somme qui tienne compte de la croissance des salaires de ces bons à rien de professeurs, la somme à mettre de côté aujourd'hui s'élève à :

$$VA = \frac{CF_1}{r-g} = \frac{100\,000}{0{,}10 - 0{,}04} = 1\,666\,667\text{ €}$$

2.2 L'évaluation des annuités constantes

On parle d'**annuités constantes** quand un contrat prévoit le versement d'une somme fixe par période (souvent, par an), sur un nombre de périodes fixes. Un crédit immobilier à remboursements égaux ou le paiement d'un sèche-cheveux par mensualités identiques sont des exemples courants d'annuités constantes. La figure 3.3 illustre une astuce simple pour évaluer des annuités. La première ligne représente une rente perpétuelle qui procure un cash-flow chaque année à partir de l'année 1. Sa valeur actuelle est :

$$VA = \frac{CF}{r}$$

Figure 3.3 - La valeur d'un contrat qui verse des annuités constantes de l'année 1 à l'année t est égale à la différence entre la valeur de deux rentes perpétuelles.

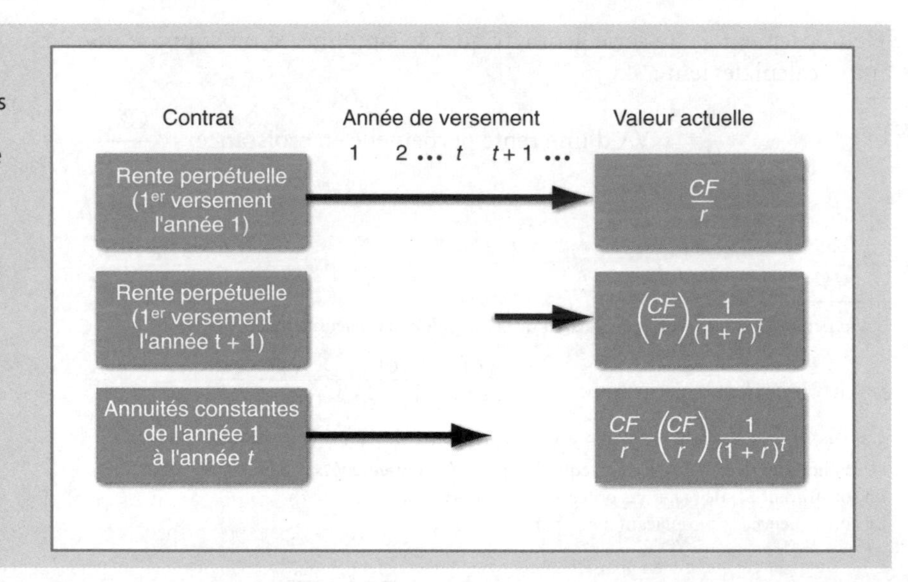

La deuxième ligne représente une seconde rente perpétuelle qui procure un cash-flow de CF chaque année à compter de l'année $t + 1$. La VA de cette rente calculée l'année t sera égale à CF / r. Sa valeur actuelle aujourd'hui s'élève donc à :

$$VA = \frac{CF}{r(1+r)^t}$$

Les deux rentes perpétuelles versent un cash-flow à partir de l'année $t + 1$. La seule différence entre les deux rentes est que la première verse également un cash-flow chaque année, de l'année 1 à l'année t. En d'autres termes, la différence entre les deux rentes perpétuelles constitue une séquence d'annuités constantes (CF) sur *t* années. La valeur actuelle de cette séquence est égale à la différence entre les valeurs des deux rentes perpétuelles :

$$\text{VA (séquences d'annuités constantes)} = \text{CF}\left[\frac{1}{r} - \frac{1}{r(1+r)^t}\right]$$

L'expression entre crochets est le *facteur d'annuité*, c'est-à-dire la valeur actualisée au taux *r* d'une annuité de 1 € payée à la fin de chacune des *t* périodes[8]. Supposons, par exemple, que notre bienfaiteur se demande ce que coûterait le financement d'une chaire procurant 100 000 € par année pendant 20 ans seulement. La réponse calculée à l'aide de notre formule est :

$$\text{VA} = 100\,000\ \text{CF}\left[\frac{1}{0{,}10} - \frac{1}{0{,}10(1{,}10)^{20}}\right] = 100\,000 \times 8{,}514 = 851\,400\ €$$

Gardez à l'esprit que la formule des annuités constantes *repose sur l'hypothèse d'un premier versement au bout d'une période.* Si le premier versement avait lieu immédiatement, il faudrait actualiser chaque cash-flow une année plus tôt, de sorte que la VA serait multipliée par $(1 + r)$. Par exemple, si notre mécène était disposé à effectuer un premier versement immédiatement, la valeur actuelle s'élèverait à $851\,400 \times 1{,}10 = 936\,540$ €. Un contrat de ce type a des *annuités immédiates* (par opposition aux *annuités ordinaires*, qui démarrent au bout d'une période).

Supposons que notre bienfaiteur désire savoir à combien s'élèverait la richesse produite par 100 000 € s'ils étaient investis chaque année au lieu d'être donnés à ces bons à rien de professeurs. La réponse serait :

$$\text{Valeur Future} = \text{VA} \times 1{,}10^{20} = 851\,400 \times 6{,}727 = 5{,}73 \text{ millions d'euros}$$

De prime abord, les problèmes d'annuités peuvent être déroutants, mais en pratique, ils sont généralement assez simples. Voici deux exemples concrets.

Exemple 1 : Vendre ou louer ?

Trois ans ont passé ; la construction des bureaux s'est achevée et vous êtes sur le point de les vendre pour 420 000 €. Quelqu'un vient vous voir et vous propose de les louer pendant 8 ans pour un loyer fixe annuel de 8 000 €. Au terme de cette période, il vous sera toujours possible de vendre le bâtiment. Votre conseiller immobilier estime que la valeur des bureaux va augmenter de 3 % par an. Le taux d'actualisation est de 5 %.

---

8. Une fois encore, on peut déduire cette formule de nos principes de base. Il nous faut calculer la somme de la série géométrique finie (1) : $VA = a\,(1 + x + x^2 + x^3 + \ldots + x^{t-1})$

où $a = CF / (1 + r)$ et $x = 1 / (1 + r)$.

En multipliant les deux côtés de l'équation par x, on obtient (2) : $VAx = a\,(x + x^2 + x^3 + \ldots + x^t)$

En soustrayant (2) de (1), on obtient : $VA\,(1 - x) = a\,(1 - x^t)$

Par conséquent, en substituant a et x par leur valeur, en multipliant chaque côté de l'équation par $(1 + r)$ et après réarrangement, on obtient :

$$\text{VA} = \text{CF}\left[\frac{1}{r} - \frac{1}{r(1+r)^t}\right]$$

Réponse : vous ne devez accepter cette proposition de location que si la VAN est positive, c'est-à-dire si la VA (location sur 8 ans) + VA (produit de la vente à l'année 8) excède le produit de la vente aujourd'hui. Au terme des huit années, les bureaux peuvent être vendus pour 420 000 € × $1{,}03^8$ = 532 043 €. La valeur actuelle de cette somme est 532 043 / $1{,}05^8$ = 360 108 €. Puisque vous pourriez vendre les bureaux aujourd'hui pour 420 000 €, le délai de la vente vous coûte 420 000 – 360 108 = 59 892 €. Par conséquent, la valeur actuelle des loyers de vos bureaux pendant 8 ans doit être égale à ce coût. En d'autres termes :

$$\text{Montant minimum acceptable du loyer} \times [1 \times 0{,}05 - (1 / (0{,}05 \times 1{,}05^8)] = 59\,892\ €$$

$$\text{Montant minimum acceptable du loyer} \times 6\,463 = 59\,892\ €$$

$$\text{Montant minimum acceptable du loyer} = 59\,892 / 6\,463 = 9\,267\ €$$

Vous feriez mieux de vendre les bureaux aujourd'hui plutôt que de les louer pour 8 000 € par an pendant 8 ans.

Exemple 2 : Emprunt immobilier

Vous contractez un emprunt immobilier de 250 000 € pour acheter votre maison. Le remboursement se fait par mensualités fixes sur trente ans. Il faut donc que ces versements mensuels soient calculés de telle manière qu'ils présentent la valeur actuelle de 250 000 €. Ainsi :

$$\text{VA} = \text{remboursement de l'emprunt} \times \text{facteur d'annuités sur 360 mois} = 250\,000\ €$$

$$\text{Remboursement de l'emprunt} = 250\,000\ € / \text{facteur d'annuités sur 360 mois}$$

On suppose que le taux d'intérêt est de 1 % par mois. Alors :

$$\text{Facteur d'annuités sur 360 mois} = \left[\frac{1}{0{,}10} - \frac{1}{0{,}10(1{,}10)^{360}}\right] = 97\,218$$

$$\text{Et : Mensualité} = 250\,000 / 97\,218 = 2\,572\ €$$

L'emprunt immobilier est un exemple de prêt à remboursement par annuités constantes. Cela signifie qu'une partie des mensualités est utilisée pour payer les intérêts sur l'emprunt et l'autre pour réduire le capital dû.

Le tableau 3.1 présente un exemple d'un tel prêt, sur 4 ans, d'un montant de 1 000 € et de taux d'intérêt 10 %. Le montant de chaque annuité est fixé à 315,47 €. En d'autres termes, 1 000 € divisé par le facteur d'annuités sur 4 ans donne 315,47 €. À la fin de la première année, les charges financières s'élèvent à 10 % de 1 000 €, soit 100 €. Ainsi 100 € du premier versement sont absorbés par le paiement des intérêts et les 215,47 € restants sont utilisés pour réduire (ou amortir) le capital dû, à savoir 784,53 €.

L'année d'après, le capital restant à rembourser est moins élevé. Les charges financières liées au paiement des intérêts ne s'élèvent plus qu'à 78,45 €. Par conséquent, 315,47 € – 78,45 € = 237,02 € peuvent être utilisés à l'amortissement. Parce que l'emprunt est progressivement remboursé, la fraction de chaque versement consacrée au paiement des intérêts diminue régulièrement au cours du temps alors que la fraction utilisée pour réduire le capital restant à rembourser augmente. À la fin de la quatrième année, l'amortissement suffit à rembourser le capital restant.

Tableau 3.1. Un exemple de prêt remboursé par annuités constantes. Si vous empruntez 1 000 € à un taux d'intérêt de 10 %, vous aurez besoin de verser des annuités d'un montant de 315,47 € pendant 4 ans afin de rembourser votre emprunt ainsi que les intérêts

Année	Capital restant à rembourser en début d'année	Montant des intérêts en fin d'année	Annuité à la fin de l'année	Amortissement du capital emprunté	Capital restant à rembourser à la fin de l'année
1	1 000 €	100 €	315,47 €	215,47 €	784,53 €
2	784,53 €	78,45 €	315,47 €	237,02 €	547,51 €
3	547,51 €	54,75 €	315,47 €	260,72 €	286,79 €
4	286,79 €	28,68 €	315,47 €	286,79 €	0

Les données de ce tableau, comme celles de tous les tableaux de ce chapitre, sont disponibles sur ***www.gestion financiere. pearsoned.fr***

3 Intérêt composé et valeurs actuelles

Il existe une distinction importante entre l'**intérêt composé** (ou capitalisé) et l'**intérêt simple**. Lorsque l'argent est placé à intérêt composé, chaque intérêt est réinvesti de façon à rapporter davantage d'intérêts au cours des périodes suivantes. En revanche, dans le cas d'un placement à intérêt simple, l'intérêt ne produit pas d'intérêts.

Le tableau 3.2 compare la croissance de 100 € investis à intérêt composé ou à intérêt simple. Remarquez que dans le cas de l'intérêt simple, *l'intérêt est payé uniquement sur l'investissement initial de 100 €*. En conséquence, votre richesse augmente seulement de 10 € par année. Dans le cas de l'intérêt composé, vous gagnez 10 % sur votre investissement initial la première année, et votre compte s'élève à $100 \times 1{,}10 = 110$ € à la fin de l'année. Puis, vous gagnez 10 % sur ces 110 € la deuxième année, ce qui porte votre compte à $100 \times 1{,}10^2 = 121$ € à la fin de la deuxième année.

Tableau 3.2. Valeur de 100 € investis à 10 %, à intérêt simple et à intérêt composé

	Intérêt simple						Intérêt composé				
Année	Solde initial	+	Intérêt	=	Solde final	Solde initial	+	Intérêt	=	Solde final
1	100	+	10	=	110	100	+	10	=	110
2	110	+	10	=	120	110	+	11	=	121
3	120	+	10	=	130	121	+	12,1	=	133,1
4	130	+	10	=	140	133,1	+	13,3	=	146,4
10	190	+	10	=	200	236	+	24	=	259
20	290	+	10	=	300	612	+	61	=	673
50	590	+	10	=	600	10 672	+	1 067	=	11 739
100	1 090	+	10	=	1 100	1 252 783	+	125 278	=	1 378 061
200	2 090	+	10	=	2 100	17264 116042	+	1 726 411 604	=	18 990 527 646
215	2 240	+	10	=	2 250	72 116 497 133	+	7 211 649 713	=	79 328 146 846

Le tableau 3.2 montre que la différence entre l'intérêt simple et l'intérêt composé est nulle à la période 1 de l'investissement, infime à la période 2, mais considérable pour un investissement de 20 ans ou plus. Une somme de 100 € investie à la Révolution française, à intérêt composé de 10 % par an, vaudrait aujourd'hui 96 milliards d'euros. Si seulement vos ancêtres avaient pu placer quelques centimes…

Les deux lignes supérieures de la figure 3.4 comparent les résultats d'un investissement de 100 € à intérêt simple de 10 % ou à intérêt composé de 10 %. Il semble que le taux de croissance soit constant dans le cas de l'intérêt simple, mais qu'il s'accélère dans le cas de l'intérêt composé. Cependant, il s'agit là d'une illusion d'optique. Nous savons que dans le cas de l'intérêt composé, notre richesse croît au taux *constant* de 10 %. La figure 3.5 est une représentation plus conforme de la réalité du phénomène. Les nombres y sont représentés sur une échelle logarithmique, et les taux de croissance constants sont représentés par des droites.

Généralement, les financiers supposent toujours qu'on raisonne en termes d'intérêt composé (on parle aussi d'intérêt *capitalisé*, ou de *capitalisation*) à moins qu'on ne précise le contraire. L'actualisation est un calcul d'intérêt composé. Certains trouvent intuitivement préférable de remplacer la question « Quelle est la VA de 100 € reçus dans 10 ans si le coût d'opportunité du capital est de 10 % ? » par « Combien devrais-je placer aujourd'hui de façon à recevoir 100 € dans 10 ans, le taux d'intérêt étant de 10 % ? ». La réponse à la première question est :

$$\text{VA} = \frac{100}{(1{,}10)^{10}} = 38{,}55\ €$$

Et la réponse à la seconde question est :

$$\text{Placement} \times (1{,}10)^{10} = 100\ €$$

$$\text{Placement} = \frac{100}{(1{,}10)^{10}} = 38{,}55\ €$$

Figure 3.4 - Intérêt composé contre intérêt simple. Les deux courbes supérieures montrent la croissance de 100 € investis à intérêt simple et à intérêt composé. Plus la période d'investissement est longue, plus l'avantage résultant de l'intérêt composé est important.
La courbe inférieure montre que l'on doit investir 38,55 € aujourd'hui pour obtenir 100 € à la fin de 10 périodes. Inversement, la valeur actuelle de 100 € à recevoir dans 10 ans est de 38,55 €.

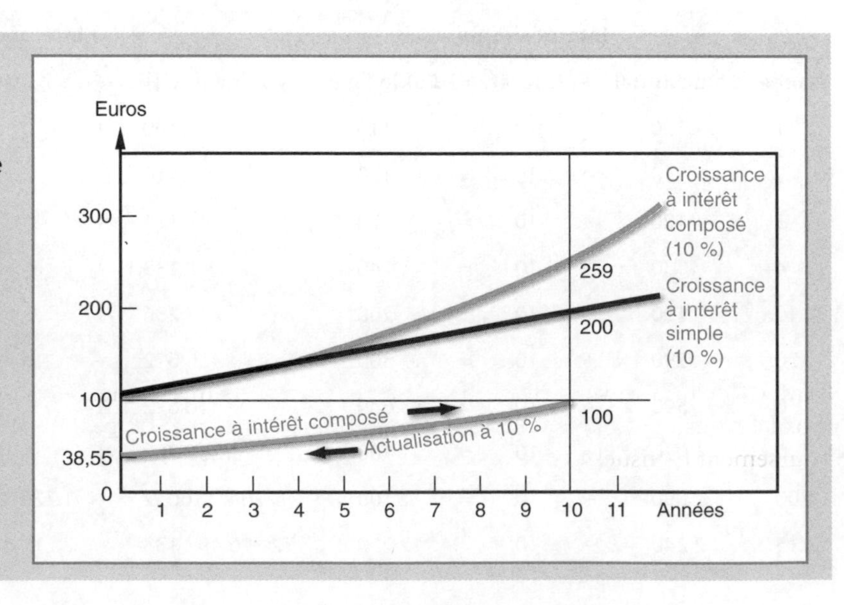

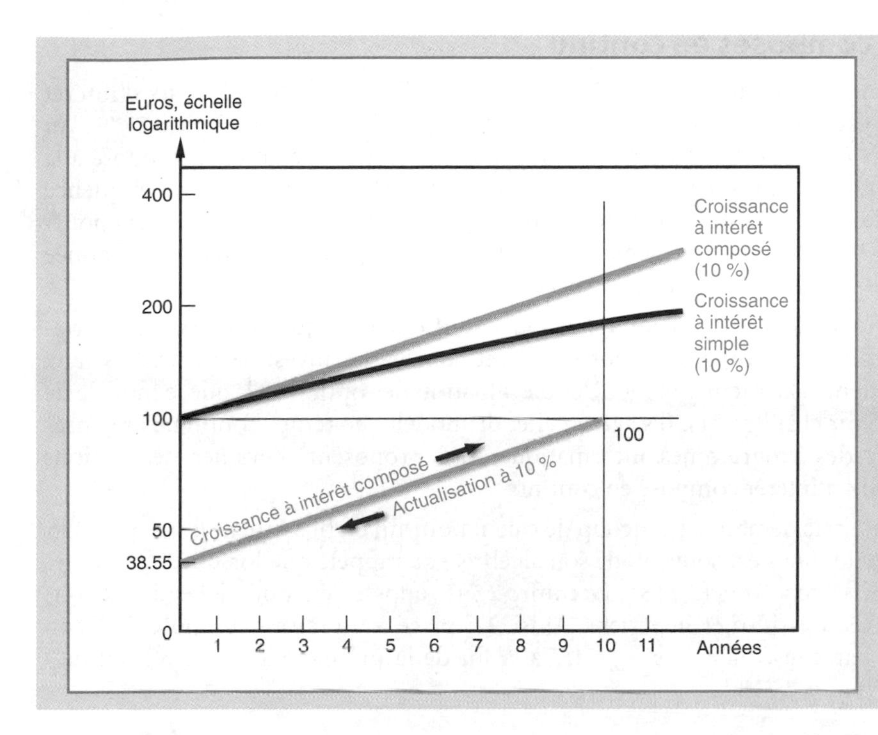

Figure 3.5 - Cette figure diffère de la figure 3.4 sur un seul point : l'échelle verticale est ici logarithmique.
Un taux de croissance constant se traduit par une droite ascendante. Ce graphique met en évidence le fait que le taux de croissance des fonds investis à intérêt simple décroît en réalité avec le temps.

Les lignes situées dans la partie inférieure des figures 3.4 et 3.5 représentent la croissance d'un investissement initial de 38,55 € jusqu'à sa valeur terminale de 100 €. On peut se représenter le processus de l'actualisation comme une marche *en arrière* le long de la ligne, de la valeur capitalisée à la valeur actualisée.

3.1 La périodicité des intérêts composés

Jusqu'à présent, nous avons implicitement supposé que chaque cash-flow survient à la fin de l'année. C'est parfois le cas. Par exemple, en France et en Allemagne, la plupart des sociétés paient les intérêts sur leurs obligations annuellement. En revanche, aux États-Unis et en Grande-Bretagne, les intérêts sont habituellement payés semestriellement. Dans ces pays, l'investisseur peut gagner 6 mois d'intérêt additionnel sur le premier versement, de sorte qu'un investissement de 100 € dans une obligation à 10 % annuel, mais versé semestriellement, vaudra 105 € à la fin des six premiers mois, et $1{,}05^2 \times 100 = 110{,}25$ € à la fin de l'année. En d'autres termes, un intérêt de 10 % annuel versé semestriellement équivaut à un intérêt de 10,25 % versé annuellement.

Prenons un autre exemple. Supposons qu'une banque accorde des crédits auto avec un taux d'intérêt de 6 %. Si vous êtes tenu de payer les intérêts mensuellement, il vous faudra payer tous les mois un douzième du taux annuel, soit 6 / 12 = 0,5 % par mois. Parce que le remboursement mensuel est composé, le véritable taux annuel de votre crédit n'est pas 6 % mais $1{,}005^{12} - 1 = 0{,}0617$ ou 6,17 %.

D'une façon plus générale, un placement de 1 € à un taux annuel r composé m fois dans l'année vaut $[1 + (r / m)]^m$ à la fin de l'année, et le taux équivalent annuel est de $[1 + (r / m)]^m - 1$.

3.2 Les taux composés en continu

Dans le cas de notre crédit auto, m était de 12 et le taux d'intérêt de 6 %. Le taux d'intérêt composé annuel est alors $[1 + (r/m)]^m - 1 = [1 + 0,06 / 12)]^{12} - 1 = 0,0617$ ou 6,17 %. Au lieu d'être un taux d'intérêt composé mensuel, le taux aurait pu être un taux composé à la semaine ($m = 52$) ou à la journée ($m = 365$). En fait, il n'existe pas de limite à la fréquence des remboursements ou à l'intervalle de temps qui sépare deux remboursements. On pourrait imaginer une situation où les versements sont également répartis tout au long de l'année et le taux d'intérêt composé en continu[9]. Dans ce cas, m est infini.

Il s'avère qu'en finance, les **taux continus** sont souvent utiles. Ainsi que nous le verrons brièvement, on en trouve une application lorsqu'il faut choisir des investissements. Ces taux continus s'appliquent également aux modèles d'évaluation des options tels que le modèle de Black et Scholes (voir chapitre 21). Il s'agit en effet de modèles en temps continu. Par conséquent, la plupart des programmes informatiques qui proposent d'évaluer des options demandent un taux d'intérêt composé en continu.

Il peut sembler que cela demande beaucoup de calcul pour un établissement financier. Mais heureusement, quelqu'un s'est souvenu de son algèbre, et a rappelé que lorsque m tend vers l'infini, $[1 + (r / m)]^m$ tend vers $(2,718)^r$. Le chiffre 2,718, appelé l'exponentielle (e), est simplement la base des logarithmes népériens. Ainsi, 1 € placé à un taux r composé de façon continue vaudra par conséquent à $e^r = 2,718^r$ à la fin de la première année. Au bout de t années, il atteindra $e^{rt} = 2,718^{rt}$.

Exemple 1

Vous investissez 1 € sur un an ($t = 1$) à un taux de 11 % (r = 0,11) composé de façon continue. Sa valeur à la fin de l'année est égale à $e^{0,11}$, soit 1,116 €. Investir à un taux annuel de 11 % composé de façon *continue* revient exactement à investir à un taux annuel de 11,6 % composé *annuellement*.

Exemple 2

Vous investissez 1 € sur deux ans ($t = 2$) à un taux de 11 % ($r = 0,11$) composé de façon continue. La valeur finale (capitalisée) de cet investissement s'élève à $e^{rt} = e^{0,22}$, soit 1,246 €.

Les taux continus se révèlent particulièrement intéressants en choix d'investissement, domaine dans lequel il est souvent plus raisonnable de supposer que les cash-flows sont répartis de manière égale et continue sur toute l'année plutôt que concentrés à la fin de l'année. Il est facile d'adapter nos formules précédentes pour traiter ce problème. Par exemple, supposons que nous souhaitions calculer la valeur actuelle d'une rente perpétuelle versant CF chaque année. Nous savons déjà que si le paiement est effectué à la fin de l'année, nous divisons le paiement par le taux r composé annuellement :

$$\text{VA} = \frac{\text{CF}}{r}$$

---

9. Quand on parle de versements *continus*, on veut dire que l'argent peut s'écouler de façon continue comme l'eau d'un robinet. Il n'en va jamais exactement ainsi. Par exemple, au lieu de verser 10 000 € chaque année, notre bienfaiteur pourrait verser 100 € toutes les 8 heures et 45 minutes, ou 1 € toutes les 5 minutes et 15 secondes, ou 1 centime toutes les 3 secondes et 1 sixième, mais il ne peut pas payer d'une façon *strictement continue*. Les gestionnaires financiers *font comme si* les versements sont continus, plutôt que quotidiens ou horaires, parce que (1) cela simplifie les calculs, (2) cela donne une *très bonne* approximation de la VAN des versements fréquents.

Si le paiement de cette même somme est étalé sur toute l'année, nous utiliserons la même formule, mais en y substituant le taux à composition *continue*.

Exemple 3

Supposons que le taux composé annuellement soit de 18,5 %. La VA d'une rente perpétuelle de 100 € avec des versements en fin de période est égale à 100 / 0,185 = 540,54 €. Si les cash-flows sont perçus de façon continue, on doit diviser 100 par 17 %, qui est le taux continu équivalent au taux de 18,5 % composé annuellement ($e^{0,17} = 1,185$). La valeur actuelle de la rente s'élève à 100 / 0,17 = 588,24 €.

Pour toutes les autres formes de paiement continu, on peut toujours utiliser nos formules de calcul des annuités. Par exemple, supposons que notre philanthrope ait décidé, après mûre réflexion, de fonder une maison de retraite pour ânes. Cela coûtera 100 000 € par année, pendant 20 ans à partir d'aujourd'hui, le versement étant également réparti au cours de chaque année. Précédemment, nous avions utilisé un taux de 10 % composé annuellement ; nous devons à présent utiliser un taux $r = 9,53\%$ composé en continu ($e^{0,0953} = 1,10$). Pour faire face à de telles dépenses, notre philanthrope doit alors constituer une réserve de[10] :

$$VA = CF\left(\frac{1}{r} - \frac{1}{r} \times \frac{1}{e^{rt}}\right)$$

$$= 100\,000\left(\frac{1}{0,0953} - \frac{1}{0,0953} \times \frac{1}{6,727}\right) = 100\,000 \times 8,932 = 893\,000\ €$$

Pour un taux composé annuellement de 10 %, la valeur de 1 € par an uniformément réparti sur les 20 années s'élève à 8,932 €.

Si vous retournez à notre précédente analyse des annuités constantes, vous remarquerez que la valeur actuelle de 100 000 € payés à la *fin* de chacune des 20 années s'élevait à 851 406 €. Ainsi, il en coûte au philanthrope 41 800 €, ou 5 %, de plus pour offrir un cash flow continu de paiements.

---

10. Souvenez-vous qu'une annuité n'est rien d'autre que la différence entre une rente perpétuelle reçue aujourd'hui et une rente perpétuelle reçue l'année t. Une séquence continue de CF euros par an à perpétuité vaut CF / *r*, où *r* est le taux composé en continu. Notre annuité vaut alors :

$$VA = \frac{CF}{r} - \text{valeur actuelle de } \frac{CF}{r} \text{ reçu l'année } t$$

Comme *r* est composé en continu, CF / *r* reçu l'année *t* vaut (CF / *r*) × (1 / e^{rt}) aujourd'hui. Par conséquent, la formule de notre séquence d'annuités devient :

$$VA = \frac{CF}{r} - \frac{CF}{r} \times \frac{1}{e^{rt}}$$

qu'on écrit parfois sous la forme

$$VA = \frac{CF}{r}\left(1 - e^{-rt}\right)$$

Nous n'avons souvent besoin, en finance, que d'une estimation à la louche de la valeur actuelle. Une erreur de 5 % dans le calcul d'une VA peut être parfaitement acceptable. Dans de tels cas, peu importe que nous supposions couramment que les cash-flows surviennent à la fin de l'année ou en continu. Dans les cas où la précision importe, nous devrons tenir compte de la fréquence exacte des cash-flows.

4 Taux d'intérêt réel et nominal

Lorsque vous déposez 1 000 € sur un compte bancaire rémunéré à un taux d'intérêt de 10 %, la banque s'engage à vous payer 1 100 € à la fin de l'année. Mais elle ne s'engage pas sur ce que vous pourrez acheter avec 1 100 €. Cela dépendra du taux d'inflation cette année-là. Si les prix augmentent de plus de 10 %, vous aurez perdu en termes de pouvoir d'achat.

On utilise plusieurs indices pour suivre le niveau général des prix. Le plus connu est l'Indice des Prix à la Consommation, ou IPC, qui mesure le nombre d'euros nécessaires pour les dépenses d'une famille type. La variation de l'IPC d'une année à l'autre mesure le taux d'inflation. La figure 3.6 montre l'évolution du taux d'inflation en France depuis 1891. Durant la dépression suite au krach de 1929, il y a eu en fait de la *déflation* : les prix des biens baissaient, en moyenne. Les taux d'inflation ont atteint un sommet juste après la Seconde Guerre mondiale, avec un niveau de 58 % en 1948. Mais ce chiffre devient insignifiant quand on le compare avec l'inflation en Yougoslavie en 1993, où le niveau plus élevé a été de 60 % *par jour*.

Les économistes font parfois la distinction entre des **euros courants**, ou *nominaux*, et des **euros constants**, ou *réels*. Par exemple, le cash-flow nominal de votre dépôt bancaire pour un an est de 1 100 €. Mais si les prix des biens augmentent de 6 % au cours de l'année, vous achèterez 6 % de biens en moins qu'avec vos euros d'aujourd'hui. Ainsi, à la fin de l'année, 1 100 € vous permettront d'acheter la même quantité de biens que 1 100 / 1,06 = 1 037,74 € aujourd'hui. Le solde *nominal* de votre dépôt sera de 1 100 €, mais sa valeur *réelle* ne sera que de 1 037,74 €.

La formule permettant de convertir un cash-flow nominal futur (dans *t* périodes) en un cash-flow réel est :

$$\text{Cash flow réel} = \frac{\text{Cash flow nominal}}{(1 + \text{taux d'inflation})^t}$$

Par exemple, si vous investissez 1 000 € sur 20 ans à 10 %, la valeur nominale future de votre investissement s'élèvera à $1\,000 \times 1{,}1^{20} = 6\,727{,}50$ €, mais avec un taux d'inflation de 6 % par an, sa valeur réelle sera de $6\,727{,}50 / 1{,}06^{20} = 2\,097{,}67$ €. *Vous aurez environ six fois plus d'euros qu'aujourd'hui, mais vous ne serez en mesure d'acheter que deux fois plus de biens.*

Lorsque la banque vous propose un taux d'intérêt de 10 %, c'est d'un taux nominal qu'il s'agit. Ce taux vous indique à quelle vitesse augmentera votre capital :

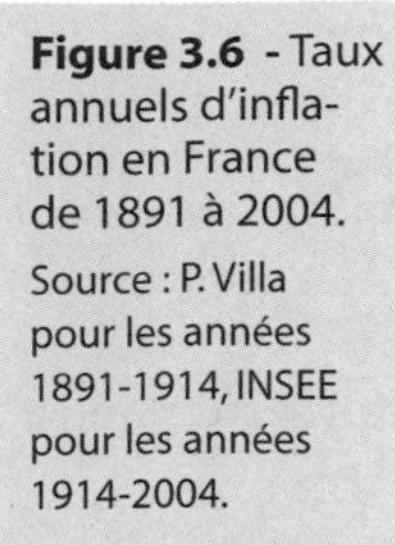

Figure 3.6 - Taux annuels d'inflation en France de 1891 à 2004.

Source : P. Villa pour les années 1891-1914, INSEE pour les années 1914-2004.

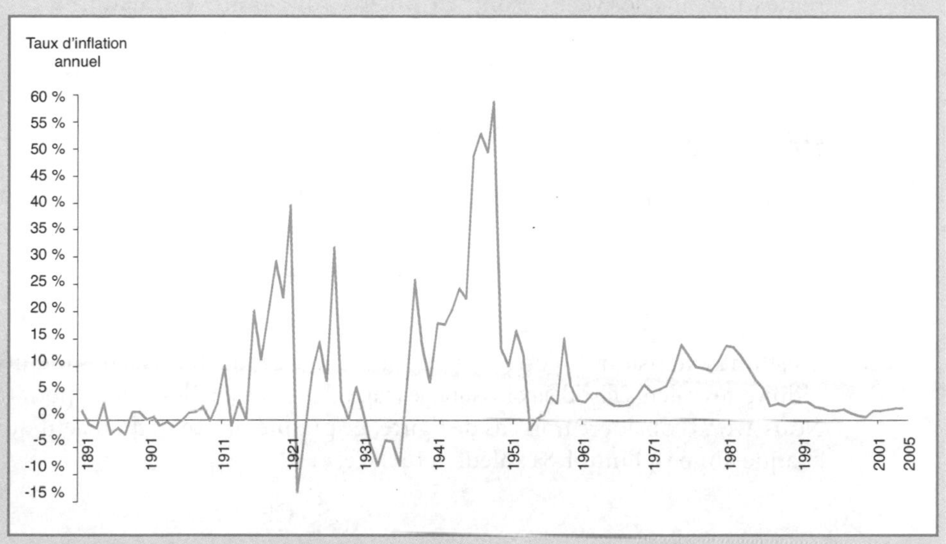

Investissement en euros courants		Euros à recevoir (période 1)	Résultat
1 000	→	1 100	10 % de taux de rentabilité *nominal*

Cependant, avec un taux d'inflation de 6 %, votre situation s'améliore seulement de 3,774 % à la fin de l'année :

Investissement en euros courants		Euros à recevoir *en réel* (période 1)	Résultat
1 000	→	1 037,74	3,774 % de taux de rentabilité *réel* anticipé

Ainsi, on peut dire « Le taux de rentabilité nominal du compte bancaire est de 10 % », ou « Le taux de rentabilité réel anticipé est de 3,774 % ». Remarquez que le taux nominal est certain, alors que le taux réel est seulement anticipé. Le taux réel effectif ne peut être calculé avant que l'année ne s'achève et que le taux d'inflation ne soit connu.

Le taux de rentabilité nominal de 10 %, avec 6 % d'inflation, se transforme en un taux de rentabilité réel de 3,774 %. La formule pour calculer le taux de rentabilité réel est la suivante :

$$1 + r_{\text{nominal}} = (1 + r_{\text{réel}})(1 + \text{taux d'inflation})$$
$$= 1 + r_{\text{réel}} + \text{taux d'inflation} + (r_{\text{réel}})(\text{taux d'inflation})$$

Dans notre exemple,

$$1{,}10 = 1{,}03774 \times 1{,}06$$

Résumé

La valeur actuelle d'un actif qui génère des cash-flows sur plusieurs périodes correspond à :

$$VA = \frac{CF_1}{1 + r_1} + \frac{CF_2}{(1 + r_2)^2} + \ldots$$

C'est une extension de notre formule sur une période. Il existe des méthodes permettant de réduire ces calculs fastidieux lorsque les taux d'intérêt sont les mêmes pour toutes les échéances. Nous avons considéré trois cas de figure. Le premier est celui d'un actif qui procure CF euros chaque année à l'infini. Sa valeur actuelle est :

$$VA = \frac{CF}{r}$$

Le deuxième cas est celui d'un actif dont les cash-flows augmentent à un taux constant g à perpétuité. Sa VA correspond à la formule de Gordon-Shapiro :

$$VA = \frac{CF_1}{r - g}$$

Le troisième cas est celui d'une séquence d'annuités constantes sur t années. Pour trouver sa valeur actuelle, on calcule la différence entre les valeurs de deux rentes perpétuelles :

$$VA = CF\left[\frac{1}{r} - \frac{1}{r(1 + r)^t}\right]$$

L'étape suivante a consisté à montrer que l'actualisation raisonne en *intérêt composé*. Lorsque quelqu'un est disposé à nous prêter un euro à un taux annuel r, nous devons toujours vérifier la fréquence de composition de l'intérêt. Si la période de composition est annuelle, nous aurons à rembourser $(1 + r)^t$ € ; si la composition est continue, nous aurons à rembourser $2{,}718^{rt}$ € (ou, selon l'expression habituelle, e^{rt}). Très souvent en choix d'investissement, on admet l'hypothèse que les cash-flows surviennent à la fin de chaque année. En conséquence, on les actualise à un taux d'intérêt composé annuellement. Cependant, il est parfois plus correct de les supposer uniformément étalés sur l'année. Dans ce cas, il faut utiliser un taux continu.

Il est important de distinguer entre les cash-flows *nominaux* (le nombre d'euros effectivement perçus) et les cash-flows *réels*, qui sont déflatés. Un investissement peut promettre un taux d'intérêt *nominal* élevé, mais si l'inflation l'est également, le taux d'intérêt *réel* peut être faible, voire négatif.

Nous avons introduit dans ce chapitre deux idées très importantes sur lesquelles nous aurons l'occasion de revenir à maintes reprises. La première est que vous pouvez additionner des valeurs actuelles : si, en calculant la valeur actuelle de A + B, vous obtenez un résultat différent de celui obtenu en faisant la somme de la valeur actuelle de A et de la valeur actuelle de B, vous avez commis une erreur. La seconde idée est que les « machines à euros » n'existent pas : si vous pensez en avoir trouvé une, vérifiez vos calculs.

Lectures complémentaires

La matière de ce chapitre devrait suffire à fournir tout ce que vous avez besoin de savoir sur l'actualisation ; mais si vous souhaitez aller plus loin, il existe bon nombre de manuels sur le sujet, par exemple :

C. Deffains-Crapsky, *Mathématiques financières*, Bréal, 2003.

F. Quittard-Pinon, *Mathématiques financières*, EMS, 2002.

Activités

Exercices sur Internet

Il existe des dizaines de sites Internet proposant des programmes de calcul pour vous aider à prendre des décisions financières personnelles, par exemple **www.quicken.com** et **www.smartmoney.com** (remarquez que ces deux sites supposent que les taux d'intérêt sont simples lorsqu'il s'agit de convertir des taux mensuels en taux annuel ; en d'autres termes, le taux d'intérêt annuel est calculé comme 12 fois le taux mensuel).

1. Vous avez placé 5 000 € sur votre livret d'épargne et vous projetez d'épargner 500 € par mois. Si votre placement vous rapporte 12 % par an (1 % par mois), combien aurez-vous accumulé au bout de 30 ans pour votre retraite ? À présent enregistrez-vous sur le site Quicken et cliquez sur Bills and Banking pour découvrir un sympathique programme de calcul de l'épargne. Utilisez-le pour vérifier votre réponse.
2. Vous contractez un prêt à annuités constantes de 200 000 € sur 30 ans à un taux d'intérêt de 10 %. Combien devrez-vous rembourser par mois ? De combien le premier versement mensuel réduit-il le capital à rembourser ? De combien deux années de remboursement diminueront-elles le montant de ce capital ? Vous pouvez vérifier vos réponses en allant sur la page de finance personnelle **www.smartmoney.com**.

Révision des concepts

1. Donnez la formule de la valeur actuelle pour un investissement qui génère des cash-flows CF_1, CF_2 et CF_3.
2. Quelle est la formule du facteur d'actualisation à deux ans, FA_2 ?
3. Le taux d'actualisation à deux périodes (r_2) peut-il être inférieur au taux à une période (r_1) ?

Tests de connaissances

1. Le taux d'intérêt étant de 12 %, le facteur d'actualisation à 6 ans est de 0,507. Que vaudront 0,507 € dans 6 ans, s'ils sont investis à 12 % ?
2. La VA de 139 € étant de 125 €, quelle est la valeur du facteur d'actualisation ?
3. Quelle est la VA de 374 € payés dans 9 ans sachant que le coût du capital est de 9 % ?
4. Un projet génère les cash-flows suivants. Le coût du capital étant de 15 %, quelle est la VA de ce projet ?

Année	Cash-flows
1	432
2	137
3	797

5. Combien aurez-vous au bout de 8 ans si vous investissez 100 € à un taux d'intérêt de 15 % ?
6. Un investissement de 1 548 € rapporte 138 € à perpétuité. Le taux d'intérêt étant de 9 %, quelle est sa VAN ?
7. Une action donnera droit l'an prochain à un dividende de 4 €. Au-delà, on s'attend à ce que les dividendes augmentent indéfiniment à raison de 4 % par an. Si le taux d'actualisation est de 14 %, quelle est la VA de ce flux de dividendes ?
8. En février 2006, un couple de retraités a dépensé 1 € pour acheter un billet de loterie et a gagné la somme record de 194 millions d'euros. Cependant, cette somme leur sera payée en 25 versements annuels égaux. Si le premier paiement a lieu immédiatement et que le taux d'intérêt est de 9 %, quelle est la valeur actuelle de leur gain ?
9. Pour un taux d'intérêt de 10 % :
   - **a.** Quelle est la VA d'un actif qui génère 1 € par an à perpétuité ?
   - **b.** La valeur d'un actif qui s'apprécie de 10 % par année double approximativement en 7 ans. Quelle est la VA approximative d'un actif qui génère 1 € par an, à perpétuité, à partir de l'année 8 ?
   - **c.** Quelle est la VA approximative d'un actif qui génère 1 € par an pour chacune des 7 années à venir ?
   - **d.** Un terrain procure un revenu qui augmente de 5 % par an. Si le cash-flow de la première année est de 10 000 €, quelle est la VA du terrain ?
10. **a.** Une automobile neuve coûte 10 000 €. Le taux d'intérêt étant de 5 %, combien devez-vous mettre de côté maintenant pour réunir cette somme dans 5 ans ?
    - **b.** Vous devez verser 12 000 € de frais de scolarité par année à la fin de chacune des 6 prochaines années. Le taux d'intérêt étant de 8 %, combien devez-vous économiser pour couvrir ces frais ?
    - **c.** Vous avez investi 60 476 € à 8 %. Après avoir payé les frais de scolarité mentionnés en (b), combien vous reste-t-il à la fin des 6 années ?
11. Vous avez la possibilité d'investir en Syldavie, avec un taux de rentabilité espéré de 25 %. Le taux d'inflation anticipée est de 21 %. Quel est votre taux de rentabilité réel ?
12. Vous pouvez placer et emprunter à un taux continu de 12 %.
    - **a.** Si vous placez 1 000 € à ce taux, combien aurez-vous dans 5 ans ?
    - **b.** Quelle est la VA de 5 millions d'euros que vous recevrez dans 8 ans ?
    - **c.** Quelle est la VA d'une séquence d'annuités de 2 000 € par an, sur 15 ans ?
13. Votre placement de 10 millions d'euros rapporte du 6 %. Quelle est la valeur de ce placement au bout de 4 ans si le taux d'intérêt est composé :
    - **a.** annuellement,
    - **b.** mensuellement,
    - **c.** en continu ?

Questions et problèmes

1. Utilisez les *facteurs d'actualisation* pour calculer la VA de 100 € à recevoir à la fin de :
   - **a.** L'année 10 (taux d'actualisation de 1 %).
   - **b.** L'année 10 (taux d'actualisation de 13 %).
   - **c.** L'année 15 (taux d'actualisation de 25 %).
   - **d.** Chacune des années 1 à 3 (taux d'actualisation de 12 %).
2. **a.** Quel est le taux d'intérêt à 1 an si le facteur d'actualisation sur 1 an est de 0,905 ?
   - **b.** Le taux d'intérêt à 2 ans étant de 10,5 %, quel est le facteur d'actualisation sur 2 ans ?

c. En reprenant les facteurs d'actualisation des deux questions précédentes, calculez le facteur d'actualisation d'une séquence d'annuités constantes sur 2 ans.

d. La VA d'un cash-flow de 10 € par année pendant 3 ans est de 24,65 €. Quel est le facteur d'actualisation d'une séquence d'annuités constantes sur 3 ans ?

e. À partir de vos réponses aux questions (c) et (d), calculez le facteur d'actualisation sur 3 ans.

3. Une usine à gaz coûte 800 000 €. Vous estimez qu'elle générera, après déduction des coûts d'exploitation, des cash-flows de 170 000 € par an pendant 10 ans. Le coût d'opportunité du capital étant de 14 %, quelle est la VAN de cette usine ? Que vaudra cette usine au bout de 5 ans ?

4. Un perdomètre coûte 380 000 € et doit produire les cash-flows suivants :

Année	**1**	**2**	**3**	**4**	**5**	**6**	**7**	**8**	**9**	**10**
Cash-flows (en milliers d'euros)			50	57	75	80	85	92	92	80

Le coût du capital étant de 12 %, quelle est la VAN du perdomètre ?

5. Freddy Vert a 30 ans et son salaire sera de 40 000 € l'an prochain. Il prévoit que son salaire augmentera au taux constant de 5 % par an jusqu'à son départ à la retraite à 60 ans.

a. Quelle est la VA de ses salaires futurs si le taux d'actualisation est de 8 % ?

b. Supposons que Freddy épargne 5 % de son salaire chaque année et qu'il investisse cette épargne à un taux d'intérêt de 8 %. Combien aura-t-il épargné à 60 ans ?

c. Freddy envisage de dépenser cette épargne par fractions égales au cours des 20 années suivantes. Combien pourra-t-il dépenser chaque année ?

6. Une clafouille vaut 400 000 €. Selon vos calculs, elle produira, après déduction des coûts d'exploitation, un cash-flow de 100 000 € l'année 1, 200 000 € l'année 2, et 300 000 € l'année 3. Le coût d'opportunité du capital est de 12 %. Calculez la VAN de la clafouille.

7. Fret Hiyant envisage d'acheter un nouveau transporteur de vrac pour 8 millions d'euros. Les recettes prévues s'élèvent à 5 millions par an et les coûts d'exploitation sont de 4 millions. Une remise en état coûtant 2 millions d'euros sera nécessaire après la cinquième, puis la dixième année. Après 15 ans, le navire sera vendu à la casse pour 1,5 million d'euros. Le taux d'actualisation étant de 8 %, quelle est la VAN de ce bateau ?

8. En tant que vainqueur d'un concours de mangeurs de grenouilles, vous pouvez choisir l'un des prix suivants :

a. 100 000 € aujourd'hui.

b. 180 000 € à la fin de la cinquième année.

c. 11 400 € par an à perpétuité.

d. 19 900 € pendant chacune des 10 années à venir.

e. 6 500 € l'année prochaine, puis 5 % de plus chaque année à perpétuité.

Si le taux d'intérêt est de 12 %, quel prix a le plus de valeur ?

9. Gilles Esdeplüm est âgé de 65 ans et son espérance de vie est de 12 ans. Il souhaite investir 20 000 € dans une rente qui lui procurera un revenu chaque année jusqu'à son décès. Le taux d'intérêt étant de 8 %, quel revenu peut-il espérer recevoir chaque année ?

10. Sam et Thérèse Patelmant épargnent pour acheter un bateau dans 5 ans. Le prix du bateau sera de 20 000 € et leur épargne rapporte 10 % par an. Combien leur faut-il épargner à la fin de chaque année ?

11. Boïng SA vous propose un crédit gratuit pour l'achat d'une voiture de 10 000 €. Vous réglez 1 000 € au comptant, puis 300 € par mois pendant les 30 prochains mois. Le concessionnaire d'à côté, Schtonk SA, ne vous propose pas de crédit, mais vous fait une remise de 1 000 € sur le prix affiché. Le taux d'intérêt étant de 10 % par an, quelle est la proposition la plus intéressante ?

12. Calculez la VAN du projet immobilier de la section 3.1 avec des taux d'intérêt de 5, 10, et 15 %. Faites un graphique avec la VAN sur l'axe vertical, le taux d'actualisation sur l'axe horizontal, et reportez les points obtenus. À quel taux (approximativement) le projet a-t-il une VAN nulle ? Vérifiez votre réponse.

13. Le taux d'intérêt étant de 7 %, quelle est la VA des trois investissements suivants ?

a. Un placement qui vous procure 100 € par an à perpétuité, le paiement ayant lieu à la fin de chaque année.

b. Un investissement similaire, le paiement des 100 € ayant lieu au début de chaque année.

c. Un investissement similaire, le versement des flux étant uniformément étalé sur chaque année.

14. Retournez à la section 3.2. Si le taux d'intérêt était de 8 % au lieu de 10 %, combien notre mécène devrait-il mettre de côté pour pourvoir à chacune des dépenses suivantes ?

a. 100 000 € à la fin de chaque année à perpétuité.

b. Une rente perpétuelle de 100 000 €, payée à la fin de la première année et augmentant de 4 % par an.

c. 100 000 € à la fin de chaque année pendant 20 ans.

d. 100 000 € par année uniformément étalés pendant 20 ans.

15. Combien aurez-vous au bout de 20 ans si vous investissez 100 € aujourd'hui à 15 % composés annuellement ? Combien aurez-vous si vous investissez à 15 % composés en continu ?

16. Vous lisez une publicité qui propose « Versez-nous 100 € par an sur 10 ans, et nous vous paierons 100 € par an sur les années restant, à perpétuité ». Quel est le taux d'intérêt pour que cette offre soit correcte ?

17. Lequel de ces investissements préférez-vous ?

a. Un investissement qui rapporte un intérêt de 12 % composé annuellement.

b. Un investissement qui rapporte un intérêt de 11,7 % composé semestriellement.

c. Un investissement qui rapporte un intérêt de 11,5 % composé de façon continue.

Calculez la valeur de chacun de ces investissements après 1, 5, et 20 ans.

18. Complétez les espaces laissés en blanc dans le tableau suivant :

Taux d'intérêt nominal (%)	Taux d'inflation (%)	Taux d'intérêt réel (%)
6	1	
	10	12
9		3

19. En 1880, cinq éclaireurs aborigènes se virent promettre chacun 100 $ australiens pour la capture de Ned Kelley, un malandrin notoire. En 1993, les petites-filles de deux de ces héros réclamèrent la récompense qui n'avait jamais été payée. Le Premier ministre de Victoria assura que, si cette histoire était avérée, le gouvernement serait heureux de verser ces 100 $.

Mais les petites-filles rétorquèrent qu'elles avaient droit à des intérêts composés. Combien cela représentait-il pour chacune, en retenant un taux d'intérêt de 5 % ? Et de 10 % ?

20. Un contrat de location-vente stipule le versement immédiat de 100 000 € suivi de neuf versements de 100 000 € tous les six mois. Le taux d'actualisation *annuel* étant de 8 %, quelle est la VA de ces versements ?

21. En août 1994, un article du *Wall Street Journal* racontait l'histoire d'un gagnant d'un prix de la loterie de l'État du Massachusetts qui eut la malchance d'être en prison pour fraude. Son prix était de 9 420 713 $, payables en 19 versements annuels égaux. Le juge du tribunal de commerce décida que le prix devait être vendu aux enchères au plus offrant et que le produit de cette vente servirait à payer les créanciers. Le taux d'intérêt étant de 8 %, quelle offre auriez-vous faite pour obtenir ce prix ? Une compagnie d'assurances a proposé 4,2 millions de $. Utilisez un tableur pour trouver (approximativement) la rentabilité prévue par cette compagnie.

22. Pour rembourser un emprunt en liquide à la Quatter Bank, vous devez payer 70 000 € chaque fin d'année pendant 8 ans. Le taux intérêt est de 8 %.

a. Quelle est la valeur actuelle de ces versements ?

b. Bâtissez le tableau d'amortissement de cet emprunt sur les 8 années restantes.

23. Vous estimez qu'au moment où vous prendrez votre retraite, dans 35 ans, vous aurez accumulé une épargne de 2 millions d'euros. En supposant que le taux d'intérêt est de 8 % et que vous profiterez pendant 15 ans de votre retraite, quel niveau annuel de dépenses votre épargne vous permettra-t-elle ?

Malheureusement, l'inflation grignotera la valeur du revenu de votre épargne-retraite. Supposez un taux d'inflation de 4 % et calculez un programme de dépenses pendant votre retraite qui vous permettrait de maintenir un niveau *réel* de dépenses au cours de votre retraite.

24. Vous envisagez d'acheter un ensemble d'appartements qui générera des cash-flows nets de 400 000 € par an. Vous exigez habituellement 10 % de rendement sur des investissements semblables. On s'attend à ce que les cash-flows futurs augmentent, avec l'inflation, de 4 % par an. À quel prix êtes-vous disposé à payer cet immeuble :

a. S'il génère des cash-flows à perpétuité ?

b. S'il doit être démoli dans 20 ans ? Supposez que l'emplacement vaille à ce moment-là 5 millions d'euros, déduction faite des coûts de démolition (les 5 millions d'euros tiennent compte des 20 ans d'inflation).

Calculez à présent le taux d'actualisation réel correspondant au taux nominal de 10 %. Refaites les calculs des questions *(a)* et *(b)* à partir des cash-flows réels (vos réponses ne devraient pas changer).

25. Elvis Lékrou, un plombier indépendant, souhaite économiser pour se constituer une épargne pour sa retraite. Il a actuellement 40 ans et gagne 40 000 € par an. Il s'attend à ce que son revenu augmente de 2 points de plus (en %) que l'inflation. Il souhaite constituer un capital de 500 000 € en termes réels pour prendre sa retraite à 70 ans. Quelle proportion de son revenu annuel doit-il mettre de côté ? Supposez que son épargne-retraite est investie à un taux de rentabilité attendu de 5 % par an. Ignorez la fiscalité.

Problèmes avancés

1. Voici deux astuces utiles à connaître. La « Règle des 72 » stipule que si l'intérêt est composé en temps discret, la valeur d'un investissement doublera approximativement au bout de (72 / taux d'intérêt en %) périodes. La « Règle des 69 » stipule que si l'intérêt est composé en temps continu, la valeur d'un investissement doublera *exactement* au bout de (69,3 / taux d'intérêt en %) périodes.

a. Le taux d'intérêt composé annuellement étant de 12 %, utilisez la Règle des 72 pour calculer le temps nécessaire pour que votre argent double de valeur. Calculez-le ensuite précisément.

b. Pouvez-vous prouver la Règle des 69 ?

2. Utilisez un tableur pour construire votre propre ensemble de tables d'annuités.

3. Un puits de pétrole produit actuellement 100 000 barils par an. Le puits a une durée de vie de 18 ans, mais la production diminuera de 4 % par an. Toutefois, le prix du pétrole augmentera de 2 % par an. Le taux d'actualisation est de 8 %. Quelle est la VA de la production de ce puits si le prix d'un baril s'élève aujourd'hui à 24 € ?

Chapitre 4

La valeur des obligations et des actions

Sachez-le, être expert financier présente certains risques, comme celui de se retrouver coincé dans les cocktails par des individus impatients de vous expliquer leur système pour faire fortune en achetant des actions. Heureusement, ces fâcheux entrent en hibernation temporaire chaque fois que le marché baisse.

En effet, en matière d'investissement boursier, il n'est pas facile de se garantir des performances supérieures à celles du marché, *à risque égal*. Plus loin dans ce livre, nous montrerons que les variations du prix des titres sont totalement imprévisibles sur des marchés de capitaux fonctionnant correctement. C'est pourquoi, dans ce chapitre, lorsque nous vous proposons d'utiliser le concept de la valeur actuelle pour évaluer des actions, nous ne vous garantissons pas la fortune ; nous pensons simplement que ce concept peut vous aider à comprendre pourquoi certains investissements ont une plus grande valeur que d'autres.

Pourquoi est-ce important ? Si vous voulez connaître la valeur d'une action, pourquoi ne pas consulter votre journal ? Ce n'est pas toujours possible. Par exemple, supposons que vous ayez créé une entreprise. Vous possédez actuellement la totalité de ses actions, mais vous envisagez de « faire appel au public » en vendant des actions à d'autres investisseurs. Vous avez besoin d'estimer le prix auquel ces actions peuvent être émises. Ou supposez qu'une entreprise envisage de vendre l'une de ses activités à une autre entreprise : il faut déterminer sa valeur de marché.

Il y a une autre raison, plus profonde, qui oblige les gestionnaires à comprendre comment se détermine la valeur des actions. Nous avons dit qu'une entreprise qui agit dans l'intérêt de ses actionnaires doit choisir les investissements qui augmentent la valeur des actions. Mais pour y parvenir, il est nécessaire de comprendre ce qui détermine la valeur de ces actions.

Ce chapitre commence par un bref aperçu sur la façon dont se négocient les actions. Nous aborderons ensuite les principes essentiels de l'évaluation d'une action. Nous verrons quelle est la différence fondamentale entre des valeurs de croissance et des valeurs de rendement, ainsi que la signification du bénéfice par action (BPA) et du ratio cours/bénéfice (PER).

Enfin, nous examinerons quelques-uns des problèmes auxquels sont confrontés les gestionnaires et les investisseurs lorsqu'ils doivent calculer la valeur actuelle d'une branche entière d'activité.

Un mot d'avertissement avant de commencer. Chacun sait que les actions sont des actifs risqués. En conséquence, les investisseurs n'engageront leurs fonds dans des actions que si les taux de rentabilité anticipés compensent les risques pris. Mais pour évoquer les relations entre le risque et la rentabilité, nous attendrons le chapitre 7.

1 Utiliser les formules de valeur actuelle pour évaluer des obligations

Lorsque les gouvernements ou les entreprises empruntent de l'argent, ils le font souvent en émettant des obligations, titres de dette à long terme. Si vous possédez une obligation, vous recevrez un ensemble prédéterminé de cash-flows : chaque année jusqu'à l'échéance de l'obligation, vous recevrez un intérêt (appelé *coupon*), puis à l'échéance, le remboursement de la valeur nominale de votre obligation. La valeur nominale de l'obligation s'appelle également le *principal.* En conséquence, lorsque l'obligation arrivera à échéance, le gouvernement vous paiera le principal et les intérêts.

1.1 Petit voyage en Allemagne pour évaluer une obligation d'État

En Allemagne, le gouvernement émet des obligations à long terme appelées « bunds » (diminutif de *Bundesanleihen*). Ces obligations paient intérêts et principal en euros. Par exemple, supposons qu'en janvier 2006, vous décidiez d'acheter un bund d'une valeur nominale de 100 euros à 5,375 %, arrivant à maturité en janvier 2012. Chaque année jusqu'en 2012 vous percevrez un intérêt de 0,05375 × 100 = 5,375 €. Ce montant s'appelle le coupon de l'obligation[1]. Lorsque l'obligation arrivera à échéance, en 2012, le Trésor vous paiera les derniers 5,375 € d'intérêt, plus la valeur nominale de 100 €. Ainsi le fait de posséder cette obligation vous donne droit aux cash-flows suivants :

Cash-flows (€)					
2007	2008	2009	2010	2011	2012
5,375 €	5,375 €	5,375 €	5,375 €	5,375 €	105,375 €

Quelle est la valeur actuelle de ces cash-flows ? Pour le déterminer, il nous faut considérer la rentabilité offerte par des titres semblables. Supposons que les autres obligations à moyen terme du Trésor allemand offrent une rentabilité d'environ 3,8 % au printemps 2006. C'est la rentabilité à laquelle vous avez renoncé en achetant des obligations à 5,375 %.

1. Des coupons étaient dans le passé attachés aux obligations. Ils devaient être détachés et présentés à l'émetteur pour obtenir le paiement des intérêts. Ce mécanisme concerne toujours les titres au porteur, puisque seul le titre constitue une preuve de l'endettement. Dans de nombreux pays, de tels titres sont encore émis, très populaires auprès des investisseurs désirant rester anonymes. L'autre possibilité pour l'emprunteur est d'émettre des obligations nominatives, auquel cas l'identité du propriétaire de l'obligation est enregistrée et les coupons sont automatiquement versés. Les bunds sont des obligations nominatives.

En conséquence, pour évaluer une obligation à 5,375 %, nous devons actualiser les cash-flows à 3,8 % :

$$VA = \frac{5{,}375}{1{,}038} + \frac{5{,}375}{(1{,}038)^2} + \frac{5{,}375}{(1{,}038)^3} + \frac{5{,}375}{(1{,}038)^4} + \frac{5{,}375}{(1{,}038)^5} + \frac{105{,}375}{(1{,}038)^6} = 108{,}31 \text{ €}$$

Le prix des obligations est habituellement exprimé en % de leur valeur nominale. Ainsi, on peut dire que l'obligation du Trésor à 5,375 % vaut 108,31 %.

Il y avait une façon plus rapide de calculer la valeur de cette obligation. On peut considérer qu'elle consiste en deux investissements : le premier étant l'achat de six coupons annuels de 5,375 €, le second étant l'achat d'une valeur nominale de 100 € à l'échéance. Vous pouvez, par conséquent, utiliser la formule de l'annuité constante pour calculer la valeur des coupons et lui ajouter la valeur actuelle du versement final :

$$\begin{aligned} \text{VA (obligation)} &= \text{VA (coupons)} + \text{VA (versement final)} \\ &= (\text{coupon} \times \text{facteur d'annuité constante sur six ans}) \\ &\quad + (\text{versement final} \times \text{facteur d'actualisation}) \\ &= 5{,}375 \left[\frac{1}{0{,}038} - \frac{1}{0{,}038(1{,}038)^6}\right] + \frac{100}{(1{,}038)^6} = 28{,}36 + 791{,}95 = 108{,}31 \text{ €} \end{aligned}$$

Toute obligation peut être évaluée comme s'il s'agissait d'un ensemble constitué d'une séquence d'annuités constantes (le paiement des coupons) et d'un paiement unique (le remboursement final de la valeur nominale).

Plutôt que de demander quelle est la valeur de l'obligation, nous aurions pu reformuler notre question dans l'autre sens : le prix de l'obligation étant de 108,31 €, quelle est la rentabilité attendue ? Dans ce cas, il nous faut trouver la valeur de r qui résout l'équation suivante :

$$108{,}31 = \frac{5{,}375}{1+r} + \frac{5{,}375}{(1+r)^2} + \frac{5{,}375}{(1+r)^3} + \frac{5{,}375}{(1+r)^4} + \frac{5{,}375}{(1+r)^5} + \frac{105{,}375}{(1+r)^6}$$

On appelle souvent r le **rendement à l'échéance** ou *taux de rendement actuariel (TRA)* de l'obligation. Dans notre exemple, r est de 3,8 %. Si vous actualisez les cash-flows à 3,8 %, vous arriverez au prix de l'obligation, soit 108,31 €. Nous verrons au chapitre 5 que la seule méthode *générale* de calcul de r est la méthode par approximations successives. Mais on peut utiliser une calculette ou un tableur[2] pour calculer r, ou encore utiliser une table financière.

Nota : dans la section 3.1, où nous avions admis la possibilité que r_1, le taux de rentabilité d'un investissement à un an sur les marchés financiers, soit différent de r_2, le taux de rentabilité d'un investissement à 2 ans, nous avions fait l'impasse sur ce problème en supposant que r_1 et r_2 étaient égaux. Dans l'évaluation de notre obligation allemande, nous avons à nouveau supposé que les investisseurs utilisaient le même taux pour actualiser des cash-flows survenant à des périodes différentes. Cela n'a pas grande importance tant que les taux à court terme sont très proches des taux à long terme. Mais souvent, *lorsqu'on évalue des obligations, on doit actualiser chaque cash-flow à un taux différent.* Nous reviendrons sur ce point au chapitre 23.

2. Comme Microsoft Excel ou OpenOffice.org Calc (http://fr.openoffice.org).

1.2 Que se passe-t-il lorsque les taux d'intérêt varient ?

Les taux d'intérêt fluctuent. Par exemple, au cours des 30 dernières années, les rendements des obligations à six ans émises par le Trésor allemand ont fluctué dans une fourchette de 3,2 % à 11,2 %. Comment de telles variations des taux d'intérêt affectent-elles la valeur des obligations ? Si le rendement des obligations allemandes *baissait* à 2 %, le prix de notre obligation sur six ans *augmenterait* à :

$$VA = \frac{5{,}375}{1{,}02} + \frac{5{,}375}{(1{,}02)^2} + \frac{5{,}375}{(1{,}02)^3} + \frac{5{,}375}{(1{,}02)^4} + \frac{5{,}375}{(1{,}02)^5} + \frac{105{,}375}{(1{,}02)^6} = 118{,}90\text{ €}$$

Si le taux *montait* à 10 %, le cours *descendrait* à :

$$VA = \frac{5{,}375}{1{,}10} + \frac{5{,}375}{(1{,}10)^2} + \frac{5{,}375}{(1{,}10)^3} + \frac{5{,}375}{(1{,}10)^4} + \frac{5{,}375}{(1{,}10)^5} + \frac{105{,}375}{(1{,}10)^6} = 79{,}86\text{ €}$$

Ce n'est pas très étonnant : plus le taux d'intérêt que demandent les investisseurs est élevé, plus ces derniers sont réticents à payer cher pour cette obligation qui ne rapporte « que » du 5,375 %.

Certaines obligations sont plus affectées que d'autres par une variation du taux d'intérêt. Lorsque les cash-flows s'échelonnent sur de nombreuses années, une variation du taux a un impact élevé sur la valeur. Elle aurait un effet insignifiant si l'obligation venait à échéance demain matin. À présent, il nous faut avancer et examiner comment les actions sont échangées et évaluées.

2 Passons aux actions

Il y a plus de deux milliards d'actions de France Télécom, dont 1,2 milliard détenues par le public. L'actionnariat compte des investisseurs institutionnels (*zinzins*), comme des compagnies d'assurances, qui possèdent plusieurs millions d'actions, aussi bien que des particuliers qui n'en ont que quelques-unes. Si vous possédez une action France Télécom, vous possédez un deux milliardième de cette entreprise et vous avez droit à un deux milliardième de ses bénéfices. Bien entendu, plus vous possédez d'actions, plus votre part augmente.

Pour obtenir des fonds supplémentaires, France Télécom peut soit emprunter soit émettre de nouvelles actions. L'émission d'actions nouvelles se réalise sur ce qu'on appelle le *marché primaire*. Mais la plupart des transactions d'actions France Télécom portent sur des actions déjà existantes, des investisseurs achetant à d'autres investisseurs, et elles n'apportent par conséquent aucun capital supplémentaire à l'entreprise. On appelle *marché secondaire* ce marché d'actions d'occasion. Le principal marché secondaire des actions France Télécom est Euronext-Paris. Il s'y échange, en moyenne et chaque jour, pour 5 milliards d'euros, concernant environ 1 200 sociétés.

Supposez que vous soyez le principal négociateur (*trader*) d'un investisseur institutionnel qui souhaite acheter 100 000 actions France Télécom. Vous contactez votre courtier, qui transmet ensuite votre ordre d'achat à Euronext. Lorsque votre ordre arrive, il est introduit dans la *feuille de marché* de la société concernée : la confrontation de toutes les quantités à acheter et à vendre permet de fixer le cours qui satisfera le plus grand nombre d'acheteurs et de vendeurs. Si le prix que vous aviez fixé ne correspond pas à ce cours, votre ordre sera pris en considération dans la cotation suivante.

En Europe, il existe des Bourses dans chaque pays. Amsterdam, Bruxelles et Lisbonne sont liées à Paris dans Euronext. Il existe également des Bourses importantes à Francfort et, surtout, à Londres.

Toutes les Bourses ne fonctionnent pas de la même façon. Le New York Stock Exchange (NYSE) et le Nasdaq illustrent les deux principales formes d'organisation des échanges. Le NYSE est un marché dirigé par les ordres, au sein duquel le teneur de marché agit comme un commissaire-priseur qui fait se rencontrer les vendeurs et les acheteurs potentiels. La plupart des principaux marchés dans le monde comme le Tokyo Stock Exchange, le London Stock Exchange ou le Frankfurt Exchange sont organisés ainsi, même si le rôle du commissaire-priseur est tenu par un ordinateur plutôt que par une personne. Cela signifie qu'il n'existe pas dans ces marchés de place physique (le parquet, ou *floor*) où sont échangées les actions, que l'on pourrait montrer au journal de 20 heures, et que personne ne fait sonner la cloche pour ouvrir le marché. Le Nasdaq quant à lui est un exemple de marché dirigé par les prix, au sein duquel tous les échanges se déroulent entre les investisseurs et un teneur de marché. Les marchés dirigés par les prix font rarement le commerce d'actions, mais ces marchés sont fréquents pour l'échange de nombreux autres instruments financiers. Par exemple, les obligations sont souvent vendues sur un marché dirigé par les prix.

Les cours des actions échangées sont publiés sous une forme condensée dans les quotidiens. Voici, par exemple, la façon dont *Les Echos* ont rendu compte des transactions du 12 octobre 2005 sur l'action France Télécom :

Dernier dividende versé	Rendement global en %	Variation mensuelle	Variation annuelle	+ haut séance	+ bas séance	Ouverture	Clôture	Écart en %	Volume	BPA 2005*
0,48	2,03	−1,09	−2,65	23,84	23,47	23,47	23,62	0,21	8 100 662	2,2

* Bénéfice par action.

On peut lire que ce jour-là, plus de 8 millions d'actions France Télécom ont changé de mains. Le plus haut cours atteint s'est élevé à 23,84 €, et le plus bas à 23,47 €. À la clôture du marché, l'action s'échangeait à 23,62 €, soit +0,21 % par rapport au cours de la veille.

Acheter des actions est une activité à risque. Ainsi, sur un an, le cours le plus élevé de l'action France Télécom a été de 25,83 € et le plus bas de 20,55 €. Un investisseur malchanceux qui l'aurait achetée à son niveau le plus haut et l'aurait revendue au plus bas aurait perdu plus de 20 % de son investissement. Et certaines actions présentent, sur un an, des profils encore plus risqués ! Un actionnaire d'EuroDisney, sur la même période, a perdu 68 % de sa valeur, passant de 0,32 à 0,10 €… Évidemment, vous avez peu de chance de tomber sur de telles personnes à un cocktail ; soit ils font profil bas, soit ils ne sont pas invités.

Les Echos donnent d'autres informations sur l'action France Télécom : par exemple, cette société verse un dividende annuel de 0,48 € par action, propose un rendement global de 2,03 % et prévoit un bénéfice par action de 2,2 € en 2005. Nous expliquerons brièvement les raisons pour lesquelles les investisseurs s'intéressent à ces données.

3 L'évaluation des actions

La formule des cash-flows actualisés (*discounted cash-flows*, ou *DCF*[3]) s'applique pour calculer la valeur actuelle d'une action de la même manière que pour n'importe quel autre actif. Il suffit d'actualiser les cash-flows au taux de rentabilité que l'on peut obtenir sur les marchés de capitaux pour des titres de risque comparable. Les actionnaires reçoivent de l'entreprise des cash-flows sous la forme de versements de dividendes. En conséquence :

VA d'une action = VA des dividendes futurs anticipés

À première vue, cette proposition peut paraître surprenante. Lorsqu'on achète des actions, on s'attend en général à recevoir des dividendes, mais on espère aussi réaliser une plus-value, un gain en capital. Pourquoi notre formule de la valeur actuelle d'une action ne tient-elle pas compte des plus-values ? Nous allons l'expliquer.

3.1 Le cours d'aujourd'hui

Le revenu monétaire des détenteurs d'actions provient de deux sources : (1) les dividendes, (2) les plus ou moins-values. Supposons que le cours d'une action soit P_0, que le cours attendu dans un an soit P_1, et que le dividende prévu par action soit DIV1. Le taux de rentabilité que les investisseurs espèrent obtenir de cette action est égal au dividende anticipé DIV1, plus l'accroissement anticipé de la valeur de l'action $P_1 - P_0$, le tout divisé par le cours au début de l'année P_0 :

$$\text{Taux de rentabilité espéré} = r = \frac{DIV_1 + P_1 - P_0}{P_0}$$

On appelle souvent cette rentabilité espérée l'exigence **de rentabilité** des investisseurs.

Prenons l'action Pepita, qui cote 100 €. Les investisseurs prévoient un dividende de 5 € pour l'année prochaine et s'attendent à ce que le cours atteigne 110 € dans un an. Ainsi, la rentabilité espérée par les actionnaires est de 15 % :

$$r = \frac{5 + 110 - 100}{100} = 0{,}15, \text{ ou } 15\ \%$$

De la même manière, si l'on vous donne les prévisions des investisseurs sur le dividende, le cours et la rentabilité espérée qu'offrent des actions de même risque, vous pouvez prédire le cours d'aujourd'hui :

$$\text{Cours} = P_0 = \frac{DIV_1 + P_1}{1 + r}$$

Si r, le taux de rentabilité anticipé des titres appartenant à la même classe de risque que Pepita, est de 15 %, le cours d'aujourd'hui devrait s'établir à 100 € :

$$P_0 = \frac{5 + 110}{1{,}15} = 100\ €$$

3. Que le lecteur puriste nous pardonne. Nous emploierons souvent le terme de *méthode DCF* au lieu de *méthode des cash-flows actualisés*, CFA, ou *des flux de trésorerie actualisés*, FTA. Tout cela permet de gagner du temps. Or le temps, c'est de l'argent.

Pourquoi ce cours de 100 € représente-t-il la véritable valeur de cette action ? Parce que tout autre cours ne pourrait se maintenir sur des marchés de capitaux concurrentiels. Que se passerait-il si P_0 était supérieur à 100 € ? L'action Pepita offrirait alors une rentabilité espérée *inférieure* à celle des titres de risque équivalent. Des investisseurs achèteraient ces autres titres et vendraient leurs actions Pepita, provoquant ainsi une baisse du cours de cette action. Si P_0 était inférieur à 100 €, nous assisterions au processus inverse. L'action Pepita offrirait une rentabilité supérieure à celle de titres comparables. Dans ce cas, les investisseurs se précipiteraient pour l'acheter, provoquant une hausse du cours allant jusqu'à 100 €.

La conclusion générale à tirer de cet exemple est qu'à chaque instant *les cours de tous les titres de même risque sont fixés de telle sorte que leurs rentabilités anticipées soient les mêmes.* C'est une condition d'équilibre des marchés de capitaux concurrentiels. Cela tient également du simple bon sens.

3.2 Qu'est-ce qui détermine le cours de l'an prochain ?

Nous avons donné une explication du cours d'aujourd'hui en fonction du dividende et du cours anticipé de l'an prochain. Mais les cours futurs d'une action ne sont pas aussi faciles à prévoir directement. Réfléchissons à ce qui détermine le cours de l'an prochain. Notre formule étant valable pour aujourd'hui, elle devrait l'être également pour plus tard :

$$P_1 = \frac{DIV_2 + P_2}{1 + r}$$

Dans un an, les investisseurs s'intéresseront aux dividendes de l'année 2 et au cours à la fin de l'année 2. On peut ainsi prévoir P_1 à partir des prévisions de DIV_2 et de P_2, et on peut exprimer P_0 en fonction de DIV_1, DIV_2, et P_2 :

$$P_0 = \frac{1}{1 + r}(DIV_1 + P_1) = \frac{1}{1 + r}\left(DIV_1 + \frac{DIV_2 + P_2}{1 + r}\right) = \frac{DIV_1}{1 + r} + \frac{DIV_2 + P_2}{(1 + r)^2}$$

Revenons à Pepita. Si les investisseurs prévoient une augmentation du cours de l'action à la fin de la première année, c'est probablement qu'ils s'attendent à des dividendes et des plus-values plus élevés la deuxième année. Supposez qu'ils prévoient aujourd'hui un dividende de 5,50 € pour l'année 2 et un cours de 121 €. Le cours à la fin de l'année 1 devrait donc être de :

$$P_1 = \frac{5{,}50 + 121}{1{,}15} = 110\ €$$

Nous pouvons donc calculer le cours d'aujourd'hui soit à partir de notre formule initiale :

$$P_0 = \frac{DIV_1 + P_1}{1 + r} = \frac{5 + 110}{1{,}15} = 100\ €$$

soit à partir de notre formule développée :

$$P_0 = \frac{DIV_1}{1 + r} + \frac{DIV_2 + P_2}{(1 + r)^2} = \frac{5}{1{,}15} + \frac{5{,}50 + 121}{(1{,}15)^2} = 100\ €$$

Nous avons réussi à établir une relation entre le prix d'aujourd'hui, les dividendes anticipés pour les deux prochaines années (DIV_1 et DIV_2), et le cours prévu à la fin de la *deuxième* année (P_2). Nous pouvons remplacer P_2 par $(DIV_3 + P_3) / (1 + r)$, et relier le cours d'aujourd'hui aux dividendes prévus pour les trois prochaines années et au cours prévu à la fin de la troisième année. En fait, nous pouvons regarder aussi loin que nous le voulons dans le futur en déplaçant les *P* au fur et à mesure. Appelons *H* cet horizon futur. Cela nous conduit à une formule générale du cours d'une action :

$$P_0 = \frac{DIV_1}{1+r} + \frac{DIV_2}{(1+r)^2} + \ldots + \frac{DIV_H + P_H}{(1+r)^H}$$

$$= \sum_{t=1}^{H} \frac{DIV_t}{(1+r)^t} + \frac{P_H}{(1+r)^H}$$

L'expression $\sum_{t=1}^{H}$ désigne simplement la somme des dividendes actualisés de l'année 1 à l'année *H*.

Le tableau 4.1 prolonge l'exemple de Pepita sur différents horizons temporels, sous l'hypothèse que les dividendes et les cours augmenteront de 10 % par an. Chaque ligne du tableau représente une application de notre formule générale pour une valeur différente de *H*. La figure 4.1 donne une représentation du tableau. Chaque colonne montre la valeur actuelle des dividendes et celle du cours en fonction de l'horizon temporel. À mesure que l'horizon s'éloigne, les flux de dividendes représentent une proportion croissante de la valeur actuelle de l'action, tandis que la valeur actuelle *totale* des dividendes et du cours final demeure invariablement égale à 100 €.

Tableau 4.1. Application de la formule d'évaluation d'une action

Horizon H	Valeurs futures prévues		Valeurs actualisées		Total
	Dividendes (DIV_t)	Cours (P_t)*	Dividendes cumulés	Cours	
0	—	100,00	—	—	100
1	5,00	110,00	4,35	95,65	100
2	5,50	121,00	8,51	91,49	100
3	6,05	133,10	12,48	87,52	100
4	6,66	146,41	16,29	83,71	100
10	11,79	259,37	35,89	64,11	100
20	30,58	672,75	58,89	41,11	100
50	533,59	11 739,09	89,17	10,83	100
100	62 639,15	1 378 062,23	98,83	1,17	100

* Hypothèse 1 : les dividendes augmentent au taux composé de 10 % par an.
Hypothèse 2 : le taux d'actualisation est de 15 %.

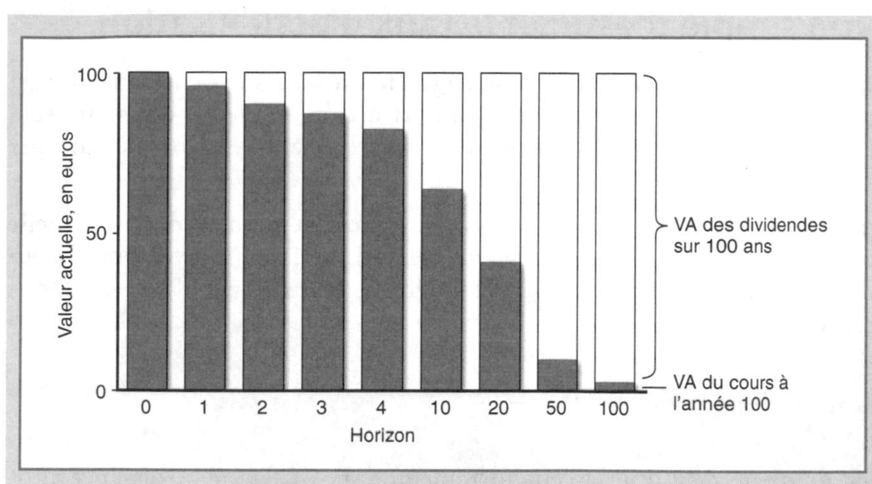

Figure 4.1 - À mesure que l'horizon s'éloigne, la valeur actuelle du cours futur (partie bleue) diminue tandis que la valeur actuelle du flux de dividendes (partie claire) augmente. La valeur actuelle totale (cours + dividendes) demeure la même.

Jusqu'où peuvent s'étendre nos prévisions ? En principe, l'horizon H peut s'étendre à l'infini. Les actions ne meurent pas de vieillesse. Si l'on écarte des risques comme la faillite de l'entreprise ou son rachat, les actions sont immortelles. Quand H tend vers l'infini, la valeur actuelle du cours final tend vers 0, comme le montre la dernière colonne du tableau 4.1. On peut donc négliger entièrement le cours final et exprimer le cours d'aujourd'hui comme la valeur actuelle d'un flux perpétuel de dividendes, ce qui se formule habituellement comme suit :

$$P_0 = \sum_{t=1}^{\infty} \frac{\mathrm{DIV}_t}{(1+r)^t}$$

où ∞ est le symbole vertigineux de l'infini.

Cette formule des cash-flows actualisés (*DCF*) appliquée à la valeur d'une action est la même que celle que l'on applique pour n'importe quel autre actif. On actualise les cash-flows – ici les flux de dividendes – par la rentabilité que pourraient procurer des titres de risque comparable sur les marchés de capitaux. Certains contestent le bien-fondé de la formule *DCF* parce qu'elle semble ignorer les plus-values. Mais nous savons que la formule *provient* de l'hypothèse selon laquelle le cours à chaque période est déterminé par les dividendes espérés *et* les plus-values à la période suivante.

Notez qu'il n'est pas correct de dire que la valeur d'une action est égale à la somme des flux actualisés des *profits* par action. Les profits sont en général supérieurs aux dividendes parce qu'une partie est réinvestie en usines, équipements et besoin en fonds de roulement (BFR). Les profits attendus sont la récompense de cet investissement (un dividende *futur* supérieur) et non le sacrifice (un dividende inférieur *aujourd'hui*). La formulation correcte signifie que la valeur d'une action est égale au flux actualisé des dividendes par action.

4 Une façon simple d'estimer le taux d'actualisation

Supposons que les dividendes d'une entreprise augmentent à un taux constant. Il n'est pas exclu cependant qu'il y ait des écarts par rapport à cette tendance d'une année à l'autre : cela signifie seulement que les dividendes *anticipés* augmenteront à un taux constant.

Un investissement de ce genre est simplement un autre exemple d'une **rente perpétuelle croissante** que nous avons rencontrée au chapitre précédent. Pour trouver cette valeur actuelle, on doit diviser le cash-flow annuel par la différence entre le taux d'actualisation et le taux de croissance[4] :

$$P_0 = \frac{DIV_1}{r - g}$$

Gardez à l'esprit qu'on ne peut utiliser cette formule que si g, le taux de croissance anticipé, est inférieur à r, le taux d'actualisation. Lorsque g tend vers r, le cours de l'action tend vers l'infini. Il est clair que r doit être supérieur à g si la croissance est réellement perpétuelle.

La formule de Gordon-Shapiro explique P_0 en fonction du dividende attendu l'année prochaine DIV_1, du taux de croissance anticipé g, et du taux de rentabilité anticipé d'autres titres de risque comparable r. On peut également se servir de cette formule pour obtenir une estimation de r à partir de DIV_1, P_0 et g :

$$r = \frac{DIV_1}{P_0} + g$$

L'exigence de rentabilité est égale au rendement en dividendes (DIV_1/P_0) plus le taux de croissance anticipé des dividendes (g). Il est plus facile de se servir de ces deux formules que de l'affirmation trop générale selon laquelle « le cours est égal à la valeur actuelle des dividendes futurs anticipés ». Voici une étude de cas.

4.1 L'utilisation du modèle DCF pour le calcul des prix des services publics

Les prix de certains services publics sont fixés par des commissions régionales. Les instances régulatrices essaient de maintenir les prix bas dans l'intérêt des consommateurs, mais elles sont également censées faire en sorte que ces entreprises dégagent un taux de rentabilité normal. Mais qu'entend-on par taux « normal » ? Habituellement, le taux « normal », r, est l'exigence de rentabilité sur des actions émises par des entreprises. Le taux de rentabilité normal du capital d'une entreprise de service public devrait par conséquent correspondre au taux de titres ayant le même risque que celui d'une entreprise de service public.

4. Cette formule a été initialement développée par Williams en 1938, puis redécouverte par Gordon et Shapiro. Nous parlerons désormais de *formule de Gordon-Shapiro*. Voir J. B. Williams, *The Theory of Investment Value*, Harvard University Press, Cambridge, Mass., 1938 et M. J. Gordon et E. Shapiro, « Capital Equipement Analysis : The Required Rate of Profit », *Management Science*, 3 (octobre 1956), pp. 102-110.

Or, de faibles variations dans les estimations du coût du capital d'une entreprise de service public peuvent avoir des conséquences importantes sur les prix payés par les consommateurs et le bénéfice de l'entreprise. C'est pourquoi l'estimation de *r*, qu'on appelle le **coût des capitaux propres** de ces sociétés, est complexe. Les entreprises de service public sont des entreprises stables et existant de longue date. Elles constituent souvent des cas uniques[5].

Supposons que vous souhaitiez estimer le coût des capitaux propres de Cascade Natural Gas, une entreprise américaine de distribution de gaz naturel. Son action était vendue 22,35 $ au début de 2004 ; les versements de dividendes prévus pour l'année à venir s'élèvent à 1,03 $ par action. Il est ainsi très facile de calculer la première moitié de la formule DCF :

$$\text{Rendement} = \frac{DIV_1}{P_0} = \frac{1{,}03}{22{,}35} = 0{,}046, \text{ soit } 4{,}6\ \%$$

L'estimation de *g*, le taux de croissance anticipé des dividendes, est une tâche plus difficile. Une solution consiste à demander l'avis des analystes qui étudient les perspectives de chaque entreprise. Ils se risquent rarement à prévoir les dividendes à très long terme, mais leurs prévisions des taux de croissance s'étendent souvent aux cinq prochaines années, et ces estimations peuvent fournir une indication sur le taux de croissance anticipé à long terme. Dans le cas de Cascade, les analystes prévoyaient en 2004 une croissance annuelle de 5,7 %[6]. Cette prévision jointe au rendement en dividende donnait l'estimation suivante du coût du capital :

$$r = \frac{DIV_1}{P_0} + g = 0{,}046 + 0{,}057 = 0{,}103, \text{ soit } 10{,}3\ \%$$

Une autre possibilité consiste à estimer le taux de croissance à long terme à l'aide du **taux de distribution**, c'est-à-dire le pourcentage du résultat (BPA, bénéfice par action) versé en dividendes. Pour Cascade, ce ratio se situait habituellement autour de 66 %. En d'autres termes, l'entreprise réinvestit chaque année dans son activité environ 44 % du bénéfice par action :

$$\text{Taux de réinvestissement} = 1 - \text{taux de distribution} = 1 - \frac{DIV}{BPA} = 1 - 0{,}66 = 0{,}44$$

De plus, le bénéfice par action rapporté à la valeur comptable d'une action de Cascade était d'environ 12 %. Ce ratio correspond au taux de rentabilité des capitaux propres (R_{CP}, ou *ROE*, pour *return on equity*) :

$$\text{Rentabilité des capitaux propres} = R_{CP} = \frac{\text{Résultat}}{\text{Capitaux propres}} = \frac{BPA}{\text{Capitaux propres par action}} = 12\ \%$$

5. Le lecteur intéressé pourra se référer par exemple au communiqué de presse du gouvernement français du 21 janvier 2005, portant sur la « révision du taux d'actualisation des investissements publics », document disponible sur **http://www.plan.gouv.fr/intranet/upload/publications/documents/Dossier de presse.pdf**, ainsi qu'à l'article paru dans *Le Canard Enchaîné* du 19 octobre 2005, portant sur l'évaluation des sociétés d'autoroute françaises.

6. Dans ce calcul, nous faisons l'hypothèse que les bénéfices et les dividendes augmentent à l'infini et au même taux g. Nous montrerons comment relâcher cette hypothèse plus loin dans le chapitre. Le taux de croissance était fondé sur la croissance moyenne des bénéfices prévus par des analystes financiers américains.

Si l'entreprise réalise un taux de rentabilité des capitaux propres de 12 % et en réinvestit 44 %, la valeur comptable des capitaux propres augmentera de $0{,}44 \times 0{,}12 = 0{,}053$, soit 5,3 %. Le bénéfice et le dividende par action augmenteront également de 5,3 % :

$$\text{taux de croissance du dividende} = g = \text{ratio de réinvestissement} \times R_{CP} = 0{,}44 \times 0{,}12 = 0{,}053.$$

On obtient ainsi une seconde estimation du taux d'actualisation :

$$r = \frac{DIV_1}{P_0} + g = 0{,}046 + 0{,}053 = 0{,}099, \text{ soit } 9{,}9\ \%.$$

Bien que cette estimation de l'exigence de rentabilité de l'action Cascade soit plausible, l'application d'une formule empirique aussi simple que celle de Gordon-Shapiro présente des dangers évidents. Premièrement, l'hypothèse sous-jacente d'une croissance régulière dans le futur est au mieux approximative. Deuxièmement, même si l'on accepte cette approximation, des erreurs se glissent inévitablement dans l'estimation de g. Nos deux méthodes de calcul donnent des réponses similaires. C'est une chance. Mais différentes méthodes fournissent parfois des résultats différents.

Souvenez-vous que le coût des capitaux propres de Cascade ne dépend pas de Cascade, mais de sa classe de risque. Il est donc conseillé de ne pas accorder trop d'importance aux estimations du coût du capital fondées sur les données propres à une seule entreprise. Il est préférable de constituer des échantillons d'estimations de r d'entreprises comparables, et d'utiliser la moyenne de ces estimations. La moyenne constitue une base de référence plus solide pour la prise de décision.

Le tableau 4.2 montre l'application de la formule de Gordon-Shapiro à Cascade et à sept autres sociétés de production électrique aux États-Unis en 2004. Ce sont toutes des sociétés à maturité, pour lesquelles un raisonnement par Gordon-Shapiro *devrait* marcher. Notez les variations de taux r : certaines représentent des risques différents, d'autres ne sont que du bruit. La moyenne s'établit à 10,2 %. Le tableau 4.3 fournit un autre exemple d'estimations par la méthode DCF du coût des capitaux propres en se focalisant sur le cas du chemin de fer américain en 2002.

Bien évidemment, vous pouvez analyser les rentabilités attendues pour des industries particulières mais aussi calculer une **prime de risque**. Par exemple, dans la figure 4.2, on peut voir qu'au moment où les taux d'intérêt ont chuté, entre 1982 et 1998, le coût estimé des capitaux propres a chuté de l'ordre de 5 points de pourcentage, en revanche, l'*écart* entre le coût des capitaux propres et le taux d'intérêt (c'est-à-dire la *prime de risque* pour ce secteur) est resté bien plus stable, autour d'une moyenne de 9,3 % pendant 17 ans.

Des estimations de ce type sont aussi fiables que les prévisions de long terme sur lesquelles elles se fondent. Par exemple, plusieurs études ont démontré que les analystes actions sont sujets à des biais comportementaux et que leurs prévisions tendent à être trop optimistes[7]. Si tel est le cas, les estimations DCF du coût des capitaux propres doivent être seulement considérées comme la *borne supérieure* du coût réel du capital.

7. Voir par exemple A. Dugar et S. Nathan, « The Effect of Investment Banking Relationships on Financial Analysts' Earnings Investment Recommendations », *Contemporary Accounting Research*, 12 (1995), pp. 131-160.

Tableau 4.2. Estimation du coût des capitaux propres de sept entreprises de distribution de gaz aux États-Unis début 2004. Le taux de croissance de long terme est fondé sur les prévisions des analystes financiers. Dans le modèle DCF en deux étapes, la croissance au-delà de 2007 est supposée s'ajuster graduellement au taux estimé de la croissance à long terme du produit intérieur brut (PIB)

	Cours de l'action (en $)	Dividende annuel (en $)*	Taux de rendement en dividende (en %)	Taux de croissance de long terme (en %)	Coût DCF des capitaux propres (en %)	Coût des capitaux propres (en %) (modèle DCF en deux étapes**)
Atmos Energy	25,14	1,31	5,2	6,0	11,2	10,4
Cascade Natural Gas	22,35	1,03	4,6	5,7	10,3	11,3
Keyspan	36,39	1,93	5,3	6,1	11,4	10,4
Laclede Group	29,37	1,41	4,8	3,6	8,4	9,5
Peoples' Energy	42,30	2,33	5,5	5,9	11,4	10,5
South Jersey Industries	44,14	1,85	4,2	5,3	9,5	9,4
Southwest Gas	23,42	0,87	3,7	6,9	10,6	9,5
WGL Holdings	27,81	1,36	4,9	4,2	9,1	9,2
				Moyenne	10,2	10,0

* Dividendes prévus, fondés sur les dividendes actuels et sur leur croissance au cours de l'année.
** Prévision de long terme du PIB à 3,6 %.
Source : The Brattle Group, Inc.

Tableau 4.3. Estimations DCF du coût des capitaux propres des compagnies de chemin de fer aux États-Unis en 2002

	Taux moyen de dividende (a)	Taux de croissance anticipé (b)	Coût des capitaux propres
Burlington Northern Santa Fe	1,85 %	9,12 %	10,97 %
CSX	1,29	11,37	12,66
Norfolk Southern	1,27	11,79	13,06
Union Pacific	1,44	12,05	13,49
Moyenne pondérée (c)	1,48	11,13	12,61

(a). Moyenne des taux moyens mensuels de dividende au cours de 2002.
(b). Fondé sur les moyennes I/B/E/S des prévisions de croissance des analystes.
(c). Pondérations basées sur la totalité des valeurs de marché des sociétés de chemin de fer.
Source : U.S. Surface Transportation Board, « Railroad Cost of Capital – 2002 », 19 juin 2003.

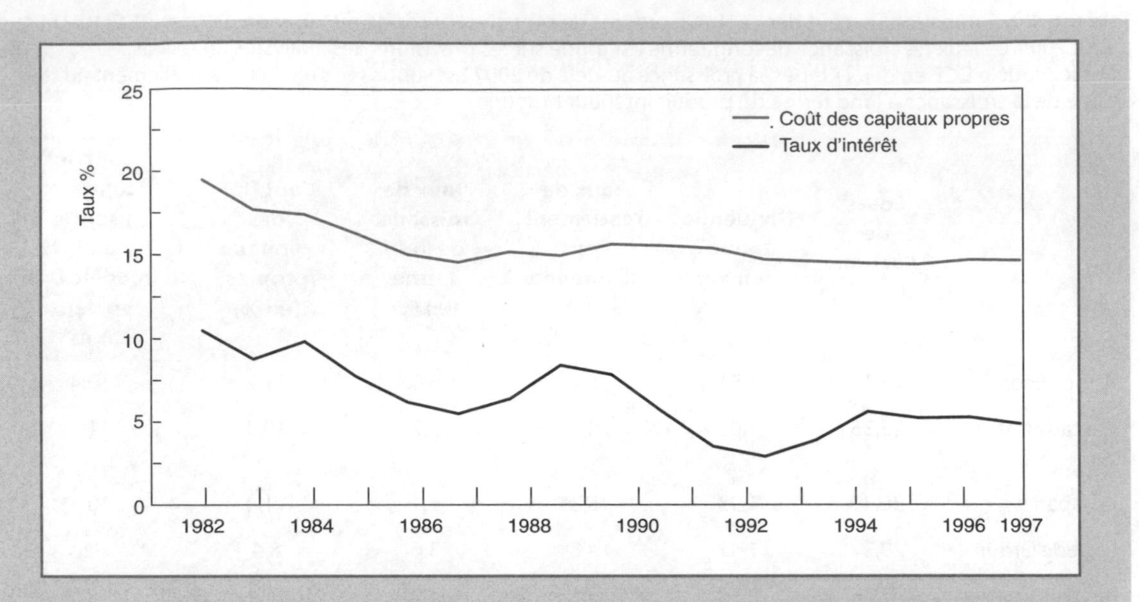

Figure 4.2 - Les estimations DCF du coût moyen des capitaux propres pour les entreprises incluses dans l'indice Standard & Poor's Composite, 1982-1997. Le taux de croissance des dividendes g est fixé en fonction des prévisions des analystes de la croissance des bénéfices sur les cinq ans à venir.

Source : R. S. Harris et F. C. Marston, « The Market Risk Premium : Expectational Estimates Using Analysts' Forecasts », *Journal of Applied Finance*, 11 (2001), pp. 6-16. Reproduit avec l'autorisation de la Financial Management Association International.

4.2 Quelques dangers des formules à croissance constante

La formule simple de Gordon-Shapiro est très utile, mais il ne faut pas trop lui demander. Une confiance naïve dans cette formule a conduit nombre d'analystes financiers à des conclusions fâcheuses.

Nous venons de souligner la difficulté qu'il y a à estimer r à partir de l'analyse d'une seule action. Essayez de l'estimer à partir d'un grand échantillon de titres *de risque équivalent*. Même cela peut ne pas suffire, mais vous aurez au moins une assez bonne chance d'y parvenir, parce que les inévitables erreurs d'estimation du r de chaque titre tendront à se compenser dans un échantillon de grande taille.

De plus, résistez à la tentation d'appliquer la formule à des entreprises affichant des taux de croissance élevés. De tels taux ne peuvent pas se maintenir indéfiniment. Cette hypothèse fausse conduit à une surestimation de r.

Soit une entreprise, ViaGrasDouble, avec $DIV_1 = 0{,}50$ € et $P_0 = 50$ €. Elle réinvestit 80 % de son bénéfice, et son taux de rentabilité des capitaux propres (R_{CP}) est de 25 %. Cela signifie que *dans le passé :*

$$\text{Taux de croissance du dividende} = \text{ratio de réinvestissement} \times R_{CP} = 0{,}80 \times 0{,}25 = 0{,}20$$

Il est tentant de supposer que le taux de croissance futur à long terme g sera aussi égal à 0,20, ce qui impliquera :

$$r = \frac{0{,}50}{50} + 0{,}20 = 0{,}21$$

C'est pourtant une erreur. Aucune entreprise ne peut continuer à croître indéfiniment à un taux de 20 % par an. En réalité, la rentabilité diminuera et l'entreprise réagira en investissant moins.

Certes, la rentabilité de l'investissement diminuera *progressivement* dans le temps, mais, pour simplifier, nous supposerons qu'elle chute brusquement à 16 % à l'année 3 et que l'entreprise réagira en ne réinvestissant que 50 % de son bénéfice. En conséquence, g tombera à $0{,}50 \times 0{,}16 = 0{,}08$.

Le tableau 4.4 décrit la situation. Au début de l'année 1, ViaGrasDouble dispose d'un actif comptable de 10 €. Son bénéfice est de 2,50 €, dont 0,50 € sont distribués en dividendes, et 2 € réinvestis. L'actif au début de l'année 2 s'élève donc à 10 + 2 = 12 €. Après une nouvelle année d'activité aux mêmes taux de R_{CP} et de distribution, l'actif comptable en début d'année 3 s'élève à 14,40 €. Puis la R_{CP} chute à 0,16 et le bénéfice de l'entreprise n'est plus que de 2,30 €. Le dividende est porté à 1,15 € en raison de l'augmentation du taux de distribution, mais l'entreprise ne réinvestit plus que 1,15 €. En conséquence, la croissance du bénéfice et du dividende au cours des années suivantes tombe à 8 %.

Tableau 4.4. Prévisions des bénéfices et des dividendes de ViaGrasDouble

	Année 1	Année 2	Année 3	Année 4
Valeur comptable	10,00	12,00	14,40	15,55
Bénéfice par action (BPA)	2,50	3,00	2,30	2,49
Rentabilité des capitaux propres (R_{CP})	0,25	0,25	0,16	0,16
Taux de distribution	0,20	0,20	0,50	0,50
Dividende par action (DIV)	0,50	0,60	1,15	1,24
Taux de croissance du dividende (%)	—	20	92	8

Nous pouvons à présent appliquer notre formule générale de *DCF* pour trouver le taux r :

$$P_0 = \frac{DIV_1}{1+r} + \frac{DIV_2}{(1+r)^2} + \frac{DIV_3 + P_3}{(1+r)^3}$$

Les investisseurs considèrent à l'année 3 que le taux de croissance du dividende est de 8 % par an. Appliquons notre formule de Gordon-Shapiro :

$$P_3 = \frac{DIV_4}{r - 0{,}08}$$

$$P_0 = \frac{DIV_1}{1+r} + \frac{DIV_2}{(1+r)^2} + \frac{DIV_3}{(1+r)^3} + \frac{1}{(1+r)^3}\frac{DIV_4}{r-0{,}08}$$

$$= \frac{0{,}50}{1+r} + \frac{0{,}60}{(1+r)^2} + \frac{1{,}15}{(1+r)^3} + \frac{1}{(1+r)^3}\frac{1{,}24}{r-0{,}08}$$

On trouve par approximations successives la valeur de *r* qui rend P_0 égal à 50 €, soit 9,9 %, une valeur très différente de notre 21 % fondé sur l'hypothèse d'une croissance constante à l'infini.

4.3 L'évaluation par les DCF avec des taux de croissance variables

Notre calcul de la valeur actuelle de ViaGrasDouble utilisait un modèle de *DCF* en *deux étapes*. Dans la première étape (années 1 et 2), ViaGrasDouble est très rentable (R_{CP} = 25 %) et réinvestit 80 % de ses bénéfices. Sa valeur comptable, ses bénéfices et ses dividendes augmentent de 20 % par an. Dans la seconde étape, à partir de l'année 3, la rentabilité et le réinvestissement diminuent et les dividendes s'installent sur une croissance à long terme de 8 %. Les dividendes atteignent alors 1,15 € et croissent aussi de 8 %.

Les taux de croissance peuvent varier pour plusieurs raisons. Parfois, la croissance est élevée à court terme non parce que l'entreprise est exceptionnellement rentable, mais parce qu'elle se rattrape d'un épisode de rentabilité *faible*. Le tableau 4.5 fournit des prévisions de bénéfices et de dividendes de Tel.com, qui envisage un rétablissement de sa santé financière après une chute récente. L'action de la société augmente à un rythme modéré de 4 %. La R_{CP} de l'année 1 est de 4 %, que Tel.com a réinvestie, n'ayant pas de trésorerie pour verser des dividendes. Comme la rentabilité augmente au cours des années 2 et 3, un dividende peut être versé. Finalement, à partir de l'année 4, Tel.com atteint une croissance stable, avec des actions, des bénéfices et des dividendes qui augmentent tous au rythme de 4 % par an.

Supposons un coût du capital de 10 %. Chaque action de Tel.com devrait valoir 9,13 € :

$$P_0 = \underbrace{\frac{0}{1{,}1} + \frac{0{,}31}{(1{,}1)^2} + \frac{0{,}65}{(1{,}1)^3}}_{\text{VA (1}^{\text{re}}\text{ étape)}} + \underbrace{\frac{1}{(1{,}1)^3}\frac{0{,}67}{0{,}10 - 0{,}04}}_{\text{VA (2}^{\text{e}}\text{ étape)}} = 9{,}13\text{ €}$$

Nous pourrions ainsi poursuivre avec des modèles d'évaluation à trois, quatre, étapes, mais vous avez compris le principe. D'abord, il est presque toujours utile de disposer d'une suite de bilans, comme les tableaux 4.4 et 4.5, pour vous assurer que les projections de dividendes sont compatibles avec les profits de l'entreprise et les investissements nécessaires à son développement. Ensuite, n'utilisez pas les cash-flows actualisés (*DCF*) pour chercher à savoir si le marché a évalué correctement une action. Si votre estimation de la valeur diffère de celle du marché, vos prévisions de dividendes sont probablement incorrectes. Rappelez-vous ce que nous avons dit au début de ce chapitre à propos des moyens faciles de faire de l'argent sur le marché des actions : il n'y en a pas.

Tableau 4.5. Prévisions de profits et de dividendes de Tel.com

	Année 1	Année 2	Année 3	Année 4
Valeur comptable	10,00	10,40	10,82	11,25
Bénéfice par action (BPA)	0,40	0,73	1,08	1,12
Rentabilité des capitaux propres (R_{CP})	0,04	0,07	0,10	0,10
Dividendes par action (DIV)	0	0,31	0,65	0,67
Taux de croissance des dividendes (%)	—	—	110	4

5 Le lien entre le cours de l'action et le bénéfice par action

Les investisseurs emploient souvent les termes *valeur de croissance* et *valeur de rendement*. Ils achètent des valeurs de croissance essentiellement pour les plus-values espérées, et ils s'intéressent à la croissance future du bénéfice plutôt qu'au dividende. En revanche, ils achètent des valeurs de rendement essentiellement pour les versements de dividendes. Voyons si ces distinctions sont fondées.

Stablon SA a une croissance nulle. Elle ne réinvestit aucun bénéfice et génère seulement un flux constant de dividendes. Son action s'apparente plutôt à l'obligation perpétuelle étudiée au chapitre précédent. Gardez à l'esprit que la rentabilité d'une rente perpétuelle est égale au cash-flow annuel divisé par la valeur actuelle. Puisque le bénéfice est entièrement versé en dividendes, la rentabilité anticipée est aussi égale au ratio bénéfice par action/cours[8]. Si le dividende est de 10 € et le cours de l'action de 100 €, nous obtenons :

Rentabilité anticipée = rendement en dividende = ratio bénéfice/cours

$$= \frac{DIV_1}{P_0} = \frac{BPA_1}{P_0}$$

$$= \frac{10}{100} = 0{,}10$$

Le cours de l'action est égal à :

$$P_0 = \frac{DIV_1}{r} = \frac{BPA_1}{r} = \frac{10}{0{,}10} = 100\ €$$

Supposons, par exemple, que notre entreprise jusqu'alors stagnante découvre tout à coup une opportunité d'investissement de 10 € par action l'année prochaine. Cela signifie des dividendes nuls en $t = 1$. L'entreprise anticipe néanmoins que le projet dégagera un bénéfice de 1 € par action pour les années suivantes, de sorte que le dividende annuel pourrait atteindre 11 € par action.

Supposons que cette opportunité d'investissement ait le même risque que l'activité actuelle. Nous pouvons alors actualiser les cash-flows de ce projet au taux de 10 % de façon à trouver sa valeur actuelle nette (VAN) à l'année 1 :

$$\text{VAN par action (année 1)} = -10 + \frac{1}{0{,}10} = 0$$

Ainsi, ce projet d'investissement ne contribue en rien à augmenter la valeur de l'entreprise. Sa rentabilité espérée est égale au coût d'opportunité du capital.

Quel effet ce projet aura-t-il sur le cours de l'action de l'entreprise ? Évidemment aucun. La diminution de valeur provoquée par l'absence de dividende l'année 1 est exactement

8. Ce ratio bénéfice/cours va nous servir dans nos démonstrations, mais anticipons : l'inverse de ce ratio, c'est-à-dire le rapport cours/bénéfice par action, est plus communément appelé le *PER* (*price earning ratio*), et il correspond à un indicateur extrêmement important dans l'évaluation des actions.

compensée par l'augmentation de valeur due aux dividendes supplémentaires des années suivantes. L'exigence de rentabilité est donc une fois encore égale au ratio bénéfice/cours :

$$r = \frac{BPA_1}{P_0} = \frac{10}{100} = 0{,}10$$

Ce n'est donc pas la croissance qui crée automatiquement de la valeur.

Le tableau 4.6 reprend notre exemple à partir de différentes hypothèses de cash-flows du nouveau projet. Notez que le ratio bénéfice/cours n'est égal à l'exigence de rentabilité (r) que *si* la VAN du nouveau projet est nulle. Ce point est extrêmement important : les hommes d'affaires prennent fréquemment de mauvaises décisions financières parce qu'ils confondent le ratio bénéfice/cours avec l'exigence de rentabilité.

Tableau 4.6. Effet sur le cours de l'action d'un investissement supplémentaire, en fonction des taux de rentabilité

Taux de rentabilité du projet	Cash-flow supplémentaire CF (en euros)	VAN du projet à l'année 1* (en euros)	Effet du projet sur le cours de l'action à l'année 0 (en euros)**	Cours de l'action P_0 à l'année 0 (en euros)	BPA_1 / P_0	r
0,05	0,50	−5,00	−4,55	95,45	0,105	0,10
0,10	1,00	0	0	100,00	0,100	0,10
0,15	1,50	+5,00	+4,55	104,55	0,096	0,10
0,20	2,00	+10,00	+9,09	109,09	0,092	0,10
0,25	2,50	+15,00	+13,64	113,64	0,088	0,10

* Le coût du projet est de 10 € (soit BPA_1). On a VAN = −10 + CF/r, avec r = 0,10.

** La VAN est calculée pour l'année 1. Pour trouver l'effet du projet sur P_0, il faut actualiser sur une année au taux r = 0,10.

Le cours d'une action est donc égal à la valeur actuelle du bénéfice moyen associé à une croissance nulle, à laquelle s'ajoute la VAOC (valeur actuelle des opportunités de croissance) :

$$P_0 = \frac{BPA_1}{r} + VAOC$$

Dans le tableau, les trois dernières lignes montrent une création de valeur, alors même que le ratio bénéfice /cours diminue.

5.1 Le calcul de la valeur actuelle des opportunités de croissance de Pepita

Dans notre dernier exemple, le bénéfice et le dividende augmentaient, mais cette augmentation n'apportait aucune contribution au cours de l'action. En ce sens, cette société s'apparentait à une *valeur de rendement.* Il faut veiller à ne pas confondre la performance de l'entreprise avec l'augmentation de son bénéfice par action. *Une entreprise qui réinvestit son bénéfice à un taux inférieur à l'exigence de rentabilité des investisseurs peut augmenter son bénéfice, mais la valeur de son action diminuera.*

Intéressons-nous à présent à une *valeur de croissance* bien connue, Pepita. Le taux de capitalisation de Pepita, *r*, est de 15 %. On s'attend à ce que cette société verse un dividende de 5 € la première année, puis ce dividende est censé augmenter de 10 % par an, à l'infini. On peut donc appliquer la formule Gordon-Shapiro au cours de l'action Pepita :

$$P_0 = \frac{DIV_1}{r-g} = \frac{5}{0{,}15 - 0{,}10} = 100 \text{ €}$$

Supposons que le bénéfice par action de Pepita soit de 8,33 €. Son taux de distribution est alors égal à :

$$\text{Taux de distribution} = \frac{DIV_1}{BPA_1} = \frac{5}{8{,}33} = 0{,}60$$

Autrement dit, l'entreprise réinvestit 1 – 0,6, soit 40 % de son bénéfice. On suppose que la rentabilité des capitaux propres de Pepita est de $R_{CP} = 0{,}25$. Le taux de croissance est donc égal à 10 % :

$$\text{Taux de croissance} = g = \text{ratio de réinvestissement} \times R_{CP} = 0{,}4 \times 0{,}25 = 0{,}10$$

La valeur actualisée du bénéfice par action de Pepita, dans l'hypothèse d'une croissance nulle de l'entreprise, sera égale à :

$$\frac{BPA_1}{r} = \frac{8{,}33}{0{,}15} = 55{,}56 \text{ €}$$

Mais nous savons que le cours de l'action Pepita est de 100 €. La différence de 44,44 € doit être imputable aux **opportunités de croissance** et à la valeur qu'elles représentent pour les investisseurs. Voyons si nous pouvons l'expliquer.

Chaque année, Pepita réinvestit 40 % de son bénéfice dans de nouveaux actifs. Cela fait 3,33 € la première année, à un taux de rentabilité des capitaux propres de 25 %. Le cash-flow généré par cet investissement est de 0,25 × 3,33 = 0,83 € par an à partir de l'année 2. La VAN de cet investissement en année 1 est égale à :

$$VAN_1 = -3{,}33 + \frac{0{,}83}{0{,}15} = 2{,}22 \text{ €}$$

Il en va de même l'année 2, à la différence près que Pepita investit 3,67 €, soit 10 % de plus que l'année 1 (car $g = 0{,}10$). Donc la VAN de cet investissement l'année 2 est égale à :

$$VAN_2 = -3{,}33 \times 1{,}10 + \frac{0{,}83 \times 1{,}10}{0{,}15} = 2{,}44 \text{ €}$$

Ainsi, on peut se représenter la rémunération des détenteurs d'actions Pepita comme la somme (1) d'un flux constant de bénéfices que l'entreprise pourrait verser sous forme de dividendes dans l'hypothèse d'une croissance nulle (déjà calculé pour Pepita) et (2) d'un ensemble de tickets, un pour chacune des années à venir, correspondant à des opportunités d'investissement à VAN positive.

Le premier ticket vaut 2,22 € l'année 1, le deuxième vaut 2,22 € × 1,10 = 2,44 € l'année 2, et le troisième 2,44 € × 1,10 = 2,69 € l'année 3. Nous savons comment évaluer une séquence de cash-flows qui croissent de 10 % par an. On applique la formule de Gordon-Shapiro, en remplaçant les dividendes prévus par les valeurs anticipées des tickets :

$$\text{Valeur actuelle des opportunités de croissance} = \text{VAOC} = \frac{\text{VAN}_1}{r-g} = \frac{2{,}22}{0{,}15-0{,}10} = 44{,}44\ €$$

À présent tout s'éclaire :

Cours de l'action = VA d'un flux constant de bénéfices + VA des opportunités de croissance

$$= \frac{\text{BPA}_1}{r} + \text{VAOC} = 55{,}56 + 44{,}44 = 100\ €$$

Peut-on dire que l'action Pepita est une valeur de croissance ? Oui, mais pas parce qu'elle augmente de 10 % par an : c'est parce que la VAN de ses investissements futurs contribue largement (à hauteur de 44 %) à la valeur de l'action.

Les cours actuels des actions reflètent les anticipations des investisseurs quant à l'exploitation future et aux performances des *investissements*. Les valeurs de croissance se vendent cher parce que les investisseurs sont disposés à acheter aujourd'hui des investissements qui promettent des taux de rentabilité supérieurs et qui, pourtant, ne sont pas encore réalisés.

5.2 Quelques exemples d'opportunités de croissance

Des actions telles que France Télécom, Cap Gemini, Thomson, ST-Microelectronics, TF1 sont souvent décrites comme des valeurs de croissance, tandis que les actions d'entreprises arrivées à maturité comme Air Liquide, Carrefour, Danone, Michelin ou Lagardère sont considérées comme des valeurs de rendement. Voyons cela. La première colonne du tableau 4.7 nous donne le cours de l'action de chacune de ces entreprises en septembre 2005. Les autres colonnes estiment la VAOC en proportion du cours de l'action.

Tableau 4.7. Estimation des VAOC

Action	Cours de l'action, P_0 (en euros, septembre 2005)	BPA* (en euros)	Exigence de rentabilité r**	VAOC (en euros) $= P_0 - \frac{BPA}{r}$	VAOC (en % du cours de l'action)
Valeurs de rendement :					
Air Liquide	148,62	9,19	0,076	28,88	19
Carrefour	37,84	2,83	0,085	4,79	13
Danone	91,30	4,65	0,075	29,65	32
Michelin	49,89	5,81	0,091	–13,96	– 28
Lagardère	58,15	4,49	0,111	17,55	30

Tableau 4.7. Estimation des VAOC (...)

Action	Cours de l'action, P_0 (en euros, septembre 2005)	BPA* (en euros)	Exigence de rentabilité r**	VAOC (en euros) $= P_0 - \frac{BPA}{r}$	VAOC (en % du cours de l'action)
Valeurs de croissance :					
ST-Microelectronics	13,92	0,62	0,157	9,97	72
Cap Gemini	29,56	1,52	0,124	17,27	58
France Télécom	23,96	2,20	0,197	12,81	53
Thomson	18,08	1,52	0,220	11,18	62
TF1	21,76	1,01	0,113	12,79	59

* Le BPA est celui publié pour 2005 par *Les Echos*.

** L'exigence de rentabilité a été estimée par le modèle d'équilibre des actifs financiers (Medaf). Nous étudierons ce modèle et apprendrons à l'utiliser dans les sections 8.2 et 9.2. Ici, nous avons utilisé une prime de risque de 8 % et un taux d'intérêt sans risque de 4 %.

En l'absence d'opportunités de croissance, la valeur actuelle d'une action est égale au bénéfice moyen futur obtenu à partir des actifs existants et actualisé à l'exigence de rentabilité. Vous pouvez constater que les valeurs de croissance ont une valeur fondée essentiellement sur leurs opportunités de croissance, c'est-à-dire que les investisseurs pensent que les futurs investissements auront une rentabilité supérieure au coût du capital. On constate toutefois que Danone et Lagardère, bien que considérées habituellement comme des valeurs de rendement, figurent en bonne place sur l'échelle des VAOC. Une valeur de croissance comme ST-Microelectronics a une VAOC très élevée. Si son BPA était négatif, la VAOC serait supérieure à 100 %.

Qu'en est-il de Michelin ? Sa VAOC estimée est négative. Que nous indique la Bourse ? Le message qu'elle envoie peut être compris de deux manières différentes. On peut penser que les investisseurs s'attendent à ce que Michelin investisse dans des projets dont la VAN est négative, ce qui devait réduire la valeur de l'entreprise. La deuxième possibilité est que nous avons surestimé la capacité des actifs de Michelin à générer des bénéfices et que l'on a donc attribué trop de valeur à ces actifs et trop peu à la VAOC. La deuxième interprétation est sans doute la plus proche de la réalité : il n'est pas aisé de deviner les véritables anticipations des investisseurs quant à leurs bénéfices futurs.

Quelques entreprises ont des perspectives de croissance tellement importantes qu'elles préfèrent ne pas verser de dividendes pendant de longues années. Par exemple, au moment où nous rédigeons ce chapitre, des entreprises proposant ce qu'on appelle des « actions glamour » comme Amazon ou Dell Computer n'ont encore jamais versé de dividendes parce que toute sortie d'argent au bénéfice des actionnaires signifierait soit un ralentissement de la croissance, soit l'obligation de trouver d'autres capitaux. Les investisseurs consentent volontiers à renoncer à percevoir des dividendes immédiats dans l'espoir que l'entreprise fera des bénéfices croissants et leur versera des dividendes plus élevés un jour.

Résumé

La valeur d'une action est égale aux cash-flows actualisés au taux de rentabilité que les investisseurs s'attendent à recevoir pour des titres de risque comparable.

Les actions n'ont pas d'échéance ; les versements monétaires correspondent à un flux infini de dividendes. Par conséquent, la valeur actuelle d'une action est égale à :

$$P_0 = \sum_{t=1}^{\infty} \frac{DIV_t}{(1+r)^t}$$

Nous n'avons pas supposé que les investisseurs achetaient des actions uniquement pour les dividendes. Nous sommes partis de l'hypothèse selon laquelle les investisseurs raisonnaient sur un horizon relativement court, et qu'ils investissaient à la fois en vue des dividendes et des plus-values. Notre formule fondamentale d'évaluation est par conséquent la suivante :

$$P_0 = \frac{DIV_1 + P_1}{1 + r}$$

Cette formule est une condition d'équilibre des marchés de capitaux : si elle n'était pas vérifiée, les actions seraient surévaluées ou sous-évaluées et les investisseurs se précipiteraient pour les acheter ou les vendre. Le flot des acheteurs et des vendeurs forcerait le cours à s'ajuster de telle sorte que l'on retrouverait notre formule fondamentale d'évaluation.

Cette formule est valable pour chaque période future aussi bien que pour la présente. Cela nous permet d'exprimer le cours prévu l'année suivante en fonction des flux ultérieurs de dividendes DIV_1, DIV_2…

On peut aussi se servir de la formule de Gordon-Shapiro que nous avons vue au chapitre 3. Si l'on prévoit que les dividendes augmenteront à l'infini à un taux constant g, alors :

$$P_0 = \frac{DIV_1}{r - g}$$

Cette relation permet aussi d'estimer le taux d'actualisation r en fonction de P_0 et des valeurs estimées de DIV_1 et de g.

$$r = \frac{DIV_1}{P_0} + g$$

Mais cette formule repose sur une hypothèse *très stricte* : la croissance constante des dividendes à l'infini. Il s'agit d'une hypothèse acceptable pour des entreprises à maturité, à risque faible, mais pour beaucoup d'entreprises, la croissance à court terme ne peut être maintenue à un niveau élevé. Dans ce cas, on doit utiliser une formule des *DCF* à *deux étapes*, dans laquelle les dividendes sont anticipés et évalués, et la formule de Gordon-Shapiro est utilisée pour prévoir la valeur des actions pour une période plus longue. Les dividendes à court terme et la valeur future des actions sont alors actualisés.

On peut transformer la formule générale des *DCF* de manière à faire apparaître le bénéfice par action (BPA) et les opportunités de croissance (VAOC) :

$$P_0 = \frac{BPA_1}{r} + VAOC$$

Le ratio BPA_1/r représente la valeur actualisée du bénéfice par action que l'entreprise aurait généré *à croissance nulle*. La VAOC est la valeur actuelle nette des investissements que l'entreprise devra réaliser si elle veut croître. Une valeur de croissance est une action dont la valeur dépend essentiellement de la VAOC et peu du BPA. La plupart des valeurs de croissance sont des actions émises par des entreprises en croissance rapide, mais ce n'est pas à cette croissance seule qu'il faut attribuer une VAOC élevée. C'est la rentabilité des nouveaux investissements qui importe.

Dans les chapitres précédents, vous avez acquis – avec maestria, nous en sommes sûrs – une connaissance des principes fondamentaux de l'évaluation des actifs et une certaine aisance dans la manipulation des techniques d'actualisation. Vous en savez plus à présent sur la façon d'évaluer les actions et d'estimer les exigences de rentabilité. Dans le chapitre 5, nous allons commencer à appliquer l'ensemble de nos connaissances à une analyse plus approfondie des choix d'investissements des entreprises.

Lectures complémentaires

Il existe un grand nombre d'analyses portant sur l'évaluation des actions, notamment dans des ouvrages qui traitent des investissements. Nous suggérons la lecture de :

R. Barker, *L'évaluation des entreprises : modèles et mesure de la valeur,* Les Echos Éditions, 2002.

Z. Bodie, A. Kane, A. J. Marcus, *Investments*, 6th ed., Irwin/Mc Graw Hill, 2004.

La contribution originale de J. B. Williams demeure très accessible (voir en particulier le chapitre 5) :

J. B. Williams, *The Theory of Investment Value*, Harvard University Press, Cambridge, 1938.

Les articles suivants apportent d'importants développements aux travaux pionniers de Williams. Nous vous suggérons de n'aborder le troisième article qu'après la lecture du chapitre 16 :

D. Durand, « Growth Stocks and the Petersburg Paradox », *Journal of Finance*, 12 (septembre 1957), pp. 348-363.

M. J. Gordon, E. Shapiro, « Capital Equipment Analysis, The Required Rate of Profit », *Management Science*, 3 (octobre 1956), pp. 102-110.

M. H. Miller, F. Modigliani, « Dividend Policy, Growth and the Valuation of Shares », *Journal of Business*, 34 (octobre 1961), pp. 411-433.

Leibowitz et Kogelman appellent la VAOC « facteur de franchise », et analysent ses liens avec le PER. Moussu et Thibierge s'intéressent aux opportunités d'investissement et à leur impact sur le versement de dividendes et l'endettement.

M. L. Leibowitz, S. Kogelman, « Inside the P/E Ratio, The Franchise Factor », *Financial Analysts Journal*, 46 (novembre-décembre 1990), pp. 17-35.

C. Moussu, C. Thibierge, « Politique financière, opportunités d'investissement et actifs incorporels en Europe : théorie et étude empirique », *Banque et Marchés*, n° 30 (septembre-octobre 1997), pp. 6-21.

Myers et Borucki traitent des problèmes pratiques rencontrés dans l'estimation du coût des capitaux propres des entreprises de service public selon la méthode des DCF ; Harris et Marston donnent des estimations, fondées sur la formule des DCF, de l'exigence de rentabilité des actions :

S. C. Myers, L. S. Borucki, « Discounted Cash-flow Estimates of the Cost of Equity Capital - A Case Study », *Financial Markets, Institutions and Instruments*, 3 (août 1994), pp. 9-45.

R. S. Harris, F. C. Marston, « Estimating Shareholder Risk Premia Using Analysts' Growth Forecasts », *Financial Management*, 21 (été 1992), pp. 63-70.

Activités

Révision des concepts

1. Remplacez les blancs : la valeur de marché d'une obligation est la valeur actuelle des flux correspondant au paiement des __________ et du __________.

2. Qu'est-ce que le taux de rendement actuariel d'une obligation, également appelé rendement à l'échéance ? Comment se calcule-t-il ?

3. Si le taux d'intérêt augmente, la valeur d'une obligation augmente-t-elle ou chute-t-elle ?

Tests de connaissances

1. Un bon du Trésor à échéance 10 ans est émis avec une valeur faciale de 1 000 € et paie 60 € d'intérêt par an. Si le taux d'intérêt du marché augmente peu de temps après que le bon du Trésor a été émis, que se passe-t-il pour :

a. Le coupon de l'obligation ?

b. La valeur de l'obligation ?

c. Le rendement à l'échéance (TRA) de l'obligation ?

2. Une obligation avec un coupon de 8 % est vendue à 97 %. Le taux de rendement actuariel de l'obligation est-il inférieur ou supérieur à 8 % ?

3. Vrai ou faux ?

a. Tous les titres ayant un même risque ont un cours qui offre le même taux de rendement anticipé.

b. La valeur d'une action est égale à la VA des dividendes futurs par action.

4. Répondez brièvement à l'affirmation suivante :

« Vous dites que le prix d'un titre est égal à la valeur actuelle des dividendes futurs. C'est stupide ! Tous les investisseurs que je connais s'intéressent aux plus-values en capital. »

5. On s'attend à ce que l'entreprise H_2S verse un dividende de 10 € par action à la fin de l'année. Après paiement du dividende, l'action devrait se vendre à 110 €. L'exigence de rentabilité étant de 10 %, quel est le cours actuel de cette action ?

6. L'entreprise CO_2 ne réinvestit pas son bénéfice. On prévoit qu'elle versera un dividende de 5 € par action. Le cours actuel de l'action étant de 40 €, quelle est l'exigence de rentabilité ?

7. Selon les prévisions, le taux de croissance de l'entreprise OOo devrait s'établir indéfiniment à 5 % par an. Sachant que le dividende prévu l'année prochaine s'élève à 10 € et que l'exigence de rentabilité est de 8 %, quel est le cours actuel de l'action ?

8. L'entreprise O_2 ressemble en tout point à l'entreprise OOo, excepté que sa croissance deviendra nulle après la quatrième année. L'année 5 et les suivantes, elle versera l'intégralité de son bénéfice sous forme de dividende. Supposons que le BPA de l'année prochaine soit de 15 €. Que vaut l'action de O_2 ?

9. Si l'entreprise OOo (voir la question 7) distribuait l'intégralité de son bénéfice, elle serait en mesure de verser indéfiniment un dividende de 15 € par action. En conséquence, quelle est la valeur par action attribuée aux opportunités de croissance ?

10. Considérez les trois investisseurs suivants :

a. M. Preums investit pour un an.

b. Mlle Deuze investit pour deux ans.

c. Mme Troize investit pour trois ans.

Ils achètent une action de l'entreprise OOo de la question 7. Montrez que chaque investisseur anticipe un taux de rentabilité de 8 % par année.

11. Vrai ou faux ?

a. La valeur d'une action est égale au flux actualisé des bénéfices futurs par action.

b. La valeur d'une action est égale à la VA des bénéfices par action en supposant que l'entreprise ait une croissance nulle, plus la VAN des opportunités de croissance future.

12. À quelles conditions *r*, le taux d'actualisation d'une action, est-il égal au ratio bénéfice/cours (BPA_1/P_0) ?

Questions et problèmes

1. Supposons que des bons du Trésor d'échéance 5 ans soient vendus à un prix qui offre un rendement de 4 % à l'acheteur. Donnez la valeur d'une obligation d'échéance 5 ans avec un coupon à 6 %. Commencez par faire l'hypothèse que l'obligation est émise par l'État français, qui procède à un versement annuel de coupon. Ensuite, reprenez le raisonnement en supposant que l'obligation est émise par le Trésor américain, qui a pour pratique de verser des coupons deux fois l'an (en supposant que la rentabilité est définie comme un taux composé semestriellement).

2. Reportez-vous à la question 1. Quelle serait la variation de la valeur de l'obligation si le taux d'intérêt tombait à 3 % ?

3. Un bon du Trésor d'échéance 6 ans verse un coupon de 5 % et offre un TRA de 3 %. Un an plus tard, l'obligation a toujours un rendement de 3 %. Quel est le taux de rendement pour le détenteur de cette obligation sur la période des 12 mois ? À présent, supposons que ce bon n'ait plus qu'un rendement de 2 % à la fin de l'année. Quel rendement le détenteur de l'obligation touchera-t-il dans ce cas ?

4. Prenez un numéro récent du journal *Les Echos* et ouvrez-le à la page de la cote boursière.

a. Quel est le dernier cours de l'action Carrefour ?

b. Quels sont le dividende annuel et le rendement de l'action Carrefour ?

c. Que deviendrait ce rendement si le dividende annuel versé par Carrefour était de 1 € ?

d. Quel est le PER de l'action Carrefour ?

e. Calculez le bénéfice par action (BPA) de Carrefour en vous servant de son PER.

f. Le PER de Carrefour est-il supérieur ou inférieur à celui de Lafarge ?

g. Comment expliquer cette différence ?

5. Reprenez le tableau 4.1 avec l'hypothèse que le dividende de Pepita est de 10 € l'année prochaine et que l'on s'attend à une hausse de 5 % par an. Le taux d'actualisation est de 15 %.

6. En mars 2006, l'action MonsieurSpock se vend à environ 73 €. Les analystes prévoient un taux de croissance à long terme du bénéfice de 8,5 %. L'entreprise verse un dividende de 1,68 € par action.

a. On prévoit une croissance du dividende égale à celle du bénéfice à $g = 8{,}5\ \%$ par an à l'infini. Quel est le taux de rentabilité anticipé par les investisseurs ?

b. On s'attend à ce que la rentabilité comptable des capitaux propres (R_{CP}) de MonsieurSpock soit de 12 %, et que 50 % environ du bénéfice soit versé en dividende. Sur la base de ces prévisions, calculez *g* puis *r*. Servez-vous de la formule de Gordon-Shapiro.

7. Considérez les trois actions suivantes :

a. Croquignol promet un dividende de 10 € par action à perpétuité.

b. On s'attend à ce que le dividende de Ribouldingue soit de 5 € l'an prochain. On prévoit ensuite une croissance du dividende de 4 % par an à perpétuité.

c. On anticipe un dividende de 5 € pour Filochard l'an prochain. Ensuite, on s'attend à ce que le dividende augmente de 20 % par an pendant cinq ans (c'est-à-dire jusqu'à l'année 6), puis on prévoit une croissance nulle.

L'exigence de rentabilité étant de 10 %, quelle est l'action dont la valeur est la plus grande ? Même question si le taux de capitalisation est de 7 %.

8. Brêle Mailleurs, qui tisse des connaissances, réinvestit actuellement 40 % de son bénéfice et le taux de rentabilité de cet investissement est de 20 %. Le rendement en dividende est de 4 %.

a. En supposant que Brêle Mailleurs continue à réinvestir la même proportion de son bénéfice et à obtenir une rentabilité de 20 % de cet investissement, quel est le taux de croissance de son bénéfice et de son dividende ? Quel est le taux de rentabilité anticipé de l'action Brêle Mailleurs ?

b. Supposez que la direction de l'entreprise annonce soudainement la disparition de toute nouvelle occasion de croissance. Brêle Mailleurs envisage à présent de distribuer l'intégralité de ses bénéfices. Que devient le cours de l'action ?

c. Supposez que la direction annonce simplement que le taux de rentabilité anticipé de ses nouveaux investissements sera égal à l'avenir à l'exigence de rentabilité. Que devient à présent le cours de l'action de Brêle Mailleurs ?

9. Regardez Danone et Bonduelle sur le site de Yahoo! Finance France (**fr.finance.yahoo.com**). Quels sont le rendement des dividendes et le PER pour chaque société ? Comment se situent ces résultats par rapport à la moyenne de l'industrie agroalimentaire et le marché boursier en général ?

Quels sont les taux de croissance des bénéfices par action (BPA) et des dividendes pour chaque société sur les cinq dernières années ? Ces taux de croissance vous semblent-ils refléter une tendance stable susceptible d'être projetée dans le long terme ?

Seriez-vous confiant dans l'application du modèle de Gordon-Shapiro pour les titres de ces sociétés ? Pourquoi ?

10. Regardez les sociétés suivantes sur le site de Yahoo! Finance France (**fr.finance.yahoo.com**) : Aventis, France Télécom, LVMH, Peugeot, Saint-Gobain, Schneider. Regardez les données sur le cours et le profil de chaque société. Vous noterez de grandes différences de PER de ces entreprises. Quelles sont les explications possibles de ces différences ? Pouvez-vous classer les valeurs de croissance (VAOC élevée) et les valeurs de rendement ?

11. Psycho Moteurs a réalisé un redressement miraculeux. Il y a quatre ans, cette entreprise était près de la faillite. Aujourd'hui son nouveau dirigeant, un gourou charismatique, est partout dans la presse people.

Psycho Moteurs vient d'annoncer un dividende par action de 1 €, le premier depuis la crise. Les analystes prévoient que le dividende atteindra un niveau « normal » de 3 € lorsque l'entreprise aura pleinement surmonté ses problèmes au cours des trois prochaines années. Après, on s'attend à ce que l'augmentation du dividende se stabilise à un taux de croissance à long terme de 6 %.

L'action Psycho Moteurs se vend actuellement 50 €. Quel est le taux de rentabilité anticipé à long terme par un investisseur qui achèterait cette action à ce prix ? Supposez que le dividende soit de 1 €, 2 €, et 3 € les années 1, 2 et 3. Il faudra procéder par approximations successives pour trouver *r*.

12. Chacune des formules suivantes détermine le taux de rentabilité exigé par les actionnaires, et elle peut être vraie ou fausse selon les circonstances :

a. $r = \frac{DIV_1}{P_0} + g$ **b.** $r = \frac{BPA_1}{P_0}$

Montrez par des exemples numériques *simples* que chacune de ces formules peut donner une bonne ou mauvaise indication et expliquez pourquoi.

13. Les bénéfices et les dividendes de Alpha SA croissent de 15 % par an ; ceux de Bêta SA de 8 %. Les actifs, les bénéfices et les dividendes par action de ces sociétés sont aujourd'hui exactement les mêmes. Cependant, la VAOC rentre pour une plus grande part dans le prix de l'action Bêta SA. Comment est-ce possible ? *Indice :* il n'y a pas qu'une explication.

14. Reprenez les prévisions financières relatives à ViaGrasDouble données dans le tableau 4.4. Supposez cette fois que vous *connaissiez* le coût d'opportunité du capital, $r = 0{,}12$ (oubliez le 0,099 calculé dans le chapitre). Supposez en revanche que vous *ne connaissiez pas* la valeur de l'action ViaGrasDouble. Pour le reste, reprenez les mêmes hypothèses.

a. Calculez la valeur de l'action de ViaGrasDouble.

b. Quelle part de cette valeur faut-il attribuer à la valeur actuelle de P_3, le cours prévu à l'année 3 ?

c. Quelle part de P_3 peut-on attribuer à la valeur actuelle des opportunités de croissance (VAOC) au-delà de l'année 3 ?

d. Supposez que la concurrence rattrape ViaGrasDouble l'année 4, de sorte qu'à partir de cette date, la rentabilité obtenue de tout investissement ultérieur sera exactement égale au coût du capital. Sous cette hypothèse, quelle est la valeur actuelle de l'action ViaGrasDouble ? Faites des hypothèses complémentaires si nécessaire.

15. Regardez les sociétés du CAC40 sur le site de Yahoo! Finance France (**fr.finance.yahoo.com**). Trouvez-en trois ou quatre pour lesquelles le PER *sous-estime* beaucoup l'exigence de rentabilité *r* de la société. *Indice :* vous n'avez pas à estimer *r* pour répondre à cette question. Vous savez que *r* doit être supérieur au taux d'intérêt des obligations d'État.

16. Parmi les activités de Compost SA (CSA), il en est une qui consiste à transformer les boues et le lisier de la région de Landerneau en fertilisants. Cette activité n'est pas très profitable en elle-même. Pour inciter CSA à poursuivre cette activité, le conseil régional a décidé de lui verser les sommes suffisantes pour lui permettre d'obtenir une rentabilité comptable des capitaux propres (R_{CP}) de 10 %. On s'attend à ce que CSA verse un dividende de 4 € à la fin de l'année. La société réinvestit 40 % de son bénéfice, et sa croissance est de 4 % par an.

a. Supposons que CSA continue à croître à ce rythme et que le cours de l'action CSA soit de 100 €. Quelle proportion de ces 100 € est imputable à la valeur actuelle des opportunités de croissance ?

b. À présent, le conseil régional annonce que CSA traitera désormais également les eaux usées de toute la région. L'usine de CSA devra en conséquence s'agrandir progressivement au cours des cinq années à venir. Pour cela, il faudra que CSA réinvestisse 80 % de son bénéfice pendant cinq ans. Toutefois, à partir de l'année 6, l'entreprise distribuera à nouveau 60 % de son bénéfice. Quelle est la conséquence immédiate de cette annonce sur le cours de l'action CSA ?

17. Considérez une fois encore le tableau 4.1. Le PDG de Pepita, qui vient d'apprendre que la valeur d'une action n'est rien d'autre que la valeur actuelle des dividendes futurs, propose que Pepita verse un dividende exceptionnel de 15 € par action à la période 1. Il faudra obtenir des fonds supplémentaires en émettant de nouvelles actions. Refaites les calculs du tableau 4.1 en supposant que les profits et le taux de distribution demeurent constants dans les années suivantes. Vous devriez trouver que la valeur actuelle totale des dividendes *par action existante* reste égale à 100 €. Pourquoi ?

Problèmes avancés

1. Sur un tableur, évaluez une obligation compte tenu du taux du coupon, de la maturité et du rendement à l'échéance. On suppose que les coupons sont versés et que les taux sont composés semestriellement.

2. La formule des DCF à croissance constante :

$$P_0 = \frac{DIV_1}{r - g}$$

s'écrit parfois sous la forme suivante :

$$P_0 = \frac{R_{CP}(1 - b)V_{CP/A}}{r - bR_{CP}}$$

où $V_{CP/A}$ désigne la valeur comptable des capitaux propres par action, b le ratio de réinvestissement, et R_{CP} le ratio du bénéfice par action par rapport à la $V_{CP/A}$. Servez-vous de cette équation pour montrer comment varie le ratio cours/valeur comptable de l'action en fonction de la R_{CP}. Quel est le ratio cours/valeur comptable d'une action quand $R_{CP} = r$?

3. Les gestionnaires de portefeuilles sont fréquemment payés en proportion des fonds qu'ils administrent. Vous gérez un portefeuille d'actions de 100 millions d'euros ayant un rendement (DIV_1/P_0) de 5 %. On s'attend à ce que le dividende et la valeur du portefeuille augmentent à un taux constant. Votre commission annuelle représente 0,5 % de la valeur de ce portefeuille, et elle est calculée à la fin de chaque année. En supposant que vous gériez ce portefeuille jusqu'à la fin des temps, quelle est la valeur actuelle de votre contrat de gestionnaire ?

Mini-cas

Il y a dix ans, Youri Ligotmi a créé une petite entreprise de vente par correspondance d'équipements sportifs de luxe (soie, cuir, or). LuxYouri Sports s'est développée régulièrement et est très rentable. La société a 2 millions d'actions, détenues par Youri et ses cinq enfants.

Celui-ci se propose d'introduire la société en Bourse en vendant des actions. La vente permettra à Youri de récupérer de l'argent liquide, et cela aidera aussi la société à lever des capitaux dans le futur.

Mais combien valent les actions ? la première idée de Youri est de jeter un coup d'œil au bilan, où les capitaux propres ont une valeur comptable de 26,34 millions d'euros, soit 13,17 € par action. Un cours boursier à 13,17 € signifierait un PER de 6,6. C'est très éloigné du PER de 13,1 de Pot-Pourri Sports, le principal concurrent de LuxYouri Sports. Youri veut dépasser le raisonnement en valeurs comptables, et il pense à sa fille, Debbie Goudy, qui travaille dans une banque d'affaires. Elle saura sûrement combien valent les actions. Youri décide de l'appeler après son travail, ce soir à 23 heures, ou avant sa journée de demain, à 6 heures du matin.

Dans l'attente, Youri rassemble les données sur sa société. Après des pertes initiales, l'entreprise a régulièrement rapporté plus que son coût du capital (estimé à 10 %). Elle devrait continuer à croître sur les 6 à 8 prochaines années. En fait, la société a probablement été ralentie, dans les dernières années, par les demandes de deux des fils de Youri, qui réclamaient des dividendes importants. Peut-être que l'introduction en Bourse permettra de distribuer moins de dividendes et d'investir plus d'argent dans le métier.

Par ailleurs, l'horizon n'est point rose. PotPourri Sports vient de se lancer à son tour dans la vente par correspondance, et Youri pense que d'ici à six ans, il ne pourra plus trouver d'opportunités d'investissement intéressantes. Youri ne s'attend pas à une prévision précise de la part de Debbie, mais plutôt à une fourchette de valeurs.

	n-10	n-9	n-8	n-7	n-6	n-5	n-4	n-3	n-2	n-1
BPA (€)	−2,10	−0,70	0,23	0,81	1,10	1,30	1,52	1,64	2,00	2,03
Dividende (€)	0,00	0,00	0,00	0,20	0,20	0,30	0,30	0,60	0,60	0,80
Valeur comptable par action (€)	9,80	7,70	7,00	7,61	8,51	9,51	10,73	11,77	13,17	14,40
R_{CP} (%)	−27,0	−7,1	3,0	11,6	14,5	15,3	16,0	15,3	17,0	15,4

Questions

1. Aidez Debbie à prévoir les paiements de dividendes futurs et à estimer la valeur de l'action LuxYouri Sports. Ne donnez pas qu'une seule valeur. Par exemple, une des hypothèses pourrait être que la société aura des opportunités d'investissement jusqu'en année 8 ; une autre hypothèse serait que les opportunités d'investissement disparaîtront dès l'année 6.
2. Quelle proportion de votre évaluation correspond à la valeur actuelle des opportunités de croissance de LuxYouri Sports ?

Chapitre 5

Pourquoi la VAN permet-elle d'optimiser les choix d'investissement ?

Dans les quatre premiers chapitres, nous avons introduit, parfois en douce, la plupart des principes fondamentaux du choix d'investissement. Nous allons maintenant consolider ce savoir, en examinant d'un œil critique trois autres critères que les entreprises utilisent parfois : le délai de récupération, le taux moyen de rentabilité comptable, et le taux de rentabilité interne (TRI). Les deux premiers ont peu de choses à voir avec l'accroissement de la richesse des actionnaires. En revanche, s'il est correctement employé, le critère du taux de rentabilité interne conduit toujours à sélectionner les projets rémunérateurs, mais nous verrons qu'il comprend aussi un certain nombre de pièges si l'on n'y prend garde.

Nous conclurons ce chapitre en montrant comment venir à bout de situations dans lesquelles l'entreprise a des ressources limitées. Il y a deux aspects dans ce problème. Le premier est un problème de calcul. Dans les cas simples, on choisit simplement les projets qui procurent la valeur actuelle nette (VAN) la plus élevée par euro investi. Mais les contraintes de ressources et les interactions des projets posent souvent des problèmes d'une complexité telle qu'il faut recourir à la programmation linéaire pour les résoudre. Le second consiste à savoir s'il existe effectivement un rationnement du capital et si cela invalide ou non la VAN en tant qu'outil de choix d'investissement.

1 Révision des principes

Le directeur financier de Vegetron se demande comment analyser un projet d'investissement d'un million d'euros, appelé projet e-pinards. Il vous demande ce que vous en pensez.

Vous devriez répondre ceci : « Premièrement, estimez les cash-flows générés par le projet e-pinards au cours de sa vie économique. Deuxièmement, déterminez le coût d'opportunité du capital de ce projet. Il doit refléter à la fois la valeur temps de l'argent et le risque inhérent au projet. Troisièmement, servez-vous de ce coût d'opportunité du capital pour actualiser les cash-flows futurs du projet e-pinards. La valeur actuelle (VA) est la somme des cash-flows actualisés. Quatrièmement, calculez la valeur actuelle nette (VAN) en soustrayant l'investissement de la VA. Investissez dans le projet e-pinards si sa VAN est positive. »

Mais le directeur financier de Vegetron reste impavide devant votre sagacité. Il vous demande pourquoi la VAN est si importante.

Vous répondez : « Voyons ce qui intéresse les actionnaires. Ils souhaitent que vous agissiez de telle sorte que la valeur de leurs actions Vegetron soit la plus élevée possible. Actuellement, la valeur de marché de Vegetron (le cours de l'action multiplié par le nombre d'actions en circulation) est de 10 millions d'euros. Cette somme comprend des disponibilités d'un million qu'on peut investir dans le projet e-pinards. La valeur des autres actifs et des perspectives d'investissement s'élève par conséquent à 9 millions d'euros. Il s'agit de décider s'il vaut mieux conserver ces disponibilités d'un million et renoncer au projet e-pinards, ou investir cette somme. Soit VA la valeur actuelle du projet. Le choix se présente alors de la manière suivante :

Actif	Valeur de marché (en millions d'euros)	
	Rejet du projet e-pinards	**Acceptation du projet e-pinards**
Projet X	0	VA
Autres actifs	9	9
Disponibilités	1	0
	10	9 + VA

Le projet e-pinards est évidemment intéressant si sa VA est supérieure à 1 million d'euros, c'est-à-dire si sa VAN est positive. Voilà, Chef. »

Le directeur financier réplique : « Ne m'appelez pas Chef. Comment puis-je savoir si la VA du projet se reflétera effectivement dans la valeur de marché de Vegetron ? »

Vous répondez : « Supposez que soit créée une nouvelle entreprise indépendante E-pinards, ayant pour seul actif le projet e-pinards. Quelle serait sa valeur de marché ? Les investisseurs feraient des prévisions sur ses dividendes futurs et les actualiseraient au taux de rentabilité anticipé des titres ayant un risque comparable à celui de l'entreprise. Comme le projet est le seul actif de l'entreprise, les dividendes anticipés devraient correspondre exactement aux cash-flows prévus. En outre, le taux auquel les investisseurs actualiseraient les dividendes de l'entreprise E-pinards devrait être exactement égal au taux d'actualisation des cash-flows du projet e-pinards.

L'entreprise E-pinards est purement imaginaire. Mais si le projet est accepté, les investisseurs qui détiennent des actions de Vegetron auront un portefeuille composé du projet e-pinards et des autres actifs de l'entreprise. Nous savons que ces autres actifs valent 9 millions d'euros lorsqu'on les considère comme un ensemble distinct. Comme la valeur des actifs s'additionne, on peut facilement calculer la valeur du portefeuille une fois qu'on a la valeur du projet en tant qu'entité distincte. En calculant la VA du projet, on reproduit le processus d'évaluation des actions ordinaires de la société E-pinards sur les marchés de capitaux. »

Le directeur financier dit alors : « Il y a une chose que je ne comprends pas : d'où vient le taux d'actualisation ? »

Vous expliquez : « J'admets que le taux d'actualisation est difficile à mesurer précisément. Mais il est facile de voir ce que nous *essayons* de mesurer. Après tout, plutôt que d'accepter un projet, l'entreprise pourrait toujours distribuer ses disponibilités aux actionnaires et les laisser investir sur les marchés.

La figure 5.1 décrit cet arbitrage. *Le coût d'opportunité du projet est égal au rendement que les actionnaires auraient pu obtenir s'ils avaient investi leurs fonds eux-mêmes.* En actualisant les cash-flows du projet au taux de rentabilité d'actifs comparables, on mesure ce que les investisseurs sont prêts à payer pour le projet. »

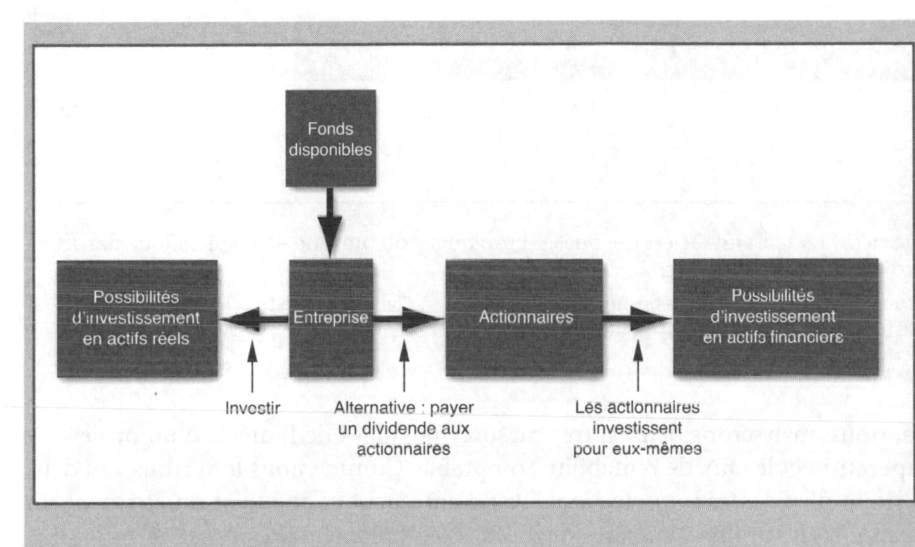

Figure 5.1 - L'entreprise peut soit réinvestir ses fonds, soit les rendre aux actionnaires sous forme de dividendes (les flèches représentent les cash-flows possibles ou les transferts).
Si les fonds sont réinvestis, le coût d'opportunité est le taux de rentabilité attendu par les actionnaires tel qu'ils auraient pu l'obtenir en investissant leurs dividendes dans d'autres actifs financiers.

« Mais quels sont ces actifs financiers ? demande le directeur financier de Vegetron. Le fait que les investisseurs attendent seulement 7 % de l'action Danone ne signifie pas qu'ils achèteraient l'action Ketchup Startup si elle rapportait 8 %. »

Vous répondez alors : « Le concept de coût d'opportunité n'a de sens que si l'on compare des actifs de risque équivalent. Vous devez identifier des actifs financiers ayant un risque équivalent à celui du projet envisagé, estimer le taux de rentabilité attendu sur ces actifs, puis utiliser ce taux comme coût d'opportunité. »

1.1 Les concurrents de la VAN

Près de 75 % des entreprises calculent toujours ou presque la VAN d'un projet pour savoir s'il doit être mis en place. Mais, comme le montre la figure 5.2, la VAN n'est pas le seul critère de décision utilisé par les directeurs financiers. Environ 75 % des entreprises utilisent le *taux de rentabilité interne* du projet (ou TRI), ce qui correspond plus ou moins aux mêmes proportions d'utilisation de la VAN. Le critère du TRI est proche de celui de la VAN et, lorsqu'il est appliqué rigoureusement, donne le même résultat. Il faut donc comprendre le critère du TRI et connaître les précautions à prendre pour l'utiliser efficacement.

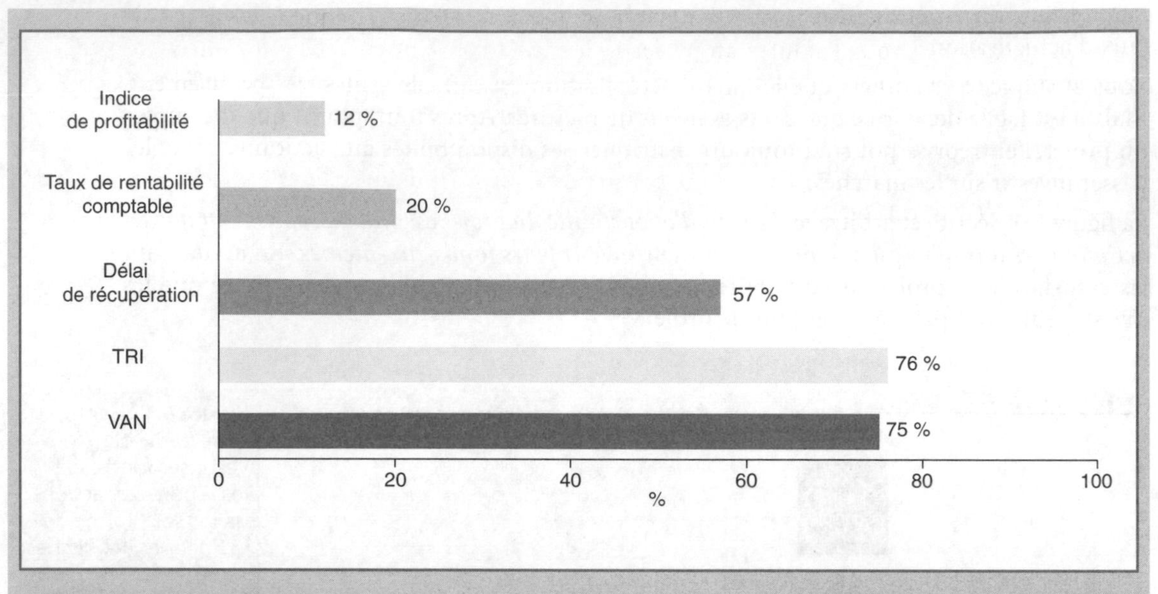

Figure 5.2 - Pourcentage des directeurs financiers qui utilisent toujours – ou presque – une technique particulière d'évaluation des projets à mettre en œuvre.

Source : extrait de J. R. Graham et C. R. Harvey, « The theory and Practice of Finance : Evidence from the Field », *Journal of Financial Economics*, 61 (2001), pp. 187-243, © 2001 avec l'autorisation de Elsevier Science.

Tout d'abord, nous analyserons deux autres mesures possibles de l'intérêt d'un projet – le délai de récupération et le taux de rentabilité comptable. Comme nous le verrons, ces deux critères présentent d'évidentes imperfections. Peu d'entreprises s'appuient uniquement sur ces critères mais elles les utilisent en tant que mesures complémentaires.

Nous aborderons plus loin un autre critère d'investissement, l'indice de profitabilité. Cet indice est peu utilisé, mais il existe des circonstances où cette mesure présente quelques avantages.

1.2 Trois caractéristiques de la VAN à garder en tête

Avant d'analyser ces critères, il est bon d'avoir à l'esprit les caractéristiques fondamentales de la VAN. Premièrement, la VAN reconnaît *qu'un euro aujourd'hui vaut plus qu'un euro demain*, parce qu'on peut investir aujourd'hui un euro et commencer immédiatement à percevoir un intérêt. *Un critère d'investissement qui ne reconnaît pas la valeur temporelle de l'argent ne peut être un critère sensé.* Deuxièmement, la VAN dépend uniquement des *cash-flows* du projet et du *coût d'opportunité du capital*. Un critère d'investissement qui dépend des préférences du directeur, de la méthode comptable choisie par l'entreprise, ou d'autres mesures, conduira à de moins bonnes décisions. Troisièmement, *les valeurs actuelles, étant exprimées en euros d'aujourd'hui, peuvent s'additionner*. Par conséquent, si vous avez deux projets A et B, la VAN de l'investissement combiné sera :

$$\text{VAN}(A + B) = \text{VAN}(A) + \text{VAN}(B)$$

Cette propriété d'additivité a des conséquences importantes. Supposez que le projet B ait une VAN négative. Si vous l'ajoutez au projet A, le projet conjoint (A + B) aura une VAN inférieure à celle du projet A pris isolément. Par conséquent, il est peu probable que vous commettiez l'erreur d'accepter un mauvais projet (B) uniquement parce qu'il est associé à un bon projet (A). Nous verrons que les autres critères ne possèdent pas cette propriété d'additivité. Si vous ne faites pas attention, vous pourrez croire qu'un ensemble formé d'un bon et d'un mauvais projet est préférable à un bon projet pris isolément.

1.3 La VAN dépend des cash-flows, non des résultats comptables

La VAN dépend seulement des cash-flows générés par le projet et du coût d'opportunité du capital. Or, dans son rapport aux actionnaires, l'entreprise ne se contente pas de faire état des cash-flows. Elle indique également le résultat comptable et la valeur comptable des actifs ; le résultat comptable attire en général l'attention immédiate.

Les financiers utilisent parfois le taux de rentabilité comptable d'un projet. Ils estiment donc un résultat comptable prévisionnel, en proportion de la valeur comptable des actifs que l'entreprise envisage d'acquérir :

$$\text{Taux de rentabilité comptable} = \frac{\text{Résultat comptable}}{\text{Valeur comptable des investissements}}$$

Or, les cash-flows et les résultats comptables sont souvent très différents. Par exemple, les comptables comptabilisent certaines dépenses en *investissements* et d'autres en *charges* (déduites immédiatement du résultat). Ainsi, le taux de rentabilité comptable dépend du choix des éléments que le comptable traite comme des investissements et de la rapidité avec laquelle il les amortit[1].

L'intérêt d'un projet d'investissement ne dépend pas des écritures comptables[2] et rares sont les entreprises qui se fondent sur le taux de rentabilité comptable pour faire un choix d'investissement. Mais comme les actionnaires attachent beaucoup d'importance aux résultats comptables, les décideurs doivent prendre en compte l'incidence de leurs projets sur les états financiers de l'entreprise. Les projets entraînant une diminution du taux de rentabilité comptable peuvent contraindre la direction à un examen plus attentif.

Par ailleurs, la profitabilité moyenne des investissements passés n'est généralement pas une référence correcte pour de nouveaux investissements. Soit une entreprise particulièrement chanceuse et performante dans le passé, avec un taux moyen de rentabilité comptable de 24 %, c'est-à-dire le double du coût d'opportunité du capital (12 %) pour les actionnaires. Faudrait-il exiger des *nouveaux* investissements une rentabilité de 24 % ou plus encore ? Certainement pas : cela conduirait à renoncer à des investissements à VAN positive pour des taux compris entre 12 et 24 %.

Nous reviendrons sur le taux de rentabilité comptable au chapitre 12, lorsque nous nous intéresserons de plus près aux mesures comptables de la performance financière.

---

1. Le mini-cas présenté à la fin de ce chapitre contient une illustration simple de la façon dont on calcule le taux de rentabilité comptable et de la différence entre résultat comptable et cash-flow du projet.
2. Le choix d'une méthode d'amortissement a néanmoins des conséquences sur les cash-flows, par le biais de la fiscalité. Nous reviendrons sur l'amortissement et la fiscalité dans le prochain chapitre.

2 Le délai de récupération

Les entreprises exigent souvent que la mise de fonds initiale d'un projet soit récupérée dans un délai déterminé. Le **délai de récupération** (*payback* dans la langue de Spiderman) d'un projet correspond au nombre d'années nécessaire pour que les cash-flows cumulés égalent l'investissement initial. Prenons les trois projets suivants :

Projet	Cash-flows en euros				Délai de récupération (années)	VAN à 10 %
	CF_0	CF_1	CF_2	CF_3		
Anna	−2 000	500	500	5 000	3	+2 624
Banana	−2 000	500	1 800	0	2	−58
Canada	−2 000	1 800	500	0	2	+50

Anna implique un investissement initial de 2 000 €, suivi de rentrées d'argent pendant trois ans. Supposez que le coût d'opportunité du capital soit de 10 %. La VAN d'Anna est alors de :

$$\text{VAN(A)} = -2\,000 + \frac{500}{1{,}1} + \frac{500}{(1{,}1)^2} + \frac{5\,000}{(1{,}1)^3} = +2\,624\ €$$

Banana implique également un investissement initial de 2 000 €, mais il génère une rentrée de 500 € l'année 1 et de 1 800 € l'année 2. Au même coût d'opportunité du capital, sa VAN est de :

$$\text{VAN(B)} = -2\,000 + \frac{500}{1{,}1} + \frac{1\,800}{(1{,}1)^2} = -58\ €$$

Canada implique le même investissement initial, mais il dégage un cash-flow plus élevé la première année. Sa VAN est de :

$$\text{VAN(C)} = -2\,000 + \frac{1\,800}{1{,}1} + \frac{500}{(1{,}1)^2} = +50\ €$$

Ainsi, le critère de la VAN nous conduit à rejeter Banana et à accepter Anna et Canada.

2.1 Le critère du délai de récupération

Voyons à présent la rapidité de chaque projet à rentabiliser son investissement initial. Avec le projet Anna, il faut trois ans pour retrouver les 2 000 € d'investissement ; avec les projets Banana et Canada, il faut seulement deux ans. Si l'entreprise fixait un délai de récupération maximal de deux ans, elle n'accepterait que Banana et Canada ; en fixant un délai limite de trois ans ou plus, elle accepterait les trois projets. Par conséquent, quel que soit le choix du délai limite, le critère du délai de récupération conduit à une réponse différente de celle du critère de la VAN.

Les raisons pour lesquelles le délai de récupération conduit à de mauvaises décisions sont les suivantes :

1. *La règle du délai de récupération n'accorde aucune importance aux cash-flows ultérieurs au délai limite.* Avec un délai limite de deux ans, Anna est rejeté malgré l'importance des cash-flows l'année 3.

2. *La règle du délai de récupération accorde une importance égale à tous les cash-flows avant la date limite.* Selon cette règle, Banana et Canada sont équivalents, mais les cash-flows de Canada survenant plus tôt, sa VAN est supérieure, quel que soit le taux d'actualisation.

Certaines entreprises actualisent les cash-flows avant de calculer le délai de récupération. Le **critère du délai de récupération actualisé** répond à la question : « En combien d'années les cash-flows *exprimés en euros actuels* rentabilisent-ils l'investissement actuel ? » Mais ce critère ne prend toujours pas en compte les cash-flows postérieurs à la date limite.

La simplicité du délai de récupération en fait un procédé commode pour évaluer les projets d'investissement. Les dirigeants parlent habituellement de projets à délai de récupération court, de la même manière que les investisseurs parlent d'actions à PER élevés. La vraie mesure de performance reste toutefois la VAN.

3 Le taux de rentabilité interne (TRI)

Alors que le délai de récupération et le taux de rentabilité comptable sont des critères issus de la pratique, le **taux de rentabilité interne** (**TRI**) a des fondements beaucoup plus respectables, il est même recommandé dans de nombreux manuels de finance. Aussi, si nous insistons davantage sur ses faiblesses, c'est seulement parce qu'elles sont moins évidentes.

Au chapitre 2, nous avons souligné qu'on pouvait aussi exprimer la VAN en termes de taux de rentabilité, ce qui nous conduisait au critère suivant : « Il faut accepter les possibilités d'investissement qui offrent un taux de rentabilité supérieur au coût d'opportunité du capital. » Cette proposition, convenablement interprétée, est parfaitement correcte. Cependant, il n'est pas toujours facile de l'interpréter lorsqu'il s'agit de projets d'investissement de longue durée.

On n'a aucun mal à définir le taux de rentabilité d'un investissement qui génère un seul cash-flow :

$$\text{Taux de rentabilité} = \frac{\text{Cash-flow}}{\text{Investissement}} - 1$$

C'est aussi le taux d'actualisation qui rend la VAN nulle :

$$\text{VAN} = CF_0 + \frac{CF_1}{1 + \text{taux d'actualisation}} = 0 \quad (\text{rappel : } CF_0 \text{ est généralement négatif})$$

donc :

$$\text{Taux d'actualisation} = \frac{CF_1}{-CF_0} - 1$$

où CF_1 représente le cash-flow, et $-CF_0$ l'investissement en valeur absolue. Ainsi, le taux d'actualisation qui rend la VAN nulle est aussi le taux de rentabilité interne du projet.

Malheureusement, il n'existe pas de façon pleinement satisfaisante de définir le taux de rentabilité d'un actif sur plus d'une période. Le meilleur concept disponible est le *taux de rentabilité interne (TRI)*. Le TRI est fréquemment employé en finance. Il peut constituer une mesure pratique, mais comme nous le verrons, il peut également induire en erreur. Par conséquent, vous devez apprendre à l'utiliser à bon escient.

3.1 Calculer le TRI

Le TRI est défini comme le taux d'actualisation qui annule la VAN. Cela signifie que pour trouver le TRI d'un projet d'investissement d'une durée de vie de *t* années, on doit trouver le taux qui résout l'équation suivante :

$$VAN = CF_0 + \frac{CF_1}{1 + TRI} + \frac{CF_2}{(1 + TRI)^2} + \ldots + \frac{CF_t}{(1 + TRI)^t} = 0$$

Le calcul du TRI se fait souvent par des approximations successives. Prenons le projet suivant :

Cash-flows (€)		
CF_0	CF_1	CF_2
- 4 000	+ 2 000	+ 4 000

Recherchons le TRI dans l'équation suivante :

$$VAN = -4\,000 + \frac{2\,000}{1 + TRI} + \frac{4\,000}{(1 + TRI)^2} = 0$$

Essayons arbitrairement un taux d'actualisation égal à 0 %. Dans ce cas, la VAN vaut 2 000 € :

$$VAN = -4\,000 + \frac{2\,000}{1{,}0} + \frac{4\,000}{(1{,}0)^2} = +2\,000\text{ €}$$

La VAN est positive, par conséquent le TRI est nécessairement supérieur à 0 %. L'étape suivante consiste à essayer un taux d'actualisation de 50 %. On obtient :

$$VAN = -4\,000 + \frac{2\,000}{1{,}5} + \frac{4\,000}{(1{,}5)^2} = -889\text{ €}$$

La VAN est négative ; par conséquent le TRI est nécessairement inférieur à 50 %. La figure 5.3 représente l'évolution de la VAN en fonction du taux d'actualisation. On constate qu'à 28 %, ce dernier annule la VAN. Le TRI est donc de 28 %.

La façon la plus facile de trouver le TRI, si vous devez le faire à la main, consiste à reporter trois ou quatre combinaisons de VAN et le taux d'actualisation sur un graphique tel que celui de la figure 5.3, à relier ces points par une ligne continue, et à déterminer graphiquement le taux d'actualisation pour lequel la VAN = 0. Il est, bien entendu, plus rapide et plus précis d'utiliser un ordinateur ou une calculatrice spécialement programmée, ce que font la plupart des entreprises.

Certains confondent le taux de rentabilité interne et le coût d'opportunité du capital parce que les deux apparaissent comme des taux d'actualisation dans la formule de la VAN. Le taux de rentabilité interne est un *résultat mathématique* qui dépend uniquement du montant et de l'échéancier des cash-flows du projet. Le coût d'opportunité du capital est une *norme de profitabilité* utilisée lorsqu'on calcule si un projet vaut la peine d'être mené. Le coût d'opportunité du capital est fixé sur les marchés financiers. C'est le taux de rentabilité attendu généré par d'autres actifs présentant le même risque que le projet.

3.2 Le critère du TRI

Le critère du TRI consiste à accepter un projet d'investissement si le TRI est supérieur au coût d'opportunité du capital de l'entreprise. Vous pouvez comprendre le raisonnement qui sous-tend cette proposition en regardant de nouveau la figure 5.3. Si le coût d'opportunité du capital est inférieur à 28 % (le TRI), le projet, actualisé au coût d'opportunité du capital, a une VAN *positive*. Si le coût d'opportunité du capital est égal au TRI, le projet a une VAN *nulle*. S'il est supérieur au TRI, le projet a une VAN *négative*. Le critère du TRI donnera la même réponse que la VAN *toutes les fois que la VAN d'un projet sera une fonction décroissante du taux d'actualisation.*

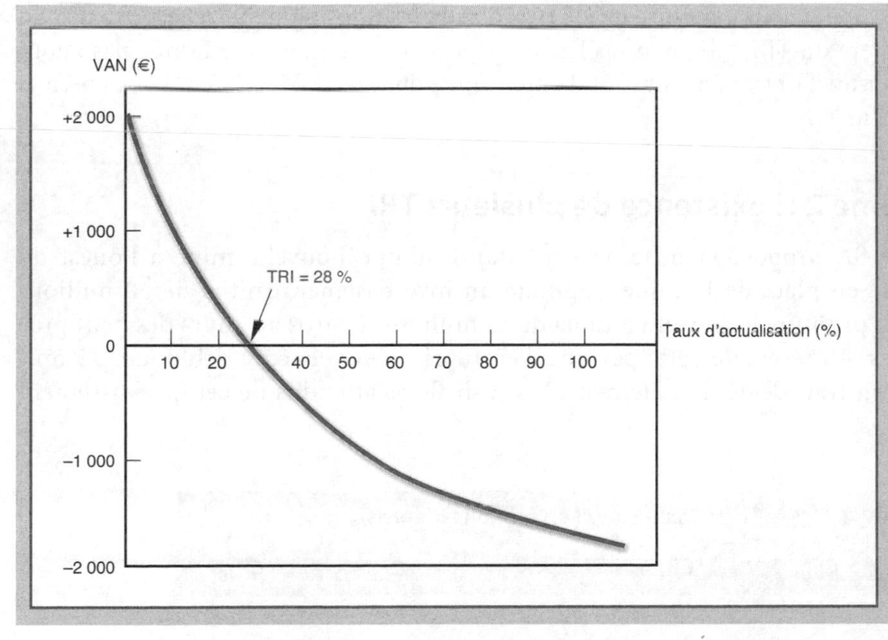

Figure 5.3 - Ce projet coûte 4 000 €, puis génère des cash-flows de 2 000 € l'année 1 et de 4 000 € l'année 2. Son taux de rentabilité interne (TRI) est de 28 %, soit le taux d'actualisation qui annule la VAN.

Nombreuses sont les entreprises qui utilisent le TRI comme critère de choix d'investissement, de préférence à la VAN. Nous pensons que c'est dommage. Bien que les deux critères, correctement formulés, soient équivalents, le TRI présente plusieurs problèmes.

3.3 Problème 1 : placement ou emprunt ?

Toutes les séries de cash-flows n'ont pas une VAN qui diminue à mesure que le taux d'actualisation augmente. Considérez les projets A et B suivants :

Projets	Cash-flows (€)		TRI (%)	VAN à 10 %
	CF_0	CF_1		
A	–1 000	+1 500	+50	+364
B	+1 000	–1 500	+50	–364

Chaque projet a un TRI de 50 %. (Car, –1 000 + 1 500 / 1,5 = 0 *et* +1 000 – 1 500 / 1,5 = 0.)

Doit-on en conclure qu'ils sont aussi intéressants l'un que l'autre ? À l'évidence, non. Le projet A consiste en une dépense puis une recette ; pour le projet B, c'est l'inverse. Suivant que l'on place (cas de A) ou que l'on emprunte (projet B) le CF_1, on préférera avoir un taux élevé (A) ou faible (B).

Si vous tracez un graphique semblable à celui de la figure 5.3 pour le projet B, vous constaterez que la VAN augmente à mesure que le taux d'actualisation augmente. Dans ce cas, il est clair que le critère du TRI, tel que nous l'avons exposé plus haut, ne fonctionne pas ; nous devons chercher un TRI *inférieur* au coût d'opportunité du capital. Mais la VAN nous permet toujours de décider…

3.4 Problème 2 : l'existence de plusieurs TRI

Papier Mâché SA propose la mise en exploitation d'une nouvelle mine à l'ouest du Pecos. La mise en place de la mine implique un investissement initial de 60 millions d'euros et doit produire un revenu annuel de 12 millions d'euros au cours des neuf prochaines années. Au terme de cette période, l'entreprise devra encore débloquer 15 millions d'euros en frais de démantèlement. Les cash-flows attendus de cet investissement sont :

Cash-flows (en millions d'euros)				
CF_0	CF_1	…	CF_9	CF_{10}
–60	12		12	–15

Selon les calculs de l'entreprise, le TRI et la VAN de ce projet sont les suivants :

TRI (%)	VAN à 10 %
–44,0 et 11,6	–3,3 millions d'euros

Remarquez que *deux* taux d'actualisation rendent la VAN nulle. *Chacune* des deux équations suivantes est donc vérifiée :

$$VAN = -60 + \frac{12}{0{,}56} + \frac{12}{0{,}56^2} + ... + \frac{12}{0{,}56^9} - \frac{15}{0{,}56^{10}} = 0$$

$$VAN = -60 + \frac{12}{1{,}116} + \frac{12}{1{,}116^2} + \frac{150}{(1{,}152)^3} + ... + \frac{12}{1{,}116^9} - \frac{15}{1{,}116^{10}} = 0$$

En d'autres termes, l'investissement se caractérise à la fois par un TRI de –44,0 % *et* par un TRI de 11,6 %. La figure 5.4 explique ce résultat. À mesure que le taux d'actualisation augmente, la VAN augmente d'abord, puis diminue. Cela s'explique par le double changement de signes qui affecte la série des cash-flows. Un projet peut compter autant de TRI différents qu'il y a de changements de signes dans la série des cash-flows[3].

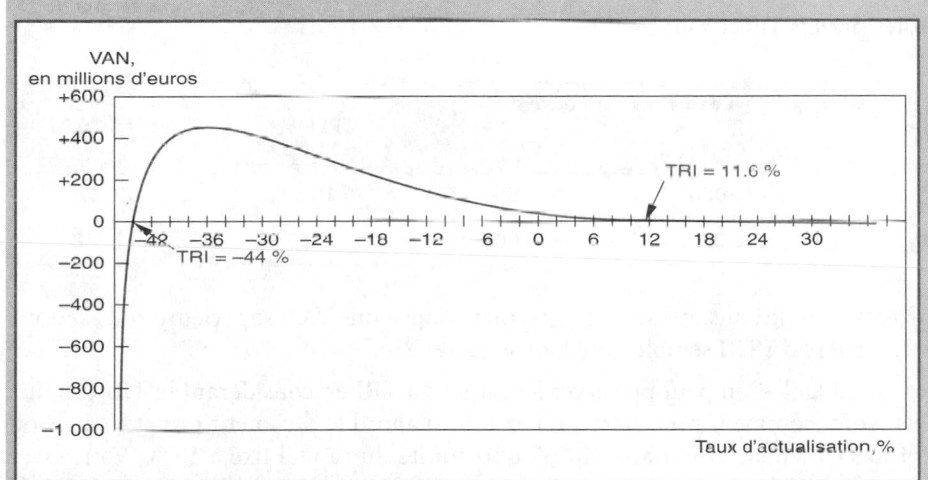

Figure 5.4 - La mine de Papier Mâché a deux TRI. VAN = 0 lorsque le taux d'actualisation est de –44 % et lorsqu'il est de 11,6 %.

Des frais de démantèlement peuvent expliquer le changement de signe des cash-flows ; en fait, les cas sont nombreux : les bateaux ont périodiquement besoin d'aller en bassin de carénage pour remise en état, les hôtels peuvent nécessiter une rénovation, des pièces de machines peuvent avoir besoin d'être changées, etc.

Lorsqu'une suite de cash-flows change de signe plusieurs fois, l'entreprise obtient en général non pas un mais plusieurs taux de rentabilité interne.

3. Selon la « règle des signes » de Descartes, il peut y avoir autant de solutions différentes à un polynôme qu'il existe de changements de signes. Pour une analyse du problème des taux de rentabilité multiples, voir J. H. Lorie, J. L. Savage, « Three Problems in Rationing Capital », *Journal of Business*, 28 (octobre 1955), pp. 229-239 ; E. Salomon, « The Arithmetic of Capital Budgeting », *Journal of Business*, 29 (avril 1956), pp. 124-129.

Comme si cela ne suffisait pas, on trouve aussi des cas où *il n'y a pas* de TRI. Par exemple, la VAN du projet Tao est positive quel que soit le taux d'actualisation :

Projet	**Cash-flows, en euros**			**TRI (%)**	**VAN à 10 %**
	CF_0	**CF_1**	**CF_2**		
Tao	+1 000	−3 000	+2 500	Aucun	+339

On a envisagé bon nombre d'adaptations du critère du TRI pour traiter des cas de ce genre. Non seulement ces adaptations sont inopérantes, mais elles ne sont pas nécessaires, car il existe une solution simple qui consiste à utiliser la VAN.

3.5 Problème 3 : les projets mutuellement exclusifs

Les entreprises doivent souvent choisir entre plusieurs **projets mutuellement exclusifs.** Ici encore, le critère du TRI peut se révéler trompeur.

Considérez les projets Yin et Yang :

Projet	**Cash-flows, en euros**		**TRI (%)**	**VAN à 10 %**
	CF_0	**CF_1**		
Yin	−10 000	+20 000	100	+8 182
Yang	−20 000	+35 000	75	+11 818

Les deux projets sont de bons investissements, mais Yang a une VAN supérieure et il est donc préférable. Le critère du TRI semble pourtant suggérer Yin.

Dans des cas semblables, on peut préserver le critère du TRI en considérant le TRI des flux additionnels. Voici comment procéder : prenez tout d'abord le plus petit projet (Yin). Son TRI est de 100 %, bien supérieur au coût d'opportunité du capital fixé à 10 %. Vous savez donc qu'il est acceptable. Demandez-vous à présent s'il vaut la peine d'investir 10 000 € de plus dans le projet Yang. Les flux différentiels découlant de l'acceptation du projet Yang sont les suivants :

Projet	**Cash-flows, en euros**		**TRI (%)**	**VAN à 10 %**
	CF_0	**CF_1**		
Yang – Yin	−10 000	+15 000	50	+3 636

Le TRI de l'investissement additionnel est de 50 %, ce qui est encore bien au-dessus des 10 % du coût d'opportunité du capital. Ainsi, vous devriez préférer le projet Yang au projet Yin[4].

4. Vous pouvez penser que vous avez sauté de la poêle à frire pour retomber dans le feu. La série des cash-flows additionnels peut comprendre plusieurs changements de signes. Dans ce cas, il est vraisemblable qu'il y aura plusieurs TRI et vous serez finalement obligé d'utiliser la VAN.

À moins de prendre en considération l'investissement additionnel, le TRI n'est pas un critère fiable de classement des projets de tailles différentes. Vous ne pouvez pas non plus vous y fier pour classer des projets qui diffèrent par la structure temporelle des cash-flows. Supposez que l'entreprise puisse lancer le projet Flu *ou* le projet Glu mais pas les deux à la fois (ignorez Merlu pour le moment) :

Projet	Cash-flows, en euros							TRI (%)	VAN à 10 %
	CF_0	CF_1	CF_2	CF_3	CF_4	CF_5	Etc.		
Flu	–9 000	+6 000	+5 000	+4 000	0	0	…	33	3 592
Glu	–9 000	+1 800	+1 800	+1 800	+1 800	+1 800	…	20	9 000
Merlu		–6 000	+1 200	+1 200	+1 200	+1 200	…	20	6 000

Flu a un TRI plus élevé, mais la VAN de Glu est supérieure. La figure 5.5 montre pourquoi les deux critères conduisent à des réponses différentes. La courbe continue représente la valeur actuelle du projet Flu en fonction du taux d'actualisation. Elle coupe l'axe horizontal au TRI, soit 33 %. De même, la courbe en bleu représente la VAN du projet Glu suivant le taux d'actualisation. Son TRI est de 20 %. (On suppose que ses cash-flows se prolongent indéfiniment.) Glu a une VAN supérieure tant que le coût d'opportunité du capital est inférieur à 15,6 %.

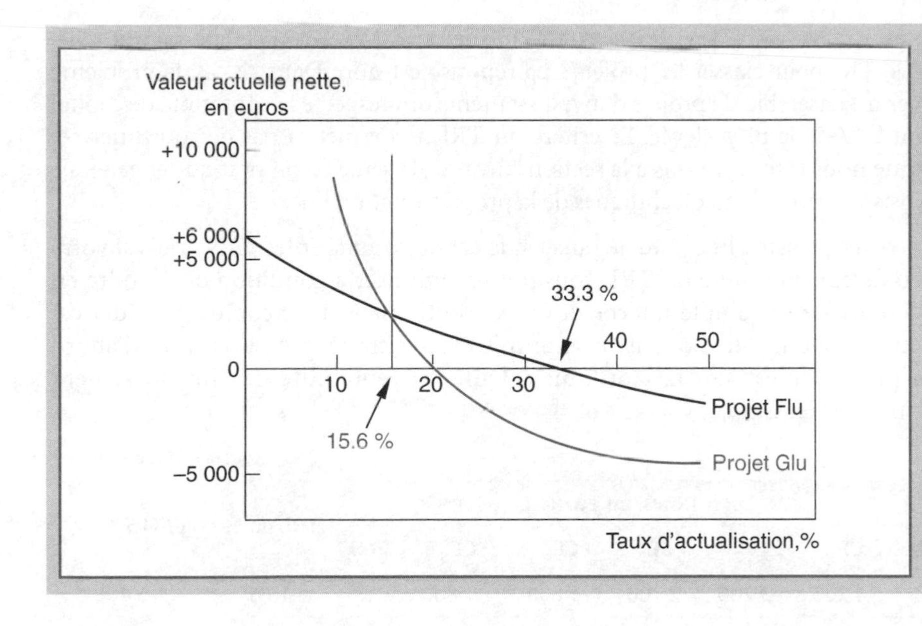

Figure 5.5 - Le TRI de Flu est supérieur à celui de Glu, mais la VAN de Flu est supérieure seulement si le taux d'actualisation est supérieur à 15,6 %.

Le TRI induit en erreur parce que l'ensemble des cash-flows positifs générés par Glu est plus élevé, mais survient plus tard. Par conséquent, lorsque le taux d'actualisation est faible, la VAN de Glu est plus élevée ; lorsque le taux d'actualisation est élevé, la VAN de Flu est plus élevée. (Les deux projets ont la *même* VAN lorsque le taux d'actualisation est de 15,6 %.) Si le coût d'opportunité du capital se situait à 20 %, les investisseurs attribueraient une valeur plus élevée au projet ayant la durée de vie la plus courte, le projet Flu. Mais dans notre exemple, le coût d'opportunité du capital est de 10 %. Le projet Flu procure une VAN de 3 592 €, tandis qu'un investissement dans Glu procure une VAN de 9 000 €[5].

C'est un de nos exemples favoris. Nous l'avons soumis à bon nombre d'hommes d'affaires et nous avons enregistré leurs réactions. Lorsqu'on leur demande de choisir entre les projets Flu et Glu, beaucoup choisissent Flu. Il semble que ce soit son délai rapide de récupération qui les incite à ce choix. En d'autres termes, ils croient qu'en choisissant Flu ils pourront également entreprendre par la suite un projet tel que Merlu (notez que Merlu peut être financé par les cash-flows générés par Flu), alors qu'en choisissant Glu, ils n'auront pas les moyens de financer Merlu. Autrement dit, ils font implicitement l'hypothèse qu'il existe un *rationnement du capital* qui les force à choisir entre Flu et Glu. Lorsqu'on rend l'hypothèse explicite, ils reconnaissent en général qu'en absence de rationnement du capital, le projet Glu est préférable.

Toutefois, l'introduction d'une hypothèse sur les contraintes de capital soulève deux autres questions. La première découle du fait que la plupart des hommes d'affaires qui préfèrent Flu à Glu travaillent pour des entreprises *qui n'éprouveraient aucune difficulté à obtenir un capital supplémentaire*. Comment expliquer qu'un décideur de Nestlé, par exemple, choisisse le projet Flu sur la base d'un rationnement du capital ? Nestlé peut obtenir du capital très facilement et entreprendre le projet Merlu indépendamment de l'adoption du projet Flu ou Glu. La réponse semble tenir au fait que les grandes entreprises imposent habituellement des limites aux investissements des divisions et des subdivisions. Le système étant lourd et compliqué, les budgets ne sont pas facilement modifiés, et les cadres intermédiaires les perçoivent alors comme des contraintes réelles.

Une seconde question se pose : s'il existe une contrainte de capital, réelle ou perçue comme telle, doit-on utiliser le TRI pour classer les projets ? La réponse est non. Dans ce cas, le problème consiste à trouver un ensemble de projets d'investissements qui respecte la contrainte de capital tout en générant la VAN la plus élevée. Le critère du TRI ne permettra pas de constituer cet ensemble. Comme nous le montrerons à la section suivante, la seule façon pratique et générale d'y parvenir consiste à recourir aux techniques de la programmation linéaire.

Pour choisir entre les projets Flu et Glu, le plus facile est de comparer les VAN. Mais si votre cœur penche en faveur du critère du TRI, vous pouvez l'utiliser à condition de prendre en considération le taux de rentabilité interne des flux additionnels. La façon de procéder est exactement identique à celle que nous avons montrée précédemment. Assurez-vous d'abord que le TRI du projet Flu est satisfaisant. Puis calculez la rentabilité de l'investissement additionnel dans le projet Glu.

Projet	Cash-flows, en euros							TRI, en %	VAN à 10 %
	CF_0	CF_1	CF_2	CF_3	CF_4	CF_5	Etc.		
Glu – Flu	0	–4 200	–3 200	2 200	+1 800	+ 1 800	…	15,6	+5 408

5. On entend souvent que le choix entre la VAN et le critère du TRI dépend du taux auquel on pense pouvoir réinvestir. C'est faux. On ne devrait *jamais* faire dépendre la décision relative à un investissement du taux de rentabilité supposé d'un autre investissement *indépendant*. Pour une analyse de l'hypothèse de réinvestissement, voir A. A. Alchian, « The Rate of Interest, Fisher's Rate of Return over Cost and Keynes' Internal Rate of Return », *American Economic Review*, 45 (décembre 1955), pp. 938-942.

Le TRI de l'investissement additionnel dans le projet Glu est de 15,6 %. Comme ce taux est supérieur au coût d'opportunité du capital, vous devriez entreprendre le projet Glu plutôt que Flu.

3.6 Problème 4 : la prise en compte de la courbe des taux

Bien que le moment ne soit pas encore venu d'analyser la *courbe des taux d'intérêt*, nous devons souligner certains problèmes que soulève le critère du TRI lorsque les taux d'intérêt à court terme diffèrent de ceux à long terme.

Souvenez-vous de notre formule générale de la VAN :

$$\text{VAN} = CF_0 + \frac{CF_1}{1 + r_1} + \frac{CF_2}{(1 + r_2)^2} + \ldots$$

En d'autres termes, on actualise CF_1 au coût d'opportunité du capital sur un an, CF_2 au coût d'opportunité du capital sur deux ans, et ainsi de suite. Normalement, on acceptera un projet si son TRI est supérieur au coût d'opportunité du capital. Mais que faire en présence de plusieurs coûts d'opportunité ? Doit-on comparer le TRI avec r_1, r_2, r_3... ? En fait, nous devrions calculer une moyenne pondérée complexe de ces taux afin d'obtenir un taux comparable au TRI.

Quelle conséquence pour les choix d'investissement ? Le TRI devient un problème lorsque la structure temporelle des taux d'intérêt doit être prise en considération[6]. Dans ce cas, on doit comparer le TRI du projet au **TRA** (**taux de rendement actuariel**, ou *rendement à l'échéance*) attendu sur un titre financier qui (1) comprend un risque équivalent à celui du projet et (2) présente la même structure temporelle de cash-flows que celle du projet. Plus facile à dire qu'à faire. Il est préférable, de loin, de s'en tenir simplement au calcul de la VAN.

Beaucoup d'entreprises utilisent le TRI, supposant ainsi qu'il n'existe aucune différence entre les taux d'intérêt à court terme et à long terme. Elles procèdent ainsi pour la même raison qui nous a poussés à faire abstraction de la courbe des taux : la simplicité[7].

3.7 Verdict sur le TRI

Nous avons donné quatre exemples de situations dans lesquelles l'utilisation du TRI conduit à de mauvaises décisions, alors que nous n'en avons donné qu'un seul pour le délai de récupération ou le taux moyen de rentabilité comptable. Est-ce à dire que le TRI est quatre fois plus mauvais que les deux autres critères ? Bien au contraire. Il est facile de montrer les déficiences du délai de récupération ou de la rentabilité comptable. Le critère du TRI, en revanche, a des fondements beaucoup plus respectables. Bien que moins facile à utiliser que la VAN, il conduit à la même décision s'il est employé correctement.

6. La difficulté vient de ce qu'il n'est pas facile de donner une interprétation économique simple du TRI. On ne peut guère le définir autrement que comme le taux d'actualisation qui, appliqué à tous les cash-flows, annule la VAN. Le TRI est une moyenne complexe de taux d'intérêt distincts. Le problème ne réside pas dans les difficultés de calcul du TRI, mais plutôt dans le fait que c'est un indicateur sans grande utilité.

7. Au chapitre 9, nous étudierons d'autres cas où le fait d'utiliser le même taux pour actualiser des cash-flows à court terme et à long terme conduit à commettre des erreurs.

De nos jours, peu d'entreprises privilégient le délai de récupération ou le taux de rentabilité comptable comme critère de choix d'investissement. En revanche, beaucoup utilisent le TRI au lieu de la VAN. Cela nous laisse un peu perplexes, mais il semble que le TRI soit plus facile à expliquer aux décideurs non financiers, qui pensent savoir ce que signifie « le projet Phacochère a un taux de rentabilité de 33 % ». La question est de savoir si ces décideurs sont en mesure d'employer correctement le critère du TRI. Nous les mettons particulièrement en garde contre le problème 3. Le directeur financier ne connaîtra jamais tous les projets possibles. De nombreux projets sont proposés par des décideurs opérationnels. Ces projets ont-ils les VAN les plus élevées possible ou les TRI les plus élevés ?

Une entreprise qui donne pour instruction à ses cadres non financiers de s'intéresser d'abord au TRI des projets stimule la recherche de projets présentant des TRI élevés, et les encourage également à *modifier* leurs projets de façon à augmenter leur TRI. En général, quels sont les projets qui présentent les TRI les plus élevés ? Des projets à court terme nécessitant des investissements relativement peu importants. La contribution de tels projets à l'augmentation de la valeur de l'entreprise peut être insignifiante.

Prenons un autre exemple. Deux projets présentent une VAN positive de 1 400 € pour un coût du capital de l'entreprise de 8 %, et pourtant vous donnez votre aval au projet Anakin tout en rejetant le projet Jabba. Êtes-vous rationnel ?

Les cash-flows des deux projets et leurs VAN ont été reportés dans le tableau ci-dessous. Le projet Anakin implique un investissement de 9 000 € alors que le projet Jabba nécessite un investissement de 9 millions d'euros. Investir 9 000 € pour générer 1 400 € de bénéfices est clairement une proposition séduisante et cela monte le TRI du projet A à presque 16 %. Investir 9 millions d'euros pour en toucher 1 400 € peut valoir la peine *si vous êtes parfaitement sûr des prévisions.* Vous pourriez perdre du temps et de l'argent à vérifier les prévisions de cash-flows, mais cela en vaut-il vraiment la peine ? La plupart des décideurs se fonderaient sur le TRI et décideraient que, puisque le coût du capital s'élève à 8 %, un projet qui présente une rentabilité de 8,01 % ne vaut pas la peine de perdre son temps.

Projet	Cash-flows (en millions d'euros)				VAN à 8 %	TRI (%)
	CF_0	CF_1	CF_2	CF_3		
Anakin	–9	2,9	4	5,4	1,4	15,58
Jabba	–9 000	2 560	3 540	4 530	1,4	8,01

4 Le choix d'investissement lorsque les ressources sont limitées

Toute notre analyse des méthodes de choix d'investissement reposait sur l'affirmation que la richesse des actionnaires est maximisée lorsque l'entreprise accepte *tous* les projets ayant une VAN positive. Mais supposons que le programme d'investissement soit soumis à des contraintes qui empêchent d'entreprendre la totalité de ces projets. C'est ce que les économistes appellent un *rationnement du capital.* Lorsque le capital est rationné, il nous faut une méthode pour sélectionner la combinaison des projets qui soit compatible avec les ressources de l'entreprise tout en procurant la VAN la plus élevée possible.

4.1 Un problème facile de rationnement du capital

Notre entreprise a un coût d'opportunité du capital de 10 %, et est confrontée aux projets suivants :

Projet	Cash-flows (en millions d'euros)			VAN à 10 %
	CF_0	CF_1	CF_2	
Artiche	–10	+30	+5	21
Blé	–5	+5	+20	16
Flouz	–5	+5	+15	12

Les trois projets sont intéressants, mais supposons que l'entreprise ne puisse pas investir plus de 10 millions d'euros. Dans ce cas, elle peut investir *soit* dans Artiche, *soit* dans Blé et Flouz, mais pas dans les trois. Pris individuellement, les projets Blé et Flouz présentent des VAN inférieures à celle d'Artiche, mais pris ensemble ils dégagent une VAN supérieure. On ne peut ici choisir entre les projets en se fondant seulement sur les VAN. Quand les ressources financières sont limitées, on doit sélectionner les projets qui procurent la VAN la plus élevée par euro investi. C'est ce que l'on appelle l'**indice de profitabilité**[8] :

$$\text{Indice de profitabilité} = \frac{\text{VAN}}{\text{Investissement}}$$

Les indices de profitabilité de nos trois projets sont les suivants[9] :

Projet	Investissement (en millions d'euros)	VAN (en millions d'euros)	Indice de profitabilité
Artiche	10	21	2,1
Blé	5	16	3,2
Flouz	5	12	2,4

Le projet Blé a l'indice de profitabilité le plus élevé, suivi par le projet Flouz. Par conséquent, notre budget étant limité à 10 millions d'euros, nous devrions accepter ces deux projets[10].

---

8. Lorsqu'un projet nécessite des investissements sur deux périodes ou plus, le dénominateur doit correspondre à la valeur actualisée de ces investissements. (Certaines entreprises n'actualisent pas les bénéfices ou les coûts avant de calculer l'indice de profitabilité. Mieux vaut ne pas dire où l'on peut mettre de telles pratiques.)

9. On définit parfois l'indice de profitabilité comme le ratio de la valeur actuelle à l'investissement initial – c'est-à-dire VA/investissement. C'est ce que l'on appelle aussi le ratio bénéfice/coût. On le calcule en ajoutant simplement 1 à chaque indice de profitabilité. Le classement des projets reste inchangé.

10. Si un projet a un indice de profitabilité positif, il doit aussi avoir une VAN positive. Aussi les entreprises utilisent-elles parfois l'indice de profitabilité pour sélectionner les projets d'investissement quand le capital n'est *pas* rationné. Cependant, l'indice de profitabilité, comme le TRI, peut conduire à de mauvaises décisions lorsqu'il faut choisir entre des projets mutuellement exclusifs. Supposez, par exemple, que vous soyez obligé de choisir entre (1) un investissement de 100 € dans un projet dont les flux actualisés s'élèvent à 200 € et (2) un investissement de 1 million d'euros dans un projet présentant des flux actualisés de 1,5 million d'euros. Le premier investissement a un indice de profitabilité supérieur, mais le second vous enrichit davantage.

Malheureusement, cette méthode simple de classement des projets présente certains inconvénients. L'un des plus sérieux est qu'elle est inefficace chaque fois que plus d'une ressource est rationnée. Par exemple, supposez que l'entreprise puisse investir 10 millions d'euros au cours de *chacune* des années 0 et 1, et qu'il existe une possibilité d'investissement l'année 1, le projet Oseille :

Projet	Cash-flows (en millions d'euros)			VAN à 10 %	Indice de profitabilité
	CF_0	CF_1	CF_2		
Artiche	–10	+30	+5	21	2,1
Blé	–5	+5	+20	16	3,2
Flouz	–5	+5	+15	12	3,4
Oseille	0	–40	+60	13	0,4

Une stratégie possible consiste à accepter les projets Blé et Flouz ; toutefois, en faisant cela, on ne peut accepter aussi le projet Oseille, puisqu'on dépasse alors les limites du budget de l'année 1. Une autre possibilité consiste à accepter Artiche à la période 0. Bien que ce choix s'accompagne d'une VAN inférieure à celle de la combinaison Blé + Flouz, il procure un cash-flow positif de 30 millions d'euros à la période 1. Si l'on ajoute cette somme aux 10 millions d'euros prévus dans le budget, il devient alors possible d'entreprendre Oseille à la période 1. Artiche et Oseille ont des indices de profitabilité *inférieurs* à ceux de Blé et Flouz, mais la VAN totale est *supérieure.*

Le classement des projets selon l'indice de profitabilité n'est pas satisfaisant dans cet exemple car les ressources sont limitées à chacune des deux périodes. En fait, cette méthode de classement des projets est inadaptée dès lors qu'une autre contrainte *quelconque* vient s'ajouter dans le choix des projets. Il en découle que cette méthode est inapplicable aux cas où les projets sont mutuellement exclusifs ou dépendants.

Pour résoudre ce problème, vous pouvez travailler à l'élaboration de toutes les combinaisons possibles. Pour chaque combinaison, vous vérifiez d'abord si les projets respectent vos contraintes et vous calculez ensuite la VAN. Mais il est plus malin de reconnaître que les techniques de programmation linéaire (PL) ont tout spécialement été conçues pour tester ce genre de combinaisons et que vous pouvez vous en remettre à un ordinateur pour les calculs.

4.2 L'utilisation des modèles de rationnement du capital

Les modèles de programmation linéaire semblent avoir été conçus pour résoudre les problèmes de choix d'investissement lorsque les ressources sont limitées. Pourquoi alors ne sont-ils pas plus largement employés tant en théorie qu'en pratique ? *Une première raison est que ces modèles sont souvent coûteux.* Nous connaissons une entreprise pétrolière qui a dépensé plus de 4 millions d'euros en un an dans un modèle de planification des investissements selon la méthode de la programmation en nombres entiers. Bien que la programmation linéaire standard soit beaucoup moins chère, elle n'est pas d'un grand secours lorsque les projets sont importants et contiennent des indivisibilités.

Une autre raison est le problème général de l'obtention de données fiables. Il ne sert à rien d'utiliser des méthodes sophistiquées et coûteuses lorsque les données sont de mauvaise qualité. De plus, ces modèles reposent sur l'hypothèse que toutes les possibilités futures d'investissement sont connues. En réalité, la découverte d'idées nouvelles en matière d'investissement est un processus sans fin.

Notre réserve la plus sérieuse porte sur l'hypothèse fondamentale selon laquelle le capital est rationné. Lorsque le moment sera venu d'analyser le financement des entreprises, nous verrons que la plupart des sociétés ne sont pas soumises à un rationnement du capital et qu'elles ont la possibilité d'obtenir des fonds très importants à des conditions convenables. Dans ce cas, comment expliquer les directives données aux cadres de considérer le capital comme une ressource rationnée ? S'il en était ainsi, les marchés de capitaux seraient très imparfaits et on ne comprendrait pas l'intérêt de maximiser la VAN. Considérons ce problème plus attentivement.

Le rationnement volontaire Beaucoup d'entreprises sont soumises à des contraintes « volontaires » en capital. Ces contraintes ne sont pas dues aux imperfections des marchés de capitaux, mais aux limites provisoires imposées par le système de contrôle financier de l'entreprise.

Certains chefs de service ambitieux ont tendance à surestimer leurs possibilités d'investissement. Plutôt que d'essayer de sélectionner celles qui en valent réellement la peine, la direction générale peut estimer plus simple de fixer un plafond aux investissements des différents services et de les contraindre ainsi à établir leurs propres priorités. Dans des cas semblables, les limites budgétaires constituent une façon sommaire mais efficace de corriger la surestimation des prévisions de cash-flows. Dans d'autres cas, la direction peut penser que la croissance très rapide de l'entreprise est susceptible de provoquer des pressions considérables sur la direction et l'organisation. Dans la mesure où ces contraintes sont difficilement quantifiables, les plafonds budgétaires peuvent servir d'auxiliaires.

Ces plafonds budgétaires n'ayant rien à voir avec une quelconque inefficacité des marchés de capitaux, on peut utiliser au sein d'un service les techniques de la programmation linéaire en vue de maximiser la VAN sous contrainte budgétaire. D'un autre côté, il n'y a pas lieu de mettre en place des procédures de sélection sophistiquées si les prévisions de cash-flows au sein de la division ne sont pas fiables.

Même si le capital n'est pas rationné, d'autres ressources peuvent l'être. Les ressources disponibles en temps de gestion, en travail qualifié, ou en autres équipements constituent souvent d'importantes contraintes à la croissance de l'entreprise.

Le rationnement imposé Un rationnement volontaire ne devrait jamais rien coûter à l'entreprise. Si les contraintes en capital deviennent suffisamment fortes – dans le sens où il faut renoncer à des projets ayant une VAN positive –, l'entreprise peut se procurer des fonds supplémentaires et desserrer ainsi la contrainte. Mais que se passe-t-il si elle *ne peut pas* se procurer des fonds supplémentaires, si elle est confrontée à un rationnement *imposé* ?

Aquari-Hommes (AH) emprunte au maximum auprès des banques mais, malgré cela, il lui reste encore des opportunités d'investissement sans financement. Il n'y a pas de rationnement tant que AH peut émettre des actions. Mais il se peut que la société ne le puisse pas. Par exemple, le fondateur de l'entreprise ou l'actionnaire majoritaire peuvent donner leur veto à l'émission d'actions nouvelles, par crainte de perdre le contrôle de l'entreprise, ou bien parce que l'émission d'actions entraînerait des frais administratifs coûteux ou des complications juridiques[11].

Cela ne remet pas en cause le critère de la VAN. Les actionnaires de AH peuvent emprunter ou prêter, vendre leurs actions ou en acheter davantage. Ils ont librement accès au marché des actions. Le type de portefeuille qu'ils détiennent est indépendant des décisions de financement ou d'investissement de AH, et la seule façon pour cette entreprise de satisfaire ses actionnaires consiste à les enrichir. Ainsi, AH devrait investir ses fonds disponibles dans l'ensemble des projets ayant la VAN globale la plus élevée.

La pertinence de la VAN n'est pas remise en cause par l'existence d'une barrière entre l'entreprise et les marchés de capitaux tant que cette barrière constitue la *seule* imperfection du marché. L'essentiel est que les actionnaires aient un libre accès à des marchés de capitaux fonctionnant correctement.

La VAN *est* remise en cause dès lors que des imperfections entravent les choix de portefeuille des actionnaires. Supposons que Aquari-Femmes (AF) ait pour unique actionnaire son fondateur, Ulysse Personne. M. Personne ne dispose d'aucune liquidité et ne peut plus obtenir de crédit, mais il est persuadé que le développement de son affaire est un investissement à VAN largement positive. Il a essayé de vendre ses actions, mais les investisseurs éventuels, doutant de la viabilité d'un élevage de sirènes, lui en ont offert beaucoup moins que ce qu'il attendait. Pour M. Personne, les marchés de capitaux n'ont pratiquement pas d'existence réelle. Pour lui, cela n'a pas de sens d'actualiser les cash-flows prévisionnels au coût du capital de l'entreprise.

Résumé

Si vous devez convaincre votre direction financière d'utiliser la VAN, vous devez être en mesure d'expliquer pourquoi les autres critères *n'aboutissent pas* à de bonnes décisions. C'est pourquoi nous avons analysé trois autres critères de choix d'investissement dans ce chapitre.

Certaines entreprises utilisent le taux de rentabilité comptable. Dans ce cas, l'entreprise doit décider quels décaissements constituent des investissements et choisir un mode d'amortissement approprié. Elle doit ensuite calculer le rapport du résultat comptable à l'investissement comptable. Peu d'entreprises font leurs choix d'investissement sur ce critère, mais dans la mesure où les actionnaires accordent de l'importance aux résultats comptables, les directeurs financiers sont tenus d'examiner avec un œil critique les projets susceptibles de dégrader le taux de rentabilité comptable de l'entreprise.

---

11. Un actionnaire majoritaire peut être prisonnier de ses investissements dans AH et se trouver effectivement isolé des marchés financiers. La VAN peut n'avoir aucun sens pour lui, mais en avoir pour les autres actionnaires.

Certaines entreprises utilisent le critère du délai de récupération pour faire leurs choix, n'acceptant que les projets qui rentabilisent leur mise de fonds initiale dans un délai spécifié. Le délai de récupération est un critère *empirique*. Il néglige l'ordre des cash-flows à l'intérieur de la période de récupération, et il ne tient aucun compte des cash-flows ultérieurs. Le coût d'opportunité du capital ne joue par conséquent aucun rôle.

La simplicité du délai de récupération (*payback* dans la langue de Blueberry) en fait une méthode facile pour *décrire* les projets d'investissement. Les décideurs financiers parlent sans problème des projets « à retour sur investissement rapide » tout comme les investisseurs parlent d'actions à « PER élevé ». Le fait qu'ils s'intéressent aux délais de récupération des projets ne signifie pas que ce critère commande leurs décisions. Mais certains décideurs utilisent *effectivement* le délai de récupération pour choisir leurs investissements. Pourquoi s'appuient-ils sur un critère aussi simpliste ? Le mystère demeure.

On définit le taux de rentabilité interne (TRI) comme le taux d'actualisation qui rend la VAN d'un projet égale à zéro. C'est un indicateur pratique et très répandu en finance ; vous *devez* donc savoir le calculer. Selon ce critère, les entreprises doivent accepter tout investissement ayant un TRI supérieur au coût d'opportunité du capital. Comme la VAN, le TRI repose sur l'actualisation des cash-flows. Par conséquent, il donnera des réponses correctes dans la mesure où on l'utilisera correctement. Le problème est qu'il est facile de se tromper. Voici quatre points à surveiller :

1. *Placement ou emprunt ?* Si un projet offre des cash-flows positifs suivis de cash-flows négatifs, la VAN *augmente* avec l'augmentation du taux d'actualisation. Vous devriez accepter ce projet si son TRI est *inférieur* au coût d'opportunité du capital.
2. *TRI multiples.* Si la série de cash-flows compte plus d'un changement de signe, le projet peut avoir plusieurs TRI ou n'en comprendre aucun.
3. *Projets mutuellement exclusifs.* Le critère du TRI peut aboutir à un mauvais classement lorsque des projets mutuellement exclusifs diffèrent par leur durée de vie économique ou par le montant des investissements. Si vous tenez à vous servir du TRI, veillez à prendre en compte le TRI de chaque investissement supplémentaire.
4. *La courbe des taux.* Il faut comparer le TRI du projet au coût d'opportunité du capital. Mais, parfois, il y a un coût d'opportunité du capital pour les cash-flows de la première année, un coût du capital différent pour les cash-flows de la deuxième année, etc. Dans ces cas, il n'existe aucune mesure simple pour estimer le TRI d'un projet.

La VAN devrait être préférée à tout autre critère. Cela dit, si les prévisions de cash-flows sont incorrectes, même l'application la plus soignée du principe de la VAN peut conduire à un échec.

S'il existe un rationnement de capital, il sera impossible d'entreprendre tous les projets à VAN positive. Si le capital n'est rationné qu'au cours d'une seule période, l'entreprise devrait suivre une règle simple : calculer l'indice de profitabilité de chaque projet, c'est-à-dire la VAN du projet par euro d'investissement, puis choisir les projets ayant les indices de profitabilité les plus élevés jusqu'à épuisement du capital. Malheureusement, cette procédure ne fonctionne pas lorsque le capital est rationné sur plus d'une période ou lorsque le choix des projets est soumis à d'autres contraintes. La seule solution consiste alors à recourir à la programmation linéaire.

Un rationnement imposé du capital reflète toujours une imperfection du marché – une barrière entre l'entreprise et les marchés de capitaux. Si cette barrière s'accompagne aussi d'une impossibilité pour les actionnaires d'accéder librement à des marchés de capitaux efficients, les fondements mêmes de la VAN sont atteints. Heureusement, il est rare en Europe que les entreprises soient soumises à un rationnement imposé du capital. En revanche, nombre d'entre elles font usage d'un rationnement volontaire. Elles s'imposent des limites dans le cadre d'une planification et d'un contrôle financiers.

Lectures complémentaires

Pour un tour d'horizon des procédures de choix d'investissement, voir :

J. Graham et C. Harvey, « How CFOs make capital budgeting and capital structure decisions », *Journal of Applied Corporate Finance*, 15 (printemps 2002), pp. 8-23.

Un article de réflexion permet aussi de faire la synthèse :

G. Charreaux et P. Desbrières, « Le point sur… Décision d'investissement et création de valeur », *Banque & Marchés*, n° 70, mai-juin 2004, pp. 37-45.

Activités

Révision des concepts

1. « La plupart des entreprises n'utilisent qu'un critère pour évaluer l'intérêt d'un projet. » Vrai ou faux ?
2. « Le délai de récupération donne trop d'importance aux cash-flows qui arrivent au-delà de la date limite. » Vrai ou faux ?
3. Votre PDG est persuadé que tous les projets d'investissement devraient avoir un délai de récupération de quatre ans ou moins. À cause de cela, des projets de long terme ont été refusés. Le PDG décide alors de passer à un critère de délai de récupération actualisé sans pour autant modifier la période limite des quatre ans. Cela constitue-t-il une amélioration ?

Tests de connaissances

1. **a.** Quel est le délai de récupération de chacun des projets suivants ?

Projet	Cash-flows (€)				
	CF_0	CF_1	CF_2	CF_3	CF_4
Armand Raynal	–5 000	+1 000	+1 000	+3 000	0
Don Lope	–1 000	0	+1 000	+2 000	+3 000
Eusèbe	–5 000	+1 000	+1 000	+3 000	+5 000

   b. Sachant que vous souhaitez fixer un délai de récupération maximal de deux ans, quel(s) projet(s) acceptez-vous ?

   c. Si vous utilisez un délai limite de trois ans, quel(s) projet(s) acceptez-vous ?

   d. Le coût d'opportunité du capital étant de 10 %, quel(s) projet(s) présente(nt) une VAN positive ?

   e. « Si une entreprise utilise un seul délai de récupération pour tous ses projets, elle acceptera vraisemblablement trop de projets de courte durée. » Vrai ou faux ?

   f. Une entreprise qui utilise le critère du délai de récupération acceptera-t-elle des projets à VAN négative ? Rejettera-t-elle des projets à VAN positive ? Expliquez.

2. Écrivez l'équation de définition du TRI. Comment calcule-t-on le TRI pratiquement ?

3. **a.** Calculez la VAN du projet suivant pour des taux d'actualisation de 0,50 et 100 % :

Cash-flows, en euros		
CF_0	CF_1	CF_2
–6 750	+4 500	+18 000

   b. Quel est le TRI de ce projet ?

4. On vous propose le projet suivant :

Cash-flows, en euros		
CF_0	CF_1	CF_2
+5 000	+4 000	–11 000

Le TRI est de 13 %. Le coût d'opportunité du capital étant de 10 %, devez-vous accepter ce projet ?

5. Considérez un projet présentant les cash-flows suivants :

Cash-flows, en euros		
CF_0	CF_1	CF_2
–100	+200	–75

a. Combien ce projet a-t-il de TRI ?

b. Quel est le TRI du projet : –50 %, –12 %, +5 % ou +50 % ?

c. Le coût d'opportunité du capital est de 20 %. Est-ce un projet intéressant ? Expliquez brièvement.

6. Considérez les projets Ernest et Bart :

Projet	Cash-flows, en euros			TRI (%)
	CF_0	CF_1	CF_2	
Ernest	–400 000	+241 000	+293 000	21
Bart	–200 000	+131 000	+172 000	31

Le coût d'opportunité du capital est de 8 %.

Vous pouvez entreprendre l'un ou l'autre de ces deux projets, mais pas les deux. Prenez votre décision en vous fondant sur le critère du TRI. *Indication :* quel est l'investissement additionnel pour le projet Ernest ?

7. Supposez que vous ne puissiez investir que 90 000 € et que les opportunités suivantes se présentent à vous. Quel(s) projet(s) devriez-vous entreprendre ?

Projet	VAN	Investissement
As	5 000	10 000
Roi	5 000	5 000
Dame	10 000	90 000
Cavalier	15 000	60 000
Valet	15 000	75 000
Petit	3 000	15 000

Questions et problèmes

1. Considérez les projets suivants :

Projet	Cash-flows, en euros					
	CF_0	CF_1	CF_2	CF_3	CF_4	CF_5
Bagout	–1 000	+1 000	0	0	0	0
Dégoût	–2 000	+1 000	+1 000	+4 000	+1 000	+1 000
Égout	–3 000	+1 000	+1 000	0	+1 000	+1 000

a. Le coût d'opportunité du capital étant de 10 %, quels sont les projets à VAN positive ?

b. Calculez le délai de récupération de chaque projet.

c. Quel(s) projet(s) accepterait une entreprise fixant un délai de récupération maximal de trois ans ?

2. Répondez aux affirmations suivantes :

a. « J'utilise le TRI. Je m'en sers pour classer mes projets sans avoir à préciser un taux d'actualisation. »

b. « J'utilise le délai de récupération. Plus la période limite est courte, plus ce critère nous assure que l'entreprise ne fera pas d'investissement inconsidéré. Cela limite les risques. »

3. Calculez le(s) TRI du projet suivant :

CF_0	CF_1	CF_2	CF_3
–3 000	+3 500	+4 000	–4 000

Entre quels taux d'actualisation le projet a-t-il une VAN positive ?

4. Considérez les deux projets mutuellement exclusifs suivants :

Projet	Cash-flows, en euros			
	CF_0	CF_1	CF_2	CF_3
HuiHui	–100	+60	+60	0
NeufNeuf	–100	0	0	+140

a. Calculez la VAN de chaque projet en utilisant des taux d'actualisation de 0, 10, et 20 %. Reportez vos résultats sur un graphique, la VAN figurant sur l'axe vertical et le taux d'actualisation sur l'axe horizontal.

b. Quel est le TRI approximatif de chaque projet ?

c. Dans quels cas l'entreprise devrait-elle accepter le projet A ?

d. Calculez la VAN de l'investissement additionnel (B – A) avec des taux d'actualisation de 0, 10, et 20 %. Reportez vos résultats sur votre graphique. Montrez que les cas dans lesquels vous acceptez le projet A sont ceux où le TRI d'un investissement additionnel est inférieur au coût d'opportunité du capital.

5. Icare Bonize, président de Six Clopes SA, doit choisir entre deux investissements possibles :

Projet	Cash-flows, en milliers d'euros			TRI (%)
	CF_0	CF_1	CF_2	
Taffe	−400	+250	+300	23
Taxe	−200	+140	+179	36

Le coût d'opportunité du capital est de 9 %. M. Bonize est tenté par le projet Taxe dont le TRI est plus élevé.

a. Expliquez-lui pourquoi son critère de choix n'est pas correct.

b. Montrez-lui comment adapter le critère du TRI de façon à choisir le meilleur projet.

c. Montrez-lui que ce projet génère aussi la VAN la plus élevée.

6. Titanic SA a reçu une commande ferme pour la construction d'un petit cargo. La construction implique des dépenses de 250 000 € à la fin de chacune des deux prochaines années. À la fin de la troisième année, l'entreprise encaissera 650 000 €. L'entreprise peut accélérer la construction en ayant recours aux heures supplémentaires. Dans ce cas, les dépenses s'élèveront à 550 000 € à la fin de la première année, suivies d'un encaissement de 650 000 € à la fin de la deuxième année. Utilisez le critère du TRI pour trouver la fourchette (approximative) des coûts d'opportunité du capital pour lesquels l'entreprise aurait intérêt à recourir aux heures supplémentaires.

7. Regardez une fois encore les projets Yin et Yang de la section 5.3. Supposez que les projets soient mutuellement exclusifs et que le coût d'opportunité du capital soit de 10 %.

a. Calculez l'indice de profitabilité de chaque projet.

b. Montrez comment on peut utiliser l'indice de profitabilité pour sélectionner le meilleur projet.

8. Lucrèce Borgia Apothicaire dispose d'une enveloppe d'investissements d'un million d'euros. Lequel (lesquels) des projets suivants devrait-elle accepter dans le cadre de son budget ? Quel est le coût de cette contrainte budgétaire en termes de valeur de marché de l'entreprise ? Le coût d'opportunité de chaque projet est de 11 %.

Projet	Investissement (en milliers d'euros)	VAN (en milliers d'euros)	TRI (%)
Arsenic	300	66	17,2
Belladone	200	−4	10,7
Cyanure	250	43	16,6
Curare	100	14	12,1
Ciguë	100	7	11,8
Vitriol	350	63	18,0
Salsifis	400	48	13,5

Problèmes avancés

1. Certains pensent, parfois dur comme fer, que la sélection des projets en fonction du TRI est une bonne chose s'il est possible de réinvestir les cash-flows de chaque projet au TRI du projet. Ils soutiennent également que la VAN « suppose que les cash-flows sont réinvestis au coût d'opportunité du capital ». Réfléchissez bien. Est-ce vrai ? Est-ce utile ?
2. Considérez le problème de rationnement du capital suivant : :

Projet	CF_0	CF_1	CF_2	VAN
Chouya	–10 000	–10 000	0	+6 700
Nib	0	–20 000	+5 000	+ 9 000
Bezef	–10 000	+5 000	+5 000	0
Mahousse	–15 000	+5 000	+4 000	–1 500
Financement disponible	20 000	20 000	20 000	

Utilisez la programmation linéaire pour résoudre ce problème.

Vous pouvez autoriser des investissements partiels, c'est-à-dire $0 \leq x \leq 1$. Calculez et interprétez les prix implicites des contraintes de capital[12].

Mini-cas

(Le premier épisode de cette saga a été présenté à la section 5.1.)

Plus tard dans l'après-midi, le directeur financier de Vegetron entre brusquement dans votre bureau dans un état de fébrilité anxieuse. Le problème, explique-t-il, vient d'une proposition de dernière minute des ingénieurs qui consiste à modifier le procédé d'extraction du broutium. La technologie actuelle, par hybridation bouseuse, se fait à température ambiante, et correspond aux prévisions du tableau 5.1. La nouvelle technologie, utilisant la température, et l'odeur, des gaz de fermentation, permettrait de réduire la durée d'extraction du broutium de sept à cinq ans. Le tableau 5.2 résume les prévisions pour cette nouvelle technologie[13].

Tableau 5.1. Comptes de résultat et taux de rentabilité comptable avec la technologie d'hybridation bouseuse (en milliers d'euros)

	Année						
	1	2	3	4	5	6	7
1. Ventes	140	140	140	140	140	140	140
2. Charges d'exploitation	55	55	55	55	55	55	55
3. Amortissement*	57	57	57	57	57	57	57
4. Résultat net	28	28	28	28	28	28	28
5. Valeur comptable au début de l'année**	400	343	286	229	171	114	57
6. Taux de rentabilité comptable (4) / (5)	7 %	8,2 %	9,8 %	12,2 %	16,4 %	24,6 %	49,1 %

* Chiffre arrondi. Amortissement linéaire sur cinq ans soit 400 / 7 = 57,14 ou 57 140 € par an.

** Le capital initial (année 0) s'élève à 400 000 €.

Les données de ce tableau, comme celles de tous les tableaux de ce chapitre, sont disponibles sur *www.gestionfinanciere.pearsoned.fr*

12. Un prix implicite (*shadow price*) est la variation marginale de l'objectif pour une variation marginale de la contrainte.
13. Pour simplifier, nous ignorons les impôts. Patience, il y aura plein d'impôts dans le chapitre 6.

Tableau 5.2. Comptes de résultat et taux de rentabilité comptable avec la nouvelle technologie calorifère et odorifère (en milliers d'euros)

	Année				
	1	2	3	4	5
1. Ventes	180	180	180	180	180
2. Charges d'exploitation	70	70	70	70	70
3. Amortissement*	80	80	80	80	80
4. Résultat net	30	30	30	30	30
5. Valeur comptable au début de l'année**	400	320	240	160	80
6. Taux de rentabilité comptable (4)/(5)	7,5 %	9,4 %	12,5 %	18,75 %	37,5 %

* Amortissement linéaire sur cinq ans soit 400/5 = 80 ou 80 000 € par an.

** Le capital initial (année 0) s'élève à 400 000 €.

Le directeur financier (DF) : « Pourquoi ces ingénieurs ont-ils toujours une brillante idée à la dernière minute ? Il faut reconnaître que la nouvelle technologie est séduisante. Le délai de récupération est meilleur et le taux de rentabilité est supérieur au coût du capital de Vegetron (9 %) chaque année, excepté la première. Voyez plutôt. Le bénéfice annuel est de 30 000 €. L'investissement moyen s'élève à la moitié de 400 000 €, soit 200 000 €, de sorte que le taux de rentabilité moyen est de 30 000 / 200 000, soit 15 %, bien supérieur aux 9 % du taux de référence. Avec l'ancienne technologie, le taux moyen de rentabilité n'est pas aussi bon. Il est seulement de 28 000 / 200 000, soit 14 %. Bien entendu, on pourrait obtenir un taux de rentabilité plus élevé avec l'ancienne technologie si on amortissait plus rapidement. Pensez-vous que c'est ce que nous devrions faire ? »

Vous : « Ne nous fions pas aux données comptables. Le résultat comptable ne correspond pas au cash-flow pour Vegetron, ou ses actionnaires. Le taux de rentabilité comptable n'est pas le véritable taux de rentabilité de Vegetron. »

DF : « Mais les gens se servent de ces données comptables tout le temps et c'est ce que nous publierons dans notre rapport annuel ! »

Vous : « La comptabilité est utile pour beaucoup de choses, mais elle ne fournit pas l'information qui convient pour les choix d'investissement. Un changement de méthode comptable peut avoir une forte incidence sur la rentabilité comptable, même si les cash-flows restent les mêmes.

Par exemple, supposez qu'on amortisse l'ancienne technologie sur six ans au lieu de sept. Cela diminue le bénéfice des années 1 à 6, parce que l'amortissement augmente. Le bénéfice de l'année 7 augmente, puisque l'amortissement cette année-là est nul. Mais tout cela ne change rien aux cash-flows de chacune de ces années, parce que l'amortissement n'est pas un décaissement, une sortie de fonds. C'est simplement une convention comptable pour étaler la "récupération" de l'investissement initial sur la durée de vie du projet. »

DF : « Mais alors, comment calcule-t-on les cash-flows ? »

Vous : « Ici, c'est facile. L'amortissement est la seule donnée de nos tableaux (voir tableaux 5.1 et 5.2) qui ne soit pas un flux de trésorerie, de sorte qu'on peut l'ignorer dans nos calculs. Les cash-flows correspondent à la différence entre les produits d'exploitation et les charges d'exploitation. Avec la nouvelle technologie, le cash-flow annuel s'élève à :

Produits d'exploitation – charges d'exploitation = 180 – 70 = 110 ou 110 000 €. »

DF : « Ou bien, on peut penser que vous avez réintégré l'amortissement dans le résultat net, parce que ça n'était pas une dépense réelle. »

Vous : « Exactement, chef. On peut en effet calculer aussi le cash-flow comme suit :

Bénéfice + amortissement = 30 + 80 = 110 ou 110 000 €. »

DF : « Bien entendu. Je le savais. Mais la rentabilité comptable, ça compte quand on vous l'agite sous le nez ! »

Vous : « Il n'est pas évident de savoir quel projet est préférable. Avec la nouvelle technologie, les coûts d'exploitation sont plus élevés et les ventes totales sont inférieures. En revanche, les cash-flows générés sur les cinq ans sont plus élevés. »

DF : « Et si les deux technologies présentaient le même intérêt d'un point de vue financier ? Si c'est le cas, on peut s'en tenir à l'ancienne technologie plutôt que de changer à la dernière minute. »

Vous : « Il faudrait que nous calculions la VAN avec chacune des deux technologies. »

DF : « OK, faites ça ! Je reviens dans une demi-heure – et j'aimerais aussi connaître le vrai taux de rentabilité des deux projets. »

Questions

1. Les taux de rentabilité comptables du tableau 5.1 sont-ils utiles pour le choix d'investissement ?
2. Calculez la VAN et le TRI de chaque projet. Quel conseil donneriez-vous ? Soyez prêt à l'expliquer à votre directeur financier.

Chapitre 6

Choix d'investissement et règle de la valeur actuelle

Nous espérons vous avoir à présent convaincu que les bonnes décisions d'investissement sont fondées sur le critère de la valeur actuelle nette (VAN). Dans ce chapitre, nous appliquons ce critère à des problèmes pratiques de choix d'investissement. Nous nous poserons trois questions. En premier lieu, que faut-il actualiser ? Nous connaissons la réponse en principe : il faut actualiser les cash-flows. Mais les bonnes prévisions de cash-flows n'arrivent pas sur un plateau d'argent. Le directeur financier doit souvent se débrouiller avec les données brutes que lui fournissent la production, le marketing, etc.

Il doit vérifier l'exhaustivité, la cohérence, et l'exactitude de ces informations. Il doit révéler les cash-flows cachés et veiller à ne pas tenir compte des indicateurs comptables qui ressemblent à des cash-flows, mais n'en sont pas.

En second lieu, comment bâtir une prévision de cash-flows ? Il faut tenir compte de la fiscalité, des variations du besoin en fonds de roulement (BFR), de l'inflation, de la valeur de revente de l'équipement, etc. Nous détaillerons un exemple pratique.

Enfin, comment choisir entre des investissements qui ont des durées de vie différentes ? Supposons que vous hésitiez entre une machine Y ayant une durée de vie de 5 ans, et une machine Z ayant une durée de vie de 10 ans. La valeur actuelle (VA) de l'investissement Y et des coûts d'exploitation est naturellement inférieure à celle de Z parce que Z a une durée de vie double. Est-elle nécessairement le meilleur choix ? Clairement, non !

Nous montrerons comment raisonner en *coût équivalent annuel*, c'est-à-dire en coût total de l'investissement par année. Ce coût équivalent annuel nous servira aussi à décider du moment où il convient de remplacer un équipement.

Choisir entre des investissements à durée de vie courte ou longue, ou des équipements nouveaux ou anciens, rend presque toujours les *projets interdépendants*, en ce sens qu'une décision relative à un projet ne peut être dissociée d'une décision concernant un autre projet ou des décisions futures. Nous terminerons ce chapitre par quelques exemples d'interdépendance de projets, par exemple le choix entre investir maintenant ou différer l'investissement.

1 Ce qu'il faut actualiser

Jusqu'à présent, nous n'avons presque rien dit sur *ce* qu'il faut actualiser. Quand vous serez confronté à ce problème, respectez toujours les trois règles générales suivantes :

1. Ne tenez compte que des cash-flows.
2. Estimez toujours les cash-flows différentiels.
3. Soyez cohérent dans votre façon de traiter l'inflation.

Analysons chacune de ces règles.

1.1 Ne tenez compte que des cash-flows

Le concept de cash-flow est le concept le plus simple qui soit ; c'est tout simplement la différence entre l'argent reçu et l'argent déboursé. Beaucoup de gens confondent néanmoins cash-flow et résultat comptable.

Les comptables *commencent* par considérer l'argent « rentré » et l'argent « sorti », mais, pour obtenir le résultat comptable, ils *ajustent* ces données de deux façons. D'abord, ils essaient de faire apparaître le résultat comme s'il était *réalisé* avant même que l'entreprise et les clients n'aient effectivement réglé leurs factures. Ensuite, ils calculent le résultat en déduisant les charges, mais *pas* les investissements. Ceux-ci sont *amortis* sur un certain nombre d'années et la charge d'amortissement annuel vient en déduction du résultat comptable. Le résultat de ces procédures est que le résultat comptable comprend certains cash-flows mais pas tous, et qu'il se trouve réduit par les amortissements qui ne sont en aucun cas des cash-flows.

Il n'est pas toujours facile de traduire les données comptables en euros réels, des euros avec lesquels vous pouvez vous offrir une bière, par exemple. Si vous avez des doutes sur ce qu'est un cash-flow, comptez simplement les euros encaissés et retranchez les euros décaissés. N'espérez donc pas trouver les cash-flows par une simple manipulation des données comptables : vérifiez bien que celles-ci correspondent à des cash-flows.

Vous devez toujours estimer les cash-flows après déduction d'impôts. Certaines entreprises ne déduisent pas les impôts qu'elles versent. Elles essaient de compenser cette erreur en actualisant les cash-flows avant impôts à un taux supérieur au coût d'opportunité du capital. Malheureusement, il n'existe aucune formule fiable pour ajuster de cette façon le taux d'actualisation.

Vous devez aussi vous assurer que les cash-flows sont comptabilisés *seulement lorsqu'ils se produisent*, et non pas quand le travail est entrepris ou la dette contractée. Par exemple, les impôts devraient être actualisés à compter de la date de leur paiement effectif, non pas à partir du moment où la dette d'impôt est inscrite dans les comptes de l'entreprise.

1.2 Estimez les cash-flows différentiels

La valeur d'un projet dépend de *tous* les cash-flows différentiels qui résultent de l'acceptation du projet. Voici quelques points à surveiller lorsque vous avez à décider quels cash-flows doivent être pris en considération.

Ne confondez pas le revenu moyen et le revenu différentiel Supposez qu'il soit urgent de réparer un pont de chemin de fer. L'exploitation du chemin de fer peut continuer si le pont est réparé ; à défaut de pont, elle cesse. Dans ce cas, le gain retiré des travaux de réparation est constitué de tous les cash-flows rapportés par l'exploitation du chemin de fer. La VAN différentielle de cet investissement peut être énorme.

Prenez en compte tous les effets secondaires Un projet d'embranchement sur une ligne de chemin de fer, pris isolément, peut avoir une VAN négative, mais il peut constituer un investissement intéressant si on prend en considération le trafic additionnel qu'il apporte à la voie principale.

Ces effets secondaires peuvent avoir des répercussions importantes à long terme. Quand Airbus s'engage dans l'étude et la réalisation d'un nouvel avion, les cash-flows attendus ne se limitent pas à la vente des avions. Une fois vendu, un avion doit être constamment entretenu pour servir pendant 20 ans ou plus. Certains constructeurs fournissent ainsi des services de maintenance très rentables. Enfin, une fois l'avion en service, on peut imaginer de proposer des versions modifiées et adaptées à certains usages. Toutes ces « déclinaisons » génèrent des cash-flows supplémentaires qui devraient être pris en compte dans le choix d'investissement initial.

N'oubliez pas le besoin en fonds de roulement Le **besoin en fonds de roulement** (BFR) est la différence entre les actifs d'exploitation et les dettes d'exploitation de l'entreprise. Les actifs d'exploitation sont les créances clients (les factures non encore réglées des clients), les stocks de matières premières et de produits finis. Les dettes d'exploitation sont les comptes fournisseurs (les factures que *vous* n'avez pas encore réglées) et les dettes fiscales et sociales. La plupart des projets entraînent un investissement en BFR (une avance de trésorerie). Par conséquent, cette dépense doit être intégrée dans vos prévisions de cash-flows. De même, à la fin du projet, vous pouvez habituellement récupérer une partie de l'investissement en BFR. Il doit alors être traité comme un flux positif. (Ceux qui pensent qu'il s'agit d'une opération blanche – j'investis en BFR, puis je récupère le BFR – oublient *l'actualisation*. On investit *au début* du projet, on récupère *à la fin* du projet.)

Oubliez les coûts irrécupérables Les coûts irrécupérables (*sunk costs*, dans l'idiome de Peter Sellers) ressemblent au cassoulet renversé : ce sont des sorties de fonds passées et irréversibles. Du fait qu'ils appartiennent au passé, les coûts irréversibles ne doivent pas influer sur la décision d'accepter ou non le projet, et on devrait par conséquent les ignorer.

Si vous avez déjà dépensé un milliard d'euros de recherche et développement (R&D) pour la mise au point d'un médicament, et si vous vous préoccupez maintenant de l'investissement en production, les dépenses de R&D *ne doivent pas* être comptées dans l'investissement : que vous vous lanciez dans la production ou pas, ces sommes auront été dépensées, elles sont donc sans intérêt dans la décision. Cette vision du financier (oublier les coûts irrécupérables) entre en conflit avec la vision des comptables ou des contrôleurs, qui essaient d'affecter tous les coûts passés à des produits.

Tenez compte des coûts d'opportunité Supposez que l'exploitation d'une nouvelle usine nécessite l'utilisation d'un terrain qui, autrement, pourrait se vendre 100 000 €. Cette ressource n'est pas gratuite : elle a un coût d'opportunité qui est égal à la somme que l'entreprise pourrait obtenir si elle rejetait le projet et vendait le terrain ou l'utilisait à d'autres fins productives.

Cet exemple nous incite à vous mettre en garde contre une décision qui comparerait les cash-flows « avant et après » projet. La comparaison correcte est celle des cash-flows « avec ou sans » projet. Un gestionnaire qui compare « avant et après » peut n'attribuer aucune valeur au terrain, parce que ce terrain appartient à l'entreprise avant comme après :

Avant	Acceptation du projet	Après	Cash-flow, différence « avant - après »
L'entreprise possède le terrain	→	L'entreprise est toujours propriétaire du terrain	0

La comparaison correcte, « avec ou sans », est la suivante :

Avec	Acceptation du projet	Après	Cash-flow avec le projet
L'entreprise possède le terrain	→	L'entreprise est toujours propriétaire du terrain	0

Sans	Rejet du projet	Après	Cash-flow sans le projet
L'entreprise possède le terrain	→	L'entreprise vend le terrain 100 000 €	100 000 €

En comparant les deux situations « après », nous voyons que l'entreprise renonce à 100 000 € en entreprenant le projet. Ce raisonnement reste valable si le terrain n'est pas vendu : il conserve sa valeur de 100 000 € pour l'entreprise.

Il est parfois très difficile d'estimer les coûts d'opportunité ; toutefois, dès lors que la ressource peut être librement vendue et achetée, son coût d'opportunité est simplement égal au prix du marché. Pourquoi ? Parce que l'entreprise vendra le terrain s'il vaut moins pour elle que son prix de marché. Inversement, le coût d'opportunité de l'utilisation d'un terrain ne peut excéder le coût d'achat d'un terrain équivalent pour le remplacer.

Attention à la ventilation des frais généraux La répartition des frais généraux en est un exemple. Les frais généraux comprennent entre autres les salaires du personnel administratif, les loyers, le chauffage, et l'éclairage. Ces frais généraux ne peuvent être rattachés à aucun projet particulier, mais ils doivent être payés d'une façon ou d'une autre. Par conséquent, lorsque le comptable calcule les coûts des différents projets de l'entreprise, il leur impute habituellement une partie des frais généraux. Selon notre principe des cash-flows différentiels, nous ne devrions inclure dans l'évaluation d'un investissement que les seules dépenses *supplémentaires* inhérentes à ce projet. Un projet peut générer des frais supplémentaires – ou pas –, mais c'est différent d'une imputation analytique des frais *généraux*.

1.3 Soyez cohérent dans la façon de traiter l'inflation

Les taux d'intérêt sont habituellement exprimés en termes *nominaux* plutôt qu'en termes *réels*. Par exemple, si vous achetez une obligation du Trésor de 1 000 € pour un an à 8 %, le gouvernement s'engage à vous payer 1 080 € à la fin de l'année, mais il ne peut rien promettre quant au pouvoir d'achat de ces 1 080 € dans un an. Les investisseurs intègrent l'inflation dans leur estimation du niveau du taux d'intérêt.

Supposez que l'on prévoie une inflation de 6 % au cours de l'année à venir. Si vous achetez cette obligation, vous recevrez 1 080 € dans un an, lesquels valent 6 % de moins que les euros d'aujourd'hui. La valeur nominale est de 1 080 €, mais la valeur *réelle* attendue est de 1 080 / 1,06 = 1 019 €. Nous pourrions donc dire « le taux d'intérêt *nominal* de l'obligation est de 8 % » *ou* « le taux d'intérêt *réel* anticipé est de 1,9 % ». Souvenez-vous de la formule reliant le taux d'intérêt nominal au taux d'intérêt réel :

$$(1 + r_{\text{nominal}}) = (1 + r_{\text{réel}})(1 + \text{taux d'inflation})$$

Si le taux d'actualisation est exprimé en termes nominaux, la logique exige alors que les cash-flows soient estimés en termes nominaux, en prenant en compte les tendances d'évolution des prix de vente, des coûts du travail et des matières premières, etc. Ceci signifie bien plus que la simple application d'un unique taux d'inflation anticipé à toutes les composantes d'un cash-flow. Le coût horaire du travail, par exemple, augmente normalement plus rapidement que l'indice des prix à la consommation, en raison des gains de productivité et de l'augmentation des salaires réels dans l'ensemble de l'économie. Les avantages fiscaux liés à l'amortissement n'augmentent pas avec l'inflation ; ils sont constants en termes nominaux parce que les lois fiscales n'autorisent l'amortissement des actifs que sur la base des coûts d'acquisition.

Bien entendu, si le taux d'actualisation est exprimé en termes réels, les cash-flows doivent être estimés en termes réels, bien que *ce ne soit pas* la pratique la plus courante. Voyons l'équivalence des deux méthodes.

Votre entreprise prévoit habituellement les cash-flows en termes nominaux et les actualise au taux nominal de 15 %. Dans un cas particulier, cependant, on vous donne les cash-flows estimés en termes réels :

Cash-flows réels (en milliers d'euros)			
CF_0	CF_1	CF_2	CF_3
–100	+35	+50	+30

Il serait illogique d'actualiser ces cash-flows réels à 15 %. Vous avez deux possibilités : soit transformer les cash-flows en termes nominaux et les actualiser à 15 %, soit exprimer le taux d'actualisation en termes réels et l'utiliser pour actualiser les cash-flows réels. Les deux méthodes aboutissent au même résultat.

Supposez que l'on prévoie une inflation annuelle de 10 %. Le premier cash-flow de l'année 1, soit 35 000 € en euros courants, sera alors de 35 000 × 1,10 = 38 500 € en euros de l'année 1. De même, le cash-flow de l'année 2 sera de $50\,000 \times (1{,}10)^2 = 60\,500$ € en euros de l'année 2, et ainsi de suite. Si on actualise ces cash-flows nominaux à un taux d'actualisation nominal de 15 %, on obtient :

$$\text{VAN} = -100 + \frac{38{,}5}{1{,}15} + \frac{60{,}5}{(1{,}15)^2} + \frac{39{,}9}{(1{,}15)^3} = 5{,}5$$

Au lieu de convertir les cash-flows prévus en termes nominaux, nous aurions pu convertir le taux d'actualisation en termes réels :

$$\text{Taux d'actualisation réel} = \frac{1 + \text{taux d'intérêt nominal}}{1 + \text{taux d'inflation}} - 1$$

Dans notre exemple, cela donne :

$$\text{Taux d'actualisation réel} = \frac{1{,}15}{1{,}10} - 1 = 0{,}045 \text{ ou } 4{,}5\ \%$$

Si l'on actualise maintenant les cash-flows réels au taux d'actualisation réel, on obtient la même VAN :

$$\text{VAN} = -100 + \frac{35}{1{,}045} + \frac{50}{(1{,}045)^2} + \frac{30}{(1{,}045)^3} = 5{,}5$$

Notez que le taux d'actualisation réel est approximativement égal à la *différence* entre le taux d'actualisation nominal de 15 % et le taux d'inflation de 10 %. L'actualisation à 5 % donnerait une VAN égale à 4,6 – pas exactement égale, mais proche.

Le message de tout ceci est très simple. Actualisez les cash-flows nominaux à un taux d'actualisation nominal ; actualisez les cash-flows réels à un taux d'actualisation réel.

2 Exemple : le projet de Guano SA

En tant que nouveau directeur financier de Guano SA, vous devez analyser un projet de développement du marché du guano comme engrais de jardin. (La campagne publicitaire de Guano SA met en scène un agriculteur qui émerge d'un carré de légumes en chantant : « Il jouait du guano debout ! »[1])

Le tableau 6.1 indique les prévisions du projet : un investissement de 10 millions d'euros pour la construction d'une usine et l'achat de machines (ligne 1). Cet équipement peut être revendu l'année 7 pour un montant estimé à 1,949 million d'euros (ligne 1, colonne 7). Cette somme représente la *valeur résiduelle* de l'usine.

Tableau 6.1. Le projet de Guano SA : prévisions initiales (en milliers d'euros)

Les données de ce tableau, comme celles de tous les tableaux de ce chapitre, sont disponibles sur *www.gestionfinanciere.pearsoned.fr*

	Année							
	0	1	2	3	4	5	6	7
1. Investissement	10 000							–1 949*
2. Amortissement cumulé		1 583	3 167	4 750	6 333	7 917	9 500	0
3. Valeur nette comptable	10 000	8 417	6 833	5 250	3 667	2 083	500	0
4. Investissement en BFR		500	1 289	3 261	4 890	3 583	2 002	0

1. Désolé.

Tableau 6.1. Le projet de Guano SA : prévisions initiales (en milliers d'euros) (...)

	Année							
	0	1	2	3	4	5	6	7
5. Valeur comptable totale (3 + 4)	10 000	8 917	8 122	8 511	8 557	5 666	2 502	0
6. Produits d'exploitation		523	12 887	32 610	48 901	35 834	19 717	
7. Charges d'exploitation		837	7 729	19 552	29 345	21 492	11 830	
8. Autres charges **	4 000	2 200	1 210	1 331	1 464	1 611	1 772	
9. Amortissement		1 583	1 583	1 583	1 583	1 583	1 583	
10. Résultat avant impôts (6 – 7 – 8 – 9)	–4 000	–4 097	2 365	10 144	16 509	11 148	4 532	1 449***
11. Impôts à 35 %	–1 400	–1 434	828	3 550	5 778	3 902	1 586	507
12. Résultat après impôts	–2 600	–2 663	1 537	6 594	10 731	7 246	2 946	942

* Valeur résiduelle.

** Charges liées au démarrage de l'activité au cours des années 0 et 1, charges administratives et générales pour les années 1 à 6.

*** Ce montant de 1 449 correspond à la plus-value taxable, c'est-à-dire la différence entre le prix de vente (1 949) et la valeur comptable du projet (500).

L'investissement est amorti sur 6 ans, de sorte que l'on obtient une valeur nette comptable de 500, valeur inférieure à la valeur de revente. On suppose un *amortissement linéaire*. Selon cette méthode, l'amortissement annuel représente une proportion constante de l'investissement initial moins la valeur résiduelle, soit 9,5 millions. Si nous appelons T la durée de l'amortissement, l'amortissement linéaire de l'année t est égal à :

$$\text{Amortissement de l'année } t = 1 / T \times \text{valeur à amortir} = 1 / 6 \times 9{,}5 = 1{,}583 \text{ million}$$

Les lignes 6 à 12 du tableau 6.1 présentent un compte de résultat du projet qui nous servira de point de départ pour l'estimation des cash-flows. Les dirigeants de Guano SA ont tenu compte des effets de l'inflation sur les prix et les coûts. Par exemple, les salaires augmentent généralement plus vite que l'inflation. Le coût du travail par tonne de guano augmentera donc en termes réels, à moins que le progrès technique ne permette une utilisation plus efficace de la main-d'œuvre (et du guano). Par ailleurs, les économies d'impôts que procure l'amortissement ne sont pas affectées par l'inflation, étant donné que le fisc ne vous autorise à calculer l'amortissement que sur la base du coût d'acquisition, indépendamment de l'évolution ultérieure des prix.

Le tableau 6.2 déduit les prévisions de cash-flows à partir des données du tableau 6.1. Les cash-flows liés à l'exploitation sont obtenus par différence entre les produits d'exploitation d'une part et les charges d'exploitation, les autres charges et les impôts d'autre part. Les autres cash-flows comprennent les variations du BFR, l'investissement initial et la récupération finale de la valeur résiduelle. Si, comme vous le prévoyez, la valeur résiduelle s'avère être supérieure à la valeur comptable résiduelle de l'équipement, vous devrez payer des impôts sur la plus-value. Vous devez donc l'inclure dans vos prévisions de cash-flows.

Tableau 6.2. Le projet de Guano SA : analyse des cash-flows (en milliers d'euros)

	Année							
	0	**1**	**2**	**3**	**4**	**5**	**6**	**7**
1. Produits d'exploitation		523	12 887	32 610	48 901	35 834	19 717	
2. Charges d'exploitation		837	7 729	19 552	29 345	21 492	11 830	
3. Autres charges	4 000	2 200	1 210	1 331	1 464	1 611	1 772	
4. Impôts liés à l'exploitation	–1 400	–1 434	828	3 550	5 778	3 902	1 586	
5. Cash–flows liés à l'exploitation (1 – 2 – 3 – 4)	–2 600	–1 080	3 120	8 177	12 314	8 829	4 529	
6. Variation du BFR		–550	–739	–1 972	–1 629	1 307	1 581	2 002
7. Investissement initial et récupération nette	–10 000							1 442*
8. Cash–flows nets (5 + 6 + 7)	–12 600	–1 630	2 381	6 205	10 685	10 136	6 110	3 444
9. Valeur actuelle à 20 %	–12 600	–1 358	1 654	3 591	5 153	4 074	2 046	961
VAN = + 3 519								

* Valeur résiduelle de 1 949 moins l'impôt de 507 sur la plus-value.

Guano SA estime à 20 % le coût d'opportunité nominal des projets de ce type. Une fois les cash-flows actualisés et additionnés, le projet présente une VAN d'environ 3,5 millions d'euros :

$$\text{VAN} = -12\,600 - \frac{1\,630}{1{,}20} + \frac{2\,381}{(1{,}20)^2} + \frac{6\,205}{(1{,}20)^3} + \frac{10\,685}{(1{,}20)^4} + \frac{10\,636}{(1{,}20)^5} + \frac{6\,110}{(1{,}20)^6} + \frac{3\,444}{(1{,}20)^7}$$

$$= +3\,519$$

2.1 La séparation des décisions d'investissement et de financement

Notre analyse ne tient pas compte du mode de financement de ce projet. Il se peut que Guano SA décide de le financer en partie par un emprunt, mais dans ce cas, nous ne soustrairons pas l'emprunt de l'investissement initial, et nous ne considérerons pas les intérêts et le remboursement du principal comme des sorties de fonds. *Nous analyserons le projet comme s'il était intégralement financé par des capitaux propres*, considérant tous les décaissements comme venant des actionnaires et tous les encaissements comme leur étant destinés.

Nous abordons le problème de cette manière de façon à pouvoir séparer l'analyse de la décision d'investissement de l'analyse de la décision de financement. Nous pourrons ainsi entreprendre une étude séparée du financement après avoir calculé la VAN. Nous étudierons plus tard dans cet ouvrage les décisions de financement et leurs interactions éventuelles avec les décisions d'investissement.

2.2 Une précision sur l'estimation des cash-flows

Voici à présent un point important. Vous pouvez constater à la ligne 6 du tableau 6.2 que le BFR (besoin en fonds de roulement) augmente dans les premières années du projet. Qu'est-ce que le BFR, et pourquoi augmente-t-il ?

Le BFR représente l'investissement net en actifs d'exploitation. Son importance dépend de l'entreprise, de l'activité, ou du projet. Ses principaux composants sont les *stocks*, les *créances clients* et les *dettes d'exploitation*. Le BFR exigé par le projet de Guano SA au cours de l'année 2 peut se décomposer comme suit :

BFR = Stocks + Créances clients – Dettes d'exploitation
1 289 = 635 +1 030 – 376

Pourquoi le BFR augmente-t-il ? Plusieurs explications sont possibles :

1. Le chiffre d'affaires qui figure dans le compte de résultat surestime les encaissements réels parce que les clients règlent leurs factures plus lentement que l'enregistrement des ventes. Par conséquent, les créances clients augmentent.
2. Le processus de transformation du guano en engrais prend plusieurs mois. Ainsi, en cas de prévision d'une augmentation des ventes, les stocks augmentent.
3. Le paiement différé des matières et des services utilisés dans la production du guano permet de décaler les sorties de trésorerie. Dans ce cas, les comptes fournisseurs et les dettes fiscales et sociales augmentent.

La variation du BFR entre l'année 2 et l'année 3 pourrait se décomposer ainsi :

Variation du BFR	=	Accroissement des stocks	+	Augmentation des comptes clients	–	Augmentation des dettes d'exploitation
1 972 €	=	972	+	1 500	–	500

Une prévision détaillée des cash-flows sur 3 ans pourrait ressembler au tableau 6.3.

Tableau 6.3. Prévision détaillée des cash-flows du projet de Guano SA pour l'année 3 (en milliers d'euros)

Cash-flows		Données tirées du compte de résultat prévisionnel		Variations du BFR
Entrées de fonds	=	Produits d'exploitation	–	Augmentation des créances clients
31 110 €	=	32 610	–	1 500
Sorties de fonds	=	Charges d'exploitation, autres charges et impôts	+	Augmentation des stocks nette de l'augmentation des dettes d'exploitation
24 905 €	=	(19 552 + 1 331 + 3 550)	+	(972 – 500)
Cash-flows nets	=	Entrées de fonds	–	Sorties de fonds
6 205 €	=	31 110	–	24 905

Au lieu de vous intéresser aux variations du BFR, vous pourriez estimer directement les cash-flows en calculant la différence entre les euros qui entrent et les euros qui sortent. En d'autres termes :

1. Si vous remplacez les produits d'exploitation de chaque année par les encaissements effectivement reçus des clients, vous n'avez plus à vous inquiéter des créances clients.
2. Si vous remplacez les charges d'exploitation par les décaissements effectués pour payer la main-d'œuvre, les matériaux, et les autres coûts de production, il n'est plus nécessaire de suivre l'évolution des stocks ou des comptes fournisseurs.

Cependant, cela nécessite d'avoir des informations détaillées, et internes à la société.

Nous analyserons plus en détail les relations entre les cash-flows et le BFR au chapitre 30.

2.3 Une précision sur l'amortissement

L'amortissement est une charge non monétaire ; il entraîne une réduction du résultat imposable, d'où son importance. L'*économie d'impôts* qu'il permet est égale à l'amortissement multiplié par le taux marginal d'imposition :

$$\text{Économie d'impôts} = \text{amortissement} \times \text{taux d'imposition}$$
$$= 1\,583 \times 0{,}35 = 554$$

La valeur actuelle des économies d'impôts (554 pendant 6 ans) au taux de 20 % s'élève à 1 842[2].

Si Guano SA pouvait réaliser ces économies d'impôts plus tôt, il est clair qu'elles vaudraient davantage. Par bonheur, la loi fiscale permet aux entreprises d'y parvenir par la méthode de l'*amortissement accéléré*.

Le tableau 6.4 indique les barèmes possibles de l'amortissement fiscal[3].

Tableau 6.4. Amortissement fiscalement déductible selon le nouveau système de recouvrement accéléré des charges (données exprimées en % de la valeur fiscale à amortir)

	Barèmes d'amortissement fiscal par classes de durée de recouvrement					
Année(s)	**3 ans**	**5 ans**	**7 ans**	**10 ans**	**15 ans**	**20 ans**
1	33,33	20,00	14,29	10,00	5,00	3,75
2	44,45	32,00	24,49	18,00	9,50	7,22
3	14,81	19,20	17,49	14,40	8,55	6,68
4	7,41	11,52	12,49	11,52	7,70	6,18

2. En actualisant à 20 % les économies d'impôts procurées par l'amortissement, on les suppose aussi risquées que les autres cash-flows. Étant donné qu'elles dépendent uniquement des taux d'imposition, de la méthode d'amortissement, et de la capacité de Guano SA à générer des résultats imposables, leur risque est probablement moindre. Dans certains contextes – l'analyse du crédit-bail, par exemple –, les économies d'impôts liées à l'amortissement sont considérées comme des cash-flows nominaux sans risque et actualisées à un taux d'emprunt ou de prêt après impôts (voir chapitre 26).

3. Pour ne pas modifier tous les calculs suivants, nous reprenons ici le barème d'amortissement aux États-Unis (*modified accelerated cost recovery system*, MACRS). En Europe, l'amortissement dégressif se fait de manière plus simple, en fixant un coefficient multiplicateur au départ (l'amortissement dégressif vaudra, par exemple, deux fois l'amortissement linéaire) et en repassant en linéaire dès que l'amortissement annuel est inférieur à un seuil.

Tableau 6.4. Amortissement fiscalement déductible selon le nouveau système de recouvrement accéléré des charges (données exprimées en % de la valeur fiscale à amortir) (...)

	Barèmes d'amortissement fiscal par classes de durée de recouvrement					
Année(s)	**3 ans**	**5 ans**	**7 ans**	**10 ans**	**15 ans**	**20 ans**
5		11,52	8,93	9,22	6,93	5,71
6		5,76	8,93	7,37	6,23	5,28
7			8,93	6,55	5,90	4,89
8			4,45	6,55	5,90	4,52
9				6,55	5,90	4,46
10				6,55	5,90	4,46
11				3,29	5,90	4,46
12					5,90	4,46
13					5,90	4,46
14					5,90	4,46
15					5,90	4,46
16					2,99	4,46
17-20						4,46
21						2,25

Notes :

1. L'amortissement fiscal est inférieur au cours de la première année, les actifs étant supposés n'être en service que depuis 6 mois seulement.
2. Les biens immobiliers font l'objet d'un amortissement linéaire sur 27,5 ans pour les biens immobiliers résidentiels et sur 31,5 ans pour les biens immobiliers non résidentiels.

Notez qu'il existe six barèmes, un pour chaque classe de durée de recouvrement. La plupart des équipements industriels se retrouvent dans les classes de 5 et 7 ans. Pour ne pas compliquer les choses, nous supposerons que la totalité de l'investissement de Guano SA tombe dans la catégorie des actifs amortissables sur 5 ans. Guano SA peut donc déduire 20 % de la valeur amortissable de son investissement la première année, dès que les actifs entrent en fonction, puis 32 % l'année 2, et ainsi de suite. Voici les économies d'impôts réalisées dans ce projet :

	Année					
	1	**2**	**3**	**4**	**5**	**6**
Amortissement fiscal (barème × valeur de l'investissement à amortir)	2 000	3 200	1 920	1 152	1 152	576
Économies d'impôts (amortissement fiscal × taux d'imposition, $T = 0{,}35$)	700	1 120	672	403	403	202

La valeur actuelle de ces économies d'impôts s'élève à 2 174, soit 331 de plus que ce que nous avions trouvé par la méthode de l'amortissement linéaire.

Le tableau 6.5 récapitule l'impact du projet de Guano SA sur le montant de ses impôts futurs, et le tableau 6.6 présente les changements survenus dans le calcul des cash-flows après impôts et de la valeur actuelle du projet. Cette fois, nous nous sommes appuyés sur des hypothèses réalistes quant aux impôts et à l'inflation. Bien entendu, nous parvenons à une VAN plus élevée que celle du tableau 6.2, parce que ce tableau ne tenait pas compte de la valeur additionnelle générée par l'amortissement accéléré.

Tableau 6.5. Projet Guano SA : impôts à payer (en milliers d'euros)

	Année							
	0	1	2	3	4	5	6	7
1. Produits d'exploitation*		523	12 887	32 610	48 901	35 834	19 717	
2. Charges d'exploitation*		837	7 729	19 552	29 345	21 492	11 830	
3. Autres charges*	4 000	2 200	1 210	1 331	1 464	1 611	1 772	
4. Amortissement fiscal		2 000	3 200	1 920	1 152	1 152	576	
5. Résultat avant impôts (1 – 2 – 3 – 4)	–4 000	–4 514	748	9 807	16 940	11 579	5 539	1 949**
6. Impôts à 35 %***	–1 400	–1 580	262	3 432	5 929	4 053	1 939	682

* Données reprises du tableau 6.1.

** La valeur résiduelle est nulle, d'un point de vue fiscal, après la prise en compte de tous les amortissements dérogatoires. Ainsi, Guano SA devra payer des impôts sur la totalité de la valeur résiduelle, qui s'élève à 1 949 000 €.

*** Un versement négatif d'impôt équivaut à un *encaissement*, sous l'hypothèse que Guano SA peut utiliser ces sommes pour soutenir les cash-flows d'autres projets.

Tableau 6.6 - Projet Guano SA : analyse des cash-flows corrigés (en milliers d'euros)

	Année							
	0	1	2	3	4	5	6	7
1. Produits d'exploitation*		523	12 887	32 610	48 901	35 834	19 717	
2. Charges d'exploitation*		837	7729	19 552	29 345	21 492	11 830	
3. Autres charges*	4 000	2 200	1 210	1 331	1 464	1 611	1 772	
4. Impôts **	–1 400	–1 580	262	3 432	5 929	4 053	1 939	682
5. Cash-flows (1 – 2 – 3 – 4)	–2 600	–934	3 686	8 295	12 163	8 678	4 176	–682
6. Variation du BFR		–550	–739	–1972	–1629	1 307	1 581	2 002
7. Investissement initial et récupération nette	–10 000							1 442*
8. Cash-flows nets (5 + 6 + 7)	–12 600	–1 484	2 947	6 323	10 534	9 985	5 757	3 269
9. Valeur actuelle à 20 %	–12 600	–1 237	2 047	3 659	5 080	4 013	1 928	912
VAN = + 3 802								

* Données reprises du tableau 6.1.

** Données reprises du tableau 6.5.

2.4 Un dernier commentaire sur les impôts

Contrairement aux États-Unis, où l'entreprise publie plusieurs bilans sur la même année (un pour les actionnaires, un pour le fisc...), en Europe existe le principe de *l'unicité du bilan*. Les comptes des sociétés doivent donc *en même temps* servir pour le fisc et pour les investisseurs ou les banquiers. Cela explique le fort contenu fiscal des documents comptables, et la nécessité d'inclure des logiques fiscales même dans des prévisionnels de cash-flows.

2.5 L'analyse d'un projet

Faisons le point. Nous sommes partis de données simplifiées relatives aux actifs et aux résultats attendus du projet pour établir des prévisions de cash-flows. Puis nous avons utilisé la méthode de l'amortissement dégressif pour recalculer les cash-flows et la VAN.

Vous avez eu la chance de n'avoir eu à calculer que deux fois la VAN. En pratique, il faut souvent plusieurs tentatives avant d'éliminer toutes les incohérences et toutes les erreurs. Puis viennent les questions du type : « Que se passerait-il si... ? » Que se passerait-il si l'inflation passait à 15 % par an au lieu de 10 ? Que se passerait-il si des problèmes techniques retardaient d'un an le démarrage du projet ? Que se passerait-il si les jardiniers préféraient des engrais chimiques à votre engrais naturel ?

Ce n'est qu'après avoir répondu à ce genre de questions que vous aurez véritablement analysé le projet « Guano pour tous » de Guano SA. *L'analyse de projet* est bien plus qu'un simple calcul de VAN, comme nous le verrons au chapitre 10.

2.6 Le calcul de la VAN dans d'autres pays et d'autres monnaies

Avant d'être immergé trop profondément dans le guano, voyons rapidement un autre cas d'investissement. Cette fois, il s'agit de Fragranz, une entreprise située dans un pays étranger. Cette entreprise produit des parfums et envisage un nouvel investissement. Les principes de base sont les mêmes : Fragranz doit déterminer si la valeur actuelle des cash-flows futurs excède l'investissement initial. Des différences apparaissent toutefois en relation avec le pays concerné :

1. Les cash-flows seront exprimés en monnaie locale.
2. Les prévisions de cash-flows devront tenir compte de l'évolution des prix et des coûts dépendant de l'inflation dans le pays en question.
3. Il se peut que Fragranz ne puisse pratiquer un amortissement accéléré, ce qui aura une incidence sur le résultat imposable.
4. Les résultats seront imposés au taux local. Par exemple, le taux d'imposition des bénéfices en Irlande est de 12,5 %, un taux nettement plus faible qu'en France.
5. Pour calculer le coût d'opportunité du capital de son projet, Fragranz devra se demander quelle est la rentabilité à laquelle renoncent les actionnaires en investissant leur argent dans ce projet plutôt que sur les marchés financiers. Mais quels marchés et quelle monnaie ? Par exemple, si le projet est sans risque, le coût d'opportunité d'un investissement en France sera le taux sans risque d'un placement en euros dans des obligations du Trésor français. Au moment où nous écrivons, le taux d'intérêt pour une obligation du Trésor à 10 ans s'élève à 3,41 % en France, mais à 4,23 % au Canada.

Le projet de Fragranz comportant certainement un risque, l'entreprise devra se demander si ses actionnaires accepteront de prendre le risque du projet et quelle rentabilité ils exigeront pour prendre ce risque. Selon qu'on sera en France ou au Canada, la réponse ne sera pas la même. Nous aborderons la question du risque et du coût du capital aux chapitres 7 à 9.

Vous voyez que les principes d'évaluation d'un investissement sont les mêmes partout. Il faut seulement se conformer aux conditions locales pour effectuer correctement les calculs financiers.

3 Le coût équivalent annuel

Quand vous calculez une VAN, vous transformez des cash-flows futurs à recevoir année après année en un capital exprimé en euros d'aujourd'hui. Mais il est parfois utile d'inverser le calcul et de transformer un capital disponible aujourd'hui en un flux équivalent de cash-flows futurs. Voyez plutôt l'exemple suivant.

3.1 Investir dans l'essence sans plomb

Une agence chargée de la défense de l'environnement souhaite développer l'essence sans plomb. Les raffineurs consultés estiment que cela nécessiterait d'importants investissements pour améliorer le raffinage. Quelle incidence ces investissements auront-ils sur le prix de l'essence à la pompe ? Supposons un investissement de 400 millions d'euros et un coût du capital réel (c'est-à-dire hors inflation) de 7 %. Le nouvel équipement a une durée de vie de 25 ans et la production totale d'essence sans plomb s'élèvera à 900 millions de litres par an. Supposons pour simplifier que la consommation de matières premières et les coûts d'exploitation du nouvel équipement sont les mêmes que précédemment. Quel chiffre d'affaires *additionnel* doit-on réaliser chaque année et pendant 25 ans pour couvrir l'investissement de 400 millions d'euros ? La réponse est simple : trouver une séquence d'annuités constantes sur 25 ans dont la valeur actuelle est égale à 400 millions d'euros.

$$\text{VA annuité} = \text{annuité} \times \text{coefficient d'actualisation de l'annuité de 25 ans}$$

Le coût du capital étant de 7 %, le coefficient d'actualisation s'élève à 11,65.

$$\text{400 millions d'euros} = \text{annuité} \times 11{,}65$$

Annuité constante = 34,3 millions d'euros par an[4]

L'annuité de 34,3 millions d'euros est le **coût équivalent annuel**, c'est-à-dire le cash-flow annuel suffisant pour rentabiliser l'investissement (y compris le coût du capital) sur la durée de vie économique de cet investissement.

La méthode du coût équivalent annuel est une méthode très pratique en finance, parfois même essentielle. Voici un autre exemple.

---

4. Pour simplifier, nous avons ignoré ici la fiscalité. Elle entrerait dans le calcul de deux façons. En premier lieu, les 400 millions d'investissement génèreraient des économies d'impôt par le truchement de l'amortissement. En second lieu, le chiffre d'affaires additionnel est un CA TTC. Pour recevoir réellement 34,3 millions après impôts, le raffineur doit facturer un montant avant impôts tel que : CA HT × (1 – 0,35) = 34,3 d'où : CA HT = 52,8 millions.

3.2 Le choix entre un équipement de longue durée ou de courte durée

Une entreprise doit choisir entre deux machines, A et B. Les deux machines sont d'une conception différente mais elles ont la même capacité et font exactement le même travail. La machine A coûte 15 000 € et sa durée de vie est de 3 ans. Son coût de fonctionnement est de 5 000 € par an. La machine B est un modèle « économique » qui ne coûte que 10 000 €, mais elle dure 2 ans seulement et son coût de fonctionnement annuel est de 6 000 €. Il s'agit de cash-flows réels.

Les deux machines produisant exactement le même bien, la seule façon de choisir entre elles consiste à comparer leurs coûts en valeur actuelle.

Machine	**Coûts, en milliers d'euros**				**Valeur actuelle à 6 %, en milliers d'euros**
	CF_0	**CF_1**	**CF_2**	**CF_3**	
A	+15	+5	+5	+5	28,37
B	+10	+6	+6		21,00

B, ayant des coûts actualisés de 21 000 € *sur 3 ans* (0, 1, et 2), n'est pas nécessairement préférable à A, aux coûts actualisés de 28 370 € *sur 4 ans* (de 0 à 3). Nous devons transformer le coût total actualisé en un *coût équivalent annuel.* Pour la machine A, le coût annuel est de 10 610 € par an :

Machine	**Coûts, en milliers d'euros**				**Valeur actuelle à 6 %, en milliers d'euros**
	CF_0	**CF_1**	**CF_2**	**CF_3**	
A	+ 15	+5	+5	+5	28,37
Coût équivalent annuel		+10,61	+10,61	+10,61	28,37

En effet :

$$\begin{aligned} \text{VA annuité} &= \text{valeur actuelle des coûts de A} = 28{,}67 \\ &= \text{annuité} \times \text{coefficient d'actualisation de l'annuité de 3 ans} \end{aligned}$$

Le coefficient correspondant est égal à 2,673 et le coût du capital en termes réels étant de 6 %, on obtient :

$$\text{Annuité} = 28{,}37 / 2{,}673 = 10{,}61$$

Le même calcul pour la machine B donne les résultats suivants :

Machine	**Coûts, en milliers d'euros**			**Valeur actuelle à 6 %, en milliers d'euros**
	CF_0	**CF_1**	**CF_2**	
B	+ 10	+6	+6	21,00
Coût équivalent annuel		+11,45	+11,45	21,00

Il est préférable de choisir la machine A parce que son coût équivalent annuel est inférieur (10 610 €, contre 11 450 €).

Le coût équivalent annuel peut aussi être exprimé en *coût de location* : c'est comme si on louait la machine et que les loyers payaient le coût d'investissement et de fonctionnement.

Notre règle de comparaison des actifs de durées différentes s'énonce donc comme suit : choisissez l'actif ayant le coût de location, c'est-à-dire le coût équivalent annuel, le plus bas.

Coût équivalent annuel et progrès technique Jusqu'à présent, nous avons suivi une règle simple : on peut comparer deux séries de cash-flows (ou plus) ayant des durées ou des structures temporelles différentes en transformant leurs valeurs actuelles en coûts équivalents annuels. N'oubliez pas, simplement, d'effectuer vos calculs en termes réels.

Mais une règle aussi simple que celle-ci ne peut avoir un caractère absolument général. Par exemple, il serait insensé de comparer les coûts annuels actuels de la location des machines A et B si l'on s'attend à ce que le loyer de la machine A augmente fortement l'année 3 après que la machine B a été mise hors d'usage à la fin de l'année 2. Lorsqu'on compare des coûts réels équivalents annuels, on suppose implicitement que le loyer réel de la machine A *continuera* d'être de 10 610 €, et donc que les coûts *réels* d'achat et de fonctionnement de la machine demeureront constants.

Supposons que ce ne soit pas le cas. Plus précisément, supposons qu'en raison d'améliorations techniques, le coût d'achat et de fonctionnement des nouvelles machines diminue de 20 % chaque année en termes réels. Dans ce cas, les futurs possesseurs de ces nouvelles machines pourront réduire de 20 % le coût de la location, et les propriétaires des anciennes machines seront contraints de s'aligner sur cette réduction. Nous devons alors nous poser la question suivante : que deviendra le coût de location de chaque machine si les loyers en termes réels diminuent de 20 % par an ?

Soit loyer_1, le loyer de la première année. Le loyer de l'année 2 sera $\text{loyer}_2 = 0{,}8 \times \text{loyer}_1$. Le loyer_3 sera égal à $0{,}8 \times \text{loyer}_2$, soit $0{,}64 \times \text{loyer}_1$. Le propriétaire de chaque machine doit fixer un loyer suffisamment élevé pour couvrir la valeur actuelle des coûts. Pour la machine A, cela donne :

$$\text{VA de la location de la machine A} = \frac{\text{loyer}_1}{1{,}06} + \frac{\text{loyer}_2}{(1{,}06)^2} + \frac{\text{loyer}_3}{(1{,}06)^3} = 28{,}37$$

$$= \frac{\text{loyer}_1}{1{,}06} + \frac{0{,}8(\text{loyer}_1)}{(1{,}06)^2} + \frac{0{,}64(\text{loyer}_1)}{(1{,}06)^3} = 28{,}37$$

$$\text{loyer}_1 = 12{,}94 \text{ soit } 12\,940 \text{ €}$$

et pour la machine B :

$$\frac{\text{loyer}_1}{1{,}06} + \frac{0{,}8(\text{loyer}_1)}{(1{,}06)^2} = 21{,}00$$

$$\text{loyer}_1 = 12{,}69 \text{ soit } 12\,690 \text{ €}$$

Les mérites des deux machines sont à présent inversés. Dès que l'on prend en compte le progrès technique et la réduction des coûts réels des deux machines, il devient intéressant d'acheter la machine B qui a la durée de vie la plus courte, plutôt que de s'en tenir pendant 3 ans à une technologie plus ancienne.

Vous pouvez imaginer d'autres complications. Par exemple, une machine C peut apparaître au cours de l'année 1 avec un coût équivalent annuel encore moins élevé. Vous devrez alors décider soit de conserver, soit de vendre la machine B à l'année 1 (nous reviendrons sur cette décision un peu plus loin). Le directeur financier ne peut choisir entre les machines A et B à l'année 0 sans se préoccuper du remplacement prévu pour chaque machine.

La comparaison des coûts équivalents annuels ne devrait jamais être un exercice mécanique ; pensez toujours aux hypothèses implicites qui sous-tendent la comparaison. Enfin, rappelez-vous la raison fondamentale du principe des coûts équivalents annuels. La raison est que A et B seront remplacées à des moments différents. Le choix entre les deux influencera donc les futures décisions d'investissement. Si le choix initial n'a pas d'incidence sur les décisions ultérieures – par exemple, si aucune des deux machines n'est remplacée –, alors nous *n'avons pas besoin de prendre en compte les décisions futures*[5].

Coût équivalent annuel et fiscalité Nous n'avons pas pris en compte la fiscalité. Bien entendu, les coûts des machines A et B doivent être calculés après impôts, sachant que les coûts d'exploitation sont déductibles et que l'investissement génère des économies d'impôts.

3.3 Quand remplacer une machine ?

Dans l'exemple précédent, la durée de vie de chacune des machines était donnée. En pratique, le choix du moment de remplacer un équipement dépend davantage de considérations économiques que d'une défaillance physique totale. *Nous* devons décider quand remplacer, la machine décidera rarement à notre place.

Voici un problème courant. Vous travaillez avec une vieille machine qui, selon les prévisions, doit générer des cash-flows nets de 4 000 € cette année et de 4 000 € l'an prochain, après quoi elle rendra l'âme. Vous pouvez la remplacer dès aujourd'hui par une machine neuve plus productive coûtant 15 000 €, qui générera 8 000 € de cash-flows par an pendant 3 ans. Faut-il remplacer votre machine maintenant ou attendre un an ?

On peut calculer la VAN de cette nouvelle machine ainsi que son cash-flow équivalent annuel :

	Cash-flows, en milliers d'euros				VAN à 6 %, en milliers d'euros
	CF_0	CF_1	CF_2	CF_3	
Nouvelle machine	–15	+8	+8	+8	6,38
Cash-flow équivalent annuel		+2,387	+2,387	+2,387	6,38

5. Toutefois, si aucune des deux machines n'était remplacée, nous devrions tenir compte des flux supplémentaires générés par la machine A au cours de sa troisième année, lorsqu'elle sera encore en exploitation tandis que B ne le sera plus.

Les cash-flows générés par la nouvelle machine sont équivalents à une annuité de 2 387 € par an. Ainsi, nous pouvons tout aussi bien nous demander quand remplacer notre vieille machine par une neuve qui génère 2 387 € par an. Ainsi formulée, cette question appelle une réponse évidente. Tant que votre vieille machine peut générer un cash-flow annuel de 4 000 €, qui voudra la remplacer par une neuve qui ne génère que 2 387 € par an ?

Il est facile d'incorporer la valeur résiduelle dans ce calcul. Supposez que la valeur résiduelle soit actuellement de 8 000 € et de 7 000 € dans un an. Voyons ce qui se passera l'an prochain si vous attendez et vendez votre machine à ce moment-là. D'un côté, vous gagnerez 7 000 €, mais vous perdrez la valeur résiduelle d'aujourd'hui *plus* les intérêts d'une année sur cette somme, soit 8 000 × 1,06 = 8 480 €. Votre perte nette sera de 8 480 – 7 000 = 1 480 €, ce qui n'entamera que partiellement votre gain d'exploitation. Vous ne devriez donc pas remplacer votre équipement immédiatement.

Souvenez-vous que pour effectuer des comparaisons de ce genre, il faut que la nouvelle machine constitue la meilleure alternative possible et qu'elle soit remplacée au meilleur moment.

3.4 Le coût d'une capacité excédentaire

Toute entreprise disposant d'un système informatique (ordinateurs, serveurs, lignes à haut débit) a le problème suivant. Les systèmes récemment installés ont tendance à avoir une capacité excédentaire. Le coût marginal immédiat de l'utilisation de ces systèmes étant négligeable, la direction encourage souvent de nouvelles utilisations. Toutefois, tôt ou tard, l'utilisation du système s'intensifiera à tel point que la direction devra mettre un terme aux pratiques qu'elle avait encouragées, ou investir dans l'achat d'une extension du système beaucoup plus tôt que prévu. On peut éviter ce genre de problème en imputant un coût spécifique à l'utilisation de la capacité disponible.

Supposez qu'un nouveau projet d'investissement exige une utilisation intensive du système informatique. L'acceptation du projet a pour effet d'avancer la date d'achat d'une nouvelle extension (un serveur, des postes) de l'année 4 à l'année 3. Cette nouvelle extension du système a une durée de vie de 5 ans, et sa valeur actuelle à 6 % est de 500 000 €.

Commençons par transformer la valeur actuelle du coût de l'extension, soit 500 000 €, en un coût équivalent annuel de 118 700 € par année pendant 5 ans[6]. Bien entendu, nous remplacerons cette extension par une autre lorsqu'elle sera obsolète. Nous voici donc placés devant la perspective d'une dépense annuelle de 118 700 €. Si nous réalisons ce nouveau projet, nous aurons à faire face à ces dépenses à partir de l'année 4 ; si nous ne l'entreprenons pas, les dépenses commenceront l'année 5. Le nouveau projet entraîne donc un coût *supplémentaire* de 118 700 € l'année 4, ce qui correspond à une valeur actuelle de 118 700 / $(1,06)^4$, soit environ 94 000 €. Ce coût doit être logiquement imputé au nouveau projet, et dès lors, la VAN du projet peut se révéler négative. Dans ce cas, on doit encore une fois vérifier l'intérêt ou non d'entreprendre le projet maintenant et de l'abandonner plus tard, lorsque la capacité excédentaire du système actuel aura disparu.

6. La valeur actuelle de 118 700 € par an pendant 5 ans actualisés à 6 % s'élève à 500 000 €.

4 Les interactions de projets

Presque toutes les décisions impliquent des choix « soit... soit... ». L'entreprise peut soit construire un entrepôt de 90 000 mètres carrés à trois kilomètres de Sète, soit en construire un de 100 000 mètres carrés à sept kilomètres de Troyes. Elle peut le chauffer au fioul ou au gaz naturel, et ainsi de suite. Ces options mutuellement exclusives sont autant d'exemples d'*interactions* (ou *interdépendances) de projets.*

Des interactions de projets étaient présentes dans tous les exemples de la section précédente. Par exemple, dans le premier cas, le choix entre la machine A d'une durée de 3 ans et la machine B d'une durée de 2 ans, il y a interaction de projets puisque A et B s'excluent mutuellement et également parce que choisir A ou B a des conséquences sur les futurs achats de machines.

Les interactions de projets peuvent se produire de multiples façons. Nous analyserons deux cas simples, mais importants.

4.1 Cas 1 : le choix du moment optimal de l'investissement

Le fait qu'un projet ait une VAN positive ne signifie pas qu'il faut l'entreprendre immédiatement. Il se pourrait même que sa valeur augmente si sa réalisation était retardée. De même, un projet présentant actuellement une VAN négative pourrait devenir une opportunité intéressante pour peu qu'on sache patienter. Ainsi, tout projet se présente sous la forme d'un choix entre deux options mutuellement exclusives : réaliser le projet maintenant, ou attendre et investir plus tard.

Le problème du choix du moment optimal de l'investissement n'est pas difficile à résoudre dans des conditions de certitude. On envisage d'abord différentes dates (t) de réalisation de l'investissement et on calcule sa valeur nette *à chacune de ces dates*. Puis, pour déterminer laquelle de ces dates contribue le plus à augmenter la valeur *actuelle* de l'entreprise, on actualise cette valeur :

$$\frac{\text{Valeur future nette à la date } t}{(1+r)^t}$$

Supposez que vous possédiez une vaste forêt difficile d'accès. Pour exploiter cette forêt, vous devez investir des sommes importantes pour construire des voies d'accès et d'autres installations. Plus vous attendrez, plus l'investissement nécessaire augmentera. D'un autre côté, si vous attendez, le prix du bois s'élèvera et les arbres continueront de croître, bien qu'à un taux progressivement décroissant.

Supposons que la valeur nette de l'exploitation forestière aux différentes dates soit la suivante :

	Année de la coupe					
	0	1	2	3	4	5
Valeur nette, en milliers d'euros	50	64,4	77,5	89,4	100	109,4
Variation de la valeur sur un an (%)		+28,8	+20,3	+15,4	+11,9	+9,4

Comme vous pouvez le constater, plus vous retardez le moment de la coupe, plus votre richesse future augmente. Cependant, ce qui vous intéresse est la date qui maximise la VAN de votre investissement. Il vous faut donc actualiser la valeur nette de l'exploitation. Supposez que le taux d'actualisation approprié soit de 10 %. Si vous coupez vos arbres l'année 1, vous obtiendrez :

$$\text{VAN de la coupe l'année 1} = \frac{64{,}4}{1{,}10} = 58{,}5$$

La VAN (en $t = 0$) des autres moments de coupe est la suivante :

	Année de la coupe					
	0	1	2	3	4	5
VAN, en milliers d'euros	50	58,5	64,0	67,2	68,3	67,9

Le meilleur moment pour couper votre bois est l'année 4, car la VAN est alors maximale.

Remarquez que les années précédentes, la valeur future nette de l'exploitation augmente de plus de 10 % par an : l'augmentation de la valeur est supérieure au coût du capital. Après l'année 4, l'augmentation de la valeur reste positive, mais elle devient inférieure au coût du capital. Vous maximiserez la VAN de votre investissement en coupant votre bois au moment où le taux d'augmentation de la valeur devient inférieur au coût du capital[7].

En situation d'incertitude, le problème est, bien entendu, beaucoup plus complexe. Une opportunité qu'on ne saisit pas en $t = 0$ peut devenir plus ou moins intéressante en $t = 1$; rien n'est certain. Peut-être vaut-il mieux battre le fer quand il est chaud, même s'il est possible qu'il devienne encore plus chaud. D'un autre côté, si vous patientez un peu, vous pourrez obtenir davantage d'informations et éviter de commettre une grave erreur[8].

4.2 Cas 2 : les variations de charge en production

Un fabricant de gadgets emploie deux machines ayant chacune une capacité de production de 1 000 unités par an. Elles ont une durée de vie infinie et n'ont aucune valeur résiduelle, de sorte que les seuls coûts à prendre en compte sont les charges d'exploitation de 2 € par unité produite. Comme chacun sait, la fabrication de gadgets est une activité saisonnière et les gadgets se démodent. La demande est élevée à l'automne et en hiver, et chaque machine fonctionne

7. Notre exemple d'une exploitation forestière nous a permis de développer une analyse correcte du choix du moment optimal de l'investissement, mais il passe à côté d'un aspect pratique important : plus tôt vous couperez vos arbres et ferez votre première récolte, plus tôt vous replanterez en vue d'une deuxième récolte. Ainsi, la valeur de la deuxième récolte dépend du moment choisi pour la première. On peut résoudre ce problème plus complexe et réaliste de l'une des deux façons suivantes :

1. On trouve les dates de coupe qui maximisent la VAN des différentes récoltes, en tenant compte des taux de croissance différents des jeunes arbres et des vieux.
2. On reprend nos calculs en intégrant la valeur de marché du terrain déboisé dans les cash-flows à recevoir de la première récolte. La valeur du terrain déboisé intègre la valeur actuelle des récoltes ultérieures.

La seconde solution est bien plus simple si vous avez la possibilité de savoir ce que vaudra le terrain déboisé.

8. Nous reviendrons sur le problème du choix optimal du moment de l'investissement en situation d'incertitude aux chapitres 10 et 22.

alors à sa pleine capacité. En revanche, au printemps et en été, chaque machine ne fonctionne qu'à 50 % de sa capacité. Si le taux d'actualisation est de 10 % et si les machines sont conservées indéfiniment, la valeur actuelle des charges d'exploitation est de 30 000 € :

	Deux machines anciennes
Production annuelle par machine	750 unités
Charges d'exploitation par machine	2 × 750 = 1 500 €
VA des charges d'exploitation par machine	1 500 / 0,10 = 15 000 €
VA des charges d'exploitation des deux machines	2 × 5 000 = 30 000 €

Faut-il investir dans un équipement plus moderne ? Le nouveau modèle de machine a la même capacité de production et deux machines seront par conséquent nécessaires pour répondre aux mêmes pointes de demande. Chaque nouvelle machine coûte 6 000 € et sa durée de vie est infinie. Les charges d'exploitation ne s'élèvent qu'à 1 € par unité. Compte tenu de ces données, l'entreprise calcule que la valeur actuelle des coûts des deux nouvelles machines s'établirait à 27 000 € :

	Deux nouvelles machines
Production annuelle par machine	750 unités
Investissements par machine	6 000 €
Charges d'exploitation par machine	1 × 750 = 750 €
VA du coût total par machine	6 000 + 750 / 0,10 = 13 500 €
VA du coût total des deux machines	2 × 13 500 = 27 000 €

Donc l'entreprise avait raison de penser que les deux nouvelles machines étaient préférables aux anciennes, *mais elle a malheureusement oublié d'analyser une troisième possibilité* : ne remplacer qu'une seule des machines. Puisque la nouvelle machine a un coût d'exploitation plus faible, il serait avantageux de l'utiliser à pleine capacité toute l'année. La vieille machine pourrait alors servir à répondre aux pointes de demande. La valeur actuelle des coûts de cette stratégie est de 26 000 € :

	Une ancienne machine	Une nouvelle machine
Production annuelle par machine	500 unités	1 000 unités
Investissements par machine	0	6 000 €
Charges d'exploitation par machine	2 × 500 = 1 000 €	1 × 1 000 = 1 000 €
VA du coût total par machine	1 000 / 0,10 = 10 000 €	6 000 + 1 000 / 0,10 = 16 000 €
VA du coût total des deux machines	26 000 €	

Le remplacement d'une machine se traduit par une économie de 4 000 € ; le remplacement de deux machines ne permet d'économiser que 3 000 €. La VAN de l'investissement *marginal* dans la seconde machine est donc de –1 000 €. Ce n'est pas intéressant.

Résumé

La prévision des cash-flows ne sera jamais une affaire de routine. Ce sera toujours un travail difficile et aléatoire. Les trois règles suivantes permettent de minimiser les erreurs.

1. Focalisez-vous sur les cash-flows après impôts. Méfiez-vous des données comptables déguisées en prétendus cash-flows.
2. Analysez les cash-flows différentiels. Traquez sans cesse les conséquences de votre décision sur les cash-flows futurs. Incluez les coûts d'opportunité. Éliminez les coûts irrécupérables.
3. Traitez l'inflation avec cohérence. Actualisez les cash-flows nominaux à des taux nominaux et les cash-flows réels à des taux réels.

Notez qu'il existe peu de projets *indépendants* : la plupart sont en interaction avec les projets futurs. Sachez différer : un projet à VAN positive qui n'est pas réalisé aujourd'hui peut générer une VAN encore plus élevée si on en diffère la réalisation à demain.

Il est difficile de comparer des projets mutuellement exclusifs qui diffèrent par la longueur ou la structure temporelle des cash-flows, à moins de convertir leurs valeurs actuelles en coûts équivalents annuels. Choisissez le projet qui a le coût équivalent annuel le moins élevé. Veillez toutefois à calculer les coûts équivalents annuels en termes réels et à prendre en compte le progrès technique si besoin est.

Ce chapitre traite des techniques d'application du principe de la VAN dans des situations pratiques. Toute notre analyse se ramène à deux thèmes simples. Premièrement, définissez avec soin l'ensemble des projets alternatifs. Assurez-vous de comparer ce qui est comparable. Deuxièmement, vérifiez que vos calculs prennent en compte tous les cash-flows différentiels.

Lectures complémentaires

Plusieurs bons manuels de choix d'investissement traitent des interactions de projets :

E. L. Grant, W. G. Ireson, et R. S. Leavenworth, *Principles of Engineering Economy*, 8e ed., Ronald Press, New York, 1990.

H. Bierman et S. Smidt, *The Capital Budgeting Decision*, 8e ed., Macmillan Company, New York, 1992.

Pour une approche plus générale des investissements et de leurs conséquences, Charreaux a coordonné un ouvrage très utile :

G. Charreaux (éd.) *et al.*, *Images de l'investissement : au-delà de l'évaluation financière, une lecture organisationnelle et stratégique*, Vuibert, collection Fnege, 2001.

Activités

Révision des concepts

1. Lorsqu'il évalue une proposition d'investissement, pourquoi le directeur financier doit-il inclure les coûts d'opportunité et ignorer les coûts irrécupérables ? Donnez un exemple pour chaque cas de figure.
2. Un ingénieur distrait fait l'erreur d'actualiser les cash-flows nominaux d'un projet à un taux d'actualisation réel. La prévision d'inflation annuelle est de 4 %. L'ingénieur surestime-t-il ou sous-estime-t-il la VAN ? On fait l'hypothèse que la VAN du projet est positive lorsqu'on l'actualise au taux correct.
3. Que signifie « séparer les décisions d'investissement des décisions financières » ? Dans une analyse classique de la VAN, le paiement des intérêts est-il considéré comme une dépense ?

Tests de connaissances

1. Quels sont, parmi les cash-flows suivants, ceux que l'on devrait traiter comme des cash-flows différentiels lors d'un investissement dans une nouvelle unité de production ? L'entreprise possède déjà le terrain, mais les bâtiments existants devront être détruits.
   - **a.** La valeur de marché du terrain et des bâtiments existants.
   - **b.** Les coûts de démolition et le nettoyage du terrain.
   - **c.** Le coût d'un accès routier construit l'an dernier.
   - **d.** Les baisses de profits sur les autres produits à cause du temps que la direction consacre au nouveau projet.
   - **e.** Une proportion du coût de location de l'avion furtif du président.
   - **f.** L'amortissement futur de la nouvelle usine.
   - **g.** La réduction des impôts à payer résultant du dégrèvement d'impôt lié à l'amortissement de la nouvelle usine.
   - **h.** L'investissement initial en stocks de matières premières.
   - **i.** Les sommes préalablement dépensées dans la conception de la nouvelle usine.
2. Lou Garou recevra 100 000 € dans un an. Il actualise ce cash-flow nominal au taux nominal de 8 % :

$$\text{VA} = \frac{100\,000}{1{,}08} = 92\,593\ €$$

   Le taux d'inflation est de 4 %.

   Calculez la valeur actuelle de la somme à partir du cash-flow *réel* et du taux d'actualisation *réel* correspondant. (Vous devriez parvenir exactement au même résultat.)

3. Vrai ou faux ?
   a. Les économies d'impôts liées aux amortissements d'un projet dépendent du taux d'inflation futur.
   b. Les cash-flows d'un projet devraient prendre en compte les intérêts versés en remboursement des emprunts qui financent le projet.
   c. Aux États-Unis, le résultat net de l'exercice déclaré aux services fiscaux doit être égal au résultat net déclaré aux actionnaires. Idem en France.
   d. L'amortissement accéléré réduit les premiers cash-flows et diminue en conséquence la VAN du projet.
4. Comment varie la valeur actuelle du barème de l'amortissement fiscal d'une classe à l'autre dans le tableau 6.4 ? Donnez une réponse générale ; puis vérifiez-la en calculant les valeurs actuelles du dégrèvement fiscal selon les barèmes correspondant aux périodes de 5 ans et de 7 ans, le taux d'imposition étant de 35 % et en utilisant un taux d'actualisation raisonnable.
5. Le tableau suivant décrit les principales composantes du BFR au cours de la durée de vie d'un projet de 4 ans :

	N	N+1	N+2	N+3	2004
Créances clients	0	150 000	225 000	190 000	0
Stock	75 000	130 000	130 000	95 000	0
Dettes d'exploitation	25 000	50 000	50 000	35 000	0

   Calculez le BFR et les encaissements et décaissements liés à cet investissement.
6. Pour comparer des projets mutuellement exclusifs, beaucoup d'entreprises établissent un classement sur la base de leurs coûts équivalents annuels. Pourquoi ne pas simplement comparer les VAN des projets ? Expliquez brièvement.
7. L'installation de l'air conditionné dans une entreprise coûterait 1,5 million d'euros et représenterait une charge d'exploitation de 200 000 € par an. La durée de vie de ce système est estimée à 25 ans. Le coût réel du capital est de 5 % et l'entreprise ne paie pas d'impôts. Quel est le coût équivalent annuel ?
8. Les machines A et B s'excluent mutuellement et elles sont censées générer les cash-flows suivants :

Machine	Cash-flows, en milliers d'euros			
	CF_0	CF_1	CF_2	CF_3
A	–100	+110	+121	
B	–120	+110	+121	+133

   Le coût d'opportunité du capital est de 10 %.
   a. Calculez la VAN de chaque machine.
   b. Calculez les cash-flows équivalents annuels de chaque machine.
   c. Quelle machine devriez-vous acheter ?
9. La machine C a été achetée il y a 5 ans pour 200 000 €. Elle génère un cash-flow annuel de 80 000 €. Elle n'a pas de valeur résiduelle mais on s'attend à ce qu'elle dure encore 5 ans. L'entreprise peut remplacer la machine C par la machine B (voir la question précédente) *soit* maintenant, *soit* à la fin des 5 ans. Que devrait-elle faire ?

Questions et problèmes

1. Exprimez les cash-flows du projet de Guano SA en termes réels (voir tableau 6.6). Actualisez les cash-flows réels à un taux d'actualisation réel. Supposez que le taux *nominal* soit de 20 % et que le taux d'inflation prévu soit de 10 %. La VAN devrait rester inchangée.
2. En 1898, Simon Contébon a déclaré souhaiter construire un funérarium sur un terrain lui appartenant. Jusqu'à cette annonce, le terrain était loué comme pâture à bœufs. Le revenu de la location du site couvrait tout juste les taxes foncières, mais le terrain avait une valeur de 45 000 €. Cependant, M. Contébon a toujours refusé de le vendre et préférerait continuer à le louer si jamais son projet tombait à l'eau. Il n'a donc pas inclus la valeur du terrain comme dépense dans son analyse de la VAN de son projet. Cette approche est-elle juste ? Étayez votre raisonnement.
3. Les deux propositions suivantes sont vraies. Expliquez la logique sous-jacente.
   - **a.** Lorsqu'une entreprise met sur le marché un produit nouveau, ou augmente la production d'un produit existant, le BFR représente habituellement une sortie de fonds importante.
   - **b.** Il n'est pas nécessaire de modifier les prévisions du BFR si l'échelonnement de *tous* les décaissements et encaissements est correctement spécifié.
4. Mme T. Hyères, la trésorière de W Selles, a un problème. L'entreprise vient de commander un nouveau four à faïence pour 400 000 €. Sur cette somme, 50 000 € sont enregistrés comme « coût d'installation ». Mme Hyères ne sait pas si le fisc autorisera la société à traiter ce coût comme une dépense courante déductible des impôts ou comme une dépense d'investissement. Dans ce dernier cas, l'entreprise pourrait amortir les 50 000 € selon le barème de dégrèvement fiscal sur 5 ans. Le taux d'imposition étant de 35 % et le coût d'opportunité du capital de 5 %, quelle est la valeur actuelle de l'économie d'impôts dans chaque cas ?
5. Un projet nécessite un investissement initial de 100 000 €. On s'attend à ce qu'il génère des cash-flows avant impôts de 26 000 € par année pendant 5 ans. L'entreprise A a accumulé des pertes fiscales conséquentes et ne paiera probablement pas d'impôts dans un futur prévisible. L'entreprise B paye des impôts à un taux de 35 % et peut procéder à l'amortissement de l'investissement à des fins fiscales en utilisant le barème d'amortissement sur 5 ans.

   Supposez que le coût d'opportunité du capital est de 8 %. Négligez l'inflation.
   - **a.** Calculez la VAN du projet pour chaque entreprise.
   - **b.** Quel est le TRI des cash-flows après impôts pour chaque entreprise ?
6. Téléchargez ou resaisissez les feuilles de calcul correspondant aux tableaux 6.1, 6.5 et 6.6.
   - **a.** Comment la VAN du projet de Guano SA fluctue-t-elle si l'entreprise est obligée d'utiliser le barème de dégrèvement fiscal sur 7 ans ?
   - **b.** Selon les derniers calculs des ingénieurs, il est possible que l'investissement nécessaire soit supérieur à 10 millions d'euros ; on peut s'attendre à un coût de 15 millions. D'un autre côté, vous considérez qu'un coût du capital de 20 % est excessif et que le véritable coût du capital tourne aux alentours de 11 %. Au regard de ces nouvelles hypothèses, le projet reste-t-il attractif ?
   - **c.** Supposons que l'investissement en capital s'élève à 15 millions et que le coût du capital soit effectivement de 11 %. Le projet reste-t-il attractif si les ventes, le coût de production et le besoin en fonds de roulement net augmentent tous les ans de 10 % ? Recalculez la VAN.
7. Un fabricant de gadgets produit 200 000 unités par an. Il achète des chapeaux en carton à un fournisseur extérieur au prix de 2 € le chapeau. Le directeur de l'usine pense qu'il reviendrait moins cher de produire ces chapeaux que de les acheter. Les coûts directs de production sont estimés à 1,5 € par chapeau seulement. L'équipement nécessaire coûterait 150 000 €. Cet investissement pourrait bénéficier du régime fiscal associé au barème d'amortissement sur 7 ans. Le directeur de l'usine estime que l'exploitation nécessiterait un BFR supplémentaire de 30 000 €,

mais il soutient que cette somme peut être négligée, puisqu'elle est recouvrable à la fin des 10 années. Si l'entreprise est imposée au taux de 35 %, et si le coût d'opportunité du capital est de 15 %, voteriez-vous en faveur de la proposition du directeur de l'usine ? Établissez clairement toute hypothèse supplémentaire que vous jugerez nécessaire.

8. L'entreprise Electre envisage de fabriquer un nouveau type de moteur électrique pour l'industrie qui remplacerait la plupart de ses produits existants. Une découverte scientifique capitale lui a donné une avance de 2 ans sur ses concurrents. Le projet est présenté dans le tableau 6.7.

Tableau 6.7. Cash-flows et valeur actuelle de l'investissement envisagé par Electre (en milliers d'euros)

*	N+1	N+2	N+3	N+4 à N+11
1. Investissements	–10 400			
2. Recherche et développement	–2 000			
3. Investissement en BFR	–4 000			
4. Chiffre d'affaires		8 000	16 000	40 000
5. Charges d'exploitation		–4 000	–8 000	–20 000
6. Frais généraux		–800	–1 600	–4 000
7. Amortissement		–1 040	–1 040	–1 040
8. Intérêts		–2 160	–2 160	–2 160
9. Résultat	–2 000	0	3 200	12 800
10. Impôts	0	0	420	4 480
11. Cash-flows nets	–16 400	0	2 780	8 320
12. VAN = +13 932				

** Notes :*

1. Investissements : 8 millions pour le nouvel équipement et 2,4 millions pour l'agrandissement de l'entrepôt. La totalité du coût de l'agrandissement de l'entrepôt a été imputée à ce projet bien que la moitié seulement de l'espace soit effectivement nécessaire. Le nouvel équipement étant abrité dans les locaux existants de l'usine, aucune charge n'a été prévue pour le terrain et la construction.

2. Recherche et développement : dépense de 1,82 million en N. Donnée corrigée pour tenir compte de l'inflation de 10 % entre le moment où la dépense a été effectuée et N+1. Ainsi, 1,82 × 1,1 = 2 millions d'euros.

3. Investissement en BFR : investissement initial en stocks.

4. Chiffre d'affaires : ces données supposent la vente de 2 000 moteurs en N+2, 4 000 en N+3, et 10 000 chaque année de N+4 à N+11. Le prix unitaire initial est de 4 000 €. On prévoit qu'il demeurera constant en termes réels.

5. Charges d'exploitation : elles comprennent tous les coûts directs et indirects. Les coûts indirects (chauffage, éclairage, etc.) sont censés représenter 200 % des coûts directs en travail. On prévoit que le coût d'exploitation unitaire restera en termes réels à 2 000 €.

6. Frais généraux : coûts administratifs et de publicité, supposés égaux à 10 % du chiffre d'affaires.

7. Amortissement : amortissement linéaire sur 10 ans.

8. Intérêts : sur les investissements et le BFR. Le taux d'intérêt de l'entreprise est de 15 %.

9. Résultat : chiffre d'affaires moins la somme des dépenses de R&D, des charges d'exploitation, des frais généraux, de l'amortissement et des intérêts.

10. Impôts : 35 % des bénéfices. Toutefois, le résultat est négatif en N+1. Cette perte est reportée et déduite du résultat imposable en N+2.

11. Cash-flows nets : différence entre les cash-flows et les impôts.

12. VAN : valeur actuelle nette des cash-flows nets au taux d'actualisation de 15 %.

a. Lisez attentivement les notes du tableau. Quelles sont les données pertinentes ? Lesquelles ne le sont pas ? Pourquoi ?

b. Quelle information supplémentaire vous faut-il pour établir un tableau 6.7 qui soit pertinent ?

c. Construisez ce tableau et recalculez la VAN. Faites des hypothèses supplémentaires si nécessaire.

9. Marsha Halbloubéri a acheté une vieille Mercedes pour 35 000 € dans l'espoir de réduire ses dépenses de transport. Jusqu'alors elle louait une automobile avec chauffeur pour 200 € par jour plus 1 € par kilomètre. Pour la plupart, ses déplacements sont des allers simples de 40 à 50 kilomètres. Marsha donnait habituellement un pourboire de 40 € au chauffeur à chaque déplacement. À présent, elle conduit elle-même et ne dépense que l'essence et l'entretien de sa voiture, soit 0,45 € par kilomètre. L'assurance de sa voiture lui coûte 1 200 € par an. Elle pense utiliser cette voiture pendant 8 ans, période au bout de laquelle la Mercedes devrait encore valoir 15 000 € en termes réels.

Sous l'hypothèse d'un taux d'actualisation nominal de 9 % et d'une inflation anticipée de 3 %, cet achat est-il un investissement à VAN positive ? Marsha est non imposable.

10. L'entreprise Cochons Dindes étudie un projet de fabrication d'un aliment à haute teneur en protéines pour les cochons. Le projet utiliserait un entrepôt existant et actuellement loué à une entreprise voisine (loyer prévu : 100 000 € l'an prochain, puis en augmentation de 4 % par an, comme l'inflation). Le projet nécessite aussi un investissement de 1,2 million dans la construction d'une usine et l'achat d'un équipement. Cet investissement pourrait être linéairement amorti sur 10 ans, l'amortissement étant déductible des impôts. Toutefois, Cochons Dindes prévoit d'arrêter le projet au bout de 8 ans et de revendre l'usine et l'équipement la huitième année pour 400 000 €. Enfin, le projet requiert un investissement initial de 350 000 € en besoin en fonds de roulement. On s'attend à ce qu'ensuite le BFR représente 10 % des ventes de chacune des années 1 à 7.

Les ventes prévues l'année 1 s'élèvent à 4,2 millions d'euros, puis il est prévu qu'elles augmentent de 5 % par an, un peu plus vite que l'inflation. Les coûts de fabrication devraient représenter 90 % des ventes, et les bénéfices sont imposés à 35 %. Le coût du capital est de 12 %.

Quelle est la VAN du projet de cette entreprise ?

11. Dans l'exemple de Guano SA (voir section 6.2), nous avons supposé que les pertes du projet pouvaient venir en déduction des résultats imposables de l'ensemble de l'entreprise. Supposons que les pertes soient reportées et viennent en déduction des résultats futurs imposables du projet. Quelle en serait la conséquence sur la VAN du projet ? Quelle est la valeur des crédits d'impôts que peut immédiatement réaliser l'entreprise ?

12. Le tableau 6.8 présente les données du projet de Fragranz (voir section 6.2).

Tableau 6.8. Le projet de Fragranz : prévisions initiales (en milliers d'euros)

	0	1	2	3	4	5	6	7	8
1. Investissement	83,5								−12,0
2. Amortissement cumulé*		11,9	23,9	35,8	47,7	59,6	71,6	83,5	
3. Valeur nette comptable		71,6	59,6	47,7	35,8	23,9	11,9	0	
4. Investissement en BFR	2,3	4,4	7,6	6,9	5,3	3,2	2,5	0	
5. Valeur comptable totale (3 + 4)	85,8	76,0	67,2	54,6	41,1	27,1	14,4	0	
6. Produits d'exploitation		27,0	51,3	89,1	81,0	62,1	37,8	29,7	
7. Charges d'exploitation		9,2	17,4	30,3	27,5	21,1	12,9	10,1	

Tableau 6.8. Le projet de Fragranz : prévisions initiales (en milliers d'euros) (...)

	0	1	2	3	4	5	6	7	8
8. Autres charges		15,5	15,5	5,2	5,2	5,2	5,2	5,2	
9. Amortissement		11,9	11,9	11,9	11,9	11,9	11,9	11,9	
10. Résultat avant impôts (6 – 7 – 8 – 9)		–9,6	6,4	41,7	36,3	23,9	7,8	2,5	
11. Impôts à 34,4 %		–3,4	2,3	14,8	12,9	8,5	2,8	0,9	–4,2
12. Résultat après impôts (10 –11)		–6,2	4,2	26,9	23,5	15,4	5,0	1,6	–7,8

* Ce tableau est au même format que le tableau 6.1. Les charges d'exploitation ne comprennent pas l'amortissement.

Quelles sont vos prévisions de cash-flows ? Calculez la VAN de ce projet. Le coût nominal du capital est de 11 %.

13. En raison d'améliorations de productivité, United Colleurs of Bénédicte peut vendre l'une de ses deux machines de production. Les deux machines effectuent le même travail. La machine la plus récente pourrait être vendue aujourd'hui pour 50 000 €. Ses charges annuelles d'exploitation s'élèvent à 20 000 €, mais elle nécessitera dans 5 ans une révision de 20 000 €. Après cela, les charges d'exploitation seront de 30 000 € jusqu'à ce que la machine soit finalement vendue l'année 10 pour 5 000 €.

La machine la plus ancienne pourrait se vendre pour 25 000 €. Dans le cas contraire, elle aurait besoin d'une révision immédiate de 20 000 €. Après révision, les charges d'exploitation seront de 30 000 € par an jusqu'à ce que la machine soit finalement vendue l'année 5 pour 5 000 €.

La société est imposée au taux de 35 %. Les prévisions de cash-flows ont été établies en termes réels. Le coût réel du capital est de 12 %. Quelle machine United Colleurs of Bénédicte devrait-elle vendre ? Précisez les hypothèses (par exemple, fiscales) qui sous-tendent votre réponse.

14. Plagiat SA possède plusieurs photocopieuses achetées il y a 4 ans pour 20 000 €. Les coûts de maintenance s'élèvent actuellement à 2 000 € par an, mais le contrat de maintenance expire dans 2 ans et les frais d'entretien annuels augmenteront par la suite à 8 000 €. Les machines ont actuellement une valeur de revente de 8 000 €, mais à la fin de l'année 2, leur valeur chutera à 3 500 €. Au bout de 6 ans, les machines ne vaudront plus rien et seront mises au rebut.

Plagiat envisage de remplacer ces photocopieuses par de nouvelles machines. Ces machines coûtent 25 000 € et l'entreprise peut obtenir une maintenance sur 8 ans pour 1 000 € par an, puis ces machines ne vaudront plus rien et seront mises au rebut.

Les deux machines sont amorties selon le barème américain (voir tableau 6.4) sur une durée de 7 ans, et le taux d'imposition est de 35 %. Supposez, pour simplifier, que l'inflation soit nulle. Le coût réel du capital est de 7 %.

Quand Plagiat devrait-elle remplacer ses photocopieuses ?

15. Revenez à la section 6.3. Il s'agit de trouver le coût équivalent annuel de la production d'essence sans plomb, en euros par litre. L'investissement est de 400 millions d'euros. Supposons que l'on puisse amortir cet investissement sur 10 ans selon le barème présenté au tableau 6.4. Le taux marginal d'imposition s'élève à 39 %, et le coût du capital est de 7 %. La durée de vie économique du projet est estimée à 25 ans.

Calculez le coût équivalent annuel après impôts. *Indication :* il est plus facile d'utiliser la VA des économies d'impôts à la place de l'investissement initial.

Quel supplément de chiffre d'affaires sera nécessaire pour rentabiliser ce coût équivalent annuel ? *Note :* les recettes supplémentaires liées à l'augmentation du prix seront taxées.

16. Vous possédez 500 hectares de forêt qui valent 40 000 € si vous coupez les arbres immédiatement. Ceci représente 1 000 cordes de bois (une corde = 4 stères, ou 4 mètres cubes) d'une valeur de 40 € chacune, déduction faite des coûts de coupe et de transport. Une entreprise papetière vous propose d'acheter votre forêt pour 140 000 €. Devriez-vous accepter cette offre ? Vous disposez des informations suivantes :

Année	Taux de croissance des cordes de bois par hectare
1 – 4	16 %
5 – 8	11
9 – 13	4
14 et plus	1

Vous prévoyez que le prix d'une corde augmentera de 4 % par an à l'infini.

Le coût du capital est de 9 %. Négligez les impôts.

La valeur de marché de votre propriété serait de 100 € par hectare si vous coupiez votre bois et déboisiez votre terrain cette année. On s'attend à ce que la valeur de la terre déboisée augmente aussi de 4 % par an à l'infini.

17. L'entreprise Deux Terres doit choisir entre deux machines qui effectuent le même travail, mais qui ont une durée de vie différente. Les coûts des deux machines sont les suivants :

Année	Machine A	Machine B
0	40 000 €	50 000 €
1	10 000	8 000
2	10 000	8 000
3	10 000 + remplacement	8 000
4		8 000 + remplacement

Les coûts sont exprimés en termes réels.

a. Vous êtes le directeur financier de l'entreprise Deux Terres. Vous devez acheter l'une des deux machines et la louer au directeur de la production pour une durée équivalente à sa durée de vie économique. À combien devrait s'élever le loyer annuel ? On suppose un taux d'actualisation réel de 6 % et on néglige les impôts.

b. Quelle machine l'entreprise Deux Terres devrait-elle acheter ?

c. Habituellement, le loyer que vous avez calculé à la question (a) est un loyer purement fictif – c'est une façon de calculer et d'interpréter le coût équivalent annuel. Supposez que vous achetiez l'une de ces machines et que vous la louiez effectivement au directeur de la production. À combien devrait s'élever le loyer au cours de chacune des années futures si le taux d'inflation annuel est constant à 8 % ? (*Note :* les loyers calculés à la question (a) sont des cash-flows réels. Vous devrez augmenter ces loyers de façon à couvrir l'inflation.)

18. Reprenez vos calculs du problème 17. Supposez que l'on s'attende à des améliorations techniques susceptibles de réduire les coûts de 10 % par an. Les nouvelles machines qui apparaîtront l'année 1 coûteront à l'achat et en fonctionnement 10 % de moins que A et B. L'année 2, une deuxième génération de machines permettra une diminution supplémentaire des coûts de 10 %, et ainsi de suite. Quelle est l'incidence de ce progrès technique sur les coûts équivalents annuels des machines A et B ?

19. L'avion furtif de votre PDG est très rarement utilisé. On pourrait permettre aux cadres dirigeants de l'entreprise de l'employer, ce qui ferait économiser à l'entreprise 100 000 € en billets d'avion tous les ans, en contrepartie d'une augmentation des frais d'utilisation de l'avion de 20 000 €. Toutefois, cette augmentation de l'utilisation de l'avion raccourcira sa durée de vie résiduelle, de quatre ans à trois. Un nouvel avion coûte 1,1 million d'euros et possède une durée de vie (sous réserve qu'il soit peu utilisé) de 6 ans. Supposons pour simplifier que l'entreprise ne paie pas d'impôts. Tous les cash-flows futurs sont exprimés en valeur réelle. Le coût d'opportunité réel du capital est de 8 %. Devez-vous tenter de convaincre votre PDG d'autoriser les cadres à utiliser son avion ?

Problèmes avancés

1. Une mesure du taux d'imposition effectif est la différence entre le taux de rentabilité interne (TRI) des cash-flows avant impôts et après impôts, divisée par le TRI avant impôts. Par exemple, soit un investissement I générant un cash-flow avant impôts perpétuel CF. Le TRI avant impôts est égal à CF / I, et le TRI après impôts est égal à $CF(1 - T_{\text{société}})$ / I, où $T_{\text{société}}$ représente le taux d'imposition. Le taux effectif T_E est donc :

$$T_E = \frac{\frac{CF}{I} - \frac{CF(1 - T_{\text{société}})}{I}}{\frac{CF}{I}} = T_{\text{société}}$$

Calculez T_E pour le projet de Guano SA de la section 6.2.

Dans quelle mesure le taux effectif dépend-il du mode d'amortissement choisi ? Du taux d'inflation ?

Considérez un projet où l'ensemble des dépenses d'investissement serait considéré comme des dépenses imposables, non génératrices d'économies d'impôts. Quel serait le taux effectif pour un tel projet ?

2. Nous vous avons conseillé de calculer les coûts équivalents annuels en termes réels. Ce problème vous expliquera pourquoi. Reprenez les cash-flows des machines A et B (voir section 3.2). Les valeurs actuelles des coûts d'achat et de fonctionnement s'élèvent à 28,37 (sur 3 ans pour A) et à 21 (sur 2 ans pour B). Le taux réel d'actualisation est de 6 %, et le taux d'inflation est de 5 %.

a. Calculez la *valeur nominale* d'une annuité de 2 ans (resp. d'une annuité de 3 ans) dont la valeur actuelle est de 28,37 (resp. 21). Expliquez pourquoi ces annuités *ne sont pas* des estimations réalistes des coûts équivalents annuels. (*Indication :* dans la réalité, le coût de location d'une machine augmente avec l'inflation.)

b. Supposez que le taux d'inflation augmente à 25 %. Le taux d'intérêt réel demeure à 6 %. Recalculez la valeur nominale des annuités. Notez que le classement des machines A et B semble avoir changé. Pourquoi ?

Mini-cas

La Compagnie Coques Palourdes (CCP)

La Compagnie Coques Palourdes (CCP) est une entreprise de transport maritime de marchandises et de personnes fondée en 1952. En N, la flotte de cette compagnie était constituée de quatre navires dont l'*Étincelle de Cheval*. Ce cargo a besoin d'une sérieuse révision.

Marin Kou-Lê, le directeur financier de CCP, étudie une proposition qui implique les dépenses suivantes :

Installation d'une nouvelle machine (moteur)	340 000 €
Nouveau radar et autre équipement électronique	75 000 €
Réparation de la coque et superstructure	310 000 €
Peinture et autres frais	95 000 €
	820 000 €

Marin Kou-Lê pense que toutes ces dépenses pourraient être amorties selon un barème de dégrèvement fiscal sur 7 ans.

L'ingénieur en chef de CCP, Lou Deumer, estime que les charges d'exploitation après réparation s'élèveraient à ceci :

Carburant	450 000 €
Salaires	480 000 €
Entretien	141 000 €
Autres	110 000 €
	1 181 000 €

Généralement, ces coûts augmentent avec l'inflation, prévue à 2,5 % par an.

L'*Étincelle de Cheval* est inscrit dans les comptes de l'entreprise CCP pour une valeur amortie nette de seulement 100 000 € mais pourrait sans doute être revendu en l'état, accompagné d'un stock complet de pièces de rechange, pour 200 000 €. La valeur comptable de ces pièces de rechange ne s'élève cependant qu'à 40 000 €. La revente de l'*Étincelle de Cheval* générerait donc une plus-value taxable.

Par ailleurs, l'ingénieur en chef suggère l'installation d'un nouveau système de navigation et de contrôle par WiFi[9] dont le coût s'élève à 600 000 € et qui aurait les incidences suivantes sur les charges d'exploitation :

Carburant	400 000 €
Salaires	405 000 €
Entretien	105 000 €
Autres	100 000 €
	1 020 000 €

9. Tous les investissements peuvent être considérés comme ayant une durée d'amortissement de 7 ans.

La remise à niveau des équipements de l'*Étincelle de Cheval* devrait le mettre hors service pendant plusieurs mois. Le navire reprendrait ses activités commerciales l'année suivante. Marin Kou-Lê estime qu'il générera alors un revenu d'un montant de 1,4 million d'euros sur l'année, ces revenus augmentant par la suite avec l'inflation.

Mais l'*Étincelle de Cheval* n'est pas éternel. Même avec le nouveau système de navigation, sa durée de vie n'excédera probablement pas 10 ans (12 ans au plus). Une fois hors service, sa valeur résiduelle sera insignifiante.

CCP est une entreprise gérée avec précaution, dans un secteur mature. Habituellement, elle évalue ses investissements en utilisant un coût du capital de 11 %. Il s'agit d'un taux nominal et non pas réel. Le taux d'imposition de CCP est de 35 %.

Question

1. Calculez la VAN du projet de restauration de l'Étincelle de Cheval avec et sans le nouveau système de navigation et de contrôle. Pour mener à bien vos calculs, préparez un tableau indiquant les coûts après impôts afférents au navire pour toute sa durée de vie. Faites très attention aux hypothèses concernant le traitement fiscal de l'amortissement et l'inflation.

Encore du Bulot !

L'*Étincelle de Cheval* part en morceaux, il doit être restauré. Toutefois, M. Kou-Lê estime qu'on aurait tort d'entreprendre ces réparations sans envisager l'achat d'un navire neuf. Passoire SA, un chantier naval suisse, propose à CCP un navire en inox avec navigation automatique et systèmes de giration exponentielle. Les charges annuelles d'exploitation de ce nouveau navire s'établiraient comme suit :

Carburant	380 000 €
Salaires	330 000 €
Entretien	70 000 €
Autres	105 000 €
	885 000 €

La conduite d'un tel navire, nettement plus sophistiqué, nécessiterait une formation spéciale des équipages. Le coût de cette formation est estimé à 50 000 € l'année suivante.

Ces estimations de coûts reposent sur l'hypothèse que le nouveau navire aura les mêmes activités que l'*Étincelle de Cheval*. Toutefois, il sera en mesure de transporter des charges plus lourdes, générant ainsi des recettes annuelles supplémentaires supérieures de 100 000 € aux coûts. Enfin, ce navire a une durée de vie estimée à 20 ans au moins. Le prix du navire neuf s'élève à 3 000 000 €, la moitié payable immédiatement et l'autre moitié l'année suivante.

M. Kou-Lê s'arrête sur le quai devant l'*Étincelle de Cheval*. « Un bon vieux rafiot bien rouillé », murmure-t-il, « mais il ne nous laissera pas tomber. Je parie qu'on pourrait le conserver encore un an le temps que Passoire SA construise le nouveau navire. Nous pourrions utiliser nos pièces de rechange pour le faire durer. Nous pourrions même peut-être le vendre à sa valeur comptable lorsque le nouveau bateau nous sera livré. »

« Mais comment puis-je comparer la VAN de ce nouveau navire avec celle du bon vieux *Étincelle de Cheval* ? Évidemment, je pourrais utiliser un tableau de VAN sur 20 ans mais je n'ai aucune idée de ce que l'on fera du nouveau bateau en 2020 ou en 2025. Peut-être devrais-je comparer le coût total de la réparation et de fonctionnement de l'*Étincelle de Cheval* avec le coût d'achat et de fonctionnement du navire neuf. »

Questions

1. Calculez le coût équivalent annuel du coût (a) de la révision et du fonctionnement de l'*Étincelle de Cheval* pendant encore 12 ans et (b) de l'achat et du fonctionnement du nouveau navire pendant 20 ans. Que devrait faire M. Kou-Lê si les coûts annuels générés par le nouveau navire sont équivalents ou même inférieurs aux coûts générés par l'*Étincelle de Cheval* ?
2. Supposons que les coûts annuels du nouveau navire soient plus élevés que ceux de l'*Étincelle de Cheval*. De quelles informations supplémentaires M. Kou-Lê a-t-il besoin dans ce cas de figure ?

Partie 2

Le risque

L'action France Télécom a été introduite en Bourse en octobre 1997 à un prix de 27,50 €. En mars 2000, le cours de l'action avait progressé de presque 700 %. Un an et demi après, il avait dégringolé de 97 %. À partir d'octobre 2002, l'action a commencé à remonter. Son cours a triplé en trois ans, et il s'établissait en décembre 2005 à 21,4 €. Ces variations sont extrêmes, mais elles nous montrent le risque d'un investissement en actions.

La plupart des investisseurs ne sont pas drogués à l'adrénaline ; ainsi, en cas d'investissements risqués, ils auront une exigence de rentabilité supérieure.

Les sociétés tiennent compte de cela dans leurs décisions d'investissement. Un investissement dans un projet risqué ne créera de la valeur que si la rentabilité espérée est supérieure à ce que les investisseurs pourraient attendre d'un investissement de même risque sur les marchés financiers.

Cela soulève deux questions. Comment doit-on mesurer le risque ? Quelle est la relation entre le risque et la rentabilité espérée ? Nous nous attaquons à ces deux questions dans la partie 2.

Chapitre 7

Rentabilité, risque et coût d'opportunité du capital

Dans les six premiers chapitres, nous avons soigneusement évité d'aborder directement le problème du risque, mais nous voilà maintenant au pied du mur. Nous ne pouvons plus nous contenter d'affirmations vagues telles que « le coût d'opportunité du capital dépend du risque du projet ». Nous devons d'abord définir le risque, puis établir le lien entre le risque et le coût d'opportunité du capital. Nous devons aussi préciser comment le directeur financier peut incorporer le risque dans ses décisions.

Dans ce chapitre, nous nous concentrons sur la première question, à savoir la définition du risque (les questions suivantes seront abordées dans les chapitres 8 et 9). Nous commençons par tirer les leçons du passé en examinant les taux de rentabilité des marchés financiers sur 100 ans. Nous abordons ensuite la définition du risque et montrons comment le risque peut être réduit par la diversification. Nous présentons le bêta, mesure classique du risque d'un titre financier.

Les thèmes de ce chapitre sont donc : la mesure du risque d'un portefeuille d'abord, celle d'une action individuelle ensuite, et enfin la diversification. Nous prendrons d'abord la perspective d'un investisseur individuel. Néanmoins, à la fin du chapitre, nous nous interrogerons sur l'intérêt de la diversification au niveau d'une entreprise.

1 Un siècle d'histoire boursière[1] en une leçon simple

Les analystes financiers bénéficient d'une énorme quantité d'informations sur les cours des actions, des obligations, des options, et des matières premières, et ce dans tous les pays. Nous nous limiterons à présenter les résultats d'une étude réalisée par Dimson, Marsh et Staunton mesurant les performances historiques de trois portefeuilles boursiers[2] :

1. Un portefeuille de bons du Trésor américain, c'est-à-dire de titres de créance à court terme émis par le gouvernement des États-Unis et dont l'échéance est inférieure à un an[3].

---

1. Les résultats présentés ici sont fondés sur des titres américains. Les marchés financiers européens ne peuvent se prévaloir d'un tel historique. Mais les résultats obtenus sur un siècle aux États-Unis sont les mêmes que ceux obtenus sur 30 ans en Europe.

2. Voir E. Dimson, P. R Marsh et M. Staunton, *Triumph of the Optimists : 101 Years of Investment Returns*, Princeton, NJ : Princeton University Press, 2002.

3. Les bons du Trésor ont été émis à partir de 1919. Avant cette date, le taux d'intérêt retenu était le taux des *commercial papers*.

2. Un portefeuille d'obligations d'État américaines.
3. Un portefeuille d'actions américaines (en fait, l'indice *Standards & Poors 500*, ou *S & P 500*).

Ces portefeuilles présentent différents degrés de risque. Les **bons du Trésor** constituent les placements les plus sûrs que l'on puisse effectuer. Il n'y a pas de risque de défaillance et leur échéance courte implique que leurs cours sont relativement stables. En fait, un investisseur qui souhaite prêter de l'argent pour, disons, trois mois peut bénéficier d'un rendement nominal certain s'il achète des bons du Trésor à échéance trois mois. Toutefois, il ne peut se garantir une rentabilité *en termes réels*, puisqu'il subsistera de l'incertitude concernant l'inflation.

En investissant dans des **obligations d'État à long terme**, l'investisseur va acheter des actifs dont la valeur varie en fonction des taux d'intérêt (une hausse des taux d'intérêt entraîne une chute du cours d'une obligation, et inversement une baisse des taux provoque une hausse du cours). Un investisseur qui vend ses obligations pour acheter des **actions** endosse une part des risques inhérents à l'activité de l'entreprise qui les émet. La figure 7.1 montre ce que vous auriez gagné si vous aviez investi 1 $ au début de l'année 1900 dans chacun de ces trois portefeuilles, avec réinvestissement de tous les dividendes et intérêts perçus[4]. La figure 7.2 est identique, à ceci près qu'elle illustre la croissance *en termes réels* des portefeuilles. Nous concentrerons nos commentaires sur les valeurs nominales.

Figure 7.1 - Évolution d'un investissement de 1 $ réalisé au début de 1900, en supposant le réinvestissement de tous les dividendes et intérêts.

Source : E. Dimson, P. R Marsh et M. Staunton, *Triumph of the Optimists : 101 Years of Investiment Returns*, Princeton, NJ : Princeton University Press, 2002. Les données actualisées ont été fournies par les auteurs.

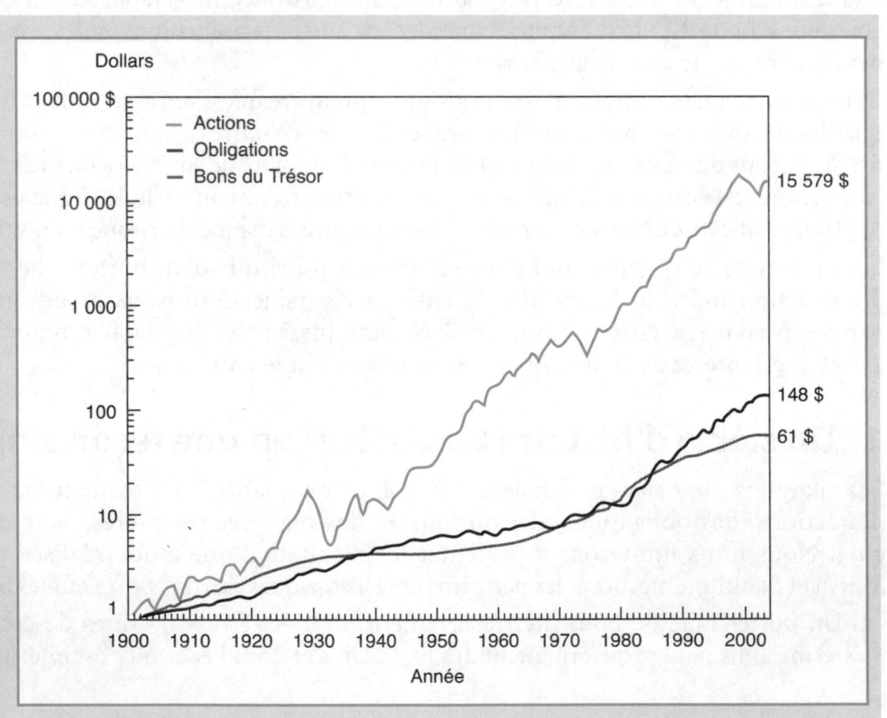

4. Les valeurs des portefeuilles sont représentées en utilisant une échelle logarithmique (sinon, les valeurs terminales des deux portefeuilles d'actions sortiraient du cadre de la page).

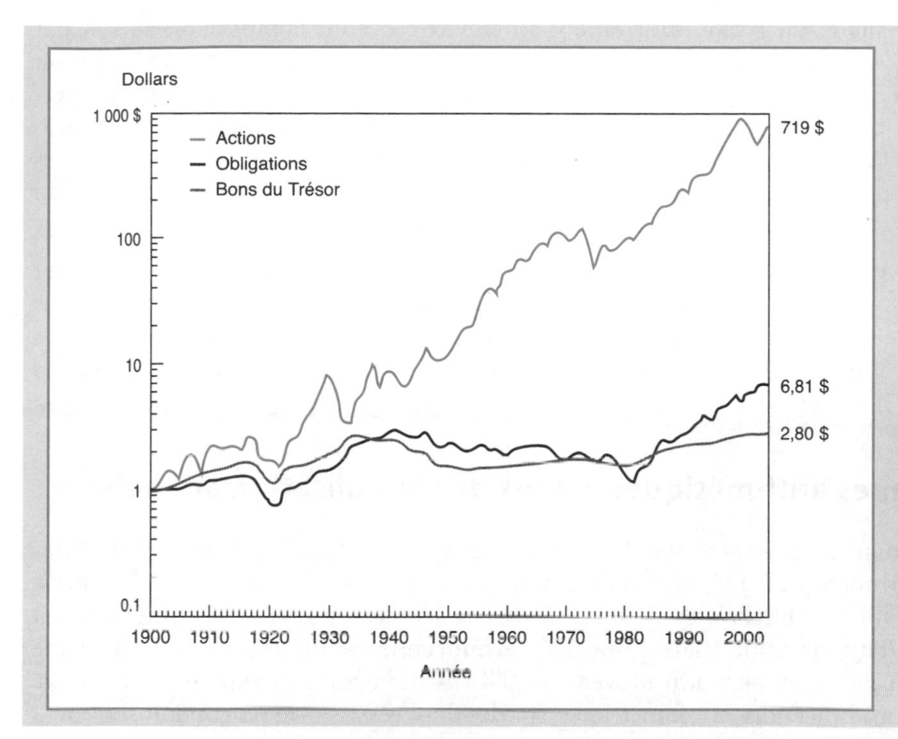

Figure 7.2 - Évolution en termes réels d'un investissement de 1 $ réalisé au début de 1900, en supposant le réinvestissement de tous les dividendes et intérêts. Comparez ce graphique à la figure 7.1, en notant comment l'inflation a érodé le pouvoir d'achat des investisseurs.

Source : E. Dimson, P. R Marsh et M. Staunton, *Triumph of the Optimists : 101 Years of Investiment Returns*, Princeton, NJ : Princeton University Press, 2002. Les données actualisées ont été fournies par les auteurs.

Les performances réalisées par les portefeuilles correspondent à l'intuition que nous pouvions avoir de leurs risques respectifs. Après un siècle d'investissement, les bons du Trésor ont transformé le dollar initial en 61 $: à peine de quoi compenser l'inflation. Un investissement en obligations d'État rapporte 148 $, et les actions crèvent le plafond. Un investisseur qui aurait placé un dollar dans les actions des plus grandes entreprises aurait touché 15 579 $.

Nous pouvons également calculer les taux de rentabilité de ces trois portefeuilles pour chacune des années de la période 1900-2003. Ce taux reflète à la fois les revenus en espèces, dividendes ou intérêts, et les plus-values ou moins-values durant l'année. Le tableau 7.1 détaille les moyennes des taux de rentabilité pour ces 104 années.

Tableau 7.1. Taux de rentabilité annuels moyens des bons du Trésor, des obligations d'État et des actions, 1900-2003 (en % par année)

Portefeuille*	Rentabilité annuelle moyenne		Prime de risque moyenne (par rapport aux bons du Trésor)
	Nominale	Réelle	
Bons du Trésor	4,1	1,1	0
Obligations d'État	5,2	2,3	1,2
Actions ordinaires	11,7	8,5	7,6

* Source : E. Dimson, P. R Marsh et M. Staunton, *Triumph of the Optimists : 101 Years of Investment Returns*, Princeton, NJ : Princeton University Press, 2002. Les données actualisées ont été fournies par les auteurs.

Les données de ce tableau, comme celles de tous les tableaux de ce chapitre, sont disponibles sur www.gestion financiere.pearsoned.fr

Depuis 1900, les bons du Trésor ont réalisé la rentabilité moyenne la plus faible : 4,1 % par an *en nominal*, 1,1 % par an *en termes réels*. Autrement dit, le taux d'inflation moyen durant cette période a légèrement dépassé 3 %. À nouveau, les actions ont réalisé la meilleure performance. Les actions de grandes sociétés présentent un taux de rentabilité moyen en nominal de 11,7 %. Ainsi, en acceptant de supporter le risque lié à l'achat de ces actions, les investisseurs ont touché une *prime de risque* de 11,7 – 4,1 = 7,6 % par rapport aux bons du Trésor.

Vous pourriez vous demander pourquoi nous utilisons une période aussi longue pour calculer les rentabilités moyennes. La raison en est que les fluctuations des taux de rentabilité d'une année à l'autre sont tellement importantes que les moyennes calculées sur des périodes courtes n'ont pas de sens. La seule manière de pouvoir dégager des leçons de l'historique des rentabilités est d'utiliser des très longues périodes[5].

1.1 Moyennes arithmétiques et taux de capitalisation annuels

Vous aurez remarqué que les rentabilités moyennes reprises dans le tableau 7.1 sont des moyennes arithmétiques. En d'autres termes, nous avons simplement fait la somme des 104 rentabilités annuelles, et divisé celle-ci par 104. La moyenne arithmétique est supérieure au taux de capitalisation moyen (ou moyenne géométrique) pour la même période. Le taux de capitalisation moyen sur 104 ans des actions est de 9,7 %[6]. L'usage des moyennes arithmétiques et géométriques sur des données historiques conduit souvent à des erreurs.

Supposons que l'action Sion-Dubois cote 100 €. La valeur de l'action dans un an est estimée à trois valeurs équiprobables : 90, 110 ou 130 €. Les rentabilités possibles sont donc de –10 %, +10 % ou +30 % (nous supposons qu'aucun dividende ne sera versé). *L'espérance de rentabilité* est donc (–10 % + 10 % + 30 %) / 3 = +10 %.

En menant le raisonnement à l'envers, c'est-à-dire en actualisant le cours attendu au taux de rentabilité espéré, nous retrouvons le prix de l'action :

$$\text{VA} = \frac{110}{1{,}10} = 100$$

5. Nous ne sommes pas sûrs que la période soit vraiment représentative, ni que la moyenne ne soit pas biaisée par quelques données extrêmes. La précision d'un estimateur de la moyenne est habituellement mesurée par l'*erreur type*. Par exemple, l'erreur type de notre estimation de la prime de risque des actions est de 2,0 %. Cela signifie qu'il y a 95 chances sur 100 que la vraie moyenne se situe à plus ou moins deux erreurs types de la moyenne de 7,6 %. En d'autres termes, en affirmant que la prime de risque des actions se situe entre 3,6 % et 11,6 %, vous auriez 95 chances sur 100 d'avoir raison. (*Note technique :* l'erreur type est égale à l'écart type divisé par la racine carrée du nombre d'observations. Dans notre cas, l'écart type est de 20,1 % et donc l'erreur type est de $20{,}1/\sqrt{104} = 2{,}3$.)

6. Ce chiffre est obtenu par $(1 + r)^{104} = 15\,579$, qui donne $r = 0{,}097$. (*Note technique :* si la distribution des rentabilités est lognormale, le taux de capitalisation annuel est égal à la moyenne arithmétique moins la moitié de la variance. Par exemple, l'écart type des rentabilités annuelles pour le marché américain est de l'ordre de 20 % ou 0,20. La variance est donc de $0{,}20^2$ soit 0,04. Le taux de capitalisation annuel est donc de 0,04 / 2 = 0,02, soit 2 points de pourcentage de moins que la moyenne arithmétique.)

L'espérance de rentabilité de 10 % est donc le taux d'actualisation correct pour actualiser les cash-flows espérés sur l'action. C'est le coût d'opportunité du capital qu'il faut utiliser pour des investissements de même risque que Sion-Dubois.

Supposons maintenant que nous disposions des rentabilités historiques de l'action Sion-Dubois. Si la distribution de probabilité est stable, nous aurons une rentabilité de -10 % pour un tiers des années, +10 % pour un autre tiers et +30 % pour les années restantes. La moyenne arithmétique de ces rentabilités annuelles sera donc :

$$\frac{-10\ \% + 10\ \% + 30\ \%}{3} = +10\ \%$$

Dans ce cas, la moyenne arithmétique donne une mesure correcte du coût d'opportunité d'un investissement de risque analogue à Sion-Dubois.

Le taux de capitalisation moyen est calculé comme suit :

$$(0{,}9 \times 1{,}1 \times 1{,}3)^{1/3} - 1 = 0{,}088, \text{ soit } 8{,}8\%$$

Il est *inférieur* au coût d'opportunité du capital : les investisseurs n'accepteront pas d'investir dans un projet qui offre une rentabilité espérée de 8,8 % s'ils peuvent attendre une rentabilité de 10 % sur le marché financier. La valeur actuelle nette d'un tel projet serait :

$$\text{VAN} = -100 + \frac{108{,}8}{1{,}1} = -1{,}1$$

Moralité : Si l'estimation du coût du capital est fondée sur des rentabilités historiques ou sur des primes de risque historiques, utilisez les moyennes arithmétiques et non les taux de capitalisation moyens[7].

1.2 L'usage de données historiques pour déterminer le coût du capital

Vous considérez un projet d'investissement dont vous *savez* – ne nous demandez pas comment – que le risque est identique à celui de l'indice S & P 500. Nous dirons qu'il a le même risque que le *portefeuille de marché* (encore qu'il s'agisse d'une approximation puisque cet indice boursier n'inclut pas tous les titres risqués). Quel taux d'actualisation devez-vous utiliser pour actualiser les cash-flows prévisionnels du projet ?

Vous devrez évidemment utiliser le taux correspondant à l'espérance de rentabilité du portefeuille de marché, c'est-à-dire la rentabilité à laquelle les investisseurs renonceront s'ils entreprennent le projet. Appelons cette espérance de rentabilité r_m. Une façon d'évaluer r_m est de supposer que l'avenir ressemblera au passé et que les investisseurs actuels vont s'attendre à recevoir les mêmes rentabilités « normales » que celles du tableau 7.1. Dans ce cas, un investisseur utilisera un taux d'actualisation de 11,7 %, soit la moyenne arithmétique des rentabilités passées.

7. Notre analyse présuppose que nous savons que les rentabilités de –10, +10 et +30 % sont équiprobables. Pour une étude de l'effet de l'incertitude sur la rentabilité espérée, voir I. A. Cooper, « Arithmetic Versus Geometric Mean Estimators : Setting Discount Rates for Capital Budgeting », *European Financial Management*, 2 (juillet 1996), pp. 157-167.

Malheureusement, cette façon de procéder *n'est pas la bonne* : l'espérance de rentabilité r_m n'est pas censée être stable dans le temps. Elle est la somme du taux d'intérêt sans risque r_f et d'une prime de risque. Or, nous savons que le taux d'intérêt sans risque r_f varie.

Si vous devez estimer la rentabilité espérée par des investisseurs, une approche plus précise consistera à prendre le taux d'intérêt sur les bons du Trésor et à rajouter 7,6 %, c'est-à-dire la prime de risque moyenne donnée dans le tableau 7.1. Par exemple, au moment où nous rédigeons ce paragraphe (fin 2005), le taux d'intérêt sur les bons du Trésor américain est de l'ordre de 3,8 %. En ajoutant la prime de risque moyenne, on obtient :

$$r_m\,(2005) = r_f\,(2005) + \text{Prime de risque moyenne}$$
$$= 0{,}038 + 0{,}076 = 0{,}114, \text{ ou } 11{,}4\ \%$$

Ce raisonnement repose sur une hypothèse cruciale, qui est que la prime de risque sur le portefeuille de marché est stable au fil du temps, et qu'ainsi, la prime de marché *future* peut être estimée par la moyenne des primes de risque passées.

Toutefois, même avec 104 années d'historique, nous ne pouvons pas estimer la prime de marché exactement. De même, nous ne pouvons pas être sûrs que les investisseurs d'aujourd'hui demandent la même rémunération pour leur risque que les investisseurs des années 1920 ou 1950. Cela laisse donc une très grande marge de discussion quant à la détermination du niveau *réel* de la prime de marché[8].

Pour beaucoup de financiers et d'économistes, les rentabilités passées, sur de longues périodes, représentent la meilleure mesure de la prime de marché. D'autres praticiens, raisonnant par instinct, estiment que les investisseurs n'exigent pas en fait une telle prime de marché pour investir dans des actions[9]. Dans un sondage récent réalisé auprès d'économistes, la plus grande part de l'échantillon mentionnait un chiffre compris entre 5,5 et 7 %[10]. La moyenne des estimations pour les directeurs financiers était à 6 %[11].

Si vous faites partie de ceux qui pensent que la prime de marché future sera bien inférieure aux moyennes historiques, alors vous estimez probablement que les investisseurs ont bénéficié d'un âge d'or. Deux raisons pourraient expliquer que tel est le cas.

---

8. Une des explications de ce débat tient simplement aux différentes façons de définir la prime de marché. Certains calculent la différence entre les rentabilités des actions et les taux de rendement des obligations d'État, puis en font la moyenne. D'autres calculent la différence entre le taux de capitalisation moyen des actions et les taux d'intérêt sur les emprunts d'État. Comme nous l'avons montré, cette dernière méthode n'est pas correcte pour calculer le coût du capital.
9. Derrière cette intuition, on peut proposer une explication théorique. L'existence d'une prime de marché élevée semble impliquer que les investisseurs ont une très grande aversion au risque. Si cela était vrai, on devrait s'attendre que les investisseurs réduisent leurs dépenses de consommation chaque fois que les cours des actions chutent et que leur richesse décroît. Mais les études montrent que lorsque les cours boursiers baissent, les investisseurs continuent à consommer quasiment au même niveau. Ce résultat n'est pas compatible avec l'hypothèse d'une grande aversion au risque et d'une prime de marché élevée. Voir R. Mehra, E. Prescott, « The Equity Premium : A Puzzle », *Journal of Monetary Economics*, 15 (1985), pp. 154-161.
10. Le chiffre de 7 % vient de I. Welch, « Views of Financial Economists on the Equity Premium and Other Issues », *Journal of Business*, 73 (octobre 2000), pp. 501-537. Dans une étude ultérieure, non publiée, d'Ivo Welch, la moyenne des estimations pour la prime de marché s'établit plus bas, à 5,5 %. Voir I. Welch, « The Equity Premium Consensus Forecast Revisited », Yale School of Management (septembre 2001).
11. Études conduites entre 2000 et 2003 et synthétisées dans J. R. Graham et C. R. Harvey, « Expectations of Equity Risk Premia, Volatility and Asymmetry From a Corporate Finance Perspective », working paper, Duke University, juillet 2003. Les directeurs financiers estimaient une prime de 3,8 % au-dessus des emprunts d'État à 10 ans, ce qui équivaut à une prime de 5,6 % au-dessus des bons du Trésor.

Première raison Depuis 1900, les États-Unis ont été l'un des pays les plus prospères du monde. D'autres économies ont connu des phases de récession ou ont été ravagées par la guerre. En se concentrant sur la rentabilité des actifs aux États-Unis, notre perception des attentes des investisseurs en général est sans doute biaisée. Peut-être que des moyennes historiques sous-estiment, ou ignorent, le fait que les États-Unis auraient aussi pu connaître de tels conflits ou de telles difficultés économiques.

La figure 7.3 illustre ce fait. Elle est extraite d'une étude de Dimson, Marsh et Staunton sur les rentabilités de marché dans 16 pays et montre la prime de risque moyenne pour chaque pays entre 1900 et 2003[12]. Rien n'indique que les investisseurs américains aient été particulièrement bien servis : les États-Unis se situent exactement à la moyenne des primes de marché.

Sur la figure 7.3, les actions danoises sont en queue de peloton avec une prime de risque moyenne de seulement 4,3 %. Sans conteste, le maillot jaune va à l'Italie avec une prime de 10,7 %. Certaines des différences nationales peuvent se refléter dans des primes de risque différentes. Par exemple, les actions italiennes ont été particulièrement volatiles, et les investisseurs ont demandé une rentabilité supérieure pour compenser ce risque. Il est toutefois très difficile d'estimer précisément ce surcroît de risque. Nous ne serons probablement pas très loin de la vérité si nous estimons que la prime de marché *espérée* est la même dans chaque pays.

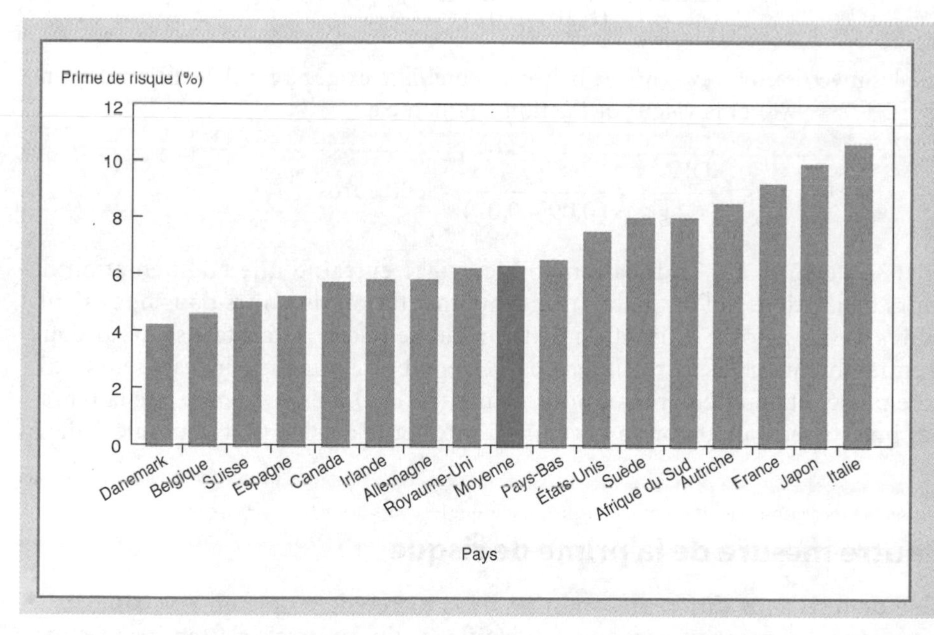

Figure 7.3 - Primes de marché moyennes (rentabilité nominale des actions moins rentabilité nominale des bons du Trésor) dans différents pays, 1900-2003.

Source : E. Dimson, P. R. Marsh et M. Staunton, *Triumph of the Optimist : 101 Years of Investment Returns*, Princeton, NJ : Princeton University Press, 2002. Les données actualisées sont fournies par les auteurs.

Deuxième raison Pendant plusieurs années, les cours des actions aux États-Unis ont augmenté plus vite que les dividendes et les bénéfices des entreprises. Par exemple, entre 1950 et 2000, le rendement des actions (dividende/cours) aux États-Unis a chuté de

12. Voir E. Dimson, P. R Marsh et M. Staunton, *Triumph of the Optimists : 101 Years of Investment Returns*, Princetone, NJ : Princetone University Press, 2002.

7,2 à 1,2 %. Il est improbable que les investisseurs aient prévu un déclin aussi brutal et donc une partie de la rentabilité réelle au cours de cette période était *inattendue*.

Certains croient que les faibles rendements d'actions à la fin du XXe siècle reflètent l'optimisme de la nouvelle économie qui aurait ouvert un âge d'or de prospérité et une brusque montée des profits. D'autres voient plutôt dans la réduction de la prime de risque de marché la principale explication de cette baisse du rendement. La croissance des fonds d'investissement a peut-être facilité la diversification des risques des individus ou peut-être les fonds de pension et autres institutions financières ont-ils trouvé qu'ils pouvaient également réduire leur risque en investissant une partie de leurs fonds à l'étranger. La capacité d'éliminer une plus grande partie des risques permet à ces investisseurs de se satisfaire d'un dividende plus faible.

Pour analyser comment une augmentation du cours des actions peut provenir d'une chute de la prime de risque, supposons que l'on s'attende à ce qu'une action rapporte un dividende de 12 € ($DIV_1 = 12$) l'année suivante. Le rendement de l'action est de 3 % et le dividende est censé croître indéfiniment à raison de 7 % par an ($g = 0,07$). Par conséquent, la rentabilité totale attendue par les investisseurs est de $r = 3 + 7 = 10$ %. On peut déterminer la valeur de l'action en insérant ces chiffres dans la formule à croissance constante présentée au chapitre 3 :

$$P = \frac{DIV_1}{(r - g)} = \frac{12}{(0{,}10 - 0{,}07)} = 400 \text{ euros}$$

Imaginez que les investisseurs révisent à la baisse la rentabilité exigée à $r = 9$ %. Le rendement tombe à 2 % (2 + 7 = 9 %) et la valeur de l'action augmente à :

$$P = \frac{DIV_1}{(r - g)} = \frac{12}{(0{,}09 - 0{,}07)} = 600 \text{ euros}$$

Ainsi une baisse de 10 % à 9 % de la rentabilité exigée entraîne une augmentation de 50 % du cours de l'action. Si l'on incluait cette augmentation du cours dans nos calculs des rentabilités passées, notre estimation de la prime de risque serait fausse, pour deux raisons. Premièrement, nous surestimerions la rentabilité que les investisseurs exigeaient par le passé. Et deuxièmement, nous ne mettrions pas en évidence que la rentabilité que les investisseurs exigeront à l'avenir est inférieure à celle qu'ils exigeaient dans le passé.

1.3 Une autre mesure de la prime de risque

Il est possible de tester nos différentes mesures de la prime de risque en revenant sur le modèle de croissance constante introduit au chapitre 4. On pourrait s'attendre à ce que, sur le long terme, les cours des actions suivent la croissance des dividendes. Dans ce cas, l'addition de la moyenne du rendement des actions et de la croissance moyenne de long terme des dividendes peut offrir un critère supplémentaire d'évaluation de la rentabilité du marché espérée. Depuis 1900, le rendement des actions aux États-Unis est en moyenne de 4,7 %, égal à la croissance annuelle des dividendes. Il semblerait que la rentabilité *espérée* du marché sur cette période ait été de 9,4 % soit environ 5,3 % de plus que le taux sans risque. C'est 2,3 % de moins que la prime de risque *effective* reportée dans le tableau 7.1[13].

Fama et French ont souligné que cette différence était essentiellement due à la chute brutale du rendement des actions pendant la seconde moitié du XXe siècle. Depuis 1950, le taux de dividende présente une moyenne inférieure à 3,9 % et la croissance annuelle des dividendes est de 5,4 %.

Ainsi, la rentabilité espérée du marché pendant cette période a été de 3,9 + 5,4 = 9,3 %, soit 4 % au-dessus du taux sans risque depuis 1950.

De toute cette discussion, il émerge une conclusion solide : ne faites jamais confiance à une personne qui prétend *savoir* quelle rentabilité les investisseurs demandent. Les données historiques nous fournissent des indices, mais il reste toujours la question de savoir si les investisseurs ont effectivement reçu ce qu'ils demandaient. De nombreux économistes s'appuient sur les données historiques et travaillent ainsi avec une prime de risque d'environ 7,5 %. Les autres utilisent une estimation plus faible. Brealey, Myers et Allen n'ont pas de position officielle sur le sujet mais ils pensent qu'une estimation entre 5 et 8 % est raisonnable pour les États-Unis[14].

2 La mesure du risque d'un portefeuille

Vous disposez maintenant de quelques repères. Vous connaissez le taux d'actualisation pour des projets sans risque, et vous disposez d'une estimation du taux d'actualisation pour les projets de « risque moyen ». Néanmoins, vous ignorez comment procéder avec des projets en dehors de ces deux cas simples. Pour cela, vous devez apprendre (1) comment mesurer le risque et (2) quelle est la relation entre le risque supporté et la prime de risque exigée.

La figure 7.4 présente les rentabilités annuelles du S & P 500 et de la Bourse de Paris au cours du XXe siècle. Aux États-Unis, la rentabilité annuelle la plus élevée a été de 57,6 % en 1933, une récupération partielle des pertes de 1929-1932. On constate aussi quatre années de pertes de plus de 25 %, le plus mauvais résultat étant –43,9 % en 1931. En France, la rentabilité des placements boursiers a été supérieure à 50 % quatre années (1941, 1983, 1986 et 1999), et cinq années ont donné lieu à des pertes supérieures à 25 %, la pire année du siècle pour les placements boursiers étant 1974 (–36 %).

Une autre façon d'illustrer ces données consiste à utiliser un histogramme (ou distribution de fréquences) comme celui de la figure 7.5. Cela met en évidence la variabilité des rentabilités annuelles qui se traduit par la grande dispersion des rentabilités observées.

---

13. On remarquera cependant que puisqu'il dépend de la prévision de croissance des dividendes, le modèle de croissance constante peut fournir des estimations de la prime de risque attendue qui sont soit supérieures soit inférieures à la prime réelle. Au chapitre 4, nous avons présenté une étude de Marston et Harris qui utilise le modèle de croissance constante pour estimer la prime de risque. L'étude, qui repose sur des prévisions d'analystes sur la croissance de long terme des bénéfices, estimait que la prime de risque attendue était de 9,3 %. Pourtant, nous avons souligné, toujours au chapitre 4, que les analystes avaient tendance à être excessivement optimistes dans leurs prévisions de bénéfices.

14. Thibierge *et al.* n'oseraient avoir une position officielle, mais pensent qu'une prime de 3 à 5 % est raisonnable pour l'Europe, *en se fondant sur les emprunts d'État à 10 ans*. Ce qui équivaudrait approximativement à une prime de 4 à 6,5 % par rapport aux bons du Trésor à moins d'un an.

Figure 7.4 - Le marché boursier : un investissement rentable mais très variable.

Source : Pour la France, série INSEE (Annuaire Statistique) puis SBF déflatée en prenant l'inflation telle qu'elle est représentée à la figure 3.6. Pour les États-Unis, E. Dimson, P. R. Marsh et M. Staunton, *Triumph of the Optimists : 101 Years of Investment Returns*, Princeton, NJ : Princeton University Press, 2002. Les données ont été actualisées par les auteurs.

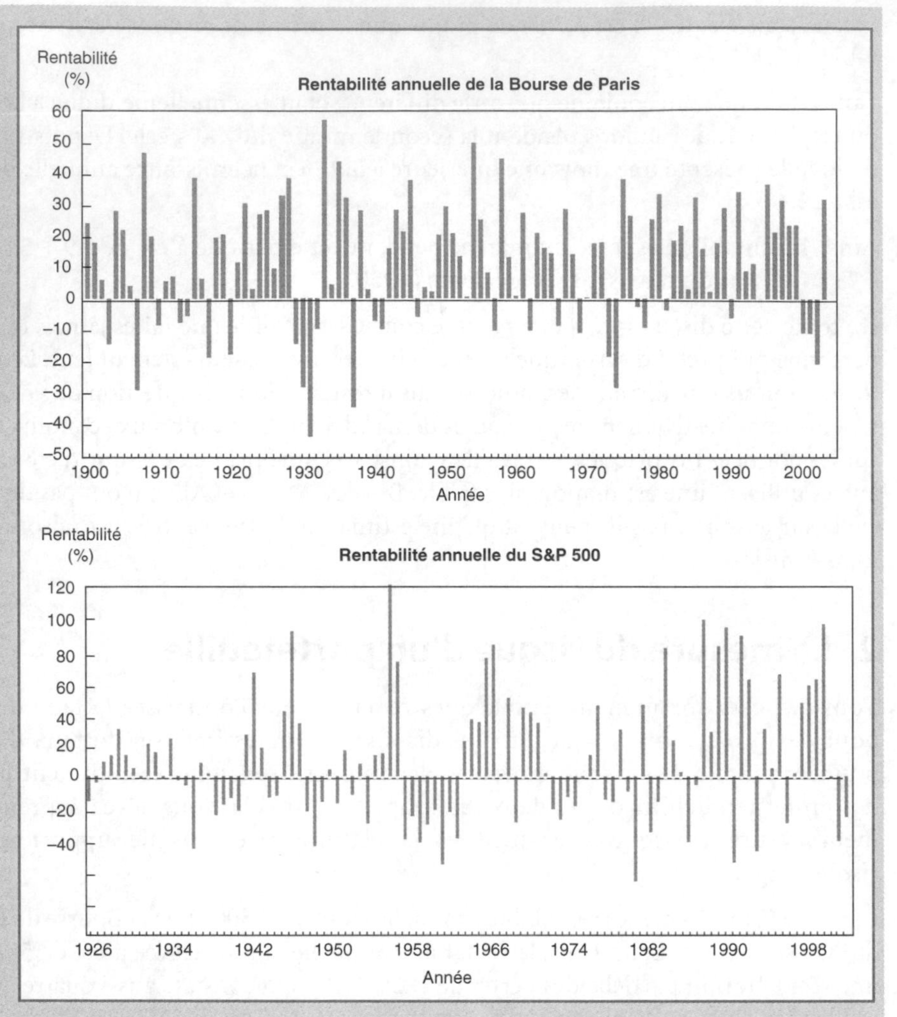

Figure 7.5 - Histogramme de la rentabilité annuelle du marché français, 1900-2003, qui illustre la grande étendue des rentabilités d'un placement en actions.

Source : série INSEE (Annuaire Statistique) puis SBF déflatée de l'inflation (telle qu'elle est représentée à la figure 3.6).

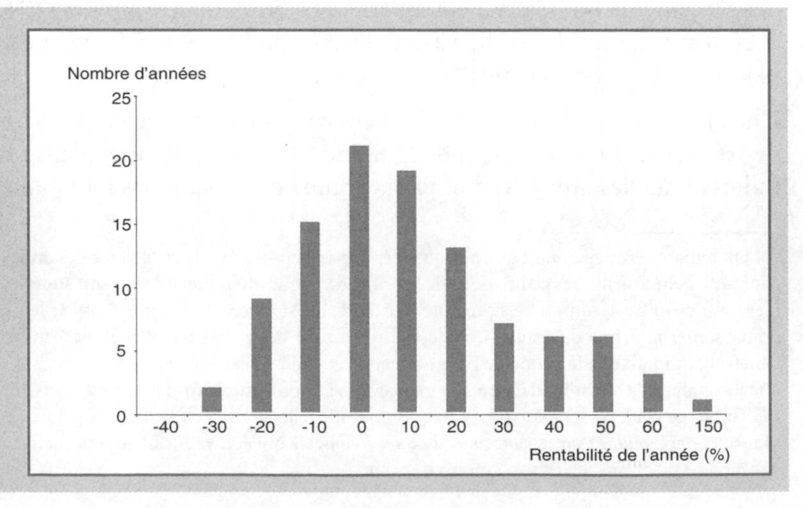

2.1 La variance et l'écart type

En statistique, les mesures de dispersion les plus connues sont la **variance** et l'**écart type.** La variance de la rentabilité du marché correspond à la moyenne des écarts au carré de la rentabilité par rapport à la moyenne. Autrement dit :

$$\text{Variance}(\tilde{r}_m) = \text{moyenne de } (\tilde{r}_m - r_m)^2$$

où $\tilde{r}_m$ est la rentabilité observée et r_m est la rentabilité attendue[15]. L'écart type est simplement la racine carrée de la variance :

$$\text{Écart type de } \tilde{r}_m = \sqrt{\text{Variance } (\tilde{r}_m)}$$

On note généralement l'écart type par σ et la variance par σ^2.

Voici un exemple très simple qui illustre la méthode de calcul de la variance et de l'écart type. Supposons que l'on vous propose de participer au jeu suivant. Au départ, vous investissez 100 €. Deux pièces de monnaie sont lancées. Pour chaque « Face », vous *gagnez* 20 % ; pour chaque « Pile », vous *perdez* 10 % de votre mise. Les quatre scénarii suivants sont donc équiprobables :

- Face + face : vous gagnez 40 %.
- Face + pile : vous gagnez 10 %.
- Pile + face : vous gagnez 10 %.
- Pile + pile : vous perdez 20 %.

Il y a 1 chance sur 4 (ou 0,25) que vous gagniez 40 %, 2 chances sur 4 (ou 0,50) que vous réalisiez +10 % et 1 chance sur 4 que vous perdiez 20 %. La rentabilité espérée de ce jeu est la moyenne pondérée des résultats possibles :

$$\text{Rentabilité espérée : } (0{,}25 \times 40\ \%) + (0{,}50 \times 10\ \%) + (0{,}25 \times 20\ \%) = +10\ \%$$

15. Encore un point technique : la variance d'un échantillon de rentabilités *observées* est calculée comme la somme des carrés des écarts à la moyenne, divisée par $N-1$, où N est le nombre d'observations. On divise par $N-1$ plutôt que N pour corriger ce que l'on appelle la *perte d'un degré de liberté.* La formule exacte est :

$$\text{Variance } (\tilde{r}_{mt}) = \frac{1}{N-1}\sum_{t=1}^{N}(\tilde{r}_{mt} - r_m)^2$$

où $\tilde{r}_{mt}$ = rentabilité du marché au cours de la période t et rm = moyenne des valeur de $\tilde{r}_{mt}$.

Le tableau 7.2 montre que la variance des taux de rentabilité est de 450 %. L'écart type est la racine carrée de 450 % soit 21 %. Comme cette donnée est exprimée dans les mêmes unités que le taux de rentabilité, nous pouvons dire que la variabilité de ce jeu est de 21 %.

Tableau 7.2. Jeu de pile ou face : calcul de la variance

(1) Rentabilité ($\tilde{r}$)	(2) Écart par rapport à la rentabilité attendue ($\tilde{r} - r$)	(3) Carré de l'écart $(\tilde{r} - r)^2$	(4) Probabilité	(5) Probabilité × Carré de l'écart
+40	+30	900	0,25	225
+10	0	0	0,50	0
–20	–30	900	0,25	225
			Variance = $E[\tilde{r} - r]^2$ =	450
			Écart type = $\sqrt{\text{Variance}} = \sqrt{450}$ =	21

Une manière de définir l'incertitude est de dire qu'il *peut* arriver plus de choses qu'il n'en arrivera *effectivement*. Le risque d'un actif peut être décrit, comme pour le jeu de pile ou face, en énumérant tous les résultats possibles, avec leurs probabilités. En pratique, c'est lourd, voire impossible à réaliser. Aussi, nous avons recours à la variance (ou à l'écart type) pour résumer l'étendue des résultats possibles[16].

Ces mesures sont des indicateurs naturels de risque[17]. Si le résultat du jeu de pile ou face avait été certain, l'écart type aurait été nul. Ici, l'écart type est positif parce que nous *ignorons* lequel des quatre scénarii arrivera.

Prenons maintenant un deuxième jeu identique au premier, sauf que « Face » donne +35 % et « Pile » entraîne une perte de 25 %. Là encore, quatre résultats sont équiprobables :

- Face + Face : vous gagnez 70 %.
- Face + Pile : vous gagnez 10 %.
- Pile + Face : vous gagnez 10 %.
- Pile + Pile : vous perdez 50 %.

La rentabilité attendue demeure de 10 %, mais l'écart type est deux fois plus grand que celui du premier jeu, soit 42 % contre 21 %. Cette mesure nous indique donc que ce jeu est deux fois plus risqué que le premier.

16. Le choix de la variance ou de l'écart type est affaire de convenance. Comme l'écart type est exprimé dans la même unité de mesure que les taux de rentabilité, cette mesure est plus aisée à utiliser. Cependant, lorsque nous analyserons la *part* du risque attribuable à un facteur, il sera plus simple de se fonder sur la variance.

17. Comme nous l'expliquons dans le chapitre 8, l'écart type et la variance constituent les mesures adéquates du risque si les rentabilités suivent une distribution normale.

2.2 La mesure de la variabilité

En principe, vous pourriez estimer la variabilité de tout portefeuille d'actions ou d'obligations en identifiant les résultats possibles, en attribuant une probabilité à chacun d'eux et en entreprenant la corvée des calculs. D'où viennent les probabilités ? Elles ne se trouvent pas dans les journaux ; les journalistes semblent même faire des efforts pour éviter de formuler des avis précis sur l'avenir des sociétés. Nous avons ainsi vu un titre : « Le prix des obligations pourrait subir de fortes variations à la hausse ou à la baisse. » Les conseillers financiers font de même. Si vous demandez un avis sur l'évolution des marchés, vous obtiendrez probablement une réponse comme celle-ci :

Le marché semble ces jours-ci dans une phase de consolidation. À moyen terme, nous serions optimistes, si le redressement économique se poursuit. Le marché pourrait être à +20 % dans un an, voire plus si l'inflation régresse. D'un autre côté, [...]

L'oracle de Delphes donnait des conseils, jamais des probabilités.

La plupart des analystes financiers commencent par observer la variabilité passée. Même si le passé est censé ne rien nous apporter, il est raisonnable de supposer que les portefeuilles dont la variabilité a été élevée dans le passé sont aussi ceux dont la rentabilité future sera difficile à prévoir.

Voici les écarts types et les variances observés pour nos trois portefeuilles au cours de la période 1900-2003[18]:

Portefeuille	Écart type (σ)	Variance (σ²)
Bons du Trésor	2,8	7,9
Obligations d'État	8,2	68,0
Actions	20,1	402,6

Comme prévu, les bons du Trésor sont les titres les moins variables, et les actions sont les plus volatiles. Les obligations occupent une position intermédiaire.

Il peut être amusant de comparer le jeu de pile ou face à un investissement en actions. Le marché boursier a offert une rentabilité moyenne de 11,7 % avec un écart type de 20,1 %. Notre jeu offre 10 % et 21 % respectivement, soit une espérance de rentabilité légèrement inférieure pour un écart type semblable. Vos amis joueurs ont peut-être découvert un modèle rudimentaire du marché des actions.

La figure 7.6 compare les écarts types de la rentabilité d'un investissement en actions dans 16 pays au cours des 104 dernières années. Le Canada occupe la tranche basse de la fourchette avec un écart type de 16,8 % alors que la plupart des pays se regroupent autour des 20 %.

18. Lorsque vous analysez le risque des *obligations*, soyez attentif à bien préciser la période et le type de rentabilité (en termes nominaux ou réels). La rentabilité *nominale* d'une obligation détenue jusqu'à l'échéance est certaine ; en d'autres termes, il n'y a aucun risque, hormis l'inflation. Après tout, l'État peut toujours imprimer de la monnaie pour rembourser ses dettes. En revanche, la rentabilité réelle est incertaine car le pouvoir d'achat futur de la monnaie n'est pas connu d'avance. Les rentabilités des obligations ont été mesurées annuellement. Les rentabilités reflètent les changements des prix des obligations d'une année sur l'autre ainsi que la variation des coupons perçus. Les rentabilités sur un an des obligations à long terme sont risquées tant en termes réels qu'en termes nominaux.

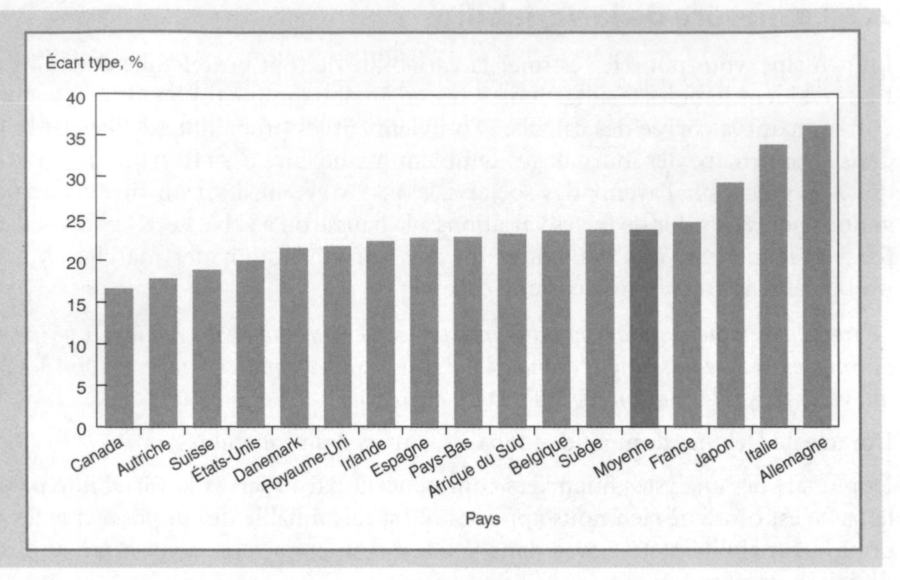

Figure 7.6 - Le risque (écart type des rentabilités annuelles) des marchés dans le monde, 1900-2003.

Source : E. Dimson, P. R. Marsh et M. Staunton, *Triumph of the Optimists : 101 Years of Investment Returns*, Princeton, NJ : Princeton University Press, 2002. Les données ont été actualisées par les auteurs.

Bien sûr, il n'y a aucune raison de croire que la variabilité du marché est restée inchangée au cours du siècle dernier. Par exemple, l'Allemagne, l'Italie et le Japon ont aujourd'hui des économies et des marchés beaucoup plus stables qu'avant et pendant la Seconde Guerre mondiale. Comme vous pouvez le voir sur le tableau qui suit, la volatilité aux États-Unis est elle aussi moins élevée qu'elle ne l'a été au cours de la grande dépression des années 1930[19].

Période	Écart type du marché (σ_m)
1931-1940	37,8
1941-1950	14,0
1951-1960	12,1
1961-1970	13,0
1971-1980	15,8
1981-1990	16,5
1991-2003	14,8

19. Ces estimations sont fondées sur des données *mensuelles*. Les observations annuelles sont insuffisantes pour estimer la variabilité sur dix ans. Nous convertissons la variance mensuelle en une variance annuelle en la multipliant par 12. Autrement dit, la variance mensuelle est le douzième de la variance annuelle. Plus la période de détention est longue, plus le risque est élevé. Cette conversion repose sur l'hypothèse que les rentabilités mensuelles successives sont statistiquement indépendantes. Il s'agit, comme nous le verrons au chapitre 13, d'une hypothèse acceptable. Comme la variance est proportionnelle à la longueur de l'intervalle de temps utilisé pour la mesure de la rentabilité, l'écart type est proportionnel à la racine carrée de la longueur de cet intervalle.

Les chiffres ne confirment pas le sentiment très répandu que les marchés boursiers ont été très volatils durant les années 1980 et le début des années 1990. Cette période est plutôt caractérisée par des volatilités inférieures à la moyenne historique.

Il y a eu cependant de brèves périodes de volatilité très élevée. En ce lundi noir du 19 octobre 1987, l'indice boursier a chuté de 23 % *en un seul jour*. L'écart type du marché pour les semaines autour de cette date est équivalent à 89 % par an. Heureusement, la volatilité a retrouvé des niveaux plus normaux quelques semaines après le krach.

2.3 Comment la diversification réduit le risque

Nous pouvons calculer la variance et l'écart type aussi bien pour des titres individuels que pour des portefeuilles. Bien sûr, la variabilité calculée sur une très longue période présente moins d'intérêt pour des sociétés que pour un portefeuille de marché : peu de sociétés supportent aujourd'hui le même type de risque qu'en 1900.

Le tableau 7.3 donne les estimations des écarts types des rentabilités annuelles de dix grandes sociétés françaises, calculés sur une période de 5 ans[20]. Ces écarts types vous paraissent élevés ? Ils le devraient : l'écart type du portefeuille de marché français était, d'après nos calculs, d'environ 20 % sur la même période. Parmi nos actions, seules deux ont un écart type inférieur à ce chiffre. Alcatel a été presque trois fois plus variable que le marché.

Tableau 7.3. Écart type de quelques actions françaises, janvier 2000-janvier 2005 (en % par an)

Action	Écart type (σ)
AGF	26,23
Alcatel	56,20
Bouygues	32,31
Crédit Agricole	17,99
Lagardère	35,67
LVMH	27,62
Michelin	23,58
Peugeot	19,81
Publicis	39,38
Société Générale	22,05

Jetez aussi un œil sur le tableau 7.4, qui donne les écarts types de quelques actions et de leurs marchés boursiers nationaux. Certaines actions sont plus volatiles que d'autres, mais vous pouvez constater encore une fois que les titres individuels sont plus volatils que les marchés.

Cela soulève une question importante : le portefeuille de marché étant composé d'actions individuelles, sa variabilité ne devrait-elle pas refléter la moyenne des variabilités de ses composantes ? En fait, non, car *la diversification réduit la variabilité*.

20. Ces écarts types sont aussi calculés à partir de données mensuelles.

Tableau 7.4. Écart type de quelques actions et marchés boursiers nationaux, janvier 1999-décembre 2003 (en % par an)

Action	Écart type (σ)	Marché	Écart type (σ)
Alcan	30,2	Canada	15,6
BP Amoco	23,9	Royaume-Uni	15,9
Deutsche Bank	38,1	Allemagne	24,6
Fiat	32,7	Italie	21,2
Heineken	19,9	Pays-Bas	20,4
LVMH	42,00	France	21,4
Nestlé	15,5	Suisse	15,6
Nokia	54,00	Finlande	40,3
Sony	47,5	Japon	17,9
Telefonica de Argentina	83,00	Argentine	42,5

Même une petite diversification peut donner une réduction importante de la variabilité. Supposons que vous calculiez l'écart type de portefeuilles d'actions tirées au hasard et comprenant 1 action, puis 2 actions, puis 5 actions, etc. Les actions seraient, dans une forte proportion, des actions de petites sociétés, très risquées si elles sont prises individuellement. La figure 7.7 montre cependant que la diversification peut réduire de moitié la variabilité des rentabilités. De plus, une réduction déjà importante peut être obtenue avec un portefeuille comprenant relativement peu d'actions : l'écart type du portefeuille ne diminue presque plus lorsque le nombre de titres dépasse 20 ou 30.

Figure 7.7 - Le risque (écart type) de portefeuilles constitués au hasard, en fonction du nombre d'actions choisies (à la Bourse de New York). La diversification réduit le risque, d'abord rapidement, puis plus lentement.

Source : M. Statman, « How Many Stocks Make a Diversified Portfolio ? », *Journal of Financial and Quantitative Analysis*, 22 (septembre 1987), pp. 353-363.

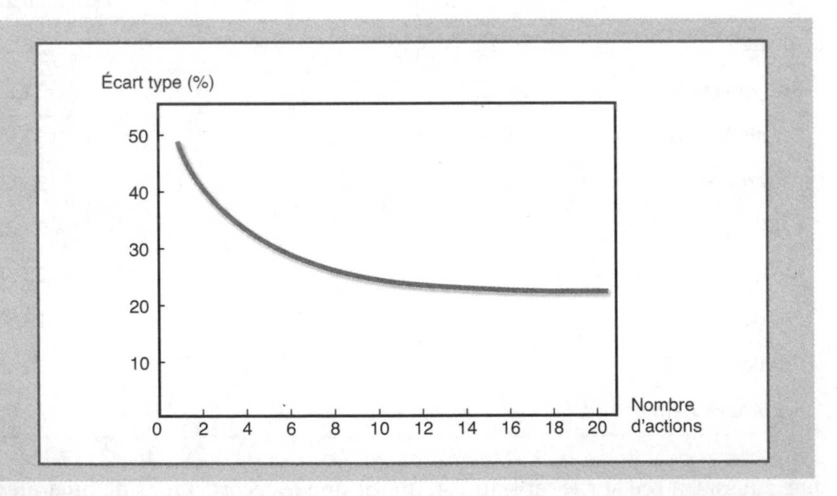

La diversification est efficace parce que les cours des actions n'évoluent pas exactement de conserve. En termes statistiques, on dit que *les cours des actions sont imparfaitement corrélés*. Regardez, par exemple, la figure 7.8. Le cadre du haut montre les rentabilités de l'action Lagardère. Le cadre du milieu montre les fluctuations de Vinci. À plusieurs reprises, une hausse de la valeur d'une action était compensée par une baisse du cours de l'autre[21].

21. Durant cette période, le coefficient de corrélation entre les rentabilités de ces actions a été de –0,008.

On pouvait donc réduire son risque en diversifiant son portefeuille dans ces deux actions. La figure 7.8 montre que, si vous aviez réparti votre investissement également entre les deux actions, la variabilité du portefeuille résultant aurait été significativement plus faible que celle d'un investissement dans l'une ou l'autre de ces actions[22].

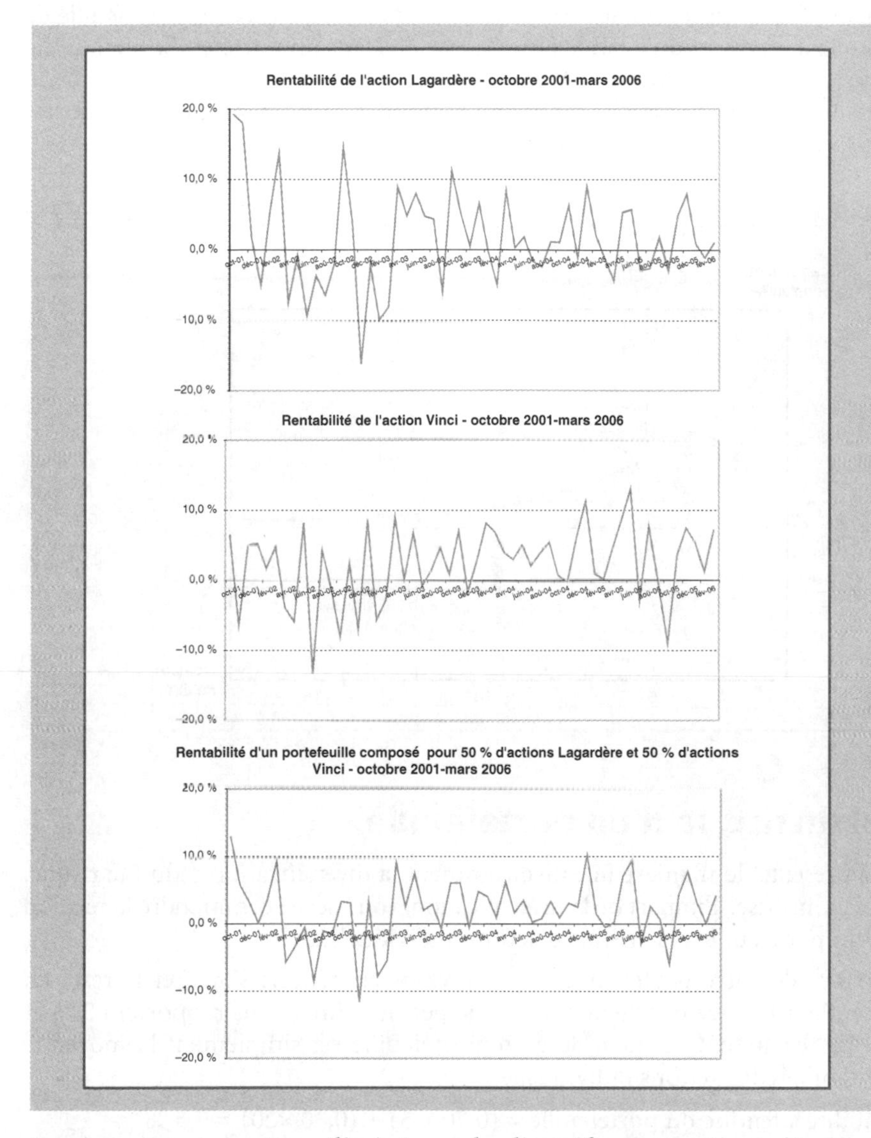

Figure 7.8 - La volatilité d'un portefeuille constitué, à parts égales, d'actions Vinci et Lagardère aurait été inférieure à la volatilité moyenne des actions individuelles. Les rentabilités vont d'octobre 2001 à mars 2006.

Le risque pouvant être éliminé par la diversification est appelé **risque spécifique**. Il découle du fait que la plupart des périls auxquels fait face une entreprise lui sont propres (mais elle peut les partager avec ses concurrents immédiats). Par opposition, il existe un risque que l'on ne peut éviter, même si on se diversifie le plus possible. Il résulte des périls qui peuvent affecter l'ensemble de l'économie, et qui menacent ainsi toutes les entreprises.

22. Les écarts types des rentabilités de Lagardère et Vinci étaient respectivement de 35,67 % et 15,33 %. L'écart type d'un portefeuille moitié-moitié aurait été de 19,35 %.

Cela explique pourquoi les cours des actions tendent à évoluer dans le même sens. C'est ainsi que les investisseurs ne peuvent échapper au risque systématique (d'où son nom), même en se diversifiant avec un nombre important de titres.

Dans la figure 7.9, nous avons scindé le risque dans ces deux composantes. Si vous ne détenez qu'une action, le risque spécifique se révèle très important ; mais avec un portefeuille de plus de 20 actions, la diversification a fait le gros du travail. Dans un portefeuille bien diversifié, seul le risque systématique importe. Ainsi, la principale source d'incertitude pour un investisseur diversifié sera que le marché monte ou s'effondre, entraînant avec lui le portefeuille de l'investisseur.

Figure 7.9 - La diversification élimine le risque spécifique. Cependant il subsiste un risque qui ne peut être éliminé par la diversification : le risque systématique (risque non diversifiable).

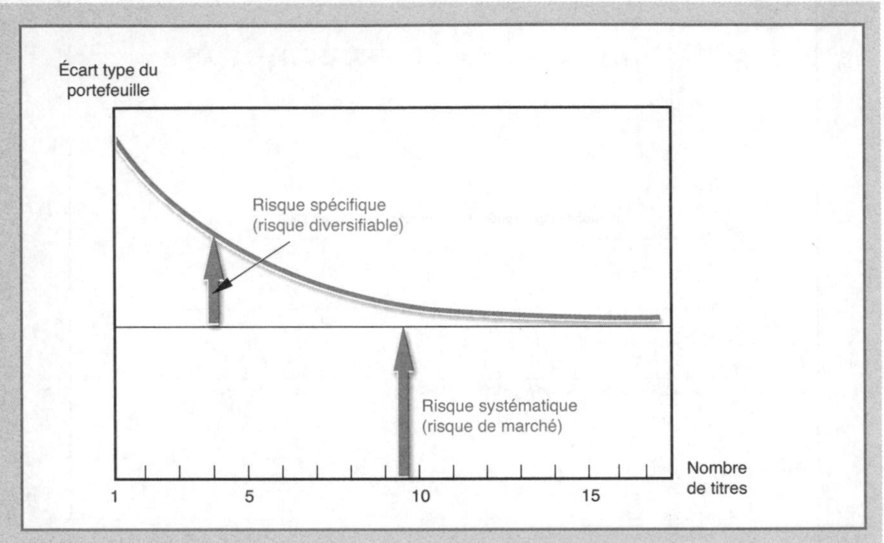

3 Le calcul du risque d'un portefeuille

Nous vous avons présenté de manière intuitive comment la diversification réduit le risque. Toutefois, pour bien maîtriser l'impact de la diversification, vous devez comprendre la relation entre le risque d'un portefeuille et le risque d'actions individuelles.

Supposons que 70 % de votre portefeuille soient investis en actions Vinci, et le reste en actions Lagardère. Pour l'année qui vient, vous anticipez que Vinci vous rapportera 5 % et Lagardère 20 %. La rentabilité attendue de votre portefeuille est simplement la moyenne pondérée des rentabilités des actions individuelles :

$$\text{Rentabilité attendue du portefeuille} = (0{,}70 \times 5) + (0{,}30 \times 20) = 9{,}5\ \%$$

La difficulté consiste à estimer le risque du portefeuille. Historiquement, l'écart type de la rentabilité de Vinci était de 15 %, et de 36 % pour Lagardère. Vous pensez que ces chiffres donnent une bonne estimation de la variabilité *future* des rentabilités. Votre première approche pourrait être de supposer que l'écart type du portefeuille est la moyenne pondérée des écarts types des actions individuelles soit $(0{,}7 \times 15) + (0{,}3 \times 36) = 21{,}3\ \%$. Cela ne sera correct qu'à la condition que les cours des actions varient de manière strictement proportionnelle. Dans tous les autres cas, la diversification réduira le risque du portefeuille, qui sera alors inférieur à ce chiffre.

La technique de calcul du risque d'un portefeuille de deux actions est donnée dans la figure 7.10. Vous devez remplir quatre cases. Pour remplir la case supérieure gauche, vous devez pondérer la variance de la rentabilité de l'action 1 (σ_1^2) par le *carré* de la proportion investie (x_1^2) dans cette action. De même, pour remplir la case inférieure droite, vous devez pondérer la variance de la rentabilité de l'action 2 (σ_2^2) par le *carré* de la proportion investie dans l'action 2 (x_2^2).

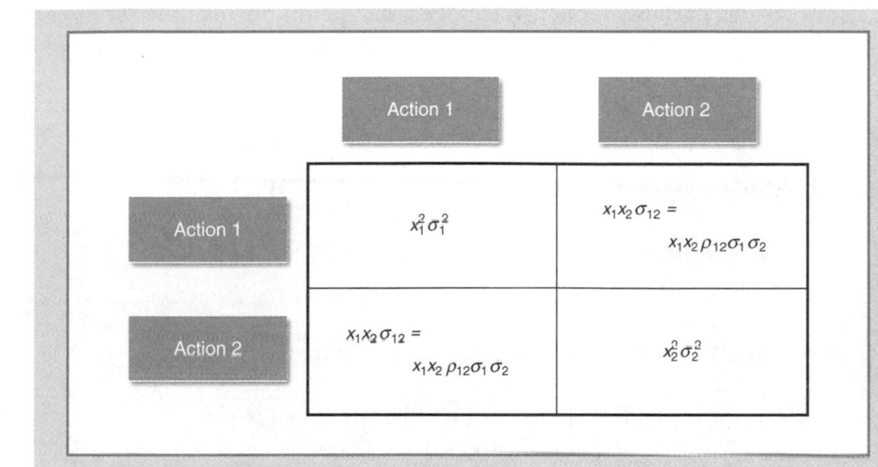

Figure 7.10 - La variance d'un portefeuille composé de deux actions est la somme de ces quatre cases. x_1 et x_2 sont les proportions investies dans les actions 1 et 2 ; σ_1^2 et σ_2^2 sont les variances des rentabilités ; σ_{12} est la covariance des rentabilités ($\rho_{12}\sigma_1\sigma_2$) ; ρ_{12} est le coefficient de corrélation entre les rentabilités des actions 1 et 2.

Les valeurs de ces deux cases dépendent donc des variances des actions 1 et 2 ; celles des deux autres cases ont trait à leur **covariance**. Comme vous pouvez le deviner, la covariance mesure le degré selon lequel les rentabilités des deux actions *covarient* (varient dans le même sens). Elle est égale au produit du coefficient de corrélation ρ_{12} et des deux écarts types des rentabilités[23]:

$$\text{Covariance entre les actions 1 et 2} = \sigma_{12} = \rho_{12}\,\sigma_1\,\sigma_2$$

La plupart des actions évoluent dans le même sens. Ici, le coefficient de corrélation ρ_{12} est positif et, donc, la covariance est aussi positive. S'il n'existe aucun lien entre les variations des cours, le coefficient de corrélation et la covariance seront nuls. Enfin, si les actions tendent à varier dans des directions opposées, le coefficient de corrélation et la covariance seront négatifs. Pour remplir les deux cases restantes, comme dans le cas des variances, vous devrez pondérer la covariance par le *produit* des deux proportions des titres x_1 et x_2.

23. Une autre définition de la covariance est la suivante :

$$\text{Covariance entre les actions 1 et 2} = \sigma_{12} = \text{Espérance de } (\tilde{r}_1 - r_1) \times (\tilde{r}_2 - r_2)$$

Remarquez que la variance d'une action est égale à sa covariance avec elle même :

$$\sigma_{11} = \text{Espérance de } (\tilde{r}_1 - r_1) \times (\tilde{r}_1 - r_1) = \text{Espérance de } (\tilde{r}_1 - r_1)^2 = \text{Variance de l'action 1} = \sigma_1^2$$

Une fois les quatre cases remplies, additionnez simplement leur contenu pour obtenir la variance du portefeuille :

$$\text{Variance du portefeuille} = x_1^2 \sigma_1^2 + x_2^2 \sigma_2^2 + 2\, x_1 x_2 \rho_{12} \sigma_1 \sigma_2$$

L'écart type du portefeuille est, bien entendu, égal à la racine carrée de la variance.

Appliquons cette méthode au cas de Vinci et Lagardère. Nous avons indiqué antérieurement que si les deux actions étaient parfaitement corrélées, l'écart type du portefeuille serait égal à la moyenne pondérée des écarts types. Vérifions ce résultat en inscrivant les valeurs correspondantes dans les cases avec $\rho_{12} = +1$

	Vinci	Lagardère
Vinci	$x_1^2\sigma_1^2 = (0,7)^2 \times (15)^2$	$x_1 x_2 \rho_{12} \sigma_1 \sigma_2 =$ $0,7 \times 0,3 \times 1 \times 15 \times 36$
Lagardère	$x_1 x_2 \rho_{12} \sigma_1 \sigma_2 =$ $0,7 \times 0,3 \times 1 \times 15 \times 36$	$x_2^2\sigma_2^2 = (0,3)^2 \times (36)^2$

La variance de votre portefeuille est la somme de ces quatre valeurs :

$$\text{Variance du portefeuille} = [(0,7)^2 \times (15)^2] + [(0,3)^2 \times (36)^2] + 2 \times (0,7 \times 0,3 \times 1 \times 15 \times 36) = 453,69$$

L'écart type est de $\sqrt{453,69} = 21,3$ %, soit 30 % de la distance entre 15 et 36.

Mais Vinci et Lagardère n'évoluent pas exactement ensemble. Pour autant que le passé soit un bon guide, le coefficient de corrélation entre les deux actions est de –0,008. Si nous refaisons le même exercice avec $\rho_{12} = -0,008$, nous obtenons :

$$\text{Variance du portefeuille} = [(0,7)^2 \times (15)^2] + [(0,3)^2 \times (36)^2] + 2 \times (0,7 \times 0,3 \times -0,008 \times 15 \times 36) = 225,08$$

L'écart type est de $\sqrt{225,08} = 15,00$ %. Le risque est maintenant inférieur à la moyenne pondérée des écarts types. En fait, il est très proche du risque d'un investissement à 100 % dans Vinci.

Le meilleur résultat est obtenu lorsque les deux actions sont parfaitement corrélées négativement. C'est toutefois très rare. Pour prendre un exemple caricatural, considérons le cas d'une corrélation parfaite négative ($\rho_{12} = -1$) entre Vinci et Lagardère. Dans cette situation :

$$\text{Variance du portefeuille} = [(0,7)^2 \times (15)^2] + [(0,3)^2 \times (36)^2] + 2 \times (0,7 \times 0,3 \times -1 \times 15 \times 36) = 0,09$$

C'est-à-dire que le risque a presque disparu… On pourrait le faire disparaître totalement, en modifiant très légèrement les poids de chaque titre dans le portefeuille, car les titres sont parfaitement corrélés négativement[24]. Dommage qu'il n'existe pas de corrélations négatives parfaites entre actions !

24. Comme l'écart type de Lagardère est égal à 2,4 fois celui de Vinci, vous devrez investir en Vinci 2,4 fois la fraction investie dans Lagardère de manière à éliminer le risque de ce portefeuille. Ici, il conviendrait donc d'investir 29,41 % du portefeuille en Lagardère et le reste en Vinci.

3.1 La formule générale de calcul du risque d'un portefeuille

La méthode présentée pour des portefeuilles de deux titres peut s'étendre aisément à plusieurs titres. Il suffit de remplir un plus grand nombre de cases. Celles se trouvant sur la diagonale – les cases grisées de la figure 7.11 – contiennent les variances multipliées par le carré des proportions investies. Les autres cases contiennent les covariances multipliées par le produit des proportions investies[25].

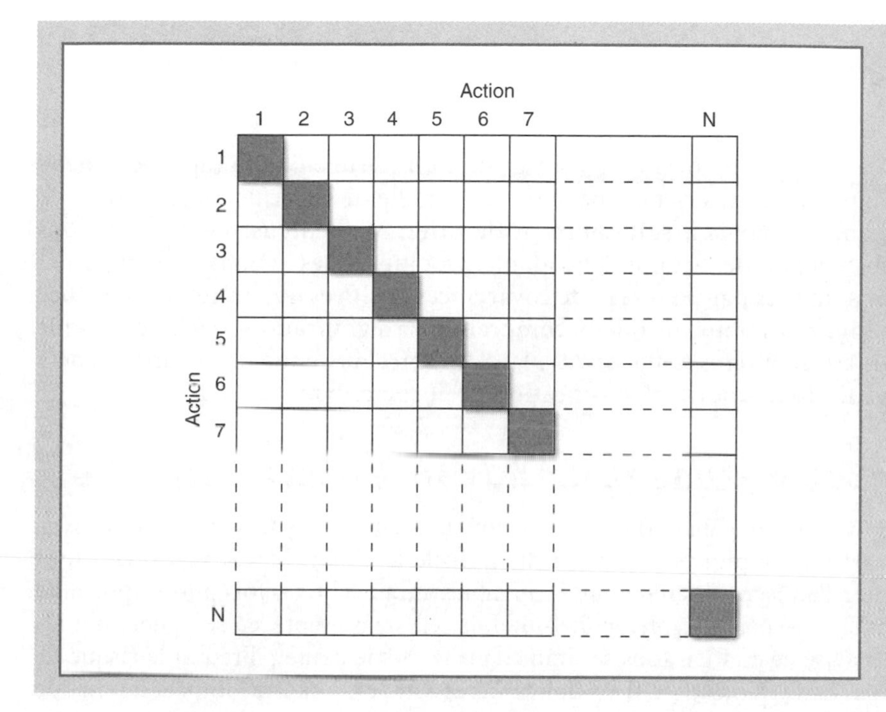

Figure 7.11 - Pour obtenir la variance d'un portefeuille composé de N actions, on additionne les éléments d'une matrice comme celle-ci. Les éléments de la diagonale contiennent les termes en variance ($x_i^2\sigma_i^2$) ; les autres cases reprennent les termes en covariance ($x_i x_j \sigma_{ij}$).

3.2 Les limites de la diversification

Regardez la figure 7.11 : l'importance des covariances augmente à mesure que nous ajoutons des titres au portefeuille. Dans un portefeuille de deux titres, nous obtenons un nombre égal de cases de variances et de covariances. Lorsque le nombre de titres est élevé, le nombre de covariances dépasse toutefois largement le nombre de variances. Il s'ensuit que *la variabilité d'un portefeuille bien diversifié résulte des covariances.*

Prenons des portefeuilles comportant des investissements égaux dans N actions. La proportion investie dans chaque action est donc de $1/N$. Dans chacune des cases de variance, nous

25. La formule mathématique équivalente à l'addition des cases est :

$$\text{Variance du portefeuille} = \sum_{i=1}^{N}\sum_{j=1}^{N} x_i x_j \sigma_{ij}$$

Remarquez que pour $i = j$, σ_{ij} est la variance de l'action i.

aurons $(1/N)^2$ fois la variance, et dans chacune des cases de covariance, nous aurons $(1/N)^2$ fois la covariance. Il y a N cases de variance et $N^2 - N$ cases de covariance. Ainsi :

$$\begin{aligned}\text{Variance du portefeuille} &= N\left(\frac{1}{N}\right)^2 \times \text{Variance moyenne} \\ &+ (N^2 - N)\left(\frac{1}{N}\right)^2 \times \text{Covariance moyenne} \\ &= \frac{1}{N} \times \text{Variance moyenne} + \left(1 - \frac{1}{N}\right) \times \text{Covariance moyenne}\end{aligned}$$

Remarquez qu'avec l'augmentation de N, la variance du portefeuille se rapproche de la covariance moyenne. Si la covariance moyenne était nulle, il serait possible d'éliminer *totalement* le risque en détenant suffisamment de titres. Malheureusement, les actions évoluent ensemble, et non de façon indépendante. La plupart des actions que l'investisseur peut acheter sont liées par un réseau de covariances positives qui limitent le bénéfice de la diversification. Nous pouvons mieux comprendre la signification précise du risque systématique qui apparaît dans la figure 7.9 : la covariance moyenne détermine le **socle de risque** qui subsiste après que la diversification a fait son œuvre.

4 La contribution d'une action au risque d'un portefeuille

Nous vous avons présenté plus haut des données sur la variabilité de dix actions françaises. Alcatel avait l'écart type le plus élevé, et Crédit Agricole le plus faible. Si vous aviez tout investi dans Alcatel, l'ampleur des rentabilités possibles aurait été trois fois plus importante que pour Crédit Agricole détenu isolément. Toutefois cela ne présente, en soi, guère d'intérêt : l'investisseur avisé ne met pas tous ses œufs dans le même panier, il réduit le risque de son portefeuille par la diversification. Il est donc intéressant de connaître l'impact de chaque action sur le risque du portefeuille.

Cela nous amène à l'un des thèmes principaux de ce chapitre : *le risque d'un portefeuille bien diversifié dépend du risque systématique des actions constituant le portefeuille.* Tatouez cette phrase sur votre front si c'est là le seul moyen de la retenir. Elle représente l'une des idées les plus importantes de cet ouvrage.

4.1 Le risque de marché est mesuré par le bêta

Pour connaître la contribution de chaque action au risque d'un portefeuille diversifié, rien ne sert de raisonner sur le risque de cette action prise isolément : vous devez mesurer son risque systématique. Cela revient, en définitive, à mesurer la sensibilité de l'action par rapport aux mouvements du marché. Cette mesure de sensibilité est appelée **bêta** (β).

Les actions ayant un β supérieur à 1 ont tendance à amplifier les mouvements généraux du marché. Celles dont le β est compris entre 0 et 1 tendent à suivre le marché, mais avec une amplitude moindre. Enfin, le marché étant un portefeuille constitué de toutes les actions, le bêta d'une action « moyenne » vaut 1,0. Le tableau 7.5 liste les bêta de dix actions françaises.

Tableau 7.5. Bêta de quelques actions françaises, janvier 2000-janvier 2005

Action	Bêta (β)
AGF	1,09
Alcatel	2,50
Bouygues	1,44
Crédit Agricole	0,85
Lagardère	1,44
LVMH	1,18
Michelin	0,72
Peugeot	0,60
Publicis	1,82
Société Générale	0,95

Entre 2000 et 2004, Alcatel avait un bêta de 2,50. Si le futur ressemble au passé, cela signifie qu'*en moyenne*, quand le marché augmentera de 1 %, l'action Alcatel augmentera de 2,50 %. Si le marché baisse de 2 %, Alcatel perdra 2 × 2,50 = 5,00 %. Ainsi, la droite qui ajuste les rentabilités d'Alcatel par rapport aux rentabilités du marché aura une pente de 2,50 comme le montre la figure 7.12.

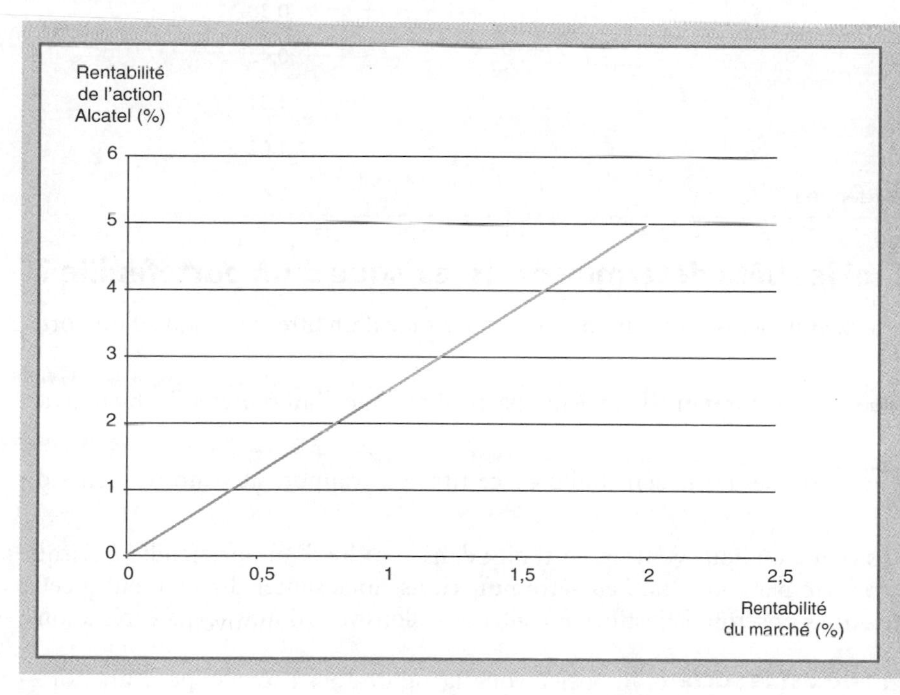

Figure 7.12 - La rentabilité de l'action Alcatel évolue de 2,50 % pour chaque variation de 1 % de la rentabilité du marché. Le bêta d'Alcatel est donc de 2,50.

Bien entendu, les rentabilités de l'action Alcatel ne sont pas parfaitement corrélées avec celles du marché. La société est également soumise à un risque spécifique, aussi les rentabilités constatées pourront être plus ou moins éloignées de la droite. Parfois, l'action Alcatel chutera quand le marché bondira, et *vice versa*.

Parmi les actions du tableau 7.5, Alcatel a le bêta le plus élevé. Peugeot est à l'autre extrême. Une droite d'ajustement des rentabilités de Peugeot par rapport au marché serait moins inclinée : sa pente serait égale à 0,60.

Nous avons parlé de la relation entre les rentabilités d'actions françaises et les fluctuations du marché français. De même, nous pouvons mesurer le lien entre des actions étrangères et leurs marchés boursiers respectifs. Le tableau 7.6 donne quelques bêta de sociétés dans leur pays.

Tableau 7.6. Bêta de quelques actions nationales, janvier 1999-décembre 2003 (les bêta sont mesurés par rapport aux marchés boursiers de chaque action)

Action	Bêta (β)
Alcan	0,85
BP Amoco	0,86
Deutsche Bank	1,18
Fiat	0,82
Heineken	0,17
Coca-Cola	0,38
Nestlé	0,42
Nokia	1,31
Sony	1,62
Telefonica de Argentina	1,42

4.2 Pourquoi les bêta déterminent-ils le risque d'un portefeuille ?

Reprenons les deux arguments centraux concernant le risque d'un titre et le risque d'un portefeuille :

- Le risque de marché représente la majeure partie du risque d'un portefeuille bien diversifié.
- Le bêta d'un titre mesure la sensibilité de ce titre par rapport aux mouvements du marché.

Vous voyez sans doute où nous voulons en venir : dans le cadre d'un portefeuille, le risque d'un titre est mesuré par son bêta. Peut-être pourrions-nous sauter directement à cette conclusion, mais nous préférons la justifier. En fait, nous allons vous donner deux explications.

Explication 1 : où est le socle ? Rappelez-vous la figure 7.9 : l'écart type d'un portefeuille dépend du nombre de titres qu'il contient. Un plus grand nombre de titres entraîne une meilleure diversification et, en conséquence, une diminution du risque, jusqu'à ce que la totalité du risque spécifique ait été éliminée et que seul subsiste le socle du *risque systématique*.

Où se situe ce socle ? Cela dépend des bêta des actions sélectionnées.

Construisons un portefeuille comprenant un grand nombre d'actions, disons 200, tirées au hasard parmi toutes les actions cotées. Qu'obtiendrions-nous ? Le marché lui-même ou un portefeuille qui s'en approche fortement. Le bêta du portefeuille sera de 1 et son coefficient de corrélation avec le marché sera aussi de 1. Si l'écart type du marché est de 20 %[26], l'écart type de notre portefeuille sera aussi de 20 %.

Constituons maintenant un portefeuille avec un bêta moyen de 1,5. Comme précédemment, nous aurons un portefeuille de 200 actions sans risque spécifique, qui suivra presque exactement le marché boursier. Cependant, l'écart type de *ce* portefeuille sera de 30 %, soit 1,5 fois l'écart type du marché[27]. Un portefeuille bien diversifié avec un bêta de 1,5 amplifiera les mouvements de marché de 50 % et aura donc un risque de 150 % du risque systématique.

On peut répéter l'expérience avec des actions de bêta égal à 0,5 et obtenir un portefeuille bien diversifié de risque égal à la moitié du risque systématique. La figure 7.13 illustre ces trois situations.

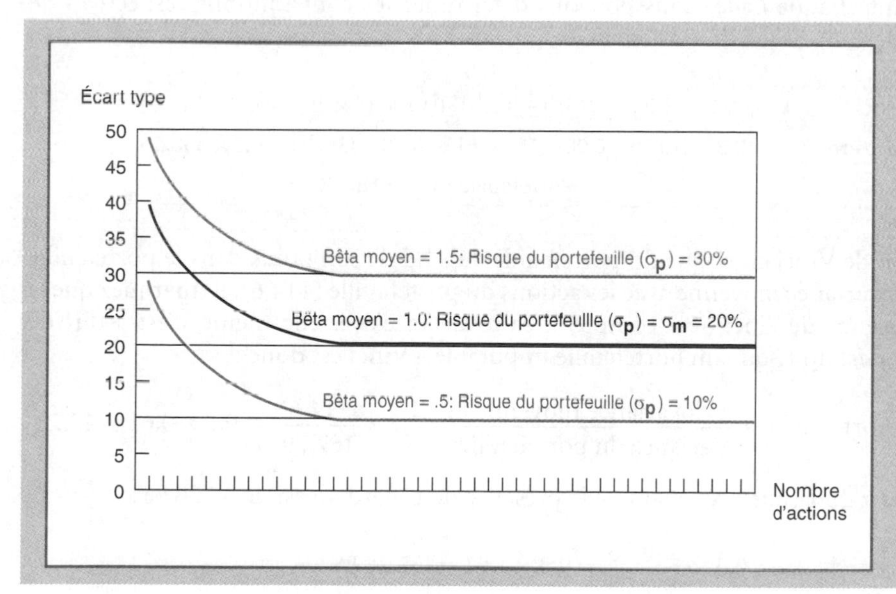

Figure 7.13 - (a) Un portefeuille de 200 actions sélectionnées au hasard a un β=1 et son écart type est égal à celui du marché, ici 20 %.
(b) Un portefeuille constitué de 200 actions de bêta moyen égal à 1,5 a un écart type égal à 30 %, soit 150 % de l'écart type du marché.
(c) Un portefeuille constitué de 200 actions de bêta moyen égal à 0,5 a un écart type de 10 %, soit la moitié de celui du marché.

Le message essentiel est le suivant : le risque d'un portefeuille bien diversifié est proportionnel à son bêta, ce bêta étant le bêta moyen des actions en portefeuille. Cela montre bien que le risque d'un portefeuille est déterminé par les bêta des actions.

26. Rappel : l'écart type sur le marché français a été de 20 % sur les cinq dernières années ; sur les années 1900-2003 aux États-Unis, on obtient aussi un écart type de 20 %.

27. En réalité, un portefeuille de bêta égal à 1,5 aura encore une dose de risque spécifique car il sera excessivement investi dans des industries à bêta élevés. Son écart type sera donc supérieur à 37,5 %. Si cela vous chagrine, détendez-vous : nous vous montrerons dans le chapitre 8 comment construire un portefeuille parfaitement diversifié avec un bêta égal à 1,5, en empruntant et en investissant dans le portefeuille de marché.

Explication 2 : bêta et covariances Un statisticien définira le bêta de l'action i par la formule :

$$\beta_i = \frac{\sigma_{im}}{\sigma_m^2}$$

où σ_{im} est la covariance entre la rentabilité de l'action i et celle du marché, et où σ_m^2 est la variance de la rentabilité du marché.

Ce rapport entre la covariance et la variance mesure la contribution de l'action au risque du portefeuille. Vous pouvez le vérifier en reprenant nos calculs du risque du portefeuille Vinci et Lagardère.

Le risque de ce portefeuille était la somme des quatre cases du tableau suivant :

	Vinci	Lagardère
Vinci	$(0{,}7)^2 \times (15)^2$	$0{,}7 \times 0{,}3 \times -0{,}08 \times 15 \times 36$
Lagardère	$0{,}7 \times 0{,}3 \times -0{,}08 \times 15 \times 36$	$(0{,}3)^2 \times (36)^2$

En additionnant chaque *ligne*, nous pouvons déterminer les contributions respectives de Vinci et Lagardère au risque du portefeuille :

Vinci	$0{,}7 \times \{[(0{,}7) \times (15)^2] + [0{,}3 \times -0{,}08 \times 15 \times 36]\} = 0{,}7 \times 114{,}6$
Lagardère	$0{,}3 \times \{[0{,}7 \times -0{,}08 \times 15 \times 36] + [(0{,}3) \times (36)^2]\} = 0{,}3 \times 358{,}56$
	Portefeuille total = 187,79

La contribution de Vinci au risque du portefeuille dépend de son poids dans le portefeuille (0,7) et de sa covariance moyenne avec les actions du portefeuille (114,6). Remarquez que la covariance moyenne de Vinci tient compte de sa covariance avec elle-même, c'est-à-dire de sa variance. La *part* du risque du portefeuille imputable à Vinci est donc :

$$\text{Poids dans le portefeuille} \times \frac{\text{Covariance moyenne}}{\text{Variance du portefeuille}} = 0{,}7 \times \frac{114{,}6}{187{,}79} = 0{,}7 \times 0{,}61 = 42{,}72$$

De même, la *part* du risque provenant de la présence de Lagardère est de 57,28 % :

$$0{,}3 \times \frac{358{,}56}{187{,}79} = 0{,}3 \times 1{,}91 = 57{,}28\ \%$$

Dans les deux cas, la contribution au risque du portefeuille résulte de deux valeurs : le poids dans le portefeuille (0,7 ou 0,3) et une mesure de l'effet de cette action sur le risque du portefeuille (0,61 ou 1,91). Ces dernières valeurs sont les bêta de Vinci et Lagardère *pour ce portefeuille particulier*. En moyenne, une variation de 1 % de la valeur du portefeuille sera associée à une variation de 0,61 % de la valeur de Vinci et de 1,91 % de la valeur de Lagardère.

Pour calculer le bêta de Vinci par rapport au portefeuille considéré, nous divisons simplement la covariance de Vinci avec le portefeuille par la variance du portefeuille. L'idée sera exactement la même si nous désirons calculer le bêta de Vinci *par rapport au portefeuille de marché*. Nous calculerons la covariance avec le portefeuille de marché et la diviserons par la variance du portefeuille de marché :

$$\text{Bêta par rapport au portefeuille (ou bêta)} = \frac{\text{Covariance par rapport au marché}}{\text{Variance du marché}} = \frac{\sigma_{im}}{\sigma_m^2}$$

5 La diversification et l'additivité des valeurs

Nous avons vu que la diversification réduit le risque et a donc un sens pour les investisseurs. Qu'en est-il pour les entreprises ? Une entreprise diversifiée présente-t-elle plus d'attrait pour les investisseurs qu'une autre non diversifiée ? Si c'était le cas, nous serions confrontés à un résultat *très embarrassant*. En effet, si la diversification était un objectif de gestion financière, une entreprise devrait analyser chaque projet en tant qu'addition potentielle au portefeuille d'actifs qu'elle possède. La valeur de l'ensemble diversifié deviendrait alors plus élevée que la somme des valeurs individuelles. Les valeurs actuelles ne s'additionneraient donc plus.

La diversification est certainement une bonne chose, mais cela ne signifie pas nécessairement que les entreprises doivent en faire l'un de leurs objectifs. Car les investisseurs *peuvent* se diversifier[28], sans doute plus facilement que les entreprises. Un individu peut investir dans la sidérurgie et désinvestir la semaine suivante. Une entreprise ne pourrait agir de la sorte. L'individu doit, bien entendu, payer les frais de courtage pour l'achat et la vente de ses actions, mais pensez aux coûts (en temps et argent) qu'une entreprise devrait supporter pour acquérir une aciérie.

Vous voyez sans doute où nous voulons en venir. Puisqu'ils peuvent se diversifier par leurs propres moyens, les investisseurs ne paieront aucun *supplément* pour les entreprises qui se diversifient. Ils ne paieront pas *moins* non plus puisqu'ils peuvent investir directement dans les différentes activités. Donc, quand les marchés financiers sont actifs et concurrentiels, la diversification n'ajoute ni ne retranche rien à la valeur d'une entreprise. La valeur du total est égale à la somme des parties.

Cette conclusion revêt une grande importance pour la gestion financière, parce qu'elle justifie l'addition des valeurs actuelles. La notion d'*additivité des valeurs* mérite une formule. Si le marché fixe une valeur VA (A) pour l'actif A et une valeur VA (B) pour l'actif B, la valeur de marché de l'entreprise qui détient seulement ces deux actifs est :

$$VA(AB) = VA(A) + VA(B)$$

Une entreprise détenant trois actifs A, B et C vaudra VA(ABC) = VA(A) + VA(B) + VA(C), et ainsi de suite pour tout nombre d'actifs.

Notre présentation de l'additivité des valeurs repose sur des arguments intuitifs. Néanmoins le concept est de portée générale et peut être démontré de plusieurs façons[29]. Il semble largement accepté, puisque chaque jour, des milliers de gestionnaires additionnent sans hésiter des milliers de valeurs actuelles.

---

28. La manière la plus simple de se diversifier, pour un particulier, est d'acheter des parts d'un fonds d'investissement diversifié (une Sicav, par exemple).

29. Voir le chapitre 33, qui traite de la diversification et de l'additivité des valeurs dans le cas des fusions d'entreprises.

Résumé

Notre analyse de l'histoire des marchés financiers a montré que les rentabilités obtenues par les investisseurs ont varié en fonction des risques supportés. À un extrême, les actifs sans risque, tels les bons du Trésor américain, ont fourni une rentabilité annuelle moyenne de l'ordre de 4,1 % sur les 104 dernières années. Les actions américaines ont été bien plus risquées mais ont offert une rentabilité moyenne de l'ordre de 11,7 %, soit une prime de risque d'environ 7,6 % par rapport au taux sans risque.

Cela nous donne deux points de repère pour déterminer le coût d'opportunité du capital. Si nous évaluons un projet sans risque, nous actualiserons les flux financiers au taux sans risque. Pour évaluer un projet de risque moyen, nous actualiserons au taux de rentabilité attendu sur les actions. D'après les données historiques, ce taux se situe aux États-Unis à environ 7,6 % au-dessus du taux sans risque, mais de nombreux gestionnaires et économistes optent pour une prime plus faible.

La mesure du risque doit être examinée au sein d'un portefeuille. La plupart des investisseurs ne mettent pas tous leurs œufs dans le même panier : ils se diversifient. Ainsi, le risque d'un titre ne doit pas être évalué isolément : la diversification élimine une partie de l'incertitude propre à un titre.

Le risque d'un investissement signifie que les rentabilités futures sont incertaines. L'étendue des résultats possibles est communément mesurée par l'écart type. L'écart type du *portefeuille de marché* (généralement représenté par un indice boursier) est par exemple de l'ordre de 20 % par an pour le S & P 500 aux États-Unis ou le SBF 120 en France.

La plupart des actions présentent des écarts types supérieurs à ce chiffre, mais une bonne partie de leur volatilité correspond à un *risque spécifique* que la diversification peut éliminer. En revanche, la diversification ne peut éliminer le *risque systématique* : les portefeuilles diversifiés sont toujours sujets aux fluctuations globales des marchés.

La contribution d'un titre au risque d'un portefeuille bien diversifié dépend de la sensibilité de ce titre aux aléas du marché, que l'on mesure par le coefficient *bêta* (β) qui mesure l'effet d'une variation de 1 % du marché sur la rentabilité d'une action. Le bêta moyen de toutes les actions est de 1. Un titre dont le bêta est supérieur à 1 est particulièrement sensible aux mouvements du marché ; une action avec un bêta inférieur à 1 est peu sensible aux mouvements du marché. L'écart type d'un portefeuille bien diversifié est proportionnel à son bêta. Ainsi, un portefeuille bien diversifié comprenant des actions dont le bêta moyen est égal à 2 présentera un risque deux fois plus élevé qu'un portefeuille diversifié dont les actions ont un bêta moyen de 1.

Un message important de ce chapitre est que la diversification est une excellente chose *pour les investisseurs*. Cela n'implique pas que *les entreprises* doivent se diversifier. La diversification par les entreprises fait double emploi avec celle que les investisseurs réalisent. Comme la diversification ne modifie pas la valeur d'une entreprise, on peut toujours additionner les valeurs actuelles, même lorsque le risque est explicitement pris en considération. Grâce à l'*additivité des valeurs*, la règle de la valeur actuelle nette marche même en situation d'incertitude.

Lectures complémentaires

Une étude très utile des performances des titres américains depuis 1926 est détaillée dans :

Ibbotson Associates, Inc., *Stocks, Bonds, Bills and Inflation, 2004 Yearbook*, Wiley, New York, 2004.

Dimson, Marsh et Staunton comparent les rentabilités de 16 pays sur la période 1900-2001, tandis que Bancel et Ceddaha reviennent sur les calculs de la prime de risque en France :

E. Dimson, P. R. Marsh et M. Staunton, *Triumph of the Optimists : 101 Years of Global Equity Returns*, Princeton University Press, 2002.

F. Bancel, F. Ceddaha, « Vers une prime de risque unique », *Analyse Financière*, n° 119 (juin 1999), pp. 64-75.

Fama et French étudient les anticipations de croissance des dividendes pour montrer que les données historiques sur la prime de marché conduisent à surestimer la prime attendue :

E. F. Fama, K. R. French, « The Equity Premium », *Journal of Finance*, 57 (avril 2002).

Plusieurs études analysent la réduction de l'écart type par la diversification. Par exemple :

M. Statman, « How Many Stocks Make a Diversified Portfolio ? », *Journal of Financial and Quantitative Analysis*, 22 (septembre 1987), pp. 353-364.

Activités

Révision des concepts

1. Expliquez la différence entre la moyenne arithmétique et la rentabilité composée annuelle. Laquelle est la plus élevée ?
2. Le fait que le cours des actions augmente plus vite que les dividendes peut s'expliquer par une baisse du coût du capital. Expliquez pourquoi. Une moyenne des rentabilités passées peut-elle sous-estimer ou surestimer le coût du capital ?
3. Quelles sont les formules de la variance et de l'écart type de la rentabilité ?

Tests de connaissances

1. Considérez le jeu de hasard suivant. Le coût pour participer à ce jeu est de 100 €, le bénéfice qui en résulte est donc égal au revenu diminué de 100 €.

Probabilité	Revenu	Bénéfice
0,10	500 €	400 €
0,50	100 €	0 €
0,40	0 €	–100 €

Déterminez le revenu attendu et l'espérance de rentabilité. Calculez la variance et l'écart type de ce taux de rentabilité.

2. Le tableau suivant donne les taux de rentabilité des actions aux États-Unis, en termes nominaux, et le taux d'inflation.

Année	Rentabilité (nominale)	Inflation
1977	–2,64 %	6,77 %
1978	9,27 %	9,03 %
1979	25,56 %	13,31 %
1980	33,67 %	12,40 %
1981	–3,75 %	8,94 %

a. Quel est l'écart type des rentabilités du marché ?

b. Calculez le taux de rentabilité moyen, en termes réels.

3. Mélanie Zéto-Fray, as des as de la gestion d'un fonds d'investissement, a réalisé au cours des 5 dernières années les rentabilités suivantes. Les taux de rentabilité de l'indice Euro Stoxx 50 sont donnés à titre de comparaison.

	N-4	N-3	N-2	N-1	N
Mélanie Zéto-Fray	+20,1	−14,2	−8,0	−22,1	+35,0
Euro Stoxx 50	+23,6	−10,9	−11,0	−20,9	+31,6

Calculez la rentabilité moyenne et l'écart type du portefeuille géré par Mélanie Zéto-Fray. A-t-elle, sur la base de ces chiffres, sur-performé l'indice ?

4. Vrai ou faux ?

a. Les investisseurs ont une préférence pour les entreprises diversifiées car elles sont moins risquées.

b. Si les actions étaient corrélées positivement de façon parfaite, la diversification ne réduirait pas le risque d'un portefeuille.

c. La contribution d'une action au risque d'un portefeuille bien diversifié dépend de son risque de marché.

d. Le risque d'un portefeuille bien diversifié de bêta égal à 2 est égal au double du risque du portefeuille de marché.

e. Le risque d'un portefeuille non diversifié de bêta égal à 2 est inférieur au double du risque du portefeuille de marché.

5. Dans laquelle des situations suivantes réaliserez-vous la plus grande réduction du risque en répartissant votre investissement entre deux actions ?

a. Les deux actions sont parfaitement corrélées positivement.

b. Les actions ne sont pas corrélées.

c. Les actions sont légèrement corrélées négativement.

d. Les actions sont parfaitement corrélées négativement.

6. Pour calculer la variance d'un portefeuille de trois actions, vous devez additionner neuf cases :

Utilisez les mêmes symboles que ceux repris dans le chapitre. Par exemple, x_1 représente la proportion investie dans l'action 1 et σ_{12} représente la covariance entre les rentabilités des actions 1 et 2. Remplissez les neuf cases.

7. Supposons que l'écart type de la rentabilité du marché soit de 20 %.

a. Quel est l'écart type d'un portefeuille bien diversifié de bêta égal à 1,3 ?

b. Quel est l'écart type d'un portefeuille bien diversifié de bêta égal à 0 ?

c. L'écart type d'un portefeuille bien diversifié est de 15 %. Quel en est le bêta ?

d. Un portefeuille mal diversifié a un écart type de 20 %. Que pouvons-nous dire de son bêta ?

8. Un portefeuille est constitué de montants égaux investis dans 10 actions. Cinq d'entre elles ont un bêta de 1,2, les cinq autres ont un bêta de 1,4. Quel est le bêta du portefeuille ?

a. 1,3.

b. Supérieur à 1,3 car le portefeuille n'est pas parfaitement diversifié.

c. Inférieur à 1,3 car la diversification réduit le bêta.

9. Quel est le bêta de chacune des actions reprises dans le tableau 7.7 ?

Tableau 7.7 - Voir la question 9

Action	Rentabilité attendue de l'action lorsque la rentabilité du marché est de :	
	–10 %	**+10 %**
A	0	+20
B	–20	+20
C	–30	0
D	+15	+15
E	+10	–10

Questions et problèmes

1. De 1999 à 2004, les taux d'inflation et les taux de rentabilité du marché des actions et des bons du Trésor ont été, en France, les suivants :

Année	Inflation	Rentabilité du CAC40	Rentabilité des bons du Trésor
1999	0,50 %	48,80 %	2,72 %
2000	1,69 %	5,60 %	4,25 %
2001	1,66 %	–23,46 %	4,55 %
2002	1,98 %	–30,90 %	3,43 %
2003	2,06 %	11,60 %	2,39 %
2004	2,10 %	8,82 %	2,10 %

a. Calculez les rentabilités réelles du marché français chaque année.

b. Quelle a été la rentabilité réelle moyenne ?

c. Calculez les primes de marché annuelles.

d. Déterminez la prime de marché moyenne.

e. Calculez l'écart type de la prime de risque.

2. Les sociétés du tableau 7.3 sont accessibles sur Yahoo! Finance France (**fr.finance.yahoo.com**). Prenez au moins trois sociétés et allez sur leur page « données historiques ». Téléchargez les cours mensuels au format tableur. Calculez les rentabilités mensuelles de chaque titre, et leur variance et écart type (fonctions VAR et ECARTYPE). Transformez les écarts types mensuels en valeurs annuelles en les multipliant par $\sqrt{12}$. Comment a évolué le risque de ces sociétés, par rapport aux données du tableau 7.3 ?

3. Chacune des affirmations suivantes est dangereuse ou trompeuse. Expliquez pourquoi.

a. Une obligation d'État à long terme ne présente aucun risque.

b. Tous les investisseurs devraient préférer les actions aux obligations car les actions ont une rentabilité à long terme plus élevée.

c. Le meilleur prédicteur de la rentabilité future des actions est donné par la moyenne des rentabilités des cinq ou dix dernières années.

4. Y-pique SA possède une écurie de courses. Elle vient d'acquérir un pur-sang noir qui est en grande forme mais dont la lignée est contestée. Certains experts prédisent que ce cheval pourrait gagner le célèbre Prix de Baudet. D'autres estiment qu'il devrait être mis au vert. S'agit-il d'un investissement risqué pour les actionnaires d'Y-pique SA ? Expliquez.

5. L'action de La Mine d'Or de Dick Digger a un écart type de 42 % par an et un bêta de +0,10. Les Plombages Cuivrés ont un écart type de 31 % par an et un bêta de 0,66. Expliquez pourquoi La Mine d'Or de Dick Digger constitue le placement le moins risqué pour un investisseur détenant un portefeuille bien diversifié.

6. Gary Sitamob a placé 60 % de son épargne dans l'action I et le solde dans l'action J. L'écart type de I est de 10 % et celui de J est de 20 %. Calculez la variance du portefeuille en supposant que :

a. Le coefficient de corrélation entre les rentabilités est de 1,0.

b. Le coefficient de corrélation est de 0,5.

c. Le coefficient de corrélation est de 0.

7. a. Combien de termes en variances et combien de termes en covariances sont-ils nécessaires pour calculer le risque d'un portefeuille de 100 actions ?

b. Supposons que toutes les actions aient un écart type de 30 % et que le coefficient de corrélation entre chaque paire d'actions soit de 0,4. Quel est l'écart type d'un portefeuille de pondérations uniformes comprenant 50 actions ?

c. Quel est l'écart type d'un portefeuille parfaitement diversifié d'actions de ce type ?

8. Supposons que l'écart type de la rentabilité annuelle d'une action moyenne soit de 40 %. Le coefficient de corrélation entre n'importe quelle paire d'action est d'environ 0,3.

a. Calculez la variance et l'écart type d'un portefeuille de pondérations uniformes entre deux actions, puis trois actions et ainsi de suite jusqu'à 10 actions.

b. Sur la base de vos résultats, construisez des graphiques (un pour la variance, l'autre pour l'écart type) analogues à ceux de la figure 7.9. Quelle est l'importance du risque de marché qui ne peut pas être éliminé par la diversification ?

c. Refaites maintenant le même problème en supposant que le coefficient de corrélation entre chaque paire d'actions est nul.

9. Sur Yahoo! Finance France (**fr.finance.yahoo.com**), récupérez les cours mensuels de Peugeot, Carrefour et Bouygues (page « données historiques »), au format tableur pour les trois dernières années. Calculez les rentabilités mensuelles de chaque titre.

a. Calculez l'écart type des rentabilités mensuelles (fonction ECARTYPE). Transformez les écarts types mensuels en valeurs annuelles en les multipliant par $\sqrt{12}$.

b. Calculez les coefficients de corrélation entre les rentabilités mensuelles des sociétés prises deux à deux (fonction COEFFICIENT.CORRELATION).

c. Calculez l'écart type d'un portefeuille investi pour un tiers dans chaque titre.

10. Le tableau 7.8 reprend les écarts types et les coefficients de corrélation de 7 actions. Calculez la variance d'un portefeuille dont 40 % sont investis dans BP, 40 % dans KLM et 20 % dans Nestlé.

Tableau 7.8. Écart type et coefficient de corrélation d'un échantillon de 7 actions

*	Coefficients de corrélation							Écart type
	Alcan	BP	Deutsche Bank	KLM	LVMH	Nestlé	Sony	
Alcan	1	0,39	0,55	0,54	0,61	0,26	0,36	30,2 %
BP		1	0,23	0,29	0,22	0,30	0,14	23,9

Tableau 7.8. Écart type et coefficient de corrélation d'un échantillon de 7 actions (...)

*	Coefficients de corrélation							Écart type
	Alcan	**BP**	**Deutsche Bank**	**KLM**	**LVMH**	**Nestlé**	**Sony**	
Deutsche Bank			1	0,36	0,48	0,16	0,39	38,1
KLM				1	0,49	0,32	0,19	54,5
LVMH					1	0,02	0,50	42,0
Nestlé						1	0,10	15,5
Sony							1	47,5

* *Note :* les coefficients de corrélation et les écarts types sont calculés à partir des devises du pays de chaque société. En d'autres termes, on suppose que l'investisseur est couvert contre le risque de change.

11. Avec les données de Yahoo! Finance France (**fr.finance.yahoo.com**), vous pouvez facilement calculer les bêta des sociétés du tableau 7.8. Pour chaque titre, allez à la page « données historiques », téléchargez cinq années de cours mensuels au format tableur, et calculez les rentabilités mensuelles. Faites de même pour un indice du marché (par exemple, le CAC40, ou le SBF 250). Dans votre tableur[30], utilisez la fonction DROITEREG avec les rentabilités mensuelles du titre comme y, et les rentabilités de l'indice comme x : le résultat de la fonction donne la pente de la droite, c'est-à-dire le bêta du titre. Comment les bêta ont-ils évolué ?

12. Votre tante canadienne vous a légué 50 000 € en actions Alcan et 50 000 € en liquide. Malheureusement, son testament précise que les actions Alcan ne doivent pas être vendues avant un an et que les 50 000 € en liquide doivent être placés dans une des actions du tableau 7.8. Quel est le portefeuille le moins risqué, compte tenu de ces contraintes ?

13. Dans la réalité, les sociétés à bêta négatifs sont rares ou inexistantes. Supposons toutefois que vous en ayez dégoté une dont le bêta est de –0,25.

a. Quelle variation du cours de l'action anticiperiez-vous si le marché augmentait de 5 % ? Quelle serait votre anticipation en cas de baisse du marché de –5 % ?

b. Vous avez investi 1 million d'euros dans un portefeuille bien diversifié. Vous recevez un héritage supplémentaire de 20 000 €. Laquelle des solutions suivantes devriez-vous choisir pour obtenir le portefeuille global le moins risqué ?

i. Investir les 20 000 € en bons du Trésor ($\beta = 0$).

ii. Investir les 20 000 € en actions de $\beta = 1$.

iii. Investir les 20 000 € dans l'action de $\beta = -0{,}25$.

Justifiez votre réponse.

14. Sur Yahoo! Finance France (**fr.finance.yahoo.com**), récupérez les cours mensuels de L'Oréal et de la Société Générale (page « données historiques »), au format tableur.

a. En suivant la méthodologie de la question 11, calculez les bêta des titres.

b. Calculez l'écart type des rentabilités mensuelles (fonction ECARTYPE). Transformez les écarts types mensuels en valeurs annuelles en les multipliant par $\sqrt{12}$. Faites de même pour la rentabilité de l'indice de marché (CAC40 ou SBF 250).

c. On suppose que vos réponses aux questions a. et b. donnent des bonnes estimations prévisionnelles. Quel sera l'écart type des rentabilités d'un portefeuille diversifié de bêta égal à celui de Société Générale ? Et de bêta égal à celui de L'Oréal ?

30. Microsoft Excel, ou Openoffice.org Calc (fr.openoffice.org).

d. Quelle proportion du risque de la Société Générale est un risque spécifique ? Et pour L'Oréal ?

15. Dans la note de bas de page 177, nous vous avons donné la formule de la covariance. Le tableau suivant montre un exemple de la façon dont il faut calculer la covariance et le coefficient de covariance des rentabilités de deux actions :

Mois	**Rentabilité de A($\tilde{r}_A$)**	**Rentabilité de B($\tilde{r}_B$)**	$(\tilde{r}_A - r_A)^2$	$(\tilde{r}_B - r_B)^2$	$(\tilde{r}_A - r_A) \times (\tilde{r}_B - r_B)$
1	11	7	$(11 - 4)^2 = 49$	$(7 - 3)^2 = 16$	28
2	9	8	$(9 - 4)^2 = 25$	$(8 - 3)^2 = 25$	25
3	0	–5	$(0 - 4)^2 = 16$	$(-5 - 3)^2 = 64$	32
4	–4	2	$(-4 - 4)^2 = 64$	$(2 - 3)^2 = 1$	8
Totaux	16	12	154	106	93
Moyennes	$r_A = 16/4 = 4$	$r_B = 12/4 = 3$			
Variances	$\sigma_A^2 = 154/4 = 38{,}5$	$\sigma_B^2 = 106/4 = 26{,}5$			
Écart type	$\sigma_A = \sqrt{38{,}5} = 6{,}20$	$\sigma_B = \sqrt{26{,}5} = 5{,}15$			
Covariance	$\sigma_{AB} = 93/4 = 23{,}25$				
Corrélation	$\sigma_{AB} / (\sigma_A \times \sigma_B) = 23{,}25/(6{,}20 \times 5{,}15) = 0{,}73$				

À présent, utilisez les cours mensuels ajustés de l'Oréal et de la Société Générale que vous avez déjà téléchargés sur **fr.finance.yahoo.com** pour la question 14 et calculez le coefficient de covariance et de corrélation entre les deux séries de rentabilités.

Problèmes avancés

1. Voici, fondées sur un historique de cours, les caractéristiques de risque d'Alcatel et Lagardère :

	Alcatel	**Lagardère**
β (bêta)	2,50	1,44
Écart type de la rentabilité annuelle	56,20 %	35,67 %

L'écart type de la rentabilité du marché est de 20 %.

a. Le coefficient de corrélation entre les rentabilités d'Alcatel et de Lagardère est de 0,46. Quel est l'écart type d'un portefeuille investi à parts égales dans les deux actions ?

b. Quel est l'écart type d'un portefeuille investi pour un tiers dans Alcatel, un tiers dans Lagardère et un tiers en bons du Trésor ?

c. Quel est l'écart type d'un portefeuille investi à parts égales dans Alcatel et Lagardère mais financé à 50 % par un emprunt au taux des bons du Trésor ?

d. Quel est *approximativement* l'écart type d'un portefeuille composé de 100 actions ayant, comme Alcatel, un bêta de 2,50 ? Qu'en serait-il pour un portefeuille de 100 actions analogues à Lagardère ? (*Note :* la réponse à cette question ne nécessite que des opérations arithmétiques simples.)

2. Supposons que les bons du Trésor vous offrent une rentabilité de 6 % et que la prime de risque du marché soit de 8,5 %. L'écart type des bons du Trésor est nul et l'écart type du portefeuille de marché est de 20 %. Utilisez la formule du risque d'un portefeuille pour calculer l'écart type de différents portefeuilles, en fonction de la proportion de bons du Trésor. (*Note :* la covariance entre deux taux de rentabilités est nulle si l'écart type de l'un d'entre eux est nul.) Donnez une représentation graphique des rentabilités attendues et des écarts types.
3. Choisissez deux actions de banques et deux actions de sociétés pétrolières, puis calculez leurs rentabilités sur les soixante derniers mois (les données sur les actions et les indices peuvent être trouvées sur **fr.finance.yahoo.com**).
   a. Déterminez l'écart type des rentabilités mensuelles de chacune des actions et la corrélation de ces actions deux à deux.
   b. Utilisez ces résultats pour déterminer l'écart type d'un portefeuille réparti équitablement entre chaque couple de deux actions parmi les quatre. Pour réduire votre risque, vaut-il mieux vous diversifier dans le même secteur, ou sur différents secteurs ?
4. Calculez le bêta de chacune des actions du tableau 7.8 par rapport à un portefeuille composé de toutes ces actions à parts égales.

Chapitre 8

Risque et rentabilité

Dans le chapitre 7, nous avons commencé à nous pencher sur la mesure du risque. (Si vous venez d'arriver, il peut être utile de relire le chapitre 7, ou son résumé.) Dans ce chapitre, nous allons partir de ces connaissances. Après une présentation des théories majeures liant le risque et la rentabilité sur un marché concurrentiel, nous vous montrerons comment appliquer ces théories pour estimer la rentabilité à exiger sur différentes catégories d'investissements boursiers. Nous débuterons par le modèle le plus utilisé : le modèle d'évaluation des actifs financiers (Medaf), qui se fonde sur les idées développées dans le chapitre précédent. Nous présentons d'autres modèles, fondés sur l'arbitrage ou sur plusieurs facteurs. Ensuite, dans le chapitre 9, nous verrons comment ces concepts peuvent aider les responsables financiers dans leurs choix d'investissements opérationnels.

1 Harry Markowitz et la naissance de la théorie du portefeuille

La majorité des idées reprises dans le chapitre 7 se retrouvent dans un article écrit en 1952 par Harry Markowitz[1]. Celui-ci a présenté la diversification et montré, de façon précise, comment un investisseur peut réduire l'écart type des rentabilités de son portefeuille en choisissant des actions qui n'évoluent pas de conserve. Mais Markowitz est allé plus loin : il a élaboré les principes fondamentaux de la constitution d'un portefeuille. Ces principes sont les fondements de presque tout ce que nous pouvons dire sur la relation entre le risque et la rentabilité.

Commençons par la figure 8.1, qui montre un histogramme de fréquences des rentabilités quotidiennes de l'action Carrefour de 1990 à 2005. Sur cet histogramme, nous avons superposé une distribution normale (appelée aussi « courbe en cloche »). Le résultat

1. H. M. Markowitz, « Portfolio Selection », *Journal of Finance*, 7 (mars 1952), pp. 77-91.

est clair : pour des intervalles de temps relativement courts, les rentabilités historiques de n'importe quelle action épousent assez fidèlement une distribution normale[2].

Figure 8.1 - Les variations quotidiennes du cours de Carrefour sont approximativement distribuées selon une loi normale. Ce graphique concerne la période 1990-2005.

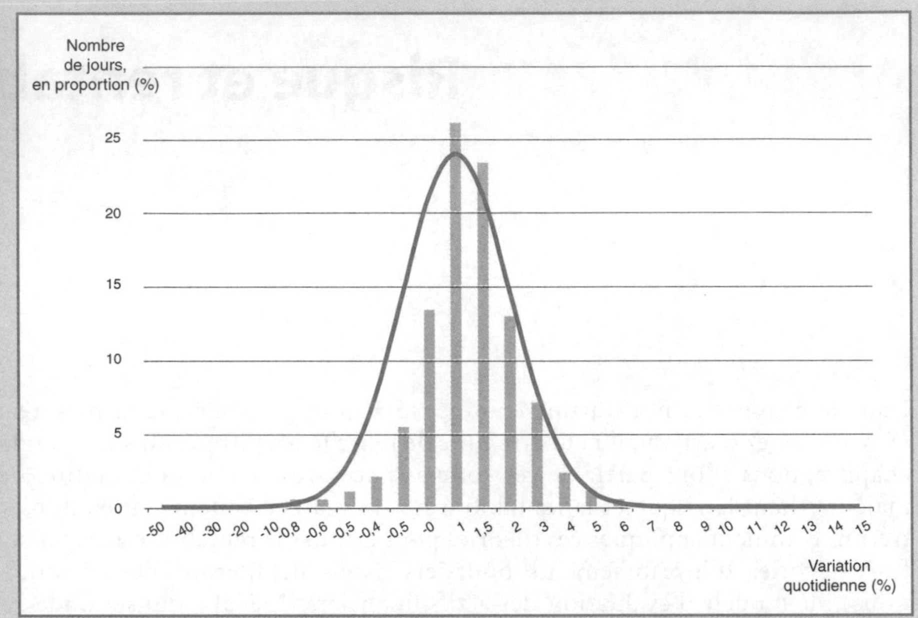

Une distribution normale est entièrement définie par deux nombres : la moyenne (ou espérance mathématique) et la variance (ou sa racine carrée, l'écart type). Vous comprenez maintenant pourquoi nous avons présenté, dans le chapitre 7, le calcul de l'espérance de rentabilité et de l'écart type. Si les rentabilités suivent une loi normale, ces valeurs sont les deux seules mesures dont un investisseur a besoin.

La figure 8.2 illustre les distributions des rentabilités de deux actions. Toutes deux offrent une espérance de rentabilité de 10 %, mais A présente une dispersion plus grande des scénarii possibles. Son écart type est de 15 % alors que l'écart type de B est de 7,5 %. La plupart des investisseurs n'aiment pas l'incertitude et préféreront B à A.

La figure 8.3 montre les distributions des rentabilités de deux autres investissements. Cette fois, les deux investissements ont le même écart type, mais l'espérance de rentabilité est de 20 % pour l'action C, et de seulement 10 % dans le cas de l'action D. La plupart des investisseurs souhaiteront une rentabilité attendue plus élevée pour le même écart type, et préféreront donc C à D.

2. Si les rentabilités étaient mesurées sur des intervalles plus longs, la distribution à laquelle nous aboutirions serait asymétrique. Vous pourriez, par exemple, observer des rentabilités supérieures à 100 %, mais vous n'observerez jamais de rentabilités inférieures à –100 %. La distribution de probabilité des rentabilités annuelles, par exemple, sera plus proche d'une distribution *lognormale*. Comme pour la distribution normale, la distribution lognormale est entièrement définie par sa moyenne et son écart type.

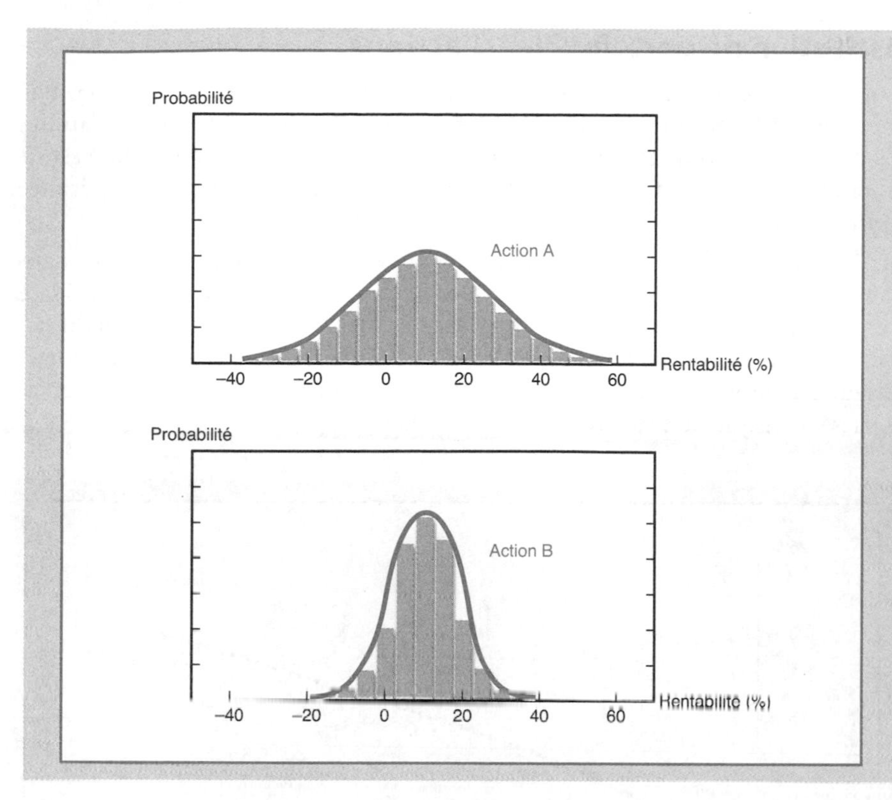

Figure 8.2 - Ces deux placements ont chacun une espérance de rentabilité de 10 % ; mais comme A présente un éventail de valeurs possibles supérieur à B, A est plus risqué. Cet éventail est mesuré par l'écart type.

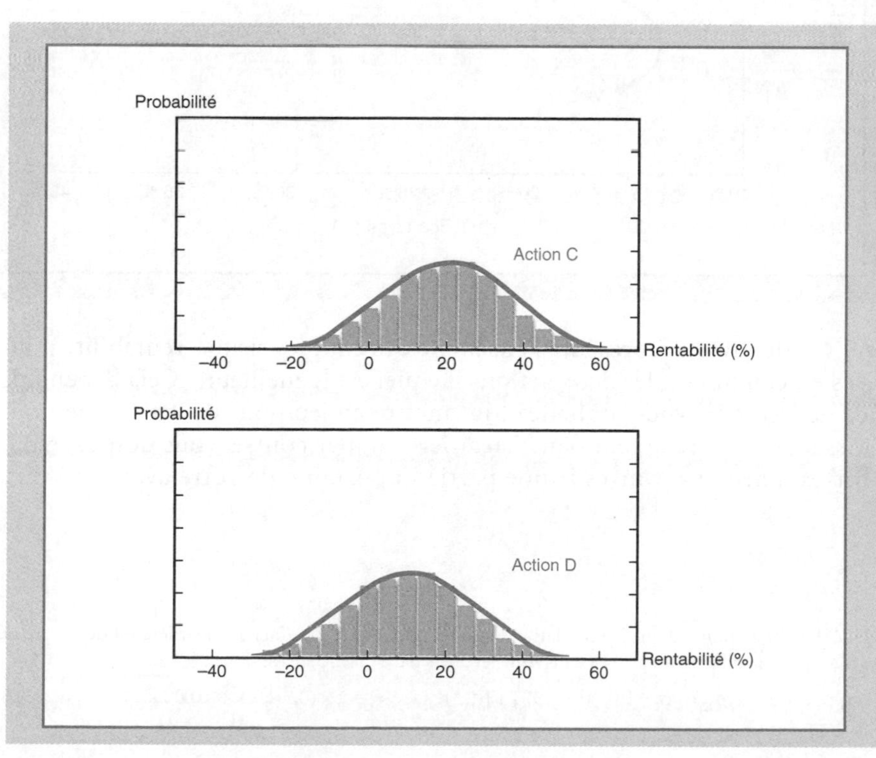

Figure 8.3 - L'écart type des rentabilités est de 15 % pour les deux placements, mais la rentabilité attendue de C est de 20 %, alors que celle de D n'est que de 10 %.

1.1 La constitution de portefeuilles d'actions

Vous hésitez entre un placement en actions Vinci et en actions Lagardère. Vous estimez que Lagardère offre une rentabilité attendue de 20 % et Vinci, de 5 %. Une analyse des volatilités historiques des deux actions vous conduit à postuler que l'écart type de la rentabilité est de 15 % pour Vinci et de 36 % pour Lagardère. L'action Lagardère présente une espérance de rentabilité plus élevée, mais elle est aussi beaucoup plus risquée.

Dans la section 7.3 nous avons analysé un investissement de 70 % de votre portefeuille dans Vinci et de 30 % dans Lagardère. La rentabilité attendue de ce portefeuille est de 9,5 %, ce qui est la moyenne pondérée des rentabilités attendues des deux actions. Qu'en est-il du risque de cet investissement ? Nous savons que, grâce à la diversification, le risque du portefeuille est inférieur à la moyenne des risques des actions détenues isolément. En fait, en se fondant sur le passé, le risque de ce portefeuille est de 15,00 %[3].

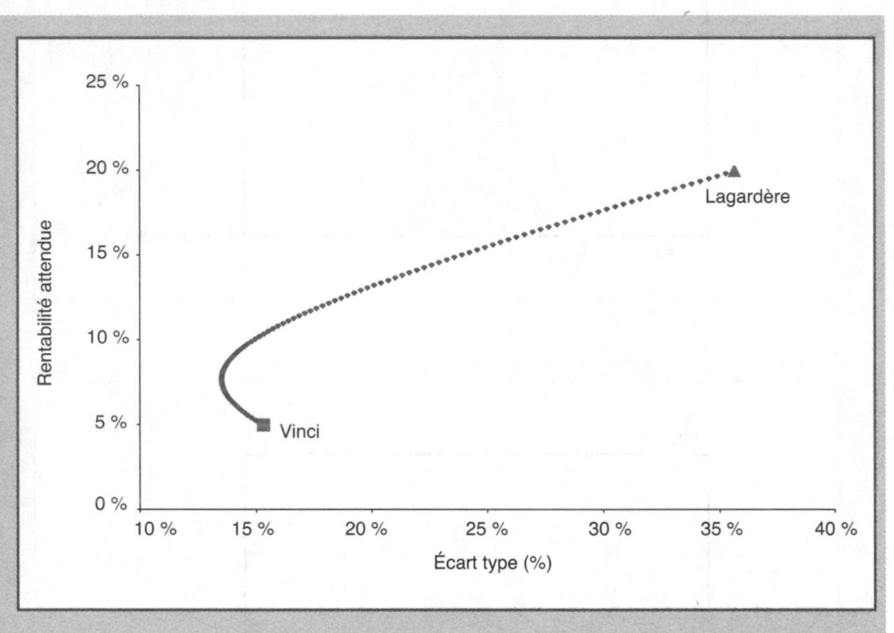

Figure 8.4 - La courbe illustre comment on peut faire varier le couple risque-rentabilité en changeant les proportions investies dans les deux actions. Si vous investissez 30 % en actions Lagardère et le reste en Vinci, votre espérance de rentabilité sera de 9,5 %, à 30 % de la distance entre les rentabilités attendues des deux titres. Mais votre écart type sera de 15 %, ce qui est moins que 30 % de la distance entre les écarts types des deux actions. La diversification réduit le risque.

Dans la figure 8.4, nous avons représenté l'ensemble des couples risque-rentabilité pouvant être réalisés en combinant les deux actions. Lequel est le meilleur ? Cela dépend de votre résistance nerveuse. Si vous souhaitez tout mettre en jeu pour devenir riche rapidement, investissez tout votre argent dans Lagardère. Si, par contre, vous désirez éviter les émotions fortes, mieux vaut investir une partie importante de votre avoir en Vinci.

3. Nous avons indiqué dans la section 7.3 que la corrélation entre les rentabilités de Vinci et Lagardère est de l'ordre de –0,008. La variance d'un portefeuille investi à 70 % dans Vinci et 30 % dans Lagardère est donc :

$$\text{Variance} = x_1^2\sigma_1^2 + x_2^2\sigma_2^2 + 2\,x_1 x_2 \rho_{12}\,\sigma_1\,\sigma_2 = [(0,7)^2 \times (15)^2] + [(0,3)^2 \times (36)^2] + 2 \times (0,7 \times 0,3 \times -0,008 \times 15 \times 36) = 225,08$$

L'écart type est de $\sqrt{225,08} = 15$ %.

Notez cependant que, pour minimiser le risque, vous devriez investir malgré tout une petite partie du portefeuille en Lagardère[4].

En pratique, vous pouvez investir dans plus de deux actions. Aussi, notre prochaine mission consistera à déterminer comment constituer des portefeuilles de 10, 100, ou 1 000 actions.

Démarrons avec 10 actions. Supposons que vous puissiez bâtir n'importe quel portefeuille à partir de 10 actions françaises. En analysant chaque société, nous déterminons les rentabilités espérées présentées dans la deuxième colonne du tableau 8.1. Enfin, en nous fondant sur les données des cinq dernières années, nous estimons le risque de chaque action (troisième colonne) et la corrélation entre les rentabilités de chaque couple d'actions[5].

Tableau 8.1. Exemples de portefeuilles efficients bâtis à partir de 10 actions

*	Espérance de rentabilité (%)	Écart type (%)	Portefeuilles efficients : pourcentage investi dans chaque action		
			A	B	C
RENAULT	10,84	29,39	2,8 %	5,2 %	4,6 %
SOC GEN	8,5	21,90	21,9 %	82,7 %	56,4 %
TOTAL	5,00	14,06	41,6 %	13,7 %	20,7 %
EADS	11,14	34,78	−12,3 %	2,6 %	−1,1 %
THALES	5,97	25,13	8,7 %	17,2 %	15,1 %
BNP	5,83	20,36	11,0 %	−88,4 %	−63,4 %
PEUGEOT	7,97	19,70	8,8 %	67,0 %	52,3 %
MICHELIN	6,74	23,48	9,0 %	−13,5 %	−7,9 %
AIR LIQUIDE	4,26	13,59	32,6 %	−20,7 %	−7,3 %
DANONE	5,42	16,17	19,8 %	34,1 %	30,5 %
Rentabilité attendue du portefeuille			4,08	9,90	8,4
Écart type du portefeuille			9,63	18,70	15,4

* *Note :* les écarts types et les corrélations entre les rentabilités des actions ont été estimés sur des données mensuelles (janvier 2000-janvier 2005). Les portefeuilles efficients sont calculés sous l'hypothèse que les ventes à découvert sont permises.

Les données de ce tableau, comme celles de tous les tableaux de ce chapitre, sont disponibles sur *www.gestion financiere. pearsoned.fr*

Regardons maintenant la figure 8.5. Chaque point représente le couple risque-rentabilité d'une action donnée. Par exemple, EADS présente l'écart type le plus élevé, mais aussi la rentabilité espérée la plus élevée. EADS est donc représentée par le point en haut à droite de la figure 8.5.

4. Le portefeuille de risque minimal est obtenu en investissant 7,70 % dans Lagardère. Dans la figure 8.4, nous supposons que vous ne pouvez pas investir négativement dans une action, c'est-à-dire que nous excluons les ventes à découvert.

5. Il y a 90 coefficients de corrélation, aussi nous ne les avons pas mentionnés dans le tableau.

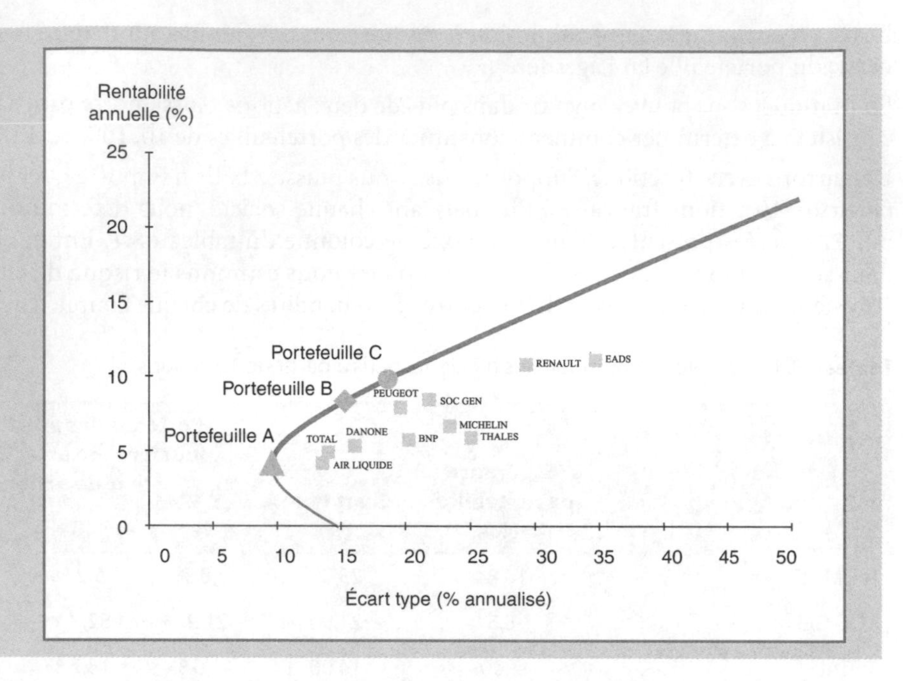

Figure 8.5 - Chaque point montre l'espérance de rentabilité et l'écart type d'une des dix actions du tableau 8.1. Si vous voulez des rentabilités élevées, ou si vous fuyez les grands écarts types, vous choisirez les portefeuilles situés sur la courbe en gras.
Ce sont les portefeuilles efficients. Nous avons représenté les trois portefeuilles présentés dans le tableau 8.1 (A, B, et C).

En changeant les proportions investies dans chaque action, vous pouvez obtenir plus que les dix couples risque-rentabilité de ces sociétés : en fait, votre portefeuille pourra se situer dans la zone en dessous de la frontière de la figure. Mais n'y a-t-il pas une zone meilleure que les autres ? Réfléchissez : quel est votre objectif ? Dans quelles parties du graphique voulez-vous aller ? La réponse devrait être évidente : vous voulez aller vers le haut (pour augmenter votre espérance de rentabilité) et vers la gauche (pour réduire votre risque). Vous aboutirez alors à des portefeuilles qui se situent sur la courbe en gras. Markowitz les appelle **portefeuilles efficients**. Ces portefeuilles sont meilleurs que n'importe quel portefeuille situé à l'intérieur de la courbe.

Nous n'allons pas calculer ici cet ensemble de portefeuilles efficients, mais nous vous donnons une indication sur la marche à adopter. Rappelez-vous du problème de rationnement du capital de la section 5.4. À l'époque, nous cherchions à répartir un montant d'investissement limité entre plusieurs projets, pour obtenir la VAN la plus élevée. Ici, nous cherchons à répartir les fonds d'un investisseur pour lui procurer l'espérance de rentabilité la plus élevée, compte tenu d'un écart type donné. En principe, ces deux problèmes se résolvent par approximations successives, mais seulement en principe. Pour résoudre le problème du rationnement du capital, nous pouvons employer la programmation linéaire ; pour le problème des portefeuilles efficients, nous utiliserons une variante de la programmation linéaire appelée *programmation quadratique*. Si nous disposons de la rentabilité espérée et de l'écart type pour chaque action, ainsi que du coefficient de corrélation entre chaque couple d'actions, nous pouvons entrer ces données dans un programme quadratique, et demander à l'ordinateur de nous calculer l'ensemble des portefeuilles efficients.

Parmi tous ces portefeuilles efficients, nous en avons représenté trois dans la figure 8.5. Leurs compositions sont données dans le tableau 8.1. Le portefeuille A offre le risque le plus faible. C'est le portefeuille de variance minimale. Un coup d'œil au tableau 8.1 nous montre qu'il est constitué principalement d'actions Total et Air Liquide, les deux actions qui ont l'écart type le plus faible. On peut remarquer que le portefeuille A comprend peu d'actions Société Générale. Même si cette action n'est pas la plus risquée des 10, cela prouve qu'elle est très fortement corrélée aux autres. En d'autres termes, cette action ne permet pas une diversification très efficace. Le portefeuille B procure une espérance de rentabilité élevée ; il est constitué principalement d'actions Société Générale. Le tableau montre aussi les compositions d'un autre portefeuille efficient, C, présentant un niveau intermédiaire de risque et de rentabilité.

1.2 L'effet des prêts et des emprunts

Les fonds d'investissement professionnels, eux, peuvent piocher dans des milliers d'actions, et obtiendront ainsi un éventail plus complet de couples risque-rentabilité. Cet éventail est représenté dans la figure 8.6, par la zone ombrée. L'ensemble des portefeuilles efficients est représenté par la courbe en gras. Nous introduisons maintenant la possibilité pour chaque investisseur de prêter ou d'emprunter de l'argent au taux d'intérêt sans risque (r_f). Si vous investissez une partie de vos fonds dans des bons du Trésor (c'est-à-dire si vous prêtez de l'argent) et placez le reste dans un portefeuille S d'actions, vous pouvez obtenir toute combinaison de risque-rentabilité située sur la droite joignant r_f à S dans la figure 8.6[6]. Puisqu'un emprunt est finalement un prêt négatif, vous pouvez accroître l'éventail de vos possibilités au-delà du point S en empruntant des fonds à un taux d'intérêt r_f et en les investissant dans le portefeuille S.

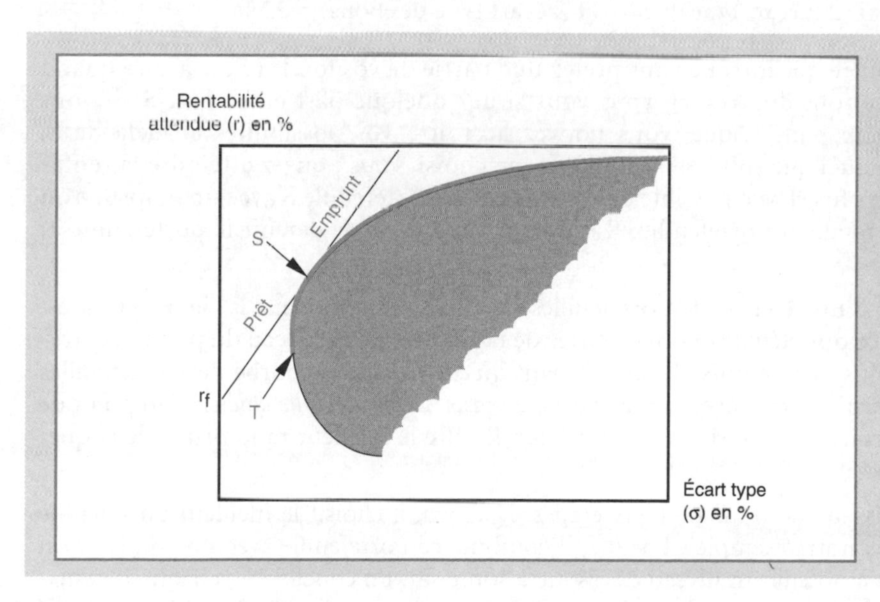

Figure 8.6 - La possibilité d'emprunter, ou de prêter, étend les possibilités d'investissement. Si vous investissez dans le portefeuille S, vous pourrez vous situer sur n'importe quel point de la droite qui relie r_f à S, pour peu que vous empruntiez ou placiez au taux sans risque. Vous obtiendrez alors une meilleure rentabilité que pour un investissement uniquement en actions (c'est-à-dire la courbe).

6. Pour vérifier cela, reprenons la formule donnant l'écart type d'un portefeuille de deux actions :

$$\text{Écart type} = \sqrt{x_1^2\sigma_1^2 + x_2^2\sigma_2^2 + 2x_1x_2\rho_{12}\sigma_1\sigma_2}$$

Voyez maintenant ce qu'elle devient lorsque le titre 2 est sans risque c'est-à-dire en ayant $\sigma_2 = 0$.

Passons aux calculs. Supposons que le portefeuille S présente une rentabilité annuelle attendue de 15 % et un écart type de 16 %. Les bons du Trésor offrent un taux d'intérêt (r_f) de 5 % et sont sans risque (leur écart type est nul). Si vous investissez la moitié de vos fonds dans le portefeuille S et prêtez le reste à 5 %, la rentabilité attendue de votre investissement se situera alors à mi-chemin entre la rentabilité attendue de S et la rentabilité attendue des bons du Trésor :

$$r = (0{,}5 \times \text{rentabilité attendue de S}) + (0{,}5 \times \text{taux d'intérêt}) = 10\ \%$$

et l'écart type de votre portefeuille sera à mi-chemin entre celui de S et celui des bons du Trésor :

$$\sigma = (0{,}5 \times \text{écart type de S}) + (0{,}5 \times \text{écart type des bons}) = 8\ \%$$

Vous pouvez aussi décider de jouer gros : vous empruntez au taux sans risque un montant égal à votre mise initiale et vous placez le tout dans le portefeuille S. Vous avez investi deux fois plus de fonds dans S que vous n'en possédez, mais vous devez payer les intérêts sur votre emprunt. Votre rentabilité attendue est donc :

$$r = (2 \times \text{rentabilité attendue de S}) - (1 \times \text{taux d'intérêt}) = 25\ \%$$

Et l'écart type de votre investissement est :

$$= (2 \times \text{écart type de S}) - (1 \times \text{écart type des bons}) = 32\ \%$$

La figure 8.6 montre que lorsque vous prêtez une partie de vos fonds (c'est-à-dire quand vous achetez des bons du Trésor), vous vous situez quelque part entre r_f et S. Si vous empruntez au taux sans risque, vous pouvez accroître vos possibilités au-delà de S. Remarquez que, quel que soit le niveau de risque choisi, vous pouvez atteindre la rentabilité attendue la plus élevée possible en combinant le portefeuille S avec un emprunt ou un prêt. S est le meilleur portefeuille. Il n'y a aucune raison de détenir le portefeuille T, par exemple.

Si vous disposez d'une courbe de portefeuilles efficients, comme dans la figure 8.6, il est facile de trouver ce portefeuille optimal. Partez de l'axe vertical, au niveau du point r_f, et tracez la droite la plus pentue possible, en vérifiant qu'elle touche la courbe des portefeuilles efficients. Cette droite sera tangente à la courbe en gras. Le *portefeuille efficient* (au point de tangence de la droite et la courbe) est le meilleur. Il offre le meilleur ratio prime de risque/écart type.

En effet, l'investisseur raisonne en deux étapes. D'abord, il choisit le meilleur portefeuille d'actions (S, dans notre exemple). Ensuite, il combine ce portefeuille avec un emprunt ou un prêt de façon à obtenir un niveau de risque à son goût. En conclusion, chaque investisseur ne devrait placer son argent que dans deux actifs : un portefeuille risqué S et un actif sans risque[7].

7. Ce *théorème de séparation* est dû à J. Tobin, « Liquidity Preference as Behavior toward Risk », *Review of Economic Studies*, 25 (février 1958), pp. 65-86.

De quoi se compose le portefeuille S ? Si vous avez accès à de meilleurs renseignements que vos rivaux, vous voudrez qu'il contienne surtout des titres que vous jugez sous-évalués. Mais il est peu probable que vous ayez le monopole des bonnes idées. Dans ce cas, il n'y a aucune raison que vous déteniez un portefeuille d'actions différent de celui des autres investisseurs : vous avez tout intérêt à détenir le *portefeuille de marché*. Voilà pourquoi de nombreux investisseurs professionnels placent leurs fonds dans un portefeuille représentant un indice de marché, et pourquoi la plupart des autres détiennent des portefeuilles très diversifiés.

2 La relation entre le risque et la rentabilité

Dans le chapitre 7, nous avons analysé les rentabilités de quelques placements. Les investissements les moins risqués étaient les bons du Trésor. Nous avons aussi parlé d'un investissement plus risqué : le portefeuille de marché. Son risque de marché correspond à la moyenne.

Les investisseurs avisés ne prennent pas des risques pour le plaisir. Ils jouent des sommes réelles. Aussi, ils exigent une rentabilité attendue plus élevée pour le portefeuille de marché que pour des bons du Trésor. La différence entre la rentabilité attendue du portefeuille de marché et le taux sans risque est appelée prime de risque du marché, ou *prime de marché*. Depuis 1900, la prime du marché américain ($r_m - r_f$) a été en moyenne de 7,6 % par an.

La figure 8.7 présente la relation entre le risque et la rentabilité attendue pour les bons du Trésor et le portefeuille de marché. Les bons du Trésor ont un bêta de 0 et une prime de risque de 0. Le portefeuille de marché a un bêta de 1 et une prime de risque égale à $r_m - r_f$. Cela nous donne deux références de prime de risque. Mais quelle serait la prime de risque si le bêta était différent de 0 ou 1 ?

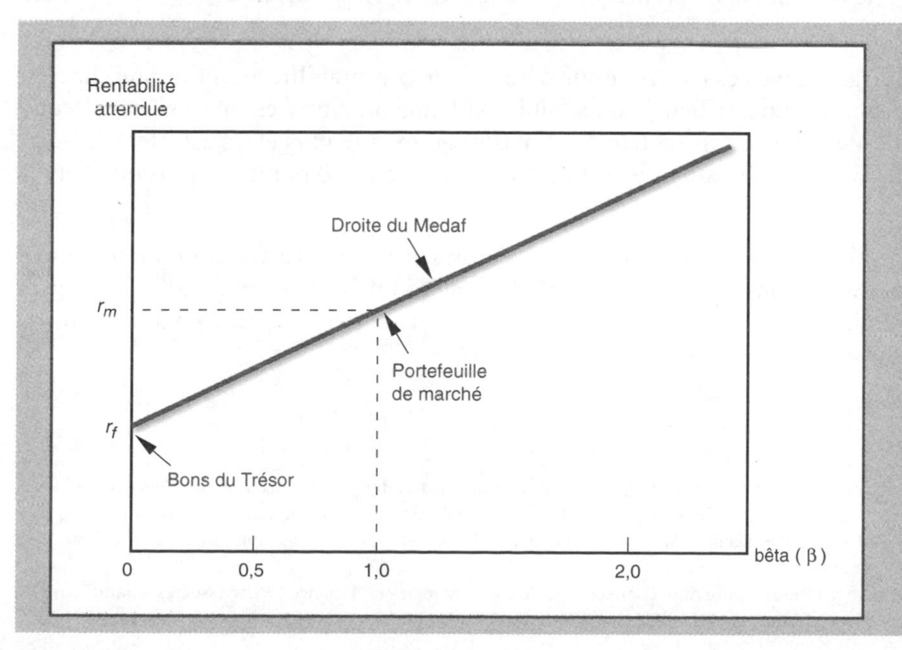

Figure 8.7 - Le Medaf postule que la prime de risque attendue sur un investissement est proportionnelle à son bêta. Cela implique que chaque titre doit se trouver sur la droite reliant l'actif sans risque au portefeuille de marché.

Au milieu des années 1960, trois économistes, William Sharpe, John Lintner et Jack Treynor, ont fourni une réponse à cette question[8]. Leur modèle porte le nom de **modèle d'évaluation des actifs financiers** ou Medaf (*capital asset pricing model*, ou *CAPM* dans la langue de James Brown). La réponse fournie par le modèle est à la fois simple et surprenante : sur un marché concurrentiel, la prime de risque est directement proportionnelle au bêta. Cela signifie que, dans la figure 8.7, *tous les placements se situent sur la droite du Medaf.* La prime de risque d'un placement ayant un bêta de 0,5 est exactement égale à la *moitié* de celle d'un placement dans le portefeuille de marché ; de même, la prime de risque d'un investissement ayant un bêta de 2 est le *double* de celle du marché. Nous pouvons écrire cette relation comme suit :

$$\text{Prime de risque d'une action} = \text{Bêta} \times \text{Prime de risque du marché}$$
$$r - r_f = \beta \times [r_m - r_f]$$

2.1 Les estimations des rentabilités attendues

Avant de voir d'où vient cette formule, utilisons-la pour déterminer les rentabilités qu'attendent les investisseurs sur des actions données. Pour cela, trois nombres sont nécessaires : β, r_f, et $r_m - r_f$. Dans le tableau 7.5, nous vous avons donné les estimations des bêta de 10 actions. En janvier 2005, le taux d'intérêt sur les Obligations Assimilables du Trésor français (OAT) à 10 ans était de l'ordre de 3,0 %.

Qu'en est-il de la prime de marché ? Comme nous l'avons montré dans le précédent chapitre, nous ne pouvons pas mesurer $r_m - r_f$ avec précision. Historiquement, cette prime semble être de 9 % aux États-Unis, mais de nombreux économistes et gestionnaires utilisent un chiffre inférieur. En Europe, la détermination de la prime de marché est rendue difficile par la faible disponibilité de données historiques sur tendances longues. Sur les 20 dernières années, la prime de marché en France s'est établie en moyenne autour de 3 à 5 %. Prenons 5 % ici[9].

Le tableau 8.2 rassemble ces chiffres pour déterminer la rentabilité attendue sur chacune des actions. L'action qui a le bêta le plus faible est Peugeot. Notre estimation de la rentabilité attendue de cette action est 6,00 %. L'action au bêta le plus élevé est Alcatel. Notre estimation de sa rentabilité attendue est de 15,50 %, soit 12,50 points de plus que le taux sans risque.

Vous pouvez également utiliser le Medaf pour déterminer le taux d'actualisation d'un nouvel investissement. Supposons par exemple que vous deviez analyser un projet d'expansion de capacité pour Publicis. À quel taux devrez-vous actualiser les cash-flows prévisionnels du projet ?

---

8. W. F. Sharpe, « Capital Asset Prices : A Theory of Market Equilibrium under Conditions of Risk », *Journal of Finance*, 19 (septembre 1965), pp. 425-442 ; J. Lintner, « The Valuation of Risk Assets and the Selection of Risky Investments in Stock Portfolios and Capital Budgets », *Review of Economics and Statistics*, 47 (février 1965), pp. 13-37 ; l'article de Treynor n'a pas été publié.

9. Sur ce sujet, le lecteur intéressé pourra se connecter sur le site d'Associés en Finance (**www.associes-finance.com**) et consulter, par exemple, la *Lettre Financière* n°32, septembre 2002, p. 6.

Tableau 8.2. Ces estimations des rentabilités *attendues* par les investisseurs en janvier 2005 sont fondées sur le modèle d'évaluation des actifs financiers. Nous supposons un taux d'intérêt $r_f = 3{,}0$ % et une prime de risque anticipée du marché $r_m - r_f = 5$ %

Action	Bêta	Rentabilité attendue $[r_f + \beta(r_m - r_f)]$
AGF	1,09	8,45 %
Alcatel	2,50	15,50 %
Bouygues	1,44	10,20 %
Crédit Agricole	0,85	7,25 %
Lagardère	1,44	10,20 %
LVMH	1,18	8,90 %
Michelin	0,72	6,60 %
Peugeot	0,60	6,00 %
Publicis	1,82	12,10 %
Société Générale	0,95	7,75 %

Selon le tableau 8.2, les investisseurs exigent une rentabilité attendue de 12,10 % pour les entreprises de risque similaire à celui de Publicis. Le coût du capital pour un investissement dans ce secteur sera donc de 12,10 %[10].

En pratique, la détermination du taux d'actualisation est rarement aussi simple. Vous devez apprendre à tenir compte du risque supplémentaire si la société finance le projet par emprunt. Il faut aussi préciser l'approche lorsque le risque du projet est différent du risque actuel de l'entreprise. Il y a aussi les aspects fiscaux. Mais ces raffinements peuvent attendre pour l'instant[11].

2.2 Le modèle d'évaluation des actifs financiers (Medaf)

Résumons les principes de base du choix de portefeuille :

1. Les investisseurs préfèrent des rentabilités attendues élevées et des risques faibles. Les portefeuilles qui procurent la rentabilité attendue la plus élevée pour un risque donné sont appelés *portefeuilles efficients*.

2. Si l'investisseur peut emprunter ou placer au taux sans risque, il existe un portefeuille efficient qui est le meilleur : celui qui offre le meilleur ratio prime de risque/écart type (c'est-à-dire le portefeuille S dans la figure 8.6). Un investisseur qui a une forte aversion

10. Rappelez-vous que, plutôt que d'investir, l'entreprise pourrait rendre cet argent aux actionnaires. La rentabilité à laquelle ils renoncent si l'entreprise réalise l'investissement est donc la rentabilité qu'ils pourraient attendre d'un placement financier. Cette rentabilité attendue dépend du *risque systématique* des placements.

11. La fiscalité joue un rôle, car une entreprise est taxée sur ses placements en titres à revenus fixes, comme les bons du Trésor. Le taux d'actualisation correct pour un investissement sans risque est le taux sans risque *après impôts*. Nous reviendrons sur ce point dans les chapitres 19 et 26. Les considérations pratiques sur l'utilisation des bêta et du modèle d'évaluation des actifs financiers seront abordées dans le chapitre 9.

pour le risque investira essentiellement dans l'actif sans risque et un peu dans le portefeuille efficient. Un investisseur qui aime plus le risque investira peut-être tout son capital dans ce portefeuille efficient, il pourra même emprunter au taux sans risque pour investir encore plus dans le portefeuille efficient.

3. La composition de ce portefeuille efficient optimal dépend des estimations de l'investisseur concernant les rentabilités espérées, les écarts types, et les corrélations entre actions. Si on suppose que chacun dispose de la même information et fasse les mêmes hypothèses, alors tous les investisseurs détiendront le même portefeuille, c'est-à-dire le portefeuille de marché.

Revenons maintenant au risque des actions individuelles :

4. N'estimez pas le risque d'une action prise isolément, raisonnez plutôt en termes de contribution de l'action au risque du portefeuille. Cette contribution dépendra de la sensibilité de l'action aux changements de valeur du portefeuille.
5. La sensibilité d'une action au changement de valeur du portefeuille *de marché* s'appelle le *bêta*. Le bêta mesure la contribution marginale d'une action au risque du portefeuille de marché.

Au total, si chaque investisseur détient le portefeuille de marché, et si le bêta mesure la contribution de chaque action au risque du portefeuille de marché, il n'est pas surprenant que la prime de marché exigée par les investisseurs soit proportionnelle au bêta. C'est ce que dit le Medaf.

2.3 Que faire si un titre ne se situe pas sur la droite du Medaf ?

Supposons que vous repériez l'action A dans la figure 8.8. L'achèteriez-vous ? Nous espérons que non[12]. Vous pouvez investir 50 % en bons du Trésor et 50 % dans le portefeuille de marché, ce qui générera une meilleure rentabilité attendue à risque égal (un bêta de 0,5).

Figure 8.8 - À l'équilibre, aucune action ne peut se situer sous la droite du Medaf. Au lieu d'acheter l'action A, les investisseurs préféreront acheter des bons du Trésor (c'est-à-dire prêter au taux sans risque) et investir le reste dans le portefeuille de marché. Au lieu d'acheter B, ils préféreront emprunter au taux sans risque, et investir le tout dans le portefeuille de marché.

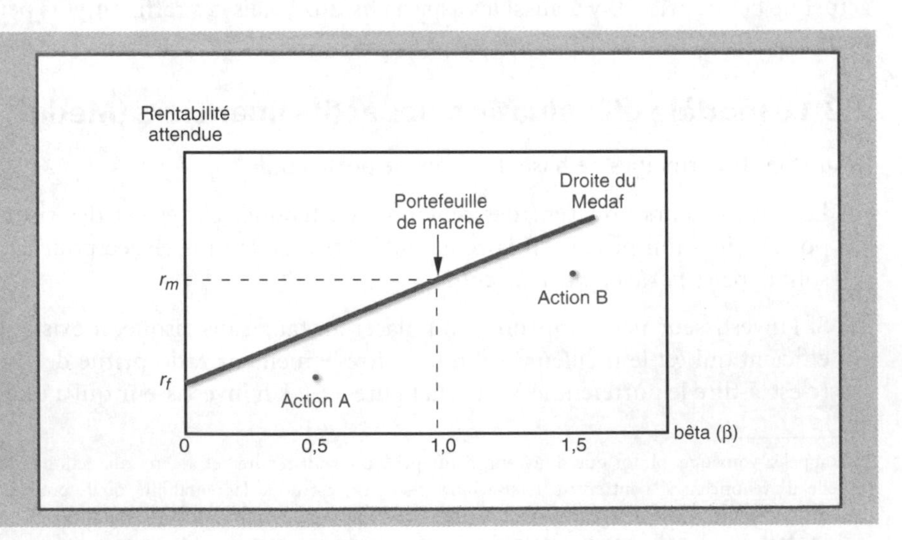

12. À moins, bien sûr, que nous en soyons les vendeurs…

Si tous les investisseurs partagent votre opinion, personne n'achètera le titre A et son prix devra chuter, jusqu'à ce qu'il offre une rentabilité attendue adéquate. Le titre reviendra donc inévitablement sur la droite du Medaf.

Qu'en est-il du titre B, sur la figure 8.8 ? Êtes-vous tenté(e) par son espérance de rentabilité élevée ? Non, si vous avez un minimum de jugeote. Vous pouvez obtenir une meilleure rentabilité attendue (pour le même bêta) en empruntant 50 % en plus de votre argent et en plaçant le tout (vos fonds plus la somme empruntée) dans le portefeuille de marché. Encore une fois, si tous les investisseurs partagent votre analyse, le cours du titre B ne va pas se maintenir. Il faudra qu'il baisse jusqu'au point où sa rentabilité attendue sera égale à celle d'un portefeuille constitué par emprunt, et investi dans le portefeuille de marché.

Un investisseur peut toujours obtenir un niveau de rentabilité attendue $\beta \times (r_m - r_f)$ en répartissant ses fonds entre le portefeuille de marché et un actif sans risque. Dans ces conditions, sur un marché efficace, personne ne consentira à acheter un titre dont la rentabilité attendue est *inférieure* à $\beta \times (r_m - r_f)$. Mais qu'en est-il de l'alternative ? Y a-t-il des titres qui offrent une rentabilité attendue *supérieure*, donc qui se situent au-dessus de la droite du Medaf de la figure 8.8 ? Si nous rassemblons toutes les actions, nous obtenons le portefeuille de marché. Par conséquent, *en moyenne*, toutes les actions se situent sur la droite. Comme aucune action n'est située *en dessous* de la droite, il n'y en a non plus aucune *au-dessus* de la droite. Donc tous les titres situés sur la droite du Medaf, et offrent une prime de risque correspondant à :

$$r - r_f - \beta(r_m - r_f)$$

3 La validité et l'importance du Medaf

Tout modèle économique est une représentation simplifiée de la réalité. Il nous faut simplifier nos modèles si nous voulons parvenir à interpréter quoi que ce soit. Mais nous devons aussi savoir quelle confiance nous pouvons accorder à notre modèle.

Commençons par les aspects sur lesquels il existe un large consensus. Premièrement, tout le monde est d'accord pour dire que les investisseurs exigent une rentabilité supplémentaire lorsqu'ils courent un risque. C'est pourquoi les actions rapportent en moyenne plus que les bons du Trésor. Deuxièmement, les investisseurs semblent se focaliser surtout sur les risques qu'ils ne peuvent pas éliminer par diversification.

Le modèle d'évaluation des actifs financiers présente ces idées de façon simple. C'est pourquoi beaucoup de gestionnaires financiers trouvent qu'il constitue l'outil le plus pratique pour parvenir à saisir la notion évanescente de « risque » et l'utilisent donc pour estimer le coût du capital[13]. Mais il est aussi critiquable et nous évoquerons des théories alternatives.

---

13. Voir J. R. Graham et C. R. Harvey, « The Theory and Practice of Corporate Finance : Evidence from the Field », *Journal of Economics*, 61 (2001), pp. 187-243. Un certain nombre de gestionnaires interrogés utilisent plusieurs méthodes pour estimer le coût du capital. 73 % se servent du Medaf alors que 39 % affirment employer la moyenne historique de la rentabilité de l'action, et 34 % d'entre eux utilisent le Medaf assorti de facteurs supplémentaires mesurant le risque.

3.1 La validation du Medaf

Imaginons qu'en 1931, dix investisseurs se réunissent dans un bar de Wall Street pour discuter de stratégie d'investissement. Ils conviennent que chacun d'eux investira dans un portefeuille différent. L'investisseur 1 choisit d'acheter les actions américaines dont les bêta estimés se situent parmi les 10 % les plus faibles ; l'investisseur 2 convient d'acheter les actions dont les bêta se situent dans les 10 % suivants, et ainsi de suite, l'investisseur 10 achetant les actions ayant les bêta les plus élevés. Ils conviennent, en outre, de recalculer les bêta à la fin de chaque année[14] et d'ajuster leurs portefeuilles respectifs sur la base de ces nouvelles estimations. Finalement, ils se donnent rendez-vous dans 60 ans pour comparer leurs performances, et se quittent en se souhaitant bonne chance.

La roue du temps a tourné, et la Faucheuse a récolté son dû. Ce sont donc les héritiers qui se retrouvent en 2003 dans le même bar. La figure 8.9 illustre leurs performances. Le portefeuille de l'investisseur 1 s'est révélé nettement moins risqué que le marché, avec un bêta de 0,49. Cependant, il a réalisé la rentabilité la plus faible, soit 9 % de plus que le taux sans risque. À l'autre extrême, le bêta de l'investisseur 10 a été de 1,53, soit trois fois celui de l'investisseur 1. Mais l'investisseur 10 a été récompensé par la rentabilité la plus élevée, soit en moyenne 15 % de plus que le taux sans risque. Ainsi, sur une période de 72 ans, la rentabilité moyenne s'est accrue avec le bêta.

Figure 8.9 - Le modèle d'évaluation des actifs financiers (Medaf) postule que la prime de risque attendue sur un titre doit se situer sur la droite de marché. Les points représentent les primes de risque moyennes en fonction du bêta des investissements. Les portefeuilles avec un bêta élevé ont dégagé des rentabilités supérieures, conformément aux prédictions du Medaf. Mais les portefeuilles à bêta élevé sont situés sous la droite de marché, tandis que sur les 5 portefeuilles à bêta faibles, 4 sont situés au-dessus de la droite de marché. La droite qui passerait par ces 10 portefeuilles serait « plus plate » que la droite de marché.

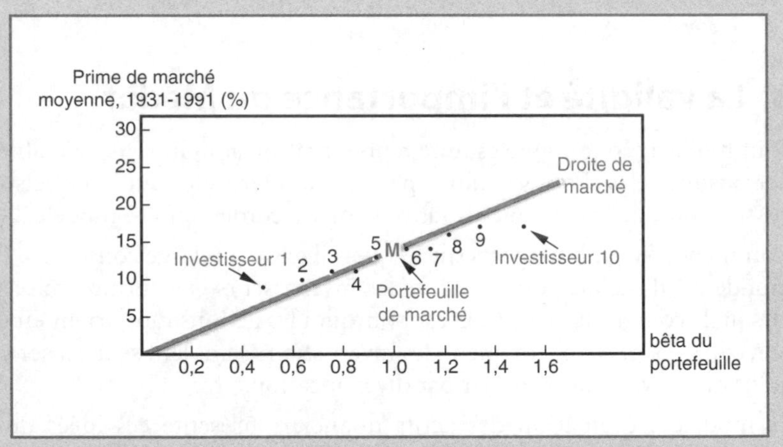

Source : F. Black, « Beta and Return », *Journal of Portfolia Management*, 20 (automne 1993), pp. 8-18.

14. Les bêta sont estimés à partir des rentabilités des 60 mois précédents.

Comme le montre la figure 8.9, le portefeuille de marché, durant cette même période, a produit une rentabilité moyenne de 12,2 % de plus que le taux sans risque[15], et ce pour un bêta qui vaut 1 (évidemment). Le Medaf prédit que la prime de risque augmente proportionnellement au bêta, donc que les rentabilités des portefeuilles devraient se situer sur la droite de la figure 8.9. Avec une prime de marché de 12,2 %, la prime de risque de l'investisseur 1 (bêta de 0,49) devrait être de 6 %, alors que celle de l'investisseur 10 (bêta de 1,53) devrait être un peu au-dessus de 18 %. Bien que les portefeuilles à bêta élevé aient réalisé de meilleures performances que ceux à bêta faible, on voit que la différence n'est pas aussi prononcée que ce que le Medaf prédit.

Même si la figure 8.9 tend à valider le Medaf, les critiques ont souligné que la pente de la droite a été particulièrement plate sur les dernières années. Par exemple, la figure 8.10 montre comment nos 10 investisseurs s'en sont sortis sur les années 1966-2002. Les portefeuilles des investisseurs 1 et 10 ont des bêta très différents, mais ont réalisé des rentabilités moyennes pratiquement identiques durant ces 36 années. Cela dit, la pente de la droite est nettement plus prononcée pour les années qui précèdent 1966, comme le montre aussi la figure 8.10.

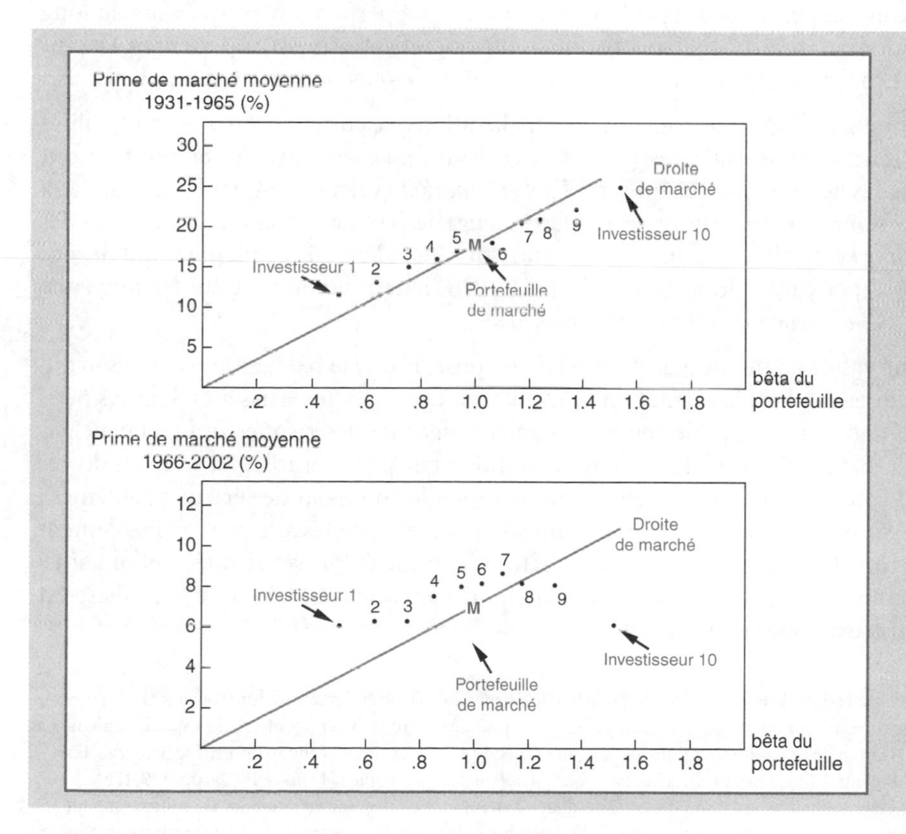

Figure 8.10 - La relation entre le bêta et la rentabilité constatée a été moins importante après 1965. Comparez ces graphes à la figure 8.9.

Source : F. Black, « Beta and Return », *Journal of Portfolia Management*, 20 (automne 1993), pp. 8-18.
Merci à Adam Kolasinski pour les mises à jour.

15. Sur la figure 8.9, les actions du « portefeuille de marché » ont toutes le même poids. Comme la rentabilité des actions de petites entreprises a été supérieure à celle des grandes entreprises, la prime de risque d'un portefeuille de pondération uniforme sera supérieure à celle d'un portefeuille pondéré par les capitalisations boursières. C'est une des raisons qui expliquent la différence entre la prime de risque de 12,2 % de la figure 8.9 et celle de 7,6 % du tableau 7.1.

Que se passe-t-il ? C'est assez difficile à dire. Les défenseurs du Medaf soulignent que le modèle traite des rentabilités *attendues*, alors que nous ne pouvons observer que des rentabilités *réalisées*. Les rentabilités des actions incorporent les anticipations, mais aussi beaucoup de « bruit » : le flux permanent d'informations nouvelles qui rendent difficile le fait de savoir si les investisseurs ont reçu la rentabilité qu'ils attendaient. Ce bruit pourrait empêcher de juger si le modèle est mieux validé au cours d'une période plutôt qu'une autre[16]. Peut-être la meilleure chose à faire est-elle de se focaliser sur la période la plus longue possible. Ceci nous ramène à la figure 8.9, qui indique que la rentabilité attendue est effectivement une fonction croissante du bêta, même si le taux de croissance est moindre que celui prédit par la version simple du Medaf[17].

Le Medaf a été l'objet d'une autre critique : la rentabilité moyenne n'a pas augmenté en fonction du bêta sur les dernières années, parce qu'elle était liée à d'autres variables. Par exemple, le graphe en couleur de la figure 8.11 montre la différence cumulée entre les rentabilités des petites sociétés et celle de grandes sociétés américaines. Si vous aviez acheté des actions de sociétés à petite capitalisation (*small caps*), et revendu les actions des plus grosses sociétés, voici comment votre richesse aurait évolué. La figure 8.11 montre que les actions des petites sociétés n'ont pas toujours été performantes, mais sur du long terme, leurs actionnaires ont bénéficié de rentabilités significativement supérieures. Depuis 1926, les petites sociétés ont rapporté en moyenne 3,9 % de plus par an aux États-Unis.

Regardons maintenant le graphe noir, qui montre la différence cumulée entre les rentabilités des valeurs de rendement et celle des valeurs de croissance. Les **valeurs de rendement** sont définies comme les actions qui ont un ratio *book-to-market* (valeur comptable des capitaux propres / valeur boursière des actions) élevé. Les **valeurs de croissance** sont celles qui ont des ratios *book-to-market* faibles. La figure 8.11 montre que les valeurs de rendement ont dégagé une rentabilité supérieure à long terme. Depuis 1926, leur rentabilité a été en moyenne supérieure de 4,4 % à celle des valeurs de croissance.

La figure 8.11 ne valide pas le modèle du Medaf, qui postule que le bêta est *la seule raison* qui explique les différences dans les rentabilités. Ici, il semble que les investisseurs dans les petites sociétés, ou dans les valeurs de rendement, aient identifié des risques qui n'étaient pas expliqués par le bêta[18]. Prenons les valeurs de rendement par exemple. La plupart de ces sociétés étaient cotées en dessous de leur valeur comptable en raison de sérieux problèmes ; si la croissance économique avait ralenti un tant soit peu, ces sociétés auraient probablement fait faillite. Les investisseurs ont considéré ces actions comme étant très risquées, et ont ainsi demandé une compensation sous forme de rentabilités plus élevées[19]. Si cette hypothèse est valide, le Medaf n'explique pas tout.

---

16. Un second problème résulte de la définition du portefeuille de marché. Celui-ci devrait inclure tous les actifs pouvant être détenus par un investisseur : actions, obligations, matières premières, immobilier et même le capital humain. La plupart des indices de marché ne contiennent que des actions. *Cf.* R. Roll, « A Critique of the Asset Pricing Theory's Tests – Part1 : On Past and Potential Testability of the Theory », *Journal of Financial Economics*, 4 (mars 1977), pp. 129-176.
17. Nous qualifions cette version de « simple », car Fisher Black a démontré que même en présence de restrictions sur les possibilités d'emprunts, il y a une relation entre rentabilité attendue et bêta, mais la pente de la relation est moins élevée. Voir F. Black, « Capital Market Equilibrium with Restricted Borrowing », *Journal of Business*, 45 (juillet 1972), pp. 444-455.
18. Les bêta de petites entreprises sont plus élevés, mais la différence n'est pas suffisante pour justifier la différence de rentabilités. Aucune relation simple n'existe entre le rapport valeur de marché-valeur comptable et le bêta.
19. Pour une revue des tests réalisés sur le Medaf, voir J. H. Cochrane, « New Facts in Finance », *Journal of Economic Perspectives*, vol. 23 (1999), pp. 36-58.

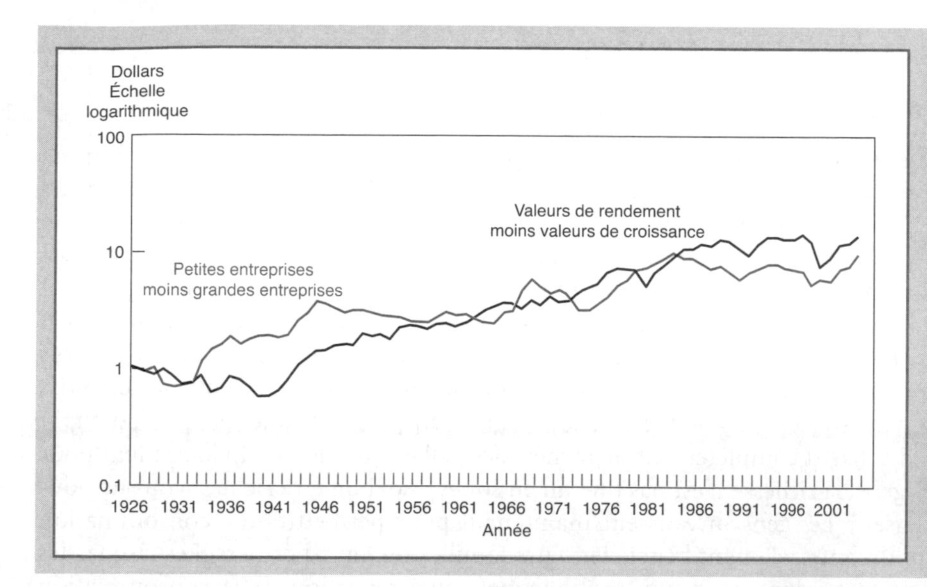

Figure 8.11 - Le graphe bleu représente la différence cumulée entre les rentabilités des petites entreprises américaines et celles des grandes. Le graphe noir montre la différence cumulée entre les rentabilités des actions avec un ratio book-to-market élevé, et celles qui ont un book-to-market faible.

Source : mba.tuck.dartmouth.edu/pages/faculty/ken.french/data_library.html

Il est difficile d'estimer dans quelle mesure le Medaf est ébranlé par ces résultats. Il est sûr qu'il existe une relation entre la rentabilité des actions, la taille des sociétés, et le ratio *book-to-market*. Cela ne doit pas nous conduire à estimer qu'une stratégie automatiquement gagnante consistera à investir dans les petites sociétés. En effet, si vous prenez des séries historiques suffisamment longues, vous trouverez probablement des stratégies qui, *à l'époque*, auraient permis de dégager des rentabilités supérieures. Cette pratique est appelée « faire du *data-mining* ou des *backtests* ». Mais l'efficacité de ces stratégies disparaît dès qu'elles sont découvertes. Par exemple, dans la figure 8.11, sur les dernières années, les sociétés de petite taille et les valeurs de rendement ont sous-performé à peu près aussi souvent qu'elles ont sur-performé les autres valeurs.

3.2 Les hypothèses sous-jacentes au Medaf

La démarche qui sous-tend le Medaf repose sur plusieurs hypothèses que nous n'avons pas détaillées. Ainsi, nous avons supposé que les bons du Trésor étaient sans risque. Il est vrai que leur risque de défaut est très faible, mais ils ne garantissent pas un rendement *en termes réels*. Il existe toujours une incertitude sur l'inflation. Une autre hypothèse est que les investisseurs peuvent emprunter ou prêter des fonds *au même taux d'intérêt*. En réalité, les taux d'emprunt sont généralement plus élevés que les taux de prêt.

Il est possible de modifier le Medaf de façon à tenir compte de ces hypothèses. L'idée vraiment importante est que les investisseurs vont placer leur argent dans un nombre très limité d'actifs de référence (dans la version de base du Medaf, les bons du Trésor et le portefeuille de marché).

Dans les versions modifiées du Medaf, la rentabilité attendue dépend toujours du risque de marché, mais la définition de ce risque de marché est fonction de la nature des portefeuilles de référence utilisés[20]. En pratique, aucune de ces versions modifiées n'est autant utilisée que la version de base.

20. Voir, par exemple, M. C. Jensen (ed.), *Studies in the Theory of Capital Markets*, Frederick A. Praeger, Inc., New York, 1972. Dans l'introduction, Jensen donne un résumé utile des différentes versions du modèle d'évaluation des actifs financiers.

4 Les modèles concurrents

4.1 Bêta de consommation et bêta de marché

Le Medaf présente des investisseurs uniquement préoccupés par le niveau et l'incertitude de leur richesse future. Mais cette approche est trop simpliste. Par exemple, les investisseurs peuvent être habitués à un certain niveau de vie et la perspective de devenir pauvre demain peut sembler insupportable à celui qui est riche aujourd'hui[21]. Les psychologues « comportementalistes » ont également observé que les investisseurs ne se focalisent pas uniquement sur la valeur *actuelle* de leurs actifs mais aussi sur les profits qu'ont générés ces actifs. Un gain, même faible, est en effet une source de satisfaction. Le modèle d'évaluation des actifs financiers ne prend pas en compte certains comportements comme le fait que les investisseurs, se penchant sur le cours de leurs actions, sont transportés de joie lorsqu'il est supérieur au prix d'achat et complètement déprimés lorsqu'il est inférieur[22]. Évidemment pour la plupart des gens, la richesse n'est pas une fin en soi. À quoi bon être riche si vous ne pouvez rien dépenser ? Les gens investissent maintenant pour permettre une consommation future dont pourront également bénéficier leurs familles ou leurs héritiers. Les risques les plus importants sont donc ceux qui impliqueraient une réduction de la consommation future.

Douglas Breeden a mis au point un modèle dans lequel le risque d'un titre est mesuré par sa sensibilité à la consommation des investisseurs. Si son approche est correcte, la rentabilité attendue d'une action devrait être déterminée par son *bêta de consommation*, et non son bêta boursier. La figure 8.12 résume les principales différences entre le bêta classique et le bêta de consommation. Dans le modèle classique, les investisseurs ne se soucient que du niveau et du risque de leur richesse future. La richesse de tout investisseur est parfaitement corrélée à la rentabilité du portefeuille de marché. La motivation fondamentale de l'investisseur, la consommation future, n'est pas incorporée dans le modèle.

Dans le Medaf de consommation, l'incertitude relative aux rentabilités futures est liée à l'incertitude de la consommation. Bien entendu, la consommation est liée à la richesse (la valeur du portefeuille), mais cette richesse n'apparaît pas en tant que telle dans le modèle.

Le Medaf de consommation présente plusieurs caractéristiques intéressantes. D'abord, vous n'avez pas à déterminer un portefeuille de marché, ou d'autres actifs de référence. Peu vous chaut que l'indice boursier n'englobe pas les rentabilités des obligations, des matières premières ou de l'immobilier.

Mais comment mesurer la consommation ? Qu'avez-vous consommé le mois dernier ? Vous pouvez retrouver vos notes de restaurant et les billets de matches de rugby, mais qu'en est-il de l'amortissement de votre voiture ou de votre machine à laver ? Nous soupçonnons que votre estimation sera approximative.

---

21. Par exemple, voir G. M. Constantinides, « Habit Formation : A Resolution of the Equity Premium Puzzle », *Journal of Political Economy*, 98 (juin 1990), pp. 519-543.

22. Nous aborderons le thème de l'aversion aux pertes dans le chapitre 13. S. Benartzi et R. Thaler ont exploré les conséquences sur l'évaluation des actifs dans « Myopic Loss Aversion and the Equity Premium Puzzle », *Quaterly Journal of Economics*, 110 (1995), pp. 75-92. Voir également N. Barberis, M. Huang et T. Santos, « Prospect Theory and Asset Prices », *Quaterly Journal of Economics*, 116 (2001), pp. 1-53.

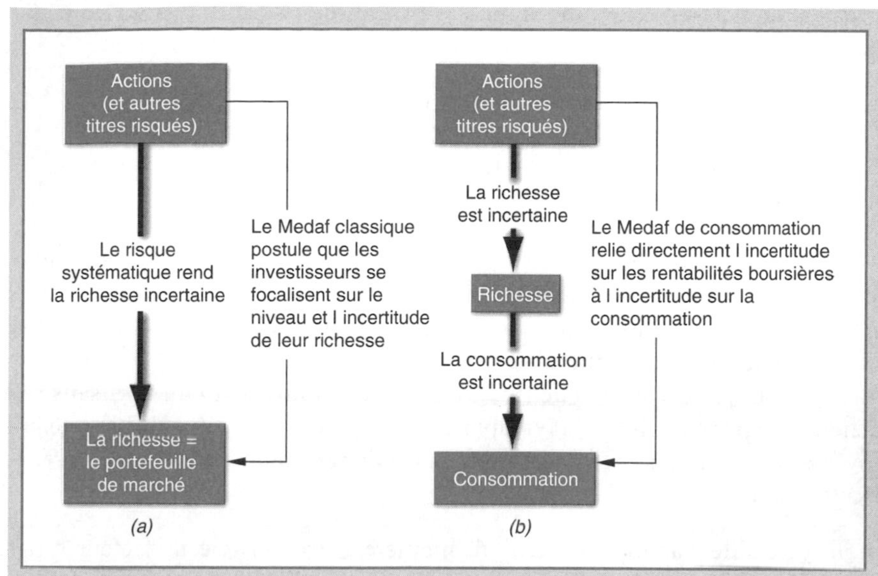

Figure 8.12 - (a) Le Medaf classique analyse comment les actions influent sur le niveau et l'incertitude de la richesse des investisseurs. La consommation n'est pas prise en compte. (b) Le Medaf de consommation définit le risque comme la contribution d'une action à l'incertitude sur la consommation. La richesse (étape intermédiaire entre la rentabilité des actions et la consommation) disparaît du modèle.

Comparée aux prix des actions, la consommation globale varie lentement. Les variations de consommation ne semblent pas liées aux évolutions boursières. Les actions individuelles sont donc caractérisées par des bêta de consommation faibles ou instables. En outre, la volatilité de la consommation semble trop faible pour expliquer la volatilité passée des actions, sauf à supposer une aversion au risque particulièrement élevée. Ces problèmes résultent peut-être de la faiblesse de nos mesures de la consommation, ou de l'inadéquation des modèles expliquant la consommation au fil du temps. L'utilité pratique du Medaf de consommation semble donc encore discutable.

4.2 La théorie de l'arbitrage (APT)

Le Medaf se fonde sur l'identification des portefeuilles efficients par les investisseurs. Le **modèle d'évaluation par arbitrage** (*arbitrage pricing theory* ou « méthode APT ») de Stephen Ross est fondé sur un tout autre raisonnement. Il ne cherche pas à déterminer les portefeuilles efficients, il *postule* que la rentabilité de chaque action est influencée à la fois par des données macroéconomiques appelées « facteurs » et par du « bruit », c'est-à-dire des événements spécifiques à chaque société. La rentabilité est supposée suivre la relation suivante :

$$\text{Rentabilité} = a + b_1\,(r_{\text{facteur }1}) + b_2\,(r_{\text{facteur }2}) + b_3\,(r_{\text{facteur }3}) + \ldots + \text{bruit}$$

La théorie ne précise pas la nature de ces facteurs : prix du pétrole, taux d'intérêt, etc. La rentabilité du portefeuille de marché *pourrait* être un facteur.

Certaines actions seront plus sensibles à certains facteurs que d'autres. L'action TotalFinaElf, par exemple, est plus sensible au prix du pétrole que Heineken. Si le facteur 1 reflète les variations non anticipées du prix du pétrole, la valeur du coefficient b_1 sera plus élevée pour TotalFinaElf.

La prime de risque d'une action dépendra donc des primes de risque associées à chacun des facteurs et des sensibilités par rapport à ces facteurs (b_1, b_2, b_3, etc.). On a la formule[23] :

$$\text{Prime de risque sur un titre} = r - r_f$$
$$= b_1(r_{\text{facteur 1}} - r_f) + b_2(r_{\text{facteur 2}} - r_f) + b_3(r_{\text{facteur 3}} - r_f) + \ldots$$

Cette formule comporte deux messages :

1. Si vous donnez une valeur nulle à chacun des coefficients *b*, la prime de risque est nulle. Un portefeuille d'actions construit de manière à être insensible à chacun des facteurs macroéconomiques sera sans risque et aura donc une rentabilité attendue égale au taux sans risque. Si la rentabilité attendue du portefeuille était plus élevée, les investisseurs pourraient réaliser un profit sans risque (un *arbitrage*) en empruntant au taux sans risque et en achetant ce portefeuille. Si la rentabilité était inférieure au taux sans risque, un arbitrage inverse consisterait à *vendre* le portefeuille « de sensibilité nulle » et à placer le produit de cette vente en bons du Trésor.

2. Un portefeuille diversifié d'actions construit de manière à être sensible, au facteur 1, par exemple, aura une prime de risque proportionnelle à la sensibilité du portefeuille à ce facteur. Imaginons deux portefeuilles A et B dont la rentabilité est uniquement déterminée par le facteur 1. Si le portefeuille A est deux fois plus sensible au facteur 1 que le portefeuille B, la prime de risque du portefeuille A sera deux fois celle du portefeuille B. Ainsi, en investissant la moitié de votre argent en bons du Trésor et l'autre moitié dans le portefeuille A, vous aurez exactement la même sensibilité au facteur 1 que le portefeuille B, et donc la même prime de risque.

Que se passerait-il si la formule du modèle APT n'était pas vérifiée ? Imaginons que la combinaison de bons du Trésor et du portefeuille A donne une rentabilité attendue plus élevée que celle de B. Dans cette situation, les investisseurs pourraient réaliser un profit d'arbitrage en vendant le portefeuille B et en investissant le produit de cette vente dans les bons du Trésor et le portefeuille A.

Les arbitrages que nous avons décrits concernent des portefeuilles bien diversifiés, qui ne contiennent plus de risque spécifique. Mais si la relation d'évaluation par arbitrage est valable pour des portefeuilles diversifiés, elle doit également l'être pour des actions individuelles. Chaque action doit donner une rentabilité attendue liée à sa contribution au risque du portefeuille. Dans l'APT, cette contribution dépend de la sensibilité de l'action aux variations non anticipées des facteurs macroéconomiques.

---

23. Certains facteurs macroéconomiques peuvent ne jouer aucun rôle pour les investisseurs. Par exemple, certains économistes pensent que l'offre de monnaie n'a pas d'importance et que l'inflation n'est donc pas une variable pour les investisseurs. Ces facteurs non pertinents n'auront donc pas de prime de risque, et n'apparaîtront pas dans la formule de l'APT.

4.3 Comparaison du Medaf et de l'APT

Comme le Medaf, la théorie de l'APT souligne que la rentabilité attendue d'une action dépend d'influences économiques générales et non du risque spécifique. Comment se distinguent ces deux modèles ? Le modèle de l'APT présente quelques caractéristiques intéressantes. Par exemple, le portefeuille de marché, qui joue un rôle central dans le Medaf, est absent du modèle APT[24]. Ceci nous épargne les difficultés liées à la mesure du portefeuille de marché et peut donc nous permettre de tester le modèle APT uniquement sur des actifs risqués.

Malheureusement, on perd d'un côté ce qu'on gagne de l'autre. Le modèle APT ne précise pas quels sont les facteurs sous-jacents alors que le Medaf saisit *tous* les risques macroéconomiques dans un facteur *unique*, la rentabilité du portefeuille de marché.

4.4 L'APT : un exemple

On peut appliquer le modèle APT si nous pouvons : (1) identifier un nombre limité de facteurs macroéconomiques[25] ; (2) mesurer les primes de risque propres à chacun de ces facteurs ; (3) estimer la sensibilité de chaque action à ces facteurs.

Voyons comment Elton, Gruber et Mei ont traité ces points pour estimer le coût des fonds propres de neuf entreprises de production d'électricité (État de New York)[26].

Étape 1 : identifier les facteurs macroéconomiques Elton, Gruber et Mei ont identifié cinq facteurs principaux susceptibles d'influencer soit les cash-flows eux-mêmes, soit les taux d'actualisation :

Facteur	Mesuré par
Écart de rendement	Rentabilité d'une obligation d'État à long terme *moins* la rentabilité d'un bon du Trésor à 30 jours
Taux d'intérêt	Variation de la rentabilité d'un bon du Trésor
Taux de change	Variation du cours du dollar par rapport à un panier de devises
PNB réel	Variation des anticipations du PNB réel
Inflation	Variation des anticipations de l'inflation

Pour saisir toute influence restante, ils ont également inclus un sixième facteur : la proportion de la rentabilité du marché non expliquée par les cinq premiers facteurs.

---

24. Il se peut, bien sûr, que le portefeuille de marché soit l'un des facteurs, mais cela ne constitue pas une condition nécessaire du modèle.

25. Certains chercheurs pensent que quatre ou cinq facteurs influencent les cours des actions. D'autres sont plus sceptiques car, pensent-ils, si l'on augmente le nombre d'actions analysées, le nombre de facteurs nécessaires s'accroît. Voir, par exemple, P. J. Dhrymes, I. Friend et N. B. Gultekin, « A Critical Reexamination of the Empirical Evidence on the Arbitrage Pricing Theory », *Journal of Finance*, 39 (juin 1984), pp. 323-346. Une approche alternative consiste à extraire des facteurs par une analyse en facteurs communs, ou en composantes principales. Lilti et Miloudi testent cette méthodologie sur les indices de 11 pays européens, de 1997 à 2001, dans J.-J. Lilti, A. Miloudi, « Le modèle à facteurs : des variables fondamentales aux facteurs statistiques », *Banque et Marchés*, 60 (septembre-octobre 2002), pp. 30-40.

26. Voir E. J. Elton, M. J. Gruber et J. Mei, « Cost of Capital Using Arbitrage Pricing Theory : A Case Study of Nine New York Utilities », *Financial Markets, Institutions and Instruments*, 3 (août 1994), pp. 46-73. Cette étude a été réalisée à la demande de la New York State Public Utility Commission. Nous avons présenté, dans le chapitre 4, les résultats d'une autre recherche qui utilise le modèle des cash-flows actualisés pour déterminer le coût des fonds propres du même échantillon d'entreprises.

Étape 2 : estimer les primes de risque de chacun des facteurs Certaines actions sont plus exposées que d'autres à un facteur déterminé. Nous pouvons donc estimer la sensibilité d'un échantillon d'actions à chacun des facteurs et mesurer ensuite la rentabilité supplémentaire qu'aurait obtenue un investisseur en augmentant le risque d'un facteur. Les résultats sont repris dans le tableau 8.3.

Tableau 8.3. Primes de risque estimées pour les facteurs, 1978-1990

Facteur	Prime de risque estimée ($r_{facteur} - r_f$)*
Écart de rendement	5,10 %
Taux d'intérêt	–0,61
Taux de change	–0,59
PNB réel	0,49
Inflation	–0,83
Marché	6,36

* Les primes de risque ont été calibrées pour représenter la prime annuelle d'une action industrielle moyenne de l'échantillon de Elton, Gruber et Mei.

Source : E. Elton, M. Gruber, and J. Mei, « *Cost of Capital Using Arbitrage Pricing Theory : A Case Study of Nine New York Utilities* », Financial Markets, Institutions, and Instruments, 3 (août 1994), pp. 46-73.

À titre d'exemple, les actions avec une sensibilité positive au PNB ont eu tendance à réaliser des rentabilités plus élevées en période de croissance. Une action ayant une sensibilité moyenne au PNB a donné en moyenne une rentabilité supplémentaire de 0,49 % par an, par rapport à une action non affectée par le PNB réel. En d'autres termes, les investisseurs ne semblaient guère apprécier les actions « cycliques », dont les rentabilités sont sensibles aux cycles conjoncturels, et exigeaient une rentabilité attendue plus élevée pour ces actions.

En revanche, le tableau 8.3 montre que les actions moyennement sensibles à l'inflation tendent à réaliser des rentabilités inférieures de 0,83 % par an, comparées à des actions non sensibles à ce facteur. Les investisseurs semblaient donc préférer les actions qui les protégeaient contre l'inflation (les actions qui augmentent lorsque l'inflation s'accélère) et ils étaient disposés à accepter une rentabilité moindre pour ces actions.

Étape 3 : estimer les sensibilités par rapport aux facteurs Dans ce cas, on a six facteurs :

$$r - r_f = b_1 (r_{\text{facteur 1}} - r_f) + b_2 (r_{\text{facteur 2}} - r_f) + \ldots + b_6 (r_{\text{facteur 6}} - r_f)$$

La première colonne du tableau 8.4 montre les sensibilités aux facteurs pour l'échantillon, et la deuxième colonne reprend les primes de risque présentées dans le tableau 8.3. La troisième colonne est le produit de ces deux nombres. Elle indique la rentabilité exigée par les actionnaires pour ce type de risque. Pour obtenir la prime de risque, il suffit d'additionner les nombres de la dernière colonne :

$$\text{Prime de risque} = r - r_f = 8{,}53\ \%$$

Tableau 8.4. Utilisation de l'APT pour estimer la prime de risque anticipée d'un portefeuille de neuf actions du secteur électrique de l'État de New York

Facteur	Risque du facteur (b)	Prime de risque anticipée ($r_{facteur} - r_f$)	Prime de risque du facteur $b(r_{facteur} - r_f)$
Écart de rendement*	1,04	5,10 %	5,30 %
Taux d'intérêt	–2,25	–0,61	1,37
Cours de change	0,70	–0,59	–0,41
PNB	0,17	0,49	0,08
Inflation	–0,18	–0,83	0,15
Marché	0,32	6,36	2,04
Total			8,53 %

* Source : E. Elton, M. Gruber, and J. Mei, « *Cost of Capital Using Arbitrage Pricing Theory : A Case Study of Nine New York Utilities* », Financial Markets, Institutions, and Instruments, 3 (août 1994), pp. 46-73, tableaux 3 et 4.

Le taux d'intérêt à un an, en décembre 1990, date de la fin du test, était d'environ 7 %. En conséquence, l'APT estime la rentabilité attendue des actions de producteurs d'électricité de l'État de New York à[27] :

$$\begin{aligned} \text{Rentabilité attendue} &= \text{Taux sans risque} + \text{Prime de risque} = 7 + 8{,}53 \\ &= 15{,}53 \text{ soit environ } 15{,}5\ \% \end{aligned}$$

4.5 Le modèle à trois facteurs

Nous avons mentionné précédemment que les petites sociétés, ou celles qui avaient un ratio *book-to-market* élevé, ont dégagé des rentabilités supérieures aux autres. Ceci pourrait n'être qu'une coïncidence. Mais certains résultats montrent que ces facteurs sont liés à la rentabilité des sociétés, et pourraient ainsi prendre en compte des facteurs qui ne sont pas présents dans le Medaf classique[28].

Si les investisseurs demandent une rentabilité supplémentaire pour s'exposer à ces risques, nous avons une mesure de la rentabilité attendue qui ressemblera fort à l'APT :

$$r - r_f = b_{\text{marché}}\,(r_{\text{facteur de marché}}) + b_{\text{taille}}\,(r_{\text{facteur taille}}) + b_{\text{book to market}}\,(r_{\text{facteur book-to-market}})$$

Ce modèle est connu comme le **modèle à trois facteurs** de Fama et French. L'utiliser revient à appliquer l'APT. En voici un exemple[29].

27. Cette estimation se fonde sur des primes de risque entre 1978 et 1990, une période exceptionnellement rentable pour les investisseurs. Si l'on prenait une période plus longue, les résultats seraient inférieurs.

28. E. F. Fama et K. French, « Size and Book-to-Market Factors in Earnings and Returns », *Journal of Finance*, 50 (1995), pp. 131-155.

29. Extrait de E. F. Fama et K. French, « Industry Costs of Equity », *Journal of Financial Economics*, 43 (1997), pp. 153-193. Une application sur le marché français a été réalisée par E. Molay, « Le modèle de rentabilité à trois facteurs de Fama et French (1993) : une application sur le marché français », *Banque et Marchés*, 44 (janvier-février 2000), pp. 22-32. Les résultats de cette étude confirment le pouvoir explicatif du modèle, mais de manière moins significative que les études américaines.

Étape 1 : identifier les facteurs Les mesures de ces facteurs sont :

Facteur	Mesuré par
Marché	Rentabilité de l'indice de marché *moins* taux sans risque
Taille	Rentabilité des actions de petites entreprises *moins* rentabilité des actions de grandes entreprises
Book-to-Market	Rentabilité des actions à *book-to-market* élevé *moins* rentabilité des actions à *book-to-market* faible

Étape 2 : estimer la prime de risque pour chaque facteur Fama et French estiment qu'entre 1963 et 1994, le facteur marché était en moyenne de 5,2 % par an, le facteur taille représentait une prime de 3,2 % par an, et le facteur *book-to-market* donnait une différence de 5,4 %[30].

Étape 3 : estimer les sensibilités des facteurs Certaines actions sont plus sensibles que d'autres aux fluctuations de rentabilité des facteurs. Regardez par exemple les trois premières colonnes de chiffres dans le tableau 8.5, représentant des estimations des sensibilités aux facteurs dans quelques secteurs. Par exemple, une hausse de 1 % dans la rentabilité du facteur *book-to-market* conduira à une *réduction* de 0,49 % de la rentabilité des actions dans le secteur informatique, mais *augmentera* de 0,38 % la rentabilité des producteurs d'électricité[31].

Tableau 8.5. Estimations de primes de risque par secteur, en utilisant le modèle à trois facteurs de Fama et French, et le Medaf

*	Modèle à trois facteurs				Medaf
	Sensibilités aux facteurs			Prime de risque anticipée*	Prime de risque anticipée
	$b_{marché}$	b_{taille}	$b_{book\ to\ market}$		
Aéronautique	1,15	0,51	0,00	7,54 %	6,43 %
Banques	1,13	0,13	0,35	8,08	5,55
Industrie chimique	1,13	–0,3	0,17	6,58	5,57
Fabricants d'ordinateurs	0,90	0,17	–0,49	2,49	5,29
Construction	1,21	0,21	-0,09	6,42	6,52
Agro-alimentaire	0,88	–0,07	–0,03	4,09	4,44
Pétrole et gaz	0,96	–0,35	0,21	4,93	4,32

30. Nous avons vu précédemment que sur une période plus longue (1926-2002) la prime de taille était de 3,9 %. La prime sur le facteur *book-to-market* était de 4,4 %.

31. Une rentabilité de 1 % du facteur *book-to-market* signifie que les actions à ratio *book-to-market* élevé donnent une rentabilité supérieure de 1 % aux actions avec ratio *book-to-market* faible.

Tableau 8.5. Estimations de primes de risque par secteur, en utilisant le modèle à trois facteurs de Fama et French, et le Medaf (...)

*	Modèle à trois facteurs				Medaf
	Sensibilités aux facteurs			Prime de risque anticipée*	Prime de risque anticipée
	$b_{\text{marché}}$	b_{taille}	$b_{\text{book to market}}$		
Industrie pharmaceutique	0,84	–0,25	–0,63	0,09	4,71
Tabac et cigarettes	0,86	–0,04	0,24	5,56	4,08
Services publics	0,79	–0,20	0,38	5,41	3,39

* La prime de risque attendue est égale aux sensibilités aux facteurs multipliées par les primes de risque par facteur, c'est-à-dire ($b_{\text{marché}}$ 5,2) + (b_{taille} 3,2) + ($b_{\text{book to market}} \times 5{,}4$).

Source : E. F. Fama et K. French, « *Industry Costs of Equity* », Journal of Financial Economics, 43 (1997), pp. 153-193.

Une fois que vous avez estimé les sensibilités aux facteurs, il suffit de multiplier chacune par la rentabilité attendue sur le facteur, et sommer le tout. Par exemple, dans la quatrième colonne, la rentabilité attendue pour les fabricants d'ordinateurs est $r - r_f = (0{,}9 \times 5{,}2) + (0{,}17 \times 3{,}2) + (0{,}49 \times 5{,}4) = 2{,}49\ \%$. En comparant ce chiffre avec l'estimation faite par le Medaf pour le même secteur, on constate que le modèle à trois facteurs donne une estimation de la prime de risque significativement inférieure. Ceci s'explique essentiellement par le fait que les fabricants d'ordinateurs présentent une exposition faible (–0,49) au facteur *book-to-market*.

Résumé

Les investisseurs cherchent à accroître la rentabilité attendue de leur portefeuille et à réduire l'écart type de sa rentabilité. Un portefeuille qui donne la rentabilité attendue la plus élevée pour un niveau d'écart type fixé, ou l'écart type le plus faible pour un niveau de rentabilité fixé est appelé *portefeuille efficient*. Pour déterminer les portefeuilles efficients, un investisseur doit pouvoir obtenir les rentabilités attendues et les écarts types de toutes les actions, ainsi que les coefficients de corrélation entre toutes les paires d'actions.

Pour un investisseur qui dispose des mêmes informations que tout le monde, le meilleur portefeuille est le même que pour les autres investisseurs, c'est-à-dire le *portefeuille de marché*. Il devra donc répartir son investissement entre ce portefeuille de marché et l'actif sans risque (en emprunt ou en placement).

La contribution marginale d'une action au risque d'un portefeuille est mesurée par sa sensibilité aux variations de la valeur du portefeuille. La contribution marginale d'une action au risque du *portefeuille de marché* est mesurée par le *bêta*. C'est le message fondamental du modèle d'évaluation des actifs financiers (Medaf) : la prime de risque de chaque action est proportionnelle à son bêta.

$$\text{Prime de risque d'une action} = \text{Bêta} \times \text{Prime de risque du marché}$$
$$r - r_f = \beta \times (r_m - r_f)$$

Le Medaf est le modèle le plus connu sur le risque et la rentabilité attendue. Il est plausible et largement utilisé, quoique imparfait. Sur de longues périodes, les rentabilités sont liées aux bêta, mais la relation n'est pas aussi forte que ce que le modèle prédit ; en outre, d'autres facteurs semblent fournir une meilleure explication depuis le milieu des années 1960. Les actions des petites entreprises ainsi que celles caractérisées par des rapports valeur comptable / valeur de marché (*book-to-market*) faibles semblent présenter des risques non pris en compte par le Medaf.

Le Medaf a aussi été critiqué pour ses hypothèses trop simplificatrices. Une nouvelle théorie, appelée modèle d'évaluation des actifs financiers *par la consommation* suggère que le risque des actifs financiers est mesuré par leur sensibilité aux variations de *la consommation* des investisseurs. Cette théorie requiert un bêta lié à la consommation plutôt qu'un bêta lié au portefeuille de marché.

Le modèle APT (*arbitrage pricing theory*) présente une autre explication de la relation entre le risque et la rentabilité. Il postule que la rentabilité attendue d'une action dépend d'un ensemble de facteurs macroéconomiques :

$$\text{Prime de risque attendue} = b_1\,(r_{\text{facteur }1} - r_f) + b_2\,(r_{\text{facteur }2} - r_f) + \ldots$$

Dans cette relation, les b représentent les sensibilités de l'action par rapport à chacun des facteurs et $r_{\text{facteur}} - r_f$ est la prime de risque demandée par les investisseurs exposés à ce facteur.

L'APT ne décrit pas quels sont ces facteurs. Fama et French ont suggéré trois facteurs :

1. La différence de rentabilité entre le portefeuille de marché et le taux sans risque.
2. La différence de rentabilité entre les petites et les grandes entreprises.
3. La différence de rentabilité entre les entreprises qui ont un ratio *book-to-market* élevé et celles qui ont ratio *book-to-market* faible.

Dans leur modèle à trois facteurs, la rentabilité attendue d'une action donnée dépendra de sa sensibilité à ces trois facteurs.

Chaque modèle a son fan-club, mais deux idées de base font l'unanimité de tous les économistes et financiers :

- Les investisseurs exigent une rentabilité attendue plus élevée en compensation du risque qu'ils prennent.
- Ils se focalisent essentiellement sur le risque qui ne peut être éliminé par la diversification.

Lectures complémentaires

L'article pionnier en matière de choix de portefeuille est :

H. M. Markowitz, « Portfolio Selection », *Journal of Finance*, 7 (mars 1952), pp. 777-91.

Il existe de très nombreux ouvrages en matière de gestion de portefeuille qui exposent à la fois les idées de la théorie de base de Markowitz ainsi qu'un certain nombre de simplifications astucieuses. Voir, par exemple :

E. J. Elton et M. J. Gruber, *Modern Portfolio Theory and Investment Analysis*, 6e éd., John Wiley and Sons, New York, 2002.

Parmi les trois articles initiaux sur le modèle d'évaluation des actifs financiers, celui de Jack Treynor n'a jamais été publié. Les deux autres articles sont :

W. F. Sharpe, « Capital Asset Prices : A Theory of Market Equilibrium under Conditions of Risk », *Journal of Finance*, 19 (septembre 1965), pp. 425-442.

J. Lintner, « The Valuation of Risk Assets and the Selection of Risky Investments in Stock Portfolios and Capital Budgets », *Review of Economics and Statistics*, 47 (février 1965), pp. 13-37.

Une littérature abondante existe sur le Medaf. L'ouvrage qui suit fournit une anthologie de quelques articles ainsi qu'une très bonne synthèse de Jensen :

M. C. Jensen (ed.), *Studies in the Theory of Capital Markets*, Frederick A. Praeger Inc., New York, 1972.

F. Black, « Beta and Return », *Journal of Portfolio Management*, 20 (automne 1993), pp. 8-18.

La présentation la plus accessible de la mise en œuvre du modèle APT est donnée dans Elton, Gruber et Mei. Pour la recherche des facteurs en Europe, l'approche statistique de Lilti et Miloudi est intéressante. Enfin, une présentation suivie des critiques est donnée par Spieser :

E. Elton, M. Gruber et J. Mei, « Cost of Capital Using Arbitrage Pricing Theory : A Case Study of Nine New York Utilities », *Financial Markets, Institutions, and Instruments*, 3 (août 1994), pp. 46-73.

J.-J. Lilti, A. Miloudi, « Le modèle à facteurs : des variables fondamentales aux facteurs statistiques », *Banque et Marchés*, 60 (septembre-octobre 2002), pp. 30-40.

P. Spieser, *Information économique et marchés financiers*, Economica, 2000, chapitre 2.

Pour une application du modèle à trois facteurs de Fama et French aux marchés américain (Fama et French) et français (Molay), voir :

E. F. Fama, K. French, « Industry Costs of Equity », *Journal of Financial Economics*, 43 (1997), pp. 153-193.

E. Molay, « Le modèle de rentabilité à trois facteurs de Fama et French (1993) : une application sur le marché français », *Banque et Marchés*, 44 (janvier-février 2000), pp. 22-32.

Activités

Révision des concepts

1. Si les rentabilités des actions sont normalement distribuées, la distribution peut être complètement définie par deux chiffres. Lesquels ?
2. Qu'entend-on par « l'ensemble des portefeuilles efficients » ?
3. Si un investisseur peut emprunter et prêter au même taux d'intérêt, le choix d'un portefeuille d'actions dépend-il uniquement de sa capacité à supporter le risque ? Pourquoi ?

Tests de connaissances

1. Voici les rentabilités et les écarts types de quatre actifs.

	Rentabilité	Ecart-type
Bons du Trésor	6 %	0 %
Action KC	10	14
Action DKP	14,5	28
Action NRV	21,0	26

Calculez les écarts types des portefeuilles suivants :

a. 50 % en bons du Trésor, 50 % dans l'action KC.

b. 50 % dans DKP, 50 % dans NRV, en supposant que ces actions ont entre elles :
– une corrélation parfaitement positive,
– une corrélation parfaitement négative,
– pas de corrélation.

c. Dessinez une figure comme la figure 8.4 avec DKP et NRV (on suppose un coefficient de corrélation de 0,5).

d. L'action DKP a une rentabilité inférieure à NRV, mais un écart type plus élevé. Cela signifie-t-il que le prix de DKP est trop élevé, ou que le prix de NRV est trop bas ?

2. Pour chacun des couples d'investissement suivants, indiquez celui que choisirait un investisseur rationnel (en supposant chaque fois qu'aucune autre possibilité ne s'offre à lui) :

a. Portefeuille Roux $r = 18\ \%$ $\sigma = 20\ \%$
Portefeuille Combaluzier $r = 14\ \%$ $\sigma = 20\ \%$

b. Portefeuille Jacob $r = 15\ \%$ $\sigma = 18\ \%$

Portefeuille Delafon $r = 13\ \%$ $\sigma = 8\ \%$

c. Portefeuille Chaffoteaux $r = 14\ \%$ $\sigma = 16\ \%$

Portefeuille Maury $r = 14\ \%$ $\sigma = 10\ \%$

3. Les figures 8.13a et 8.13b illustrent l'ensemble des combinaisons de rentabilités attendues et d'écarts types pouvant être réalisées.
   a. Lequel de ces diagrammes est erroné et pourquoi ?
   b. Identifiez l'ensemble des portefeuilles efficients.
   c. Si r_f représente le taux sans risque, marquez d'une croix le portefeuille optimal.

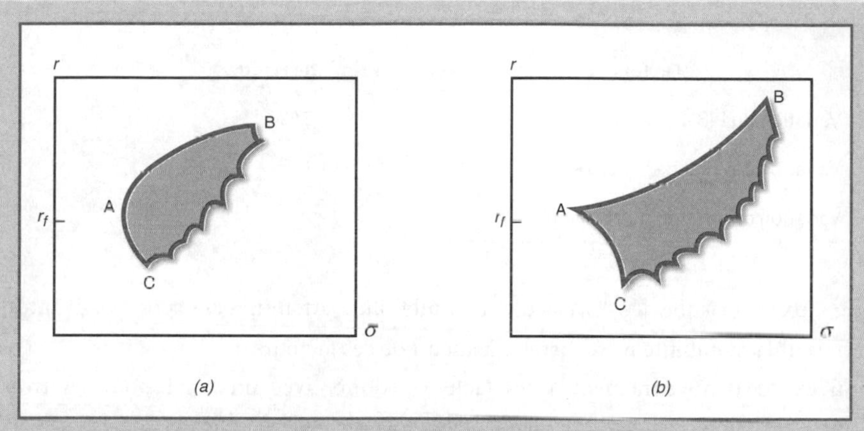

Figure 8.13 - Voir la question 3.

4. a. Représentez sur un graphique les portefeuilles suivants :

	Portefeuille							
	A	**B**	**C**	**D**	**E**	**F**	**G**	**H**
Rentabilité attendue *r* (%)	10	12,5	15	16	17	18	18	20
Écart type σ (%)	23	21	25	29	29	32	35	45

   b. Trois portefeuilles sont inefficients. Lesquels ?
   c. Vous pouvez emprunter ou prêter au taux de 12 %. Quel portefeuille choisissez-vous ?
   d. Vous êtes prêt à accepter un écart type de 25 %. Quelle est la rentabilité attendue maximum que vous pourrez réaliser si vous ne pouvez ni emprunter ni prêter ?
   e. Quelle sera votre stratégie optimale si vous pouvez emprunter ou prêter à 12 % et si vous êtes prêt à accepter un écart type de 25 % ? Quelle sera votre rentabilité attendue maximale ?

5. Supposons que le taux des OAT à 10 ans soit de 4 % et que la rentabilité attendue du marché soit de 10 %. Utilisez les bêta du tableau 8.2.
   a. Calculez la rentabilité attendue de LVMH.
   b. Quelle action offre la rentabilité attendue la plus élevée ?
   c. Quelle action offre la rentabilité attendue la moins élevée ?

d. L'action Alcatel aurait-elle une rentabilité attendue plus élevée avec un taux sans risque de 6 % au lieu de 4 % ?

e. L'action Publicis aurait-elle une rentabilité attendue plus élevée avec un taux sans risque de 6 % ?

6. Vrai ou faux ?

a. Le Medaf implique qu'une action à bêta négatif aura une rentabilité attendue inférieure au taux sans risque.

b. La rentabilité attendue d'une action de bêta égal à 2,0 est le double de la rentabilité attendue du marché.

c. Une action située au-dessous de la droite de marché est sous-évaluée.

7. Soit un modèle APT à trois facteurs. Les facteurs et les primes de risque sont :

Facteur	Prime de risque
Variation du PIB	5 %
Variation des prix de l'énergie	–1
Variation des taux d'intérêt à terme	+2

En prenant un taux sans risque de 7 %, calculez les rentabilités attendues des actions suivantes.

a. Une action dont la rentabilité n'est corrélée à aucun de ces facteurs.

b. Une action exposée moyennement à ces facteurs (donc, avec un b = 1 pour les trois facteurs).

c. Une société spécialisée dans l'énergie, exposée au facteur énergie (b = 2) mais pas aux deux autres (b = 0).

d. Un producteur d'aluminium qui est normalement exposé aux facteurs PIB et taux d'intérêt, mais qui est exposé négativement (b = –1,5) sur l'énergie. (La production d'aluminium nécessite beaucoup d'énergie et souffre quand les prix de l'énergie augmentent.)

Questions et problèmes

1. Vrai ou faux ? Expliquez et nuancez si nécessaire.

a. Les investisseurs exigent une rentabilité plus élevée pour les actions dont les rentabilités sont plus variables.

b. Le Medaf prédit qu'une action de bêta nul a une rentabilité attendue nulle.

c. Un investisseur qui place 10 000 € en bons du Trésor et 20 000 dans le portefeuille de marché aura un portefeuille de bêta égal à 2,0.

d. Les investisseurs exigent une rentabilité plus élevée pour les actions fortement exposées aux variations macroéconomiques.

e. Les investisseurs exigent une rentabilité plus élevée pour les actions très sensibles aux fluctuations du marché boursier.

2. Reprenez les calculs sur Lagardère et Vinci dans la section 8.1. Calculez les rentabilités attendues et les écarts types en fonction de différentes valeurs de x_1 et x_2, avec $\rho_{12} = 0$. Représentez les couples risque-rentabilité comme dans la figure 8.4. Répétez l'opération pour $\rho_{12} = +1$ et -1.

3. Mark Horowitz (le frère de Vladimir) se propose d'investir dans deux actions, Ψ et Θ. Il attend une rentabilité de 12 % pour Ψ, et 8 % pour Θ. L'écart type des rentabilités est de 8 % pour Ψ et 5 % pour Θ, et $\rho_{\Psi\Theta} = 0{,}2$.

a. Calculez la rentabilité et l'écart type des portefeuilles suivants :

Portefeuille	Pourcentage de Ψ	Pourcentage de Θ
1	50	50
2	25	75
3	75	25

b. Représentez les portefeuilles composés de Ψ et Θ sur un graphique.

c. Si Mark Horowitz peut emprunter ou placer au taux sans risque de 5 %, montrez sur le graphique comment cela peut changer sa stratégie d'investissement. Dans ce cas, quelles proportions devraient être investies en Ψ et Θ ?

4. Alex Kuzbidon a investi 60 % de son argent dans l'action Quatter et le reste dans l'action Soft. Il anticipe leurs potentiels comme suit :

	Quatter		Soft
Rentabilité attendue (%)	15		20
Écart type (%)	20		22
Corrélation entre les rentabilités		0,5	

a. Calculez la rentabilité attendue et l'écart type de son portefeuille.

b. Quel serait le résultat si le coefficient de corrélation était de 0 ou de –0,5 ?

c. Est-il possible de dire que le portefeuille d'Alex Kuzbidon est meilleur qu'un investissement à 100 % en actions Quatter ?

5. Les données disponibles sur le site Internet de l'ouvrage américain (**www.mhhe.com/bma8e**) contiennent une feuille de tableur permettant de calculer la frontière efficiente lorsque ces ventes à découvert sont possibles (nous remercions tout particulièrement Simon Gervais de nous avoir procuré une copie de cette feuille). Téléchargez les « cours mensuels ajustés » de 10 actions différentes sur Yahoo! Finance (fr.finance.yahoo.com) et entrez les rentabilités passées dans la feuille (le programme accepte jusqu'à 10 ans de rentabilités passées). Entrez des taux de rentabilités attendus plausibles pour chacune des actions et déterminez quels sont les portefeuilles efficients.

6. Sur Yahoo! Finance France (**fr.finance.yahoo.com**), récupérez les cours mensuels de L'Oréal et Société Générale (page « données historiques »), au format tableur. Utilisez la fonction DROITEREG sur tableur pour calculer le bêta de chaque société (voir la question 7 pour la méthodologie).

a. Si le marché boursier chute de 5 %, de combien anticipez-vous que chaque action va plonger ?

b. Des deux sociétés, laquelle est la plus risquée pour un investisseur diversifié ? De combien est-elle plus risquée ?

c. On suppose que les OAT à 10 ans rapportent du 4 %, et que la rentabilité anticipée de la bourse est de 11 %. Utilisez le Medaf pour estimer la rentabilité prévisionnelle de chaque action.

7. Récupérez les cours mensuels de LVMH et Carrefour (page « données historiques »), au format tableur pour les trois dernières années sur Yahoo! Finance France (**fr.finance.yahoo.com**). Calculez les rentabilités mensuelles de chaque titre.

a. Calculez l'écart type des rentabilités mensuelles (fonction ECARTYPE sous Excel). Transformez les écarts types mensuels en valeurs annuelles en les multipliant par $\sqrt{12}$.

b. Calculez les coefficients de corrélation entre les rentabilités mensuelles des deux sociétés (fonction COEFFICIENT.CORRELATION).

c. Utilisez le Medaf pour estimer les rentabilités attendues sur ces actions. Pour cela, calculez les bêta des deux sociétés, ou prenez une valeur récente du bêta (page « Analyse technique »), trouvez une estimation du taux de rendement actuariel des OAT à 10 ans, et prenez une valeur raisonnable de la prime de marché anticipée.

d. Bâtissez un graphe comme la figure 8.5. Quelle combinaison LVMH-Carrefour a le risque le plus faible ? Quelle est l'espérance de rentabilité de ce portefeuille à variance minimale ?

8. Le taux des bons du Trésor est de 4 % et la rentabilité attendue du portefeuille de marché est de 12 %. Sur la base du Medaf :

a. Montrez sur un graphique analogue à la figure 8.7 comment la rentabilité attendue varie avec le bêta.

b. Quelle est la prime de risque du marché ?

c. Quelle est la rentabilité exigée pour un investissement de bêta égal à 1,5 ?

d. Si un investissement de bêta = 0,8 donne une rentabilité attendue de 9,8 %, sa VAN est-elle positive ?

e. Si le marché attend une rentabilité de 11,2 % sur l'action Réaction, quel est son bêta ?

9. Les cours des sociétés du tableau 8.2 sont disponibles sur Yahoo! Finance France (**fr.finance.yahoo.com**). Téléchargez les cours mensuels sur 5 années, et recalculez les bêta des sociétés (voir la question 7 pour la méthodologie). Recalculez les espérances de rentabilité avec le Medaf, en utilisant le taux sans risque (taux de rendement actuariel des OAT à 10 ans) actuel et en postulant une prime de marché anticipée à 5 %. Comment ces rentabilités ont-elles changé par rapport au tableau ?

10. Allez sur Yahoo! Finance France (**fr.finance.yahoo.com**) et trouvez une action peu risquée : Air Liquide ou Ciments français devraient faire l'affaire. Calculez son bêta pour vérifier qu'il est inférieur à 1 (utilisez la méthodologie des questions précédentes). En vous fondant sur le Medaf, déterminez la rentabilité anticipée de l'action avec un taux sans risque à 4,5 % et une rentabilité du marché anticipée de 9 %.

a. Construisez un graphe comme la figure 8.5, en montrant le couple risque-rentabilité d'un portefeuille investi dans cette action et dans le portefeuille de marché. Faites varier la proportion investie dans l'action de 0 à 100 %.

b. On suppose que vous pouvez emprunter ou prêter à 5 %. Préférez-vous investir dans un portefeuille constitué de votre action à faible risque et du portefeuille de marché, ou uniquement dans le portefeuille de marché ? Expliquez pourquoi.

c. Imaginons que vous anticipiez que l'action à faible risque rapportera 5 points de pourcentage de plus que la rentabilité estimée dans la question a. Traitez à nouveau les questions a et b avec cette nouvelle rentabilité.

d. Trouvez une action à bêta élevé, et traitez les questions a, b et c.

11. Helmut Raja a investi 10 millions d'euros en obligations à long terme de sociétés. La rentabilité attendue de ce portefeuille est de 9 % et l'écart type de 10 %. Kimberley Tartine, le conseiller financier d'Helmut Raja, recommande l'achat d'un fonds indiciel qui réplique l'évolution de l'indice Euro Stoxx 50. Cet indice a une rentabilité attendue de 14 % et son écart type est de 16 %.

a. Si Helmut investit tout son argent dans une combinaison de fonds indiciel et de bons du Trésor, peut-il accroître la rentabilité attendue de son portefeuille sans en modifier le risque ? Le rendement des bons du Trésor est de 6 %.

b. Helmut pourrait-il faire mieux en investissant son argent à parts égales dans les obligations de sociétés et dans le fonds indexé ? La corrélation entre le portefeuille d'obligations et le fonds indexé est de +0,1.

12. À propos de l'APT, vrai ou faux ?

a. Les facteurs de l'APT ne peuvent représenter des risques diversifiables.

b. La rentabilité du marché ne peut pas être un facteur.

c. Aucune théorie n'identifie précisément les facteurs APT.

d. Le modèle APT est peut-être valide, mais il n'est pas très utile si, par exemple, les facteurs changent de manière imprévisible.

13. Voici un modèle APT simplifié (voir tableaux 8.3 et 8.4) :

Facteur	Prime de risque attendue
Rentabilité du marché	6,4 %
Taux d'intérêt	−0,6
Écart de rendement	5,1

Calculez l'espérance de rentabilité des actions suivantes (on suppose que $r_f = 5$ %).

Action	Exposition aux facteurs de risque		
	Marché	Taux d'intérêt	Écart de rendement
	b_1	b_2	b_3
P	1,0	−2,0	−0,2
P^2	1,2	0	0,3
P^3	0,3	0,5	1,0

14. Reprenez les données de la question 13. Soit un portefeuille réparti équitablement entre p, p^2 et p^3.

a. Quelle est l'exposition aux facteurs de risque du portefeuille ?

b. Quelle est la rentabilité attendue du portefeuille ?

15. Le tableau suivant montre la sensibilité de quatre actions aux facteurs du modèle de Fama et French, sur les années 1996-2001. Estimez la rentabilité attendue de chaque action, avec un taux sans risque de 3,5 %, une prime de marché anticipée de 8,8 %, une prime de risque sur la taille de 3,1 %, et une prime de risque de 4,4 % sur le facteur *book-to-market* (ces chiffres correspondent aux primes constatées sur la période 1928-2000).

Facteur	Sensibilités aux facteurs de risque			
	Coca-Cola	Exxon Mobil	Pfizer	Reebok
Marché	0,82	0,50	0,66	1,17
Taille*	–0,29	0,04	–0,56	0,73
*Book-to-market***	0,24	0,27	–0,07	1,14

* Rentabilité des actions des petites entreprises moins rentabilité des actions des grandes entreprises.

** Rentabilité des actions des entreprises à ratio *book-to-market* élevé moins rentabilité des actions des entreprises à *book-to-market* faible.

Problèmes avancés

1. Dans la note 4, nous avons indiqué que le portefeuille de risque minimum était composé de 7,70 % de Lagardère et de 92,30 % de Vinci. Démontrez-le. (*Indication :* vous devrez utiliser un peu d'algèbre.)
2. Reprenez l'ensemble des portefeuilles efficients calculés dans la section 8.1.
   - **a.** Avec un taux sans risque de 10 %, lequel des trois portefeuilles est le plus intéressant ?
   - **b.** Quel est le bêta de chaque action par rapport à ce portefeuille ? (*Indication :* si un portefeuille est efficient, la prime de risque attendue sur chaque action est proportionnelle au bêta de l'action *par rapport à ce portefeuille.*)
   - **c.** Si le taux sans risque était de 5 %, quelles seraient vos réponses à (a) et (b) ?
3. La question suivante illustre le modèle APT. Supposons qu'il n'existe que deux facteurs macroéconomiques. Les investissements Pim, Pam et Poum sont caractérisés par les sensibilités suivantes à ces facteurs :

Investissement	b_1	b_2
Pim	1,75	0,25
Pam	–1,00	2,00
Poum	2,00	1,00

La prime de risque du premier facteur est de 4 % et celle du second facteur est de 8 %.

- **a.** D'après l'APT, quelle est la prime de risque de chacune de ces actions ?
- **b.** Vous achetez 200 € d'actions Pim, 50 € d'actions Pam et vous vendez 150 € d'actions Poum. Quelle est la sensibilité de votre portefeuille à chacun des facteurs ? Quelle est sa prime de risque ?
- **c.** Vous achetez 80 € d'actions Pim, 60 € d'actions Pam et vous vendez 40 € d'actions Poum. Quelle est la sensibilité de votre portefeuille à chacun des facteurs ? Quelle est sa prime de risque ?

d. Enfin, vous achetez 160 € d'actions Pim, 20 € d'actions Pam et vous vendez 80 € d'actions Poum. Quelle est la sensibilité de votre portefeuille à chacun des facteurs ? Quelle est sa prime de risque ?

e. Suggérez deux façons de bâtir un portefeuille ayant une sensibilité de 0,5 au facteur 1 uniquement. Comparez ensuite les primes de risque anticipées de ces deux portefeuilles.

f. Imaginons que la relation du modèle APT *ne soit pas* vérifiée et que Pim offre une prime de risque de 8 %, Pam de 14 % et Poum de 16 %. Construisez un portefeuille avec une sensibilité nulle par rapport aux facteurs et une prime de risque positive.

Chapitre 9

Choix d'investissement et risque

Bien avant que les théories modernes lient le risque à la rentabilité attendue, des gestionnaires financiers tenaient compte du risque dans leurs choix d'investissement. Ils comprenaient intuitivement que, toutes choses égales par ailleurs, les projets risqués sont moins attrayants que les projets sûrs. Ces gestionnaires exigeaient donc un taux de rentabilité plus élevé pour les projets risqués ou fondaient leurs décisions sur des estimations plus prudentes des cash-flows.

Plusieurs méthodes sont utilisées pour tenir compte du risque. Par exemple, de nombreuses sociétés utilisent leur propre **coût du capital** pour actualiser les cash-flows de leurs nouveaux projets. Notre première mission sera d'expliquer ce qu'est ce coût du capital et quand il peut – ou ne peut pas – être utilisé pour actualiser les cash-flows d'un projet. Nous verrons que ce taux d'actualisation est correct *pour les projets qui présentent le même risque que les actifs actuels de la société.*

Lorsqu'on estime le coût du capital d'une entreprise, le plus difficile est de déterminer le taux de rentabilité attendu par les investisseurs. De nombreuses entreprises s'en remettent au modèle d'évaluation des actifs financiers (Medaf) pour trancher la question. Le Medaf énonce que la rentabilité attendue est égale à :

$$\text{Rentabilité attendue} = r_f + \beta \times (r_m - r_f)$$

Nous avons utilisé cette formule dans le chapitre précédent pour déterminer la rentabilité attendue d'un échantillon d'actions, mais nous n'avons pas expliqué comment déterminer le bêta (β). Le bêta d'une société est difficile à estimer précisément : il est souvent plus efficace d'étudier un ensemble de sociétés comparables, car les bêta ainsi obtenus sont plus précis.

Parfois, il n'est pas possible de calculer un bêta, ou bien le bêta calculé n'a pas de sens. Dans ces cas, il est possible de se focaliser sur les paramètres opérationnels du projet pour estimer son bêta. Soyez cependant attentif à ne pas confondre le risque diversifiable avec le risque du marché. Le risque diversifiable n'augmente pas le coût du capital.

Les bêta varient de projet en projet ou au fil du temps. Par exemple, certains projets sont plus risqués à leurs débuts qu'à maturité et un taux d'actualisation plus élevé peut se révéler nécessaire au cours de la phase de lancement. Nous utiliserons des *équivalents certains* pour illustrer comment le risque lié à des projets ordinaires évolue avec le temps.

Nous terminerons ce chapitre avec une analyse rapide du risque et des taux d'actualisation des projets internationaux.

1 Le coût du capital d'une société et d'un projet

Le **coût du capital d'une société** (*coût moyen pondéré du capital, CMPC,* ou *weighted average cost of capital, WACC,* dans la langue de Wolverine) est défini comme la rentabilité exigée sur le portefeuille des financements de cette société. Ce coût est utilisé pour actualiser les cash-flows des projets de même classe de risque que la société prise dans son ensemble. Par exemple, dans le tableau 8.2, nous avons estimé que les investisseurs demandent en moyenne une rentabilité de 8,90 % sur l'action LVMH. Si LVMH envisage de développer son activité actuelle, il sera raisonnable d'actualiser les cash-flows au taux de 8,90 %[1].

Le coût du capital d'une société n'est *pas* le taux d'actualisation correct si les projets sont plus, ou moins, risqués que l'activité actuelle de la société. En principe, chaque projet devrait être actualisé à *son propre coût du capital.*

Cette règle résulte du principe d'additivité de la valeur que nous avons vu au chapitre 7. Une entreprise composée des actifs A et B vaudra la somme des valeurs de chacun des actifs

A et B sont évalués comme des mini-entreprises distinctes dans lesquelles les actionnaires pourraient investir directement. Les investisseurs évalueront A en actualisant ses flux monétaires prévisionnels à un taux reflétant le risque de A ; B sera évalué en actualisant ses flux monétaires à un taux correspondant au risque de B. En général, les deux taux d'actualisation ne seront pas les mêmes. Si la valeur actuelle d'un actif dépendait de l'identité de la société qui l'a acheté, les valeurs actuelles ne *pourraient pas* être additionnées. Il y a deux règles : la bonne et la mauvaise. La mauvaise est *la règle du coût du capital de la société,* qui conseille d'accepter tout projet *quel que soit son risque,* tant qu'il offre une rentabilité supérieure au coût du capital *de la société.* Sur la figure 9.1, ce critère indiquerait à LVMH d'accepter tout projet se trouvant au-dessus de la droite horizontale située à son coût du capital, c'est-à-dire tout projet générant une rentabilité supérieure à 8,90 %. La bonne règle est *la règle du coût du capital du projet.* Cela signifie que LVMH devrait investir dans tout projet dont la rentabilité attendue est plus élevée que celle correspondant au bêta *du projet.* En d'autres termes, LVMH devrait accepter tout projet dont la rentabilité attendue se situe au-dessus de la droite de marché *ascendante* présentée dans la figure 9.1. *Le véritable coût du capital dépend de l'endroit où sont investis les fonds.*

1. Dans ce raisonnement, nous ne tenons pas compte de la dette de LVMH. Ainsi, nous supposons que son coût du capital est identique au *coût des capitaux propres.* Nous examinerons les complications dues à la présence de dettes ultérieurement.

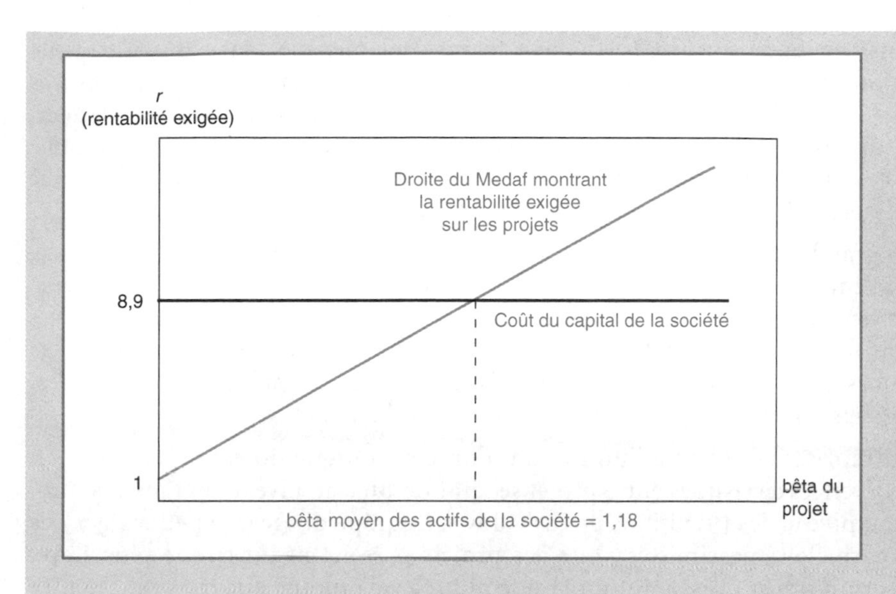

Figure 9.1 - Comparaison entre la règle du coût du capital de la société et le taux de rentabilité exigé issu du modèle d'évaluation des actifs financiers. Le coût du capital de LVMH est d'environ 8,90 %. Il s'agit du taux adéquat uniquement pour un projet avec un bêta de 1,18. En général, le taux d'actualisation augmente avec le bêta du projet. LVMH devrait accepter les projets dont les taux de rentabilité se situent au-dessus de la droite de marché.

Beaucoup de sociétés fixent des seuils de rentabilité différents selon le type d'investissements. Par exemple, pour une société ayant un coût du capital de 15 %, on pourrait fixer ainsi les taux d'actualisation :

Catégorie de projet	Taux d'actualisation
Opérations spéculatives	30 %
Nouveaux produits	20
Expansion d'une activité actuelle	15 (coût du capital de la société)
Diminution du coût de la production à l'aide d'une technologie connue	10

1.1 Le diapason et le coût du capital

Le vrai coût du capital dépend du risque d'un projet, et non de l'entreprise qui réalise le projet. Alors pourquoi passer tant de temps à estimer le coût du capital de l'entreprise ?

Il y a deux raisons. D'abord, une grande partie des projets peuvent être considérés comme étant de risque moyen, c'est-à-dire comme ceux des autres actifs de l'entreprise. Pour ces projets, le coût du capital de la société est le taux d'actualisation à retenir. Ensuite, le coût du capital de l'entreprise constitue le point de départ le plus naturel pour déterminer le taux d'actualisation de projets différents. Pour estimer le taux d'actualisation de chaque projet, il est plus facile de partir du coût du capital de la société, et de l'ajuster à la hausse ou à la baisse, que de repartir de zéro.

Prenons une analogie en musique[2]. Chacun peut chanter une mélodie dans n'importe quelle tonalité, mais pour chanter dans le ton, il faut qu'on nous donne le *la* avec un diapason. Les hommes d'affaires possèdent ainsi une bonne perception des risques *relatifs* dans leur secteur, mais ils sont démunis lorsqu'ils doivent déterminer un risque en terme absolu. Aussi, ils utilisent un coût du capital global comme repère. Cela ne constitue pas le taux d'actualisation pour toutes les situations, mais il peut être ajusté pour les projets plus ou moins risqués.

De nombreuses grandes entreprises utilisent le coût du capital *de l'entreprise* comme référence, mais aussi comme taux d'actualisation pour évaluer *tous* les projets proposés. Il est difficile de mesurer objectivement les différences de risques entre projets, et les gestionnaires financiers préfèrent se tenir à l'écart des chamailleries entre services d'une même entreprise (« Mes projets sont moins risqués que les vôtres ! J'exige un taux d'actualisation plus faible ! » « Non, ce n'est pas vrai ! Vos projets sont plus risqués qu'une option d'achat "nue" ! »[3]).

Lorsque les entreprises poussent à l'utilisation d'un coût unique du capital, la prise en compte des différences de risques entre projet se fait non plus au niveau du taux d'actualisation, mais au niveau des prévisions de cash-flows. L'équipe dirigeante peut exiger des prévisions de cash-flows pessimistes pour des projets présentant un risque plus élevé. Elle peut refuser un projet présentant un risque plus élevé à moins que la VAN, calculée par rapport au coût du capital de l'entreprise, soit bien supérieure à zéro. La prise en compte, même grossière et approximative, de risques différents vaut mieux que rien du tout !

1.2 Endettement et coût du capital d'une entreprise

On a défini le coût du capital d'une entreprise comme « la rentabilité attendue d'un portefeuille des financements de l'entreprise ». Ce portefeuille inclut les capitaux propres et les dettes. Le coût du capital est donc un mélange du coût des capitaux propres (le taux de rentabilité attendu par les actionnaires) et du coût de la dette (le taux d'intérêt).

Si vous possédez un portefeuille comprenant tous les financements de l'entreprise – 100 % des dettes et 100 % des capitaux propres –, vous possédez toute l'entreprise. Vous ne partagerez les cash-flows avec personne ; chaque euro qui sortira de l'entreprise est pour vous. Vous pouvez considérer le coût du capital de l'entreprise comme étant la rentabilité attendue de ce portefeuille hypothétique. Pour le calculer, il suffit de prendre la moyenne pondérée des rentabilités attendues sur les capitaux propres et la dette :

$$\text{Coût du capital} = r_{\text{actif}} = r_{\text{portefeuille}}$$

$$= r_{\text{capitaux propres}} \frac{\text{Capitaux propres}}{\text{Capitaux propres + Dettes financières}}$$

$$+ \, r_{\text{dette}} \frac{\text{Dettes financières}}{\text{Capitaux propres + Dettes financières}}$$

2. Cette analogie est tirée de S. C. Myers et L. S. Borucki, « Discounted Cash Flow Estimates of the Cost of Equity Capital - A Case Study », *Financial Markets, Institutions, and Investments*, 3 (août 1994), p. 18.

3. Une option d'achat « nue » est une option achetée sans objectif de couverture par rapport à l'action sous-jacente ou à d'autres options. Nous aborderons les options au chapitre 20.

Par exemple, supposons que le bilan, *en valeurs de marché*, d'une entreprise soit :

Valeur de l'actif	100	Valeur des capitaux propres (CP)	70
		Valeur de la dette (D)	30
Valeur de l'actif	100	Valeur de l'entreprise (V)	100

Les valeurs des capitaux propres et de la dette s'additionnent pour donner la valeur de l'entreprise (CP + D = V), et la valeur de l'entreprise est égale à la valeur de l'actif. Ces chiffres sont des valeurs de *marché* et non des valeurs *comptables* : la valeur de marché des capitaux propres d'une entreprise est souvent très différente de sa valeur comptable.

Si les investisseurs attendent une rentabilité de 15 % sur les capitaux propres et de 7,5 % sur la dette, alors la rentabilité attendue sur les actifs sera de :

$$r_{\text{actif}} = r_{\text{capitaux propres}} \frac{\text{CP}}{\text{V}} + r_{\text{dettes}} \frac{\text{D}}{\text{V}} = \left(\frac{70}{100} \times 15\right) + \left(\frac{30}{100} \times 7{,}5\right) = 12{,}75\ \%$$

Si l'entreprise envisage d'investir dans un projet qui présente un niveau de risque équivalent à celui de l'entreprise, le coût du capital de ce projet est le même que le coût du capital de l'entreprise ; autrement dit, il est de 12,75 %.

Le coût du capital de l'entreprise n'est pas le coût de la dette ni celui des capitaux propres mais une moyenne des deux. C'est pourquoi cette combinaison s'appelle le **coût moyen pondéré du capital** (CMPC). Estimer le CMPC peut être assez compliqué surtout lorsqu'on tient compte des impôts (les intérêts sont déductibles) et lorsqu'on doit prendre en compte les variations du taux d'endettement. Nous aborderons ces complications aux chapitres 17 et 19. Dans ce chapitre, nous nous concentrerons sur la mesure du coût des capitaux propres[4]. *Surtout n'essayez pas d'utiliser le CMPC à des fins pratiques avant le chapitre 17, sinon vous partirez dans le mur comme des poulpes survitaminés.*

2 La mesure du coût des capitaux propres

Vous avez un projet qui présente le même niveau de risque que l'activité actuelle de votre société. Vous devrez donc actualiser les cash-flows du projet au coût du capital de la société.

En général, les sociétés commencent par estimer leur *coût des capitaux propres*, c'est-à-dire la rentabilité exigée sur leurs actions. Pour faire cela, dans le chapitre 8, nous avons utilisé le modèle d'évaluation des actifs financiers (Medaf) :

$$\text{Rentabilité attendue de l'action} = r_f + \beta\,(r_m - r_f)$$

4. NB importante : nous supposerons que les exemples évoqués dans ce chapitre sont des projets de sociétés *financées uniquement par capitaux propres*, c'est-à-dire pour lesquelles le CMPC = coût des capitaux propres.

2.1 L'estimation du bêta

Une façon évidente de mesurer le bêta (β) d'une action consiste à regarder comment son cours boursier a évolué par rapport aux fluctuations du marché. Ainsi, regardez les trois graphiques de gauche dans la figure 9.2. Dans le graphe du haut, nous avons calculé les rentabilités mensuelles de l'action Lagardère entre 1991 et 1995, et nous avons régressé ces rentabilités sur les rentabilités du marché boursier pour les mêmes mois. Les deux autres graphes de gauche montrent la même démarche, respectivement pour Alcatel et Total. Dans ces trois cas, nous avons tracé une droite de régression. La pente de cette droite représente une estimation du bêta de l'action[5]. Celui-ci nous donne la variation moyenne du cours de l'action pour une variation de 1 % de l'indice de marché.

Les graphes de droite représentent le même calcul pour la période janvier 2000-janvier 2005. On note que, sur la période 1990-2004, les bêta des entreprises ont sensiblement changé. Il n'en reste pas moins que Total est l'entreprise qui possède le bêta le plus faible des trois titres. Celui d'Alcatel a sensiblement augmenté au cours de la période, alors que le bêta de Lagardère est resté à peu près constant.

Mais les variations du marché n'expliquent qu'une petite partie du risque d'une action. Le restant est constitué du risque spécifique, que l'on peut voir dans l'éparpillement des points autour de la droite de régression de la figure 9.2. Si l'on prend la variance des rentabilités, le R^2 mesure le pourcentage de cette variance qui s'explique par les variations du marché. Par exemple, entre 1991 et 1995, le R^2 d'Alcatel était de 50,25 %, c'est-à-dire que le risque de cette action était constitué d'une moitié de risque de marché et d'une moitié de risque spécifique. La variance des rentabilités d'Alcatel était de 371[6]. Aussi, nous pouvons dire que la variance due aux fluctuations de marché est de $0{,}5025 \times 371 = 186{,}42$, et que la variance due au risque spécifique est de $0{,}4975 \times 371 = 178{,}58$.

Les estimations de bêta de la figure 9.2 correspondent à ce raisonnement. Elles sont fondées sur les rentabilités mensuelles des actions sur 60 mois. Le « bruit » autour de ces rentabilités peut cacher le bêta réel. Elles établissent alors un *intervalle de confiance* à plus ou moins deux erreurs types de la valeur estimée. Par exemple, pour l'action Total sur la période récente, l'erreur type est de 1,83 %. L'intervalle de confiance pour le bêta de cette action est donc de 0,54 + (2 × 1,83 % de 0,54) : en affirmant que le bêta *réel* de Total est situé entre 0,52 et 0,56, vous aurez 95 % de chances d'avoir raison. Plus l'erreur type est grande, plus l'intervalle de confiance sera large, et moins on pourra accorder de confiance aux bêta ainsi estimés.

Ces erreurs d'estimation tendent à se compenser quand vous estimez les bêta de *portefeuilles*[7]. C'est pourquoi les gestionnaires se tournent souvent vers des *bêta sectoriels*. Par exemple, le tableau 9.1 montre les bêta estimés et leurs erreurs types pour quatre compagnies ferroviaires américaines. La plupart des erreurs types dépassent 20 %, de quoi limiter l'estimation précise de n'importe lequel des quatre bêta. Mais le tableau nous donne aussi

---

5. Notez qu'il faut faire une régression des *rentabilités* de l'action sur les *rentabilités* du marché. On obtiendrait une estimation très proche si l'on retenait les *variations en pourcentage* du cours de l'action et de la valeur de l'indice de marché. Mais de temps en temps, des analystes commettent l'erreur de régresser le cours boursier de l'action sur la valeur de l'indice. Ils n'obtiennent rien d'utile.

6. C'est un chiffre annuel ; nous avons annualisé les variances mensuelles en les multipliant par 12 (voir note 19 du chapitre 7). L'écart type était de $\sqrt{375} = 19{,}28$ %.

7. Si les observations sont indépendantes, l'erreur type du bêta moyen du portefeuille déclinera en proportion de la racine carrée du nombre de titres dans le portefeuille.

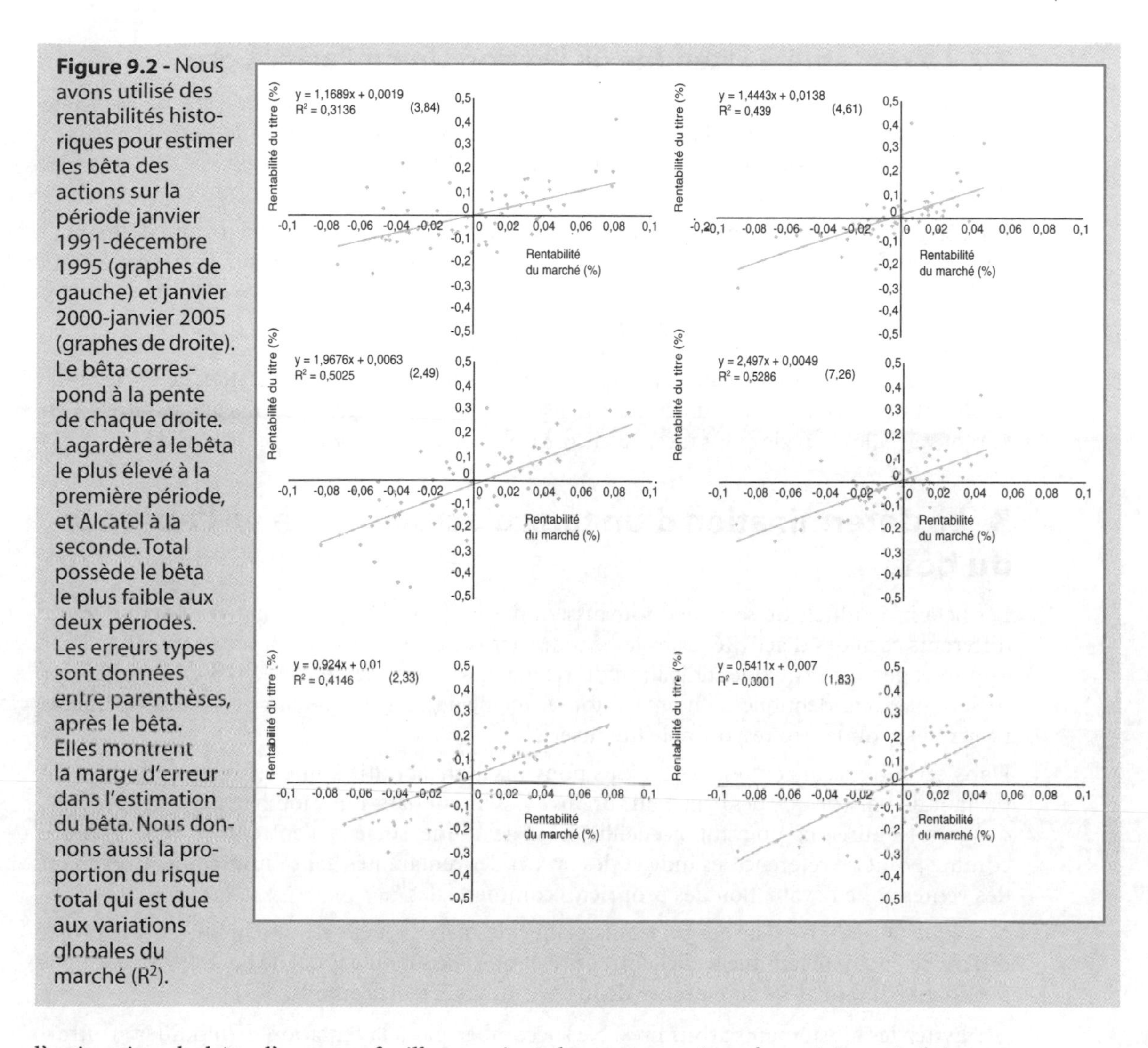

Figure 9.2 - Nous avons utilisé des rentabilités historiques pour estimer les bêta des actions sur la période janvier 1991-décembre 1995 (graphes de gauche) et janvier 2000-janvier 2005 (graphes de droite). Le bêta correspond à la pente de chaque droite. Lagardère a le bêta le plus élevé à la première période, et Alcatel à la seconde. Total possède le bêta le plus faible aux deux périodes. Les erreurs types sont données entre parenthèses, après le bêta. Elles montrent la marge d'erreur dans l'estimation du bêta. Nous donnons aussi la proportion du risque total qui est due aux variations globales du marché (R^2).

l'estimation du bêta d'un portefeuille constitué des quatre actions ferroviaires. Ce bêta est plus digne de confiance, car il a une erreur type moindre.

Tableau 9.1. Estimation des bêta et du coût du capital pour quatre compagnies ferroviaires américaines, et pour un portefeuille des actions de ces compagnies. La précision de l'estimation du bêta est meilleure pour le portefeuille, comme montré par l'erreur type inférieure

	$\beta_{\text{Capitaux Propres}}$	**Erreur type**
Burlington Northern & Santa Fe	0,53	0,20
CSX Transportation	0,58	0,23
Norfolk Southern	0,47	0,28
Union Pacific Corp.	0,47	0,19
Portefeuille sectoriel	0,49	0,18

Les données de ce tableau, comme celles de tous les tableaux de ce chapitre, sont disponibles sur *www.gestion financiere.pearsoned.fr*

2.2 La rentabilité attendue de l'action Union Pacific Corp.

Imaginons que, mi-2004, vous ayez été mandaté pour estimer le coût du capital de la société Union Pacific. Le tableau 9.1 vous donne deux indices pour déduire le bêta de la société : l'estimation directe de 0,47, et le bêta du secteur de 0,49. Nous allons prendre ce bêta sectoriel de 0,49[8].

Mi-2004, le taux sans risque américain r_f était de 3,3 %. En prenant une prime de marché américain de 8 %, vous en auriez conclu que la rentabilité attendue sur l'action de cette société était de 7 %[9].

$$\text{Rentabilité attendue de l'action} = r_f + \beta\,(r_m - r_f) = 3{,}3 + 0{,}49\,(8{,}0) = 7{,}2\ \%$$

Nous avons utilisé ici le Medaf, mais nous pourrions souhaiter une confirmation de notre résultat. Nous pourrions prendre différents modèles de rente croissante (comme au chapitre 4), en faisant varier les taux de croissance, ou encore utiliser l'*arbitrage pricing theory* (APT).

3 La détermination d'un taux d'actualisation en l'absence du bêta

Les bêta individuels ou sectoriels fournissent des indications approximatives des risques de différents secteurs d'activité. Mais le bêta des actifs du secteur « transport ferroviaire », par exemple, ne donne qu'une indication du risque. Les investissements réalisés dans ce secteur ne sont pas tous identiques, et n'ont pas tous le même degré de risque. Sur quels autres éléments pourrait se fonder un responsable financier ?

Dans certains cas, l'actif est coté. Nous pouvons alors aboutir à une estimation du bêta en partant de l'historique des prix. Pour un investissement dans l'immobilier, par exemple dans de grands bureaux pouvant accueillir le siège d'une société, l'entreprise peut prendre comme point de référence les indices des prix et des rentabilités dans l'immobilier provenant des ventes et de l'évaluation des propriétés commerciales[10].

Mais que faire s'il n'existe pas un tel historique des prix ? Quelle démarche suivre si le projet diffère de l'activité habituelle de l'entreprise et que le coût du capital de l'entreprise n'est pas pertinent ? Il faut alors faire preuve de jugement. Voici trois conseils.

1. Évitez les ajustements arbitraires. Ne succombez pas à la tentation de modifier arbitrairement le taux d'actualisation pour tenir compte des déboires possibles du projet. *Ajustez d'abord les flux monétaires.*

---

8. Prendre le bêta sectoriel aurait été trompeur si jamais les autres sociétés avaient eu un taux d'endettement très différent de celui d'Union Pacific. Heureusement, ces sociétés étaient toutes endettées à peu près au même niveau.

9. Il s'agit là d'un taux d'actualisation pour des flux monétaires proches, car il est fondé sur le rendement des bons du Trésor à moins d'un an. Vous pourriez vous demander si ce taux peut s'appliquer aux cash-flows issus d'un actif ayant une durée de vie de 10 ou 20 ans. Maintenant que vous nous en parlez, en effet, c'est discutable. Mais vous ne pouvez pas utiliser un taux à long terme non plus car la prime de risque du marché a été définie et évaluée comme l'écart moyen entre les rentabilités de marché et le taux des obligations du Trésor à court terme (voir tableau 7.1). Voici ce que nous vous suggérons. On pourrait prendre le rendement des obligations du Trésor à long terme comme taux sans risque (5,5 % dans notre exemple). Si vous optez pour cette option, alors n'oubliez pas que la prime de risque du marché doit être recalculée comme l'écart moyen entre les rentabilités de marché et *les rentabilités à long terme des obligations du Trésor.*

10. Voir le chapitre 23 de D. Geltner et N. G. Miller, *Commercial Real Estate Analysis and Investment*, Englewood Cliffs, NJ : Prentice Hall, 2001.

2. Pensez aux déterminants des bêta des actifs. Bien souvent, on connaît mieux les actifs à bêta élevés ou faibles que les bêta eux-mêmes.

3. Ne vous laissez pas abuser par le risque diversifiable.

Détaillons ces trois conseils.

3.1 Évitez les ajustements arbitraires du taux d'actualisation

Nous avons présenté plusieurs mesures du risque, du point de vue de l'investisseur : l'écart type de la rentabilité d'un portefeuille, le bêta d'une action ou d'un titre. On pense au risque d'un projet en listant les choses qui peuvent mal tourner. Par exemple :

- Un géologue à la recherche de pétrole craint le risque d'un gisement à sec.
- Une entreprise pharmaceutique est soucieuse de savoir si son nouveau médicament contre la calvitie sera approuvé par les autorités de contrôle.
- Le propriétaire d'un hôtel dans un pays politiquement instable craint le « risque politique » d'expropriation.

Les gestionnaires sont souvent tentés d'ajuster le taux d'actualisation pour tenir compte de tels risques. Ce type d'ajustement nous met mal à l'aise. D'abord, les risques cités ci-dessus sont spécifiques (c'est-à-dire diversifiables) et ne devraient donc pas affecter la rentabilité exigée par les actionnaires. Ensuite, les ajustements du taux d'actualisation reflètent souvent une sous-pondération des risques dans le calcul des cash-flows prévisionnels.

Exemple Le projet Tonyglandil générera un seul cash-flow de 1 million d'euros dans 1 an. Le projet est considéré comme de risque moyen, et peut donc être actualisé à 10 %, le coût du capital de l'entreprise :

$$\text{VA} = \frac{C_1}{1 + r} = \frac{1\ 000\ 000}{1{,}1} = 909\ 100\ €$$

Vous apprenez subrepticement que les ingénieurs ont pris du retard dans la mise au point du projet. Ils pensent que « ça va marcher du tonnerre », mais admettent qu'il y a « oun petite risque » que cela ne marche pas. Le flux monétaire de 1 million d'euros est toujours le *plus probable*, mais il existe une petite probabilité que le projet Tonyglandil dégage un cash-flow *nul* l'an prochain.

Les perspectives du projet sont embrumées par vos angoisses technologiques. Le projet doit valoir moins que les 909 100 € que vous avez calculés, mais combien précisément ? Il existe, dans les limbes, un taux d'actualisation ajusté (au-dessus de 10 %) qui fournira la bonne réponse, mais *nous ne le connaissons pas*.

Modifiez plutôt votre prévision de cash-flows. Ces flux monétaires doivent être des estimations non biaisées, fondées sur une pondération correcte de tous les résultats possibles. En prévoyant un cash-flow de 1 million d'euros pour des projets comme Tonyglandil, vous surestimez la valeur moyenne des cash-flows, puisque de temps en temps le cash-flow sera de zéro. *Ces zéros devraient être inclus dans votre prévisionnel.*

Pour beaucoup de projets, le cash-flow le plus probable est égal au cash-flow moyen (prévision non biaisée). S'il n'existe que 3 valeurs possibles associées aux probabilités ci-après, la prévision non biaisée (cash-flows pondérés par leurs probabilités) est de 1 million d'euros.

Cash-flow possible	Probabilité	Cash-flow pondéré	Prévision non biaisée
1,2	0,25	0,3	
1,0	0,50	0,5	1,0 ou 1 million d'euros
0,8	0,25	0,2	

Ce tableau pourrait traduire les perspectives initiales du projet Tonyglandil. Mais si l'incertitude technologique rend possible un cash-flow nul, on inclut un quatrième scénario. Le flux monétaire attendu deviendra 900 000 €.

Cash-flow possible	Probabilité	Cash-flow pondéré	Prévision non biaisée
1,2	0,225	0,27	
1,0	0,45	0,45	0,9 ou 900 000 €
0,8	0,225	0,18	
0	0,10	0	

La valeur actuelle sera alors de :

$$VA = \frac{0,9}{1,10} = 0,81, \text{ ou } 818\,000\ €$$

Maintenant, vous pourriez calculer l'ajustement du taux d'actualisation à réaliser pour obtenir la réponse correcte. Mais il fallait d'abord analyser des flux monétaires possibles ; et une fois que c'est fait, *vous n'avez plus besoin* d'ajuster le taux d'actualisation.

Les gestionnaires établissent souvent un éventail de scénarii possibles, en y associant parfois des probabilités. Nous développerons cela plus longuement dans le chapitre 10.

La première étape est donc d'aboutir à une estimation non biaisée des cash-flows. La deuxième étape est de déterminer si les investisseurs vont considérer ce projet comme étant plus ou moins risqué que l'entreprise. Sur ce point, nous conseillons d'étudier les caractéristiques du projet associées à un bêta élevé ou faible.

3.2 Qu'est-ce qui détermine le bêta de l'actif ?

Les éléments cycliques Beaucoup de gens associent intuitivement le risque à la variabilité du bénéfice comptable. Mais il faut regarder la variation de ce bénéfice comptable *par rapport* au bénéfice des autres sociétés. Nous pouvons mesurer ce phénomène en nous appuyant sur le *bêta comptable* ou sur le *bêta des cash-flows*. Ceux-ci ressemblent au bêta normal, mais ils sont fondés sur les variations du bénéfice comptable ou des cash-flows plutôt que sur les taux de rentabilité des titres. Ce bêta mesure la sensibilité de l'entreprise *à la conjoncture*. Nous aurions tendance à prédire que les entreprises qui ont un bêta comptable, ou un bêta des cash-flows élevé, auront aussi un bêta financier élevé – et nous aurions raison[11]. Cela veut dire que les entreprises cycliques ont généralement un bêta élevé, ce qui vous fera exiger un taux de rentabilité plus élevé sur leurs investissements.

Le levier d'exploitation Nous avons déjà vu que le levier financier (le fait de s'engager à payer des intérêts fixes) augmente le bêta du portefeuille d'un investisseur. De la même façon, le *levier d'exploitation* (*coûts fixes*) augmente le bêta d'un projet d'investissement. Les cash-flows que génère tout actif productif comprennent les ventes, les coûts fixes et les coûts variables :

$$\text{Cash-flow} = \text{ventes} - \text{coûts fixes} - \text{coûts variables}$$

Les coûts variables sont liés à la quantité produite (matières premières, commissions des vendeurs, certains salaires et frais de maintenance). Les coûts fixes ne dépendent pas de la quantité produite (par exemple, les impôts fonciers ou les salaires des employés). La valeur actuelle d'un actif vaudra :

$$\text{VA(actif)} = \text{VA(ventes)} - \text{VA(coûts fixes)} - \text{VA(coûts variables)}$$

Ou de manière équivalente

$$\text{VA(ventes)} = \text{VA(coûts fixes)} + \text{VA(coûts variables)} + \text{VA (actif)}$$

Ceux qui *reçoivent* les frais fixes sont comme des prêteurs dans le projet : ils reçoivent un paiement fixe. Ceux qui reçoivent les cash flows nets issus de l'actif sont comparables à des actionnaires : ils récupèrent ce qui reste après paiement des frais fixes.

Nous pouvons maintenant lier le bêta du projet aux bêta des valeurs « ventes » et « coûts ». Nous utiliserons simplement la formule précédente en y incorporant les bêta :

$$\beta_{\text{ventes}} = \beta_{\text{coûts fixes}} \frac{\text{VA(coûts fixes)}}{\text{VA(ventes)}} + \beta_{\text{coûts variables}} \frac{\text{VA(coûts variables)}}{\text{VA(ventes)}} + \beta_{\text{actif}} \frac{\text{VA(actif)}}{\text{VA(ventes)}}$$

En d'autres termes, le bêta des ventes correspond simplement à une moyenne pondérée du bêta de ses composantes. Or, le bêta des coûts fixes est nul par définition : en encaissant la somme correspondant aux coûts fixes, on détient un actif sans risque. Les bêta des ventes et des coûts variables devraient être assez équivalents, puisqu'ils réagissent à la même variable sous-jacente, la quantité produite. Nous pouvons alors substituer $\beta_{\text{coûts variables}}$ et résoudre l'équation pour obtenir le bêta du projet (rappel : $\beta_{\text{coûts fixes}} = 0$) :

$$\beta_{\text{actif}} = \beta_{\text{ventes}} \frac{\text{VA(ventes)} - \text{VA(coûts variables)}}{\text{VA(actif)}}$$

$$= \beta_{\text{ventes}} \left[1 + \frac{\text{VA(coûts fixes)}}{\text{VA(actif)}} \right]$$

Ainsi, compte tenu du caractère cyclique des ventes (que traduit β_{ventes}), le bêta de l'actif est proportionnel au ratio entre la valeur actuelle des coûts fixes et la valeur actuelle du projet. Ceci nous donne un outil pour juger des risques relatifs de technologies différentes pour un même produit. Toutes choses égales par ailleurs, le projet ayant la plus forte proportion de

11. Par exemple, voir W. H. Beaver, J. Manegold, « The Association between Market-Determined and Accounting-Determined Measures of Systematic Risk : Some Further Evidence », *Journal of Financial and Quantitative Analysis*, 10 (juin 1979), pp. 231-284.

coûts fixes devra avoir le bêta le plus élevé. Des études empiriques confirment que les sociétés avec des leviers opérationnels importants ont des bêta élevés[12].

Enfin, ne confondez pas le bêta avec le risque diversifiable. Un projet peut sembler très risqué vu de près, mais si les incertitudes du projet ne sont pas corrélées au marché ou à d'autres risques macroéconomiques, le projet présente seulement un risque moyen.

4 Les équivalents certains : une autre façon de s'ajuster au risque

En pratique, l'analyse des projets d'investissement est souvent faite en prenant un taux d'actualisation unique pour tous les cash-flows prévisionnels. Mais le fait de prendre un taux d'actualisation constant présuppose que le risque du projet ne change pas. Nous savons que cela est faux, car les sociétés font face à des risques continuellement changeants. Nous avançons sur un terrain miné, mais il existe une manière d'envisager le risque qui va nous montrer le chemin. Il suffit de convertir les cash-flows prévisionnels en **équivalents certains**. Nous allons d'abord expliquer ce que sont les équivalents certains, puis nous les utiliserons pour dévoiler ce que l'on suppose vraiment lorsqu'on actualise une série de cash-flows futurs à un taux d'actualisation unique ajusté au risque. Enfin, nous traiterons le cas d'un projet dont le risque varie et pour lequel une actualisation ordinaire a échoué[13].

4.1 Évaluation des équivalents certains

Rappelez-vous l'investissement immobilier du chapitre 2. Vous envisagez de bâtir un immeuble de bureaux que vous revendrez 420 000 € dans un an. Comme ce cash-flow n'est pas garanti, vous allez l'actualiser à un taux de 12 %, au lieu du taux sans risque de 5 %. Vous obtenez une valeur actuelle de 420 000 / 1,12 = 375 000 €.

Imaginons maintenant qu'une société immobilière se présente et vous propose un prix fixe d'achat de l'immeuble dans un an. Cela annulera toute incertitude que vous pourriez avoir sur la rentabilité de votre investissement. Vous serez enclin à accepter une offre inférieure aux 420 000 € hypothétiques dans un an. Mais de combien ? Si l'immeuble a une valeur actuelle de 375 000 € et si le taux sans risque est de 5 %,

$$\text{VA} = \frac{\text{Équivalent certain}}{1{,}05} = 375\,000\ €$$

$$\text{Équivalent certain} = 393\,750\ €$$

En d'autres termes, un cash-flow *certain* de 393 750 € a la même valeur actuelle qu'un cash-flow attendu, mais incertain, de 420 000 €. Ce cash-flow de 393 750 € est *l'équivalent certain* du cash-flow prévisionnel. Si vous voulez compenser le *délai de paiement* et *l'incertitude* des

12. Voir B. Lev, « On the Association between Operating Leverage and Risk », *Journal of Financial and Quantitative Analysis*, 9 (septembre 1974), pp. 627-642 ; et aussi G. N. Mandelker, S. G. Rhee, « The Impact of the Degrees of Operating and Financial Leverage on Systematic Risk of Common Stock », *Journal of Financial and Quantitative Analysis*, 19 (mars 1984), pp. 45-57.

13. Votre investissement sera récompensé un peu plus loin lorsque nous aborderons les options aux chapitres 20 et 21 et l'évaluation des futures et des forwards au chapitre 27. Les formules d'évaluation des options actualisent des *équivalents certains*. Les prix des futures et des forwards sont des *équivalents certains*.

prix futurs de l'immobilier, vous demandez un gain de 420 000 – 375 000 = 45 000 €. Une partie de cette différence permet de compenser le délai de paiement. L'autre partie (420 000 – 393 750 = 26 250 €) est un rabais auquel vous consentez car il vous permet d'annuler les risques (l'incertitude) liés aux cash-flows prévisionnels.

Cet exemple illustre deux façons de calculer un cash-flow risqué C_1 :

Méthode 1

Actualiser le cash-flow risqué à un taux *tenant compte du risque*, *r*, supérieur au taux sans risque r_f. Ce taux ajusté au risque tiendra compte en même temps du délai et du risque. Cela correspond au parcours dans le sens des aiguilles d'une montre, dans la figure 9.3.

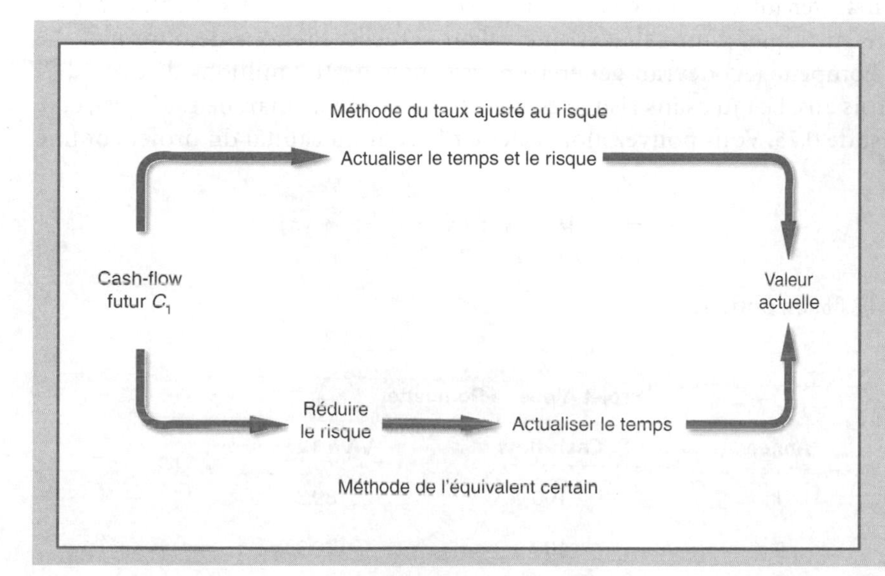

Figure 9.3 - Deux manières de calculer la valeur actuelle. Réduire le risque signifie réduire le cash-flow de sa version prévisionnelle à sa valeur « équivalent certain ».

Méthode 2

Trouver le cash-flow *équivalent certain* et l'actualiser au taux sans risque r_f. Quand vous utilisez cette méthode, demandez-vous : « quel est le cash-flow *certain* contre lequel je serais prêt à échanger le cash-flow *espéré* C_1 ? »

On parle d'*équivalent certain* de C_1, ou EQC_1[14]. Et comme EQC_1 est équivalent à un cash-flow garanti, il est actualisé au taux sans risque. Cette méthode de l'équivalent certain *sépare* les notions de risque et de temps. Cela correspond au parcours dans le sens inverse des aiguilles d'une montre, dans la figure 9.3.

Nous avons maintenant deux formules identiques pour exprimer VA :

$$VA = \frac{C_1}{1+r} = \frac{EQC_1}{1+r_f}$$

14. EQC_1 peut être calculé directement à partir du modèle d'évaluation des actifs financiers. La variante « équivalent certain » du Medaf postule que l'équivalent certain du cash-flow C_1 est $VA = C_1 - \lambda \text{cov}(\tilde{C}_1, \tilde{r}_m)$. $\text{Cov}(\tilde{C}_1, \tilde{r}_m)$ est la covariance entre le cash-flow incertain C_1, et la rentabilité du marché r_m. Lambda (λ) mesure le prix de marché du risque. Il est égal à $(r_m - r_f) / \sigma_m^2$. Par exemple, si $r_m - r_f = 0{,}08$ et que l'écart type de la rentabilité du marché soit de $\sigma_m = 0{,}20$, alors $\lambda = 0{,}08 / 0{,}20^2 = 2$.

Et pour les cash-flows à l'année t :

$$VA = \frac{C_t}{(1+r)^t} = \frac{EQC_t}{(1+r_f)^t}$$

4.2 Quand utiliser un taux d'actualisation unique pour des actifs de longue durée ?

Nous pouvons maintenant examiner la situation où on utilise un taux d'actualisation constant r, ajusté au risque, pour calculer une valeur actuelle. Prenons deux projets. Le projet Alouette Pompette (A) devrait générer un cash-flow de 100 millions d'euros chaque année sur trois ans. Le taux sans risque est de 6 %, la prime de marché est à 8 %, et le bêta du projet est de 0,75. Vous pouvez alors calculer le coût du capital du projet comme suit :

$$\begin{aligned} r &= r_f + \beta \times (r_m - r_f) \\ &= 6 + 0{,}75\ (8) = 12\ \% \end{aligned}$$

En actualisant à 12 %, on obtient :

Projet Alouette Pompette		
Année	**Cash-flow**	**VA à 12 %**
1	100	89,3
2	100	79,7
3	100	71,2
	VA totale	240,2

Comparez maintenant ces chiffres avec ceux du projet Blaireau Bafouilleur (B). Les cash-flows prévus sont inférieurs à ceux d'Alouette Pompette, mais ils sont *certains*, donc actualisés au taux sans risque. La *valeur actuelle* des cash-flows est identique pour les deux projets.

Projet Blaireau Bafouilleur		
Année	**Cash-flow**	**VA à 6 %**
1	94,6	89,3
2	89,6	79,7
3	84,8	71,2
	VA totale	240,2

L'année 1, le projet A donne un cash-flow risqué de 100. Celui-ci a la même valeur actuelle que le cash-flow certain du projet B (94,6). Par conséquent, 94,6 est l'équivalent certain de 100. Comme les deux cash-flows ont la même valeur actuelle, les investisseurs sont prêts à abandonner 100 – 94,6 = 5,4 du cash-flow de la première année pour se débarrasser de l'incertitude.

L'année 2, les investisseurs sont prêts à renoncer à 100 – 89,6 = 10,4 du cash-flow. Pour l'année 3, les investisseurs renonceront à 100 – 84,8 = 15,2 pour se garantir un cash-flow assuré.

Ainsi, en utilisant un taux constant de 12 %, vous avez déduit *plus* des derniers cash-flows pour compenser le risque :

Année	Cash-flow prévisionnel projet A	Cash-flow équivalent certain	Déduction pour le risque
1	100	94,6	5,4
2	100	89,6	10,4
3	100	84,8	15,2

Le deuxième cash-flow est plus risqué que le premier, car il est exposé à deux années de risque de marché (et le troisième cash-flow est exposé à trois ans de risque de marché). Ce risque accru apparaît dans la décroissance des équivalents certains.

Par conséquent, l'utilisation d'un taux d'actualisation unique repose sur l'hypothèse que le risque s'accumule à un taux constant à mesure que vous établissez des prévisions sur les évolutions futures.

4.3 Une erreur courante

On entend parfois dire que les cash-flows éloignés étant plus risqués, on doit les actualiser à un taux plus élevé que les cash-flows proches. C'est faux : nous venons de voir que l'utilisation du même taux d'actualisation implique une plus grande déduction pour le risque quand les cash-flows sont éloignés. Le taux d'actualisation compense le risque supporté *par période de temps*. Plus les cash-flows sont éloignés, plus le nombre de périodes est élevé et plus l'ajustement *total* du risque est important.

4.4 Quand ne pas utiliser un taux d'actualisation unique pour des actifs de longue durée

De temps en temps, vous rencontrerez des projets dont le risque change avec le temps : utiliser un seul taux d'actualisation serait dangereux. Voici une version déguisée, simplifiée et quelque peu exagérée d'un projet réel que l'un des auteurs a dû analyser. Les scientifiques de Vegetron ont mis au point un artichaut électrique et l'entreprise est sur le point d'entreprendre une production-pilote et une étude de marché. La phase préliminaire durera un an et coûtera 125 000 €. La direction estime qu'il n'y a que 50 % de chances que la production-pilote et l'étude de marché se révèlent favorables. Dans ce cas, Vegetron construira une usine (1 million d'euros), qui amènera des cash-flows de 250 000 € par an, après impôts, et ce à l'infini. Si la première étape est un échec, on abandonnera le projet. Les cash-flows prévus, en milliers d'euros, sont les suivants :

$$C_0 = -125$$

$$C_1 = 50\ \%\text{ de chances pour }(-1\,000)\text{ et }50\ \%\text{ de chances pour }0$$

$$= 0{,}5(-1\,000) + 0{,}5(0) = -500$$

$$C_t\text{, pour t} = 2, 3, \ldots = 50\ \%\text{ de chances pour }250\text{ et }50\ \%\text{ de chances pour }0$$

$$= (0{,}5 \times 250) + (0{,}5 \times 0) = 125$$

La direction considère que ce projet est extrêmement risqué. Aussi, le management va-t-il actualiser les cash-flows au taux de 25 %, au lieu du taux habituel de 10 % pour Vegetron[15].

$$\text{VAN} = -125 - \frac{500}{1{,}25} + \sum_{t=2}^{\infty} \frac{125}{(0{,}25)^t} = -125\text{, soit } -125\,000\text{ €}$$

Le projet n'a pas l'air valable. Mais cette analyse est discutable, car l'expérience de la première année réduit une bonne partie de l'incertitude. Si la phase des tests est un échec, il n'existe plus de risque : il est *sûr* que le projet vaut zéro. Au contraire, si cette phase réussit, il paraît fort probable que le risque reviendra à un niveau normal. Il y a donc 50 % de chances que, dans un an, Vegetron investisse dans un projet de risque *normal*, pour lequel un taux d'actualisation *normal* de 10 % serait approprié. L'entreprise a donc 50 % de chances d'investir 1 million d'euros dans un projet dont la valeur actuelle nette est de 1,5 million d'euros :

Production pilote et étude de marché
- Succès → $\text{VAN} = -1\,000 + \frac{250}{0{,}10} = 1\,500$ (50 % de chances)
- Échec → VAN = 0 (50 % de chances)

Le projet présente donc une VAN espérée de (0,5 × 1 500) + (0,5 × 0) = 750, soit 750 000 € en t = 1, pour un investissement de 125 000 € en t = 0. Bien sûr, l'équivalent certain est moins élevé que 750 000 €, mais il faudrait une différence vraiment grande pour entraîner le rejet du projet. Si, par exemple, l'équivalent certain EQC_1 est la moitié de la valeur prévue et le taux sans risque est à 7 %, le projet vaudra 225 500 € :

$$\text{VAN} = C_0 + \frac{EQC_1}{1 + r_f}$$

$$= -125 + \frac{0{,}5(750)}{1{,}07} = 225{,}5\text{, soit } 225\,500\text{ €}$$

Ce n'est pas si mal pour un investissement de 125 000 €, et quelle différence par rapport à la VAN négative obtenue en actualisant tous les flux monétaires futurs à 25 %…

15. On suppose qu'il s'agit d'un risque *de marché* élevé, et que la différence entre 10 et 25 % *n'est pas due* à une volonté d'ajuster des cash-flows prévisionnels trop optimistes.

5 Les taux d'actualisation de projets à l'international

Nous avons montré comment le Medaf peut permettre d'évaluer le coût des capitaux propres pour des projets nationaux. Pouvons-nous généraliser cette démarche aux investissements réalisés dans d'autres pays ? La réponse est oui, mais naturellement, il y a des complications.

5.1 Les investissements à l'étranger ne sont pas systématiquement plus risqués

Qu'est-ce qui est le plus risqué pour un investisseur européen, l'indice Euro Stoxx 50 ou le marché boursier égyptien ? Si vous répondez l'Égypte, vous aurez raison, mais *uniquement* si le risque est défini comme une volatilité (une variance) globale. Cela ne signifie pas que les investissements en Égypte ont un *bêta* élevé. En d'autres termes, quel risque un investissement égyptien ajouterait-il à un portefeuille diversifié d'actions européennes ?

Le tableau 9.2 montre les bêta estimés des indices de marché dans différents pays, comparés au marché US. Les écarts types des rentabilités sur ces marchés représentent jusqu'à sept fois celui des États-Unis (mais seulement 2 marchés sur 8 ont un bêta bien supérieur à 1). L'explication tient à la faible corrélation entre ces marchés. Ainsi, l'écart type au Brésil représente 6,29 fois celui de l'indice américain, mais le coefficient de corrélation n'est que de 0,134. Le bêta est donc de 6,29 × 0,134 = 0,59.

Tableau 9.2. Bêta d'indices boursiers de huit pays, comparés au marché américain (fondés sur des rentabilités mensuelles, janvier 1999-décembre 2003). Malgré une forte volatilité, de nombreux bêta sont inférieurs à 1. L'explication vient d'une faible corrélation avec le marché américain

	Ratio des écarts types*	Coefficient de corrélation	Bêta**
Brésil	6,29	0,134	0,84
Égypte	5,67	0,104	0,59
Inde	6,10	0,173	1,05
Indonésie	7,29	0,176	1,28
Mexique	3,92	0,131	0,51
Pologne	3,21	0,264	0,85
Thaïlande	6,32	0,276	1,74
Afrique du Sud	4,04	0,211	0,85

* Ratio entre l'écart type de l'indice du pays et l'écart type du S & P 500 aux États-Unis.

** Ratio de la covariance sur la variance. La covariance s'exprime comme $\sigma_{IM} = \rho_{IM}\,\sigma_I\,\sigma_M$; $\beta = \rho_{IM}\,\sigma_I\,\sigma_M / \sigma_M^2 = \rho_{IM}\,(\sigma_I / \sigma_M)$, où I indique l'indice de marché local, et M l'indice de marché US.

Certes, le tableau 9.2 ne prouve pas que l'investissement à l'étranger soit toujours moins risqué, mais cela devrait vous pousser à toujours faire la différence entre le risque de marché et le risque spécifique (diversifiable). Le coût du capital ne devrait dépendre que du risque de marché.

5.2 Quel coût des capitaux propres pour un investissement à l'étranger ?

Imaginons que Roche, le groupe pharmaceutique suisse, envisage un investissement dans une nouvelle usine à Bâle (Suisse). Le directeur financier fait un prévisionnel de cash-flows en francs suisses, et les actualise. Étant donné que le projet est risqué, le taux d'actualisation sera supérieur au taux sans risque suisse. Supposons que ce projet soit d'un risque équivalent aux autres actifs suisses du groupe Roche. Pour déterminer son coût du capital, le directeur financier procédera de même que, par exemple, son homologue dans une compagnie pharmaceutique aux États-Unis : il estimera le risque du projet en calculant le bêta de Roche, ainsi que les bêta d'autres sociétés pharmaceutiques suisses. Ces bêta seront calculés *en prenant comme référence l'indice boursier suisse*. Imaginons que ces mesures donnent un bêta de 1,1, et que la prime de marché attendue sur le marché suisse soit de 6 %. Roche devra alors actualiser ses cash-flows en francs suisses à $1{,}1 \times 6 = 6{,}6$ % au-dessus du taux sans risque suisse.

Supposons maintenant que Roche envisage d'implanter une usine aux États-Unis. *Les activités de Roche aux États-Unis seront probablement peu liées aux fluctuations de l'indice de marché suisse.* Aussi, le bêta du projet américain, relatif au marché suisse, sera probablement *inférieur* à 1,1. Quel sera-t-il ? Une indication serait de prendre le bêta de l'industrie pharmaceutique américaine *relativement à l'indice de marché suisse*. On trouve alors un bêta de 0,36[16]. En gardant la prime de risque de 6 %, Roche devrait actualiser les cash-flows (en francs suisses) du projet américain à $0{,}36 \times 6 = 2{,}2$ % au-dessus du taux sans risque suisse.

Pourquoi donc le directeur financier de Roche mesure-t-il le bêta de ses investissements *suisses* par rapport au marché suisse, alors que ses homologues américains mesurent les bêta de leurs investissements *américains* par rapport au marché américain ? La réponse est donnée dans la section 7.4 : le risque ne peut être pris isolément, il dépend des autres titres détenus en portefeuille. Le bêta mesure le risque *relativement au portefeuille de l'investisseur*.

Si des investisseurs américains détiennent déjà un portefeuille de valeurs américaines, un dollar additionnel investi aux États-Unis sera traité identiquement. Mais si des investisseurs suisses ont un portefeuille *suisse*, un investissement aux États-Unis pourra réduire leur risque. *Ainsi, un investissement aux États-Unis présentera probablement moins de risque pour Roche que pour une société américaine.* Cela explique aussi pourquoi les actionnaires de Roche seront prêts à accepter sur ce projet une rentabilité moindre que ce qu'en demanderaient des actionnaires américains[17].

Quand Merck mesure son risque relativement au marché boursier américain, et Roche par rapport au marché suisse, les dirigeants supposent implicitement que leurs actionnaires ne détiennent que des actions nationales. Cette supposition est plausible dans le

16. Cette valeur correspond au bêta de l'indice américain « Standard & Poor's Pharmacie », rapporté au marché suisse sur la période août 1996-juillet 2001.

17. Dans des portefeuilles efficients, la prime de risque pour chaque action est proportionnelle à son bêta *relatif au portefeuille*. Ainsi, si l'indice boursier suisse représente un portefeuille efficient pour les investisseurs suisses, ceux-ci accepteront l'investissement dans l'usine si celui-ci leur rapporte une prime de risque proportionnelle au bêta de la société par rapport à l'indice suisse.

cas des États-Unis. Même si les investisseurs américains peuvent réduire leur risque en se bâtissant un portefeuille diversifié internationalement, ils ne le font généralement que pour une faible proportion de leur patrimoine. Cette timidité est difficile à expliquer[18]. Peut-être est-ce plus difficile de sélectionner les actions étrangères à acheter. Ou peut-être craignent-ils que le gouvernement local ne les exproprie de leur investissement ou qu'il change la fiscalité sur les titres.

Aujourd'hui, les investisseurs réservent une part grandissante aux actions étrangères. Les grandes institutions financières ont significativement augmenté leur investissement à l'étranger, et des dizaines de fonds ont été créés pour favoriser l'investissement international. Comme les investisseurs augmentent leur part d'actions étrangères, il devient moins pertinent de mesurer le risque d'un titre par rapport à son marché boursier national : il faut prendre en compte le portefeuille réel des investisseurs.

Qui sait, dans quelques années, les investisseurs détiendront peut-être des portefeuilles complètement diversifiés internationalement, et dans les futures éditions de cet ouvrage, nous recommanderons aux sociétés de calculer des bêta relatifs à un indice mondial. Si tous les investisseurs détenaient ce portefeuille mondial, Roche et Merck exigeraient la même rentabilité d'un investissement aux États-Unis, en Suisse ou en Égypte.

5.3 Certains pays ont-ils un coût du capital inférieur ?

Dans certains pays, les taux d'intérêt sont significativement faibles. Par exemple, en décembre 2005, le taux sans risque à 10 ans au Japon était de 1,6 %, tandis qu'il était de 4,5 % aux États-Unis et de 3,4 % en France. Certaines personnes en déduisent souvent que les sociétés japonaises ont un coût du capital inférieur.

Cette opinion est une demi-vérité. L'erreur vient de ce que le taux sans risque au Japon est mesuré en yens, tandis qu'il est exprimé en dollars aux États-Unis et en euros en Europe. Vous ne pouvez pas comparer des taux sans risque exprimés dans des unités différentes.

Imaginez maintenant que vous compariez chaque taux sans risque *en termes réels*. Cette fois-ci, vous avez des éléments comparables, et cela aura du sens de se demander si un investissement à l'étranger peut faire baisser le coût du capital *réel* au Japon. Les citoyens japonais sont depuis longtemps de grands épargnants et la situation économique du Japon a amplifié les inquiétudes des Japonais quant à l'avenir, de telle sorte qu'ils épargnent plus encore. Cet argent ne pouvait pas être absorbé par l'industrie japonaise et devait par conséquent être investi à l'étranger. Les investisseurs japonais étaient prêts à supporter le risque que comporte tout achat d'actifs financiers étrangers. De ce fait, lorsqu'une entreprise japonaise voulait financer un nouveau projet, elle pouvait obtenir les fonds nécessaires à un coût relativement bas.

---

18. Pour des détails sur le coût du capital lors d'investissements à l'étranger en présence de coûts liés à la diversification internationale, voir I. A. Cooper, E. Kaplanis, « Home Bias in Equity Portfolios and the Cost of Capital for Multinational Firms », *Journal of Applied Corporate Finance*, 8 (1995), pp. 95-102.

Résumé

Dans le chapitre 8, nous avons présenté les principes d'évaluation des actifs risqués. Dans ce chapitre, nous avons indiqué comment appliquer ces principes à des situations opérationnelles.

Le problème est simple lorsque le projet présente le même risque de marché que les actifs existants de l'entreprise. Dans ce cas, la rentabilité exigée est égale à la moyenne des rentabilités exigées sur le portefeuille des financements de l'entreprise. Cette rentabilité exigée est appelée *coût du capital de l'entreprise* (*coût moyen pondéré du capital*, *CMPC*, ou *weighted average cost of capital*, *WACC*, dans la langue d'un cow-boy).

Nous avons remis à plus tard le calcul du CMPC, et nous nous sommes focalisés sur le *coût des capitaux propres* (l'exigence de rentabilité des actionnaires). Le bon sens nous dicte que l'exigence de rentabilité sur un actif dépend de son risque. Dans ce chapitre, nous avons défini le risque comme étant le bêta, et le modèle d'évaluation des actifs financiers nous a servi à calculer les rentabilités exigées.

Le coût du capital correspondra au taux d'actualisation correct pour évaluer des projets qui présentent le même risque que les activités actuelles de l'entreprise. Et pourtant, beaucoup de sociétés utilisent leur coût du capital pour évaluer tous les nouveaux projets. C'est très dangereux : en principe, chaque projet doit être évalué à son propre coût du capital. Le coût du capital dépend de l'utilisation qui en est faite, et dans l'estimation du coût du capital d'un projet, c'est le *risque du projet* qui compte. Cela dit, le coût du capital de la société convient pour les projets de risque moyen.

La manière la plus simple d'estimer le bêta d'une action consiste à regarder comment, dans le passé, le cours de l'action a réagi aux fluctuations du marché. Cela ne vous donnera évidemment qu'une estimation du vrai bêta de l'action. Vous pouvez calculer une valeur plus fiable en déterminant le bêta sectoriel d'un ensemble de sociétés comparables.

Nous nous sommes alors préoccupés du risque des projets d'investissement. Nous avons donné plusieurs conseils pour les dirigeants qui cherchent à déterminer des bêta de projets. Premièrement, évitez d'ajuster arbitrairement les taux d'actualisation, soi-disant pour compenser les risques de mauvais résultats. Ajustez plutôt les cash-flows, pour donner aux mauvais résultats leur poids réel ; *ensuite seulement*, demandez-vous si l'existence de mauvais résultats représente une augmentation du risque de marché du projet. Deuxièmement, même quand vous ne pouvez pas calculer directement le bêta d'un projet, vous pouvez identifier des caractéristiques du projet qui militent en faveur d'un bêta élevé ou faible. Vous pouvez par exemple regarder dans quelle mesure les cash-flows du projet seront affectés par l'évolution globale de l'économie : les projets cycliques ont généralement un bêta élevé. Vous pouvez aussi analyser le levier d'exploitation : les coûts fixes augmentent le bêta.

Dernier obstacle : la plupart des projets donnent des cash-flows sur plusieurs années, et les entreprises utilisent un taux d'actualisation unique pour toutes ces années. En agissant ainsi, elles présupposent que le risque cumulé augmente régulièrement avec le temps. Cette hypothèse est généralement correcte et sera parfaitement exacte si le bêta du futur projet reste constant, donc si le risque *par période* est constant.

Mais il y a des exceptions. Soyez prudents sur les projets pour lesquels le risque n'augmente pas régulièrement. Vous devez alors fractionner le projet en périodes au sein desquelles vous pouvez utiliser un même taux d'actualisation. Ou alors, vous devrez raisonner en équivalents certains, ce qui permet d'ajuster le risque séparément sur chaque période.

Ces principes marchent aussi à l'international, mais il y a évidemment des complications. Le risque d'un actif peut dépendre de la nature de l'investisseur. Par exemple, un investisseur suisse utilisera pour une société américaine un bêta inférieur à celui utilisé par un Américain. Inversement, un Yankee utilisera un bêta plus faible pour une société suisse. Les deux investisseurs auront moins de risques sur leurs investissements étrangers, grâce à l'absence de corrélation parfaite entre les marchés boursiers de leurs pays.

Lectures complémentaires

L'article de Rubinstein donne une très bonne synthèse de l'application du modèle d'évaluation des actifs financiers dans les décisions d'investissement.

M. E. Rubinstein, « A Mean-Variance Synthesis of Corporate Financial Theory », *Journal of Finance*, 28 (mars 1973), pp. 167-182.

Pour des idées permettant de décomposer le problème de l'estimation des bêta, voir :

W. F. Sharpe, « The Capital Asset Pricing Model : A 'Multi-Beta' Interpretation », in H. Levy et M. Sarnat (eds), *Financial Decision Making under Uncertainty*, Academic Press, New York, 1977.

Fama et French présentent des estimations sectorielles du coût des capitaux propres fondées sur le Medaf et l'APT. Bancel et Perrotin analysent différentes méthodes pour déterminer le coût du capital à l'international.

E. F. Fama, K. French, « Industry Costs of Equity », *Journal of Financial Economics*, 43 (février 1997), pp. 153-193.

F. Bancel, T. Perrotin, « Le coût du capital dans les pays émergents », *Analyse financière*, n°119 (juin 1999), pp. 76-88.

Les hypothèses à la base des taux d'actualisation ajustés en fonction du risque sont analysées dans :

E. F. Fama, « Risk-Adjusted Discount Rates and Capital Budgeting under Uncertainty », *Journal of Financial Economics*, 5 (août 1977), pp. 3-24.

S. C. Myers et S. M. Turnbull, « Capital Budgeting and the Capital Asset Pricing Model : Goods News and Bad News », *Journal of Finance*, 32 (mai 1977), pp. :21-332.

B. Cornell, « Risque, duration and capital budgeting : new evidence on some old questions », *Journal of Business*, 72 (avril 1999), pp. 183-200.

Activités

Révision des concepts

1. Donnez la formule qui permet d'obtenir le coût du capital d'une entreprise, sans inclure les impôts. Pour quel type de projet cela constitue-t-il un taux d'actualisation correct ?
2. Pourquoi vaut-il mieux estimer le coût du capital d'un secteur industriel tout entier plutôt que d'une seule entreprise ?
3. Expliquez de manière détaillée la façon dont vous estimeriez le bêta d'une action cotée.

Tests de connaissances

1. Supposons qu'une entreprise utilise son coût du capital pour évaluer tous les projets. Va-t-elle surévaluer ou sous-évaluer les projets risqués ?
2. Regardez à nouveau la figure 9.2. Quel pourcentage de la rentabilité d'Alcatel est expliqué par les fluctuations du marché ? Quelle proportion correspond au risque spécifique (diversifiable) ? Comment voit-on ce risque spécifique sur le graphique ? Quelle est l'amplitude de l'erreur possible dans l'estimation de ce bêta ?
3. Une entreprise est financée à 40 % par de la dette sans risque. Le taux d'intérêt est de 10 %, la rentabilité attendue du marché de 18 % et le bêta de l'action de 0,5. Quel est le coût du capital de l'entreprise ?
4. Les Frères Habid ont mis au point une pomme de terre génétiquement modifiée à partir de laquelle il est possible de préparer des frites basses calories. Malheureusement, le programme de recherches n'est pas achevé et il faut que le Global economic research bureau (Gerb) donne son accord au lancement de cette nouvelle pomme de terre. La probabilité de succès du programme de R&D est d'environ 50 %. L'investissement nécessaire s'élève à 15 millions d'euros.

   Habituellement, le coût du capital des Frères Habid est de 12 %. Comment cette société devrait-elle établir ses prévisions et actualiser les cash-flows futurs que pourrait générer la commercialisation de la pomme de terre basses calories ? Devrait-elle utiliser un taux d'actualisation supérieur à 12 % ? Devrait-elle utiliser un taux d'actualisation de 24 % pour tenir compte des 50 % de chances d'échec ? Expliquez.
5. Vrai ou faux ?
   a. Les cash-flows éloignés dans le temps sont plus risqués que les cash-flows à court terme.
   b. Les directeurs financiers devraient toujours utiliser le même taux d'actualisation pour des projets à court et à long terme.
6. Laquelle de ces entreprises aura vraisemblablement le coût du capital le plus élevé ?
   a. Les vendeurs de AC reçoivent un salaire fixe ; ceux de DC sont payés à la commission.
   b. CQ produit des machines-outils ; FD produit des céréales pour petit déjeuner.

7. Vrai ou faux ?
   a. De nombreux marchés boursiers dans le monde sont plus volatils que le marché américain.
   b. Les bêta de la plupart des marchés boursiers du monde, calculés par rapport au marché américain, sont bien supérieurs à 1,0.
   c. Les investisseurs concentrent leurs investissements dans leurs pays d'origine. Cela signifie que des sociétés domiciliées dans différents pays pourront utiliser plusieurs taux d'actualisation pour le même projet.
8. Les cash-flows prévisionnels pour le projet Casoar Callipyge sont de 110 dans un an et 121 dans deux ans. Le taux d'intérêt est de 5 %, la prime de risque estimée du marché est de 10 % et le bêta du projet est de 0,5. Avec un taux d'actualisation constant, quels sont :
   a. La valeur actuelle du projet ?
   b. Les cash-flows équivalents certains pour les années 1 et 2 ?
   c. Le ratio entre cash-flows équivalents certains et cash-flows prévisionnels pour les années 1 et 2 ?

Questions et problèmes

1. La valeur de marché des actions de la société immobilière Tchernobyl est de 6 millions d'euros et la valeur totale de sa dette est de 4 millions d'euros. Le trésorier estime que le bêta des actions est de 1,5 et que la prime de risque attendue sur le marché de 6 %. Le taux des bons du Trésor est de 4 %. Pour simplifier, supposons que la dette de Tchernobyl soit sans risque et que l'entreprise ne paie pas d'impôts.
   a. Quelle est la rentabilité exigée des actions Tchernobyl ?
   b. Estimez le coût du capital de l'entreprise.
   c. Quel taux d'actualisation devrait-on retenir pour un projet de l'entreprise ?
   d. On suppose que l'entreprise désire se diversifier dans la production de lunettes roses (série Édith Piaf). Le bêta des usines de lunettes non endettées est de 1,2. Estimez la rentabilité exigée du projet de Tchernobyl.
2. Voici la structure du capital de Barbecues Néron SA :

Actifs financiers	Bêta	Valeur de marché totale (en millions d'euros)
Actions privilégiées	0,20	40
Actions ordinaires	1,20	299
Dette	0	100

   a. Quel est le bêta des actifs de l'entreprise ? *Indice :* quel est le bêta d'un portefeuille de tous les actifs financiers de l'entreprise ?
   b. Quel taux d'actualisation Barbecues Néron devrait-il utiliser pour des investissements qui augmenteraient sa taille sans pour autant modifier le bêta de ses actifs ? Le taux sans risque est de 5 % et la prime de risque du marché de 6 %.
3. Regardez à nouveau les actions du tableau 8.2. Vous pouvez télécharger les cours mensuels de ces sociétés sur Yahoo! Finance (**fr.finance.yahoo.com**) – pour chaque action, sélectionnez « données historiques » – ainsi que les valeurs historiques de l'indice (exemple : SBF 250). Quel est le pourcentage de la variance des rentabilités de chaque société qui est expliqué par le marché ? Utilisez les fonctions de régression linéaire de votre tableur[19].

19. Une suite bureautique libre et gratuite, compatible avec Microsoft Office, est disponible sur **fr.openoffice.org**.

4. Prenez au moins cinq des sociétés de la question 3. Sur Yahoo! Finance, récupérez au moins quatre années de cours mensuels pour ces valeurs et pour l'indice.

a. Décomposez les feuilles en deux périodes de deux années chacune. Calculez les bêta pour chaque action, en utilisant les fonctions de régression de votre tableur. Les bêta sont-ils stables ?

b. Si vous aviez pris ces bêta pour déterminer les rentabilités exigées, avec le Medaf, vos estimations auraient-elles changé entre les deux périodes ?

c. Il pourra être intéressant de refaire votre démarche en utilisant les rentabilités hebdomadaires (100 rentabilités sur une période de deux ans).

5. Le tableau suivant montre les estimations du risque de deux actions canadiennes connues.

	Écart type, %	R^2	Bêta	Erreur type du bêta
Alcan	24	0,15	0,69	0,21
Inco	29	0,22	1,04	0,26

a. Quel pourcentage du risque de chaque action correspondait au risque systématique ? Et au risque spécifique ?

b. Quelle est la variance de la rentabilité d'Alcan ? Quelle est sa variance spécifique ?

c. Quel est le niveau de confiance de l'estimation du bêta d'Inco ?

d. Si le Medaf est correct, quelle est la rentabilité anticipée sur l'action Alcan ? On suppose un taux sans risque à 5 % et une rentabilité du marché anticipée de 12 %.

e. Supposons que l'an prochain le marché donne une rentabilité nulle. Quelle sera la rentabilité anticipée d'Alcan ?

6. Bâtissez un échantillon de sociétés agroalimentaires à partir de Yahoo! Finance (**fr.finance.yahoo.com**). Vous pouvez prendre Danone, Nestlé, Unilever, et dans une moindre mesure, Fromageries Bel, Bongrain, Bonduelle, Brioches Pasquier.

a. Estimez le bêta et le R^2 de chaque société à partir des données mensuelles fournies sur Yahoo! Finance (conseil : prenez un indice européen, par exemple l'Euro Stoxx 50). Utilisez les fonctions de régression de votre tableur préféré, libre et gratuit.

b. Calculez le bêta du secteur : calculez d'abord les rentabilités mensuelles d'un portefeuille équi-réparti entre les différentes actions. Calculez alors le bêta de ce portefeuille. Comparez le R^2 de ce portefeuille aux R^2 des actions individuelles.

c. Utilisez le Medaf pour calculer un coût des capitaux propres ($r_{\text{capitaux propres}}$) pour le secteur de l'agroalimentaire. Prenez les taux sans risque actuels et une estimation raisonnable de la prime de marché.

7. Vous disposez des informations suivantes pour Spratzenschmützvermutzung Motorwerke :

Nombre d'actions ordinaires	10 000
Cours par action	50 €
Valeur comptable par action	25 €
Rentabilité attendue de l'action ($r_{\text{capitaux propres}}$)	15 %
Dette à long terme	300 000 €
TRA de la dette (r_{dette})	8 %

Calculez le coût moyen pondéré du capital de Spratzenschmützvermutzung Motorwerke. On ignorera l'impôt.

8. Reprenez, dans le tableau 9.1, l'action Burlington Northern.

a. Calculez le coût des capitaux propres de Burlington en utilisant le Medaf avec son bêta, puis le bêta du secteur (on prendra un taux sans risque de 3,5 % et une prime de marché de 8 %). Les réponses changent-elles ?

b. Pouvez-vous être sûr(e) que le bêta de Burlington n'est *pas* le bêta sectoriel ?

c. Dans quelles circonstances conseillerez-vous à Burlington de calculer son coût des capitaux propres en prenant sa propre estimation de bêta ?

9. Vous possédez une machine fabriquant des câbles. Elle vous permet d'obtenir un chiffre d'affaires annuel de 20 millions d'euros. Les coûts des matières premières représentent 50 % du chiffre d'affaires, et ces coûts sont variables (proportionnels au chiffre d'affaires). Il n'y a pas d'autres coûts de production. Le coût du capital est de 9 %, le taux d'intérêt pour des emprunts à long terme de 6 %. Electrocution SA vous propose un contrat pour vous fournir en matières premières à hauteur de 10 millions d'euros par an pendant 10 ans, sans possibilité de renégociation.

a. Que se passe-t-il pour le levier d'exploitation et le risque d'exploitation de la machine si vous acceptez ce contrat ?

b. Calculez la valeur actuelle de la machine avec et sans ce contrat à prix fixe.

10. Papa Mambo SA vient d'expédier une année de victuailles au Gouvernement de la République d'Antarctique Sud (GRAS). Le paiement de 250 000 € se fera dans un an, lorsque la cargaison sera arrivée par motoneige. Malheureusement, la probabilité d'un coup d'État est élevée, et le nouveau régime crypto-zapatiste ne paiera certainement pas. Le contrôleur de gestion de Papa Mambo décide d'actualiser le paiement à 40 % plutôt qu'au coût du capital de l'entreprise (12 %).

a. Qu'y a-t-il de malsain à actualiser à 40 % pour compenser ce risque politique ?

b. Quelle est la valeur du paiement si la probabilité d'un coup d'État est de 25 % ?

11. Une entreprise pétrolière fore de nouveaux puits près d'un champ pétrolifère en exploitation. Environ 20 % des forages ne donneront rien. Et lorsqu'un forage détecte du pétrole, il reste une incertitude sur la production : 40 % des nouveaux puits donnent 1 000 barils par jour, 60 % donnent 5 000 barils par jour.

a. Calculez le cash-flow prévisionnel d'un nouveau puits (avec un prix de 15 $ par baril).

b. Un géologue propose d'actualiser les cash-flows des nouveaux forages à 30 % pour compenser le risque d'échec au niveau du forage. Le coût du capital de l'entreprise pétrolière est normalement de 10 %. Cette proposition est-elle fondée ? Expliquez.

12. Prenez le projet Alouette Pompette de la section 9.4.2. On suppose maintenant que :

a. Le cash-flow anticipé est de 150 par an pour les cinq prochaines années.

b. Le taux sans risque est de 5 %.

c. La prime de marché est de 6 %.

d. Le bêta est de 1,2.

Recalculez les cash-flows équivalents certains, et montrez que le ratio équivalent certain/cash-flow décroît constamment.

13. Un projet Doryphore Débonnaire a les cash-flows suivants :

Cash-flows, en milliers d'euros			
C_0	C_1	C_2	C_3
–100	+40	+60	+50

14. Le bêta estimé du projet est égal à 1,5. La rentabilité espérée du marché r_m est égale à 16 % et le taux sans risque est de 7 %.

a. Estimez le coût d'opportunité du capital et la valeur actuelle du projet (en utilisant le même taux pour actualiser tous les flux monétaires).

b. Quels sont les cash-flows équivalents certains de chaque année ?

c. Quels sont les ratios cash-flows équivalents certains/cash-flows anticipés pour chaque année ?

d. Expliquez pourquoi ce ratio décroît.

15. La Quatter Binooz Company envisage de lancer une bière de régime. Le produit donnera d'abord lieu à une étude de marché de 2 ans pour un coût de 500 000 €. Ce lancement d'essai ne devrait générer aucun profit, mais il permettra de mettre en lumière les préférences des consommateurs. La probabilité que la demande soit satisfaisante est de 60 %. Dans ce cas, Quatter dépensera 5 millions d'euros pour lancer le produit et produira un bénéfice annuel anticipé de 700 000 € à l'infini. Si la demande n'est pas satisfaisante, la bière sera retirée du marché.

Une fois la demande connue, le produit aura un risque moyen et, en conséquence, Quatter exigera une rentabilité de 12 % de son investissement. Cependant, la phase de test est perçue comme beaucoup plus risquée et Quatter souhaite avoir une rentabilité de 40 % sur son investissement de départ. Quelle est la VAN du projet ?

16. Reprenez le tableau 9.2. Quels seraient les bêta si le coefficient de corrélation était de 0,5 entre chaque pays ? Expliquez.

17. Reprenez les estimations des bêta du tableau 9.2. Est-ce que ces informations seraient utiles pour une société américaine qui souhaiterait investir dans ces pays ? Et pour une société allemande ?

Problèmes avancés

1. Vous devez déterminer la valeur d'une séquence de dépenses (des cash-flows négatifs) qui ont un bêta (risque) élevé. Qui dit risque élevé dit taux d'actualisation plus élevé, et donc, valeur actuelle des dépenses plus faible. Cela semble impliquer que plus le risque de ces dépenses est élevé, moins vous avez à vous en soucier. Est-ce correct ? Le signe des cash-flows doit-il affecter le choix du taux d'actualisation ?

2. Le dirigeant d'une entreprise pétrolière envisage d'investir 10 millions de dollars dans un des deux puits suivants. Le puits 1 devrait générer des recettes de 3 millions de dollars par an pendant 10 ans. Le puits 2 produirait 2 millions de dollars par an pendant 15 ans. Ces cash-flows anticipés sont exprimés en termes réels (tenant compte de l'inflation).

Le bêta d'un puits *en activité* est égal à 0,9. La prime de marché est de 8 %, le taux sans risque nominal est de 6 % et le taux d'inflation anticipé est de 4 %.

Ces deux puits seront situés dans un champ pétrolifère découvert récemment. Il subsiste encore une probabilité de 20 % que chacun des puits soit sec. Un puits sec signifie qu'aucun cash-flow ne sera généré et que l'investissement de 10 millions de dollars sera perdu.

Ignorez les impôts et posez les hypothèses que vous jugez nécessaires.

a. Quel est le taux d'actualisation correct pour les cash-flows d'un puits en activité ?

b. Le dirigeant propose d'ajouter 20 % au taux d'actualisation réel pour compenser le risque d'un puits sec. Calculez la VAN de chacun des puits avec ce taux.

c. Quelle est *votre* estimation de la VAN de chacun des puits ?

d. Existe-t-il un facteur d'ajustement unique qui pourrait être ajouté au taux d'actualisation des puits en exploitation, pour aboutir aux VAN exactes de chacun des deux puits ? Expliquez.

3. Utilisez les fonctions de régression de votre tableur préféré pour estimer la validité des bêta calculés dans les questions 4 et 6, ainsi que le coût du capital de la question 6.

a. Quelles sont les erreurs types des bêta des questions 4(a) et 4(c) ? D'après ces valeurs, estimez-vous que les bêta sont significativement différents entre eux ? (La différence pourrait n'être que du « bruit ».) Quelle est votre estimation raisonnable du bêta prévisionnel de chaque société ?

b. Quelle est la validité des bêta estimés dans la question 6(a) ?

c. Comparez l'erreur type du bêta sectoriel de la question 6(b) avec celles des bêta individuels des sociétés. Sur la foi de ces chiffres, votre réponse à la question 6(c) changera-t-elle ?

Mini-cas

Les déboires chics de la famille Cache-Flots

La scène : Tôt dans la soirée, dans la salle de séjour d'une famille ordinaire dans l'île de la Cité, à Paris. Mobilier cossu, avec de vieilles éditions des *Échos* et de *La Tribune* étalées partout. Des photos avec autographes de Jean-Claude Trichet (président de la Banque centrale européenne), Alan Greenspan (ancien président de la Banque centrale américaine, *Federal Reserve Board*) et Jean-Claude Van Damme (spéculateur d'idées fortes) sont affichées, bien en vue. Une baie vitrée donne sur la féerie des bords de Seine. Fulbert de Cache-Flots est assis devant son ordinateur et sirote une coupe de champagne d'un air sombre en achetant des yens sur Internet. Sa femme, Mylène, entre.

Mylène : Salut, Fulb' ! Contente d'être à la maison. Pourtant, quelle affreuse journée sur les marchés. La Cité de la Tristesse. Aucun volume. Mais je vais arriver à sauver la production de céréales de l'an prochain pour notre ferme en Beauce. Ne pouvant pas obtenir une cote intéressante sur les contrats à terme, j'ai opté pour un swap de marchandises. Nos gens seront contents.

Fulbert ne répond pas.

Mylène : Qu'avez-vous mon ami ? Vous avez encore spéculé sur le yen ? ça perd de l'argent tant que ça peut depuis des semaines.

Fulbert : Eh bien, oui ! Je n'aurais pas dû aller au petit déjeuner organisé au Hemingway Bar. Mais sinon, je ne bouge jamais d'ici ! Je reste enfermé toute la journée à calculer des covariances et les arbitrages risque-rentabilité efficients, pendant que vous opérez sur les marchés à terme. Vous avez tout le brillant et le *fun*, telle une pouliche de course, ma mie.

Mylène : Ne vous inquiétez pas, chou, c'est bientôt fini. Vos calculs d'efficience de notre portefeuille d'actions ne vous prennent que quelques heures par trimestre. Après, vous pourrez retourner à vos opérations de crédit-bail.

Fulbert : *(soupirant comme un vieil acteur de seconde zone)* Pour vous le *trading*, et pour moi les soucis. Une rumeur court selon laquelle notre société de crédit-bail pourrait être la cible d'une attaque inamicale. Je savais que le ratio d'endettement était trop faible et vous avez oublié de blinder les statuts ! Et, en plus, vous fîtes un investissement à VAN négative !

Mylène : Quel investissement, par saint Thomas ?

Fulbert : Les deux puits de pétrole supplémentaires que vous me fîtes acheter à Caille-les-Miches. Pour 5 millions d'euros ! Y a-t-il au moins du pétrole là-bas ?

Mylène : Nos géologues disent qu'il n'y a que 30 % de chances pour que la nappe pétrolière soit inexistante.

Fulbert : Même si nous trouvons du pétrole, je parie que nous ne pourrons produire que 300 barils de pétrole brut par jour.

Mylène : Ce seront 300 barils chaque jour que notre Seigneur fait et il y a 365 jours dans l'année mon ami.

Le fils de Fulbert et de Mylène, Sosthène, bondit dans la pièce.

Sosthène : Père ! Mère ! Devinez ! Je fus nommé responsable des dérivés, à la Junior entreprise de mon école ! Je peux aller voir comment ça se passe sur le MONEP, et même à Chicago, la capitale des marchés d'options ! (*Pause. Il lève ses yeux clairs*) Qu'y a-t-il ?

Fulbert : Ta mère a encore fait un investissement à VAN négative. Dans le pétrole, au nord du septentrion.

Sosthène : Relax, Père. Mère m'a parlé de ça. J'allais calculer la VAN hier, mais mon prof de finance m'a demandé de calculer les probabilités de défaillance d'un échantillon d'obligations pourries pour le cours de vendredi. *(Il sort un organiseur de son sac à dos.)* Voyons voir : 300 barils par jour fois 365 jours et par année fois 25 € le baril lorsqu'il est livré à Los Angeles… Cela donne 2,7 millions d'euros par an.

Fulbert : Cela donne 2,7 millions d'euros l'année prochaine en supposant que l'on trouve du pétrole. Mais la production va baisser de 5 % chaque année. Et nous devrons toujours payer 10 € par baril pour le pipeline ainsi que les charges de transports maritimes pour l'acheminer du nord de l'Alaska jusqu'à Los Angeles. C'est un coût fixe. Nous avons un sérieux levier d'exploitation là.

Mylène : D'un autre côté, notre conseiller sur les questions énergétiques prévoit une hausse du prix du pétrole. Si le prix augmente avec l'inflation, le cours du baril devrait monter d'environ 2,5 % par an. Le fonctionnement des puits n'entraîne aucun nouveau coût et ils peuvent encore être exploités pendant au moins 15 ans.

Sosthène : Je calculerai la VAN après avoir fini avec mes probabilités de défaillance. Le taux sans risque est de 6 %. Ça va, si je prends un bêta de 0,8 et comme d'habitude 7 % de prime de risque du marché ?

Mylène : C'est parfait, Sost.

Fulbert : (*Respirant un grand coup et se levant*) Allez, on se fait un petit repas de famille ? Je vais réserver notre table habituelle au Ritz.

Tout le monde sort.

Le présentateur : Les puits de pétrole ont-ils vraiment une VAN négative ? Fulbert et Mylène vont-ils subir une attaque inamicale ? Pour les dérivés, Sosthène utilise-t-il la méthode de Black-Scholes ou la méthode binomiale ? Vous le saurez dans le prochain épisode des *Déboires de la famille Cache-Flots !*

Il se peut que ce style de vie ne soit pas votre idéal, mais vous allez apprendre toutes ces subtilités dans ce manuel, des contrats à terme à l'évaluation des options par la méthode binomiale. Pour l'instant, vous pourriez recalculer la VAN.

Questions

1. Calculez la VAN des puits de pétrole en incluant toutes les variables. Combien de temps la production doit-elle durer pour que les puits constituent un investissement à VAN positive ? Vous pouvez ignorer les impôts ou toutes autres complications.
2. Concentrons-nous sur le levier d'exploitation. Comment devrait-on évaluer les coûts fixes de transport maritime ? Recalculez la VAN. Indice : la compagnie pétrolière des Cache-Flots a une excellente notation de crédit. Son taux d'emprunt à long terme est de seulement 7 %.

Partie 3

Problèmes pratiques de choix d'investissement

Le projet d'Eurotunnel, le tunnel reliant la France à l'Angleterre, a eu un coût record de 15 milliards de dollars. Antérieurement, la société avait fait des prévisionnels de cash flows qui promettaient une rentabilité de 14 %. Malheureusement, une actualisation méticuleuse des cash-flows ne garantit pas le succès. La construction du tunnel a été plus coûteuse et plus longue que prévu. Les recettes furent décevantes, et pendant longtemps, la société ne dégageait pas assez pour payer les intérêts de ses dettes. Bien sûr, la vie est pleine de ce genre de surprises désagréables, mais la partie 3 montre comment les entreprises peuvent décomposer les projets d'investissement en étapes, pour minimiser le risque qu'un projet devienne une perte pure.

Le chapitre 10 montre comment les sociétés identifient les facteurs susceptibles de couler un projet, et comment elles intègrent la flexibilité (possibilités d'expansion, si cela se passe bien, ou d'arrêt du projet en cas de menaces).

Le chapitre 11 montre comment les dirigeants analysent un projet qui dégage une VAN positive. Ils ne se contentent pas de vérifier les calculs, mais posent des questions fondamentales sur l'économie du projet : la société a-t-elle des atouts, ou une avance, sur ses concurrents ? Comment va réagir la concurrence ? Qu'est-ce qui sera susceptible de réduire la rentabilité du projet ? Par exemple, le management d'Eurotunnel a (ou aurait) bien fait de penser à la réponse des opérateurs transmanche.

Enfin le chapitre 12 montre comment les sociétés organisent leurs procédures de choix d'investissement, et comment elles motivent les dirigeants et les employés pour maximiser la valeur de l'entreprise.

Chapitre 10

Un projet n'est pas une boîte noire

Une *boîte noire* est une chose que nous acceptons et que nous utilisons sans la comprendre. Pour la plupart d'entre nous, un ordinateur est une boîte noire. Nous avons une idée de ce qu'il peut faire, mais nous n'en comprenons pas le fonctionnement. En cas de panne, nous sommes incapables de le réparer.

Nous avons jusqu'à présent traité les projets d'investissement comme des boîtes noires, comme si les gestionnaires recevaient des estimations correctes de cash flows et que leur seule tâche était d'évaluer le risque, de choisir le taux d'actualisation adéquat et de pondre la valeur actuelle nette. En réalité, les gestionnaires n'auront l'esprit tranquille qu'après avoir compris ce qui fait marcher un projet, et ce qui pourrait le bloquer. Rappelons la loi de Murphy : « Si ça peut rater, ça ratera » et le corollaire de O'Reilly : « au plus mauvais moment ».

Même lorsque le risque d'un projet est totalement diversifiable (spécifique), vous devez identifier les causes possibles d'échecs. Vous pourrez alors décider s'il faut tenter de réduire le niveau d'incertitude. Peut-être qu'une étude de marché supplémentaire permettra de lever des doutes sur l'acceptation du produit par les consommateurs, qu'un forage supplémentaire fournira des indications plus précises sur la taille d'un gisement, ou que des tests complémentaires sur le zonzonneur donneront une meilleure idée de la solidité de ses clafouilles. Si la VAN du projet est réellement négative, autant le savoir le plus vite possible. Et même si vous décidez de lancer le projet sur la foi de ces informations, mieux vaut ne pas être surpris si cela tourne mal.

Nous vous montrons comment utiliser l'*analyse de sensibilité*, l'*analyse du point mort*, la *simulation de Monte-Carlo* pour identifier les hypothèses importantes et détecter ce qui peut mal tourner.

Le modèle de la VAN présuppose généralement que les entreprises gèrent leurs actifs de manière passive, en ignorant les possibilités de s'agrandir si le projet marche bien, ou d'y mettre un terme si c'est un flop. Or, les dirigeants qui veulent survivre cherchent toujours des moyens de développer les succès et de réduire le coût des échecs, et ils sont prêts à payer plus pour des projets qui leur donnent cette flexibilité. Les possibilités de modifier un projet en cours de route s'appellent *options réelles*. Nous décrirons plusieurs applications importantes des options réelles, et nous montrerons comment utiliser des *arbres de décisions* pour quantifier leurs paramètres.

1 L'analyse de sensibilité

L'incertitude signifie que parmi beaucoup d'événements probables, seuls certains se produisent. Pour établir une prévision de cash-flows, il faut imaginer tout ce qui pourrait se produire. Mettez-vous dans la peau du trésorier de la société Otobai, à Osaka. Vous envisagez la production d'un scooter électrique pour la circulation en ville. Votre équipe a estimé les cash-flows du projet, repris dans le tableau 10.1. La VAN, calculée au coût d'opportunité du capital de 10 %, est positive : le projet semble intéressant.

$$\text{VAN} = -15 + \sum_{t=1}^{10} \frac{3}{(1{,}10)^t} = +3{,}43 \text{ milliards de yens}$$

Tableau 10.1. Prévision des cash-flows pour le projet de scooter électrique d'Otobai (en milliards de yens)

Les données de ce tableau, comme celles de tous les tableaux de ce chapitre, sont disponibles sur *www.gestion financiere. pearsoned.fr*

*	Année 0	Année 1 à 10
Investissement	15	
1. Chiffre d'affaires		37,5
2. Frais variables		30
3. Frais fixes		3
4. Amortissements		1,5
5. Résultat avant impôt (1 – 2 – 3 – 4)		3
6. Impôt		1,5
7. Résultat net (5 – 6)		1,5
8. Cash-flow d'exploitation (4 + 7)		3
Cash-flow net	–15	+ 3

* Hypothèses : (1) L'investissement est amorti linéairement sur 10 ans. (2) Le résultat est taxé à 50 %.

Avant de vous décider, vous préférez décortiquer ces prévisions et identifier les variables clés qui détermineront le succès ou l'échec du projet. Le département marketing a estimé les revenus comme suit :

Unités vendues = part de marché du nouveau produit × taille du marché des scooters
= 0,10 × 1 million = 100 000 scooters

Chiffre d'affaires = unités vendues × prix de vente unitaire
= 100 000 × 375 000 = 37,5 milliards de yens

Le département production estime les frais variables à 300 000 ¥ par unité, soit, pour 100 000 scooters par an, 30 milliards de yens. Les frais fixes annuels sont de 3 milliards de yens. L'investissement initial est amorti linéairement sur 10 ans et les bénéfices sont imposés au taux de 50 %.

Il semble que tout ce qui est important a été dit, mais soyez attentif aux variables non identifiées qui constituent les plus grands dangers, par exemple des problèmes de brevet, ou l'obligation d'installer des stations-service pour permettre le rechargement des batteries.

Comme vous n'avez détecté aucun facteur non identifié (soyez sûr qu'ils apparaîtront plus tard), vous entreprenez une **analyse de sensibilité** sur la taille du marché, la part de marché, etc. Pour cela, les services concernés doivent vous fournir des estimations optimistes et pessimistes. Celles-ci sont reprises dans la partie gauche du tableau 10.2. La partie droite nous donne la valeur actuelle nette lorsque chacune des variables est fixée *tour à tour* à sa valeur optimiste et pessimiste. Votre projet n'a plus l'air si glorieux. Les variables les plus critiques semblent être la part de marché et le coût variable unitaire. Si la part de marché n'est que de 4 % (toutes autres variables égales par ailleurs), la VAN du projet est de –10,4 milliards de yens. Si le coût variable unitaire est de 360 000 ¥, la VAN du projet devient –15 milliards de yens.

Tableau 10.2. Pour réaliser l'analyse de sensibilité du projet de scooter électrique, nous fixons *tour à tour* chacune des variables à sa valeur pessimiste ou optimiste et nous recalculons la VAN du projet

Variable	Scénario			VAN (en milliards de yens)		
	Pessimiste	Attendu	Optimiste	Pessimiste	Attendue	Optimiste
Taille du marché	0,9 million	1 million	1,1 million	+1,1	+3,4	+5,7
Part de marché	4 %	10 %	16 %	–10,4	+3,4	+17,3
Prix unitaire	350 000 ¥	375 000 ¥	380 000 ¥	–4,2	+3,4	+5,0
Coût variable unitaire	360 000 ¥	300 000 ¥	275 000 ¥	–15,0	+3,4	+11,1
Frais fixes	4 milliards de yens	3 milliards de yens	2 milliards de yens	+0,4	+3,4	+6,5

1.1 La valeur de l'information

Peut-être qu'un investissement en temps ou en argent pourrait lever une partie de l'incertitude *avant* que vous n'engagiez les 15 milliards de yens. Supposons par exemple que l'estimation pessimiste du département production résulte de la crainte qu'une machine ne fonctionne pas correctement. La production devra, dans ce cas, faire appel à d'autres moyens d'où un coût supplémentaire de 20 000 ¥ par unité. La probabilité n'est que de 10 %, mais l'impact sur le cash-flow annuel après impôts serait de :

$$\text{Unités vendues} \times \text{coût unitaire additionnel} \times (1 - \text{taux d'imposition})$$
$$= 100\,000 \times 20\,000 \times 0{,}50 = 1 \text{ milliard de yens}$$

Cela entraînera une diminution de la VAN du projet de :

$$\sum_{t=1}^{10} \frac{1}{(1{,}10)^t} = +\,6{,}14 \text{ milliards de yens}$$

et fera basculer la VAN dans le rouge à + 3,43 – 6,14 = –2,71 milliards de yens.

Supposons qu'un test préalable de la machine coûte 10 millions de yens et permette de savoir si elle fonctionnera. Il est clair qu'il est intéressant de dépenser 10 millions pour éviter une probabilité de 10 % de perdre 6,14 milliards en VAN. Vous y gagnez $-10 + 0{,}10 \times 6\,140 = +\,604$ millions de yens.

1.2 Les limites de l'analyse de sensibilité

Un inconvénient de l'analyse de sensibilité est qu'elle donne des résultats souvent ambigus. Par exemple, que signifient exactement *optimiste* et *pessimiste* ? Chaque département peut en avoir une interprétation propre. Dans dix ans, après des centaines de projets, une étude *a posteriori* montrera peut-être que les limites pessimistes d'un département ont été dépassées deux fois plus souvent que celles d'un autre département. Mais ce que vous découvrirez dans 10 ans ne sert à rien aujourd'hui. Une solution serait de demander à chacun des départements une distribution de probabilité des scénarii possibles. Mais il n'est pas facile d'amener quelqu'un à traduire ses prévisions subjectives en probabilités[1].

Un autre problème de l'analyse de sensibilité est que les variables sous-jacentes sont généralement *interdépendantes*. Est-il logique de considérer la taille du marché isolément ? Si la taille du marché dépasse les prévisions, il est probable que la demande sera plus forte que prévu et que les prix unitaires seront plus élevés. L'impact du prix peut-il être analysé isolément ? Si l'inflation augmente les prix, il est probable que les coûts augmenteront aussi.

Il est parfois possible de contourner ces problèmes en choisissant des variables sous-jacentes qui soient raisonnablement indépendantes. Mais l'analyse de sensibilité par modification *d'une variable à la fois* a ses limites. D'où l'intérêt des scénarii.

1.3 L'analyse par scénarii

Avec des variables *interdépendantes*, il peut être utile d'analyser différentes *combinaisons* plausibles. Par exemple, un économiste d'Otobai craint une nouvelle hausse des prix du pétrole. L'impact direct serait un accroissement des modes de transport à base d'électricité. Vous pensez qu'une hausse de 20 % du prix du pétrole vous permettrait d'accroître votre part du marché des scooters de 3 %. D'un autre côté, la hausse du prix du pétrole provoquerait une récession économique et une augmentation de l'inflation. Dans ce cas, la taille du marché des scooters serait de l'ordre de 0,8 million d'unités et les prix comme les coûts dépasseraient vos prévisions initiales de 15 %. Le tableau 10.3 indique les conséquences de ce scénario : la VAN passerait à 6,5 milliards de yens.

Les gestionnaires trouvent souvent que cette **analyse par scénarii** est utile. Cela leur permet d'examiner des combinaisons différentes, mais *cohérentes*, de variables. Et les responsables préfèrent habituellement fournir une estimation de prix ou de coûts *dans le cadre d'un scénario donné* plutôt que de donner, dans l'absolu, une valeur optimiste ou pessimiste.

1. Si vous en doutez, tentez quelques expériences simples. Demandez à votre réparateur de télévision de vous indiquer la probabilité que votre poste continue à marcher encore un an. Ou bien, construisez votre propre distribution de probabilités sur le nombre d'appels téléphoniques que vous recevrez au cours de la semaine prochaine. Facile, non ? Essayez.

Tableau 10.3. Impact d'une hausse des prix du pétrole et d'une récession mondiale sur la VAN du projet de scooter électrique

	Cash-flows, années 1-10, en milliards de yens	
	Scénario de base	**Prix pétroliers élevés et récession**
1. Chiffre d'affaires	37,5	44,9
2. Frais variables	30,0	35,9
3. Frais fixes	3,0	3,5
4. Amortissements	1,5	1,5
5. Résultat avant impôt (1 – 2 – 3 – 4)	3,0	4,0
6. Impôt	1,5	2,0
7. Résultat net (5 – 6)	1,5	2,0
8. Cash-flow d'exploitation (4 + 7)	3,0	3,5
Valeur actuelle des cash-flows	+18,4	+21,5
VAN	+3,4	+6,5

	Hypothèses	
	Scénario de base	**Prix pétroliers élevés et récession**
Taille du marché	1 million	0,8 million
Part de marché	10 %	13 %
Prix unitaire	375 000 ¥	431 300 ¥
Coût variable unitaire	300 000 ¥	345 000 ¥
Frais fixes	3 milliards de yens	3,5 milliards de yens

1.4 L'analyse du point mort

Une analyse de sensibilité consiste à se demander ce qui pourrait arriver si les ventes ou les coûts étaient pires que nos prévisions. On peut aussi se demander *jusqu'où les ventes peuvent diminuer avant que le projet ne perde de l'argent.* Cet exercice est appelé **analyse du point mort**.

La partie gauche du tableau 10.4 donne les revenus et les coûts du projet de scooter électrique en fonction des ventes[2]. La partie droite du tableau fournit les *valeurs actuelles*

2. Remarquez que si le projet réalise une perte, celle-ci peut réduire la charge fiscale pour le reste de la société. Le projet génère alors une économie d'impôts (crédit d'impôt).

des recettes et des dépenses. La valeur actuelle nette (VAN) est la différence entre ces deux chiffres.

Tableau 10.4. VAN du projet de scooter électrique en fonction des ventes (en milliards de yens, sauf indications)

	Recettes	Dépenses						
		Année 0	Années 1-10					
Ventes (milliers d'unités)	Ventes Année 1-10	Investis-sement	Coûts variables	Coûts fixes	Impôt	VA Recettes	VA Dépenses
0	0	15	0	3	–2,25	0	19,6
100	37,5	15	30	3	1,5	230,4	227,0
200	75,0	15	60	3	5,25	460,8	434,4

La VAN est légèrement positive si la société vend 100 000 scooters et elle devient très positive si le nombre de scooters vendus passe à 200 000. La VAN est nulle pour des ventes légèrement inférieures à 100 000. La figure 10.1 illustre la valeur actuelle des recettes et des dépenses en fonction du nombre d'unités vendues par an. Les deux droites se coupent lorsque les ventes atteignent 85 000 unités. C'est à ce niveau que la VAN du projet s'annule. Tant que les ventes se situent au-dessus de 85 000, la VAN est positive[3].

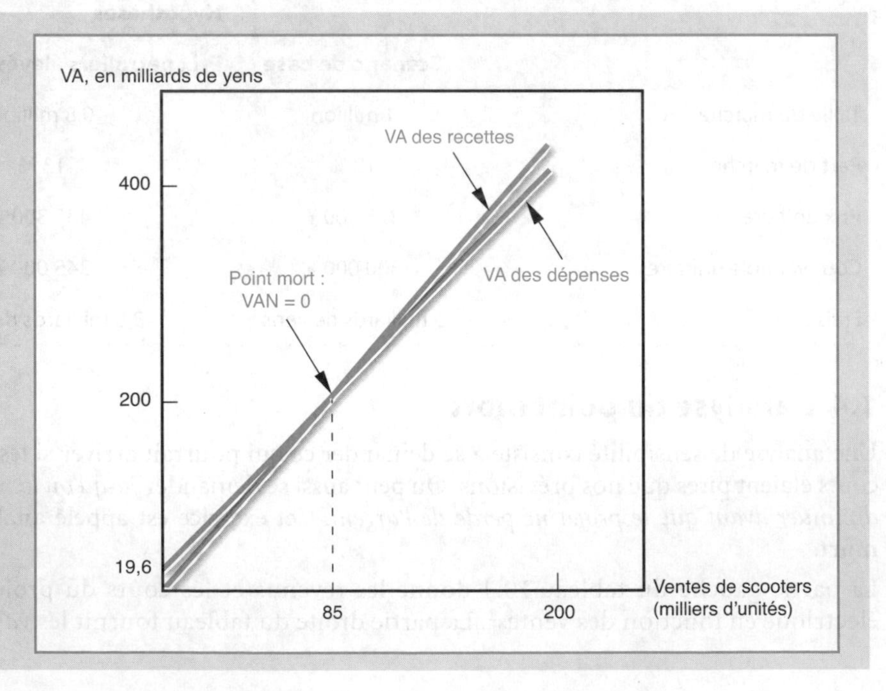

Figure 10.1 - Graphique de point mort qui indique les valeurs actuelles des recettes et des dépenses d'Otobai en fonction des ventes. La VAN est nulle pour des ventes égales à 85 000 unités.

3. Nous aurions pu également calculer le point mort en partant des revenus et des coûts annuels équivalents. Le résultat aurait aussi été 85 000 scooters.

Les gestionnaires calculent souvent le point mort en se fondant sur des résultats comptables plutôt que sur des valeurs actuelles. Le tableau 10.5 donne le résultat après impôts d'Otobai pour trois niveaux des ventes. La figure 10.2 donne une représentation graphique des recettes et des dépenses en fonction des ventes. Mais la conclusion à laquelle nous aboutissons est différente : le seuil de rentabilité dans la figure 10.2, fondé sur des données comptables, se situe à 60 000 alors qu'il se situait à 85 000 unités dans la figure 10.1 (en valeurs actuelles). D'où vient la différence ?

Tableau 10.5. Résultats comptables du projet de scooter électrique selon les ventes (en milliards de yens, sauf mention contraire)

Ventes (milliers d'unités)	Ventes	Coûts variables	Coûts fixes	Amortissement	Impôt	Coûts totaux	Résultat après impôts
0	0	0	3	1,5	–2,25	2,25	–2,25
100	37,5	30	3	1,5	1,5	36,0	1,5
200	75,0	60	3	1,5	5,25	69,75	5,25

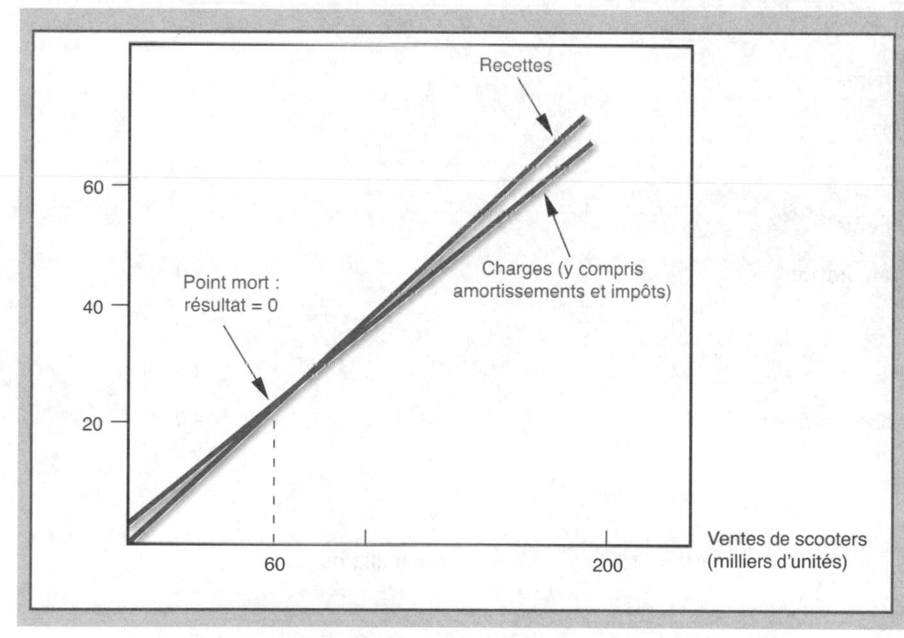

Figure 10.2 - Parfois, le graphique du point mort est bâti à partir de données comptables. Ici, le résultat après impôts s'annule pour des ventes de 60 000 unités.

Lorsque nous utilisons des données comptables, nous déduisons chaque année des charges d'amortissement de 1,5 milliard de yens pour imputer le coût de l'investissement initial. Si la société vend 60 000 scooters par an, les revenus suffiront pour couvrir les coûts d'exploitation et pour récupérer l'investissement initial de 15 milliards de yens. Mais ils ne permettront pas de couvrir le *coût d'opportunité du capital* sur cet investissement initial.

1.5 Le levier d'exploitation et le point mort

Un graphique comme celui de la figure 10.1 permet au gestionnaire de comprendre le *levier d'exploitation*, à savoir la sensibilité du projet par rapport aux frais fixes. Souvenez-vous : nous avons montré dans la section 9.3 qu'un levier d'exploitation élevé impliquait un risque élevé, toutes choses égales par ailleurs.

Les frais fixes de notre projet de scooter électrique sont faibles : 3 milliards de yens seulement, en regard d'un chiffre d'affaires de 37,5 milliards. Mais supposons maintenant qu'Otobai envisage une autre technologie, qui entraîne des frais variables moindres (120 000 ¥ par unité, contre 300 000 ¥ dans la technologie actuelle) mais des frais fixes plus élevés (19 milliards). Le coût total est moindre (12 + 19 = 31 milliards de yens, contre 33 actuellement), donc la rentabilité du projet s'améliore : comparez les tableaux 10.6 et 10.1. La VAN du projet augmente à 9,6 milliards de yens.

Tableau 10.6. Cash-flows anticipés et valeur actuelle nette du projet de scooter électrique avec une technologie caractérisée par des frais fixes élevés mais des coûts totaux limités (en milliards de yens). Comparez avec le tableau 10.1.

	Année 0	Années 1 à 10
Investissement	15	
1. Chiffre d'affaires		37,5
2. Frais variables		12,0
3. Frais fixes		19,0
4. Amortissements		1,5
5. Résultat avant impôt		5,0
6. Impôt		2,5
7. Résultat net		2,5
8. Cash-flow d'exploitation		4,0
Cash-flow net	–15	+4,0

$$\text{VAN} = -15 + \sum_{t=1}^{10} \frac{4}{(1{,}10)^t} = +9{,}6 \text{ milliards}$$

La figure 10.3 donne le nouveau graphe de point mort. Le seuil de rentabilité *a augmenté* pour atteindre 88 000 unités (pas fameux) malgré *la diminution* du coût total. Une analyse de sensibilité indiquerait que le projet est plus sensible qu'avant aux changements de taille du marché, de part de marché et de prix unitaire. Toutes ces différences sont dues aux frais fixes plus importants.

Cette nouvelle technologie est-elle préférable à la technologie initiale ? Pour répondre à cette question, le directeur financier devra examiner le risque d'exploitation, plus élevé,

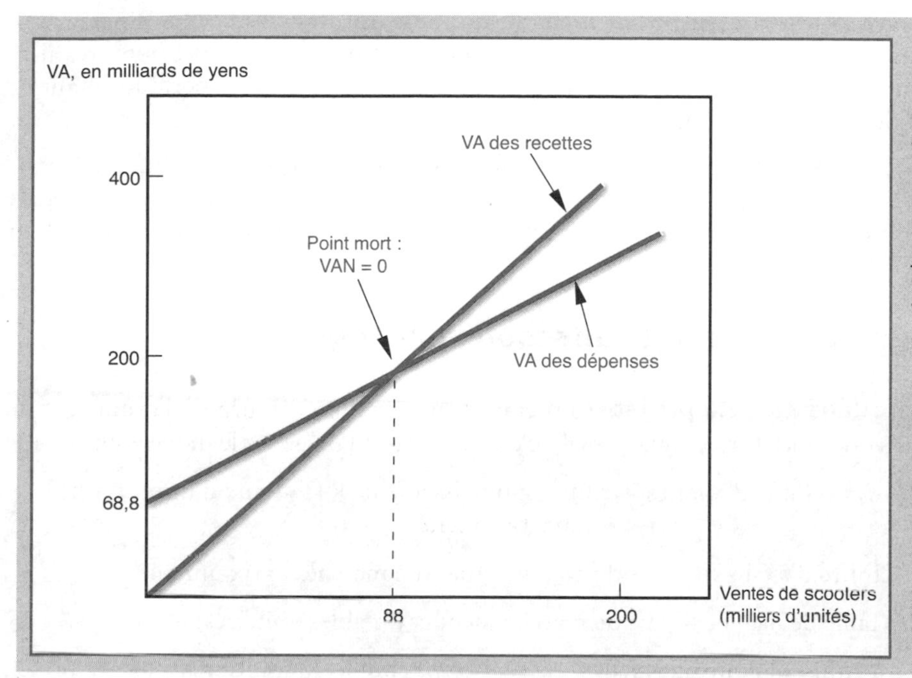

Figure 10.3 - Graphique de point mort pour une technologie alternative, avec des frais fixes plus élevés. Le niveau des ventes correspondant au point mort augmente jusqu'à 88 000 unités. Comparez à la figure 10.1.

de cette technologie, et recalculer une VAN en utilisant peut-être un taux d'actualisation plus élevé.

2 La simulation de Monte-Carlo

L'analyse de sensibilité permet d'étudier les effets de la modification *d'une variable à la fois*. En créant des scénarii, il est possible d'examiner les conséquences d'un *nombre limité* de combinaisons de ces variables. La **simulation de Monte-Carlo** est une méthode qui permet de considérer *toutes* les combinaisons possibles. Elle permet donc d'analyser la totalité de la distribution de probabilité des résultats du projet.

Imaginons que vous soyez un joueur à Monte-Carlo. Vous ignorez tout des lois de la probabilité (comme la plupart des joueurs occasionnels), mais un ami vous a suggéré une stratégie compliquée pour jouer à la roulette. Il est sûr, *qu'en moyenne*, elle vous rapportera 2,5 % tous les 50 tours de roulette. En effet, votre ami estime que 50 tours de roulette donnent soit un gain de 55 % (hypothèse optimiste), soit une perte de 50 % (estimation pessimiste). Comment savoir s'il s'agit des véritables chances ? Une manière simple, mais potentiellement coûteuse, de répondre est de jouer et d'enregistrer le résultat à l'issue de chaque série de 50 tours de roulette. Après, par exemple, 100 séries de 50 tours, vous tracerez une distribution de fréquence des résultats et vous en déduirez la moyenne et les limites supérieures et inférieures.

Vous pouvez procéder autrement en mettant au point un programme d'ordinateur qui simule la roulette et la stratégie : vous demandez à l'ordinateur de générer des nombres aléatoires comme pour un tour de roulette et vous calculerez le gain ou la perte résultant de votre stratégie d'investissement.

Ceci constitue un exemple de *simulation de Monte-Carlo*. En matière de choix d'investissement, on remplace les paris par le projet d'investissement et la roulette par un modèle de l'environnement économique du projet. Appliquons cela à notre projet de scooter électrique.

2.1 Simulation d'un projet de scooter électrique

Étape 1 : modélisation du projet La première étape consiste à fournir à l'ordinateur un modèle précis du projet. Par exemple, l'analyse de sensibilité est basée sur le modèle suivant :

$$\text{Cash-flow} = (\text{chiffre d'affaires} - \text{coûts} - \text{amortissement}) \times (1 - \text{taux d'imposition}) + \text{amortissement}$$

$$\text{Chiffre d'affaires} = \text{taille de marché} \times \text{part de marché} \times \text{prix unitaire}$$

$$\text{Coûts} = (\text{taille de marché} \times \text{part de marché} \times \text{coûts variables unitaires}) + \text{coûts fixes}$$

Ce modèle est suffisant pour une analyse de sensibilité simple. Mais pour simuler le projet, vous devez préciser les *interrelations* entre les différentes variables. Prenons, par exemple, la première variable : la taille de marché. Le département marketing estime la taille du marché des scooters à 1 million d'unités la première année, mais bien sûr, vous ne savez pas comment les choses vont évoluer. La taille réelle du marché sera égale à cette estimation, plus ou moins l'erreur de prévision :

$$\text{Taille du marché}_{\text{Année 1}} = \text{Taille anticipée du marché}_{\text{Année 1}} \times (1 + \text{erreur de prévision}_{\text{Année 1}})$$

Vous *anticipez* une erreur de prévision nulle, mais elle pourra se révéler positive ou négative. Supposons, par exemple, que la taille du marché l'année 1 soit réellement de 1,1 million. L'erreur de prévision est donc de 10 %, ou +0,1 :

$$\text{Taille du marché}_{\text{Année 1}} = 1 \times (1 + 10\ \%) = 1{,}1 \text{ million}$$

Vous pouvez écrire une expression semblable pour la taille du marché l'année 2 :

$$\text{Taille du marché}_{\text{Année 2}} = \text{Taille anticipée du marché}_{\text{Année 2}} \times (1 + \text{Erreur de prévision}_{\text{Année 2}})$$

Mais la taille du marché anticipée pour l'année 2 dépendra de ce qui s'est passé en année 1. Supposons, par exemple, que vous fixiez les ventes attendues de l'année 2 au niveau réalisé l'année 1 :

$$\text{Taille anticipée du marché}_{\text{Année 2}} = \text{Taille réelle du marché}_{\text{Année 1}}$$

Vous pouvez donc maintenant exprimer la taille du marché l'année 2 en fonction de la taille du marché de l'année 1 et d'une erreur de prévision :

$$\text{Taille anticipée du marché}_{\text{Année 2}} = \text{Taille réelle du marché}_{\text{Année 1}} \times (1 + \text{Erreur de prévision}_{\text{Année 2}})$$

De la même manière, vous pouvez exprimer la taille du marché l'année 3, etc.

Cet ensemble d'équations montre l'interdépendance de différentes *périodes*. Mais vous devez également tenir compte de l'interdépendance entre les différentes *variables*. Le prix du scooter, par exemple, dépendra vraisemblablement de la taille du marché. Supposons que ce soit la seule source d'incertitude : une réduction de la taille de marché de 10 % vous amène à prévoir une diminution du prix de 3 %. Vous pourriez alors modéliser le prix de la première année ainsi :

$$\text{Prix}_{\text{Année 1}} = \text{Prix attendu}_{\text{Année 1}} \times (1 + 0{,}03 \times \text{Erreur de prévision de la taille du marché}_{\text{Année 1}})$$

Si la variation de la taille du marché a un effet permanent sur le prix, l'équation du prix de l'année 2 s'écrira :

$$\text{Prix}_{\text{Année 2}} = \text{Prix attendu}_{\text{Année 2}} \times (1 + 0{,}03 \times \text{Erreur de prévision de la taille du marché}_{\text{Année 2}})$$

$$= \text{Prix réel}_{\text{Année 1}} \times (1 + 0{,}03 \times \text{Erreur de prévision de la taille du marché}_{\text{Année 2}})$$

Notez comment nous avons relié le prix de vente pour chaque période au prix de vente actuel (y compris l'erreur de prévision). Nous avons utilisé le même type de raisonnement pour les tailles de marché. Ces calculs signifient que les erreurs de prévision *s'accumulent*, elles ne se compensent pas au fil du temps : l'incertitude *augmente* avec le temps. Plus vous raisonnez sur des périodes éloignées dans l'avenir, plus le prix, ou le marché, pourra différer fortement de votre prévision initiale.

Le modèle complet de notre projet comprendrait un ensemble d'équations pour chacune des variables : taille de marché, prix, part de marché, coûts variables unitaires, coûts fixes. Même si vous limitez le nombre d'interdépendances entre les variables et dans le temps, le modèle complet comprendra un ensemble complexe d'équations[4]. Cela vous oblige à comprendre les caractéristiques du projet. La construction d'un modèle, c'est comme les épinards : vous n'aimez peut-être pas ça, mais c'est bon pour vous.

Étape 2 : spécification des probabilités Vous vous souvenez de la méthode pour simuler le jeu à la roulette ? La première étape consistait à décrire la stratégie, la deuxième déterminait les nombres de la roulette et la troisième consistait à faire générer ces nombres de manière aléatoire par l'ordinateur et à calculer le résultat de la stratégie :

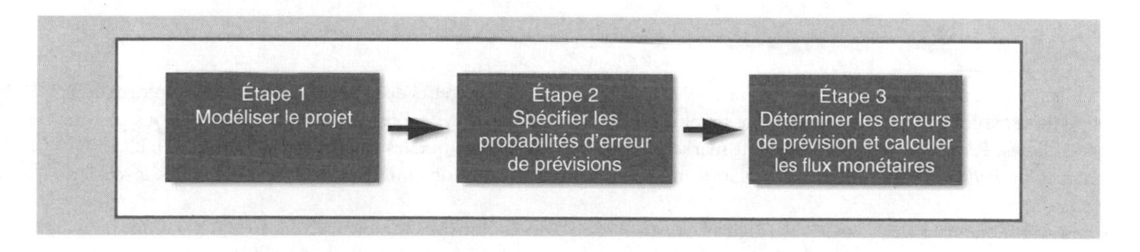

4. La spécification des interdépendances est la partie la plus difficile et aussi la plus importante de la simulation. Si toutes les composantes d'un projet étaient indépendantes, la simulation serait rarement nécessaire.

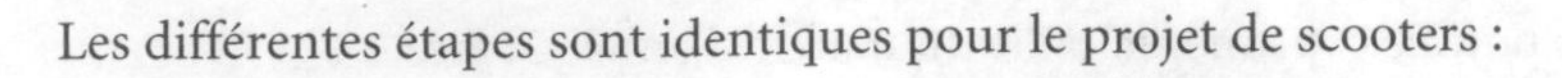

Les différentes étapes sont identiques pour le projet de scooters :

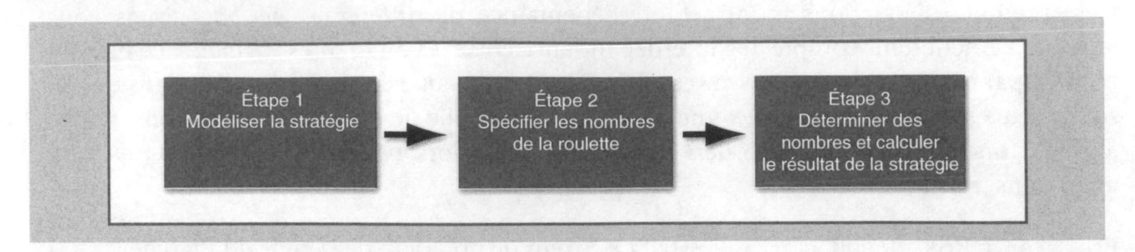

Comment pourriez-vous générer des erreurs de prévision de la taille de marché ? Vous *prévoyez* que la taille du marché sera de 1 million de scooters. Vous n'avez évidemment aucune raison de penser qu'il s'agit d'une surestimation ou d'une sous-estimation : l'anticipation d'erreur de prévision est donc nulle. Mais le département marketing vous a fourni une fourchette de prévisions. La taille du marché se situerait entre 0,85 million et 1,15 million. L'erreur de prévision a donc une valeur attendue de 0 et une étendue de plus ou moins 15 %. Si le département marketing vous a effectivement donné les valeurs extrêmes, le marché réel sera compris dans cette fourchette avec une quasi-certitude.[5] Voilà pour la taille du marché. Nous devrions maintenant procéder de même pour estimer les erreurs de prévision sur les autres variables.

Étape 3 : simulation des cash-flows L'ordinateur va tirer au hasard des erreurs de prévision, calculer les cash-flows qui en résultent pour chaque période et les enregistrer. Cette procédure est répétée un grand nombre de fois de manière à obtenir une estimation précise de la distribution de probabilité des cash-flows. Il faut que le modèle et les distributions de probabilité aient été correctement spécifiés. Comme le dit le modèle GIGO (*garbage in garbage out*), si on entre des ordures dans un ordinateur, il recrache des ordures.

La figure 10.4 reprend une partie des résultats d'une simulation du projet de scooter électrique[6]. Remarquez l'asymétrie de la distribution : des valeurs très élevées sont plus probables que des valeurs très faibles. Ceci est assez courant lorsque les erreurs de prévision s'accumulent dans le temps. En raison de cette asymétrie, le cash-flow moyen est légèrement supérieur à la valeur la plus probable, autrement dit légèrement à droite du pic de la distribution[7].

---

5. On suppose que « quasi-certitude » signifie « 99 % de chances ». Si les erreurs de prévision suivent une loi normale, ce degré de certitude représente une étendue de plus ou moins trois écarts type. Bien sûr, d'autres distributions peuvent être utilisées. Par exemple, le département marketing pourrait considérer que les valeurs comprises entre 0,85 et 1,10 sont *équiprobables*. Dans ce cas, la simulation montrerait une distribution uniforme (rectangulaire) des erreurs de prévision.

6. Ces graphiques ont été réalisés par le logiciel Crystal Ball en conjonction avec le tableur Excel. 10 000 itérations ont été générées, en supposant une distribution normale des erreurs de prévision. Nous remercions Christopher Howe pour cette simulation.

7. Quand vous travaillez sur des estimations de cash-flows, notez la distinction entre le cash-flow anticipé (*moyen*) et le cash-flow le plus probable (*modal*). Les valeurs actuelles sont fondées sur les cash-flows *anticipés*, c'est-à-dire la moyenne des cash-flows possibles, pondérés par leur probabilité. Si la distribution des cash-flows possibles est asymétrique à droite, comme dans la figure 10.4, le cash-flow anticipé sera supérieur au cash-flow le plus probable.

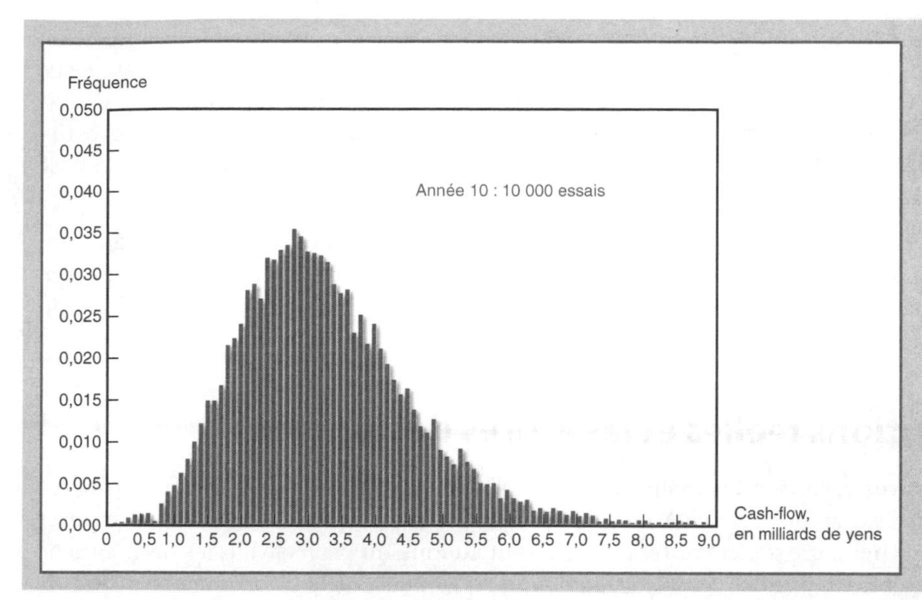

Figure 10.4 - Simulation des cash-flows de la dixième année pour le projet du scooter électrique.

Étape 4 : calcul de la valeur actuelle La distribution des cash-flows du projet vous permettra de calculer les cash-flows anticipés (moyens) de manière plus précise. Il vous suffit alors d'actualiser ces cash-flows pour obtenir la valeur actuelle.

2.2 Simulation de la Recherche & Développement pharmaceutique

La simulation de Monte-Carlo est utilisée par des grands groupes pharmaceutiques pour analyser leurs projets de recherche et développement (R&D) sur de nouveaux médicaments. Seule une petite fraction des molécules identifiées dans la phase de recherche fondamentale deviennent des médicaments sûrs, efficaces et rentables. À chaque phase de recherche et développement, le groupe pharmaceutique doit décider s'il développe le projet jusqu'à la prochaine phase ou s'il l'arrête. Les groupes pharmaceutiques sont confrontés à deux types d'incertitudes :

1. *Le médicament marchera-t-il ?* Aura-t-il des effets secondaires néfastes ? Sera-t-il finalement approuvé par les autorités de contrôle ? (La plupart des médicaments ne le sont pas : sur 10 000 traitements, seulement 1 ou 2 sont finalement commercialisés. Les cash-flows qu'ils génèrent doivent couvrir les coûts des 9 998 ou 9 999 échecs.)
2. *Sera-t-il un succès commercial ?* L'autorisation de mise sur le marché ne garantit pas que le médicament se vendra. Des concurrents pourront avoir lancé un meilleur médicament. La société peut ne pas pouvoir vendre son produit à l'étranger. Les prix de vente et les coûts commerciaux sont inconnus.

Un programme de recherche étudie une nouvelle classe de molécules. Êtes-vous capable de mettre sur papier des prévisions de recettes et de dépenses pour les 25 ou 30 prochaines années ? Nous pensons que c'est hors de portée des mortels que nous sommes, sans l'aide d'un modèle.

La simulation peut apparaître comme une panacée, mais il arrive que le coût de simulation soit supérieur au gain d'information. Il ne s'agit pas ici uniquement du temps passé et de l'argent dépensé pour la construction du modèle. Les relations entre variables et les distributions de probabilité sont très difficiles à estimer[8]. En matière de projets d'investissement, les prévisions sont rarement impartiales et les distributions de probabilité à la base des modèles peuvent être fortement biaisées.

En pratique, une simulation qui se veut réaliste sera complexe. Les décideurs délégueront alors la construction du modèle à des scientifiques. Ceux-ci comprendront leur création, mais le décideur ne le pourra pas, et donc ne s'y fiera pas. On se trouve alors dans une situation ironique : le modèle qui devait ouvrir la boîte noire devient lui-même une boîte noire.

3 Les options réelles et les arbres de décisions

Quand vous avez recours à l'actualisation des cash-flows (méthode DCF, pour *discounted cash-flow*, dans la langue de Neil Young) pour évaluer un projet, cela revient à supposer implicitement que votre société restera passive tout au long du projet. Mais les décideurs ne restent pas les bras croisés. Si le projet marche bien, ils peuvent décider une expansion de capacité ; si ça tourne mal, une réduction, voire un abandon du projet sera envisagé. Les projets qui peuvent ainsi être ajustés au fil du temps vont avoir plus de valeur que les projets non modifiables. Plus l'incertitude est grande, plus cette flexibilité aura de la valeur.

Cela peut sembler évident, mais remarquez que l'analyse de sensibilité ou la simulation de Monte-Carlo ne prennent pas en compte la possibilité de modifier un projet après coup[9]. Dans l'exemple réel du projet de scooter électrique (Otobai), si cela tourne mal, Otobai abandonnera le projet pour mettre fin à ses pertes. Dans ce cas, le scénario le plus pessimiste ne sera pas aussi ravageur que ce que notre analyse de sensibilité montrait.

Les options de modification d'un projet s'appellent **options réelles**.

3.1 L'option d'expansion

En 2000, Federal Express (FedEx) a commandé dix Airbus A380 pour transporter des marchandises, en demandant une livraison pour les années 2008-2011. Chacun de ces Airbus pourra livrer une centaine de tonnes de marchandises à chaque fois, ce qui représente une part importante de la masse des colis que FedEx livre chaque année. Si l'activité de transport longue distance continue à se développer, et si les Airbus donnent satisfaction, FedEx commandera d'autres appareils. Mais il y a une incertitude.

Plutôt que de passer d'autres commandes fermes en 2000, FedEx a réservé une place dans la chaîne de production d'Airbus, en prenant des *options* d'achat pour « un nombre substantiel » d'avions supplémentaires, à un prix fixé d'avance. Ces options n'imposent pas que FedEx se développe, mais lui laissent la flexibilité de le faire.

---

8. Ces difficultés sont moindres pour l'industrie pharmaceutique que pour d'autres industries. Les entreprises pharmaceutiques ont accumulé un grand nombre d'informations sur les probabilités de succès scientifique et clinique, sur la durée et le coût des tests cliniques et sur l'approbation par les autorités de contrôle.

9. Certains modèles de simulation reconnaissent la possibilité de modifier le projet. Par exemple, quand un groupe pharmaceutique fait des simulations pour analyser ses projets de R&D, il tient compte du fait que le projet peut être abandonné à chaque étape.

La figure 10.5 montre l'option d'expansion de FedEx comme un simple **arbre de décision.** On peut considérer cela comme un jeu entre FedEx et le destin. Chaque encadré représente une action, ou une décision, de FedEx. Chaque cercle représente un événement (fruit du destin). Dans ce cas, il n'y a qu'un événement, en 2007, quand le destin révélera la demande d'avions, et les besoins de FedEx. À ce moment, FedEx décidera s'il faut exercer l'option d'achat, et acheter des A380 supplémentaires, ou pas. Ici, c'est une décision simple : n'acheter les avions que s'il y a une forte demande de transport, et que FedEx pense les rentabiliser. Si la demande est faible, FedEx abandonnera l'option.

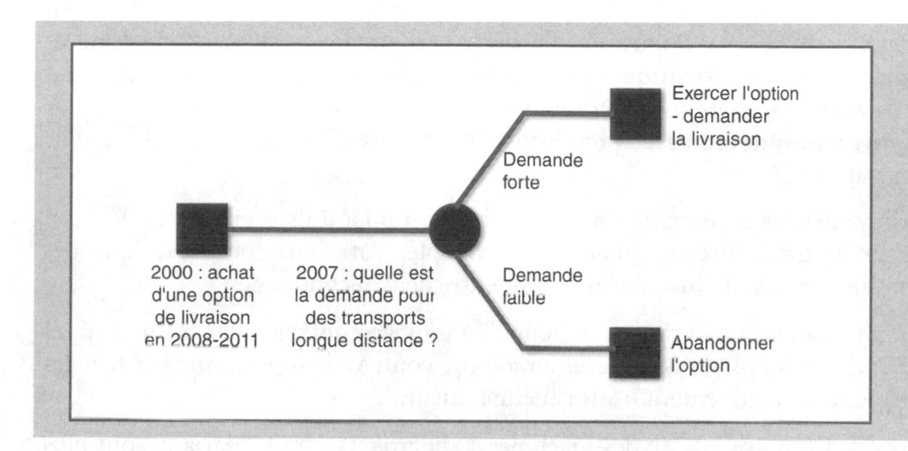

Figure 10.5 - L'option d'expansion de FedEx, exprimée comme un arbre de décision.

Vous pouvez probablement penser à quantité d'autres investissements dont la valeur dépend pour partie des options futures qu'ils proposent, par exemple :

- Pour le lancement d'un nouveau produit, les entreprises commencent généralement par une production-pilote qui permet de tester le marché et de décider si l'entreprise passe à une production à grande échelle, ou non.
- Dans la conception d'une usine, il est souvent intelligent de prévoir de l'espace supplémentaire, pour réduire le coût futur d'implantation d'une ligne de production additionnelle.
- Pour la construction d'une autoroute à 4 voies, il peut être payant de prévoir des ponts adaptés pour une 6 voies, de sorte que l'autoroute puisse être élargie à 6 voies.

Ces options d'expansion n'apparaissent pas au bilan, mais les investisseurs sont parfaitement conscients de leur importance. Une société disposant d'options réelles qui lui permettent d'investir dans des nouveaux projets très profitables pourra avoir une valeur de marché bien supérieure à celle de ses actifs actuels.

Dans le chapitre 4, nous avons montré que la valeur actuelle des opportunités de croissance (VAOC) contribuait à la valeur d'une société. Cette valeur des opportunités de croissance correspond à la VAN prévisionnelle totale des futurs investissements. Mais il vaut mieux la définir comme la valeur des *options* d'investissement et d'expansion de la société. La valeur des opportunités de croissance est le reflet de la flexibilité d'une société qui adapte ses investissements aux opportunités qui se présentent.

3.2 L'option d'abandon

Si l'option d'expansion a une valeur, qu'en est-il de l'option de laisser tomber ? Les projets ne durent pas jusqu'à ce que les actifs tombent en poussière : la décision de terminer un projet est généralement prise par les dirigeants, et non par Mère Nature. Dès que le projet ne procure plus de profit, l'entreprise l'abandonne.

Certains projets sont plus faciles à abandonner que d'autres. Ainsi, les actifs corporels se vendent mieux que les actifs immatériels. Revendre un actif d'occasion suppose d'avoir un marché secondaire actif, ce qui n'est le cas que pour les biens standardisés (l'immobilier, certaines machines-outils…). Par opposition, l'expertise accumulée par une société de développement de programmes informatiques est un actif spécifique, immatériel, probablement sans valeur de revente. Certains biens, comme les vieux matelas, ont même une valeur d'abandon *négative* : vous devez payer pour vous en débarrasser. Il en va de même pour l'arrêt d'une centrale nucléaire.

Les décideurs doivent tenir compte de l'option d'abandon quand ils prennent la décision d'investir dans un nouveau projet. Prenons un exemple. Votre entreprise fabrique des moteurs de hors-bord à vapeur. Vous devez choisir entre deux technologies.

1. La technologie « Goldorak » utilise une ligne de montage contrôlée par ordinateur, et permet de produire des pièces complexes à moindre coût. Mais si personne n'achète les moteurs à vapeur, cet équipement n'aura aucune valeur.
2. La technologie « Casimir » utilise des machines standards. Les frais salariaux sont plus élevés, mais l'équipement peut être revendu 10 millions d'euros, si jamais les moteurs ne se vendent pas.

Dans un calcul de VAN, la technologie Goldorak semblera plus intéressante, parce qu'elle a été pensée pour minimiser les coûts unitaires, avec un certain volume de production. Mais la technologie Casimir offre une flexibilité de volume de production, qui permettra de surnager si le moteur coule.

Nous pouvons évaluer cette flexibilité en l'exprimant sous forme d'une option réelle. Supposons que les investissements initiaux soient les mêmes dans les deux cas. La technologie Goldorak rapportera un gain net de 18,5 millions d'euros si les consommateurs aiment bien ce moteur, et 8,5 millions sinon. Ces gains nets représentent le cash-flow de la première année, plus la valeur actuelle des cash-flows suivants. Pour la technologie Casimir, les gains seront respectivement de 18 et 8 millions d'euros.

	Gains nets sur la production de moteurs	
	Technologie Goldorak	**Technologie Casimir**
Demande déferlante	18,5	18
Demande stagnante	8,5	8

Si vous êtes obligé de continuer à produire, même si le marché se révèle peu profitable, la technologie Goldorak est le meilleur choix. Mais n'oubliez pas qu'au bout d'un an, vous pouvez arrêter le projet Casimir et récupérer 10 millions d'euros. Si le moteur hors-bord à vapeur n'est pas un succès commercial, il vaut mieux vendre pour 10 millions, plutôt que de continuer avec un projet dont la valeur actuelle est de 8 millions.

La figure 10.6 résume cet exemple sous la forme d'un arbre de décision. L'option d'abandon apparaît dans les carrés de droite pour la technologie Casimir. Les décisions sont évidentes : continuer si la demande est déferlante, et abandonner autrement. Ainsi, les gains de la technologie Casimir sont :

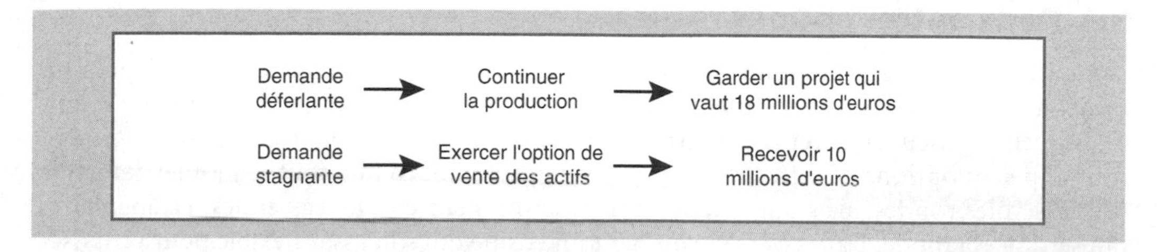

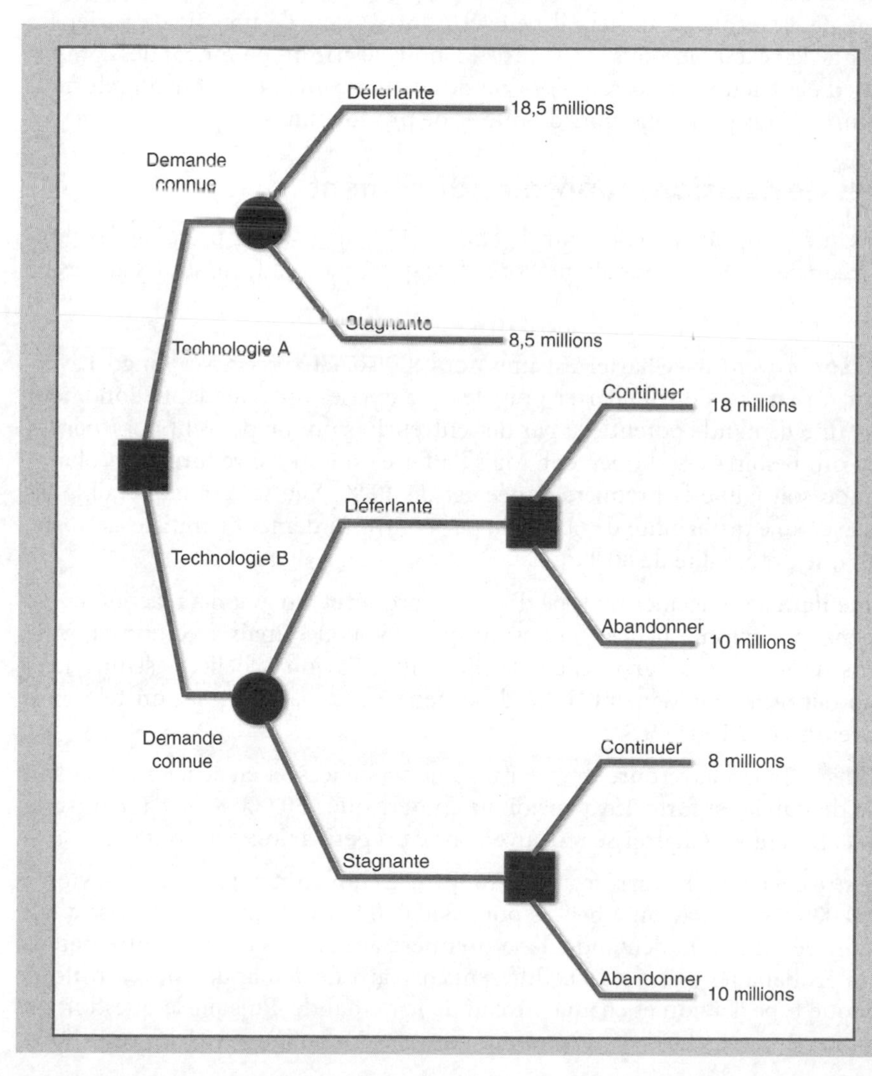

Figure 10.6 - Arbre de décision pour le moteur de hors-bord à vapeur. La technologie Casimir permet d'abandonner le projet et de récupérer 10 millions d'euros si la demande est stagnante.

La technologie Casimir agit comme une assurance : si les ventes de moteur sont décevantes, vous pouvez abandonner le projet et récupérer 10 millions. Vous pouvez définir cette option d'abandon comme une option de vente des actifs à 10 millions d'euros. La valeur totale du projet Casimir correspond à sa VAN (en supposant que l'entreprise n'abandonne pas le projet), *plus* la valeur de l'option d'abandon. En valorisant cette option, vous attribuez une valeur à la flexibilité.

3.3 Deux autres options réelles

Nous n'avons pas présenté toutes les options réelles. Par exemple, une entreprise qui a un projet à VAN positive n'est pas obligée d'entreprendre ce projet immédiatement. Si l'avenir est un peu brumeux, l'entreprise pourra attendre. Les options de report d'un investissement sont appelées options de différer. Un autre exemple : aujourd'hui, tout le monde demande des casseroles rondes, mais qui sait, demain, ce seront peut-être les casseroles rectangulaires qui seront à la mode. Dans ce cas, il vous faut une usine qui soit assez flexible pour proposer différentes formes de casseroles. Ou bien, il peut être intéressant de prévoir de varier les approvisionnements. Par exemple, dans le chapitre 22, nous décrirons comment des compagnies productrices d'électricité se réservent l'option de changer entre la combustion de fioul et celle de gaz naturel. Nous parlerons alors d'options de production.

3.4 Les arbres de décisions : approfondissement

Nous reviendrons sur les options réelles dans le chapitre 22, après avoir présenté l'évaluation des options financières. Mais nous allons clore ce chapitre par un détail sur les arbres de décisions.

Laverdure Charter Laverdure Charter est une nouvelle société créée par Tango Laverdure pour fournir un service de vol charter pour les entreprises du Canada. Le fondateur estime qu'il existe une demande potentielle par des entreprises qui ne peuvent posséder un avion mais qui en ont besoin épisodiquement. Mais l'affaire est loin d'être sûre. La probabilité que la demande soit faible la première année est de 40 %. Elle restera alors faible les années suivantes avec une probabilité de 60 %. Si, par contre, la demande initiale est forte, elle le restera avec une probabilité de 80 %.

Le problème immédiat est de décider du type d'avion à acquérir. Un avion à réaction coûte 550 000 $ canadiens ; un avion à hélices ne revient qu'à 250 000 $, mais avec une capacité moindre et moins de glamour pour la clientèle. En outre, l'avion à hélices est un vieux modèle qui va se déprécier rapidement. Laverdure pense que, dans un an, un tel avion d'occasion ne se vendra que 150 000 $.

Cela donne une idée à Tango Laverdure : acheter un avion à hélices, et en acheter un second l'an prochain si la demande est forte. L'expansion ne coûtera que 150 000 $. Si, par contre, la demande est faible, Laverdure Charter se retrouvera avec un petit avion peu coûteux.

La figure 10.7 illustre ces choix. Le carré à gauche montre le choix initial : acheter un avion à réaction pour 550 000 $ ou un avion à hélices pour 250 000 $. Après que l'entreprise a fait son choix, le destin détermine la demande de la première année. Les chiffres entre parenthèses donnent les probabilités associées aux différents niveaux de demande et les cash-flows figurent pour chaque type d'avion et chaque niveau de la demande. Puisque la question du risque n'est pas au cœur de ce chapitre, nous avons converti sur la figure 10.7 les cash-flows incertains attendus en *équivalents certains*[10]. Cela signifie que l'on peut correctement actualiser ces cash-flows équivalents certains en utilisant le taux sans risque. Après un an, l'entreprise doit prendre une nouvelle décision dans le cas où elle aurait choisi initialement l'avion à hélices : accroître l'utilisation de l'avion (extension de l'activité) ou non. Cette décision est représentée par le second carré. Finalement, le destin apparaît et fixe le niveau de la demande pour l'année 2 (avec à nouveau les probabilités entre parenthèses). Remarquez que les probabilités de la deuxième année dépendent de la demande réelle de la première année. Par exemple, si la demande est élevée lors de la première période, il y a alors 80 % de probabilités pour qu'elle soit également élevée pendant la deuxième. Les probabilités d'une demande élevée sont à la fois pour la première et la deuxième période $0{,}6 \times 0{,}8 = 0{,}48$. Nous trouvons, tout à fait à droite de la figure, le profit pour chaque combinaison de choix d'avion et de niveau de demande. Vous pouvez interpréter ces chiffres comme les valeurs actuelles, à la fin de la deuxième année, des cash-flows de cette année et des années suivantes.

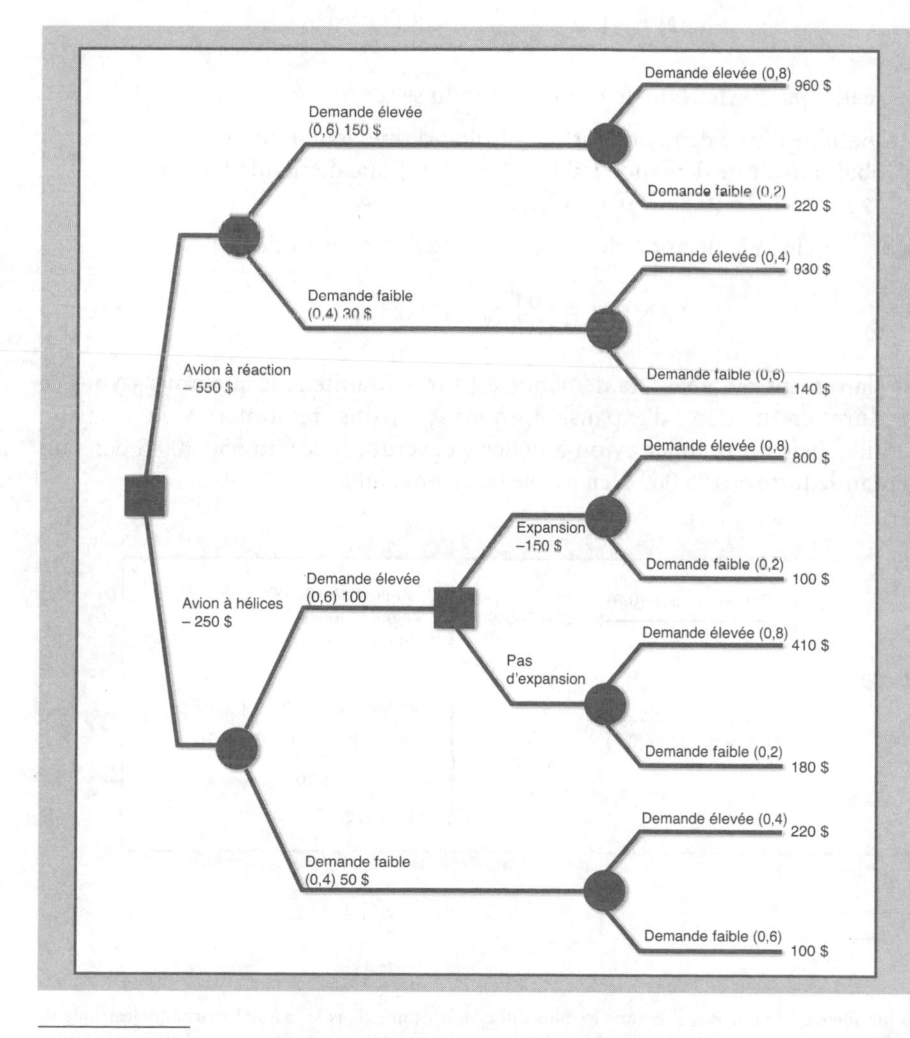

Figure 10.7 - L'arbre de décision de Laverdure Charter. Doit-il acheter un avion à réaction ou un avion à hélices ? Un second avion à hélices pourra être acheté dans un an si la demande est élevée. (En milliers de dollars canadiens. Les probabilités sont entre parenthèses.)

10. Nous avons décrit les cash-flows équivalents certains dans le chapitre 9 et montré comment ils peuvent être utilisés pour calculer les valeurs actuelles. Nous les utiliserons aux chapitres 21 et 22 lorsque nous évaluerons des options.

Le problème de Tango Laverdure est de prendre une décision aujourd'hui. Commençons à l'envers, en déterminant ce qu'il fera l'année prochaine. Nous partons donc de la droite de l'arbre et nous remontons progressivement vers la gauche. La seule décision que devra prendre Laverdure dans un an sera de savoir s'il étend son activité dans le cas où il aurait acheté un avion à hélices et où la demande est forte. S'il étend son activité, il investira 150 000 $ et recevra 800 000 $ en cas de demande forte et 100 000 $ en cas de demande faible. Le résultat *attendu* sera :

(Probabilité d'une demande forte × résultat d'une demande forte)
+ (probabilité d'une demande faible × résultat d'une demande faible)
$= (0{,}8 \times 800) + (0{,}2 \times 100) = +660$

Si le coût d'opportunité du capital pour ce projet est de 10 %[11], la valeur actuelle, à l'année 1, de la décision d'expansion sera :

$$\text{VAN} = -150 + \frac{660}{1{,}10} = +450$$

Si Laverdure ne réalise *pas* l'extension, le résultat attendu sera :

(Probabilité d'une demande forte × résultat d'une demande forte)
+ (probabilité d'une demande faible × résultat d'une demande faible)
$= (0{,}8 \times 410) + (0{,}2 \times 180) = +364$

La valeur actuelle associée à la décision de ne pas étendre l'activité est donc :

$$\text{VAN} = 0 + \frac{364}{1{,}10} = +331$$

L'expansion est clairement rentable si la demande est forte. Maintenant que nous savons ce que fera Laverdure en matière d'expansion, nous pouvons remonter à la décision d'aujourd'hui. S'il achète un premier avion à hélices, Laverdure recevra 550 000 $ dans un an en cas de demande forte et 185 000 $ en cas de demande faible :

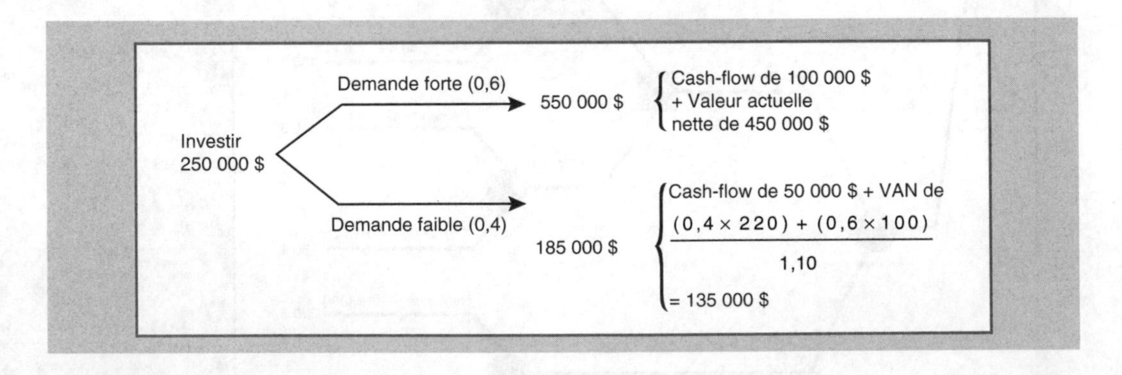

11. Nous passons sous silence ici l'une des questions les plus difficiles. Comme dans le cas de l'artichaut électrique de Vegetron, la partie la plus risquée du projet de Tango Laverdure est vraisemblablement le démarrage de la société. Peut-être devrions-nous utiliser un taux d'actualisation inférieur pour le second avion à hélices.

La valeur actuelle nette de l'investissement dans l'avion à hélices est donc de 117 000 $:

$$\text{VAN} = -250 + \frac{0{,}6(550) + 0{,}4(185)}{1{,}10} = +117$$

Si Laverdure achète l'avion à réaction, aucune décision ultérieure n'est requise : il n'est pas nécessaire de remonter dans le temps. Il suffit de calculer la valeur attendue des cash-flows et de l'actualiser :

$$\text{VAN} = -550 + \frac{0{,}6(150) + 0{,}4(30)}{1{,}10} + \frac{0{,}6[0{,}8(960) + 0{,}2(220)] + 0{,}4[0{,}4(930) + 0{,}6(140)]}{(1{,}10)^2}$$

$$= -550 + \frac{102}{1{,}10} + \frac{670}{(1{,}10)^2} = +96$$

Nous obtenons donc une VAN de 117 000 $ pour l'avion à hélices et une VAN de 96 000 $ pour l'avion à réaction. L'avion à hélices constitue donc le meilleur choix. *Notez que la décision aurait été différente si nous n'avions pas tenu compte de l'option d'expansion.* Dans ce cas, la VAN de l'avion à hélices tomberait de 117 000 $ à 52 000 $.

$$\text{VAN} = -250 + \frac{0{,}6(100) + 0{,}4(50)}{1{,}10} + \frac{0{,}6[0{,}8(410) + 0{,}2(180)] + 0{,}4[0{,}4(220) + 0{,}6(100)]}{(1{,}10)^2}$$

$$= +52$$

La valeur de l'option d'expansion est donc de :

$$117 - 52 = +65$$

L'arbre de décision de la figure 10.8 tient compte du fait que si Laverdure achète un avion à hélices, il n'est pas pour autant coincé : il a l'option d'acheter un avion supplémentaire si la demande se révèle être exceptionnellement élevée. Mais la figure 10.8 suppose que si Laverdure se paie le luxe d'un avion à réaction, il ne pourra rien faire si la demande est exceptionnellement *faible*. Cela n'est pas réaliste. Si le chiffre d'affaires de la première année est faible, il peut être rentable pour Laverdure de revendre l'avion à réaction et d'abandonner ce projet. Dans la figure 10.8, nous pourrions représenter cette option d'abandon par un point de décision supplémentaire (un nouveau carré) dans le cas où la société achète un avion à réaction et que la demande de la première année est faible. Si cela arrive, Laverdure pourra soit vendre l'avion, soit s'accrocher en espérant que la demande décolle la deuxième année. Si l'option d'abandon a une valeur importante, il pourra alors être sensé d'acheter l'avion à réaction et de tenter le gros lot.

3.5 Les forces et les faiblesses des arbres de décisions

Toute prévision de cash-flows repose sur des hypothèses relatives à la stratégie future de l'entreprise. Ces hypothèses sont souvent implicites. *Les arbres de décisions forcent ces stratégies à apparaître.* En explicitant les liens entre les décisions actuelles et les décisions futures, ils aident le décideur à identifier les stratégies ayant la valeur actuelle nette la plus élevée.

Le problème des arbres de décisions est qu'ils peuvent ________ vite devenir ________ complexes (insérez vos qualificatifs). Que peut faire Tango Laverdure si la demande n'est ni forte ni faible, mais moyenne ? Revendre l'avion à réaction pour acquérir un avion à hélices ?

Ou bien reporter la décision d'expansion à l'année 2 ? Ou encore, ajuster les prix ou lancer une campagne publicitaire ?

Nous pourrions tracer un nouvel arbre de décision reprenant tous ces événements. Essayez si vous voulez : vous constaterez que le nombre de carrés et de cercles augmente très rapidement.

La vie est complexe, et nous ne pouvons rien y changer. Il est donc injuste de critiquer les arbres de décisions quand ils deviennent complexes. Notre critique s'adresse surtout aux analystes qui se laissent déborder par des arbres trop touffus. L'intérêt des arbres de décisions est de permettre l'analyse des décisions futures. Ils ne doivent pas être jugés sur l'exhaustivité des situations couvertes, mais plutôt sur leur capacité à mettre en évidence des liens entre les principales décisions. Les arbres de décisions seront, en réalité, plus détaillés que ceux de la figure 10.8, mais ils ne refléteront toujours qu'une petite fraction des événements et des décisions futures.

Mais notre analyse du projet Laverdure Charter a évité une question importante. L'option d'expansion augmentait l'étendue des résultats possibles et augmentait donc le risque lié à l'achat de l'avion à hélices. À l'inverse, l'option d'abandon aurait réduit l'étendue des résultats possibles et donc le risque. *Nous aurions donc dû utiliser des taux d'actualisation différents*. Hélas, les arbres de décisions ne nous indiquent pas comment réaliser cela. Mais la situation n'est pas désespérée. Les techniques modernes d'évaluation d'options commencent à être utilisées pour évaluer ces options d'investissement. Nous examinerons ces techniques dans les chapitres 20 et 21.

3.6 Les arbres de décisions et la simulation de Monte-Carlo

Souvenez-vous du modèle de simulation de Monte-Carlo que nous avons construit pour le projet de scooter électrique d'Otobai. Dans certaines simulations, tout ira mal, alors que dans la réalité, Otobai abandonnerait le projet pour limiter ses pertes. Cependant, le modèle continue à tourner, période par période, sans se soucier de l'hémorragie des ressources de la société. *Les résultats les plus défavorables de la simulation ne se produiraient jamais en réalité.*

D'un autre côté, le modèle de simulation sous-estime probablement les résultats lorsque tout va pour le mieux : aucune mesure d'expansion n'est prévue si la chance sourit au projet.

La stratégie implicite dans la plupart des modèles de simulation repose sur un déroulement « normal » du projet, sans événement exceptionnel. Mais lorsque la « réalité » commence à différer fortement du « prévu », la simulation perd de son réalisme. Ainsi, les valeurs extrêmes de la simulation – les *queues de distribution* – doivent être traitées avec de grandes précautions. L'aire située sous les zones extrêmes de la distribution ne traduit pas, de manière réaliste, les probabilités de désastres ou d'Eldorado.

Résumé

L'analyse d'un projet d'investissement ne se limite pas à mouliner des valeurs actuelles. Après avoir identifié les principales sources d'incertitude, il est utile de réaliser quelques recherches supplémentaires pour *confirmer* l'intérêt du projet. Et même si vous jugez que vous avez fait tout ce qui est en votre pouvoir pour dissiper l'incertitude, il sera intéressant d'identifier les problèmes potentiels : vous ne souhaitez pas être pris au dépourvu si les choses tournent mal et vous voulez pouvoir prendre les mesures correctives nécessaires.

Les entreprises utilisent trois méthodes pour identifier les principales menaces sur un projet. La plus simple est l'*analyse de sensibilité*. Dans ce cas, le gestionnaire considère tour à tour chacun des facteurs de succès du projet. Il calcule les modifications de la valeur actuelle nette (VAN) qui résultent de valeurs très pessimistes ou très optimistes de chacun des facteurs. Cela aboutit à un éventail de valeurs possibles. Le projet est *sensible à* un facteur si cet éventail est large, notamment du côté pessimiste.

Une telle analyse de sensibilité est facile à réaliser, mais les résultats auxquels elle aboutit ne sont pas toujours d'une grande utilité. En général, les variables ne changent pas de valeur isolément Si vous ne tenez pas compte de l'interdépendance entre les balançoires et les manèges, vous risquez de vous faire une opinion fausse de la gestion d'un jardin d'enfants. Beaucoup d'entreprises tentent de résoudre ce problème en examinant diverses combinaisons plausibles des variables. Elles calculent la VAN selon différents *scénarii* et comparent les résultats à leur estimation initiale.

Si vous désirez analyser *toutes* les combinaisons possibles, vous recourrez probablement à la *simulation de Monte-Carlo*. Dans ce cas, vous devrez construire un modèle complet du projet et spécifier les distributions de probabilité de chacune des variables. Après plusieurs milliers de calculs, vous obtiendrez une estimation des valeurs attendues des cash-flows annuels et de leurs dispersions.

La simulation peut être une méthode très utile. *La réflexion nécessaire pour construire le modèle peut vous aider à mieux comprendre le projet.* Et une fois le modèle construit, il est assez simple d'analyser les conséquences d'une modification de l'objectif du projet ou d'un changement de distribution de probabilité d'une ou plusieurs variables.

Par ailleurs, les ouvrages qui traitent des choix d'investissement donnent parfois l'impression qu'une fois la décision prise, il ne reste plus qu'à attendre la réalisation des cash-flows. En pratique, les entreprises modifient en permanence leurs investissements. Si les cash-flows sont meilleurs que prévu, le projet peut être étendu ; s'ils sont moindres que prévu, il peut être réduit ou abandonné. Les options de modification des projets sont appelées *options réelles*. Dans ce chapitre, nous avons présenté les principales catégories d'options réelles : options d'*expansion*, d'*abandon*, options de *différer* le projet, et options de *flexibilité en production*.

Les bons gestionnaires tiennent compte de ces options lorsqu'ils évaluent un projet. Les arbres de décisions constituent une méthode pratique pour analyser les options. Vous commencez par identifier les principaux événements pouvant affecter le projet et vous déterminez les décisions que vous pourriez prendre face à ces événements. Ensuite, en remontant du futur vers le présent, vous déterminez les décisions que vous *devriez* prendre dans chaque cas.

Les arbres de décisions peuvent aider les décideurs financiers à identifier les options réelles et leur influence sur les risques et les cash-flows des projets. Ces options peuvent augmenter ou réduire le risque d'un projet. Et comme le risque varie, une approche classique, par l'actualisation des cash-flows, ne pourra que donner une approximation de la valeur de ces options réelles.

Lectures complémentaires

L'usage de la simulation de Monte-Carlo par Merck est présenté par :

N. A. Nichols : « Scientific Management at Merck : An Interview with Judy Lewent », *Harvard Business Review*, 72 (janvier-février 1994), pp. 89-99.

Des références « pas trop techniques » sur les options sont données ci-après. Des références additionnelles sont données à la fin du chapitre 22.

M. Amram, N. Kulatilaka, *Real Options : Managing Strategic Investments in an Uncertain World*, Harvard Business School Press, Boston, 1999.

A. Dixit, R. Pindyck, « The Options Approach to Capital Investment », *Harvard Business Review*, 73 (mai-juin 1995), pp. 105-115.

W. C. Kester, « Today's Options for Tomorrows Growth », *Harvard Business Review*, 62 (mars-avril 1984), pp. 153-160.

F. Bancel, A. Richard, *Les choix d'investissement, méthodes traditionnelles, flexibilité et analyse stratégique*, Économica, 1995, 203 p.

Activités

Révision des concepts

1. Il y a trois façons pour un dirigeant d'identifier les principaux risques inhérents à un projet – l'analyse de sensibilité, l'analyse par scénario et la simulation de Monte-Carlo. Décrivez brièvement comment vous utiliseriez chacune de ces techniques.
2. Pouvez-vous obtenir des valeurs optimistes et pessimistes pour les cash-flows totaux d'un projet à partir d'une analyse de sensibilité ? Pourquoi ?
3. Quels sont les avantages d'une analyse par scénario par rapport à une analyse de sensibilité ?

Tests de connaissances

1. Définissez et expliquez brièvement les procédures ou les termes suivants :
   - **a.** Analyse de sensibilité
   - **b.** Analyse par scénarii
   - **c.** Analyse du point mort
   - **d.** Simulation de Monte-Carlo
   - **e.** Arbre de décision
   - **f.** Option réelle
   - **g.** Option d'abandon
   - **h.** Option d'expansion
2. Vrai ou faux ?
   - **a.** L'analyse de projet n'est pas nécessaire pour les projets dont le bêta des actifs est nul.
   - **b.** L'analyse de sensibilité permet d'identifier les variables essentielles pour le succès d'un projet.
   - **c.** Si seulement une variable est incertaine, l'analyse de sensibilité fournit des valeurs « optimistes » et « pessimistes » pour les cash-flows et la VAN d'un projet.
   - **d.** Le niveau des ventes correspondant au point mort d'un projet est plus élevé lorsque le point mort est défini en termes de VAN plutôt que de bénéfice comptable.
   - **e.** La simulation de Monte-Carlo peut être utilisée pour faciliter la prévision des cash-flows.
   - **f.** La simulation de Monte-Carlo rend inutile l'estimation du coût d'opportunité du capital d'un projet.
3. Un directeur financier a déjà déterminé les cash-flows du projet Dragon Débutant, calculé sa VAN, et fait une analyse de sensibilité comme dans le tableau 10.2. Faites une liste des étapes supplémentaires pour faire une simulation de Monte-Carlo des cash-flows du projet.

4. Vrai ou faux ?

a. Les arbres de décisions peuvent permettre d'identifier et de décrire des options réelles.

b. Une option d'abandon augmente la VAN.

c. Une option d'abandon à forte valeur réduit la VAN.

d. Si un projet a une VAN positive, l'entreprise doit toujours investir immédiatement.

Questions et problèmes

1. Quelle est la VAN du projet de scooter électrique pour le scénario suivant :

Taille du marché	1, 1 million
Part de marché	10 %
Prix unitaire	400 000 ¥
Coût variable unitaire	360 000 ¥
Coût fixe	2 milliards de yens

2. Vos analystes ont établi de nouvelles prévisions des cash-flows du projet de scooter électrique d'Otobai :

	Pessimiste	Espéré	Optimiste
Taille du marché	0,8 million	1,0 million	1,2 million
Part du marché	4 %	10 %	16 %
Prix unitaire	300 000 ¥	375 000 ¥	400 000 ¥
Coût variable unitaire	350 000 ¥	300 000 ¥	275 000 ¥
Coût fixe	5 milliards de yens	3 milliards de yens	1 milliard de yens

Faites une analyse de sensibilité. Quelles sont les principales incertitudes du projet ?

3. Otobai envisage une autre méthode de production pour son scooter électrique. Elle nécessiterait un investissement supplémentaire de 15 milliards de yens, mais réduirait les coûts variables unitaires de 40 000 ¥. Les autres hypothèses sont celles du tableau 10.1.

a. Quelle est la VAN de cette méthode alternative ?

b. Tracez un graphe de point mort pour cette méthode alternative, comme pour la figure 10.1.

c. Donnez votre interprétation du chiffre de point mort.

Supposez maintenant que les dirigeants d'Otobai souhaitent connaître le coût variable unitaire pour lequel le projet de scooter de la section 10.1 atteindra le point mort. Calculez à quel niveau des coûts le projet dégagera un résultat nul et pour lequel il aura une VAN nulle.

4. La Bad Smell Company envisage de remplacer sa vieille machine de production de semelles par un équipement plus moderne. La nouvelle machine coûtera 10 millions de dollars et l'entreprise espère vendre sa vieille machine pour 1 million de dollars. L'intérêt de cette nouvelle machine est qu'elle devrait permettre de réduire les coûts de production en passant de 8 $ à 4 $ par semelle. Cependant, comme le montre le tableau qui suit, il existe une incertitude sur le niveau des ventes et sur les performances de la nouvelle machine.

	Pessimiste	Espéré	Optimiste
Ventes, millions de semelles	0,4	0,5	0,7
Coût de production avec la nouvelle machine, dollars par semelle	6	4	3
Durée de vie de la nouvelle machine, années	7	10	13

Réalisez une analyse de sensibilité de la décision de remplacement en supposant un taux d'actualisation de 12 % (en l'absence d'impôts).

5. Bad Smell Co. pourrait faire réaliser des tests pour déterminer l'amélioration réelle des coûts de production qui résulterait des nouvelles machines (voir problème 4 ci-dessus.) L'étude coûterait 450 000 $. Recommandez-vous de faire réaliser cette étude ?
6. Le levier d'exploitation est souvent mesuré comme l'augmentation en pourcentage du résultat après impôts, pour une hausse de 1 % des ventes.
   a. Calculez l'effet de levier d'exploitation pour le projet de scooter électrique, avec des ventes de 100 000 unités (voir section 10.1).
   b. Montrez maintenant que ce chiffre est égal à 1 + (coûts fixes / résultat), en incluant l'amortissement, le tout divisé par le résultat.
   c. Le levier d'exploitation sera-t-il plus élevé si les ventes sont de 200 000 unités ?
7. Reprenez le projet d'artichaut électrique de la société Vegetron, de la section 9.4. Si les tests échouent et que Vegetron continue néanmoins le projet, l'investissement de 1 million d'euros ne générera que 75 000 € par an. Représentez cette situation par un arbre de décision.
8. Décrivez l'option réelle dans chacun des cas suivants :
   a. Arcelor reporte à plus tard une extension de ses unités de production. Ce projet a une VAN positive, mais les dirigeants souhaitent avoir une meilleure estimation de la demande avant d'investir.
   b. Alcatel se lance dans la production d'autocommutateurs à supraconducteurs pour le marché des télécommunications en Europe. Le projet a une VAN négative, mais pour des raisons stratégiques, il permettra de gagner une part de marché importante dans ce secteur en forte croissance, et potentiellement très rentable.
   c. Alcatel met son veto à la mise en place d'une ligne de production automatisée de composants électroniques pour centraux téléphoniques, et décide de continuer à utiliser sa ligne existante, composée d'équipements plus anciens mais moins chers. La ligne de production automatisée est globalement plus efficace, selon les calculs des cash-flows actualisés.
   d. EasyJet achète un jumbo jet spécialement équipé, qui peut rapidement passer du transport de passagers au transport de marchandises, et inversement.
   e. Le traité franco-britannique qui établissait la concession pour la construction d'une voie ferrée sous la Manche demandait au concessionnaire de proposer, dès 2000, un tunnel autoroutier « si les conditions techniques et économiques [sont] favorables… et que cela aide au trafic, sans pour autant obérer les rentabilités du tunnel ferroviaire ». Les autres concurrents n'ont pas le droit de bâtir un tel tunnel avant 2020.

9. Une usine pour produire des voitures à pédales coûte 100 millions d'euros, et sortira une nouvelle ligne de voitures qui rapportera des cash-flows ayant une valeur actuelle de 140 millions si c'est un succès, et 50 millions si c'est un échec.

a. Lancez-vous la construction de l'usine ?

b. En cas d'échec, l'usine pourrait être vendue à EuroDisney pour 90 millions d'euros. Dans ce cas, lancez-vous la construction de l'usine ?

c. Illustrez cette option d'abandon par un arbre de décision.

10. Tango Laverdure a découvert des erreurs dans ses données (voir section 10.3). Les chiffres exacts sont les suivants :

Prix de l'avion à réaction, année 0	350 000 $ canadiens
Prix de l'avion à hélices, année 0	180 000 $ canadiens
Taux d'actualisation	8 %

Retracez l'arbre de décision avec ces nouvelles données. Calculez la valeur de l'option d'expansion. Quel avion Laverdure devrait-il acheter ?

11. Tango Laverdure a une autre idée. Il peut abandonner le projet à la fin de la première année, en revendant l'avion. L'avion à hélices pourrait être revendu 150 000 $, et l'avion à réaction 500 000 $.

a. Dans quelles circonstances sera-t-il rentable de revendre l'avion ?

b. Retracez l'arbre de décision de la figure 10.8 pour montrer les cas où Laverdure abandonnera le projet et récupérera l'argent.

c. Recalculez la valeur du projet en incluant l'option d'abandon.

d. Combien l'option d'abandon ajoute-t-elle comme valeur au projet d'avion à hélices ? Et à celui d'avion à réaction ?

Problèmes avancés

1. Vous êtes le propriétaire de la mine de l'Allemand perdu, qui est inexploitée. Le coût de réouverture est de 100 000 $. Si vous exploitez la mine, vous pensez pouvoir extraire 1 000 onces d'or par an pendant 3 ans. Ensuite, le gisement sera épuisé. Le prix de l'or est actuellement de 500 $ l'once et, chaque année, le prix peut augmenter ou baisser, équiprobablement, de 50 $ par rapport au prix du début de l'année. Le coût d'extraction est de 460 $ par once et le taux d'actualisation 10 %.

a. Devez-vous rouvrir la mine maintenant ou attendre un an en espérant une hausse du prix de l'or ?

b. Votre décision serait-elle modifiée si vous pouviez fermer la mine à tout moment sans coût (mais de manière irréversible) ?

2. Revenez au projet de Guano SA de la section 2, chapitre 6. Simulez la façon dont l'incertitude sur l'inflation peut affecter les cash-flows du projet.

Mini-cas

Le comte Bris Robert, célèbre entrepreneur immobilier, a l'habitude de travailler énormément, et attend la même chose de son équipe. Aussi, Odette Ruitout n'est-elle pas surprise de recevoir un appel de son patron alors qu'elle se préparait à partir en week-end.

Le comte Bris Robert a bâti son succès grâce à un instinct qui lui permet de trouver toujours le bon site. Aucune réunion ne se passe sans qu'il ne dise « Le lieu ! Le lieu ! Le lieu ! », mais il a peu d'appétence pour la finance. Le comte mandate Odette pour analyser les prévisions d'un nouveau centre commercial, sis à Brie-Comte-Robert, pour attirer les millions de touristes qui vont à Guignes. « Voyons-nous lundi matin à 8 heures, ça devrait vous suffire », dit-il à Odette en lui tendant le dossier.

Odette commence par résumer les données du projet (voir tableau 10.7). Les revenus du centre commercial proviennent de deux sources : un loyer pour chaque emplacement, et 5 % du chiffre d'affaires de chaque magasin.

Tableau 10.7. Prévisionnel de dépenses et recettes pour le centre commercial de Brie-Comte-Robert (en millions d'euros)

	Année					
	0	1	2	3	4	5–17
Investissement						
Terrain	30					
Construction	20	30	10			
Exploitation						
Loyers				12	12	12
5 % des ventes				24	24	24
Coûts d'exploitation et de maintenance	2	4	4	10	10	10
Taxes foncières	2	2	3	4	4	4

La construction du centre commercial prendra 3 ans. Les coûts de construction seront amortis linéairement sur 15 ans, à partir de la troisième année. Ce centre commercial sera bâti à la pointe de la technologie, et ne devra pas être reconstruit avant l'année 17. Le terrain gardera la même valeur, et ne sera pas amorti.

Tous les revenus, les dépenses, les coûts de construction et les taxes foncières devraient croître au rythme de l'inflation, anticipée à 2 % par an. Le taux d'imposition de la société est de 35 % et son coût du capital est de 9 % en termes nominaux.

Odette décide de regarder d'abord si le projet se tient financièrement. Puis elle recherche ce qui pourrait tourner mal. Certes, son patron a le nez pour détecter un bon projet, mais il n'est pas infaillible. Le centre commercial de Félines-Minervois a été un échec, car les ventes étaient inférieures de 40 % à la prévision. Que se passera-t-il si le scénario se reproduit ici ? Odette Ruitout se demande de combien les ventes peuvent chuter avant que le projet ne coule.

L'inflation représente une autre source d'incertitude. Certains promoteurs anticipent un taux d'inflation à long terme de 0 % par an, mais Odette se demande ce qui se passera si l'inflation monte à 10 %, par exemple.

Un troisième problème concerne les dépassements de coûts et de délais pour la construction. Odette a déjà vu des cas de surcoût de 25 % et des délais de 12 mois entre l'achat du terrain et le début de la construction (approbation de la mairie, permis de construire). Elle décide de tester l'effet de ce scénario sur la rentabilité du projet.

« Cela peut être amusant », dit Odette à Debbie de Boisson, la secrétaire particulière du comte Robert. « Je pourrais essayer un Monte-Carlo. »

« Le comte est allé une fois à Monte-Carlo », répond Debbie. « Il a perdu un paquet à la roulette. Ne lui rappelez pas de mauvais souvenirs. Montrez-lui juste la dernière ligne, celle qui dit s'il va gagner ou perdre de l'argent. »

« D'accord, pas de Monte-Carlo », acquiesce Odette. Mais elle se rend compte que bâtir une feuille de tableur et tester des scénarii ne suffira pas. Comment présenter son analyse au comte Robert ?

Questions

1. Quelle est la VAN du projet, d'après le prévisionnel du tableau 10.7 ?
2. Faites une analyse de sensibilité et une analyse par scénarii du projet. Qu'en déduisez-vous sur les risques du projet et sa valeur potentielle ?

Chapitre 11

L'origine des valeurs actuelles nettes positives

Pourquoi un étudiant en gestion qui a appris l'actualisation se comporte-t-il comme un bébé à qui on vient de donner un marteau ? Parce que, pour un bébé qui a un marteau, tout ressemble à un clou.

Ce que nous voulons dire c'est qu'il ne faut pas se focaliser sur le calcul de la valeur actuelle nette (VAN) en oubliant les prévisions qui sont à la base de toutes les décisions d'investissement. Les gestionnaires sont inondés de projets accompagnés de calculs détaillés montrant que la VAN est positive[1]. Comment distinguer un projet à VAN réellement positive d'un projet dont la VAN positive résulte d'erreurs de prévision ? Nous pensons qu'il convient de s'imposer une réflexion approfondie sur les sources potentielles de gain économique.

Pour prendre les bonnes décisions d'investissement, il est nécessaire que vous compreniez les avantages concurrentiels de votre entreprise. C'est à cet instant que finance d'entreprise et stratégie commerciale se rencontrent. Ce sont les bons choix stratégiques qui permettent d'extraire le maximum de valeur des actifs de l'entreprise, et de saisir les opportunités de croissance. La recherche de la bonne stratégie commence par la compréhension du positionnement de votre entreprise par rapport à ses concurrents, et de la façon dont ces derniers vont réagir à vos initiatives. *Vos prévisions de cash-flows sont-elles réalistes compte tenu de votre environnement concurrentiel ? Quels effets les actions de vos concurrents vont-elles avoir sur les VAN de vos investissements ?*

---

1. Une autre devinette : les projets sont-ils proposés parce que leurs VAN sont positives ou bien les VAN sont-elles positives parce que les projets sont proposés ? Aucune récompense pour la bonne réponse.

La première section de ce chapitre commence par passer en revue certaines chausse-trappes en matière de choix d'investissement, notamment la tendance à calculer des valeurs actuelles alors que des prix de marché sont disponibles, rendant ces calculs inutiles. La deuxième section traite des *rentes économiques* qui sont à l'origine de toutes les VAN positives. La troisième section développe une étude de cas montrant comment la société Nexus, une entreprise de cerveaux de remplacement, analyse un projet radicalement nouveau.

1 Commencer par analyser les valeurs de marché

Vous estimez les cash-flows de différents projets. Vous découvrirez très probablement que la moitié d'entre eux *semble* avoir des VAN positives. En fait, ce n'est sans doute pas que vous soyez un excellent gestionnaire d'avions gros porteurs ou de chaînes de laveries automatiques, mais simplement que des erreurs importantes se seront glissées dans vos estimations des cash-flows. Plus vous examinerez de projets, plus vous aurez de chances de découvrir des projets qui *semblent* extrêmement rentables.

Comment faire pour éviter que les erreurs de prévision ne masquent les informations authentiques ? Il faut commencer par examiner les valeurs de marché.

1.1 La Skoda et la starlette

La parabole suivante illustre notre propos. Votre concessionnaire Skoda annonce une offre spéciale. Pour la modique somme de 45 001 €, vous deviendrez non seulement propriétaire d'une Skoda neuve, mais vous aurez également le privilège d'embrasser votre vedette préférée. Vous vous demandez combien vous coûte ce bisou.

Deux approches du problème sont possibles. Vous pouvez estimer la valeur de chacune des composantes de la Skoda (carrosserie, moteur, etc.) et conclure que la Skoda vaut 46 000 €. Ceci indiquera que le concessionnaire est prêt à payer 999 € pour cette mémorable étreinte. D'autre part, si le prix de marché de la Skoda est de 45 000 €, vous en déduirez que vous payez 1 € pour ce baiser. *S'il existe un marché concurrentiel pour les Skoda, cette seconde approche est plus appropriée.*

Les analystes financiers sont confrontés à un problème similaire lorsqu'ils évaluent la valeur d'une action. Ils doivent tenir compte de l'information que possède le marché et des informations *qu'eux seuls connaissent*. L'information connue du marché correspond au prix de marché de la Skoda, l'information privée au bisou. Les investisseurs ont déjà traité l'information publique : il est inutile de refaire l'analyse. Les analystes peuvent donc partir du prix de marché de l'action et concentrer leurs efforts sur l'évaluation de leur information privée.

Un béotien acceptera intuitivement les 45 000 € comme représentant la valeur de marché de la Skoda. Mais les analystes sont entraînés à évaluer les coûts et les bénéfices des investissements : ils seront tentés de substituer leurs estimations aux données du marché. Malheureusement, cette approche accroît le risque d'erreurs. De nombreux actifs sont traités sur des marchés concurrentiels et il est donc logique de prendre les prix de marché comme *point de départ* et de se demander seulement ensuite *pourquoi ces actifs vaudraient plus dans vos mains que dans celles de vos concurrents.*

1.2 Exemple : investir dans une chaîne de magasins

Les auteurs de cet ouvrage ont rencontré le cas d'une nouvelle chaîne de magasins qui estimait la valeur actuelle des cash-flows anticipés pour chaque magasin, y compris la valeur de revente. Les responsables furent troublés de constater que leurs conclusions dépendaient fortement de la valeur de revente estimée. Ils constataient donc que leurs décisions d'investissement dépendaient des prix futurs de l'immobilier.

Examinons ce problème. Supposons qu'un nouveau magasin coûte 100 millions d'euros[2]. Il devrait produire un cash-flow après impôts de 8 millions d'euros par an pendant 10 ans. Avec un taux de croissance annuel des prix de l'immobilier à 3 %, la valeur de revente après 10 ans sera de $100 \times (1{,}03)^{10} = 134$ millions. Compte tenu d'un taux d'actualisation de 10 %, la VAN du magasin est de 1 million :

$$\text{VAN} = -100 + \frac{8}{1{,}10} + \frac{8}{(1{,}10)^2} + \ldots + \frac{8 + 134}{(1{,}10)^{10}} = 1 \text{ million d'euros}$$

Remarquez la sensibilité du résultat à la valeur de revente. Une valeur de revente de 120 millions donnerait lieu à une VAN de –5 millions.

Il est utile d'imaginer que ce type de projet se décompose en deux parties : une filiale immobilière qui achète le terrain et le bâtiment, et une filiale commerciale qui les loue et les exploite. On peut alors estimer le loyer demandé par la filiale immobilière et se demander si la filiale commerciale peut se le permettre. Dans certains cas, un loyer raisonnable peut être estimé à partir des transactions immobilières. Par exemple, on pourra constater qu'un espace commercial similaire a été loué récemment pour 10 millions d'euros par an. Dans ce cas, nous en déduirons que le magasin n'est pas très adapté à ce site. Si nous achetons le site, mieux vaut le louer pour 10 millions plutôt que d'exploiter un magasin qui ne rapporte que 8 millions.

Supposons, à l'inverse, que l'emplacement puisse être loué pour 7 millions par an. La filiale commerciale pourra payer ce montant à la filiale immobilière et dégager un cash-flow net de 8 – 7 = 1 million d'euros. Cela constituera la meilleure utilisation *actuelle* de l'immobilier[3].

Mais le magasin constituera-t-il aussi la meilleure utilisation *future* ? Peut-être pas : cela dépendra de l'évolution des profits comparée à l'évolution des loyers. Supposons qu'on anticipe une hausse des prix immobiliers et des loyers de 3 % par an. La filiale immobilière

2. Pour simplifier, nous supposerons que cette somme est investie en immobilier. Dans la réalité, nous aurions également des frais importants d'aménagement, d'informatique, de formation et de lancement.

3. La valeur de marché équitable du loyer est égale au profit dégagé par la *seconde* utilisation la plus intéressante.

demandera un loyer de 7 × 1,03 = 7,21 millions d'euros dans un an, 7,21 × 1,03 = 7,43 millions dans deux ans, etc[4]. La figure 11.1 montre que les bénéfices commerciaux ne couvrent plus la charge des loyers après 5 ans.

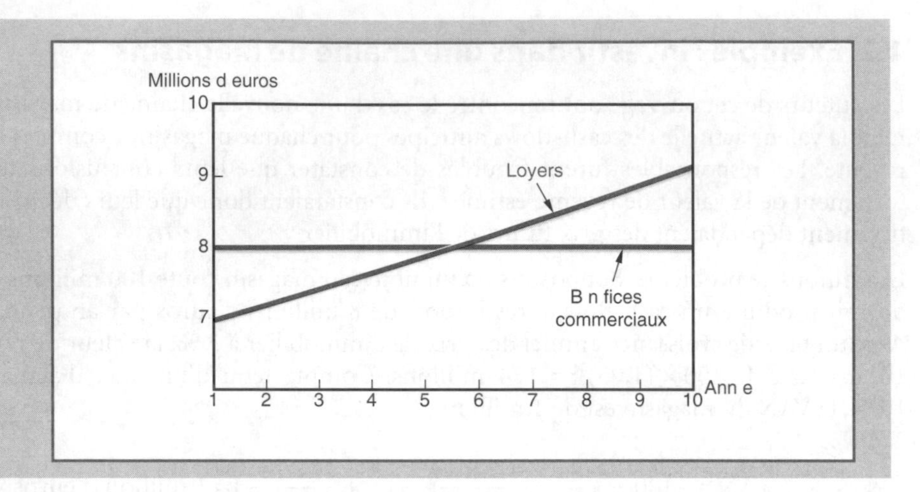

Figure 11.1 - À partir de l'année 6, les bénéfices du magasin ne couvrent plus la charge des loyers.

Si ces prévisions sont exactes, le magasin a une durée de vie économique de 5 ans. Ensuite, l'emplacement aura d'autres usages plus rentables. Si vous vous obstinez à croire que le magasin constitue la meilleure utilisation à long terme de l'emplacement, c'est que vous avez oublié la croissance potentielle des bénéfices commerciaux[5].

On peut tirer un enseignement général de cet exemple. *Chaque fois que vous examinez un projet d'investissement, pensez aux paris que vous faites.* Notre exemple de magasin comprenait au moins deux paris : un pari sur les prix de l'immobilier et un pari sur la capacité de l'entreprise à exploiter avec succès un magasin. Mais ceci suggère d'autres stratégies. Par exemple, il serait absurde de lancer un magasin peu rentable simplement parce que vos prévisions en matière d'immobilier sont optimistes. Vous feriez mieux dans ce cas d'acheter l'emplacement et de le louer. L'inverse est vrai. Vous ne devrez pas renoncer à l'ouverture du magasin simplement parce que vous êtes pessimiste quant à l'évolution de l'immobilier. Mieux vaut, dans ce cas, vendre l'emplacement, puis le louer pour l'exploitation du magasin. Il faut séparer les deux paris et se dire d'abord : « Supposons que l'immobilier soit correctement évalué par le marché. Devons-nous ouvrir un magasin à cet emplacement ? » Vous devrez décider ensuite si vous devez vous engager dans une activité immobilière.

---

4. Cette série de loyers donne à la filiale immobilière une rentabilité de 10 %. Chaque année, elle perçoit un « dividende » de 7 % et réalise une plus-value en capital de 3 %. Le taux de croissance de 3 % aboutira à une valeur de l'immobilier de 134 millions d'euros dans 10 ans.

La valeur actuelle (au taux r = 10 %) des loyers croissants est :

$$\text{VA} = \frac{7}{r-g} = \frac{7}{0{,}10 - 0{,}03} = 100 \text{ millions d'euros}$$

Cette valeur actuelle est égale à la valeur de marché de l'emplacement.

5. Une autre possibilité est que les prix de l'immobilier et les loyers augmentent de moins de 3 % par an. Mais dans ce cas, la filiale immobilière devrait exiger un loyer supérieur à 7 millions l'année 1, pour justifier son investissement de 100 millions d'euros (voir note 4). Ceci rendrait le magasin encore moins intéressant.

1.3 Autre exemple : exploiter une mine d'or

Emile Saab-Or envisage d'exploiter une mine d'or. Il estime le coût de lancement à 200 millions de dollars pour une production de 0,1 million d'onces d'or par an sur 10 ans à un coût de 200 $ l'once. Les coûts d'extraction peuvent être estimés avec une certaine précision, mais Saab-Or est moins confiant quant au prix futur de l'or. Il pense que le prix augmentera de 5 % par an (le cours actuel est de 400 $ l'once). En se fondant sur un taux d'actualisation de 10 %, cela donne à la mine une valeur actuelle nette de –10 millions de dollars :

$$\begin{aligned} \text{VAN} &= -200 + \frac{0{,}1(420-200)}{1{,}10} + \frac{0{,}1(441-200)}{(1{,}10)^2} + \ldots + \frac{0{,}1(652-200)}{(1{,}10)^{10}} \\ &= -10 \text{ millions de dollars} \end{aligned}$$

Le projet est donc abandonné.

Malheureusement, Emile Saab-Or n'a vu que ce que le marché lui disait. Quelle est la valeur actuelle d'une once d'or ? Il est clair que, si le marché de l'or fonctionne correctement, cette valeur est égale au cours actuel du marché, 400 $ l'once. L'or ne génère aucun revenu, donc la valeur actuelle du prix futur anticipé est de 400 $[6]. La production espérée de la mine étant de 1 million d'onces (0,1 million par an pendant 10 ans), la valeur actuelle des revenus est de

6. Investir dans une once d'or équivaut à l'achat d'une action ne payant pas de dividende : la rentabilité de l'investisseur résulte uniquement du gain en capital. Rappelez-vous la section 4.2 dans laquelle nous montrions que le prix d'une action aujourd'hui, P_0, dépendait de DIV_1, de P_1, (le dividende et le prix anticipés pour l'année prochaine), et du coût d'opportunité du capital r :

$$P_0 = \frac{DIV_1 + P_1}{1+r}$$

Mais, pour l'or, $DIV_1 = 0$, donc :

$$P_0 = \frac{P_1}{1+r}$$

Autrement dit, *le prix d'aujourd'hui est égal à la valeur actuelle du prix de l'année prochaine*. Nous n'avons donc pas besoin de connaître P_1 ou r pour déterminer la valeur actuelle. De plus, comme $DIV_2 = 0$,

$$P_1 = \frac{P_2}{1+r}$$

ce qui nous permet d'exprimer P_0 de la manière suivante :

$$P_0 = \frac{P_1}{1+r} = \frac{1}{1+r}\left(\frac{P_2}{1+r}\right) = \frac{P_2}{(1+r)^2}, \text{ soit plus généralement } P_0 = \frac{P_t}{(1+r)^t}$$

Cette formule s'applique à tout actif ne versant pas de dividende, coté sur un marché concurrentiel et ne générant aucun coût de stockage. Les coûts de stockage de l'or ou d'autres titres représentent une très faible proportion de la valeur de l'actif.

Nous supposons en outre qu'une promesse de livraison future d'or vaut tout autant que détenir de l'or aujourd'hui. Ce n'est pas tout à fait exact. Comme nous le verrons dans le chapitre 25, la possession d'or peut donner un petit rendement d'usage (*convenience yield*, dans la langue de Spiderman).

$1 \times 400 = 400$ millions de dollars[7]. Si le taux de 10 % s'applique aux coûts d'extraction, on obtient :

$$\text{VAN} = \text{investissement initial} + \text{VA(revenus)} - \text{VA(coûts)}$$

$$= -200 + 400 - \sum_{t=1}^{10} \frac{0{,}1 \times 200}{(1{,}10)^t} = 77 \text{ millions de dollars}$$

La mine n'est pas un si mauvais pari, finalement[8].

L'or de M. Saab-Or est identique à celui des autres. Il est donc inutile de l'évaluer séparément. En considérant que la valeur actuelle des ventes est connue, M. Saab-Or peut concentrer son attention sur la question essentielle : les coûts d'extraction sont-ils suffisamment faibles pour justifier cette entreprise ? Et ceci nous amène à énoncer une autre vérité fondamentale : si d'autres produisent un bien avec profit et que vous soyez capable de le produire moins cher, il est inutile de calculer une VAN pour savoir que ça vaut de l'or.

Notre exemple de Saab-Or est un peu particulier. Contrairement à l'or, la plupart des marchandises ne sont pas uniquement détenues dans un but d'investissement. Vous ne pouvez donc pas supposer automatiquement que le prix actuel est égal à la valeur actuelle du prix futur[9].

Voici une autre manière de traiter ce problème. Vous envisagez d'investir dans une mine de cuivre, et votre beau-frère vous propose d'acheter la production de cette mine à un prix fixé d'avance. Si vous acceptez, les revenus de la mine sont certains et peuvent être actualisés au taux sans risque[10]. Cela nous ramène au chapitre 9, où nous avons montré qu'il y a deux manières de calculer une VAN :

- Estimer les cash-flows prévisionnels et les actualiser à un taux qui reflète le risque du projet.
- Déterminer des cash-flows équivalents certains qui ont les mêmes valeurs que les cash-flows risqués, puis les actualiser au taux sans risque.

---

7. Nous supposons que le rythme d'extraction est constant. S'il peut varier, M. Saab-Or a une option d'exploitation lui permettant d'accroître la production lorsque le prix de l'or est élevé et de la diminuer lorsque le prix chute. L'application de techniques d'évaluation d'options sera nécessaire si les options d'exploitation sont importantes (voir chapitres 20 et 21).

8. Comme dans l'exemple du magasin, M. Saab-Or fait deux paris : l'un sur sa capacité d'exploiter le gisement à un coût faible, l'autre sur le prix de l'or. Supposons qu'il soit convaincu que l'or est surévalué. Cela ne devrait pas l'empêcher d'exploiter la mine s'il peut parier séparément sur le prix de l'or. Il pourrait par exemple conclure des contrats de vente à terme de la production, ou vendre des *futures* sur l'or. (Nous expliquons le fonctionnement des *futures* dans le chapitre 27.)

9. Hotelling fournit une analyse générale de la relation entre les prix actuels et futurs des matières premières, en montrant que si les rendements d'échelle dans l'extraction d'un minerai sont constants, la hausse de prix anticipée *moins* le coût d'extraction devrait être égale au coût du capital. Si la croissance anticipée du prix était supérieure, tout le monde préférerait retarder l'extraction ; si elle était inférieure, tout le monde voudrait exploiter la mine immédiatement. Dans ce cas, la valeur de la mine serait indépendante de la période d'extraction et vous pourriez l'évaluer en calculant la différence entre le prix du minerai aujourd'hui et son coût actuel d'extraction. Si (comme c'est généralement le cas) les rendements d'échelle sont décroissants, la hausse anticipée du prix, net des coûts d'extraction, sera inférieure au coût du capital. Pour une analyse du Principe de Hotelling, voir S. Devarajan et A. C. Fisher, « Hotelling's Economics of Exhaustible Resources : Fifty Years Later », *Journal of Economic Literature*, 19 (mars 1981), pp. 65-73. Pour une application, voir M. H. Miller et C. W. Upton, « A Test of the Hotelling Valuation Principles », *Journal of Political Economy*, 93 (1985), pp. 1-25.

10. Nous supposons que le niveau de la production est certain (ou qu'il n'a pas de risque de marché).

Quand vous actualisez les ventes à prix fixé de la mine en prenant le taux sans risque, vous utilisez la *méthode de l'équivalent certain* pour évaluer la mine. Cela représente deux avantages : vous n'avez plus besoin d'estimer les cours futurs du cuivre et vous n'avez plus à chercher un taux d'actualisation qui correspond au risque du projet.

La question devient : à quel prix minimal allez-vous accepter de fixer la vente de votre production future ? En d'autres termes, quel est le prix équivalent certain ? Pour la plupart des matières premières, il existe un marché actif qui fixe aujourd'hui les prix auxquels les entreprises vont acheter ou vendre du cuivre ou d'autres biens dans le futur. On les appelle des marchés à terme (marchés de *futures*) et nous décrirons leur fonctionnement dans le chapitre 27. Les cours à terme représentent des équivalents certains, et peuvent être consultés dans n'importe quel quotidien économique. Ainsi, vous n'avez pas besoin de faire un prévisionnel complexe sur les cours du cuivre pour calculer la valeur actuelle de la production de cette mine, le marché a déjà fait le travail pour vous : il suffit de calculer les profits futurs en vous fondant sur les cours à terme publiés dans le journal et d'actualiser ces profits au taux sans risque.

Les choses sont moins faciles dans la réalité. Les échanges sur les marchés à terme portent essentiellement sur des livraisons au maximum à un an, aussi votre quotidien ne vous donnera pas les prix à terme au-delà de cette période. Mais les économistes ont mis au point des techniques qui permettent, en se fondant sur ces cours à terme, d'estimer les prix que les acheteurs seraient prêts à payer pour des transactions plus lointaines[11].

Nos deux exemples sur l'or et le cuivre illustrent un principe universel en finance : quand vous disposez de la valeur de marché d'un actif, *utilisez-la*, au moins comme point de départ de votre analyse.

2 Rentes économiques et avantage concurrentiel

Les profits allant au-delà de la simple couverture du coût du capital sont dénommés *rentes économiques*. Les experts en stratégie d'entreprise soulignent que les firmes peuvent obtenir des rentes économiques à la fois par leur choix industriel et par la façon dont elles se positionnent à l'intérieur de cette industrie. Michael Porter identifie cinq traits caractéristiques des structures industrielles (ou « cinq forces ») permettant de déterminer quels secteurs ont la capacité de produire des rentes économiques durables[12]. Il s'agit de l'intensité de la compétition entre les concurrents existants, de la possibilité d'une nouvelle concurrence, de la menace d'éventuels substituts, et enfin, du pouvoir de négociation dont disposent à la fois les producteurs et les consommateurs.

---

11. Après avoir lu le chapitre 27, lisez E. S. Schwartz, « The Stochastic Behavior of Commodity Prices : Implications for Valuation in Hedging », *Journal of Finance*, 52 (juillet 1997), pp. 923-973 et A. J. Neuberger, « Hedging Long-Terme Exposures with Multiple Short-Term Contracts », *Review of Financial Studies*, 12 (1999), pp. 429-459.

12. Pour toutes les références à la stratégie, voir Johnson, Scholes, Whittington, Fréry, *Stratégique*, Pearson Education France, 2005, 762 p. (traduction/adaptation de Johnson, Scholes, Whittington, *Exploring Corporate Strategy*, Pearson).

Dans un environnement globalisé où la concurrence est toujours plus intense, les entreprises ne peuvent pas s'appuyer simplement sur leur structure industrielle pour obtenir des rendements élevés. Par conséquent, il convient également de s'assurer du positionnement de l'entreprise *à l'intérieur* de son industrie afin de consolider son avantage concurrentiel. Michael Porter propose trois moyens d'y parvenir : la domination en termes de coûts, la différenciation des produits et le ciblage d'un segment de marché particulier.

Dans le monde actuel, les stratégies s'appuyant sur différentes combinaisons de ces trois dimensions apparaissent indispensables à la mise en place d'une position dominante au sein d'une industrie. Songez par exemple à IKEA. L'entreprise mêle différents éléments de chacune des trois stratégies. Elle maintient les coûts à un bas niveau en faisant fabriquer ses meubles dans des pays à faible coût de production, tout en demandant aux consommateurs de les assembler eux-mêmes. Son *design* scandinave particulier et la présentation de tous ses produits dans ses magasins lui permettent de se différencier. Enfin, elle cible clairement une catégorie de consommateurs, qui sont principalement jeunes et attentifs aux prix.

Vous pouvez alors voir de quelle façon la stratégie et la finance d'entreprise se renforcent mutuellement. Les dirigeants ayant une vision claire des avantages compétitifs de leur entreprise sont mieux à même de distinguer les projets véritablement dotés d'une VAN positive des autres. Aussi, lorsqu'un projet apparemment pourvu d'une VAN positive vous est présenté, ne vous contentez pas d'accepter les calculs au premier regard. Ils pourraient être le fruit d'erreurs d'estimation lors de la prévision des cash-flows. Cherchez les preuves à la base des estimations des flux de trésorerie, et *tâchez d'identifier les sources de rente économique*. Une VAN positive pour un nouveau projet est crédible seulement si votre entreprise dispose d'un avantage spécial.

Raisonner en termes d'avantages concurrentiels vous permet également de débusquer les VAN négatives qui résultent d'erreurs de prévision. Si, dans un marché en expansion, vous êtes celui qui produit au moindre coût, vous devez développer votre activité au rythme de l'évolution du marché. Si vos calculs vous indiquent une VAN négative pour ce développement, vous avez sans doute fait une erreur quelque part.

2.1 Comment une entreprise a évité une erreur de 100 millions de dollars

Une entreprise chimique américaine était sur le point de modifier une usine existante pour fabriquer un produit spécialisé, le polyzone, en forte demande[13]. Compte tenu du prix des matières premières et du produit fini, l'opération semblait très rentable. Le tableau 11.1 donne une version simplifiée de l'analyse faite par l'entreprise. Remarquez la VAN d'environ 64 millions, fondée sur un coût du capital de 8 % : pas mal pour un investissement de 100 millions !

C'est là que des doutes ont surgi. Les frais de transport sont importants : la plupart des matières premières étaient des produits chimiques importés d'Europe et la production de polyzone était essentiellement réexportée vers l'Europe. En outre, l'entreprise américaine n'avait pas une grande avance technologique par rapport à d'éventuels concurrents européens.

13. L'histoire est authentique, mais les noms et les détails ont été modifiés pour protéger les innocents et les incompétents.

Tableau 11.1. Calcul de la VAN du projet d'investissement dans la production de polyzone (chiffres en millions de dollars, sauf mention contraire)

*	Année 0	Année 1	Année 2	Années 3-10
Investissement	100			
Production, en millions de livres par an**	0	0	40	80
Marge, en dollars par livre	1,20	1,20	1,20	1,20
Revenus nets	0	0	48	96
Coûts de production***	0	0	30	30
Frais de transport****	0	0	4	8
Autres coûts	0	0	20	20
Cash-flow	−100	−20	−6	+38
VAN (au taux $r = 8\%$) = 63,6 millions de dollars				

* *Notes* : pour simplifier, nous supposons qu'il n'y a ni inflation ni impôts. L'usine et les équipements ont une valeur de revente nulle dans 10 ans.

** La capacité de production est de 80 millions de livres par an.

*** Les coûts de production s'élèvent à 0,375 $ par livre après le démarrage (0,75 $ par livre l'année 2, quand la production n'est que de 40 millions de livres).

**** Les frais de transport vers les ports européens sont de 0,10 $ par livre.

Les données de ce tableau, comme celles de tous les tableaux de ce chapitre, sont disponibles sur *www.gestionfinanciere.pearsoned.fr*

Remarquez l'ampleur de la marge entre le prix des matières premières et le prix des produits finis. L'analyse prévoyait que cette marge (1,20 $ par livre de polyzone) resterait constante sur 10 ans. Cette prévision était incorrecte : pour des producteurs européens, sans frais de transport, les VAN auraient été encore plus importantes, ce qui les aurait poussés à accroître leur capacité. Cette concurrence accrue aurait certainement laminé la marge. L'entreprise américaine décida alors de calculer la marge *concurrentielle* (la marge pour laquelle les concurrents européens auraient des VAN nulles). Le tableau 11.2 montre le résultat. La marge de 0,95 $ par livre constituait la meilleure prévision *à long terme* pour le marché du polyzone, toutes choses égales par ailleurs.

Tableau 11.2. Quelle est la marge concurrentielle pour un producteur européen ? Environ 0,95 $ par livre de polyzone. Notez que les producteurs européens n'ont pas de frais de transport. Comparez avec le tableau 11.1 (chiffres en millions de dollars, sauf mention contraire)

	Année 0	Année 1	Année 2	Années 3-10
Investissement	100			
Production, millions de livres par an	0	0	40	80
Marge, dollar par livre	0,95	0,95	0,95	0,95
Revenus nets	0	0	38	76
Coûts de production	0	0	30	30

Tableau 11.2. Quelle est la marge concurrentielle pour un producteur européen ? Environ 0,95 $ par livre de polyzone. Notez que les producteurs européens n'ont pas de frais de transport. Comparez avec le tableau 11.1 (chiffres en millions de dollars, sauf mention contraire) (...)

	Année 0	Année 1	Année 2	Années 3-10
Frais de transport	0	0	0	0
Autres coûts	0	0	20	20
Cash-flow	–100	–20	–12	+26
VAN (au taux r = 8%) = 0				

Quelle avance l'entreprise avait-elle sur ses concurrents ? Dans combien de temps la pression concurrentielle réduirait-elle la marge à 0,95 $? La direction estimait que cela prendrait 5 ans. Elle a alors préparé le tableau 11.3, qui reprend le tableau 11.1, si ce n'est que la marge est fixée à 0,95 $ à partir de la cinquième année. La VAN est devenue négative.

Tableau 11.3. Nouveau calcul de la VAN du projet d'investissement dans la production de polyzone (chiffres en millions de dollars, sauf mention contraire). Si la concurrence des producteurs européens amène la marge à son niveau concurrentiel dans 5 ans, la VAN du producteur américain chute à –10,3 millions de dollars. Comparez avec le tableau 11.1

	Année 0	Année 1	Année 2	Année 3	Année 4	Années 5-10
Investissement	100					
Production, millions de livres par an	0	0	40	80	80	80
Marge, dollars par livre	1,20	1,20	1,20	1,20	1,10	0,95
Revenus nets	0	0	48	96	88	76
Coûts de production	0	0	30	30	30	30
Frais de transport	0	0	4	8	8	8
Autres coûts	0	0	20	20	20	20
Cash-flow	–100	–20	–6	+38	+30	+18
VAN (au taux r = 8 %) = –10,3 millions de dollars						

Le projet aurait pu être sauvé s'il avait pu démarrer l'année 1 plutôt que l'année 2 ou si des marchés locaux avaient pu être développés, réduisant ainsi les frais de transport. Mais ces changements n'étaient pas réalisables et la direction décida d'annuler le projet.

Cet exemple illustre parfaitement l'importance d'une réflexion sur les sources des rentes économiques. *Une VAN positive sans avantage concurrentiel est toujours suspecte.* Quand une entreprise envisage d'investir dans un produit nouveau ou de développer un produit existant, elle doit toujours identifier ses forces et ses faiblesses par rapport à ses principaux concurrents. Elle doit calculer la VAN en se mettant à leur place. Si la VAN des concurrents est substantielle, l'entreprise doit s'attendre à une érosion des prix ou des marges et en analyser les conséquences.

3 Exemple : la société Nexus décide d'exploiter une nouvelle technologie

Pour illustrer certains des problèmes de prévision des rentes économiques, faisons un saut dans le temps et analysons la décision de la société Nexus d'exploiter une nouvelle technologie[14]. En 2023, les ventes annuelles de cerveaux de remplacement (industrie totalement nouvelle) s'élevaient à 1,68 milliard d'euros ou 240 millions d'unités. Bien que n'ayant que 10 % du marché, la société Nexus était considérée comme l'une des valeurs de croissance les plus intéressantes. Nexus avait inventé l'utilisation de circuits intégrés pour contrôler le processus d'ingénierie génétique utilisé pour produire les cerveaux de remplacement dont le coût de production était passé de 9 € à 7 €. La droite de demande estimée (voir figure 11.2) illustre la réaction du marché aux réductions de prix.

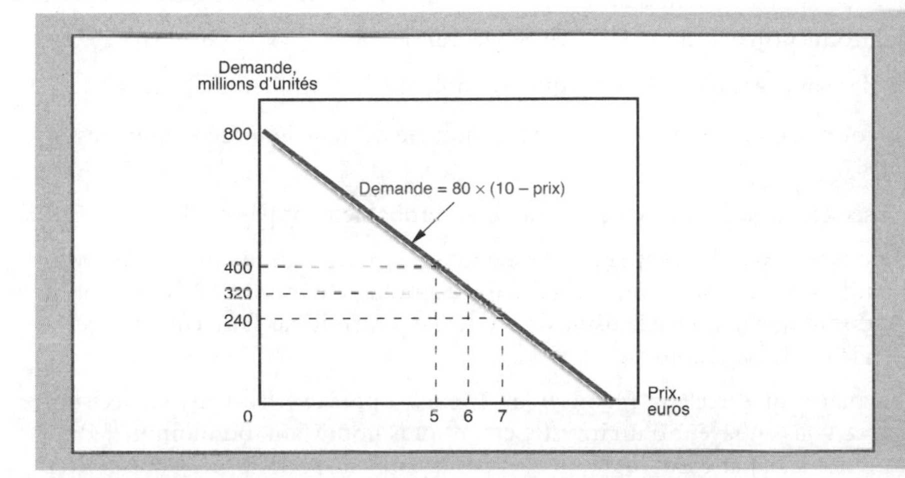

Figure 11.2 - La droite de demande des cerveaux de remplacement montre que chaque réduction du prix de 1 euro entraîne une hausse de la demande de 80 millions d'unités.

Le tableau 11.4 indique les structures de coût des anciennes et des nouvelles technologies. Alors que les entreprises utilisant la nouvelle technologie réalisaient une rentabilité de 20 % sur leur investissement initial, les entreprises utilisant la technologie plus ancienne avaient été fortement affectées par les réductions successives de prix. Comme Nexus avait investi la totalité de ses capitaux dans la technologie de 2019, l'entreprise était particulièrement bien placée.

Tableau 11.4. Taille et structure de coût du secteur des cerveaux de remplacement avant l'annonce par Nexus de son projet d'expansion

	Capacité, millions d'unités				
Technologie*	**Secteur**	**Nexus**	**Coût d'investissement par unité, euros**	**Coût de production par unité, euros**	**Valeur de désinvestissement par unité, euros**
1re génération (2011)	120	—	17,50	5,50	2,50
2e génération (2019)	120	24	17,50	3,50	2,50

* *Note :* le prix de vente unitaire est de 7 €. Une unité signifie un cerveau de remplacement.

14. Nous remercions Stewart Hodges de nous avoir accordé l'autorisation d'adapter cet exemple à partir d'un cas dont il est l'auteur.

Des rumeurs de nouveaux développements chez Nexus circulaient et la capitalisation boursière de Nexus avait atteint 460 millions d'euros en janvier 2024. À cette date, Nexus convoqua une conférence de presse pour annoncer une autre percée technologique. Les dirigeants de l'entreprise indiquèrent qu'une technologie de production de troisième génération, fondée sur des neurones mutants, permettrait de réduire le coût de l'investissement par unité à 10 € et le coût unitaire de production à 3 €. Nexus annonçait son intention de tirer parti de cette innovation en entamant un programme d'expansion d'un coût total de 1 milliard d'euros, pour accroître la capacité de production de l'entreprise de 100 millions d'unités. La société espérait être opérationnelle à 100 % dans les 12 mois.

Avant de prendre cette décision, Nexus avait fait des calculs détaillés sur les effets de ce nouvel investissement avec les hypothèses suivantes :

1. Le coût du capital était de 20 %.
2. Les unités de production avaient une durée de vie infinie.
3. La courbe de demande et les coûts de chaque technologie demeuraient inchangés.
4. Il n'y avait aucune chance qu'apparaisse une technologie de quatrième génération avant très longtemps.
5. L'impôt sur les sociétés, supprimé en 2014, ne serait probablement pas rétabli.

Les concurrents de Nexus accueillirent la nouvelle avec une certaine inquiétude. Tous pensaient qu'il leur faudrait 5 ans pour avoir accès à cette technologie nouvelle. Mais certains se consolaient en se disant que la nouvelle usine de Nexus ne pourrait pas faire concurrence à des installations déjà totalement amorties.

Mettez-vous à la place du directeur financier de Nexus. Approuveriez-vous la décision d'expansion ? Seriez-vous en faveur d'un investissement plus important, ou moindre ? Pensez-vous que l'annonce faite par Nexus aura un effet sur le cours de l'action ? Ici, vous pouvez choisir. Soit vous lisez immédiatement nos réponses à ces questions. Soit vous menez d'abord votre propre analyse, ce qui sera certainement plus profitable.

3.1 La prévision du prix des cerveaux de remplacement

Jusqu'à présent, nous vous avons toujours fourni les prévisions de cash-flows. Vous devez maintenant les calculer. La première question est de savoir comment évoluera le prix du cerveau de remplacement. L'investissement de Nexus portera la capacité de production de l'industrie à 340 millions d'unités. D'après la courbe de demande de la figure 11.2, l'industrie ne pourra écouler cette quantité que si le prix diminue jusqu'à 5,75 € :

$$\text{Demande} = 80 \times (10 - \text{prix}) = 80 \times (10 - 5{,}75) = 340 \text{ millions d'unités}$$

Si le prix s'établit à 5,75 €, qu'adviendra-t-il des sociétés qui utilisent la technologie de 2011 ? Elles seront confrontées au choix suivant : continuer la production ou revendre leurs installations pour 2,50 € par unité. Avec un coût du capital de 20 %, la VAN de la décision de poursuivre l'activité est :

$$\begin{aligned}\text{VAN} &= -\text{ investissement} + \text{VA(prix} - \text{coût de production)}\\ &= -2{,}50 + \frac{5{,}75 - 5{,}50}{0{,}20} = -\,1{,}25 \text{ € par unité}\end{aligned}$$

Les entreprises utilisant la technologie de 2011 préféreront donc liquider leurs unités de production : il est plus rentable de revendre l'équipement pour 2,50 € par unité que de perdre 1,25 € par unité. La fermeture de ces installations entraînera une baisse de l'offre de cerveaux et donc une hausse du prix. L'équilibre sera atteint pour un prix à 6 €. À ce niveau, la VAN des équipements de 2011 est nulle :

$$\text{VAN} = -2{,}50 + \frac{6{,}00 - 5{,}50}{0{,}20} = 0 \text{ € par unité}$$

Quelle réduction de la capacité de production permettra d'atteindre ce prix de 6 € ? Vous pouvez répondre à cette question en reprenant la courbe de demande :

$$\text{Demande} = 80 \times (10 - \text{prix}) = 80 \times (10 - 6) = 320 \text{ millions d'unités}$$

Ainsi, l'expansion de Nexus entraînera la chute du prix unitaire à 6 € et contraindra les producteurs de première génération à réduire leurs capacités de production de 20 millions d'unités.

Mais, 5 ans plus tard, les concurrents de Nexus pourront construire des unités de production de troisième génération. Tant que la VAN de ces investissements sera positive, les concurrents augmenteront leur capacité, cela créera une pression sur le prix et un nouvel équilibre s'établira lorsque le prix atteindra 5 €. À ce niveau, la VAN des installations de troisième génération est nulle et les entreprises ne sont plus incitées à accroître leur production :

$$\text{VAN} = -10 + \frac{5{,}00 - 3{,}00}{0{,}20} = 0 \text{ € par unité}$$

En reprenant la courbe de demande, nous voyons que le prix de 5 € représente des ventes de 400 millions de cerveaux de remplacement :

$$\text{Demande} = 80 \times (10 - \text{prix}) = 80 \times (10 - 5) = 400 \text{ millions d'unités}$$

La technologie de troisième génération entraîne donc une croissance des ventes du secteur, de 240 millions d'unités en 2023, à 400 millions d'unités cinq ans plus tard. Mais cette croissance rapide n'est pas une assurance contre la faillite. À la fin de la cinquième année, toute entreprise qui voudrait continuer à utiliser la technologie de première génération ne sera plus à même de couvrir ses frais de production et sera donc *forcée* de mettre fin à ses activités.

3.2 La valeur du plan d'expansion de Nexus

Nous avons montré que l'introduction de la technologie de troisième génération provoquera probablement une baisse du prix des cerveaux de remplacement à 6 € pendant les cinq prochaines années et à 5 € ensuite. Nous pouvons donc maintenant déterminer les cash-flows anticipés pour la nouvelle unité de production de Nexus :

	Année 0 (investissement)	Années 1-5 (recettes – coûts de production)	Années 6, 7, 8, … (recettes – coûts de production)
Cash-flow par unité, en euros	–10	6 – 3 = 3	5 – 3 = 2
Cash-flow, 100 millions d'unités, en millions d'euros	–1 000	600 – 300 = 300	500 – 300 = 200

L'actualisation de ces cash-flows au taux d'intérêt de 20 % nous donne :

$$\text{VAN} = -1\,000 + \sum_{t=1}^{5} \frac{300}{(1{,}20)^t} + \frac{1}{(1{,}20)^5}\left(\frac{200}{0{,}20}\right) = 299 \text{ millions d'euros}$$

Il semble que la décision de Nexus de réaliser l'investissement soit correcte. Mais une chose a été oubliée. Lorsque nous évaluons un projet d'investissement, nous devons prendre en compte *tous* les cash-flows différentiels. Or, la décision de Nexus aura un impact sur la valeur de son usine utilisant la technologie 2019. Si Nexus décidait de ne pas mettre en œuvre la nouvelle technologie, le prix actuel de 7 € par cerveau de remplacement se maintiendrait jusqu'à la baisse des prix dans 5 ans sous la pression des concurrents. La décision de Nexus provoque donc une baisse immédiate du prix de 1 euro. Ceci réduit la valeur actuelle des équipements utilisant la technologie 2019 :

$$24 \text{ millions} \times \sum_{t=1}^{5} \frac{1{,}00}{(1{,}20)^t} = 72 \text{ millions d'euros}$$

Analysée isolément, la décision de Nexus a une VAN de 299 millions d'euros. Mais elle entraîne une diminution de la valeur de l'usine actuelle de 72 millions. La valeur actuelle nette du projet de Nexus est donc de 299 – 72 = 227 millions d'euros.

3.3 Les autres plans d'expansion

Le projet d'expansion de Nexus a une VAN positive, mais peut-être que Nexus ferait mieux de construire une usine de plus grande ou de plus petite taille. Vous pouvez le vérifier en refaisant les calculs. Vous devez d'abord vérifier l'impact de la production supplémentaire sur le prix des cerveaux de remplacement. Ensuite, vous pouvez calculer la VAN de la nouvelle usine et la variation de la valeur actuelle de l'usine existante. La VAN totale du plan d'expansion de Nexus est donc :

$$\text{VAN totale} = \text{VAN de la nouvelle usine} + \text{variation de la VA de l'usine}$$

Nous avons réalisé ces calculs : les résultats sont donnés dans la figure 11.3. Vous pouvez voir comment la VAN totale serait affectée par le choix d'une usine plus grande ou plus petite.

Lorsque la nouvelle technologie sera disponible en 2029, les entreprises mettront en place des unités de production permettant de fabriquer 280 millions d'unités supplémentaires[15]. Mais la figure 11.3 montre qu'il serait dangereux pour Nexus d'aller si loin. Si Nexus construisait en 2024 une usine nouvelle d'une telle capacité, la valeur actuelle des cash-flows de ce projet serait nulle *et en plus*, l'entreprise aurait fait baisser la valeur de son usine actuelle de 144 millions d'euros. Pour maximiser sa VAN, Nexus devrait construire une usine nouvelle pouvant produire 200 millions d'unités et fixer le prix juste en dessous de 6 €

15. La capacité totale de l'industrie en 2029 sera de 400 millions d'unités, réparties en 120 millions d'unités de technologie de deuxième génération et 280 millions d'unités de technologie de troisième génération.

pour éliminer les entreprises utilisant la technologie 2011. La production sera ainsi moindre et le prix plus élevé qu'en situation de libre concurrence[16].

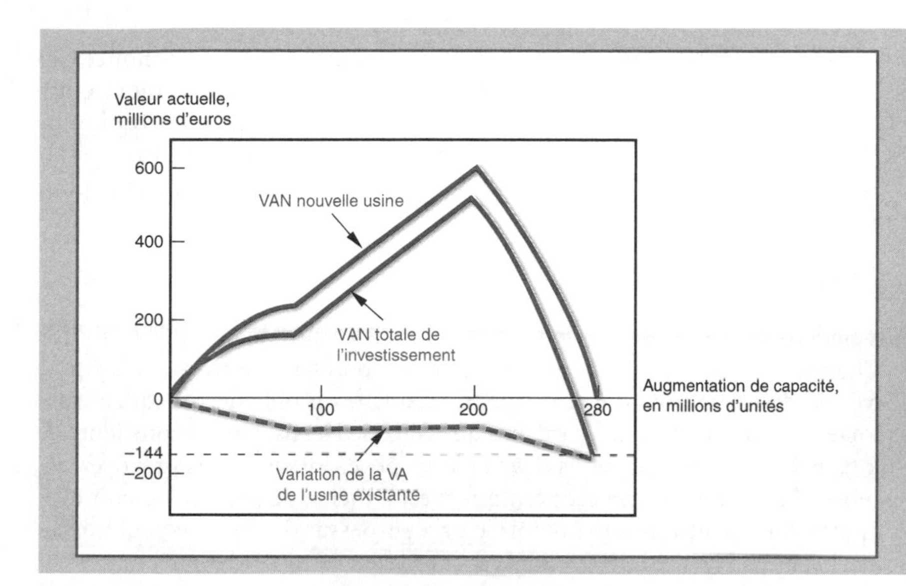

Figure 11.3 - Impact sur la valeur actuelle nette de différents plans d'expansion. Le plan d'expansion de 100 millions d'unités a une VAN totale de 227 millions d'euros. La VAN totale (VAN totale = VAN de la nouvelle usine + variation de la VA de l'usine existante) atteint son maximum pour une capacité de production de 200 millions d'unités.

3.4 La valeur de l'action Nexus

Examinons l'impact de l'annonce faite par Nexus sur le cours de ses actions. Nexus dispose d'une capacité de production de 24 millions d'unités, avec une technologie de deuxième génération. En l'absence de technologie nouvelle, les prix des cerveaux de remplacement se maintiendraient à 7 € et l'usine actuelle de Nexus vaudrait :

$$\text{VA} = 24 \text{ millions} \times \frac{7{,}00 - 3{,}50}{0{,}20} = 420 \text{ millions d'euros}$$

L'innovation de Nexus réduit le prix unitaire à 6 € et, cinq ans plus tard, à 5 €. La valeur de l'usine en activité va donc diminuer :

$$\text{VA} = 24 \text{ millions} \times \left[\sum_{t=1}^{5} \frac{6{,}00 - 3{,}50}{(1{,}20)^t} + \frac{5{,}00 - 3{,}50}{0{,}20 \times (1{,}2)^5}\right] = 252 \text{ millions d'euros}$$

16. Remarquez que nous supposons que tous les consommateurs paient le même prix pour leur cerveau de remplacement. Si Nexus pouvait faire payer à chacun des consommateurs le prix maximum que ce consommateur serait prêt à payer, la production serait la même qu'en concurrence parfaite. Ce type de discrimination par les prix est illégale et de toute façon difficile à mettre en œuvre. Mais les entreprises cherchent des voies indirectes leur permettant d'introduire une différenciation entre les clients. Par exemple, des magasins offrent souvent la livraison gratuite, ce qui est une manière d'accorder une réduction de prix aux clients qui habitent à un endroit éloigné. Les maisons d'édition différencient leurs produits en vendant des exemplaires reliés aux bibliothèques et des exemplaires brochés aux pauvres étudiants nécessiteux.

Mais la *nouvelle* usine accroît la richesse des actionnaires de 299 millions d'euros. La capitalisation boursière de Nexus après l'annonce sera donc :

252 + 299 = 551 millions d'euros[17]

Voici une illustration d'une notion développée dans le chapitre 4 : avant l'annonce, les actions de Nexus étaient évaluées par le marché à 460 millions d'euros. La différence entre ce montant et la valeur de l'usine actuelle représente la valeur actuelle des opportunités de croissance (VAOC). Déjà avant l'annonce, le marché évaluait la capacité de Nexus à rester en tête de ses concurrents à 40 millions d'euros. Après l'annonce, la VAOC augmente pour atteindre 299 millions d'euros[18].

3.5 Les leçons à tirer de Nexus

L'histoire de la société Nexus relève de la science-fiction, mais les problèmes qu'elle aborde sont très réels. Chaque fois qu'Intel envisage de mettre au point un nouveau microprocesseur ou qu'Aventis développe un nouveau médicament, les problèmes auxquels sont confrontées ces sociétés sont exactement les mêmes que ceux de Nexus. Nous avons tenté de vous présenter le *type* de questions que vous devriez vous poser lorsque vous prévoyez des cash-flows. Bien entendu, aucun modèle économique n'est à même de prévoir l'avenir avec précision. Nexus parviendra peut-être à maintenir le prix au-dessus de 6 €. Il se peut que les concurrents ne saisissent pas l'occasion qui leur est offerte en 2019 d'adopter la nouvelle technologie. L'expansion de Nexus n'en sera que plus rentable. Mais seriez-vous prêt à parier 1 milliard d'euros sur ces possibilités ? Ce n'est pas certain…

Des rentes prévisibles et de longue durée vont attirer des concurrents. *C'est pourquoi vous devez vous méfier des projets qui prévoient des rentes se prolongeant dans un futur indéfini.* Essayez d'estimer le moment où la concurrence fera baisser la VAN à zéro, et réfléchissez à ce que cela implique pour vous.

De nombreuses entreprises cherchent à identifier les principaux secteurs de croissance et concentrent leurs investissements dans ces domaines. Mais le triste sort des producteurs de cerveaux de remplacement de la première génération illustre la rapidité avec laquelle des usines existantes peuvent devenir obsolètes. Appartenir à une industrie de croissance est un plaisir si l'on est en tête de la course, mais ce type d'industrie est sans pitié pour les escargots technologiques.

Vous pouvez anticiper des rentes économiques à la seule condition de disposer de ressources supérieures comme la capacité de gestion, la force de vente, les équipes de conception, les conditions de production. Plutôt que d'essayer de vous engager dans des secteurs en croissance, mieux vaut donc commencer par identifier les avantages concurrentiels de votre entreprise et tenter de capitaliser dessus. Ces problèmes ont été particulièrement mis en avant pendant l'ascension de la nouvelle économie, à la fin des années 1990.

17. Pour financer son expansion, Nexus devra récolter 1 000 millions d'euros, en émettant (vendant) des actions nouvelles. La valeur *totale* des actions augmentera donc de 1 551 millions d'euros. Mais les actionnaires qui apportent les capitaux frais recevront en contrepartie une part qui vaut 1 000 millions d'euros. La valeur des actions anciennes après l'annonce est donc de 551 millions d'euros.

18. Remarquez que la valeur des actions de Nexus sera supérieure à 551 millions d'euros si les investisseurs anticipent que la société continuera son expansion dans les 5 prochaines années. En d'autres termes, la valeur des opportunités de croissance après l'expansion peut encore être positive. Les investisseurs peuvent s'attendre à ce que Nexus ait toujours une longueur d'avance, ou que la société introduise avec succès des nouvelles technologies dans d'autres secteurs.

Les optimistes prédisaient que l'économie de l'information allait permettre aux sociétés de croître à des rythmes inconnus jusqu'alors. Les pessimistes soulignaient que la concurrence allait être rude et que cette compétition profiterait surtout aux consommateurs finaux. L'article cité à la fin de ce chapitre donne la parole à Warren Buffett qui rappelle que forte croissance ne rime pas automatiquement avec bénéfices élevés.

Nous ne voulons pas laisser entendre qu'il n'existe pas de bonnes opportunités d'investissement. Par exemple, de telles occasions se présentent lorsqu'une société a engagé des fonds dans le passé qui lui donnent une option d'expansion à peu de frais. Elle pourra accroître sa production en installant une ligne de production supplémentaire, quand ses concurrents devront construire entièrement une nouvelle usine. Dans de tels cas, vous devrez décider non seulement *si* vous exercez l'option, mais aussi *quand* il est le plus profitable de le faire.

L'histoire de Nexus nous a aussi rappelé la notion d'*interaction entre projets*, abordée dans le chapitre 6. Lorsque vous estimez les cash-flows supplémentaires d'un projet, vous devez être attentif à inclure les retombées sur les autres activités de l'entreprise. En introduisant une nouvelle technologie immédiatement, Nexus diminue la valeur de l'usine existante. Parfois, la perte sur les installations en place dépasse le gain apporté par la nouvelle technologie. C'est la raison pour laquelle on voit parfois des entreprises très évoluées sur le plan technologique freiner délibérément le rythme d'introduction de produits nouveaux.

Remarquez que les rentes économiques de Nexus étaient égales à la différence entre ses coûts et ceux du producteur marginal. Les coûts d'un équipement marginal de la génération 2011 consistaient en la somme des coûts de production et du coût d'opportunité de ne pas revendre l'équipement. Ainsi, si la valeur de revente des équipements 2011 était supérieure, les concurrents seraient confrontés à des coûts plus élevés et Nexus pourrait s'approprier des rentes supérieures. Nous avons pris la valeur de revente comme une donnée, mais en réalité elle dépend de l'économie de coût (on utilise un équipement démodé à la place d'un autre actif). Dans une économie qui fonctionne bien, les actifs seront utilisés pour minimiser le coût total de production d'une quantité donnée. Les rentes économiques que fournit un actif sont égales aux coûts totaux supplémentaires qui seraient encourus si cet actif était abandonné.

Encore une remarque concernant les valeurs de liquidation et qui nous ramène à notre analyse de Laverdure Charter du chapitre précédent : une valeur de liquidation élevée donne à l'entreprise une option d'abandon si les choses tournent mal. Cependant, si les concurrents savent que vous pouvez aisément vous retirer, ils seront plus pressés de pénétrer votre marché. Mais si vous n'avez pas d'autre choix que de rester et de vous battre, ils seront plus prudents avant de vous faire concurrence.

Lorsque Nexus a annoncé son projet d'expansion, les concurrents de première génération se sont consolés en pensant que Nexus ne pourrait pas faire concurrence à des équipements totalement amortis. Ils avaient tort. Quels que soient les amortissements passés, il était plus rentable de liquider les équipements de première génération plutôt que de les garder en activité. N'espérez jamais que les chiffres de votre comptabilité vous protègent contre la dure réalité économique.

Actualités financières

L'avis de Warren Buffett sur la croissance et la profitabilité

J'ai pensé qu'il serait instructif de faire un retour en arrière et d'analyser deux secteurs qui ont transformé les États-Unis au cours du dernier siècle : l'automobile et l'aviation. Prenons d'abord l'automobile. J'ai sous la main un total de 70 pages de constructeurs d'automobiles et de camions qui ont été en activité aux États-Unis.

Il semble qu'il y ait eu au moins 2 000 constructeurs d'automobiles, tout compris, dans un secteur qui a eu un impact formidable sur la vie de chacun. Si, dans les premiers temps de l'automobile, vous aviez anticipé comment ce secteur se développerait, vous auriez dit « voici comment m'enrichir ». Qu'en est-il à la fin des années 1990 ? Après un carnage de fusions qui ne se sont jamais arrêtées, nous arrivons aujourd'hui à trois compagnies automobiles américaines, aucune d'entre elles n'étant vraiment sexy pour un investisseur. Ainsi, voici un secteur qui a eu un énorme impact sur l'Amérique et un impact non moins grand, bien que dans un sens non anticipé, sur les investisseurs. Souvent, dans ces grandes transformations, il est plus facile de repérer les perdants. Même si vous aviez vu quelle était l'importance de l'automobile dès le début, il vous aurait été difficile de sélectionner l'entreprise qui aurait finalement rapporté de l'argent. Mais il y avait une décision évidente que vous auriez pu prendre à cette époque (c'est souvent plus facile d'inverser le propos) et cette décision était de vendre les chevaux à découvert. Sincèrement, je suis très déçu que la famille Buffett ne se soit pas mise à vendre des chevaux à découvert sur toute cette période. En plus, nous n'avions aucune excuse : en vivant dans le Nebraska, nous aurions pu très facilement emprunter des chevaux et éviter une pénurie. (Le nombre de chevaux aux États-Unis est passé de 21 millions en 1900 à 5 millions en 1998.)

L'autre invention qui a réellement transformé des affaires dans le premier quart de ce siècle a été l'avion : encore un secteur dont l'avenir brillant aurait dû faire saliver les investisseurs. J'ai ainsi procédé à des recherches sur les producteurs d'avions, et j'ai constaté que sur la période 1919-39, il y a eu 300 compagnies, dont seule une poignée survit encore aujourd'hui. Parmi les avions qui étaient produits à l'époque, il y avait le *Nebraska* et l'*Omaha* (il faut croire que nous avons été la Silicon Valley de cette période), deux marques que même le plus loyal habitant du Nebraska n'utilise plus.

Passons aux faillites des compagnies aériennes. Voici une liste de 129 compagnies qui ont fait faillite dans les vingt dernières années. Continental a même réussi à paraître deux fois sur cette liste. En fait, si l'on se place en 1992 (mais la situation s'est un peu améliorée depuis), l'argent que toutes ces compagnies ont dégagé depuis l'aube de l'aviation est égal à zéro. Zéro absolu.

Si je synthétise tout cela, j'aime à penser que si j'avais été à Kitty Hawk en 1903 quand Orville Wright a décollé, j'aurais eu assez de prescience et de souci du bien public (ne défendais-je pas les générations futures de capitalistes ?) pour le descendre. Voyez-vous, Karl Marx n'aurait pas pu faire autant de mal aux capitalistes que n'en a fait Orville Wright.

Je ne vais pas m'étendre sur d'autres secteurs scintillants qui ont complètement changé nos vies, mais qui, paradoxalement, n'ont quasiment rien rapporté aux investisseurs américains : la production de postes de radio et de télévision, par exemple. Mais je tire une leçon de ces évolutions : investir intelligemment ne consiste pas à estimer l'impact d'un secteur sur le grand public, ou sa croissance potentielle, mais plutôt à déterminer l'avantage compétitif d'une compagnie donnée et, par-dessus tout, la durée estimée de cet avantage.

Source : C. Loomis, « Mr. Buffett on the Stock Markets », Fortune (22 novembre 1999), pp. 110-115.

Résumé

La valeur actuelle est utile pour prendre des décisions d'investissement, mais non suffisante. Les bonnes décisions nécessitent à la fois un critère correct et des prévisions correctes. Dans ce chapitre, nous nous sommes penchés sur le problème des prévisions.

Un projet peut paraître attirant pour deux raisons distinctes : (1) les promoteurs du projet ont fait des erreurs de prévision et/ou (2) l'entreprise peut réellement s'attendre à réaliser des profits supérieurs. Les bons gestionnaires s'assurent donc que le maximum de chances est de leur côté et préfèrent les projets d'expansion dans des secteurs où leur entreprise a un avantage relatif. Nous aimons présenter la chose autrement en disant que les bons dirigeants recherchent des projets qui généreront des « rentes économiques ». Ils éviteront soigneusement tous les projets dans lesquels les avantages comparatifs sont absents et les rentes économiques peu vraisemblables. Ils ne projettent pas les prix actuels vers l'avenir sans s'assurer d'abord que l'arrivée et la croissance de concurrents ne créeront pas une pression à la baisse sur les prix.

Notre histoire de l'entreprise Nexus illustre l'origine des rentes et la façon dont elles déterminent les cash-flows et la valeur actuelle nette d'un projet.

Tout calcul de valeur actuelle est sujet à erreurs : notre exemple de Nexus n'échappe pas à cette règle. C'est la vie : il n'existe pas d'autre méthode cohérente pour évaluer la plupart des projets d'investissement. Mais certains actifs physiques, comme l'or, l'immobilier, le pétrole brut et des actifs financiers comme les actions et les obligations, sont échangés sur des marchés raisonnablement concurrentiels. Si vous connaissez le prix de marché d'un tel actif, *utilisez-le*, du moins comme point de départ de votre analyse.

Lectures complémentaires

Johnson, Scholes, Whittington, Fréry, *Stratégique*, Pearson Education France, 2005, 762 p.

M. Porter, « What is Strategy ? », *Harvard Business Review* (novembre-décembre 1996), pp. 61-78.

R. M. Grant, *Contemporary Strategy Analysis*, 4e éd., Blackwell Publisher, Oxford, 2002.

Activités

Révision des concepts

1. Pourquoi un étudiant en gestion venant de découvrir l'actualisation se comporte-t-il comme un bébé à qui l'on vient de donner un marteau ? Que voulions-nous montrer dans notre réponse ?
2. Michael Porter remarque que les entreprises peuvent générer des rentes économiques à la fois par leur choix de secteur et par la façon dont elles se positionnent à l'intérieur de ce secteur. Quels sont les trois moyens par lesquels elles peuvent se positionner utilement à l'intérieur de leur secteur ?
3. Un nouveau procédé d'extraction permet désormais à votre entreprise de récupérer de petites quantités d'or lors de ses opérations d'extraction d'aluminium. Comment calculeriez-vous la valeur actuelle des cash-flows à venir de ces ventes d'or ?

Tests de connaissances

1. Vrai ou faux ?
   - **a.** Une entreprise qui a une rentabilité égale à son coût d'opportunité du capital dégage une rente économique.
   - **b.** Une entreprise qui investit dans un projet à VAN positive anticipe une rente économique.
   - **c.** Les gestionnaires financiers doivent chercher à identifier les secteurs dans lesquels leurs entreprises peuvent réaliser des rentes économiques, car c'est là qu'on a le plus de chances de trouver des projets à VAN positives.
   - **d.** La rente économique est égale au *coût équivalent annuel* d'exploitation d'un équipement.
2. Les jauges d'utilité concave sont fortement demandées, mais le secteur est très concurrentiel. Une usine pouvant produire 500 000 jauges par an coûte 50 millions d'euros. Le coût de production est de 5 € par jauge, et devrait rester stable. Les machines ont une durée de vie infinie et le coût du capital est de 10 %. Quel est le prix d'équilibre concurrentiel d'une jauge ?
   - **a.** 5 €
   - **b.** 0 €
   - **c.** 15 €
3. Votre beau-frère vous propose de vous associer à lui pour acheter un bâtiment dans la Zone. Le projet est d'y installer un Chou-Fleur-Burger. Vous êtes tous deux très optimistes sur les perspectives des prix immobiliers dans ce quartier et votre beau-frère a préparé des prévisions de cash-flows qui donnent des VAN positives importantes. Ces calculs supposent que l'immeuble sera revendu dans 10 ans. Quels calculs supplémentaires devez-vous faire avant de dire oui ?

4. Le cuivre est coté à terme, sur le *London Metal Exchange*, au cours de 1 600 € la tonne pour une livraison dans un an. Le paiement se fait à la livraison. Le taux sans risque est de 5 % par an, et la rentabilité du marché est de 12 %.
   a. Vous prévoyez de produire 100 000 tonnes de cuivre l'année prochaine et de les vendre à la fin de l'année. Quelle est la valeur actuelle de votre production ?
   b. Si le cuivre a un bêta de 1,2, quel sera le prix anticipé du cuivre à la fin de l'année ? Quel est le prix équivalent certain ?
5. Les nouveaux avions commerciaux consomment moins de carburant que les modèles plus anciens. Comment une compagnie aérienne qui exploite des avions anciens peut-elle lutter contre des concurrents utilisant des avions plus récents ? Expliquez.

Questions et problèmes

1. Vous envisagez d'investir dans un actif pour lequel existe un marché secondaire bien organisé. Vous êtes, par exemple, Air Frasques et l'actif est un Boeing 757, un modèle très répandu.

   En quoi la présence d'un marché secondaire simplifie-t-elle votre problème ? Est-ce le cas en pratique ? Expliquez.
2. Beaucoup d'avions exploités par des compagnies aériennes ne leur appartiennent pas, mais sont loués pour des périodes allant de quelques mois à plusieurs années.

   Lib-Air-Té! (compagnie marseillaise) possède pourtant deux Boeing 757 qui viennent d'être retirés du trafic vers l'Amérique Latine. La compagnie envisage d'utiliser ces avions pour développer une nouvelle liaison potentiellement très rentable entre Saint-Cucufa et Schiltigheim. Un énorme investissement devra être réalisé pour l'aménagement des terminaux, la formation du personnel et la publicité. Une fois engagée, Lib-Air-Té! devra exploiter cette liaison pendant 3 ans. Mais une complication supplémentaire a surgi : le directeur de la division internationale de la compagnie s'oppose fermement à l'utilisation des deux appareils pour la ligne Saint-Cucufa-Schiltigheim, car il prévoit une croissance du trafic dans le nouveau hub de Lib-Air-Té!, à Tegucigalpa.

   Comment ferez-vous pour évaluer le projet Saint-Cucufa-Schiltigheim ? Établissez une liste détaillée des différentes étapes de votre analyse. Expliquez comment prendre en compte le marché de la location. Si le projet semble prometteur, que répondrez-vous au directeur de la division internationale ?
3. Le cours actuel de l'or est de 280 $ par once. Ruby Surlong, célèbre consultante, estime que les prix de l'or vont monter de 12 % par an sur deux ans, puis croître de 3 % par an sur les années suivantes. Quel sera le prix d'un million d'onces d'or produites dans 8 ans ? On suppose que le bêta de l'or est égal à 0 et que le taux sans risque est de 5,5 %.
4. Grâce à l'achat d'un brevet, votre société possède maintenant les droits exclusifs de production de Schtroumpfs gonflables en Europe. La mise en place des installations nécessaires pour produire 200 000 Schtroumpfs par an entraînera une dépense immédiate de 25 millions d'euros. Les coûts de production sont estimés à 65 € par unité. Les responsables du marketing sont persuadés que les 200 000 unités pourront être vendues à 100 € l'unité (en termes réels) jusqu'à l'expiration du brevet dans 5 ans. Au-delà de ce délai, ils n'ont aucune idée des prix de marché.

   Quelle est la valeur actuelle nette du projet ? Faites l'hypothèse que le coût du capital réel soit de 9 %. Pour simplifier les choses, faites également les hypothèses suivantes :
   – La technologie de production des Schtroumpfs ne changera pas. Le coût des investissements et le coût de production resteront constants en termes réels.
   – Les concurrents connaissent la technologie et peuvent donc pénétrer dans le secteur dès la fin du brevet, c'est-à-dire l'année 6.
   – Si votre entreprise investit immédiatement, la production débutera dans 1 an.

– Il n'y a pas d'impôts.
– Les installations de production de Schtroumpfs ont une durée de vie de 12 ans. Leur valeur de revente sera nulle.

5. Votre réponse à la question 4 change-t-elle si le progrès technologique permet de réduire le coût des nouvelles installations de production de Schtroumpfs de 3 % par an ? Cela signifie qu'une nouvelle usine construite l'année 1 coûtera 25 × (1 – 0,03) = 24,25 millions d'euros. De même, une usine construite l'année 2 coûtera 23,52 millions d'euros, etc. On suppose que le coût de production reste à 65 € par unité.

6. Recalculez la VAN du projet de polyzone sous les hypothèses suivantes. Suivez les indications du tableau 11.3. Quelle est la bonne décision à prendre dans chacun des cas ?

a. L'arrivée des concurrents ne commencera pas avant l'année 5 (baisse de la marge à 1,10 $ par livre) et s'achèvera l'année 6 (marge à 0,95 $ par livre).

b. La société américaine peut commencer à produire 40 millions de livres de polyzone dès l'année 1, plutôt que l'année 2.

c. La société américaine utilise une technologie qui réduit le coût de production annuel à 25 millions d'euros. Les coûts de production des concurrents restent inchangés.

7. Les laboratoires photographiques récupèrent et recyclent l'argent utilisé dans les films. Labi Labo envisage l'achat d'un équipement plus performant pour son laboratoire de Mézidon, avec les informations suivantes :

– Le coût de l'équipement s'élève à 100 000 €.
– Le coût annuel d'exploitation est de 80 000 €.
– La durée de vie économique est de 10 ans, mais l'équipement peut être amorti linéairement sur 5 ans (voir section 6.2).
– La quantité d'argent récupérée est de 5 000 onces par an.
– Le prix de l'argent est de 20 € par once. Au cours des dix dernières années, le cours de l'argent a augmenté de 4,5 % par an en termes réels. L'argent se traite sur un marché actif et concurrentiel.
– Labi Labo est imposée au taux marginal de 35 % et soumise à la législation fiscale française.
– Le coût du capital de Labi Labo est de 8 % en termes réels.

Quelle est la VAN de ce nouvel équipement ? Posez des hypothèses supplémentaires si nécessaire.

8. La foire de Trifouilly-les-Oies de novembre N envisage une nouvelle loterie de charité : il y aura vingt tickets gagnants, chacun rapportant une somme d'argent au 31 décembre N+1. Cette somme sera calculée comme le ratio entre le CAC 40 au 31 décembre N+1 et son niveau au 30 juin N+1, le tout multiplié par 100 €. Par exemple, pour un CAC 40 à 4 000 en juin, et à 5 000 fin décembre, le paiement sera de (5 000 / 4 000) × 100 = 125 €.

Juste après le tirage au sort qui désigne les 20 tickets gagnants, un marché noir s'organise, sur lequel s'échangent ces tickets. À combien se vendra un ticket le 1er janvier N+1 ? Et le 30 juin ? On suppose que le taux sans risque est de 10 % par an, et que la foire de Trifouilly-les-Oies sera effectivement solvable. Posez d'autres hypothèses si nécessaire.

Est-ce que les valeurs de tickets seront différentes si les récompenses sont fondées sur un indice européen des valeurs industrielles, par exemple le Dow Jones Stoxx Ind ?

9. Vous devez évaluer un grand bâtiment au nord de Port-Manech, dans le cadre d'une procédure de faillite. Ce bâtiment abrite actuellement du matériel pour une société ferroviaire. Voici les faits :

– La procédure exige que la valeur du bâtiment soit égale à la valeur actuelle du cash-flow net que recevrait la société de chemin de fer si elle vidait le bâtiment et le revendait comme entrepôt, ce qui correspond à sa meilleure utilisation non ferroviaire.

– Le bâtiment a été évalué à 1 million d'euros. Ce chiffre est basé sur les prix de transactions récentes d'entrepôts similaires à Port-Manech.

– S'il était loué comme entrepôt aujourd'hui, le bâtiment générerait 80 000 € par an. Ce cash-flow est calculé après les frais d'exploitation et l'impôt foncier de 50 000 € par an :

Loyers bruts	180 000 €
Frais d'exploitation	50 000 €
Impôt foncier	50 000 €
Cash-flow net	80 000 €

– Les loyers bruts, les frais d'exploitation et l'impôt foncier sont tous incertains, mais devraient augmenter au rythme de l'inflation.

– Il faudrait un an pour vider le bâtiment et l'aménager en entrepôt. Le coût d'aménagement est de 200 000 €, montant dépensé de manière uniforme sur toute l'année à venir.

– Ce bien sera mis sur le marché quand il sera prêt à être utilisé comme entrepôt. Votre conseiller immobilier vous a indiqué qu'il faut, en moyenne, compter 1 an avant de trouver un acquéreur. Cependant, la société de chemin de fer pourrait louer le bâtiment comme entrepôt en attendant la vente.

– Le coût d'opportunité du capital pour un investissement immobilier est de 8 % en termes réels.

– Votre conseiller immobilier a remarqué que les prix de vente de bâtiments similaires au nord de Port-Manech ont diminué, en termes réels, de 2 % par an en moyenne au cours des dix dernières années.

– Une commission de 5 % sera payée par l'entreprise ferroviaire au moment de la vente.

– L'entreprise ferroviaire ne paie pas d'impôts, sauf l'impôt foncier.

Problèmes avancés

1. La production de bière polysyllabique est très concurrentielle. La plupart des usines produisent 100 000 tonnes par an. Les coûts d'exploitation sont de 0,90 € par tonne et le prix de vente de 1 € par tonne. Une usine d'une capacité de 100 000 tonnes par an coûte 100 000 € et a une durée de vie infinie. Sa valeur de liquidation est actuellement égale à 60 000 € et chutera à 57 900 € dans les 2 ans.

Quatter SA envisage d'investir 100 000 € dans une usine qui utilise un nouveau processus meilleur marché pour produire la bière polysyllabique. L'usine a la même capacité de production que les unités actuelles, mais les coûts d'exploitation sont de 0,85 € par tonne. Quatter estime avoir une avance de 2 ans sur ses concurrents, mais ne pourra pas construire d'autres usines avant 2 ans. La demande sera stable au cours des 2 prochaines années et, en conséquence, cette nouvelle usine créera une situation de surcapacité. On suppose qu'il n'y a pas d'impôts et que le coût du capital est de 10 %.

a. À la fin de la deuxième année, l'accroissement anticipé de la demande de bière nécessitera la construction de plusieurs usines utilisant le processus Quatter. Quelle est la VAN probable de ces usines ? Quelle sera la valeur actuelle de chacune de ces usines ?

b. Quelles sont les implications en ce qui concerne le prix de la bière polysyllabique à partir de l'année 3 ?

c. Pensez-vous que l'usine actuelle sera liquidée dans 2 ans ? Votre réponse serait-elle différente si la valeur de liquidation était de 40 000 € ? Ou de 80 000 € ?

d. Les usines de Foy's SA sont complètement amorties. Peuvent-elles être exploitées rentablement après 2 ans ?

e. Le Zinc SA a acheté l'année dernière une nouvelle usine pour 100 000 € qu'il amortit à concurrence de 10 000 € par an. Devrait-il liquider cette usine dans 2 ans ?

f. Quelle sera la VAN du projet Quatter ?

2. Le réseau aérien mondial est composé des liaisons X et Y qui nécessitent chacune 10 avions pour être exploitées. Ces liaisons peuvent être desservies par trois types d'avions : A, B et C. Les nombres d'avions disponibles sont de 5 pour le type A, 10 pour B et 10 pour C. Ces avions sont identiques à l'exception des coûts d'exploitation, qui s'établissent comme suit :

	Coût annuel d'exploitation (millions d'euros)	
Type d'avion	**Liaison X**	**Liaison Y**
A	1,5	1,5
B	2,5	2,0
C	4,5	3,5

Les avions ont une durée de vie économique de 5 ans et une valeur résiduelle de 1 million d'euros.

Les propriétaires des avions ne les exploitent pas directement, mais ils les louent aux opérateurs sur un marché concurrentiel, en essayant de maximiser les revenus de location. Les opérateurs tentent de minimiser les coûts d'exploitation. Les tarifs aériens sont déterminés de manière concurrentielle. On suppose que le coût du capital est de 10 %.

a. Quel avion sera utilisé pour quelle liaison et que vaudra chaque type d'avion ?

b. Comment changeront ces chiffres si le nombre d'avions A augmente à 10 ?

c. Qu'adviendra-t-il si le nombre d'avions A augmente à 15 ?

d. Qu'adviendra-t-il si le nombre d'avions A augmente à 20 ?

Faites toute autre hypothèse que vous jugez utile.

3. Les impôts représentent des coûts et les variations des taux d'imposition affectent donc les prix à la consommation, la durée de vie des projets et la valeur des entreprises existantes. Le problème suivant illustre ce point. Il montre également que les réformes fiscales qui semblent « bonnes pour les affaires » n'aboutissent pas toujours à une augmentation de la valeur des entreprises existantes. En effet, si les nouvelles incitations à l'investissement n'augmentent pas la demande des consommateurs, elles ne feront que rendre les équipements actuels obsolètes.

La fabrication de l'acide bucolique est un secteur très concurrentiel. La demande est constamment en croissance et de nouvelles unités de production sont régulièrement installées. Les cash-flows anticipés d'un investissement sont les suivants :

*	0	1	2	3
1. Investissement initial	100			
2. Ventes		100	100	100
3. Frais d'exploitation		50	50	50
4. Amortissement		33,33	33,33	33,33
5. Résultat avant impôts		16,67	16,67	16,67

*	0	1	2	3
6. Impôt à 40%		6,67	6,67	6,67
7. Résultat net		10	10	10
8. Valeur de liquidation après impôts				15
9. Cash-flow (7 + 8 + 4 – 1)	–100	+43,33	+43,33	+58,33
VAN à 20 % = 0				

Hypothèses :
1. L'amortissement fiscal est linéaire sur 3 ans.
2. La valeur de liquidation avant impôts est de 25 dans 3 ans et de 50 dans 2 ans.
3. L'impôt sur la valeur de liquidation est de 40 % de la différence entre la valeur de liquidation et la valeur comptable.
4. Le coût du capital est de 20 %.

a. Quelle est la valeur d'une usine de 1 an ? D'une usine de 2 ans ?

b. Supposons maintenant que le gouvernement modifie les règles d'amortissement fiscal, et autorise l'amortissement à 100 % sur l'année 1. Comment cela affecte-t-il la valeur des usines datant de 1 an et de 2 ans ? (Les usines existantes doivent continuer à utiliser les règles d'amortissement initiales.)

c. Cela a-t-il un sens désormais de liquider une usine après 2 ans plutôt qu'après 3 ans ?

d. En quoi la suppression totale de l'impôt sur les sociétés modifierait-elle vos réponses ?

Mini-cas

Gérard Mansoif, responsable pays pour Kakou-Cola, la multinationale des boissons non alcoolisées, est en train de réviser son plan d'investissement pour l'Asie centrale. Il envisage de lancer Kakou-Cola dans l'ex-république soviétique d'Inglistan en année N. Cela nécessitera d'investir 20 millions de dollars en N-1 pour financer la construction d'une usine d'embouteillage et la mise en place d'un système de distribution. Les coûts fixes seront de 3 millions de dollars par an à partir de N-1. Cela suffira pour produire et vendre 200 millions de litres par an, soit une moyenne de quatre bouteilles par semaine pour chaque homme, femme et enfant d'Inglistan ! La construction d'une usine plus petite ne réduirait pas de beaucoup les coûts. Les taxes ainsi que les coûts de transport imposent de vendre la production au sein du pays.

Les coûts variables de production et de distribution seront de 12 cents par litre. L'entreprise exige un taux de rentabilité de 25 % (en dollars nominaux), après impôts, mais hors prise en compte du coût du financement. Le prix de vente devrait être fixé à 35 cents par litre.

Les usines d'embouteillage vivent quasiment éternellement, et tous les coûts et prix unitaires devraient rester constants en termes nominaux. En Inglistan, le taux d'impôt sur les sociétés est de 30 %, et les investissements peuvent être amortis linéairement sur 4 ans.

« Tout cela est bien », pense Gérard Mansoif, mais il se creuse le cerveau pour la prévision des ventes. Kakou-Cola applique généralement la règle « 1-2-4 », qui marche bien sur les nouveaux marchés : les ventes doublent généralement la deuxième année, doublent encore la troisième, et restent à peu près constantes après. La meilleure estimation de Gérard est que les ventes seront de 12,5 millions de litres en N+1, et donc de 50 millions de litres en N+3 et après.

Une autre question serait de savoir s'il vaut mieux attendre un an. Le marché des boissons sans alcool se développe rapidement dans les pays voisins et, dans un an, Gérard aura une bien meilleure idée du potentiel de marché de l'Inglistan. Si ce potentiel est faible et que les ventes stagnent en dessous de 20 millions de litres par an, un tel investissement ne sera pas justifié.

Gérard Mansoif avait supposé que Funicola, le rival de Kakou-Cola, ne s'implanterait pas sur ce marché. Mais il reçut un choc quand, la semaine passée, il vit son homologue de Funicola dans le hall du Kapitalist Hotel de Bakoul (Inglistan). Les coûts devraient être les mêmes pour Funicola. Aussi, comment Funicola répondra-t-il à une implantation de Kakou-Cola sur le marché ? En s'implantant aussi ? Et dans ce cas, comment cela affectera-t-il la rentabilité du projet de Kakou-Cola ?

M. Mansoif repense à la possibilité de reporter le projet d'un an. Supposons que Funicola soit intéressé par le marché d'Inglistan : est-ce qu'il vaut mieux alors investir tout de suite, ou reporter d'un an ? Kakou-Cola devrait peut-être annoncer ses projets avant que Funicola n'ait une chance de se positionner. Bref, le projet Inglistan devient de plus en plus complexe.

Questions

1. Calculez la VAN du projet avec les chiffres fournis. Quelle est la sensibilité de cette VAN aux ventes futures ?
2. Quels sont les avantages et les inconvénients de reporter l'investissement d'un an ? Indice : que se passera-t-il si la demande est forte et que Funicola s'implante aussi ? Et si Kakou-Cola investit immédiatement, et gagne un an sur Funicola ?

Chapitre 12

Problèmes d'agence, rémunération des dirigeants et mesure de la performance

Jusqu'à présent, nous avons détaillé les critères qui permettent d'identifier les projets d'investissement à VAN positive. Si une société entreprend tous les projets à VAN positive, et seulement ceux-là, elle maximisera sa valeur. Mais est-ce que les dirigeants *veulent* vraiment maximiser la valeur ?

Les dirigeants, ou les cadres financiers, n'ont pas des gènes spéciaux qui alignent automatiquement leurs intérêts personnels avec les objectifs financiers des investisseurs. Aussi, comment les actionnaires peuvent-ils s'assurer que les dirigeants ne tapent pas dans la caisse ? Et comment les dirigeants peuvent-ils savoir si les employés s'efforcent de trouver des projets à VAN positive ?

Nous revenons ici au problème d'agence (ou principal-agent) évoqué dans les chapitres 1 et 2. Les actionnaires agissent en tant que principal (*mandant* ou *commettant*) ; les dirigeants sont les agents (*mandataires*) des actionnaires ; les cadres et employés sont à leur tour les agents des dirigeants. Ainsi, les dirigeants, y compris le directeur financier, seront en même temps les agents des actionnaires et les mandants des autres employés de la société. Le problème est que tous doivent collaborer pour maximiser la valeur.

Ce chapitre montre comment les entreprises gèrent ce problème, dans les choix d'investissement. Nous débutons par des idées et des choix simples et finissons par les problèmes délicats de mesure de la performance. Les principaux thèmes sont les suivants :

- **Planification.** Comment les entreprises établissent des plans et budgets pour leurs investissements, comment elles autorisent le lancement de projets donnés et comment elles mesurent l'évolution de ces projets.
- **Information.** Comment obtenir des informations précises et des prévisionnels fiables.
- **Incitations.** S'assurer que les dirigeants, les cadres et les employés sont récompensés à chaque fois qu'ils augmentent la valeur de la société.

- **Mesure des performances.** Comme on donne une récompense qui est fondée sur une mesure, on récompense finalement en fonction d'un indicateur qu'il faut bien choisir.

À chaque thème, nous résumons la pratique courante et montrons les erreurs classiques. La section sur les incitations approfondit les relations principal-agent. Les deux dernières sections décrivent les mesures de performance, notamment le revenu résiduel et l'EVA™ (*economic value added*). Nous dévoilons aussi les biais cachés dans les taux de rentabilité comptables.

1 La démarche d'investissement

Pour la plupart des grandes entreprises, la première étape du processus d'investissement est l'élaboration d'un **budget d'investissement** qui liste les projets d'investissement prévus pour l'année. La plupart des sociétés laissent les projets se former au niveau des usines, lignes de production ou antennes locales et être analysés par les directions locales, avant de transiter des directions régionales vers les directions nationales et d'arriver finalement à la direction générale et à son service de planification. Bien sûr, les antennes locales ne peuvent identifier tous les projets valables. Par exemple, les directeurs des usines A et B n'envisageront pas les économies potentielles qu'il y aurait à fermer leurs usines pour transférer la production sur une nouvelle usine C. En revanche, au niveau régional, les responsables proposeront l'usine C. La préparation du budget d'investissement n'est pas un exercice rigide ou bureaucratique. Il y a énormément d'allers-retours, de pour et de contre. Les responsables régionaux négocient avec les directeurs d'usines et vont affiner la liste des projets de la division. Le budget d'investissement final devra aussi refléter la planification stratégique de l'entreprise qui procède du haut vers le bas en identifiant les activités dans lesquelles la société a un avantage concurrentiel, et par opposition, les activités en déclin qu'il faut laisser péricliter, voire revendre ou liquider[1].

Les choix d'investissement d'une société doivent donc refléter en même temps une approche du bas vers le haut (budget d'investissement) et du haut vers le bas (planification stratégique), respectivement *bottom-up* et *top-down*, dans la langue d'Indiana Jones. Les deux démarches sont complémentaires. Les directeurs d'usine ou les divisions régionales, qui font le plus gros du travail au début du budget d'investissement, peuvent avoir des arbres qui cachent la forêt. Les cadres de la planification stratégique, inversement, peuvent avoir une vision fausse de la forêt parce qu'ils ne regardent pas les arbres un par un.

1.1 Les autorisations de projet

Dès que le budget d'investissement a été approuvé par la direction générale, il devient le plan d'investissement officiel pour l'année à venir. Néanmoins, il ne donne pas le feu vert pour les investissements spécifiques. La plupart des entreprises exigent qu'une demande d'**autorisation d'engagement** ou **demande d'autorisation d'investissement (DAI)** soit préparée pour chaque proposition. Ces demandes comprennent des justifications détaillées et des informations complémentaires.

---

1. Une illustration intéressante des rapports entre management stratégique et décisions d'investissement est donnée dans A. Pezet, « Le management stratégique et financier de l'investissement : un siècle d'histoire de la décision dans l'industrie française de l'aluminium », *Finance Contrôle Stratégie*, vol. 3, n°3 (septembre 2000), pp. 155-180.

Parce que les décisions d'investissement sont importantes pour la valeur future de la société, l'autorisation finale d'investir est souvent donnée à haut niveau hiérarchique. Les entreprises établissent des plafonds maximaux d'investissement que les divisions régionales peuvent décider seules. La plupart du temps, ces plafonds sont étonnamment bas. Un grand groupe qui investit 400 millions d'euros par an pourra ainsi exiger une autorisation de la direction générale pour tout investissement dépassant 500 000 €.

1.2 Certains investissements n'apparaîtront pas dans le budget d'investissement

Les frontières de l'investissement sont souvent imprécises. Prenons les investissements en technologie de l'information (ou TI) : des systèmes informatiques, des programmes, des lignes de communication, et de la formation. Pour une banque ou une compagnie d'assurances par exemple, ces investissements mangent des *centaines* de millions d'euros chaque année, et certains projets de TI sur plusieurs années représentent plus d'un milliard d'euros. Pourtant, la majeure partie des dépenses va dans de l'immatériel (conception et tests du système, formation). Ces dépenses peuvent échapper au contrôle des investissements, surtout si les dépenses sont faites quotidiennement, et non sous forme de gros engagements à la fois. Les investissements en TI pourront ne pas apparaître dans le budget d'investissement, mais pour des institutions financières, ils sont beaucoup plus importants que des investissements mobiliers ou immobiliers.

Voici d'autres exemples d'investissements importants qui apparaissent rarement dans le budget d'investissement.

La recherche et développement Pour beaucoup de sociétés, l'actif le plus important est la technologie employée. Cette technologie englobe les brevets, licences, produits ou services uniques, les processus de production. Cette technologie est créée par l'investissement régulier en recherche et développement (R&D).

Les budgets de R&D des grandes entreprises pharmaceutiques sont souvent colossaux. Pfizer, une des plus grandes sociétés pharmaceutiques, a dépensé 7,6 milliards de dollars de R&D en 2005. Le coût de R&D pour amener *un* nouveau médicament sur le marché est estimé à plus de 800 millions de dollars[2].

Le marketing En 1998, Gillette a lancé le rasoir Mach3. La société a investi 750 millions de dollars dans des lignes de production spécialisées et a rénové les usines. Les dépenses pour le marketing du lancement du produit ont été fixées à 300 millions de dollars. Le but de la société était de faire du Mach3 un produit de consommation avec une forte image de marque, une vache à lait durable. Ces dépenses de marketing ont clairement représenté un investissement capital, car c'étaient des dépenses censées générer des cash-flows futurs.

La formation et le développement personnel Pour le lancement du Mach3, Gillette a embauché 160 ouvriers et payé 30 000 heures de formation.

---

2. Ce chiffre représente le coût moyen avant impôts de 68 nouveaux médicaments sélectionnés de façon aléatoire, incorporant le coût du capital employé. Voir J. A. DiMasi, R. W. Hansen et H. G. Grabowski, «The Price of Innovation : New Estimates Of Drug Development Costs », *Journal of Health Economics*, 22 (2003), pp.151-185.

Les petits montants s'additionnent Les responsables opérationnels investissent chaque jour. Ils peuvent décider de réaliser un nouvel inventaire des stocks, juste pour éviter une pénurie. Le directeur d'une usine de confabulateurs à Bouze-les-Beaune peut décider qu'il a besoin d'un chariot élévateur de plus ou d'une machine à choucroute pour la cafétéria. D'autres décideurs peuvent décider de garder un outillage non utilisé ou un entrepôt vide qui pourrait être revendu. Ce ne sont pas de gros investissements (5 000 € par ci, 40 000 € par là), mais ils s'additionnent.

Notre propos est le suivant : le décideur financier doit considérer tous les investissements, même ceux qui n'apparaissent pas dans le budget d'investissement. Le directeur financier d'une société pharmaceutique se focalisera sur les décisions concernant les dépenses de R&D. Dans une entreprise de biens de grande consommation, il devra jouer un rôle clé dans les décisions du marketing pour développer ou lancer de nouveaux produits.

1.3 Les post-audits

Beaucoup d'entreprises contrôlent l'évolution des grands projets en conduisant des post-audits peu après le démarrage de l'activité. Les post-audits identifient les problèmes en cours, vérifient la pertinence des prévisions et suggèrent des questions qui auraient dû être posées avant le lancement du projet. Ces post-audits ne sont intéressants que s'ils aident les décideurs à prendre de meilleures décisions la prochaine fois. Après un post-audit, le contrôleur pourra dire : « Nous aurions dû anticiper l'augmentation du besoin en fonds de roulement nécessaire à ce projet. » Dans le prochain projet, le besoin en fonds de roulement sera attentivement examiné.

Il se peut que les post-audits ne puissent pas mesurer les cash-flows générés par un projet, si le projet est indissociable du reste de l'activité de la société. Vous venez de racheter une entreprise de camionnage qui réalise des livraisons à des magasins. Vous décidez de doper cette activité en réduisant les coûts et en améliorant le service, à partir de trois types d'investissements :

1. L'achat de cinq nouveaux camions.
2. La construction d'une plate-forme de répartition.
3. L'achat d'un système informatique pour pister les colis et gérer les livraisons.

Un an après, vous réalisez un post-audit du système informatique. Vous vérifiez qu'il fonctionne correctement et que les différents coûts ont été conformes aux prévisions. Mais comment déterminer les cash-flows spécifiques qui ont été générés par l'informatisation ? Personne n'a noté le carburant qui *aurait été gaspillé* ou les livraisons supplémentaires qui *auraient été perdues* s'il n'y avait pas eu de gestion informatisée. Vous pouvez éventuellement constater que le service est meilleur, mais qu'est-ce qui est imputable aux nouveaux camions, à la plate-forme et à l'informatique ? Impossible à savoir. La seule manière de juger de l'efficacité de votre politique consiste à prendre l'activité de livraison dans son ensemble[3].

---

3. Et là encore, vous ne pourrez déterminer les cash-flows spécifiques que si vous pouvez établir ce que l'activité aurait dégagé si vous n'aviez pas fait ces changements.

2 Les décideurs ont besoin de bonnes informations

Les bonnes décisions d'investissement exigent de bonnes données. Les décideurs obtiendront ces informations seulement si les autres employés sont encouragés à les transmettre. Voici quatre problèmes d'information auxquels les décideurs financiers doivent réfléchir.

2.1 Établir des prévisions cohérentes

Très souvent, des prévisions contradictoires se glissent dans les propositions d'investissement. Supposez que le directeur de la division « Meubles » soit optimiste quant à l'évolution du marché immobilier, mais que le directeur de la division « Électroménager » soit pessimiste. Cette différence d'opinion se reflétera dans les projets de la division « Meubles » qui paraîtront plus attirants que ceux émanant de la division « Électroménager ». La direction générale doit négocier une estimation commune et s'assurer que toutes les VAN sont recalculées en se basant sur cette estimation. Les projets peuvent alors être évalués de manière cohérente.

C'est pourquoi de nombreuses entreprises entament le processus de choix d'investissement en prévoyant les principaux indicateurs économiques (inflation ou croissance du PNB) et en indiquant les valeurs prévues pour des éléments importants pour l'entreprise (nombre de nouvelles constructions ou prix des matières premières). Ces prévisions sont alors utilisées comme base de toutes les analyses de projets.

2.2 Réduire les biais de prévision

Toute personne désireuse de voir son projet accepté aura tendance à privilégier le côté positif lorsqu'elle établit les prévisions de cash-flows. Cet optimisme est courant lors des prévisions financières et probablement encore plus lors des prévisions faites par les pouvoirs publics : avez-vous jamais entendu qu'une autoroute ou un barrage ait coûté *moins* que prévu ?

Vous ne pourrez sans doute jamais totalement éliminer les biais, mais, en étant conscient de leurs causes, vous aurez déjà fait une partie du chemin. Les promoteurs de projets auront tendance à en donner une vision flatteuse si vous, le responsable, les encouragez dans cette voie. Si, par exemple, ils pensent que la taille de la division est plus importante que sa rentabilité, ils proposeront de grands projets même s'ils pensent que les VAN de ces projets sont négatives. Ou si vous incitez chaque division à entrer en concurrence pour des ressources limitées, vous serez face à une situation dans laquelle chacune tentera de surenchérir par rapport aux autres pour obtenir ces ressources. La responsabilité, dans tous ces cas, vous revient.

2.3 Fournir à la direction générale l'information nécessaire

De nombreux problèmes résultent du désir des promoteurs de voir leurs projets acceptés. À mesure que les propositions progressent dans la hiérarchie, des alliances se forment. La préparation des demandes nécessite inévitablement des compromis.

La concurrence entre divisions peut être bénéfique si elle force les responsables à examiner à fond leurs projets. Mais cette concurrence a un coût. Ainsi, plusieurs milliers de demandes d'autorisation de dépense seront transmises chaque année à la direction générale, toutes présentées de la manière la plus convaincante. Le risque est donc que la direction générale ne puisse obtenir (et encore moins absorber) toute l'information nécessaire pour évaluer chaque projet rationnellement.

Ces risques sont illustrés par le problème pratique suivant : devons-nous fixer un coût d'opportunité du capital bien précis pour le calcul des VAN des projets de la division « Meubles » ? En théorie, la réponse est clairement *oui*, pour autant que les projets de la division appartiennent tous à la même classe de risque. Rappelez-vous que l'essentiel de l'analyse est réalisé au niveau des usines et des divisions. Seule une petite partie des projets analysés est transmise à la direction générale. Or, les directeurs d'usine et de division ne peuvent porter un jugement correct sans connaître le coût d'opportunité du capital.

Supposons que la direction générale fixe un taux de 12 %. Ceci permet aux directeurs d'usine de prendre des décisions rationnelles. Mais cela leur permet également de déterminer la dose d'optimisme nécessaire pour que leur projet soit approuvé. **La deuxième loi de BAtMan** s'énonce ainsi : « *La proportion de projets à VAN positive est indépendante du coût d'opportunité du capital fixé par la direction générale*[4]. »

Il ne s'agit pas d'une conjecture fantaisiste. La loi a été vérifiée dans une grande compagnie pétrolière, où la direction financière enregistrait les rentabilités attendues des projets proposés. Une année, la direction générale annonça des mesures pour conserver la trésorerie. Pour limiter les dépenses d'investissement, elle augmenta le taux d'actualisation de plusieurs points de pourcentage. Mais les projets à VAN positive représentaient toujours 85 % de l'ensemble des projets : la sévérité accrue de la direction générale a été suivie d'une augmentation de l'optimisme des prévisions.

Une entreprise dont les dirigeants se contentent d'informations médiocres doit affronter deux conséquences. D'abord, la direction générale ne peut évaluer les projets individuels. Dans une étude faite par Bower sur une grande entreprise, les projets acceptés par un directeur de division étaient rarement remis en cause par ses pairs et n'étaient presque jamais rejetés par la direction générale[5]. Ensuite, comme les dirigeants contrôlent peu les décisions au niveau des projets individuels, les décisions d'investissement sont, de fait, décentralisées et ce, indépendamment des procédures formelles mises en place.

Certaines directions générales essaient d'imposer une discipline et de compenser l'optimisme en fixant des limites strictes aux dépenses d'investissement. Ce système de rationnement artificiel du capital oblige les usines et les divisions à préciser leurs priorités. L'entreprise finit par utiliser le rationnement des fonds, non pas parce que les fonds ne peuvent être obtenus, mais uniquement comme une méthode de décentralisation des décisions.

2.4 Éliminer les conflits d'intérêt

Les directeurs d'usine et de division sont soucieux de leur propre avenir. Des conflits d'intérêt avec les actionnaires peuvent parfois conduire à des décisions d'investissement qui ne maximisent pas la richesse des actionnaires. Par exemple, les nouveaux directeurs d'usines seront désireux d'afficher rapidement de bons résultats dans l'espoir d'une promotion. Ils peuvent ainsi proposer des projets rentabilisés rapidement, quitte à sacrifier la VAN. Et si

4. BAtMan pour Brealey, Allen, Thibierge, Myers et autres noms. Il n'y a pas de première loi. Nous pensions que « deuxième loi » sonnait mieux. Il y a une troisième loi, qui sera énoncée dans un chapitre ultérieur.

5. Voir J. L. Bower, *Managing the Resource Allocation Process : A Study of Corporate Planning and Investment*, Division of Research, Graduate School of Business Administration, Harvard University, Boston, 1970.

leurs performances sont jugées sur les résultats comptables, ils favoriseront les projets qui améliorent les bénéfices. Cela nous amène au sujet suivant : comment motiver les cadres.

3 Les incitations

Les gestionnaires n'agiront dans l'intérêt des actionnaires que s'ils y sont incités. Nous commençons cette section avec un aperçu des problèmes d'agence rencontrés habituellement dans les choix d'investissement, puis nous regardons comment les dirigeants sont effectivement rémunérés. Enfin, nous analysons comment les dirigeants peuvent mettre en place des incitations pour les cadres et les employés directement concernés.

3.1 Les problèmes d'agence en choix d'investissement

Comme vous l'avez probablement deviné, il n'y a aucun système d'incitation parfait. Mais il est facile de repérer ce qui ne marchera pas. Supposons que les actionnaires décident de payer le dirigeant avec un salaire fixe : pas de bonus, pas de stock-options, seulement x euros par mois. Le dirigeant, en tant qu'agent des actionnaires, est chargé d'investir dans tous les projets à VAN positive. Ce dirigeant essaiera de remplir sa tâche, mais rencontrera plusieurs tentations :

- **Réduire son effort.** La recherche d'investissements réellement rentables demande beaucoup d'efforts et de stress. Le dirigeant sera tenté de lâcher la bride.
- **Engager des dépenses somptuaires.** Le dirigeant de notre exemple n'a aucun bonus, seulement x euros par mois. Mais il peut toujours s'octroyer un bonus en tickets pour des événements sportifs, en aménagements luxueux pour son bureau, en réunions organisées dans des hôtels de luxe, et ainsi de suite. Au sujet de ces dépenses somptuaires, les économistes parlent de *bénéfices privés*. Les gens ordinaires parlent de *taper dans la caisse*.
- **Se constituer un empire.** Toutes choses égales par ailleurs, les dirigeants préfèrent administrer de grandes entreprises que des petites.
- **S'enraciner.** Imaginons qu'un dirigeant soit face à deux projets de développement. L'un demande des compétences que ce dirigeant possède justement. L'autre demande simplement un dirigeant sans compétences particulières. Devinez lequel de ces deux projets ce dirigeant va entreprendre. Généralement, la sélection de projets qui se fondent spécifiquement sur les compétences des dirigeants actuels est appelée *stratégie d'enracinement* (*entrenchment*[6]).

  Les stratégies d'enracinement et la constitution d'empire sont des symptômes typiques d'un surinvestissement, c'est-à-dire un investissement au-delà du point où les VAN deviennent négatives. La tentation de surinvestir est la plus grande quand la société

---

6. Sur l'*entrenchment*, voir A. Schleifer, R. W. Vishny, « Management Entrenchment : The Case of Manager-Specific Investments », *Journal of Financial Economists*, 25 (novembre 1989), pp. 123-140. Au sujet de l'enracinement des dirigeants, voir M. Paquerot, « Stratégies d'enracinement des dirigeants, structures de contrôle et performances des firmes » dans G. Charreaux (éd.), *Le gouvernement des entreprises*, Économica, 1997. Les rapports entre enracinement et contrôle des dirigeants sont subtilement analysés dans H. Alexandre, M. Paquerot, « Efficacité des structures de contrôle et enracinement des dirigeants », *Finance Contrôle Stratégie*, vol. 3, n° 2 (juin 2000), pp. 5-30.

dispose de quantité de trésorerie et d'opportunités d'investissement limitées. Michael Jensen appelle cela un problème de *free cash-flow*[7].

- **Éviter le risque.** Si un dirigeant ne reçoit qu'un salaire fixe et ne peut donc profiter des scénarii optimistes de projets risqués, il préférera les projets peu risqués aux projets risqués. Et pourtant, ce sont souvent les projets risqués qui ont des VAN positives très importantes.

Un dirigeant avec un salaire fixe évitera rarement toutes ces tentations. La perte de valeur résultante est appelée *coût d'agence.*

3.2 Le contrôle

Les coûts d'agence peuvent être réduits de deux manières : en contrôlant les efforts et les décisions des dirigeants ou en leur donnant les bonnes incitations pour maximiser la valeur de la société.

Le **contrôle** permet d'éviter les coûts d'agence les plus évidents, comme des dépenses somptuaires énormes ou la création d'empire. Cela permet de vérifier que le dirigeant alloue suffisamment de temps à son travail. Mais le contrôle est coûteux en temps, en effort et en argent. Il est toujours intéressant d'exercer un minimum de contrôle, mais on atteint vite la limite à laquelle un euro supplémentaire dépensé en contrôle ne sera pas compensé par un euro d'économie en coût d'agence. Comme tous les investissements, le contrôle a des rendements décroissants.

De plus, certains coûts d'agence ne peuvent pas être éliminés par un contrôle exhaustif. Il est évident que les dirigeants en savent plus sur les projets de l'entreprise que ne pourront jamais en savoir des personnes extérieures. Si les actionnaires pouvaient faire la liste de tous les projets avec leurs VAN, il n'y aurait plus besoin de dirigeants !

En pratique, qui contrôle effectivement ? Au final, cette responsabilité incombe à l'actionnaire, mais dans les grandes sociétés cotées, le contrôle est délégué au **conseil d'administration**, qui est élu par les actionnaires et est censé représenter leurs intérêts. Ce conseil d'administration organise régulièrement des réunions avec les dirigeants de l'entreprise. Les administrateurs y viennent pour apprendre quels sont les projets de l'entreprise, ses performances, les forces et faiblesses de ses dirigeants.

Le conseil d'administration emploie aussi des auditeurs indépendants pour analyser les comptes de la société. Si l'audit n'a décelé aucun problème, les auditeurs certifient que les états financiers donnent une image représentative de la santé de la société, et sont conformes aux standards comptables en vigueur.

Si des problèmes sont détectés, les auditeurs vont proposer des changements dans les procédures ou les décisions comptables. Les dirigeants acceptent presque toujours ces changements, car si jamais les recommandations ne sont pas suivies, les auditeurs vont certifier les comptes avec réserves, ce qui représente un mauvais signal pour la société et ses actionnaires. Une *certification avec réserves* suggère que les dirigeants masquent des informations et cela va entamer la confiance des investisseurs sur leur capacité à contrôler effectivement l'activité.

7. M. C. Jensen, « Agency Costs of Free Cash Flow, Corporate Finance and Takeovers », *American Economic Review*, 76 (mai 1986), p. 323.

Et quand les investisseurs entendent parler de problèmes comptables *qui n'ont pas été détectés par les auditeurs*, l'enfer n'est rien en comparaison. En janvier 2004, Adecco, grande société suisse de travail temporaire, a annoncé la découverte de plusieurs irrégularités comptables dans sa filiale nord-américaine. Le jour suivant, l'action Adecco a perdu 40 %, enlevant ainsi 5 milliards de dollars à la valeur de marché de la société.

Les banquiers et créanciers financiers contrôlent aussi la société. Si une société est fortement endettée auprès d'une banque, cette banque va suivre l'évolution des actifs, des résultats et du cash-flow. En exerçant un contrôle pour protéger son prêt, la banque contribue en même temps à protéger les intérêts des actionnaires[8].

Le contrôle délégué est particulièrement important quand l'actionnariat est relativement dispersé. Quand le nombre des actionnaires est important, et que chacun ne détient qu'une petite part du capital, ces investisseurs individuels ne peuvent consacrer beaucoup de temps et d'énergie au contrôle des dirigeants. Chacun sera tenté de se décharger de cette tâche sur les autres. Mais si tout le monde compte sur les autres, rien ne sera fait : le contrôle par les actionnaires ne sera ni efficace ni précis. Les économistes parlent alors de problème du passager clandestin (*free rider* dans la langue de Betty Boop)[9].

3.3 Fournir des incitations aux dirigeants

Parce que le contrôle est forcément imparfait, il faut définir des plans de rémunération pour inciter les dirigeants à une bonne gestion.

La rémunération peut être fondée sur les moyens (par exemple, les efforts du dirigeant) ou sur les résultats (rentabilité effective, création de valeur). Les moyens sont difficiles à mesurer : comment, par exemple, évaluer l'effort fourni ? Les incitations sont alors presque toujours fondées sur les résultats. Le problème est que ces résultats dépendent non seulement des décisions du dirigeant, mais aussi de quantité d'événements en dehors de son contrôle. Si vous ne pouvez pas évaluer précisément la contribution du dirigeant, vous êtes face à un dilemme. Vous cherchez un moyen d'incitation efficace pour les dirigeants, de telle sorte qu'ils bénéficient de tous leurs efforts, mais sans qu'ils supportent tous les risques de fluctuation de la valeur de marché de la société.

Le résultat est un compromis. Les entreprises lient la rémunération des dirigeants à la performance, mais les fluctuations dans la valeur de la société sont partagées entre les dirigeants et les actionnaires. Les dirigeants supportent certains des risques en dehors de leur contrôle et les actionnaires supportent certains coûts d'agence, si par exemple les dirigeants privilégient leurs intérêts personnels, construisent un empire ou plus généralement ne contribuent pas à maximiser la création de valeur. Ainsi, certains coûts d'agence sont inévitables. Par exemple, étant donné que si les dirigeants travaillent beaucoup, ils devront partager les gains avec les

8. Les intérêts des actionnaires et des créanciers financiers ne sont pas toujours alignés (voir chapitre 18). Mais quand une société est solvable vis-à-vis de ses banquiers, cela représente généralement de bonnes nouvelles pour ses actionnaires, surtout quand les banquiers sont en position de surveiller correctement la gestion. Voir C. James, « Some Evidence On the Uniqueness of Bank Loans », *Journal of Financial Economics*, 19 (décembre 1987), pp. 217-235.

9. Ce problème du passager clandestin semble impliquer qu'aucun contrôle ne sera fait par un actionnariat dispersé. Mais les investisseurs ont d'autres raisons de suivre la gestion des sociétés : ils veulent gagner de l'argent en achetant des actions sous-évaluées, et en vendant des sociétés surévaluées. Pour cela, ils doivent analyser la performance des sociétés.

actionnaires, alors que s'ils sont dépensiers ou paresseux, ils vont récupérer tous les bénéfices personnels, certains seront moins tentés de faire des efforts que si les actionnaires pouvaient rémunérer parfaitement leur travail.

3.4 La rémunération des dirigeants

La figure 12.1 présente les niveaux de rémunération des dirigeants dans différents pays du monde. On remarque d'emblée que les États-Unis affichent des montants très élevés par rapport aux autres pays. En 2002 par exemple, la rémunération moyenne accordée aux présidents-directeurs généraux des entreprises appartenant à l'indice composite du Standard & Poor's s'élevait à 9,4 millions de dollars, soit près de 500 fois la rétribution perçue par l'employé de base[10]. Selon le classement de la revue *Business Week*, le record de la rémunération la plus élevée est revenu à Larry Ellison, le PDG de la société Oracle Corporation, qui a reçu 706 millions de dollars en 2001[11].

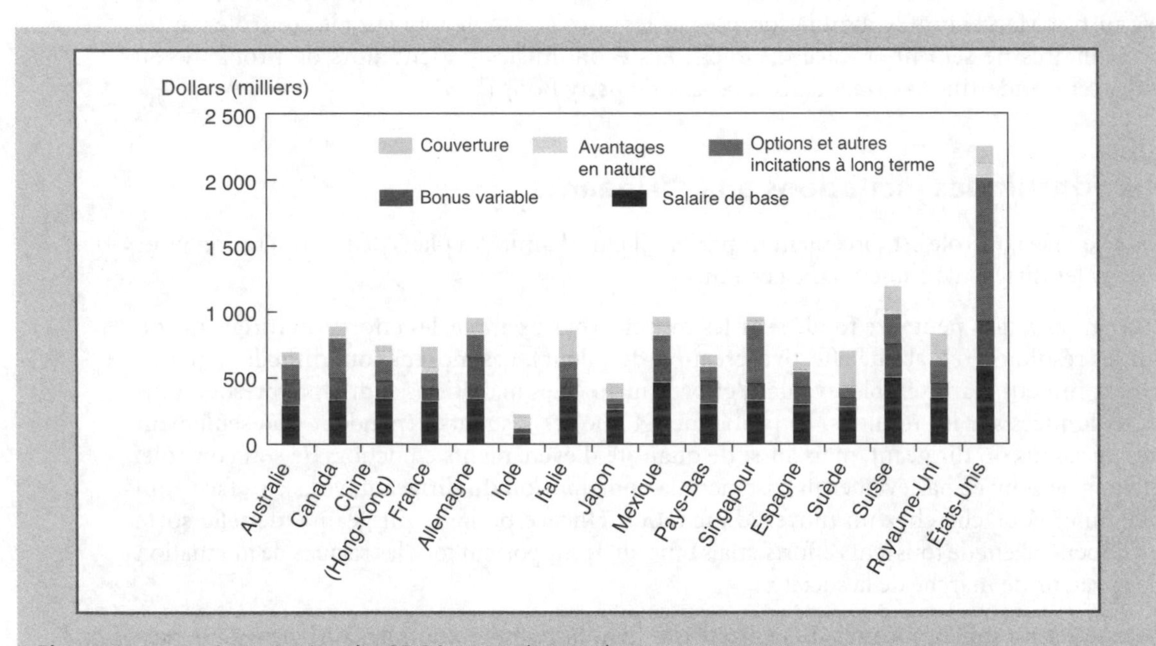

Figure 12.1 - La rémunération des PDG à travers le monde.
Note : la « couverture » inclut les cotisations retraite, les primes d'assurance, etc.
Source : Towers Perrin, Worldwide Total Remuneration, 2003-2004, © 2004 Towers Perrin, tous droits réservés.

Des niveaux aussi élevés de rémunération pour les dirigeants encouragent sans nul doute les PDG à travailler dur et, ce qui est également important, fournissent une motivation certaine à ceux qui aspirent à le devenir. Néanmoins, Larry Ellison avait-il réellement besoin de 706 millions de dollars pour s'investir pleinement ? Ou bien les dirigeants américains réduiraient-ils leurs efforts si leurs émoluments étaient réduits

10. B. J. Hall et K. J. Murphy, « The Trouble with Stock Options », *Journal of Economic Perspectives*, 17 (été 2003), pp. 49-70.
11. Il est toujours possible de contester la façon dont la rémunération totale devrait être calculée. *Business Week* a inclus la valeur des stock-options *levées* durant l'année, mais pas celle des options *accordées*.

aux niveaux de ceux reçus par leurs homologues européens ? Les niveaux élevés de rémunération des dirigeants aux États-Unis reflètent peut-être simplement la concurrence dans l'embauche des meilleurs cadres dirigeants, davantage qu'une incitation à travailler encore plus dur.

Une seconde caractéristique inhabituelle des États-Unis renvoie à la part relativement faible du salaire fixe dans la rémunération totale des PDG. L'équilibre est largement rétabli par l'octroi de bonus et par les incitations de long terme, telles que les plans de stock-options permettant au dirigeant d'acheter des actions de l'entreprise à un prix fixé à l'avance.

La popularité des plans de stock-options n'a cessé de croître aux États-Unis, et ce depuis longtemps déjà[12]. Ce phénomène a été pour partie encouragé par les traitements comptables et fiscaux dont bénéficient les stock-options. Lorsque les entreprises calculent leur revenu, elles sont autorisées à traiter les octrois d'options de deux façons différentes. La première consiste à déduire de leur bénéfice la valeur de marché de toutes les options accordées durant l'année. La seconde permet de déduire tout excédent de la valeur de marché de l'action par rapport au prix d'exercice des options. Dans ce cas, hormis lorsque le prix d'exercice est fixé en dessous du prix de marché au moment de l'octroi des options, l'entreprise peut accroître son revenu en payant ses dirigeants avec des stock-options plutôt qu'en liquide[13]. De façon compréhensible, beaucoup d'investisseurs se sont inquiétés des conséquences de l'utilisation de la seconde méthode, qui peut permettre de dissimuler une dépense potentiellement massive au sein des comptes de l'entreprise. Quelques grandes entreprises ont ainsi décidé d'adopter la première méthode, et déduisent donc de leur revenu la valeur moyenne de toutes les options accordées. Si ceci devient une pratique répandue ou (comme cela semble vraisemblable) obligatoire, les dirigeants et les investisseurs pourraient devenir plus attentifs aux coûts des programmes de stock-options.

Les options peuvent également présenter un avantage fiscal. Depuis 1994, toute rémunération de plus d'un million de dollars accordée aux cadres supérieurs est estimée excessive et ne peut plus être considérée comme une charge déductible aux yeux de l'administration fiscale. À l'opposé, aucune restriction de ce type ne s'applique aux rétributions sous forme de stock-options. Aussi, les stock-options peuvent être relativement moins coûteuses qu'un paiement en argent liquide.

Lorsque le dirigeant qui possède des stock-options travaille pleinement à la maximisation de la valeur de l'entreprise, il sert à la fois les intérêts des actionnaires de cette compagnie et les siens propres. Mais ceci suscite une nouvelle interrogation : puisque les dirigeants ne sont pas responsables des fluctuations conjoncturelles du marché boursier, pourquoi les sociétés ne relieraient-elles pas leur rémunération au rendement relatif des actions par rapport au marché ou à ses concurrents directs ? Ceci permettrait de créer un lien encore plus étroit entre la rémunération des dirigeants et leurs propres contributions.

---

12. Selon les calculs de Hall et Murphy, la valeur réelle (c'est-à-dire déduction faite de l'inflation) des options accordées par les grandes entreprises américaines à leurs cadres dirigeants et à leurs autres employés est passée d'une moyenne de 22 millions de dollars par entreprise en 1992 à 238 millions de dollars par entreprise en 2000, avant de revenir à 141 millions en 2002. Voir Hall et Murphy, *op. cit.*

13. Les entreprises sont cependant obligées de fournir des informations détaillées sur les octrois d'options dans une annexe aux comptes. Aboody et al. soutiennent l'idée que les investisseurs tiennent compte de cette information lorsqu'ils évaluent une action. Voir D. Aboody, M. E. Barth et R. Kasznik, « SFAS 123 Stock-Based Compensation Expense and Equity Market Values », Graduate School of Business, Stanford University, 2003. La *Revue Banque* a consacré un dossier à la question des rémunérations. Voir « Dossier Rémunérations », *Revue Banque*, n° 672, septembre 2005, pp. 24-46.

Un autre problème difficile se présente. La valeur de marché des actions d'une société reflète les anticipations des investisseurs. La rentabilité boursière dépendra du comportement par rapport aux anticipations. Par exemple, imaginons qu'une société annonce la nomination d'un excellent dirigeant. Le cours boursier va bondir, en anticipation d'une amélioration de la performance. Par conséquent, si le nouveau dirigeant fournit exactement la performance que les investisseurs ont anticipée, l'action ne fournira qu'un taux de rentabilité moyen. Un système de rémunération fondé sur le cours boursier ne permettra pas de reconnaître la contribution spécifique du dirigeant.

Si nous voulons que les dirigeants maximisent la création de valeur pour les actionnaires, il semble pertinent de les récompenser lorsqu'ils travaillent en ce sens. Cependant, les scandales comptables ayant frappé des entreprises telles qu'Enron et WorldCom ont conduit à des inquiétudes légitimes s'agissant des dirigeants détenant des actions ou des stock-options. Ces derniers peuvent en effet être tentés de manipuler leurs résultats comptables afin de tirer vers le haut le prix de leurs actions. Aussi, le système de rémunération des dirigeants basé sur la valorisation de l'action fonctionnera *seulement* dans un contexte ouvert et transparent, de telle sorte que les dirigeants ne puissent tirer parti des informations privilégiées dont ils disposent sur l'état réel de l'entreprise[14].

4 La mesure et la rémunération de la performance : le revenu résiduel et l'EVA

La plupart des cadres supérieurs d'entreprises cotées ont une rémunération qui dépend en partie de la performance boursière de leur société. Mais leur rémunération dépend aussi de l'augmentation des résultats ou d'autres mesures de performance comptable. Plus on descend dans la hiérarchie, plus la rémunération est fondée sur des résultats comptables et moins sur des rentabilités boursières.

4.1 Comment mesurer la performance des dirigeants ?

Les mesures comptables de la performance présentent deux avantages :

- Elles sont fondées sur une performance absolue, et non sur une performance relative par rapport aux anticipations des investisseurs.
- Elles permettent de mesurer la performance de jeunes cadres dont la responsabilité ne s'étend qu'à une seule division ou une seule usine.

Mais le fait de relier la rémunération au résultat comptable contribue à créer des problèmes. Premièrement, les dirigeants peuvent influer sur la publication des résultats comptables. Par exemple, les cadres dont le bonus va dépendre des résultats à court terme peuvent décider de réduire des dépenses (maintenance, formation des salariés).

14. La loi Sarbanes-Oxley tente de faire face à ce problème en exigeant des dirigeants le remboursement de tous les gains tirés des bonus et des ventes d'actions sur une période de 12 mois suivant un bilan financier devant être par la suite révisé du fait de « malversations ».

Cela ne va créer aucune valeur, mais un cadre ambitieux, espérant une promotion rapide, peut être tenté d'augmenter les profits à court terme, tout en laissant les problèmes à long terme à ses successeurs.

Deuxièmement, les résultats comptables sont des mesures qui peuvent être fortement biaisées par rapport à la réalité. Nous détaillerons ce problème dans la prochaine section.

Troisièmement, ce n'est pas parce que les résultats comptables augmentent que les actionnaires sont mieux lotis. N'importe quel investissement avec un taux de rentabilité positif (il suffit de 1 ou 2 %) va augmenter les résultats comptables. Ainsi, si l'on demande aux dirigeants d'augmenter les résultats comptables, ils vont, à la lettre, investir dans des projets qui rapportent du 1 ou 2 % par an, en fait des projets qui détruisent de la valeur. Les actionnaires ne veulent que des investissements à VAN positive, avec un taux de rentabilité anticipé supérieur au coût du capital.

En bref, les dirigeants ne doivent pas oublier le coût du capital. Leur performance doit être fondée sur la valeur créée, le *supplément de rentabilité* par rapport au coût du capital.

Prenons le tableau 12.1, qui donne un compte de résultat simplifié et un bilan pour l'usine de confabulateurs de Bouze-les-Beaune. Il existe deux méthodes pour juger si l'usine a créé de la valeur pour l'actionnaire.

Tableau 12.1. Compte de résultat et bilan simplifié de l'usine de confabulateurs à Bouze-les-Beaune (en millions d'euros)

Compte de résultat		Bilan (actif)	
Ventes	550	Immobilisations de production	1 170
Coût des ventes*	275	Moins amortissement cumulé	360
Frais généraux	75	Investissement net	810
	200	Autres actifs	110
Impôt (35 %)	70	Besoin en fonds de roulement**	80
Résultat net	130	Total actifs	1 000

* y compris les amortissements.
** BFR = stocks + créances clients - dettes d'exploitation.

Les données de ce tableau, comme celles de tous les tableaux de ce chapitre, sont disponibles sur *www.gestionfinanciere.pearsoned.fr*

Le retour net sur investissement Au plan comptable, le retour sur investissement (*return on investment*, ou ROI, dans la langue de Donald Duck) se calcule simplement comme le ratio du résultat d'exploitation après impôts sur la valeur comptable nette (i.e. amortie) des actifs. Au chapitre 5, nous avons rejeté le ROI comptable comme critère d'investissement, et dans la pratique, très peu d'entreprises l'utilisent à cet effet. Néanmoins, les cadres dirigeants l'emploient fréquemment pour évaluer les performances d'une branche ou d'une usine, en comparant son ROI avec le coût du capital. Le calcul du retour net sur investissement donne alors la différence entre les deux.

Comme on peut le voir dans le tableau 12.1, l'entreprise a investi 1 milliard d'euros dans l'usine de Bouze-les-Beaune[15]. Le résultat comptable de l'usine est de 130 millions d'euros. L'usine a donc un ROI de 130 / 1 000 = 13 %[16]. Si le coût du capital est, par exemple, de 10 %, alors l'usine crée de la valeur pour l'actionnaire. Le retour *net* est de 13 – 10 = 3 %. Si le coût du capital était de 20 %, alors les actionnaires auraient préféré que le milliard d'euros soit investi ailleurs puisque le retour net serait négatif, de 13 – 20 = –7 %.

Le revenu résiduel, ou l'economic value added (EVA©)[17] Quand les entreprises calculent leurs résultats comptables, elles partent des ventes et déduisent tous les coûts, comme les achats de matières premières, les frais généraux, les impôts. Mais il existe un coût qu'elles ne déduisent généralement pas : le coût du capital. Certes, elles prennent en compte les amortissements des immobilisations qui ont été financées par les investisseurs, mais ces mêmes investisseurs attendent une rentabilité positive sur ces investissements. Comme nous l'avons montré dans le chapitre 10, une entreprise qui est au point mort en termes de résultat comptable est en réalité en perte : elle ne couvre pas son coût du capital.

Pour estimer la création nette de valeur, il nous faut déduire le coût du capital qui a été apporté par la maison mère et ses actionnaires. Par exemple, supposons que le coût du capital de cette société soit de 12 %. Le coût du capital de l'usine, exprimé en euros, est de 0,12 × 1 000 = 120 millions. Le gain net est donc de 130 – 120 = 10 millions d'euros. Cela représente ce qui a été ajouté à la richesse des actionnaires, grâce au travail (ou à la chance) des dirigeants.

Ce gain net, après déduction du coût du capital, est appelé revenu résiduel (*economic value added* ou EVA). La formule est :

$$\begin{aligned} \text{EVA} = \text{revenu résiduel} &= \text{résultat net} - \text{coût du capital (en montant)} \\ &= \text{résultat net} - (\text{coût du capital} \times \text{investissement}) \end{aligned}$$

Dans notre exemple, le calcul donne :

$$\text{EVA} = \text{revenu résiduel} = 130 - (0{,}12 \times 1\,000) = +10 \text{ millions d'euros}$$

Mais si le coût du capital était de 20 %, l'EVA serait de –70 millions.

Le retour net sur investissement et l'EVA se focalisent sur la même question. Quand le retour sur investissement est égal au coût du capital, le retour net et l'EVA sont tous deux égaux à zéro. Le retour net est exprimé en pourcentage et ignore la taille de la société ;

15. En pratique, l'investissement devrait être mesuré comme la moyenne entre les actifs en début d'année, et ceux en fin d'année (voir chapitre 29).

16. Notez que le résultat comptable est calculé après impôts, mais avant intérêts financiers. L'usine est évaluée comme si elle était financée uniquement par actions. Cela correspond à la pratique courante (voir chapitre 6). Cela permet de dissocier les décisions d'investissement et les décisions de financement. Les économies d'impôts dues au financement par dette sont incluses dans le taux d'actualisation, pas dans les cash-flows. Le coût du capital sera égal au coût moyen pondéré du capital (CMPC, ou *WACC* en anglais). Cette notion est expliquée dans le chapitre 19.

17. EVA est le terme utilisé par la société de conseil Stern-Stewart, qui a beaucoup fait pour populariser et mettre en œuvre cette notion de revenu résiduel. Avec la permission de Stern-Stewart, nous omettrons le symbole copyright dans les paragraphes qui suivent. Pour une étude sur le marché français, comparant les rendements boursiers, l'EVA et les indicateurs comptables, voir S. Pariente, « Rendement boursier, création de valeur et données comptables : une étude sur le marché français », *Finance Contrôle Stratégie*, vol. 3, n°3 (septembre 2000), pp. 125-153.

par opposition, l'EVA tient compte du montant du capital investi et du montant de la richesse créée en euros.

De plus en plus de sociétés calculent désormais leur EVA et relient la rémunération de leurs dirigeants à cet indicateur, car elles pensent que mettre l'accent sur l'EVA aide les dirigeants à se concentrer sur la création de valeur pour l'actionnaire. Quaker Oats est un exemple :

> « Jusqu'à ce que Quaker adopte l'EVA en 1991, ses divisions avaient un objectif majeur : augmenter les résultats comptables trimestriels. Pour cela, elles gaspillaient du capital. Elles offraient d'énormes réductions de prix à la fin de chaque trimestre, de telle sorte que les usines tournaient à plein temps pour livrer tous les produits demandés. Les dirigeants encourageaient cette frénésie, puisque leur bonus dépendait d'une croissance des bénéfices comptables.
>
> Cela correspond à une pratique pernicieuse, qui consiste à suralimenter les chaînes de distribution des produits, et beaucoup de producteurs de biens de consommation sont en train d'admettre que cela réduit la rentabilité à long terme. La raison principale est que cela demande énormément de capital. Le fait de doper les ventes impliquait d'avoir beaucoup d'entrepôts (c'est-à-dire du capital) pour emmagasiner des énormes stocks temporaires (ce qui demandait encore plus de capital). Mais qui s'en préoccupait ? Dans la comptabilité du groupe, les divisions opérationnelles n'avaient pas à payer un loyer pour le capital employé, et donc elles n'en avaient cure. Il a fallu l'arrivée de l'EVA pour identifier ce problème[18]. »

Quand Quaker mit l'EVA en place, le gaspillage de capital diminua.

Le terme EVA a été popularisé par l'entreprise de conseil Stern-Stewart. Mais le concept de revenu résiduel date d'il y a plus longtemps[19], et beaucoup de sociétés non clientes de Stern-Stewart utilisent ce concept pour mesurer la performance de leurs dirigeants et les rémunérer.

D'autres entreprises de conseil présentent leurs propres modèles de revenu résiduel. McKinsey parle de *profit économique* (capital investi multiplié par la différence entre le retour sur investissement et le coût du capital).

L'application principale de l'EVA consiste à mesurer et rémunérer les performances à l'intérieur d'une société. Le tableau 12.2 montre ainsi les mesures de création de valeur réalisées au sein du groupe Accor depuis 1998. Ce groupe a réussi chaque année à dégager de l'ordre de 200 millions d'euros d'excédent de valeur par rapport à l'exigence de rentabilité de ses financeurs. L'EVA a aussi été utilisée pour classer les sociétés en termes de création de valeur[20].

---

18. Shawn Tully, « The Real Key to Creating Shareholder Wealth », *Fortune* (20 septembre 1993), p. 48.

19. L'EVA est conceptuellement la même chose que la mesure de revenu résiduel qui a été longtemps défendue par certains chercheurs en comptabilité. Voir par exemple R. Anthony, « Accounting for the Cost of Equity », *Harvard Business Review* 51 (1973), pp. 88-102, et « Equity Interest – Its Time Has Come », *Journal of Accountancy*, 154 (1982), pp. 76-93.

20. Le cabinet Stern-Stewart a une base de données de sociétés, avec différents calculs de création de valeur. Les magazines français (notamment *L'Expansion*) ont publié des classements EVA de 1995 à 2000.

Tableau 12.2. EVA du groupe Accor, 1998-2004

	1998	1999	2000	2001	2002	2003	2004
Retour sur investissement (après impôts), en %	8,7 %	8,7 %	9,0 %	9,1 %	8,6 %	7,6 %	8,3 %
Coût du capital, en %	6,3 %	6,4 %	6,7 %	6,6 %	6,2 %	5,8 %	6,4 %
Capital investi, en millions d'euros	8 917	9 739	11 522	11 640	11 750	11 555	11 526
Economic value added (EVA), en millions d'euros	214	224	265	291	282	208	219

Note : l'EVA correspond au taux de rentabilité des investissements moins le coût du capital multiplié par les capitaux investis. Le taux de rentabilité des investissements correspond au ROCE, soit résultat d'exploitation sur capitaux investis, calculé après impôts. Les capitaux investis sont constitués des immobilisations et du besoin en fonds de roulement (BFR). *Source :* **www.accor.com.**

4.2 Les avantages et les inconvénients de l'EVA

Commençons par les avantages. L'EVA, le profit économique et les autres mesures du revenu résiduel sont clairement meilleurs que les résultats comptables pour mesurer la performance. Une usine ou une division qui génère beaucoup d'EVA signifie tout autant de la création de valeur pour les actionnaires que des félicitations pour ses dirigeants. L'EVA permet aussi de souligner les éléments de l'activité qui ne fonctionnent pas de manière optimale. Si une division n'arrive pas à dégager une EVA positive, il est probable que ses responsables devront répondre à des questions sur le fait que les actifs de la division pourraient être mieux employés ailleurs.

L'EVA envoie un message aux décideurs : n'investissez que si et seulement si vous pensez que la croissance des résultats sera suffisante pour couvrir le coût du capital. Pour des décideurs qui ont l'habitude de surveiller les résultats ou la croissance des résultats, c'est un message simple à comprendre. Par conséquent, l'EVA peut être utilisée à tous les niveaux d'une organisation, comme un système de rémunération par incitations. Cette mesure se substitue à un système de surveillance explicite de la direction générale. Au lieu d'ordonner au directeur d'usine et aux responsables de division de ne pas gaspiller du capital, et ensuite d'essayer de voir s'ils ont obéi, l'EVA les rémunère directement, et les incite à mûrir leurs décisions d'investissement. Si vous reliez la rémunération des cadres à l'EVA dégagée, vous devez aussi leur donner les moyens de prendre les décisions qui affectent cette EVA. Aussi, l'utilisation de l'EVA implique de déléguer la prise de décision.

L'EVA rend le coût du capital visible pour les décideurs opérationnels. Un directeur d'usine peut améliorer l'EVA (a) en augmentant les résultats, ou (b) en *réduisant* le capital employé. Ainsi, les actifs sous-employés sont revendus ou éliminés. Le besoin en fonds de roulement peut être réduit, ou en tout cas éviter d'être augmenté inconsidérément, comme pouvaient le faire les directeurs de divisions de Quaker avant l'implantation de l'EVA. Le directeur de l'usine de Bouze-les-Beaune peut décider de ne pas investir dans cette machine à choucroute ou ce chariot élévateur supplémentaire.

L'introduction du concept de revenu résiduel conduit souvent à des réductions surprenantes dans les actifs utilisés – il ne s'agit pas d'une ou deux décisions de désinvestissement important, mais plutôt d'une multitude de petits désinvestissements. Ehrbar cite ainsi un travailleur sur une machine textile chez Hermann Miller Corporation :

> « L'EVA vous permet de vous rendre compte que même les actifs ont un coût ... Nous avions l'habitude d'avoir des piles de tissu sur les tables qui attendaient que nous nous en servions... De toute façon, nous allions utiliser ce tissu, alors qui est-ce que ça gênait qu'on l'achète et qu'on l'empile ici ? Désormais, plus personne n'a du tissu en excès. Chacun a juste le matériau sur lequel il travaille le jour même. Cela a changé la façon dont nous travaillons avec nos fournisseurs : nous leur demandons de livrer du tissu plus souvent[21]. »

Mais quelles sont les limites de l'EVA ? Le problème auquel nous sommes confrontés ici est identique à celui qui rend difficile les mesures de performances fondées sur le cours des actions. Comment pouvez-vous déterminer si une EVA faible est la conséquence d'une mauvaise gestion ou de facteurs hors du contrôle du dirigeant ? Plus loin vous allez dans la structure, moins les cadres ont d'indépendance et, par conséquent, plus la question de la mesure de leur effort est problématique.

La seconde limite, commune à toute mesure comptable de la performance, provient des données utilisées lors du calcul. Cette question est l'objet de la prochaine section.

5 Les biais dans les mesures comptables de performance

Pour toute méthode de mesure de la performance qui dépend de données comptables, il vaut mieux espérer que les chiffres utilisés sont corrects. Hélas, la plupart du temps ils sont biaisés. L'application de l'EVA ou de toute autre mesure de performance exige par conséquent des retraitements importants du bilan et du compte de résultat.

Il est par exemple très difficile de mesurer la profitabilité d'un programme de recherche pharmaceutique, durant lequel il s'écoule de 10 à 12 ans entre la découverte d'un nouveau médicament et les autorisations légales permettant la mise sur le marché et les premières ventes. Cela implique 10 à 12 ans de pertes garanties, même si les cadres responsables du projet gèrent parfaitement celui-ci. Des problèmes analogues apparaissent lors des lancements de nouvelles entreprises, qui demandent des investissements en capital substantiels mais génèrent des résultats faibles ou négatifs lors des premières années d'exercice. Ceci n'entraîne pas forcément une VAN négative, pourvu que les résultats d'exploitation et les cash-flows soient suffisamment élevés par la suite. Mais l'EVA et le ROI seront négatifs durant les années de décollage.

Dans ces types de cas, le problème ne réside pas tant dans l'EVA ou le ROI que dans les données comptables. Le programme de recherche et développement pharmaceutique va dégager des pertes comptables, car les règles comptables imposent que les dépenses de R&D soient traitées comme des charges de l'exercice. Mais d'un point de vue économique, ces dépenses représentent un investissement, pas une charge. Si le plan de lancement d'une nouvelle entreprise prévoit des pertes comptables durant la période de décollage, mais affiche néanmoins une VAN positive, alors ces pertes constituent un véritable investissement : elles

21. A. Ehrbar, *EVA : les défis de la création de valeur*, Village Mondial, 2000.

représentent des dépenses en cash effectuées afin de générer des cash-flows supérieurs lorsque l'affaire aura atteint sa vitesse de croisière. Une mesure plus précise de l'EVA ou du ROI devra retraiter le revenu et les actifs pour tenir compte de cela[22].

Exemple : la mesure de la rentabilité du supermarché de Prusly-sur-Ource Les chaînes de supermarchés investissent beaucoup dans la construction et l'équipement de nouveaux magasins. Le responsable régional d'une chaîne envisage d'investir 1 million d'euros dans un nouveau magasin à Prusly-sur-Ource. Les cash-flows prévus sont les suivants :

	Année						
	1	**2**	**3**	**4**	**5**	**6**	**Après 6**
Cash-flows (milliers d'euros)	100	200	250	298	298	298	0

En réalité, un supermarché dure plus de 6 ans. Les chiffres contiennent une part importante de réalisme : il faut généralement deux ou trois ans pour qu'un nouveau magasin se crée une clientèle et la fidélise. Les cash-flows sont donc faibles pendant les premières années, même pour les meilleurs emplacements.

Nous supposerons que le coût d'opportunité du capital est de 10 %. La VAN du magasin de Prusly-sur-Ource à 10 % est nulle. Le projet est acceptable mais sans plus :

$$\text{VAN} = -1\,000 + \frac{100}{1{,}10} + \frac{200}{(1{,}10)^2} + \frac{250}{(1{,}10)^3} + \frac{298}{(1{,}10)^4} + \frac{298}{(1{,}10)^5} + \frac{298}{(1{,}10)^6} = 0$$

Avec une VAN nulle, le (vrai) taux de rentabilité interne de ces cash-flows est également de 10 %.

Le tableau 12.3 indique la rentabilité *comptable* prévue du magasin, avec un amortissement linéaire sur 6 ans. Le ROI comptable est inférieur au véritable taux de rentabilité pendant les deux premières années et supérieur ensuite. C'est le cas classique : les mesures comptables de la rentabilité sont trop faibles quand les projets sont jeunes et trop fortes quand ils arrivent à maturité.

Tableau 12.3. Bénéfice et ROI comptables prévus pour le projet de magasin à Prusly-sur-Ource. Le ROI comptable est inférieur au véritable taux de rentabilité pendant les deux premières années, et supérieur par la suite

	Année					
	1	**2**	**3**	**4**	**5**	**6**
Cash-flow	100	200	250	298	298	298
Valeur comptable en *début* d'année, amortissement linéaire	1 000	833	667	500	333	167
Valeur comptable en *fin* d'année, amortissement linéaire	833	667	500	333	167	0

22. Par exemple, la R&D ne devrait pas être traitée comme une dépense immédiate mais comme un investissement devant être ajouté au bilan et amorti sur une période raisonnable.

Tableau 12.3. Bénéfice et ROI comptables prévus pour le projet de magasin à Prusly-sur-Ource. Le ROI comptable est inférieur au véritable taux de rentabilité pendant les deux premières années, et supérieur par la suite (...)

	Année					
	1	**2**	**3**	**4**	**5**	**6**
Variation de la valeur comptable durant l'année	–167	–167	–167	–167	– 167	–167
Bénéfice comptable	–67	33	+83	+131	+131	+131
ROI comptable	–0,067	+0,04	+0,124	+0,262	+0,393	+0,784
EVA	–167	–50	+17	+81	+98	+115

À ce moment-là, le responsable régional entre en scène pour le monologue suivant :

> « Le magasin de Prusly-sur-Ource est un investissement raisonnable. Je devrais vraiment le proposer. Mais si l'investissement est réalisé, mes résultats ne seront pas très flatteurs l'année prochaine. Et que se passerait-il si je lançais également de nouveaux magasins à Ampilly-les-Bordes, Villers-Patras et Terrefondrée ? Leurs profils de cash-flows sont très similaires. Je pourrais même avoir l'air de perdre de l'argent l'année prochaine. Mes magasins actuels ne me permettent pas de couvrir les pertes initiales sur ces quatre nouveaux sites.
>
> Bien entendu, tout le monde sait qu'un nouveau magasin commence par perdre de l'argent. La perte sera budgétée. Mon patron comprendra – du moins, je le pense. Mais qu'en sera-t-il de son supérieur ? Qu'adviendra-t-il si le comité de direction pose des questions sur la rentabilité de ma région ? On me demande de générer de meilleurs résultats. Agathe Monet, la responsable de la région nord, a reçu un bonus, car elle avait réussi à accroître de 40 % le ROI comptable. Elle n'a pas beaucoup investi. »

Le responsable régional est soumis à des signaux contradictoires. D'une part, il doit trouver et proposer de bons projets d'investissement. « Bons » est déterminé par l'actualisation des cash-flows. D'autre part, il doit accroître les bénéfices comptables. Les deux objectifs sont contradictoires, car le bénéfice comptable ne donne pas une bonne mesure du véritable résultat. Si la pression pour accroître les bénéfices est forte, le responsable régional sera tenté de renoncer à des bons projets d'investissement ou préférera des projets ayant des délais de récupération courts à d'autres projets à long terme, même si ces derniers ont des VAN plus élevées.

L'EVA résoudrait-elle ce problème ? Non, elle serait négative les deux premières années d'ouverture du supermarché. L'année 2, par exemple

$$\text{EVA} = 33 - (0{,}10 \times 833) = -50$$

Ce type de calcul risque de renforcer les doutes du responsable régional à propos du nouveau magasin. Une fois encore, le problème ne vient pas du principe de l'EVA, mais de la mesure du résultat. Si le projet se développe comme prévu dans le tableau 12.3, l'EVA négative de l'année 2 sera en fait un investissement.

6 La mesure de la profitabilité économique

Réfléchissons un instant à une manière de mesurer la rentabilité. Il est facile de calculer une vraie rentabilité, « économique », pour des actions cotées. Il suffit de noter les revenus encaissés pendant l'année (les dividendes), d'y ajouter la variation du prix (plus-value ou moins-value) et de diviser par le prix de départ :

$$\text{Taux de rentabilité} = \frac{\text{Encaissements monétaires + variation de prix}}{\text{Cours initial}}$$

$$= \frac{\text{CF}_1 + (P_1 - P_0)}{P_0}$$

Le numérateur de l'expression du taux de rentabilité (cash-flow plus variation de valeur) est appelé **profit économique** :

$$\text{Profit économique} = \text{cash-flow} + \text{variation de valeur actuelle}$$

Ce concept s'applique à tous les actifs. Le taux de rentabilité est égal au cash-flow plus le changement de valeur divisé par la valeur initiale :

$$\text{Taux de rentabilité} = \frac{\text{CF}_1 + (\text{VA}_1 - \text{VA}_0)}{\text{VA}_0}$$

où VA_0 et VA_1 représentent les valeurs actuelles à la fin des années 0 et 1 respectivement.

La seule difficulté dans la mesure du profit économique et de la rentabilité est le calcul des valeurs actuelles. Vous pouvez observer la valeur de marché lorsque des parts des actifs s'échangent sur un marché, mais il existe peu d'usines ou de projets dont les propres actions sont cotées sur un marché boursier. Vous pouvez observer la valeur de marché de l'ensemble des actifs de l'entreprise mais non les valeurs individuelles.

Les comptables n'essaient même pas de mesurer les valeurs actuelles. Ils fournissent une valeur comptable (VC) égale au coût d'acquisition moins les dotations aux amortissements. Les entreprises utilisent la valeur comptable pour calculer la rentabilité comptable des capitaux investis (ROI) :

$$\text{Bénéfice comptable} = \text{cash-flow} - \text{amortissement comptable}$$
$$= \text{CF}_1 + (\text{VC}_1 - \text{VC}_0)$$

d'où :

$$\text{ROI comptable} = \frac{\text{CF}_1 + (\text{VC}_1 - \text{VC}_0)}{\text{VC}_0}$$

Comme l'amortissement comptable diffère de l'amortissement économique, la mesure comptable de la rentabilité sera erronée et ne donnera pas une mesure de la vraie rentabilité.

Ce n'est pas difficile de prévoir le profit économique et le taux de rentabilité. Le tableau 12.4 illustre ces calculs. À partir des prévisions de cash-flows, nous pouvons calculer les valeurs actuelles au début des années 1 à 6. La somme du cash-flow et de la *variation* de la valeur actuelle donne le profit économique. Le taux de rentabilité est égal au profit économique divisé par la valeur en début de période.

Bien entendu, il s'agit de prévisions. Les cash-flows réalisés seront différents. Le tableau 12.4 montre que les investisseurs *espèrent* gagner 10 % durant chacune des années de vie du magasin. Les investisseurs espèrent donc gagner le coût d'opportunité du capital chaque année en détenant cet actif[23].

Tableau 12.4. Profits économiques, taux de rentabilité et EVA pour le projet de magasin à Prusly-sur-Ource

*	Année					
	1	**2**	**3**	**4**	**5**	**6**
Cash-flow	100	200	250	298	298	298
VA en *début* d'année, au taux de 10 %	1 000	1 000	901	741	517	271
VA en *fin* d'année, au taux de 10 %	1 000	900	741	517	271	0
Variation de la valeur durant l'année	0	–100	–160	–224	–246	–271
Profit économique	100	100	90	74	52	27
Taux de rentabilité	0,10	0,10	0,10	0,10	0,10	0,10
EVA prévisionnelle	0	0	0	0	0	0

* *Note :* le profit économique est égal à la somme du cash-flow et de la variation de la valeur actuelle. Le taux de rentabilité est égal au profit économique divisé par la valeur en début d'année. L'EVA égale le profit économique moins le coût du capital multiplié par la valeur en début d'année.

L'EVA *doit* être égale à zéro, car le vrai taux de rentabilité du projet est égal au coût du capital. Ainsi, l'EVA donnera toujours le bon signal si le résultat est mesuré en prenant le profit économique et si les actifs sont correctement évalués.

6.1 Les biais disparaissent-ils avec le temps ?

Certains minimisent le problème que nous venons d'analyser. Une baisse temporaire du bénéfice comptable représente-t-elle vraiment un gros problème ? Les erreurs ne s'annuleront-elles pas à long terme ?

Il s'avère que les erreurs diminuent mais ne s'annulent pas totalement. Dans la situation stationnaire la plus simple, l'entreprise ne connaît pas de croissance et réinvestit chaque année le montant nécessaire pour préserver les bénéfices et les valeurs des actifs. Le tableau 12.5 illustre une situation stationnaire en termes de ROI comptable pour une division régionale qui ouvre un magasin chaque année. Pour simplifier, nous supposons que la division part de zéro et que chaque magasin est une réplique du magasin de Prusly-sur-Ource. La véritable rentabilité est donc de 10 %. Mais, comme le montre le tableau 12.5, le

23. Il s'agit d'un résultat général. La rentabilité prévue est toujours égale au taux d'actualisation utilisé pour estimer les valeurs actuelles.

ROI comptable est égal à 12,6 % et surestime donc la vraie rentabilité. Vous ne pouvez donc pas supposer que les erreurs de ROI comptable s'annuleront à long terme.

Tableau 12.5. ROI comptable pour un groupe de magasins semblables à celui de Prusly-sur-Ource. Le ROI comptable surévalue le taux de rentabilité économique (= 10 %)

*	Année					
	1	2	3	4	5	6
Bénéfice comptable du magasin*						
1	−67	+33	+83	+131	+131	+131
2		−67	+33	+83	+131	+131
3			−67	+33	+83	+131
4				−67	+33	+83
5					−67	+33
6						−67
Bénéfice comptable total	−67	−34	+49	+180	+311	+442
Valeur comptable du magasin						
1	1 000	833	667	500	333	167
2		1 000	833	667	500	333
3			1 000	833	667	500
4				1 000	833	667
5					1 000	833
6						1 000
Valeur comptable totale	1 000	1 833	2 500	3 000	3 333	3 500
ROI comptable pour tous les magasins = Bénéfice comptable total / Valeur comptable totale	−0,067	−0,019	+0,02	+0,06	+0,093	+0,126**
EVA pour tous les magasins = Bénéfice comptable total − (10 % × valeur comptable)	−167	−217	−201	−120	−22	+92***

* Bénéfice comptable = cash-flow + variation de la valeur comptable.

** ROI comptable « stationnaire ».

*** EVA « stationnaire ».

Nous avons donc toujours un problème même à long terme. L'ampleur de l'erreur dépend de la vitesse de croissance de l'entreprise. Nous venons d'examiner la situation en croissance nulle. Mais pensez à une entreprise qui aurait une croissance monotone à long terme de

5 % : elle investirait 1 000 € la première année, 1 050 € la deuxième année et ainsi de suite. Une croissance rapide implique nécessairement un plus grand nombre de projets nouveaux par rapport aux anciens. Le poids plus important des projets jeunes, caractérisés par des ROI comptables faibles, déprimera la rentabilité apparente de l'entreprise.

La figure 12.2 illustre le cas d'une entreprise composée de projets identiques à celui de Prusly-sur-Ource. Le ROI comptable surévalue ou sous-évalue le véritable taux de rentabilité réel sauf dans le cas où les montants investis par l'entreprise chaque année croissent à un taux égal au véritable taux de rentabilité[24].

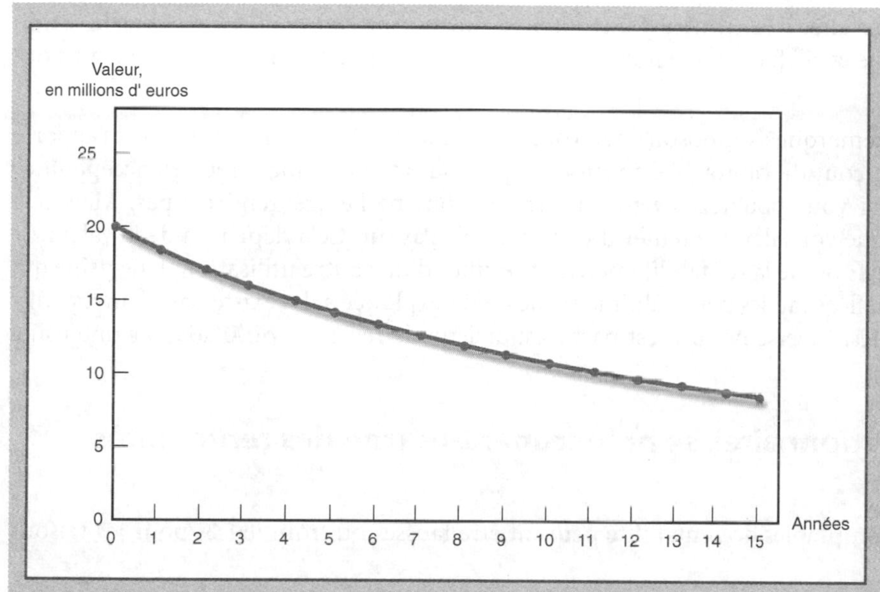

Figure 12.2 - Plus une entreprise croît rapidement, plus le taux de rentabilité comptable est faible, à condition que la rentabilité véritable soit constante et que les cash-flows soient constants ou croissants durant la vie du projet. Ce graphique correspond à une entreprise composée de projets identiques à celui du magasin de Prusly-sur-Ource (voir tableau 12.3) mais qui croissent à un taux composé constant.

6.2 Que faire face aux biais des mesures comptables de la rentabilité ?

Il est naturel pour les entreprises de fixer une norme de rentabilité pour les usines ou les divisions. Idéalement, cette norme devrait correspondre au coût d'opportunité du capital pour les investissements dans cette usine ou cette division. Mais si les performances sont mesurées par le ROI comptable, la norme doit être ajustée pour tenir compte des biais.

De nombreuses entreprises finissent par se demander non pas « est-ce que telle division a réalisé une rentabilité supérieure à son coût du capital ? », mais plutôt « a-t-elle un ROI comptable conforme à ce que l'on observe pour d'autres entreprises performantes du secteur ? ». Les hypothèses sous-jacentes sont : (1) les procédures comptables sont homogènes dans ce secteur et (2) les entreprises performantes réalisent des rentabilités égales à leur coût du capital.

24. Ceci est également un résultat général. Les biais inhérents au ROI comptable stationnaire disparaissent lorsque le taux de croissance est égal au vrai taux de rentabilité.

Quelques modifications comptables simples peuvent réduire les biais du ROI comptable. Gardez à l'esprit que les biais résultent de l'utilisation d'amortissements comptables plutôt qu'économiques. Pourquoi ne pas utiliser des amortissements économiques ? La raison principale est que cela nécessiterait de réestimer chaque année toutes les valeurs actuelles. Les comptables préfèrent fixer un schéma d'amortissement lors de l'acquisition et s'y tenir sauf circonstances exceptionnelles. Mais pourquoi limiter le choix du plan d'amortissement aux méthodes traditionnelles telles que l'amortissement linéaire ? Pourquoi ne pas prendre un plan d'amortissement qui, au moins, corresponde aux amortissements économiques *anticipés* ? Par exemple, le magasin de Prusly-sur-Ource pourrait être amorti selon le schéma des amortissements économiques repris dans le tableau 12.4. Ceci éviterait des biais systématiques[25], sans aller à l'encontre d'une loi ou d'une norme comptable. Cette amélioration semble si simple et si efficace que nous ne comprenons pas pourquoi les entreprises ne l'ont pas adoptée[26].

Une dernière remarque : supposons que vous arriviez à la conclusion qu'un projet rapporte moins que son coût du capital. Ceci veut dire que vous avez fait une erreur en acceptant ce projet et que si vous pouviez revenir en arrière, vous ne l'entreprendriez pas. Mais cela implique-t-il que vous devriez tenter d'y mettre fin ? Pas sûr. Cela dépendra de la valeur de revente des actifs ou de la rentabilité pouvant résulter d'une autre utilisation. Une usine qui réalise des bénéfices faibles peut valoir la peine d'être exploitée s'il n'existe pas d'autres utilisations possibles. Inversement, il est parfois judicieux de revendre ou d'adapter une usine très rentable.

6.3 Les gestionnaires se préoccupent-ils trop des rentabilités comptables ?

Les mesures comptables de rentabilité peuvent être fausses ou trompeuses pour les raisons suivantes :

1. Les erreurs se produisent aux différents stades de la vie d'un projet. Lorsque les véritables amortissements diminuent dans le temps, les mesures comptables auront tendance à sous-estimer la rentabilité des nouveaux projets et surestimer la rentabilité des projets plus anciens.

2. Des erreurs apparaissent également lorsque les entreprises présentent un mélange équilibré de projets anciens et nouveaux. (Voir notre exemple de Prusly-sur-Ource en situation stationnaire.)

3. Les mesures comptables sont souvent biaisées par la comptabilité créative. Certaines entreprises piochent parmi les procédures comptables en vigueur, ou en créent même de nouvelles, dans le but de donner meilleure allure à leurs comptes de résultat et bilans. Ces pratiques se sont développées avec une imagination débridée au milieu des années 1960 et à la fin des années 1990.

---

25. L'utilisation des amortissements économiques anticipés ne fournira pas des ROI comptables tout à fait exacts sauf si les cash-flows réalisés correspondent aux cash-flows anticipés. Mais nous nous attendons à ce que les prévisions soient correctes, en moyenne.

26. Cette procédure a été proposée par plusieurs auteurs, dont Zvi Bodie dans « Compound Interest Depreciation in Capital Investment » *Harvard Business Review*, 60 (mai-juin 1982), pp. 58-60.

Les investisseurs et les gestionnaires financiers ont appris à ne pas accepter sans réserves les rentabilités comptables. Cependant, certains ne semblent pas être conscients de l'ampleur du problème. Ils pensent qu'en adoptant une comptabilité d'inflation et en bridant la créativité comptable, tout ira bien sauf peut-être quelques problèmes temporaires pour les projets trop jeunes ou trop anciens. Autrement dit, ils s'occupent du motif 3, pensent parfois au motif 1 mais ignorent totalement le motif 2. Nous pensons que le motif 2 doit mériter plus d'attention.

Résumé

Nous avons commencé ce chapitre en décrivant les procédures suivies pour choisir les investissements et nous l'avons clôturé en mettant en évidence les biais importants qui résultent de l'utilisation de mesures de performances comptables. Inévitablement, notre exposé a porté sur les mécanismes de l'organisation, du contrôle et de la comptabilité. Rappelez-vous que la gestion des investissements repose sur la communication informelle et l'initiative personnelle. De plus, les biais comptables peuvent être atténués ou éliminés par des gestionnaires et des investisseurs qui cherchent à percer le voile des résultats comptables.

Les systèmes formels de choix d'investissement comprennent quatre étapes :

1. La préparation du *budget d'investissement* de l'entreprise, lequel reprend l'ensemble des projets par usine, division, ou autre centre.
2. *L'autorisation d'engagement* donne le feu vert pour entreprendre certains projets.
3. Les procédures de *contrôle des projets en cours de réalisation* permettent d'identifier les retards et les dépassements de budget.
4. Les *analyses rétrospectives* (post-audits) vérifient le déroulement des projets récents.

La procédure de choix d'investissement n'est pas seulement orientée du bas de la hiérarchie vers le haut. La planification stratégique raisonne en termes de choix d'investissement à grande échelle, en essayant d'identifier les activités dans lesquelles la société a un avantage spécifique. Les propositions de projet qui sont en conformité avec la stratégie globale de la société seront plus susceptibles d'être acceptées à mesure qu'elles montent les échelons hiérarchiques.

N'oubliez pas que certains investissements importants n'apparaissent pas en tant que projets dans le budget d'investissement. D'abord, ce sont les directeurs d'usines ou les responsables régionaux qui décident des projets à proposer. La direction générale, ou la direction financière, ne verra pas les alternatives qui auraient pu être proposées. Ensuite, des investissements dans des actifs immatériels, comme des dépenses de R&D, peuvent échapper à la procédure budgétaire. Enfin, il y a une multitude de petits investissements opérationnels qui sont réalisés quotidiennement par les responsables locaux. Ces investissements sont faibles individuellement, mais leur somme peut être conséquente.

Les décisions d'investissement sont la plupart du temps décentralisées. En conséquence, des problèmes d'agence sont inévitables. Les décideurs peuvent être tentés de mettre la pédale douce, d'éviter les risques, de proposer des investissements qui contribuent à créer des empires ou à les enraciner dans leur poste. La création d'empire arrive particulièrement quand les bonus des responsables ne dépendent que des résultats comptables ou de la croissance de ces résultats.

Les directions générales mitigent ces problèmes d'agence par une combinaison de contrôle et d'incitation. Beaucoup de grandes sociétés ont mis en place des systèmes d'incitations sophistiqués, fondés sur la notion de revenu résiduel, ou *economic value added* (EVA). Dans ces systèmes, les bonus des responsables sont fondés sur les résultats comptables moins un coût correspondant au capital employé. Cela permet d'inciter les dirigeants à se débarrasser des actifs inutiles et à n'en acheter de nouveaux que si les revenus supplémentaires excèdent le coût du capital. Mais l'EVA demande une mesure précise des résultats comptables et des capitaux investis.

Les intérêts des actionnaires sont représentés par le conseil d'administration et sont aussi protégés par des contrôleurs externes (par exemple, les sociétés qui auditent les comptes).

Dans la plupart des sociétés cotées, la rémunération des dirigeants est liée à la performance boursière de la société. Cela permet d'aligner les intérêts des dirigeants avec ceux des actionnaires. Mais ce lien n'offre pas une solution complète. Le marché boursier répond aussi à des événements en dehors de la sphère de contrôle des dirigeants et les cours boursiers actuels incorporent déjà les anticipations de la performance future des dirigeants.

Aussi, la plupart des sociétés mesurent la performance en prenant des rentabilités comptables. Malheureusement, le résultat comptable et le retour sur investissement (ROI) représentent souvent des mesures biaisées de la vraie profitabilité. Par exemple, les ROI comptables sont généralement trop faibles pour les nouveaux actifs et trop élevés pour les anciens. De même, les sociétés détenant beaucoup d'actifs immatériels ont en général des ROI biaisés vers le haut, car ces actifs n'apparaissent pas dans le bilan.

En principe, le véritable profit ou profit économique est facile à calculer : il suffit de soustraire les amortissements du montant des cash-flows réalisés par l'actif au cours d'une période. L'amortissement économique est simplement la diminution de la valeur actuelle au cours de la période.

Malheureusement, nous ne pouvons pas demander aux comptables de recalculer les valeurs actuelles des actifs chaque fois que l'on détermine un résultat. Mais ils devraient s'efforcer de faire correspondre le schéma d'amortissement à un rythme d'amortissement économique représentatif.

Lectures complémentaires

Les pratiques actuelles en matière de rémunération des cadres dirigeants sont analysées dans :

K .J. Murphy, « Executive Compensation », dans O. Ashenfelter et D. Cards (éds.), *Handbook of Labor Economics*, North-Holland, 1999.

B. J. Hall et K. J. Murphy, « The Trouble with Stock Options », *Journal of Economic Perspectives*, 17 (été 2003), pp. 49-70.

J. E. Core, W. R. Guay et D. F. Larcker, « Executive Equity Compensation and Incentives : A Survey », *Federal Reserve Bank of New York Economic Policy Review*, 9 (avril 2003), pp. 27-50 ; ***www.ny.frb.org/research***.

« Dossier Rémunérations », *Revue Banque*, n° 672, septembre 2005, pp. 24-46.

Pour une description facile à lire de l'EVA, ainsi que des histoires de succès, le livre d'Ehrbar est une référence. Parienté étudie les relations entre EVA, rendement boursier et indicateurs comptables sur le marché français :

A. Ehrbar, *EVA : les défis de la création de valeur*, Village Mondial, 2000, 240 p.

S. Parienté, « Rendement boursier, création de valeur et données comptables : une étude sur le marché français », *Finance Contrôle Stratégie*, vol. 3, n°3 (septembre 2000), pp. 125-153.

Plus généralement :

J. M. Stern et J. S. Shiely, *The EVA Challenge – Implementing Value Added Change in Organization*, John Wiley & Sons, Inc., New York, 2001.

Les biais dans le ROI comptable et les procédures permettant de réduire ces biais sont analysés par :

F. M. Fisher, J. I. McGowan, « On the Misuse of Accounting Rates of Return to Infer Monopoly Profits », *American Economic Review*, 73 (mars 1983), pp. 82-97.

Z. Bodie, « Compound Interest Depreciation in Capital Investment » *Harvard Business Review*, 60 (mai-juin 1982), pp. 58-60.

Activités

Révision des concepts

1. Qu'entend-on par « coûts d'agence » ?
2. Quels sont les deux principaux moyens de réduire les coûts d'agence ?
3. Pourquoi dit-on que le contrôle par les actionnaires souffre d'un problème de passager clandestin ?

Tests de connaissances

1. Vrai ou faux ?
   - **a.** L'approbation d'un budget d'investissement autorise le gestionnaire à entamer tout projet repris dans le budget.
   - **b.** La préparation des budgets d'investissement et l'autorisation des projets sont un processus partant du bas de la hiérarchie (*bottom-up*). La planification stratégique, dans la mesure où elle affecte les décisions d'investissement, est un processus qui part du sommet de la hiérarchie (*top-down*).
   - **c.** Ceux qui soumettent des projets sont généralement très optimistes.
   - **d.** Les dépenses de marketing (pour les nouveaux produits) et de R&D ne sont pas des investissements.
   - **e.** Beaucoup d'investissements ne sont pas inclus dans le budget d'investissement. (Donnez des exemples, si nécessaire.)
   - **f.** Les post-audits sont généralement réalisés environ cinq ans après l'achèvement des projets.
2. Expliquez comment chacun des faits suivants peut perturber le processus de choix d'investissement :
   - **a.** Un optimisme exagéré de la part des promoteurs de projets.
   - **b.** Des prévisions incohérentes des variables relatives au secteur et à l'environnement économique.
   - **c.** Des choix d'investissement organisés uniquement comme un processus partant du bas de la hiérarchie (*bottom-up*).
   - **d.** Une exigence de résultats rapides de la part des opérationnels, par exemple en leur imposant des délais de récupération maximum pour leurs nouveaux projets.
3. Définissez les concepts suivants :
   - **a.** Les coûts d'agence en choix d'investissement.
   - **b.** Les bénéfices privés.
   - **c.** La construction d'empire.

d. Le problème du passager clandestin.

e. Les stratégies d'enracinement.

f. Le contrôle délégué.

4. Le contrôle, à lui seul, ne peut éliminer tous les coûts d'agence en choix d'investissement. Pourquoi ?

5. Répondez à ces questions sur l'EVA (*economic value added*).

a. L'EVA est-elle exprimée en pourcentage ou en montant ?

b. Écrivez la formule de calcul de l'EVA.

c. Y a-t-il une différence entre l'EVA et le revenu résiduel, et si oui, laquelle ?

d. À quoi sert l'EVA ? Pourquoi les sociétés l'utilisent-elles ?

e. L'efficacité de l'EVA dépend-elle de la mesure du résultat et des actifs ?

6. La société d'étymologie de l'espéranto a dégagé un résultat comptable de 1,6 million d'euros pour des actifs de 20 millions. Son coût du capital est de 11,5 %. Calculez son retour net sur investissement, et son EVA.

7. Remplissez les blancs :

« Le profit économique d'un projet pour une année donnée est égal au ______________ du projet diminué de ses amortissements __________. Le bénéfice comptable est généralement __________ au profit économique durant les premières années d'un projet et devient ______________ au profit économique dans les années ultérieures. »

8. Soit le projet suivant :

	Période 0	Période 1	Période 2	Période 3
Cash-flow net	–100	0	78,55	78,55

Le taux de rentabilité interne est de 20 %. La VAN, en se basant sur un coût d'opportunité du capital de 20 %, est égale à 0. Calculez le profit *économique* attendu et l'amortissement économique pour chacune des années.

Questions et problèmes

1. Élaborez un diagramme illustrant l'ensemble du processus de choix d'investissement, de l'idée initiale jusqu'à l'achèvement du projet et le début de son exploitation. Supposez que l'idée de construire un obfuscateur vienne du directeur d'une usine de la division Déconstruction de la Société des Molécules Sauvages.

Voici quelques questions que doit aborder votre diagramme : Qui préparera le projet initial ? Quelles informations contiendra cette proposition ? Qui l'examinera ? Quelles autorisations seront requises et qui les donnera ? Que se passera-t-il si le coût d'acquisition et d'installation de la machine dépasse la prévision de 40 % ? Que se passera-t-il quand la machine sera finalement opérationnelle ?

2. Comparez les politiques de rémunération et d'incitation :

a. de la direction générale ;

b. des responsables opérationnels.

Quelles sont les différences ? Comment les expliquez-vous ?

3. Supposons que tous les responsables opérationnels ne touchent qu'un salaire fixe, sans aucun bonus.
   a. Décrivez les problèmes d'agence qui apparaîtront dans les choix d'investissement.
   b. Si l'on relie la rémunération de ces responsables à l'EVA, comment cela limitera-t-il les problèmes ?
4. Le tableau 12.6 montre le compte de résultat et le bilan d'une usine de coudage de cuivre à Perrigny-sur-l'Ognon.
   a. Calculez l'EVA de l'usine. Le coût du capital est de 9 %.
   b. D'après le tableau 12.6, l'usine a une valeur comptable de 48,32 millions d'euros. Néanmoins, grâce à son équipement moderne, elle pourrait être vendue à un autre producteur de cuivre pour 95 millions. Cela va-t-il changer votre calcul d'EVA ?

Tableau 12.6. États financiers synthétiques de l'usine de Perrigny-sur-l'Ognon (voir question 4). Chiffres en millions d'euros

Compte de résultat 2002		Actifs au 31.12.2002	
Ventes	56,60	Immobilisations de production	69,33
Coût des matières premières	18,72	Moins amortissement cumulé	21,01
Frais de production	21,09		
Amortissement	4,50		
	______		______
Résultat avant impôts	12,35	Immobilisations nettes	48,32
Impôt (35 %)	4,32	Besoin en fonds de roulement	7,08
	______		______
Résultat net	8,03	Total actifs	55,40

5. Brouteurs SA est une petite entreprise de production de suppléments alimentaires pour animaux. Ce n'est pas une activité de haute technologie, mais le résultat annuel de la société est de 1,2 million d'euros après impôts, essentiellement grâce à son enzyme brevetée pour rendre les chats anallergiques. Ce brevet a encore 8 années de durée de vie et Brouteurs SA s'est vu offrir 4 millions d'euros pour le rachat des droits.

   Le bilan de Brouteurs est constitué d'immobilisations industrielles (8 millions d'euros) et de son besoin en fonds de roulement (2 millions). Le brevet n'est pas inscrit au bilan. Le coût du capital de la société est de 15 %. Quelle est son EVA ?
6. Vrai ou faux ? Expliquez brièvement.
   a. Les mesures de rentabilité comptable sont des mesures biaisées de la vraie rentabilité des actifs. Cependant, ces biais s'annulent lorsque l'entreprise détient un ensemble équilibré d'anciens et de nouveaux actifs.
   b. Les biais de la rentabilité comptable pourraient être évités si les entreprises adoptaient des méthodes d'amortissement qui correspondent aux amortissements économiques. Cependant, peu d'entreprises le font, voire aucune.

7. Calculez, année par année, la rentabilité comptable et la rentabilité économique de l'investissement dans la production de polyzone que nous avons présenté au chapitre 11. Utilisez les cash-flows et les marges concurrentielles indiqués dans le tableau 11.2.

   Quel est le taux de rentabilité comptable des capitaux investis (ROI) pour une entreprise de production de polyzone arrivée à maturité ? Supposez qu'il n'y ait pas de croissance et que les marges soient concurrentielles.

8. Supposons que les cash-flows soient les suivants pour le nouveau magasin de Prusly-sur-Ource :

   a. Recalculez les amortissements économiques. Sont-ils accélérés ou ralentis ?

Année	0	1	2	3	4	5	6
Cash-flows	–1 000	+298	+298	+298	+138	+138	+138

   b. Refaites les tableaux 12.3 et 12.4 pour montrer la relation entre le « vrai » taux de rentabilité et le ROI comptable pour chaque année.

9. Utilisez les données disponibles sur Yahoo! Finance France (**fr.finance.yahoo.com**) pour estimer l'EVA de trois sociétés. Quels problèmes avez-vous rencontrés ?

Problèmes avancés

1. Considérez un actif avec les cash-flows suivants :

Année	0	1	2	3
Cash-flows en millions d'euros	–12	+5,20	+4,80	+4,40

   L'entreprise utilise l'amortissement linéaire. L'amortissement annuel est de 4 millions d'euros pour les années 1, 2 et 3. Le taux d'actualisation est de 10 %.

   a. Montrez que l'amortissement économique est égal à l'amortissement comptable.

   b. Montrez que la rentabilité comptable est la même chaque année.

   c. Montrez que la rentabilité comptable du projet est égale à sa véritable rentabilité.

   Vous venez d'illustrer un autre théorème intéressant : si le taux de rentabilité comptable est identique pour chacune des années de la vie d'un projet, le taux de rentabilité comptable est égal au TRI.

2. Dans notre exemple de Prusly-sur-Ource, les amortissements économiques ralentissaient. Ce n'est pas toujours le cas. Par exemple, le tableau 12.7 indique la valeur de marché à différents stades de la vie de l'avion[27], ainsi que les cash-flows nécessaires chaque année pour assurer une rentabilité de 10 %. (Par exemple, si vous achetez un 737 pour 19,69 millions de dollars en début d'année 1 et le revendez un an plus tard, votre bénéfice total sera de 17,99 + 3,67 – 19,69 = 1,97 million de dollars, soit 10 % du prix d'acquisition.)

   De nombreuses compagnies aériennes amortissent linéairement leurs avions sur 15 ans en tenant compte d'une valeur de revente finale égale à 20 % du coût initial.

   a. Calculez l'amortissement économique et l'amortissement comptable pour chaque année de la vie de l'avion.

   b. Comparez, pour chaque année, la véritable rentabilité à la rentabilité comptable.

---

27. Nous remercions Mike Staunton de nous avoir fourni ces informations.

c. Supposons qu'une compagnie aérienne investisse chaque année dans un nombre fixé de Boeing 737. La rentabilité comptable stationnaire donnerait-elle une surévaluation ou une sous-évaluation de la véritable rentabilité ?

Tableau 12.7. Valeurs de marché d'un Boeing 737 estimées en janvier 1987 en fonction de son âge, et cash-flows nécessaires pour obtenir une véritable rentabilité de 10 % (en millions de dollars, sauf mention contraire)

Âge, année	Valeur de marché	Cash-flow
1	19,69	
2	17,99	3,67
3	16,79	3,00
4	15,78	2,69
5	14,89	2,47
6	14,09	2,29
7	13,36	2,14
8	12,68	2,02
9	12,05	1,90
10	11,46	1,80
11	10,91	1,70
12	10,39	1,61
13	9,91	1,52
14	9,44	1,46
15	9,01	1,37
16	8,59	1,32

Partie 4

Décisions de financement et efficience des marchés

Jusqu'à présent, nous nous sommes focalisés sur la décision d'investissement. Maintenant, nous allons nous demander comment financer ces investissements. Cela peut devenir amusant. Par exemple, dans l'introduction de la Partie 3, nous avons parlé de la construction du tunnel sous la Manche qui a coûté 15 milliards d'euros. Le directeur financier a dû trouver cette énorme somme. Cela a demandé la participation de plus de deux cents banques, ainsi que des émissions d'actions et d'obligations.

Des chapitres ultérieurs détailleront les principales sources de financement, mais c'est la Partie 4 qui plante le décor. Le chapitre 13 traite d'une question fondamentale : les sociétés peuvent-elles être assurées que les marchés évalueront correctement leurs titres ? Beaucoup de chercheurs pensent que les marchés boursiers sont concurrentiels, mais nous présenterons aussi des résultats troublants.

Le chapitre 14 présente les différents financements de l'entreprise, les titres qui y sont rattachés et leur importance respective. Ces financements diffèrent notamment par leur rémunération et le contrôle qu'ils confèrent à leurs détenteurs.

La Partie 4 se conclut en montrant comment les bébés sociétés se financent et comment, à l'âge adulte, elles vendent leurs titres au public.

Chapitre 13

Le financement des entreprises : six leçons tirées de l'efficience des marchés

Jusqu'à présent, nous nous sommes concentrés presque exclusivement sur la partie gauche du bilan : les décisions d'investissement. Nous passons maintenant à la partie droite, en examinant le financement des investissements. En bref, vous avez appris comment dépenser de l'argent – apprenez maintenant comment en obtenir.

Bien entendu, nous n'avons pas ignoré totalement le financement dans notre discussion sur les choix d'investissement. Mais nous avons fait l'hypothèse la plus simple : un financement uniquement par capitaux propres. Nous avons supposé que l'entreprise lève des capitaux en émettant des actions et qu'elle les investit ensuite dans des actifs. Plus tard, les cash-flows générés par ces actifs seront soit distribués aux actionnaires, soit investis dans de nouveaux actifs. Les actionnaires apportent l'ensemble du capital investi, ils assument tous les risques et reçoivent toutes les rémunérations qui en résultent.

Posons maintenant le problème à l'envers : prenons les actifs actuels de l'entreprise et sa stratégie d'investissement, et cherchons la meilleure stratégie de financement possible. Par exemple :

- Vaut-il mieux que l'entreprise réinvestisse la majeure partie de ses bénéfices dans son activité ou qu'elle les reverse en dividendes ?
- Si l'entreprise a besoin de capitaux, doit-elle emprunter ou émettre des actions ?
- Si elle emprunte, faut-il le faire à court ou à long terme ?
- Faut-il emprunter en émettant une obligation classique à long terme ou une obligation convertible (obligation qui peut être échangée par l'obligataire contre des actions de l'entreprise) ?

Comme vous le verrez, les choix de financement sont innombrables.

Le fait de supposer la stratégie d'investissement comme étant donnée permet de séparer la décision d'investissement de la décision de financement : cela suppose que les décisions d'investissement et de financement sont *indépendantes*. Dans de nombreux cas, c'est une hypothèse parfaitement raisonnable. L'entreprise est généralement libre de changer sa structure de financement, en émettant un titre pour en racheter un autre. Il n'est, alors, pas nécessaire d'associer un projet d'investissement à une source de financement spécifique. Les dirigeants de l'entreprise vont en premier lieu choisir les projets qu'il faut lancer et, ensuite seulement, penser aux façons de les financer.

Il arrive parfois que les décisions sur la structure du financement dépendent des choix de projets, ou *vice versa*, et, dans ces cas, les décisions d'investissement et de financement doivent être considérées conjointement. Nous reportons cette discussion à des chapitres ultérieurs.

Nous commençons ce chapitre en comparant les décisions d'investissement et de financement. L'objectif est chaque fois le même : maximiser la VAN. Cependant, il sera plus difficile de trouver des opportunités de financement à VAN positive. La raison en est que les marchés sont efficients, c'est-à-dire que la concurrence féroce entre tous les investisseurs élimine toute possibilité de profit et implique que les prix des titres sont correctement fixés. Si vous pensez que ça reste à prouver, vous avez raison. C'est pour cela que nous avons consacré un chapitre entier à l'hypothèse d'efficience des marchés.

Vous pouvez vous demander quel est l'intérêt de commencer notre présentation des moyens de financement par un tel point conceptuel, alors même que vous ne savez encore rien des financements et de leur mode d'émission. Nous le faisons parce que la politique de financement peut devenir extrêmement complexe si on ne sait pas poser les bonnes questions. Vous devez appréhender l'hypothèse d'efficience des marchés, non pas parce qu'elle est vraie universellement, mais parce qu'elle vous guidera vers les bonnes questions.

Nous définissons l'hypothèse d'efficience des marchés plus précisément dans la section 2. Cette hypothèse existe sous plusieurs formes, en fonction de l'information disponible pour les investisseurs. Les sections 2 et 3 détaillent les résultats supportant et remettant en cause l'efficience des marchés. Les « supporters » l'emportent massivement, mais au fil des ans, un nombre important d'anomalies troublantes se sont accumulées. Afin d'expliquer ces dernières, les universitaires se sont orientés vers la démonstration de comportements irrationnels qui ont été abondamment décrits par les psychologues comportementaux. Nous présentons alors les principales caractéristiques de la finance comportementale et du défi qu'elle entraîne pour l'hypothèse d'efficience des marchés. Ce chapitre se conclut par les six leçons de *l'efficience* des marchés.

1 On en revient toujours à la VAN

Bien qu'il soit utile de séparer les décisions de financement et d'investissement, il y a des similitudes fondamentales dans les critères qui les fondent. Les décisions d'acheter une machine-outil et de vendre une obligation impliquent toutes deux l'évaluation d'un actif à risque. Que cet actif soit réel ou financier n'a aucune importance. Dans les deux cas, il faut calculer la valeur actuelle nette.

L'expression *valeur actuelle nette d'une opération d'emprunt* peut vous sembler curieuse. Prenons un exemple. Dans le cadre de l'aide aux petites entreprises, le gouvernement propose de vous prêter 100 000 €, sur dix ans, au taux de 3 %. Votre entreprise s'engage donc à payer un intérêt de 3 000 €, pour chacune des années 1 à 10, et 100 000 € à la fin de la dernière année.

Devriez-vous accepter cette offre ? Nous pouvons calculer la VAN de cette opération d'emprunt de manière habituelle. La seule différence tient à ce que le premier cash-flow est positif et que les flux suivants sont négatifs :

$$\text{VAN} = \text{montant emprunté} - \text{valeur actuelle des intérêts payés} - \text{valeur actuelle du remboursement du capital}$$

$$= +100\,000 - \sum_{t=1}^{10} \frac{3\,000}{(1+r)^t} - \frac{100\,000}{(1+r)^{10}}$$

La seule variable manquante ici est *r*, le coût d'opportunité du capital. Raisonnons ainsi : l'emprunt qui vous est accordé par l'État est un actif financier : un bout de papier qui représente votre promesse de payer 3 000 € par an, et de rembourser en sus 100 000 € à l'occasion du dernier paiement. Combien vaudrait ce papier, s'il était librement échangé sur des marchés financiers ? Il se vendrait selon la valeur actuelle des cash-flows qu'il représente, actualisés au taux *r*, le taux de rentabilité des obligations émises par votre entreprise. Pour trouver *r*, il suffit de répondre à la question : quel taux d'intérêt devrions-nous supporter si nous empruntions directement l'argent sur les marchés financiers, plutôt qu'auprès du gouvernement ? Supposez que ce taux soit de 10 %. Alors :

$$\text{VAN} = +100\,000 - \sum_{t=1}^{10} \frac{3\,000}{(1{,}10)^t} - \frac{100\,000}{(1{,}10)^{10}}$$

$$= +100\,000 - 56\,988 = 43\,012\ €$$

De toute évidence, vous n'avez pas besoin de calculer pour savoir qu'emprunter à 3 % est une bonne affaire quand le taux normal est de 10 %. Mais le calcul de la VAN vous indique combien vaut l'opportunité qui vous est offerte (43 012 €)[1] et souligne l'analogie entre les décisions d'investissement et de financement.

1.1 Les différences entre décisions d'investissement et de financement

D'une certaine façon, il est plus facile de prendre une décision d'investissement qu'une décision de financement. Le nombre des instruments de financement (c'est-à-dire les titres) est en perpétuel essor. Vous devrez en étudier les différents genres, familles, et espèces. Vous devrez acquérir le vocabulaire de la finance et apprivoiser les *caps*, *obligations démembrées*, *swaps*, *bookrunner* et autres termes « exotiques ».

1. Nous négligeons ici tout aspect fiscal de l'emprunt. Cela sera étudié au chapitre 19.

Il y a aussi des cas où les décisions de financement sont bien plus faciles à prendre que les décisions d'investissement. D'abord, les premières ne sont pas aussi spécifiques que les secondes. Elles sont plus réversibles : leur valeur d'abandon est plus élevée. De plus, il est plus dur de gagner ou de perdre de l'argent avec des stratégies de financement intelligentes ou stupides : il est difficile de trouver des financements avec une VAN très éloignée de zéro. C'est là le reflet de la concurrence entre les intermédiaires financiers.

Sur les marchés financiers, votre entreprise est en compétition avec toutes les autres sociétés à la recherche de fonds, sans parler de l'État, des collectivités locales qui s'adressent à Paris, Londres ou New York pour se financer. Les investisseurs qui apportent les financements sont tout aussi nombreux et, en général, ils sont intelligents. Pour le financier amateur, les marchés financiers sont segmentés, c'est-à-dire séparés en compartiments distincts. Mais l'argent circule entre eux, et vite.

Souvenez-vous qu'une bonne décision de financement génère une VAN positive. C'est une décision où le montant des fonds récoltés excède la valeur de la dette générée. Mais inversez cette affirmation : si vendre un titre financier génère une VAN positive pour vous, cela doit générer une VAN négative pour l'acheteur. Ainsi, l'emprunt mentionné plus haut était une bonne affaire pour votre entreprise, mais un investissement à VAN négative pour l'État. En prêtant à 3 %, il offrait une subvention de 43 012 €. Quelles sont les chances pour que votre entreprise puisse durablement duper les investisseurs ou les persuader d'acheter des titres qui ont une VAN négative pour eux ? Très faibles.

2 Qu'est-ce qu'un marché efficient ?

2.1 Une découverte étonnante : les cours suivent une marche au hasard

Le concept des marchés efficients est, comme beaucoup de découvertes, le fruit du hasard. En 1953, Maurice Kendall, un statisticien britannique présentait un papier controversé à la Société royale de statistique, sur le comportement des cours des actions et des matières premières[2]. Kendall avait recherché des cycles réguliers dans l'évolution des cours, mais, à sa grande surprise, il ne semblait pas y en avoir. Chacune des séries semblait être « vagabonde, comme si, une fois par semaine, le démon du hasard tirait un nombre aléatoire et l'ajoutait au cours actuel pour obtenir celui de la semaine suivante ». En d'autres termes, les prix semblaient suivre une **marche au hasard**.

Pour expliquer le terme de « marche au hasard », prenons l'exemple suivant : on vous donne 100 € pour jouer à pile ou face une fois par semaine. Quand le côté face apparaît, vous gagnez 3 % de votre investissement. Quand c'est pile, vous perdez 2,5 %. Ainsi, à la

2. Voir M. G. Kendall, « The Analysis of Economic Time-Series, Part 1. Prices », *Journal of the Royal Statistical Society*, 96 (1953), pp. 11-25. L'idée de Kendall n'était pas entièrement neuve. Elle avait été traitée dans une thèse presque oubliée, écrite cinquante-trois ans auparavant par un jeune Français, étudiant en doctorat : Louis Bachelier. L'application empirique faite par Bachelier de la théorie mathématique sur les processus aléatoires anticipait de cinq ans le travail célèbre d'Einstein sur le mouvement brownien aléatoire des molécules de gaz. Voir L. Bachelier, *Théorie de la spéculation*, Gauthiers-Villars, Paris, 1900, réimprimé, éditions Jacques Gabay, 1995, 152 pages.

fin de la première semaine, votre capital est de 103 € ou de 97,5 €. À la fin de la seconde semaine, la pièce est de nouveau jetée en l'air. Les résultats possibles sont alors les suivants :

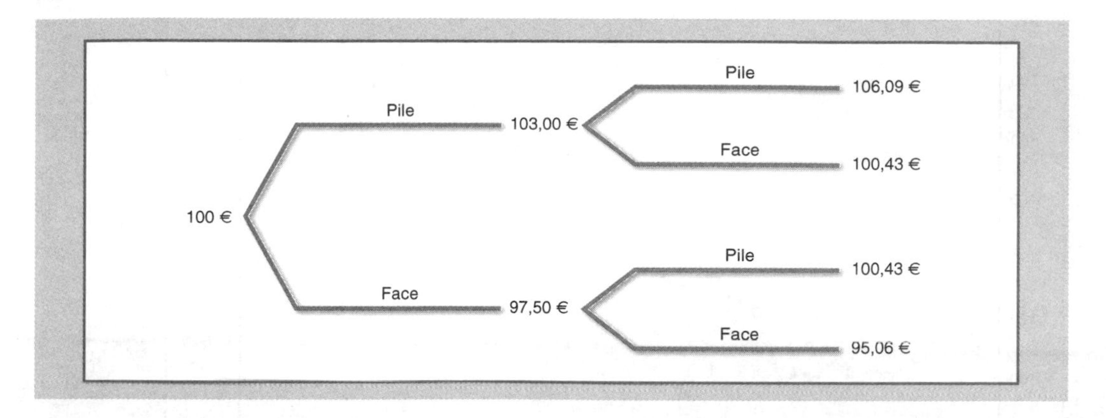

Ce processus est une marche au hasard avec une dérive positive de 0,25 % par semaine[3]. C'est une marche au hasard parce que les variations successives des résultats sont indépendantes. Autrement dit, les chances de gagner ou de perdre sont de 50 % chaque semaine, indépendamment de la valeur en début de semaine ou des séries de piles et de faces obtenues lors des semaines précédentes.

Si vous avez du mal à croire qu'il n'y a pas de tendance ou de modele expliquant les variations du prix des actions, regardez les deux graphiques de la figure 13.1. Un de ces graphiques représente ce que seraient les résultats en jouant à notre jeu de pile ou face durant cinq ans ; l'autre montre la performance réelle de l'indice Standard & Poor's pour une période de cinq ans. Pouvez-vous dire quel est le graphique du jeu et quel est l'autre[4] ?

Maurice Kendall, quand il parlait de cheminement aléatoire des cours, suggérait que les variations de cours sont aussi indépendantes les unes des autres que les gains et les pertes dans notre jeu. La figure 13.2 illustre ce propos. Chaque point indique une variation du cours de l'action Microsoft d'un jour à l'autre. Le point encerclé dans le quadrant sud-est fait référence à deux jours durant lesquels une augmentation de 1 % a été suivie d'une baisse de 1 %. S'il y avait eu une tendance à ce que des hausses soient suivies systématiquement de baisses, il y aurait beaucoup de points dans le quadrant sud-est, et peu dans le quadrant nord-est. Un coup d'œil suffit pour se rendre compte qu'il n'y en a aucune. Nous pouvons le démontrer de manière encore plus précise, en calculant le **coefficient de corrélation** entre des variations journalières successives. Si les variations de cours suivaient une tendance, la corrélation entre elles serait nettement positive. S'il n'y a aucune tendance, cette corrélation devra être nulle. Dans notre exemple, la corrélation entre les variations de cours successives était de +0,025 : il y avait une tendance à peine perceptible, donc négligeable, à ce que les hausses soient immédiatement suivies d'une autre hausse[5].

3. La dérive est égale au revenu anticipé : $(1 / 2) \times (3) + (1 / 2) \times (-2{,}5) = +0{,}25$ %.

4. Le graphique du bas représente l'évolution réelle de l'indice Standard & Poor's des années 1980 à 1984 ; celui du haut est le résultat d'une série de nombres au hasard cumulés. Bien sûr, 50 % d'entre vous auront deviné correctement, mais nous parions que c'est juste par chance.

5. Le coefficient de corrélation entre des observations successives est appelé *coefficient d'autocorrélation*. Une autocorrélation de +0,025 implique que si le cours de Microsoft a augmenté hier de 1 % de plus que la moyenne, votre meilleure estimation de la variation du cours d'aujourd'hui sera une hausse de 0,025 % de plus que la moyenne.

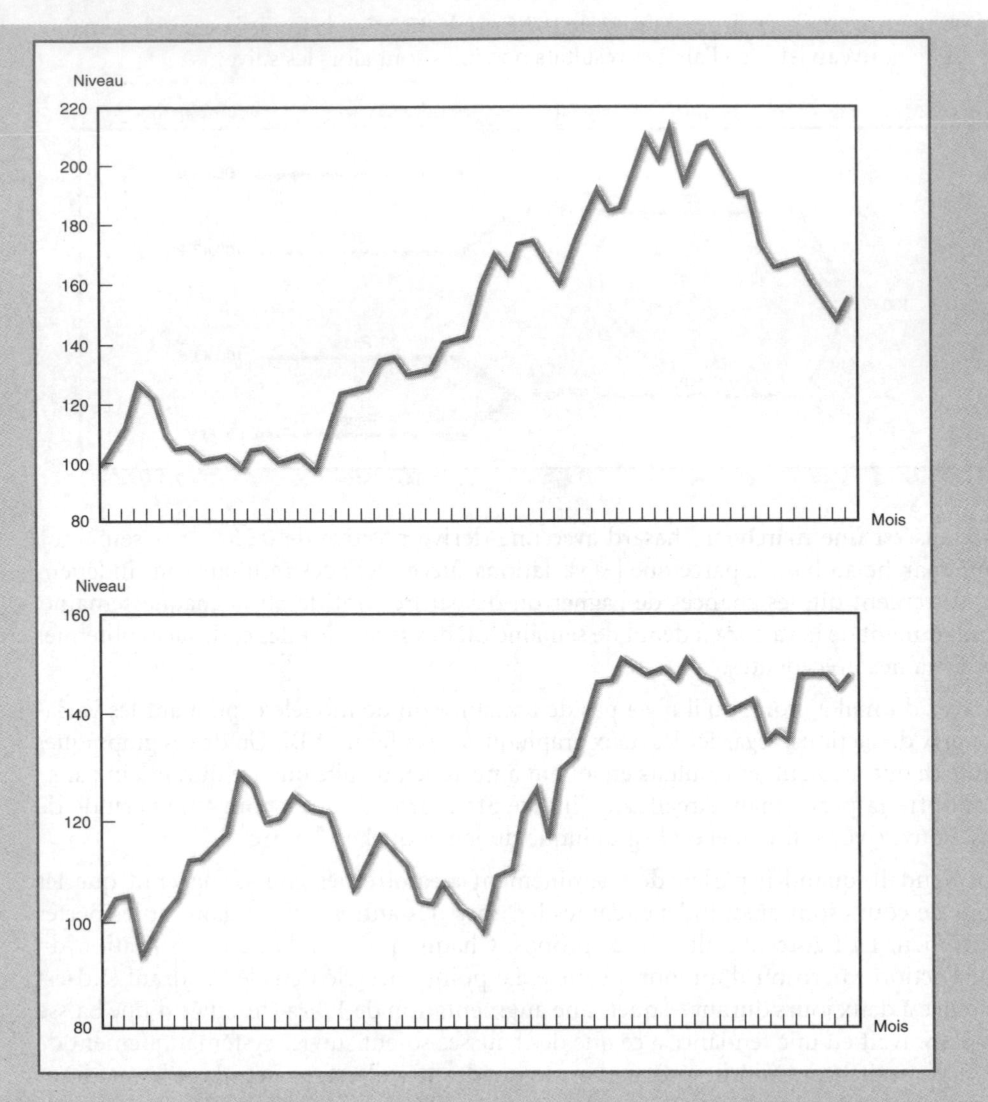

Figure 13.1 - L'un de ces graphiques montre quels seraient les revenus en jouant à notre jeu de pile ou face durant cinq ans ; l'autre montre la performance réelle de l'indice Standard & Poor's pour une période de cinq ans. Pouvez-vous dire lequel est lequel ?

La figure 13.2 suggère que les variations de cours de Microsoft étaient effectivement non corrélées entre elles. La variation du cours de la veille ne donne quasiment aucun indice aux investisseurs quant à la variation supposée du cours du jour. Cela vous surprend ? Si c'est le cas, imaginez que les variations de cours de Microsoft suivent une tendance sur plusieurs mois. La figure 13.3 montre un exemple d'une telle tendance. Vous pouvez voir qu'une hausse du cours de Microsoft a commencé il y a un mois, quand le cours était à 50 $, et l'on s'attend à ce que cette hausse se poursuive jusqu'à atteindre 90 $ dans un mois. Que se passera-t-il quand les investisseurs se rendront compte de ce jackpot ? Ils contribueront à le faire disparaître. Comme l'action Microsoft est une affaire à 70 $, les investisseurs vont se ruer dessus.

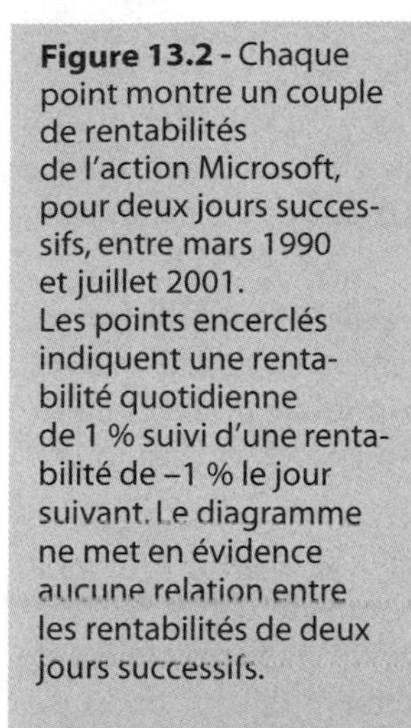

Figure 13.2 - Chaque point montre un couple de rentabilités de l'action Microsoft, pour deux jours successifs, entre mars 1990 et juillet 2001. Les points encerclés indiquent une rentabilité quotidienne de 1 % suivi d'une rentabilité de –1 % le jour suivant. Le diagramme ne met en évidence aucune relation entre les rentabilités de deux jours successifs.

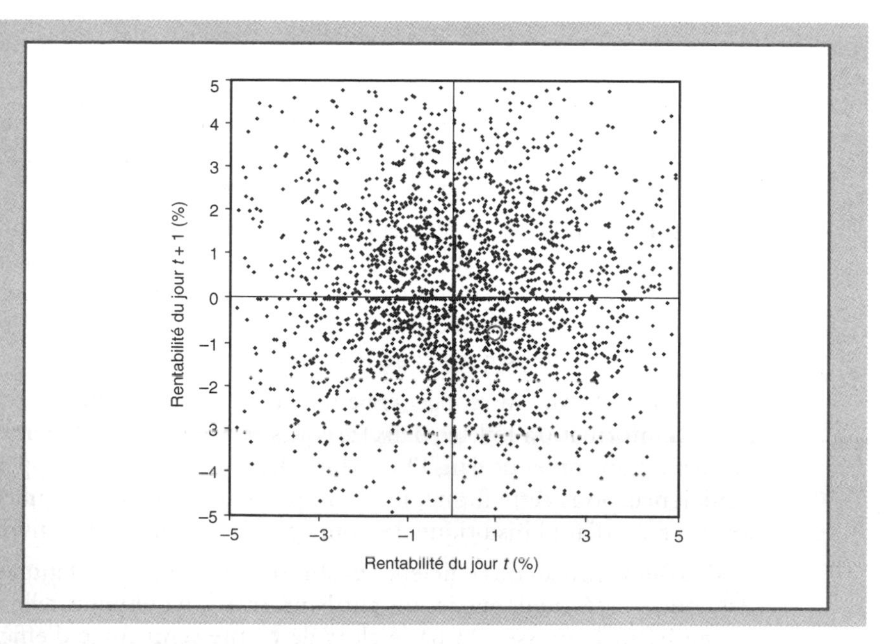

Ils ne s'arrêteront d'acheter que quand l'action n'offrira plus qu'un taux de rentabilité normal. Ainsi, dès qu'une tendance apparaît, les investisseurs l'annulent par leurs transactions.

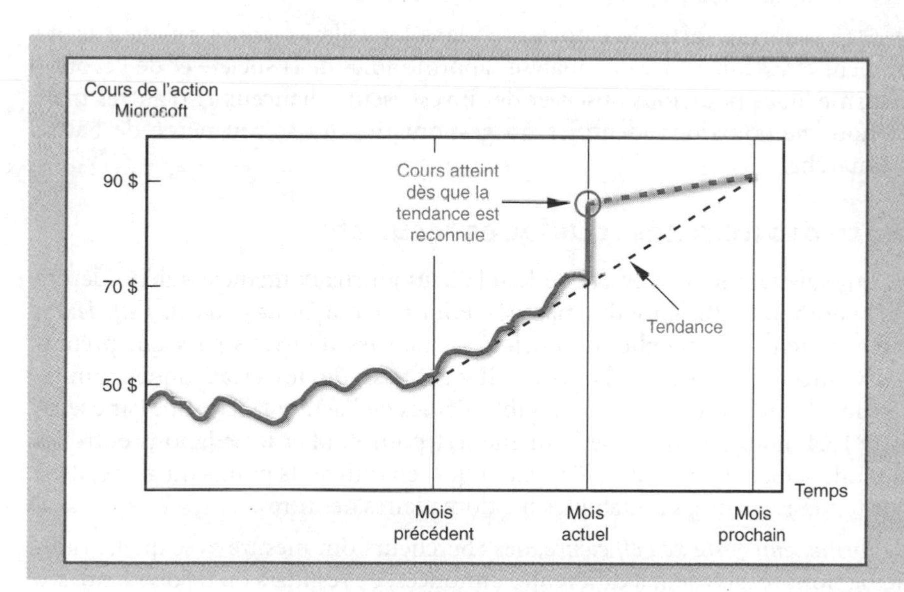

Figure 13.3 - Les cycles se détruisent d'eux-mêmes dès que les investisseurs les voient. Le cours atteint immédiatement la valeur actuelle du cours futur anticipé.

2.2 Les trois formes d'efficience des marchés

Désormais, il doit vous apparaître plus clairement que les cours boursiers sur des marchés concurrentiels suivent une *marche au hasard*. En effet, si les prix historiques pouvaient être utilisés pour prédire les futures variations de cours, les investisseurs pourraient facilement réaliser des profits. Mais sur des marchés concurrentiels, les profits faciles ne durent pas.

À mesure que les investisseurs essaient de tirer parti des informations contenues dans les cours historiques, les prix s'ajustent immédiatement : les possibilités de dégager du profit en étudiant les mouvements historiques disparaissent. En conséquence, toute l'information historique est reflétée dans le cours *actuel* d'une action, et non dans son cours futur. Il n'y a plus de tendances dans l'évolution des cours, et les variations de prix sur une période sont indépendantes des variations sur la période suivante.

Ainsi, sur des marchés concurrentiels, le cours actuel d'une action reflète toute l'information historique sur cette action. Mais pourquoi s'arrêter là ? Si les marchés sont concurrentiels, le cours d'une action ne devrait-il pas refléter toute l'information disponible pour les investisseurs ? Si c'était le cas, les titres seraient toujours correctement évalués, et les rentabilités seraient imprévisibles, quelle que soit l'information considérée.

Les économistes définissent généralement trois niveaux d'efficience, qui se distinguent par le degré d'information reflétée dans les cours. Au premier niveau, les cours des titres reflètent l'information contenue dans l'historique des cours passés. On appelle cela la **forme faible de l'efficience**. Sous cette forme, il sera impossible de réaliser régulièrement des profits supérieurs en étudiant l'historique des cours passés. Les prix vont suivre une marche au hasard.

Le deuxième niveau de l'efficience postule que les cours reflètent non seulement l'historique des cours passés, mais aussi toute autre information publique, telle que vous pourriez l'obtenir en lisant la presse. On parle alors de **forme semi-forte** d'efficience des marchés. Sous cette forme, les cours boursiers vont s'ajuster immédiatement à la publication d'informations comme l'annonce des derniers résultats trimestriels, d'une nouvelle émission d'actions ou d'une fusion entre deux sociétés.

Enfin, on peut citer la **forme forte** de l'efficience, dans laquelle les cours reflètent toute information qui peut être acquise par des analyses approfondies de la société et de l'économie. Sous cette forme, nous pourrions observer des investisseurs chanceux et d'autres malchanceux, mais nous ne pourrions identifier un gestionnaire qui soit à même de battre régulièrement le marché.

2.3 L'efficience des marchés : quelques résultats

Dans les années qui suivirent la découverte de Kendall, les journaux financiers débordèrent de tests sur cette hypothèse d'efficience des marchés. Pour tester la *forme faible de l'efficience*, les chercheurs mesurèrent la rentabilité de quelques stratégies d'investisseurs qui prétendaient voir des tendances dans les cours boursiers. Il y eut aussi des tests statistiques comme celui que nous avons décrit sur les rentabilités quotidiennes de l'action Microsoft. Par exemple, dans la figure 13.4, nous avons utilisé le même test pour étudier les relations entre les cours boursiers d'une semaine sur l'autre. Il apparaît que, en différents points du globe, il y a peu, voire pas, de tendance dans les rentabilités hebdomadaires des titres.

Pour analyser la *forme semi-forte de l'efficience*, des chercheurs ont mesuré avec quelle rapidité les cours des actions réagissaient à différentes annonces, de résultats ou de dividendes, à des publications d'information macroéconomique ou à l'annonce d'une OPA.

Avant de décrire les résultats obtenus, nous devons expliquer comment on peut isoler l'effet d'une annonce sur le cours boursier d'une action. Supposons, par exemple, que vous souhaitiez étudier comment le cours d'une action a réagi à l'annonce d'une OPA. En premier lieu, vous pourriez regarder les rentabilités de l'action dans les mois précédant et suivant l'annonce. Mais cela vous donnerait une mesure pleine de bruit, étant donné que le cours boursier refléterait aussi ce qui est arrivé au marché dans son ensemble. Une autre possibilité serait alors de calculer une mesure de performance relative par rapport au marché :

Rentabilité de l'action – rentabilité de l'indice de marché

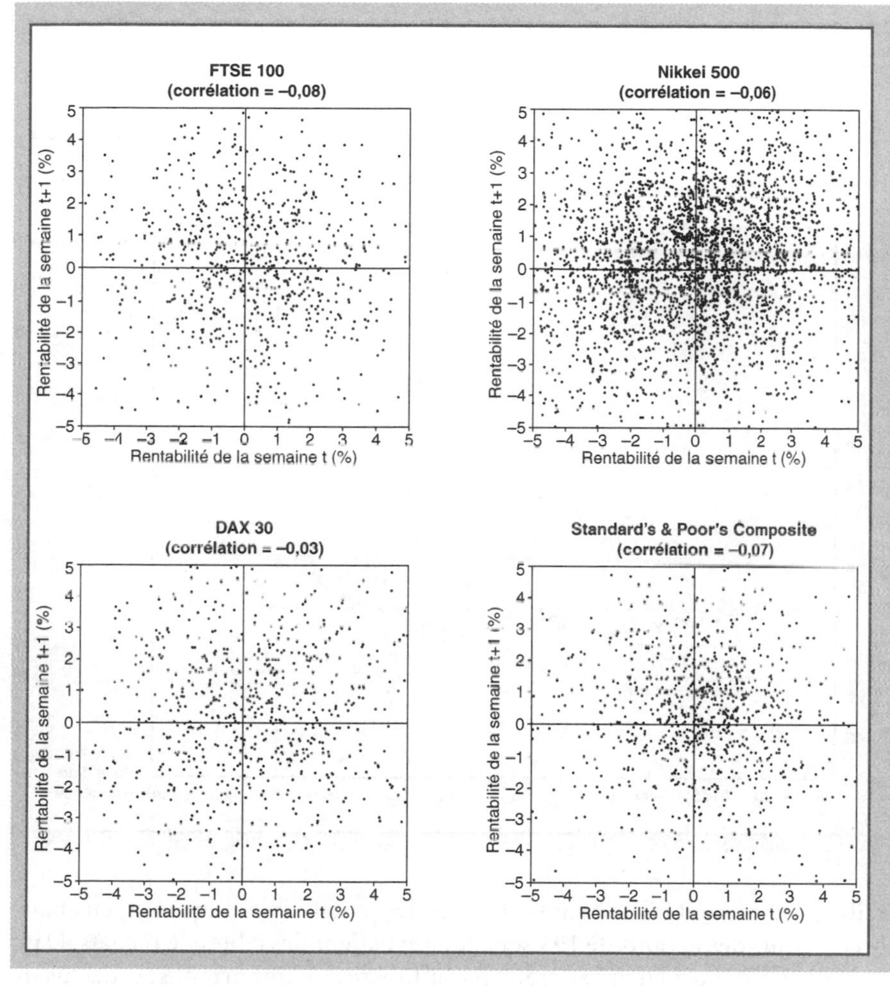

Figure 13.4 - Dans ces nuages de points, chaque point représente la rentabilité du marché (= de l'indice) sur une semaine, entre mai 1984 et mai 2001. La grande dispersion des points montre qu'il n'y a pratiquement aucune corrélation entre les rentabilités de deux semaines successives. Les quatre indices sont le FTSE 100 (Royaume-Uni), le Nikkei 500 (Japon), le DAX 30 (Allemagne) et le Standard & Poor's Composite (USA).

Cela sera mieux que de regarder simplement la rentabilité de l'action. Cependant, si votre étude porte sur plusieurs mois, voire plusieurs années, il faut intégrer le fait que certaines actions sont plus influencées par les variations du marché que d'autres. Par exemple, on pourra déterminer la rentabilité attendue sur une action en fonction des variations du marché, comme suit :

$$\alpha + \beta \times \text{rentabilité de l'indice de marché}$$ [6]

Alpha (α) représente la variation moyenne du cours de l'action quand l'indice de marché est stable. Le bêta (β) nous dit de combien *en plus* le cours de l'action a évolué pour 1 % de

6. Cette équation est appelée *modèle de marché*.

variation dans l'indice de marché[7]. Supposons que la rentabilité effectivement observée sur une action, un mois donné, soit de $\tilde{r}$ quand la rentabilité de l'indice est de $\tilde{r}_m$. Dans ce cas, nous en conclurons que la **rentabilité anormale** pour le mois considéré est de :

$$\text{Rentabilité observée sur l'action} - \text{rentabilité attendue sur l'action} = \tilde{r} - (\alpha + \beta\tilde{r}_m)$$

Cette rentabilité anormale ne tient plus compte des fluctuations du cours de l'action qui peuvent être expliquées par l'évolution globale du marché[8].

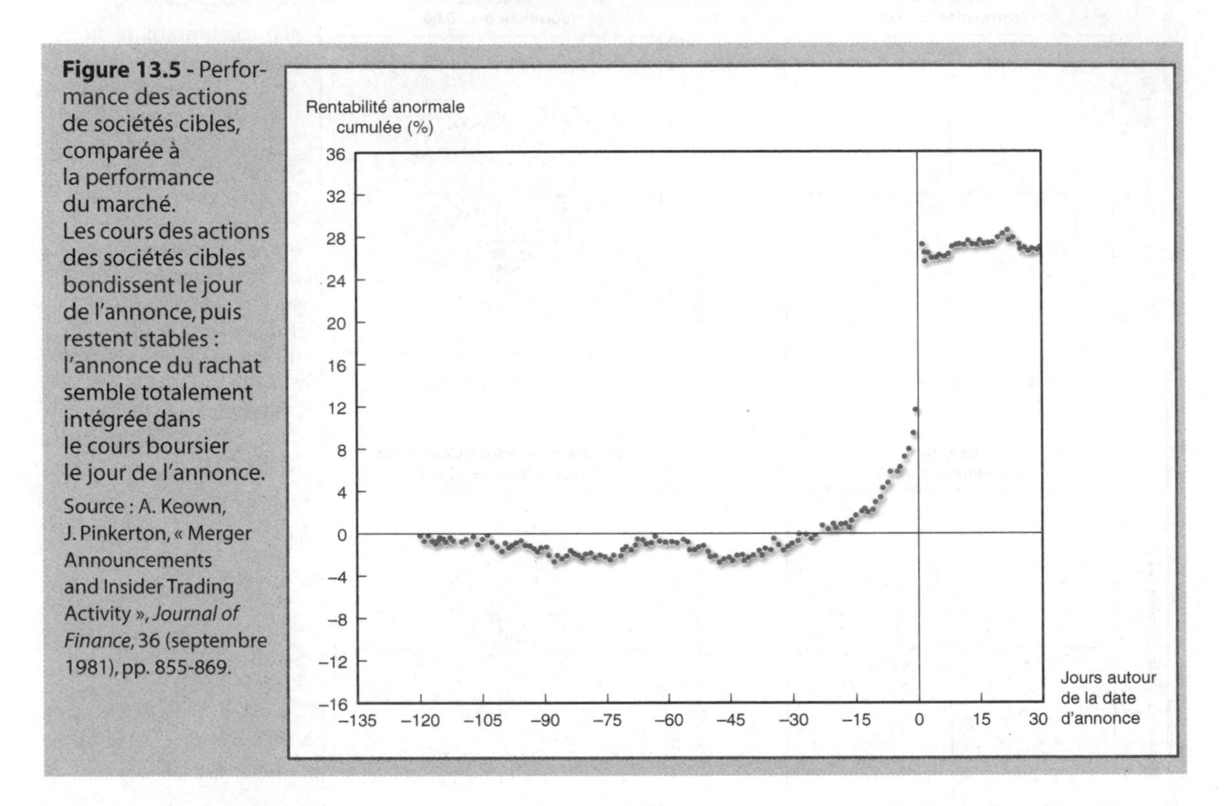

Figure 13.5 - Performance des actions de sociétés cibles, comparée à la performance du marché. Les cours des actions des sociétés cibles bondissent le jour de l'annonce, puis restent stables : l'annonce du rachat semble totalement intégrée dans le cours boursier le jour de l'annonce.
Source : A. Keown, J. Pinkerton, « Merger Announcements and Insider Trading Activity », *Journal of Finance*, 36 (septembre 1981), pp. 855-869.

La figure 13.5 illustre comment les annonces affectent les rentabilités anormales, en analysant l'évolution du cours des actions de 194 sociétés qui étaient des cibles de rachats. Dans la plupart des acquisitions, l'acheteur est prêt à payer une prime importante au-dessus du prix du marché effectif de la société achetée : quand une société devient la cible d'une offre

7. Il est important, quand vous estimez α et β, de choisir une période sur laquelle vous pensez que le cours de l'action s'est comporté normalement. Si sa rentabilité était anormale sur cette période, alors les paramètres α et β ne pourraient être utilisés comme estimations de l'exigence normale de rentabilité des investisseurs. Aussi, regardez toujours si vos paramètres α et β sont sensibles au choix de la période. Les méthodes pour estimer les rentabilités anormales sont détaillées dans A. C. MacKinlay, « Event Studies in Economics and Finance », *Journal of Economic Literature*, 35 (1997), pp. 13-39.

8. L'évolution du marché ne constitue pas la seule influence commune à toutes les actions. Par exemple, dans la section 8.4, nous avons montré le modèle de Fama et French, qui postule que la rentabilité d'une action est influencée par trois facteurs généraux : la rentabilité du marché, la taille, et un facteur *book-to-market*. Dans ce modèle, nous calculerions la rentabilité attendue de l'action comme

$$a + b_{\text{marché}}\tilde{r}_{\text{facteur de marché}} + b_{\text{taille}}\tilde{r}_{\text{facteur taille}} + b_{\text{book-to-market}}\tilde{r}_{\text{facteur book-to-market}}$$

de rachat, son cours boursier augmente en anticipation de cette prime d'achat. La figure 13.5 montre que le jour où le public a été mis au courant d'une tentative de rachat (jour 0 sur le graphique), le cours boursier d'une cible classique fait un brusque bond à la hausse. L'ajustement dans le cours boursier est immédiat. Puis, on ne constate plus aucune évolution les jours suivants, à la hausse ou à la baisse[9]. Ainsi, en un seul jour, les nouveaux cours reflètent apparemment (au moins en moyenne) l'amplitude de la prime de rachat.

Une étude de Patell et Wolfson montre la rapidité avec laquelle les cours boursiers s'ajustent lors de la publication d'une nouvelle information[10] : quand une société publie ses derniers résultats ou annonce un changement dans sa politique de dividendes, la majeure partie de l'ajustement du cours boursier a lieu dans les cinq à dix minutes qui suivent l'annonce..

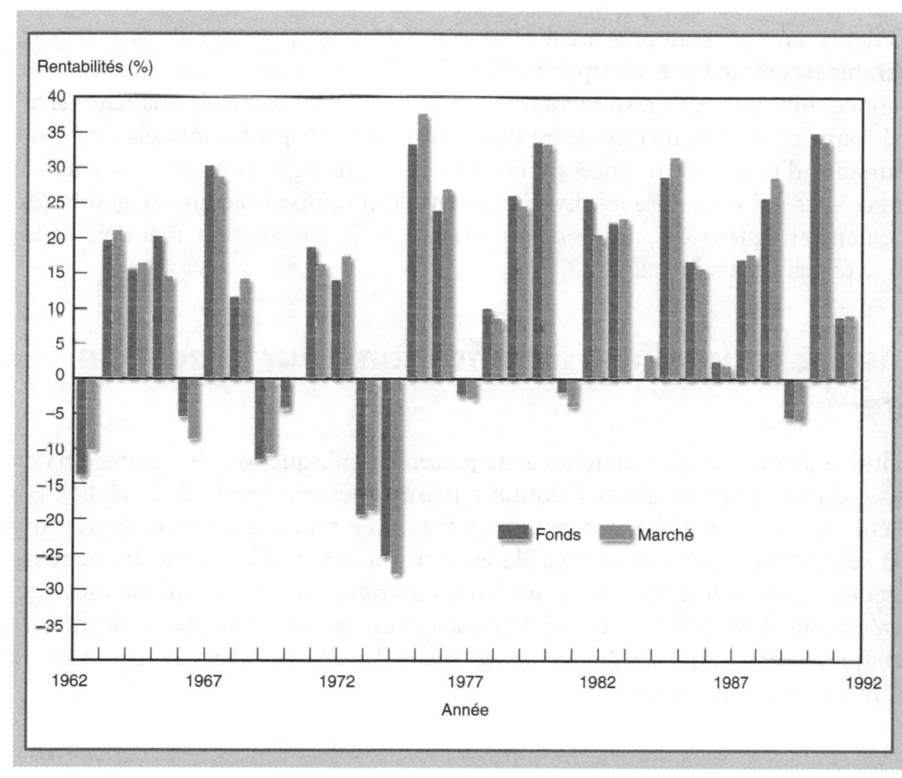

Figure 13.6 - Rentabilités moyennes de 1 493 fonds d'investissement, comparées à la rentabilité du marché, pour chaque année entre 1962 et 1992. Les fonds d'investissement sont en dessous du marché la moitié des années.

Source : M. M. Carhart, « On Persistence in Mutual Fund Performance », *Journal of Finance*, 52 (mars 1997), pp. 57-82. Concernant la France, on pourra également consulter avec profit l'étude de F. Aftalion, « Les performances des OPCVM actions françaises », Banque et Marchés, 52 (mai-juin 2001), pp. 6-16.

Les tests portant sur la *forme forte de l'efficience* ont examiné les recommandations d'analystes professionnels et ont étudié les fonds d'investissement qui étaient susceptibles de battre le marché. Certains chercheurs ont ainsi trouvé que des fonds arrivent à battre légèrement le marché de façon régulière, mais le même nombre de chercheurs a montré que cette performance ne suffit pas à compenser les coûts de gestion. Regardez par exemple la figure 13.6,

9. Voir A. Keown, J. Pinkerton, « Merger Announcements and Insider Trading Activity », *Journal of Finance*, 36 (septembre 1981), pp. 855-869. Notez que les cours du jour *avant* l'annonce montrent déjà une tendance à la hausse. Cela montre qu'il y a une fuite graduelle de l'information sur un rachat possible, et certains investisseurs commencent à acheter les actions en anticipant l'annonce du rachat.

10. Voir J. M. Patell, M. A. Wolfson, « The Intraday Speed of Adjustment of Stock Prices to Earnings and Dividends Announcements », *Journal of Financial Economics*, 13 (juin 1984), pp. 223-252.

qui est tirée d'une étude de M. Carhart sur la rentabilité moyenne de presque 1 500 fonds d'investissement américains. Certaines années, les fonds d'investissement rapportent plus que le marché, mais la moitié du temps, c'est l'inverse qui se passe. Cela dit, la comparaison est ici un peu rapide, car beaucoup de fonds d'investissement se spécialisent dans certains secteurs, comme les entreprises à bêta faible ou les grandes entreprises, exemples qui pourraient donner une rentabilité inférieure à la moyenne. Pour tenir compte de ces différences, chaque fonds d'investissement doit être comparé à un portefeuille de titres similaires. Carhart a réalisé ce travail, mais ses conclusions restent les mêmes : les fonds d'investissement ont une rentabilité *inférieure* à celle du portefeuille comparable, *après prise en compte* de leurs coûts de fonctionnement et une performance *équivalente avant prise en compte* de ceux-ci[11].

Bien sûr, il y a des gérants qui sont plus intelligents que d'autres et qui peuvent battre le marché. Mais il semble très difficile de les repérer et les meilleurs d'une année peuvent très bien se tromper l'année suivante[12]. Ces résultats sur l'efficience forte des marchés financiers semblent avoir été convaincants : beaucoup de fonds d'investissements professionnels ont abandonné la poursuite d'une performance supérieure. Leur stratégie consiste désormais à « acheter l'indice », ce qui maximise les diversifications et minimise les coûts de gestion du portefeuille. Quant aux plans d'épargne d'entreprises US, ils investissent maintenant un quart de leurs avoirs en fonds indexés.

3 Énigmes et anomalies : signification pour la gestion financière

Quand l'hypothèse d'efficience des marchés a été présentée, presque tous les chercheurs en conclurent que cela représentait une description remarquablement exacte de la réalité. Les résultats des études validaient tellement cette hypothèse que tout travail de recherche qui cherchait à la remettre en cause était regardé avec suspicion. Mais à la fin, les lecteurs des revues académiques en finance se fatiguèrent d'entendre toujours le même message. Les articles intéressants devinrent ceux qui mentionnaient un dysfonctionnement. Bientôt, les revues académiques furent remplies d'études sur des *anomalies de marché* que les investisseurs avaient visiblement négligé d'exploiter.

11. Florin Aftalion a réalisé une étude sur le marché français (94 fonds d'actions françaises entre 1994 et 1999). Les résultats montrent que seulement deux fonds ont fait sensiblement mieux que le marché, et qu'il n'y a quasiment pas de persistance des performances (il n'y a aucun lien régulier entre le fait qu'un fonds domine le marché une année donnée, et sa performance l'année suivante). Aftalion souligne également que sur la période septembre 1994-septembre 1999, les fonds en actions françaises offrent de moins bonnes performances que celles de l'indice CAC 40. Voir F. Aftalion, « Les performances des OPCVM actions françaises », *Banque et Marchés*, n° 52 (mai-juin 2001), pp. 6-16.

12. Voir B. G. Malkiel, « Returns from Investing in Equity Mutual Funds 1971 to 1991 », *Journal of Finance*, 50 (juin 1995), pp. 549-572. Il est difficile de mesurer si les bons gérants restent efficaces. Quelques preuves du contraire sont données par E. J. Elton, M. J. Gruber, C. R. Blake, « The Persistence of Risk-Adjusted Mutual Fund Performance », *Journal of Business*, 69 (avril 1996), pp. 133-157. En revanche, il est couramment admis que les plus mauvais fonds continuent à se dégrader au fil du temps. Ce n'est pas surprenant, car leur taille diminue et leurs coûts de fonctionnement deviennent proportionnellement plus élevés.

Nous avons déjà mentionné une de ces énigmes : les taux de rentabilité anormalement élevés pour les entreprises de petite taille. Par exemple, reprenez la figure 7.1 qui montrait l'écart significatif entre les rendements des actions des entreprises de petite taille et celles des sociétés plus grandes. Il peut y avoir trois explications. Premièrement, il se peut que les investisseurs aient exigé une rentabilité supérieure pour les petites entreprises, pour compenser un facteur de risque non identifié dans le Medaf. C'est la raison pour laquelle nous nous sommes demandé, dans le chapitre 8, si l'effet taille constituait une invalidation du modèle du Medaf.

Deuxièmement, la performance supérieure des petites sociétés pourrait simplement être une coïncidence, une découverte réalisée par des études à la recherche d'une anomalie dans les données. Il y a des éléments contradictoires dans cette explication. Ceux qui pensent que l'effet taille en est un phénomène récurrent peuvent, par exemple, montrer que les actions des petites sociétés ont été aussi plus rentables dans beaucoup d'autres pays. Mais on peut voir sur la figure 7.1 que l'effet taille semble s'être évanoui au moment même où il a été mis au jour[13]. Troisièmement, on pourrait dire que nous avons ici une exception à la règle de l'efficience des marchés, une de ces exceptions qui donne aux investisseurs l'occasion de réaliser des profits très supérieurs sur une période de vingt ans. Si de telles anomalies étaient si facilement identifiables, on devrait s'attendre à une ruée des investisseurs avides d'en profiter. De fait, même si un grand nombre d'investisseurs essaient d'exploiter ces anomalies, il est difficile de s'enrichir par ce moyen. Par exemple, le professeur Richard Roll, qui connaît bien les anomalies de marché, confesse :

> « Sur les dix dernières années, j'ai essayé d'exploiter beaucoup des inefficiences apparemment prometteuses en investissant des montants importants avec une stratégie qui était suggérée par ces inefficiences. Je n'en ai jusqu'à présent trouvé aucune qui marche en pratique, c'est-à-dire qui me rapporterait plus, après les frais, qu'une stratégie passive d'achat-conservation[14]. »

3.1 Les investisseurs réagissent-ils lentement à une nouvelle information ?

Nous avons parlé de l'effet taille, mais il y a pléthore d'anomalies ou d'énigmes. Certaines d'entre elles sont liées aux variations à court terme des cours boursiers. Par exemple, les rentabilités semblent être supérieures au mois de janvier par rapport aux autres mois, elles semblent être inférieures le lundi par rapport aux autres jours de la semaine et la plupart des rentabilités d'une journée arrivent au début ou à la fin de la séance.

Pour avoir une petite chance de gagner de l'argent avec ces anomalies *à court terme*, il vous faut être un trader professionnel, avec un œil fixé sur votre écran d'ordinateur et l'autre sur votre bonus annuel. Si vous êtes un cadre dans une direction financière, ces anomalies à court terme pourront être des devinettes amusantes, mais ne changeront pas les grandes décisions financières à prendre. En revanche, voici deux exemples d'un retard apparent *à long terme* par rapport aux nouvelles annoncées.

---

13. Ceci peut également signifier que les investisseurs ont *réellement* sous-estimé les mérites des actions des petites sociétés jusqu'en 1981, avant de se raviser lorsque la mauvaise valorisation fut mise en évidence, éliminant alors les opportunités de profit.

14. R. Roll, « What Every CFO Shoul Know about Scientific Progress in Financial Economics : What Is Known and What Remains to be Resolved », *Financial Management*, 23 (été 1994), pp. 69-75.

L'énigme de l'annonce des résultats Cette énigme est résumée à la figure 13.7, qui montre la performance des actions après l'annonce de résultats particulièrement bons ou particulièrement mauvais, au cours des années 1974 à 1986[15]. Les 10 % des sociétés qui avaient annoncé les meilleurs résultats ont une rentabilité supérieure de 4 % à celle des sociétés qui avaient annoncé les plus mauvais résultats, et cela dans les deux mois qui ont suivi l'annonce. Il semble que les investisseurs ne réagissent pas complètement à l'annonce, et n'en comprennent la signification qu'à partir du moment où de nouvelles informations arrivent.

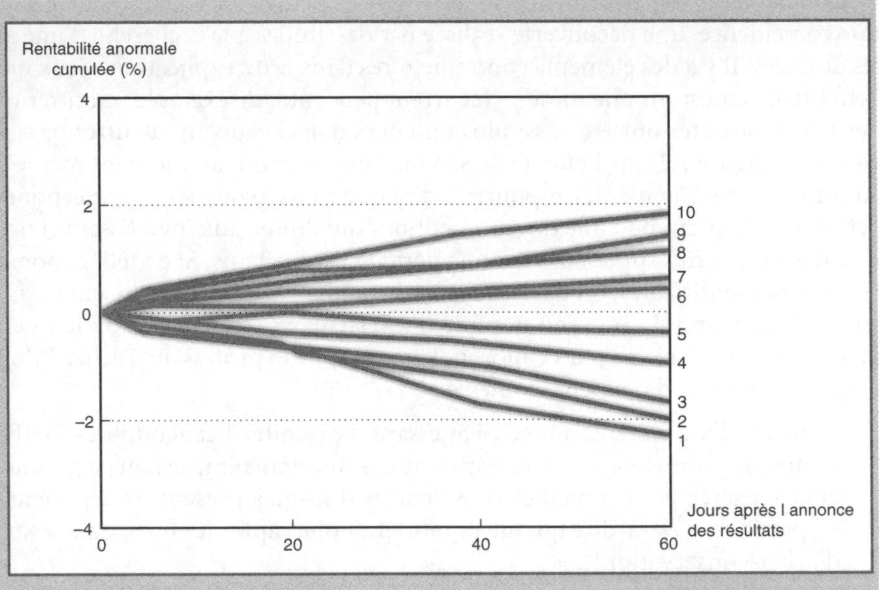

Figure 13.7 - Les rentabilités anormales cumulées de sociétés pendant les soixante jours suivant l'annonce d'un résultat trimestriel. Les 10 % des sociétés ayant fait les meilleures annonces de bénéfices (groupe 10) ont dépassé de 4 % les sociétés aux plus mauvaises annonces (groupe 1).

Source : V. L. Bernard, J. K. Thomas, « Post-Earnings Announcement Drift : Delayed Price Response or Risk Premium ? », *Journal of Accounting Research*, 27 (supplément 1989), pp. 1-36.

L'énigme des nouvelles émissions Quand des sociétés émettent des actions, les investisseurs se précipitent généralement pour acheter. En moyenne, ceux qui ont été assez chanceux pour recevoir des actions vont réaliser une plus-value immédiate. Cependant, ces gains rapides se transforment souvent en pertes. Par exemple, supposons que vous ayez acheté des actions américaines à chaque introduction en Bourse et que vous ayez gardé ces actions pendant cinq ans. Pendant la période 1970-2002, votre rentabilité moyenne annuelle aurait été inférieure de 4,2 % à la rentabilité d'un portefeuille d'actions d'entreprises de taille similaire[16].

Le jury n'a toujours pas délibéré sur ces anomalies à long terme. Prenons par exemple l'énigme des nouvelles émissions. La plupart des introductions en Bourse des trente dernières

15. V. L. Bernard, J. K. Thomas, « Post-Earnings Announcement Drift : Delayed Price Response or Risk Premium ? », *Journal of Accounting Research*, 27 (supplément 1989), pp. 1-36.

16. Cette sous-performance, régulièrement observée aux États-Unis, n'est pas toujours constatée en France. Chahine trouve par exemple une sous-performance boursière sur la première année, tandis que Sentis n'en trouve aucune significative sur les trois années suivant l'introduction en Bourse. Voir S. Chahine, « La sous-évaluation à l'introduction en Bourse : quelle source d'asymétrie d'information ? », *Banque et Marchés*, n° 52 (mai-juin 2001), pp. 46-53 ; P. Sentis, « Performances opérationnelles et boursières des introductions en Bourse : le cas français 1991-1995 », *Finance*, vol. 22, 1 (2001), pp. 87-118.

années concernaient des sociétés à forte croissance, avec des valeurs de marché élevées et des actifs comptables peu importants. Si, maintenant, on compare la performance des introductions en Bourse à un portefeuille de valeurs comparables, en termes de taille et de ratios *book-to-market*, la différence de performance précédemment mentionnée est presque réduite de moitié[17]. Ainsi, l'énigme des nouvelles émissions pourrait bien n'être due qu'à l'énigme de l'effet *book-to-market*.

3.2 Les anomalies de marché et la finance comportementale[18]

Pendant ce temps, des chercheurs partent à la pêche d'une théorie alternative qui puisse expliquer ces anomalies apparentes. Certains pensent que les réponses sont à chercher dans la psychologie comportementale. Personne n'est rationnel à 100 %, 100 % du temps. Notamment dans deux grands domaines : l'attitude face au risque et la façon d'estimer les probabilités.

1. *L'attitude face au risque.* Les psychologues ont observé que, quand des personnes prennent des décisions risquées, elles craignent de subir des pertes, même faibles. Il semble que les investisseurs ne s'intéressent pas seulement à la valeur *courante* de leur portefeuille, mais regardent également si, par le passé, leurs investissements ont généré des pertes ou des bénéfices. Par exemple, si je cède mes actions IBM pour 10 000 euros, je serai tout à fait satisfait si elles m'avaient coûté 5 000 euros, mais beaucoup moins si je les avais payées 11 000 euros. Cette observation constitue le point de départ de la théorie de l'aspiration, ou *prospect theory*[19]. Cette dernière souligne que (a) la valorisation d'un actif par les investisseurs dépend des gains ou des pertes générés depuis son acquisition ou la dernière évaluation du portefeuille, et que (b) les investisseurs éprouvent une aversion particulière à l'éventualité d'une perte, si modeste soit-elle, et ont donc besoin d'un rendement d'autant plus grand pour la compenser.

   L'intensité vécue d'une perte semble dépendre des pertes précédentes : quand les investisseurs ont essuyé un revers, ils ne veulent plus risquer une nouvelle perte et développent une grande aversion au risque. Inversement, de même que les parieurs sont connus pour être plus audacieux quand ils ont déjà gagné, les investisseurs sont mieux préparés à courir le risque d'une débâcle financière s'ils ont profité d'une période de gains importants[20]. S'il arrive qu'ils essuient une petite perte, ils ont au moins la consolation de finir l'année en positif.

---

17. La sous-performance à terme des introductions en Bourse est traitée dans R. Loughran, J. R. Ritter, « The New Issues Puzzle », *Journal of Finance*, 50 (1995), pp. 23-51. Les figures ont été actualisées à partir du site Web de Jay Ritter (**http://bear.cba.ufl.edu/ritter**). Dans une étude sur le marché français, Degeorge et Derrien trouvent aussi que lorsqu'on tient compte de la taille et du ratio *book-to-market*, la sous-performance disparaît. Voir F. Degeorge, F. Derrien, « Les déterminants de la performance à long terme des introductions en Bourse : le cas français », *Banque et Marchés*, n° 55 (novembre-décembre 2001), pp. 8-18.
18. Une synthèse très claire est proposée dans P. Grandin, « Le point sur… La finance comportementale », *Banque et Marchés*, n° 76, mai-juin 2005, p. 81. La *Revue Française de Gestion* a réalisé un dossier sur le sujet, voir « Dossier, la finance comportementale », *Revue Française de Gestion*, n° 157, juillet-août 2005, pp. 139-239.
19. La « Prospect Theory » a été formalisée pour la première fois par D. Kahneman et A. Tversky, « Prospect Theory : An Analysis of Decision under Risk », *Econometrica*, 47 (1979), pp. 263-291.
20. Cet effet est décrit dans R. H. Thaler, E. J. Johnson, « Gambling with the House Money and Trying to Break-Even : The Effects of Prior Outcomes on Risky Choice », *Management Science*, 36 (1990), pp. 643-660. Les implications pour les rentabilités espérées sur actions sont détaillées dans N. Barberis, M. Huang, T. Santos, « Prospect Theory and Asset Prices », *Quarterly Journal of Economics*, 116 (février 2001), pp. 1-53.

Quand nous avons parlé du risque, dans les chapitres 7 à 9, nous avons décrit les investisseurs comme des individus uniquement intéressés par la distribution des rentabilités possibles, résumée par l'espérance de rentabilité et sa variance. Nous n'avons pas envisagé que les investisseurs puissent regarder en arrière pour voir leur prix d'achat et se réjouir d'un investissement profitable ou s'affliger en cas de perte.

2. *La façon d'estimer les probabilités.* Les investisseurs, pour la plupart, n'ont pas un doctorat en statistiques et peuvent donc faire des erreurs systématiques quand ils évaluent les probabilités d'événements incertains. Des psychologues ont montré que, lors de l'évaluation des scénarii possibles pour l'avenir, les individus ont tendance à se référer aux événements survenus dans des situations semblables. Par conséquent, ils peuvent être conduits à trop pondérer un très petit nombre de faits censés être représentatifs.

   Par exemple, un investisseur pourrait croire qu'un gestionnaire de portefeuille est particulièrement compétent parce qu'il a « battu le marché » durant trois années d'affilée ou que quelques années de forte croissance des cours constituent un bon indicateur des profits à tirer du marché boursier. Un second biais systématique est celui d'une trop grande confiance en soi. De même que nous sommes nombreux à nous croire meilleurs conducteurs que la moyenne, beaucoup d'investisseurs pensent qu'ils raisonnent mieux que les autres. Deux spéculateurs qui font une transaction entre eux ne peuvent pas gagner tous les deux. En effet, pour chaque gagnant, il faut un perdant. Mais les investisseurs sont prêts à continuer parce qu'ils pensent que c'est l'autre qui sera berné. La trop forte confiance en soi apparaît également dans la certitude accompagnant les jugements des individus. Ils sous-estiment régulièrement les chances de survenance d'un événement inhabituel.

Ces comportements ont été bien identifiés par les psychologues et il y a quantité de preuves montrant que les investisseurs ne sont pas des modèles de rationalité. Par exemple, la plupart des individus sont réticents à vendre des actions qui affichent une perte. Ainsi, beaucoup ont tendance à être trop optimistes à propos de leurs compétences réelles et investissent trop[21]. Mais ceci soulève une nouvelle interrogation. Il est très vraisemblable que la plupart d'entre nous ne soient pas complètement rationnels lors de nos décisions d'investissement. Cependant, les professionnels les plus chevronnés sont constamment à l'affût des éventuels biais pouvant constituer une source de profits futurs. Il n'est donc pas suffisant d'invoquer l'irrationalité du côté des investisseurs individuels, il nous faut également expliquer pourquoi les institutions financières ne se disputent pas les opportunités de profit pouvant alors surgir.

Prenons les exemples de la compagnie hollandaise Royal Dutch Petroleum et de l'entreprise britannique Shell Transport & Trading. Avant que Shell ne décide de les fusionner, ces deux sociétés étaient effectivement des jumelles se partageant les bénéfices du géant du pétrole. Royal Dutch se voyait attribuer 60 % des cash-flows de la compagnie commune, tandis que les 40 % restants revenaient à Shell T&T. On s'attendrait alors à ce que la valeur de marché de Royal Dutch soit toujours égale à 60/40 = 1,5 fois celle de Shell T&T. Mais comme l'indique

21. Voir T. Odean, « Are Investors Reluctant to Realize their Losses ? », *Journal of Finance*, 53 (octobre 1998), pp. 1775-1798 ; T. Odean, « Boys Will Be Boys : Gender, Overconfidence, and Common Stock Investment », *Quarterly Journal of Economics*, 116 (février 2001), pp. 261-292.

la figure 13.8, les valeurs des deux actions se sont en pratique souvent éloignées de cette parité durant de longues périodes.

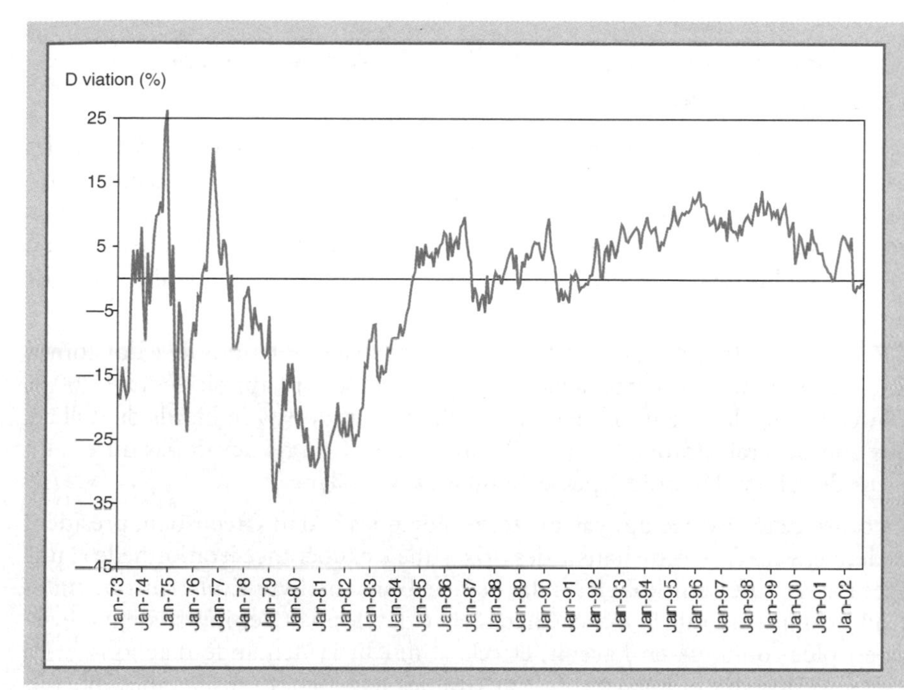

Figure 13.8 - Déviations logarithmiques de la parité Royal Dutch Shell/Shell T&T.

Source : le graphique reprend et met à jour la figure originale de K. Froot et E. Dabora, « How are Stock Prices Affected by the Location of Trade ? », *Journal of Financial Economics*, 53 (1999), pp. 189-216.

Ceci semblerait alors indiquer la possibilité de profits faciles, par l'achat de l'action relativement bon marché et la vente de l'autre. Bien sûr des arbitragistes cherchent à tirer parti de tels écarts, mais il ne s'agit pas ici de bénéfices faciles. Le principal problème est que l'action sous-évaluée peut le devenir encore davantage dans l'avenir. Par exemple, imaginez que vous étiez un gestionnaire de portefeuille professionnel en décembre 1978, lorsque Royal Dutch se trouvait 15 % au-dessous de la parité. Auriez-vous été tenté de vendre des actions Shell T&T et d'acheter des Royal Dutch ? Si vous l'aviez fait, vous auriez dû attendre près de deux années avant de tirer le moindre profit de votre position, et durant cette période, vous auriez vu le cours de l'action descendre jusqu'à 35 % au-dessous de la parité (et probablement un nouveau gestionnaire de portefeuille aurait été nommé à votre place).

Les développements de la finance comportementale peuvent nous aider à comprendre certaines de ces anomalies. Mais ses détracteurs soulignent qu'il est trop simple d'invoquer la psychologie chaque fois que nous observons un comportement que nous ne pouvons pas expliquer. Considérons par exemple la propension à accorder trop d'importance aux événements récents et donc à surréagir aux nouvelles. Ce phénomène s'accorde avec l'une de nos énigmes de long terme, i.e. la sous-performance prolongée des nouvelles émissions. Tout se passe comme si les investisseurs, motivés par la perspective de bénéfices apparemment faciles à prendre, se jetaient sur les nouvelles émissions attractives, et passaient les années suivantes à regretter leur enthousiasme. Néanmoins, cette tendance à la surréaction n'explique pas notre autre énigme de long terme, c'est-à-dire la sous-réaction des investisseurs aux annonces de gains. Dans ce cas, il semble que les investisseurs soient excessivement conservateurs, et réticents à réviser leur jugement face à de nouveaux résultats. Il est très facile de trouver dans les comportements des investisseurs des habitudes pouvant expliquer rétrospectivement une anomalie de marché, mais l'utilité de la finance comportementale dépendra de sa capacité à *prédire* les mauvaises valorisations (*mispricing*) futures.

3.3 Les investisseurs professionnels, l'exubérance irrationnelle et la bulle des « dot.com »

Dans les années 1990, les investisseurs en valeurs technologiques ont vu leurs portefeuilles augmenter de façon considérable. L'indice composite du Nasdaq, qui est très fortement pondéré par des valeurs de haute technologie, augmenta de 580 % entre le début de 1995 et mars 2000. Puis, encore plus rapidement, la hausse s'arrêta. En octobre 2002, le Nasdaq avait perdu 78 %. En décembre 2005, le Nasdaq était encore à –51 % de son plus haut de mars 2000.

Parmi les plus fortes plus-values ou moins-values, il y avait plusieurs actions de « dot.com ». Par exemple, les actions de Yahoo!, cotées à partir d'avril 1996, se sont appréciées de 1 400 % en quatre ans. À cette date, la valeur de marché de Yahoo! était de 124 milliards de dollars, c'est-à-dire plus que General Motors, Heinz et Boeing réunis. Cela ne devait pas durer : un an après, la valeur de Yahoo! dépassait à peine 6 milliards de dollars[22].

Qu'est-ce qui a causé cette envolée des valeurs technologiques ? Alan Greenspan, président de la Réserve fédérale, a attribué cette hausse des prix à une « exubérance irrationnelle », une opinion partagée par le professeur Robert Shiller de Yale. Dans son livre *Exubérance irrationnelle*[23], Shiller dit qu'à mesure que le marché haussier se développait, les investisseurs devenaient de plus en plus confiants en l'avenir, et cela stimulait la demande d'actions[24]. De surcroît, plus les investisseurs empilaient des plus-values dans leurs portefeuilles, plus ils devenaient confiants dans leurs opinions.

Mais cela nous ramène à la question à 64 519 €. Si Shiller a raison, et si les investisseurs particuliers ont été emportés par un optimisme irrationnel, comment se fait-il que des investisseurs professionnels intelligents ne soient pas arrivés pour vendre des actions technologiques, et ainsi ramener leur prix à une valorisation correcte ? Les professionnels ont-ils été aussi emportés par la même vague d'euphorie ? Ou hésitaient-ils rationnellement à lancer un mouvement de vente, dans l'ignorance de la date à laquelle la croissance s'arrêterait ?

3.4 Le boom des « dot.com » et l'efficience relative

Le boom puis le krach des dot.com viennent nous rappeler à quel point il est difficile de valoriser les actions. Par exemple, imaginez qu'au sommet atteint par le marché en 2000, vous souhaitiez vérifier si les actions de l'indice S & P 500 étaient correctement valorisées. Vous pourriez d'abord utiliser la formule des dividendes en croissance constante que nous

22. En décembre 2005, la société valait plus de 57 milliards de dollars.

23. R. J. Shiller, *Exubérance irrationnelle*, Valor éditions, 2000, 302 pages (traduction de *Irrational Exuberance*, Broadway Books, 2000).

24. Certains économistes pensent que les prix de marché peuvent évoluer en « bulles » spéculatives, c'est-à-dire des situations où les cours augmentent plus vite que les valeurs fondamentales, mais où les investisseurs ne vendent pas car ils espèrent que les prix vont continuer à monter. Bien sûr, toutes ces bulles éclatent un jour ou l'autre, mais en théorie, elles peuvent s'entretenir pendant un certain temps. Voir H. Alexandre, *L'individu face au marché : investisseurs, spéculateurs et crises boursières*, éditions EMS Management & Société, 2000, 112 pages.

avons présentée au chapitre 4[25]. En 2000, les dividendes annuels versés par les sociétés formant l'indice s'élevaient environ à 154,6 milliards de dollars. Supposez que l'on se soit attendu à un taux de croissance constant de ces dividendes de 8 % par an et que les investisseurs aient exigé une rentabilité annuelle de 9,2 % par an. La formule de la croissance constante nous donne une valeur d'indice de :

$$\text{VA(indice)} = \frac{\text{DIV}}{r-g} = \frac{154{,}6}{0{,}092 - 0{,}08} = 12\ 883 \text{ milliards}$$

ce qui est proche du niveau réel de l'indice en mars 2000. Mais quelle confiance accorder à ces chiffres ? Peut-être le taux de croissance des dividendes était-il seulement de 7,4 % par an. Cela donnerait une révision à la baisse de

$$\text{VA(indice)} = \frac{\text{DIV}}{r-g} = \frac{154{,}6}{0{,}092 - 0{,}074} = 8\ 589 \text{ milliards}$$

Ce dernier chiffre était à peu près la valeur de ces actions en octobre 2002. En d'autres termes, la baisse de 33 % de l'indice du S & P aurait pu se produire si les investisseurs avaient seulement révisé à la baisse de 0,6 point de pourcentage leur prévision sur le taux de croissance des dividendes.

Cette extrême difficulté à évaluer des actions a deux conséquences importantes. En premier lieu, les investisseurs estiment toujours une action par rapport à son prix de la veille ou par rapport aux cours de titres comparables aujourd'hui. Autrement dit, ils partent généralement du cours d'hier en le supposant correct et l'ajustent à la hausse ou à la baisse en fonction des informations du jour. Si l'information leur parvient régulièrement, à mesure que le temps passe, les investisseurs sont de plus en plus confiants dans l'idée que le niveau du marché aujourd'hui est correct. Mais si les investisseurs perdent confiance et ne croient plus que le cours d'hier est un bon point de repère, il peut y avoir une période un peu folle de transactions confuses et de volatilité des cours, avant qu'un nouveau repère ne soit établi.

En second lieu, la plupart des tests de l'hypothèse d'efficience des marchés s'appuient sur des prix *relatifs* et cherchent à voir s'il existe des bénéfices faciles à faire. Il est quasiment impossible de tester si ces actions sont *correctement valorisées*, parce que personne ne peut mesurer le vrai cours avec précision. Prenez, par exemple, l'action Renault, qui se vendait à 67,7 € en décembre 2005. Pouvons-nous *prouver* que la valeur intrinsèque de l'action était de 67,7 € ? Non, mais nous pouvons penser que le cours devait être 1,33 fois celui de Peugeot (48,8 €, soit un rapport plutôt égal à 1,39), dans la mesure où la première avait un dividende égal à 1,33 fois celui de la seconde, pour les mêmes anticipations de croissance.

3.5 Les anomalies de marché et le cadre financier

De temps en temps, on peut entendre des dirigeants tenir ce type de discours :

> « Génial ! Notre action est surévaluée. Cela signifie que nous pouvons augmenter le capital à peu de frais, et investir dans le projet Blob. Notre cours élevé nous donne un

25. Vous n'auriez pas pu utiliser cette formule pour valoriser une jeune pousse dot.com. Mais la plupart des compagnies représentées au sein de l'indice S & P sont des entreprises matures pour lesquelles l'hypothèse de croissance constante est davantage plausible.

grand avantage par rapport à nos concurrents, qui ne pourraient absolument pas justifier un investissement dans le projet Blob. »

Cela n'a aucun sens. Si l'action de votre société est vraiment surévaluée, vous pouvez aider vos actionnaires actuels en émettant de nouvelles actions et en utilisant l'argent collecté pour investir dans d'autres titres financiers. Mais vous ne devez *jamais* émettre des actions pour investir dans un projet qui offre un taux de rentabilité inférieur à ce que vous pourriez obtenir pour un investissement de même risque sur le marché financier. Un tel projet aura une VAN négative. Vous pouvez toujours faire mieux que d'investir dans un projet à VAN négative : au pire, vous pouvez liquider votre société et acheter des actions. Sur un marché efficient, de tels investissements ont toujours une VAN égale à *zéro*.

Qu'en est-il de l'inverse ? Si vous pensez, par exemple, que votre action est *sous-évaluée*, cela n'aura aucun intérêt pour vos actionnaires actuels que vous émettiez des actions « à bas prix » pour investir dans d'autres actions correctement évaluées. Si l'action de votre société est suffisamment sous-évaluée, il peut même être plus payant d'abandonner une opportunité d'investissement à VAN positive que de laisser entrer de nouveaux investisseurs à un prix trop bas. Les directeurs financiers qui pensent que l'action de leur société est sous-évaluée hésiteront à juste raison à émettre de nouvelles actions, mais pourront financer leurs nouveaux investissements en empruntant : l'inefficience du marché affectera le choix de financement de la société, mais pas ses décisions d'investissement. Le chapitre 15 s'intéressera davantage à cette question des choix de financement lorsque les cadres dirigeants pensent que l'action de leur société est mal valorisée.

4 Les six leçons de l'efficience des marchés

L'hypothèse de marché efficient soutient que les arbitrages vont rapidement éliminer toutes les possibilités de profit et ramener les prix de marché à leur juste valeur. Les spécialistes de la finance comportementale soulignent que l'arbitrage est coûteux et parfois lent à l'ouvrage, si bien que les écarts par rapport à la vraie valeur peuvent persister. Cela prendra du temps pour résoudre toutes les énigmes, mais nous suggérons que les décideurs financiers partent du point de vue que les cours boursiers sont corrects et qu'il est très difficile de deviner comment le marché va évoluer. Cela a des implications importantes.

4.1 Leçon 1 : les marchés n'ont pas de mémoire

L'hypothèse d'efficience du marché, sous la forme faible, postule que la chronique des cours passés n'apporte aucune information sur les futures variations de cours. Les économistes expriment la même idée quand ils disent que le marché n'a pas de mémoire. Parfois, les gestionnaires financiers *semblent* agir comme si ce n'était pas le cas. Par exemple, les études de Taggart aux États-Unis et de Marsh au Royaume-Uni montrent qu'après une hausse anormale des cours, les gestionnaires préfèrent le financement par capitaux propres à l'endettement[26]. L'idée est « de toucher le marché pendant qu'il est au plus haut ». De la même façon, ils sont souvent réticents à l'idée d'émettre des actions après une baisse des cours.

26. Voir par exemple P. Asquith, D. W. Mullins Jr., « Equity Issues and Offering Dilution », *Journal of Financial Economics*, 15 (janvier-février 1986), pp. 16-89 ; P. R. Marsh, « The Choice between Debt and Equity : An Empirical Study », *Journal of Finance*, 37 (mars 1982), pp. 121-144.

Ils préfèrent attendre un rebond. Mais les marchés n'ont pas de mémoire et les cycles sur lesquels tablent les gestionnaires n'existent pas[27].

Un gestionnaire financier a parfois des informations internes indiquant que le cours boursier est surévalué ou sous-évalué. Supposons que vous ayez connaissance de bonnes nouvelles sur une entreprise, mais que le marché les ignore. Le cours de l'action va grimper rapidement, une fois l'information révélée. Par conséquent, si l'entreprise émettait des titres au cours actuel, elle offrirait une bonne affaire aux nouveaux investisseurs, aux dépens des anciens actionnaires.

Naturellement, les dirigeants sont réticents à l'idée d'émettre de nouvelles actions quand ils ont de bonnes informations internes. Mais ce type d'information n'a rien à voir avec les cours passés. Votre entreprise pourrait émettre des titres maintenant, à moitié prix du cours de l'an dernier, et vous pourriez pourtant avoir encore des informations spéciales suggérant que le titre est encore largement surévalué.

4.2 Leçon 2 : faites confiance aux prix du marché

Si le marché est efficient, vous pouvez faire confiance aux cours, car ils incorporent toute l'information disponible : la majeure partie des investisseurs n'a aucun moyen d'obtenir durablement des taux de rendement supérieurs. Pour cela, vous auriez besoin non seulement d'en savoir plus que *n'importe qui*, mais d'en savoir plus que *tous les autres* investisseurs.

Ce message est essentiel. Si vous agissez en croyant que vous êtes meilleur que les autres dans la prévision des taux de change ou des variations de taux d'intérêt, vous allez abandonner une stratégie financière solide pour suivre un feu follet.

De même, une entreprise peut en acheter une autre, simplement parce que les dirigeants pensent que les actions de cette dernière sont sous-évaluées. Dans environ la moitié des cas, les actions acquises seront vraiment sous-évaluées. Mais dans l'autre moitié des cas, les actions seront surévaluées. En moyenne, la valeur des actions sera correcte, de sorte que l'acquéreur aura fait une affaire équitable, si l'on néglige les coûts d'acquisition.

4.3 Leçon 3 : lire dans les entrailles

Si le marché est efficient, les prix tiennent compte de toute l'information disponible : si nous pouvions apprendre à lire dans les entrailles, le cours des titres serait riche d'enseignements sur le futur. Par exemple, nous montrerons au chapitre 29 comment les renseignements apportés par les états financiers de l'entreprise peuvent aider le gestionnaire financier à estimer la probabilité de faillite. Mais la valeur des titres de la société sur le marché fournit également des indices importants sur les perspectives offertes par cette entreprise. Ainsi, si les obligations qu'elle émet offrent une rentabilité bien supérieure à la moyenne, vous pouvez en déduire que l'entreprise a probablement des difficultés.

Voici un autre exemple : supposez que les investisseurs soient convaincus que les taux d'intérêt vont monter au cours de l'année prochaine. Dans ce cas, ils vont préférer attendre avant

---

27. Si des cours élevés étaient le signe d'opportunités d'investissement accrues et de besoins d'argent pour financer ces investissements, nous devrions nous attendre à voir les entreprises lever plus de fonds quand les cours sont historiquement élevés, mais cela n'explique pas pourquoi les entreprises préfèrent lever des fonds à ces moments-là par capitaux propres plutôt que par emprunt.

de prêter à long terme, et toute entreprise qui voudra emprunter à long terme devra offrir une prime sous forme de taux d'intérêt plus élevés. Les différences entre les taux longs et les taux courts sont une indication des anticipations des investisseurs sur les taux à court terme, dans le futur[28].

Exemple : Hewlett-Packard propose de fusionner avec Compaq Le 3 septembre 2001, deux sociétés d'informatique, Hewlett-Packard et Compaq, annoncèrent leur intention de fusionner. Carly Fiorina, PDG de Hewlett-Packard, déclara : « Ce rapprochement nous renforcera dans notre rôle de leader » et créera « une valeur ajoutée substantielle pour l'actionnaire, par des améliorations importantes de notre structure de coûts et l'accès à de nouvelles opportunités de croissance ». Mais les investisseurs et les analystes ne partagèrent pas cet enthousiasme. La figure 13.9 montre que dans les deux jours qui suivirent l'annonce, les actions de Hewlett-Packard perdirent 21 % par rapport au marché, tandis que les actions de Compaq perdaient 16 % sur ce même marché. Il semble que les investisseurs pensaient que cette fusion avait une VAN de –13 milliards de dollars. Quand, le 6 novembre, la famille Hewlett annonça qu'elle voterait contre la proposition de fusion, les investisseurs reprirent confiance et le jour suivant Hewlett-Packard regagna 16 %. Nous ne cherchons pas à montrer que les soucis des investisseurs à propos de cette fusion étaient justifiés car les dirigeants avaient peut-être des informations importantes dont les investisseurs ne disposaient pas. Notre argument est simplement de montrer que la réaction des investisseurs sur les deux actions a permis d'obtenir un résumé très valable de leur opinion à propos de l'effet de cette fusion sur la valeur du groupe.

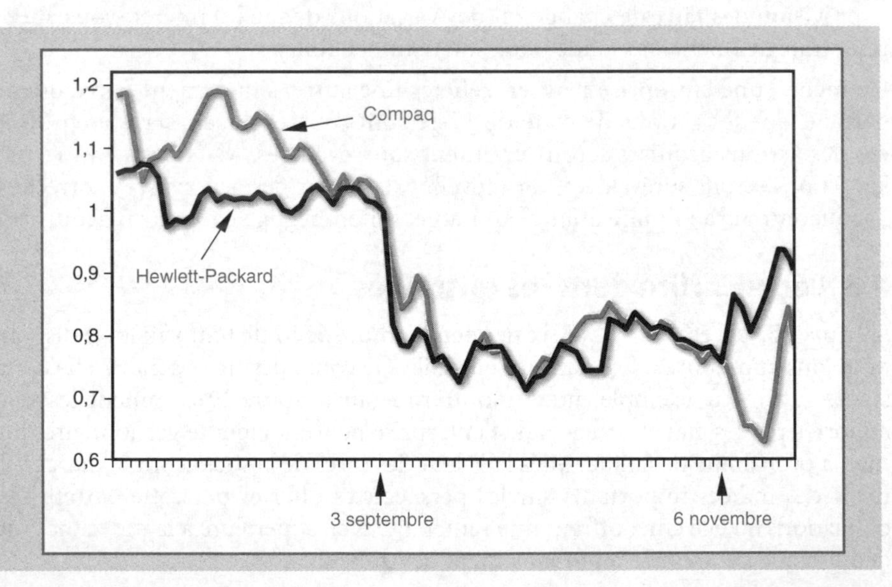

Figure 13.9 - Rentabilités anormales cumulées pour les actions Hewlett-Packard et Compaq, au cours des quatre mois entourant l'annonce, le 3 septembre 2001, d'une proposition de fusion des deux sociétés. L'action Hewlett-Packard remonta après que la famille Hewlett eut annoncé, le 6 novembre, qu'elle voterait contre la fusion.

28. Nous discuterons des relations entre les taux courts et les taux longs au chapitre 23. Notez toutefois que, dans un marché efficient, les différences entre les prix de *n'importe quel* contrat à court et long terme nous enseignent toujours quelque chose sur les anticipations des intervenants à propos des variations de prix.

4.4 Leçon 4 : il n'y a pas d'illusions financières

Si le marché est efficient, il n'y a pas d'illusions financières. Les investisseurs ne s'intéressent qu'aux cash-flows générés par l'entreprise et à la part qui leur revient. Il y a pourtant des moments durant lesquels il semble que les gestionnaires ont l'air de penser que les investisseurs souffrent d'illusions financières.

Exemple : changements dans les méthodes comptables Certaines entreprises s'ingénient à manipuler le bénéfice annoncé aux actionnaires grâce à une « comptabilité créative », c'est-à-dire en choisissant des méthodes comptables qui stabilisent et augmentent le résultat annoncé aux actionnaires. Il se peut que les entreprises agissent ainsi parce qu'elles croient que les actionnaires prendront les chiffres annoncés pour argent comptant[29].

Pour les sociétés, une manière de changer les résultats publiés est de jouer sur la valorisation des entrées ou sorties de stocks. Selon la méthode FIFO (*first in-first out*), on considère que les premiers biens à être déstockés sont ceux stockés en premier et on retient leur valorisation historique. Dans la méthode LIFO (*last in-first out*), on considère que les premiers biens déstockés sont les derniers stockés, et on prend leur valeur d'entrée. Quand l'inflation est élevée, le coût des biens achetés en premier sera inférieur au coût des biens achetés en dernier. Ainsi, les résultats calculés par la méthode FIFO seront plus élevés que par la méthode LIFO.

Si ce n'était qu'une affaire de présentation, il n'y aurait aucun problème à passer d'une méthode à l'autre. Mais cela a aussi un impact sur l'impôt payé. Avec la méthode LIFO, les résultats baissent, mais les impôts aussi.

Si les marchés sont efficients, les investisseurs devraient accueillir avec joie un passage en LIFO, même si cela réduit les résultats publiés. Biddle et Lindhal concluent que c'est ce qui arrive. Le passage à la méthode LIFO est associé à une hausse anormale du cours boursier[30] : les investisseurs semblent regarder au-delà des résultats et se focaliser sur les économies d'impôts.

4.5 Leçon 5 : le faire soi-même ou pas ?

Si le marché est efficient, les investisseurs ne paieront personne pour faire ce qu'ils peuvent très bien faire eux-mêmes. Nombre de controverses en finance d'entreprise se focalisent autour de la question de savoir dans quelle mesure les individus sont capables d'imiter les décisions financières des entreprises. Par exemple, les entreprises justifient souvent les fusions par la diversification qui en résulte et par une meilleure stabilité du résultat. Mais si les investisseurs peuvent disposer des actions des deux entreprises concernées, pourquoi les remercieraient-ils pour cette diversification ? Il est beaucoup moins onéreux et beaucoup plus facile pour eux de se diversifier que pour ces entreprises.

Le gestionnaire financier doit se poser la même question lorsqu'il doit décider s'il vaut mieux émettre des obligations ou des actions. En s'endettant, l'entreprise réalise un effet de levier financier. Par conséquent, la rentabilité attendue augmentera et le risque qui lui est attaché

29. Pour une discussion sur les études qui montrent que les investisseurs ne sont pas trompés par la manipulation des résultats, voir R. Watts, « Does It Pay to Manipulate EPS ? », dans J. M. Stern, D. H. Chew Jr. (eds.), *The Revolution in Corporate Finance*, 4th edition, Blackwell Publishers, 2003.

30. G. C. Biddle, F. W. Lindahl, « Stock Prices Reactions to LIFO Adoptions : The Association between Excess Returns and LIFO Tax Savings », *Journal of Accounting Research*, 20 (automne 1982), Part 2, pp. 551-588.

également. Mais les actionnaires peuvent obtenir un effet de levier sans que l'entreprise ne s'endette. Ils peuvent emprunter eux-mêmes. Le problème du gestionnaire financier est donc de savoir si l'endettement coûte moins cher à l'entreprise qu'à l'actionnaire individuel.

4.6 Leçon 6 : quand on connaît une action, on les connaît toutes

L'élasticité de la demande pour un bien quelconque mesure la variation en pourcentage de la quantité demandée pour chaque point d'augmentation du prix. S'il existe des biens substituables aux caractéristiques assez proches, l'élasticité sera fortement négative ; sinon, elle sera proche de zéro. Le café par exemple, denrée de base, a une élasticité de la demande d'environ –0,2 : une augmentation de son prix de 5 % entraîne une variation des ventes de (–0,2) × (0,05) = –0,01, la quantité demandée diminue d'environ 1 %. Les consommateurs peuvent considérer les différentes *marques* de café comme des produits de substitution encore plus proches les uns des autres. C'est pourquoi l'élasticité de la demande d'une marque particulière pourrait avoisiner –2. Une augmentation de 5 % du prix de Jacques Glabre par rapport à celui de El Bingo, par exemple, réduirait alors la demande de 10 %.

Les investisseurs n'achètent pas une action pour ses caractéristiques spécifiques, mais parce qu'elle offre une perspective de rentabilité correcte, compte tenu de son risque. Les actions sont donc comme des marques de café très semblables, pratiquement des substituts parfaits. De ce fait, la demande pour les actions d'une entreprise particulière devrait être très élastique. Si ses perspectives de rentabilité sont trop faibles par rapport à son risque, *personne* ne voudra les détenir. Si elles sont plus élevées que les autres, *tout le monde* en voudra.

Supposez que vous vouliez vendre un important bloc d'actions. Comme la demande est élastique, vous en concluez naturellement qu'il vous suffit de diminuer un peu le prix de vente pour vendre vos actions. Malheureusement, ce n'est pas forcément vrai. Le fait que vous vendiez vos actions peut laisser penser aux autres investisseurs que vous vous en débarrassez parce que vous savez quelque chose qu'ils ignorent. C'est pourquoi ils réviseront à la baisse leur évaluation du titre. La demande est toujours élastique, mais toute la courbe de demande évolue à la baisse. Une demande élastique n'implique pas que les cours ne changent pas lorsqu'une vente ou un achat importants ont lieu. Elle *implique* que vous pouvez vendre de gros blocs d'actions à un prix proche du cours *tant que vous pouvez convaincre les autres investisseurs que vous n'avez pas d'information privilégiée.*

Voici un cas qui illustre ce point : en juin 1977, la Banque d'Angleterre offrit ses actions BP à un prix unitaire de 845 pence. La banque détenait environ 67 millions d'actions BP, soit 564 millions de livres (près d'un milliard d'euros). C'était une grosse somme qu'on demandait au public de rassembler.

Quiconque voulait des actions BP disposait de deux semaines. Juste avant l'annonce par la banque, le cours était de 912 pence. Pendant les deux semaines qui suivirent, le cours chuta à 898 pence, une baisse parallèle à celle du marché des actions. Ainsi, à la date d'échéance, le rabais offert par la banque n'était plus que de 6 %. En échange de ce rabais, tout demandeur devait se procurer la somme nécessaire, encourir le risque d'une baisse du cours de BP avant que le résultat de l'opération ne soit connu et sacrifier le prochain dividende de BP en faveur de la Banque d'Angleterre.

Même si le prix du café Jacques Glabre baissait de 6 %, il est peu probable que la demande augmenterait considérablement. Mais le rabais proposé sur l'action BP fut suffisant pour que la demande s'élève à 4,6 milliards d'euros, soit 4,7 fois le montant offert.

Résumé

La sainte patronne de la *Bolsa* (Bourse) de Barcelone, en Espagne, s'appelle *Nuestra Senora de la Esperanza* (Notre-Dame de l'Espérance). Elle porte bien son nom, car tous les investisseurs espèrent des rentabilités les plus élevées possibles. Mais la concurrence entre investisseurs aura tendance à produire un marché efficient. Dans un tel marché, les cours incorporeront rapidement toute information nouvelle et il sera très difficile d'obtenir des rentabilités supérieures. On peut toujours *espérer*, mais tout ce qu'on peut rationnellement *compter* obtenir dans un marché efficient, c'est une rentabilité qui compensera le temps d'immobilisation de notre argent et le risque que nous prenons.

L'hypothèse d'efficience des marchés peut prendre trois formes. Dans la *forme faible*, les cours reflètent toute l'information contenue dans les cours passés. Dans ce cas, il est impossible d'obtenir des rentabilités supérieures sur la foi des cours passés – autrement dit, les variations des cours sont aléatoires. Dans la *forme semi-forte*, les cours reflètent toute l'information publiée : il est impossible d'obtenir des rentabilités supérieures juste en lisant les journaux ou en consultant les comptes annuels. Dans la *forme forte* de l'efficience, les cours boursiers intègrent effectivement toute l'information disponible. L'information privilégiée est donc difficile à obtenir car, en la recherchant, vous êtes en concurrence avec des milliers, voire des millions d'investisseurs, intelligents et avides. Le mieux que vous puissiez faire dans ce cas, c'est de supposer que les actions sont correctement évaluées et que Notre-Dame de l'Espérance récompensera votre humilité.

Le concept de marché efficient est simple et généralement confirmé par les faits. Il y a moins de trente ans, l'idée selon laquelle un investissement en actions est assimilable à un jeu équitable était considérée comme bizarre. Aujourd'hui, ce point est non seulement largement étudié dans les écoles de gestion, mais il s'intègre aussi dans la pratique des investissements et dans la politique du gouvernement à l'égard des marchés de valeurs mobilières.

Pour le trésorier d'entreprise qui s'intéresse à l'émission ou à l'achat de titres, la théorie des marchés efficients a des implications évidentes. En un sens, toutefois, elle soulève plus de problèmes qu'elle n'en résout. L'existence de marchés efficients ne signifie pas que le gestionnaire financier peut laisser les problèmes de financement se résoudre d'eux-mêmes. Elle nous donne un point de départ pour l'analyse. Il est temps d'étudier en détail les titres, les procédures d'émission et les institutions financières. Cette étude commencera au chapitre 14.

Lectures complémentaires

L'ouvrage de Malkiel sur l'efficience des marchés est facile d'accès, tandis que Fama a écrit deux articles classiques sur le sujet :

B. G. Malkiel, *Une marche au hasard à travers la Bourse*, trad. française d'Éric Pichet, Valor, 2005, 414 p.

E. F. Fama, « Efficient capital markets : A Review of Theory and Empirical Work », *Journal of Finance*, 25 (mai 1970), pp. 383-417.

E. F. Fama, « Efficient capital markets : II », *Journal of Finance*, 46 (décembre 1991), pp. 1575-1617.

Pour la mise en évidence de possibles exceptions à la théorie des marchés efficients, nous suggérons :

G. Hawawini, D. B. Keim, « On the Predictability of Common Stock Returns : World-Wide Evidence », dans R. A. Jarrow, V. Maksimovic, W. T. Ziemba (eds.), *Finance*, North Holland, Amsterdam, Netherlands, 1994.

Une analyse intéressante de la performance des gérants de fonds d'investissement en France est donnée par Aftalion, tandis que Grandin propose un ouvrage de synthèse :

F. Aftalion, « Les performances des OPCVM actions françaises », *Banque et Marchés*, n° 52 (mai-juin 2001), pp. 6-16.

P. Grandin, *Mesure de performance des fonds d'investissement*, Economica, 1998, 112 pages.

Le livre d'André Shleifer et l'article d'Aftalion (en français) sont une bonne introduction à la finance comportementale. On n'oubliera pas non plus l'excellente revue de Barberis et Thaler.

N. Barberis et R. H. Thaler, « A Survey of Behavioral Finance », dans G. M. Constantinides, M. Harris et R. M. Stulz (eds.), *Handbook of the Economics of Finance*, Elsevier Science, 2003.

A. Shleifer, *Inefficient Markets : An Introduction to Behavioral Finance*, Oxford University Press, Oxford, 2000.

F. Aftalion, « Le point sur… La *behavioral* finance », *Banque et Marchés*, n° 56 (janvier-février 2002), pp. 59-67.

Dans le livre suivant, Hervé Alexandre analyse des phénomènes boursiers et montre leur rationalité sous-jacente :

H. Alexandre, *L'individu face au marché : investisseurs, spéculateurs et crises boursières*, éditions EMS Management & Société, 2000, 112 pages.

Des points de vue divergents sur l'efficience des marchés peuvent être consultés dans :

G. W. Schwert, « *Anomalies and Market Efficiency* », dans G. M. Constantinides, M. Harris et R. M. Stulz (eds.), *Handbook of the Economics of Finance*, Elsevier Science, 2003.

M. Rubinstein, « Rational Markets : Yes or No ? The Affirmative Case ? », *Financial Analysts Journal*, 57 (mai-juin 2001), pp. 15-29.

B. G. Malkiel, « The Efficient Market Hypothesis and Its Critics », *Journal of Economic Perspectives*, 17 (hiver 2003), pp. 59-82.

R. J. Shiller, « From Efficient Market Theory to Behavioral Finance », *Journal of Economic Perspectives*, 17 (hiver 2003), pp. 83-104.

Activités

Révision des concepts

1. Qu'entend-on par le terme de « marche au hasard » ? Expliquez pour quelles raisons l'évolution des prix sur un marché efficient devrait se rapprocher d'une marche aléatoire.

2. Décrivez les trois formes d'efficience de marché et donnez un exemple concret pour chacune.

3. Donnez trois exemples d'exceptions apparentes à l'hypothèse d'efficience.

Tests de connaissances

1. Lesquelles de ces affirmations sont vraies (s'il y en a) ? Les cours des actions semblent se comporter comme si leurs valeurs successives (1) étaient des nombres aléatoires, (2) suivaient des cycles réguliers, (3) différaient par un nombre tiré au hasard.

2. Complétez les mots manquants :

« L'hypothèse des marchés efficients peut prendre trois formes. Les tests de comportement aléatoire des rentabilités boursières vérifient la forme _________ de l'hypothèse. Les tests de réaction des cours à des informations largement diffusées vérifient la forme _________ de l'efficience, et les tests de performance des fonds gérés par des professionnels s'intéressent à la forme _________. L'efficience du marché résulte de la concurrence entre les investisseurs. Beaucoup d'investisseurs recherchent des informations nouvelles sur l'activité de l'entreprise qui leur permettraient de mieux évaluer les actions. Cette recherche contribue à assurer que les cours reflètent toute l'information disponible : autrement dit, elle aide à conserver un marché efficient sous la forme _________. D'autres investisseurs étudient les cours passés pour trouver des récurrences qui leur permettraient de faire des profits supérieurs. Une telle recherche vise à s'assurer que les cours reflètent toute l'information contenue dans les cours passés. En d'autres termes, elle permet de vérifier la forme _________ de l'efficience du marché. »

3. Vrai ou faux ? L'hypothèse des marchés efficients suppose :

a. Qu'il n'y a pas d'impôts.

b. Que les prévisions sont parfaites.

c. Que les variations successives de cours sont indépendantes.

d. Que les investisseurs sont irrationnels.

e. Qu'il n'y a pas de coûts de transaction.

f. Que les prévisions sont sans biais.

4. Vrai ou faux ?

a. Les décisions de financement sont moins facilement changées que les décisions d'investissement.

b. Les décisions de financement n'affectent pas le montant global des cash-flows, mais simplement la répartition de ces flux entre les destinataires.

c. Les tests ont montré qu'il y a une corrélation négative presque parfaite entre les variations de cours successives.

d. La forme semi-forte de l'hypothèse des marchés efficients postule que les cours reflètent toute l'information publique.

e. Dans des marchés efficients, la rentabilité attendue est la même pour chaque action.

5. L'analyse des rentabilités mensuelles pendant soixante mois des actions de Glouton Futon montre un β de 1,45 et un α de –0,2 % par mois. Un mois plus tard, le marché a monté de 5 % et Glouton Futon de 6 %. Quel est le taux de rentabilité anormale de Glouton Futon ?

6. Vrai ou faux ?

a. L'analyse fondamentale faite par les analystes financiers et les investisseurs aide à conserver des marchés efficients.

b. Des psychologues ont montré que des individus qui ont déjà subi une perte sont plus détendus à l'idée de pertes futures.

c. Des psychologues ont montré que les individus considèrent généralement les événements récents comme représentatifs de ce qui arrivera à l'avenir.

d. Si l'hypothèse des marchés efficients est correcte, les gestionnaires ne peuvent pas augmenter la valeur des titres par de la « comptabilité créative » qui accroît les résultats.

7. Bulle SA vient de recevoir de bonnes nouvelles : ses profits ont augmenté de 20 % par rapport à l'année dernière. La plupart des investisseurs anticipent une hausse de 25 %. Le cours de Bulle SA va-t-il monter ou baisser, une fois l'annonce faite ?

8. Voici les six leçons de l'efficience des marchés. Pour chaque leçon, donnez un exemple qui présente son intérêt pour les décideurs financiers.

a. Les marchés n'ont pas de mémoire.

b. Faites confiance aux prix de marché.

c. Apprenez à lire dans les entrailles.

d. Il n'y a pas d'illusions financières.

e. Le faire soi-même ou pas.

f. Quand on connaît une action, on les connaît toutes.

Questions et problèmes

1. Que répondriez-vous aux commentaires suivants ?

a. « Marché efficient ? Faux ! Je connais nombre d'investisseurs qui font des choses insensées. »

b. « Marché efficient ? Calembredaines ! Je connais au moins une douzaine d'individus qui ont amassé un pactole sur les marchés boursiers. »

c. « Le problème, avec les marchés financiers, c'est qu'ils ignorent la psychologie des investisseurs. »

d. « En dépit de toutes ses limites, le meilleur indicateur de la valeur d'une entreprise, c'est la valeur comptable. C'est un bien meilleur indicateur que la valeur de marché, qui dépend de modes passagères. »

2. Répondez aux affirmations suivantes :

a. « La théorie de la marche au hasard qui dit qu'investir dans des actions c'est comme jouer à la roulette est un argument rédhibitoire pour nos marchés de capitaux. »

b. « Si tout le monde croit que l'on peut gagner de l'argent en analysant les graphiques des cours passés, alors les variations de cours ne seront plus l'effet du hasard. »

c. « La théorie du cheminement aléatoire implique que les événements surviennent au hasard, mais beaucoup d'événements ne sont pas le fait du hasard. S'il pleut aujourd'hui, il y a de bonnes chances pour qu'il pleuve encore demain. »

3. Lesquelles des affirmations suivantes *semblent* indiquer une inefficience du marché ? Dites si l'affirmation contredit l'efficience forte, semi-forte, ou faible.

a. Les obligations d'État exemptes d'impôts offrent une rentabilité avant impôts plus faible que les obligations d'État soumises à impôts.

b. Les dirigeants font des profits supérieurs sur les achats de titres de leur propre entreprise.

c. Il y a une relation positive entre la rentabilité du marché sur un trimestre et les variations des profits consolidés au trimestre suivant.

d. Il y a une controverse sur le fait que les actions qui se sont exceptionnellement appréciées dans un passé récent continuent à le faire à l'avenir.

e. Les actions d'une société cible d'une acquisition tendent à s'apprécier avant l'annonce de fusion.

f. Les actions de sociétés qui font des profits élevés inattendus *semblent* présenter des rentabilités élevées dans les mois qui suivent l'annonce des résultats.

g. Les actions très risquées ont en moyenne une meilleure rentabilité que les actions sûres.

4. Voici les alpha et bêta des actions Techno et Agro au cours de soixante mois. Les alpha sont exprimés en pourcentage par mois.

	Alpha	Bêta
Techno	0,77	1,61
Agro	0,17	0,47

Expliquez comment ces estimations seraient utilisées pour calculer des rentabilités anormales.

5. On suggère parfois que les actions avec un PER bas sont sous-évaluées. Décrivez une façon de vérifier cette hypothèse. Soyez aussi précis que possible.

6. « Si l'hypothèse des marchés efficients est vraie, le gestionnaire de fonds de pension pourrait aussi bien choisir son portefeuille en lançant des fléchettes. » Expliquez pourquoi ce n'est pas le cas.

7. Que peut répondre l'hypothèse d'efficience des marchés à ces deux affirmations ?

a. « Je remarque que les taux d'intérêt à court terme sont à un point de pourcentage en dessous des taux à long terme. Nous devrions emprunter à court terme. »

b. « Je constate que les taux d'intérêt en Suisse sont plus faibles que les taux en France, nous ferions mieux d'emprunter en francs suisses plutôt qu'en euros. »

8. Nous avons suggéré trois explications possibles à l'effet taille (les petites entreprises étant plus rentables que les grandes) : une exigence de rentabilité supplémentaire pour un facteur non identifié, une coïncidence, ou une inefficience du marché. Écrivez trois argumentaires pour défendre chacune des explications.

9. La colonne (a) du tableau 13.1 indique les rentabilités mensuelles de l'indice boursier. Les colonnes (b) et (c) indiquent les rentabilités des actions de deux entreprises. Celles-ci ont annoncé une augmentation de dividendes durant cette période : RoastBeef en septembre N-1 et Froggies en janvier N-1. Calculez la rentabilité anormale moyenne des deux actions durant le mois d'annonce du dividende.

Les données de ce tableau, comme celles de tous les tableaux de ce chapitre, sont disponibles sur *www.gestion financiere.pearsoned.fr*

Tableau 13.1. Rentabilités en pourcentage mensuel

Mois	(a) Rentabilité du marché	(b) Rentabilité de RoastBeef	(c) Rentabilité de Froggies
N-2			
Août	0,2 %	−1,9 %	−0,5 %
Septembre	−3,5	−10,1	−6,1
Octobre	3,7	8,1	9,8
Novembre	5,5	7,5	16,5
Décembre	5,0	4,3	6,7
N-1			
Janvier	−9,5	−5,3	−11,1
Février	−0,6	5,7	−7,3
Mars	4,9	−9,7	4,5
Avril	−3,3	−4,7	−14,8
Mai	0,5	−10,0	−1,1
Juin	−0,7	−2,7	−1,2
Juillet	0,8	0,1	−2,6
Août	4,8	3,4	12,4
Septembre	−5,7	5,6	−7,9
Octobre	2,3	−2,2	11,5
Novembre	−4,6	−6,5	−14,4
Décembre	1,3	− 0,2	3,4
N			
Janvier	1,2	− 3,7	4,1
Février	−6,0	−9,0	−14,1
Mars	−4,8	7,3	−6,5
Avril	5,9	4,7	12,6
Mai	−2,9	−7,1	−0,7
Juin	−2,7	0,5	−14,5
Juillet	−2,0	−0,5	−11,4

10. Le 15 mai 1997, le gouvernement du Koweït mit en vente 170 millions d'actions British Petroleum, d'une valeur de 2 milliards de dollars. Goldman Sachs fut contacté après la clôture de la Bourse de Londres et devait répondre en une heure : acceptaient-ils de racheter ces actions ? Ils décidèrent d'offrir 710,5 pence (11,59 $) par action et le Koweït accepta. Puis Goldman Sachs se mit en quête d'acheteurs. Ils alignèrent 500 investisseurs, institutionnels ou individuels, et leur revendirent les actions à 716 pence (11,70 $) pièce. Cette revente fut terminée avant l'ouverture du *London Stock Exchange* le lendemain matin. Goldman Sachs avait réalisé un profit de 15 millions de dollars en une nuit[31]. Discutez les éléments de cette opération à la lumière de l'efficience des marchés.

Problèmes avancés

1. Les spécialistes en obligations achètent et vendent des obligations avec une faible marge (*spread*). En d'autres termes, ils sont prêts à vendre à un cours à peine plus élevé que le cours d'achat. Les vendeurs de voitures d'occasion choisissent de vendre et d'acheter avec de grosses marges. Quel est le rapport avec l'hypothèse de l'efficience forte des marchés ?
2. « Quand on analyse les fluctuations des cours de change et des obligations quand il y a des aides internationales pour des pays qui ont des problèmes de balance de paiements, on constate qu'en moyenne les cours baissent fortement pendant plusieurs mois avant l'annonce d'un plan d'aide, puis restent globalement stables après l'annonce. Cela suggère que l'assistance est efficace, mais arrive trop tard. » Est-ce correct ?
3. Utilisez Yahoo! Finance France (**fr.finance.yahoo.com**) pour télécharger les cours quotidiens de cinq actions françaises sur une période de douze mois. Pour chaque action, construisez un nuage de points des rentabilités successives comme dans la figure 13.2. Puis calculez la corrélation entre les rentabilités de jours qui se suivent. Trouvez-vous des tendances claires ?

31. « Goldman Sachs Earns a Quick $15 Million Sale of BP Shares », *The Wall Street Journal* (16 mai 1997), p. A4.

Chapitre 14

Un aperçu du financement des entreprises

Avec ce chapitre, nous commençons notre étude des décisions de financement à long terme – une tâche qui ne sera achevée qu'au chapitre 26. Ce chapitre introductif est un résumé des principales méthodes de financement. Il effleure de nombreux thèmes qui seront étudiés de façon plus approfondie ultérieurement.

Nous commençons ce chapitre par l'étude des sources de financement des entreprises françaises. Les entreprises peuvent se financer par autofinancement, c'est-à-dire en mettant en réserves une partie de leurs résultats dégagés, pour les réinvestir dans des actifs ; elles peuvent aussi procéder à des augmentations de capital ou souscrire à de nouveaux emprunts. Ces modes de financement posent plusieurs questions importantes. Les sociétés privilégient-elles trop l'autofinancement aux dépens de l'émission d'actions ou de la souscription d'emprunts ? Les ratios d'endettement des entreprises sont-ils trop élevés ? Les modes de financement diffèrent-ils dans les différents pays industrialisés ?

Notre seconde mission dans ce chapitre consiste à présenter les caractéristiques essentielles des dettes et des actions. Les actionnaires et les créanciers financiers ont différents droits aux bénéfices et différents droits de contrôle. Les prêteurs sont considérés comme des créanciers prioritaires, car l'entreprise leur a promis des paiements prédéfinis, sous forme d'intérêts et de remboursement en capital. Les actionnaires reçoivent le solde du bénéfice après que les prêteurs ont été payés. D'un autre côté, les actionnaires ont un contrôle total de la société, tant qu'ils tiennent leurs promesses vis-à-vis des créanciers. Ils décident quels actifs l'entreprise doit acheter, quelle sera leur utilisation, et quel en sera le financement. Bien sûr, dans les grandes entreprises cotées, les actionnaires délèguent ces décisions au conseil d'administration qui, à son tour, nomme les dirigeants. Dans ce cas, le contrôle effectif est assuré par les dirigeants de la société.

La différence entre financements par capitaux propres et par dette ne fait pas apparaître les très grandes variétés de dettes qu'une société peut avoir. C'est pourquoi nous concluons cette présentation par un détail des différentes catégories de dettes possibles.

Les institutions financières jouent un rôle important en tant que fournisseurs de capitaux pour les entreprises. Par exemple, les banques aident les entreprises à réaliser leurs augmentations de capital, leur prêtent de l'argent, achètent et vendent des devises étrangères pour leur compte… Nous présentons donc les principaux types d'institutions financières et détaillons le rôle qu'elles jouent dans le financement des entreprises et plus largement dans l'économie.

1 Les modalités du financement des entreprises

Les sociétés investissent essentiellement dans des actifs à long terme (des machines, des terrains, des bâtiments) et dans le besoin en fonds de roulement (BFR). La figure 14.1 montre d'où elles tirent l'argent pour financer ces investissements. La principale source de financement, de très loin, est générée en interne : c'est l'autofinancement, c'est-à-dire le cash-flow restant après paiement des dividendes[1]. Les actionnaires sont contents de laisser cet argent dans l'entreprise tant qu'il est réinvesti dans des projets à VAN positive. Chaque nouveau projet à VAN positive augmente la valeur des actions.

Figure 14.1 - Les sources de financement des sociétés non financières françaises, en part du total.

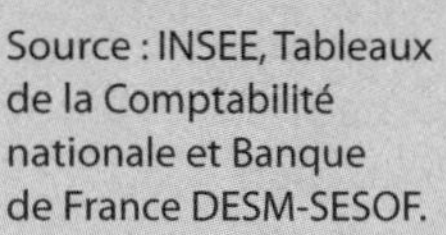

Source : INSEE, Tableaux de la Comptabilité nationale et Banque de France DESM-SESOF.

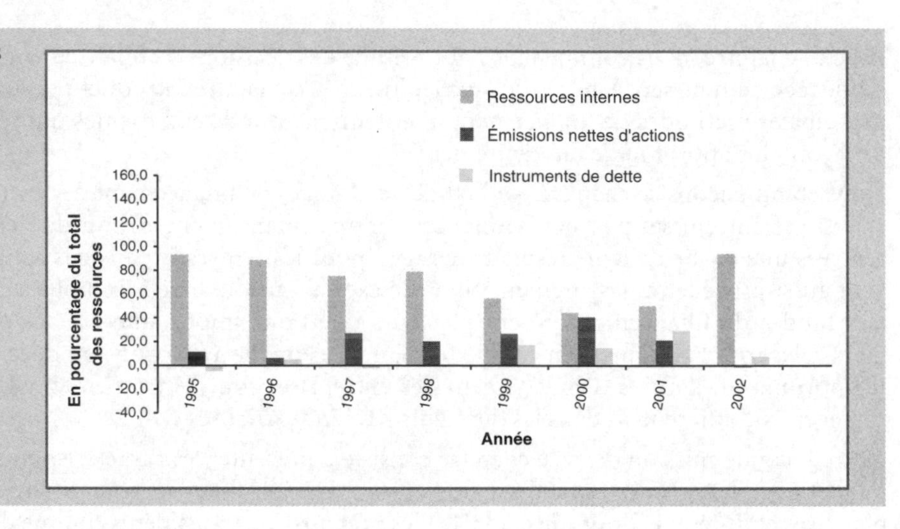

Mais l'autofinancement ne suffit généralement pas : les entreprises doivent procéder à des augmentations de capital ou souscrire à de nouveaux emprunts (obligataires ou bancaires). Les sociétés doivent faire deux types de choix : (1) décider quelle proportion du bénéfice doit être réinvestie dans la société, au lieu d'être versée en dividendes ; (2) déterminer quelles proportions du besoin de financement doivent être couvertes par emprunt et par augmentation de capital. La première question s'intéresse à la politique de dividende (abordée dans le chapitre 16). La seconde question porte sur la politique d'endettement (traitée dans les chapitres 17 et 18).

1. Si l'on prend le résultat net, et que l'on réintègre l'amortissement (charge comptable ne correspondant pas à une dépense monétaire), on obtient la capacité d'autofinancement. En déduisant les dividendes versés, on obtient l'autofinancement.

Dans la figure 14.1, on peut noter la part importante des augmentations de capital par rapport aux financements par dette, probablement expliquée par le développement des marchés financiers, évolution inverse de celle du recours aux crédits bancaires. Par ailleurs, l'autofinancement représentait la grande majorité des ressources sur ces années. La France n'est pas un cas particulier : l'autofinancement représente plus des deux tiers du financement des entreprises aux États-Unis, en Allemagne, au Japon ou en Angleterre[2].

1.1 Les entreprises se reposent-elles trop sur l'autofinancement ?

Nous avons vu qu'en moyenne, l'autofinancement (CAF – dividendes) couvre la majeure partie des besoins d'investissement des sociétés, car il est plus pratique que le recours à des financements extérieurs comme les augmentations de capital ou les emprunts. Mais certains craignent que cela provienne d'une aversion irrationnelle, ou intéressée, des dirigeants pour les financements externes. Un dirigeant confortablement installé pourrait être tenté de rejeter un investissement risqué, mais à VAN positive, si cela devait signifier une augmentation de capital et la nécessité de répondre aux questions pointilleuses d'investisseurs potentiels. Peut-être les dirigeants veulent-ils éviter « la discipline des marchés financiers ».

Mais il y a aussi de bonnes raisons de recourir à l'autofinancement. Cela évite les coûts d'émission de nouvelles actions ou obligations, par exemple. De plus, l'annonce d'une augmentation de capital représente souvent une mauvaise nouvelle pour les investisseurs qui craignent des bénéfices futurs en baisse ou un risque accru[3]. Si les émissions de nouvelles actions sont coûteuses ou envoient un signal négatif aux investisseurs, les sociétés ont peut-être raison de regarder plus attentivement les projets qui nécessiteraient une augmentation de capital.

1.2 Dans quelle mesure les entreprises ont-elles recours à l'emprunt ?

C'est une question épineuse à laquelle il est difficile d'apporter des réponses générales, car les politiques financières varient selon les pays et les secteurs, voire d'une société à une autre. Quelques statistiques ne peuvent pas faire de mal, tant que l'on ne cherche pas à être catégorique.

Il est généralement admis que les sociétés américaines ont moins de dettes que beaucoup de leurs homologues étrangères. Si cela était certainement vrai dans les années 1950 et 1960, la situation est beaucoup moins claire de nos jours. De telles comparaisons entre différents pays sont faussées par les différences entre les méthodes comptables et financières. Cependant, l'Union européenne a construit une base de comptes harmonisés qui permet d'avoir une idée approximative du classement des entreprises américaines en termes de ratio de dette.

---

2. Voir par exemple J. Corbett, T. Jenkinson, « How is Investment Financed ? A Study of Germany, Japan, the United Kingdom and the United States », *The Manchester School*, 65 (supplément 1997), pp. 69-93.

3. Les dirigeants ont évidemment des informations internes, et vont naturellement être tentés d'émettre des actions quand le cours de l'action leur sera favorable, c'est-à-dire si le marché valorise l'action de manière plus optimiste que leur propre estimation. Les investisseurs extérieurs savent cela, aussi n'accepteront-ils d'acheter de nouvelles actions que si celles-ci sont émises avec une décote par rapport au cours avant l'annonce d'augmentation de capital. Nous en dirons plus dans le chapitre 15.

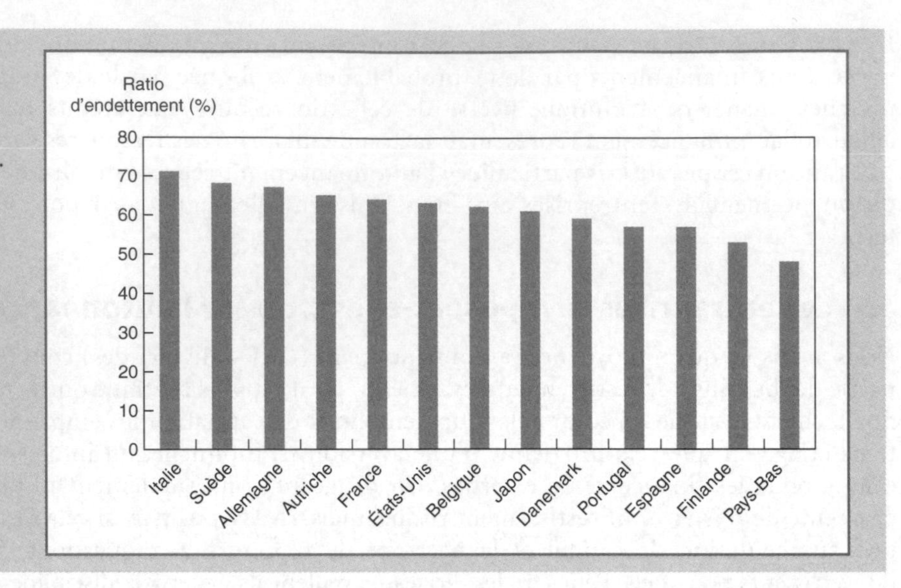

Figure 14.2 - Ratio du passif total sur le passif total plus les capitaux propres pour l'industrie manufacturière en 2001.

Source : Base de données de comptes harmonisés (BACH) fournie par l'UE. © European Communities 1995-2003.

La figure 14.2 présente les ratios moyens du passif total rapporté au passif total plus les capitaux propres dans le secteur de l'industrie manufacturière pour un échantillon de pays développés. Alors que la Suède et l'Italie ont les ratios les plus élevés, les États-Unis se situent approximativement au milieu du classement.

2 Les actions

Les entreprises se procurent de l'argent de deux manières : par l'émission d'actions ou par la souscription d'emprunts. Si les actions présentent peu de différences, les dettes sont très diverses. Nous commençons notre tour des propriétaires par les actions. Le tableau 14.1 montre les capitaux propres du groupe Total.

Les données de ce tableau, comme celles de tous les tableaux de ce chapitre, sont disponibles sur *www.gestion financiere. pearsoned.fr*

Tableau 14.1. Capitaux propres (valeur comptable) de Total, bilans consolidés, au 30 septembre 2005, en millions d'euros

	2005	2004
PASSIF		
Capital social	6 226	6 543
Primes et réserves consolidées	37 882	32 279
Différence de conversion	988	233
Actions propres	–5 381	–7 126
CAPITAUX PROPRES	39 725	31 929

Source : Comptes consolidés des neuf premiers mois, Total, 2005.

La plupart des actions sont détenues par des investisseurs et forment le flottant. Total (ou ses filiales) a aussi racheté pour 5 381 millions d'euros d'actions aux investisseurs. Ces actions sont conservées dans la trésorerie de l'entreprise jusqu'à ce qu'elles soient annulées ou revendues. Ces actions en trésorerie sont émises, mais ne font pas partie du flottant.

Les actions émises sont comptabilisées à leur valeur nominale, 10 €. Le capital social est constitué au 30 septembre 2005 de 622 578 312 actions, soit 6 226 millions d'euros. En général, la valeur nominale des actions n'a que peu de signification économique[4]. Le cours des actions émises lors d'augmentations de capital est presque toujours supérieur à leur valeur nominale. La différence est comptabilisée en primes d'émission. Donc, si Total émettait 1 million d'actions supplémentaires à 115 €, le capital social augmenterait de 1 000 000 × 10 = 10 millions d'euros, et les primes de 1 000 000 × (115 – 10) = 105 millions d'euros.

Toutes les sommes que Total ne verse pas en dividendes demeurent dans l'entreprise en réserves, et sont utilisées pour financer de nouveaux investissements. Le montant des primes et réserves consolidées au bilan est de 37 882 millions.

Enfin, le compte actions propres indique les sommes dépensées par l'entreprise pour racheter ses propres titres. Ces rachats ont *réduit* de 5 381 millions le montant des capitaux propres.

La valeur comptable des capitaux propres est de 39 725 millions d'euros. Mais le cours de l'action Total en septembre 2005 était de 223 €. *La valeur de marché* des capitaux propres était donc de 622 578 312 × 223 = 138 835 millions, soit 3,5 fois la valeur comptable.

2.1 L'actionnariat des sociétés

Une société est détenue par ses actionnaires. Certains d'entre eux sont des actionnaires particuliers, mais la majorité sont des **institutions financières** (banques, compagnies d'assurances, fonds d'investissement). La figure 14.3 montre que les ménages et les sociétés et agents non financiers représentent à peine un tiers des détenteurs d'actions en France. Aux États-Unis, les institutions financières détiennent 60 % des actions cotées.

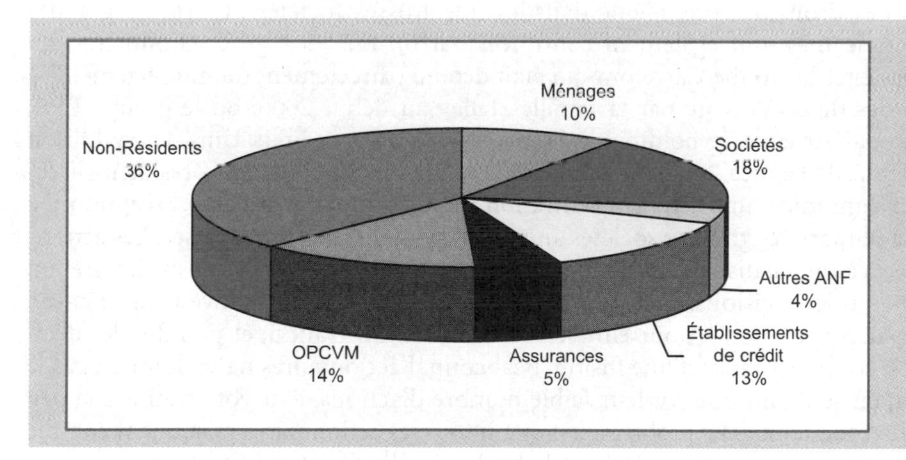

Figure 14.3 - Détention d'actions françaises, second trimestre 2005.

Source : Banque de France–DESM-SESOF.

Qu'entendons-nous par « la société est détenue par ses actionnaires » ? La réponse est simple si cette société n'a pas émis d'autres titres. Prenons le cas le plus simple, une société n'ayant émis que des actions, toutes détenues par son président-directeur général (PDG). Ce gestionnaire-propriétaire veinard reçoit tous les cash-flows et prend toutes les décisions. Il a un *droit sur tous les cash-flows* et un *contrôle* total.

4. La valeur nominale est souvent présentée comme une valeur minimale, parce que certains États n'autorisent pas les entreprises à émettre des actions au-dessous du nominal.

Ces droits changent dès que la société emprunte. Un emprunt bancaire, par exemple, sera un contrat qui fixe des paiements d'intérêts et un remboursement du capital. La banque aura donc un droit – limité, mais prioritaire – sur une partie des cash-flows de la société ; l'actionnaire a des droits sur le reste.

La banque va souvent essayer de protéger ses droits, en imposant à la société ce qu'elle peut ou ne peut pas faire. Cela peut consister à limiter le montant des emprunts additionnels que la société peut faire, ses cessions d'actifs, des distributions de dividendes trop importants. Le contrôle de l'actionnaire sera donc moindre, mais un contrat d'emprunt ne peut pas fixer toutes les décisions, d'investissement ou de gestion courante, nécessaires à la bonne marche de l'entreprise (aucune équipe de juristes ne pourrait rédiger un contrat qui couvre toutes les éventualités possibles)[5]. L'actionnaire garde donc le contrôle de ces décisions. Il peut décider, par exemple, de modifier le prix de vente de ses produits, d'embaucher du personnel temporaire ou de construire une nouvelle usine à Blagny-sur-Vingeanne plutôt qu'à Corgoloin[6].

Bien sûr, la propriété d'une entreprise peut changer de mains : si une société n'arrive pas à assurer le service de sa dette, elle peut être mise en faillite. Si un redressement n'a pas lieu, ce sera le banquier qui deviendra propriétaire de l'entreprise et qui aura le contrôle et des droits sur les cash-flows (nous traitons de la faillite dans le chapitre 25).

Mère Nature n'impose pas que le contrôle soit lié aux droits sur les cash-flows. Ainsi, on pourrait imaginer un système dans lequel ce serait le banquier qui prendrait toutes les décisions de gestion. Mais ce serait inefficient : comme c'est l'actionnaire qui profite essentiellement des bonnes décisions, il est normal de lui donner le contrôle des actifs.

Jusqu'à présent, nous avons traité du cas d'un actionnaire unique. Dans beaucoup de pays, comme l'Italie, Hong-Kong ou le Mexique, on trouve un actionnaire dominant qui détient 20 % ou plus des droits de vote, même dans les très grosses sociétés[7]. Quelques grandes entreprises américaines sont également contrôlées par un ou deux gros actionnaires. En France, on peut citer le groupe Carrefour qui était détenu (directement ou indirectement) à plus de 20 % des droits de vote par la famille Halley au début 2006, ou le groupe PPR, détenu à 42 % par Artémis, la holding de François Pinault. Aux États-Unis, Larry Ellison détenait, au début de l'année 2006, 24 % du capital d'Oracle tout en étant président-directeur général. Néanmoins, une telle concentration de l'actionnariat est une exception. La propriété de la plupart des grandes sociétés américaines est largement dispersée. Les actionnaires de sociétés à capital dispersé détiennent néanmoins des droits sur les cash-flows, et un contrôle ultime sur les décisions. Dans la pratique, ce contrôle se réduit souvent au vote – en personne ou par procuration – pour élire le conseil d'administration, et prendre des décisions majeures, comme décider d'une fusion. Beaucoup d'actionnaires ne se donnent pas la peine de voter, en se disant que, vu leur faible nombre d'actions, leur vote n'aura que peu d'impact sur le résultat final. Le problème est que si tous les actionnaires raisonnent comme cela, ils abandonnent le contrôle et lâchent la bride aux dirigeants, qui vont alors œuvrer dans leur propre intérêt.

---

5. C'est pour cela que la théorie économique souligne l'importance des *contrats incomplets*, en établissant que les contrats portant sur la gestion des entreprises *doivent* être incomplets, et que quelqu'un doit disposer des droits de contrôle résiduels. Voir I. Hart, *Firms, Contracts and Financial Structure*, Clarendon Press, Oxford, 1995.

6. Bien sûr, le banquier pourra donner son avis sur ces décisions, il pourra même annoncer qu'il refusera tout emprunt futur, mais il n'aura pas le *droit* de prendre ces décisions de gestion.

7. Voir R. La Porta, F. Lopez-de-Silanes, A. Shleifer, « Corporate Ownership around the World », *Journal of Finance*, 54 (1999), pp. 471-517.

2.2 Les procédures de vote et la valeur des droits de vote

Si les statuts de l'entreprise précisent que le vote est fait *à la majorité* des voix, chaque membre du conseil d'administration est élu séparément, chaque action donnant droit à une voix. Si les statuts autorisent un *vote cumulatif*, l'ensemble du conseil d'administration est élu en une fois et chaque actionnaire peut donner toutes ses voix à un seul candidat s'il le désire[8]. Dans le système des votes cumulatifs, il est plus facile à des groupes d'actionnaires minoritaires d'élire des administrateurs qui représentent leurs intérêts. C'est pourquoi ces groupes déploient autant d'efforts pour promouvoir le système de vote cumulatif.

Dans de nombreux cas, un vote à la majorité simple est suffisant, mais les statuts définissent quelques décisions qui ne peuvent être prises qu'en respectant une règle de majorité qualifiée, par exemple les 2/3 des votants : c'est souvent le cas pour des fusions, ou pour des augmentations de capital. Des dirigeants qui ont peur de sauter en cas de rachat de leur entreprise vont ainsi essayer de convaincre leurs actionnaires d'adopter une procédure de majorité plus importante pour la décision de fusionner avec une autre entreprise[9].

Les points sur lesquels les actionnaires votent sont rarement contestés, en particulier pour les entreprises de grande taille et aux titres largement diffusés. Occasionnellement, lors des luttes de pouvoir, les cadres dirigeants et les membres du conseil d'administration doivent affronter des concurrents extérieurs pour conserver le contrôle de l'entreprise. Mais le handicap de ces derniers est souvent insurmontable, dans la mesure où la direction du moment peut faire financer par la société les coûts de la défense de sa gestion et de l'obtention des votes.

La plupart des entreprises n'émettent qu'un type d'actions. Cependant, on trouve quelquefois des entreprises dont le flottant est constitué de deux types d'actions qui diffèrent par les voix et les dividendes auxquels elles donnent droit. Par exemple, lors de la première augmentation de capital de Google, ses fondateurs étaient réticents à l'idée d'abandonner le contrôle de l'entreprise. Cette dernière eut donc recours à deux types d'actions. Les « actions de type A », vendues au public, avaient un droit de vote chacune, tandis que les actions « de type B », détenues par les fondateurs, en avaient dix. Les deux catégories d'actions ouvraient les mêmes droits en termes de cash-flows, mais pas en termes de contrôle.

Lorsqu'il y a ainsi deux catégories d'actions, les actionnaires disposant de privilèges en termes de droit de vote pourront ainsi l'utiliser afin d'éjecter de mauvais dirigeants ou d'imposer une politique favorisant la création de valeur. Mais tant que les deux types de titres donnent les mêmes droits sur les cash-flows, tous les actionnaires bénéficieront de telles décisions. Mais alors, si chacun est gagnant à une meilleure gestion de l'entreprise, pour quelles raisons le prix de vente des actions à droit de vote supérieur inclut-il une prime ? La seule explication plausible réside dans l'existence de *bénéfices privés* captés par les détenteurs de ces actions. Par exemple, le propriétaire d'un paquet d'actions à droits de vote renforcés pourrait se voir octroyer un siège au sein du conseil d'administration ou des avantages par l'entreprise – que diriez-vous d'une petite virée aux Bermudes avec l'avion de la société ?

---

8. Supposez, par exemple, qu'il faille élire 5 membres du conseil d'administration et que vous ayez 100 actions. Vous avez donc la possibilité d'allouer $5 \times 100 = 500$ voix. Dans le système « à la majorité », vous pouvez allouer au maximum 100 voix à un candidat. Dans le système « cumulatif », vous pouvez faire porter vos 500 voix sur votre candidat.

9. Voir par exemple R. M. Stulz, « Managerial Control of Voting Rights : Financial Policies and the Market for Corporate Control », *Journal of Financial Economics*, 20 (janvier-mars 1988), pp. 25-54.

Ces actions pourraient également offrir un pouvoir de négociation supplémentaire dans le cadre d'une acquisition. Ou encore, elles pourraient être détenues par une autre entreprise, cette dernière usant de ses droits de vote supplémentaires et de son influence afin de consolider une position dominante.

Les bénéfices privés issus du contrôle semblent être plus importants dans certains pays que dans d'autres. Ainsi, Tatiana Nenova a examiné un certain nombre de pays dans lesquels les entreprises peuvent émettre deux types d'actions[10]. Aux États-Unis, la prime que les investisseurs devaient payer pour des actions avec un nombre de droits de vote plus important s'élevait à seulement 2 % de la valeur de la firme, contre 29 % en Italie et 36 % au Mexique. Dans ces deux pays, les investisseurs dominants en termes de droits de vote semblent donc en mesure de s'approprier des bénéfices privés substantiels. L'encadré « Actualités financières » traite d'une discussion importante en Suisse, au sujet des droits de vote multiples.

Même quand il n'y a qu'un seul type d'actions, les actionnaires minoritaires peuvent être lésés : les cash-flows de la société peuvent être détournés par les dirigeants ou par des actionnaires à pouvoir élevé. Selon les pays, les actionnaires minoritaires sont plus ou moins bien protégés[11].

Exemple Les économistes utilisent souvent le terme de *décapitalisation* (*tunneling*) pour parler de l'exploitation des actionnaires minoritaires : tout se passe comme si les actionnaires majoritaires retiraient les capitaux, en creusant des « tunnels », pour leur intérêt propre, aux dépens des minoritaires. Prenons un exemple de décapitalisation à la russe[12].

Pour comprendre comment marche la combine, il vous faut d'abord comprendre les *reverse stock splits* (*regroupement d'actions*). Cette technique est souvent utilisée par les sociétés dont les actions cotent à un prix très faible. La société regroupe alors ses actions en un nombre plus petit de titres. Exemple : 10 actions anciennes deviennent une action nouvelle qui cote 10 fois plus. Comme tous les actionnaires subissent le même regroupement, cette opération ne procure ni gain ni perte.

Cependant, l'actionnaire majoritaire d'une société russe s'est rendu compte qu'il pourrait utiliser cette technique pour piller les actifs de la société. Il proposa ainsi que les actionnaires reçoivent une action nouvelle pour 136 000 actions anciennes[13].

Pourquoi 136 000 ? Parce que les deux actionnaires minoritaires avaient chacun moins de 136 000 actions, et donc n'avaient droit à *aucun* nouveau titre. Ils furent dédommagés à la valeur nominale de leurs actions et le majoritaire resta seul propriétaire de l'entreprise. Les actionnaires majoritaires d'autres sociétés furent tellement impressionnés qu'ils s'empressèrent de faire la même chose dans leurs sociétés. Inutile de dire que ce genre de pratique est interdit en Europe de l'Ouest et aux États-Unis.

---

10. T. Nenova, « The Value of Corporate Voting Rights and Control : A Cross-Country Analysis », *Journal of Financial Economics*, 68 (juin 2003) pp. 325-352.

11. Les différences internationales dans la protection des minoritaires sont présentées dans S. Johnson et al., « Tunnelling », *American Economic Review*, 90 (mai 2000), pp. 22-27.

12. Pour un état des lieux dans des économies en transition, voir C. Vincensini, P. Koleva, « Les trajectoires économiques sociales dans la transition post-socialiste : étude comparée des fonds de privatisation tchèques et bulgares », étude du CERI (Centre d'études et de recherches internationales), n° 70, Sciences Po (octobre 2000), 38 p.

13. Comme ce type d'opération ne demande qu'un vote à la majorité simple, la proposition fut adoptée.

Actualités financières

Querelle sur les droits de vote

« Il n'y a pas si longtemps », pouvait-on lire dans *The Economist*, « en Suisse, les sociétés aimant leurs actionnaires étaient aussi rares que les amiraux suisses. Bien à l'abri derrière leurs défenses anti-OPA, la plupart des dirigeants traitaient leurs actionnaires avec mépris. » Mais *The Economist* apercevait un signe encourageant : une proposition de l'Union des Banques Suisses (UBS) pour modifier les droits de vote de ses actionnaires.

UBS avait deux types d'actions : des actions au porteur, anonymes, et des actions nominatives, qui ne le sont pas. En Suisse, où l'anonymat est prisé, les actions au porteur cotaient plus cher, et ce depuis des années. Mais ces actions différaient aussi sur un autre point important : les actions nominatives avaient 5 fois plus de droits de vote que les actions au porteur. BK Vision, un fonds d'investissement, probablement attiré par cette caractéristique, commença à accumuler un montant important d'actions nominatives. La prime sur ces actions monta à 38 % au-dessus du cours des actions au porteur.

À ce moment-là, UBS annonça son intention de fusionner les deux types d'actions, de telle sorte que les actions nominatives perdraient leurs droits de vote supplémentaires. Comme, désormais, les actions allaient toutes s'échanger au même prix, cette annonce déclencha une hausse du cours des actions au porteur et une baisse des actions nominatives.

Martin Ebner, président de BK Vision, se plaignit de cette décision, objectant que cela privait les actionnaires nominatifs d'une partie de leurs droits de vote, sans compensation. Cette querelle souligna l'intérêt de la valorisation des droits de vote supplémentaires. Si les droits de vote sont utilisés pour assurer des bénéfices à *tous* les actionnaires, les actions à droits de vote multiples ne devraient pas se vendre plus cher. En revanche, une prime d'achat apparaîtra si les détenteurs de ces actions nominatives arrivent à s'assurer des bénéfices *pour eux seuls*.

Pour de nombreux observateurs, la proposition d'UBS devait être accueillie comme une bonne tentative d'empêcher un groupe d'actionnaires de s'assurer des bénéfices au détriment des autres et de réunir tous les actionnaires dans un but commun de maximisation de la valeur de la société. Pour d'autres, cela représentait une aliénation de leurs droits. Le débat sur cette question ne fut jamais tranché, car peu après, UBS fusionna avec SBS, une autre banque suisse.

2.3 Des actions déguisées

Les actions sont émises par des sociétés anonymes. Mais quelques titres représentatifs de capitaux propres sont émis par des sociétés de types différents. Nous allons en donner quelques exemples.

Les parts des sociétés de personnes Une société de personnes, qu'elle soit *en commandite* ou *en nom collectif*, consiste en un regroupement de personnes physiques. Certaines personnes, les commanditaires, sont responsables uniquement sur leurs apports (responsabilité limitée) ; d'autres, les commandités, sont responsables sur leurs biens propres. La société se constitue sur la base de parts souscrites ou d'actions émises. Les sociétés de personnes ne sont pas soumises à l'impôt sur les sociétés. Les profits et les pertes sont imputés directement au revenu imposable des détenteurs de parts. Mais en contrepartie de cet avantage fiscal, ce type de société présente des limites. Par exemple, la loi considère ce type d'entreprise comme une simple association d'individus. Elle est censée avoir une vie limitée, comme ses membres. À l'opposé, une société anonyme est une personne morale qui peut survivre à ses actionnaires d'origine.

Les titres participatifs Assimilés à des fonds propres, ces titres peuvent être émis par des sociétés anonymes, par décision de l'assemblée générale. Ces titres donnent droit à une rémunération fixe, fixée à leur émission, et une rémunération variable, fondée sur les éléments de l'activité de la société. Ces titres peuvent être librement négociés, comme des actions.

3 Les dettes

Quand elles empruntent, les entreprises promettent de verser des intérêts régulièrement et de rembourser le principal (c'est-à-dire le capital emprunté) suivant un échéancier prédéterminé. Mais les actionnaires ont le droit de faillir à leurs obligations s'ils veulent céder les actifs de l'entreprise aux prêteurs. De toute évidence, ils ne feront ce choix que si la valeur des actifs est inférieure au montant de la dette[14].

Les créanciers n'étant pas considérés comme les propriétaires de l'entreprise, ils n'ont normalement aucun droit de vote. Les intérêts sont considérés comme une charge et sont déductibles du bénéfice imposable. Ils sont donc payés sur le résultat *avant impôts*. Au contraire, les dividendes sont prélevés sur le résultat *après impôts*. Le gouvernement accorde donc une subvention fiscale au financement par endettement, qu'il refuse au financement par capitaux propres. Nous examinerons en détail le rapport entre endettement et fiscalité au chapitre 18.

Enfin, avant de détailler les caractéristiques possibles des dettes, rappelons qu'il y a deux types de dettes financières : les dettes bancaires, souscrites auprès d'établissements financiers, et les dettes souscrites auprès des marchés financiers (obligations, billets de trésorerie).

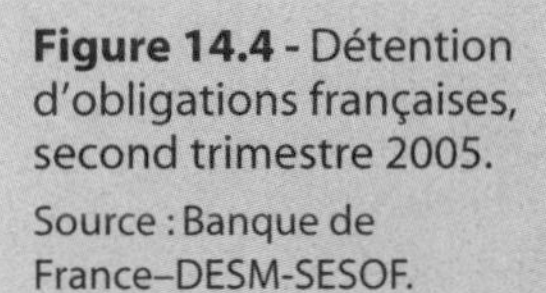
Figure 14.4 - Détention d'obligations françaises, second trimestre 2005.

Source : Banque de France–DESM-SESOF.

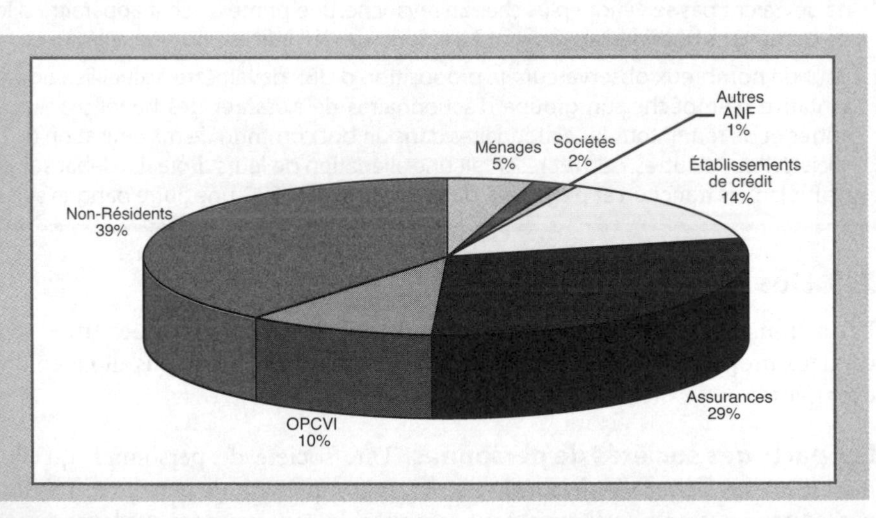

Nous avons vu que ce sont les institutions financières qui détiennent la majorité des actions. La figure 14.4 montre que c'est vrai aussi pour les obligations, détenues essentiellement par des investisseurs institutionnels français, et des non-résidents (la plupart d'entre eux étant des institutions financières).

14. En pratique, cette transmission de l'actif est loin d'être simple. Il peut y avoir parfois des centaines de prêteurs avec différentes créances sur l'entreprise. La gestion de la transmission d'actif est habituellement dévolue au tribunal de commerce.

3.1 La dette prend plusieurs formes

Les directeurs financiers peuvent piocher dans un nombre impressionnant de financements par dette. Par exemple, jetez un coup d'œil au tableau 14.2, qui résume les principaux financements par dette de Total, sachant que chaque ligne regroupe plusieurs emprunts avec des échéances différentes, des taux différents et des modalités spécifiques. Par ailleurs, d'autres modes de financement, mentionnés dans le rapport annuel, n'apparaissent pas dans le bilan. Par exemple, le groupe bénéficie d'engagements de banques pour pouvoir utiliser des lignes de crédit, pour un total de 7,841 milliards de dollars (dont 7,223 milliards ne sont pas utilisés), ainsi que des contrats de swap de change et d'options sur taux d'intérêt.

Tableau 14.2. Les grandes sociétés émettent quantité de titres différents. Ce tableau montre les financements par dette de Total en septembre 2005

Dettes en euros	Dettes en devises étrangères
Emprunts obligataires (échéances jusqu'en 2012)	Dollar néo-zélandais
Emprunts à taux variable	Dollar US
Emprunts bancaires à plus d'un an	Dollar australien
Billets de trésorerie/*commercial paper*	Livre sterling
Emprunts bancaires à moins d'un an	Franc suisse, etc.

Vous vous demandez probablement ce que sont les swaps ou les options de taux d'intérêt. Rassurez-vous : nous détaillerons les caractéristiques des dettes financières sur plusieurs chapitres. Pour l'instant, notez que les différentes dettes qu'une société détient dépendent de la réponse à plusieurs questions :

1. *La société doit-elle emprunter à court terme ou long terme ?* Si votre entreprise a simplement besoin de financer l'augmentation d'un stock, à l'approche des fêtes de Noël, un crédit d'exploitation à court terme sera logique. En revanche, pour financer une usine, vous opterez pour une dette à long terme ou un emprunt obligataire à 15 ou 20 ans[15]. Certains emprunts sont remboursés progressivement, d'autres à l'échéance ; il existe aussi des dettes qui peuvent être remboursées ou exigées par anticipation.

2. *La dette doit-elle être à taux fixe, ou à taux variable ?* Le paiement des intérêts (des coupons, pour une obligation) est généralement fixé dès le départ. Ainsi, si une obligation de 1 000 € est émise au taux nominal de 10 %, elle versera un coupon de 100 € chaque année, quelle que soit l'évolution des taux d'intérêt par ailleurs.

   Mais les obligations, ou les prêts bancaires, peuvent être *à taux variable*. Par exemple, le taux peut être fixé à 1 point au-dessus de l'Euribor (*European Interbank Offered Rate*), qui est le taux moyen auquel les banques européennes se prêtent de l'argent entre elles. Quand l'Euribor change, le taux de votre emprunt varie aussi.

15. Une société pourrait financer un projet long terme par un crédit court terme, si elle souhaitait montrer sa confiance dans l'avenir. En effet, si une société anticipait des résultats en diminution, elle ne prendrait pas le risque de devoir renouveler un crédit régulièrement. Voir D. Diamond, « Debt Maturity Structure and Liquidity Risk », *Quarterly Journal of Economics*, 106 (1991), pp. 709-737.

3. *Devez-vous emprunter en euros (votre devise) ou dans une autre devise ?* Beaucoup de sociétés européennes empruntent à l'étranger. Elles peuvent emprunter en euros ou décider d'emprunter en monnaie locale. Après tout, si votre société réalise des dépenses dans un pays étranger, il est logique d'emprunter dans la devise locale. Un emprunt obligataire réalisé à l'international est souvent appelé **euro-emprunt**, de même que les eurodollars étaient des dollars en dehors des États-Unis (principalement en Europe après la Seconde Guerre mondiale, d'où leur nom). Il ne faut pas confondre une euro-obligation qui peut être libellée en dollars, en yens, ou en gourdes haïtiennes, avec une obligation émise en euros.

4. *Quelles promesses devez-vous faire au prêteur ?* Les prêteurs veulent s'assurer que leur dette est aussi garantie que possible. Ils peuvent exiger que leur dette soit une dette *senior*, c'est-à-dire qu'en cas de faillite, elle soit la première à être remboursée. Les dettes *junior*, ou *subordonnées*, ne sont payées qu'une fois toutes les dettes senior remboursées, mais, évidemment, avant les actions.

   Une société peut aussi mettre de côté un actif, qui sert alors de garantie sur des dettes spécifiées. On parle de **dette garantie**, ou **sécurisée**, et l'actif est appelé **collatéral**, ou **caution**. Une entreprise peut ainsi mettre des stocks ou des créances en caution d'un emprunt. En cas de défaut de remboursement, le banquier saisira les actifs pour se rembourser.

   Généralement, l'emprunteur promet qu'il va utiliser l'argent raisonnablement, sans prendre de risques. Une société qui emprunte modérément prendra probablement moins de risques qu'une entreprise endettée jusqu'au cou. L'emprunteur devra alors promettre de ne pas emprunter ailleurs plus d'un certain montant ou de ne pas mettre ses actifs en caution auprès d'autres banques.

5. *Vaut-il mieux émettre des obligations ordinaires, ou des obligations convertibles ?* Une **obligation convertible** est une obligation ordinaire assortie d'une option : l'obligataire peut décider de convertir l'obligation en un nombre prédéterminé d'actions. Cet obligataire espère que le cours des actions va filer au zénith, de sorte qu'une conversion lui rapportera un gros profit. Mais si le cours file au nadir, il n'est pas obligé de convertir : il restera détenteur d'une obligation.

   Par ailleurs, certaines obligations sont émises en même temps qu'un autre titre, le plus souvent un bon de souscription d'action (BSA ou *warrant*). Un BSA n'est rien d'autre qu'une option qui permet à son détenteur d'acheter un certain nombre d'actions à un prix et une date déterminés.

3.2 La variété chasse l'ennui

Nous avons mentionné plusieurs critères permettant de classer les dettes des entreprises. Cela permet aux directeurs financiers de varier leurs montages financiers. Tant que vous pourrez convaincre les investisseurs de leur attrait, vous pourrez émettre des obligations convertibles subordonnées, à taux variables et libellées en couronnes suédoises. Plutôt que de combiner les caractéristiques de différents titres existants, vous pouvez en créer un entièrement nouveau. Imaginons une mine de charbon émettant des obligations convertibles dont les coupons fluctueraient avec les prix du charbon. Un tel titre n'existe pas, mais il serait parfaitement légal et – qui sait ? – pourrait avoir un certain succès auprès des investisseurs.

4 Les marchés et les institutions financières

Voilà la dernière étape de notre tour des titres de financement. Vous devez vous sentir comme le touriste américain de base qui a vu douze cathédrales en cinq jours. Mais dans les chapitres suivants, nous prendrons notre temps pour réfléchir et analyser ces concepts. Pour l'instant, nous étudions les marchés financiers sur lesquels ces titres sont échangés et les institutions financières qui les achètent.

Nous avons expliqué que les entreprises se financent en émettant (vendant) des actions et des obligations. Cela permet d'augmenter la trésorerie des sociétés, et le nombre des actions et obligations détenues par le public augmente de même. Ces émissions de titres sont faites sur le **marché primaire**. Mais les marchés financiers, en plus d'aider les entreprises à se financer, permettent aux investisseurs de s'échanger des titres. Par exemple, Dédé-la-Débrouille peut souhaiter vendre ses actions Eurotunnel pour récupérer de l'argent, tandis que Cockney Slim cherche à investir dans cette société. Les deux investisseurs font alors un échange, dont le résultat est un transfert de propriété entre deux individus, ce qui n'aura aucun impact sur la trésorerie, les activités ou les actifs de la société Eurotunnel. Ce type de transaction a lieu sur le **marché secondaire**.

Les marchés secondaires sont moins actifs pour certains types d'actifs financiers. Par exemple, quand une société emprunte à une banque, c'est comme si le banquier achetait un actif financier, qui est la promesse de la société de payer ses intérêts et de rembourser le capital. De temps en temps, les banques revendent des lots d'emprunts à d'autres banques, mais le plus souvent, elles conservent les emprunts jusqu'à leur remboursement par les emprunteurs. Par opposition, certains actifs sont échangés régulièrement et leurs cours sont donnés dans la presse. Les actions, par exemple, sont échangées sur des marchés organisés, comme la Bourse de Londres, de Paris, ou de New York. Dans d'autres cas, il n'existe pas de marché organisé et les actifs circulent grâce à un réseau de courtiers. Ainsi, si Total a besoin d'acheter des devises pour un investissement à l'étranger, cela se fera par l'intermédiaire d'une banque qui échange régulièrement cette devise. Les marchés qui ne sont pas organisés sont appelés *marchés de gré à gré* (ou *OTC*, pour *over-the-counter*).

4.1 Les institutions financières

Nous avons montré que la plupart des actions et obligations sont détenues par des institutions financières. Comme nous retrouverons ces institutions financières dans les prochains chapitres, nous allons vous les présenter, et expliquer leurs fonctions.

Les institutions financières sont des *intermédiaires financiers* qui collectent l'épargne de millions d'individus et la réinvestissent sur les marchés financiers. Par exemple, les banques collectent de l'argent en proposant des comptes de dépôt et en émettant des actions et des obligations ; puis elles prêtent l'argent collecté aux entreprises et aux particuliers. Bien sûr, les banques perçoivent un intérêt suffisant pour couvrir leurs coûts et rémunérer leurs investisseurs et déposants.

Les banques, et leurs proches cousines, les caisses d'épargne, sont les intermédiaires les plus connus. Mais il y a aussi les compagnies d'assurances et les OPCVM (organismes de placement collectif en valeurs mobilières, essentiellement les Sicav et les fonds communs de placement). Prenons l'exemple des compagnies d'assurances. Celles-ci sont des investisseurs importants qui détiennent de très gros portefeuilles de titres. D'où vient leur argent ? Principalement de la vente de polices d'assurance. Mettons que vous souscriviez à une assurance-incendie pour votre loft. Vous versez de l'argent à votre compagnie d'assurances, et elle l'investit sur les marchés financiers. En contrepartie, vous obtenez un actif financier : la police d'assurance. Vous ne percevez aucun intérêt sur cet actif, mais si le feu prend chez vous, la compagnie d'assurances vous remboursera, dans les limites du contrat. Cela représente la rentabilité de votre investissement. Et comme la compagnie d'assurances ne vend pas une police d'assurance, mais des milliers, elle pourra définir ses remboursements de sinistres comme un pourcentage moyen sur l'ensemble de ses assurés.

En quoi les institutions financières diffèrent-elles des entreprises classiques ? D'abord, elles peuvent obtenir de l'argent par des moyens spécifiques, par exemple des dépôts ou la vente de polices d'assurance. Ensuite, elles investissent dans des *actifs financiers* : des actions, des obligations, des prêts à des particuliers ou des entreprises. Par opposition, les investissements des entreprises traditionnelles consistent essentiellement en des actifs *réels*, comme des usines et des machines. Les intermédiaires financiers contribuent au bon fonctionnement de l'économie. En voici quelques illustrations.

Le système de paiement La vie deviendrait un enfer si nous devions faire tous nos paiements en numéraire. Heureusement, nous avons des chèques, des cartes de crédit et des possibilités de virements, qui permettent de réaliser des paiements rapides et sécurisés, même de pays à pays. Les banques sont évidemment fournisseurs de ce type de services, mais elles ne sont pas les seules. Par exemple, les grands magasins et grandes surfaces, adossés à des sociétés de crédit, permettent de réaliser des paiements par carte de crédit.

Les prêts et les emprunts Presque toutes les institutions financières participent à la transformation de l'épargne en investissements. Si Hécate Kifonssan a un surplus d'argent, et souhaite l'épargner pour les mauvais jours, elle peut le déposer sur un compte d'épargne à la banque. Si Jackie Tmédète souhaite acheter une voiture maintenant et la payer plus tard, il peut emprunter de l'argent à la banque. Les deux sont ainsi plus satisfaits que s'ils étaient obligés de dépenser leur argent quand il arrive. Bien sûr, il n'y a pas que les individus qui ont besoin d'argent : les entreprises qui ont des opportunités d'investissements profitables vont emprunter ou émettre des titres ; les gouvernements sont souvent en déficit, et se financent par l'émission d'emprunts d'État.

Les particuliers ou les entreprises qui ont des excédents de trésorerie pourraient, en principe, faire les petites annonces ou butiner sur Internet, pour chercher ceux qui ont besoin d'argent. Mais il est tout de même plus pratique et moins coûteux d'utiliser la banque comme intermédiaire entre le prêteur et l'emprunteur. Les banques disposent, ainsi, d'outils pour juger de la solvabilité des emprunteurs et pour contrôler la ponctualité des remboursements. Prêteriez-vous à un inconnu « rencontré » sur Internet ? Vous courez moins de risques en prêtant de l'argent à votre banque et en lui laissant gérer le prêt.

Notez que les banques permettent à leurs déposants d'utiliser leurs comptes chèques à tout moment, alors que dans le même temps, elles prêtent à long terme. Étant donné qu'il n'existe pas de marché sur lequel les emprunts bancaires soient échangés régulièrement, la plupart des prêts bancaires sont illiquides. Cette différence de liquidités entre les comptes chèques (qui sont des dettes pour la banque) et les prêts octroyés (qui sont des actifs pour elle) n'est possible que parce qu'il existe un très grand nombre de comptes chèques : les banques sont quasiment assurées que tous les clients ne vont pas vider leurs comptes simultanément.

La mise en commun des risques Les marchés et les institutions financières permettent aux entreprises et aux particuliers de mettre en commun leurs risques. Les compagnies d'assurances, par exemple, permettent de partager le risque d'un accident de voiture ou d'un incendie. Ou supposons que vous n'ayez qu'une petite somme à investir. Vous pourriez acheter une action d'une petite société, mais vous serez ratissé si jamais cette société fait faillite. Il est préférable d'acheter des parts d'une Sicav qui aura investi dans un portefeuille diversifié de titres. Dans ce cas, votre seul risque est que les prix *de tous les titres* baissent.

Les fonctions élémentaires des marchés financiers sont les mêmes partout dans le monde. Il n'est donc pas étonnant que des institutions similaires soient apparues pour gérer ces fonctions. Dans presque tous les pays, vous trouverez des banques qui acceptent des dépôts, prêtent de l'argent et s'occupent du système de paiement, des compagnies d'assurances qui offrent des polices de protection contre les accidents et, si le pays est suffisamment prospère, des Sicav et des fonds communs de placement auront été mis en place pour gérer l'épargne des particuliers.

Résumé

Les directeurs financiers doivent prendre deux grandes décisions de financement :

1. Quelle est la part des profits que la société doit réinvestir dans son activité plutôt que de la distribuer en dividendes ?
2. Quelle proportion du déficit de financement doit être financée par dette plutôt que par capitaux propres ?

La réponse à la première question reflétera la politique de dividendes de la société et la réponse à la seconde dépendra de sa politique d'endettement.

La figure 14.1 montrait comment les entreprises se financent. Regardez-la à nouveau :

1. L'autofinancement est la source d'argent principale. Certains s'en inquiètent : ils pensent que si les dirigeants n'ont pas à se battre pour obtenir de l'argent, ils ne feront pas attention à leur manière de le dépenser.
2. La répartition des financements change selon les années. À certaines périodes, les sociétés préfèrent émettre des actions et rembourser leurs dettes. En d'autres temps, elles souscrivent à plus de dettes que nécessaire et utilisent le solde restant pour racheter leurs actions.

Les actions ordinaires représentent la forme la plus simple de la finance. Les actionnaires sont propriétaires de la société. Ils récupèrent donc tout ce qui reste des résultats, une fois les dettes payées. Ils possèdent un contrôle ultime sur l'utilisation des actifs et votent pour les décisions importantes, comme l'élection du conseil d'administration.

L'autre source de financement est la dette. Les prêteurs ont droit à un flux régulier d'intérêts et au remboursement final du capital prêté. Si une société ne peut assurer le service de sa dette, elle peut être mise en liquidation : les banquiers prennent le contrôle, cèdent les actifs pour se rembourser ou nomment un nouveau dirigeant.

Il faut aussi noter que les intérêts sur dettes sont considérés comme des coûts, déductibles fiscalement, tandis que les dividendes, et les résultats mis en réserves, arrivent après l'impôt et ne sont pas déductibles. Enfin, la variété des types de dettes est presque infinie, en fonction de l'échéance, du taux (fixe ou variable), de la devise utilisée, du caractère prioritaire (senior ou junior), des cautions ou de la possibilité de convertir la dette en actions.

Les actions et les obligations sont majoritairement détenues par des institutions financières, notamment des banques, des compagnies d'assurances, des organismes de placement collectif de valeurs mobilières (OPCVM). Ces institutions financières fournissent une grande variété de services. Elles gèrent le système de paiement, canalisent l'épargne vers ceux qui vont le mieux l'utiliser et aider les entreprises à gérer leurs risques. Ces services de base ne changent pas, mais le fonctionnement des marchés et des institutions financières évolue constamment.

Lectures complémentaires

Voici un article très utile, comparant le financement dans différents pays industrialisés :

R. G. Rajan et L. Zingales, « What Do We Know about Capital Structure ? Some Evidence from International Data », *Journal of Finance* (décembre 1995), pp. 1421-1460.

Pour une discussion sur l'allocation des droits de contrôle et des droits aux cash-flows entre les actionnaires et les créanciers financiers, voir :

O. Hart, *Firms, Contracts and Financial Structure*, Clarendon Press, Oxford, 1995.

Robert Merton donne une excellente synthèse des fonctions des institutions financières dans :

R. Merton, « A Functional Perspective of Financial Intermediation », *Financial Management*, 24 (été 1995), pp. 23-41.

Pour une description plus exhaustive des institutions financières, voir :

A. Saunders et M. Cornett, *Financial Markets and Institutions*, McGraw-Hill, New York, 2003.

Activités

Révision des concepts

1. Quelle est la principale source de financement des entreprises ? Qu'entend-on par l'expression *besoin de financement* ?
2. De quelle façon une émission d'actions peut-elle être négative ?
3. Qu'appelle-t-on *actions en trésorerie* ?

Tests de connaissances

1. Les capitaux propres de l'entreprise Emma Ruyné figurent dans le bilan comme suit :

Capital social (nominal = 0,50 €)	40 000
Primes	10 000
Réserves	30 000
Actions propres (2 000 actions)	5 000
Capitaux propres	75 000

   a. Combien d'actions ont été émises ?
   b. Combien d'actions sont disponibles sur le marché (flottant) ?
   c. Expliquez la différence entre vos réponses aux questions (a) et (b).
   d. Supposez que l'entreprise émette 10 000 actions à un prix d'émission unitaire de 2 €. Quel(s) chiffre(s) serait(ent) modifié(s) ?
   e. Supposez plutôt que l'entreprise rachète 5 000 actions à 5 € chacune. Quel(s) chiffre(s) serait(ent) modifié(s) ?
2. Dix administrateurs doivent être élus. Un actionnaire détient 80 actions. Quel est le nombre maximal de voix qu'il ou elle peut accorder à son candidat préféré sous un régime de (a) vote à la majorité ? (b) de vote cumulatif ?
3. Remplissez les blancs, en utilisant les termes suivants : taux variable, action ordinaire, convertible, subordonnée, action privilégiée, senior, warrant.
   a. Si un créancier passe après tous les autres en cas de défaillance, sa créance est dite _________.
   b. Le taux d'intérêt de nombreux prêts est calculé à partir d'un _________.
   c. Une obligation _________ peut être échangée contre des actions de la même société.

d. Un ________ donne à son détenteur le droit de souscrire à des actions ____________ de l'entreprise émettrice, à un cours prédéterminé.

e. Les dividendes sur une __________ ne peuvent être payés tant que la société n'a pas payé les dividendes des _________.

4. Vrai ou faux ?

a. En Europe ou aux États-Unis, les actions sont essentiellement détenues par des investisseurs individuels.

b. Une compagnie d'assurances est un intermédiaire financier.

c. Une société de personnes n'est pas assujettie à l'impôt.

5. Que signifie le terme *euro-obligation ?*

Questions et problèmes

1. En utilisant les profils d'entreprise sous Yahoo! Finance France (**fr.finance.yahoo.com**) et les rapports annuels, calculez les proportions que représentent les principales sources de financement (voir figure 14.1) pour une entreprise donnée sur une année récente (Michelin, par exemple).

2. En 2003, Pfizer avait 8 702 millions d'actions émises et 7 629 en flottant. Son compte de capitaux propres se présentait comme suit (en millions de dollars) :

Capital social	435
Primes d'émission	64 693
Réserves	29 382
Actions propres	29 352

a. Quelle est la valeur nominale de chaque action ?

b. À quel prix moyen ont été émises les actions ?

c. Combien d'actions ont été rachetées ?

d. À quel prix moyen ont été rachetées les actions ?

e. Quelle est la valeur comptable des capitaux propres ?

3. MicroMou a été fondée l'année du Singe (horoscope chinois). Ses fondateurs ont apporté 2 millions d'euros de capital, d'abord à la création, puis lors d'augmentations de capital, pour 500 000 actions. La valeur nominale des titres est de 0,10 €.

a. Établissez un compte de capitaux propres (comme le tableau 14.1) pour MicroMou. Ignorez les droits d'enregistrement et les coûts de création.

b. Après deux ans d'activité, MicroMou a généré des profits de 120 000 € et n'a pas payé de dividendes. Comment le compte de capitaux propres se présentait-il alors ?

c. Après 3 ans d'activité, l'entreprise a émis 1 million d'actions supplémentaires, à 5 € chacune. Son résultat de l'année est de 250 000 € et elle n'a pas versé de dividendes. Présentez le compte de capitaux propres.

4. Reprenons le tableau 14.1.

a. Supposons que Total émette 2 millions d'actions à 223 € l'unité. Corrigez le tableau 14.1 pour montrer quel sera le capital de l'entreprise après l'émission.

b. Supposons maintenant qu'après cette émission, Total rachète 5 millions d'actions à 220 € l'unité. Corrigez le tableau 14.1 pour montrer l'effet de ce dernier changement.

5. L'entreprise Ivan Dressamer a émis des actions à droit de vote double, et des actions sans droit de vote. Les investisseurs espèrent que les détenteurs de droits de vote vont utiliser leur pouvoir pour évincer les dirigeants (incompétents) de la société. Pensez-vous que les actions à droit de vote double vont coter plus cher ? Expliquez.
6. Récupérez le rapport annuel d'une société sur Internet et montrez les dettes émises par cette société, comme dans le tableau 14.2. Cette société a-t-elle mis en place des possibilités d'emprunter plus dans le futur ? (Vous devrez étudier les notes du rapport financier pour pouvoir répondre.)
7. Parmi les caractéristiques suivantes, lesquelles vont augmenter la valeur d'une obligation ?
   a. L'emprunteur peut rembourser l'emprunt avant son échéance.
   b. L'obligation est convertible en actions.
   c. La dette obligataire est garantie par une caution sur un terrain.
   d. La dette obligataire est subordonnée.

Problèmes avancés

1. Les actionnaires de l'entreprise DeJudo doivent élire cinq administrateurs. Le flottant est constitué de 200 000 actions. Combien d'actions faut-il pour *s'assurer* de l'élection d'au moins un administrateur si l'entreprise applique (a) le vote à la majorité ? (b) le vote cumulatif ?

Chapitre 15

Comment les entreprises émettent des titres

Dans le chapitre 11, nous avons présenté le cas de Nexus, qui connut une croissance spectaculaire au XXIe siècle. Cette société a été fondée par deux jeunes gens tout juste sortis du lycée, Line et Luc Table, et par leur copain Akim Doidublé. Pour démarrer leur affaire, les trois entrepreneurs ont investi toute leur épargne et ont emprunté à titre personnel auprès d'une banque. Toutefois, du fait de la rapidité de la croissance de l'entreprise, ils ont vite atteint le maximum de leur capacité d'emprunt et ont eu besoin de capitaux propres supplémentaires. On appelle généralement capital-risque (*venture capital*) l'investissement en fonds propres dans de jeunes entreprises. Le capital-risque est fourni par des spécialistes de ce genre de participation financière ou par de riches particuliers (*business angels*), prêts à soutenir une nouvelle entreprise en échange d'actions. Dans la première partie de ce chapitre, nous allons expliquer comment des entreprises comme Nexus parviennent à se financer par capital-risque.

Les entreprises spécialisées dans le capital-risque ont pour but d'aider de jeunes entreprises en croissance à passer le cap de leur « adolescence » en attendant qu'elles puissent faire un appel public à l'épargne. Pour une entreprise connaissant une croissance aussi rapide que Nexus, il y aura un moment où elle devra faire appel à une plus large source de financement, et réaliser son introduction en Bourse. Nous décrirons dans la section suivante ce qu'implique une telle opération. Nous expliquerons la procédure d'enregistrement de la demande auprès des autorités de tutelle et comment les souscripteurs achètent les nouveaux titres et les revendent au public. Nous verrons que les nouvelles actions sont généralement vendues en dessous de leur cours de marché. Pour comprendre *pourquoi* il en est ainsi, nous aurons besoin de faire un tour dans les procédures d'enchères.

Le premier appel public d'une entreprise à l'épargne est rarement le dernier. Au chapitre 14, nous avons vu que les entreprises connaissent un besoin persistant de financement qu'elles assurent par l'émission de titres. C'est pourquoi nous étudierons la façon dont les entreprises lèvent des capitaux supplémentaires. Nous rencontrerons alors une autre énigme : quand les entreprises annoncent une nouvelle émission de titres, en général, leur prix baisse. Nous suggérerons que l'explication repose sur l'information que les investisseurs lisent dans l'annonce d'augmentation du capital.

Une action ou une obligation émise publiquement peut s'échanger sur les marchés financiers. Mais les investisseurs désirent parfois conserver leurs titres et ne se préoccupent pas de savoir comment ils peuvent les vendre. Dans ce cas, il y a peu d'avantages à une introduction en Bourse. L'entreprise pourra préférer placer ces titres directement auprès d'une ou deux institutions financières. À la fin de ce chapitre, nous analyserons le choix entre placement public et placement privé.

1 Le capital-risque

Le 1er avril 2016, Line et Luc Table ont rencontré Akim Doidublé dans leur laboratoire de recherche (qui sert aussi de garage à vélos) pour célébrer la création de Nexus SA. Les trois entrepreneurs avaient apporté 100 000 € issus de leurs économies et de prêts personnels auprès des banques et avaient souscrit à 1 million d'actions de la nouvelle entreprise. À ce *stade zéro* de l'investissement, les actifs de l'entreprise se composaient de 90 000 € en banque (10 000 € avaient été dépensés pour les droits d'enregistrement et autres frais de création) et de l'*idée* d'un nouveau produit domestique : le cerveau de remplacement. Luc Table avait été le premier à se rendre compte que ce cerveau de remplacement, jusque-là une curiosité hors de prix, pouvait être produit et exploité commercialement en utilisant des refenestrateurs microgénétiques.

À mesure que la mise au point avançait, le compte en banque de Nexus s'épuisait. Les banques ne considéraient pas l'idée de Nexus comme une garantie suffisante : un apport de capitaux propres était nécessaire. La première étape consista à préparer un *plan d'affaires* (*business plan*). C'était un document confidentiel, décrivant le produit, son marché potentiel, la technologie à mettre en œuvre et les ressources nécessaires au succès du projet : temps, argent, personnel, matériel.

La plupart des entrepreneurs sont capables de raconter une histoire plausible à propos de leur entreprise. Mais il est aussi difficile de convaincre un spécialiste de capital-risque du réalisme de votre plan de développement que de faire publier un premier roman. Les dirigeants de Nexus pouvaient mettre en avant leur engagement personnel dans l'affaire. Ils n'y avaient pas seulement investi toutes leurs économies : ils s'étaient endettés jusqu'au cou. Cela *montrait* leur confiance dans l'affaire[1].

1. Pour une analyse formelle de la façon dont l'investissement des dirigeants dans une affaire peut fournir un signal fiable de la valeur d'une entreprise, voir H. E. Leland, D. H. Pyle, « Informational Asymmetries, Financial Structure, and Financial Intermediation », *Journal of Finance*, 32 (mai 1977), pp. 371-387.

En fait, la société Risques Maxima fut impressionnée par les arguments de Nexus et accepta de souscrire à 1 million d'actions nouvelles à 1 € chacune. Après cette *première étape* dans le financement, le bilan de l'entreprise en valeurs de marché ressemblait à ceci :

Bilan de Nexus. Première étape (valeurs de marché, en millions d'euros)

Actifs (principalement incorporels)	1	1	Capital d'origine, détenu par les créateurs
Disponibilités provenant de nouveaux capitaux propres	1	1	Nouveaux capitaux propres, issus du capital-risque
Total	**2**	**2**	**Total**

En acceptant une évaluation de Nexus à 2 millions d'euros *après* l'opération (évaluation *post money*), Risques Maxima fixait implicitement à 1 million d'euros la valeur de l'idée des fondateurs et de leur engagement dans la société (valeur *pre money*). Cela représentait aussi pour eux une plus-value potentielle de 900 000 € par rapport à leur investissement initial de 100 000 €. En échange, les entrepreneurs cédaient la moitié de leur société et acceptaient des représentants de Risques Maxima au sein de leur conseil d'administration[2].

Le succès d'une création d'entreprise repose essentiellement sur l'implication des dirigeants. C'est pourquoi les sociétés de capital-risque essaient de faire en sorte que les dirigeants soient très motivés pour travailler dur. Cela nous ramène aux chapitres 1 et 12, où nous avons montré comment les actionnaires d'une entreprise (les mandataires) essaient de motiver les dirigeants (les agents) pour qu'ils travaillent dans le but de maximiser la valeur de l'entreprise.

Si la direction de Nexus avait demandé des contrats protecteurs et de gros salaires, ils n'auraient pas trouvé si facilement un financement par capital-risque. Les fondateurs de Nexus ont accepté des salaires modestes et c'est uniquement dans l'augmentation de la valeur de leurs actions qu'ils pouvaient espérer retrouver leur mise. Si Nexus fait faillite, ils ne récupéreront rien. Ceci contribue à faire monter en permanence les enjeux, pour les dirigeants[3].

Il est très rare que les partenaires en capital-risque fournissent à une jeune entreprise l'intégralité des fonds dont elle a besoin en une seule fois. Ils lui donnent suffisamment de capitaux pour passer d'une étape à l'autre. Ainsi, au printemps 2018, une fois le prototype terminé et testé, Nexus a demandé à nouveau de l'argent, pour mettre en place la production et faire des tests de marketing. Le financement de cette *deuxième étape* se montait à 4 millions d'euros, dont 1,5 provenait de Risques Maxima, et 2,5 d'autres sociétés de capital-risque et

2. Les investisseurs en capital-risque ne demandent pas nécessairement la majorité au conseil d'administration. Cela dépend de la maturité de l'affaire, et du degré de leur engagement. Il est assez courant de parvenir à un compromis où le nombre de sièges des fondateurs égale celui des investisseurs externes. Les deux parties conviennent alors de la nomination d'un ou de plusieurs membres supplémentaires au conseil, qui ont un rôle d'arbitrage en cas de conflit. En dehors du fait qu'ils aient ou non la majorité, les sociétés de capital-risque sont rarement des partenaires inertes ; leur jugement et leurs contacts se révèlent souvent utiles pour une équipe dirigeante relativement inexpérimentée.

3. Remarquez les termes de la transaction. Les dirigeants de Nexus sont amenés à mettre tous leurs œufs dans le même panier. Ceci contribue à les faire travailler dur, mais cela signifie également qu'ils prennent des risques qu'ils auraient pu diversifier.

d'investisseurs individuels. Après cette deuxième étape de financement (ou *deuxième tour de table*), le bilan en valeurs de marché se présentait ainsi :

Bilan de Nexus. Deuxième étape (valeurs de marché, en millions d'euros)

Immobilisations	1	5	Capital d'origine, détenu par les entrepreneurs
Autres actifs (principalement incorporels)	9	5	Capital reçu lors de la première étape
Disponibilités provenant de nouveaux capitaux propres	4	4	Nouveau capital reçu lors de la seconde étape
Total	**14**	**14**	**Total**

Après cette deuxième étape, la valeur de Nexus est de 14 000 000 €. L'investissement de Risques Maxima vaut maintenant 5 millions d'euros et les fondateurs ont maintenant acquis sur le papier un gain supplémentaire de 4 millions d'euros.

Aurait-on fabriqué une machine à sous ? On ne peut dire cela qu'avec du recul. Au terme de la première étape, il n'était pas évident que Nexus pourrait arriver à la seconde. Si le prototype n'avait pas fait ses preuves, Risques Maxima aurait pu refuser d'apporter plus d'argent à la société et la faire fermer[4], ou apporter moins de fonds à la deuxième étape, dans de moins bonnes conditions. Le conseil d'administration aurait pu licencier Luc, Line et Akim, et trouver quelqu'un d'autre pour développer l'entreprise.

Dans le chapitre 14, nous avons insisté sur le fait que les actionnaires et les prêteurs s'opposent sur les droits aux cash-flows et les droits de contrôle. Les actionnaires ont droit aux cash-flows restants une fois les autres détenteurs de titres dédommagés. Ils exercent aussi le contrôle sur la manière dont l'entreprise utilise son argent. C'est seulement dans l'hypothèse où l'entreprise tombe en faillite que les prêteurs interviennent pour prendre son contrôle. Quand une nouvelle activité nécessite du capital-risque, les droits aux cash-flows et les droits de contrôle sont en général négociés de manière séparée. La société de capital-risque voudra savoir comment l'activité est gérée et demandera à être représentée au conseil d'administration et à y détenir un certain nombre de sièges. Elle pourra accepter de renoncer à certains de ses droits si l'activité se développe correctement. Cependant, s'il y a appauvrissement, la société de capital-risque exigera un regard plus important sur la gestion et remplacera éventuellement l'équipe dirigeante.

Pour Nexus, heureusement, tout a marché comme sur des roulettes. Une troisième étape de *financement mezzanine* fut mise au point[5], la production à grande échelle commença au moment prévu, les cerveaux de remplacement connurent un succès mondial. Nexus fut

4. Si Risques Maxima avait refusé d'investir pour la deuxième étape, il aurait été extrêmement difficile de convaincre un investisseur de le remplacer. Les investisseurs externes savaient qu'ils avaient de toute façon moins d'information sur l'affaire que Risques Maxima et auraient interprété son refus de continuer à investir comme de mauvais augure quant aux perpectives qui s'offraient à Nexus.

5. Le financement mezzanine n'apparaît pas nécessairement lors de la troisième étape, il peut se produire à la quatrième ou cinquième. Le point important est que les investisseurs mezzanine arrivent tard, par rapport au capital-risque qui intervient au début, « au rez-de-chaussée ».

introduite en Bourse le 3 février 2022. Une fois ses actions négociées en Bourse, les gains théoriques de Risques Maxima et des fondateurs de la société se transformèrent en richesses avérées. Avant d'étudier cette introduction en Bourse, regardons brièvement le marché du capital-risque aujourd'hui.

1.1 Le marché du capital-risque

La plupart des nouvelles entreprises reposent à l'origine sur des fonds familiaux et des prêts bancaires. Quelques-unes continuent à se développer avec des fonds fournis par de riches individus (*business angels*). Mais la plus grande partie du capital pour les jeunes entreprises provient de sociétés de capital-risque qui rassemblent des fonds en provenance de divers investisseurs, dénichent de jeunes entreprises dans lesquelles investir, puis les aident à se développer. Par ailleurs, des grandes entreprises du secteur des hautes technologies ou de l'innovation telles que Siemens, Thales, Bouygues Telecom ou 3M favorisent leurs salariés entrepreneurs, se comportant alors en sponsors d'*intrapreneurs*.

Dans beaucoup de pays, surtout en Europe, les marchés de capital-risque se sont développés plus lentement. Il n'en est plus ainsi et l'investissement en capital-risque pour la haute technologie en Europe a explosé à la fin des années 1990. Ceci a été rendu possible par la création de marchés boursiers européens sur le modèle du Nasdaq, comme Aim à Londres, Neuer Markt à Francfort et le Nouveau Marché à Paris.

La figure 15.1 montre l'évolution des investissements en capital-risque en Europe. Durant la fièvre de l'année 2000, les sociétés européennes de capital-risque ont investi près de 50 milliards d'euros. Mais après l'explosion de la bulle « dot.com », les investissements en capital-risque se sont effondrés, jusqu'à être divisés par deux en 2003 par rapport à leur niveau de 2000. La plupart des sociétés de capital-risque sont organisées sous la forme de partenariats privés à responsabilité limitée ayant une durée de vie d'environ dix ans. Les fonds de pension et autres investisseurs sont les associés à responsabilité limitée. La société dirigeante, dénommée associé général, prend les décisions d'investissement et surveille l'utilisation des fonds octroyés. En contrepartie, elle perçoit une rémunération fixe et un pourcentage sur les profits, ce dernier représentant l'intéressement du sponsor[6] (ou *carried interest*, dans la langue de John Steinbeck). Ces sociétés de capital-risque sont souvent accolées à des partenariats semblables dont le métier consiste à fournir des fonds à des sociétés en détresse, racheter des compagnies entières ou bien encore des branches d'entreprises cotées alors transformées en entreprises à responsabilité limitée. Pour toutes ces différentes activités, on parle de **capital-investissement**.

Les sociétés de capital-risque ne sont pas des investisseurs passifs. Elles donnent des avis suivis aux entreprises qu'elles aident et jouent souvent un rôle crucial dans le recrutement de l'équipe dirigeante. Cet avis peut être important pour les premières années d'activité et aider à introduire plus rapidement les produits sur le marché[7].

---

6. Dans l'une des configurations les plus courantes, la société dirigeante reçoit une rémunération de 2 % *plus* 20 % sur les profits.

7. Pour une étude du rôle des sociétés de capital-risque dans le lancement de nouvelles entreprises, voir T. Hellman et Manju Puri, « The Interaction between Product Market and Financial Strategy : The Role of Venture Capital », *Review of Financial Studies*, 13 (2000), pp. 959-984. On pourra également consulter S. N. Kaplan et P. Stromberg, « Contracts, Characteristics and Actions : Evidence from Venture Capitalist Analyses », *Journal of Finance*, 59 (octobre 2004), pp. 2177-2210.

Les sociétés de capital-risque peuvent gagner de l'argent de deux manières. D'abord, une fois que l'activité donne de bons résultats, elle peut être vendue à une entreprise plus importante. Cependant, certains entrepreneurs ne se sentent pas capables de s'intégrer facilement dans une bureaucratie d'entreprise et préfèrent rester les seuls maîtres à bord. Dans ce cas, la société peut décider, comme Nexus, de s'introduire en Bourse et de fournir aux investisseurs la possibilité de « s'en sortir » en vendant leurs actions tout en laissant les entrepreneurs d'origine à la tête du contrôle. Un marché de capital-risque florissant a donc besoin de transactions actives de titres comme le Nasdaq, marché spécialisé dans les échanges d'actions de jeunes entreprises, en croissance rapide[8].

Pour dix investissements du type « première étape » en capital-risque, il n'y en a que deux ou trois qui deviendront des affaires prospères et se suffisant à elles-mêmes, et une qui rapportera autant que Nexus. À partir de ces statistiques, on peut tirer deux règles pour le succès de l'investissement en capital-risque. Premièrement, ne soyez pas effrayé par l'incertitude, acceptez les projets qui ont une faible probabilité de succès. Mais n'entrez pas dans une affaire si vous ne voyez *aucune chance* qu'elle devienne une grande entreprise sur un marché rentable. Deuxièmement, réduisez vos pertes. Tâchez d'identifier les perdants le plus tôt possible, et si vous ne pouvez résoudre le problème – en remplaçant les dirigeants, par exemple –, ne continuez pas à miser sur un mauvais cheval[9].

Quel succès rencontre l'investissement en capital-risque ? Comme vous ne pouvez pas trouver la valeur des nouvelles affaires dans *Les Echos*, il est difficile de le savoir avec certitude. Cependant, *Venture Economics*, qui retrace la performance de plus de 1 200 sociétés de capital-risque, a calculé que, de 1980 à 2002, les investisseurs dans ces fonds ont gagné en moyenne chaque année 18 % nets[10]. Sur cette période, cela correspond à 5 % de plus qu'un placement en actions de grandes sociétés cotées.

En Europe, la performance sur 1980-2002 s'établirait à 11,5 % par an. Pour ce qui est de la France, le rendement du capital-risque ressort significativement positif sur la période 1992-2001, à +28,2 % par an[11]. Cette performance moyenne dissimule cependant un retournement de tendance dans la seconde moitié des années 1990. Sur la période 1999-2004, le taux de rendement du capital-risque devient ainsi très négatif, à –14,8 %. En revanche, la performance du capital-investissement dans son ensemble s'établit en moyenne à 16,3 % par an sur la décennie 1995-2004, et à 12,1 % sur la période 1999-2004. Le capital-investissement présente une rentabilité élevée sur les dix dernières années d'investissement, notamment au regard de la performance d'autres classes d'actifs. Sur la période, seul l'immobilier affiche une performance supérieure[12].

---

8. Cet argument est développé dans B. Black et R. Gilson, « Venture Capital and the Structure of Capital Markets Banks versus Stock Markets », *Journal of Financial Economics*, 47 (mars 1998), pp. 243-277.

9. Une approche synthétique de ces sujets est donnée dans P. Desbrières, « Le capital-investissement », *Banque et Marchés*, n° 51 (mars-avril 2001), pp. 40-45.

10. Voir **www.ventureeconomics.com**. Gompers et Lerner ont abouti à des rendements légèrement plus élevés sur la période 1979-1997 – voir P. A. Gompers et J. Lerner, « Risk and Reward in Private Equity Investments : The Challenge of Performance Assessment », *Journal of Private Equity* (hiver 1997), pp. 5-12.

11. Ministère de l'Économie et des Finances, « Le capital-risque, un tuteur pour les jeunes pousses », note DIGITIP, n° 165, septembre 2002. Il est bon de noter que si l'on retire les dix meilleures performances, le chiffre perd 16 points et passe à 12 %.

12. Pour des statistiques mises à jour sur la France, voir le site de l'Association française des investisseurs en capital (AFIC), **www.afic.asso.fr**.

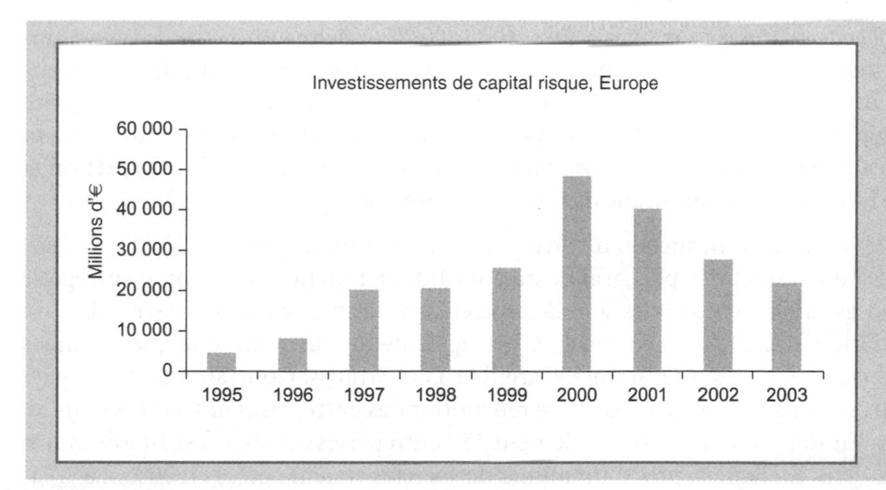

Figure 15.1 - L'investissement de capital-risque en Europe.
Source : PricewaterhouseCoopers/EuropeanVenture Capital Association © PricewaterhouseCoopers. Tous droits réservés.

2 L'introduction en Bourse

Les investisseurs en capital-risque restent optimistes en oubliant les nombreux échecs et en se rappelant seulement des belles histoires. Quand Risques Maxima a investi dans Nexus, elle ne recherchait pas des dividendes, mais une croissance rapide permettant à Nexus d'être introduite en Bourse pour récupérer une partie de ses gains.

En 2022, Nexus avait connu une telle croissance qu'elle avait besoin de nouveaux capitaux pour mettre en œuvre sa technologie de production de deuxième génération. Il fut alors décidé de procéder à une **introduction en Bourse** (*initial public offering, IPO*). C'était en partie une émission *primaire* – c'est-à-dire l'émission d'actions nouvelles pour lever des capitaux supplémentaires – et en partie une transaction sur le marché *secondaire* – les associés en capital-risque et les fondateurs voulaient vendre une partie de leurs titres.

Souvent, lors d'une introduction en Bourse, l'émission a pour seul objectif de recueillir de nouveaux capitaux pour l'entreprise. Mais il y a aussi des cas où aucun nouveau capital n'est levé pour l'entreprise. Toutes les actions sont vendues par les actionnaires actuels. Par exemple, en 1998, DuPont a vendu une grande partie des actions détenues dans Conoco pour 4,4 milliards de dollars[13].

Quelques-unes des plus grosses offres publiques d'actions se produisent lorsque le gouvernement vend les titres qu'il détient dans certaines entreprises. Par exemple, le gouvernement anglais a fait une émission secondaire de 9 milliards de dollars quand il a vendu les actions de British Gas. De même, les privatisations en France ont rapporté 70 milliards d'euros à l'État entre 1986 et 2002, et les privatisations d'EDF et des sociétés d'autoroute ont dégagé plus de 30 milliards d'euros en 2005.

13. C'est l'introduction en Bourse la plus importante aux États-Unis, mais elle est dépassée par la société de télécoms japonaise NTT DoCoMo qui a vendu pour 18 milliards de dollars d'actions en 1998, ce qui a rapporté 500 millions de dollars de commissions aux intermédiaires.

Pour Nexus, il y avait d'autres avantages à aller en Bourse. La valeur de marché de ses actions fournirait une mesure rapide de la performance de l'entreprise et permettrait de récompenser son équipe de direction par des stock-options. Comme les informations sur l'entreprise seraient disponibles plus rapidement, Nexus pourrait diversifier ses sources de financement et réduire ses coûts d'endettement. Ces avantages compenseraient les frais d'introduction et les coûts de gestion et de communication avec les actionnaires.

Plutôt que d'aller en Bourse, beaucoup d'entrepreneurs ayant réussi peuvent décider de vendre leur société à une entreprise plus grande ou continuer à fonctionner comme entreprise non cotée. Il en est ainsi de quelques grandes sociétés en France, comme Pierre Fabre ou Servier (dans l'industrie pharmaceutique). C'est également vrai pour quelques grandes entreprises américaines, telles que Bechtel, Cargill et Levi Strauss. Contrairement aux pays anglo-saxons, il est beaucoup plus fréquent de rencontrer des entreprises non cotées dans les pays européens. En Italie, on décompte seulement 250 entreprises cotées. C'est 10 fois moins qu'au Royaume-Uni. En France, près d'un millier de sociétés étaient cotées en 2005. La création du marché AlterNext (réservé aux petites et moyennes entreprises) pourra peut-être augmenter ces chiffres.

2.1 L'organisation d'une introduction en Bourse

Une fois prise la décision d'aller en Bourse, Nexus a dû choisir les *souscripteurs*, intermédiaires financiers pour une mise sur le marché. Habituellement, ils jouent un triple rôle : premièrement, ils donnent à l'entreprise des conseils financiers et de procédure, ensuite ils achètent les titres, et enfin ils les revendent dans le public.

Après réflexion, Nexus a choisi Marilyn'ch comme souscripteur principal (ou « chef de file ») et JP GroMan comme co-chef de file. Marilyn'ch va former un syndicat de souscripteurs qui vont acheter les titres, puis les offrir au public. Avec Marilyn'ch, des sociétés d'avocats et de comptables, Nexus a préparé et rédigé le **document d'inscription** qui sera soumis aux autorités de tutelle, la Securities and Exchange Commission (SEC) aux États-Unis et l'Autorité des marchés financiers (AMF) en France. Ce document est un dossier détaillé, et parfois très volumineux, qui présente l'information sur le financement proposé, l'histoire de l'entreprise, son activité actuelle, et ses plans de développement futur.

Les parties les plus importantes du document d'inscription sont distribuées aux investisseurs sous la forme d'un **prospectus**. En annexe B de ce chapitre, nous avons reproduit le prospectus de l'introduction en Bourse de Nexus. La plupart des prospectus sont plus détaillés, mais cet exemple devrait vous donner un aperçu du mélange d'informations qui caractérise ce genre de document. Le prospectus Nexus illustre aussi la façon dont les autorités de tutelle prennent soin de s'assurer que les investisseurs sont bien au courant des risques de l'opération (voir la rubrique « Risques » dans le prospectus). Certains investisseurs ont dit en plaisantant que, s'ils avaient lu soigneusement les prospectus, ils n'auraient jamais osé participer à une quelconque émission.

2.2 La vente des actions de Nexus

En attendant l'enregistrement de sa demande, Nexus et ses souscripteurs commencèrent à fixer le prix d'émission. Ils examinèrent tout d'abord les PER (*price earning ratio*) des principaux concurrents. Ensuite, ils réalisèrent des calculs de cash-flows actualisés comme ceux des chapitres 4 et 11. La plupart des résultats indiquaient une valeur de marché d'environ 75 € par action.

Nexus et Marilyn'ch firent quelques séances de présentation devant des investisseurs potentiels, souvent des investisseurs institutionnels. Leurs réactions donnaient des indications du nombre d'actions qu'ils étaient prêts à acheter. Quelques-uns donnaient le prix maximum qu'ils étaient prêts à payer tandis que d'autres donnaient juste le montant qu'ils voulaient investir, quel que soit le prix. Ces discussions permettaient à Marilyn'ch de dresser l'état des ordres potentiels. Même non liés par leurs réponses, les gestionnaires des investisseurs institutionnels savaient que, s'ils voulaient figurer dans cet état, il ne leur fallait pas revenir sur l'intérêt qu'ils avaient manifesté. Les souscripteurs n'étaient pas non plus forcés de traiter également tous les investisseurs. Certains qui étaient enthousiastes à l'idée d'acheter des titres Nexus furent déçus par l'allocation qu'ils reçurent en définitive.

Immédiatement après avoir reçu l'autorisation des autorités de tutelle, Nexus et les souscripteurs se mirent d'accord sur le prix d'émission. Les investisseurs étaient enthousiastes et il était clair qu'ils étaient préparés à payer plus que 75 € par action. Les dirigeants de Nexus étaient tentés de proposer le prix le plus élevé possible, mais les souscripteurs étaient plus prudents. Non seulement ils voulaient éviter de se retrouver avec des actions non placées en cas de surestimation de la demande, mais ils affirmaient aussi qu'un prix légèrement sous-évalué était nécessaire pour amener les investisseurs à acheter des titres. Nexus et ses souscripteurs se mirent d'accord sur un prix d'introduction de 80 €.

Alors que les souscripteurs de Nexus s'étaient engagés à acheter seulement 900 000 actions de la société, ils décidèrent de vendre 1 035 000 actions aux investisseurs, soit un déficit de 135 000 actions ou 15 % de l'introduction. Si les titres de Nexus s'étaient révélés impopulaires auprès des investisseurs et échangés en dessous du prix d'introduction, les souscripteurs auraient racheté cette différence sur le marché. Cela les aurait aidés à stabiliser le cours et leur aurait fourni un profit sur les titres excédentaires vendus. De la manière dont cela s'est passé, les investisseurs n'ont pas pu acheter tout ce qu'ils voulaient et à la fin de la première journée de cotation, l'action s'échangeait à 105 €. Les souscripteurs auraient été conduits à supporter une lourde perte s'ils avaient été obligés de racheter les titres à ce prix. Mais Nexus avait fourni à ces souscripteurs une **option de surallocation** (*greenshoe* dans la langue de Paul Auster) leur permettant d'acheter 135 000 actions supplémentaires, afin de les assurer de pouvoir vendre les titres sans crainte de perte.

Marilyn'ch s'était engagée à rendre le marché des titres Nexus très liquide dans les semaines suivant l'émission[14]. Marilyn'ch avait également planifié de continuer à générer l'intérêt des investisseurs pour les actions en distribuant un rapport scientifique sur les perspectives de Nexus[15].

---

14. Un souscripteur compte en moyenne entre 40 et 60 % de transactions sur les actions dans les soixante jours qui suivent une introduction. Voir K. Ellis, R. Michaely et M. O'Hara, « When the Underwriter is the Market Maker : An Examination of Trading in the IPO Aftermarket », *Journal of Finance*, 55 (juin 2000), pp. 1039-1074.

15. Les vingt-cinq jours qui suivent l'offre sont considérés comme une *période tranquille*. Marilyn'ch est obligée d'attendre la fin de cette période avant de commencer à évaluer l'entreprise. Cela suggère que, en choisissant un souscripteur, les sociétés accordent un rôle fondamental à son aptitude à fournir des rapports scientifiques suivis. Voir L. Krigman, W. H. Shaw et K. L. Womack, « Why Do Firms Switch Underwriters ? », *Journal of Financial Economics*, 60 (mai-juin 2001), pp. 245-284.

2.3 Les souscripteurs

Les souscripteurs de Nexus sont préparés à signer un accord avec l'entreprise pour lui acheter ses actions et les offrir au public. Ils prennent le risque que l'émission soit un échec et de se retrouver avec des titres sur les bras. Parfois, quand la vente d'actions est considérée comme très risquée, ils peuvent s'engager dans la vente en proposant de vendre le maximum de titres mais sans garantir que la totalité sera cédée[16].

La réussite d'une souscription nécessite une bonne surface financière, une solide expérience et une bonne réputation. Les noms des souscripteurs de Nexus sont bien sûr fictifs, mais les tableaux 15.1.a et 15.1.b montrent que la souscription en Europe est surtout dominée par les principales banques d'investissement et les grandes banques commerciales. Les banques américaines sont également très impliquées, surtout dans la souscription d'émissions d'actions.

Les données de ce tableau, comme celles de tous les tableaux de ce chapitre, sont disponibles sur *www.gestion financiere.pearsoned.fr*

Tableau 15.1.a. Les principaux souscripteurs d'émissions d'actions, de janvier à novembre 2005 en Europe (en millions de dollars)

Souscripteur	Valeur des émissions	Nombre d'émissions
Deutsche Bank	14 461	53
Morgan Stanley	13 487	35
Goldman Sachs	13 156	29
UBS	12 962	51
Merril Lynch	12 724	33

Tableau 15.1.b. Les principaux souscripteurs d'émissions de dettes d'entreprise, de janvier à novembre 2005 en Europe (en millions de dollars)

Souscripteur	Valeur des émissions	Nombre d'émissions
Deutsche Bank	23 438	53
BNP Paribas	8 771	50
Citigroup	8 517	44
SG CIB	7 873	40
JP Morgan	7 724	39

Source : Thomson Financial Investment Banking/Capital Markets (**www.tfibcm.com**). © 2005 Thomson Financial.

La souscription n'est pas toujours une réussite. Le 15 octobre 1987, le gouvernement britannique finalisa des dispositions pour vendre sa part des actions BP à 3,30 £ l'action[17]. Cette énorme émission atteignait plus de 12 milliards de dollars et était souscrite par un groupe

16. Une autre possibilité est de proposer un accord *tout ou rien*. Dans ce cas, soit toute l'émission est vendue au prix offert, soit l'émission est considérée comme nulle et la société ne reçoit rien.

17. L'émission était en partie une émission secondaire (mise en vente de la part du gouvernement britannique) et en partie une émission primaire (BP choisit cette opportunité pour augmenter son capital en vendant de nouvelles actions).

international de souscripteurs qui la commercialisait dans un grand nombre de pays. Quatre jours après l'acceptation, le krach d'octobre amena les actions à une chute vertigineuse. Les souscripteurs souhaitaient que le gouvernement britannique annule l'opération[18]. À la clôture de l'offre, le prix des actions BP était tombé à 2,96 £ et les souscripteurs perdirent plus d'un milliard de dollars.

Si les compagnies ne connaissent qu'une seule introduction en Bourse, les souscripteurs sont dans la profession pour beaucoup plus longtemps. Sachant que leur réputation est en jeu, les souscripteurs intelligents prendront en charge les seules émissions pour lesquelles les éléments du dossier ont été présentés honnêtement aux investisseurs. Car si une émission tourne mal, ils peuvent être poursuivis pour avoir surmédiatisé l'émission et donc failli à leur devoir d'information scrupuleuse. C'est ainsi qu'en décembre 1999, la société de logiciels Va Linux s'introduisit en Bourse à 30 $ l'action. Le lendemain, elle s'échangeait à 299 $, mais le cours commença alors à dégringoler. En novembre 2001, son cours était inférieur à 2 $. Mécontents, les investisseurs de Va Linux poursuivirent en justice les souscripteurs, arguant que le prospectus était « faux ». Après l'effondrement de la « nouvelle économie » en 2000, les investisseurs de presque une introduction sur trois des sociétés de haute technologie poursuivirent les souscripteurs. D'autres scandales éclatèrent lorsqu'il apparut que plusieurs souscripteurs bien connus avaient pratiqué le « spinning » : ils avaient octroyé des actions provenant de nouvelles émissions très courues à des dirigeants d'entreprises clientes. L'approbation d'une nouvelle émission par les souscripteurs a alors réellement perdu de son lustre.

2.4 Le coût d'une introduction en Bourse

Nous avons décrit le triple rôle de souscripteurs de Nexus : conseiller, acheter les titres, les revendre au public. En contrepartie, ils reçoivent des commissions sous la forme d'un *spread* (différence), ce qui signifie qu'ils peuvent acheter les actions à un cours inférieur *au prix de l'offre* auquel les actions sont vendues aux investisseurs[19]. Marilyn'ch et le syndicat de direction conservèrent 20 % de ce spread, 25 % furent versés aux autres souscripteurs et les 55 % restants furent attribués aux entreprises qui fournissaient leur force de vente.

Le spread de souscription sur l'émission de Nexus s'élevait à 7 % de la somme payée par les investisseurs. Comme la plupart des coûts supportés par les souscripteurs sont fixes, le pourcentage du spread diminue avec la taille de l'émission. Par exemple, une mise sur le marché de 5 millions d'euros rapporte 10 % tandis qu'une mise sur le marché de 300 millions d'euros ne rapporte que 5 %. Cependant, Chen et Ritter ont découvert que presque toutes les introductions entre 20 et 80 millions d'euros rapportaient exactement 7 %[20]. Comme il est difficile de croire que toutes ces introductions ont coûté la même chose, ce résultat groupé à 7 % reste un mystère[21].

---

18. La seule concession du gouvernement fut de fixer un plancher aux pertes des souscripteurs en leur donnant la possibilité de revendre leurs actions au gouvernement au prix de 2,80 £.

19. Dans les cas les plus risqués, le souscripteur reçoit en général une compensation non monétaire supplémentaire, comme des bons de souscription pour acheter d'autres titres plus tard.

20. H. C. Chen, J. R. Ritter, « The Seven Percent Solution », *Journal of Finance*, 55 (juin 2000), pp. 1105-1132.

21. Chen et Ritter pensent que ce spread constant signifie que le marché de la souscription n'est pas concurrentiel, ce que Robert Hansen nie. Voir R. Hansen, « Do Investment Banks Compete in IPOs ? : The Advent of the Seven Percent Plus Contract », *Journal of Financial Economics*, 59 (2001), pp. 313-346.

En plus de cette commission de souscription, la nouvelle émission de Nexus entraîne des coûts administratifs importants. La préparation du document d'enregistrement et du prospectus a impliqué la direction, les conseillers juridiques, les comptables, ainsi que les souscripteurs et leurs conseillers. De plus, l'entreprise a dû payer des droits d'enregistrement pour les titres nouveaux, des frais pour l'impression et l'acheminement des courriers, etc. Vous pouvez constater, sur la première page du prospectus de Nexus (voir annexe B), que ces frais d'administration et d'enregistrement ont atteint un montant de 820 000 €.

2.5 La sous-évaluation des introductions

L'émission de Nexus fut coûteuse sous un autre aspect. Comme le prix offert était *inférieur* à la véritable valeur des titres, les investisseurs qui les ont achetés ont fait une affaire aux dépens des anciens actionnaires. Ces coûts de *sous-évaluation* sont cachés, mais réels. Dans le cas des introductions, ils excèdent en général les autres coûts d'émission. Quelle que soit l'entreprise émettrice, il est très difficile pour le souscripteur d'estimer le prix auquel les investisseurs accepteront d'acheter les actions. Il lui arrive de se tromper de manière dramatique sur la demande. Par exemple, quand le prospectus pour l'introduction d'eBay fut publié, les souscripteurs indiquèrent que la société allait vendre 3,5 millions d'actions à un prix compris entre 14 et 16 $. Cependant, l'engouement pour le système d'enchères sur Internet d'eBay était tel que les souscripteurs augmentèrent le prix d'émission à 18 $. Le matin suivant, les ordres d'achat affluèrent. À la fin de la journée, plus de 4,5 millions d'actions s'étaient échangées, et le cours de clôture atteignit 47,375 $.

Certes, l'émission d'eBay est exceptionnelle[22]. Mais un certain nombre de chercheurs ont trouvé que les investisseurs qui achètent au prix d'émission connaissent des rentabilités très élevées au cours des semaines qui suivent. Une étude réalisée par Ibbotson, Sindelar et Ritter, sur près de 15 000 émissions de 1960 à 2003 montrait une sous-évaluation moyenne de près de 19,1 %[23]. Lors du boom des dot.com à la fin des années 1990, la rentabilité moyenne des actions introduites en Bourse atteignait presque 70 % à la fin de la première journée. Mais l'ampleur de la sous-évaluation s'effondra en 2001, en parallèle du nombre de nouvelles introductions.

La figure 15.2 montre qu'il existe beaucoup de pays dans lesquels les introductions sont sous-évaluées. En Chine, les gains d'une acquisition lors de l'introduction atteignent en moyenne 250 %[24]. Évidemment, les actionnaires préféreraient ne pas vendre leurs titres à un cours inférieur au prix du marché, mais beaucoup de banquiers d'affaires et d'investisseurs institutionnels mettent en avant que la sous-évaluation est faite dans l'intérêt de l'entreprise émettrice. Selon eux, un faible prix d'émission augmente le cours du titre lorsqu'il fait l'objet d'une négociation importante sur le marché secondaire et accroît la capacité de l'entreprise à lever d'autres capitaux[25].

---

22. Il ne s'agit cependant pas du record, détenu par Va Linux.

23. R. G. Ibbotson, J. L. Sindelar, J. R. Ritter, « The Market's Problems with the Pricing of Initial Public Offerings », *Journal of Applied Corporate Finance*, 7 (printemps 1994), pp. 66-74, actualisé sur **http://bear.cba.ufl.edu/ritter**. Comme nous l'avons vu dans le chapitre 13, il semble évident que ces profits initiaux ne durent pas et dans les cinq ans qui suivent une introduction, les actions sous-performent le marché.

24. Les rendements chinois concernent les actions de catégorie A, échangées domestiquement.

25. Pour une analyse sur la façon dont les entreprises peuvent sous-évaluer rationnellement leur prix d'émission pour faciliter la diffusion dans le public, voir I. Welch, « Seasoned Offerings, Imitation Costs and the Underpricing of Initial Public Offerings », *Journal of Finance* (juin 1989), pp. 421-449.

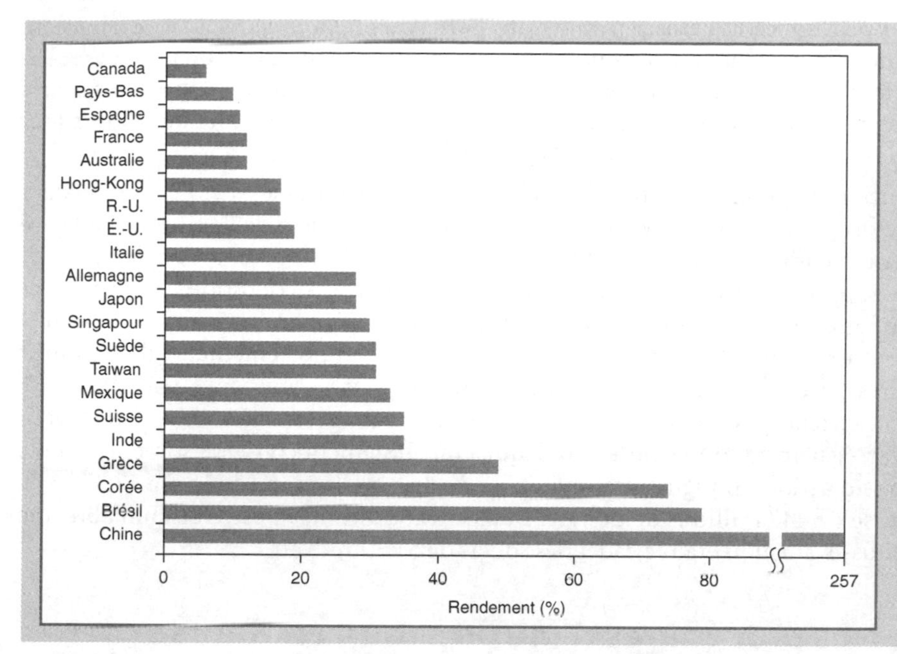

Figure 15.2 - Rendements initiaux moyens d'un investissement lors d'une introduction dans différents pays.

Source : T. Loughran, J. R. Ritter et K. Rydqvist « Initial Public Offerings : International Insights », *Pacific-Basin Finance Journal*, 2 (1994), pp. 165-199, actualisé sur **bear.cba.ufl.edu/ritter**.

La sous-évaluation des nouvelles émissions peut s'expliquer d'une autre façon. Imaginez que vous remportiez une enchère sur une toile à une vente d'art. Devez-vous forcément être content ? Certes, vous possédez désormais la toile que, selon toute vraisemblance, vous désiriez avoir. Mais apparemment, tous les autres enchérisseurs pensent que cette peinture vaut moins que ce que vous avez payé. En d'autres termes, votre réussite laisse à penser que vous avez trop payé. On dénomme ce phénomène la *malédiction du gagnant* (*winner's curse*). L'enchérisseur le plus acharné dans une vente est aussi celui qui a vraisemblablement surestimé la valeur de l'article : ainsi, à moins que les enchérisseurs n'aient le sentiment d'aller trop loin, l'acheteur va en moyenne trop payer. S'ils sont avertis du danger, les enchérisseurs vont revoir en conséquence leurs offres à la baisse.

Le problème est identique lors de l'émission de nouveaux titres. Supposons que vous décidiez de participer à toute introduction en Bourse. Vous vous apercevrez rapidement qu'il est très facile d'avoir des actions en provenance d'émissions auxquelles personne ne s'intéresse. Au contraire, lorsque l'émission est populaire, les souscripteurs n'auront pas assez d'actions à placer, et vous recevrez moins d'actions que ce que vous aviez demandé. Aussi, votre stratégie d'investissement peut rapidement vous faire perdre de l'argent. Afin d'en gagner, il faudra acheter uniquement si la sous-évaluation est en moyenne substantielle. Nous tenons là une explication crédible de la sous-évaluation des nouvelles émissions. Les investisseurs mal informés ne savent pas distinguer les bonnes émissions des autres, et s'exposent donc à la malédiction du gagnant. Les entreprises et leurs souscripteurs le savent, et doivent donc afficher une sous-évaluation en moyenne afin d'attirer les investisseurs mal informés[26].

---

26. Notez que la malédiction du gagnant disparaît si les investisseurs savent ce que le prix du marché va être. Une solution est de permettre des échanges de titres avant leur émission. Cela se passe sur le *marché gris* qui fonctionne surtout pour les titres de créances. Les investisseurs peuvent observer le prix sur le marché gris et être plus confiants dans le prix qui apparaîtra une fois l'émission réalisée.

Ces arguments peuvent certainement justifier une partie du phénomène de sous-évaluation, mais cela est moins évident lorsqu'il s'agit d'une sous-évaluation de 100 % ou plus. Les sceptiques soulignent qu'une telle sous-évaluation est dans l'intérêt des souscripteurs, car cela réduit leur risque de se retrouver avec des actions invendues et leur permet de cultiver leur popularité, en octroyant des titres aux clients privilégiés.

Si les sceptiques ont raison, les entreprises s'introduisant en Bourse devraient se rebeller devant de telles exigences de sous-évaluation de leurs titres. Repensons à l'exemple d'eBay. Si cette société avait vendu 3,5 millions d'actions au prix de marché de 47,375 $ au lieu de 18 $, cela lui aurait rapporté 103 millions de dollars de plus. Dans ces conditions, pourquoi les anciens actionnaires d'eBay ne sont-ils pas entrés dans une colère homérique ? Loughran et Ritter suggèrent une explication en termes de psychologie comportementale : dans l'esprit des actionnaires, le coût de la sous-évaluation serait plus que compensé par l'heureuse découverte d'une richesse supérieure à celle attendue. Le plus gros actionnaire d'eBay était Pierre Omidyar, également fondateur et PDG, qui a intégralement conservé son portefeuille de 15,2 millions d'actions. L'augmentation initiale du prix de l'action (de 18 $ à 47,375 $) a accru sa richesse de 447 millions de dollars. Dans ces conditions, il est vraisemblable que le coût de la sous-évaluation était le cadet des soucis de M. Omidyar[27].

3 Les autres procédures d'introduction en Bourse

Le tableau 15.2 résume les principales étapes nécessaires pour réaliser une première mise sur le marché d'actions en France. Vous observez que la mise sur le marché de Nexus était une introduction en Bourse type dans presque tous les domaines. La plupart des introductions en France utilisent la méthode des ordres préalables, permettant au souscripteur de dresser le carnet des ordres potentiels et d'utiliser cette information pour fixer le prix d'émission.

Tableau 15.2. Principales étapes de réalisation d'une première mise sur le marché d'actions en France

1.	La société recherche un souscripteur (teneur de livre) et des co-directeurs. Un syndicat financier est alors formé.
2.	Le contrat avec les souscripteurs prévoit un accord sur les commissions (en général 7 % du montant moyen de l'introduction) et sur une option de surallocation (permettant aux souscripteurs d'accroître le nombre d'actions achetées de 15 %).
3.	L'introduction est enregistrée auprès de l'AMF et un prospectus provisoire est émis.
4.	Une tournée est faite auprès des investisseurs potentiels pour proposer le placement. Le souscripteur enregistre les ordres d'achat potentiels.
5.	L'AMF approuve la mise sur le marché. L'entreprise et ses conseils fixent le prix d'introduction.
6.	Les souscripteurs allouent les actions (en général, les surallouent).
7.	Les transactions débutent. Les souscripteurs couvrent leur position en achetant des titres sur le marché ou en exerçant l'option de surallocation.
8.	Le souscripteur principal assure la liquidité du titre et fournit la couverture nécessaire.

27. T. Loughran et J. Ritter, « Why Don't Issuers Get Upset about Leaving Money on the Table in IPOs ? », *Review of Financial Studies*, 15 (2002), pp. 413-443.

Même si cette méthode s'applique presque partout dans le monde, il existe d'autres techniques pour placer les titres, en particulier l'offre à prix fixe et l'adjudication. L'offre à prix fixe est souvent utilisée pour les introductions en Bourse en Angleterre ou lors des privatisations d'entreprises en France. L'entreprise fixe le prix de vente et annonce le nombre d'actions qu'elle vend. Si le prix est trop élevé, les investisseurs ne demandent pas tous les titres et les souscripteurs sont obligés d'acheter les actions non vendues. Si le prix est trop faible, les ordres d'achat sont supérieurs au nombre d'actions à vendre et les investisseurs ne recevront qu'une proportion des titres qu'ils demandent (réduction). Comme la plupart des offres sous-évaluées sont très fortement sursouscrites, l'offre à prix fixe laisse les investisseurs très exposés à la malédiction du gagnant[28].

L'autre possibilité est de vendre les titres par adjudication. Dans ce cas, les investisseurs sont invités à soumettre leurs offres, en indiquant à la fois combien de titres ils souhaitent acquérir et à quel prix. Les titres sont alors vendus aux plus offrants. La plupart des États émettent leurs obligations de cette manière. Aux États-Unis, seules quelques sociétés se sont introduites en Bourse en vendant aux enchères leurs actions sur Internet. À l'inverse, le procédé est assez couramment utilisé en France et au Japon pour placer les nouvelles émissions d'actions avec apparemment moins de problèmes de sous-évaluation[29].

Notez que la méthode du carnet d'ordres ressemble à une adjudication, car les acheteurs potentiels donnent le nombre de titres qu'ils sont prêts à acheter aux prix donnés. Cependant, les offres ne sont pas réalisées et sont simplement utilisées comme indication pour fixer le prix de l'introduction. Ce prix est en général fixé en dessous du prix nécessaire pour vendre les titres et les souscripteurs sont incités à allouer les actions à leurs bons clients et aux investisseurs dont les offres sont le plus proches du prix d'émission[30].

3.1 Les procédures d'adjudication

Supposons que l'État français souhaite adjuger quatre millions d'obligations et que trois acheteurs soumettent des ordres. L'acheteur A offre 1 020 € par obligation pour un million de titres, B 1 000 € pour trois millions de titres et C 980 € pour deux millions de titres. Les offres des deux meilleurs soumissionnaires (A et B) absorbent tous les titres et C n'obtient rien. Quel prix les deux soumissionnaires vainqueurs A et B paieront-ils ?

La réponse dépend dans le fait de savoir si la vente se fait au *prix offert* ou à *prix unique*. Au prix offert, chaque soumissionnaire paie le prix qu'il a proposé : A paiera 1 020 € et B 1 000 €. À prix unique, les deux paieront 1 000 €, qui est le prix le plus faible du soumissionnaire vainqueur, B.

Il peut sembler à partir de notre exemple que la somme recueillie par l'adjudication à prix unique est inférieure à celle d'une adjudication au prix offert. Mais c'est ne pas tenir compte du fait que la première méthode fournit une meilleure protection par rapport à la malédiction du gagnant. Les offreurs prudents savent qu'il existe un coût faible pour suroffrir dans

28. Mario Levis a trouvé que, même si les introductions au Royaume-Uni offraient un rendement moyen le premier jour d'environ 9 % sur la période 1985-1988, un investisseur qui demandait un montant égal de chaque introduction aurait atteint un peu plus que le point mort. Voir M. Levis, « The Winner's Curse Problem, Interest Costs and the Underpricing of Initial Public Offerings », *Economics Journal*, 100 (1990), pp. 76-89.

29. La sous-évaluation des actions mises aux enchères en France et au Japon est étudiée dans J. R. Ritter, « Investment Banking and Securities Issuance », dans G. M. Constantinides, M. Harris et R. Stulz (eds.), *Handbook of the Economics of Finance*, Amsterdam : Elsevier Science, 2003.

30. F. Cornelli et D. Goldreich, « Bookbuilding and Strategic Allocation », *Journal of Finance*, 56 (décembre 2001), pp. 2337-2369.

une adjudication à prix unique, mais qu'il existe potentiellement un coût très élevé de le faire dans une adjudication à prix offert[31]. Les économistes en déduisent souvent que l'adjudication à prix unique est à l'origine d'une somme reçue plus importante[32].

Les ventes d'obligations par l'État français utilisent la procédure de l'adjudication au prix offert : les soumissionnaires gagnants paient le prix qu'ils ont proposé. Mais certains États écoutent les économistes et passent à l'adjudication à prix unique (par exemple le Mexique et parfois les États-Unis)[33].

4 L'appel public à l'épargne par les entreprises cotées

Pour la plupart des entreprises, le premier appel public à l'épargne est rarement le dernier. Quand elles sont en croissance, elles émettent de nouveaux emprunts et de nouvelles actions. Les sociétés cotées peuvent émettre des titres soit en faisant appel à de nouveaux investisseurs soit en émettant des droits réservés aux actionnaires en place. Nous commençons par décrire les offres en numéraire, qui sont de nos jours utilisées pour la quasi-totalité des emprunts et des augmentations de capital aux États-Unis. Nous nous tournons ensuite vers les émissions de droits, fréquemment employées dans d'autres pays pour l'émission d'actions ordinaires.

4.1 Les offres en numéraire

Quand une entreprise souhaite du numéraire soit sous forme de dette soit sous forme de capital, elle suit la même procédure que pour sa première introduction en Bourse. En d'autres termes, elle fait enregistrer son émission auprès de l'AMF et vend ensuite les titres à un souscripteur (ou à un syndicat de souscripteurs) qui à son tour propose les titres au public. Avant de fixer le prix de l'émission, le souscripteur dresse la liste potentielle de titres, comme dans le cas de l'introduction de Nexus.

L'AMF autorise les grandes sociétés à remplir un seul *document d'enregistrement* qui couvre leurs plans de financement pour une période pouvant aller jusqu'à deux ans. Les émissions réelles peuvent alors être effectuées avec peu de travail administratif, chaque fois que l'entreprise a besoin de liquidités ou pense pouvoir émettre des titres à un prix intéressant. Cette procédure s'appelle *enregistrement par prospectus préalable*.

Pensez à la façon dont vous, gestionnaire financier, pourriez utiliser cette procédure. Supposez que votre entreprise soit susceptible d'avoir besoin d'un nouvel emprunt à long terme pouvant atteindre 200 millions d'euros au cours de l'année à venir. Elle peut remplir un prospectus préalable pour ce montant. Elle bénéficie ainsi de l'autorisation préalable d'émettre

---

31. De plus, le prix d'une adjudication à prix unique dépend non seulement des intentions de B, mais aussi de celles de A (par exemple, si A avait offert 990 € plutôt que 1 020 €, A et B auraient payé 990 € chaque titre). Comme l'adjudication à prix unique profite des intentions de A et B, elle réduit la malédiction du gagnant.

32. Des adjudications réduisent quelquefois la malédiction du gagnant en permettant à des soumissionnaires mal informés de faire des offres non compétitives : ils proposent une quantité, mais pas de prix. Cela existe dans le cas de l'adjudication des OAT françaises lorsque les spécialistes en valeurs du Trésor nommés par l'État reçoivent toutes les obligations qui n'ont pas été souscrites par les soumissionnaires.

33. L'expérience des adjudications à prix unique au Mexique et aux États-Unis montre qu'elles réduisent réellement le problème de la malédiction du gagnant et fournissent des prix plus élevés pour le vendeur. Voir K. G. Nyborg et S. Sundaresan, « Discriminatory versus Uniform Treasury Auctions : Evidence from When-Issued Transactions », *Journal of Financial Economics*, 42 (1996), pp. 63-105 et S. Umlauf, « An Empirical Study of the Mexican Treasury Bill Auction », *Journal of Financial Economics*, 33 (1993), pp. 313-340.

jusqu'à 200 millions d'euros de titres d'emprunt, mais elle n'est pas obligée d'émettre un centime. Elle n'est pas obligée non plus de travailler avec des intermédiaires financiers *prédésignés* – le formulaire d'enregistrement peut nommer un ou plusieurs intermédiaires financiers avec lesquels l'entreprise entend travailler plus tard, mais on peut leur en substituer d'autres par la suite.

Maintenant, vous pouvez attendre et émettre des emprunts selon vos besoins, en bloc ou au fur et à mesure. Supposez que la Société Générale connaisse une société d'assurances prête à investir 10 millions d'euros en obligations d'entreprises. Votre téléphone sonne. C'est la Société Générale qui vous propose d'acheter pour 10 millions d'euros de vos obligations, à un prix d'émission qui permette d'obtenir une rentabilité de, disons, 8,5 %. Si vous pensez que c'est un bon prix, vous répondez « d'accord » et l'affaire est faite. Il suffit d'un petit travail d'écriture supplémentaire. La Société Générale revend alors les obligations à la compagnie d'assurances, à un prix légèrement plus élevé que celui qu'elle a elle-même payé. Elle réalisera ainsi un *profit d'intermédiation* (appelé aussi **marge d'intermédiation**).

Voici un autre exemple : supposez que vous repériez une opportunité intéressante due à des taux d'intérêt temporairement bas. Vous sollicitez les offres pour 100 millions d'euros d'obligations. Certaines offres peuvent provenir de grandes banques d'affaires agissant pour leur compte, d'autres de syndicats d'investisseurs constitués pour l'occasion. Mais ce n'est pas votre problème ; si le prix est correct, vous prendrez la meilleure offre que l'on vous propose.

Toutes les entreprises ayant le droit d'utiliser la procédure de prospectus préalable pour leurs émissions publiques ne le font pas. Certaines pensent qu'elles ont avantage à procéder à une seule émission de grande ampleur au moyen des canaux habituels, surtout quand les titres devant être émis ont des caractéristiques inhabituelles ou quand l'entreprise pense qu'elle a besoin du conseil d'une banque d'affaires. La procédure d'émission par prospectus préalable est donc moins utilisée pour l'émission d'actions ou de titres convertibles que pour celle d'obligations.

4.2 Les émissions de titres à l'échelle internationale

Les grandes entreprises bien établies ne se limitent pas au marché financier national : elles peuvent aussi lever des capitaux sur les marchés de capitaux internationaux. Les procédures à suivre pour émettre des obligations internationales sont globalement similaires aux procédures domestiques. On peut noter les deux points suivants :

1. Tant que l'émission d'obligations n'est pas offerte au public en France, elle n'a pas à être enregistrée auprès de l'AMF. Toutefois, la société doit présenter un prospectus ou une circulaire décrivant l'émission.

2. Une émission d'obligations internationales prend souvent la forme d'un *placement privé*, au sens où un ou quelques souscripteurs achètent la totalité des titres. Le placement privé permet aux entreprises d'émettre des obligations très rapidement.

Les grandes émissions d'obligations sont maintenant très souvent fractionnées, une partie étant réalisée sous forme d'émissions internationales, une autre étant enregistrée et vendue localement. Il en est de même pour les émissions d'actions : en juin 1992, une fondation caritative anglaise, Welcome Trust, décida de vendre une partie de sa participation dans le groupe Welcome. Pour organiser la vente, elle paya environ 140 millions d'euros à un groupe de 120 intermédiaires souscripteurs dans le monde entier. Ces souscripteurs collectèrent les offres des investisseurs intéressés et les rapportèrent à Robert Fleming, une banque d'affaires de Londres, qui tint le registre des différentes offres. Des catégories particulières d'investisseurs, comme les actionnaires en place ou ceux qui soumirent leurs offres très tôt, furent placées en tête de la file d'attente, alors que ceux qui fractionnaient leurs offres ou vendaient les actions Welcome étaient à la fin.

À la fin de la période d'émission qui dura trois semaines, Welcome Trust était capable de construire la courbe de demande montrant combien de titres les investisseurs étaient prêts à acheter à chaque niveau de cours. À la lumière de ces informations, il fut décidé de vendre 270 millions d'actions, rapportant environ 4 milliards de dollars. 1 100 institutions et 30 000 personnes finirent par acheter des titres. Environ 40 % des actions émises furent vendues en dehors du Royaume-Uni, principalement aux États-Unis, au Japon, en France et en Allemagne.

Les actions de nombreuses entreprises sont maintenant inscrites et échangées sur les principales places internationales. Renault est active sur la Bourse de New York, tout comme Sony, Telefonos de Mexico, etc[34]. Plusieurs de ces entreprises sont aussi cotées partout dans le monde. Citigroup, l'une des plus grandes banques américaines, est cotée à New York, Londres, Amsterdam, Tokyo, Zurich, Toronto, et Francfort, de même que sur d'autres places plus petites.

Les actions de certaines entreprises ne font l'objet d'aucune transaction dans leur propre pays. En 2000 par exemple, AsiaInfo, une entreprise chinoise de logiciels, a levé 120 millions de dollars lors d'une introduction en Bourse aux États-Unis. Ses actions n'étaient pas cotées en Chine. L'entreprise pensait obtenir un meilleur prix et une liquidité plus active à New York.

4.3 Le coût des appels en numéraire

Quand une entreprise fait un appel public à l'épargne, elle subit des coûts administratifs importants. Elle doit rétribuer les intermédiaires souscripteurs en leur vendant des titres en dessous du prix qu'ils pensent obtenir de la part des investisseurs. Le tableau 15.3 présente une liste des marges de ces intermédiaires pour quelques émissions aux États-Unis en 2003.

Tableau 15.3. Marges d'intermédiation pour une sélection d'émissions de titres, 2003. Les marges sont données en pourcentage du produit brut des émissions

Type (*)	Entreprise	Montant de l'émission (millions de dollars)	Marge de l'intermédiaire souscripteur, en %
IPO	Buffalo Wild Wings	45,3	7,0
IPO	Carter's Inc.	118,8	7,0
IPO	Genitope Corp.	41,4	7,0
IPO	International Steel Group	462	6,5
IPO	IPass	98	7,0
Seasoned	General Cable Corp.	98	5,5
Seasoned	Big 5 Sporting Goods Corp.	94,2	5,0
Seasoned	Red Robin Gourmet Burgers	91,7	5,25

34. Plutôt que d'émettre des actions directement aux États-Unis, les entreprises étrangères émettent en général des ADR (*american depository receipts*). Ce sont de simples droits sur les actions de la compagnie étrangère, détenus par une banque pour le compte des propriétaires de ces ADR.

Tableau 15.3. Marges d'intermédiation pour une sélection d'émissions de titres, 2003. Les marges sont données en pourcentage du produit brut des émissions (...)

Type (*)	Entreprise	Montant de l'émission (millions de dollars)	Marge de l'intermédiaire souscripteur, en %
Seasoned	Gibraltar Steel	102,2	5,0
Seasoned	Interstate Hotels	47,3	5,25
Dettes (type, taux, échéance)			
Obligations subordonnées, 4,85 %, 2011	Raytheon	500	0,625 %
Obligations, 4,85 %, 2006	Procter & Gamble	150	0,475
Obligations, 6,3 %, 2018	Eastman Chemical	248,1	0,75
Bons à moyen terme, 5,9 %, 2008	Bausch & Lomb	50	1,0
Obligations convertibles, 6,25 %, 2033	General Motors	4 000	1,75

(*) « IPO » signifie une introduction en Bourse, « Seasoned » se réfère à des augmentations de capital pour des sociétés déjà cotées, « Dettes » se réfère à l'émission de titres d'emprunt à long terme vers le public.

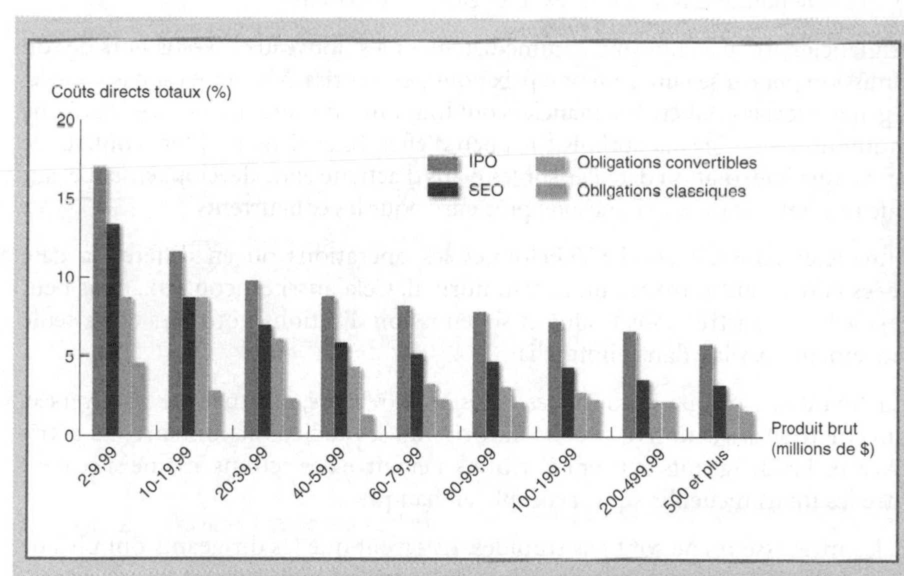

Figure 15.3 - Coûts directs totaux en pourcentage du produit brut des émissions. Les coûts directs totaux pour les introductions (IPOs), les offres de titres confirmés (SEOs), les obligations convertibles et les obligations classiques sont composés des marges d'intermédiation et des autres dépenses directes.

Source : I. Lee, S. Lochhead, J. Ritter et Q. Zhao, « The Costs of Raising Capital », *Journal of Financial Research*, 19 (printemps 1996), pp. 59-74.

On remarque que les marges des souscripteurs pour les émissions d'emprunts sont inférieures à celles des émissions d'actions, avec moins de 1 % pour la plupart des émissions. Les marges des grandes émissions tendant à être inférieures à celles des émissions plus petites, ceci peut s'expliquer en partie par les coûts fixes liés à l'émission de titres. Mais les grosses émissions sont généralement le fait de grandes entreprises, plus réputées et plus faciles à contrôler pour les souscripteurs. Une petite société ne peut donc pas faire une émission massive avec une marge minuscule[35].

4.4 Les réactions du marché aux émissions de titres

Il ressort des études faites par les économistes sur les émissions d'actions que l'annonce de telles émissions se traduit effectivement par une baisse des cours. Aux États-Unis, cette baisse atteint 3 %[36]. Même si cela ne paraît pas très important, la baisse de la valeur de marché est équivalente, en moyenne, à un tiers des sommes levées lors de l'émission.

Que se passe-t-il ? Une explication est que le cours des actions baisse simplement à cause de l'annonce de l'offre additionnelle de titres. Il y a aussi un petit signe que l'ampleur de la baisse du prix augmente avec la taille de l'émission. Il y a une autre explication, qui semble mieux refléter les faits.

Supposez que le directeur financier d'une chaîne de restaurants soit particulièrement optimiste quant à son développement. À son avis, le cours des actions est trop bas. Cependant, l'entreprise veut émettre de nouvelles actions pour financer son expansion dans une nouvelle région. Que doit-elle faire ? Tous les choix ont des inconvénients. Si la chaîne émet de nouvelles actions, elle favorisera les nouveaux investisseurs au détriment des anciens actionnaires. Si les investisseurs partagent l'optimisme du directeur financier, le cours des titres montera et ce sera une bonne affaire pour les nouveaux investisseurs.

Si le directeur financier arrive à convaincre immédiatement les nouveaux investisseurs de son optimisme, l'émission pourra se faire à un bon prix pour l'entreprise. Mais ce n'est pas si facile. Les directeurs généraux et les directeurs financiers ont toujours *l'air* serein, c'est pourquoi une simple déclaration du type « je suis optimiste » a peu d'effet. Mais il est toujours coûteux de fournir au marché une information détaillée sur les plans d'activité et de développement et sur les prévisions de résultats – c'est aussi une aide précieuse pour les concurrents.

Le directeur financier pourrait aussi rééchelonner les opérations ou en différer la date jusqu'à ce que les cours aient retrouvé un niveau normal. Cela aussi est coûteux, mais peut être rationnel si le cours est très sous-évalué et si l'émission d'actions nouvelles est la seule source de financement possible dans l'immédiat.

Si un directeur financier sait que le cours des titres est *surévalué*, la situation est inversée. L'entreprise qui émettrait ses actions à ce cours favoriserait ses anciens actionnaires au détriment des nouveaux. Les dirigeants peuvent être prêts à émettre des actions, même si ce n'est que pour mettre les fonds recueillis sur un compte en banque.

Bien entendu, les investisseurs ne sont pas stupides. Ils savent que les dirigeants ont plus de chances d'émettre des titres quand ils pensent que le cours est surévalué et qu'ils risquent d'annuler ou de différer les émissions quand ils sont optimistes sur l'avenir. Par conséquent, quand une émission d'actions nouvelles est annoncée, ils anticipent une baisse de cours.

35. Ce phénomène est mis en évidence dans O. Altinkilic et R. S. Hansen, « Are There Economies of Scale in Underwriting Fees ? Evidence of Rising External Financing Costs », *Review of Financial Studies*, 13 (printemps 2001), pp. 191-218.
36. Voir par exemple P. Asquith, D. W. Mullins, « Equity Issues and Offering Dilution », *Journal of Financial Economics*, 15 (janvier-février 1986), pp. 61-90.

Ainsi, la baisse de cours au moment d'une nouvelle émission peut n'avoir aucun lien avec l'accroissement du nombre de titres, mais simplement avec l'information apportée par l'émission[37].

Cornett et Tehranian ont fait une expérience qui vient clairement appuyer cette argumentation[38]. Ils ont examiné un échantillon d'émissions d'actions réalisées par des banques commerciales. Certaines de ces émissions étaient *involontaires*, c'est-à-dire mandatées par des autorités bancaires pour remplir les normes réglementaires en matière de capital. Les autres étaient des opérations ordinaires, volontaires, visant à lever des fonds. Les émissions involontaires ont provoqué une baisse des cours bien moins importante que les émissions volontaires, ce qui semble parfaitement normal. Si l'émission ne dépend pas d'une décision des dirigeants, l'annonce de l'émission n'apporte aucune information quant au futur de l'entreprise[39].

Pour la plupart des spécialistes de l'économie financière, la baisse du cours de l'action lors des annonces d'introductions est une réponse à un signal, et non le résultat d'une offre supplémentaire[40]. Mais qu'en est-il lors de l'émission d'un emprunt ? Fournit-elle aussi une information aux investisseurs sur les perspectives de l'entreprise ? Un gestionnaire pessimiste pourrait être tenté d'émettre un emprunt avant que les investisseurs ne soient conscients de mauvaises nouvelles, mais quel profit pouvez-vous promettre à vos actionnaires en vendant un emprunt surévalué ? Peut-être 1 ou 2 %. Les investisseurs savent qu'un gestionnaire pessimiste a une plus grande incitation à faire une augmentation de capital plutôt que d'émettre un emprunt. En conséquence, quand les entreprises annoncent un emprunt, il y a une baisse à peine perceptible du prix de l'action[41].

Toutefois, une difficulté importante subsiste. Comme nous l'avons vu dans le chapitre 13, il semble que la performance à long terme des entreprises qui émettent des titres soit en dessous de la norme. Les investisseurs qui ont acquis des actions de ces entreprises *après* l'annonce de l'émission ont obtenu des rentabilités plus faibles que celles qu'ils auraient eues s'ils avaient acheté les actions d'entreprises similaires n'ayant pas procédé à une émission. Ces résultats valent à la fois pour les premiers appels publics à l'épargne et pour les émissions de titres pour lesquels il existe déjà un marché[42]. Il semble que les investisseurs n'apprécient pas totalement l'avantage de l'information fournie par les entreprises émettrices. Si c'est le cas, nous avons là une exception à la théorie des marchés efficients.

---

37. Cette explication a été développée par S. C. Myers, N. S. Majluf, « Corporate Financing and Investment Decisions When Firms Have Information That Investors Do Not Have », *Journal of Financial Economics*, 13 (1984), pp. 187-222.

38. M. M. Cornett, H. Tehranian, « An Examination of Voluntary versus Involuntary Issuances by Commercial Banks », *Journal of Financial Economics*, 35 (1994), pp. 99-122.

39. Les « émetteurs involontaires » étaient devant un choix : renoncer à l'émission d'actions et courir le risque de ne pas respecter les normes de capital réglementaires. Les banques les plus concernées par ce risque étaient les plus promptes à émettre. Il n'est donc pas étonnant que Cornett et Tehranian aient décelé une légère baisse du cours pour les émissions involontaires.

40. Il existe un autre effet d'information possible. De même que la hausse non anticipée du dividende suggère aux investisseurs que la société génère plus de trésorerie que ce qu'ils pensaient, l'annonce d'une nouvelle émission peut avoir l'effet inverse. Cet effet ne peut cependant expliquer pourquoi l'annonce de l'émission d'un emprunt n'entraîne pas une baisse identique du prix de l'action.

41. Voir L. Shyam-Sunder, « The Stock Price Effect of Risky vs. Safe Debt », *Journal of Financial and Quantitative Analysis*, 26 (décembre 1991), pp. 549-558. L'évidence de l'influence du prix des émissions de différents types de titres est résumée par C. Smith, « Investment Banking and the Capital Acquisition Process », *Journal of Financial Economics*, 15 (janvier-février 1986), pp. 3-29.

42. T. Loughran et J. R. Ritter, « The New Issues Puzzle », *Journal of Finance*, 50 (mars 1995), pp. 23-51. Voir également le site Web de Jay Ritter **bear.cba.ufl.edu/ritter**.

4.5 Les émissions de droits de souscription privilégiés

Au lieu de faire une émission de titres ouverte à l'ensemble des investisseurs, des entreprises donnent parfois à leurs actionnaires en place le droit d'exercer un choix. De telles émissions s'appellent des *émissions de droits*. En Europe, les actions sont souvent vendues par exercice de droits, même si les entreprises ont fait pression pour une plus grande liberté d'émission d'actions en numéraire. Dans d'autres pays, comme les États-Unis ou le Japon, l'émission de droits est très rare, la règle étant l'augmentation de capital en numéraire.

Voici un exemple d'émission de droits. En janvier 2003, Lafarge, société de matériaux de construction, a eu besoin de lever 1,28 milliard d'euros de nouveaux fonds propres. Elle le fit en offrant à ses actionnaires le droit d'acheter 4 nouvelles actions pour 17 actions anciennes. Les nouvelles actions étaient émises à 41 € chacune, soit près de 32 % en dessous du prix prévu de 60 €.

Imaginons que vous possédiez 17 actions Lafarge juste avant l'émission de ces droits. La valeur de vos actions était donc de 17 × 60 € = 1 020 €. L'offre de Lafarge vous donne le droit d'acheter 4 actions supplémentaires pour 41 €. Si vous les achetez, vous avez 18 actions et la valeur de vos actions augmente de 1 020 à 1 020 + (4 × 41) =1 184 €. Après l'émission, la valeur de chaque titre n'est plus de 60 € mais a légèrement baissé à 1 184 / 21 = 56,38 €.

Quelle est la valeur de votre droit pour acheter une nouvelle action de 41 € ? La réponse est 56,38 – 41 = 15,38 €. Un investisseur qui pourrait acheter pour 41 € une action valant 56,38 € accepterait de payer 15,38 € pour ce droit[43].

Mais Lafarge aurait pu lever le même montant de fonds de bien d'autres façons. Par exemple, au lieu d'une parité 4 pour 17 à 41 €, elle aurait pu proposer une parité de 8 pour 17 à 20,5 €. Dans ce cas, la société aurait vendu le double de titres à un prix deux fois plus faible. Si vous aviez détenu 17 actions Lafarge avant l'émission, vous auriez souscrit pour 8 nouvelles actions à 20,5 € chacune. Cela vous aurait fait 25 actions pour une valeur totale de 1 020 + (8 × 20,50) = 1 184 €. Après l'émission, la valeur de chaque titre aurait été de 1 184 / 25 = 47,36 €, ce qui est inférieur au cas de la parité 4 pour 17, mais fournit en compensation 25 actions au lieu de 21. Supposons que vous souhaitiez vendre votre droit pour acheter une nouvelle action à 20,5 €. Les investisseurs seraient disposés à vous payer ce droit 26,86 €. Ils paieraient alors 20,5 € à Lafarge et recevraient une action de valeur 47,36 €.

Notre exemple illustre le fait que, tant que l'entreprise réussit à vendre les nouvelles actions, le prix d'émission des droits offerts est très élevé[44]. Ceci n'est pas le cas dans une augmentation de capital en numéraire. Si l'entreprise vend de nouvelles actions à un prix inférieur à celui du marché, l'acheteur fera un profit aux dépens des actionnaires en place. Les augmentations de capital en numéraire s'effectuent généralement avec une petite remise de 3 % sur

43. En réalité, il devrait s'attendre à payer un peu plus, car il n'est pas obligé d'acheter le titre et peut effectivement choisir de ne pas le faire. En pratique, l'option est la plupart du temps dans la monnaie (« in the money ») et sa durée de vie est limitée, de sorte que sa valeur est négligeable.

44. Si le prix de l'action était resté à 56,38 €, les actionnaires de Lafarge auraient été très contents d'acheter les nouvelles actions à 41€. Si le prix passe au-dessous de 41 €, ils n'exercent plus leur option d'achat des nouveaux titres. Pour se prémunir contre cette éventualité, il est fréquent de prévoir des accords de secours par lesquels les souscripteurs achètent les actions non demandées.

le cours de clôture du jour précédent[45]. Mais dans la mesure où les coûts peuvent être totalement évités à l'aide d'une émission de droits, on ne s'explique toujours pas la préférence des entreprises pour les augmentations de capital en numéraire.

5 Les placements privés et les émissions publiques

Chaque fois qu'une entreprise émet des titres dans le public, elle doit faire enregistrer l'opération par l'AMF. Elle pourrait éviter cette procédure coûteuse en effectuant un **placement privé** (*private equity*, dirait Sean Penn). Il n'y a pas de définition simple et facile de ce type de placement : l'AMF insiste pour que les titres ne soient pas vendus à plus d'une douzaine d'investisseurs ou à des investisseurs facilement identifiables.

L'un des inconvénients du placement privé est que le détenteur des titres ne peut pas facilement les revendre. Cependant, des institutions comme des compagnies d'assurances investissent d'énormes sommes dans des titres représentatifs de la dette des entreprises pour des périodes très longues. Elles sont donc moins concernées par la liquidité des titres. En conséquence, le marché du placement privé des titres d'emprunt s'est beaucoup développé. Souvent, cette dette est négociée directement entre la société et le prêteur, mais si l'émission est trop importante pour être acquise par une seule institution, la société s'arrange avec une banque d'affaires pour écrire le prospectus et identifier des acheteurs potentiels.

Comme vous pouvez l'imaginer, il est moins coûteux de monter un placement privé que de faire une émission publique, ce qui constitue un avantage particulier pour les entreprises qui réalisent des émissions plus faibles.

En 1990, la SEC américaine a allégé les restrictions qu'elle avait émises quant à l'identité des agents économiques ayant le droit d'acheter des titres non inscrits et de réaliser des transactions les concernant. Le nouveau règlement, appelé « Règle 144A », autorise les grandes institutions financières (connues sous le nom *d'acheteurs institutionnels qualifiés*) à réaliser entre elles des transactions portant sur des titres non enregistrés. Le marché lié à la « Règle 144A » a connu un certain succès, surtout auprès des émetteurs étrangers. Il y eut aussi un accroissement du volume des transactions sur le marché secondaire des titres de la « Règle 144A ».

Résumé

Dans ce chapitre, nous avons résumé les différentes procédures d'émissions de titres pour les entreprises. Nous avons étudié en premier lieu comment les jeunes entreprises obtiennent du capital-risque pour parvenir jusqu'au moment où elles peuvent réaliser leur première introduction en Bourse. Nous avons vu ensuite comment les entreprises peuvent procéder à des émissions supplémentaires par un appel public à l'épargne. Enfin, nous avons étudié la procédure de placement privé.

Il est toujours difficile de faire le résumé d'un résumé. Revoyons les éléments principaux.

---

45. Voir A. Corwin, « The Determinants of Underpricing for Seasoned Equity Offers », *Journal of Finance*, 58 (octobre 1993), pp. 2249-2279, ainsi que S. Mola et T. Loughran, « Discounting and Clustering in Seasoned Equity Offering Price », *Journal of Financial and Quantitative Analysis*, 39 (mars 2004), pp. 1-23.

Une émission importante minimise les coûts. Il est moins coûteux d'effectuer une seule émission de 100 millions d'euros que d'en faire deux de 50 millions d'euros chacune. Par conséquent, les entreprises concentrent les émissions de titres. Cela signifie souvent un recours au financement à court terme jusqu'à ce qu'une émission importante soit justifiée. Cela peut aussi vouloir dire émettre plus que nécessaire pour éviter une autre émission ultérieure.

- *Attention à la sous-évaluation.* La sous-évaluation du prix d'émission est un coût caché pour les anciens actionnaires. Heureusement, ce phénomène n'est vraiment sérieux que pour les entreprises qui émettent des actions auprès du public pour la première fois.
- *La malédiction du gagnant.* Les investisseurs potentiels dans une introduction en Bourse ne savent pas comment les autres investisseurs vont évaluer les actions et ils s'inquiètent d'être susceptibles de recevoir une allocation plus importante d'émissions surévaluées. La description précise de la procédure d'introduction peut réduire la malédiction du gagnant.
- *Les émissions d'actions peuvent faire baisser les cours.* Cette pression à la baisse est variable, mais pour les émissions d'actions touchant des entreprises industrielles, la baisse de valeur des actions existantes peut atteindre une part significative des sommes levées. Ce phénomène est lié au signal que donne au marché la décision d'émettre des actions nouvelles.
- *La procédure de prospectus préalable est souvent adaptée aux émissions de dettes par des grandes sociétés.* Cette procédure réduit les délais nécessaires à l'organisation d'une nouvelle émission de titres, accroît la flexibilité et peut réduire les coûts de souscription. Elle semble plus adaptée à l'émission d'emprunts par de grandes entreprises qui sont satisfaites de pouvoir changer d'intermédiaire financier à leur gré. Elle convient moins aux émissions de titres présentant un risque inhabituel, aux titres complexes ou aux émissions faites par des petites entreprises susceptibles de bénéficier d'une relation directe et étroite avec une banque.

Annexe : prospectus d'émission d'actions Nexus[46]

Prospectus
900°000 actions Nexus SA
(valeur nominale 0,10 €)

Sur les 900 000 actions offertes ici au marché, 500 000 sont émises par l'entreprise et 400 000 sont cédées par les actionnaires vendeurs (voir section « Émission principale et actionnaires vendeurs »). L'entreprise ne recevra rien de la cession réalisée par les actionnaires vendeurs.

Avant cette émission, il n'y avait pas de marché accessible au public pour les actions. **Ces titres comportent un haut degré de risque (voir section « Risques »).**

46. La plupart des prospectus ont un contenu semblable à celui que nous vous présentons pour Nexus. Cependant, ils contiennent beaucoup plus de détails. Aussi, nous n'avons volontairement pas fourni d'états financiers pour Nexus.

CES TITRES N’ONT PAS ÉTÉ APPROUVÉS OU DÉSAPPROUVÉS PAR L’AUTORITÉ DES MARCHÉS FINANCIERS QUI N’A PAS NON PLUS EXAMINÉ LA JUSTESSE OU L’ADÉQUATION DE CE PROSPECTUS. TOUTE AFFIRMATION DU CONTRAIRE EST UNE INFRACTION PÉNALE.

	Prix offert au public	Réduction pour le souscripteur	Produits pour l’entreprise*[1]	Produits pour les actionnaires vendeurs*
Par action	80 €	5,60 €	74,40 €	74,40 €
Total**	72 000 000 €	5 040 000 €	37 200 000 €	29 760 000 €

1* Avant déduction des frais, estimés à 820 000 €, dont 455 555 € seront payés par l’entreprise et 364 445 € par les actionnaires vendeurs.

** L’entreprise a accordé aux souscripteurs une option d’achat de 135 000 actions supplémentaires au prix d’émission de l’offre initiale, moins la réduction de souscription, ceci uniquement pour assurer une attribution optimale.

L’émission est effectuée sous réserve de la réception des titres et de leur acceptation par les souscripteurs lors de la vente initiale et du droit de ces souscripteurs de rejeter tout ordre en tout ou partie et de reporter, annuler ou modifier l’offre sans publication préalable.

Marilyn ch **3 f vrier 2019**

Personne n’est autorisé à donner quelque information que ce soit en rapport avec l’offre formulée dans cette annonce ou de faire un exposé des faits autre que ce que contient ce document, mais dans le cas où cela se produirait, ces informations ou cet exposé des faits ne devraient pas être pris en compte. Ce prospectus ne constitue pas une offre d’un titre quelconque autre que les titres enregistrés auxquels il se réfère ou une offre à une personne quelconque dans une juridiction quelconque où une telle offre pourrait être illégale. La délivrance de ce document à une date quelconque donnée n’implique pas que les informations qu’il contient sont correctes à tout moment postérieur à cette date.

EN RAPPORT AVEC CETTE OFFRE, LES SOUSCRIPTEURS PEUVENT SURALLOUER LES TITRES OU EFFECTUER DES TRANSACTIONS QUI MAINTIENNENT LE PRIX DE MARCHÉ DES ACTIONS À UN NIVEAU SUPÉRIEUR À CELUI QUI POURRAIT ÊTRE ATTEINT DANS UN MARCHÉ OUVERT. UNE TELLE ACTION DE STABILISATION, SI ELLE EST ENTREPRISE, PEUT ÊTRE INTERROMPUE À TOUT MOMENT.

Résumé du prospectus

L’information résumée qui suit est confirmée dans sa totalité par les informations détaillées et par les états financiers apparaissant par ailleurs.

L’offre

Actions émises par l’entreprise .... 500 000 actions

Actions offertes par les actionnaires vendeurs .... 400 000 actions

Actions existantes après cette offre .... 4 100 000 actions

Utilisation des fonds recueillis

Construction de nouveaux équipements industriels et financement du besoin en fonds de roulement (BFR).

La société

Nexus SA conçoit, produit et vend des cerveaux de remplacement. Ses installations industrielles utilisent des microcircuits intégrés pour maîtriser le processus d'ingénierie génétique utilisé pour fabriquer les cerveaux de remplacement.

Utilisation des produits de l'émission

On attend de l'émission un produit net de 37 744 445 €. Sur ce montant, approximativement 27 millions d'euros seront utilisés pour financer l'extension des principales installations industrielles de l'entreprise. Le reste sera utilisé pour financer le BFR.

Risques

L'investissement en actions implique un haut degré de risque. Les facteurs suivants devraient être soigneusement analysés lors de l'évaluation de l'entreprise :

- *Besoins substantiels en capital.* La société aura besoin de ressources financières supplémentaires pour poursuivre sa politique d'expansion. L'entreprise pense avoir de bonnes relations avec ses prêteurs, mais ne peut être assurée d'obtenir un financement supplémentaire à l'avenir.
- *Autorisations administratives.* Les installations supplémentaires doivent être utilisées pour la production d'un nouveau cerveau de remplacement. Même si les demandes légales ont été faites, aucune autorisation officielle n'a encore été accordée.

Politique de dividende

L'entreprise n'a pas versé de dividendes en numéraire pour ses actions, et elle ne prévoit pas de le faire dans un futur proche.

Direction et gestion

Le tableau suivant donne quelques informations complémentaires à propos des administrateurs, des cadres supérieurs et des employés particulièrement importants de l'entreprise.

Nom	Âge	Poste
Luc Table	32	Président, directeur général et administrateur
Line Table	28	Trésorier et administrateur
Akim Doidublé	30	Directeur général

Luc Table : Luc Table a fondé la société en 2013 et en a été le directeur général depuis cette date. Il a été président de l'Institut des cerveaux de remplacement.

Line Table : Line Table est employée dans l'entreprise depuis 2013.

Akim Doidublé : M. Doidublé est directeur général de l'entreprise depuis 2013. Il est ancien vice-président de l'Institut des cerveaux de remplacement.

Rémunérations versées aux dirigeants

Le tableau suivant présente une liste des compensations financières versées aux dirigeants pour les services rendus durant l'année 2018.

Nom	Poste	Rémunération versée
Luc Table	Président, directeur général et administrateur	300 000 €
Line Table	Trésorier et administrateur	220 000 €
Akim Doidublé	Directeur général	220 000 €

Transactions particulières

À plusieurs occasions entre 2014 et 2017, Risques Maxima a investi un montant total de 8,5 millions d'euros dans l'entreprise. En rapport avec cet investissement, des actions nominatives ont été accordées à Risques Maxima.

Émission principale et actionnaires vendeurs

Le tableau suivant présente certaines informations concernant les détenteurs d'actions disposant de droits de vote et susceptibles de bénéficier de l'opération, à la date de ce prospectus, suivant deux critères : (1) toute personne dont l'entreprise sait qu'elle est détentrice de plus de 5 % des actions ayant un droit de vote et (2) tout administrateur de la société qui détient des actions de ce type. À moins d'indications contraires, chaque détenteur dispose seul du droit de vote et de la disposition de ses titres.

Nom du détenteur bénéficiaire	Actions				
	Actions détenues avant l'émission		Actions devant être vendues	Actions détenues après l'émission*	
	Nombre	Pourcentage		Nombre	Pourcentage
Luc Table	375 000	10,4	60 000	315 000	7,7
Line Table	375 000	10,4	60 000	315 000	7,7
Akim Doidublé	250 000	6,9	80 000	170 000	4,1
Risques Maxima	1 700 000	47,2	—	1 700 000	41,5
Investisseurs Réunis	260 000	7,2	—	260 000	6,3
Partenaires Associés	260 000	7,2	—	260 000	6,3
Henri Tournelle	180 000	5,0	—	260 000	4,4
Georgette Moissa	200 000	5,6	200 000	180 000	—

En supposant que l'option d'achat des souscripteurs en cas de surallocation ne soit pas exercée.

Accords de verrouillage du capital

Les détenteurs des actions ont convenu avec les souscripteurs de ne pas vendre ni utiliser leurs titres comme garantie sans le consentement de Marilyn'ch, et ce durant une période de 180 jours à compter de la publication du présent document.

Description du capital

Le capital est composé de 10 millions d'actions ayant un droit de vote. À la date de ce prospectus, il y a dix détenteurs d'actions nominatives. Suivant les termes de l'un de ses contrats d'emprunts, l'entreprise ne peut pas payer des dividendes en numéraire en dehors du résultat net sans le consentement écrit du prêteur.

Souscription

Suivant les termes et les conditions présentés plus loin dans l'accord de souscription, l'entreprise a accepté de vendre à chacun des souscripteurs cités ci-dessous, et chacun des souscripteurs, pour lesquels Marilyn'ch agit comme représentant, a séparément accepté d'acheter les actions de l'entreprise dont le nombre est indiqué ci-dessous en face de son nom.

Souscripteurs	Nombre d'actions à acheter
Marilyn'ch	400 000
JP GroMan	150 000
PNB Arriba	150 000
Crédit Beaujolais	100 000
Crédit Bye	100 000

Suivant les termes de l'accord de souscription, les différents souscripteurs ont accepté, dans les termes et conditions formulés dans ce prospectus, d'acheter toutes les actions ici offertes si de telles actions sont achetées. Dans l'éventualité d'une défaillance d'un souscripteur quelconque, l'accord de souscription prévoit que, dans certaines circonstances, les obligations d'achat des souscripteurs ne faisant pas défaut peuvent être accrues ou que l'accord de souscription peut être rompu.

Il n'y a pas de marché secondaire pour les actions de l'entreprise. Le prix d'introduction en Bourse a été déterminé par négociation entre l'entreprise et les souscripteurs et a été fondé, entre autres choses, sur l'histoire financière et industrielle de l'entreprise, ses conditions d'activité, ses perspectives d'avenir ainsi que les perspectives de son secteur d'activité de manière générale, la qualité de l'équipe dirigeante et les cours des titres d'entreprises similaires.

Aspects légaux

La validité des actions offertes par le prospectus a été examinée par le cabinet d'avocats Bouvard et Pécuchet pour l'entreprise et par maître Soixante pour les souscripteurs.

Experts

Les états financiers consolidés de l'entreprise ont été inclus tels quels, sur la foi des rapports de Charybde et Scylla, commissaires aux comptes indépendants, produits par cette société en tant qu'auditeurs et commissaires aux comptes.

États financiers

[Textes et tableaux non fournis]

Lectures complémentaires

Bertonèche et Vickery proposent une synthèse sur le capital-risque, tandis que Mougenot et al. proposent une mise en pratique opérationnelle.

M. Bertonèche, L. Vickery, *Le capital-risque*, Que Sais-Je, PUF, 1997.

G. Mougenot, X. Jaspar, L. de Lestanville, *Tout savoir sur le capital-investissement*, 3e éd., Gualino, 351 p.

Les articles suivants traitent des introductions en Bourse, Ritter s'intéressant en plus aux seasoned émissions :

J. R. Ritter, « Investment Banking and Securities Insurance », dans G. M. Constantinides, M. Harris et R. Stulz (eds.), *Handbook of the Economics of Finance*, Amsterdam : Elsevier Science, 2003.

T. Jenkinson et A. Ljungqvist, *Going Public : The Theory and Evidence of How Companies Raise Equity Finance*, 2e éd., Oxford : Oxford University Press, 2001.

R. G. Ibbotson, J. L. Sindelar, J. R. Ritter, « The Market's Problem with the Pricing of Initial Public Offerings », *Journal of Applied Corporate Finance*, 7 (printemps 1994), pp. 66-74.

L. M. Benveniste et W. J. Wilhelm, Jr., « Initial Public Offerings : Going by the Book », *Journal of Applied Corporate Finance*, 10 (printemps 1997), pp. 98-108.

Sur la technique des introductions en Bourse en France, voir :

A.-M. Faugeron, « Les procédures d'introduction en Bourse en France », *Banque et Marchés*, n° 55 (novembre 2001), pp. 43-51.

M. Fereres, G. Rivière, *Introduction en Bourse, mode d'emploi*, Éditions d'Organisation, 1999.

Une introduction utile pour comprendre les procédures d'adjudication se trouve dans :

P. Milgrom, « Auctions and Bidding, A Primer », *Journal of Economic Perspectives*, 3 (1989), pp. 3-22.

La chute significative et permanente du cours de l'action après une émission d'actions est expliquée dans l'article de Asquith et Mullins. Myers et Majluf relient la baisse du prix à l'information associée aux émissions de titres. L'article de Chahine présente en français une argumentation proche :

P. Asquith, D. W. Mullins, « Equity Issues and Offering Dilution », *Journal of Financial Economics*, 15 (janvier-février 1986), pp. 61-90.

S. Chahine, « La sous-évaluation à l'introduction en Bourse, quelle source d'asymétrie d'information ? », *Banque et Marchés*, n° 52 (mai-juin 2001), pp. 46-53.

S. C. Myers, N. S. Majluf, « Corporate Financing and Investment Decisions When Firms Have Information That Investors Do Not Have », *Journal of Financial Economics*, 13 (juin 1984), pp. 187-222.

Activités

Exercices sur Internet

Choisissez un exemple récent d'introduction en Bourse à l'aide d'un des sites Internet recommandés dans cet ouvrage, et utilisez la base de données de l'AMF (**www.amf-france.com**) pour trouver le prospectus. Comparez votre introduction en Bourse avec celle de Nexus. Qui étaient les actionnaires initiaux ? Ces derniers vendaient-ils leurs titres ou bien la compagnie levait-elle davantage de capital ? Les actionnaires initiaux étaient-ils contraints par un accord de verrouillage de capital à ne pas vendre davantage d'actions ? Que pensez-vous des coûts d'émission, et notamment de souscription, au regard de ceux de Nexus ? Les souscripteurs avaient-ils une option de surallocation ? L'émission s'est-elle révélée sous-évaluée (une visite sur le site **fr.finance.yahoo.com** devrait vous être utile) ? Si c'est le cas, quel montant a été « laissé sur la table » ?

Révision des concepts

1. Test de vocabulaire. Définissez :
   - **a.** Business angels.
   - **b.** Corporate venturers.
   - **c.** Intéressement du sponsor.
   - **d.** Capitaux propres.
   - **e.** Carnet d'ordres.
   - **f.** Procédure de prospectus préalable.
   - **g.** Règle d'émission 144A.
2. De quelle façon sont organisés les fonds de capital-risque ?Dans quelle mesure la structure du financement de capital-risque contribue-t-elle à la réussite de la nouvelle entreprise ?

Tests de connaissances

1. Après chacune des méthodes d'émission suivantes, nous avons proposé deux situations. Choisissez celle qui est la plus susceptible d'employer la méthode désignée.
   - **a.** Droit de souscription. (Émission d'actions pour lesquelles il existe déjà un marché/Émission d'actions initiales.)
   - **b.** Règle d'émission 144A. (Émission d'euro-obligations/Émission d'obligations américaines par une entreprise étrangère.)
   - **c.** Placement privé. (Émission d'actions pour lesquelles il existe déjà un marché/Émission d'obligations par une grande entreprise industrielle.)
   - **d.** Prospectus préalable. (Émission d'actions pour lesquelles il existe déjà un marché/Émission d'obligations par une grande entreprise industrielle.)

2. Chacun des termes suivants est associé avec l'un des événements ci-dessous. Pouvez-vous reconstituer les paires ?
   a. Au mieux.
   b. Carnet d'ordres.
   c. Prospectus préalable.
   d. Règle 144A.

   Événements :
   a. Les investisseurs indiquent au souscripteur le nombre d'actions qu'ils veulent acheter et cette indication permet de fixer le prix.
   b. Le souscripteur accepte seulement la responsabilité d'essayer de vendre l'émission.
   c. Quelques émissions ne sont pas enregistrées, mais peuvent être négociées librement entre les acheteurs institutionnels qualifiés.
   d. Plusieurs tranches de la même obligation peuvent être vendues sous le même enregistrement. Une « tranche » est un lot, une fraction d'une émission plus importante.
3. Expliquez la signification des mots ou phrases suivantes :
   a. Capital-risque.
   b. Introduction en Bourse.
   c. Offre de titres pour lesquels il existe déjà un marché.
   d. Déclaration d'enregistrement.
   e. Malédiction du gagnant.
   f. Prise ferme.
4. Pour chacune des paires d'émissions suivantes, laquelle est susceptible d'inclure les coûts de souscription et les coûts administratifs les plus faibles ?
   a. Une grande émission/une petite émission.
   b. Une émission d'obligations/une émission d'actions.
   c. Une offre initiale de titres/une offre de titres pour lesquels il existe déjà un marché.
   d. Un petit placement privé d'obligations/une petite émission publique d'obligations.
5. Vrai ou faux ?
   a. Les investisseurs en capital-risque fournissent un financement de départ suffisant pour couvrir toutes les dépenses de développement. Le financement complémentaire (dit « de deuxième niveau ») est apporté par une émission d'actions sous forme d'une introduction en Bourse.
   b. Les actions des grandes entreprises peuvent être cotées et échangées sur différents marchés internationaux.
   c. En général, le cours de l'action baisse quand l'entreprise annonce une nouvelle émission d'actions. Ceci est attribuable à l'information véhiculée par la décision d'émission.
6. Référez-vous à l'offre publique de Nexus (voir annexe B) :
   a. S'il y a une forte demande imprévue pour la souscription, combien d'actions supplémentaires les souscripteurs pourront-ils acheter ?
   b. Combien d'actions doivent être vendues lors de la première offre ? Combien lors de la seconde offre ?
   c. Le lendemain de l'offre, les actions de Nexus étaient échangées à 105 €. Quel était, rétrospectivement, le degré de sous-évaluation ?
   d. La nouvelle émission de Nexus engendre trois sortes de coûts : les coûts de souscription, les coûts administratifs et la sous-évaluation. Quel est le coût total de l'émission de Nexus ?

7. Vous devez choisir entre une offre publique ou un placement privé. Dans chaque cas, l'emprunt obligataire est de 10 millions d'euros de nominal sur 10 ans. Vous disposez des données suivantes :

   Placement public : le taux d'intérêt sera de 8,5 %, et la dette sera émise à sa valeur nominale. La marge d'intermédiation sera de 1,5 %, et les autres dépenses s'élèveront à 80 000 €.

   Placement privé : le taux d'intérêt sur le placement privé sera de 9 %, mais les dépenses totales d'émission seront de 30 000 €.

   a. Quelle est la différence entre les deux méthodes, en dépenses nettes pour l'entreprise ?

   b. Quelle est la meilleure solution ?

   c. Quels sont les autres facteurs, taux d'intérêt et coûts d'émission mis à part, que vous souhaiteriez considérer avant de choisir entre les deux propositions ?

8. KronenPils a décidé de commercialiser une nouvelle bière sans plomb. Pour financer l'opération, elle se propose d'émettre un droit de souscription de 10 € correspondant à une action nouvelle pour deux anciennes. (L'entreprise a actuellement 100 000 actions en circulation, à un cours unitaire de 40 €.) Sachant que l'argent est investi pour obtenir un taux de rentabilité correct, donnez les valeurs correspondant aux questions suivantes :

   a. Nombre d'actions nouvelles.

   b. Montant du nouvel investissement.

   c. Valeur totale de l'entreprise après l'émission.

   d. Nombre total d'actions après l'émission.

   e. Valeur de l'action après l'émission.

   f. Cours du droit de souscription d'une nouvelle action.

Questions et problèmes

1. Expliquez brièvement les expressions suivantes :

   a. Financement au niveau zéro (par rapport au financement au niveau un ou deux).

   b. Évaluation après une entrée de fonds.

   c. Financement mezzanine.

   d. Tournée de placement (*road show*).

   e. Offre au mieux.

   f. Acheteur institutionnel qualifié.

   g. Lois protégeant le public contre les titres douteux.

2. **a.** « Un signal n'est crédible que s'il est coûteux. » Expliquez pourquoi la volonté des dirigeants d'investir dans le capital de Nexus était un signal crédible. Leur volonté d'accepter seulement une partie du capital-risque qui aurait pu être nécessaire était-elle également un signal crédible ?

   b. « Quand les dirigeants se récompensent avec des loisirs accrus ou des avions privés, le coût est supporté par les actionnaires. » Expliquez comment le projet de financement de Risques Maxima évitait ce problème.

3. En France, l'introduction en Bourse d'actions se fait souvent par la procédure de l'*offre publique de vente* (OPV). Laurent Houtan a remarqué que ses actions sont en moyenne sous-estimées d'environ 9 % et qu'une politique de réduction constante a été appliquée à chaque opération au cours de ces dernières années. Il est donc mécontent et cherche à savoir pourquoi cette politique ne lui a pas profité. Expliquez-lui.

4. Trouvez le prospectus d'une récente introduction en Bourse (**www.amf-france.fr**). En quoi les coûts d'émission diffèrent-ils de (a) ceux de l'émission de Nexus, et (b) ceux montrés dans le tableau 15.3 ? Pouvez-vous donner quelques raisons de ces différences ?

5. Pourquoi les coûts d'émission d'emprunts sont-ils inférieurs à ceux des émissions d'actions ? Dressez la liste des raisons possibles.

6. Il y a trois raisons pour qu'une émission d'actions entraîne une chute du cours : (a) la baisse est nécessaire pour absorber l'offre excédentaire, (b) l'émission entraîne une pression sur le cours jusqu'à ce qu'elle soit complètement digérée et (c) la direction a des informations que les actionnaires n'ont pas. Expliquez ces raisons. Laquelle vous semble la plus plausible ? Y a-t-il un moyen de vérifier que vous avez raison ?

7. Construisez un exemple simple pour illustrer les faits suivants :

a. La situation des actionnaires existants se dégrade quand une entreprise fait une offre publique pour une action nouvelle en dessous du prix de marché.

b. La situation des actionnaires existants ne se dégrade pas quand une entreprise fait une émission de droits pour une nouvelle action en dessous du cours de marché, même si les actionnaires ne souhaitent pas exercer leurs droits.

8. Pepita SA a fait une émission de droits de 5 € par action, une action nouvelle étant émise pour quatre actions détenues. Avant l'émission, il y avait 10 millions d'actions en circulation, à un cours de 6 €.

a. Quel est le montant total des nouveaux fonds obtenus ?

b. Quelle est la valeur d'un droit ?

c. Quel est le cours prévu de l'action après l'émission ?

d. De combien la valeur totale de l'entreprise peut-elle baisser avant que les actionnaires ne deviennent réticents à exercer leurs droits ?

9. La question 8 contient les détails de l'offre de droits de souscription de Pepita SA. Supposez que l'entreprise ait décidé d'émettre une action nouvelle à 4 €. De combien d'actions nouvelles aurait-elle eu besoin pour lever la même somme d'argent ? Recalculez les réponses aux questions (b) à (d) du problème 8. Montrez que les actionnaires de Pepita SA sont dans la même situation financière, que l'entreprise émette une action à 4 € ou à 5 €.

Problèmes avancés

1. a. Pourquoi les entreprises de capital-risque préfèrent-elles avancer les fonds à mesure des différentes étapes du financement ? Si vous étiez les dirigeants de Nexus, seriez-vous satisfait de cette façon de faire ? Selon vous, Risques Maxima a-t-il réalisé un gain ou une perte en avançant l'argent par tranches ?

b. Le taux auquel Risques Maxima avancerait plus d'argent à Nexus n'était pas fixé par avance. Mais Nexus aurait pu donner à Risques Maxima une *option* lui permettant d'acheter plus d'actions à un cours fixé. Cela aurait-il été préférable ?

c. Lors de la seconde étape, Nexus aurait pu obtenir des fonds d'une autre entreprise de capital-risque que Risques Maxima. Pour ne pas courir ce risque, les entreprises de capital-risque demandent qu'il n'y ait pas de nouvelles émissions d'action. Recommanderiez-vous ce type d'arrangement ?

2. Expliquez la différence entre une adjudication à prix unique et une adjudication à prix offert. Pourquoi pouvez-vous préférer vendre des titres selon une méthode plutôt que l'autre ?

3. Voici les données financières récentes de Carthage Constructions.

Cours de l'action : 40 €.

Valeur de marché de l'entreprise : 400 000 €.

Nombre d'actions : 10 000.

Bénéfice par action : 4 €.

Valeur nette comptable : 500 000 €.

Retour sur investissement : 8 %.

Carthage n'a pas été très performante jusqu'à maintenant. Néanmoins, elle souhaite émettre de nouvelles actions pour obtenir 80 000 €, afin de financer son expansion sur un nouveau marché prometteur. Les conseillers financiers de Carthage pensent qu'une émission d'actions n'est pas la meilleure solution, car, parmi d'autres raisons, « vendre des actions à un cours inférieur à la valeur comptable par action ne peut que faire baisser le cours et diminuer la richesse des actionnaires ». Pour démontrer cette affirmation, ils ont construit l'exemple suivant : « Supposez que 2 000 actions nouvelles soient émises à 40 € (négligez les coûts d'émission.) Supposez que le retour sur investissement ne change pas. Alors :

Valeur nette comptable = 580 000 €

Bénéfices totaux = 0,08(580 000) = 46 400 €

Bénéfice par action = 46 400 / 12 000 = 3,87 €

Par conséquent, le BPA baisse, la valeur comptable par action également et le cours baissera proportionnellement jusqu'à 38,70 €. »

Commentez cette affirmation, en portant une attention toute particulière aux suppositions implicites de l'exemple numérique.

Partie 5

Politique de dividende et structure de financement

Sur les neuf premiers mois de 2005, Total a dégagé 11,5 milliards d'euros de cash-flows d'exploitation. Le groupe a utilisé cette somme pour verser des dividendes (1,91 milliard) et racheter des actions (2,67 milliards). Le solde a été réinvesti dans la société (investissements industriels et financiers pour 7,4 milliards). Pour financer l'ensemble de ce programme, Total a procédé à une émission nette d'emprunts de 2,2 milliards. Il y a eu de faibles cessions d'actifs, et aucune augmentation de capital.

Dans l'analyse des investissements, les responsables de Total ont été confrontés à deux décisions classiques. L'une porte sur le dividende. Par exemple, l'entreprise aurait pu payer un dividende plus important. Le montant requis aurait pu provenir de la cession d'actifs supplémentaires ou de l'émission d'actions. Le chapitre 16 traite de ces choix.

La seconde décision consistait à choisir entre l'endettement et l'augmentation de capital. La répartition entre les fonds propres et la dette est appelée structure financière. Les chapitres 17 à 19 examineront le choix de la structure de financement et ses conséquences sur le coût du capital.

Il n'y a pas de réponses simples à ces questions ; ainsi, une augmentation des dettes peut être bonne ou mauvaise, cela dépend des cas. Mais la partie 3 présente des concepts qui sont utiles en pratique pour décider de la part de résultat affectée aux dividendes, ou de la répartition de la structure de financement.

Chapitre 16

La politique de dividende

Les entreprises peuvent rémunérer leurs actionnaires en leur versant un dividende ou bien en rachetant leurs actions. Dans ce chapitre, nous expliquons comment les entreprises décident du montant et de la forme de cette rémunération ; par la suite, nous traitons la question délicate de l'impact de cette politique sur la valeur de l'entreprise.

Commençons d'abord par définir précisément le concept de *politique de dividende*. Les décisions des entreprises à propos des dividendes sont souvent liées à d'autres décisions de financement et d'investissement. Certaines entreprises versent des dividendes peu élevés parce que leurs dirigeants sont confiants quant au futur de l'entreprise : ils mettent des fonds en réserves pour favoriser son développement. Dans ce cas, le dividende est une résultante des choix d'investissement. Supposons maintenant que ces opportunités futures disparaissent, qu'on annonce une augmentation du dividende à payer et que le cours de l'action chute. Comment décomposer l'impact de l'augmentation des dividendes et celui de la déception des investisseurs (perte des opportunités de croissance) ?

Une autre entreprise pourrait financer une large part de ses dépenses d'investissement par emprunt, ce qui libérerait des fonds pour les dividendes. Dans ce cas, le dividende de l'entreprise est une conséquence de la politique d'endettement.

Nous devons isoler la politique de dividende des autres problèmes de gestion financière. La question précise est : « Si on fixe les décisions d'investissement et d'emprunt de l'entreprise, quel sera l'effet produit par une variation des dividendes payés ? » Bien sûr, les fonds utilisés pour financer une hausse du dividende doivent bien provenir de quelque part. Si nous avons fixé les dépenses d'investissement et les dépenses d'emprunt, il n'y a plus qu'une source possible de financement : l'émission d'actions. Que se passe-t-il à l'inverse si l'entreprise décide de réduire son dividende ? Dans ce cas, elle aura des fonds en surplus. Si les dépenses d'investissement et d'emprunt sont fixées, il n'y a qu'une seule utilisation possible pour ces sommes : le rachat d'actions.

Ce chapitre commence par présenter quelques données institutionnelles de base concernant les dividendes et le rachat d'actions. Par la suite, nous examinons la façon dont les entreprises choisissent le niveau et la méthode de paiement ; nous montrons alors comment à la fois les dividendes et les rachats d'actions fournissent des informations aux investisseurs sur les projets de l'entreprise. Nous en venons alors à la question centrale : dans quelle mesure le versement de dividendes ou le rachat d'actions affectent-ils la valeur de l'entreprise ?

1 Le choix de la politique de rémunération

Les entreprises peuvent verser de l'argent aux actionnaires de deux façons. Elles peuvent payer un dividende ou bien racheter des actions en provenance du flottant.

Inexistants au début des années 1990 en Europe, les rachats d'actions sont devenus depuis beaucoup plus répandus. En France, la législation est passée d'une position restrictive (principe d'interdiction, issu de la loi de 1966) à une attitude plus positive (principe d'autorisation, réforme du 2 juillet 1998). Ainsi, en 2003, 282 sociétés françaises sont intervenues sur leurs propres actions, pour un total de 10,3 milliards d'euros[1]. Entre 2000 et 2003, plus de 53 milliards d'euros de rachats d'actions ont été effectués, essentiellement par des grosses sociétés (Total en tête – ¼ du montant total investi – puis France Télécom et Vivendi Universal – qui ont concentré leurs rachats sur 1 à 2 ans – puis Danone et Sanofi Synthelabo). Comme on le constate, les plus grosses opérations de rachat ont eu lieu dans l'industrie pétrolière, dans laquelle le volume de trésorerie l'a longtemps emporté sur les bonnes opportunités d'investissement. Total, le numéro un français du rachat d'actions, a ainsi consacré 14,5 milliards d'euros à cet effet entre 1999 et 2003. Il demeure toutefois encore loin du champion américain en la matière, ExxonMobil, qui a dépensé près de 38 milliards de dollars pour racheter ses actions entre 1982 et 2002.

Comment s'explique cette soudaine envolée du rachat d'actions ? Il peut s'agir d'une alternative aux versements de dividendes en France. Dans la majorité des pays, les dividendes sont plus lourdement imposés pour les personnes physiques que les plus-values en capital (34 % en moyenne contre 26 % en France). On peut aussi y voir, comme l'AMF le fait, une volonté d'influer sur les cours boursiers (en soutenant le cours par rachat), ce qui a conduit à de nouveaux règlements sur les rachats d'actions en France à partir d'octobre 2004.

Malgré la souplesse permise par le rachat d'actions qui, contrairement aux dividendes, intervient de façon ponctuelle et discrétionnaire, les entreprises continuent à rémunérer leurs actionnaires principalement au moyen des dividendes. Néanmoins, Fama et French ont souligné que seules 20 % des sociétés cotées américaines versaient un dividende. Certaines des autres entreprises en ont versé par le passé, mais des difficultés les ont poussées à conserver leurs liquidités. Les autres sociétés ne versant pas de dividendes sont pour la plupart des entreprises en forte croissance. Il s'agit de sociétés connues telles que Sun Microsystems, Cisco et Oracle, ainsi que d'un grand nombre de petites entreprises en forte croissance mais n'ayant pas encore atteint leur pleine rentabilité.

1. Les chiffres cités ici proviennent de la *Revue mensuelle de l'Autorité des Marchés Financiers*, n° 8 (novembre 2004), p. 129 et s. Le lecteur intéressé se connectera avec profit (intellectuel) sur le site de l'AMF (**www.amf-France.com**).

2 Le versement des dividendes et le rachat d'actions

Avant de nous pencher sur le choix entre dividendes et rachat d'actions, il nous faut examiner les différentes modalités par lesquelles ces opérations ont lieu.

2.1 Comment sont payés les dividendes

Les dividendes sont fixés par le conseil d'administration de l'entreprise. L'annonce prévoit que le paiement sera effectué à tous les porteurs répertoriés à une date d'enregistrement précise. Ensuite, environ deux semaines plus tard, les versements des dividendes sont adressés aux actionnaires.

Les actions sont normalement achetées et vendues « avec dividendes » (*cum dividend*) jusqu'à quelques jours avant la date d'enregistrement, date à partir de laquelle elles sont vendues « hors dividendes » (*ex dividend*). Mais les investisseurs qui achètent « avec dividendes » n'ont pas à se soucier de savoir si leurs actions sont enregistrées à temps. Les dividendes doivent leur être payés par le vendeur.

L'entreprise n'est pas libre de verser n'importe quel montant de dividendes. Des limites peuvent être imposées par les créanciers, qui sont directement concernés par des dividendes excessifs qui ne laisseraient rien dans le pot pour payer les dettes de l'entreprise. La loi contribue aussi à protéger les créanciers : par exemple, les entreprises ne sont pas autorisées à payer un dividende plus élevé que le capital légal, qui est généralement défini par la valeur nominale des actions émises[2].

La plupart des entreprises européennes versent un dividende annuel régulier, mais occasionnellement ce dividende peut être accompagné d'un dividende bonus, ou extraordinaire. Bon nombre d'entreprises ont des plans de réinvestissement automatique des dividendes. Souvent, les nouvelles actions sont émises avec un rabais de 5 % par rapport au cours de Bourse. Parfois, 10 % ou plus du montant total des dividendes seront réinvestis avec de tels plans.

Les dividendes ne sont pas toujours en argent. Il est fréquent que des entreprises annoncent des dividendes en actions. Prenons l'exemple de Pat Cash, qui a payé un dividende annuel sous la forme de 5 % en actions pendant plusieurs années. Cela signifie qu'elle a envoyé à chaque actionnaire 5 actions gratuites pour chaque centaine d'actions détenues. Ainsi, un dividende en actions ressemble beaucoup à une division d'actions (par exemple, Pat Cash aurait pu regrouper les dividendes d'une année et diviser chaque paquet de 100 actions en 105 actions). Les deux, dividendes et division des titres, augmentent le nombre d'actions, tandis que les actifs de l'entreprise, les bénéfices et la valeur totale ne sont pas modifiés. Par conséquent tous deux réduisent la valeur par action[3]. Dans ce chapitre, nous concentrerons notre attention sur les dividendes en liquide.

---

2. Lorsqu'il n'y a pas de valeur nominale, le capital social est défini comme tout ou partie des fonds reçus lors de l'émission d'actions. Les entreprises qui ont des actifs périssables, telles que les compagnies minières, peuvent parfois être autorisées à verser un dividende supérieur au capital social.

3. La distinction entre les deux est purement technique. Un dividende en action est inscrit dans les comptes comme un transfert du bénéfice non distribué vers les fonds propres, alors qu'une division est considérée comme une réduction de la valeur nominale de chaque titre.

2.2 Comment les entreprises rachètent-elles les actions ?

Au lieu de verser de l'argent à ses actionnaires, l'entreprise peut utiliser ses liquidités afin de racheter ses propres actions. Les titres rachetés peuvent être conservés par l'entreprise en trésorerie et revendus lorsque l'entreprise a besoin d'argent. Cette technique est assez peu utilisée en France. L'Autorité des marchés financiers (AMF) a relevé une seule occurrence en 1995. Depuis cette date, ces opérations tendent toutefois à se développer en Europe, confortées par l'assouplissement de leur régime juridique intervenu en juillet 1998.

Le traitement fiscal des dividendes est différent du rachat d'actions. Les dividendes sont taxés comme des revenus ordinaires (taxés au taux marginal), mais les actionnaires qui revendent leurs titres à la société paient juste un impôt sur la plus-value qu'ils ont réalisée lors de la vente (taux forfaitaire). Toutefois, les services fiscaux sont à l'affût des sociétés qui cherchent à déguiser leurs dividendes en rachat, et ils ont décidé que les rachats proportionnels ou normaux seraient taxés comme des versements de dividendes.

Il y a quatre méthodes principales de rachats. La plus courante consiste pour l'entreprise à annoncer qu'elle projette de racheter ses titres au cours du marché, comme n'importe quel investisseur. Mais, dans quelques cas, des sociétés préféreront offrir d'acheter un nombre de titres défini pour un cours fixé, qui se situe le plus souvent à 20 % au-dessus du cours constaté sur le marché. Les détenteurs de titres peuvent alors choisir s'ils acceptent ou non cette offre. Une troisième possibilité consiste à lancer une *adjudication à la hollandaise*. Dans ce cas, l'entreprise établit un ensemble de prix auxquels elle est prête à racheter ses propres titres. Les actionnaires lui soumettent des offres indiquant combien de titres ils sont prêts à revendre, avec une indication de cours ; l'entreprise retient le prix le plus bas auquel elle peut acheter le nombre d'actions qu'elle souhaite[4]. Enfin, le rachat peut directement se négocier avec un actionnaire majeur. Les exemples les plus fameux sont les transactions *greenmail* au cours desquelles la cible d'une OPA devance l'acheteur hostile en rachetant les actions qu'il a acquises. *Greenmail* signifie que les actions sont rachetées par la cible à un cours qui rend l'acheteur finalement content d'abandonner son projet de rachat. Ce prix ne satisfait pas toujours les actionnaires de la cible comme nous le soulignerons au chapitre 32.

3 Comment les entreprises décident-elles de la forme de la rémunération des actionnaires ?

Au milieu des années 1950, John Lintner a mené une série d'entretiens avec des dirigeants d'entreprises à propos de leur politique de versement de dividendes[5]. Ses travaux sur la façon dont les dividendes sont distribués peuvent être résumés en quatre points clés[6].

1. Les entreprises ont des taux de distribution « cibles » à long terme. Des entreprises bien établies avec des résultats stables distribuent en général un pourcentage élevé de leurs profits ; des entreprises en expansion effectuent des distributions plus faibles.

4. Ceci est un autre exemple d'enchère à prix unique présenté dans la section 3, chapitre 15.

5. J. Lintner, « Distribution of Incomes of Corporations among Dividends, Retained Earnings, and Taxes », *American Economics Review*, 46 (mai 1956), pp. 97-113.

6. Les quatre points clés sont donnés par Terry A. Marsh et Robert C. Merton, « Dividend Behavior for the Aggregate Stock Market », *Journal of Business*, 60 (janvier 1987), pp. 1-40. Nous avons paraphrasé et embelli.

2. Les dirigeants d'entreprises se focalisent plus sur les variations de dividendes que sur leur niveau absolu. En conséquence, payer un dividende de 2 € est une décision de financement importante si le montant du dividende de l'année précédente était de 1 €, mais c'est une décision secondaire si ce dividende s'élevait déjà à 2 €.
3. Les dividendes varient comme la tendance à long terme des bénéfices. Les dirigeants « lissent » les dividendes. Ainsi, des niveaux de résultats différents à court terme ne modifient pas les versements de dividendes.
4. Les dirigeants sont réticents à prendre des décisions qui pourraient ensuite être modifiées. Ils sont particulièrement inquiets de devoir annuler une augmentation de dividendes.

   À l'époque où Lintner a mené ses entretiens, les dividendes constituaient effectivement la seule façon de distribuer de l'argent aux actionnaires. Des travaux plus récents sur la politique de rémunération intégrant la hausse rapide des rachats d'actions suggèrent un cinquième point[7].
5. Les entreprises rachètent des actions lorsqu'elles ont accumulé un large montant de trésorerie non désirée, ou bien lorsqu'elles souhaitent changer leur structure de financement en remplaçant des actions ordinaires par des dettes.

Bien que les rachats d'actions s'apparentent à des dividendes exceptionnels, ils ne constituent pas des *substituts* à ces derniers. Beaucoup d'entreprises qui rachètent leurs actions sont des sociétés profitables, parvenues à maturité, et qui versent donc également des dividendes. Examinons le cas des banques américaines. En 1997, les grandes banques ont versé près de 40 % de leurs bénéfices sous forme de dividendes. Il restait peu d'opportunités d'investissements profitables pour la part restante, mais les banques n'ont pas voulu verser des dividendes plus élevés, créant un précédent qui aurait pu se révéler problématique sur le long terme. Elles ont donc reversé les liquidités restantes en rachetant pour 16 milliards de dollars d'actions, et non en augmentant le taux de dividende[8].

Compte tenu de ces différentes utilisations des dividendes et des rachats d'actions, il n'est pas surprenant que ces rachats soient plus volatils que les dividendes. Les rachats fleurissent pendant les périodes de croissance lorsque les sociétés accumulent de la trésorerie en excédent et se raréfient en période de récession. La figure 16.1 souligne bien ce phénomène, en montrant que les rachats ont à peu près diminué de moitié au début des années 1990 ainsi qu'entre 2000 et 2002.

Au cours des dernières années, un certain nombre de pays, comme le Japon ou la Suède ont autorisé pour la première fois le rachat d'actions[9]. Quelques-uns, néanmoins, ont maintenu leur interdiction totale, et dans d'autres pays, les rachats d'actions sont fiscalisés comme les dividendes. Dans ces pays, les entreprises qui ont accumulé d'importants montants de trésorerie peuvent préférer les investir à des taux de rentabilité très faibles plutôt que de les restituer aux actionnaires, qui pourraient pourtant les réinvestir dans d'autres sociétés à la trésorerie tendue. En France, cette pratique reste très encadrée et principalement destinée à la gestion de l'épargne salariale.

---

7. Voir M. Jagannathan, C. P. Stephens et M. S. Weisbach, « Financial Flexibility and the Choice between Dividends and Stock Repurchases », *Journal of Financial Economics*, 57 (septembre 2000), pp. 355-384.
8. B. Hirtle, « Bank Holding Company Capital Ratios and Shareholder Payouts », *Federal Reserve Bank of New York : Current Issues in Economics and Finance*, 4 (septembre 1998), pp. 1-6 (**www.ny.frb.org/research/current_issues/ci4-9.pdf**).
9. Les rachats sont autorisés depuis 1995 au Japon, et depuis 2000 en Suède.

4 Les informations contenues dans les dividendes et les rachats d'actions

Dans certains pays, on ne peut avoir confiance dans les informations que délivrent les entreprises. Cela peut être dû à une propension au secret, ou à une tendance à élaborer des organigrammes d'entreprises à étages multiples. Cela aboutit à des résultats sans signification. Certains soutiennent que c'est la comptabilité créative qui explique les résultats apparemment bons de certaines sociétés.

Comment faire dans un tel environnement pour distinguer les entreprises faiblement rentables de celles qui font réellement de l'argent ? Les dividendes sont un indice. Les investisseurs ne peuvent pas lire dans les pensées des dirigeants, mais ils peuvent apprendre beaucoup de leurs actes. Ils savent qu'une entreprise qui déclare beaucoup de bénéfices et qui verse un bon dividende remet l'argent là d'où il vient. Nous pouvons comprendre, par conséquent, pourquoi les investisseurs vont interpréter l'information comprise dans les dividendes et refuseront de croire qu'une entreprise a fait des bénéfices, à moins qu'ils ne voient un dividende correspondant.

Bien sûr, les entreprises peuvent tricher à court terme en gonflant les gains et en ratissant les fonds de tiroir pour trouver de quoi payer un confortable dividende. Mais il est difficile de tricher sur la durée pour une entreprise qui ne fait pas suffisamment de bénéfices et qui n'aura pas assez de liquidités pour payer des dividendes : il faudra à terme réduire les projets d'investissement, recourir à plus de dettes et d'augmentations de capital. Toutes ses conséquences sont coûteuses. Par conséquent, beaucoup de responsables n'augmentent pas les dividendes tant qu'ils ne sont pas certains d'avoir suffisamment de liquidités pour les payer.

Plusieurs études ont tenté de mesurer l'information contenue dans les variations de dividendes, aboutissant alors à des résultats contrastés. Certaines ont conclu que les variations de dividendes ne recelaient pas ou peu d'indications sur les bénéfices futurs. Néanmoins, Healy et Palepu, à partir d'un échantillon d'entreprises distribuant des dividendes pour la première fois, ont trouvé qu'en moyenne les bénéfices augmentaient de 43 % l'année où le dividende était versé. Si les dirigeants avaient pensé qu'il s'agissait seulement d'une aubaine ponctuelle, ils auraient dû se montrer prudents avant de s'engager à verser des fonds. Mais il semble qu'ils ont eu raison d'être confiants dans les perspectives futures, puisque les bénéfices ont continué à croître les années suivantes[10].

Les investisseurs se réjouissent très certainement d'un accroissement des dividendes. Lorsque ce dernier est annoncé, les analystes revoient généralement à la hausse leurs prévisions de bénéfices pour l'année en cours[11]. Par conséquent, il n'est pas surprenant de constater qu'une hausse des dividendes fait monter le cours de l'action, tandis qu'une réduction du montant des dividendes versés aboutit à une chute du cours de l'action. Selon les études de

10. Voir P. Healy et K. Palepu, « Earnings Informations Conveyed by Dividend Initiations and Omissions », *Journal of Financial Economics*, 21 (1988), pp. 149-175. Pour un exemple d'étude ne trouvant aucune information dans l'annonce, voir G. Grullon, R. Michaely et B. Swaminathan, « Are Dividend Changes a Sign of Fim Maturity ? », *Journal of Business*, 75 (juillet 2002), pp. 387-424.

11. A. R. Ofer et D. R. Siegel, « Corporate Financial Policy, Information, and Market Expectations : An Empirical Investigation of Dividends », *Journal of Finance*, 42 (septembre 1987), pp. 889-911.

Healy et Palepu sur les premiers dividendes versés, l'annonce du versement d'un dividende entraînerait une hausse anormale du cours de l'action de 4 %[12].

Notons que les investisseurs ne sont pas réellement intéressés par *le montant* des dividendes de la société ; ils s'inquiètent plus de leur *variation*, qu'ils analysent comme un indicateur important des gains futurs. Dans l'encadré « Actualités financières », nous montrons comment une variation inattendue des dividendes peut conduire à des cours de Bourse jouant au yo-yo, les investisseurs s'escrimant à interpréter la signification de ce changement.

Il semble que dans d'autres pays les investisseurs soient moins préoccupés par les variations de dividendes. Par exemple, au Japon, il existe une relation plus étroite entre les entreprises et leurs actionnaires majoritaires, de sorte que l'information est plus facilement partagée avec les investisseurs. Par conséquent, les entreprises japonaises sont plus disposées à supprimer leurs dividendes lorsqu'il y a une chute des bénéfices, mais les investisseurs ne sanctionnent pas le cours de la Bourse aussi fortement qu'aux États-Unis ou en Europe[13].

4.1 L'information contenue dans le rachat d'actions

Les rachats d'actions, tout comme les dividendes, représentent un moyen de reverser des liquidités aux actionnaires. Mais, à la différence des dividendes, les rachats d'actions représentent le plus souvent un événement ponctuel : une société qui annonce un programme de rachat ne prend pas l'engagement à long terme de gagner plus, ou de distribuer plus de dividendes. L'information contenue dans l'annonce d'un programme de rachat d'actions est par conséquent différente de celle concernant le versement de dividendes.

Les entreprises rachètent des titres lorsqu'elles ont accumulé plus de liquidités qu'elles ne peuvent en investir de manière rentable, ou lorsqu'elles souhaitent augmenter leur niveau d'endettement. Aucune de ces circonstances n'est bonne en soi, mais les détenteurs de titres seront le plus souvent soulagés de voir les sociétés payer plus d'argent plutôt que de le gaspiller dans des projets d'investissements non rentables. Les détenteurs de titres savent également que les sociétés qui ont d'importantes dettes sont moins disposées à dilapider de la trésorerie. Une étude de Comment et Jarrell, portant sur les annonces de programmes de rachat, a constaté une croissance anormale du cours de l'ordre de 2 % en moyenne[14].

Les rachats d'actions peuvent aussi être utilisés pour révéler la confiance des dirigeants dans l'avenir. Supposons qu'en tant que responsable financier, vous soyez convaincu que votre titre est sensiblement sous-évalué. Vous annoncez que votre société projette de racheter un cinquième de ses actions pour un cours supérieur de 20 % à celui constaté sur le marché. Mais vous annoncez : « À titre personnel, je ne vendrai pas mes propres titres à ce cours. »

---

12. Les variations du cours des actions sont corrigées par les mouvements du marché selon les méthodes expliquées au chapitre 13. Healy et Palepu ont aussi observé les entreprises qui arrêtaient de verser un dividende. Dans ce cas, le cours de l'action enregistrait une baisse anormale moyenne de 9,5 % lors de l'annonce, et les gains ont chuté lors des quatre trimestres suivants.

13. Les politiques de dividendes adoptées par les entreprises japonaises sont analysées par K. L. Dewenter et V. A. Warther, « Dividends, Asymmetric Information, and Agency Conflicts : Evidence from a comparison of the Dividend Policies of Japanese and U.S. Firms », *Journal of Finance*, 53 (juin 1998), pp. 879-904.

14. Voir R. Comment et G. Jarrell, « The Relative Signalling Power of Dutch-Auction and Fixed Price Self tender Offers and Open Market Share Repurchases », *Journal of Finance*, 46 (septembre 1991), pp. 1243-1271. Il y a aussi un signe de rentabilité plus élevée pendant les années qui suivent une annonce de rachat. Voir D. Ikenberry, J. Lakonishok et T. Vermaelen, « Market Underreaction to open Market Share Repurchase », *Journal of Financial Economics*, 39 (1995), pp. 181-208.

Actualités financières

Comment est vécue la baisse des dividendes ?

Le 9 mai 1994, Florida Power and Light (FPL), a annoncé une réduction de 32 % du versement de son dividende trimestriel*, de 62 cents par action à 42 cents. Lors de cette annonce, FPL a fait de son mieux pour expliquer aux investisseurs une telle décision : « étant donné les perspectives de concurrence croissante dans le secteur de la distribution d'électricité », le taux de distribution élevé (en moyenne, 90 % du résultat depuis quatre ans) ne devait pas être maintenu dans l'intérêt des actionnaires. La nouvelle politique a abouti à une distribution de 60 % des profits de l'année précédente. L'équipe dirigeante a également annoncé qu'à partir de 1995, le versement de dividendes serait révisé en février plutôt qu'en mai, de manière à resserrer la dépendance entre les dividendes et les gains annuels. En appliquant cela, la société voulait réduire les effets de signaux non anticipés sur chacun des futurs dividendes.

Au même moment, le conseil d'administration de FPL a autorisé le rachat maximum de dix millions d'actions sur les trois prochaines années. Par l'adoption de cette stratégie, la société voulait tirer profit des modifications fiscales intervenues en 1990 et qui rendaient les plus-values en capital plus intéressantes que les dividendes pour les actionnaires.

Cela constituait en même temps une solution fiscale plus avantageuse pour distribuer la trésorerie aux actionnaires, et augmenter la flexibilité financière de la société en vue d'une nouvelle aire de concurrence parmi les centrales électriques. Bien qu'une grande partie de la trésorerie économisée par la suppression du dividende ait été restituée aux actionnaires par le biais du programme de rachat des actions, le solde aurait pu être affecté au remboursement de la dette et ainsi réduire le ratio d'endettement. La réduction du financement par emprunt était destinée à préparer la société au probable accroissement du risque commercial et lui fournir un certain matelas qui permettrait de saisir les futures opportunités commerciales.

Tout ceci semblait logique, mais la première réaction des investisseurs fut la consternation. Le jour de l'annonce, le cours de la Bourse diminua d'environ 14 %. Puis, à mesure que les analystes digéraient ces informations et interprétaient les raisons de cette réduction, ils conclurent que cette décision n'était pas un indicateur de détresse financière mais une décision stratégique parfaitement fondée. Cette opinion se répandit dans la communauté financière et le cours de FPL reprit sa progression. Au cours du mois suivant, au moins quinze maisons de courtage parmi les plus renommées avaient placé l'action de FPL au sein de leurs recommandations « acheter » et le cours avait largement récupéré sa baisse.

Source : adapté de D. Soter, E. Brigham et P. Evanson, « The Dividend Cut' Heard 'Round the World : The case of FPL », *Journal of Applied Corporate Finance*, 9 (printemps 1996), pp. 4-15.

* Au pays de l'Oncle Sam, les dividendes sont versés tous les trimestres.

Les investisseurs se précipitent sur la conclusion la plus évidente : vous devez être sûr que le titre est une bonne affaire, même à 20 % au-dessus du prix actuel.

Lorsque les sociétés offrent de racheter leurs propres actions avec une prime, l'équipe dirigeante décide normalement de conserver ses actions[15]. Ainsi il n'est pas surprenant que les chercheurs aient établi que les annonces d'offre de rachat d'actions au-dessus du cours de Bourse se soient soldées par une large augmentation du cours, en moyenne de 11 %[16].

15. Les dirigeants ne font pas que conserver leurs propres titres ; en moyenne ils augmentent leur détention avant l'annonce d'un rachat. Voir D. S. Lee, W. Mikkelson et M. M. Partch, « Managers Trading around Stock Repurchase », *Journal of Finance*, 47 (1992), pp. 1947-1961.

5 La controverse sur la politique de dividende

Nous avons vu qu'une variation du dividende peut fournir des indications sur le degré de confiance dans l'avenir des dirigeants, affectant ainsi le cours de Bourse. Mais cette modification du prix de l'action se produirait tout de même, à mesure que l'information sur les bénéfices futurs transiterait par d'autres canaux. Nous pouvons maintenant nous demander si la variation de la politique de dividende *modifie* la valeur de l'action, au-delà du simple *signal* sur le titre.

Sur le chapitre, les économistes se répartissent en trois chapelles[17]. Du côté droit, il y a le groupe des grosboutistes qui croient qu'une augmentation des dividendes accroît la valeur de l'entreprise. Du côté gauche, un groupe de petitboutistes affirment qu'une hausse des dividendes diminue la valeur. Au centre, un groupe de modérés qui pensent que la politique de dividende a un effet neutre sur la valeur.

Le groupe des modérés a été fondé en 1961 par Miller et Modigliani (désignés par la suite par MM), lorsqu'ils ont publié une étude théorique montrant la non-pertinence de la politique de dividende dans un monde sans impôts, sans coûts de transactions ou toutes autres imperfections du marché[18]. Selon les standards prévalant en 1961, MM apparaissaient comme des petitboutistes, parce qu'à la même époque la plupart des gens croyaient que, même avec des hypothèses idéales, les augmentations de dividendes amélioraient le sort des actionnaires[19]. Mais aujourd'hui, les preuves de MM sont pleinement acceptées, le débat s'est déplacé et l'on s'interroge plutôt sur les effets des impôts et des autres imperfections du marché sur la situation. Dans le processus, MM ont été poussés vers le centre par un nouveau groupe à gauche, qui prône de *faibles* dividendes. Ce groupe se fonde sur la position de MM, ajustée pour tenir compte des impôts et des coûts d'émission des titres. Quant aux grosboutistes, ils sont toujours parmi nous et n'ont pas varié d'un iota sur leurs positions de 1961.

Pourquoi devriez-vous vous mêler à ce débat ? Pour aider votre société à fixer ses dividendes, car vous voulez savoir comment cela influe sur la valeur de la société. Il y a aussi une raison plus générale que celle-là. Nous avons jusqu'ici supposé que les décisions d'investissement étaient indépendantes de la politique de financement. Dans ce cas, un bon projet est un bon projet, pas de souci à se faire sur la manière dont il est financé. Si la politique de dividende n'affecte pas la valeur, c'est vrai. Mais si les dividendes affectent la valeur, alors l'attractivité d'un nouveau projet pourra dépendre de la provenance du financement. Par exemple, si les investisseurs préfèrent les sociétés distribuant beaucoup de dividendes, ces sociétés seront réticentes à se lancer dans des investissements financés sur les résultats mis en réserves.

---

16. Voir R. Comment et G. Jarrell, *op. cit.*

17. Le lecteur cultivé remarquera que nous nous référons à la querelle sur la manière de consommer un œuf, dans *Voyages de Gulliver*, Folio, 443 p. Ici, les *petitboutistes* souhaitent de faibles dividendes, les *grosboutistes* veulent des dividendes élevés.

18. M. H. Miller et F. Modigliani, « Dividend Policy, Growth and the Valuation of Shares », *Journal of Business*, 34 (octobre 1961), pp. 411-433.

19. Tout le monde ne croit pas que les dividendes améliorent la situation des actionnaires. Les thèses de MM avaient déjà été soulevées en 1938 par J. B. Williams dans *The Theory of Investment Value*, Harvard University Press, Cambridge, Massachussets, 1938. De même, une théorie très similaire à celle de MM a été développée par J. Lintner dans « Dividends, Earnings, Leverage, Stock Prices and the Supply of Capital to Corporations », *Review of Economics and Statistics*, 44 (août 1962), pp. 243-269.

Nous allons commencer notre débat sur la politique de dividende par une présentation de la thèse originale de MM. Puis nous procéderons à une analyse critique de la position de chacune des trois parties. Peut-être devons-nous vous prévenir avant de commencer que notre position se situe plutôt au milieu, avec quelques adhésions ponctuelles à gauche (comme investisseurs, nous préférons les dividendes faibles parce que nous n'aimons pas payer des impôts !).

5.1 Sur des marchés financiers parfaits, la politique de dividende est inutile

Dans leur article de 1961, devenu un classique, MM ont défendu la position suivante. Supposez que votre entreprise ait fixé son programme d'investissement. Vous avez défini la proportion devant être financée par emprunt et vous avez planifié de financer le reste par vos résultats mis en réserves. Tout surplus sera versé en dividendes.

Maintenant, pensez à ce qui va se produire si vous voulez augmenter le montant des dividendes sans changer la politique d'investissement et d'emprunt. L'argent doit bien venir de quelque part. Si l'entreprise a fixé le montant de ses emprunts, la seule façon de financer ces dividendes supplémentaires est d'émettre plus d'actions et de les vendre. Les nouveaux actionnaires n'engageront leurs fonds que si vous leur offrez des actions qui valent autant qu'elles coûtent. Mais comment peut faire l'entreprise quand son actif, ses bénéfices, ses opportunités d'investissement et par conséquent sa valeur de marché demeurent inchangés ? La réponse est qu'il doit nécessairement y avoir un transfert de valeur en provenance des anciens vers les nouveaux actionnaires. Les nouveaux achètent les actions nouvellement émises, chacune d'elles valant moins qu'avant l'annonce de la hausse de dividendes, et les anciennes actions subissent une baisse de valeur. La perte en capital subie par les anciens actionnaires sera compensée par les dividendes supplémentaires.

La figure 16.1 montre comment ce transfert de valeur se déroule. L'entreprise verse le tiers de sa valeur totale en dividendes, et les fonds nécessaires sont obtenus en vendant de nouvelles actions. La perte subie par les anciens actionnaires est représentée par la réduction des rectangles bleus. Mais cette perte en capital est compensée exactement par le fait que les fonds nouvellement émis (les rectangles noirs) leur sont payés en dividendes.

Cela fait-il une différence pour les anciens actionnaires de recevoir un dividende supplémentaire compensant une perte en capital ? Peut-être, si c'était pour eux le seul moyen d'obtenir des liquidités qu'ils n'auraient pas eues par ailleurs. Mais tant qu'il y aura des marchés financiers efficients, ils pourront obtenir des liquidités en vendant des actions. Les anciens actionnaires peuvent donc « encaisser » des liquidités soit en persuadant les dirigeants de verser un dividende plus élevé, soit en vendant quelques-unes de leurs nouvelles actions. Dans les deux cas, il y aura un transfert de valeur des anciens vers les nouveaux actionnaires. La seule différence est que, dans le premier cas, ce transfert résulte d'une dilution de la valeur de chaque action de l'entreprise et dans le second cas d'une réduction du nombre d'actions détenues par les anciens actionnaires. Les deux options sont comparées dans la figure 16.2.

Parce que les investisseurs n'ont pas besoin de dividendes pour obtenir des liquidités, ils ne paieront pas un prix plus élevé pour les actions d'une entreprise qui distribue des dividendes élevés. Par conséquent, les entreprises ne doivent pas se soucier de leur politique de dividende : elles devraient laisser les dividendes évoluer comme une conséquence de leurs décisions d'investissement.

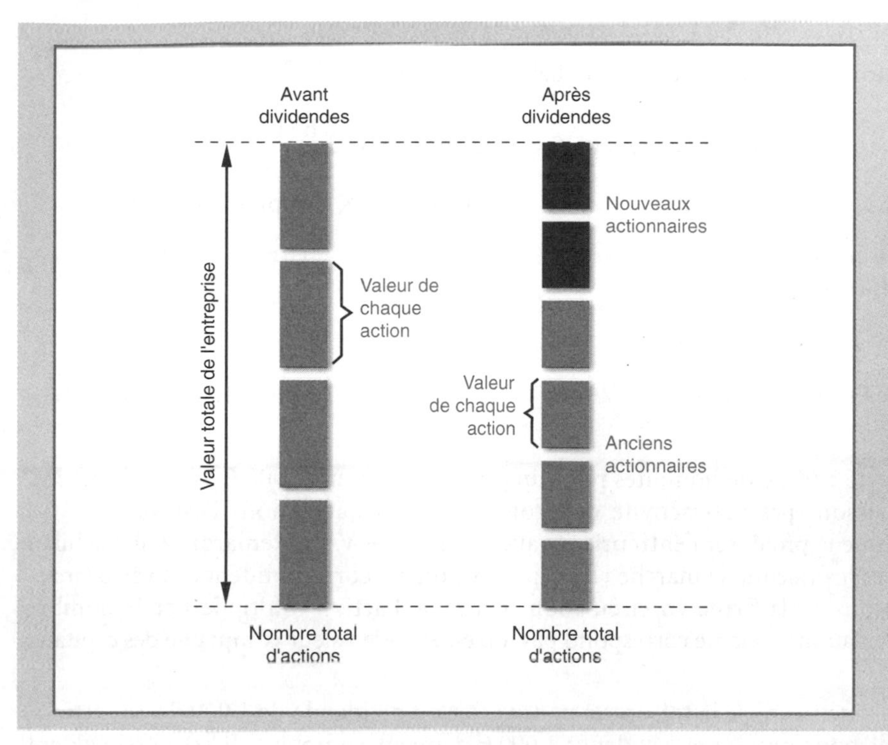

Figure 16.1 - L'entreprise verse un tiers de sa valeur en dividendes et obtient les fonds en vendant de nouvelles actions. Le transfert de valeur pour les nouveaux actionnaires est égal au versement de dividendes. La valeur totale de l'entreprise demeure inchangée.

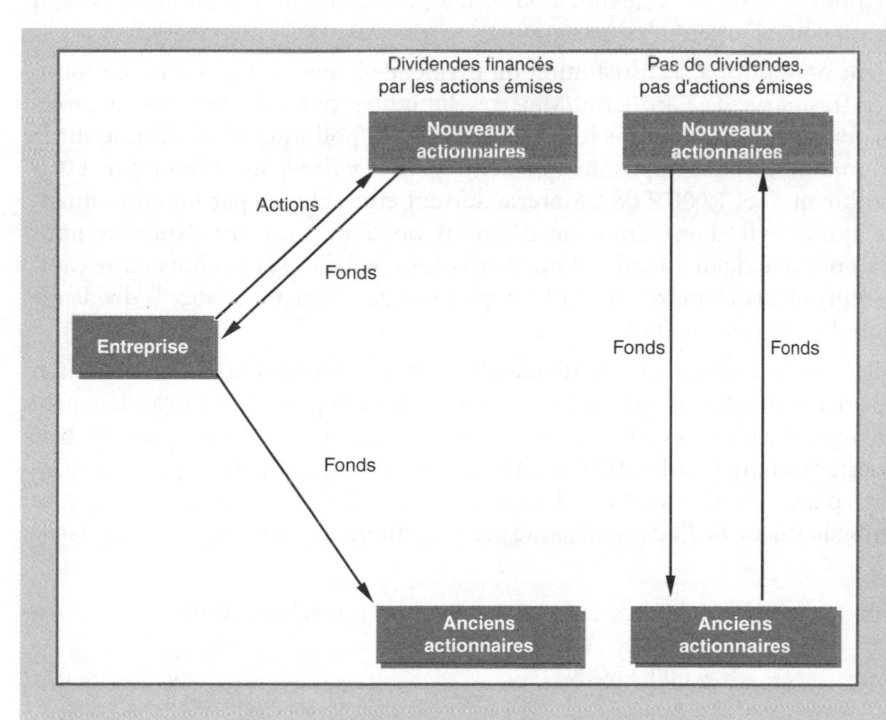

Figure 16.2 - Les deux façons de lever des fonds pour les actionnaires originels de l'entreprise. Dans chaque cas, les fonds reçus sont compensés par une baisse de la valeur des actions anciennes de l'entreprise. Si l'entreprise verse un dividende, chaque action vaut moins, car plus d'actions doivent être émises pour un même montant d'actifs. Si les anciens actionnaires vendent une partie de leurs actions, chaque action aura la même valeur, mais les anciens actionnaires auront moins de titres.

5.2 Une illustration de l'inutilité des dividendes

Considérons Girouette SA, dont le bilan actuel est le suivant :

Bilan de Girouette SA (valeurs de marché)

Immobilisations	9 000 €	10 000 € + VAN	Capitaux propres
Opportunités d'investissement (1 000 € requis)	VAN	0 €	Titres d'emprunt
Disponibilités	1 000 €		
Valeur totale de l'actif	10 000 € + VAN	10 000 € + VAN	Valeur totale de la firme

Girouette a affecté 1 000 € de liquidités pour un projet nécessitant 1 000 € d'investissement. Nous ne connaissons pas l'attractivité du projet, par conséquent nous l'estimerons à sa VAN ; une fois que le projet sera entrepris, il vaudra 1 000 € + VAN. Remarquez que le bilan est construit avec les valeurs de marché ; les capitaux propres correspondent à la valeur marchande des actions de la firme en circulation (cours de l'action multiplié par le nombre d'actions en circulation). Cela ne correspond pas forcément à la valeur comptable des capitaux propres.

Maintenant, Girouette utilise la trésorerie pour verser un dividende de 1 000 € à ses actionnaires. Le profit pour ceux-ci est évident : 1 000 € d'argent comptant. Il est aussi évident qu'il doit y avoir un coût : l'argent n'est pas gratuit.

D'où vient l'argent nécessaire à la distribution du dividende ? Bien sûr, la source de fonds immédiate est la trésorerie de Girouette. Mais ces liquidités ont été affectées au projet d'investissement. Puisque nous voulons isoler les effets de la politique de dividende sur la richesse des actionnaires, nous supposons que l'entreprise *confirme* son projet d'investissement. Cela signifie que les 1 000 € de trésorerie doivent être obtenus par un autre financement. Il peut alors s'agir d'une émission d'actions ou d'un emprunt. Nous ne nous attachons qu'à la politique de dividende, et nous reportons le débat sur le choix entre capitaux propres et emprunt aux chapitres 17 et 18. Supposons que Girouette finance le dividende avec une émission d'actions de 1 000 €.

Examinons le bilan après le versement du dividende, après la vente des nouvelles actions et une fois que le projet d'investissement a été entrepris. Puisque la politique d'investissement et d'emprunt de Girouette n'est pas affectée par le versement de dividendes, sa valeur globale de marché doit rester inchangée à 10 000 € + VAN[20]. Nous savons également que si les nouveaux actionnaires paient un prix équitable, leur action vaut 1 000 €. Il ne nous manque plus alors qu'un chiffre : la valeur de l'action détenue par les actionnaires originels. Elle est facile à déterminer.

$$\begin{aligned}\text{Valeur des action anciennes} &= \text{valeur de la firme} - \text{valeur des nouvelles actions}\\ &= (10\,000 + \text{VAN}) - 1\,000\\ &= 9\,000 + \text{VAN}\end{aligned}$$

20. Tous les autres éléments qui peuvent affecter la valeur de Girouette sont censés demeurer constants. Ce n'est pas une supposition nécessaire, mais elle simplifie la démonstration de MM.

Les anciens actionnaires ont reçu un dividende en espèces de 1 000 € et ont encouru une perte en capital de 1 000 €. La politique de dividende n'a donc aucune importance. En payant 1 000 € d'un côté et en les reprenant de l'autre, Girouette recycle des fonds. Suggérer que ceci améliore la position des actionnaires est comme conseiller à une cuisinière de refroidir la cuisine en laissant la porte du réfrigérateur ouverte.

Bien sûr, notre démonstration ignore les impôts, les coûts d'émissions et toute une variété d'autres complications. Nous examinerons ces éléments un peu plus tard. L'hypothèse la plus importante de notre démonstration est que les nouvelles actions sont vendues à un prix correct. Les actions vendues pour recueillir 1 000 € doivent réellement les valoir[21]. En d'autres termes, nous avons supposé que les marchés financiers étaient efficients.

5.3 Comment déterminer le cours de l'action

Nous avons supposé que les nouvelles actions de Girouette devaient être vendues à un prix correct, mais quel est ce prix et combien de nouvelles actions sont émises ?

Supposez qu'avant ce versement de dividendes, l'entreprise comptait 1 000 actions en circulation, et que le projet d'investissement dégageait une VAN positive de 2 000 €. Alors les capitaux propres valaient au total 10 000 € + VAN = 12 000 €, ce qui donne 12 000 € / 1 000 = 12 € par action. Une fois que l'entreprise a payé le dividende et complété le financement, les capitaux propres vaudront 9 000 € + VAN = 11 000 €. Ce qui donne 11 000 € / 1 000 = 11 € par action. En d'autres termes, le cours de l'ancienne action a baissé d'un montant correspondant au versement du dividende, soit 1 euro par action.

Maintenant, consacrons-nous à la nouvelle action. Il est évident qu'après l'émission elle doit être vendue au même prix que les autres actions. En d'autres termes, elle doit être évaluée à 11 €. Si les nouveaux actionnaires reçoivent une valeur équitable, la firme doit émettre 1 000 € / 11 € ou 91 nouvelles actions en vue de recueillir les 1 000 € dont elle a besoin.

5.4 Le rachat d'actions

Nous avons vu que toute augmentation de dividendes en espèces doit être compensée par une émission d'actions si les politiques d'emprunt et d'investissement de l'entreprise restent constantes. Dans les faits, les actionnaires financent les dividendes supplémentaires en vendant une part de leurs droits sur l'entreprise. Par conséquent, le cours de Bourse chute juste ce qu'il faut pour compenser le dividende supplémentaire.

Ce processus peut aussi fonctionner en sens inverse. Les politiques d'emprunt et d'investissement étant supposées constantes, toute réduction de dividendes doit être contrebalancée par une réduction du nombre d'actions émises ou par un rachat des actions précédemment émises. Mais si l'opération n'a pas d'effet sur la richesse des actionnaires dans un sens, elle ne doit pas en avoir dans l'autre. Nous allons le vérifier par un nouvel exemple numérique.

21. Les « anciens » actionnaires perçoivent tout le bénéfice d'un projet à VAN positive. Les « nouveaux » actionnaires réclament seulement un taux de rentabilité équitable. Ils font un investissement à VAN nulle.

Supposez qu'une découverte technique révèle que le nouveau projet de Girouette ne dégage pas une VAN positive, mais une perte certaine. La direction annonce qu'elle supprime le projet et que les 1 000 € qui y étaient affectés seront distribués sous la forme d'un dividende supplémentaire de 1 € par action. Après le versement du dividende, le bilan se présentera comme suit.

Bilan de Girouette (valeurs de marché)

Immobilisations	9 000 €	9 000 €	Capitaux propres
Opportunités d'investissement	0 €	0 €	Titres d'emprunt
Disponibilités	0 €		
Valeur totale de l'actif	9 000 €	9 000 €	Valeur totale de la firme

Puisqu'il y a 1 000 actions en circulation, le cours est de 10 000 € / 1 000 = 10 € avant le versement du dividende et 9 000 € / 1 000 = 9 € *après* le versement.

Que se passerait-il si Girouette utilisait les 1 000 € pour racheter des actions ? Aussi longtemps que l'entreprise paie un prix équitable pour les titres, les 1 000 € permettent d'acquérir 1 000 € / 10 € = 100 actions. Ce qui laisse 900 actions d'une valeur de 900 × 10 € = 9 000 €.

Comme nous nous y attendions nous voyons que passer d'un versement de dividendes à un rachat d'actions n'a aucune influence sur la richesse des actionnaires. Ils perdent un dividende de 1 € mais détiennent en fin de compte des actions valant 10 € au lieu de 9 €.

Notez que lorsque des actions sont rachetées, le transfert de valeur est en faveur des actionnaires qui ne vendent pas. Ils sont privés de tout ce qui est dividende mais à la fin, ils détiennent une plus large part de l'entreprise. Dans les faits, ils utilisent leurs 1 000 € de distribution pour racheter les actions des autres actionnaires.

5.5 Le rachat d'actions et l'évaluation de la société

Évaluer les fonds propres d'une société qui rachète ses propres actions peut conduire à des confusions. C'est ce que nous allons voir avec un exemple.

Racho SA a émis 100 titres. Elle gagne 1 000 € par an, dont la totalité est versée sous la forme de dividendes. Le dividende par action est par conséquent 1 000 / 100 = 10 €. Supposons que des investisseurs prévoient que ce dividende sera maintenu indéfiniment et qu'ils réclament un rendement de 10 %. Dans ce cas, la valeur de chaque titre sera $VA_{titre} = 10 / 0{,}10 = 100$. Puisqu'il y a 100 titres émis, la valeur de marché totale des fonds propres est $VA_{fonds\ propres} = 100 \times 100 = 10\ 000$. Observez que nous pourrions aboutir à la même conclusion en actualisant les dividendes globaux versés aux actionnaires ($VA_{fonds\ propres} = 1\ 000 / 0{,}10 = 10\ 000$ €)[22].

22. Lorsque vous évaluez la société dans sa globalité, souvenez-vous que la société s'est engagée à émettre de nouvelles actions, vous devrez inclure les versements de dividendes sur ces titres uniquement si vous incorporez le montant que les investisseurs auront payé pour les titres (voir chapitre 4).

Maintenant, supposons que la société annonce qu'au lieu de verser des dividendes en espèces pour l'année 1, elle va utiliser la même somme pour racheter ses actions en Bourse. Le montant global des liquidités espérées par les actionnaires (dividende et liquidités reçues sur le rachat des actions) reste inchangé à 1 000 €. Ainsi la valeur totale des fonds propres est maintenue à 1 000 / 0,10 = 10 000 €. Ceci est obtenu grâce à la valeur de 1 000 € reçue lors du rachat des actions au cours de l'année 1 (VA_{rachat} = 1 000 / 1,10 = 909,1 €) et la valeur de 1 000 € de dividendes par an, à partir de l'année 2 [$VA_{dividendes}$ = 1 000 / (0,10 × 1,10 = 9,091 €)]. Chaque titre sera toujours valorisé à 10 000 / 100 = 100 €, exactement comme avant.

Pensons maintenant à ces actionnaires qui projettent de revendre leurs titres à la société. Ils vont demander un rendement de 10 % sur leur investissement. Ainsi, le prix auquel la société doit racheter les titres doit se situer à 10 % au-dessus du cours actuel, soit 110 €. La société dépense 1 000 € pour racheter ses titres, ce qui est suffisant pour acheter 1 000 / 1,1 = 9,09 titres.

La société démarre avec 100 titres, en rachète 9,09, il reste par conséquent 90,91 titres en circulation. Chacun de ces titres peut espérer un flux de dividendes de 1 000 / 90,91 = 11 € par titre. Ainsi, après le rachat, les détenteurs de titres ont 10 % de valeur supplémentaire, mais les gains et les dividendes par titre sont 10 % plus élevés. Un investisseur qui possède un titre non racheté ne recevra pas de dividendes pour l'année 1, mais pourra compter sur 11 € une année plus tard. La valeur de chaque titre est par conséquent 11 / (0,10 × 1,1) = 100 €.

Notre exemple illustre plusieurs points. Premièrement, toutes choses égales par ailleurs, la valeur de la société n'est pas affectée par la décision de racheter des actions plutôt que de verser un dividende. Deuxièmement, lorsqu'on évalue la société dans sa globalité, on doit inclure à la fois les liquidités qui seront utilisées pour le paiement des dividendes et les liquidités destinées au rachat d'actions. Troisièmement, lorsqu'on détermine le cash-flow par titre, on fait un double calcul afin d'inclure à la fois le dividende prévu par action *et* les liquidités reçues du rachat : si vous revendez votre titre, vous ne toucherez pas d'autre dividende. Quatrièmement, une société qui rachète des titres au lieu de payer des dividendes réduit le nombre de titres disponibles, mais induit en compensation un accroissement des bénéfices et des dividendes par titre.

6 Les grosboutistes

La position de MM implique que la valeur de l'entreprise est déterminée par ses actifs et les cash-flows qu'ils génèrent. Si l'entreprise accroît le montant total des versements aux actionnaires, les liquidités supplémentaires doivent être récupérées dans leurs poches par l'émission de nouvelles actions. Et si la société décide de maintenir le versement total constant, toute augmentation des paiements de dividendes doit être compensée par une réduction équivalente des liquidités accordées par le biais des rachats d'actions. C'est pourquoi MM concluent que la valeur de la société ne peut pas être accrue en modifiant le montant ou la forme des versements.

Pourtant, une grande partie de la littérature financière défend les taux de distribution élevés. Voici, par exemple, une citation de Graham et Dodd en 1951 illustrant cette position :

> « Le verdict continuel et justifié de la Bourse est nettement en faveur d'une politique de versements de dividendes et *a contrario*, opposé aux politiques parcimonieuses.

> L'investisseur en actions ordinaires doit prendre ce postulat en compte dans l'évaluation de ses achats d'actions. Il est maintenant commun d'évaluer les actions ordinaires en appliquant un multiplicateur pour la portion des fonds distribués en dividendes et un autre, beaucoup plus petit, pour ceux mis en réserves, non distribués[23]. »

Les partisans d'un versement de dividendes élevés (grosboutistes) font valoir qu'il y a une clientèle naturelle pour les titres à fort taux de distribution. Par exemple, certaines institutions financières sont légalement empêchées de détenir des titres dont le niveau de dividende n'atteint pas un taux fixé. Les fonds de retraite peuvent préférer des actions à taux de distribution élevé, car les dividendes sont considérés comme des « revenus distribuables », alors que les plus-values s'ajoutent au capital et ne sont pas distribuées.

Il existe aussi une clientèle d'investisseurs qui considère son portefeuille comme une source de fonds pour vivre. En principe, ces fonds pourraient être facilement générés à partir d'actions ne distribuant aucun dividende : il suffirait de vendre une petite portion du portefeuille de temps en temps. Mais il est plus simple et moins onéreux pour une société de signer un chèque trimestriel que pour ses actionnaires de vendre, disons, une action tous les trois mois. Le dividende ordinaire soulage bon nombre d'actionnaires des coûts de transaction et de nombreux inconvénients[24].

Certains ont fait appel à la psychologie comportementale afin d'expliquer pourquoi la plupart des gens préféraient recevoir des dividendes réguliers plutôt que des petits montants d'actions[25]. Ils soulignent que nous sommes tous enclins à succomber à la tentation. Certains d'entre nous peuvent être accros au chocolat, d'autres ne peuvent résister à un verre de pouilly-fumé. On peut chercher à contrôler ces appétits par la volonté, mais cela ne se fait jamais sans de pénibles efforts. Il peut alors être plus facile de s'imposer des règles simples (« j'arrête le chocolat », ou « pas de vin en dehors des repas »). De la même façon, l'autodiscipline consistant à ne dépenser que le revenu des dividendes peut être bienvenue, car elle permet d'éviter la délicate question du montant que l'on peut s'autoriser à prélever sur le capital.

---

23. Ces auteurs ont plus tard nuancé cette affirmation, reconnaissant la volonté des investisseurs de payer des ratios bénéfice/cours élevés pour des valeurs de croissance. Mais en dehors de cela, ils campent sur leurs positions. Nous avons cité leur déclaration de 1951 à cause de son importance historique. Comparez B. Graham et D. L. Dodd, *Security Analysis : Principles and Techniques*, 3e ed., McGraw-Hill Book Company, New York, 1951, p. 432 avec B. Graham, D. L. Dodd et S. Cottle, *Security Analysis : Principle and Techniques*, 4e ed., McGraw-Hill Book Company, New York, 1962, p. 480.
24. Ceux qui prêchent pour de généreux dividendes pourraient continuer à soutenir qu'un dividende régulier en espèces supprime le risque pour les actionnaires de devoir vendre des actions à un cours temporairement déprécié. Bien entendu, l'entreprise devra éventuellement émettre des actions pour financer le dividende, mais l'entreprise peut choisir *le bon moment* pour le faire. Si les entreprises essaient vraiment de l'appliquer et si elles y parviennent – deux hypothèses importantes –, alors les actionnaires d'entreprise à taux de distribution élevé auront dégagé un gain sans contrepartie.
25. Voir H. Shefrin et M. Statman « Explaining Investors Preference for Cash dividends », *Journal of Financial Economics*, 13 (juin 1984), pp. 253-282.

6.1 Les dividendes, la politique d'investissement et les incitations pour les dirigeants

Il y a une autre explication à l'appétit des actionnaires pour des dividendes plus élevés. Prenons une société avec beaucoup de trésorerie mais peu d'opportunités d'investissement. Les actionnaires de ces sociétés ne font pas toujours confiance aux dirigeants pour dépenser les fonds mis en réserves de manière avisée et craignent que l'argent ne soit réinvesti dans la construction d'un large empire plutôt que dans des activités profitables. Dans ce cas, les investisseurs vont réclamer des dividendes plus généreux non parce qu'ils ont plus de valeur à leurs yeux, mais parce qu'ils constituent un signal plus prudent, qui reflète des investissements plus orientés vers la création de valeur[26].

L'encadré ci-dessous relate l'annonce par Microsoft de la plus grosse distribution d'argent dans l'histoire de la finance d'entreprise. En 2004, les opportunités d'investissement de l'entreprise ont diminué : les investisseurs ont alors été ravis de voir Microsoft distribuer ses bas de laine plutôt que de les investir dans des projets à VAN négative. Le programme total de distribution doit durer jusqu'en 2008.

Actualités financières

L'aubaine des dividendes Microsoft

Il y a un stade où l'accumulation d'argent devient gênante… Microsoft, devenue la plus grande entreprise de logiciels au monde (…) et générant 1 milliard de dollars de trésorerie par mois, est parvenue à ce stade. Le 20 juillet, l'entreprise s'est décidée à prendre le problème à bras-le-corps.

Elle a choisi de rendre à ses actionnaires, sous différentes formes, le montant record de 75 milliards de dollars. Une première part de 32 milliards de dollars sera versée sous la forme d'un dividende unique en décembre. Une deuxième prendra la forme d'un rachat d'actions sur quatre ans, pour un montant de 30 milliards de dollars. La troisième consistera en un doublement du dividende courant de Microsoft à 32 cents par action et par an, payable trimestriellement. Pas mal pour une entreprise qui n'a même pas encore atteint la trentaine, et qui a versé ses premiers dividendes en janvier 2003.

La décision est d'une importance capitale, pour ce qu'elle révèle à la fois sur la place de Microsoft au sein de l'industrie des hautes technologies et sur ses perspectives d'avenir.

Source : « An End to Growth ? », The Economist (24 juillet 2004), p. 61.

26. La Porta et *al.* font valoir que dans des pays tels que les États-Unis, les actionnaires minoritaires sont capables de contraindre les entreprises à verser un maximum de trésorerie et empêcher ses dirigeants d'utiliser à leur avantage une trop forte proportion des bénéfices. *A contrario*, les sociétés versent une plus faible proportion de leurs bénéfices dans les pays où la loi est moins contraignante quant au surinvestissement et à la construction d'empire. Voir La Porta, F. Lopez-de-Silane, A Schleifer et R.W. Vishny, « Agency Problems and Dividend Policies around the World », *Journal of Finance*, 55 (février 2000), pp. 1-34.

7 La fiscalité et les petitboutistes

Le credo des théoriciens petitboutistes au sujet du dividende est simple : quand les dividendes sont imposés plus sévèrement que les plus-values, les entreprises devraient payer les dividendes les plus faibles possibles. Les liquidités disponibles devraient alors être mises en réserves ou utilisées pour le rachat d'actions. Autrefois en France, les plus-values en capital, avant 1976, étaient exonérées d'impôt. Entre 1986 et 2006, le seuil d'imposition est passé de 46 000 € à 15 000 €. L'un des principaux sports des contribuables français consistait alors à donner aux revenus des valeurs mobilières la forme d'une plus-value en capital, sans dépasser le seuil fatidique. Afin d'attirer les souscripteurs, des Sicav monétaires de capitalisation sont alors apparues, permettant de rémunérer la trésorerie en franchise d'impôt…

Ce système légal mais à la légitimité discutable est aujourd'hui totalement abandonné. Néanmoins, dans la mesure où la fiscalité est le fruit d'une décision et non d'un équilibre, il nous semble profitable de reprendre l'étude des propositions de la gauche financière.

En orientant leurs politiques de distribution dans cette voie, les entreprises peuvent transférer des dividendes en plus-values. Si cette alchimie financière parvient à réduire les impôts, elle sera bien accueillie par tout « investisseur-contribuable ». C'est l'argument avancé par l'école petitboutiste quand elle prône de faibles taux de distribution.

Si les dividendes sont plus lourdement imposés que les plus-values, les investisseurs devraient payer plus pour des titres offrant de faibles dividendes. En d'autres termes, ils devraient accepter des titres dont les taux de rentabilité *avant impôts* sont proposés sous forme de gain en capital plutôt que sous la forme de dividendes. Le tableau 16.1 illustre ceci. Les actions A et B ont le même niveau de risque. Les investisseurs anticipent un cours à un an de 112,50 € pour A. Le cours de B est évalué à 102,50 €, mais un dividende de 10 € est prévu : le total de la valeur avant impôts est le même, 112,50 €.

Néanmoins, nous observons que les actions de B se vendent moins cher que celles de A et offrent donc un taux de rentabilité avant impôts plus intéressant. La raison est évidente : les investisseurs préfèrent A parce que la rentabilité prend la forme d'une plus-value. Le tableau 16.1 montre qu'A et B sont aussi attractives pour les investisseurs qui paient 40 % d'impôt sur les dividendes et 20 % d'impôt sur les plus-values. Chacune offre un taux de rentabilité de 10 % après impôts.

Tableau 16.1. Effets de la politique de dividende quand les dividendes sont imposés plus sévèrement que les plus-values. L'action à taux de distribution élevé doit être vendue à un cours plus bas pour garantir le même taux de rentabilité après imposition

	Entreprise A (Pas de dividende)	Entreprise B (Dividende élevé)
Cours dans un an	112,50 €	102,50 €
Dividende	0 €	10 €
Valeur totale avant impôts	112,50 €	112,50 €
Cours actuel de l'action	100 €	97,78 €
Plus-value	12,50 €	4,72 €

Tableau 16.1. Effets de la politique de dividende quand les dividendes sont imposés plus sévèrement que les plus-values. L'action à taux de distribution élevé doit être vendue à un cours plus bas pour garantir le même taux de rentabilité après imposition (...)

	Entreprise A (Pas de dividende)	Entreprise B (Dividende élevé)
Taux de rentabilité avant impôts (en %)	$\left(\frac{12,5}{100}\right) \times 100 = 12,5$ %	$\left(\frac{14,7}{97,78}\right) \times 100 = 15,05$ %
Impôt sur les dividendes à 40 %	0 €	0,40 × 10 = 4 €
Impôt sur les plus-values à 20 %	0,20 × 12,50 = 2,50 €	0,20 × 4,72 = 0,94 €
Total des revenus après impôts (dividendes + plus-values – impôts)	(0 + 12,50) – 2,50 =10 €	(10,00 + 4,72) – (4,00 + 0,94) = 9,78 €
Taux de rentabilité après impôts (en %)	$\left(\frac{10}{100}\right) \times 100 = 10,0$ %	$\left(\frac{9,78}{97,78}\right) \times 100 = 10,0$ %

Les données de ce tableau, comme celles de tous les tableaux de ce chapitre, sont disponibles sur ***www.gestion financiere. pearsoned.fr***

La différence entre le cours de A et de B est exactement la valeur actuelle des impôts supplémentaires que les investisseurs supportent s'ils achètent B[27]. La direction de B aurait pu s'épargner des impôts supplémentaires en supprimant les 10 € de dividende et en utilisant les fonds ainsi libérés pour acheter des actions. Son cours aurait atteint 100 € dès l'annonce de la nouvelle politique.

7.1 Pourquoi donc verser des dividendes ?

Lorsque des entreprises distribuent en une fois des montants importants aux actionnaires, elles choisissent généralement de le faire en rachetant des actions plutôt qu'en favorisant une hausse importante des dividendes. Mais si les dividendes entraînent plus d'impôts que les plus-values, pourquoi les entreprises verseraient-elles des dividendes en espèces ? Si des liquidités doivent être distribuées aux actionnaires, le rachat d'actions n'est-il pas la meilleure solution ? La position petitboutiste prône plus que des faibles taux de distribution : elle recommande une distribution *zéro* chaque fois que les plus-values présentent un avantage fiscal.

Peu de partisans de cette ligne vont aussi loin. Une entreprise qui élimine les dividendes et commence à racheter des actions de manière régulière peut se voir poursuivie par le fisc qui verra dans le programme de rachat une manœuvre d'évasion et le taxera en conséquence. Voilà pourquoi les gestionnaires financiers n'annoncent jamais qu'ils vont racheter des actions pour épargner aux actionnaires des impôts ; ils donnent d'autres raisons[28].

27. Michael Brennan a modélisé ce qui se passe quand on introduit les impôts dans un marché parfait et a établi que le modèle d'évaluation des actifs financiers (Medaf) restait valable, mais sur *une base après impôts*. Alors si A et B ont le même bêta, elles devraient offrir le même taux de rentabilité après impôts. La dispersion entre les taux de rentabilité avant et après impôts est déterminée par une moyenne pondérée des taux d'imposition des investisseurs. Voir M. J. Brennan, « Taxes, Market Valuation and Corporate Financial Policy », *National Tax Journal*, 23 (décembre 1970), pp. 417-427.

28. Ils devraient dire « notre action est un bon investissement », ou « nous voulons avoir les actions disponibles pour financer les acquisitions d'autres entreprises ». Que pensez-vous de telles affirmations ?

Les petitboutistes ont néanmoins soutenu que le marché récompensait les entreprises qui avaient des politiques de faible distribution. Ils ont affirmé que les entreprises qui versaient des dividendes, et qui par conséquent devaient émettre des actions de temps en temps, faisaient une grave erreur. De telles entreprises financent essentiellement leurs dividendes par des émissions d'actions ; elles devraient baisser le montant des dividendes au moins jusqu'au point où l'émission d'actions ne serait pas nécessaire. Une telle démarche n'épargnerait pas seulement des impôts aux actionnaires, mais éviterait également les coûts de transaction des émissions de titres[29].

7.2 Quelques faits empiriques sur les impôts et les dividendes

Les impôts sont importants aux yeux des investisseurs, comme on peut le voir sur le marché des obligations. Aux États-Unis, les intérêts sur les titres municipaux ne sont pas taxés, de telle sorte que les villes émettent à des rendements avant impôts faibles. À l'inverse, les intérêts sur les emprunts d'État sont taxés, si bien qu'ils sont vendus à des rendements avant impôts plus élevés. Il est évident que les investisseurs tiennent compte des impôts lorsqu'ils commencent à opérer sur les marchés financiers. À long terme, on s'attendrait donc à voir que les actions à haut dividende se vendent moins cher et qu'elles offrent donc des rentabilités supérieures comme le souligne le tableau 16.1.

Il n'est cependant pas aussi simple de mesurer ce phénomène. Par exemple, l'action A vaut 100 € et doit verser un dividende de 5 €. Le rendement *espéré* est donc de 5 / 100 = 0,05, ou 5 %. Par la suite, l'entreprise annonce des bénéfices en hausse et un dividende de 10 €. Rétrospectivement, le véritable rendement de A se révèle donc être 10 / 100 = 0,1 (10 %). Si la hausse non anticipée des bénéfices entraîne une augmentation du prix de l'action A, le haut rendement effectif s'accompagnera d'une rentabilité effective élevée. Mais nous ne saurons pas si le rendement *espéré* s'accompagnait d'une haute rentabilité *espérée*. Pour évaluer les effets de la politique de dividende, nous devons estimer les dividendes espérés par les investisseurs.

Il y a ensuite une difficulté certaine à définir la notion de haut rendement pour un dividende. Par exemple, les actions des entreprises de services aux collectivités offrent généralement de hauts rendements. Mais ont-elles généré ces hauts rendements toute l'année, ou bien seulement les mois ou jours durant lesquels les dividendes ont été versés ? Peut-être que pour la plus grande partie de l'année, elles avaient des rendements nuls et constituaient donc des actifs idéaux pour les individus hautement taxés[30]. Bien sûr, les investisseurs très imposés ne veulent pas détenir d'actions les jours où les dividendes sont payés, mais ils peuvent vendre temporairement leurs actions à un courtier en valeurs mobilières. Ces derniers sont imposés de la même façon sur les dividendes et les gains en capital, ils ne vont donc pas exiger une rentabilité supérieure pour détenir les actions durant la période de versement des dividendes. Si les actionnaires pouvaient s'échanger les actions librement au moment du versement du dividende, l'effet de l'imposition devrait être nul.

---

29. Ces coûts peuvent être importants. Référez-vous au chapitre 15, et spécialement au tableau 15.3.

30. Imaginez qu'une année comporte 250 jours ouvrables, et prenez le cas d'une action versant un dividende trimestriel. Nous pouvons dire que l'action offre un haut dividende durant 4 jours, mais un rendement nul les 246 autres.

Un certain nombre de chercheurs ont tenté de vérifier si, effectivement, les investisseurs exigeaient une rentabilité plus élevée pour les actions à haut rendement. Leurs résultats ont été diversement appréciés par les adversaires des dividendes, dans la mesure où la plupart des études tendent à montrer que les actions à haut rendement ont généré des rentabilités élevées. Cependant, le taux d'imposition estimé diffère substantiellement d'une étude à l'autre. Par exemple, alors que pour Litzenberger et Ramaswamy, les investisseurs valorisent les actions comme si les dividendes entraînaient une imposition supérieure de 14 à 23 %, Miller et Scholes ne parviennent qu'à une différence négligeable de 4 % entre les taux d'imposition[31].

7.3 L'imposition des dividendes et des plus-values

Aujourd'hui en France, le taux d'imposition sur les plus-values est de 27 % (17 % + 10 % de CSG-RDS), tandis que l'imposition sur les dividendes varie théoriquement entre 5,5 % et 40 %[32]. La différence tend néanmoins à se résorber fortement dans la plupart des pays développés. Par exemple, aux États-Unis, les taux de taxation sur dividendes ou plus-values sont *au* maximum de 15 %.

La fiscalité favorise les plus-values d'une autre manière. En effet, les dividendes sont taxés l'année de leur perception, alors que les plus-values ne sont imposées que lorsqu'elles sont effectivement réalisées. Les investisseurs peuvent alors choisir quand ils réaliseront la plus-value, et donc à quelle date ils seront taxés. Plus cette date est éloignée dans le temps, plus la *valeur actuelle* de cet impôt sera faible.

31. Voir R. H. Litzenberger et K. Ramaswamy, « The Effects of Dividends on Common Stock Prices : Tax Effects of Information Effects », *Journal of Finance*, 37 (mai 1982), pp. 429-443 ; et M. H. Miller et M. Scholes, « Dividends and Taxes : Some Empirical Evidence », *Journal of Political Economy*, 90 (1982), pp. 1118-1141. Merton Miller procède à une vaste revue de la littérature dans « Behavioral Rationality in Finance : The Case of Dividends », *Journal of Business*, 59 (octobre 1986), pp. S451-S468.

32. Les plus-values peuvent être exonérées d'impôt si elles sont réalisées dans le cadre d'un compte particulier (PEA, assurance-vie). Dans ce cas, seuls les 10 % de CSG-CRDS sont dus. Pour les dividendes, voici un tableau récapitulatif des barèmes d'impôt sur le revenu 2006. NB : à partir de 2006, les barèmes intègrent directement l'abattement de 20 % sur les salaires et les traitements.

Tranche de revenu	Taux marginal
0 - 5 515 €*	Non imposable
5 515 - 11 000 €	5,50 %
11 000- 24 432 €	14 %
24 432 € - 65 500 €	30 %
65 500 € et +	40 %

Source : **fr.biz.yahoo.com/patrimoine/impots**.

Enfin, ces règles fiscales diffèrent suivant les individus : nous avons évoqué des barèmes concernant des personnes physiques, mais il faut aussi prendre en compte les sociétés qui sont actionnaires, et qui peuvent donc toucher des dividendes (taxés au taux de l'impôt sur les sociétés, soit 34,3 % en France, voire exonérés dans le cas d'un régime mère-fille) ou réaliser des plus-values (taxées à 34,3 %, mais qui peuvent bénéficier d'une imposition à 20 % sous certaines circonstances de détention), ou encore les institutions financières, dont les réglementations fiscales sont particulières, selon les « véhicules » dans lesquels sont investis les titres. (Par exemple, les fonds de pension américains sont *exonérés de tout impôt.*)

Les implications de ces règles fiscales sur la politique de dividende sont plutôt simples. Les plus-values présentent des avantages pour beaucoup d'investisseurs, mais sont bien moins avantageuses qu'il y a vingt ou trente ans, quand elles n'étaient pas taxées, ou uniquement au-delà d'un seuil de vente élevé. Ainsi, la position des tenants de minimiser le montant des dividendes (petitboutistes) est plus faible qu'elle ne l'a été. Dans le même temps, le camp des modérés a trouvé une plus large justification.

8 Le centre modéré

Le parti des modérés, représenté principalement par Miller, Black et Scholes, soutient que la valeur d'une entreprise n'est pas affectée par sa politique de dividende[33]. À la différence des deux autres partis, ils partent du principe que l'offre de dividendes est libre de s'ajuster à la demande. Aussi, si les entreprises pouvaient accroître le cours de leur action en modifiant le versement de leurs dividendes, elles l'auraient sûrement déjà fait. Si les dividendes restent à leur niveau actuel, c'est qu'aucune entreprise ne croit qu'elle pourrait augmenter le cours de ses actions en modifiant sa politique de dividende.

Cela n'est pas incompatible avec l'existence d'investisseurs qui demandent des actions à faible taux de distribution. Les entreprises ont découvert cette clientèle il y a bien longtemps, et beaucoup d'entre elles ont adopté des taux de distribution faibles pour la satisfaire, jusqu'au point où cette demande fut effectivement satisfaite, et il n'y a plus d'intérêt pour de nouvelles entreprises à se tourner vers des politiques de distribution faible. Dans le même ordre d'idée, des investisseurs peuvent très bien préférer des dividendes élevés, mais ils ont aussi accès à un large choix d'actions de qualité. Un troisième groupe, composé des fonds de pension et d'autres institutions exonérées d'impôt, peut n'avoir aucun motif pour préférer les dividendes aux gains en capital. Ces investisseurs seront heureux de détenir à la fois des actions à fort et à faible dividende, et leur valorisation de chaque action sera indépendante de la politique de dividende de la société. Dans cette configuration, nous sommes de retour dans un univers à la MM où la politique de dividende est sans objet.

Selon les modérés, les entreprises n'accorderaient pas une telle quantité de dividendes si ce n'était pas ce que les investisseurs souhaitent. Mais une énigme demeure : même à l'époque où les dividendes étaient lourdement taxés, beaucoup d'investisseurs étaient apparemment satisfaits de détenir des actions à haut dividende. La réponse des modérés est d'affirmer que le système fiscal est criblé de failles et que certains actionnaires peuvent en profiter.

33. F. Black et M. S. Scholes, « The Effects of Dividend Yield and Dividend Policy on Common stock Prices and Returns », *Journal of Financial Economics*, 1 (mai 1974), pp. 1-22 ; M. H. Miller et M. S. Scholes, « Dividends and Taxes », *Journal of Financial Economics*, 6 (décembre 1978), pp. 333-364 ; et M. H. Miller, « Behavioral Rationality in Finance : The Case of Dividends », *Journal of Business*, 59 (octobre 1986), pp. S451-S468.

Par exemple, au lieu d'investir directement sur un compte titres, ils peuvent le faire dans un PEA (plan d'épargne en actions) ou dans un contrat d'assurance-vie, qui bénéficient d'un régime fiscal beaucoup plus favorable. Cet argument est loin de suffire néanmoins, dans la mesure où une grande proportion des dividendes est régulièrement versée à de riches particuliers et incluse dans leur revenu imposable[34].

Un autre argument est que les entreprises qui paient de faibles dividendes peuvent être alléchantes pour les particuliers fortement imposés ; celles qui versent de forts dividendes intéresseront une plus forte proportion d'actionnaires non taxés, comme certaines institutions financières. Ces institutions financières sont des investisseurs très performants : ils surveillent les sociétés, et mettent sous pression leurs malheureux dirigeants pour qu'ils soient performants. Auréolées de succès, les sociétés bien gérées sont ravies d'avoir des institutions financières comme actionnaires, mais leurs consœurs dont la gestion est médiocre préfèrent des actionnaires classiques, et plus dociles.

Vous devez deviner où nous allons. Les sociétés à la gestion performante veulent le faire savoir. Elles peuvent le faire en ayant une forte proportion d'institutionnels exigeants parmi leurs actionnaires. Comment y parviennent-elles ? En versant de forts dividendes. Ceux des actionnaires qui paient des impôts élevés ne seront pas opposés à ces dividendes élevés aussi longtemps qu'ils incitent les investisseurs institutionnels à investir du temps et des efforts dans le contrôle de la gestion de l'entreprise[35].

8.1 Les différents systèmes fiscaux nationaux

Même si l'on constate une tendance globale à l'harmonisation des fiscalités nationales (notamment en raison des conventions fiscales entre pays, et du traitement des investisseurs non résidents), on peut encore dissocier les systèmes fiscaux en quelques catégories. Premièrement, il y a les systèmes qui pratiquent la *double imposition*, où les sociétés paient l'impôt sur les sociétés (IS), puis versent des dividendes qui sont à nouveau taxés au niveau des actionnaires, comme impôt sur le revenu (IR). C'est par exemple le cas des États-Unis, où les profits des actionnaires sont taxés deux fois. Par opposition, certains pays, comme l'Australie, remboursent aux actionnaires l'IS, de telle sorte que ceux-ci ne paient pas deux fois. Le tableau 16.2 illustre ces deux systèmes extrêmes.

En France, le système de l'**avoir fiscal** est désormais révolu. Ce système – intermédiaire – consistait à exonérer l'actionnaire d'une partie de son IR payé sur les dividendes. Depuis 2005, l'avoir fiscal est remplacé par un abattement sur les dividendes reçus, qui joue – plus ou moins – le rôle précédent de l'avoir fiscal, sans en avoir les inconvénients (la sortie de fonds vers les investisseurs non taxés en France). En cela, ce système est intermédiaire par rapport aux deux extrêmes mentionnés précédemment.

Dans les systèmes australien et français, les milliardaires doivent payer des impôts personnels supplémentaires sur les dividendes. Si ce montant est supérieur à la taxation sur les plus-values, alors les milliardaires préféreront que l'entreprise ne distribue pas de dividendes.

---

34. Voir par exemple F. Allen et R. Michaely, « Payout Policy », dans G. Constantinides, M. Harris et R. Stulz (eds), *Handbook of the Economics of Finance : Corporate Finance*, Amsterdam : North-Holland, 2003.

35. L'argument du signal est développé par F. Allen, A. E. Bernardo et I. Welch, « A Theory of Dividend Based on Tax Clienteles », *Journal of Finance*, (décembre 2000), pp. 2499-2536.

Si c'est l'inverse, ils préféreront les dividendes. Pour les investisseurs bénéficiant de taux d'imposition bas, la question importe peu : si l'entreprise verse un dividende, ces investisseurs recevront un chèque de la part du fisc pour l'impôt trop versé par l'entreprise (système australien) ou bénéficieront de l'abattement (système français) et ils préféreront donc des taux de distribution élevés.

Tableau 16.2. Comparaison entre les différents systèmes fiscaux

	États-Unis	Australie		
	Taux d'impôt sur le revenu	Taux d'impôt sur le revenu		
	15 %	15 %	30 %	47 %
Résultat avant impôts	100	100	100	100
Impôt sur les sociétés	35	30	30	30
Résultat Net	65	70	70	70
Dividende	65	70	70	70
+ réintégration d'impôts pour calcul	0	30	30	30
= Revenu imposable	65	100	100	100
Impôt sur le revenu	9,75	15	30	47
Déduction de l'impôt sur la société (IS)	0	–30	–30	–30
Impôt dû par l'actionnaire	9,75	–15	0	17
Disponible pour l'actionnaire	55,25	85	70	53

NB : les taux d'imposition sur les sociétés (IS) sont estimés à 35 % aux États-Unis, et 30 % en Australie.

Résumé

Les dividendes se présentent sous différentes formes. La forme la plus répandue est le dividende en espèces, mais il est parfois versé sous forme d'actions.

Lorsque les entreprises décident de verser un dividende, leur première préoccupation semble être le versement d'un dividende « correct ». La plupart des dirigeants ont, consciemment ou inconsciemment, un taux de distribution idéal en tête. Mais si les entreprises appliquent ce taux de distribution cible aux bénéfices de chaque année, les dividendes vont varier très largement. Les dirigeants essaient alors de réguler les versements de dividendes pour atteindre progressivement ce taux cible. Ils essaient alors de prévoir les bénéfices futurs. Les investisseurs en sont conscients et savent qu'une augmentation de dividendes est souvent un signe d'optimisme de la part de la direction.

Plutôt que de verser des dividendes, une entreprise peut racheter ses propres actions. Certaines ont pris l'habitude de restituer de la trésorerie excédentaire aux actionnaires, ou de remplacer des fonds propres par de l'endettement. Les investisseurs interprètent fréquemment les rachats d'actions comme un indicateur de l'optimisme des dirigeants.

Si nous considérons que la politique d'investissement d'une entreprise est fixée, alors la politique de dividende sera un échange entre des dividendes en espèces et l'émission ou le rachat d'actions. Les entreprises doivent-elles réinvestir tout bénéfice nécessaire au financement de la croissance, et verser tout surplus en dividende ? Ou doivent-elles augmenter les dividendes et ensuite (tôt ou tard) émettre des actions pour combler le manque de financement ? Faut-il réduire le montant des dividendes à un niveau résiduel, et utiliser les fonds ainsi libérés pour racheter des actions ?

Si nous vivions dans un monde parfait, la décision n'aurait aucun impact sur la valeur de marché de l'entreprise. La controverse vient du fait que la politique de dividende se décide dans un monde imparfait. Un point de vue répandu, quoique contesté dans les milieux financiers, est qu'un taux de distribution élevé tire le cours de l'action vers le haut. Mais même s'il existe des clientèles naturelles pour des actions à taux de distribution élevé, nous avons du mal à expliquer pourquoi il existe une préférence globale pour les dividendes. Nous pensons que les investisseurs font pression sur les entreprises pour accroître les dividendes lorsqu'ils ne font pas confiance aux dirigeants pour allouer la trésorerie à un usage profitable. Dans ce cas, un accroissement de dividendes conduira à l'augmentation du cours de Bourse, non à cause de la satisfaction des investisseurs, mais parce qu'ils souhaitent que les dirigeants travaillent sous pression.

Cependant, pour des raisons fiscales, les individus fortement imposés préféreront toucher des plus-values (taxées à un taux forfaitaire) plutôt que des dividendes (taxés à la tranche marginale d'imposition). Cette vue se défend théoriquement. Mais son talon d'Achille est révélé par la question suivante : pourquoi les entreprises continuent-elles à distribuer des sommes importantes, contrairement aux préférences des investisseurs ?

La troisième vision de la politique de dividende est fondée sur l'idée que les entreprises *répondent* aux préférences des investisseurs : si elles versent des dividendes conséquents, c'est que les investisseurs le désirent. Si l'offre de dividendes rencontre parfaitement la demande, aucune entreprise ne peut améliorer sa valeur de marché en changeant sa politique de dividende. Bien que cela explique le comportement des sociétés, ceci a un coût, car nous ne pouvons expliquer pourquoi les dividendes ont tel niveau et non tel autre.

Ces théories sont incomplètes et leur justification est tellement sujette à des changements mineurs que nous ne pouvons adopter une position dogmatique. Nos aspirations vont toutefois vers la troisième voie, celle des modérés. Nos conseils aux entreprises suivront les points suivants : premièrement, il y a peu de chances qu'un changement soudain de la politique de dividende ait un impact brutal sur le cours de l'action. En effet, comme les investisseurs essaient toujours d'interpréter les actes des entreprises, il convient de stabiliser la politique de dividende de l'entreprise par exemple en définissant le taux de distribution cible, ou en effectuant de légers ajustements vers ce ratio. S'il est nécessaire d'effectuer un changement brutal du taux de distribution, l'entreprise devra fournir le plus d'avertissements préalables possibles, et veiller à ce que sa décision ne soit pas mal interprétée.

Dans cette optique, nous croyons qu'une société devrait plutôt adopter un taux de distribution cible suffisamment bas pour minimiser sa dépendance à l'égard des capitaux externes. Pourquoi verser des liquidités aux actionnaires quand il faudra émettre de nouvelles actions pour récupérer les fonds ? Il est préférable de conserver l'argent au départ.

Si la politique de dividende n'affecte pas la valeur de l'entreprise, alors vous n'avez pas à vous en soucier quand vous estimez le coût du capital. Mais si vous pensez que les effets de la fiscalité sont importants, alors vous constaterez que les investisseurs demanderont des taux de rentabilité élevés pour des actions à fort taux de distribution. Certains gestionnaires financiers tiennent compte de la politique de dividende, mais la plupart sont *de facto* des modérés quand ils évaluent le coût du capital. Face à l'incertitude sur les effets de la politique de dividende, il ne sert à rien de peaufiner les calculs.

Lectures complémentaires

Les deux articles classiques sur la politique de dividende sont :

J. Lintner, « Distribution of Incomes of Corporations among Dividends, Retained Earnings, and Taxes », *American Economic Review*, 46 (mai 1956), pp. 97-113.

M. H. Miller et F. Modigliani, « Dividend Policy, Growth and the Valuation of Shares », *Journal of Business*, 34 (octobre 1961), pp. 411-433.

Pour un tour d'horizon exhaustif des recherches traitant des politiques de dividende, voir :

F. Allen et R. Michaely, « Payout Policy », dans G. Constantinides, M. Harris et R. Stulz (eds), *Handbook of the Economics of Finance : Corporate Finance*, Amsterdam : North-Holland, 2003.

Activités

Révision des concepts

1. Quels sont les deux moyens par lesquels les entreprises rémunèrent les actionnaires ? Lequel des deux est devenu le plus rapidement populaire ?
2. Les entreprises sont-elles libres de verser n'importe quel montant de dividendes ? Pourquoi ?
3. Quelles sont les quatre principales façons de racheter des actions ?

Tests de connaissances

1. Au premier trimestre N, Van SA versait un dividende trimestriel régulier de 0,34 € par action.
   - **a.** Associez les dates suivantes :

     (A1) Le 27 février N — (B1) Date de clôture des enregistrements
     (A2) Le 6 mars N — (B2) Date de paiement
     (A3) Le 7 mars N — (B3) Date *ex dividend*
     (A4) Le 9 mars N — (B4) Dernier jour dividende-attaché
     (A5) Le 2 avril N — (B5) Date de déclaration
   - **b.** À l'une de ces dates, le cours de l'action baissera vraisemblablement de la valeur du dividende. Pourquoi ?
   - **c.** Le cours de l'action fin février était de 80,20 €. Quel était le rendement attendu du dividende ?
   - **d.** Le BPA est de 3,20 € en N. Quel est le taux de distribution ?
   - **e.** Supposez qu'en N, la société ait versé un dividende en action de 10 %. Quelle aurait été la baisse prévisible du cours de l'action ?
2. Voici quelques affirmations sur les politiques de dividende typiques des entreprises. Lesquelles sont vraies ou fausses ?
   - **a.** Les entreprises fixent le montant des dividendes de chaque année en regardant leurs dépenses d'investissement et en distribuant les fonds restants.
   - **b.** La plupart des entreprises ont un taux de distribution cible.
   - **c.** Elles fixent le montant des dividendes de chaque année comme le taux de distribution cible multiplié par les bénéfices de l'année.
   - **d.** Les dirigeants et les investisseurs sont plus concernés par les variations de dividendes que par leur niveau.
   - **e.** Les dirigeants augmentent souvent les dividendes temporairement, quand les bénéfices sont beaucoup plus élevés que d'habitude pendant un an ou deux.
   - **f.** Les sociétés qui entreprennent des rachats d'actions conséquents financent souvent cette opération par une baisse correspondante des dividendes en espèces.

3. a. Cunégonde possède 1 000 titres d'une société qui vient juste d'annoncer l'accroissement de son dividende de 2,00 € à 2,50 € par titre. Le cours du titre est actuellement de 150 €. Si Cunégonde ne souhaite pas utiliser cet argent, comment peut-elle compenser l'augmentation du dividende ?

b. Eustache possède 1 000 titres d'une société qui vient juste d'annoncer une diminution de son dividende de 8,00 € à 5,00 € par titre. Le cours du titre est actuellement de 200 €. Si Eustache souhaite maintenir son niveau de dépenses, comment peut-il compenser la diminution du dividende ?

4. a. La société Odd SA a un million de titres en circulation, pour lesquels elle verse habituellement un dividende annuel de 5 € par titre. Le PDG a proposé que le dividende soit porté à 7 €. Sans changement de la politique d'investissement et de la structure de financement, quelles mesures doit adopter la société pour compenser l'accroissement du dividende ?

b. Terre SA a cinq millions de titres en circulation. Le PDG a proposé que, compte tenu du volume important de liquidités détenues, le dividende annuel soit porté de 6 € à 8 € par titre. Si vous êtes d'accord avec la politique d'investissement et la structure de financement fixées par le PDG, que doit faire la société pour gérer les conséquences de l'accroissement du dividende ?

5. Macrosoft a 5 000 titres en circulation dont le cours en Bourse est de 140 €. On pense que la société va verser un dividende de 20 € par titre l'an prochain, puis que le dividende va croître indéfiniment de 5 % par an. Le PDG fait aujourd'hui une annonce surprise. Il indique que la société va désormais distribuer la moitié de ses liquidités sous la forme de dividendes et que le reste sera utilisé pour racheter des actions.

a. Quelle est la valeur de la société avant et après l'annonce ? Quelle est la valeur d'un titre ?

b. Quel est l'échéancier de dividendes attendu par titre pour un investisseur qui projette de conserver ses titres plutôt que de les revendre à l'entreprise ? Vérifiez votre évaluation du titre en actualisant l'échéancier de dividendes par titre.

6. Voici les données financières clés de l'entreprise La tête dans le sac SA :

Bénéfice par action pour 2009	5,50 €
Nombre d'actions en circulation	40 millions
Taux de distribution cible	50 %
Dividende prévu par action	2,75 €
Cours de l'action, à la fin de l'année 2009	130 €

La tête dans le sac SA a projeté de payer l'intégralité du dividende début janvier 2010. Il n'y a plus d'impôts sur les revenus ou sur les sociétés depuis 2008.

a. Toutes choses égales par ailleurs, quel sera le cours de l'action après le versement du dividende prévu ?

b. Supposez que l'entreprise annule le dividende et annonce qu'elle compte utiliser les fonds ainsi économisés pour racheter des actions. Que se passera-t-il pour le cours de l'action le jour de l'annonce ? On suppose que cette annonce n'apprend rien aux investisseurs sur les projets de l'entreprise. Combien l'entreprise devra-t-elle racheter d'actions ?

c. Supposez que l'entreprise augmente son dividende à 5,50 € par action et émette alors de nouvelles actions pour compenser ce montant versé. Que se passe-t-il pour le cours de l'action avec ou sans dividende ? Combien d'actions devront être émises ? On suppose encore que les investisseurs ne tirent aucun enseignement de l'annonce.

7. Répondez à la question deux fois, la première en tenant compte de la législation fiscale en vigueur, la seconde en supposant un taux d'imposition égal sur les dividendes et les plus-values.

   Supposez que tous les investissements offrent le même taux de rentabilité avant impôts. Considérez deux actions présentant le même niveau de risque, Hi et Lo. Les actions Hi offrent de généreux dividendes et de faibles plus-values. Les titres Lo versent de faibles dividendes et offrent d'importantes plus-values. Quels investisseurs dans la liste suivante préféreront les actions Lo ? Qui s'orientera vers les actions Hi ? Pour qui cela n'aura-t-il aucune importance ? Expliquez. (On suppose que les actions achetées sont revendues au bout d'un an.)

   a. Une institution financière.

   b. Un particulier à revenus élevés.

   c. Un particulier à revenus modestes.

   d. Une entreprise.

Questions et problèmes

1. Consultez un numéro du quotidien *Les Echos* à la page des cotations d'actions et choisissez une entreprise qui verse régulièrement des dividendes.

   a. Quelle est la fréquence de versement des dividendes ?

   b. Quel est le montant du dividende ?

   c. À quelle date votre action doit elle être enregistrée pour que vous puissiez toucher le dividende ?

   d. Après combien de semaines le dividende est-il versé ?

   e. Regardez le cours de l'action et calculez le taux de rendement annuel.

2. Pour les quatre types d'entreprises suivantes, dites desquelles vous attendez une distribution faible ou forte des bénéfices courants et lesquelles peuvent avoir des PER faibles ou forts.

   a. Des entreprises à fort niveau de risque.

   b. Des entreprises qui ont subi une baisse inattendue de leurs bénéfices.

   c. Des entreprises qui s'attendent à une baisse de leurs bénéfices.

   d. Des entreprises en croissance avec de fortes opportunités d'investissement futures.

3. Artemus Gordon SA a 1 million d'actions en circulation pour une valeur totale de 20 millions d'euros. L'entreprise est supposée verser 1 million d'euros en dividendes l'année prochaine, puis le montant versé est supposé croître perpétuellement de 5 %. Ainsi, le dividende attendu pour l'année 2 est de 1,05 million d'euros, et ainsi de suite. Toutefois, l'entreprise a entendu dire que la valeur de l'action dépendait du flux de dividendes et, par conséquent, a annoncé que le dividende de l'année prochaine atteindra 2 millions d'euros et que les fonds supplémentaires seraient levés immédiatement par une émission de titres. Après cela, le montant total versé chaque année suivra les prévisions initiales, c'est-à-dire 1,05 million d'euros l'année 2 et une croissance perpétuelle de 5 % par an ensuite.

   a. À quel cours les actions seront-elles émises l'année 1 ?

   b. Combien d'actions l'entreprise doit-elle émettre ?

   c. Quel sera le versement de dividendes prévu pour ces nouvelles actions, et quel montant sera par conséquent versé aux anciens actionnaires après l'année 1 ?

   d. Montrez que la valeur actuelle des cash-flows pour les actionnaires actuels reste de 20 millions d'euros.

4. Nous avons affirmé dans la section 16.5 que la thèse de MM sur l'inutilité des dividendes suppose que les nouvelles actions soient vendues à un prix équitable. Relisez la question 3.

Supposez que les nouvelles actions soient émises à l'année 1 à 10 € l'action. Montrez qui perd et qui gagne. La politique de dividende est-elle toujours inutile ? Pourquoi ?

5. Répondez au commentaire suivant : « Il est bien beau de dire que je peux vendre des actions pour couvrir mes besoins de financement, mais cela peut vouloir dire vendre au cours plancher. Si l'entreprise verse un dividende régulier, les investisseurs évitent ce risque. »
6. Référez-vous au bilan de Girouette dans la section 16.5. À nouveau, cette société utilise des fonds pour verser un dividende en espèces de 1 000 €, projetant d'émettre des actions pour lever les fonds nécessaires à l'investissement. Mais cette fois, une catastrophe survient avant l'émission des actions : une nouvelle norme sur le contrôle sanitaire augmente les coûts de production à un point tel que la valeur de Girouette est amputée de moitié pour n'atteindre plus que 4 500 €. La VAN du projet d'investissement n'est cependant pas affectée. Montrez que la politique de dividende est toujours inutile.
7. Beaucoup d'entreprises utilisent le rachat d'actions pour augmenter leur bénéfice par action. Par exemple, supposez qu'une entreprise soit dans la position suivante :

Bénéfice net	10 millions d'euros
Nombre d'actions avant le rachat	1 million
BPA	10 €
PER	20
Cours du titre	200 €

L'entreprise rachète 200 000 actions à 200 €. Le nombre d'actions en circulation baisse à 800 000 et le BPA passe à 12,50 €. En considérant que le PER reste à 20, le cours de l'action doit grimper à 250 €. Discutez.

8. Livarot SA a versé chaque année un dividende de 4 € par action, pendant la dernière décennie. L'entreprise verse l'intégralité de ses bénéfices sous la forme de dividendes et n'envisage pas de croissance de son activité. Il y a 100 000 actions en circulation, cotées 80 € par action. L'entreprise a suffisamment d'argent sous la main pour verser le dividende de l'année prochaine.

   Supposez que Livarot SA décide de réduire son dividende en espèces à zéro et annonce qu'elle va plutôt racheter des actions.

   a. Quelle sera la réaction immédiate du cours de l'action ? Ignorez les impôts et supposez que ce programme de rachat ne véhicule aucune information sur la rentabilité de l'opération ou le risque de l'affaire.

   b. Combien d'actions Livarot SA va-t-elle racheter ?

   c. Comparez et projetez les cours futurs des actions, suivant la nouvelle et l'ancienne politique. Faites ceci pour les années 1,2 et 3.
9. Dans un article traitant du rachat d'actions, un journaliste financier notait : « Un nombre croissant d'entreprises trouvent que le meilleur investissement qu'elles puissent faire est dans elles-mêmes. » Justifiez ce point de vue. Comment l'intérêt du rachat est-il affecté par les projets de l'entreprise et le cours de son action ?
10. Commentez brièvement chacune des affirmations suivantes :

    a. « Les entreprises japonaises versent une faible proportion de leurs bénéfices et par conséquent ont un coût du capital moindre. »

    b. « Contrairement au nouveau capital, qui nécessite un flux de dividendes pour maintenir sa bonne santé, les fonds mis en réserves sont gratuits. »

c. « Si une entreprise rachète des actions au lieu de verser un dividende, le nombre d'actions baisse et le BPA augmente. Par conséquent, le rachat d'actions sera toujours préféré au versement de dividendes. »

11. Munster SA a annoncé un dividende de 1 € par action.

a. Quand le cours de l'action va-t-il baisser pour refléter le versement de dividendes : le jour de la date d'enregistrement, à la date *ex dividend* ou à la date de versement ?

b. En supposant qu'il n'y ait pas d'impôts, quelle est la baisse probable du cours ?

c. Maintenant, supposez que tous les investisseurs ne paient qu'un impôt de 30 % sur les dividendes et rien sur les plus-values. Quelle est la baisse probable du cours du titre ?

d. Supposez que tout soit comme en (c), sauf que l'investisseur paye à la fois une taxe sur le dividende et sur les plus-values. Dans quelle mesure votre réponse à la question (c) sera-t-elle différente ? Expliquez.

12. Reportez-vous à la question 11. Négligez l'impôt et considérez le cours de l'action immédiatement après l'annonce d'un dividende de 100 €.

a. Si vous détenez 100 actions, quelle est la valeur de votre investissement ? Comment le versement du dividende affecte-t-il votre richesse ?

b. Maintenant, prenez en compte l'hypothèse que Munster annule le versement de dividendes et annonce un rachat de 1 % de ses propres actions pour un montant de 100 € chacune. Comment accueillerez-vous la nouvelle, avec joie ou grincements de dents ? Expliquez.

13. Les actions des entreprises A et B se négocient toutes les deux au cours de 100 €, et offrent un taux de rentabilité avant impôts de 10 %. Dans le cas de l'entreprise A, le profit provient entièrement du rendement des dividendes (l'entreprise verse un dividende annuel régulier de 10 € par action), alors que pour B, le profit vient entièrement d'une plus-value (les actions s'apprécient de 10 % par an). Supposez que les dividendes et les plus-values réalisées soient tous les deux imposés à 30 %. Quel est le taux de rentabilité après impôts pour l'action A ? Quel est le taux de rentabilité pour B pour un investisseur qui vend ses titres au bout de deux ans ? Et pour celui qui vend après dix ans ?

14. a. L'entreprise Vache Kiwi verse un dividende trimestriel de 1 €. Supposez que l'on prévoie que le cours de l'action baisse de 90 % le jour de la date *ex dividend*. Préféreriez-vous acheter à la date de paiement ou à la date *ex dividend* si vous étiez (i) un investisseur non imposé, (ii) un investisseur imposé au taux marginal de 40 % sur le revenu et à 16 % sur les plus-values ?

b. Dans une étude sur le comportement *ex dividend*, Elton et Gruber ont estimé que le cours de l'action chutait en moyenne de 85 % du montant du dividende. Si le taux d'imposition sur les plus-values valait 40 % du taux d'imposition sur le revenu, qu'est-ce que le résultat d'Elton et Gruber impliquerait sur le taux d'imposition marginal du revenu des investisseurs ?

c. Elton et Gruber ont également observé que la baisse du cours *ex dividend* était différente pour les actions à fort et à faible taux de distribution. Selon vous, quel groupe va enregistrer la chute du cours la plus importante ?

d. Est-ce que le fait que les investisseurs puissent échanger des actions librement à l'approche de la date *ex dividend* modifie votre interprétation de la thèse d'Elton et Gruber ?

e. Supposez qu'Elton et Gruber répètent leurs tests sur une période où le taux d'imposition sur les dividendes est aligné sur celui des plus-values. Comment, selon vous, cela va-t-il modifier leurs résultats ?

15. L'école des modérés soutient la thèse que la politique de dividende importe peu car l'offre d'actions à fort, moyen et faible taux de distribution a déjà été ajustée pour satisfaire la demande des investisseurs. Les investisseurs qui apprécient les dividendes généreux détiennent des actions qui leur donnent ce qu'ils veulent. Les investisseurs qui recherchent des plus-values en capital se concentrent sur des actions à faible taux de distribution. Par conséquent, les entreprises à taux de distribution élevé ne peuvent rien gagner en se transformant en entreprises à bas taux de distribution et *vice versa*.

Supposez que le gouvernement taxe au même taux les dividendes et les plus-values. Ce changement fiscal modifiera-t-il le montant total des dividendes en espèces versés par les entreprises, et la proportion des entreprises à taux de distribution élevés par rapport à celles qui distribuent peu ? La politique de dividende sera-t-elle toujours inutile après que tous les ajustements sur l'offre de dividendes auront été effectués ? Expliquez.

Problèmes avancés

1. Le tableau suivant établit une liste des dividendes et des bénéfices par action pour les entreprises Maroilles et Stilton. Estimez le taux de distribution cible pour chaque entreprise et le taux auquel les dividendes sont ajustés vers le ratio cible. Supposez qu'en N+1, les bénéfices de Maroilles aient augmenté de 5 € par action et ceux de Stilton de 3 €. Comment pourriez-vous prévoir leurs variations de dividendes ?

	Maroilles		Stilton	
Année	**BPA**	**Dividende**	**BPA**	**Dividende**
N-17	0,17	0,08	1,16	0,60
N-16	0,19	0,09	0,47	0,60
N-15	0,21	0,09	0,57	0,60
N-14	0,27	0,11	1,45	0,60
N-13	0,37	0,14	1,84	0,61
N-12	0,51	0,22	3,28	0,64
N-11	0,63	0,28	3,86	0,77
N-10	0,76	0,32	2,60	0,84
N-9	0,92	0,39	1,80	0,84
N-8	1,56	0,46	0,58	0,84
N-7	1,44	0,52	1,17	0,84
N-6	1,19	0,57	1,73	0,92
N-5	1,32	0,62	4,50	0,72
N-4	1,56	0,71	1,04	1,00
N-3	1,87	0,85	–0,20	1,00
N-2	2,15	0,95	0,60	1,00
N-1	2,45	1,10	0,48	1,00
N	2,90	1,21	0,32	1,00

2. Considérez les deux affirmations suivantes : « La politique de dividende est inutile » et « Le cours de l'action est la valeur actuelle des dividendes futurs espérés » (voir chapitre 4). Elles semblent contradictoires. Cette question est conçue pour montrer qu'elles sont complémentaires.

   Le cours actuel des actions de Pauillac est de 50 €. Les bénéfices par action et dividende de l'année prochaine seront respectivement de 4 et 2 €. Les investisseurs attendent un taux de croissance des dividendes de 8 %, à l'infini. Le taux de rentabilité espéré demandé par les investisseurs est $r = 12$ %. Nous pouvons utiliser la formule de Gordon-Shapiro :

$$P_0 = \frac{DIV}{r - g}$$

$$= \frac{2}{0{,}12 - 0{,}08}$$

$$= 50$$

Supposez que Pauillac annonce qu'il va s'orienter vers une politique de distribution de 100 %, en émettant des titres à mesure de ses besoins de financement. Utilisez le modèle Gordon-Shapiro (croissance perpétuelle) pour montrer que le cours actuel de l'action est inchangé.

3. Supposons que les dirigeants d'une entreprise envisagent une offre à prix fixé pour racheter la moitié des titres avec une prime de 20 %. Comment cela va-t-il affecter la valeur en Bourse et les bénéfices de l'entreprise ?

4. Les défenseurs de l'école « les dividendes, c'est bien » font parfois remarquer que les actions avec des taux de rendements élevés tendent à avoir des PER supérieurs à la moyenne. Cette preuve est-elle convaincante ? Discutez.

Chapitre 17

La politique d'endettement de l'entreprise a-t-elle de l'importance ?

L'une des ressources fondamentales de l'entreprise est constituée des flux monétaires provenant de ses actifs. Lorsque la société est entièrement financée par des actions, tous ces flux monétaires reviennent aux actionnaires. Lorsque l'entreprise émet à la fois des titres d'emprunt et des actions, elle s'engage à diviser les flux monétaires en deux catégories, l'une, relativement sûre, pour les détenteurs de titres d'emprunt, et l'autre, plus risquée, pour les actionnaires.

La répartition des différents titres de l'entreprise est appelée *structure du capital* ou **structure financière** de l'entreprise. Le choix de la structure financière est fondamentalement assimilable à un problème de marketing. L'entreprise a la possibilité d'émettre une douzaine de titres distincts selon des combinaisons innombrables, mais elle essaiera de trouver la combinaison particulière qui maximisera sa valeur de marché.

Nous devons aussi envisager l'éventualité qu'*aucune* des combinaisons n'a plus d'intérêt qu'une autre. Les décisions réellement importantes à prendre concernent peut-être uniquement les actifs de l'entreprise, et les décisions au sujet de la structure financière ne sont alors que des détails.

Modigliani et Miller (MM), qui ont montré que la politique de dividende n'avait aucune importance dans un marché parfait, sont arrivés à la même conclusion pour les décisions de financement. Dans leur célèbre « proposition I », ils affirment qu'une entreprise ne peut pas modifier la valeur *totale* de ses titres simplement en divisant ses flux monétaires en différentes catégories : la valeur de l'entreprise est déterminée par ses actifs réels, non pas par les titres qu'elle émet. Par conséquent, les décisions d'investissement et de financement sont complètement distinctes. *Cela implique alors que toute entreprise peut utiliser les procédures d'investissement présentées dans les chapitres 2 à 12, sans se soucier de la provenance des fonds pour ces dépenses.* Dans ces chapitres, nous avons supposé – sans réellement y penser – que tous les modes de financement étaient équivalents. Si la proposition I est valable, cette approche est tout à fait justifiée.

Nous croyons qu'en pratique, la structure financière *a* de l'importance, mais nous consacrons néanmoins tout ce chapitre à la proposition de MM. Si vous ne saisissez pas totalement les conditions selon lesquelles la théorie de MM est valable, vous ne comprendrez pas non plus pourquoi telle structure de capital est meilleure qu'une autre. Un financier doit savoir tirer parti de toutes les imperfections du marché.

Dans le chapitre 18, nous analyserons de manière détaillée les imperfections susceptibles de faire la différence, notamment les impôts, les coûts d'une faillite et les coûts des contrats d'emprunt compliqués. Nous montrerons aussi qu'il est simpliste de croire que les décisions d'investissement et de financement puissent être complètement séparées.

Mais nous isolons dans ce chapitre la décision concernant la structure financière en supposant que la décision au sujet de l'investissement est déjà arrêtée. Nous supposons également que la politique de dividende n'est pas pertinente.

1 L'effet de levier dans un monde sans impôts

Tout au long de ce chapitre, nous allons traiter d'un monde sans impôts. Cela n'est hélas pas notre privilège : à moins de nous être réfugiés dans un paradis fiscal et ses palmiers, nous sommes condamnés à payer des impôts. Nous traiterons des impôts dans une seconde partie, une fois que nous aurons bien compris l'équilibre qui existe dans un monde sans impôts.

1.1 L'entrée en scène de Modigliani et Miller (MM)

Admettons que le financier veuille trouver la combinaison de titres qui maximise la valeur de l'entreprise. Comment doit-il faire ? MM répondent qu'il ne doit pas s'inquiéter : dans un marché parfait, aucune combinaison n'est meilleure qu'une autre. Le choix de la structure financière n'affecte pas la valeur de l'entreprise[1].

Imaginez deux sociétés identiques, et qui ne diffèrent que par leur structure financière. La société SansDette (S) n'est pas endettée : la valeur totale de ses capitaux propres CP_S est égale à V_s, la valeur totale de la société. La société Levier (L), quant à elle, est endettée. La valeur de ses actions est donc égale à la valeur de la société moins la valeur de l'emprunt : $CP_L = V_L - D_L$.

Dans quelle entreprise préféreriez-vous investir ? Si vous ne voulez pas prendre beaucoup de risques, vous pouvez acheter des actions cotées en Bourse de l'entreprise non endettée, S. Par exemple, si vous achetez 1 % des actions de S, votre investissement est de 0,01 V_S et vous avez droit à 1 % des résultats d'exploitation :

Investissement en euros	Rentabilité en euros
0,01 V_S	0,01 Résultat d'exploitation

1. F. Modigliani et M. H. Miller, « The Cost of Capital, Corporation Finance and the Theory of Investment », *American Economic Review*, 48 (juin 1958), pp. 261-297. L'argument de base de MM avait été pressenti en 1938 par J. B. Williams et dans une certaine mesure par David Durand. Voir J. B. Williams, *The Theory of Investment Value*, Harvard University Press, Cambridge, MA, 1938 ; et D. Durand, « Cost of Debt and Equity Funds for Business : Trends and Problems of Measurement », dans *Conference on Research in Business Finance*, National Bureau of Economic Research, New York (1952).

Comparons maintenant avec une autre stratégie. Il s'agit d'acheter 1 % des titres (actions et emprunts) de L. Votre investissement et votre rentabilité seraient alors les suivants :

	Investissement en euros	Rentabilité en euros
Actions	0,01 CP_L	0,01(Résultat d'exploitation – intérêts)
Titres d'emprunt	0,01 D_L	0,01 Intérêts
Total	0,01($D_L + CP_L$) = 0,01V_L	0,01 Résultat d'exploitation

Les deux stratégies offrent la même rémunération : 1 % du résultat d'exploitation de l'entreprise. Dans un marché efficient, deux investissements qui offrent la même rémunération doivent avoir la même valeur. Par conséquent, 0,01 V_S doit être égal à 0,01 V_L : la valeur de la société non endettée doit être égale à celle de la société endettée.

Supposons que vous acceptiez de courir plus de risques. Vous décidez d'acheter 1 % des actions de l'entreprise endettée. Votre investissement et votre rentabilité sont désormais les suivants :

Investissement en euros	Rentabilité en euros
0,01 CP_L = 0,01(V_L – D_L)	0,01 (Résultat d'exploitation – intérêts)

Mais il y a une autre stratégie qui consiste à acheter 1 % des actions de l'entreprise *non endettée* et à emprunter 0,01 D_L par vos propres moyens. Dans ce cas, votre emprunt vous procure un encaissement immédiat de 0,01 D_L, mais vous devez payer un intérêt sur votre emprunt égal à 1 % de l'intérêt que paie l'entreprise L. Votre investissement total et votre rentabilité sont donc les suivants :

	Investissement en euros	Rentabilité en euros
Actions d'exploitation	0,01 V_S	0,01 Résultat d'exploitation
Titres d'emprunt	–0,01 D_L	–0,01 Intérêts
Total	0,01(V_S – D_L)	0,01(Résultat d'exploitation – intérêts)

De nouveau, les deux stratégies offrent la même rémunération : 1 % du résultat d'exploitation après déduction des intérêts. Par conséquent, les deux investissements doivent avoir le même coût. Donc 0,01(V_S – D_L) doit être égal à 0,01(V_L – D_L) et V_S égal à V_L.

Peu importe que le monde soit plein de frileux cultivant la haine du risque ou au contraire plein d'aventureux. Tous seraient d'accord pour dire que la valeur de l'entreprise non endettée U doit être égale à celle de l'entreprise endettée L. Tant que les investisseurs peuvent emprunter ou prêter par leurs propres moyens dans des conditions semblables à celles de l'entreprise, ils peuvent « annihiler » les effets de tout changement de structure financière de l'entreprise. C'est la base de la fameuse proposition I de MM : « La valeur de marché de toute entreprise est indépendante de la structure de son capital. »

1.2 La loi de la conservation de la valeur

Nous avons déjà rencontré le principe de *l'additivité de la valeur* au cours de notre analyse de la politique d'investissement où nous avions vu que, sur des marchés de capitaux parfaits, la valeur actualisée de deux actifs combinés était égale à la somme de leurs valeurs actualisées prises séparément.

Ici, nous n'avons pas combiné des actifs, nous les avons au contraire fractionnés. Mais l'additivité de la valeur fonctionne aussi en sens inverse. Nous pouvons diviser un flux monétaire en autant de parties que nous le voulons ; la somme des valeurs de ces parties redonnera toujours la valeur du flux entier.

Il s'agit bien ici d'une *loi de la conservation de la valeur*. La valeur d'un actif est préservée, indépendamment de la manière dont on divise cet actif. D'où la proposition I : la valeur de l'entreprise est déterminée dans la *partie gauche* du bilan par les actifs réels, et non pas par la proportion de titres d'emprunt et de capitaux propres émis par l'entreprise.

Les idées les plus simples trouvent souvent les applications les plus larges. Par exemple, nous pourrions appliquer la loi de la conservation de la valeur pour décider s'il faut émettre soit des actions privilégiées, soit des actions ordinaires ou une combinaison des deux. En admettant des marchés de capitaux parfaits et que cette décision n'affecte pas les politiques d'investissement, d'emprunt et d'exploitation de l'entreprise, la loi de conservation de la valeur laisse supposer que ce choix n'est pas pertinent. Si la valeur totale de la « tarte » capitaux propres (actions privilégiées et ordinaires combinées) est déterminée, les propriétaires de l'entreprise (ses actionnaires ordinaires) ne se soucient pas de savoir comment la tarte est découpée.

La loi s'applique aussi à la *combinaison* des titres d'emprunt émis par l'entreprise. Les choix inhérents à l'emprunt, à long terme ou à court terme, garanti ou non garanti, principal ou subordonné, convertible ou non convertible, ne devraient avoir aucun effet sur la valeur globale de l'entreprise.

La réunion d'actifs puis leur fractionnement n'affecteront pas les valeurs tant qu'ils ne modifient pas le choix des investisseurs. Quand nous avons démontré que la structure financière n'influençait pas ce choix, *nous supposions implicitement que les entreprises et les particuliers pouvaient emprunter et prêter au même taux d'intérêt sans risque*. Tant qu'il en est ainsi, les particuliers ne peuvent pas « annihiler » l'effet de tout changement de la structure financière de l'entreprise.

En pratique, les emprunts d'entreprise ne sont pas sans risque et les sociétés ne peuvent pas s'en tirer avec un taux d'intérêt égal à celui d'un titre public. La première réaction de certaines personnes est que cela suffit à invalider la proposition de MM. C'est une erreur naturelle, mais la structure financière peut ne pas être pertinente même si l'emprunt est risqué.

Si une entreprise emprunte de l'argent, elle ne garantit pas son remboursement : elle remboursera complètement son emprunt seulement si ses actifs ont une valeur supérieure à celle de son emprunt. Les actionnaires de l'entreprise ont donc une *responsabilité limitée.*

De nombreux particuliers souhaiteraient emprunter en ayant une responsabilité limitée. Par conséquent, ils pourraient être prêts à payer une petite prime pour des actions endettées *si l'offre de ces titres était insuffisante pour répondre à leurs besoins*[2]. Or, il y a en circulation des milliers d'actions de sociétés ayant contracté un emprunt. Il semble donc peu vraisemblable qu'une émission de titres d'emprunt les conduise à payer une prime pour *vos* actions[3].

Tableau 17.1. Chimène SA est entièrement financée par des actions. La société prévoit un résultat d'exploitation de 1 500 € par an à perpétuité, mais ce n'est pas certain. Le tableau montre la rentabilité pour les actionnaires en fonction de différentes hypothèses sur le résultat d'exploitation. Nous supposons qu'il n'y a pas d'impôts

Données				
Nombre d'actions	1 000			
Cours de l'action	10 €			
Valeur de marché des actions	10 000 €			
			Résultats	
Bénéfice d'exploitation, en euros	500	1 000	**1 500**	2 000
Bénéfice par action, en euros	0,50	1,00	**1,50**	2,00
Rentabilité des actions, en pourcentage	5	10	**15**	20
			Résultat attendu	

Les données de ce tableau, comme celles de tous les tableaux de ce chapitre, sont disponibles sur ***www.gestion financiere.pearsoned.fr***

1.3 Un exemple de la proposition I

Chimène SA veut changer sa structure financière. Le tableau 17.1 montre la structure actuelle. La société n'a pas de dettes et tous ses résultats d'exploitation sont versés à ses actionnaires sous forme de dividendes (nous supposons toujours qu'il n'y a pas d'impôts). Les bénéfices et dividendes par action anticipés sont en moyenne de 1,50 €. Le cours de chaque action est de 10 €. Puisque l'entreprise prévoit de générer un flux régulier et perpétuel de bénéfices, la rentabilité attendue par action est égale au ratio bénéfice/cours, 1,50 / 10 = 0,15, ou 15 %[4].

Mlle La Cid, présidente de la société, est arrivée à la conclusion que les actionnaires seraient plus riches si l'entreprise avait autant de titres d'emprunt que d'actions. Elle propose donc d'émettre 5 000 € de titres d'emprunt à un taux d'intérêt de 10 % et d'utiliser cette somme au rachat de 500 actions. Afin d'appuyer sa proposition, Mlle La Cid a analysé la situation en considérant différentes hypothèses de bénéfices d'exploitation. Le tableau 17.2 indique les résultats de ses calculs.

2. Les particuliers pourraient certainement créer une responsabilité limitée s'ils le désiraient. En d'autres termes, le prêteur pourrait accorder aux emprunteurs qu'ils ne remboursent entièrement leur dette que si les actifs de l'entreprise X ont une valeur supérieure à un certain montant. Les particuliers ne s'engagent pas dans de tels arrangements parce qu'ils peuvent obtenir plus simplement une responsabilité limitée en investissant dans les actions de sociétés endettées.

3. La structure du capital est également peu pertinente si chaque investisseur détient un portefeuille d'actions tout à fait diversifié. Dans ce cas, il ou elle possède tous les titres risqués offerts par une entreprise (à la fois des titres d'emprunt et des actions). Mais quiconque détient tous ces titres risqués ne se soucie pas de savoir comment les flux monétaires se répartissent entre ces différents titres.

4. Voir la section 4 du chapitre 4.

Afin de voir plus clairement comment le levier financier affecterait les bénéfices par action, Mlle La Cid a aussi réalisé la figure 17.1. La droite bleue montre comment les bénéfices par action varient en fonction du résultat d'exploitation avec la structure actuelle du capital de l'entreprise – entièrement financée par des actions. C'est donc simplement une transposition des données du tableau 17.1. La droite noire montre, quant à elle, comment les bénéfices par action varient quand il y a autant de titres d'emprunt que d'actions. C'est la transposition des données du tableau 17.2.

Tableau 17.2. Chimène SA se demande si elle doit émettre 5 000 € de titres d'emprunt à un taux d'intérêt de 10 % et racheter 500 actions. Ce tableau montre la rentabilité pour les actionnaires selon différentes hypothèses de résultat d'exploitation

Données				
Nombre d'actions	500			
Cours de l'action	10 €			
Valeur de marché des actions	5 000 €			
Valeur de marché de l'emprunt	5 000 €			
Intérêt à 10 %	500 €			
			Résultats	
Bénéfice d'exploitation, en euros	500	1 000	**1 500**	2 000
Intérêts, en euros	500	500	**500**	500
Bénéfice des actions ordinaires, en euros	0	500	**1 000**	1 500
Bénéfice par action, en euros	0	1	**2**	3
Rentabilité des actions, en pourcentage	0	10	**20**	30
			Résultat attendu	

Voici le raisonnement de Mlle La Cid : « Il est clair que l'effet de levier dépend des bénéfices de l'entreprise. Si ce bénéfice est supérieur à 1 000 €, la rentabilité des actions est *accrue* par le levier. S'il est inférieur à 1 000 €, la rentabilité est *réduite* à cause du levier. La rentabilité ne change pas quand le résultat d'exploitation est exactement de 1 000 €. La rentabilité de la valeur de marché des actifs est alors de 10 %, ce qui correspond précisément au taux d'intérêt de l'emprunt. Notre décision concernant la structure financière dépend donc des perspectives de bénéfice. Comme nous espérons un résultat d'exploitation supérieur au seuil de rentabilité de 1 000 €, je crois que nous agissons dans le meilleur intérêt de nos actionnaires en lançant un emprunt de 5 000 €. »

En tant que gestionnaire financier de Chimène, vous lui répondez : « Je pense aussi que le levier joue en faveur des actionnaires tant que notre bénéfice est supérieur à 1 000 €. Mais dans votre argumentation, vous oubliez le fait que les actionnaires de Chimène peuvent emprunter par leurs propres moyens. Par exemple, supposons qu'un investisseur emprunte 10 € et investisse ensuite 20 € dans deux actions de Chimène. Cette personne n'a fourni que 10 € de ses propres fonds. La rémunération de cet investissement varie en fonction du résultat

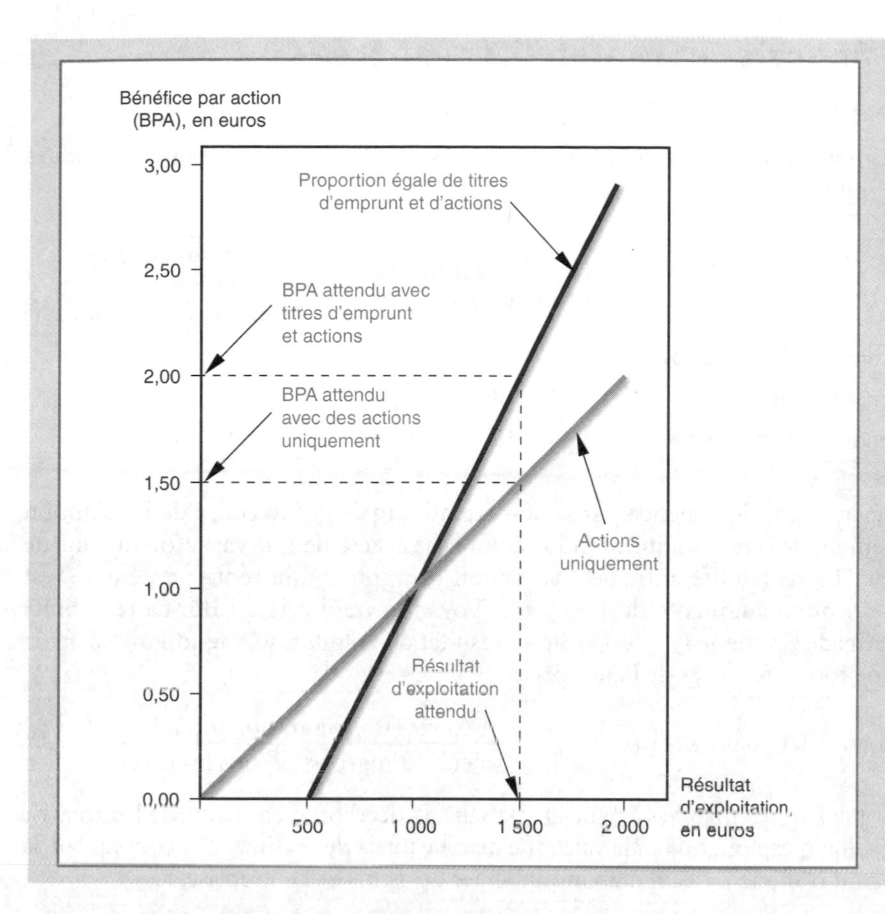

Figure 17.1 - Emprunter accroît le BPA (bénéfice par action) de Chimène quand le résultat d'exploitation est supérieur à 1 000 € et réduit le BPA quand le résultat d'exploitation est inférieur à 1 000 €. Le BPA attendu passe de 1,50 € à 2 €.

d'exploitation de Chimène, comme le montre le tableau 17.3. Il en résulte la même distribution de rémunérations que celle obtenue par l'investisseur en achetant une action d'une société endettée. (Comparez les deux dernières lignes des tableaux 17.2 et 17.3.) Une action d'une société endettée doit donc être vendue 10 €. Si Chimène exécute son projet d'emprunt, elle ne permettra pas aux investisseurs de réaliser quelque chose qu'ils ne puissent déjà réaliser par eux-mêmes, elle n'accroîtra donc pas la valeur. » L'argument que vous venez d'utiliser est exactement celui qu'ont utilisé MM pour prouver leur proposition I.

Tableau 17.3. Les investisseurs individuels peuvent reproduire par eux-mêmes l'effet de levier de Chimène

	Bénéfice d'exploitation, en euros			
	500	**1 000**	**1 500**	**2 000**
Bénéfice pour deux actions, en euros	1	2	**3**	4
Moins intérêt à 10 %	1	1	**1**	1
Bénéfice net de l'investissement, en euros	0	1	**2**	3
Rentabilité d'un investissement de 10 €, en pourcentage	0	10	**20**	30
			Résultat attendu	

2 Risque financier et rentabilités espérées

2.1 Les conséquences de la proposition I

Considérez maintenant les conséquences de la proposition I sur les rentabilités attendues des actions de Chimène :

	Structure actuelle : actions uniquement	Structure suggérée : autant de titres d'emprunt que d'actions
Bénéfice par action attendu, en euros	1,50	2
Cours de l'action, en euros	10	10
Rentabilité attendue par action, en %	15	20

Le levier financier accroît le bénéfice par action attendu, mais *pas* le cours de l'action. En effet, un changement de la rentabilité attendue compense exactement la variation du taux de bénéfice attendu. La rentabilité anticipée par action (qui, pour une rente perpétuelle, est égale à bénéfice / cours) augmente de 15 à 20 %. Voyons à quoi cela est dû. La rentabilité anticipée des actifs de Chimène r_{Actifs} est égale au résultat d'exploitation attendu divisé par la valeur de marché totale des titres de l'entreprise :

$$\text{Rentabilité attendue des actifs} = r_{Actifs} = \frac{\text{bénéfice d'exploitation attendu}}{\text{valeur du marché de tous les titres}}$$

Nous avons vu que sur des marchés financiers parfaits, la décision d'emprunt de l'entreprise n'affecte *ni* le résultat d'exploitation *ni* la valeur de marché totale de ses titres. Par conséquent, la décision d'emprunt n'affecte pas la rentabilité anticipée des actifs de l'entreprise, r_{Actifs}.

Supposons qu'un investisseur détienne tous les titres d'emprunt de la société et toutes ses actions. Cet investisseur aurait droit alors à tout le résultat d'exploitation de l'entreprise ; la rentabilité anticipée de son portefeuille serait donc égale à r_{Actifs}. La rentabilité anticipée d'un portefeuille est égale à la moyenne pondérée des rentabilités attendues des titres individuels. Par conséquent, la rentabilité anticipée d'un portefeuille constitué de tous les titres de l'entreprise est :

$$\text{Rentabilité attendue de l'actif} = \left(\begin{matrix}\text{proportion de}\\\text{capitaux propres}\end{matrix} \times \begin{matrix}\text{rentabilité attendue}\\\text{de capitaux propres}\end{matrix}\right) + \left(\begin{matrix}\text{proportion des}\\\text{titres d'emprunt}\end{matrix} \times \begin{matrix}\text{rentabilité attendue}\\\text{des titres d'emprunt}\end{matrix}\right)$$

$$r_{Actifs} = \frac{CP}{CP + D} \times r_{Capitaux\ propres} + \frac{D}{CP + D} \times r_{Dette}$$

Cette formule a déjà été vue dans le chapitre 9 : il s'agit du coût moyen pondéré du capital (CMPC) ou WACC (pour *weighted average cost of capital*), en l'absence d'impôts. Nous pouvons modifier cette équation pour obtenir une expression de r_{CP}, la rentabilité attendue des capitaux propres d'une entreprise endettée :

$$r_{Capitaux\ propres} = r_{Actifs} + \frac{D}{CP}(r_{Actifs} - r_{Dette})$$

2.2 La proposition II

Voici la proposition II de MM : le taux de rentabilité attendu des actions d'une entreprise endettée augmente en proportion du ratio dettes/capitaux propres (D/CP), exprimé en valeurs de marché. Le taux de croissance dépend de l'écart entre r_{Actifs}, le taux de rentabilité attendu d'un portefeuille constitué de tous les titres de l'entreprise, et r_D, la rentabilité attendue des titres d'emprunt. Notons que $r_{Capitaux\ propres} = r_{Actifs}$ si l'entreprise n'a pas de dette. Nous pouvons appliquer cette formule à Chimène. Avant la décision d'emprunt, on a :

$$r_{Capitaux\ propres} = r_{Actifs} = \frac{\text{résultat d'exploitation attendu}}{\text{valeur du marché de tous les titres}}$$

$$= \frac{1\,500}{10\,000} = 0{,}15 \text{ ou } 15\ \%$$

Si l'entreprise met en place son projet d'emprunt, la rentabilité attendue de l'actif r_{Actifs} demeure à 15 %. La rentabilité attendue des capitaux propres devient :

$$r_{Capitaux\ propres} = r_{Actifs} + \frac{D}{CP}(r_{Actifs} - r_{Dette})$$

$$= 0{,}15 + \frac{1\,500}{10\,000}(0{,}15 - 0{,}10)$$

$$= 0{,}20 \text{ ou } 20\ \%$$

Selon la proposition I de MM, le levier financier n'a pas d'effet sur la richesse des actionnaires. D'après la proposition II, le taux de rentabilité qu'ils peuvent espérer recevoir de leurs actions s'accroît quand le ratio dettes/capitaux propres de l'entreprise augmente. Pourquoi alors les actionnaires sont-ils indifférents à un effet de levier croissant, alors qu'il augmente la rentabilité attendue ? La réponse est qu'une augmentation du risque, et par conséquent du taux de rentabilité *exigé* par les actionnaires, compense exactement tout accroissement de la rentabilité attendue.

Regardons ce qui se passe au niveau du risque des actions de Chimène s'il y a autant de titres d'emprunt que d'actions. Le tableau 17.4 montre comment un résultat d'exploitation insuffisant affecte la rémunération des actionnaires. La proportion de la dette par rapport aux capitaux propres ne modifie pas le risque, *exprimé en euros*, que supportent les détenteurs d'actions. Supposons que le résultat d'exploitation baisse de 1 500 € à 500 €. Dans le cas d'un financement uniquement par actions, le bénéfice relatif aux actions diminue de 1 € par action. Sachant qu'il y a 1 000 actions en circulation, le bénéfice total relatif à ces actions baisse donc de 1 € × 1 000 = 1 000 €. Avec 50 % de titres d'emprunt, la même diminution du résultat d'exploitation réduit le bénéfice par action de 2 €. Mais il n'y a dans ce cas que 500 actions en circulation, le bénéfice total relatif aux actions diminue donc de 2 € × 500 = 1 000 €, comme précédemment.

Cependant, l'arbitrage dettes-capitaux propres amplifie l'écart des rentabilités *exprimées en pourcentage*. Si l'entreprise est entièrement financée par des capitaux propres, une baisse de 1 000 € du résultat d'exploitation réduit la rentabilité des actions de 10 %. Si la société émet des titres d'emprunt sans risque et comportant des charges fixes d'intérêt de 500 € par an, une baisse de 1 000 € du résultat d'exploitation réduit la rentabilité des actions de 20 %. En d'autres termes, l'effet de levier double l'amplitude des variations des actions de Chimène. Quel que soit le bêta des actions de l'entreprise avant son refinancement, il sera deux fois plus élevé ensuite.

Maintenant vous pouvez comprendre pourquoi les investisseurs exigent des rentabilités attendues plus élevées pour des actions lorsqu'il y a des dettes. La rentabilité exigée augmente simplement afin de compenser un risque plus élevé.

Tableau 17.4. Le levier financier accroît le risque des actions de Chimène SA

Si le résultat d'exploitation chute de		1 500 €	à	500 €	Variation
Sans dette	BPA	1,5 €		0,5 €	–1,0 €
	Rentabilité	15 %		5 %	–10 %
50 % de dette	BPA	2,0 €		0,0 €	–2,0 €
	Rentabilité	20 %		0 %	–20 %

Exemple : reprenons un exemple numérique du chapitre 9. Nous examinions une société dont le bilan avait la valeur de marché suivante :

Valeur des actifs	100	70	Capitaux propres (CP), avec $r_{CP} = 15$ %
		30	Dette (D), avec $r_{Dette} = 7{,}5$ %
Valeur des actifs	100	100	Valeur de l'entreprise (V=CP+D)

Et avec un coût total du capital de :

$$r_{Actifs} = r_{Capitaux\ propres} \times \frac{CP}{V} + \mathrm{r}_{\mathrm{Dette}} \times \frac{D}{V} = \left(15 \times \frac{70}{100}\right) + \left(7{,}5 \times \frac{30}{100}\right) = 12{,}75\ \%$$

Si la firme envisage d'investir dans un projet comportant le même risque que les activités courantes de la société, le coût d'opportunité du capital de ce projet est identique au coût du capital de l'entreprise. Il est donc de 12,75 %. Que se passe-t-il si l'entreprise émet 10 de dettes supplémentaires, qu'elle utilise afin de racheter 10 de ses fonds propres ? La valeur de marché révisée du bilan devient alors :

Valeur des actifs	100	60	Capitaux propres
		40	Dette
Valeur des actifs	100	100	Valeur de l'entreprise

Le changement dans la structure financière n'affecte pas le montant ou le risque des cash-flows sur l'ensemble total capitaux propres + dettes. Si les investisseurs exigent une rentabilité de 12,75 % sur l'ensemble total avant l'opération de refinancement, ils doivent par la suite demander une rentabilité de 12,75 % sur les actifs de l'entreprise.

Si la rentabilité exigée sur l'*ensemble* capitaux propres + dettes n'est pas affectée, la modification de la structure financière influence le rendement demandé sur chacun des financements. Puisque l'entreprise a plus de dettes qu'auparavant, les créanciers vont vraisemblablement demander un taux d'intérêt plus élevé. Nous supposons alors que le rendement espéré sur la dette s'accroît à 7,875 %. On peut maintenant écrire l'équation de base de la rentabilité des actifs :

$$r_{Actifs} = r_{Capitaux\ propres} \times \frac{CP}{V} + r_{\text{Dette}} \times \frac{D}{V} = \left(r_{\text{Capitaux propres}} \times \frac{60}{100}\right) + \left(7{,}875 \times \frac{40}{100}\right) = 12{,}75\ \%$$

On obtient $r_{\text{Capitaux propres}} = 16{,}0$ %. L'augmentation de la dette a accru le risque du prêteur, entraînant une hausse de la rentabilité réclamée par les créanciers (r_{Dette} est passé de 7,5 à 7,875 %). L'effet de levier plus élevé a rendu les capitaux propres plus risqués, tirant vers le haut la rentabilité demandée par les actionnaires ($r_{\text{Capitaux propres}}$ est passé de 15 à 16 %). La rentabilité moyenne pondérée de la dette et des fonds propres est restée, elle, à 12,75 % :

$$r_{Actifs} = \left(16 \times \frac{60}{100}\right) + \left(7{,}875 \times \frac{40}{100}\right) = 12{,}75\ \%$$

Imaginons maintenant que la société ait décidé de rembourser toute sa dette et de la remplacer par des capitaux propres. Dans ce cas, tous les cash-flows vont aller aux actionnaires. Le coût du capital de la société, r_{Actifs}, va alors rester à 12,75 %, tout comme $r_{\text{Capitaux propres}}$.

2.3 Comment les changements de la structure financière affectent le bêta

Nous venons de voir la façon dont les changements de structure financière influençaient les rentabilités espérées. Voyons maintenant ce qu'il en est du bêta. Les actionnaires et les créanciers reçoivent chacun une part des cash-flows de la société, et tous supportent une part du risque. Ainsi, si les actifs de la firme perdent toute valeur, il n'y aura plus de liquidités pour payer les actionnaires et les créanciers. Néanmoins, les créanciers supportent en général beaucoup moins de risques que les actionnaires. Les bêta des dettes des grandes entreprises solides se situent habituellement entre 0,1 et 0,3.

Si vous possédiez un portefeuille de tous les titres d'une firme, vous ne partageriez les cash-flows avec personne, pas plus que les risques : vous les supporteriez tous. Aussi, le bêta des actifs d'une firme est égal au bêta d'un portefeuille de l'ensemble de la dette et des fonds propres de l'entreprise.

$$\beta_{Actifs} = \beta_{Capitaux\ propres} \times \frac{CP}{V} + \beta_{\text{Dettes}} \times \frac{D}{V}$$

Repensons à notre exemple. Si, avant le refinancement, la dette a un bêta de 0,1 et les fonds propres un bêta de 1,1, nous avons alors :

$$\beta_{Actifs} = 1{,}1 \times 0{,}7 + 0{,}1 \times 0{,}3 = 0{,}8$$

Que va-t-il se passer après le refinancement ? Cela ne modifie pas le risque de l'ensemble total, mais tant la dette que les fonds propres sont maintenant plus risqués. Supposons que le bêta de la dette augmente à 0,2. Nous pouvons alors calculer le nouveau bêta des capitaux propres :

$$\beta_{Actifs} = \beta_{Capitaux\ propres} \times 0{,}7 + 0{,}2 \times 0{,}4 = 0{,}8 \quad \text{donc } \beta_{Capitaux\ propres} = 1{,}2$$

Vous pouvez voir pour quelles raisons on dit que l'emprunt crée un effet de levier financier. Ce dernier n'affecte pas le risque ou la rentabilité espérée des actifs de la firme, mais accroît le risque sur les actions. Les actionnaires demandent alors un rendement plus élevé afin de compenser ce *risque financier.*

On peut aussi *désendetter* (*déléverager*, en pidgin) un bêta, c'est-à-dire passer d'un β_{CP} observé à un β_A. Vous disposez du bêta des fonds propres, par exemple 1,5. Il vous faut également le bêta de la dette, par exemple 0,3, ainsi que les valeurs de marché relatives de la dette (*D/V*) et des capitaux propres (*CP/V*). Si la dette représente 50 % de la valeur totale V,

$$\beta_{Actifs} = 1{,}5 \times 0{,}5 + 0{,}3 \times 0{,}5 = 0{,}9$$

Ceci renverse la logique du précédent exemple. Il vous faut juste retenir la relation de base :

$$\beta_{Actifs} = \beta_{Capitaux\ propres} \times \frac{CP}{V} + \beta_{\text{Dettes}} \times \frac{D}{V}$$

3 Le coût moyen pondéré du capital

Que pensaient les experts financiers de la politique d'endettement avant MM ? Ce n'est pas facile à dire parce que, avec le recul, nous voyons que leur position n'était pas claire[5]. Néanmoins, en réaction à MM, une position dite « traditionnelle » est née. Pour comprendre cette réaction, nous devons étudier la notion de **coût moyen pondéré du capital**.

Figure 17.2 - Proposition II de MM. La rentabilité espérée des capitaux propres $r_{Capitaux\ propres}$ augmente linéairement avec le ratio dettes/capitaux propres tant que l'emprunt est sans risque. Mais si le levier financier accroît le risque de l'emprunt, les créanciers exigeront une rentabilité plus élevée. C'est ce qui entraîne la baisse du taux de croissance de $r_{Capitaux\ propres}$.

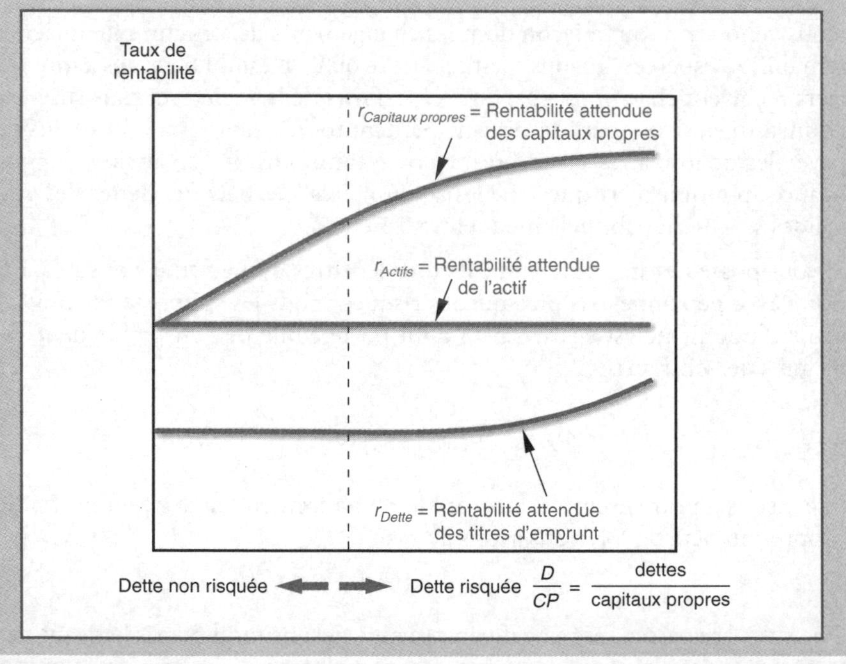

La figure 17.2 permet de visualiser les implications générales de la proposition II de MM. Cette figure suppose que les emprunts de l'entreprise sont à peu près sans risque quand le

5. Il se peut que dans vingt ans les économistes financiers relèvent les aspects nébuleux de Brealey, Myers et Allen, et leurs raisonnements fuligineux. Ou peut-être ne se souviendront-ils plus du tout de nous.

niveau d'endettement est faible. Ainsi, r_{Dette} est indépendant de D/CP, et $r_{Capitaux\ propres}$ augmente linéairement quand D/CP diminue. Dès que l'entreprise emprunte davantage, le risque de défaillance s'accroît et la société se voit contrainte de payer des taux d'intérêt plus élevés. La proposition II prévoit que, lorsque cela se produit, le taux de croissance de $r_{Capitaux\ propres}$ diminue. La figure 17.2 nous montre la même chose. Plus la société est endettée, moins $r_{Capitaux\ propres}$ est sensible aux emprunts ultérieurs.

Pourquoi la pente de la droite $r_{Capitaux\ propres}$ de la figure 17.2 se réduit-elle quand D/CP s'accroît ? Essentiellement parce que les détenteurs de titres d'emprunt risqués supportent une partie du risque d'exploitation de l'entreprise. Comme celle-ci emprunte davantage, une plus grande partie de ce risque est transférée des actionnaires aux créanciers financiers.

3.1 Deux avertissements

Parfois, l'objectif des décisions d'investissement n'est pas de « maximiser la valeur de marché globale », mais de « minimiser le coût moyen pondéré du capital ». Si la proposition I de MM est valable, ce sont donc deux objectifs semblables. Si la proposition de MM *n*'est *pas* valable, la structure financière qui maximise la valeur de l'entreprise minimise aussi le coût moyen pondéré du capital, *à condition que* le résultat d'exploitation soit indépendant de la structure financière. Tout ce qui accroît la valeur de la société réduit le coût moyen pondéré du capital si le résultat d'exploitation est constant. Mais si ce dernier varie aussi, tout est à revoir.

Dans le chapitre 18, nous montrerons que le levier financier peut affecter le résultat d'exploitation de plusieurs façons. Par conséquent, maximiser la valeur de l'entreprise *ne revient pas toujours* à minimiser le coût moyen pondéré du capital.

Avertissement 1 Les actionnaires veulent que la direction augmente la valeur de l'entreprise. Ils préfèrent s'enrichir plutôt que posséder une entreprise dont le coût moyen pondéré du capital est faible.

Avertissement 2 Essayer de minimiser le coût moyen pondéré du capital semble favoriser des erreurs de raisonnement comme la suivante. Supposons que quelqu'un dise : « Les actionnaires exigent – et méritent – des taux de rentabilité attendus plus élevés que ceux des obligataires. Pour cette raison, l'emprunt est la source du capital la moins onéreuse. Nous pouvons réduire le coût moyen pondéré du capital en empruntant plus. » Mais cela ne tient plus si l'emprunt supplémentaire conduit les actionnaires à exiger un taux de rentabilité attendu encore plus élevé. D'après la proposition II de MM, le « coût des capitaux propres » $r_{Capitaux\ propres}$ *augmente juste ce qu'il faut pour maintenir le coût moyen pondéré du capital constant.*

Ce n'est pas là l'unique erreur de raisonnement. Nous en avons mentionné deux de plus à la question 5 à la fin de ce chapitre.

3.2 Taux de rentabilité des actions dans une entreprise endettée : la position traditionnelle

La figure 17.3 matérialise l'hypothèse des traditionalistes. Ils soutiennent qu'un degré modéré du levier financier peut accroître la rentabilité attendue des capitaux propres $r_{Capitaux\ propres}$, mais sans doute pas au degré prédit par la proposition II de MM. Mais des entreprises irresponsables qui empruntent de manière *excessive* découvrent que $r_{Capitaux\ propres}$ s'accroît plus rapidement que ne le prédisent MM. Par conséquent, le coût moyen pondéré du capital r_{Actifs} diminue d'abord, puis augmente. Son point minimum marque le point de la structure de capital optimale. Souvenez-vous que minimiser r_{Actifs} revient à maximiser la valeur globale de l'entreprise si, comme le supposent les traditionalistes, l'emprunt n'affecte pas le résultat d'exploitation.

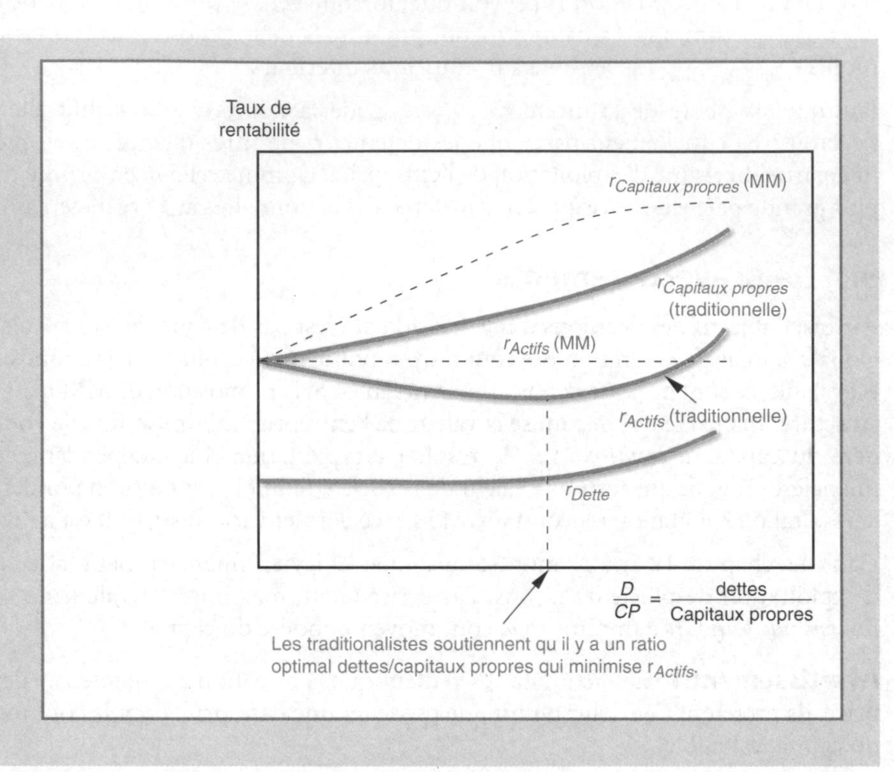

Figure 17.3 - Les lignes en pointillés décrivent la position de MM concernant l'effet de levier sur la rentabilité attendue des capitaux propres $r_{Capitaux\ propres}$ et le coût moyen pondéré du capital r_{Actifs} (voir figure 17.2). Les lignes continues montrent la position traditionnelle. Les traditionalistes soutiennent qu'au départ l'emprunt augmente $r_{Capitaux\ propres}$ plus lentement que le prédisent MM, mais que $r_{Capitaux\ propres}$ monte en flèche si l'emprunt est excessif. S'il en est ainsi, vous pouvez minimiser le coût moyen pondéré du capital si vous utilisez seulement le bon niveau d'emprunt.

On pourrait avancer deux arguments pour appuyer la position traditionnelle. Le premier serait que les investisseurs ne voient pas ou n'apprécient pas à sa juste valeur le risque financier dû à un niveau d'endettement « modéré », mais qu'ils se réveillent quand ce niveau devient « excessif ». Dans ce cas, il se peut que ceux qui investissent dans des entreprises modérément endettées acceptent un taux de rentabilité plus faible que celui qu'ils devraient réellement exiger.

Cela semble simpliste[6]. Le second argument est plus fondé. Il accepte la validité du raisonnement de MM dans des marchés financiers parfaits, mais soutient que les marchés actuels ne sont pas parfaits. Il se peut que leurs imperfections permettent aux entreprises qui empruntent de rendre un précieux service aux investisseurs. Dans ce cas, les actions endettées peuvent se négocier avec une prime par rapport à leur valeur théorique sur des marchés parfaits.

Supposons que les entreprises puissent emprunter à un taux plus avantageux que les particuliers. Pour des investisseurs qui veulent emprunter, il serait donc valable de le faire indirectement en détenant des actions de sociétés endettées. Ces investisseurs seraient disposés à

6. Ce premier argument confond le risque financier et le risque de défaillance. La défaillance n'est pas une menace sérieuse lorsque le niveau d'emprunt est modéré ; les actionnaires s'en inquiètent seulement quand l'entreprise va « trop loin ». Mais les actionnaires supportent le risque financier – sous la forme d'une volatilité croissante du taux de rentabilité et d'un bêta plus élevé – même quand le risque de défaillance est nul. Nous avons démontré cela à la figure 17.3.

accepter des taux de rentabilité attendus qui ne compenseraient pas entièrement les risques d'exploitation et financiers qu'ils supportent.

Certaines personnes supportent des taux d'intérêt relativement élevés, en grande partie à cause des frais auxquels font face les prêteurs pour accorder et administrer des petits prêts. Il y a des économies d'échelle même dans l'emprunt. Des petits investisseurs groupés pourraient donc améliorer leur sort s'ils empruntaient en passant par une entreprise, c'est-à-dire en réunissant leurs prêts et en économisant des coûts de transaction.

Mais supposons que cette classe d'investisseurs soit importante, tant par leur nombre que par les capitaux qu'ils apportent sur les marchés de capitaux. Cela crée une clientèle pour qui la dette d'entreprise est meilleure que la dette des particuliers. Cette clientèle sera, en principe, disposée à payer une prime pour les actions des entreprises endettées.

Mais peut-être qu'elle n'aura pas à payer de prime. Certains directeurs financiers habiles ont peut-être repéré il y a longtemps cette clientèle et modifié les structures du capital de leur entreprise pour satisfaire ses besoins. Ces modifications n'auront pas été difficiles ni coûteuses à faire. Mais cette clientèle est maintenant satisfaite et n'a plus besoin de payer une prime pour des actions d'entreprises endettées. Seuls les directeurs financiers qui ont décelé en premier cette clientèle ont obtenu un avantage.

Le marché des titres des sociétés endettées ressemble peut-être au marché des automobiles. Les Européens ont besoin de millions d'automobiles et sont prêts à payer des milliers d'euros pour chacune d'entre elles. Mais cela ne signifie pas que vous pouvez devenir riche en vous lançant dans le commerce de voitures. Vous avez au moins cinquante ans de retard.

3.3 Les clients non satisfaits sont probablement intéressés par des titres originaux

Nos exemples illustrent ce que recherchent des financiers perspicaces. Ils recherchent en effet une clientèle *insatisfaite*, c'est-à-dire des investisseurs qui désirent un type particulier d'instrument financier, mais qui, à cause des imperfections du marché, ne l'obtiennent pas ou ne l'obtiennent pas à moindre coût.

L'entreprise déroge à la proposition I de MM quand elle peut proposer, grâce à une conception imaginative de sa structure financière, certains *services financiers* qui répondent aux besoins d'une telle clientèle. Soit ces services sont nouveaux et uniques, soit l'entreprise doit trouver une façon de se procurer certains services anciens à un coût moins élevé que les autres sociétés ou intermédiaires financiers.

Dans les prochains chapitres, nous allons rencontrer un certain nombre de titres financiers novateurs qui ont été inventés par des entreprises et leurs conseillers. Ces titres financiers reprennent les flux monétaires classiques des entreprises et les reconditionnent de manière à les rendre plus attrayants pour les investisseurs. Cependant, il est plus facile d'inventer ces titres financiers originaux que de trouver des investisseurs en nombre prêts à les acheter.

3.4 Les imperfections du marché et les opportunités d'investissement

Les imperfections du marché les plus graves sont souvent celles que crée le gouvernement. Une imperfection qui invalide la proposition I de MM est *aussi* une occasion de faire de l'argent. Les entreprises et les intermédiaires financiers trouvent toujours un moyen d'atteindre la clientèle d'investisseurs frustrés par ces imperfections.

Depuis de nombreuses années, le gouvernement français fixe le taux d'intérêt des livrets d'épargne afin de protéger les caisses d'épargne en réduisant la concurrence au niveau de la collecte des dépôts. Il craint que les déposants, en recherchant des gains plus élevés, ne provoquent une hémorragie monétaire que les caisses d'épargne ne pourraient pas supporter. Cela aurait coupé les fonds que les caisses d'épargne destinent aux prêts pour le logement social et asphyxié le marché immobilier.

La régulation des taux d'intérêt a fourni aux établissements financiers une occasion de créer de la valeur en offrant des fonds du marché monétaire. Ceux-ci sont des fonds communs de placement investis à la fois dans des bons du Trésor, des billets de trésorerie et autres titres de créance négociables à court terme ayant la meilleure notation. Tout épargnant ayant quelques milliers d'euros à investir peut avoir accès à ces instruments grâce à des Sicav ou FCP du marché monétaire et peut retirer de l'argent à tout moment en tirant un chèque sur son compte.

À mesure que ces titres du marché monétaire et autres instruments financiers sont devenus plus facilement accessibles, la réglementation gouvernementale des taux d'intérêt des comptes d'épargne est devenue de moins en moins efficace. La proposition I est alors redevenue valide. Jusqu'à ce que le gouvernement crée une nouvelle imperfection… La morale de cette histoire est : si vous trouvez une clientèle insatisfaite, agissez vite, sinon les marchés financiers vont évoluer et vous voler cette clientèle.

3.5 Un dernier mot sur le coût moyen pondéré du capital après impôts

MM nous ont laissé un message simple. Lorsque l'entreprise modifie son arbitrage entre capitaux propres et dettes, les risques et rendements espérés de ces titres changent, mais le coût total du capital de l'entreprise ne change pas.

Si vous pensez que ce message est trop simple, vous avez raison. Les problèmes sont présentés dans les deux chapitres qui suivent. Mais l'un d'entre eux doit être abordé dès maintenant : les intérêts payés par la société sur ses emprunts peuvent être déduits de son revenu imposable. Aussi, le coût *après impôts* de la dette est $r_D(1 - T_{\text{société}})$, avec le $T_{\text{société}}$ taux marginal d'imposition de l'entreprise. Lorsque les entreprises actualisent un projet à risque moyen, elles n'utilisent pas le concept de coût du capital tel que nous l'avons calculé. Elles utilisent le coût de la dette après impôts afin de calculer le *coût moyen pondéré du capital*, ou CMPC, après impôts :

$$\text{CMPC après impôts} = r_{\textit{Capitaux propres}} \times \frac{CP}{V} + r_{\text{Dettes}}\,(1 - T_{\textbf{\textit{société}}}) \times \frac{D}{V}$$

3.6 Le CMPC d'Union Pacific

Nous avons déjà deux estimations du coût du capital d'Union Pacific : une estimation par les cash-flows actualisés (*DCF*) donne 13 % à la section 4.4, et le modèle d'évaluation des actifs financiers (Medaf) donne 7 % à la section 9.2. Faisons une moyenne à $r_{\text{Capitaux propres}} = 10\ \%$[7].

7. La différence entre les estimations produites par les cash-flows actualisés (DCF) et par le Medaf semble anormalement grande. Nous avions souligné au chapitre 4 que les chiffres issus des DCF pouvaient être surestimés.

Le taux emprunteur à long terme d'Union Pacific était r_{Dette} = 5,5 %. À partir des valeurs de marché de la dette et des fonds propres, la structure financière de l'entreprise ressortait à :

Capitaux propres (CP)	15,0 milliards de dollars	Avec $r_{Capitaux\ propres}$ = 10 %
Dette (D)	7,6	Avec r_{Dette} = 5,5 %
Valeur de l'entreprise (V)	22,6 milliards de dollars	

La valeur de marché du ratio de dette est : D/V = 7,6/22,6 = 0,34, tandis que le ratio de capitaux propres s'élève à CP/V = 0,66. Nous supposerons que le taux marginal d'imposition d'Union Pacific est le taux légal $T_{société}$ = 0,35. Aussi, le coût de la dette après impôts est égal à 0,055 × (1 – 0,35) = 0,036, et le CMPC après impôts vaut :

$$\text{CMPC après impôts} = 0{,}10 \times 0{,}66 + 0{,}055 \times (1 - 0{,}35) \times 0{,}34 = 0{,}78, \text{ soit } 7{,}8\ \%$$

La figure 17.4 montre la décroissance du CMPC après impôts avec la dette. Dans notre exemple, il diminue *seulement* parce que le taux d'intérêt sur la dette est fiscalement déductible. Le coût d'opportunité du capital, quant à lui, est toujours représenté par une droite horizontale.

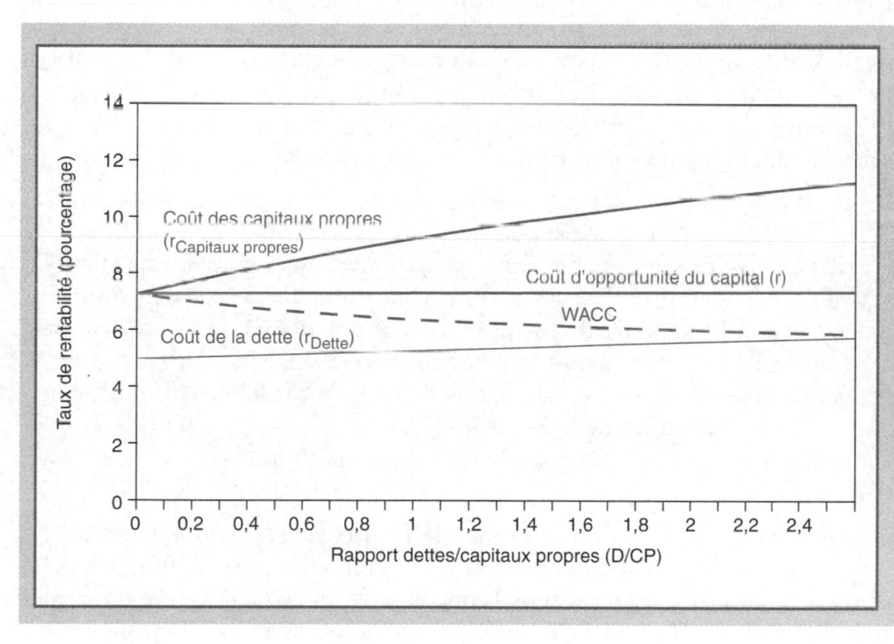

Figure 17.4 - CMPC après impôts estimé pour Union Pacific pour différents ratios de dettes sur capitaux propres. Dans la figure, on suppose que r_{CP} = 10 %, avec ratio de dette = 0,34 et taux emprunteur r_D = 5,5 %. Notez que le taux d'intérêt sur la dette est supposé croître avec le ratio dette sur capitaux propres.

Résumé

Voyez le gestionnaire financier comme quelqu'un rassemblant tous les actifs réels de l'entreprise et les vendant à des investisseurs sous forme de paquets de titres. Certains financiers choisissent le paquet le plus simple possible, c'est-à-dire le financement par actions uniquement. D'autres finissent par émettre des douzaines de sortes de titres d'emprunt et d'actions. Le problème est de trouver la combinaison qui maximise la valeur de marché de l'entreprise.

La fameuse proposition I de Modigliani et Miller (MM) énonce qu'aucune combinaison n'est meilleure qu'une autre, que la valeur de marché globale de l'entreprise (la valeur de tous ses titres = la valeur de ses actifs) est indépendante de la structure de son capital. Des sociétés qui empruntent offrent effectivement un menu plus complexe de titres, mais les investisseurs ne s'y intéressent pas, car il est redondant. Toute modification de la structure financière peut être reproduite ou « annulée » par les investisseurs. Pourquoi paieraient-ils un supplément pour emprunter indirectement (en détenant des parts d'une entreprise endettée) quand ils peuvent emprunter tout aussi facilement et à aussi bon compte par leurs propres moyens ?

MM reconnaissent que l'emprunt accroît le taux de rentabilité attendu de l'investissement des actionnaires. Mais il augmente aussi le risque des actions de l'entreprise. MM montrent que l'accroissement de la rentabilité attendue compense parfaitement l'augmentation du risque, laissant ainsi les actionnaires indifférents.

La proposition I a une portée très générale. Elle s'applique non seulement à l'arbitrage entre les titres d'emprunt et les capitaux propres, mais aussi à *tout* choix d'instrument de financement. Par exemple, MM diraient que le choix entre les emprunts à long et à court terme n'a pas d'effet sur la valeur de l'entreprise.

Les preuves formelles de la proposition I dépendent toutes de l'hypothèse concernant les marchés de capitaux parfaits. Les opposants de MM, les « traditionalistes », soutiennent que les imperfections du marché rendent les emprunts personnels excessivement coûteux et risqués pour certains investisseurs. Cela donne naissance à une clientèle disposée à payer une prime pour des actions d'entreprises endettées. Les traditionalistes disent que les entreprises devraient emprunter pour profiter de cette prime.

Mais cet argument est incomplet. Il y a peut-être une clientèle pour les entreprises endettées, mais ce n'est pas suffisant : il faut aussi que cette clientèle soit *insatisfaite*. On trouve déjà des milliers d'entreprises endettées qui sont prêtes à investir. Reste-t-il une clientèle insatisfaite pour des titres d'emprunt et des actions traditionnelles ? Nous en doutons. On déroge à la proposition I quand les financiers trouvent une demande inassouvie et la satisfont en émettant quelque chose de nouveau et de différent. Le débat entre MM et les traditionalistes revient finalement à déterminer si cette tâche est facile ou difficile. Nous avons tendance à soutenir la position de MM : trouver une clientèle insatisfaite et concevoir des titres innovants pour répondre à ses besoins est un jeu amusant à jouer, mais difficile à gagner.

Si MM ont raison, le coût total du capital, c'est-à-dire le taux espéré de rendement d'un portefeuille contenant tous les titres de l'entreprise en circulation, est identique quelle que soit la combinaison des titres émis afin de financer la firme. Le coût total du capital se dénomme habituellement coût du capital de l'entreprise ou coût moyen pondéré du capital (CMPC). MM soutiennent que le CMPC ne dépend pas de la structure financière, mais ce faisant, ils écartent un certain nombre de problèmes. Au premier rang d'entre eux se trouvent les impôts. Après avoir intégré la déductibilité fiscale des intérêts de la dette et calculé le CMPC avec le taux d'intérêt après impôts, le CMPC décroît avec le ratio de dette. Nous en dirons bien davantage sur les impôts et les autres problèmes dans les deux chapitres suivants.

Lectures complémentaires

Le premier travail pionnier sur la théorie de la structure financière est celui de :

F. Modigliani et M. H. Miller, « The Cost of Capital, Corporation Finance and the Theory of Investment », *American Economic Review*, 48 (juin 1958), pp. 261-297.

Cependant, Durand a le mérite d'avoir posé les problèmes que MM ont résolus plus tard :

D. Durand, « Cost of Debt and Equity Funds for Business : Trends and Problems in Measurement », dans *Conference on Research in Business Finance*, National Bureau of Economic Research, New York (1952), pp. 215-247.

Le Journal of Economic Perspectives *paru à l'automne 1988 contient des articles, notamment un de Modigliani et Miller, qui étudient et évaluent les propositions de MM. Le numéro de* Financial Management *de l'été 1989 comprend trois articles sous le titre « Reflections on the MM Propositions 30 Years Later ».*

Le Journal of Applied Corporate Finance *de l'hiver 1992 comprend plusieurs revues intéressantes sur l'innovation financière. Mentionnons également les articles suivants :*

K. A. Karow, G. R. Erwin et J. J. McConnell, « Survey of U.S. Corporate Financing Innovations : 1970-1997 », *Journal of Applied Corporate Finance*, 12 (printemps 1999), pp. 55-69.

P. Tufano, « Financial Innovation », dans G. M. Constantinides, M. Harris et R. Stulz (eds.), *Handbook of the Economics of Finance*, vol 1A, Amsterdam : Elsevier North-Holland, 2003.

Miller étudie les propositions de MM dans :

M. H. Miller, « The Modigliani-Miller Propositions after Thirty Years », *Journal of Applied Corporate Finance*, 2 (printemps 1989), pp. 6-18.

Pour une vision critique des arguments de MM, voir :

S. Titman, « The Modigliani-Miller Theorem and the Integration of Financial Markets », *Financial Management*, 31 (printemps 2002), pp. 101-115.

Activités

Révision des concepts

1. « Les directeurs financiers tentent de trouver la combinaison de titres (...) qui maximise la valeur de marché de la firme. » Pourquoi la poursuite de cet objectif bénéficie-t-elle aux actionnaires ?
2. La proposition I de MM indique que le financement par dette plutôt que par actions n'affecte pas :
   a. Le PER de l'action de la société.
   b. La valeur de marché total des actions de l'entreprise (prix par action × nombre d'actions en circulation).
   c. La valeur de marché total de la société.
   d. Le bêta de l'action de l'entreprise.
   e. Le taux d'intérêt sur la dette de la société.
   f. Le coût des fonds propres.
   g. Le coût moyen pondéré du capital de l'entreprise.
   Lesquelles de ces affirmations sont correctes ?
3. Qu'est-ce que le *risque financier* ? De quelle façon dépend-il de la structure de financement de l'entreprise ?

Tests de connaissances

1. Aziza Pouvéduré détient 50 000 actions de Dalida SA ayant une valeur de marché de 2 € par action, soit 100 000 € en tout. L'entreprise est généralement financée comme suit :

	Valeur comptable
Capitaux (8 millions)	2 000 000 €
Prêts à court terme	2 000 000 €

   Dalida SA annonce qu'elle remplace 1 000 000 € de titres d'emprunt à court terme par une émission d'actions. Que peut faire Aziza Pouvéduré pour être sûre qu'elle aura droit exactement à la même proportion de bénéfice que précédemment ? (Ignorez les impôts.)
2. Blaireau Jovial est entièrement financée par des capitaux propres et son bêta est égal à 1,0. Le PER de l'action est de 10 et son cours correspond à une rentabilité attendue de 10 %. L'entreprise décide de revendre la moitié de ses actions ordinaires et d'émettre pour la même valeur des titres d'emprunt. Supposons que le coût de cette dette sans risque soit de 5 %.
   a. Donnez :
      i. Le bêta de l'action après refinancement.
      ii. Le bêta des titres d'emprunt.
      iii. Le bêta de l'entreprise (c'est-à-dire à la fois les actions et les titres).

b. Donnez :

i. La rentabilité exigée de l'action avant le refinancement.

ii. La rentabilité exigée de l'action après le refinancement.

iii. La rentabilité exigée des titres d'emprunt.

iv. La rentabilité exigée de l'entreprise (c'est-à-dire à la fois les actions et les titres) après le refinancement.

c. Supposons que l'on prévoie pour Blaireau Jovial un résultat d'exploitation constant. Donnez :

i. Le pourcentage d'augmentation du bénéfice par action.

ii. Le nouveau PER.

3. Les actions et les titres d'emprunt Canard Pimpant (CP) sont respectivement évalués à 50 millions d'euros et 30 millions d'euros. Les investisseurs exigent en général une rentabilité de 16 % pour les actions et de 8 % pour les titres d'emprunt. Si CP émet pour 10 millions d'euros d'actions en plus et utilise cet argent pour retirer les titres d'emprunt, qu'arrivera-t-il à la rentabilité attendue des actions ? Supposons que ce changement de la structure financière n'ait pas d'effet sur le risque des titres d'emprunt et qu'il n'y ait pas d'impôts. Si le risque des titres d'emprunt augmentait, votre réponse surestimerait-elle ou sous-évaluerait-elle la rentabilité attendue des capitaux propres ?

4. Supposons que Chimène SA émette 2 500 € de titres d'emprunt et utilise ce produit pour racheter 250 actions.

a. Reprenez le tableau 17.2 pour montrer comment évoluent désormais le bénéfice par action et la rentabilité des actions en fonction du résultat d'exploitation.

b. Si le bêta des actifs de Chimène est de 0,8 et sa dette sans risque, que devient le bêta des actions après cet emprunt supplémentaire ?

5. Vrai ou faux ?

a. Les propositions de MM s'appuient sur l'hypothèse de marchés financiers parfaits, sans distorsions fiscales ni autres problèmes.

b. La proposition I de MM soutient que l'emprunt accroît les bénéfices par action mais réduit le PER.

c. La proposition II de MM soutient que le coût des fonds propres s'accroît avec l'emprunt, de façon proportionnelle à D/V, le ratio dette/valeur de la firme.

d. La proposition II de MM soutient qu'une augmentation de l'emprunt n'influence pas le taux d'intérêt des titres d'emprunt de l'entreprise.

e. L'emprunt n'accroît pas le risque financier et le coût des fonds propres s'il n'y a pas de risque de faillite.L'emprunt accroît la valeur de l'entreprise si la clientèle d'investisseurs a une raison de préférer les titres d'emprunt.

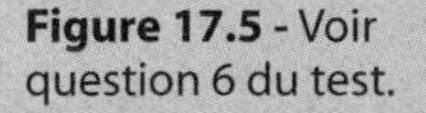

Figure 17.5 - Voir question 6 du test.

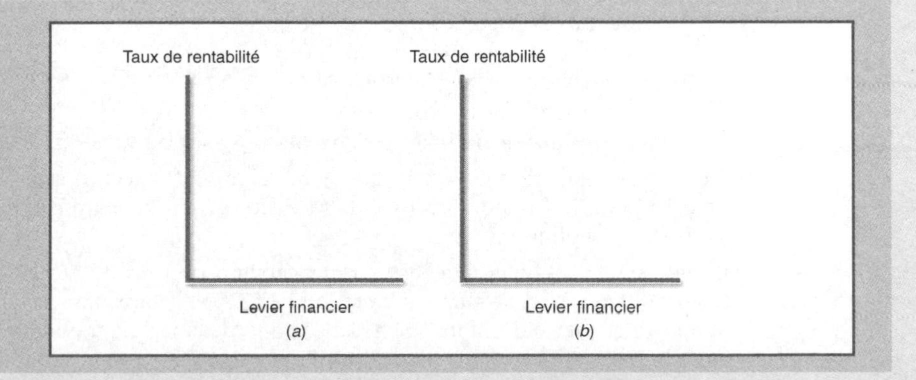

6. Complétez les deux graphiques de la figure 17.5. Sur le graphe a, supposez que MM aient raison et portez la relation entre d'une part le levier financier et les taux de rentabilité des titres d'emprunt et des actions ordinaires et d'autre part entre le levier financier et le coût moyen pondéré du capital. Complétez ensuite le graphe b en supposant que les traditionalistes aient raison.

7. Retournez à la section 1. Supposez que les banquiers des investissements de Mlle La Cid l'aient informée que, puisque la nouvelle émission de titres d'emprunt est risquée, les détenteurs de ces titres exigent un taux de rentabilité de 12,5 %, soit 2,5 points de plus que le taux d'intérêt sans risque.

a. Quelles sont les valeurs de r_{Actifs} et $r_{Capitaux\ propres}$?

b. Supposez que le bêta des actions non endettées était de 0,6. Quels seront β_{Actifs}, $\beta_{Capitaux\ propres}$ et β_{Dette} *après* le changement de la structure financière ?

c. En supposant que le modèle d'évaluation des actifs financiers soit correct, quel est le taux de rentabilité attendu sur le marché ?

8. Cochers Réunis démarre une activité intégralement financée par des fonds propres, dont le coût est de 14 %. Supposons qu'elle se refinance, modifiant alors la valeur de marché de la structure de son capital :

Capitaux propres (CP)	55 %	
Dette (D)	45 %	Avec r_{Dette} = 9,5 %

Cochers Réunis est imposée au taux marginal de T_c = 40 %. Calculez le coût moyen pondéré du capital après impôts de Cochers Réunis. Utilisez la proposition II de MM pour calculer le nouveau coût des fonds propres.

Questions et problèmes

1. Les entreprises A et B diffèrent seulement au niveau de la structure de leur capital. A est financée à 30 % par des titres d'emprunt et à 70 % par des capitaux propres ; B est financée à 10 % par des titres d'emprunt et à 90 % par des capitaux propres. La dette des deux entreprises est sans risque.

a. Pâris Silabonesoupe détient 1 % des actions de A. Quel autre placement produirait des flux monétaires identiques pour Pâris Silabonesoupe ?

b. Yann Akpourlui détient 2 % des actions de B. Quel autre placement produirait les mêmes flux monétaires pour Yann Akpourlui ?

c. Montrez qu'aucun des deux n'investirait dans des actions de B si la valeur totale de l'entreprise A était inférieure à celle de B.

2. Voici un poème idiot :

Il y avait autrefois un homme nommé Izigny,
Qui gardait des vaches aux pis miraculeux.
Il disait : « N'est-ce pas remarquable ?
Un des pis donne de la crème,
Et les autres donnent du lait écrémé ! »

Quelle est l'analogie entre les vaches de M. Izigny et les décisions de financement d'une entreprise ? Que dirait la proposition I de MM, correctement adaptée, sur la valeur des vaches de M. Izigny ? Expliquez.

3. Bontoutou SA est financée à 80 % par des capitaux propres et à 20 % par des obligations. La rentabilité attendue des actions ordinaires est de 12 % et le taux d'intérêt des obligations est de 6 %. Supposez que les obligations soient sans risque, dessinez un graphique qui montre la rentabilité attendue des actions ordinaires de Bontoutou $r_{Capitaux\ propres}$ et la rentabilité attendue des capitaux propres et obligations réunis r_{Actifs} en fonction de différents ratios dettes/capitaux propres.

4. « MM ignorent totalement le fait que, lorsque vous empruntez davantage, vous devez payer des taux d'intérêt plus élevés. » Expliquez avec soin si cette objection est valable.

5. Indiquez ce qui est faux dans les arguments suivants :

a. « Quand l'entreprise emprunte davantage et que les titres d'emprunt deviennent risqués, les actionnaires et les obligataires exigent des taux de rentabilité plus élevés. Par conséquent, en *réduisant* le ratio d'endettement, nous pouvons réduire *à la fois* le coût de l'emprunt et le coût des capitaux propres et améliorer ainsi le sort de tous. »

b. « Un niveau d'emprunt modéré n'affecte pas de manière significative la probabilité de difficultés financières ou de faillite. Par conséquent, un niveau d'endettement modéré n'augmentera pas le taux de rentabilité attendu exigé par les actionnaires. »

6. Chacune des affirmations suivantes est fausse ou du moins trompeuse. Expliquez pourquoi dans chaque cas.

a. « Une opportunité d'investissement du capital qui offre un taux de rentabilité FMA de 10 % est un projet intéressant s'il peut être financé à 100 % par un emprunt à un taux d'intérêt de 8 %. »

b. « Plus une entreprise émet des titres d'emprunt, plus les taux d'intérêt qu'elle doit payer sont élevés. C'est donc une raison importante qui pousse les entreprises à s'en tenir à des niveaux d'endettement modérés. »

7. Pouvez-vous concevoir de nouvelles sortes de titres d'emprunt qui intéresseraient les investisseurs ? Pourquoi pensez-vous qu'ils n'ont pas été émis ?

8. On a dit qu'un inconvénient du financement par actions ordinaires était que le cours des actions tendait à diminuer en période de récession, accroissant ainsi le coût du capital et décourageant les investissements. Commentez ce point de vue. Est-ce un argument en faveur d'une utilisation accrue du financement au moyen de titres d'emprunt ?

9. La figure 17.5 montre que r_{Dette} augmente quand le ratio dettes/capitaux propres augmente. Selon MM, $r_{Capitaux\ propres}$ augmente aussi mais à un taux décroissant.

a. Expliquez pourquoi.

b. Reprenez la figure 17.5 pour montrer comment r_{Dette} et $r_{Capitaux\ propres}$ évoluent en fonction de l'accroissement des ratios élevés dettes/capitaux propres. r_{Dette} peut-il être supérieur à r_{Actifs} ? $r_{Capitaux\ propres}$ peut-il descendre en dessous d'un certain ratio dettes/capitaux propres ?

10. Imaginez qu'il soit prévu qu'une entreprise réalise un certain niveau de bénéfices d'exploitation. Si le levier financier augmente, qu'arrivera-t-il au :

a. Ratio valeur de marché des capitaux propres/revenu après intérêt.

b. Ratio valeur de marché de l'entreprise/revenu avant intérêt (1) si MM ont raison, et (2) si les traditionalistes ont raison ?

11. L'entreprise Archimède est financée par un mélange de titres d'emprunt et d'actions. Vous possédez les informations suivantes concernant les coûts du capital :

$r_{Capitaux\ propres}$ = ___	r_{Dette} = 12 %	r_{Actifs} = ___
$\beta_{Capitaux\ propres}$ = 1.5	β_{Dette} = ___	β_{Actifs} = ___
r_s = 10 %	r_m = 18 %	D/V = 0,5

Pouvez-vous remplir les trous ?

12. Reportez-vous à la question 11. Supposez désormais qu'Archimède revende ses titres d'emprunt et émette des actions de sorte que $D/V = 0,3$. La réduction d'emprunt entraîne une baisse de r_{Dette} de 11 %. Quels changements connaissent alors les autres variables ?

13. La société Ojasmin a 10 millions d'actions en circulation, s'échangeant à 55 $ l'action. La société a estimé le taux espéré de rentabilité pour les actionnaires à environ 12 %. Elle a également émis des obligations à long terme à un taux d'intérêt de 7 %. Enfin, elle est imposée au taux marginal de 35 %.
    a. Calculez le CMPC après impôts d'Ojasmin.
    b. De combien le CMPC serait-il supérieur si Ojasmin n'utilisait pas de dette du tout ? Conseil : pour ce problème, vous pouvez supposer que le bêta d'ensemble de la société (α_{Actifs}) n'est pas affecté par la structure financière ou par les impôts économisés car les intérêts sur la dette sont déductibles.
14. Gamma Airlines est entièrement financée par des capitaux propres, et ses actions offrent une rentabilité attendue de 18 %. Le taux d'intérêt sans risque est de 10 %. Dessinez un graphique avec en ordonnée la rentabilité et en abscisse le ratio dettes/capitaux propres (*D*/*CP*), et représentez pour différents leviers financiers la rentabilité anticipée des actifs (r_{Actifs}), des capitaux propres ($r_{Capitaux\ propres}$) et la rentabilité de la dette (r_{Dette}). Supposez que l'emprunt soit sans risque. Dessinez maintenant un graphique similaire avec en abscisse le ratio d'endettement (*D*/*V*).

Problèmes avancés

1. Considérez les trois billets suivants : le billet A paie 10 € si _____ est élu président, le billet B paie 10 € si _____ est élu, et le billet C paie 10 € si ni l'un ni l'autre ne sont élus. (Remplissez les blancs vous-même.) Les trois billets pourraient-ils être vendus à un prix inférieur à la valeur actuelle de 10 € ? Pourraient-ils être vendus pour plus ? Essayez de vendre aux enchères les billets. Quels sont les effets de la proposition I de MM ?
2. Beaucoup de gens appliquent souvent, sans le savoir, l'idée de la proposition I de MM par diverses analogies, par exemple au supermarché : « la valeur d'un pâté ne devrait pas dépendre de la façon dont il est tranché » ou « le coût d'un poulet entier devrait être égal au coût de l'achat combiné de deux cuisses, de deux ailes, de deux poitrines et ainsi de suite jusqu'à l'obtention d'un poulet entier ».

   À vrai dire, la proposition I n'est pas applicable aux achats dans un supermarché. Vous paierez moins cher un pâté entier non tranché que si vous achetez séparément toutes les tranches faisant ce pâté. Les supermarchés font payer plus cher un poulet après l'avoir découpé.

   Pourquoi ? Quels sont les coûts ou imperfections qui font que la proposition I n'est pas valable dans les supermarchés ? Ces coûts ou imperfections sont-ils probablement plus importants pour les entreprises émettant des titres sur le marché français ou sur le marché mondial des capitaux ? Expliquez.
3. Imaginez que les nouveaux titres puissent être brevetés[8]. Le détenteur du brevet pourrait restreindre l'emploi du nouveau titre ou facturer des droits d'auteur (*royalties*) pour son usage. Quel effet de tels brevets auraient sur l'absence d'importance de la structure financière dans la théorie de MM ?

---

8. Jusqu'à présent, c'est impossible, mais d'autres produits financiers ont reçu la protection de brevets. Voir J. Lerner, « Where Does State Street Lead ? A First Look at Finance Patents », *Journal of Finance*, 57 (avril 2002), pp. 901-930.

Chapitre 18

Combien une entreprise doit-elle emprunter ?

Dans le chapitre 17, nous avons vu que la politique d'endettement a peu d'importance sur des marchés de capitaux qui fonctionnent bien. Peu de responsables financiers accepteraient cette conclusion comme guide de conduite. Si la politique d'endettement n'avait aucune importance, alors ils ne devraient pas s'en soucier – les décisions financières seraient reléguées au second plan. Or, les responsables financiers attachent de l'importance à la politique d'endettement. Ce chapitre explique pourquoi.

Si la question de la politique d'endettement était sans importance, alors les ratios d'endettement devraient varier de manière aléatoire d'une entreprise à une autre ou d'une industrie à une autre. Or, la plupart des compagnies aériennes, des services publics (eau, électricité), des banques et des entreprises du secteur immobilier et d'aménagement du territoire s'appuient sur l'endettement. De même, les secteurs utilisant beaucoup de capital technique tels que la sidérurgie, les produits pétroliers, la chimie et l'extraction minière ont recours à l'endettement. En revanche, il est rare de trouver une compagnie pharmaceutique ou une agence de publicité qui ne soit pas essentiellement financée sur fonds propres. Les sociétés à la croissance flatteuse utilisent rarement beaucoup d'endettement malgré une croissance rapide et le plus souvent de forts besoins en matériel.

L'explication de ces comportements repose en partie sur l'élément que nous avons laissé de côté dans le chapitre précédent. *Nous avons ignoré l'impôt. Nous avons supposé que la faillite ne coûtait pas cher.* Ce n'est pas le cas, car des coûts sont associés aux difficultés financières, même si la faillite légale est finalement évitée. *Nous avons également ignoré les conflits d'intérêts potentiels entre les financeurs de l'entreprise.* Par exemple, nous n'avons pas pris en compte la réaction des « anciens » créanciers de l'entreprise lorsque de nouvelles obligations sont émises ou lorsqu'un changement dans la stratégie d'investissement conduit l'entreprise vers une activité plus risquée. *Nous avons ignoré les problèmes d'information qui favorisent l'endettement plutôt que les capitaux propres lorsqu'il faut obtenir de la trésorerie grâce à l'émission de titres. Enfin, nous avons ignoré les effets stimulants du financement par emprunt sur les décisions d'investissement.*

Nous allons maintenant réintégrer tous ces paramètres : d'abord les impôts, puis les coûts de faillite et des difficultés financières. Nous en viendrons ensuite aux conflits d'intérêts et aux problèmes d'information et d'incitations. *Nous arriverons à la conclusion que la politique d'endettement a une grande importance.*

Cependant, nous n'allons pas rejeter complètement la théorie de MM, développée avec tant de soins au chapitre 17. *Notre objectif est d'arriver à une théorie qui combine la pertinence des réflexions de MM en y ajoutant les effets de l'impôt, du coût de la faillite et des difficultés financières, et divers autres paramètres.* Nous ne nous laisserons pas guider par le point de vue traditionnel basé sur l'imperfection des marchés financiers. Au contraire, nous voulons comprendre comment des marchés financiers parfaits réagissent à l'impôt et d'autres éléments abordés dans ce chapitre.

1 La fiscalité des sociétés

Le financement par emprunt présente un avantage important : les intérêts payés par l'entreprise représentent une charge déductible. Ce n'est pas le cas des dividendes et des bénéfices réinvestis.

Le tableau 18.1 présente les états financiers simplifiés de la société S, qui n'a pas de dettes, et de la société L, qui a emprunté 1 000 € à 8 %. Le montant de l'impôt de L est inférieur de 28 € à celui de S. Cette somme correspond à la déduction fiscale et signifie que l'État prend à sa charge 35 % (le taux d'imposition pris pour l'exemple) de la charge d'intérêts de l'entreprise. Le montant total que la société L peut reverser à ses actionnaires et à ses créanciers obligataires augmente d'autant.

Tableau 18.1. La déductibilité fiscale des intérêts augmente le revenu total qui peut être versé aux obligataires et aux actionnaires

Les données de ce tableau, comme celles de tous les tableaux de ce chapitre, sont disponibles sur *www.gestion financiere.pearsoned.fr*

	Compte de résultat de la société S	Compte de résultat de la société L
Résultats avant intérêts et impôts	1 000 €	1 000 €
Intérêts payés aux obligataires	0 €	80 €
Résultats avant impôts	1 000 €	920 €
Impôt à 35 %	350 €	322 €
Résultat net des actionnaires	650 €	598 €
Bénéfices cumulés (obligataires et actionnaires)	0 € + 650 € = 650 €	80 € + 598 € = 678 €
Déduction fiscale (0,35 × intérêts)	0 €	28 €

Les déductions fiscales sont des actifs précieux. Supposons que l'emprunt émis par L soit permanent (la société émet de nouvelles obligations dès que les anciennes arrivent à échéance, reconduisant ainsi indéfiniment son emprunt obligataire). L peut donc s'attendre à un cash-flow permanent de 28 €. Le risque attaché à ces flux est moindre que ceux inhérents aux actifs d'exploitation de L. La déduction fiscale dépend donc uniquement du taux d'imposition des sociétés[1] et de la capacité de L à générer des bénéfices suffisants pour

1. Utilisez toujours le taux d'imposition marginal et non le taux moyen. Les taux moyens sont souvent plus bas en raison de l'accélération de la dépréciation et d'autres ajustements.

couvrir la charge constituée par les intérêts. Quant à la capacité de L à générer des bénéfices, elle doit être relativement sûre, sinon L n'aurait pu emprunter à 8 %. L'actualisation de ces flux, qui comportent peu de risques, doit s'effectuer à un taux relativement bas.

Mais à quel taux d'actualisation ? L'hypothèse la plus courante est que le risque de la déduction fiscale est le même que celui lié aux intérêts qui l'ont généré. Nous actualiserons donc à 8 %, taux de rendement espéré par les créanciers obligataires :

$$\text{VA(déduction fiscale perpétuelle)} = \frac{28}{0{,}08} = 350\ €$$

En effet, le gouvernement assume 35 % de la dette obligataire de L (1 000 €).

Sous ces hypothèses, la valeur actuelle (VA) de la déduction fiscale est indépendante du rendement des titres d'emprunt r_{Dette}. Elle est égale au taux d'imposition multiplié par le montant emprunté D :

$$\text{Versement des intérêts} = \text{rendement de l'emprunt} \times \text{montant emprunté} = r_{Dette} \times D$$

$$\begin{aligned}\text{VA(avantage fiscal)} &= \frac{\text{taux d'imposition de la société} \times \text{versement d'intérêts prévu}}{\text{rendement espéré des emprunts}}\\ &= \frac{T_{société} \times (r_{Dette} \times D)}{r_{Dette}}\\ &= T_{société} D\end{aligned}$$

Bien entendu, la VA de la déduction fiscale est plus faible si la société n'emprunte pas de façon permanente[2] ou si elle ne peut pas bénéficier totalement de cet avantage fiscal à l'avenir[3].

1.1 Comment les avantages fiscaux sur les intérêts augmentent-ils la valeur des capitaux propres ?

La proposition I de MM dit que « la valeur d'une pizza ne dépend pas de la manière dont elle est découpée ». Les actifs constituent la pizza et les parts découpées représentent les droits pécuniaires des actionnaires et des créanciers obligataires. Si la taille de la pizza est constante, alors 1 € d'emprunt supplémentaire veut dire 1 € de moins en capitaux propres.

Mais en réalité, il existe une troisième part, celle du gouvernement. Regardons le tableau 18.2. Il présente un bilan étendu avec la valeur avant impôts des actifs sur la gauche et la valeur de l'impôt à payer au passif sur la droite. Selon MM, la valeur de la pizza – la valeur des actifs

2. Dans cet exemple, nous supposons que le montant de la dette est fixé et stable dans le temps. Une hypothèse alternative intéressante consiste à supposer fixe le *ratio* de la dette à la valeur de l'entreprise. Si ce dernier est fixe, alors le niveau de dette et le montant de l'avantage fiscal vont fluctuer avec la valeur de l'entreprise. En ce cas, l'avantage fiscal anticipé ne peut être actualisé au coût de la dette. Nous discutons ce point en détail dans le prochain chapitre.

3. Si les bénéfices de L ne couvrent pas les intérêts de l'année future, la déduction fiscale n'est pas nécessairement perdue. L pourra reporter la perte fiscale et réduire ainsi le revenu imposable sur les quatre années suivantes. Si L subit une série de pertes, ne possédant ainsi aucune créance fiscale, elle pourra reporter les pertes pour réduire le montant de l'impôt les années suivantes.

avant impôts – est la même quel que soit son découpage. Mais tout ce que la société peut faire pour réduire le montant de l'impôt augmente incontestablement la richesse des actionnaires. Une des possibilités consiste à emprunter afin de réduire le montant de l'impôt et, comme nous l'avons vu dans le tableau 18.1, d'augmenter la richesse des actionnaires et des créanciers obligataires. La valeur de la société après impôts (la somme de ses emprunts et de ses actions telle que présentée dans le bilan normal) augmente en fonction de la VA de la déduction fiscale.

Tableau 18.2. Bilan normal et bilan étendu. Dans un bilan classique, les actifs sont évalués après impôts. Dans un bilan étendu, les actifs sont évalués avant impôts, et la valeur de la dette envers l'État (l'impôt) est mise à droite du bilan. Les avantages fiscaux dus aux intérêts sont précieux, car ils réduisent le montant de l'impôt

Bilan normal (valeurs de marché)	
Actifs (valeur actuelle des cash-flows après impôts)	Capitaux propres Dettes financières
ACTIFS TOTAUX	VALEUR TOTALE
Bilan étendu (valeurs de marché)	
Actifs avant impôts (valeur actuelle des cash-flows *avant* impôts)	Capitaux propres Dette fiscale (valeur actuelle des impôts futurs) Dettes financières
ACTIFS TOTAUX AVANT IMPÔTS	VALEUR TOTALE AVANT IMPÔTS

1.2 Le remaniement de la structure de financement de Pfizer

Pfizer est une grande société qui ne fait pratiquement jamais appel aux dettes à terme. Le tableau 18.3a montre les bilans simplifiés de la société Pfizer en mars 2004, l'un en valeurs comptables, l'autre en valeurs de marché.

Supposons que vous soyez le directeur financier de Pfizer en 2005 et que vous ayez la responsabilité de sa structure de financement. Vous décidez d'emprunter un milliard de dollars de manière permanente et de les utiliser pour racheter des actions.

Le tableau 18.3b montre les nouveaux bilans. Celui à valeurs comptables présente seulement un emprunt à long terme supplémentaire de 1 000 millions de dollars et 1 000 millions de dollars de moins en actions. Mais nous savons que les actifs de Pfizer valent plus en raison de la déduction fiscale à hauteur de 35 % sur les intérêts de la dette. En d'autres termes, la valeur de Pfizer augmente du montant de la valeur actuelle de la déduction fiscale, soit $T_{société} D = 0{,}35 \times 1\,000 = 350$ millions de dollars. Si la théorie de MM est valable *excepté* pour la fiscalité, la valeur de la société doit augmenter à 296 975 millions de dollars (soit +350). Les capitaux propres de Pfizer atteignent alors la somme de 267 371 millions de dollars.

Vous avez racheté pour un milliard de dollars d'actions, mais les capitaux propres n'ont diminué que de 650 millions. La situation des actionnaires s'est donc améliorée de 350 millions. Vous n'avez pas perdu votre journée de travail[4] !

Tableau 18.3a. Bilan simplifié de Pfizer & Cie, mars 2004 (en millions de dollars)

Valeurs comptables			
ACTIF		PASSIF	
Immobilisations	86 900	Capitaux propres	69 048
BFR*	10 752	Dettes à long terme	7 144
		Autres dettes à terme	21 460
Total	97 652	Total	97 652
Valeurs de marché			
ACTIF		PASSIF	
Immobilisations	283 373	Capitaux propres	268 021
BFR	10 752	Dettes à long terme	7 144
VA déduction fiscale	2 500	Autres dettes à terme	21 460
Total	296 625	Total	296 625

Tableau 18.3b. Bilan de Pfizer & C^le^ avec un emprunt supplémentaire d'un milliard de dollars destinés au rachat d'actions (en millions de dollars)

Valeurs comptables			
ACTIF		PASSIF	
Immobilisations	86 900	Capitaux propres	68 048
		Dettes à long terme	8 144
BFR*	10 752	Autres dettes à terme	21 460
Total	97 652	Total	97 652
Valeurs de marché			
ACTIF		PASSIF	
Immobilisations	283 373	Capitaux propres	267 371
BFR	10 752	Dettes à long terme	8 144
VA déduction fiscale	2 850	Autres dettes à terme	21 460
Total	296 975	Total	296 975

* *Notes* :

1. La valeur de marché est identique à la valeur comptable en ce qui concerne le besoin en fonds de roulement (BFR), les dettes à long terme et les autres dettes. Les capitaux propres sont enregistrés en valeurs de marché (nombre d'actions multiplié par le prix unitaire à la clôture, en mars 2004). La différence entre la valeur comptable et la valeur de marché des immobilisations est égale à la différence entre la valeur comptable et la valeur de marché des capitaux propres.
2. La VA de l'avantage fiscal suppose une dette fixe et perpétuelle, avec un taux d'imposition de 35 %.

4. Notez que si les obligations sont vendues à un juste prix, tous les bénéfices provenant de la déduction fiscale vont aux actionnaires.

1.3 Modigliani et Miller (MM) et les impôts

Nous venons juste de développer une version « corrigée » de la première proposition de MM afin d'y inclure les effets de l'impôt sur les sociétés[5]. Voici une formule qui schématise cette nouvelle proposition :

Valeur de l'entreprise = valeur non endettée + VA de la déduction fiscale

Dans le cas d'un emprunt permanent, la formule devient :

$$\text{Valeur de l'entreprise} = \text{valeur non endettée} + T_{société}\, D$$

Notre chirurgie financière sur Pfizer est la parfaite illustration des problèmes inhérents à cette théorie « corrigée ». Ce surplus de 350 millions de dollars arrive trop facilement à point nommé. Cela semble même aller à l'encontre de la théorie selon laquelle « les machines à argent n'existent pas ». De plus, si les actionnaires devenaient plus riches lorsque Pfizer emprunte 8,144 milliards de dollars, alors pourquoi n'emprunteraient-ils pas 9,144 ou 19,144 milliards de dollars ? Notre formule implique que la valeur de la société et la richesse des actionnaires augmentent avec *D*. La politique sous-entendue est extrême : toutes les sociétés devraient se financer à 100 % par l'emprunt.

MM n'étaient pas aussi radicaux. Personne ne peut espérer qu'une formule s'applique à des montants d'emprunt extrêmes. Il y a plusieurs raisons pour lesquelles nous avons surestimé la valeur des déductions fiscales. Premièrement, il est faux de penser qu'une dette est fixe et perpétuelle : la capacité d'une entreprise à s'endetter varie avec les fluctuations des profits et de la valeur de la firme au cours du temps. Deuxièmement, vous ne pourrez utiliser les déductions fiscales sur les intérêts qu'à condition qu'il y ait des bénéfices futurs, ce qu'aucune entreprise ne peut garantir.

Mais cela n'explique pas pourquoi la société Pfizer existe, ni même comment elle peut prospérer sans avoir recours à l'emprunt. Il est difficile de croire que les dirigeants de Pfizer aient simplement « raté le coche ».

Nous avons argumenté de façon à nous mettre dos au mur. Il n'y a que deux façons de s'en sortir.

1. Une étude complète de la fiscalité, celle des sociétés comme celle des particuliers, permettrait peut-être de découvrir les inconvénients cachés de l'emprunt.
2. Il est également possible que l'emprunt engendre d'autres coûts, les coûts de faillite par exemple, annulant la valeur actuelle de la déduction fiscale.

Nous allons maintenant examiner ces deux possibilités.

2 La fiscalité des sociétés et des particuliers

Si l'on intègre la fiscalité des particuliers, l'objectif de l'entreprise n'est plus de minimiser l'impôt sur les sociétés, mais de minimiser la valeur actuelle de tous les impôts calculés sur les revenus de la société. Cela comprend les impôts payés par les détenteurs de titres obligataires et les actionnaires.

La figure 18.1 montre l'influence de l'effet de levier sur les impôts des particuliers et ceux de la société. En fonction de la structure de financement de la société, 1 € de bénéfice sera

5. L'article original de MM [F. Modigliani et M. H. Miller, « The Cost of Capital, Corporate Finance and The Theory of Investment », *American Economic Review*, 48 (juin 1958), pp. 261-297] prenait en considération la déduction fiscale due aux intérêts mais ne l'évaluait pas correctement. Cette erreur fut corrigée dans leur article de 1963 intitulé « Corporate Income Taxes and The Cost of Capital, A Correction », *American Economic Review*, 53 (juin 1963), pp. 433-443.

reversé aux investisseurs, soit en intérêt (pour les emprunts), soit en dividende ou plus-value (pour les actions). Cet euro peut suivre l'une des deux branches de la figure 18.1.

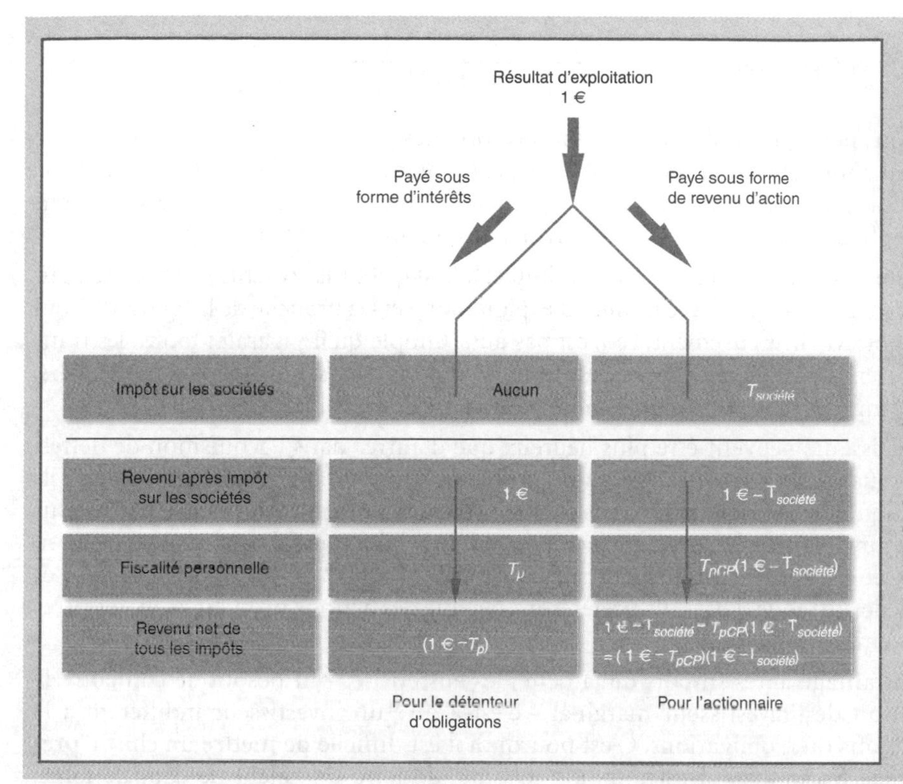

Figure 18.1 - La structure de financement de l'entreprise indique si le résultat d'exploitation est versé sous la forme d'intérêts d'emprunt ou en tant que revenu pour les actionnaires (dividende ou plus-value). Les intérêts sont taxés au taux d'imposition personnelle uniquement. Les revenus d'actions sont imposés deux fois : au niveau de l'entreprise et des particuliers[1]. Néanmoins, le taux d'imposition des revenus d'actions, T_{pCP}, peut être plus faible que T_p, le taux d'imposition sur les revenus des obligations.

1 Pour ne pas compliquer cet exemple, nous ignorons l'avoir fiscal sur les dividendes.

Notez que cette figure distingue T_p, le taux d'imposition des particuliers sur les intérêts et T_{pCP} le taux d'imposition des particuliers applicable aux revenus du capital (plus-values ou dividendes). Les deux taux sont identiques si le revenu des actions vient uniquement des dividendes. Mais T_{pCP} peut être moindre que T_p si le revenu du capital prend la forme de plus-values[6]. Dans ce cas, l'imposition des revenus en capital peut être différée jusqu'à la vente des titres.

L'objectif de la société aurait été de modifier sa structure de capital de manière à maximiser son revenu après impôts. On peut observer sur la figure 18.1 que l'emprunt est préférable si $(1 - T_p)$ est inférieur à $(1 - T_{pCP}) \times (1 - T_p)$, sinon c'est moins intéressant. La déduction fiscale relative de l'emprunt sur les actions peut être définie comme suit :

$$\text{Avantage fiscal relatif de l'emprunt} = \frac{1 - T_p}{(1 - T_{pCP}) \times (1 - T_{société})}$$

Cette formule suggère deux cas spécifiques. Premièrement, supposons que tous les revenus des actions soient des dividendes. Les revenus tirés de l'emprunt (les intérêts) et ceux tirés

6. Par exemple, en France, les plus-values sont taxées à 27 % en 2006, et les dividendes sont taxés à la tranche marginale d'impôt sur le revenu (voir section 16.6).

des actions sont imposables au même taux effectif applicable aux particuliers. Mais si on pose $T_{pCP} = T_p$, la déduction fiscale relative dépend uniquement du taux d'imposition des sociétés :

$$\text{Avantage fiscal relatif} = \frac{1 - T_p}{(1 - T_{pCP}) \times (1 - T_{société})} = \frac{1}{1 - T_{société}}$$

Dans ce cas, nous pouvons oublier le taux d'imposition des particuliers. La déduction fiscale due à l'emprunt contracté par la société est telle que l'avaient calculée MM[7]. Ils n'avaient pas à prendre en compte le taux applicable aux particuliers. Leur théorie nécessite seulement que les taux applicables aux intérêts et aux dividendes soient les mêmes.

Il existe, de toute façon, une règle de décision simple. Il faut établir la structure de financement de la société de manière à aiguiller le résultat d'exploitation vers la branche de la figure 18.1 qui minimise l'impôt. Malheureusement, ce n'est pas aussi simple qu'il y paraît : toutes les tranches fiscales doivent être intégrées, depuis les entreprises qui investissent, jusqu'aux particuliers, plus ou moins imposés. Et c'est la même chose pour la fiscalité des intérêts.

Quelques investisseurs peuvent être plus heureux que d'autres dans l'acquisition de dettes. Par exemple, vous n'aurez sans doute pas de problème à prêter aux fonds de pension ; ils n'ont pas à s'inquiéter de la fiscalité. Mais les investisseurs contribuables peuvent être plus réticents à détenir des titres de dettes et n'accepteront de le faire que s'ils ont un taux élevé en contrepartie. Ceux des investisseurs qui sont au taux marginal de 35 % peuvent refuser d'investir dans des titres de dettes. Ils préféreront détenir des actions ordinaires ou des titres municipaux exempts d'impôt.

Pour établir l'avantage après impôts de la dette, les entreprises ont besoin de connaître le taux d'imposition de l'investisseur marginal – c'est-à-dire un investisseur indifférent à la détention d'actions ou d'obligations. C'est pourquoi il est difficile de mettre un chiffre précis sur l'avantage fiscal, mais il est toujours possible de faire un calcul de coin de table. Reprenons l'exemple de Pfizer. Le taux de distribution de Pfizer a été généralement de 40 %, i.e. pour chaque dollar de revenu, 40 cents sont versés comme dividendes et 60 en plus-values. Imaginons un investisseur payant 35 % d'impôt sur les intérêts perçus, et 15 % sur les dividendes et plus-values. Par ailleurs, les plus-values ne sont pas réalisées immédiatement, ce qui décale le gain dans le temps. Supposons que la *valeur actuelle* du gain finalement réalisé soit égale à la moitié de la plus-value actuelle, soit : 15/2 = 7,5 %. Par conséquent, si l'investisseur achète des actions Pfizer, l'impôt sur chaque dollar de revenu des actions est :

$$T_{pA} = (0{,}4 \times 15) + (0{,}6 \times 7{,}5) = 10{,}5\ \%$$

7. Bien entendu, le taux des particuliers réduit le montant des intérêts de la déduction fiscale, mais le taux d'actualisation approprié pour les flux après impôt est aussi plus faible. Si les investisseurs consentent à prêter dans l'espoir d'obtenir un rendement avant impôts r_D, ils doivent également accepter un rendement après impôts $r_D\,(1 - T_p)$, où T_p est le taux d'imposition marginal des particuliers. Nous pouvons en déduire la formule de la valeur actuelle de la déduction fiscale due aux intérêts, après impôts :

$$\text{VA(avantage fiscal)} = \frac{T_{société} \times (r_D D) \times (1 - T_p)}{r_D \times (1 - T_p)} = T_{société} D$$

Cela nous ramène à notre précédente formule sur la valeur de la société :

Valeur de l'entreprise = valeur non endettée + $T_{société}D$

Nous pouvons maintenant voir le sort d'un dollar de revenu pour chacune des deux branches de la figure 18.1 :

	Intérêt	**Revenu des actions**
Revenu avant impôts	1,00 $	1,00 $
Moins l'impôt des sociétés à $T_{société}$ = 0,35 %	0	0,35
Revenu après impôts des sociétés	1,00	0,65
Impôt des particuliers à $T_p = 0{,}35$ et $T_{pA} = 0{,}105$	0,35	0,068
Revenu net d'impôt	0,65 $	0,582 $
	Avantage pour la dette = 0,068 $	

L'avantage pour le financement par la dette se situe donc autour de 7 cents.

Gardons tout de même à l'esprit qu'il s'agit là d'un calcul de coin de table. Mais il est intéressant de voir la façon dont l'avantage fiscal se réduit lorsqu'on tient compte du taux d'imposition relativement bas pour les particuliers sur les revenus des actions. Ceci reflète un changement de la législation fiscale. Avant cette réforme, les taux marginaux sur les dividendes et les gains en capital atteignaient respectivement 35 et 20 % aux États-Unis, et 52,75 % et 26 % en France (avant 2003). L'avantage du financement par la dette double si nous utilisons ces anciens taux dans notre calcul de coin de table.

Retenez aussi que l'emprunt n'est pas le seul moyen de générer des avantages fiscaux. Les sociétés peuvent accélérer les amortissements des installations et des machines. Les investissements dans beaucoup d'actifs immatériels peuvent être amortis immédiatement, tout comme les contributions de l'entreprise au fonds de retraite. Plus l'entreprise protège son revenu à l'aide de ces différents moyens, moins l'avantage fiscal issu de l'endettement sera élevé[8]. Même si l'entreprise pense gagner un bénéfice imposable avec son niveau de dette actuel, il n'est pas certain qu'il soit aussi positif que prévu si la dette s'accroît.

En dépit de ces réserves, la plupart des directeurs financiers croient à un petit avantage fiscal de l'endettement, au moins pour les entreprises qui peuvent utiliser les différents moyens comptables pour protéger leur revenu. Pour les autres, il y a probablement un petit désavantage fiscal.

Les entreprises profitent-elles pleinement des avantages fiscaux liés aux intérêts de leur dette ? John Graham pense que non. Ses calculs suggèrent que l'entreprise contribuable moyenne pourrait accroître sa valeur de 7,5 % en augmentant son ratio de dette à un niveau qui reste prudent[9]. C'est une modification facile à faire, bien que le gain soit probablement plus faible depuis la réduction des taux d'imposition sur les revenus d'actions aux États-Unis. Il semble néanmoins que les directeurs financiers soient passés à côté d'économies d'impôt faciles à faire. Mais il existe des contreparties désavantageuses à l'endettement. Approfondissons cela maintenant.

---

8. Pour une discussion globale concernant les avantages fiscaux de l'endettement, voir H. DeAngelo et R. Mauslis, « Optimal Capital Structure under Corporate and Personal Taxation », *Journal of Financial Economics*, 8 (mars 1980), pp. 5-29.

9. Pour une étude sur le taux marginal d'imposition des entreprises américaines, voir J. R. Graham, « Debt and the Marginal Tax Rate », *Journal of Financial Economics*, 41 (mai 1996), pp. 41-73, ainsi que « Proxies for the Corporate Marginal Tax Rate », *Journal of Financial Economics*, 42 (octobre 1996), pp. 187-221.

3 Les coûts des difficultés financières

Les difficultés financières coûtent cher à l'entreprise. Les investisseurs savent que les entreprises endettées peuvent sombrer dans la détresse financière, et ils s'en inquiètent. Cette inquiétude se reflète dans la valeur de marché des titres de l'entreprise endettée. Ainsi, la valeur de l'entreprise peut être divisée en trois parties :

Valeur de l'entreprise = valeur de l'entreprise non endettée + VA de l'économie d'impôt
– VA des difficultés financières

Les coûts des difficultés financières dépendent de la probabilité des difficultés et de l'ampleur des coûts associés à ces difficultés.

La figure 18.2 montre comment l'arbitrage entre les économies d'impôt et les coûts des difficultés financières détermine la structure optimale de financement. La VA des économies d'impôt augmente à mesure que l'entreprise s'endette. Pour des niveaux d'endettement modérés, la probabilité de difficultés financières est insignifiante, de sorte que la VA des coûts des difficultés financières est faible et que les économies d'impôt dominent. Mais à un certain point, les probabilités d'échec augmentent rapidement avec tout emprunt supplémentaire ; les coûts des difficultés commencent à entamer la valeur de l'entreprise de manière substantielle.

Figure 18.2 - La valeur de l'entreprise est égale à sa valeur si elle était entièrement financée par actions, plus la VA des économies d'impôt, moins la VA des coûts des difficultés financières.

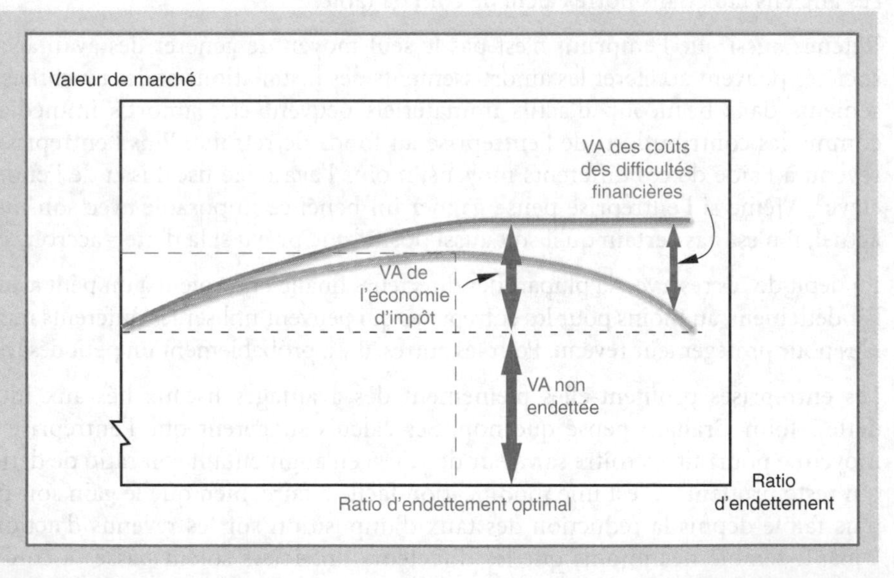

De même, si l'entreprise n'est pas assurée de profiter de ses économies d'impôt, la déduction fiscale de l'emprunt diminuera, jusqu'à éventuellement disparaître. L'optimum théorique est atteint lorsque l'augmentation de la VA des coûts des difficultés annule la VA des économies d'impôt dues à l'emprunt supplémentaire. On appelle cela la théorie du *compromis* (ou de l'*arbitrage*) sur la structure de financement.

L'expression *coûts des difficultés financières* comprend plusieurs éléments particuliers. Nous allons maintenant identifier ces coûts et essayer d'en comprendre les causes.

3.1 Les coûts de faillite

On entend rarement des propos très agréables quand on parle de la faillite d'une entreprise. Mais toute chose a du bon. Les faillites d'entreprises surviennent lorsque les actionnaires exercent leur *droit de défaillance.* Ce droit est précieux. Quand une entreprise connaît de graves problèmes, la responsabilité limitée permet aux actionnaires de se retirer simplement, laissant ainsi les créanciers faire face à tous les ennuis. Les anciens créanciers deviennent les nouveaux actionnaires et les anciens actionnaires ne possèdent plus rien.

En vertu des dispositions légales, tous les actionnaires profitent automatiquement de la responsabilité limitée. Mais supposons qu'il n'en soit pas ainsi. Imaginez deux entreprises ayant des actifs et des activités identiques. Chacune d'elles a contracté un emprunt et a promis de rembourser 1 000 € (capital et intérêt) l'année prochaine. Mais seule l'une d'elles, Ace Sarl (société à responsabilité limitée), bénéficie de la responsabilité limitée. L'autre, Ace Sari, une société à responsabilité illimitée, proche du statut de société civile (exemple fictif), ne jouit pas de ce privilège ; ses actionnaires sont personnellement responsables de sa dette.

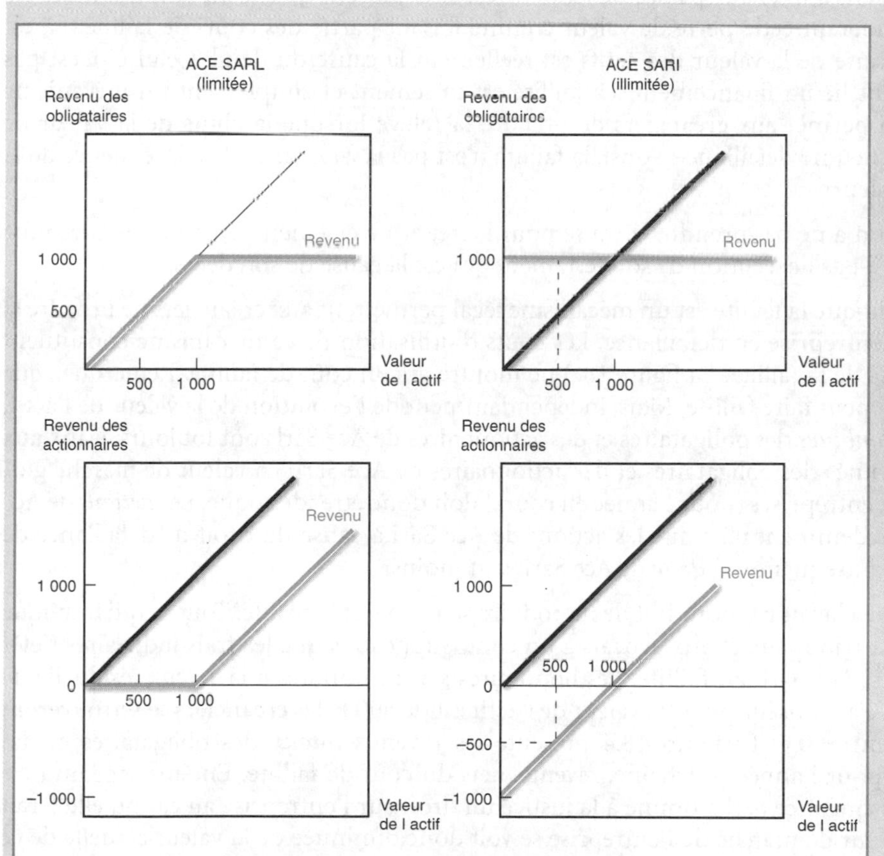

Figure 18.3 - Comparaison entre les responsabilités de deux entreprises identiques par ailleurs. Si les valeurs de l'actif de ces deux entreprises sont inférieures à 1 000 €, les actionnaires de Ace Sarl sont en défaut et ses obligataires se saisissent des actifs. Les actionnaires de Ace Sari conservent les actifs, mais ils doivent rembourser les obligataires. Les revenus totaux des actionnaires et des obligataires sont les mêmes pour les deux entreprises.

La figure 18.3 compare les revenus éventuels des créanciers et des actionnaires de ces deux entreprises pour l'année prochaine. Des différences n'apparaissent que lorsque la valeur de l'actif de l'année prochaine est inférieure à 1 000 €. Supposons que l'année suivante, l'actif de chaque entreprise soit évalué à 500 €. Dans ce cas, Ace Sarl fait faillite. Ses actionnaires démissionnent ; leurs revenus sont nuls. Les obligataires se saisissent alors de l'actif d'une valeur de 500 €. En revanche, les actionnaires de Ace Sari ne peuvent pas se démettre. Ils doivent trouver 500 €, soit la différence entre la valeur de l'actif et l'engagement envers les obligataires. Ils doivent rembourser l'emprunt, quoi qu'il arrive.

Supposons que Ace Sarl fasse vraiment faillite. Ses actionnaires regrettent évidemment que leur entreprise ait si peu de valeur, mais cela constitue un problème d'exploitation qui n'a rien à voir avec le financement. Dans le cas où le résultat d'exploitation est mauvais, le droit de faire faillite – le droit de défaillance – devient un privilège précieux. Comme le montre la figure 18.3, les actionnaires de Ace Sarl se trouvent dans une meilleure situation que les actionnaires de Ace Sari.

Cet exemple met en lumière une erreur que les gens commettent souvent quand ils parlent des coûts de faillite. Ils pensent que la faillite représente l'enterrement de la société. Le « cortège funèbre » (les créanciers et surtout les actionnaires) s'apitoie sur la situation de l'entreprise. Ils songent à la valeur passée de leurs titres, et déplorent qu'elle ait tant diminué. De plus, ils considèrent cette perte de valeur comme faisant partie des coûts de faillite. Là est l'erreur. La chute de la valeur des actifs est réellement la cause du deuil. Celui-ci n'est pas nécessairement lié au financement. La faillite est purement et simplement un mécanisme juridique qui permet aux créanciers de prendre la relève lorsque la chute de la valeur de l'actif provoque une défaillance. Ainsi, la faillite n'est pas la *cause* mais la conséquence de la chute de la valeur.

Faites attention à ne pas prendre la cause pour l'effet et inversement. Quand une personne meurt, ce n'est pas l'exécution de son testament qui est la cause de son décès.

Nous avons dit que la faillite est un mécanisme légal permettant aux créanciers de prendre la relève d'une entreprise en défaillance. Les coûts d'utilisation de ce mécanisme constituent donc les coûts de la faillite. La figure 18.3 ne montre aucun coût de faillite. Remarquez que seule Ace Sarl peut faire faillite. Mais, indépendamment de l'évolution de la valeur de l'actif, les revenus *combinés* des obligataires et des actionnaires de Ace Sarl sont toujours égaux aux revenus combinés des obligataires et des actionnaires de Ace Sari. La valeur de marché globale des deux entreprises (pour l'année en cours) doit donc être identique. Les *actions* de Ace Sarl valent évidemment plus que les actions de Ace Sari à cause du droit de défaillance de Ace Sarl. En conséquence, la *dette* de Ace Sarl vaut moins.

Notre exemple n'avait pas pour but de reproduire strictement la réalité. Tout ce qui implique le recours aux tribunaux et aux avocats a un coût. Supposons que les frais judiciaires s'élèvent à 200 € si Ace Sarl fait faillite. Les honoraires seront imputés à la valeur résiduelle de l'actif de Ace. Par conséquent, si la valeur de l'actif est de 500 €, les créanciers se retrouveront avec seulement 300 €. La figure 18.4 présente les revenus *totaux* des obligataires et des actionnaires pour l'année prochaine, revenus nets du coût de faillite. En émettant un titre d'emprunt risqué, Ace Sarl a donné à la justice un droit sur l'entreprise au cas où elle ferait faillite. La valeur de marché de l'entreprise se voit donc diminuée de la valeur actuelle de ce droit.

On voit bien comment l'augmentation de l'endettement modifie la valeur actuelle des coûts des difficultés financières. Si Ace Sarl emprunte davantage, elle doit promettre davantage aux obligataires. Cela accroît la probabilité de défaut et la valeur des frais judiciaires.

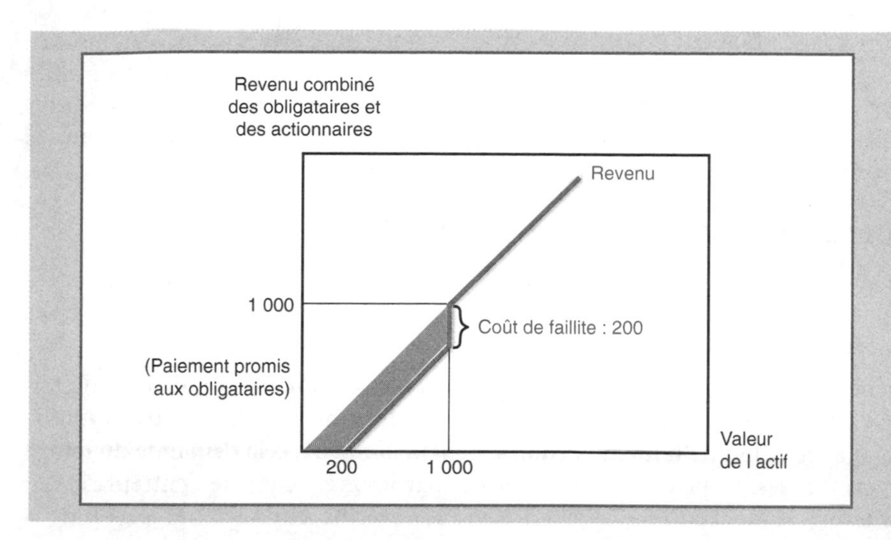

Figure 18.4 - Revenus totaux des détenteurs de titre de Ace Sarl. Le coût de faillite est de 200 € si l'entreprise fait faillite (zone grisée).

Cela augmente également la VA des coûts des difficultés financières et réduit la valeur de marché actuelle de Ace.

Les actionnaires paient de leur poche les coûts de faillite. Les créanciers prévoient ces coûts et savent qu'ils devront les payer en cas de faillite. Pour cette raison, ils exigent à l'avance une compensation sous la forme de revenus plus élevés quand l'entreprise est encore en bonne santé. En d'autres termes, ils exigent la promesse d'un taux d'intérêt plus élevé. Cela diminue les revenus éventuels des actionnaires ainsi que la valeur de marché actuelle de leurs actions.

3.2 Données sur les coûts de faillite

Les coûts de faillite peuvent augmenter très rapidement. Lorsque Eastern Airlines s'est déclarée en faillite, il lui en a coûté 114 millions d'honoraires[10]. Mais aussi élevés que puissent paraître ces chiffres, ils ne représentent pas une part importante des actifs, mais seulement 3,5 % de la valeur de ses actifs lorsqu'elle s'est déclarée en cessation de paiement, l'équivalent d'un jumbo-jet.

D'après Laurence Weiss, qui a étudié 31 faillites d'entreprises américaines entre 1980 et 1986, les coûts s'élèvent en moyenne à 3 % de la valeur comptable de l'actif et à 20 % de la valeur de marché des actions l'année précédant la faillite. Une étude réalisée par Edward Altman montre que ces coûts étaient proches pour les entreprises de commerce de détail mais plus élevés pour les entreprises industrielles. De plus, la faillite engloutit une part plus importante de la valeur de l'actif des petites entreprises que des grandes. Enfin, une étude de Andrade et Kaplan sur un échantillon d'entreprises fortement endettées et en difficulté a estimé que le coût de la faillite s'était monté à environ à 10 à 20 % de la valeur de marché d'avant les difficultés[11].

---

10. L. Gibbs et A. Boardman, « A Billion Later, Eastern's Finally Gone », *American Lawyer Newspaper Group* (6 février 1995).

11. G. Andrade et N. S. Kaplan, « How Costly is Financial (not Economic) Distress ? Evidence from Highly Leveraged Transactions that Became Distressed », *Journal of Finance*, 53 (octobre 1998), pp. 1443-1493.

Il est néanmoins vraisemblable que ces coûts puissent être plus élevés dans certains cas, notamment ceux des faillites frauduleuses. En effet, les frais de justice se trouvent alors démultipliés par les poursuites engagées par les créanciers lésés, sans compter les procédures pénales engagées par le ministère public. La banqueroute de Parmalat à la fin de l'année 2003 en constitue un bon exemple.

3.3 Les coûts directs et indirects d'une faillite

Jusqu'ici, nous avons parlé des coûts *directs* (c'est-à-dire des coûts judiciaires et administratifs) d'une faillite. Il y a aussi des coûts indirects presque impossibles à mesurer. Mais nous avons des indices de leur importance.

Gérer une société en redressement judiciaire n'est pas facile. Le liquidateur judiciaire du tribunal de commerce est souvent réquisitionné pour les décisions courantes, telles que la vente d'actifs ou l'acquisition de nouveaux équipements. Au mieux, cela demande du temps et de l'énergie, au pire les propositions sont écartées par les créanciers de l'entreprise, qui ont un peu d'intérêt à ce que l'entreprise se redresse à long terme, et préfèrent recevoir de la trésorerie pour être remboursés.

Parfois, le problème est inversé : le tribunal de commerce ou les pouvoirs publics tiennent tellement à maintenir en vie l'entreprise que celle-ci continue à travailler à perte. Lorsque Air Lib naquit des cendres de la défunte Air Liberté en octobre 2001, la compagnie, sous perfusion de SwissAir, était déjà en quasi-faillite. Mais elle avait encore de la valeur et des actifs vendables tels que des avions et des équipements dans les aéroports. Mais l'État était décidé à maintenir à tout prix la compagnie en activité, lui consentant d'ailleurs au passage un prêt de 30,5 millions d'euros en janvier 2002. Lorsque Air Lib a fermé ses portes au bout d'à peine plus d'un an (en février 2003), elle a laissé derrière elle un trou de 300 millions d'euros, dont une dette publique totale de 120 millions. Au final, il restait bien peu de choses pour les créanciers.

Nous ne connaissons pas la somme des coûts directs et indirects auxquels se monte une faillite. Nous pensons qu'il s'agit d'un montant significatif, en particulier pour les grandes entreprises pour lesquelles ces procédures sont longues et complexes. Ils peuvent même devenir exorbitants, comme dans le cas de la banque Barings en 1995. D'un coût total de 1,3 milliard d'euros, elle a effacé d'un trait de plume la valeur des actifs de l'entreprise, revendue pour une somme symbolique à la banque néerlandaise ING.

En principe, les créanciers auraient avantage à précipiter l'agonie et réaliser les actifs dès que possible. Pourtant, ils acceptent les retards de paiement dans l'espoir que l'entreprise surmontera cette période difficile. Ils agissent ainsi de manière à éviter les coûts de la faillite[12]. Il y a un vieux proverbe financier qui dit : « Emprunte mille euros, tu auras en face de toi un banquier, emprunte dix millions et tu auras un partenaire. »

12. Il y a une autre raison. Les créanciers ne sont pas toujours prioritaires en cas de faillite. La priorité absolue sous-entend que l'on sera réglé en totalité avant que les actionnaires ne commencent à être indemnisés. Parfois des accords sont passés qui distribuent un peu à tout le monde, même si les créanciers ne sont pas réglés en totalité. Ainsi, les créanciers ne peuvent jamais être sûrs qu'ils ont avantage à la mise en faillite.

3.4 Les difficultés financières sans faillite

Toutes les entreprises qui connaissent des problèmes ne font pas faillite. Tant que l'entreprise réussit à amasser, même à grand-peine, assez de fonds pour payer les intérêts de ses emprunts, elle peut différer une faillite pendant plusieurs années. À la longue, elle pourra peut-être même rembourser sa dette et échapper ainsi à la faillite.

Mais la plus grande difficulté est de faire fonctionner l'entreprise au moment où elle est au bord de la faillite. Les clients s'inquiètent de ruptures de livraisons, de la pérennité du service après-vente et veulent obtenir des compensations en cas de faillite (achèteriez-vous une voiture à un constructeur dont vous savez qu'il va droit dans le mur ?). Les fournisseurs rechignent à accorder des facilités de paiement, voire demandent à être payés rubis sur l'ongle. Les recrutés potentiels hésitent à signer et les cadres consacrent leur temps à la recherche d'un nouvel emploi.

Une dette élevée (et donc un risque financier élevé) semble aussi réduire l'appétit des entreprises pour les activités risquées. Par exemple, Luigi Zingales a examiné les évolutions des compagnies américaines de transport après la déréglementation du secteur à la fin des années 1970[13]. Cette dernière a entraîné une augmentation de la concurrence et des restructurations. La survie exigeait de nouveaux investissements et une amélioration de l'efficacité opérationnelle. Zingales est alors parvenu à la conclusion que les sociétés de transport financièrement prudentes avaient plus de chances de survivre dans le nouveau contexte concurrentiel. À l'inverse, les entreprises plus endettées étaient davantage menacées de faillite.

3.5 Dette et incitations

Quand une entreprise est en difficulté, ses obligataires et ses actionnaires souhaitent qu'elle se rétablisse, mais à d'autres égards leurs intérêts peuvent entrer en conflit. Dans ces périodes, les détenteurs de titres ressemblent aux partis politiques : unis sur les généralités, mais en conflit sur toute question particulière.

Les difficultés financières coûtent cher lorsque ces conflits d'intérêts s'opposent à des décisions d'exploitation, d'investissement et de financement judicieuses. Les actionnaires sont tentés de renoncer à l'objectif de maximisation de la valeur de marché de l'entreprise et de poursuivre des intérêts plus égoïstes, en jouant un mauvais tour aux créanciers. Nous allons illustrer maintenant le coût de ces stratégies.

Voici le bilan comptable de la société Cabernet :

Cabernet SA (valeurs comptables)

Immobilisations	20	50	Capitaux propres
BFR	80	50	Dettes
Total de l'actif	100	100	Total du passif

Nous supposerons qu'il y a une seule action et une seule obligation en circulation.

L'actionnaire est aussi l'unique gestionnaire. L'obligataire est un tiers.

Voici le bilan de l'entreprise en valeurs de marché – c'est un cas évident de difficultés financières,

13. L. Zingales, « Survival of the Fittest or the Fattest ? Exit and Financing in the Trucking industry », *Journal of Finance*, 53 (juin 1998), pp. 905-938.

puisque la valeur nominale de la dette de Cabernet (50 €) est supérieure à la valeur de marché de l'entreprise (30 €) :

Cabernet SA (valeurs de marché)

Immobilisations	20	5	Capitaux propres
BFR	10	25	Dettes
Total de l'actif	30	30	Total du passif

Si la dette venait à échéance aujourd'hui, le propriétaire de Cabernet serait en défaut et l'entreprise en faillite. Mais supposons que l'échéance des obligations ne soit que dans un an, qu'il y ait suffisamment de trésorerie pour que Cabernet puisse survivre pendant un an et que l'obligataire ne puisse pas provoquer la faillite avant l'échéance.

La période de grâce de un an explique pourquoi l'action de Cabernet a encore une valeur. Son propriétaire parie sur un coup de chance pour sauver son entreprise, coup de chance qui lui permettra de rembourser son emprunt et de gagner de l'argent. Ce pari est très risqué, car le propriétaire ne gagnera que si la valeur de l'entreprise passe de 30 € à plus de 50 €. Mais le propriétaire possède une arme secrète : il contrôle la stratégie d'investissement et d'exploitation[14].

3.6 Une première stratégie : déplacer le risque

Supposons que Cabernet dispose de 10 € de trésorerie. Se présente alors l'opportunité d'investissement suivante :

Aujourd'hui	Cash-flows possible dans un an
Investissement 10 €	120 € (probabilité 10 %)
	0 € (probabilité 90 %)

C'est un projet hautement spéculatif et probablement farfelu. Mais vous pouvez comprendre pourquoi le propriétaire serait tenté de l'entreprendre malgré tout. Pourquoi ne jouerait-il pas le tout pour le tout ? Cabernet fera probablement faillite de toute façon, et le propriétaire parie essentiellement avec l'argent de l'obligataire. Mais il en retirerait tout le bénéfice si le projet réussissait.

Supposons que la valeur actuelle nette (VAN) du projet soit de –2 € et qu'on l'engage malgré tout, réduisant donc la valeur de l'entreprise de 2 €. Le nouveau bilan de Cabernet se présenterait ainsi :

Cabernet (valeurs de marché, en euros)

Immobilisations	18	8	Capitaux propres
BFR	10	20	Dettes
Total de l'actif	28	28	Total du passif

14. Nous ne nous intéressons pas ici au fait de savoir si 5 € est un bon ou mauvais prix pour que les actionnaires supportent le pari. Ceci sera abordé au chapitre 20 lors de la présentation des options.

La valeur de l'entreprise baisse de 2 €, mais le propriétaire y gagne 3 € parce que la valeur de l'obligation a diminué de 5 €[15]. Les 10 € d'encaisse qui soutenaient l'obligation ont été remplacés par un actif très risqué de seulement 8 €.

L'actionnaire a donc réalisé une stratégie aux dépens de l'obligataire de Cabernet. Cette stratégie illustre l'idée générale suivante : les actionnaires d'entreprises endettées profitent de l'augmentation du risque d'exploitation. Les gestionnaires financiers qui agissent dans leur seul intérêt d'actionnaires (et donc *contre* les intérêts des créanciers) préféreront les projets risqués aux projets sûrs. Ils peuvent même accepter des projets risqués ayant des VAN négatives.

Cette stratégie dévoyée de choix d'investissement coûte évidemment cher à l'entreprise et à l'économie en général. Pourquoi associons-nous ces coûts aux difficultés financières ? Parce que la tentation d'agir ainsi s'avère d'autant plus forte que les chances de défaut sont élevées. Air Liquide n'aurait jamais investi dans un projet risqué dont la VAN est négative. Ses créanciers ne risquent pas, en, effet, de subir ce genre de stratégie.

3.7 Une deuxième stratégie : refuser d'injecter des capitaux propres

Nous avons vu comment les actionnaires, agissant dans leur propre intérêt, peuvent entreprendre des projets qui réduisent la valeur de marché de leur entreprise. Ce sont là des erreurs liées à leur pouvoir. Les conflits d'intérêts peuvent également conduire à des erreurs par omission.

Supposons que Cabernet ne puisse pas recueillir suffisamment de liquidités, et donc ne puisse pas entreprendre ce projet trop risqué. Mais une *bonne* opportunité se présente : un actif relativement sûr coûtant 10 €, ayant une valeur actuelle de 15 € et une VAN positive de 5 €.

Ce projet en lui-même ne sauvera pas Cabernet, mais va dans la bonne direction. Nous pouvons donc nous attendre à ce que Cabernet émette des actions nouvelles pour 10 € et se lance dans un projet. Supposons que deux actions soient émises pour 10 € comptant. Le projet est entrepris. Le nouveau bilan pourrait se présenter comme suit :

Cabernet (valeurs de marché, en euros)

Immobilisations	25	12	Capitaux propres
BFR	20	33	Dettes
Actif total	45	45	Total du passif

La valeur totale de l'entreprise augmente de 15 € (10 € de nouveaux capitaux propres et 5 € de VAN). Remarquez que les obligations de Cabernet ne valent plus 25 €, mais 33 €. L'obligataire fait une plus-value de 8 € parce que les actifs de l'entreprise comprennent un nouvel actif sûr d'une valeur de 15 €. La probabilité de défaut a diminué et, si une faillite survenait, le revenu de l'obligataire serait plus élevé.

L'actionnaire perd donc ce que l'obligataire gagne. La valeur des actions augmente non de 15 €, mais de 15 – 8 = 7 €. Le propriétaire investit 10 € dans des actions mais ne reçoit que

15. Nous n'avons pas calculé cette baisse de 5 €. Nous l'utilisons seulement comme une simple hypothèse. Les outils nécessaires à ce calcul sont présentés au chapitre 20.

7 € en valeur de marché. Entreprendre le projet va dans le sens de l'intérêt de l'entreprise, pas de celui de son propriétaire.

Notre exemple illustre de nouveau une idée générale. Si le risque d'exploitation de l'entreprise est stable, toute augmentation de la valeur de l'entreprise se partage entre ses obligataires et ses actionnaires. Pour *les actionnaires de l'entreprise,* ce qui revient aux obligataires vient en déduction de la valeur du projet. Par conséquent, leur intérêt personnel immédiat peut les pousser à refuser d'injecter des capitaux même si cela implique qu'ils doivent renoncer à une opportunité d'investissement à VAN positive.

Ce problème touche théoriquement toutes les entreprises endettées, mais il est plus grave quand les entreprises connaissent des difficultés financières. Plus la probabilité de défaut est grande, plus les obligataires auront à gagner des investissements qui augmentent la valeur de l'entreprise.

3.8 Trois autres stratégies, en bref

La tentation de recourir à ces trois stratégies, comme aux deux précédentes, est particulièrement forte en cas de difficultés financières.

Se faire rembourser et partir en courant Les actionnaires peuvent se montrer réticents à mettre de l'argent dans une entreprise en difficulté, mais ils sont toujours heureux d'en recevoir, sous forme de dividendes en espèces, par exemple. La valeur de marché des actions de l'entreprise baisse d'un montant moins élevé que le dividende versé parce que les créanciers partagent cette diminution de la valeur de *l'entreprise.* Cette stratégie constitue simplement l'inverse du « refus d'injecter des capitaux propres ».

Gagner du temps Quand l'entreprise connaît des difficultés financières, les créanciers aimeraient sauver ce qu'ils peuvent en forçant l'entreprise à les régler. Naturellement, les actionnaires veulent retarder ces paiements le plus longtemps possible. Il existe pour cela différents subterfuges : par exemple, en procédant à des changements de méthodes comptables pour dissimuler l'étendue réelle du problème (voir par exemple les cas de Vivendi, Parmalat ou Enron), en entretenant de faux espoirs de redressement spontané de l'entreprise, ou en réduisant les coûts d'entretien, de recherche-développement, etc., afin de présenter une meilleure rentabilité d'exploitation pour l'année en cours.

Appâter puis changer de direction Cette stratégie n'est pas toujours utilisée quand l'entreprise est en difficulté, mais son application y conduit rapidement. On commence par une politique traditionnelle, qui consiste à émettre des montants limités de titres d'emprunt relativement sûrs. Puis on dévie brusquement de cette politique et on émet beaucoup plus de titres. Ce changement rend tous les emprunts risqués et impose une perte en capital aux « anciens » obligataires. Leur perte en capital devient le gain des actionnaires.

L'exemple le plus spectaculaire de la mise en application de cette stratégie s'est produit en octobre 1988 quand la direction de RJR Nabisco a annoncé son intention de procéder à un *rachat de l'entreprise par endettement* (*leverage buy-out*, ou LBO, dans la langue de Peter Sellers). La société s'est trouvée mise en jeu au cours de négociations visant à racheter les parts des actionnaires de l'époque et à retirer l'entreprise du marché. Ce rachat aurait dû être presque entièrement financé par un emprunt. La nouvelle société aurait démarré avec un ratio d'endettement extrêmement élevé.

RJR Nabisco avait mis en circulation des titres d'emprunt pour une valeur de marché d'environ 2,4 milliards de dollars. L'annonce du LBO diminua cette valeur de 298 millions de dollars[16].

3.9 Le coût des stratégies d'évitement de la faillite

Pourquoi devrait-on désapprouver ces stratégies si elles sont utilisées par des personnes consentantes ? Parce que le fait même de les utiliser implique de mauvaises décisions d'investissement et d'exploitation. Ces mauvaises décisions constituent les *coûts d'agence* de l'emprunt.

Plus l'entreprise emprunte, plus elle est tentée d'utiliser ces stratégies (en supposant que le gestionnaire financier agisse dans l'intérêt des actionnaires). La probabilité croissante de prendre de mauvaises décisions dans l'avenir conduit les investisseurs à réviser à la baisse la valeur de marché de l'entreprise. Cette baisse de valeur diminue directement la richesse des actionnaires.

Les banquiers et les autres prêteurs ne sont pas non plus innocents financièrement. Ils réalisent que ce jeu peut s'effectuer à leurs dépens et ainsi se protègent eux-mêmes en limitant le montant qu'ils vont prêter ou bien en imposant des restrictions sur les décisions de l'entreprise. Prenons le cas de Mme H. Chardonnay, entrepreneur en bâtiment, qui est face à deux projets d'investissement dont les résultats sont les suivants :

	Investissement	Résultat	Probabilité de résultat
Projet 1	−12	+15	1,0
Projet 2	−12	+24	0,5
		0	0,5

Le premier projet est certain et très rentable ; le projet 2 est risqué et pourri. Mme Chardonnay contacte sa banque et demande à emprunter la valeur actuelle de 10 € (elle puisera le reste de l'argent dans sa fortune personnelle). La banque calcule que les résultats seront répartis comme suit :

	Résultat estimé pour la banque	Résultat estimé pour Mme Chardonnay
Projet 1	+10	+5
Projet 2	$(0{,}5 \times 10) + (0{,}5 \times 0) = +5$	$0{,}5 \times (24 - 10) = +7$

Si Mme Chardonnay accepte le projet 1, la dette de la banque sera remboursée en totalité ; si elle accepte le 2, la probabilité de rembourser la banque n'est que de 50 %. Malheureusement, elle choisit le 2 parce qu'il lui procurera plus de profit sous l'hypothèse optimiste, et que si cela tourne mal, la banque supportera la majeure partie de la dette. À moins qu'elle ne

16. Nous remercions Paul Asquith pour ces chiffres. RJR Nabisco a finalement été retirée du marché non par sa direction, mais par un autre associé, qui l'a rachetée en finançant ce rachat par endettement.

puisse convaincre la banque qu'elle ne fera pas n'importe quoi avec cet argent, cette dernière va restreindre le montant qu'elle accepte de prêter[17].

De quelle manière Mme Chardonnay peut-elle tranquilliser la banque sur ses intentions ? Elle pourrait accorder aux prêteurs un droit de veto sur les décisions potentiellement dangereuses. C'est ici qu'apparaît la logique économique fondamentale de tous les textes imprimés en petits caractères qui figurent dans les contrats d'emprunt. Ces contrats restreignent presque toujours les dividendes ou de semblables transferts de richesse aux actionnaires : par exemple, l'entreprise peut ne pas être autorisée à distribuer plus qu'elle ne perçoit. Les emprunts supplémentaires sont presque toujours limités. Beaucoup d'entreprises, par exemple, n'ont pas le droit d'émettre de nouveaux titres d'emprunt à long terme à moins que leur ratio bénéfices/charges d'intérêt soit supérieur à 2,0[18].

Parfois, les entreprises ne peuvent pas vendre des actifs ou effectuer des investissements importants sans l'accord de leurs prêteurs. Ainsi, on diminue le risque de la stratégie « gagner du temps ».

Les clauses insérées en petits caractères dans les contrats ne peuvent évidemment pas résoudre le problème des entreprises insistant pour émettre des titres d'emprunt risqués. Ces clauses ont en effet un coût ; il faut dépenser de l'argent pour en épargner. La négociation d'un contrat d'emprunt complexe coûte évidemment plus cher que celle d'un contrat relativement simple. De plus, la surveillance de l'activité de l'entreprise coûte davantage au prêteur. Les prêteurs prévoient les coûts d'une telle surveillance et exigent une compensation de taux d'intérêt plus élevés ; ce sont donc les actionnaires qui, finalement, paient ces coûts de surveillance (autres coûts d'agence de l'emprunt).

En tentant d'éviter la stratégie « transfert du risque », on peut aussi priver l'entreprise de *bonnes* opportunités d'investissement. Il faut au minimum considérer les délais d'acceptation des projets d'investissement par les prêteurs. Dans certains cas, ceux-ci peuvent mettre leur veto sur des investissements à haut risque même si leur VAN est positive. Même si la valeur de marché de l'entreprise augmente, les prêteurs peuvent perdre à un changement de niveau de risque. En fait, les prêteurs peuvent essayer de mettre en place leur propre stratégie en obligeant l'entreprise à investir dans des actifs liquides ou à faible risque, quitte à renoncer à de bons projets.

Les contrats de prêt ne peuvent donc pas empêcher que se manifestent les stratégies que nous venons de voir. Les tentatives en ce sens coûteraient terriblement cher et seraient de toute façon condamnées à l'échec. L'imagination humaine est incapable de concevoir toutes les situations qui pourraient mal tourner. Il y aura toujours des surprises, dont nous ne pourrons jamais anticiper l'ampleur.

Nous espérons que nous ne vous avons pas donné l'impression que les dirigeants et les actionnaires succombent toujours à la tentation, à moins qu'on ne les en empêche. D'habitude, ils s'abstiennent volontairement, non seulement à cause d'un sens de l'honnêteté, mais aussi de considérations pratiques : une entreprise ou un particulier qui réussit un coup aujourd'hui aux dépens d'un créancier sera reçu(e) froidement quand viendra le moment

17. Vous pourriez penser que, si la banque soupçonne Mme Chardonnay de préférer le projet 2, il lui suffirait d'augmenter le taux de l'emprunt. Dans ce cas, Mme Chardonnay ne choisirait pas le projet 2 (ils ne peuvent tous les deux se satisfaire d'un projet pourri), mais elle ne voudrait pas non plus payer un taux plus élevé pour le projet 1 (elle ferait mieux d'emprunter moins d'argent au taux sans risque). Par conséquent, la hausse du taux n'est pas la solution.

18. Nous abordons la question des clauses de contrats de prêt à la section 6, chapitre 25.

d'emprunter à nouveau. Seuls les escrocs patentés et les entreprises qui connaissent d'extrêmes difficultés financières mettent en place des stratégies agressives. Les entreprises limitent leurs emprunts précisément parce qu'elles ne souhaitent pas sombrer dans des difficultés et être exposées à la tentation d'appliquer de telles stratégies.

3.10 Les coûts liés aux difficultés financières varient en fonction des actifs de l'entreprise

Supposons que le seul actif de votre entreprise soit un grand hôtel situé dans le centre-ville et qu'il soit hypothéqué. La récession frappe, le taux d'occupation chute et vous ne pouvez pas payer les versements à la banque. Les créanciers s'emparent donc de l'hôtel et le vendent à un nouveau propriétaire. Les actions de votre entreprise ne vous servent plus désormais qu'à tapisser les murs.

Quels sont les coûts de faillite ? Dans cet exemple, ils sont probablement très faibles. La valeur de l'hôtel est certainement moins élevée que vous ne l'espériez, mais c'est à cause du manque de clients, pas de la faillite. La faillite n'abîme pas l'hôtel lui-même. Les coûts directs de faillite se limitent aux frais de justice, à des commissions de courtage immobilier et au temps que les créanciers ont consacré à régler tous les problèmes.

Supposons que l'histoire de l'hôtel se répète pour la société Nexus. La seule différence concerne les actifs : il ne s'agit plus d'un immeuble mais d'une entreprise de haute technologie, florissante, dont les actifs de valeur sont la technologie, les opportunités d'investissement et le capital humain de ses employés.

Si Nexus est en difficulté, ses actionnaires peuvent hésiter à injecter des fonds pour financer ses opportunités de croissance. Un tel manque d'investissement est beaucoup plus grave pour Nexus que pour un hôtel.

Si Nexus finit par ne plus pouvoir payer ses dettes, ses créanciers auront davantage de difficultés à se faire rembourser en vendant les actifs de l'entreprise qui consistent surtout en actifs incorporels, qui n'ont de valeur que pour une entreprise en activité.

Nexus, entreprise prospère, pourrait-elle survivre à une défaillance et à une réorganisation ? La situation ne serait pas aussi désespérée que pour un gâteau de mariage passé au lavage pour voitures, mais il faudrait faire face à de sérieux problèmes. D'abord, la probabilité de départs des employés aux compétences décisives pour l'entreprise est plus élevée que si l'entreprise n'avait jamais rencontré de difficultés financières. Des garanties spéciales devront sans doute être accordées aux clients qui hésiteront à passer commande. Il sera difficile d'investir de manière offensive dans de nouveaux produits et de nouvelles technologies ; il faudra convaincre chaque catégorie de créanciers de son intérêt à ce que l'entreprise investisse de nouveaux fonds dans des projets risqués.

Certains actifs, tels que les locaux commerciaux, sortent presque indemnes des défaillances et des réorganisations alors que d'autres actifs peuvent perdre une grande partie de leur valeur. Les pertes sont plus importantes pour les actifs incorporels : par exemple, la technologie, le capital humain et l'image de marque. Cela peut expliquer pourquoi les ratios d'endettement sont plus élevés dans l'industrie pharmaceutique où la valeur des actifs dépend de la réussite permanente de la recherche-développement, et dans le secteur des services où le capital humain joue un rôle important. Nous pouvons également comprendre pourquoi les entreprises prospères et très rentables, comme Microsoft ou Pfizer, se financent essentiellement par des capitaux propres.

La morale que l'on peut tirer de ces exemples est la suivante : ne pensez pas seulement à la probabilité que vous avez de rencontrer des difficultés à cause de l'emprunt. Évaluez aussi les pertes que vous subirez en cas de difficultés financières.

Enron : un hôtel de (mauvaise) passe ? Enron était parmi les sociétés les plus dynamiques et (apparemment) profitables des années 1990. Elle a occupé une des premières places lors de la déréglementation des marchés de l'électricité, à la fois aux États-Unis et à l'international. L'entreprise a investi dans la production et la distribution d'électricité, les pipelines de gaz, les réseaux de télécommunications, et beaucoup d'autres secteurs. Elle a aussi créé une branche très active dans le commerce d'énergie. Au début de 2000, la valeur de marché agrégée des actions Enron dépassait les 60 milliards de dollars. À la fin de l'année 2000, Enron était en faillite, et les actions, sans valeur.

Rétrospectivement, nous voyons qu'Enron a eu recours à nombre de stratégies décrites plus tôt dans cette section. Elle empruntait agressivement, et dissimulait ensuite la dette dans des « entités ad hoc » (*special purpose entities*, SPE). Ces dernières lui permettaient également de gonfler ses bénéfices, tout en gagnant du temps et en faisant toujours plus d'investissements risqués. Lorsque la bulle a éclaté, l'entreprise ne valait presque plus rien.

La chute d'Enron n'a pas réellement évaporé 60 milliards de dollars de valeur, parce que cette somme n'était pas là auparavant. Mais il y a eu de véritables coûts de détresse financière. Intéressons-nous à l'activité de commerce d'énergie d'Enron. Cette dernière n'était pas aussi profitable qu'on pouvait l'espérer, mais elle restait un actif valable. Par ce biais, Enron fournissait un service important à des consommateurs et à des vendeurs d'énergie en gros, disposés à acheter ou vendre des contrats fixant prix et quantités futures d'électricité, gaz ou autre combustible.

Qu'est-il arrivé à cette activité lorsqu'il devint évident qu'Enron était en détresse financière et allait probablement à la faillite ? Elle disparut. Le chiffre d'affaires tomba à zéro immédiatement. Aucun des clients ne voulait plus faire affaire avec Enron, car il n'était plus du tout certain que l'entreprise pourrait honorer sa part des contrats. Sans chiffre d'affaires, plus d'activité de commerce d'énergie. Comme cela s'est vérifié par la suite, l'activité de commerce d'Enron ressemblait davantage à l'activité de Nexus qu'à un actif corporel comme l'hôtel cité précédemment.

La valeur du commerce d'Enron dépendait de sa crédibilité. Cette valeur aurait dû être protégée par une politique financière prudente. La plus grande partie de la valeur perdue vient directement de l'endettement immodéré d'Enron. Cette perte de valeur a donc été un coût de détresse financière.

3.11 L'arbitrage dettes-capitaux propres

Les gestionnaires financiers voient souvent le choix entre dettes et capitaux propres comme un compromis entre les économies d'impôt liées aux intérêts de l'emprunt et les coûts associés aux difficultés financières. L'évaluation de ces économies d'impôt ainsi que l'identification des problèmes financiers les plus menaçants sont évidemment des sujets controversés, mais ces désaccords ne sont que des variations sur un même thème. La figure 18.2 illustre le compromis (l'arbitrage) entre dettes et capitaux propres.

Cette *théorie du compromis* dans le choix de la structure de financement reconnaît que le ratio d'endettement cible peut varier d'une entreprise à l'autre. Les entreprises qui disposent d'immobilisations corporelles sûres et de revenus imposables répétés auxquels soustraire leurs économies d'impôt devraient avoir des ratios d'endettement élevés. Les entreprises peu rentables, et qui ont surtout des actifs risqués de nature incorporelle, devraient se financer essentiellement par capitaux propres.

Si l'ajustement de la structure de financement ne comportait aucun coût, toutes les entreprises devraient avoir atteint leur ratio d'endettement cible. En réalité, il y a des coûts, et donc des délais, avant qu'elles n'atteignent ce ratio. Les entreprises ne peuvent s'ajuster immédiatement aux événements aléatoires qui les font dévier de leur objectif. Nous devrions donc constater des différences aléatoires dans les ratios réels d'endettement parmi les entreprises qui ont au départ le même ratio cible.

En fait, cette théorie du compromis porte un message réconfortant. Contrairement à la théorie de MM qui semblait encourager les entreprises à emprunter autant que possible, elle élimine toute prédiction extrême et justifie l'existence de ratios d'endettement modérés.

Mais quels sont les faits ? La théorie du compromis permet-elle d'expliquer la manière dont les entreprises se comportent véritablement ?

La réponse est « oui et non ». Du côté du « oui », la théorie du compromis permet d'expliquer les différences sectorielles de la structure de financement. Par exemple, les entreprises de haute technologie dont les actifs sont risqués et essentiellement incorporels s'endettent relativement peu en règle générale. Les compagnies aériennes peuvent et doivent emprunter beaucoup parce que leurs actifs sont corporels et relativement sûrs[19].

La théorie du compromis permet aussi d'expliquer quelles entreprises font l'objet d'un rachat financé par endettement (LBO). Les acquisitions par endettement consistent en des acquisitions d'entreprises par des investisseurs privés qui financent une large part du prix d'achat par des emprunts. Les entreprises concernées par ce type de rachat sont en général des « vaches à lait » arrivées à maturité, dont les produits se trouvent sur des marchés bien établis, mais dont la VAN des opportunités de croissance est faible. La théorie du compromis rend parfaitement compte de cette pratique puisque c'est le type même d'entreprise qui devrait supporter un haut niveau d'endettement.

La théorie du compromis dit aussi que les entreprises qui croulent sous le fardeau de leur dette (les cash-flows générés par l'exploitation ne suffisant pas à couvrir le montant à payer) devraient émettre des actions, réduire les dividendes ou vendre des actifs pour disposer des liquidités nécessaires au rétablissement de la structure de financement. Là encore, de nombreux exemples viennent à l'appui de cette théorie. Pour acheter Getty Petroleum en janvier 1984, Texaco a emprunté 8 milliards de dollars à un consortium de banques constitué pour financer l'acquisition. (Le prêt a été consenti et l'argent débloqué en l'espace de deux semaines !) À la fin de l'année 1984, Texaco a remboursé 1,8 milliard de dollars en vendant des actifs et en renonçant à des augmentations de dividendes. De même, Chrysler qui était au bord de la faillite en 1983 a émis 432 millions de dollars d'actions nouvelles pour retrouver

---

19. Nous ne disons pas que toutes les compagnies aériennes sont en bonne santé financière. Mais les *avions* peuvent garantir l'emprunt, pas les *lignes aériennes.* Si la compagnie Pilotes Aveugles fait faillite, ses avions conserveront la même valeur s'ils appartiennent à une autre compagnie. Il existe un marché secondaire très dynamique pour les avions d'occasion. Un emprunt émis par une compagnie aérienne peut donc être garanti par des actifs, même si cette compagnie vole en terrain glissant (et dans le noir).

sa structure de financement originelle[20]. En 1991, après avoir frôlé la faillite pour la seconde fois, Chrysler a émis de nouveau des actions, cette fois pour un montant de 350 millions de dollars, afin de « réapprovisionner » ses capitaux propres.

Mais la théorie du compromis ne peut pas tout expliquer. Elle ne permet pas de comprendre pourquoi des entreprises très prospères s'endettent très peu, renonçant par conséquent aux économies d'impôt qu'elles pourraient réaliser grâce aux intérêts. Rappelez-vous Pfizer (voir tableau 18.3a), une entreprise presque entièrement financée par actions. Ses principaux actifs sont, certes, de nature incorporelle, puisqu'il s'agit des résultats de la recherche-développement pharmaceutique. Nous savons que les immobilisations incorporelles et la structure de financement traditionnelle vont de pair. Mais Pfizer paie également une grosse facture d'impôt sur les sociétés (environ 1,6 milliard de dollars en 2003) et bénéficie de la meilleure notation de crédit. Elle pourrait, en empruntant, économiser des dizaines de millions de dollars d'impôt sans compromettre sa solidité financière.

L'exemple de Pfizer illustre un fait bizarre, constaté dans la structure de financement des entreprises : dans un secteur donné, les entreprises les plus rentables sont celles qui s'endettent le moins[21]. La théorie du compromis est donc prise en défaut sur ce point, car elle prévoit exactement le contraire : des bénéfices élevés devraient impliquer une capacité d'endettement plus importante, des revenus imposables supérieurs, et un ratio cible d'endettement *plus élevé*[22].

En général, les entreprises cotées ne modifient pas la structure de leur financement uniquement pour des raisons fiscales[23], et il est difficile de détecter la valeur actuelle de l'économie d'impôt sur la valeur de marché de ces entreprises[24].

Un dernier argument en faveur des opposants à la théorie du compromis ; les ratios de dette ne sont aujourd'hui pas plus élevés qu'ils ne l'étaient au début des années 1900, lorsque les taux d'imposition du revenu étaient bas ou nuls. Les ratios de dette dans les autres pays industrialisés sont égaux ou supérieurs à ceux observés aux États-Unis. Beaucoup de ces pays ont eu des systèmes d'avoir fiscal, qui éliminait l'avantage fiscal lié aux intérêts[25].

---

20. Remarquez que Chrysler a émis ces actions *après* être sortie de ses difficultés financières. Dès que ces difficultés sont apparues, elle ne les a pas *évitées* en augmentant ses capitaux propres. Pourquoi ? Revoyez le paragraphe intitulé « Refuser d'injecter des capitaux propres : la deuxième stratégie » ou à l'analyse de l'information asymétrique à la section 18.3.

21. Par exemple, dans une comparaison internationale, Wald a trouvé que la rentabilité était le facteur le plus explicatif de la structure de financement. Voir J. K. Wald, « How Firm Characteristics Affect Capital Structure : An International Comparison », *Journal of Financial Research*, 22 (été 1999), pp. 161-187.

22. Ici, nous considérons l'emprunt comme un élément de la valeur comptable ou de remplacement des actifs de l'entreprise. Les entreprises rentables n'empruntent pas nécessairement une plus grande proportion de la valeur de marché de leurs actifs. Des bénéfices plus importants impliquent une valeur de marché plus élevée ainsi que des incitations plus fortes à emprunter.

23. Mackie-Mason a montré que les entreprises qui payent des impôts avaient tendance à préférer le financement par emprunt. Voir J. Mackie-Mason, « Do Taxes Affect Corporate Financing Decisions ? », *Journal of Finance*, 45 (décembre 1990), pp. 1471-1493.

24. Une étude réalisée par E. Fama et K. R. French, portant sur plus de 2 000 entreprises entre 1985 et 1992, n'a pu mettre en évidence la contribution de l'économie d'impôt à la valeur de l'entreprise. Voir « Taxes, Financing Decision and Firm Value », *Journal of Finance*, 53 (juin 1988), pp. 819-843.

25. Nous avons décrit le système français d'avoir fiscal, et sa disparition, à la section 8, chapitre 16. Vous pouvez vérifier cela en redessinant la figure 18.1 en présence d'avoir fiscal. Le taux d'imposition des entreprises $T_{entreprises}$ s'annulera. Puisque le revenu net d'impôt dépend seulement des taux d'imposition des investisseurs, la dette de l'entreprise ne produit pas d'avantage particulier.

Aucun de ces arguments ne réfute la théorie du compromis. Comme l'a souligné George Stigler, une preuve indirecte ne permet pas de réfuter une théorie ; on prend en fait une théorie pour en détruire une autre. Nous passons donc maintenant à une théorie complètement différente.

4 Le financement hiérarchique

La théorie du financement hiérarchique repose sur le concept *d'asymétrie d'information*, cette expression bizarre signifiant que les dirigeants en savent plus sur leurs clients, les risques et la valeur de leur entreprise que des investisseurs extérieurs.

Vous en avez la preuve en observant l'évolution d'une action après une annonce faite par les dirigeants de cette entreprise. Quand une entreprise annonce une augmentation des dividendes, cela est perçu comme un signe de confiance des dirigeants dans les bénéfices futurs. L'augmentation des dividendes est donc un transfert d'information des dirigeants aux investisseurs. Ce transfert ne peut avoir lieu que si les dirigeants en savent plus au départ.

L'asymétrie d'information modifie le choix entre le financement interne et externe et entre les émissions de dettes et d'actions. Elle conduit à une *hiérarchie* des modes de financement selon laquelle l'investissement est d'abord financé par des fonds internes, essentiellement par le réinvestissement des bénéfices, puis par des émissions d'obligations, et enfin, par des émissions nouvelles d'actions. Les nouvelles émissions d'actions n'arrivent qu'en dernier ressort, quand l'entreprise a dépassé sa capacité d'endettement, c'est-à-dire quand la menace des coûts associés aux difficultés financières trouble le sommeil des créanciers actuels de l'entreprise et de son directeur financier.

Nous allons nous arrêter un moment sur cette hiérarchie. D'abord, nous devons évaluer dans quelle mesure l'asymétrie d'information peut obliger le gestionnaire financier à émettre des obligations plutôt que des actions.

4.1 Les émissions d'actions et d'obligations en présence d'asymétrie d'information

Vues de l'extérieur, les deux entreprises que nous prenons en exemple, Barneto & Cie et Barbe SA, sont identiques. Toutes les deux sont prospères et ont de bonnes opportunités de croissance. Les deux entreprises sont cependant risquées et les investisseurs ont appris avec le temps que leurs prévisions sont souvent mauvaises, les résultats étant soit meilleurs, soit décevants. D'après ces prévisions, le cours de l'action des deux entreprises est de 100 €, mais en réalité, il peut être plus haut ou plus bas.

Supposez maintenant que les deux entreprises aient besoin de nouvelles liquidités pour financer un investissement. Elles ont la possibilité soit d'émettre des obligations, soit d'émettre des actions. Comment faire ce choix ? L'un des deux directeurs financiers – nous ne vous dirons pas lequel – pourrait raisonner comme suit :

> « Vendre des actions à 100 € ? Ridicule ! Une action vaut au minimum 120 €. Émettre des actions maintenant serait faire gratuitement un cadeau aux investisseurs. Je regrette que ces actionnaires stupides et sceptiques n'apprécient pas notre entreprise à sa juste valeur. Nos nouvelles usines vont nous permettre d'avoir les coûts de production les plus faibles du monde. Nous avons peint un tableau idéal de notre entreprise pour la presse et les analystes financiers, mais cela ne semble pas fonctionner. Le choix est donc évident :

nous émettrons des obligations, et non pas des actions à un cours inférieur à leur valeur. De plus, une émission d'obligations nous épargnera les frais de souscription. »

	Barneto & Cie	**Barbe SA**
Le vrai cours pourrait être plus haut, par exemple	120	120
Meilleure estimation actuelle	100	100
Le vrai cours pourrait être plus bas, par exemple	80	80

L'autre directeur financier est dans un autre état d'esprit :

« Les téléphones solubles ont eu pendant un moment un large succès, mais la mode en est passée. Le département téléphonie mobile de l'entreprise doit donc trouver de nouveaux produits ou c'est la chute. Pour l'instant, les marchés d'exportation sont dynamiques, mais comment allons-nous rivaliser avec ces nouveaux constructeurs mongols ? Heureusement, le cours de l'action tient bon, nous avons donné de bonnes informations à court terme à la presse et aux analystes financiers. Désormais, le moment est venu d'émettre des actions. Nous avons des investissements majeurs en cours, alors pourquoi ajouter à mes autres problèmes celui du remboursement d'une dette supplémentaire ? »

Bien sûr, les investisseurs extérieurs ne peuvent pas lire ce que pensent les gestionnaires financiers. S'ils le pouvaient, une action s'échangerait à 120 € et l'autre à 80 €.

Pourquoi le directeur financier optimiste n'informerait-il pas les investisseurs ? L'entreprise pourrait alors vendre ses actions sur des bases honnêtes, et il n'y aurait plus de raison de préférer les obligations aux actions et inversement.

Ce n'est pas si simple que cela (remarquez que les deux entreprises ont publié des communiqués de presse optimistes). On ne peut pas dire aux investisseurs ce qu'ils doivent penser, on doit les convaincre. Cela nécessite un plan détaillé des projets et des perspectives d'avenir de l'entreprise, incluant des informations exclusives sur les nouvelles technologies, la création de nouveaux produits, des plans marketing, etc. Communiquer ce plan revient cher à l'entreprise et donne aussi une information précieuse à ses concurrents. Pourquoi chercher les ennuis ? Les investisseurs apprendront les choses suffisamment tôt quand ils verront l'évolution des revenus et des bénéfices. Pendant ce temps, le gestionnaire financier optimiste peut financer la croissance en émettant des dettes.

Supposons maintenant que les deux communiqués suivants paraissent dans la presse :

Barbe SA lance un emprunt obligataire à cinq ans, pour 120 millions d'euros.

Barneto & Cie a annoncé aujourd'hui son intention d'émettre 1,2 million d'actions. L'entreprise compte recevoir 120 millions d'euros.

En tant qu'investisseur sensé, vous apprenez immédiatement deux choses. Premièrement, le directeur financier de Barbe est optimiste et celui de Barneto pessimiste. Deuxièmement, le directeur financier de Barneto est stupide de penser que les investisseurs paieront l'action 100 €. En *essayant* de vendre ses actions, il prouve que son cours doit être plus bas. Barneto pourrait vendre son action à 80 €, certainement pas à 100 €[26].

---

26. Même à 80 €, l'émission d'actions de Barneto serait un échec. Le fait d'essayer de vendre avec persistance des actions à 80 € risquerait de convaincre les investisseurs que l'action vaut encore moins !

Mais des directeurs financiers intelligents y auraient pensé avant. Quel a été le résultat final ? Barneto et Barbe ont finalement émis toutes les deux des obligations. Barbe SA a émis des obligations parce que son directeur financier est optimiste et ne veut pas émettre d'actions à un cours inférieur à leur valeur. Chez Barneto, le directeur financier intelligent, mais pessimiste, a émis des obligations parce qu'émettre des actions aurait obligé l'entreprise à baisser leur cours et à se priver d'autres avantages. (Émettre des actions révèle aussi immédiatement le pessimisme du directeur. La plupart des gestionnaires préfèrent attendre. Une émission d'obligations permet aux mauvaises nouvelles de surgir plus tard par d'autres voies.)

L'histoire de Barneto et Barbe montre comment l'asymétrie d'information contribue à privilégier les émissions d'obligations plutôt que les actions. Si les dirigeants sont mieux informés que les investisseurs et que tous sont rationnels, toutes les entreprises qui pourront emprunter n'hésiteront pas à le faire plutôt qu'à émettre des actions. Autrement dit, les émissions de dettes figurent à la première place dans le mode de financement hiérarchique.

Suivi à la lettre, ce raisonnement semble exclure tout recours à une émission d'actions. Il n'en est rien parce que l'asymétrie d'information n'est pas toujours importante et qu'il y a d'autres éléments importants à prendre en compte. Par exemple, si Barneto avait déjà beaucoup emprunté et si elle risquait de sombrer dans des difficultés financières en empruntant davantage, elle aurait eu une bonne raison d'émettre des actions. Dans ce cas, l'annonce de l'émission d'actions n'aurait pas été complètement une mauvaise nouvelle. Cette annonce aurait encore fait baisser le cours de l'action (elle aurait exprimé les inquiétudes de dirigeants au sujet des difficultés financières de l'entreprise), mais l'émission n'aurait pas forcément été imprudente ou impossible à cause de la chute du cours.

Les entreprises de haute technologie et à forte croissance peuvent aussi être des émettrices crédibles d'actions. Les actifs de telles entreprises sont essentiellement de nature incorporelle et une faillite ou des difficultés financières coûtent particulièrement cher. Ces entreprises ont recours à un financement traditionnel. La seule façon de croître rapidement et de conserver un ratio d'endettement normal est d'émettre des actions.

De telles exceptions mises à part, l'asymétrie d'information peut expliquer pourquoi, en pratique, le financement par emprunt est davantage utilisé que les émissions des actions. La majeure partie du financement externe provient des dettes, même en Europe ou aux États-Unis, où la Bourse est un marché largement efficient au niveau de l'information.

Rien ne dit que les entreprises devraient s'évertuer à obtenir des ratios d'endettement élevés, mais simplement qu'il est préférable d'augmenter ses capitaux propres en réinvestissant ses bénéfices plutôt qu'en émettant des actions. En fait, une entreprise qui génère elle-même une grande partie de ses fonds ne doit vendre aucun titre et éviter ainsi complètement les problèmes de coûts d'émission et d'information[27].

27. Même les émissions de titre d'emprunt peuvent créer des problèmes d'information si la probabilité de défaut est importante. Un directeur pessimiste peut essayer d'émettre des titres d'emprunt rapidement, avant que les mauvaises nouvelles ne sortent. Un directeur optimiste prendra au contraire son temps, attendant les bonnes nouvelles, négociant peut-être dans le même temps un prêt bancaire à court terme. Des investisseurs sensés prendront en compte l'une ou l'autre des attitudes pour calculer le prix du risque de l'émission des titres d'emprunt.

4.2 Les conséquences du mode de financement hiérarchique

La théorie du mode de financement hiérarchique se présente comme suit[28].

1. Les entreprises préfèrent le financement interne.
2. Elles ajustent leur taux de versement de dividendes en fonction de leurs opportunités d'investissement, tout en essayant d'éviter des variations brusques des dividendes.
3. Quand une politique de dividende rigide est associée à une rentabilité et des opportunités d'investissement fluctuant de manière imprévisible, les fonds autogénérés sont parfois plus élevés que les besoins d'investissement, parfois plus faibles. S'ils sont plus élevés, les entreprises remboursent leurs dettes ou placent l'excédent en Sicav. Si elles manquent de fonds, elles vendent d'abord leurs Sicav.

Si des fonds externes sont requis, les entreprises émettent d'abord les titres les moins risqués. Elles émettent donc en premier lieu des obligations (ou elles souscrivent à des emprunts bancaires), puis des titres hybrides comme des obligations convertibles, et peut-être en dernier ressort des actions.

D'après cette théorie, il n'existe aucun ratio cible d'endettement bien défini parce qu'il y a deux types de financement par fonds propres, l'un interne, l'autre externe, l'un au sommet de la hiérarchie et l'autre en bas. Le ratio d'endettement pour chaque entreprise observée reflète son besoin cumulatif de financement externe.

La théorie du financement hiérarchique explique pourquoi les entreprises les plus rentables empruntent généralement moins – non pas parce que leur ratio optimal d'endettement est bas, mais parce qu'elles n'ont pas besoin de fonds externes. Les entreprises les moins rentables s'endettent parce qu'elles n'ont pas suffisamment de fonds internes pour financer leurs projets d'investissement et que le financement par emprunt est au sommet du mode de financement hiérarchique *externe*.

Cette théorie suppose aussi que les économies d'impôt réalisées grâce aux intérêts constituent des effets secondaires. Les ratios d'endettement varient lorsqu'il y a un déséquilibre entre les cash-flows internes, dividendes déduits, et les opportunités d'investissement réelles. Les entreprises largement rentables et dont les opportunités d'investissement sont limitées tendent vers des ratios d'endettement faibles. En revanche, les entreprises dont les opportunités d'investissement excèdent les capitaux générés en interne sont amenées à emprunter de plus en plus.

Cette théorie explique aussi la relation inverse entre la rentabilité et le levier financier des entreprises d'un même secteur. Supposons que les entreprises investissent généralement pour suivre la croissance de leur secteur. Les taux d'investissement doivent donc être semblables à l'intérieur d'un secteur. Étant donné la rigidité des dividendes versés, les entreprises les moins rentables auront moins de capitaux internes et finiront par emprunter davantage.

La théorie du financement hiérarchique permet de prévoir au plus juste les changements de ratio d'endettement des entreprises arrivées à maturité : une augmentation du ratio quand l'entreprise connaît des déficits financiers, une baisse en cas d'excédents[29].

---

28. Cette partie s'inspire de l'article de S. C. Myers, « The Capital Structure Puzzle », *Journal of Finance*, 39 (juillet 1984), pp. 581-582. Cette section suit en grande partie les arguments de Myers.
29. Voir L. Shyam-Sunder, S. C. Myers, « Testing Static Trade-off Against Pecking-Order Models of Capital Structure », *Journal of Financial Economics*, 51 (février 1999), pp. 219-244.

Si à cause de l'asymétrie d'information, les émissions d'actions ou leurs rachats sont rares, cette attitude est presque inévitable.

Mais cette théorie ne parvient pas à expliquer les différences de ratios d'endettement entre les entreprises d'un *même* secteur. Par exemple, les ratios d'endettement tendent à être plus faibles dans les industries de haute technologie, industries à forte croissance, même quand leur besoin en capitaux externes est important. D'autres secteurs matures et stables, comme celui de l'électricité par exemple, n'utilisent pas les cash-flows importants dont ils disposent pour rembourser leurs dettes, mais reversent ces liquidités aux investisseurs grâce à des taux de distribution de dividendes élevés.

4.3 La théorie du compromis contre la théorie du financement hiérarchique : quelques études récentes

En 1995, Rajan et Zingales publièrent une étude sur les arbitrages entre dettes et fonds propres des grandes entreprises au Canada, en France, en Allemagne, en Italie, au Japon, au Royaume-Uni et aux États-Unis. Rajan et Zingales ont trouvé que les ratios de dette des entreprises individuelles semblaient être fonction de quatre facteurs[30] :

1. *Taille*. Les grandes entreprises tendent à avoir des ratios de dette plus élevés.
2. *Actifs corporels*. Les sociétés avec des ratios actif immobilisé/actif total importants ont des ratios de dette plus élevés.
3. *Rentabilité*. Les firmes très rentables ont des ratios de dette moins élevés.
4. *Ratio Valeur de marché/Valeur comptable (market-to-book)*. Les sociétés avec des ratios valeur de marché/valeur comptable élevés ont des ratios de dette plus faibles.

Ces résultats sont autant de bonnes nouvelles à la fois pour la théorie du compromis que pour celle du financement hiérarchique. *Les partisans du compromis* soulignent que les grandes entreprises avec beaucoup d'actifs corporels sont moins exposées à la détresse financière et donc plus à même d'emprunter davantage. Ils interprètent le ratio valeur de marché/valeur comptable comme un indicateur d'opportunités de croissance : dans un tel contexte, les entreprises à forte croissance pourraient être soumises à des coûts élevés en cas de détresse financière et devraient donc emprunter moins. *Les porte-drapeaux du financement hiérarchique* mettent en avant l'importance de la rentabilité, soulignant que les entreprises rentables ont moins recours à la dette parce qu'elles peuvent s'appuyer sur leurs ressources internes. Ils interprètent donc le ratio *market-to-book* comme une autre mesure de la rentabilité.

Alors que les deux théories sont en concurrence, elles semblent toutes deux avoir raison ! Ce n'est pas pour autant une conclusion sympathique. Des recherches récentes ont donc tenté d'identifier les circonstances dans lesquelles une théorie l'emporte sur l'autre. Il semble que celle du financement hiérarchique fonctionne bien pour les grandes entreprises matures qui ont accès au marché des obligations. Ces entreprises émettent rarement des actions. Elles leur préfèrent le financement interne, mais s'adressent aux marchés de dette afin de financer des investissements si le besoin s'en fait sentir. Les sociétés plus petites et plus jeunes, en

30. R. G. Rajan et L. Zingales, « What Do We Know about Capital Structure ? Some Evidence from International Data », *Journal of Finance*, 50 (décembre 1995), pp. 1421-1460. Les quatre mêmes facteurs semblent à l'œuvre dans les économies en développement. Voir notamment L. Booth, V. Aivazian, A. Demiguc-Kunt et V. Maksimovic, « Capital Structure in Developing Countries », *Journal of Finance*, 56 (février 2001), pp. 87-130.

forte croissance, sont plus enclines à émettre des actions lorsqu'un besoin de financement externe apparaît. Ce qui est contraire à la théorie du financement hiérarchique[31].

La théorie du compromis conserve un certain pouvoir explicatif une fois que les objections du financement hiérarchique ont été prises en compte. Cette théorie est particulièrement utile pour expliquer les différences de structure de financement entre industries. Les ratios de dette sont élevés dans les industries relativement sûres, avec beaucoup d'actifs corporels. Les ratios de dette sont plus bas pour les industries plus risquées, dans lesquelles la valeur est tributaire d'actifs incorporels et des opportunités de croissance.

4.4 La marge de manœuvre financière

Toutes choses étant égales par ailleurs, il est préférable d'être au sommet de la hiérarchie qu'au bas de l'échelle. Les entreprises qui ont glissé de l'échelle et qui ont besoin de fonds externes peuvent se retrouver avec une dette excessive ou passer à côté de bons investissements parce qu'il leur est impossible de vendre leurs actions au prix que leurs dirigeants jugent équitable.

En d'autres termes, disposer d'une *marge de manœuvre financière* (ou *flexibilité financière*) est un bien précieux. Avoir cette latitude financière signifie disposer de liquidités, de Sicav, d'actifs facilement vendables et d'un accès rapide au marché obligataire et au financement bancaire. Un accès rapide demande au départ un financement traditionnel, de sorte que les prêteurs potentiels puissent s'assurer que l'emprunt accordé à l'entreprise considérée est un investissement sûr.

À long terme, la valeur d'une entreprise repose davantage sur ses décisions d'investissement et d'exploitation que sur son financement. C'est pourquoi il faut vous assurer que la marge de manœuvre de votre entreprise sera suffisante pour lui permettre de financer rapidement des investissements intéressants. Cette marge de manœuvre s'avère d'autant plus précieuse que l'entreprise a des opportunités de croissance à VAN positive. Voilà une raison supplémentaire expliquant pourquoi des entreprises prospères cherchent à conserver une structure de capital traditionnelle.

4.5 Les free cash-flows et les dangers de la latitude financière[32]

La marge de manœuvre financière présente également un côté obscur. Si elle est trop importante, elle peut encourager les dirigeants à se laisser aller, à accroître leurs petits bénéfices ou à bâtir un empire avec l'argent normalement destiné aux actionnaires. En d'autres termes, la marge de manœuvre aggrave les problèmes d'agence.

Michael Jensen a souligné le problème des liquidités importantes (Jensen parle de *free cash-flows*), ou d'une marge de manœuvre trop importante : les dirigeants peuvent alors investir dans des activités arrivées à maturité ou procéder à des acquisitions peu judicieuses. Selon Jensen, « le problème est de savoir comment inciter ces dirigeants à restituer ces liquidités

31. L. Shyam-Sunder et S. C. Myers, « Testing Static Trade-off against Pecking-Order Models of Capital Structure », *Journal of Financial Economics*, 51 (février 1999), pp. 219-244 ; M. Frank et V. Goyal, « Testing the Pecking Order Theory of Capital Structure », *Journal of Financial Economics*, 67 (février 2003), pp. 217-248 ; et M. L. Lemmon et J. F. Zender, « Debt Capacity and Tests of Capital Structure Theories », document de travail, université de l'Utah, 2002.

32. Ce qui suit est tiré de S. C. Myers, « Still Reaching for Optimal Capital Structure », *Journal of Applied Corporate Finance*, 6 (printemps 1993), pp. 4-14.

plutôt qu'à les investir au-dessous du coût du capital ou à les gaspiller en réorganisations inutiles[33] ».

Si le problème est réellement celui-là, emprunter peut être une solution. Les intérêts à payer et le remboursement du capital constituent des obligations contractuelles pour l'entreprise. L'emprunt oblige l'entreprise à sortir des liquidités. Le niveau d'emprunt optimal serait peut-être celui qui, après le service de la dette, laisserait juste assez de liquidités sur le compte bancaire de l'entreprise pour financer tous les projets à VAN positive, en ne laissant aucun centime.

Nous ne recommandons pas ce degré d'ajustement extrême, mais l'idée est bonne et importante. L'emprunt peut discipliner les dirigeants tentés de trop investir. Il peut aussi être un moyen de pression pour les obliger à investir dans des activités rentables. Nous reviendrons sur ce thème au cours des chapitres 33 et 34.

Résumé

Dans ce chapitre, nous avons montré pourquoi la structure de financement a de l'importance. Nous n'avons pas laissé tomber la proposition I de MM selon laquelle la structure de financement était sans importance : nous l'avons complétée. Cependant, nous ne sommes pas parvenus à élaborer une théorie simple et satisfaisante de la structure optimale de financement.

L'existence d'un arbitrage entre les capitaux propres et les dettes souligne l'importance des impôts et des difficultés financières. La valeur de l'entreprise se découpe ainsi :

$$\text{Valeur de l'entreprise non endettée} + \text{VA de l'économie d'impôt} - \text{VA des coûts des difficultés financières}$$

D'après cette théorie, l'entreprise devrait emprunter jusqu'à ce que la VA de l'économie d'impôt soit compensée, à la marge, par l'augmentation de la VA des coûts des difficultés financières.

Les coûts des difficultés financières peuvent se décomposer comme suit :

1. Les coûts de faillite :
   - **a.** Les coûts indirects tels que les frais judiciaires.
   - **b.** Les coûts indirects reflétant la difficulté de gérer une entreprise en voie de liquidation ou de réorganisation.
2. Les coûts des difficultés financières quand la faillite est imminente :
   - **a.** Les conflits d'intérêts entre les obligataires et les actionnaires d'une entreprise en difficulté peuvent conduire à de médiocres décisions. Les actionnaires n'agissant que dans leur propre intérêt peuvent réaliser des gains aux dépens des créanciers en utilisant des stratégies qui réduisent la valeur globale de l'entreprise.
   - **b.** Les clauses des contrats d'emprunt sont destinées à empêcher ces stratégies. Mais chaque clause augmente les coûts de rédaction, de surveillance et d'exécution du contrat.

---

33. M. C. Jensen, « Agency Costs of Free Cash-flows, Corporate Finance and Takeovers », *American Economic Review*, 26 (mai 1986), p. 323.

La valeur de l'économie d'impôt est plus controversée. Elle serait facile à calculer s'il suffisait de prendre en compte l'impôt sur les sociétés. Dans ce cas, l'économie d'impôt nette réalisée grâce à l'emprunt serait égale au taux marginal d'imposition des sociétés $T_{société}$ multiplié par $r_{Dette}D$, l'intérêt à payer. La valeur de cette économie d'impôt est généralement calculée en actualisant au taux d'emprunt r_{dette}. Dans le cas particulier d'un emprunt fixe et permanent, on a :

$$\text{VA de l'économie d'impôt} = \frac{T_{société}(r_{Dette}D)}{r_{Dette}} = T_{société}D$$

Néanmoins, la fiscalité des sociétés ne représente qu'une partie de l'histoire. Lorsque les investisseurs sont plus imposés sur les revenus d'obligations que sur les revenus des actions (dividendes et plus-values), ils seront moins enthousiastes à détenir des titres de créances et ne le feront que s'ils trouvent le taux d'intérêt suffisamment attractif.

Notre idée est que l'emprunt peut présenter un intérêt pour certaines entreprises mais pas pour d'autres. Si une entreprise est assurée de faire des bénéfices, l'endettement permettra probablement de réaliser une économie d'impôt. Mais il est possible qu'elle ne réalise pas suffisamment de bénéfices pour profiter de l'économie d'impôt, auquel cas la déduction fiscale sera très faible, voire nulle. Pour des entreprises dans cette situation, l'économie d'impôt peut même être négative.

La théorie du compromis compare les économies d'impôt liées à l'emprunt et les coûts des difficultés financières. Les entreprises sont supposées définir une structure de financement cible qui maximise leur valeur. Les sociétés qui disposent d'actifs corporels sans risque et de nombreux revenus imposables devraient définir des endettements élevés. En revanche, les entreprises peu rentables et dont les actifs sont risqués et incorporels devraient être financées essentiellement par actions.

Cette théorie de la structure de financement explique bien les différences de structure de financement entre les secteurs, mais ne permet pas de comprendre pourquoi les entreprises les plus rentables *à l'intérieur* d'un même secteur ont les structures de financement les plus traditionnelles. D'après la théorie du compromis, une forte rentabilité devrait signifier une capacité d'endettement élevée et une forte incitation fiscale à utiliser cette capacité.

La théorie du financement hiérarchique, théorie concurrente, montre que les entreprises utilisent le financement interne quand les fonds sont disponibles et préfèrent les dettes aux actions quand elles ont besoin de financement externe. Ceci explique pourquoi les entreprises les moins rentables d'un secteur empruntent plus que les autres – non parce que leurs ratios d'endettement sont plus élevés, mais parce qu'elles ont davantage besoin de financement externe et que l'emprunt, quand les sources internes sont épuisées, vient juste après l'ordre hiérarchique des modes de financement.

Le mode de financement hiérarchique est une conséquence de l'asymétrie d'information. Les dirigeants en savent plus sur leur entreprise que les investisseurs extérieurs et hésitent à émettre des actions s'ils estiment que leur cours est trop bas. Ils essaient de multiplier les émissions d'actions quand leur cours est correct ou surévalué. Les investisseurs le savent bien et toute émission d'actions est pour eux une mauvaise nouvelle. On comprend donc pourquoi le cours d'une action chute après l'annonce d'une nouvelle émission.

Lorsque ces problèmes d'information sont importants, les entreprises préfèrent émettre des dettes plutôt que des actions. Des gestionnaires optimistes préféreront des dettes à des actions sous-évaluées, et on incitera les pessimistes à en faire autant. D'après la théorie du financement hiérarchique, une entreprise n'émettra des actions que si elle a dépassé sa capacité d'endettement et que des difficultés financières menacent.

La théorie du financement hiérarchique n'est pas vraie à 100 %. Il existe de nombreux exemples d'entreprises qui ont émis des actions alors qu'elles pouvaient encore emprunter. Mais la théorie explique pourquoi l'emprunt constitue l'essentiel des financements externes et pourquoi l'évolution des ratios d'endettement tend à suivre les exigences du financement externe.

La théorie du financement hiérarchique souligne l'importance de la marge de manœuvre financière d'une entreprise. Si cette marge de manœuvre est insuffisante, l'entreprise peut se retrouver au bas de l'échelle et devoir choisir entre une émission d'actions sous-évaluées, un emprunt et donc un risque de difficultés financières, ou passer à côté d'opportunités d'investissement à VAN positive.

Cependant, la marge de manœuvre financière a un côté dangereux. Des disponibilités ou des possibilités de crédits excédentaires incitent les dirigeants à trop investir ou à se laisser aller à un mode de vie facile et brillant. Quand cette tentation l'emporte, une restructuration financée par endettement peut se révéler utile. Cette restructuration, en augmentant l'endettement de manière drastique, oblige l'entreprise à utiliser ses disponibilités et incite les dirigeants et les entreprises à travailler davantage pour être plus efficaces.

Lectures complémentaires

L'analyse de Modigliani et Miller de la valeur actuelle des économies d'impôt réalisées au niveau de l'entreprise grâce aux intérêts de la dette se trouve dans :

F. Modigliani et M. H. Miller, « Corporate Income Taxes and the Cost of Capital, A Correction », *American Economic Review*, 53 (juin 1963), pp. 433-443.

F. Modigliani et M. H. Miller, « Some estimates of the Cost of Capital to the Electric Utility Industry, 1954-57 », *American Economic Review*, 56 (juin 1966), pp. 333-391.

Miller étend le modèle de MM aux impôts sur les personnes et aux impôts sur les sociétés. L'étude des avantages fiscaux de la dette produite par Graham intègre la possibilité que les entreprises ne gagnent pas de bénéfice imposable dans le futur :

M. H. Miller, « Debt and Taxes », *Journal of Finance*, 32 (mai 1977), pp. 261-276.

J. R. Graham, « How Big Are the Tax Benefits of Debt ? », *Journal of Finance*, 55 (octobre 2000), pp. 1901-1941.

Les articles suivants analysent les conflits d'intérêts entre les obligataires et les actionnaires et leurs effets sur la politique de financement :

M. C. Jensen et W. H. Meckling, « Theory of the Firm, Managerial Behavior, Agency Costs and Ownership Structure », *Journal of Financial Economics*, 3 (octobre 1976), pp. 305-360.

S. C. Myers, « Determinants of Corporate Borrowing », *Journal of Financial Economics*, 5 (1977), pp. 146-175.

Myers expose la théorie du financement hiérarchique, et les trois articles suivants la testent :

S. C. Myers, « The Capital Structure Puzzle », *Journal of Finance*, 39 (juillet 1984), pp. 575-592.

L. Shyam-Sunder et S. C. Myers, « Testing Static Trade-off against Picking-Order Models of Capital Structure », *Journal of Financial Economics*, 51 (février 1999), pp. 219-244.

E. F. Fama et K. R. French, « Testing Trade-off and Pecking-Order Predictions about Dividends and Debt », *Review of Financial Studies*, 15 (printemps 2002), pp. 1-33.

M. Frank et V. Goyal, « Testing the Pecking Order Theory of Capital Structure », *Journal of Financial Economics*, 67 (février 2003), pp. 217-248.

L'article suivant présente les points de vue des PDG sur la structure de financement :

J. Graham et C. Harvey, « How Do CFOs Make Capital Budgeting and Capital Structure Decisions ? », *Journal of Applied Corporate Finance*, 15 (printemps 2002), pp. 8-23.

Voici trois études utiles sur la théorie et les tests empiriques de la structure de financement optimale :

M. J. Barclay, C. W. Smith et R. L. Watts, « The Determinants of Corporate Leverage and Dividend Policies », *Journal of Applied Corporate Finance*, 7 (hiver 1995), pp. 4-19.

M. Harris et A. Raviv, « The Theory of Optimal Capital Structure », *Journal of Finance*, 48 (mars 1991), pp. 297-356.

S. C. Myers, « Still Searching for Optimal Structure », *Journal of Applied Corporate Finance*, 6 (printemps 1993), pp. 4-14.

Au printemps 1993 et en hiver 1995, le Journal of Applied Corporate *a publié plusieurs articles sur les effets d'incitation provoqués par la structure de financement.*

Activités

Révision des concepts

1. Imaginez qu'une entreprise emprunte 1 million d'euros à un taux d'intérêt de 6 %, tandis que le taux d'imposition des sociétés est de 30 %. Quel est l'avantage fiscal annuel issu des intérêts ? Si la dette est permanente, quelle est la valeur de l'avantage fiscal ?
2. Pour quelles raisons l'existence des impôts sur les particuliers compense-t-elle partiellement l'avantage fiscal de l'entreprise sur les paiements d'intérêts ?
3. Énumérez les coûts directs et indirects de la faillite. Pensez-vous que les coûts indirects sont supérieurs ou inférieurs à la moyenne pour les entreprises avec beaucoup d'actifs incorporels ?

Tests de connaissances

1. Calculez la valeur actuelle des économies d'impôt engendrées par les trois émissions suivantes de titres d'emprunt. On ne prend en compte que l'impôt sur les sociétés ; le taux d'imposition marginal est $T_{société} = 0{,}35$.
   a. Un emprunt d'un an de 1 000 € à 8 %.
   b. Un emprunt de 1 000 € à 8 %, à échéance de cinq ans ; supposez qu'aucun remboursement de capital ne soit effectué avant l'échéance.
   c. Un emprunt de 1 000 € à 7 %, à perpétuité.
2. Voici les bilans en valeurs comptables et en valeurs de marché de la société Sauvignon :

Valeur comptable (en euros)				Valeur de marché (en euros)			
Immobilisations	80	Capitaux propres	60	Immobilisations	140	Capitaux propres	120
BFR	20	Dette	40	BFR	20	Dette	40
	100		100		160		160

   Supposons que la théorie de MM soit valable dans un environnement avec impôt. Il n'y a pas de croissance, et nous supposerons que la dette de 40 € est une dette permanente. L'entreprise est imposée à un taux de 40 %.
   a. Quelle part de la valeur de l'entreprise représente l'économie d'impôt engendrée par l'emprunt ?
   b. De combien la situation des actionnaires s'améliorerait-elle si l'entreprise empruntait 20 € de plus et les utilisait pour racheter des actions ?
3. Quelle est l'économie d'impôt réalisée grâce à l'emprunt de l'entreprise si le taux d'impôt sur les sociétés $T_{société}$ est de 35 % et le taux d'imposition des personnes T_p de 31 %, en supposant que le revenu des actions consiste en plus-values et qu'il est totalement exonéré d'impôt ($T_{pCP} = 0$) ? Comment évoluerait l'économie d'impôt relative si l'entreprise décidait de distribuer le revenu des actions en dividendes ?

4. « L'entreprise ne peut bénéficier de l'économie d'impôt liée aux intérêts que si elle engendre des revenus imposables. » Que signifie cette affirmation pour la politique d'endettement ? Expliquez brièvement.
5. Cette question sert à tester votre compréhension de la notion de « difficultés financières ».
   a. Quels sont les coûts d'une faillite ? Définissez-les précisément.
   b. « Une entreprise peut avoir à supporter des coûts de difficultés financières sans faire faillite. » Expliquez comment cela est possible.
   c. Expliquez dans quelle mesure les conflits d'intérêts entre les obligataires et les actionnaires peuvent conduire à des difficultés financières.
6. Le 29 février 2034, lorsque Grugeon SA a annoncé qu'elle faisait faillite, le cours de son action est passé de 3 € à 0,5 €. Dix millions d'actions étaient en circulation. Cela signifie-t-il que les coûts de faillite sont de 10 × (3 – 0,50) = 25 millions d'euros ? Expliquez.
7. Revenons sur le bilan en valeurs de marché de Cabernet :

Immobilisations	20	5	Capitaux propres
BFR	10	25	Dettes
Total de l'actif	30	30	Total du passif

   Qui gagne et qui perd à la suite des manœuvres suivantes ?
   a. Cabernet rassemble à grand peine 5 € de liquidité et verse un dividende en espèces.
   b. Cabernet cesse ses activités, vend ses immobilisations, et transforme son besoin en fonds de roulement (BFR) de 20 € en liquidités. Malheureusement, les immobilisations ne valent que 6 € sur le marché d'occasion. Les 26 € de liquidités sont investis en Sicav.
   c. Cabernet trouve un projet d'investissement acceptable (VAN = 0) qui nécessite un investissement de 10 €. L'entreprise emprunte pour financer ce projet. Le nouvel emprunt a la même garantie, le même rang, etc., que l'ancien.
   d. Supposons que le nouveau projet ait une VAN de +2 € et qu'il soit financé par une émission d'actions privilégiées.
   e. Les prêteurs acceptent de faire passer l'échéance de leur prêt de 1 à 2 ans afin de permettre à Cabernet de souffler.
8. Selon la théorie traditionnelle sur la structure de financement optimale, les entreprises font en sorte que les économies d'impôt liées aux intérêts compensent les coûts éventuels des difficultés financières dues à l'emprunt. Que dit cette théorie sur le lien entre le bénéfice comptable et la valeur comptable du ratio d'endettement cible ? Les prédictions de cette théorie sont-elles en accord avec les faits ?
9. Pourquoi l'information asymétrique pousse-t-elle les entreprises à accroître leur recours aux capitaux externes en empruntant plutôt qu'en émettant des actions ?
10. Dans quels types d'entreprises une marge de manœuvre financière sert-elle le plus ? Existe-t-il des situations dans lesquelles on devrait réduire la marge de manœuvre financière en empruntant et en payant les actionnaires ? Expliquez.

Questions et problèmes

1. Supposons que, dans un objectif de réduction du déficit public, l'Assemblée nationale augmente le taux maximum d'imposition des personnes sur les intérêts et les dividendes à 44 %, mais laisse celui sur les plus-values réalisées à 28 %. Le taux d'imposition des sociétés demeure à 35 %. Calculez le total des impôts, sur les sociétés et les personnes, payés sur le revenu des obligations par rapport au revenu des actions (a) si tous les gains en capital sont réalisés

immédiatement et (b) si les gains en capital sont sans cesse reportés. Supposez que les gains en capital soient égaux à la moitié du revenu des actions.

2. « Le problème avec la théorie de MM est qu'elle ignore le fait que les individus peuvent déduire les intérêts de leur impôt sur le revenu. » Montrez pourquoi ce n'est pas un problème. Quelle différence y aurait-il si ces individus ne pouvaient pas déduire les intérêts de leurs impôts personnels ?
3. Retournez à l'exemple de Pfizer à la section 1. Supposez que Pfizer atteigne un ratio d'endettement comptable de 40 % en s'endettant et en utilisant le produit de l'emprunt pour racheter des actions. Ne prenez en compte que l'impôt sur les sociétés. Refaites à présent le tableau 18.3b pour tenir compte de la nouvelle structure de financement. Quel montant supplémentaire de valeur est créé, si les hypothèses présentées dans le tableau sont exactes ?
4. Allez chercher les comptes de Pfizer sur le site Internet de l'entreprise (**http://www.pfizer.com/pfizer/are/investors_reports/index.jsp**) :
   - **a.** Recalculez les valeurs comptables et de marché du bilan en utilisant les informations les plus récentes.
   - **b.** Examinez la dette de long terme et le ratio de dette de Pfizer sur les cinq dernières années. Comment ont-ils évolué ? Vous semble-t-il que Pfizer a un objectif de ratio de dette stable ? Détectez-vous une quelconque trace de financement hiérarchique ?
   - **c.** Combien Pfizer a-t-il dépensé pour racheter ses actions ? La théorie de l'arbitrage prédirait-elle des rachats d'actions pour une entreprise au financement prudent comme Pfizer ?
5. À la section 3, nous avons fait rapidement référence à trois stratégies : gagner du temps, être remboursé et se sauver, et appâter puis changer de direction.

   Pour chacune de ces stratégies, élaborez un exemple numérique simple (comme l'exemple de la stratégie de changement de risque), montrant comment les actionnaires peuvent gagner aux dépens des créanciers. Ensuite expliquez de quelle manière la tentation d'engager ces stratégies peut conduire à des coûts de détresse financière.
6. Observez quelques entreprises réelles avec différentes catégories d'actifs. À quels problèmes d'exploitation chacune d'elles serait-elle confrontée en cas de difficulté financière ? Est-ce que les actifs conserveraient leur valeur ?
7. La société Salades Oignons Salsepareille (SOS) a financé une grande partie de ses actifs par des emprunts à long terme. Il y a un risque non négligeable de défaillance, mais l'entreprise n'est pas encore sur la corde raide. Expliquez :
   - **a.** Pourquoi les actionnaires de SOS pourraient-ils perdre s'ils investissaient dans un projet à VAN positive financé par une émission d'actions ?
   - **b.** Pourquoi les actionnaires de SOS pourraient-ils gagner s'ils investissaient dans un projet à VAN négative financé par des liquidités ?
   - **c.** Pourquoi les actionnaires de SOS pourraient-ils gagner si l'entreprise versait un important dividende en espèces ?
8. **a.** À qui profitent les clauses imprimées en petits caractères qui figurent dans les contrats obligataires quand l'entreprise connaît des problèmes financiers ? Répondez en une seule phrase.
   - **b.** À qui profitent ces clauses imprimées en petits caractères quand des obligations sont émises ? Supposons que l'entreprise ait eu le choix d'émettre (1) une obligation avec des restrictions classiques au niveau du versement des dividendes, des emprunts supplémentaires, etc. ; et (2) une obligation avec des restrictions minimales mais un taux d'intérêt beaucoup plus élevé. Supposons que les taux d'intérêt des obligations (1) et (2) soient équitables du point de vue des prêteurs. Selon vous, quelle obligation l'entreprise devrait-elle émettre ? Pourquoi ?
9. « J'ai été surpris d'apprendre que l'annonce d'une émission d'actions diminue en moyenne la valeur de l'entreprise d'environ 30 % du montant de l'émission. C'est un coût qui excède de loin les frais d'émission et de souscription de l'émission. Les émissions d'actions sont donc trop chères. »

a. Vous vous interrogez sur la possibilité de procéder à une émission d'actions de 100 millions d'euros. D'après ce qui précède, vous prévoyez que l'annonce de l'émission abaissera le cours de vos actions de 3 % et diminuera la valeur de votre entreprise de 30 % du produit de l'émission. Par ailleurs, cette émission vous permettra d'entreprendre un projet dont la VAN s'élève à 40 millions d'euros. Devez-vous procéder à cette émission ?

b. La baisse de valeur découlant de l'annonce d'une émission d'actions est-elle assimilable à un coût d'*émission* au même titre que les frais de souscription ? Répondez à l'affirmation ci-dessus.

Servez-vous de votre réponse à la question (a) comme d'un exemple numérique pour expliquer votre réponse à la question (b).

10. Ronald Masulis[34] a analysé l'effet sur le cours des actions des *offres de substitution* en vertu desquelles les entreprises remplacent des actions par des titres d'emprunt, et *vice versa*. Dans une offre de substitution, l'entreprise offre d'échanger de « vieux » titres détenus par les investisseurs contre des titres récemment émis. Une entreprise voulant augmenter son ratio d'endettement pourrait donc offrir de remplacer les actions en circulation par de nouveaux titres d'emprunt. Parallèlement, une entreprise voulant passer à une structure de capital plus traditionnelle pourrait proposer de remplacer les titres d'emprunt en circulation par de nouvelles actions.

Masulis a découvert que la substitution de la dette aux actions était considérée comme une bonne nouvelle (une telle annonce augmente le cours de l'action) et que la substitution des actions aux titres d'emprunt était une mauvaise nouvelle.

a. Ces résultats sont-ils conformes à la théorie du compromis de la structure de financement ?

b. Ces résultats sont-ils conformes au fait que les investisseurs considèrent une annonce (1) d'émissions d'actions comme une mauvaise nouvelle, (2) de rachat d'actions comme une bonne nouvelle et (3) d'émissions de titres d'emprunt également comme une mauvaise nouvelle, ou au mieux comme une déconvenue sans importance ?

c. Comment pourrait-on expliquer les résultats de Masulis ?

11. Les résultats des projets de Mme Chardonnay (voir section 18.3) n'ont pas changé, mais il y a maintenant 40 % de chances pour que le projet 2 se solde par 24 € et donc 60 % de probabilité pour qu'il aboutisse à zéro.

a. Recalculez les revenus attendus par la banque et par Mme Chardonnay lorsque la banque prête la valeur actuelle de 10 €. Quel projet devrait choisir Mme Chardonnay ?

b. Quel montant maximal la banque pourrait-elle prêter de sorte que Mme Chardonnay choisisse le projet 1 ?

Problèmes avancés

1. La plupart des directeurs financiers mesurent les ratios de dette à partir des bilans comptables de leurs entreprises. Les économistes privilégient plutôt les ratios issus de la valeur de marché du bilan. Quelle est en principe la bonne mesure ? La théorie du compromis propose-t-elle d'expliquer le levier comptable ou le levier de marché ? Qu'en dit la théorie du financement hiérarchique ?

2. Procurez-vous des rapports annuels sur les sites Internet des sociétés, afin d'évaluer dans quelle mesure les différences d'effet de levier d'une société à l'autre viennent appuyer les théories du compromis et du financement hiérarchique.

---

34. R. W. Masulis, « The Effects of Capital Structure Change on Security Prices : A Study of Exchange Offers », *Journal of Financial Economics*, 8 (juin 1980), pp. 139-177 et « The Impact of Capital Structure Change on Firm Value », *Journal of Finance*, 38 (mars 1983), pp. 107-126.

Chapitre 19

Financement et évaluation

Dans les chapitres 5 et 6, nous avons montré comment évaluer un projet d'investissement à l'aide d'une procédure en quatre étapes :

1. Prévoir les cash-flows après impôts, en supposant un financement intégral par fonds propres.
2. Évaluer le risque du projet.
3. Estimer le coût du capital.
4. Calculer la VAN en utilisant le coût d'opportunité du capital comme taux d'actualisation.

Cette procédure est parfaitement correcte, mais nous allons maintenant la modifier afin d'y inclure la valeur créée par les décisions portant sur la structure financière. Ceci peut être fait de deux façons :

1. *Ajuster le taux d'actualisation.* Ce dernier sera généralement revu à la baisse, afin de tenir compte de l'avantage fiscal issu des intérêts. C'est l'approche la plus courante, en utilisant le coût moyen pondéré du capital (CMPC) après impôts. Nous avons présenté le CMPC après impôts au chapitre 17, mais nous allons maintenant en dire bien davantage sur la façon dont il est calculé et utilisé.
2. *Ajuster la valeur actuelle.* Il faut commencer par estimer la valeur dite de base du projet ou de l'entreprise, en supposant un financement intégralement réalisé par capitaux propres. Dans un second temps, il faut ajuster cette valeur de base afin de tenir compte du mode de financement retenu. Ainsi :

   VAN ajustée [VANA] = VAN de base + VAN des effets des décisions de financement.

   Après avoir évalué les effets secondaires liés au financement du projet, le calcul de la VANA se réduit à une addition ou une soustraction.

Il s'agit donc d'un chapitre appliqué. Dans la première section, nous représentons et estimons le CMPC après impôts, avant de l'utiliser pour valoriser un projet. La section 2 s'attaque ensuite à un problème d'évaluation plus réaliste et plus complexe. La section 3 présente ensuite des astuces du métier, notamment des conseils très utiles sur la manière d'estimer les variables et d'ajuster le CMPC lorsque le risque ou la structure de financement varie.

La section 4 traite de la VAN ajustée (VANA). C'est assez simple en principe, mais identifier et évaluer les effets financiers induits est parfois délicat.

Nous concluons ce chapitre par une section questions-réponses destinée à clarifier des points que les étudiants ou les responsables en entreprises trouvent parfois déroutants. L'annexe présente un cas particulier important, c'est-à-dire l'évaluation après impôts de cash-flows certains.

1 Le coût moyen pondéré du capital après impôts

Les chapitres 2 à 6 ont présenté les problèmes d'évaluation et de choix d'investissement, à partir d'une hypothèse simplissime de financement intégral par fonds propres. Nous nous placions alors dans un univers à la Modigliani et Miller (MM) dans lequel les décisions de financement n'ont pas d'impact sur la création de valeur. Nous allons désormais aborder le problème du choix d'investissement en tenant compte de *l'interaction entre décisions d'investissement et de financement, qui ne peuvent pas être complètement séparées.* Repensons au chapitre 17 dans lequel nous avions introduit le CMPC après impôts :

$$\text{CMPC après impôts} = r_{Capitaux\ propres} \times \frac{CP}{V} + r_{\text{Dettes}}\,(1 - T_{société}) \times \frac{D}{V}$$

Où CP et D sont les valeurs de marché des capitaux propres et de la dette de l'entreprise, V = CP + D est la valeur de marché totale de la société, r_{Dette} et $r_{\text{Capitaux propres}}$ représentent les coûts de la dette et des capitaux propres, et $T_{\text{société}}$ est le taux marginal de l'impôt sur les sociétés.

Notez que $r_{Dette} \times (1 - T_{société})$, le coût de la dette après impôts, permet de tenir compte de l'avantage fiscal lié au paiement d'intérêts. Souvenez-vous également que toutes les variables de la formule du CMPC renvoient à la firme dans son ensemble. Par conséquent, cette formule ne donne le bon taux d'actualisation que pour les projets « semblables » à l'entreprise qui les entreprend. En d'autres termes, la formule fonctionne pour un projet « moyen ». Elle est inadaptée pour les projets plus risqués ou plus sûrs que la moyenne des actifs existants de la société. Elle est également incorrecte pour les projets dont la mise en œuvre changerait l'endettement de l'entreprise.

Le CMPC s'appuie sur les caractéristiques *actuelles* de l'entreprise, mais les dirigeants l'utilisent pour actualiser les cash-flows *futurs*. Cela est suffisant tant que le risque opérationnel et le ratio de dette de l'entreprise restent constants. Mais lorsqu'ils sont appelés à varier, l'actualisation des cash-flows par le CMPC n'est qu'approximative.

1.1 Exemple : le projet Sauternes

Nous allons calculer le CMPC de la société Sauternes. Son bilan comptable et son bilan en valeurs de marché sont les suivants :

Sauternes, SA. (bilan comptable, en millions)

Valeur des actifs	1 000 €	500 €	Capitaux propres
	1 000 €	500 €	Endettement
	1 000 €	1 000 €	

Sauternes, SA. (bilan en valeur de marché, en millions)

Valeur des actifs	1 250 €	750 €	Capitaux propres (CP)
	1 250 €	500 €	Endettement (D)
	1 250 €	1 250 €	

Nous avons calculé la valeur de marché des capitaux propres de Sauternes dans son bilan en multipliant son cours de Bourse actuel (7,50 €) par 100 millions, soit le nombre d'actions émises. La société a un avenir enivrant, de sorte que les titres sont évalués au-dessus de leur valeur nominale (7,5 contre 5 € par titre). Pourtant, les valeurs de marché et comptables de la dette sont identiques.

Le coût de la dette (le taux d'intérêt du marché sur la dette existante et sur tout nouvel emprunt[1]) de Sauternes est de 6 %. Son coût des capitaux propres (le taux de rendement attendu requis par les investisseurs en actions Sauternes) est de 12,4 %.

Le bilan en valeurs de marché fait état d'actifs évalués à 1 250 millions. Naturellement, nous ne pouvons pas directement observer cette valeur parce que les actifs ne sont pas négociables. Mais nous connaissons la valeur des dettes et des capitaux propres pour les investisseurs (500 + 750 = 1 250 millions d'euros). Pourquoi avons-nous construit le bilan comptable ? Pour que vous puissiez le barrer définitivement. Allez-y, vous avez notre caution morale (mais n'abîmez pas le livre).

Quand vous estimez le coût moyen pondéré du capital, vous ne vous intéressez pas aux investissements passés, mais aux valeurs actuelles et aux prévisions futures. Le vrai ratio d'endettement de la société Sauternes n'est pas de 50 %, comme l'indique le bilan comptable, mais de 40 %, dans la mesure où le nouveau projet est valorisé à 1 250 millions d'euros. Le coût des capitaux propres, $r_{Capitaux\ propres}$ = 12,4 %, est le taux de rendement attendu de l'achat des actions au cours de 7,50 € l'unité, le prix du marché actuel. Vous ne pouvez plus acheter de parts de la société Sauternes pour 5 €.

Sauternes est bénéficiaire et paie des impôts au taux marginal de 35 %. C'est la dernière information nécessaire au calcul de CMPC. Nous avons donc les données suivantes pour la société Sauternes :

Coût de l'emprunt (r_{Dette})	0,06
Coût des capitaux propres ($r_{Capitaux\ propres}$)	0,124
Taux marginal de l'impôt sur les sociétés ($T_{société}$)	0,35
Ratio d'endettement (*D/V*)	500/1250 = 0,4
Ratio des capitaux propres (*CP/V*)	750/1250 = 0,6

1. Utilisez toujours un taux d'intérêt à jour (rendement à maturité), et pas le taux d'intérêt en vigueur lors de l'émission de la dette ou le taux du coupon de la valeur comptable de la dette.

Le CMPC de la société est :

$$\text{CMPC} = [0{,}06 \times (1 - 0{,}35) \times 0{,}4] + (0{,}124 \times 0{,}6) = 0{,}090 \text{ ou } 9{,}0\ \%$$

C'est de cette manière que vous devez calculer le coût moyen pondéré du capital[2]. Voyons maintenant comment Sauternes va utiliser cette formule.

Exemple

Les œnologues de Sauternes ont proposé d'investir 12,5 millions dans la construction d'une presse à raisin perpétuelle, qui, heureusement pour nous, ne s'amortit pas. Elle génère donc un flot perpétuel de résultats égaux à ses cash-flows : 1,731 million avant impôts. Le cash-flow après impôts devient donc :

Résultat avant impôts	= 1,731 million €
I.S. à 35 %	= 0,606 €
Résultat après impôts	=1,125 million €

Notez que l'avantage fiscal lié au paiement d'intérêts d'emprunt de la société Sauternes ne se reflète pas dans les cash-flows annuels. Comme nous l'avons décrit dans le chapitre 6, en pratique, on calcule les flux après impôts comme si le financement se faisait intégralement par capitaux propres. Toutefois, la valeur retirée de l'avantage fiscal n'est pas négligée : nous avons actualisé les cash-flows au coût moyen pondéré du capital de Sauternes, dans lequel le coût de la dette est pris en compte après impôts. La valeur de la déductibilité fiscale sur les intérêts est prise non pas comme un cash-flow après impôts plus élevé, mais à un taux d'actualisation plus faible.

Ce projet génère une séquence de cash-flows constants (C = 1,125) et la VAN devient :

$$\text{VAN} = -12{,}5 + \frac{1{,}125}{0{,}09} = 0$$

La VAN est nulle, ce qui signifie que le projet est tout juste acceptable. Le cash-flow annuel de 1,125 million par an correspond à un taux de rendement de l'investissement de 9 % (1,125 / 12,5 = 0,09), exactement le CMPC de Sauternes. Si la VAN du projet est nulle, le rendement des actionnaires de la société sera exactement le coût du capital, 12,4 %. Vérifions cela. Supposons que Sauternes analyse ce projet comme une mini-entreprise. Son bilan en valeurs de marché se présentera comme suit :

2. En pratique, il est vain de calculer des taux d'actualisation avec quatre décimales. Nous le faisons ici afin d'éviter de poursuivre notre raisonnement avec des erreurs d'arrondis. Les bénéfices et les cash-flows sont calculés à trois décimales pour les mêmes raisons.

Presse à raisin perpétuelle (bilan en valeur de marché, en millions)

Valeur du projet	12,5 €	7,5 €	Capitaux propres (CP)
	12,5 €	5,0 €	Endettement (D)
	12,5 €	12,5 €	

Calculons la rentabilité attendue par les actionnaires :

$$\text{Intérêts après impôts} = r_{Dette} \times (1 - T_{société}) \times D = 0{,}06 \times (1 - 0{,}035) \times 5 = 0{,}195$$

$$\text{Revenu des capitaux propres attendu} = C - (1 - T_{société}) \times r_{Dette} \times D = 1{,}125 - 0{,}195 = 0{,}93$$

Les bénéfices de la société Sauternes sont constants et perpétuels. La rentabilité attendue des capitaux propres est donc égale aux cash-flows espérés par les actionnaires du projet divisés par la valeur des capitaux propres :

$$\text{Rentabilité espérée des capitaux propres} = r_{CP} = \frac{\text{revenu espéré des capitaux propres}}{\text{valeur des capitaux propres}}$$

$$= \frac{0{,}93}{7{,}5} = 0{,}124, \text{ soit } 12{,}4\ \%$$

Le rendement attendu sur les capitaux propres est identique au coût du capital, il est donc normal que le projet ait une VAN nulle.

1.2 Tour d'horizon des hypothèses

En actualisant les cash-flows de la presse à raisin perpétuelle au CMPC de Sauternes, nous avons fait les hypothèses suivantes :

- Le risque d'exploitation de ce projet est identique aux autres activités de Sauternes.
- Sauternes conservera le même ratio d'endettement pour ce projet que pour l'ensemble de sa structure de financement.

Vous pouvez mesurer l'importance de ces deux hypothèses : si le projet de presse comportait un risque d'exploitation plus élevé que les autres actifs de Sauternes, ou si l'adoption du projet se traduisait par une modification importante[3] de l'endettement de Sauternes, alors les actionnaires de Sauternes ne se contenteraient pas d'un taux de rendement escompté de 14,6 % sur leurs capitaux propres.

3. Les utilisateurs du CMPC ne doivent pas se préoccuper des faibles variations ou temporaires des ratios d'endettement. Supposons que les responsables de Sauternes aient par facilité décidé d'emprunter 12,5 millions pour permettre la construction immédiate de la presse à raisin. Ceci ne modifie pas obligatoirement la politique de financement à long terme de Sauternes. Si le projet de presse comporte seulement 5 millions de dette, Sauternes devrait payer sa dette pour retrouver son ratio d'endettement de 40 %. Par exemple, Sauternes pourrait trouver d'autres projets avec moins de dettes et plus de capitaux propres.

Nous avons illustré la formule du CMPC pour un projet dont les cash-flows sont perpétuels. Mais Miles et Ezzell ont montré que cette formule fonctionne pour toute configuration de cash-flows à condition que l'entreprise modifie son endettement de manière à maintenir son ratio d'endettement constant dans le temps[4]. Lorsque l'entreprise s'écarte de son standard d'endettement, le CMPC devient plus approximatif[5].

2 L'évaluation des entreprises

La plupart du temps, l'évaluation de l'entreprise dans son ensemble est du ressort des investisseurs et des marchés financiers. Mais il arrive parfois que le directeur financier ait à se prononcer sur la valeur d'une société tout entière. Par exemple :

- Si l'entreprise A est sur le point de lancer une OPA sur l'entreprise B, alors les directeurs financiers de A doivent estimer la valeur du nouvel ensemble A+B sous la férule de A. Cette tâche est particulièrement ardue si B est une société non cotée, sans prix d'action observable.
- Si la firme C songe à vendre une de ses filiales, elle doit valoriser cette dernière afin de pouvoir négocier avec les acheteurs éventuels.
- Lorsqu'une firme s'introduit en Bourse, la banque d'investissement en charge doit évaluer la valeur de l'entreprise afin de déterminer le prix d'émission.

---

4. Nous pouvons démontrer cette affirmation comme suit. Notons $C_1, C_2, \ldots, C_T$ les cash-flows anticipés après impôts, en supposant un financement intégral par fonds propres. Sous cette hypothèse, ces flux seraient actualisés au coût d'opportunité du capital r. Mais il nous faut évaluer les cash-flows d'une société financée en partie par de la dette. Commençons par poser la valeur à la dernière période : $V_{t-1} = D_{t-1} + CP_{t-1}$. Le revenu total des actionnaires et prêteurs se compose du cash-flow et de l'avantage fiscal produit par les paiements d'intérêts. Le rendement total espéré pour les actionnaires et prêteurs est égal à :

$$\text{Revenu espéré en T} = C_T + T_{société} \cdot r_{Dette} \cdot D_{T-1} = V_{T-1}\left(1 + r_{\text{Dette}}\frac{D_{T-1}}{V_{T-1}} + r_{\text{CapitauxPropres}}\frac{CP_{T-1}}{V_{T-1}}\right)$$

Supposons que le ratio de dette est constant tel que L=D/V. Après avoir recombiné les deux équations précédentes, on peut résoudre en V_{T-1} :

$$\frac{C_T}{1 + (1 - T_{\text{société}})r_{\text{Dette}}L + r_{\text{Capitaux propres}}(1 - L)} = \frac{C_T}{1 + CMPC}$$

La même logique s'applique à V_{T-2}. Le revenu de la période précédente inclut V_{T-2} :

$$\text{Revenu espéré en T} - 1 = C_{T-1} + T_{société}r_{Dette}D_{T-2} + V_{T-2}$$

$$= V_{T-2}\left(1 + r_{\text{Dette}}\frac{D_{T-2}}{V_{T-2}} + r_{\text{CapitauxPropres}}\frac{A_{T-2}}{V_{T-2}}\right)$$

$$V_{T-2} = \frac{C_{T-1} - V_{T-1}}{1 + (1 - T_{\text{société}})r_{\text{Dette}}L + r_{\text{Capitaux propres}}(1 - L)} = \frac{C_{T-1} + V_{T-1}}{1 + CMPC} = \frac{C_{T-1}}{1 + CMPC} + \frac{C_T}{(1 + CMPC)^2}$$

En raisonnant de façon récursive, on aboutit alors à :

$$V_0 = \sum_{t=1}^{T} \frac{C_T}{(1 + CMPC)^1}$$

5. J. Miles et R. Ezzell, « The Weighed Average Cost of Capital, Perfect Capital Markets and Project Life : A Clarification », *Journal of Financial and Quantitative Analysis*, 15 (septembre 1980), pp. 719-730.

Par ailleurs, des centaines d'analystes dans les maisons de courtage et les sociétés d'investissement passent leur temps à prospecter dans l'espoir de tomber sur des entreprises sous-évaluées. Beaucoup d'entre eux utilisent les outils d'analyse que nous allons décrire.

Nous avons vu que le CMPC peut être utilisé comme taux d'actualisation *pour les projets d'investissement*. Mais parfois, il peut être également utilisé comme taux d'actualisation *pour évaluer toute une entreprise*, tant que l'on anticipe un ratio de dette constant. Il suffit juste d'appréhender l'entreprise comme s'il s'agissait d'un seul très gros projet. Il faut prévoir les cash-flows de l'entreprise (la partie la plus lourde du travail), et les actualiser. Mais souvenez-vous :

1. Si vous actualisez au CMPC, les cash-flows doivent être envisagés comme pour un projet d'investissement. Ne déduisez pas les intérêts. Calculez l'impôt en supposant que l'entreprise est entièrement financée sur capitaux propres. La valeur de la déductibilité fiscale est comprise dans la formule du CMPC.
2. Les cash-flows de l'entreprise ne peuvent sans doute pas être prévus à l'infini. Les responsables financiers utilisent le plus souvent un horizon moyen d'une dizaine d'années, et ajoutent une valeur résiduelle au dernier cash-flow. Estimer la valeur résiduelle s'effectue avec des précautions particulières parce que cela prend en compte le plus souvent la totalité de l'entreprise.
3. Actualiser au CMPC valorise les *actifs* de l'entreprise. Si le travail consiste à évaluer les *capitaux propres* de l'entreprise, c'est-à-dire les actions, n'oubliez pas de soustraire la valeur des *dettes*.

Voici un exemple.

2.1 L'évaluation de la société Périgord

Sauternes pense à acquérir la société Périgord, également dans la promotion des modes de vie tranquilles et relaxants. Périgord a notamment développé un programme spécial nommé le régime du sud-ouest, à base de foie gras, vins moelleux et soleil. Mais avant d'aller chercher le bonheur dans le pré, vous devez déterminer la somme que devrait débourser Sauternes pour Périgord.

Périgord est une société française non cotée, de telle sorte que Sauternes n'a aucun prix de marché sur lequel s'appuyer. Périgord a 1,5 million d'actions en circulation et de la dette, dont la valeur de marché est égale à la valeur comptable, soit 36 millions d'euros. Périgord opère dans le même secteur que Sauternes, nous supposerons donc que les deux entreprises ont le même risque opérationnel et peuvent supporter le même montant de dettes. Nous pouvons donc utiliser le CMPC de Sauternes.

Votre première tâche est de prévoir les cash-flows disponibles (*free cash-flows*, FCF) de Périgord. Les FCF représentent les sommes que la société peut verser aux investisseurs après avoir effectué tous les investissements nécessaires à son expansion. Les FCF sont calculés en supposant que la société ne se finance que par capitaux propres. L'actualisation des FCF au CMPC après impôts permet d'obtenir la valeur totale de Périgord (capitaux propres *plus* dettes). Afin de déterminer la valeur de ses capitaux propres, il faudra donc soustraire de cette valeur totale les 36 millions de dollars de dette.

Nous établissons des prévisions de cash-flows disponibles jusqu'à un *horizon d'évaluation* (*H*), ainsi que de la valeur de l'entreprise à cet horizon (VA_H). Nous actualisons alors la somme, pour parvenir à :

$$VA = \underbrace{\frac{FCF_1}{1 + CPMC} + \frac{FCF_2}{(1 + CPMC)^2} + \ldots + \frac{FCF_H}{(1 + CPMC)^H}}_{\text{VA (cash flows disponibles)}} + \underbrace{\frac{VA_H}{(1 + CPMC)^H}}_{\text{VA(valeur à l'horizon)}}$$

Bien entendu, cette branche d'activité continuera après l'horizon fixé, mais il n'est pas facile de prévoir les cash-flows disponibles année par année à l'infini. VA_H remplace les cash-flows disponibles des périodes $H + 1$, $H + 2$, etc., jusqu'à l'infini. Les cash-flows disponibles et le résultat net ne sont pas identiques. Ils diffèrent sur plusieurs points importants :

- Le résultat net revient aux actionnaires, il est calculé *après les versements d'intérêts*. Les cash-flows disponibles sont calculés *avant intérêts*.
- Le résultat net est calculé après déduction de charges non monétaires, telles que les amortissements. Il faut donc les rajouter lorsque nous calculons les cash-flows disponibles.
- Les investissements et la croissance du besoin en fonds de roulement (BFR) n'apparaissent pas dans le compte de résultat (donc dans le résultat net), alors qu'ils ont un impact sur les cash-flows disponibles.

Les cash-flows disponibles peuvent être négatifs pour les sociétés en forte croissance, car les investissements dépassent les cash-flows opérationnels. Les cash-flows disponibles négatifs sont normalement temporaires, heureusement pour la société et ses actionnaires. Les cash-flows disponibles deviennent positifs à mesure que la croissance ralentit et que les revenus des précédents investissements commencent à tomber.

Le tableau 19.1 présente les informations dont vous avez besoin pour prévoir les cash-flows disponibles de Périgord. Nous allons suivre une pratique courante, en commençant par estimer les ventes futures. L'année passée, les ventes de Périgord s'élevaient à 83,6 millions d'euros. Dans les années récentes, elles croissaient de 5 à 8 % par an. Vous prévoyez que la croissance des ventes atteindra 7 % en moyenne dans les trois prochaines années. La croissance ralentira alors à 4 % de la quatrième à la sixième année, et à 3 % à partir de l'année 7.

Ces prévisions de vente déterminent les autres composantes des cash-flows décrits au tableau 19.1. Vous pouvez par exemple voir une prévision de coûts à 74 % des ventes la première année, puis une lente augmentation de ces derniers à 76 % des ventes dans les dernières années. Cette hausse provient de dépenses accrues de marketing, nécessaires pour faire face à la remontée des concurrents de Périgord.

La croissance des ventes va vraisemblablement exiger des investissements supplémentaires en immobilisations et en BFR. Pour le moment, 79 cents d'immobilisations nettes sont nécessaires pour chaque euro de vente. À moins que Périgord ait des capacités inexploitées ou puisse augmenter le rythme de production de ses usines et machines actuelles, ses investissements en immobilisations devront croître avec les ventes. Nous supposons également que le BFR croît parallèlement aux ventes.

Les cash-flows disponibles de Périgord sont calculés et présentés dans le tableau 19.1 comme la somme du bénéfice net d'impôt et des amortissements, de laquelle on retranche l'investissement. L'investissement se conçoit comme la variation des immobilisations et du BFR par rapport à l'année précédente. Par exemple, à l'année 1, on a :

Cash-flow disponible = Bénéfice net d'impôts + amortissements – investissement en immobilisations – investissement en besoin en fonds de roulement.

$$= 8{,}7 + 9{,}9 - (109{,}6 - 95{,}0) - (11{,}6 - 11{,}1) = 3{,}5 \text{ millions d'euros}$$

Tableau 19.1. Prévisions de cash-flows disponibles et de valeur d'entreprise pour la société Périgord (millions d'euros)

Les données de ce tableau, comme celles de tous les tableaux de ce chapitre, sont disponibles sur ***www.gestionfinanciere.pearsoned.fr***

	Dernière année	**Prévisionnel**						
	0	**1**	**2**	**3**	**4**	**5**	**6**	**7**
1. Chiffre d'affaires	83,60	89,50	95,80	102,50	106,60	110,80	115,20	118,70
2. Coût des produits vendus	63,10	66,20	71,30	76,30	79,90	83,10	87,00	90,20
3. EBITDA (1 – 2)	20,50	23,30	24,40	26,10	26,70	27,70	28,20	28,50
4. Amortissement	3,30	9,90	10,60	11,30	11,80	12,30	12,70	13,10
5. Résultat courant avant impôt (EBIT) (3 – 4)	17,20	13,40	13,90	14,80	14,90	15,40	15,50	15,40
6. Impôt	6,00	4,70	4,80	5,20	5,20	5,40	5,40	5,40
7. Résultat après impôt (5 – 6)	11,20	8,70	9,00	9,60	9,70	10,00	10,10	10,00
8. Actif immobilisé	11,00	14,60	15,50	6,60	15,00	15,60	16,20	15,90
9. Variation du BFR	1,00	0,50	0,80	0,90	0,30	0,60	0,60	0,40
10. Free Cash flow (7 + 4 – 8 – 9)	2,50	3,50	3,20	3,40	6,00	6,10	6,00	6,80
VA des Free Cash Flows, années de 1 à 6	**20,30**							
VA de la Valeur Terminale	**67,60**				**(Valeur Terminale en année 6)**		**113,40**	
VA de l'entreprise	**87,90**							
Hypothèses:								
Croissance du CA (%)	6,70	7,00	7,00	7,00	4,00	4,00	4,00	3,00
Coût (% du CA)	75,50	74,00	74,50	74,50	75,00	75,00	75,50	76,00
BFR (% du CA)	13,30	13,00	13,00	13,00	13,00	13,00	13,00	13,00
Actif immobilisé net (% du CA)	79,20	79,00	79,00	79,00	79,00	79,00	79,00	79,00
Ammortissement (% de l'actif immobilisé net)	5,00	14,00	14,00	14,00	14,00	14,00	14,00	14,00
Taux impôt (%)	35,00							
CMPC (%)	9,00							
Taux de croissance à l'infini (%)	3,00							
Actif immobilisé et BFR :								
Actif immobilisé brut	95,00	109,60	125,10	141,80	156,80	172,40	188,60	204,50
Moins l'amortissement total	29,00	38,90	49,50	60,80	72,60	84,90	97,60	110,70
Actif immobilisé net	66,00	70,70	75,60	80,90	84,20	87,50	91,00	93,80
BFR net	11,10	11,60	12,40	13,30	13,90	14,40	15,00	15,40

2.2 Estimer l'horizon d'évaluation

Les horizons d'évaluation sont souvent choisis arbitrairement. Parfois le grand chef vous dira d'utiliser dix ans parce que c'est un chiffre rond. Nous utiliserons six ans, car la croissance des ventes de Périgord est supposée ralentir à son niveau de long terme à partir de la septième année. Nous actualisons donc les cash-flows de la période 1 à 6 au CMPC de 9 % :

$$VA = \frac{3{,}5}{1{,}09} + \frac{3{,}2}{1{,}09^2} + \frac{3{,}4}{1{,}09^3} + \frac{5{,}9}{1{,}09^4} + \frac{6{,}1}{1{,}09^5} + \frac{6{,}0}{1{,}09^6} = 20{,}3 \text{ millions d'euros}$$

Il nous faut également déterminer la valeur des cash-flows à partir de la septième année. Il y a plusieurs formules ou règles simples pour estimer la valeur à l'horizon de l'entreprise. Nous pouvons commencer par essayer la formule de rente croissante. Elle requiert une prévision du cash-flow disponible pour l'année 7, qui est fournie dans la dernière colonne du tableau 19.1 ; cette dernière a été bâtie sur l'hypothèse d'une croissance de long terme de 3 % par an[6]. Le cash-flow disponible s'élève à 6,8 millions d'euros, d'où :

$$VA_H = \frac{FCF_H + 1}{\text{CMPC-g}} = \frac{6{,}8}{0{,}09 - 0{,}03} = 113{,}4 \text{ millions d'euros}$$

$$\text{VA à l'année 0} = \frac{1}{1{,}09^6} \times 113{,}4 = 67{,}6 \text{ millions d'euros}$$

Nous avons maintenant tout ce qu'il faut pour évaluer la société :

$$\text{VA (entreprise)} = \text{VA (cash-flows années 1 à 6)} + \text{VA (valeur à l'horizon)}$$
$$= 20{,}3 + 67{,}6 = 87{,}9 \text{ millions d'euros}$$

Ce chiffre représente la valeur totale de Périgord. Pour en déduire la valeur des capitaux propres, il suffit de soustraire celle de la dette :

$$\text{Valeur totale des capitaux propres} = 87{,}9 - 36{,}0 = 51{,}9 \text{ millions d'euros}$$

En divisant par le nombre d'actions en circulation, on obtient la valeur par action :

$$\text{Valeur par action} = 51{,}9 / 1{,}5 = 34{,}60 \text{ euros}$$

Ainsi, Sauternes peut payer jusqu'à 34,6 euros par action de Périgord.

---

6. Remarquez que le cash-flow disponible espéré s'accroît d'à peu près 14 % entre l'année 6 et l'année 7, parce que le ralentissement de la croissance des ventes de 4 à 3 % réduit l'investissement nécessaire. Mais les ventes, l'investissement et le cash-flow disponible croîtront tous au même rythme de 3 % lorsque l'entreprise aura atteint son rythme de croissance de long terme. Gardez à l'esprit que, dans la formule de rente croissante (formule de Gordon-Shapiro), le premier cash-flow tombe à l'année suivante, dans notre cas l'année 7. La croissance atteint un rythme constant de 3 % à partir de l'année 7. Il est donc possible d'utiliser un taux de croissance de 3 % dans le calcul de la valeur à l'horizon.

Ce calcul est parfait sur le plan arithmétique, mais n'êtes-vous pas un peu troublé ? La valeur de cette activité dépend aux trois quarts de sa valeur finale. De plus, un bref examen montre que la valeur à l'horizon est très sensible à des modifications apparemment mineures de nos hypothèses. Si, par exemple, le taux de croissance à long terme était de 4 % au lieu de 3 %, Périgord devrait investir davantage pour faire face à la croissance plus rapide de ses ventes, mais la valeur de la société augmenterait de 87,9 à 89,9 millions d'euros.

En d'autres termes, l'évaluation d'une entreprise par l'actualisation des cash-flows est un calcul arithmétiquement parfait mais faux en pratique. Un financier avisé cherchera toujours à vérifier ses résultats en calculant de plusieurs façons la valeur finale. Une approche répandue consiste à utiliser des *multiples* du résultat opérationnel (*earnings before interest and taxes*, EBIT) ou du résultat opérationnel avant amortissement et dépréciation (*earnings before interest, taxes, depreciation and amortization*, EBITDA). Imaginez que vous trouviez des entreprises cotées, matures et dotées d'une taille, d'un niveau de risque et de perspectives de croissance correspondant à peu près à celles de Périgord à l'horizon considéré. Ces entreprises se vendent par exemple à des multiples de 4,5 fois l'EBITDA et de 7,5 fois l'EBIT[7]. Vous pouvez alors facilement deviner que la valeur de Périgord à l'année 6 se situera autour de 4,5 fois l'EBITDA prévu, c'est-à-dire $4{,}5 \times 28{,}5 = 128$ millions d'euros. Avec l'EBIT, la valeur à l'horizon atteint $7{,}5 \times 15{,}4 = 115{,}5$ millions d'euros. Ces chiffres ne sont pas très différents de la valeur de 113,4 millions d'euros obtenue en utilisant la rente croissante au tableau 19.1.

Les investisseurs et les analystes financiers peuvent utiliser d'autres multiples. Par exemple, les valeurs de marché des compagnies pétrolières peuvent être exprimées en multiples de barils de pétrole. Dans les industries réglementées où les bénéfices autorisés sont basés sur les valeurs comptables, des multiples *market-to-book* (valeur de marché sur valeur comptable) sont souvent employés. À la fin des années 1990, lorsque les sociétés dot.com croissaient rapidement mais perdaient beaucoup d'argent, les multiples étaient basés sur le nombre de souscripteurs ou de visites au site Internet.

Il est facile de trouver des failles à ces règles simples. Par exemple, la valeur comptable est souvent une mesure médiocre de la véritable valeur des actifs d'une entreprise. Elle peut se situer bien en dessous de la véritable valeur des actifs, en cas d'inflation rapide, et elle passe sous silence les actifs immatériels, comme les marques déposées ou les brevets. Au final, bien que les multiples de valeur comptable conservent un intérêt, vous ne pouvez jamais être certain d'avoir trouvé un échantillon d'entreprises vraiment semblables.

Compte tenu de tous ces problèmes, vous pouvez être tenté de considérer la méthode des cash-flows actualisés (*discounted cash-flows*, DCF) comme la méthode d'évaluation la plus précise et « scientifique ». Mais n'oubliez pas, le propos des DCF est d'estimer une valeur de marché – c'est-à-dire ce que les investisseurs paieraient pour une action ou une entreprise. Lorsque vous pouvez *observer* ce qu'ils paient vraiment pour des entreprises identiques, vous obtenez une information réellement intéressante. Ainsi, l'évaluation fondée sur les multiples peut être vraiment utile : une règle simple utilisée avec talent peut parfois donner de meilleurs résultats que des calculs compliqués de cash-flows actualisés.

---

7. Un multiple de 4,5 pour l'EBITDA signifie que la valeur de marché totale de la firme (dette et capitaux propres) atteint 4,5 fois l'EBITDA. On procède de même pour l'EBIT.

Lorsqu'on prévoit des cash-flows, il est facile de se laisser hypnotiser par les chiffres et de faire le calcul sans réfléchir. Comme nous l'avons souligné au chapitre 11, il est important d'avoir une approche stratégique. Les prévisions sont-elles cohérentes avec ce que vous anticipez de vos concurrents ? Les coûts que vous avez prévus sont-ils réalistes ? Testez les hypothèses derrière les chiffres pour vous assurer de leur pertinence. Soyez particulièrement vigilant au taux de croissance et aux hypothèses de rentabilité qui déterminent les valeurs à l'horizon.

Ne supposez pas que l'entreprise croîtra et gagnera plus que le coût du capital *à l'infini*[8]. Ce serait un bel avenir pour la société, mais la concurrence ne le permettra pas.

Vous devriez également vérifier si l'entreprise ne vaut pas plus morte que vivante. Parfois, la valeur de liquidation de l'entreprise dépasse sa valeur en cas de gros problème. Les analystes financiers futés parviennent quelquefois à dénicher des actifs en sommeil ou sous-exploités, qui vaudraient beaucoup plus s'ils étaient revendus à quelqu'un d'autre. Vous pouvez alors valoriser ces actifs à leur prix de vente vraisemblable et évaluer le reste de l'entreprise sans eux.

2.3 CMPC contre cash-flow pour l'actionnaire

Lorsque nous avons évalué Périgord, nous avons estimé les cash-flows *hors frais financiers* (cash-flows économiques, ou *free cash-flows to the firm*), et nous les avons actualisés au CMPC. C'est le CMPC qui intégrait les avantages fiscaux dus à l'endettement. Enfin, de cette valeur totale de l'entreprise, nous avons retranché la valeur de la dette, afin de déterminer la valeur des capitaux propres.

Mais il y a une alternative : prendre les cash-flows *destinés aux actionnaires*, après charges financières et impôts, et les actualiser au *coût des capitaux propres*. C'est ce que l'on appelle la méthode des cash-flows pour l'actionnaire (*free cash-flow to equity*). Si l'endettement de l'entreprise est constant dans le temps, la méthode des cash-flows pour l'actionnaire procurera la même réponse que les cash-flows économiques (*free cash-flow to the firm*) actualisés au CMPC, avant de déduire la dette.

La méthode des cash-flows pour l'actionnaire semble simple, et elle l'est effectivement lorsque la proportion des dettes et des capitaux propres reste relativement stable. Mais le coût des capitaux propres dépend du degré d'endettement, il dépend du risque financier tout comme du risque d'exploitation. Si le risque financier change de manière significative, actualiser ces cash-flows pour l'actionnaire au coût actuel des capitaux propres ne donnera pas une réponse correcte.

8. À cet égard, le tableau 19.1 est trop optimiste, car la valeur à l'horizon augmente avec le taux de croissance de long terme supposé. Cela implique que Périgord a des opportunités de croissance crédibles même après l'année 6. Un calcul plus compliqué aurait inclus une étape de croissance intermédiaire, par exemple entre les années 7 et 10, et progressivement réduit la rentabilité à la moyenne des concurrents. Voir notamment le problème avancé 3 à la fin de ce chapitre.

3 L'utilisation du CMPC en pratique

3.1 Quelques trucs de vieux sages

Sauternes avait simplement un actif et deux sources de financement. Un bilan réel de société est plus compliqué. Par exemple[9] :

Opportunités de croissance	Capitaux propres (CP)
Immobilisations	Obligations convertibles (OC)
Actif circulant : stocks, créances clients, disponibilités	Dettes long terme (D)
	Passif circulant : dettes fournisseurs, autres dettes court terme
Valeur de l'entreprise (V)	dettes fournisseurs, autres dettes court terme

Plusieurs questions surgissent immédiatement :

1. **Comment la formule évolue-t-elle quand il y a plus de deux sources de financement ?** Facile : il y a tout simplement un coût pour chaque élément. Le poids de chaque élément est proportionnel à sa valeur de marché. Par exemple, si la structure de financement intègre à la fois des actions et des obligations convertibles :

$$CMPC = r_{Dette} \times (1 - T_{société}) \times \frac{D}{V} + r_{OC} \times \frac{OC}{V} + r_{CP} \times \frac{CP}{V}$$

où r_{OC} est le taux de rendement espéré sur les obligations convertibles.

2. **Qu'en est-il des dettes à court terme ?** De nombreuses entreprises ne prennent en compte que le financement à long terme quand elles calculent le CMPC. Elles excluent le coût du financement à court terme. En principe, ceci est incorrect. Les prêteurs qui détiennent des dettes à court terme sont des investisseurs qui peuvent réclamer leur part de bénéfice d'exploitation. Une société qui néglige ces dettes déterminera mal le taux de rendement qu'elle doit exiger pour ses investissements.

9. Le bilan a valeur d'exemple et ne doit pas être confondu avec les vrais documents comptables d'une entreprise. Il comprend la valeur des opportunités de croissance, ce que les comptables ne reconnaissent pas, bien que les investisseurs le fassent. Il ne comprend pas certaines données comptables, les impôts différés, par exemple.

Il y a des impôts différés notamment quand une entreprise utilise une méthode d'amortissement plus rapide que l'amortissement économique, ceci pour des raisons fiscales (amortissement dérogatoire). Cela signifie que l'entreprise déclare plus d'impôts qu'elle n'en paye. La différence est enregistrée au passif à la ligne « amortissement dérogatoire ». D'un côté, il y a élément du passif, parce que les services fiscaux collectent des impôts supplémentaires quand les éléments de l'actif vieillissent. Mais ceci n'est pas pertinent par rapport à la décision d'investissement qui se focalise sur les cash-flows réels après impôts.

Les impôts différés ne doivent pas être considérés comme une source de financement ou pris comme élément de la formule du coût moyen pondéré du capital. La dette qu'ils représentent n'est pas un titre détenu par les investisseurs. C'est une donnée intégrée au bilan afin de satisfaire les besoins des comptables.

Les impôts différés peuvent représenter des sommes importantes dans les secteurs dont l'activité est réglementée. Cependant, le législateur intègre les impôts différés dans le calcul des taux de rendement autorisés et dans la prévision de l'évolution des revenus et des prix à la consommation.

Mais ce n'est pas une faute grave d'ignorer les dettes à court terme si l'endettement n'est que saisonnier, ou s'il est compensé par la détention de disponibilités ou des actifs réalisables sûrs[10]. Supposons, par exemple, que la filiale italienne de votre société contracte un emprunt de six mois dans une banque italienne, afin de financer son stock et ses créances clients. L'équivalent de l'emprunt en euros figurera à la ligne dette court terme du bilan de la société mère. Si par ailleurs il existe de l'argent placé en Sicav, les emprunts et les prêts se compensent, et il n'y a aucune raison d'inclure le coût de la dette à court terme dans le calcul du coût moyen pondéré du capital, parce que la société *n'est pas* dans une situation d'emprunteur *net* à court terme.

3. **Qu'en est-il des autres éléments du passif ?** Les dettes d'exploitation sont généralement supprimées du passif, et déduites de l'actif circulant. La différence obtenue est inscrite comme *besoin en fonds de roulement* (BFR) dans la partie gauche du bilan, et correspond à Stocks + Créances clients – Dettes d'exploitation. Les disponibilités ne sont généralement pas incluses dans ce calcul : elles sont supprimées de l'actif, et déduites des dettes financières (on « nette » la dette, comme indiqué dans l'exemple précédent avec la filiale italienne). On parle alors d'*endettement net*.

Opportunités de croissance	Capitaux propres (CP)
Immobilisations	Endettement net (EN) = Dettes financières – disponibilités
BFR = Stocks + Créances clients – dettes d'exploitation	
Actifs (V)	Capitaux permanents (V)

Comme le BFR est traité comme un actif, les prévisions des cash-flows futurs pour les projets d'investissement doivent traiter les augmentations du BFR comme une dépense et les diminutions comme une recette. C'est la pratique courante, que nous avons suivie dans la section 6.2.

Le fait de compenser les dettes financières par les disponibilités implique d'exclure le coût de la dette à court terme du coût moyen pondéré du capital. C'est une approximation acceptable, que nous venons d'expliquer. Mais quand l'endettement à court terme est une importante source de financement – ce qui est fréquent dans les petites entreprises –, le taux d'intérêt de la dette de court terme devra alors être retenu dans le calcul du CMPC.

4. **Comment évaluer les coûts des financements ?** Vous pouvez souvent utiliser les données du marché financier pour obtenir une estimation de $r_{Capitaux\ propres}$, le taux de rendement exigé par les actionnaires de l'entreprise. Avec cette estimation, il n'est pas trop difficile de calculer le CMPC, parce que le taux d'emprunt r_{Dette}, l'endettement et le ratio

10. Les praticiens de la finance ont des recettes de métier pour déterminer si des dettes à court terme doivent être incluses dans le calcul du CMPC. Supposez par exemple que la dette à court terme représente 10 % du total de l'actif et que le BFR soit négatif. La dette à court terme est alors assurément utilisée pour financer les immobilisations et doit en conséquence être incorporée au calcul du CMPC.

des capitaux propres D/V et CP/V peuvent être directement observés ou estimés sans qu'il y ait trop de « perturbations[11] ».

Il peut être plus difficile d'estimer le rendement exigé pour d'autres titres. Les obligations convertibles – cas dans lequel le rendement des investisseurs vient en partie de la possibilité d'échanger l'obligation contre une action de la société – en sont un exemple. Nous étudierons les titres convertibles au chapitre 25.

Les obligations « pourries » (*junk bonds*, dans la langue de Gene Tierney), pour lesquelles le risque de défaillance est élevé, sont aussi un problème. Plus le risque de défaillance est élevé, plus le prix du marché de l'obligation est bas et plus le taux d'intérêt promis est élevé. Cependant le coût moyen pondéré du capital est une *espérance*, mais ce n'est pas un taux certain. Par exemple, en juin 2004, des obligations de la compagnie Delta Airlines arrivant à maturité en 2016 se négociaient à 42 % de leur valeur nominale et offraient un rendement de près de 24 %, soit 19 points au-dessus du rendement des obligations de premier rang arrivant à maturité à la même date. Le cours et le rendement des obligations de Delta confirmaient que les investisseurs savaient que la société présentait un risque de défaillance. Mais un rendement d'environ 24 % n'est pas un rendement *espéré*, parce qu'il n'incorpore pas les pertes probables au cas où Delta ferait faillite. Inclure 24 % comme coût de la dette entraînerait dans ce cas une surévaluation du vrai CMPC de la société Marconi.

Diable, c'est une mauvaise nouvelle. Il n'y a pas de moyen facile pour estimer le taux de rendement de la plupart des endettements à haut risque[12]. Mais une bonne nouvelle d'autre part : pour la plupart des dettes, les chances de se tromper sont faibles. Ce qui signifie que le taux de rendement promis et le taux de rendement espéré sont proches, et que le taux de rendement promis peut être utilisé comme approximation du CMPC.

CMPC d'une entreprise ou CMPC d'un secteur. Vous voudriez bien sûr savoir quel est le CMPC de votre entreprise. Pourtant, les CMPC sectoriels sont parfois plus utiles. Voici un exemple que vous connaissez bien. Jusqu'en 2002, Vivendi Universal était constituée d'un côté de Vivendi Environnement, regroupant l'ensemble des activités de services à l'environnement de la holding, et de l'autre, de l'entreprise Vivendi Universal, spécialisée dans les médias et les télécommunications, détentrice entre autres de Canal+ et de SFR. Il est difficile de concevoir deux activités plus dissemblables. Le CMPC pour l'ensemble de la holding n'aurait convenu ni à l'une ni à l'autre. En cas de besoin, l'entreprise aurait mieux fait d'utiliser un CMPC adapté à l'industrie de l'environnement lors des opérations liées aux services à l'environnement, et un CMPC médias/télécommunications pour Vivendi Universal.

Vivendi Universal a cédé Véolia en décembre 2002, pour devenir une pure entreprise de médias/télécommunications. Même dans ces conditions, il serait judicieux que VU continue

11. La plus grande partie de l'endettement ne fait pas l'objet de transactions régulières sur le marché secondaire, de sorte qu'il n'est pas aisé d'obtenir directement sa valeur de marché. Mais vous pouvez généralement évaluer des titres d'emprunt non cotés en observant des titres cotés, qui ont la même maturité et le même risque de défaut (voir chapitre 24).
Pour des entreprises en bonne santé, la valeur de marché de la dette n'est habituellement pas très éloignée de sa valeur comptable, de sorte que beaucoup de gestionnaires ou d'analystes financiers utilisent la valeur comptable pour estimer D dans la formule du CMPC. Toutefois, faites bien attention à utiliser la valeur de marché et non la valeur comptable pour estimer CP.

12. Quand les bêta peuvent être estimés à partir de l'émission d'obligations pourries ou à partir d'un échantillon d'émissions analogues, le rendement espéré peut être calculé à partir du Medaf. Autrement, il faudrait faire une estimation de la probabilité annuelle de défaut et tenir compte de ce résultat en évaluant le taux de rendement espéré. Un exemple d'erreurs historiques dans les taux d'obligations pourries est donné dans le chapitre 25.

à comparer son CMPC avec celui du secteur des médias et des télécommunications. Cela ne devrait pas être très difficile, car il y a plusieurs groupes à partir desquels estimer un CMPC pour cette industrie, comme AOL-Time Warner, News Corp, Viacom-Paramount et Bertelsmann. Naturellement, l'utilisation d'un CMPC sectoriel pour les investissements d'une entreprise spécifique implique que cette dernière et le secteur aient approximativement les mêmes risques opérationnel et financier.

3.2 Les erreurs usuelles dans l'utilisation de la formule du CMPC

La formule du coût moyen pondéré du capital est très pratique mais aussi très dangereuse. Elle incite les individus à commettre des erreurs de logique. Par exemple, un gestionnaire Q qui fait campagne pour son projet favori pourrait regarder la formule suivante…

$$\text{CMPC} = r_{Dette} \times (1 - T_{société}) \times \frac{D}{V} + r_{Capitaux\ propres} \times \frac{CP}{V}$$

… et penser : « Ah ! Ah ! Mon entreprise a une bonne crédibilité ! Elle peut emprunter, disons, 90 % du coût du projet si elle le souhaite. Ce qui signifie $D/V = 0{,}9$ et $CP/V = 0{,}1$. Le taux d'emprunt, r_0, de mon entreprise est de 8 %, et le rendement des capitaux propres exigé, $r_{\text{Capitaux propres}}$, est de 15 %.

De fait, on aura :

$$\text{CMPC} = (0{,}08 \times (1 - 0{,}35) \times 0{,}9) + (0{,}15 \times 0{,}1) = 0{,}062 \text{ soit } 6{,}2\ \%$$

Quand j'actualise à ce taux, le projet semble intéressant. » Le gestionnaire Q a tort sur plusieurs points.

Premièrement, la formule du CMPC ne fonctionne que pour des projets qui sont des copies conformes de l'entreprise. Or, celle-ci n'est pas financée à 90 % par endettement.

Deuxièmement, la source immédiate de fonds pour le projet n'a pas nécessairement de corrélation avec le taux exigé sur le projet. Ce qui importe, c'est la contribution globale du projet à la capacité d'emprunt de l'entreprise. Un euro investi dans le projet préféré de Q n'augmentera pas la capacité d'endettement de l'entreprise de 90 %. Si l'entreprise emprunte 90 % du coût du projet, elle emprunte en réalité en s'appuyant sur des actifs déjà présents. Tout avantage que l'on a à pouvoir financer le nouveau projet par un endettement supérieur à la normale devrait être attribué aux anciens projets, pas au nouveau.

Troisièmement, même si l'entreprise avait la possibilité de s'endetter à hauteur de 90 %, son coût du capital ne serait pas de 6,2 % (comme le calcul de Q l'avait naïvement prédit). Vous ne pouvez pas augmenter l'endettement sans créer un risque financier pour les actionnaires et de ce fait augmenter $r_{\text{Capitaux propres}}$. S'endetter à hauteur de 90 % entraînerait certainement aussi une augmentation du taux d'emprunt.

3.3 L'ajustement du CMPC quand l'endettement ou le risque économique varient

La formule du CMPC suppose que le projet à évaluer sera financé dans les mêmes proportions de capitaux propres et de dettes que l'ensemble de l'entreprise. Qu'en est-il si ce n'est pas le cas ? Que se passe t il lorsque le projet de presse à raisin perpétuelle repose sur une dette disons de 20 % de la valeur du projet, contre 40 % pour l'ensemble de l'entreprise ?

Passer de 40 à 20 % de dette modifie tous les éléments de la formule du CMPC excepté le taux d'imposition. Évidemment, les poids respectifs du financement changent. Mais le coût des capitaux propres $r_{\text{Capitaux propres}}$ est plus faible, parce que le risque financier est réduit. Le coût de la dette peut aussi être plus faible.

Regardez à nouveau la figure 17.4, qui représente le CMPC ainsi que les coûts de la dette et des capitaux propres comme des fonctions du ratio dettes/capitaux propres. La droite horizontale r représente le coût d'opportunité du capital. N'oubliez pas, il s'agit du taux de rendement espéré que les investisseurs demanderaient pour le projet s'il était intégralement financé sur fonds propres. Le coût d'opportunité du capital dépend seulement du risque de l'entreprise, et constitue donc le point de référence naturel.

Supposons que Sauternes ou le projet de presse à raisin perpétuelle soient en totalité financés sur capitaux propres (D/V=0). En ce point, le CMPC est égal au coût des capitaux propres, tous deux sont égaux au coût du capital. C'est le point de départ de la figure 19.1. À mesure que l'endettement progresse, le coût des capitaux propres s'accroît, en raison de l'augmentation du risque financier, mais vous observerez que le CMPC diminue. Ce déclin ne s'explique pas par l'utilisation d'une dette « bon marché » en lieu et place de capitaux propres onéreux. Sa chute s'explique par l'économie d'impôt liée à la présence de charges financières. S'il n'y avait pas d'impôt sur le revenu, le coût moyen pondéré du capital serait constant, et égal au coût du capital, quel que soit l'endettement. Nous l'avons démontré au chapitre 17.

La figure 19.1 montre la nature de la relation entre le CMPC et la nature du financement, mais nous n'avons que les chiffres correspondant à un endettement de 40 %. Nous avons besoin de reprendre le calcul du CMPC pour un ratio de 20 %. Voici le moyen le plus simple d'y parvenir. Il y a trois étapes.

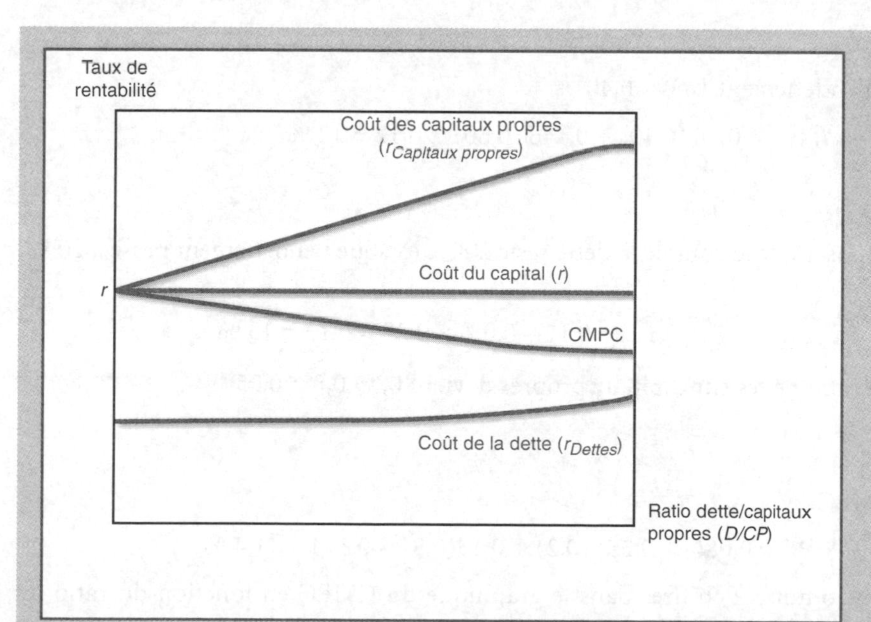

Figure 19.1 - Ce graphique représente le CMPC pour la société Sauternes à des ratios dette/capitaux propres de 25 et 67 %. Les ratios dette/valeur correspondants se montent à 20 et 40 %.

Première étape

Calculer le coût du capital. En d'autres termes, calculer le CMPC et le coût des capitaux propres pour un endettement nul. Cela consiste à désendetter (ou *déleverager*, en sabir) le CMPC. La formule la plus simple pour cela est :

$$\text{Coût du capital} = r = r_{Dette} \times \frac{D}{V} + r_{Capitaux\ propres} \times \frac{CP}{V}$$

Cette formule provient directement de la proposition I de Modigliani et Miller (voir section 17.1). Si les impôts sont ignorés, le coût moyen pondéré du capital est égal au coût du capital et il est indépendant du financement.

Deuxième étape

Il faut estimer le coût de la dette, r_{Dette}, selon le nouveau ratio d'endettement, et calculer le nouveau coût des capitaux propres.

$$r_{Capitaux\ propres} = r + (r - r_{Dette}) \times \frac{D}{CP}$$

Cette formule est la proposition II de Modigliani et Miller (voir section 2, chapitre 17). Elle s'applique à D/CP, l'endettement rapporté aux capitaux propres et non l'endettement par rapport à la valeur totale.

Troisième étape

Il faut recalculer le CMPC et la nouvelle répartition du financement. Allons-y avec le projet de presse à raisin perpétuelle avec D/V passant à 0,20 ou 20 %.

Première étape

Le ratio actuel d'endettement $D/V = 0{,}40$

$$r = 0{,}08\ (0{,}40) + 0{,}146\ (0{,}60) = 0{,}12 = 12\ \%$$

Deuxième étape

Nous allons supposer que le coût de la dette reste à 8 % lorsque l'endettement passe à 20 %. Alors,

$$r_{Capitaux\ propres} = 0{,}12 + (0{,}12 - 0{,}08) \times 0{,}25 = 0{,}13 = 13\ \%$$

Observez que le ratio dettes sur capitaux propres devient 0,2 / 0,8 = 0,25

Troisième étape

Recalculer le CMPC.

$$\text{CMPC} = 0{,}08(1 - 0{,}35)\ (0{,}2) + 0{,}13(0{,}8) = 0{,}114 = 11{,}4\ \%$$

La figure 19.1 introduit ces chiffres dans le graphique du CMPC en fonction du ratio de dette.

3.4 Désendetter et réendetter les bêta

Notre procédure à trois étapes travaille sur un coût des capitaux propres d'abord sans endettement, puis avec endettement. Des responsables financiers estiment qu'il est opportun de déterminer de même des bêta pour les capitaux propres suivant la même démarche. Étant donné le bêta des capitaux propres selon le nouveau ratio d'endettement, le coût du capital est alors déterminé à partir du Modèle d'évaluation des actifs financiers (Medaf). Ensuite on recalcule le CMPC. La formule pour désendetter le bêta a été donnée dans la section 2, chapitre 9 :

$$\beta_{Actifs} = \beta_{Dette}(D/V) + \beta_{Capitaux\ propres}(\frac{CP}{V})$$

Cette formule signifie que le bêta des actifs de l'entreprise est établi à partir d'un portefeuille constitué des bêta des capitaux propres et de la dette. Un investisseur qui aurait acquis un tel portefeuille posséderait des actifs libres de tout engagement et n'encaisserait que les risques d'exploitation.

La formule pour réendetter le bêta ressemble étroitement à la proposition II de Modigliani et Miller, sauf que les bêta se substituent aux taux de rentabilité :

$$\beta_{Capitaux\ propres} = \beta_{Actifs} + (\beta_{Actifs} - \beta_{Dette})(\frac{D}{CP})$$

À l'aide de cette formule, vous pouvez recalculer $\beta_{Capitaux\ propres}$ lorsque $\frac{D}{CP}$ varie.

3.5 L'importance de l'ajustement du bilan

Les formules du CMPC et celles qui donnent les taux de rentabilité avec ou sans endettement sont simples, mais nous devons être prudents en nous souvenant des hypothèses sous-jacentes. Le point le plus important est le rééquilibrage.

Calculer le CMPC pour une entreprise selon sa structure actuelle de capital nécessite que cette structure ne se modifie pas ; en d'autres termes, l'entreprise doit ajuster sa structure de financement de manière à conserver le même ratio d'endettement en valeurs de marché. Prenons l'exemple de l'entreprise Sauternes. Elle commence avec un ratio de 40 %, et une valeur de marché de 125 millions d'euros. Supposons que les produits de Sauternes soient tellement grisants que la valeur de la société augmente jusqu'à 150 millions.

Rééquilibrer signifie qu'il faut augmenter la dette jusqu'à $0{,}40 \times 150 = 60$ millions[13], et retrouver ainsi un ratio de 40 %. Si au lieu de cela la valeur de marché chute, Sauternes devra rembourser sa dette en proportion.

Bien entendu, en pratique, les entreprises ne rééquilibrent pas aussi systématiquement et mécaniquement leur structure de financement. Pour des raisons pratiques, il suffit de supposer des modifications graduelles mais significatives. Mais dans le cas où les projets de l'entreprise modifient sensiblement la structure de financement (par exemple, lorsque le projet consiste à rembourser la dette), la formule du CMPC ne fonctionnera pas. Dans pareil cas, vous devez vous rabattre sur la méthode de la VANA, que nous allons décrire dans la prochaine section.

13. Le fruit de cet emprunt additionnel peut être reversé aux actionnaires ou bien utilisé pour financer la croissance de Sauternes.

Notre méthode à trois étapes pour le recalcul repose sur une hypothèse similaire de réajustement[14]. Quel que soit le niveau de départ du ratio, l'entreprise est supposée rééquilibrer afin de maintenir le niveau de son ratio[15].

3.6 La formule de Modigliani-Miller, et quelques conseils en prime

Que se passe-t-il lorsque l'entreprise ne réajuste pas son bilan de façon à maintenir son ratio de dette constant ? Dans ce cas, la valeur actuelle nette ajustée (VANA), objet de la prochaine section, est la seule approche générale. Mais parfois, les dirigeants se tournent vers d'autres formules d'actualisation, comme celle mise au point par Modigliani et Miller (MM).

---

14. Semblable, mais pas identique. La formule de base du CMPC suppose que le rééquilibrage se produit à la fin de chaque période. Les étapes 1 et 2 de notre méthode à trois étapes ne sont exactes que si le rééquilibrage est réalisé en continu de manière à ce que l'endettement soit le même, jour après jour, semaine après semaine. Néanmoins, les erreurs induites par un rééquilibrage annuel sont très faibles et peuvent être ignorées pour des raisons pratiques.

15. Voici pour quelles raisons les formules marchent avec un réajustement continuel. Considérons un bilan à sa valeur de marché, avec les actifs et les avantages fiscaux à gauche et la dette et les capitaux propres à droite, tel que : Dette + Capitaux propres = VA (actifs) + VA (avantages fiscaux). Le risque total (bêta) attaché à la dette et aux capitaux propres de l'entreprise est égal au risque joint de VA (actifs) et de VA (avantages fiscaux).

$$\beta_{CP}\frac{CP}{V} + \beta_D\frac{D}{V} = \alpha\beta_{actifs} + (1-\alpha)\beta_{Avantages\ fiscaux} \quad (1)$$

où α représente la proportion de la valeur totale de l'entreprise issue de ses actifs, et $(1-\alpha)$ celle issue de ses avantages fiscaux. Si la firme réajuste sa structure de financement afin de garder *D/V* constante, alors le bêta de l'avantage fiscal doit être identique à celui des actifs. Avec le rééquilibrage, une variation de *x* % de la valeur *V* de la firme modifie la dette *D* de *x* %, tout comme l'avantage fiscal issu du paiement des intérêts, $T_{société}r_{Dette}D$. Aussi, le risque lié à l'avantage fiscal doit être le même que celui de la société tout entière :

$$\beta_{Avantages\ fiscaux} = \beta_{Actifs} = \beta_{CP}\frac{CP}{V} + \beta_D\frac{D}{V} \quad (2)$$

L'équation (2) représente notre formule de désendettement, exprimée en termes de bêta. Puisque les rendements espérés dépendent de bêta :

$$r_{Actifs} = r_{CP}\frac{CP}{V} + r_D\frac{D}{V} \quad (3)$$

En réarrangeant (2) et (3), on obtient les formules de réendettement pour $\beta_{Capitaux\ propres}$ et $r_{Capitaux\ propres}$:

$$\beta_{Capitaux\ propres} = \beta_{Actifs} + (\beta_{Actifs} - \beta_{Dettes})\frac{D}{CP} \quad \text{et} \quad r_{Capitaux\ propres} = r_{Actifs} + (r_{Actifs} - r_{Dettes})\frac{D}{CP}$$

Toute cette démonstration suppose un réajustement continu. Imaginons à la place que l'entreprise réajuste son bilan une fois par an, de telle sorte que l'avantage fiscal de l'année suivante, tributaire de la dette de l'année en cours, soit connu. On peut alors utiliser la formule développée par Miles et Ezzell :

$$r_{\text{Miles-Ezzell}} = r_{Actifs} - \frac{D}{V} + r_{Dettes}T_{société}\frac{1 + r_{Actifs}}{1 + r_{Dette}}$$

Voir J. Miles et J. Ezzell, « The Weighted Average Cost of Capital, Perfect Capital Markets and Project Life : A Clarification », *Journal of Financial and Quantitative Analysis*, 15 (septembre 1980), pp. 719-730.

MM considèrent une société ou un projet générant un certain niveau de cash-flows perpétuels financés avec un certain niveau de dette fixe et perpétuel. Ils en déduisent alors un taux d'actualisation après impôts simple[16] :

$$r_{MM}=r(1-T_{société}\frac{D}{V})$$

Il est alors facile de désendetter : il suffit de fixer la capacité d'endettement ($\frac{D}{V}$) à zéro[17].

La formule de MM est toujours utilisée en pratique. Mais elle n'est exacte que dans le cas particulier de flux perpétuels de cash-flows et d'une dette fixe et perpétuelle. Cependant, la formule constitue une bonne approximation pour les projets à plus courte durée lorsqu'un montant fixe de dette est émis[18].

Bon alors, dans quel camp êtes-vous, celui de la dette fixée ou celui des réajusteurs ? Si vous rejoignez le premier, vous serez avec la minorité. La plupart des directeurs financiers ont recours au simple CMPC après impôts, qui implique des valeurs de marché constantes pour les ratios de dette et donc le réajustement. Cela se comprend, car la *capacité* de dette d'une entreprise ou d'un projet doit être reliée à sa valeur future, qui sera appelée à fluctuer.

Dans le même temps, il faut reconnaître que le directeur financier typique ne se préoccupe pas beaucoup des fluctuations du ratio de dette de sa firme dans un intervalle raisonnable de levier financier. Le directeur financier moyen agit comme si la fonction reliant le CMPC au ratio de dette était « plate » (constante) sur cet intervalle. Cela se comprend également si nous nous rappelons que les avantages fiscaux issus des intérêts constituent le seul motif de décroissance du CMPC après impôts sur les figures 17.4 et 19.1. La formule du CMPC ne tient pas explicitement compte des coûts de détresse financière ou d'aucune autre distorsion

16. La formule est apparue pour la première fois dans F. Modigliani et M. H. Miller, « Corporate Income Taxes and the Cost of Capital : A Correction », *American Economic Review*, 53 (juin 1963), pp. 433-443. On trouvera une démonstration plus complète dans M. H. Miller et F. Modigliani, « Some Estimates of the Cost of Capital to the ELectric Utility Industry : 1954-1957 », *American Economic Review*, 56 (juin 1966), pp. 333-391.
Étant donné une dette fixe perpétuelle,

$$V=\frac{C}{r}+T_{société}D$$

$$V=\frac{C}{r\left(1-T_{société}\frac{D}{V}\right)}=\frac{C}{r_{MM}}$$

17. En ce cas, la formule de désendettement pour le coût des fonds propres s'écrit :

$$r_{Capitaux\ propres}=r_A(1-T_{société})(r_A-r_D)\frac{D}{P}$$

Voir R. Hamada, « The Effect of a Firm's Capital Structure on the Systematic Risk of Common Stocks », *Journal of Finance*, 27 (mai 1972), pp. 435-452.

18. Voir S. C. Myers, « Interactions of Corporate Financing and Investment Decisions – Implications for Capital Budgeting », *Journal of Finance*, 29 (mars 1974), pp. 1-25.

non fiscale à l'image de celles décrites au chapitre 18[19]. En substance, ces dernières peuvent annuler la valeur créée par les avantages fiscaux des intérêts (sur un intervalle d'effet de levier modéré). En ce cas, le directeur financier a raison de se concentrer sur les choix d'investissement et les décisions opérationnelles de l'entreprise, plutôt que sur un réglage millimétré de son ratio de dette.

4 La valeur actuelle nette ajustée

L'idée sous-jacente à la valeur actuelle nette ajustée (VANA) consiste à diviser pour régner. La VANA ne cherche pas à intégrer les impôts ou les autres effets du financement dans un CMPC ou un taux d'actualisation ajusté. Au lieu de cela, elle procède à une série de calculs de valeurs actuelles. Le premier établit une **valeur de base**, i.e. *celle du projet sous l'hypothèse d'un financement intégral par capitaux propres*. Le taux d'actualisation pour cette valeur de base est alors juste le coût des capitaux propres. Une fois que la valeur de base est connue, chaque effet propre au financement choisi est établi, et les valeurs actuelles de ses coûts ou bénéfices pour la société sont calculées. Finalement, toutes les valeurs actuelles sont additionnées afin d'estimer la contribution totale du projet à la valeur de l'entreprise :

VANA = VAN de la situation de base + somme des VAN des effets propres au financement

L'avantage fiscal lié aux intérêts issus de la dette nécessaire au financement du projet constitue le plus important effet secondaire (positif) du financement. Un autre effet secondaire renvoie aux coûts d'émission de titres (négatif) ou aux montages financiers arrangés par un fournisseur ou par l'État (positif).

La VANA donne au directeur financier un aperçu explicite des facteurs qui créent ou retranchent de la valeur. Elle peut ainsi l'aider à se poser les bonnes questions. Par exemple, supposons que la VAN de base soit positive, mais inférieure aux coûts d'émission des actions nécessaires au financement du projet. Cela devrait inciter le directeur financier à voir si le projet peut être sauvé par un plan de financement alternatif.

4.1 La VANA du projet de presse à raisin perpétuelle

Le concept de VANA est plus facile à comprendre à l'aide d'exemples numériques simples. Nous pouvons ainsi l'appliquer au projet presse à raisin perpétuelle. On peut commencer par montrer que la VANA est équivalente à l'actualisation au CMPC dans le même cadre d'hypothèse concernant la politique de dette.

Nous reprenons le CMPC de Sauternes (9 %) comme taux d'actualisation des cash-flows anticipés pour la presse perpétuelle. Le calcul du CMPC a supposé que la dette sera maintenue à un taux constant de 40 % de la valeur future du projet ou de l'entreprise. En ce cas, le risque des avantages fiscaux issus des intérêts est identique au risque du projet[20].

---

19. Les coûts de détresse financière peuvent être observés quand les coûts des capitaux propres et les coûts des dettes augmentent fortement, particulièrement pour des ratios de dette élevés. Les coûts de détresse financière pourraient « aplatir » la courbe du CMPC sur les figures 17.4 et 19.1, et finalement accroître le CPMC à mesure que l'effet de levier augmente. Aussi, certains praticiens calculent le CMPC d'un secteur et le supposent constant, au moins dans l'intervalle des ratios de dette observés pour les sociétés solides du secteur.
Les impôts sur les particuliers peuvent aussi entraîner une courbe plus plate pour le CMPC après impôts, entendu comme une fonction de l'effet de levier.

20. C'est-à-dire, $\alpha_{Actifs} = \beta_{avantages\ fiscaux}$. Voir la note de bas de page 15 *supra*.

Nous allons donc actualiser les avantages fiscaux au coût d'opportunité du capital (r). Nous l'avons calculé dans la section précédente en désendettant le CMPC de Sauternes, obtenant alors r = 9,84 %.

La première étape consiste à calculer la VAN de la situation de base. Nous actualisons les cash-flows après impôts de 1,125 million d'euros au coût du capital de 9,84 %, après quoi nous soustrayons les 12,5 millions d'euros d'investissement. Les cash-flows sont perpétuels, par conséquent :

$$\text{VAN de base} = -12{,}5 + \frac{1{,}125}{0{,}0984} = -\,1{,}067 \text{ million d'euros}$$

Ainsi le projet ne serait pas intéressant s'il était entièrement financé par capitaux propres. Mais il est en réalité financé par endettement à hauteur de 5 millions d'euros. À un taux d'emprunt de 6 % ($r_{Dette} = 0{,}06$) et au taux d'imposition de 35 % ($T_{société} = 0{,}35$), la déduction fiscale annuelle s'élève à 0,35 × 0,06 × 5 = 0,105 ou 105 000 euros. Quelle est la valeur de cet avantage fiscal ? Si l'entreprise réajuste continuellement sa dette, nous actualisons à r = 9,84 %.

$$\text{VA(avantage fiscal, dette réajustée)} = \frac{105\,000}{0{,}0984} = 1{,}067 \text{ million}$$

La VANA est égale à la somme de la valeur de base et de la VA (avantage fiscal)

$$\text{VANA} = -\,1{,}067 + 1{,}067 = 0$$

C'est exactement ce que nous avons obtenu par une actualisation au CMPC. La presse à raisins perpétuelle est un projet équilibré, quelle que soit la méthode d'évaluation retenue. Mais avec la VAN, nous ne sommes pas obligés de considérer la dette comme une proportion constante de la valeur. Imaginons que Sauternes entende conserver la dette du projet fixée à 5 millions d'euros. En ce cas, nous supposons que le risque de l'avantage fiscal est identique au risque de la dette, et nous actualisons au taux d'intérêt de la dette de 6 % :

$$\text{VA(avantage fiscal, dette fixée)} = \frac{105\,000}{0{,}06} = 1{,}75 \text{ million}$$

$$\text{VANA} = -\,1{,}067 + 1{,}75 = 0{,}683 \text{ million d'euros}$$

Maintenant le projet est plus intéressant. Avec une dette fixée, les avantages fiscaux des intérêts sont protégés et ont donc plus de valeur (que la dette fixée soit plus sûre pour Sauternes est un autre problème. Si le projet de presse perpétuelle échoue, les 5 millions d'euros de dette fixée pourraient devenir un fardeau pour les autres actifs de Sauternes).

4.2 D'autres effets secondaires du financement

Supposons que Sauternes doive financer la presse perpétuelle par l'émission de dette et d'actions. Elle émet 7,5 millions d'euros d'actions avec un coût d'émission de 7 % (525 000 euros), et 2 millions d'euros de dette avec un coût de 2 % (100 000 euros). Faisons l'hypothèse que la dette est fixée après son émission, de telle sorte que les avantages fiscaux vaillent 7,75 millions d'euros. Maintenant nous pouvons recalculer la VAN, en prenant soin de retrancher les coûts d'émission.

$$\text{VANA} = -1{,}067 + 1{,}75 + 0{,}525 - 0{,}100 = 0{,}058 \text{ million, ou } 58\,000 \text{ euros}$$

Les coûts d'émission réduisent donc fortement la VAN. Il existe parfois des effets secondaires liés au financement qui sont favorables et n'ont rien à voir avec les impôts. Par exemple, supposons qu'un fabricant potentiel de presses propose de rendre l'affaire plus avantageuse pour Sauternes en lui cédant la machine en crédit-bail. La VANA se calculerait alors comme la somme de la VAN de base plus la VAN du crédit-bail. On peut aussi imaginer qu'un intervenant public (conseil régional, municipalité...) propose à Sauternes de lui prêter les 5 millions d'euros à un taux d'intérêt très bas si la presse est construite et exploitée localement. La VAN du prêt subventionné pourrait alors être ajoutée à la VANA (le crédit-bail est étudié au chapitre 26, et les prêts subventionnés dans l'annexe de ce chapitre).

4.3 L'emploi de la VANA pour les entreprises

La VANA peut être également utilisée pour évaluer les entreprises. Tournons-nous à nouveau vers l'évaluation de Périgord. Dans le tableau 19.1, nous avons supposé un ratio de dette constant à 40 %, et nous avons actualisé les cash-flows disponibles au CMPC de Sauternes. Le tableau 19.2 effectue la même analyse, mais avec un objectif de dette fixe.

Tableau 19.2. Évaluation de la VANA de la société Périgord (millions d'euros)

	Dernière année	**Prévisionnel**						
	0	**1**	**2**	**3**	**4**	**5**	**6**	**7**
Free Cash Flows	2,50	3,50	3,20	3,40	5,90	6,10	6,00	6,80
VA des Free Cash Flows, années de 1 à 6	**19,70**							
VA de la Valeur Terminale	**64,60**				Valeur terminale à l'année 6		113,40	
VA de l'entreprise	**84,30**							
Dette	51,00	50,00	49,00	48,00	47,00	46,00	45,00	
Intérêts		3,06	3,00	2,94	2,88	2,82	2,76	
Economie d'impôt		1,07	1,05	1,03	1,01	0,99	0,97	
VA de l'économie d'impôt	**5,00**							
VANA	**89,30**							
Taux d'impôt (%)	35,00							
Coût d'opportunité du capital (%)	9,84							
WACC (pour actualiser la Valeur Terminale) (%)		9,00						
Taux de croissance à l'infini (%)	3,00							
Taux d'intérêt (années de 1 à 6) (%)	6,00							
Service de la dette après impôt		2,99	2,95	2,91	2,87	2,83	2,79	

Nous supposons que Sauternes a décidé de faire une offre à Périgord. En cas de succès, l'entreprise envisage de financer l'achat avec 51 millions d'euros de dette, qu'elle espère ramener à 45 millions à l'année 6. Rappelez-vous la valeur d'horizon de Périgord (113,4 millions d'euros), calculée dans le tableau 19.1 et reportée dans le tableau 19.2. La projection à l'horizon du ratio de dette est donc égale à : 45/133,4= 0,397, presque 40 %. Ainsi, Sauternes envisage de ramener Périgord à un ratio de dette normal de 40 %, à l'horizon considéré[21]. Mais Périgord devra supporter un stock de dettes plus élevé avant l'horizon. Par exemple, les 51 millions d'euros de dette initiale représentent à peu près 58 % de la valeur de l'entreprise telle que calculée dans le tableau 19.1.

Examinons de quelle façon la VANA de Périgord est affectée par un plan d'endettement plus agressif. Le tableau 19.2 présente les projections de cash-flows disponibles issus du tableau 19.1[22]. Il nous faut maintenant la valeur de base de Périgord : à cet effet, nous actualisons les cash-flows au coût d'opportunité du capital (9,84 %), et non au CMPC. La valeur de base pour Périgord s'élève alors à 84,3 millions d'euros. Le tableau 19.2 décrit également les prévisions de niveau de dette, d'intérêts, et d'avantages fiscaux issus de ces derniers. Si les niveaux de dette sont considérés comme fixes, alors les avantages fiscaux doivent être actualisés au taux débiteur de 6 %. La VAN qu'on en déduit alors pour les avantages fiscaux atteint 5 millions d'euros. Aussi,

$$\begin{aligned} \text{VANA} &= \text{VAN de base} + \text{VAN (avantages fiscaux)} \\ &= 84{,}3 + 5{,}0 = 89{,}3 \text{ millions d'euros} \end{aligned}$$

soit un accroissement de 1,4 million d'euros par rapport à la VAN du tableau 19.1. Cette augmentation peut être imputée aux niveaux de dette précédents plus élevés, ainsi qu'à l'hypothèse de fixité et de relative sûreté des niveaux de dette et avantages fiscaux[23].

Une différence de 1,4 million d'euros ne constitue pas toutefois un montant énorme, au vu de tous les risques cachés et de toutes les limitations inhérentes à la prévision des cash-flows disponibles de Périgord. Mais vous percevez maintenant les avantages découlant de la flexibilité permise par la méthode de la VANA. L'analyse de cette dernière vous permet d'évaluer les conséquences de différentes stratégies de financement sans vous contraindre à un ratio de dette fixe ou à devoir calculer un nouveau CMPC pour chaque scénario.

La VANA peut aussi être utilisée lorsque la dette qui accompagne un projet est reliée à la valeur comptable du projet ou bien doit être remboursée selon un échéancier fixé. Par exemple, Kaplan et Ruback ont utilisé la VANA pour analyser le prix payé à l'occasion d'un *leverage buy out* (LBO) classique. Les LBO sont des rachats d'entreprises presque entièrement financés par endettement. Pour autant, la nouvelle dette n'a pas vocation à perdurer.

---

21. Par conséquent, nous calculons toujours la valeur d'horizon à l'année 6 en actualisant au CMPC les cash-flows disponibles des périodes suivantes. Cependant, la valeur d'horizon à l'année 6 est actualisée à l'année 0 à l'aide du coût d'opportunité du capital.

22. La plupart des hypothèses et des calculs du tableau 19.1 ont été dissimulés dans le tableau 19.2, pour des raisons de simplicité.

23. Mais Périgord pourra-t-elle réellement faire face aux niveaux de dette envisagés dans le tableau 19.2 ? Si ce n'était pas le cas, alors la dette devrait être partiellement reportée sur d'autres actifs de Sauternes, et une partie seulement des 5 millions d'euros de la VA(avantages fiscaux) pourrait être attribuée à Périgord elle-même.

Les plans d'activité des LBO prévoient de dégager des fonds supplémentaires par la vente d'actifs, la réduction de coûts, et l'augmentation des marges bénéficiaires. Ce revenu supplémentaire est utilisé pour régler la dette du LBO. Par conséquent, vous ne pouvez utiliser le CMPC en tant que taux d'actualisation pour évaluer un LBO parce que l'endettement n'est pas constant.

La VANA fonctionne bien pour les LBO. L'entreprise est tout d'abord évaluée comme si elle était intégralement financée sur capitaux propres. Cela signifie que les cash-flows sont pris en compte après impôts, mais sans économie d'impôt sur les charges financières issues de la dette du LBO. L'économie d'impôt est dans un deuxième temps évaluée séparément. Le plan d'amortissement de l'emprunt est présenté avec la même structure que le tableau 19.1, et la valeur actuelle de l'économie d'impôt est ensuite ajoutée à la valeur des capitaux propres. Une autre conséquence du financement est également prise en compte. Le résultat est une évaluation VANA de l'entreprise[24]. Kaplan et Ruback ont établi que la VANA réalisait un bon travail de justification des prix payés lors de ces opérations de rachat si souvent contestées, considérant que les informations dont disposaient les acheteurs n'avaient pas toutes été rendues publiques. Kaplan et Ruback s'en sont tenus aux informations publiques.

4.4 La méthode VANA pour des projets internationaux

La méthode VANA est la plus utile lorsque les effets secondaires liés au financement sont nombreux et importants. Ceci est souvent le cas pour les grands projets internationaux, qui peuvent être taillés sur mesure par le financement de projet, et qui comportent des contrats spéciaux avec les fournisseurs, les clients et les gouvernements[25]. Voici quelques exemples d'effets secondaires liés au financement rencontrés dans le domaine des projets internationaux.

Nous présenterons le financement de projet dans le chapitre 25. Cela veut dire le plus souvent un ratio d'endettement très élevé au démarrage, avec tout ou partie des premiers cash-flows destinés au service de la dette. Les investisseurs en fonds propre doivent patienter. Puisque l'endettement n'est pas constant, on doit utiliser la VANA.

Le financement de projet peut comporter une dette à taux préférentiel. La plupart des gouvernements subventionnent les exportations en proposant des montages financiers spécifiques, et les fabricants de matériel industriel proposent des solutions de financement pour favoriser l'aboutissement d'une affaire. Supposons, par exemple, que votre projet nécessite la construction sur place d'une centrale électrique. Vous sollicitez une aide des fournisseurs de plusieurs pays. Ne soyez pas surpris si les fournisseurs en concurrence rendent plus attractive leur proposition grâce à des offres de prêt à taux réduit ou s'ils proposent de louer la centrale électrique dans des conditions avantageuses. Vous devrez ensuite calculer la VANA de ces prêts et locations et les inclure dans votre étude de projet global.

---

24. Kaplan et Ruback ont ici utilisé une VAN « simplifiée », pour laquelle tous les cash-flows, incluant les économies d'impôt sur charges financières, sont actualisés au coût du capital. S. N. Kaplan et R. S. Ruback, « The Valuation of Cash-Flow Forecasts : an Empirical Analysis », *Journal of Finance*, 50 (septembre 1995), pp. 1059-1093.

25. L'utilisation de la VANA pour les projets internationaux fut défendue la première fois par D. L. Lessard, « Valuing Foreign Cash-flows : An Adjusted Present Value Approach », dans D. L. Lessard, ed. *International Management Theory and Application*, Warren, Gorham and Lamont, Boston, MA, 1979.

Parfois des projets internationaux sont accompagnés de contrats avec les fournisseurs ou les clients. Supposons qu'un industriel veuille lancer la commercialisation d'un matériau rare et important, disons, le magnésium en poudre. Le fabricant pourrait subventionner un nouveau producteur de magnésium en garantissant par exemple, de lui acheter 75 % de sa production avec un prix plancher. Cette garantie est un exemple très clair d'une valeur additionnelle au projet VANA : si les cours mondiaux du magnésium en poudre chutent au-dessous du minimum, le projet n'en souffrira pas. Vous devrez calculer la valeur de cette garantie (grâce aux méthodes décrites aux chapitres 20 et 21) et l'ajouter à la VANA.

Parfois les gouvernements locaux imposent des coûts et des restrictions aux investissements ou aux désinvestissements. Par exemple, au Chili dans les années 1990, les investisseurs devaient déposer une partie de leurs gains sur des comptes non rémunérés pour une période de deux ans. Un investisseur dans ce pays au cours de cette période devait calculer le coût de cette immobilisation et la soustraire de la VANA.

5 Les réponses à vos questions

Question : Parmi toutes les formules de coût du capital, quelles sont celles qu'utilisent en fait les gestionnaires financiers ?

Réponse : Le coût moyen pondéré du capital après impôts, la plupart du temps. Le CMPC est estimé pour une entreprise, ou parfois pour un secteur industriel. Nous recommandons l'utilisation du CMPC du secteur industriel quand toutes les données sur plusieurs entreprises comparables sont disponibles. Les entreprises devraient disposer d'actifs similaires, avoir les mêmes activités et risques d'exploitation, et des opportunités de croissance semblables.

Naturellement, des conglomérats de sociétés, avec des sous-divisions opérant dans plusieurs secteurs, ne devraient pas utiliser le CMPC d'un secteur industriel particulier. Ce type d'entreprise doit essayer d'estimer le CMPC de chacun des secteurs d'activité de leurs sous-divisions.

Question : Mais le CMPC est le taux d'actualisation correct pour des projets « moyens » seulement. Qu'en est-il si la structure de financement du projet est différente de celle de l'entreprise ou des entreprises du secteur ?

Réponse : Rappelez-vous que des investissements dans des projets ne sont pas financés de façon séparée. Et même quand c'est le cas, vous devez vous concentrer sur la contribution du projet à la capacité d'endettement globale de l'entreprise, non sur son mode de financement immédiat. (Supposons qu'il soit pratique de lever des fonds pour un projet particulier à l'aide d'un emprunt bancaire. Cela ne signifie pas que le projet lui-même est la contrepartie à 100 % du financement. L'entreprise emprunte face à une contrepartie représentée aussi bien par ses actifs actuels que par le projet.)

Mais si la capacité d'endettement du projet est matériellement différente des actifs actuels de l'entreprise, ou si la politique d'endettement global de l'entreprise change, le CMPC devrait être ajusté. L'ajustement peut être mené suivant la procédure à trois étapes qui a été décrite à la section 3.

Question : Pourrions-nous avoir un autre exemple numérique ?

Réponse : Bien entendu. Supposons que le CMPC ait été estimé comme suit, selon un ratio d'endettement de 30 % :

$$\text{CMPC} = r_{Dette}(1 - T_{société}) \times \frac{D}{V} + r_{Capitaux\ propres} \times \frac{CP}{V}$$
$$= 0{,}09(1 - 0{,}35)(0{,}3) + 0{,}15(0{,}7) = 0{,}1226 \text{ soit } 12{,}26\ \%$$

Quel est le taux d'actualisation correct quand l'endettement vaut 50 % ? Reprenons notre démarche à trois étapes.

Première étape. Il faut calculer le coût du capital :

$$r = r_{Dette}\frac{D}{V} + r_{Capitaux\ propres}\frac{CP}{V}$$
$$= 0{,}09(0{,}3) + 0{,}15(0{,}7) = 0{,}132 \text{ soit } 13{,}2\ \%$$

Deuxième étape. Déterminons le nouveau coût de la dette et des capitaux propres. Le coût de la dette sera plus élevé à 50 % plutôt qu'à 30 %. Supposons qu'il vaille 9,5 %. Le nouveau coût des capitaux propres est :

$$r_{Capitaux\ propres} = r + (r - r_{Dette})\frac{D}{CP}$$
$$= 0{,}132 + (0{,}132 - 0{,}95)50/50$$
$$= 0{,}169 \text{ ou } 16{,}9\ \%$$

Troisième étape. Recalculons le CMPC :

$$\text{CMPC} = r_{Dette}(1 - T_{société})\frac{D}{V} + r_{Capitaux\ propres}\frac{CP}{V}$$
$$= 0{,}95(1 - 0{,}35)\ (0{,}5) + 0{,}169(0{,}5) = 0{,}1154 \text{ soit environ } 11{,}5\ \%$$

Question : Comment puis-je utiliser le modèle d'évaluation des actifs financiers (Medaf) pour calculer le coût moyen pondéré du capital après impôts ?

Réponse : Premièrement, insérez le bêta des capitaux propres (actions) dans la formule du Medaf pour calculer $r_{Capitaux\ propres}$, le taux de rendement des capitaux propres. Puis utilisez ce chiffre, avec le coût d'endettement après impôts, pondérés en valeurs, au sein de la formule du CMPC. Nous avons étudié cela au chapitre 9. Le seul changement, ici, vient de l'utilisation du coût de l'endettement après impôts, $r_{Dette}(1 - T_{société})$.

Bien entendu, le Medaf n'est pas le seul moyen pour estimer le coût des capitaux propres. Par exemple, vous pourrez aussi utiliser l'APT (voir section 8.4) ou le modèle actuariel des dividendes (voir section 4.3).

Question : Supposons que j'utilise le Medaf. Est-ce qu'il faut recalculer le bêta des capitaux propres pour chaque ratio d'endettement ?

Réponse : La formule du bêta est la suivante :

$$\beta_{Capitaux\ propres} = \beta_{Actifs} + (\beta_{Capitaux\ propres} - \beta_{Dette})\frac{D}{CP}$$

Question : Puis-je utiliser le Medaf pour calculer le bêta de l'actif et le coût du capital ?

Réponse : Bien entendu. Nous avons étudié cela au chapitre 9. Le bêta de l'actif est une moyenne pondérée du bêta de la dette et du bêta des capitaux propres[26].

$$\beta_{Actif} = \beta_{Dette}\frac{D}{V} + \beta_{Capitaux\ propres}\frac{CP}{V}$$

Supposons que vous ayez besoin de la valeur du coût du capital *r*. Vous pourriez calculer β_{Actifs}, puis *r* à partir du modèle d'évaluation des actifs financiers.

Question : Je pense avoir compris comment tenir compte du niveau d'endettement. Mais qu'en est-il des différences de risque d'exploitation ?

Réponse : Si le risque d'exploitation est différent, alors *r*, le coût du capital, est lui aussi différent.

Arriver à trouver le bon *r* pour un projet atypique en termes de risque n'est jamais facile. Les gestionnaires peuvent parfois utiliser des estimations du risque et du rendement attendu par les entreprises pour des projets similaires. Supposons, par exemple, qu'une entreprise pharmaceutique traditionnelle étudie la possibilité d'un engagement important dans la recherche biotechnologique. Le gestionnaire financier pourrait estimer le bêta moyen et le coût du capital d'un échantillon d'entreprises de biotechnologie, et utiliser ces estimations comme référence pour l'investissement biotechnologique qu'il souhaite réaliser.

Mais dans beaucoup de cas, il est difficile de constituer un bon échantillon d'entreprises pour un projet d'un niveau de risque inhabituel. Alors le gestionnaire financier doit ajuster le coût du capital par intuition[27]. Il peut être utile de maîtriser les acquis de la section 9.5 dans de tels cas.

Question : Quand ai-je besoin de la valeur actuelle nette ajustée (VANA) ?

Réponse : La formule du CMPC ne prend en compte qu'un seul effet secondaire lié au financement : la déductibilité fiscale des intérêts sur dette. S'il y a d'autres effets secondaires – des financements subventionnés, par exemple –, vous devrez utiliser la VANA.

Vous pouvez aussi utiliser la VANA pour calculer la valeur de l'avantage fiscal :

$$\text{VANA} = \text{VAN de base} + \text{VA (avantage fiscal)}$$

Supposons, par exemple, que vous analysiez une entreprise juste après une recapitalisation financée par l'emprunt. L'entreprise a un niveau d'endettement initial très élevé mais un plan de remboursement aussi rapide que possible. La VANA pourrait être utilisée pour obtenir une valorisation plus précise.

Question : À quel moment l'imposition des particuliers devrait-elle être incorporée dans l'analyse ?

Réponse : Il faut toujours utiliser $T_{société}$, le taux marginal de l'impôt sur les sociétés, quand vous calculez le CMPC en faisant la moyenne pondérée des coûts des capitaux propres et

26. Cette formule suppose que la règle de financement numéro 2 soit vérifiée. Si la dette est fixée, les impôts compliquent les formules. Par exemple, lorsque la dette est fixe et permanente, et si l'on ne considère que l'impôt sur les sociétés, la formule du $\beta_{\text{Capitaux propres}}$ devient :

$$\beta_{Capitaux\ propres} = \beta_{Actifs} + (\beta_{Capitaux\ propres} - \beta_{Dette})(1 - T_{société})\frac{D}{CP}.$$

27. L'intuition est en général implicite. Le gestionnaire n'annoncera pas explicitement que le taux d'actualisation d'un projet hautement risqué est égal au taux standard plus 2,5 points. Mais le projet ne sera pas approuvé s'il n'offre pas un taux de rendement supérieur au taux standard.

coûts de la dette. Le taux d'actualisation est ajusté seulement pour les impôts de l'entreprise. Tous les effets de l'imposition des particuliers sont intégrés dans r_{CP} et r_D, les taux de rendement demandés par les actionnaires et les prêteurs.

En principe, la VANA peut être corrigée des effets de l'imposition des particuliers en remplaçant le taux d'imposition des sociétés $T_{société}$ par un taux d'imposition effectif. Ce dernier consiste en une combinaison de l'imposition des sociétés et de celle des particuliers, et représente l'avantage fiscal net par euro d'intérêt payé par l'entreprise. Nous avons effectué quelques calculs de coin de table à ce sujet à la section 2, chapitre 18. Le taux d'imposition effectif est presque certainement inférieur à $T_{société}$, mais il est très difficile d'évaluer l'écart numérique. Par conséquent, $T_{société}$ est presque toujours utilisé comme approximation en pratique.

Question : Les impôts sont-ils vraiment importants ? Les directeurs financiers procèdent-ils vraiment à un réglage du ratio de dette afin de minimiser le CMPC ?

Réponse : Comme nous l'avons vu au chapitre 18, les décisions de financement reflètent des influences diverses par-delà les impôts, telles que les coûts de détresse financière, les différences d'information et les incitations des dirigeants. Il se peut qu'il n'y ait pas une structure optimale de financement très clairement définie. Aussi, la plupart des directeurs financiers n'ajustent-ils pas très précisément les ratios de dette de leurs entreprises, pas plus qu'ils ne rééquilibrent la structure de financement de façon à maintenir les ratios de dette strictement constants. Ils supposent en effet que le CMPC reste relativement stable si l'on n'amène pas le ratio d'endettement à des extrêmes.

Résumé

Ce chapitre s'est intéressé à la façon dont les modes de financement peuvent être intégrés dans l'évaluation des projets et des entreprises. Il y a deux façons de tenir compte du mode de financement. Vous pouvez soit calculer la VAN à un taux d'actualisation ajusté, la plupart du temps le coût moyen pondéré du capital (CMPC) après impôts. Ou bien vous pouvez utiliser la valeur actuelle nette ajustée (VANA).

La formule du CMPC après impôts s'écrit comme suit :

$$\text{CMPC} = r_{Capitaux\ propres}\frac{CP}{V} + r_{Dette}(1 - T_{société})\frac{D}{V}$$

Ici, r_{Dette} et $r_{Capitaux\ propres}$ sont les taux de rendement espérés respectivement par les créanciers et les actionnaires de l'entreprise ; *D* et *CP* représentent les valeurs de marché de l'endettement et des capitaux propres, et V est égal à la valeur de marché totale de l'entreprise ($V = CP + D$).

Pour être rigoureux, cette formule n'est valable que pour des projets qui sont des copies conformes de l'entreprise existante – des projets comportant les mêmes risques d'exploitation financés de manière à maintenir et conserver l'endettement actuel de l'entreprise. Mais les entreprises peuvent utiliser le CMPC comme taux de référence qui sera ajusté selon les risques d'exploitation et de financement. Nous avons proposé d'utiliser une démarche à trois étapes pour ajuster le CMPC de l'entreprise selon les différences entre le projet et l'endettement de l'entreprise.

Actualiser les cash-flows du projet au CMPC suppose que la dette est reconduite chaque année pour maintenir à taux constant l'endettement par rapport à la valeur de marché.

Le montant de la dette qui est supporté par le projet est censé s'accroître ou diminuer selon que le projet après coup est ou non un succès. Nous avons appelé cela la règle financière numéro 2. La formule du CMPC suppose également que les conséquences des choix de financement ne concernent que les intérêts déductibles fiscalement. Quand cette hypothèse ou d'autres ne sont pas respectées, seule l'utilisation de la VANA fournira une réponse absolument correcte.

La VANA est un concept en définitive assez simple. Dans un premier temps, on calcule la valeur actuelle du projet comme s'il n'existait pas d'effets secondaires importants. Puis on ajuste la valeur afin de calculer l'impact du projet total sur la valeur de l'entreprise. La règle est d'accepter le projet si la valeur actuelle nette ajustée (VANA) est positive :

On accepte le projet si VANA = VAN de base + valeur actuelle des effets secondaires liés au financement > 0

Parmi les effets secondaires liés au financement, citons l'avantage fiscal dû à la déductibilité des intérêts, les frais d'émission et les montages financiers spéciaux proposés par les fournisseurs ou les organismes publics.

Pour les entreprises, la valeur dépend des cash-flows disponibles. Ces derniers représentent les liquidités pouvant être distribuées à tous les investisseurs (détenteurs de dettes aussi bien que d'actions), après déduction des sommes nécessaires aux nouveaux investissements ou à l'augmentation du besoin en fonds de roulement (BFR). En revanche, les cash-flows disponibles n'intègrent pas la valeur des avantages fiscaux. La formule du CMPC tient compte de ces derniers en utilisant le coût après impôts de la dette. La VANA calcule une valeur de base, puis rajoute la valeur actuelle des avantages fiscaux.

Les entreprises sont généralement évaluées en deux étapes. Tout d'abord, les cash-flows disponibles sont projetés sur un horizon d'évaluation et actualisés afin d'obtenir leur valeur actuelle. Une valeur à l'horizon est alors calculée et actualisée à son tour. La valeur d'horizon est habituellement estimée à l'aide de la formule de la rente croissante (Gordon-Shapiro), ou en multipliant l'EBIT ou l'EBITDA[28] par des multiples observés sur des sociétés semblables. Soyez particulièrement attentif à éviter les horizons trop lointains et non réalistes. Avant d'atteindre cet horizon, vos concurrents disposent de plusieurs années pour vous rattraper. Une fois que le travail d'évaluation de l'entreprise est terminé, n'oubliez pas non plus de soustraire la valeur de la dette afin d'obtenir celle des capitaux propres.

Tous les exemples utilisés dans ce chapitre s'appuient sur un certain nombre d'hypothèses quant au montant de dette supporté par le projet ou l'entreprise. Gardez à l'esprit qu'il ne faut pas confondre la contribution à la capacité d'endettement de l'entreprise avec les sources de financement immédiates. Par exemple, une entreprise peut emprunter un million d'euros pour un investissement dans un programme de recherche, mais il est peu probable que le programme de recherche accroîtra la capacité d'endettement de l'entreprise de un million d'euros ; la contrepartie de un million d'euros récemment empruntés sera dans une large part les autres actifs de l'entreprise.

Souvenez-vous aussi que la capacité d'endettement ne signifie pas qu'il existe une limite absolue à la somme que peut emprunter l'entreprise. L'expression fait référence à la somme qu'elle *choisit* d'emprunter.

28. Gardez à l'esprit que EBIT (*earnings before interest, and taxes*) = résultat opérationnel et que EBITDA (*earnings before interest, taxes, depreciation and amortization*) = résultat opérationnel avant amortissement et dépréciation.

Annexe : L'actualisation de cash-flows nominaux et sûrs

Vous envisagez l'acquisition d'une machine pour un montant de 100 000 €. Le fabricant vous offre la possibilité de financer cet achat en vous consentant un prêt de 100 000 € sur cinq ans, donnant lieu à un paiement d'intérêt de 5 %. Si vous empruntiez à une banque, vous auriez à payer 13 %. Votre taux d'impôt sur les sociétés est de 35 % ($T_{société} = 0{,}35$). Quelle est la valeur de cet emprunt ? Si vous l'acceptez, les cash-flows sont les suivants (en milliers d'euros) :

	Année					
	0	1	2	3	4	5
Cash-flow	100	–5	–5	–5	–5	–105
Avantage fiscal		+1,75	+1,75	+1,75	+1,75	+1,75
Cash-flow après impôts	100	–3,25	–3,25	–3,25	–3,25	–103,25

Quel est le taux d'actualisation pertinent ? Ici, vous êtes en train d'actualiser des cash-flows *nominaux* et *sûrs* – sûrs parce que votre entreprise doit s'engager à payer si elle contracte l'emprunt[29], et nominaux parce que les annuités seront versées sans prendre le niveau d'inflation en considération. Dans ce contexte, le taux d'actualisation correct pour des flux nominaux et sûrs est le taux d'emprunt après impôts (hors subventions) de votre entreprise[30]. Dans ce cas, $r^* = r_{Dette}(1 - T_{société}) = 0{,}13 \times (1 - 0{,}35) = 0{,}0845$. Par conséquent :

$$\text{VAN} + 100 \frac{3{,}25}{1{,}0845} + \frac{3{,}25}{(1{,}0845)^2} + \frac{3{,}25}{(1{,}0845)^3} + \frac{3{,}25}{(1{,}0845)^4} + \frac{3{,}25}{(1{,}0845)^5}$$

$$= +\ 20{,}52 \text{ ou } 20\ 520\ €$$

L'offre du fabricant a effectivement diminué le prix d'acquisition de la machine en le faisant passer de 100 000 € à 100 000 – 20 520 = 79 480 €. Vous pouvez à présent faire marche arrière et recalculer la VAN de la machine en intégrant ce prix de faveur, ou vous pouvez utiliser la VAN du « prêt subventionné » comme un élément de la VANA de la machine.

Une règle générale

Il est clair que nous devons expliquer la raison pour laquelle $r_{Dette}(1\text{-}T_{société})$ est le bon taux d'actualisation pour les cash-flows nominaux et sûrs. Le fait que le taux dépende de r_{Dette}, le taux d'emprunt non subventionné, n'est pas surprenant, car r_{Dette} représente aussi le coût d'opportunité des fonds pour les prêteurs, c'est-à-dire le taux qu'ils exigeraient pour prêter de l'argent à votre entreprise. Mais pourquoi r_{Dette} devrait-il être ramené à sa valeur après impôts ?

29. En théorie, « sûr » signifie littéralement « sans risque », comme le rendement des bons du Trésor. En pratique, cela signifie que le risque de ne pas verser (ou de ne pas recevoir) un cash-flow est faible.

30. Dans la section 1, chapitre 13, nous calculions la VAN d'un financement subventionné en utilisant le taux d'emprunt avant impôts. À présent, vous pouvez voir que c'était une erreur. Utiliser le taux avant impôts définit implicitement l'emprunt en termes de cash-flows avant impôts, violant de fait la règle promulguée précédemment à la section 1, chapitre 6 : *toujours* estimer les cash-flows sur une base après impôts.

Simplifions la question en prenant l'exemple d'un emprunt de 100 000 € subventionné, à échéance d'un an, au taux de 5 %. Les cash-flows sont les suivants (en milliers d'euros) :

	Année 0	**Année 1**
Cash-flow	100	–105
Avantage fiscal	0	+1,75
Cash-flow après impôts	100	–103,25

Une question, maintenant : « Quel est le montant maximal qui pourrait être emprunté pour une année dans le cadre d'un emprunt non subventionné (c'est-à-dire obtenu par les circuits classiques), si 103 250 € sont mis de côté pour rembourser l'emprunt ? »

« Circuits classiques » signifie emprunter à 13 % avant impôts et à 8,45 % après impôts. Pour cela, vous aurez besoin de 108,45 % du montant emprunté pour rembourser le capital et les intérêts après impôts. Si on a $1{,}0845 \times X = 103\,250$, alors $X = 95\,205$. Si vous pouvez disposer de 100 000 € en contractant un emprunt subventionné, mais seulement de 95 205 € en contractant un emprunt non subventionné, la différence (4 795) est de l'argent que l'on retrouve à la banque. Par conséquent, cela peut aussi être considéré comme la VAN de l'emprunt subventionné sur une période.

Quand vous actualisez des cash-flows nominaux et sûrs à un taux d'emprunt après impôts, vous êtes en train de calculer implicitement un emprunt équivalent : le montant que vous pourriez emprunter de façon non subventionnée, en utilisant les cash-flows disponibles pour le rembourser. Notez que :

$$\text{Emprunt équivalent} = \text{VA(cash-flows dispononibles pour le service de l'emprunt)}$$
$$= \frac{103\,250}{1{,}0845} = 95\,205$$

Dans certains cas, il peut être plus facile de se placer du côté prêteur (de l'emprunt équivalent) que du côté de l'emprunteur. Par exemple, vous pourriez vous demander : « Combien mon entreprise doit-elle investir aujourd'hui afin d'obtenir l'an prochain les cash-flows nécessaires au remboursement et aux intérêts de l'emprunt subventionné ? » La réponse est 95 205 €. En effet, si vous prêtez ce montant au taux de 13 %, vous percevrez 8,45 % après impôts, par conséquent vous aurez 95 205(1,0845) = 103 250. Par cette transaction, vous pouvez annuler ou contrebalancer vos obligations futures. Si vous pouvez emprunter 100 000 € et mettre de côté 95 205 € pour générer les cash-flows nécessaires au service de la dette, vous disposez de toute évidence de 4 795 € à dépenser comme vous le souhaitez. Ce montant représente la VAN du prêt subventionné.

Par conséquent, indépendamment du fait qu'il soit plus facile d'emprunter ou de prêter, le bon taux d'actualisation pour des cash-flows nominaux et sûrs est le taux d'intérêt après impôts[31].

Dans un sens, c'est un résultat qui semble évident quand on y pense. Les entreprises sont libres d'emprunter ou de prêter de l'argent. Si elles *prêtent*, elles perçoivent le taux d'intérêt

31. Les taux d'emprunt et de prêt ne devraient pas différer de beaucoup si les cash-flows sont vraiment sûrs – autrement dit, si le risque de défaillance est faible, votre décision ne devrait pas dépendre du taux utilisé. Si c'est quand même le cas, demandez-vous quelle transaction (prêter ou emprunter) semble la meilleure par rapport au problème que vous avez à résoudre. Utilisez alors le taux correspondant.

auquel elles ont prêté après impôts ; si elles *empruntent* sur le marché financier, elles payent le taux d'intérêt après impôts. Ainsi, le coût du capital pour des entreprises investissant dans des cash-flows équivalant à un emprunt est le taux d'intérêt net d'impôt. C'est le coût du capital ajusté pour des cash-flows équivalents d'emprunts (sûrs et nominaux)[32].

Quelques exemples supplémentaires

Voici quelques exemples supplémentaires de cash-flows assimilables à des emprunts.

Les contrats à versements fixés au préalable Vous signez un contrat d'entretien avec une entreprise qui loue des camions en crédit-bail, vous permettant de conserver vos camions loués en bon état de marche les deux prochaines années, en échange d'un versement de 24 mensualités fixées à l'avance. Ces mensualités sont des cash-flows assimilables à des flux d'emprunts.

L'avantage fiscal dû à l'amortissement Les projets d'investissement sont normalement évalués en actualisant les cash-flows après impôts que l'on espère avoir dégagés. L'avantage fiscal dû à l'amortissement contribue aux cash-flows du projet, mais ils ne sont pas évalués séparément ; ils sont juste intégrés aux cash-flows avec des douzaines ou des centaines d'autres flux, ou bien parmi des recettes ou des dépenses spécifiques. Le coût du capital du projet reflète le risque moyen de l'agrégat résultant.

Supposons cependant que nous nous demandions ce que vaut l'avantage fiscal dû à l'amortissement considéré seul. Pour une entreprise certaine de payer des impôts, l'avantage fiscal dû à l'amortissement représente un cash-flow nominal sûr. Par conséquent, il devrait être actualisé au taux d'emprunt net d'impôt de l'entreprise.

Supposons que nous achetions un actif dont la base amortissable est 200 000 € et qui peut être amorti suivant le programme d'amortissement sur cinq ans du tableau 6.4. L'avantage fiscal résultant est le suivant :

	Année					
	1	2	3	4	5	6
Taux d'amortissement	20	32	19,2	11,5	11,5	5,8
Amortissement en milliers d'euros	40	64	38,4	23	23	11,6
Avantage fiscal au taux $T_{société}$ = 0,35 en milliers d'euros	14	22,4	13,4	8,1	8,1	4,0

32. Tous les exemples de cette section sont tournés vers le futur ; ils donnent la valeur aujourd'hui d'un échéancier de cash-flows équivalents d'emprunt. Mais des opérations financières semblables se soldent par des conflits juridiques lorsqu'un cash-flow passé doit être réintroduit au présent et réexprimé en valeur actuelle. Supposons qu'il soit confirmé que la société A ait dû payer à B 1 million d'euros il y a dix ans. B réclame clairement plus d'un million aujourd'hui, parce qu'elle a perdu la valeur d'usage de cette somme. Cette valeur devrait être exprimée selon un taux d'emprunt ou de prêt après impôts, sans incorporation de risque, au taux d'intérêt sans risque après impôts. Cette valeur d'usage n'est pas égale au coût du capital global de B. Permettre à B d'obtenir son coût du capital sur le versement, c'est lui permettre de capter une prime de risque sans supporter le risque. Pour une plus large réflexion, voir F. Fisher et C. Romaine, « Janis Joplin Yearbook and Theory of Damages » *Journal of Accounting, Auditing and Finance*, 5 (hiver/printemps 1990), pp. 145-157.

Le taux d'actualisation net d'impôt est $r_{Dette}(1 - T_{société}) = 0,13\ (1 - 0,35) = 0,0845$. (Nous continuons de supposer que le taux d'emprunt avant impôts est de 13 % et que le taux marginal d'impôt sur les sociétés est de 35 %.) La valeur actuelle de l'avantage fiscal est :

$$\text{VA} = \frac{14}{1,0845} + \frac{22,4}{(1,0845)^2} + \frac{13,4}{(1,0845)^3} + \frac{8,1}{(1,0845)^4} + \frac{8,1}{(1,0845)^5} + \frac{4}{(1,0845)^6}$$
$$= 56,2 \text{ ou } 56\,200\ €$$

Un test de cohérence

Vous vous demandez peut-être si la méthode employée pour valoriser les cash-flows assimilables à des flux d'emprunts est pertinente si nous utilisons l'approche du CMPC ou de la VANA, présentés plus haut dans ce chapitre. Oui, et nous allons le montrer.

Examinons un exemple numérique sous les deux angles. Notre problème est de valoriser la somme de 1 million d'euros à recevoir dans un an par une grande entreprise de premier plan. Après l'impôt à 35 %, les cash-flows sont de 650 000 €. Le processus du paiement est fixé par le contrat.

Puisque le contrat génère des cash-flows nominaux et sûrs, le coût du capital est égal au taux que les investisseurs exigeraient lors d'une émission de billet de trésorerie à un an par cette société de premier plan, taux supposé égal à 8 %. Pour simplifier les choses, nous supposerons que c'est aussi le taux d'emprunt de votre entreprise. Notre règle de valorisation des cash-flows sûrs et nominaux est par conséquent d'actualiser au taux $r^* = r_{Dette}(1 - T_{société}) = 0,08(1 - 0,35) = 0,052$:

$$\text{VA} = \frac{650\,000}{1,052} = 617\,900\ €$$

Quelle est la capacité d'endettement correspondant à ce versement de 650 000 € ? Exactement 617 900. Votre société pourrait emprunter ce montant et honorer intégralement le prêt – remboursement du capital et règlement des intérêts après impôts – avec les 650 000 € de cash-flows encaissés. La capacité d'endettement est de 100 % de la valeur actuelle du cash-flow équivalent-emprunt.

On peut aussi dire que notre taux d'actualisation $r_{Dette}(1 - T_{société})$ est simplement *un cas particulier du CMPC* avec un ratio d'endettement de 100 % ($\frac{D}{V} = 1$).

$$\text{CMPC} = r_{Dette}(1 - T_{société}) \times \frac{D}{V} + r_{Capitaux\ propres} \times \frac{CP}{V}$$
$$= r_{Dette}(1 - T_{société}) \text{ si } \frac{D}{V} = 1 \text{ et que } \frac{CP}{V} = 0$$

Maintenant essayons de déterminer la VANA. L'évaluation s'effectue en deux étapes. Premièrement, le flux encaissé de 650 000 € est actualisé au coût du capital, soit 8 %. Deuxièmement, nous ajoutons à la valeur actuelle l'économie d'impôt réalisée sur la dette qui accompagne le projet. Puisque la société peut emprunter 100 % de la valeur du cash-flow, l'économie d'impôt correspond à $r_{Dette} \times T_{société}$ et la VANA devient :

$$\text{VANA} = \frac{650\,000}{1{,}08} + \frac{0{,}08(0{,}35)\text{VANA}}{1{,}08}$$

La résolution de cette équation aboutit à VANA = 617 900 €, la même réponse que celle obtenue lorsque nous avons actualisé au taux d'emprunt après impôts. Ainsi, la règle de valorisation des cash-flows sûrs et nominaux est un cas spécial de la règle de calcul de la VANA.

Lectures complémentaires

La notion de la valeur actuelle nette ajustée a été développée dans :

S. C. Myers, « Interactions of Corporate Financing and Investment Decisions-Implications for Capital Budgeting », *Journal of Finance*, 29 (mars 1974), pp. 1-25.

La Harvard Business Review *a publié un texte facile sur la VANA :*

T. A. Luehrman, « Using APV : A Better Tool for Valuing Operations », *Harvard Business Review*, 75 (mai-juin 1997), pp. 145-154.

Il y a eu des douzaines d'articles sur le CMPC et les autres concepts évoqués dans ce chapitre. En voici trois :

J. Miles et R. Ezzell, « The Weighted Average Cost of Capital, Perfect Capital Markets, and Project Life ; A Clarification », *Journal of Financial and Quantitative Analysis*, 15 (5 septembre 1980), pp. 719-730.

R. A. Taggart Jr., « Consistent Valuation and Cost of Capital Expression with Corporate and Personal Taxes », *Financial Management*, 20 (automne 1991), pp. 8-20.

R. S. Ruback, « Capital Cash Flows : A Simple Approach to Valuing Risky Cash Flows », *Financial Management*, 31 (été 2002), pp. 85-103.

Deux ouvrages fournissant des explications détaillées sur les modes d'évaluation des entreprises :

T. Copeland, T. Koller et J. Murrin, *Valuation : Measuring and Managing the Value of Companies*, 3e éd., New York : Wiley, 2000.

S. P. Pratt, R. F. Reilly et R. P. Schweihs, *Valuing a Business : The Analysis and Appraisal of Closely Held Companies*, 4e éd., New York : McGraw-Hill, 2000.

La règle pour actualiser des cash-flows nominaux sûrs est développée dans :

R. S. Ruback, « Calculating the Market Value of Risk-Free Cash-Flows », *Journal of Financial Economics*, 15 (mars 1986), pp. 323-339.

Activités

Révision des concepts

1. Écrivez la formule du CMPC après impôts. Pourquoi le CPMC est-il généralement inférieur au coût d'opportunité du capital ?

2. Quelles sont les hypothèses sous-jacentes au CMPC ?

a. Dans l'exemple de la société Sauternes (voir section 19.1), dans quelle mesure le CMPC serait-il modifié si les valeurs *comptables* s'élevaient à 300 millions d'euros pour la dette et 700 millions d'euros pour les capitaux propres ?

b. Dans quelle mesure le CMPC serait-il modifié si les valeurs *de marché* s'élevaient à 300 millions d'euros pour la dette et 700 millions d'euros pour les capitaux propres ?

Tests de connaissances

1. Calculez le coût moyen pondéré du capital (CMPC) de l'entreprise Tayer, en utilisant les informations suivantes :

- Endettement : 75 000 000 € dans le bilan comptable. La valeur de marché de la dette est égale à 90 % de sa valeur nominale. Le rendement à l'échéance est de 9 % (taux d'emprunt).
- Capitaux propres : 2 500 000 actions vendues au cours de 42 €. Nous supposons que le taux de rendement espéré sur les actions Tayer est 18 %.
- Impôts : le taux d'impôt auquel est soumise l'entreprise Tayer est $T_{société} = 0.35$.

Quelles sont les hypothèses sous-jacentes que vous posez quand vous effectuez votre calcul ? Pour quel type de projet le CMPC de l'entreprise Tayer sera-t-il le taux d'actualisation approprié ?

2. Supposons que Tayer décide d'adopter une politique d'endettement plus conservatrice. Un an plus tard son ratio d'endettement n'est plus qu'à 15 % ($D/V = 0,15$). Le taux d'intérêt a chuté à 8,6 %. Recalculez le CMPC de Tayer avec ces nouvelles hypothèses. Le risque d'exploitation de l'entreprise, le coût du capital, et le taux d'imposition n'ont pas changé. Utilisez la démarche à trois étapes décrite à la section 19.3.

3. Vrai ou faux ? L'utilisation de la formule du CMPC suppose :

a. Un projet dont le montant de l'endettement est fixe pour la totalité de la durée de vie économique du projet.

b. Un projet dont le *ratio* d'endettement est constant, en proportion de la valeur du projet et de ses évolutions.

c. Un projet où l'entreprise réajuste son bilan chaque année, en gardant le ratio D/V constant.

4. Qu'est-ce que l'on entend par « méthode des cash-flows pour l'actionnaire » ? Quel taux d'actualisation utilise-t-on dans cette méthode ? Quelles hypothèses sont nécessaires afin d'aboutir à une évaluation précise ?

5. Vrai ou faux ? La méthode VANA

a. Débute par une évaluation de base du projet.

b. Calcule la valeur de base du projet en actualisant au CMPC les cash-flows du projet, estimés en supposant un financement uniquement par capitaux propres.

c. Est particulièrement utile quand la dette doit être payée à échéances fixes.

d. Peut être utilisée pour calculer un taux d'actualisation ajusté, pour une société ou un projet.

6. Un projet a un coût d'un million d'euros et présente une VAN de base nulle (VAN = 0). Quelle est la VANA du projet dans les cas suivants ?

a. Si l'investissement est réalisé, l'entreprise émettra des actions d'un montant de 500 000 €. Les frais d'émission représentent 15 % du produit net de l'émission.

b. L'entreprise dispose de liquidités importantes. Mais si elle investit, elle aura accès à un emprunt de 500 000 € à un taux d'intérêt avantageux. La valeur actuelle de la subvention est de 175 000 €.

c. Si l'entreprise investit, elle augmentera sa capacité d'endettement de 500 000 €. La valeur actuelle de l'avantage fiscal sur les intérêts d'emprunt payés s'élèvera à 76 000 €.

7. La société Nectra SA est entièrement financée par capitaux propres. Le taux de rendement des actions de l'entreprise est de 12 %.

a. Quel est le coût du capital d'un investissement de risque moyen pour la société Nectra SA ?

b. Supposons que la société émette des obligations, rachète ses actions, et obtienne un ratio d'endettement de 30 % (D/V=0,30). Quel sera le CMPC de l'entreprise dans cette nouvelle configuration ? Le taux d'intérêt est de 7.5 % et le taux d'imposition de 35 %.

8. Considérons un projet qui dure une année. La dépense initiale s'élève à 1 000 € et le cash-flow correspondant est de 1 200 €. Le coût du capital est r =0,20. Le taux d'emprunt est $r_{Dette =}$ 0,10, et l'avantage fiscal net par euro d'intérêt est $T^* = T_{société} = 0{,}35$.

a. Quelle est la VAN de base du projet ?

b. Quelle est sa VANA si l'entreprise emprunte 30 % de la somme nécessaire à l'investissement ?

9. La formule du CMPC semble impliquer que s'endetter est moins « cher » que se financer par capitaux propres, c'est-à-dire qu'une entreprise avec un niveau d'endettement plus important pourra utiliser un taux d'actualisation plus faible. Est-ce que cela a un sens ? Expliquez brièvement.

10. La société KCS rachète pour 50 millions d'euros l'entreprise de transport routier Clunia, une société non cotée. KCS n'a que 5 millions d'euros de liquidités à sa disposition, elle contracte donc un emprunt bancaire de 45 millions d'euros. Un ratio dette/valeur normal pour une entreprise de transport ne dépasse en général pas 50 %, mais la banque est satisfaite de la notation de KCS.

Imaginez que vous évaluiez Clunia à l'aide de la VAN, de la même façon qu'au tableau 19.2. Combien de dette incluriez-vous ? Commentez brièvement.

Questions et problèmes

1. Le tableau 19.3 représente le bilan comptable de la chaîne d'hôtels Sona-Troca. L'endettement à long terme de la société est garanti par des biens immobiliers, mais la société utilise aussi un financement bancaire à court terme. Elle paye 10 % sur l'endettement bancaire et 9 % d'intérêts sur l'endettement garanti. Sona-Troca a 10 millions d'actions en circulation, négociées au cours de 90 € par action. Le rendement attendu sur les actions de la société Sona-Troca est de 18 %.

Calculez le CMPC de Sona-Troca. Nous supposerons que la valeur comptable et la valeur de marché de la dette de Sona-Troca sont les mêmes. Le taux marginal de l'impôt sur les sociétés est de 35 %.

2. Sona-Troca évalue un nouvel hôtel qui se situe sur un site romantique à Bergerac dans le Périgord. Expliquez comment vous feriez pour évaluer les cash-flows nets d'impôt de ce projet. (*Indications* : comment traiteriez-vous les impôts ? Les charges d'intérêts ? Les variations du besoin en fonds de roulement ?)

3. Afin de financer le projet de Bergerac, la société Sona-Troca devra contracter un emprunt à long terme de 80 millions d'euros et réaliser une émission d'actions pour un montant de 20 millions d'euros. Payer les frais de souscription, de distribution, et autres coûts liés au financement reviendra à 4 millions d'euros. Comment prendrez-vous cela en compte dans la valorisation de l'investissement proposé ?

Tableau 19.3. Bilan de la société Sona-Troca, SA (en millions d'euros)

Biens immobiliers	2 100	Capitaux propres	400
Autres actifs	150	Dettes long terme	1 800
Stocks	50	Dettes d'exploitation	120
Créances clients	200	Dettes à court terme	280
Liquidités, VMP	100	Passif circulant	400
Actif circulant	350		
Total	2 600	Total	2 600

4. Le tableau 19.4 montre un bilan simplifié de la société Avions Sans Ailes. Calculez le CMPC de l'entreprise. La dette vient d'être refinancée à un taux d'intérêt de 6 % (court terme) et à 8 % (long terme). Le taux de rendement attendu sur les actions de l'entreprise est de 15 %. Il y a 7,46 millions d'actions, et les actions se négocient au cours de 46 €. Le taux d'imposition est de 35 %.

Tableau 19.4. Bilan simplifié de la société Avions Sans Ailes (les chiffres sont en milliers d'euros)

Immobilisations	302 000	Capitaux propres	246 300
Autres actifs	89 000	Impôts différés	45 000
Stocks	125 000	Dettes long terme	208 600
Créances clients	120 000	Dettes fournisseurs	62 000
Liquidités, VMP	1 500	Dettes court terme	75 600
Actif circulant	246 500	Passif circulant	137 600
Total	637 500	Total	637 500

5. Comment évoluent le CMPC de la société Avions Sans Ailes et le coût des capitaux propres avec une émission de 50 millions d'euros de nouvelles actions utilisées pour rembourser la dette à long terme ? On suppose que les taux d'emprunt de l'entreprise sont inchangés. Utilisez la méthode à trois étapes développée à la section 3.

6. La société Champogny a la possibilité d'investir un million d'euros dans un projet de production de champagne à base de champignons dès à présent ($t = 0$) et attend un revenu net d'impôts de 600 000 € pour $t = 1$ et de 700 000 € en $t = 2$. Le projet ne durera que deux ans. Le coût du capital approprié est de 12 % dans le cas où le financement s'effectue intégralement par capitaux propres, le taux d'emprunt est de 8 %, et l'on peut emprunter un montant de 300 000 € en contrepartie de ce projet. L'emprunt sera remboursé en deux annuités égales. On suppose que l'avantage fiscal est égal à une valeur nette de 30 cents par euro d'intérêt payé. Calculez la VANA du projet, en utilisant la méthode suivie dans le tableau 19.1.

7. Considérons un autre projet perpétuel comme le projet presse à raisin décrit dans la section 19.1. Son investissement initial s'élève à 1 000 000 € et les cash-flows espérés s'élèvent à 85 000 € par an à perpétuité. Le coût du capital dans le cas d'un financement total par capitaux propres est de 10 %, et le projet autorise l'entreprise à emprunter au taux de 7 %. Supposons que l'avantage fiscal net lié à l'emprunt soit égal à 35 % par euro d'intérêt ($T^* = T_{société} = 0{,}35$). Utilisez la méthode de la VANA pour déterminer la valeur de ce projet.

a. Quelle est la valeur du projet s'il est en partie financé par un emprunt de 400 000 €, dette constante et perpétuelle ?

b. Quelle est la valeur du projet si le niveau d'endettement évolue à la hausse ou à la baisse, en proportion des variations de la future valeur de marché du projet ?

Expliquez les différences de réponses entre les questions (a) et (b).

8. Considérez maintenant que le projet décrit dans le problème 7 est entrepris par une entreprise implantée en zone franche et non soumise à l'impôt. Les fonds pour le projet proviennent de la subvention fournie à l'entreprise, qui est investie dans un portefeuille largement diversifié d'actions et d'obligations. Cependant, l'entreprise peut aussi emprunter à un taux de 7 %.

Supposons que le trésorier de l'entreprise propose de financer le projet en émettant des obligations perpétuelles à un taux de 7 % pour un montant de 400 000 € et en vendant des actions pour un montant de 600 000 €. La rentabilité attendue des actions est de 10 %. Il propose par conséquent d'évaluer le projet en actualisant au CMPC, calculé de la manière suivante :

$$r = r_{Dette} \times \frac{D}{V} + r_{Capitaux\ propres} \times \frac{CP}{V}$$

$$= 0{,}07\left(\frac{400\ 000}{1\ 000\ 000}\right) + 0{,}1\left(\frac{600\ 000}{1\ 000\ 000}\right)$$

$$= 0{,}088 \text{ soit } 8{,}8\%$$

Qu'est-ce qui vous paraît bon ou mauvais dans l'approche du trésorier ? L'entreprise doit-elle investir dans ce projet ? Doit-elle emprunter ? Est-ce que la valeur du projet changerait pour l'entreprise si le trésorier décidait de financer intégralement le projet par la vente d'actions ?

9. Vous êtes face à un projet de production de chauffe-eau solaires. Il requiert un investissement de 10 millions d'euros et offre un cash-flow après impôts de 1,75 million d'euros par an pendant 10 ans. Le coût d'opportunité du capital s'élève à 12 %, qui reflète le risque opérationnel du projet.

a. Supposez que le projet est financé par dette à hauteur de 5 millions d'euros et par fonds propres pour la même somme. Le taux d'intérêt est de 8 % et le taux d'imposition de 35 %. La dette sera remboursée en dix parts égales sur toute la durée de vie du projet. Calculez la VANA.

b. Dans quelle mesure la VANA est-elle modifiée en cas de coûts d'émission de 400 000 euros lors de la levée des 5 millions de fonds propres ?

10. Brachyosaures barytons SA (BB) se situe actuellement à un ratio d'endettement cible de 40 %. Elle envisage un investissement d'un montant de 1 million d'euros dans l'expansion de son activité actuelle. On s'attend à ce que cette expansion génère un cash-flow annuel et perpétuel de 130 000 €.

La société n'est pas certaine de devoir entreprendre ce projet et s'interroge sur son financement. Les deux options de financement sont soit l'émission d'actions pour un montant d'un million d'euros, soit l'émission d'obligations pour 1 million d'euros, sur une durée de 20 ans. Les frais d'émission des actions s'élèveraient à environ 5 % du montant des fonds levés, et les coûts d'émission des obligations seraient de 1,5 %.

Le gestionnaire financier de la société BB, Julia Sick-Park, estime que la rentabilité attendue sur les capitaux propres est de 14 %, mais elle souligne que les frais d'émission augmentent le coût des nouveaux capitaux propres à 19 %. Sur cette base, le projet n'apparaît pas viable.

D'un autre côté, elle signale que l'entreprise peut contracter un nouvel emprunt à un taux de 7 % ce qui ferait passer le coût du nouvel endettement à 8,5 %. Elle recommande par conséquent, que l'on entreprenne le projet et que celui-ci soit financé par une émission d'obligations.

Julia Sick-Park a-t-elle raison ? Comment auriez-vous évalué le projet ?

11. M. Grugeon, directeur administratif et financier de l'entreprise Coquilles et Barbarismes (C&B), passe en revue l'analyse du coût moyen pondéré du capital effectuée par un consultant. Le consultant propose le résultat suivant :

$$\text{CMPC} = (1 - T_{société}) \times r_{Dette} \times \frac{D}{V} + r_{Capitaux\ propres} \times \frac{CP}{V}$$
$$= (1 - 0{,}35) \times 0{,}103 \times 0{,}55 + 0{,}183 \times 0{,}45$$
$$= 0{,}1192 \text{ soit environ } 12\%$$

M. Grugeon souhaite vérifier que son calcul est compatible avec le modèle d'évaluation des actifs financiers (Medaf). Il a observé ou estimé les nombres suivants :

Bêta :	$\beta_{Dette} = 0{,}15$, $\beta_{Capitaux\ propres} = 1{,}09$
Prime de risque de marché attendue ($r_m - r_f$) :	8,5
Taux d'intérêt sans risque (r_f) :	9 %

Note : nous vous suggérons pour vous simplifier la vie d'ignorer l'impôt sur les revenus des personnes et de supposer que les taux de rendement promis et attendus sur les titres de dette de C&B sont égaux.

12. Le tableau 19.5 représente le bilan comptable simplifié de l'entreprise Les Pétroles Landais en juin N. Les autres informations sont :

Nombre d'actions en circulation (N) :	256,2 millions
Cours de chaque action (C), fin de l'année :	59 €
Bêta obtenu à partir de rendement des 60 derniers mois :	$\beta = 0{,}66$
Taux d'intérêts,	
Billets de trésorerie :	3,5 %
Obligations du Trésor à 20 ans :	5,8 %
Taux de la dette long terme (nouvelles émissions de Pétroles Landais) :	7,4 %
Taux d'imposition :	35 %

Tableau 19.5. Bilan simplifié de la société Pétroles Landais, N (en millions d'euros)

Immobilisations	15 124	Capitaux propres	7 052
Autres actifs immobilisés	3 428	Dettes long terme	6 268
Actif circulant	2 202	Impôts différés	2 144
		Autres dettes	2 510
		Passif circulant	2 780
Total	20 754	Total	20 754

a. Calculez le CMPC de la société Pétroles Landais. Pour ce faire, vous utiliserez le Medaf et les données fournies. Si nécessaire, posez des hypothèses supplémentaires et faites des approximations.

b. Quel serait le CMPC de la société Pétroles Landais si elle faisait varier son ratio endettement sur valeur de marché (D/V) pour le maintenir à 25 % ?

13. La société Ossau Hydroélectricité est financée par endettement à hauteur de 40 % et a un coût moyen pondéré du capital de 9,7 % :

$$\text{CMPC} = (1 - T_{société}) \times r_{Dette} \times \frac{D}{V} + r_{Capitaux\ propres} \times \frac{CP}{V}$$
$$= (1 - 0{,}35) \times 0{,}085 \times 0{,}40 + 0{,}125 \times 0{,}60 = 0{,}097$$

La banque Route annonce à la société Ossau Hydroélectricité qu'elle peut émettre pour un montant de 75 millions d'euros d'actions privilégiées avec un rendement de 9 %. Le processus sera utilisé pour racheter et retirer du marché des actions. L'émission des titres à caractère préférentiel sera effectuée pour un montant égal à 10 % de la valeur de marché de l'entreprise avant émission.

La banque Route fait remarquer que toutes ces transactions entraîneront une chute du CMPC jusqu'à un taux de 9,4 % :

$$\text{CMPC} = (1 - 0{,}35) \times 0{,}085 \times 0{,}40 + 0{,}09 \times 0{,}1 + 0{,}125 \times 0{,}5$$
$$= 0{,}094, \text{ soit } 9{,}4\ \%$$

Êtes-vous d'accord avec ce calcul ? Justifiez votre réponse.

Les problèmes suivants renvoient à l'annexe de ce chapitre.

14. L'État français est en conflit avec votre entreprise pour un montant de 16 millions d'euros. Vous recevrez cette somme dans exactement douze mois. Mais votre entreprise devra payer des impôts sur ces dommages au taux marginal de 35 %. Quelle est la valeur de l'indemnisation ? Le taux des bons du Trésor à un an est de 5,5 %.

15. Vous envisagez de louer des bureaux sur cinq ans pour vos chercheurs. Une fois signé, le contrat de location ne peut être résilié. Cela engage votre entreprise à verser 100 000 € pendant six ans, le premier versement étant dû immédiatement. Quelle est la valeur actuelle de cette location, si le taux d'emprunt de l'entreprise est 9 % et le taux de l'impôt est 35 % ? *Note* : les loyers sont fiscalement déductibles.

Problèmes avancés

1. Dans la note de bas de page 16, nous avons présenté la formule du taux d'actualisation de Miles-Ezzell, qui suppose que la dette n'est pas réajustée continuellement, mais à des intervalles d'un an. Redémontrez cette formule. Ensuite, utilisez-la pour désendetter le CMPC de Sauternes et calculer son coût d'opportunité du capital. Votre réponse différera légèrement du coût d'opportunité que nous avons calculé à la section 3. Pouvez-vous expliquer pour quelles raisons ?

2. La formule du CMPC suppose que la dette est réajustée afin de maintenir le ratio de dette D/V constant. Le réajustement aboutit à relier le niveau des avantages fiscaux futurs à la valeur future de l'entreprise. Cela rend donc les avantages fiscaux incertains. Cela signifie-t-il que les niveaux de dette fixés (non réajustés) sont meilleurs pour les actionnaires ?

3. Modifiez le tableau 19.1 en supposant que la concurrence élimine les opportunités d'investissement avec des rendements supérieurs au CMPC après l'année 7. Dans quelle mesure l'évaluation de Périgord s'en trouve-t-elle modifiée ?

Partie 6

Les options

Questionnaire

Qu'est-ce que les informations ci-après ont en commun ?

Fer à Repasser offre à son président une bonification si le cours de l'action dépasse 120 €.

En janvier 2006, Dalet, éditeur de logiciels coté sur Euronext Paris, a émis des bons de souscription d'actions (BSA) permettant à leurs détenteurs de souscrire à des actions Dalet pour 1,08 € par action, à raison de 4 BSA pour une action.

En mars 2005, Finuchem, équipementier coté sur Euronext Paris, émet pour 15 millions d'euros d'obligations convertibles pouvant être par la suite échangées en actions.

Les ordinateurs Blitzen se jettent à l'eau et intègrent un nouveau marché.

Harengs Moimonblé diffère un investissement dans un projet à VAN positive.

Hewlett-Packard exporte des imprimantes partiellement assemblées bien qu'il soit moins cher d'expédier le produit fini.

Un investissement nécessite une machine polyvalente plutôt qu'un outillage spécifique plus performant.

Réponses

(1) Chacune de ces informations fait intervenir une option et (2) chacune sera analysée dans les chapitres suivants. Nous allons commencer par nous concentrer sur une simple option d'achat de l'action Amgen. Le chapitre 20 en étudie les résultats, le chapitre 21 montre comment on la valorise.

Le chapitre 22 s'intéresse aux options réelles qui apparaissent dans les décisions de choix d'investissement. Nous les avons rencontrées dans le chapitre 10 lorsque nous avons utilisé les arbres de décision pour dégager les opportunités liées à la modification d'un projet. Maintenant, nous attribuons une valeur à cette flexibilité.

Les chapitres suivants examineront les bons de souscription (warrants), les obligations convertibles et beaucoup d'autres types d'actifs financiers à options.

Chapitre 20

Comprendre les options

Ce chapitre et les deux suivants s'intéressent aux options. Mais en quoi le responsable financier d'une entreprise industrielle devrait-il être intéressé par les options ? Il y a plusieurs raisons. D'abord, les entreprises en utilisent régulièrement sur les matières premières, les devises ou les taux d'intérêt pour réduire leur risque (nous verrons cela dans le chapitre 27). Par exemple, une société d'abattage animal qui veut fixer un plafond sur le prix du bœuf souscrira à une option d'achat sur des animaux vivants. Une société qui souhaite limiter le coût futur de ses emprunts peut acquérir une option de vente sur des obligations à long terme…

Ensuite, beaucoup d'investissements en capital contiennent des options cachées pour le futur. Par exemple, une société peut investir dans un brevet lui permettant d'utiliser une nouvelle technologie ou elle peut acheter des terrains adjacents qui lui permettront d'accroître sa capacité de production dans le futur. Dans chacun de ces cas, la société paie aujourd'hui pour bénéficier de la possibilité de réaliser un investissement futur : la société est en train d'acquérir des opportunités de croissance.

Voici une autre option d'investissement déguisée : vous envisagez d'acheter une étendue de terre désertique connue pour ses gisements aurifères. Cependant, le coût d'extraction est plus élevé que le cours actuel de l'or. Cela signifie-t-il que cette terre ne vaut pratiquement rien ? Pas du tout. Vous n'êtes pas obligé d'extraire l'or, mais la propriété de ce terrain vous procure l'option de le faire. Évidemment, si vous êtes convaincu que le cours de l'or va rester au-dessous du coût d'extraction, cette option sera sans valeur. Mais s'il existe une incertitude quant au cours futur de l'or, vous pourriez avoir la chance de réaliser un profit exceptionnel[1].

Si l'option d'extension a de la valeur, qu'en est-il de l'option de désengagement ? Habituellement, un projet ne dure pas jusqu'à ce que l'équipement se désintègre. La décision de l'interrompre est généralement prise par les dirigeants, pas par la nature. Dès que le projet n'est plus rentable, l'entreprise supprime ses pertes et exerce son option d'abandon. Certains projets présentent des valeurs d'abandon plus élevées que d'autres. Ceux qui utilisent des

---

1. Au chapitre 11, nous avons évalué les mines du Roi Salomon en déterminant la valeur de l'or dans le sol et en lui soustrayant la valeur des coûts d'extraction. Ceci n'est correct que si nous sommes *certains* que l'or sera extrait. Sans cela, la valeur de la mine est augmentée par la valeur de l'option : il faut laisser l'or dans le sol si son prix est inférieur à son coût d'extraction.

équipements standardisés peuvent offrir une option d'abandon ayant davantage de valeur que d'autres, plus coûteux à interrompre (par exemple, désarmer une plate-forme pétrolière off-shore).

Nous avons donné un aperçu sur ces options d'investissement au cours du chapitre 10. Dans le chapitre 22, nous étudierons des options réelles.

Par ailleurs, la compréhension des options est indispensable aux gestionnaires financiers parce qu'elles sont souvent liées à une attribution de titres, fournissant ainsi à l'investisseur la possibilité de modifier les dates d'attribution. Dans le chapitre 23, nous montrerons comment les bons de souscription et les obligations convertibles fournissent à leur détenteur la possibilité d'acheter des actions ordinaires en échange de liquidités ou d'obligations. Ensuite, dans le chapitre 25, nous verrons comment les obligations d'entreprise peuvent donner à leur émetteur ou à leur investisseur une option de remboursement anticipé.

En fait, chaque fois qu'une entreprise s'endette, elle crée une option. En effet, l'emprunteur n'est pas *tenu* de rembourser la dette à son échéance. Si la valeur des actifs de l'entreprise est inférieure au montant de la dette, la société choisira le défaut de paiement et les détenteurs d'obligations seront amenés à conserver les actifs de l'entreprise. Ainsi, quand l'entreprise s'endette, le prêteur acquiert effectivement l'entreprise et les actionnaires obtiennent une option d'achat ultérieure par le remboursement des dettes de l'entreprise. C'est un point très important. Cela signifie que tout ce que nous pouvons apprendre sur la négociation des options d'achat s'applique également aux dettes des entreprises.

Dans ce chapitre, nous utiliserons les options sur actions négociables pour expliquer le fonctionnement des options, mais nous espérons que notre bref exposé vous a convaincu que leur intérêt, pour les gestionnaires financiers, va bien au-delà des options négociables. C'est pourquoi nous vous demandons ici d'investir pour acquérir quelques principes essentiels pour un usage ultérieur.

Nous allons diviser ce chapitre en trois parties. Notre première tâche consiste à vous présenter les options d'achat et de vente et vous montrer de quelle manière leur résultat dépend du cours de l'actif sous-jacent. Nous verrons ensuite comment les alchimistes financiers les combinent pour réaliser les stratégies profitables décrites dans les graphiques 20.1(b) et 20.1(c).

Nous conclurons en identifiant les variables qui déterminent la valeur des options. À ce stade, vous découvrirez quelques propriétés surprenantes et pas du tout intuitives. Par exemple, les investisseurs pensent que l'accroissement du risque réduit la valeur actuelle. Dans le cas des options, c'est l'inverse.

1 Les options d'achat, les options de vente et les titres sous-jacents

Les investisseurs échangent régulièrement des options sur actions ordinaires[2]. Le tableau 20.1 reprend des cotations de l'ISE pour des options sur le titre de la société de biotechnologie Amgen. Il montre le cours de deux catégories d'options, des options d'achat et des options de vente. Nous allons les expliquer tour à tour.

---

2. Les deux principaux marchés d'options aux États-Unis sont l'International Securities Exchange (ISE) et le Chicago Board Options Exchange (CBOE). En France, le Marché des options négociables de Paris fut inauguré en septembre 1987. Les options sur actions et autres produits dérivés ont depuis été intégrés au sein d'Euronext, en lieu et place du Monep.

1.1 Les options d'achat et leurs diagrammes représentatifs

Une **option d'achat** (*call option*) procure à son détenteur le droit d'acheter des actions à un prix fixé, le *prix d'exercice*, ou *prix de levée*, avant une date d'échéance connue ou, au plus tard, à cette date. Si l'option ne peut être exercée qu'à une date précise, elle est appelée *option à l'européenne*. Dans les autres cas (comme pour les options sur l'action Amgen utilisée dans le tableau 20.1), l'option peut être exercée à tout moment ; il s'agit alors d'une *option à l'américaine*.

Tableau 20.1. Les prix des options d'achat et de vente de l'action Amgen du 22 janvier 2003

Date d'échéance	Prix d'exercice	Prix de l'option d'achat	Prix de l'option de vente
Avril 2004	50	10,50	1,25
	55	6,70	2,50
	60	3,85	4,60
	65	1,95	7,70
	70	0,90	11,65
Juillet 2004	50,0	11,30	2,05
	55,0	7,80	3,60
	60,0	**5,15**	**5,75**
	65,0	3,15	8,75
	70,0	1,89	12,40
Janvier 2005	50	13,10	3,45
	55	10,00	5,20
	60	7,30	7,50
	65	5,20	10,40
	70	3,65	13,75

Source : moyenne des cours acheteurs et vendeurs tels que négociés à l'ISE (**www.iseoptions.com**).

Les données de ce tableau, comme celles de tous les tableaux de ce chapitre, sont disponibles sur *www.gestion financiere.pearsoned.fr*

La troisième colonne du tableau 20.1 fournit les prix des options d'achat sur Amgen pour différents prix d'exercice et dates d'échéance. Regardons les cotations des options qui arrivent à échéance en avril 2004. La deuxième ligne indique que pour 10,50 $ vous pouvez acquérir le droit d'acheter une action[3] Amgen à 50 $ avant ou au plus tard en avril 2004. Sur la ligne suivante, on peut voir que pour acheter à 5 $ de plus (soit 55 $), il en coûte 3,80 $ de moins (6,70 $). En général, la valeur d'une option d'achat diminue à mesure que le prix d'exercice augmente.

3. En général, le contrat d'option s'applique à une certaine quantité d'actions. Cette quantité dépend du cours du titre : plus il est faible, plus elle augmente.

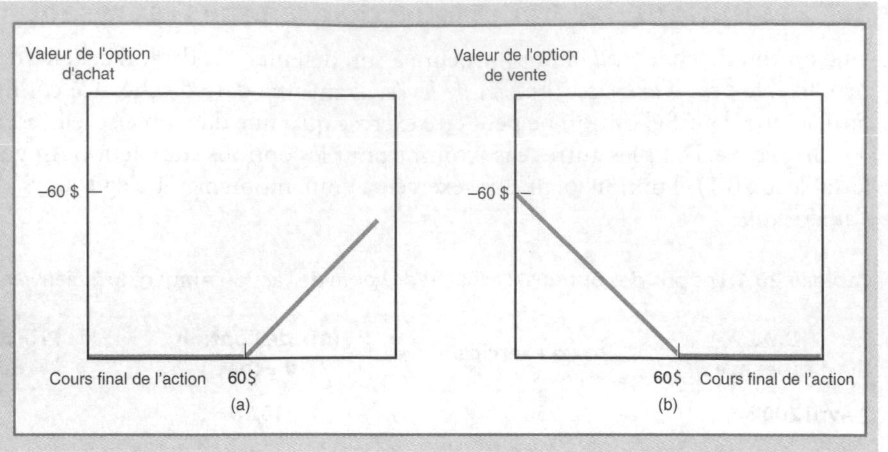

Figure 20.1 - Graphiques de situation montrant les gains des acheteurs d'options d'achat et de vente en fonction du cours final de l'action. (a) Résultat de l'achat d'une option d'achat au prix d'exercice de 60 $; (b) résultat de l'achat d'une option de vente au prix d'exercice de 60 $.

Regardons maintenant les options qui arriveront à maturité en juillet 2004 et en janvier 2005. On observe que le prix de l'option augmente à mesure que la maturité de l'option s'éloigne. Par exemple, pour un prix d'exercice de 60 $, l'option d'achat coûte 3,85 $ à échéance d'avril 2004, 5,15 $ à échéance de juillet 2004, et 7,30 $ à échéance de janvier 2005.

Au chapitre 13, nous avons mentionné Louis Bachelier, qui le premier a suggéré en 1900 que le prix des actifs financiers peut suivre une marche au hasard. Bachelier a aussi imaginé un système très pratique pour illustrer les résultats d'investissements dans différentes options[4]. Nous utiliserons cette méthode pour comparer trois investissements possibles dans Amgen : une option d'achat, une option de vente et l'action elle-même.

Le graphique de situation 20.1(a) illustre les conséquences possibles d'un investissement dans une option d'achat d'Amgen d'échéance juillet 2004, avec un prix d'exercice de 60 $ (la ligne en gras du tableau 20.1). Le résultat de cet investissement dépend de ce qui se passe pour le cours de l'action. Si celui-ci, à l'issue d'une période de huit mois, est moins élevé que le prix d'exercice de 60 $, personne ne paiera ce montant pour l'acquérir par le biais de l'option d'achat. Dans ce cas, votre option d'achat est sans valeur et vous ne l'utiliserez pas. À l'inverse, si le prix de l'action est supérieur à 60 $, vous aurez avantage à exercer votre option pour l'acquérir. Dans ce cas, l'option d'achat vaudra la différence entre le prix de marché et les 60 $ que vous devez payer pour l'acquérir. Par exemple, supposons que le cours de l'action Amgen atteigne 100 $. Votre option d'achat sera alors valorisée à 100 – 60 = 40 $. C'est votre indemnité, mais pas votre bénéfice. Le tableau 20.1 montre que vous avez dû payer 5,15 $ pour acheter le call.

1.2 Les options de vente

Maintenant, regardons les **options de vente** (*put options*) Amgen dans la partie droite du tableau 20.1. Alors que l'option d'achat vous procure le droit d'acheter une action pour un prix d'exercice défini, l'option de vente vous donne le droit de la vendre. Par exemple, la valeur en gras dans la colonne de droite montre que pour 5,75 $, vous pourriez détenir le droit de vendre une action Amgen au prix de 60 $ à tout moment jusqu'au mois de juillet 2004.

4. Louis Bachelier, *Théorie de la spéculation*, Gauthier-Villars, Paris, 1900. Réimprimé en anglais chez P. H. Cootner (Ed), *The Random Character of Stock Market Prices*, M.I.T. Press, Cambridge, Mass, 1964.

Les circonstances dans lesquelles l'option de vente devient profitable sont exactement oppo sées à celles de l'option d'achat. Vous pouvez le voir sur le graphique de résultats 20.1(b). Si le prix de l'action Amgen est *supérieur* à 60 $ immédiatement avant l'échéance, vous ne voudrez pas vendre le titre à ce prix. Vous auriez avantage à le vendre sur le marché, et votre option de vente serait sans valeur. Inversement, si le prix de l'action est *inférieur* à 60 $, il sera intéressant d'acheter le titre à bas prix et ensuite de tirer profit de l'option de vente à 60 $. Dans ce cas, la valeur de l'option de vente à l'échéance sera la différence entre les 60 $ et le prix comptant de marché du titre. Par exemple, si le titre vaut 40 $, l'option de vente vaut 20 $:

$$\text{Valeur de l'option à l'échéance} = \text{prix d'exercice} - \text{prix de marché du titre}$$
$$= 60\ \$ - 40\ \$ = 20\ \$$$

Le tableau 20.1 confirme que la valeur d'une option de vente s'accroît lorsque le prix d'exercice augmente. Pourtant, lorsque la date d'échéance s'accroît, cela augmente la valeur *et* de l'option d'achat *et* de l'option de vente.

1.3 La vente des options d'achat, de vente et des titres sous-jacents

Prenons maintenant le cas d'un investisseur qui *vend* ses produits financiers. Si vous vendez, ou si vous « réalisez » une option d'achat, vous promettez de livrer des titres sous-jacents si l'acheteur de l'option d'achat le réclame. Le titre de l'acheteur est donc la dette du vendeur. Si, à l'échéance, la valeur du titre sous-jacent est inférieure au prix d'exercice, l'acheteur n'exercera pas l'option d'achat et la dette du vendeur sera nulle. Si elle augmente au-dessus du prix d'exercice, l'acheteur exercera son option et le vendeur livrera les titres. Le vendeur perd la différence entre le prix du titre et le prix d'exercice versé par l'acheteur. Notez que c'est toujours l'acheteur qui détient le droit d'exercer, le vendeur fait simplement ce qu'on lui dit.

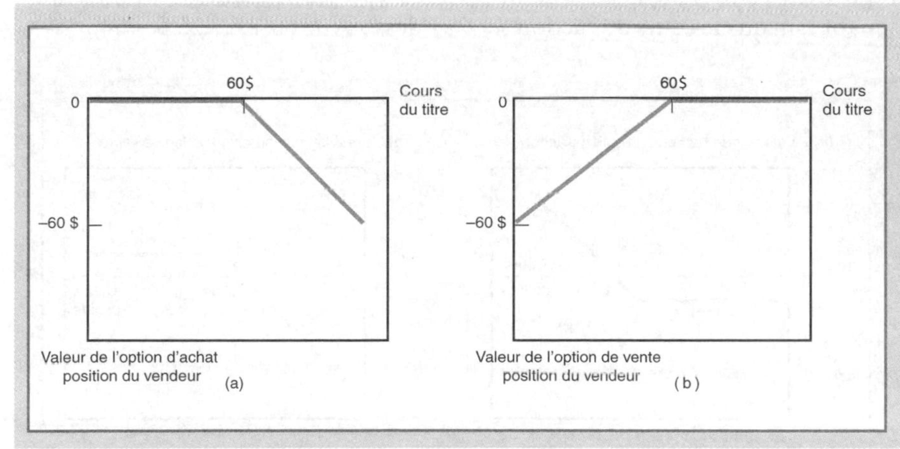

Figure 20.2 - Graphiques de situation montrant les gains des vendeurs d'options d'achat et de vente en fonction du cours final de l'action. (a) Résultat de la vente d'une option d'achat au prix d'exercice de 60 $; (b) résultat de la vente d'une option de vente au prix d'exercice de 60 $.

Si le prix du titre Amgen passe à 80 $, l'acheteur exercera l'option d'achat. Le vendeur est tenu de vendre l'action qui vaut 80 $ pour seulement 60 $ et perd ainsi 20 $[5], ce qui représente aussi le gain de l'acheteur. La figure 20.2(a) montre comment évolue l'indemnité du vendeur d'une option d'achat sur Amgen en fonction du prix de l'action : pour chaque

5. Le vendeur a une consolation, 5,15 $ lui ont été payés en juin pour vendre le call.

dollar gagné par l'acheteur, le vendeur en perd un. La figure 20.2(a) n'est que le miroir vertical de la figure 20.1(a).

De la même manière, nous pouvons représenter la position d'un investisseur qui vend ou réalise une option de vente en renversant la figure 20.1(b). Le vendeur d'option de vente accepte de payer le prix d'exercice de 60 $ pour le titre si l'acheteur de l'option de vente en manifeste le désir. En résumé, le vendeur sera bénéficiaire aussi longtemps que le prix de l'action restera au-dessus de 60 $, mais il perdra de l'argent si le prix de l'action descend au-dessous. Le pire qui puisse arriver serait que l'action n'ait plus de valeur. Le vendeur serait alors contraint de payer 60 $ pour un titre valant 0 $. La « valeur » de l'option serait alors de –60 $.

1.4 Les graphiques de situation ne sont pas des graphiques de bénéfice

Les graphiques de situation montrent uniquement les résultats en cas d'exercice de l'option. Ils ne prennent pas en compte le débours initial pour l'achat de l'option, ni le produit initial résultant de sa vente.

C'est un point classique de confusion. Par exemple, le graphique de situation de la figure 20.1(a) présente l'achat de l'option d'achat comme un acte sans risque – l'indemnité est au pire à zéro, avec tout un ensemble d'indemnisations lorsque le cours de l'action Amgen passe au-dessus de 60 $ en juillet 2004. Mais comparons avec le graphique de bénéfice de la figure 20.3(a), qui retranche le coût d'acquisition de 5,15 $ de l'option d'achat de l'indemnisation à recevoir à l'échéance. L'acheteur de l'option d'achat perd de l'argent tant que le cours de l'action ne dépasse pas 60 + 5,15 = 65,15 $. Prenons un autre exemple : le diagramme de situation de la figure 20.2(b) établit la vente d'une option de vente comme une perte certaine – le meilleur résultat est zéro. Mais le graphique de bénéfice de la figure 20.3(b), qui tient compte de la somme de 5,75 $ reçue par le vendeur, montre que celui-ci sera gagnant tant que le cours de l'action sera au-dessous de 60 $ – 5,75 $ = 54,25 $[6].

Figure 20.3 - Les graphiques de bénéfice intègrent les coûts d'achat d'une option ou les montants issus de la vente d'une option. Sur le diagramme (a), nous soustrayons le coût d'achat de 5,15 $ de l'option d'achat d'Amgen des indemnités représentées à la figure 20.1(a). Sur le diagramme (b), nous avons ajouté les 5,75 $ issus de la vente de l'option de vente sur le titre Amgen aux indemnités de la figure 20.2(b).

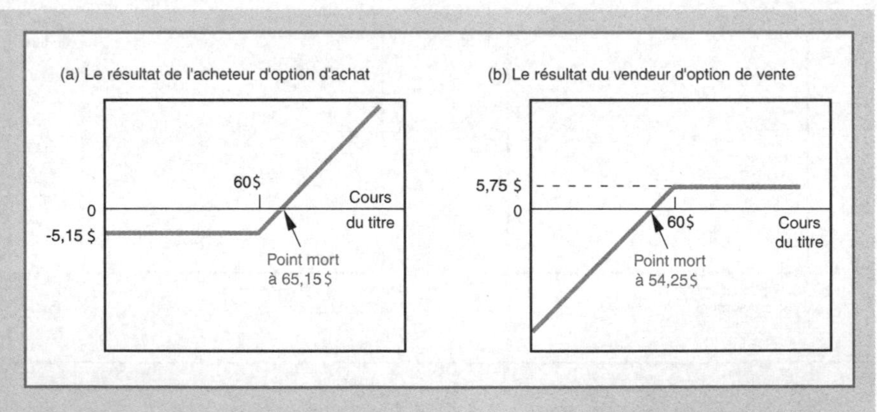

6. À proprement parler, les graphiques de bénéfices de la figure 20.4 devraient prendre en compte la valeur temps de la monnaie, c'est-à-dire les intérêts reçus par le vendeur sur l'encaissement initial et perdus sur le décaissement par l'acheteur de l'option d'achat.

Les graphiques de bénéfices comme ceux de la figure 20.3 peuvent être intéressants pour le néophyte en options, mais les experts les utilisent rarement. Maintenant que vous êtes diplômé du premier niveau en options, vous n'aurez plus à les représenter. Nous allons dessiner les graphiques de situation, parce qu'il est nécessaire de connaître le résultat à l'échéance pour comprendre les options et les valoriser correctement.

2 L'alchimie financière des options

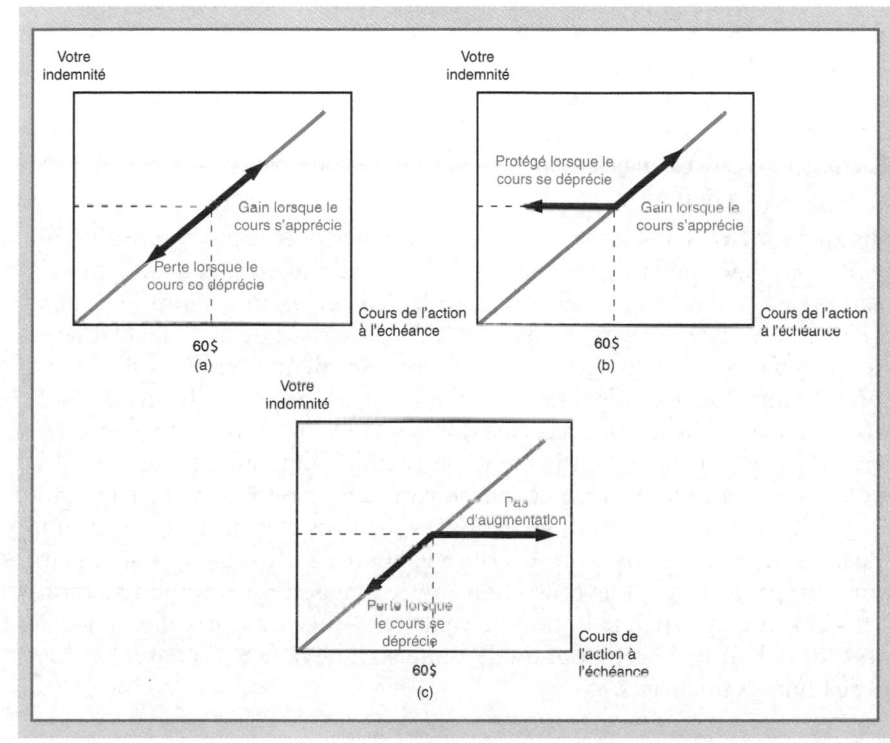

Figure 20.4 - Gains produits par trois stratégies d'investissement pour l'action Amgen. (a) Vous achetez une action pour 60 $. (b) Protection à la baisse. Si le prix de l'action diminue, votre indemnité reste à 60 $. (c) Une stratégie pour masochistes ? Vous perdez si le prix de l'action baisse, mais vous ne gagnez rien en cas de hausse.

Examinons maintenant la figure 20.4(a), décrivant les indemnités en cas d'achat de l'action Amgen à 60 $. Votre gain ou votre perte sont exactement équivalents aux montants d'augmentation ou de baisse du prix de l'action. C'est totalement trivial, et il ne faut pas être un génie pour dessiner une droite à 45 degrés.

Tournons-nous vers le diagramme (b). Ce dernier décrit les indemnités d'une stratégie d'investissement qui bride le potentiel de gain de l'action Amgen mais délivre une protection complète à la baisse. Dans ce cas, votre indemnité demeure à 60 $, même si l'action Amgen tombe à 50, 40 ou même 0 $. Les indemnités présentées dans le diagramme (b) sont clairement supérieures à celles du diagramme (a). Si un alchimiste financier pouvait transformer le diagramme (a) en diagramme (b), vous seriez prêt à le payer pour le faire.

Bien sûr, l'alchimie a son côté obscur. Le diagramme (c) présente une stratégie d'investissement pour masochistes. Vous perdez en cas de baisse du prix de l'action, mais vous renoncez également à toute possibilité de profiter d'un accroissement de ce prix. Si vous aimez perdre, ou que l'on vous paye suffisamment pour jouer cette stratégie, cet investissement est pour vous.

Comme vous l'avez probablement deviné, toute cette alchimie financière est réelle. Vous pouvez effectuer toutes les transmutations dépeintes à la figure 20.4, au moyen des options. Nous allons vous expliquer de quelle manière.

Voyons en premier la stratégie pour masochistes. Le premier graphique de la figure 20.5 présente les résultats de l'acquisition de l'action Amgen, alors que le deuxième retrace le résultat de la vente d'une option d'achat sur Amgen à 60 $ de prix d'exercice. Le troisième montre ce qui se passe lorsque vous combinez les deux premières positions. La résultante est la stratégie non gagnante que nous avons décrite à la figure 20.4(c). Vous êtes perdant si le prix de l'action tombe en dessous de 60 $, mais s'il augmente au-delà, le détenteur exigera que vous cédiez votre action à 60 $. Donc vous perdez d'un côté et renoncez à toute opportunité de bénéfice de l'autre. Ce sont de mauvaises nouvelles. La bonne nouvelle, c'est que vous avez été payé pour l'acquisition de cet engagement. En novembre 2003, vous avez reçu 5,15 $, prime d'une option d'achat à huit mois.

Maintenant, nous allons mettre en place la protection à la baisse décrite à la figure 20.4(b). Observons la première rangée de la figure 20.6. Le premier schéma décrit à nouveau les gains de l'acquisition de l'action Amgen, alors que sur le deuxième, nous avons le résultat de l'acquisition d'une option de vente sur Amgen au prix d'exercice de 60 $. Le troisième graphique montre ce qu'il se passe lorsque vous combinez les deux premières positions. Vous pouvez observer que, lorsque le cours de l'action Amgen passe au-dessus de 60 $, votre option de vente est sans valeur, vous recevrez simplement le produit de votre investissement dans l'action Amgen. Pourtant, si le cours de l'action chute au-dessous de 60 $, vous pourrez exercer votre option de vente et vendre votre titre à 60 $. Ainsi, en ajoutant une option de vente à votre investissement en actions, vous vous êtes protégé contre une perte[7]. Il s'agit de la stratégie que nous avons décrite à la figure 20.4(b). Bien évidemment, il n'y a pas de gain sans peine. Le coût de protection contre une perte correspond au montant que vous versez pour acquérir une option de vente sur Amgen au prix d'exercice de 60 $. En novembre 2003, le prix de cette option de vente était de 5,75 $. C'était le tarif en vigueur pour les alchimistes financiers.

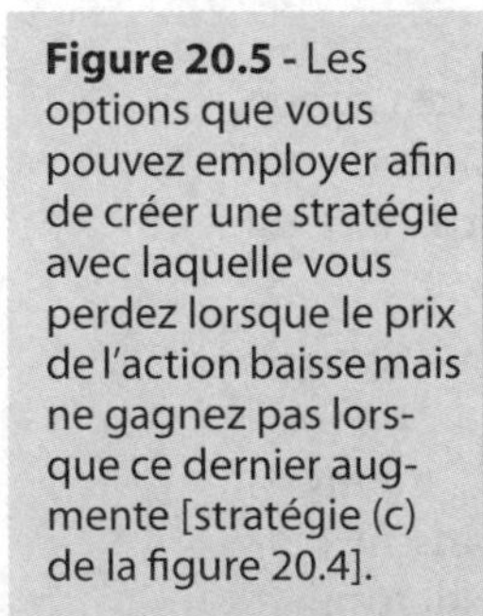

Figure 20.5 - Les options que vous pouvez employer afin de créer une stratégie avec laquelle vous perdez lorsque le prix de l'action baisse mais ne gagnez pas lorsque ce dernier augmente [stratégie (c) de la figure 20.4].

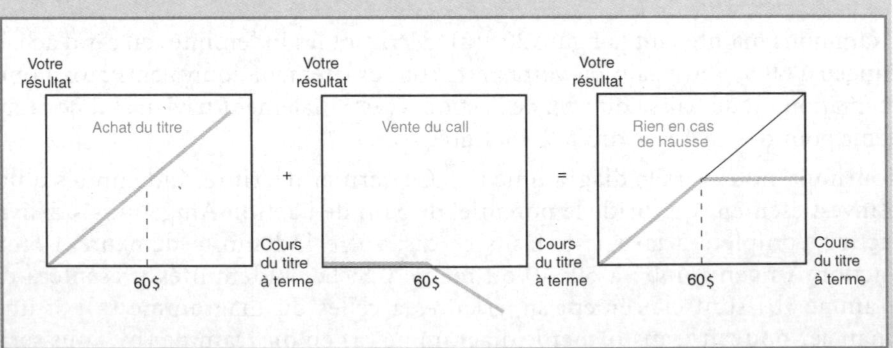

7. Cette combinaison d'une action et d'une option de vente est connue sous le nom d'option de vente de couverture.

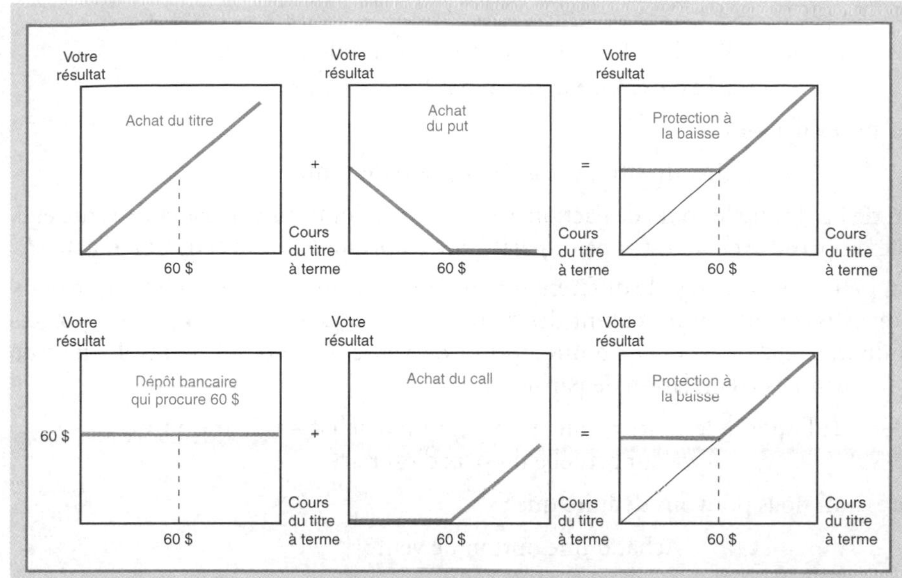

Figure 20.6 - Chaque ligne de la figure décrit une façon différente de créer une stratégie avec laquelle vous gagnez lorsque le prix de l'action augmente, mais êtes protégé en cas de baisse [stratégie (b) de la figure 20.4].

Nous avons simplement décrit comment les options de vente peuvent être utilisées pour fournir une protection à la baisse. Nous allons maintenant montrer comment des options d'achat peuvent être utilisées pour obtenir le même résultat. C'est ce qui est illustré à la seconde ligne de la figure 20.6. Le premier graphique montre le résultat d'un placement d'une valeur actuelle de 60 $ sous la forme d'un dépôt bancaire. Indépendamment de ce qu'il advient du cours de l'action Amgen, votre dépôt bancaire restituera 60 $. Le deuxième décrit le résultat d'une option d'achat sur Amgen au prix d'exercice de 60 $, et le troisième montre ce qui se passe lorsque vous combinez les deux premières positions. Observons que, lorsque le cours d'Amgen chute, votre option d'achat est sans valeur, mais vous disposez de 60 $ à la banque. Chaque fois que le cours de l'action gagne un dollar au-dessus de 60 $, votre investissement en option d'achat vous rapporte un dollar de plus. Par exemple, si le cours passe à 100 $, vous disposez de 60 $ à la banque et votre option d'achat est valorisée à 40 $. Ainsi, vous profitez pleinement de toute appréciation du cours de l'action, tandis que vous êtes totalement protégé de toute baisse. Nous avons ainsi montré un autre moyen de fournir une protection à la baisse comme celle décrite à la figure 20.4(b).

Les deux lignes de la figure 20.6 nous fournissent une information concernant la relation entre une option d'achat et une option de vente. Indépendamment du cours futur de l'action, les deux stratégies d'investissement procurent exactement les mêmes résultats : si vous achetez l'action et une option de vente pour la revendre au bout de huit mois à 60 $, vous obtiendrez le même résultat que si vous investissez en option d'achat et que vous mettiez de côté suffisamment d'argent pour payer les 60 $ de prix d'exercice. Cela nous donne une relation fondamentale pour les options à l'européenne :

Valeur de l'option d'achat + valeur actuelle du prix d'exercice
= cours de l'action + valeur de l'option de vente

Ce qui est vérifié, car :

[Achat de l'option d'achat, placement de la valeur actuelle du prix d'exercice dans un actif sans risque[8]]

est identique au résultat de :

[Achat du titre, achat de l'option de vente]

Cette relation de base entre le cours de l'action, les valeurs des options d'achat et de vente et la valeur actuelle du prix d'exercice est appelée **parité entre option de vente et option d'achat**[9].

Cette relation peut être exprimée de différentes manières. Chaque expression implique deux stratégies d'investissement qui procurent des résultats identiques. Par exemple, supposons que vous souhaitiez établir la valeur d'une option de vente. Il vous suffit simplement de transformer la formule de la relation de parité :

Valeur de l'option de vente = valeur de l'option d'achat – valeur du titre + valeur actuelle du prix d'exercice

De cette expression nous pouvons déduire que :

[Achat d'une option de vente]

est équivalent à :

[Achat d'une option d'achat, vente du titre, placement dans un actif sans risque de la valeur actuelle du prix d'exercice]

En d'autres termes, si les options de vente n'étaient pas disponibles, vous pourriez les reconstituer en achetant des options d'achat, en vendant des titres et en prêtant vos liquidités.

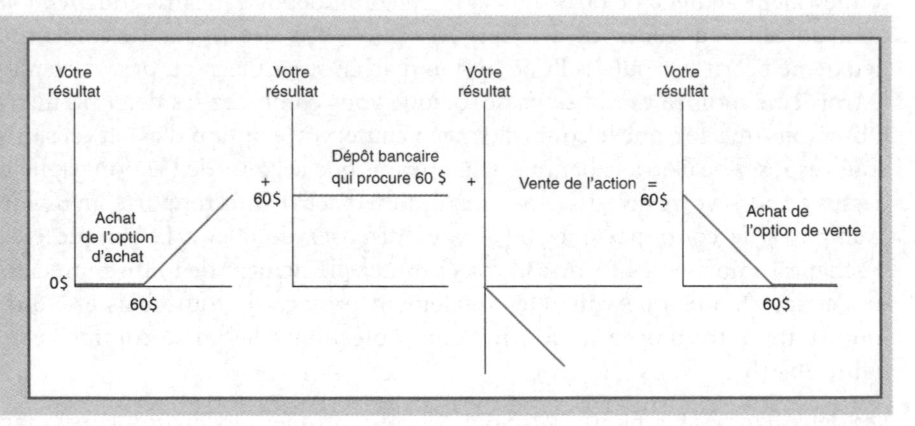

Figure 20.7 - Une stratégie d'achat d'option d'achat, dans laquelle vous déposez la valeur actuelle du prix d'exercice à la banque, et la vente de l'action est équivalente à l'achat d'une option de vente.

8. De nouveau, la valeur actuelle est déterminée à l'aide du taux d'intérêt sans risque. Il s'agit de la valeur que vous devez placer aujourd'hui en dépôt bancaire à terme ou bien en bons du Trésor pour obtenir le prix d'exercice de l'option à la date d'échéance.

9. Cette relation n'est valable que si vous vous engagez à conserver les options jusqu'à l'échéance. Par conséquent, elle ne l'est pas pour les options à l'américaine, que vous pouvez exercer avant la date d'échéance (nous discuterons de cela au chapitre 21). Notez que lorsque l'action verse un dividende avant la date d'échéance de l'option, nous devons admettre que l'investisseur qui achète une option d'achat ne peut recevoir le dividende. Dans ce cas, la relation devient :
Valeur de l'option d'achat + valeur actuelle du prix d'exercice = valeur de l'option de vente + prix du sous-jacent – valeur actuelle du dividende.

Si vous trouvez cela difficile à croire, regardez la figure 20.7, qui décrit les différents gains possibles pour chaque position. Le diagramme de gauche présente les gains d'une option d'achat sur Amgen avec un prix d'exercice de 60 $. Le deuxième diagramme montre les gains issus du placement de la valeur actuelle des 60 $ à la banque. Indépendamment de l'évolution du prix de l'action, cet investissement rapportera 60 $ Le troisième diagramme décrit les gains produits par la vente de l'action Amgen. Lorsque vous vendez quelque chose que vous n'avez pas, vous vous créez une dette, qu'il vous faut parfois racheter. Comme on dit à Wall Street :

He who sells what isn't his'n

Buys it back or goes to pris'n[10]

Par conséquent, la meilleure chose qui puisse vous arriver est la baisse du prix de l'action jusqu'à zéro. En ce cas, cela ne vous coûte rien de racheter l'action. Mais pour chaque dollar supplémentaire pris par le prix futur de l'action, vous devrez débourser un dollar au moment de son rachat. Le dernier diagramme de la figure 20.7 montre que le gain *total* issu de ces trois positions est identique à celui permis par l'achat d'une option de vente. Par exemple, imaginons qu'au moment où l'option parvient à maturité, le prix de l'action soit de 30 $. Votre option d'achat sera sans valeur, votre dépôt à la banque se montera à 60 $, et il vous en coûtera 30 $ pour racheter l'action. Votre gain total se monte alors à 0 + 60 – 30 = 30 $, montant strictement identique au gain produit par l'option de vente.

2.1 Repérer les options

Les options se promènent rarement avec une grosse étiquette sur le front. La partie la plus subtile du problème consiste souvent à les identifier. Lorsque vous n'êtes pas certain de savoir si vous négociez une option d'achat ou une option de vente ou bien un mélange compliqué des deux, il est plus sage de dessiner un schéma. Voici un exemple.

L'entreprise Encaisseurs SA a proposé à sa présidente, Mme Brutus, le système de *bonus* suivant : à la fin de l'année, Mme Brutus recevra une prime de 50 000 € lorsque le cours de l'action dépassera son niveau habituel de 120 €, et ce pour chaque euro de progression. Néanmoins, la prime sera plafonnée à 2 millions d'euros.

Mme Brutus possède 50 000 tickets, dont la valeur est nulle lorsque le prix de l'action ne dépasse pas les 120 €. La valeur de chaque ticket passe ensuite à 1 € pour chaque euro supplémentaire, jusqu'au maximum de 2 000 000 € / 50 000 = 40 €.

La figure 20.8 décrit les gains générés par un seul de ces tickets. Ces derniers ne sont pas identiques à ceux des simples options d'achat et de vente que nous avons représentées sur la figure 20.1, mais il est possible de trouver une combinaison d'options qui réplique exactement la figure 20.8. Avant de lire la réponse, essayez de la représenter vous-même. (Si vous aimez les jeux du style « faites un triangle avec deux allumettes seulement », cela devrait être une partie de plaisir pour vous.)

10. Celui qui vend ce qui ne lui appartient pas
Le rachète, ou en prison s'en va.

La réponse se trouve sur la figure 20.9. La droite en trait continu représente l'achat d'une option d'achat de prix d'exercice 120 €, et la droite en pointillés décrit la vente d'une autre option d'achat de prix d'exercice 160 €. La droite bleue présente les gains issus de la combinaison de l'achat et de la vente, exactement identiques à ceux produits par l'un des tickets de Mme Brutus.

Ainsi, si nous souhaitons savoir combien ce système de bonus va coûter à l'entreprise, nous devons calculer la différence entre 50 000 options d'achat au prix d'exercice de 120 € et la valeur de 50 000 options d'achat au prix d'exercice de 160 €.

Le système de bonus aurait pu être relié à l'évolution du cours de façon plus sophistiquée. Par exemple, la prime pourrait culminer à 2 000 000 € pour ensuite chuter brutalement à zéro si le prix du titre passe au-dessus de 160 €[11]. Vous pourriez représenter ce système par une combinaison d'options. Plus généralement, nous pouvons énoncer le théorème suivant :

> Tout ensemble d'indemnisations conditionnelles – c'est-à-dire des indemnisations qui dépendent de la valeur d'un autre actif – peut être évalué comme une combinaison d'options sur cet actif.

En d'autres termes, vous pouvez créer n'importe quel schéma de position – avec autant de hausses et de baisses que votre imagination le permet – grâce à l'acquisition ou la cession de combinaisons judicieuses d'options d'achat et de vente, à différents prix d'exercice[12].

Figure 20.8 - L'indemnisation de l'un des tickets de Mme Brutus dépend du cours de l'action Encaisseurs SA.

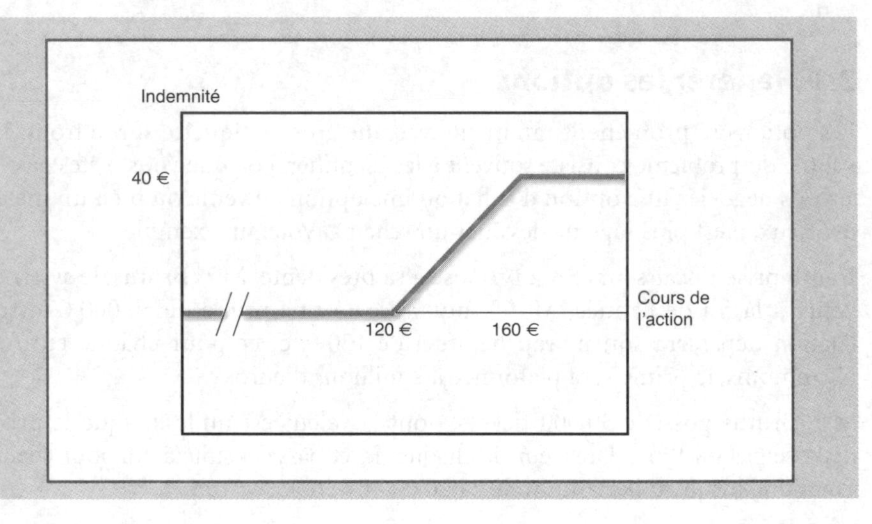

11. Cela est moins dingo que cela en a l'air. Peut-être que les efforts de Mme Brutus peuvent amener le cours de l'action jusqu'à ce niveau et qu'au-delà, seule une prise de risque supplémentaire permettrait d'accroître encore le cours de l'action. Vous pouvez l'inciter à ne pas aller au-delà de ce niveau en faisant décroître son bonus à partir d'un certain moment. À cet égard, nous voudrions vous toucher deux mots au sujet d'une anecdote rapportée par un dirigeant d'une banque d'affaires. La première fois qu'un courtier faisait des bénéfices inhabituellement élevés, il était averti ; la seconde fois, il était licencié. Il y avait fort à parier qu'un courtier de ce genre prenait trop de risques.

12. Dans certains cas, vous devrez aussi emprunter ou placer des liquidités de manière à obtenir un schéma de position conforme au profil souhaité. Prêter relève la droite d'indemnité tracée sur le schéma de position, comme c'est le cas sur la ligne la plus haute de la figure 20.5, emprunter abaisse l'ordonnée de cette même droite.

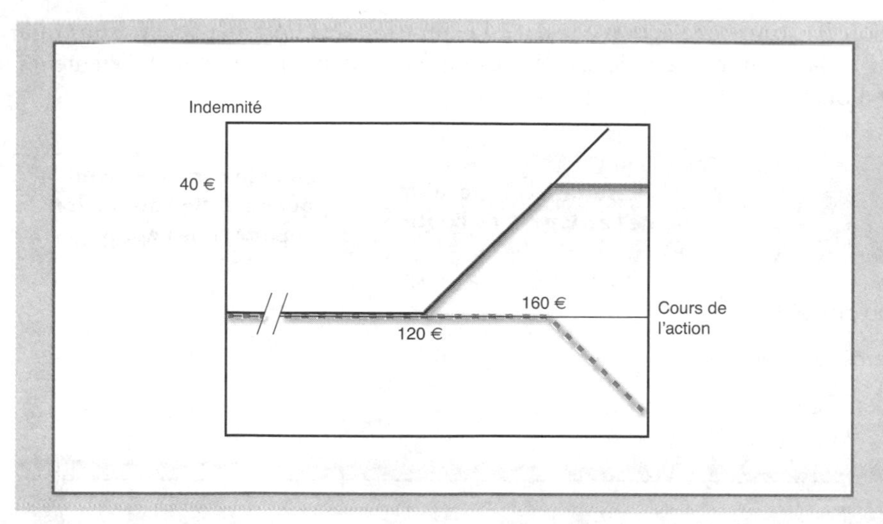

Figure 20.9 - La droite noire montre le résultat de l'acquisition d'une option d'achat au prix d'exercice de 120 €. La droite en pointillés décrit les gains de la vente d'une option d'achat au prix d'exercice de 160 €. La combinaison de l'achat et de la vente (droite bleue) est identique à l'un des « tickets » de Mme Brutus.

Les professionnels de la finance parlent souvent d'**ingénierie financière**, pratique consistant à combiner différents investissements afin de créer des produits sur mesure. Par exemple, une entreprise de la zone euro peut vouloir fixer un plancher et un plafond pour le cours auquel elle va acheter des dollars dans six mois. Ou bien une compagnie pétrolière va préférer payer un taux d'intérêt plus bas sur sa dette en cas de baisse du prix du pétrole. Les options représentent les briques que les ingénieurs financiers utilisent afin de construire des structures d'indemnisation judicieuses.

3 Quels sont les déterminants de la valeur des options ?

Jusqu'ici, nous n'avons rien dit sur la façon de déterminer la valeur de marché d'une option. Pourtant, nous savons bien qu'une option n'a plus de valeur quand elle arrive à maturité. Considérons, par exemple, notre exemple précédent d'une option d'achat sur Amgen à 60 $. Si le cours de l'action Amgen est inférieur à 60 $ à la date d'exercice, l'option d'achat n'aura pas de valeur ; si le cours de l'action est supérieur à 60 $, l'option d'achat vaudra le cours de l'action moins les 60 $. Selon les graphiques de résultats établis par Bachelier, la relation est illustrée par la droite en bas (la plus épaisse) de la figure 20.10.

Mais avant qu'elle ne soit à maturité, le cours de l'option ne peut jamais rester *au-dessous* de cette droite. Par exemple, si notre option valait 5 $ et l'action 75 $, il serait intéressant pour n'importe quel investisseur de vendre l'action et de la racheter ensuite par le biais de l'achat d'une option d'achat et de l'exercer pour 60 $. Cela se traduirait par une machine à produire des profits de 10 $. La demande pour des options de la part des investisseurs utilisant cette machine conduirait rapidement le prix de l'option au moins au niveau de la droite la plus épaisse de la figure. Pour des options qui ont encore un peu de temps avant l'échéance, la droite la plus épaisse est donc une limite *basse* du prix de marché de l'option.

La droite en diagonale de la figure 20.10 représente la limite *haute* du prix de l'option. Pourquoi ? Parce que l'action fournit un dernier résultat plus élevé, quoi qu'il arrive. Si, à la date d'expiration de l'option, le cours de l'action termine au-dessus du prix d'exercice, l'option vaudra le cours de l'action *moins* le prix d'exercice. Si le prix de l'action finit au-dessous du prix d'exercice, l'option sera sans valeur, mais le détenteur de l'action possédera un titre qui a de la valeur. Soit *P* le cours de l'action à la date d'expiration de l'option, et supposons que le prix d'exercice de l'option soit de 60 $. Les revenus supplémentaires perçus par les détenteurs d'action seront alors :

	Résultat de l'action	Résultat de l'option	Supplément de revenu pour détention de l'action plutôt que l'option
Option exercée (*P* est plus grand que 60 $)	*P*	*P* – 60 $	60 $
Option non exercée à l'expiration (*P* est plus petit ou égal à 60 $)	*P*	0	*P*

Figure 20.10 - Valeur de l'option d'achat avant son expiration (courbe en pointillés). La valeur dépend du cours de l'action. Elle vaut toujours plus si on l'exerce maintenant (droite la plus épaisse). Elle ne vaut jamais plus que le cours de l'action lui-même.

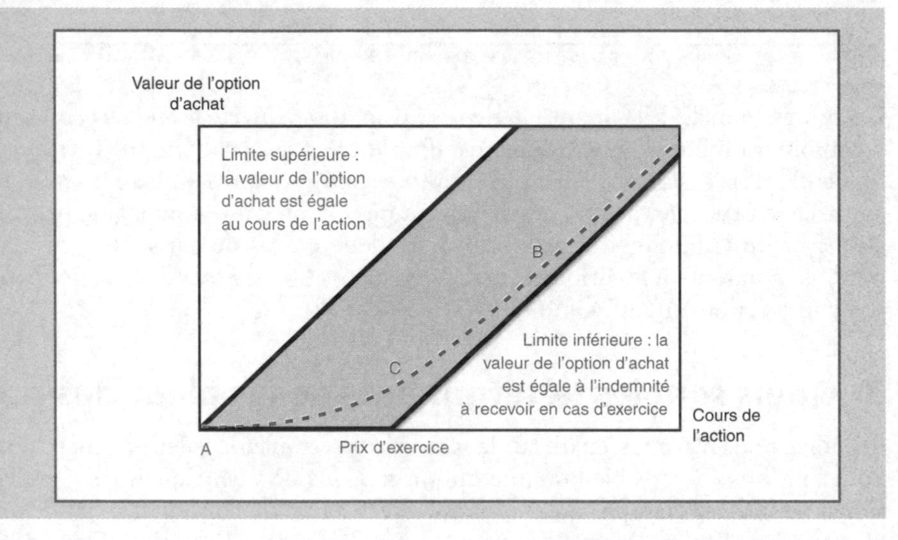

Si l'action et l'option avaient le même prix, chacun se précipiterait pour vendre l'option et acheter l'action. Par conséquent, le prix de l'option doit se situer dans la zone ombrée de la figure 20.10. En fait, il repose sur une courbe croissante, comme le montre la courbe en pointillés de la figure. Cette ligne débute au point d'intersection entre les limites haute et basse (à zéro). Ensuite, elle croît progressivement jusqu'à devenir parallèle à la limite basse dans sa partie croissante.

Mais regardons plus attentivement la forme et la position de la courbe en pointillés. Trois points, A, B et C, sont repérés sur cette courbe. Nous allons expliquer chacun d'eux et vous verrez alors pourquoi le prix de l'option doit se situer comme le prévoit la courbe.

Point A. *Lorsque le cours est sans valeur, l'option est sans valeur.* Un cours nul du titre support signifie que l'action n'aura jamais aucune valeur dans le futur[13]. Dans ce cas, il est certain que l'option expirera sans être exercée et restera sans valeur, elle est donc sans valeur aujourd'hui.

---

13. Si le titre *pouvait* avoir une quelconque valeur dans le futur, alors les investisseurs accepteraient de payer *quelque chose* aujourd'hui, même si c'est un très faible montant.

Ceci nous révèle un premier point important concernant la valeur des options :

La valeur d'une option augmente avec le prix de l'action sous-jacente, à prix d'exercice constant.

Cela ne devrait pas nous surprendre. Les détenteurs d'options d'achat espèrent que le cours du titre support va augmenter.

Point B. *Lorsque le prix du support devient important, le prix de l'option tend vers le prix du support moins la valeur actuelle du prix d'exercice.* Notez que la ligne en pointillés représentant le prix de l'option sur la figure 20.10 devient parallèle à la partie croissante de la droite en gras qui symbolise la limite inférieure du prix de l'option. La raison est la suivante : plus le cours du support est élevé, plus la probabilité que l'option soit exercée est élevée. Si le cours de l'action est suffisamment élevé, l'exercice devient une quasi-certitude ; la probabilité que le prix du support repasse au-dessous du prix d'exercice avant la date d'expiration de l'option devient ridiculement faible.

Si vous possédez une option dont vous *savez* qu'elle sera échangée contre le titre support, vous possédez effectivement l'action dès maintenant. La seule différence est que vous n'avez pas à la payer pour l'instant (à son prix d'exercice) avant que la procédure d'exercice de l'option ne se déroule. Dans ce cas, acheter une option d'achat équivaut à acheter l'action mais en finançant une partie de l'achat par un emprunt. Le montant implicitement emprunté est la valeur actuelle du prix d'exercice. La valeur de l'option d'achat est par conséquent égale au prix du support moins la valeur actuelle du prix d'exercice.

Cela nous amène à un autre point important concernant les options. Les investisseurs qui acquièrent des actions par l'intermédiaire d'une option d'achat achètent en fait à crédit. Ils paient le prix de l'option aujourd'hui, mais ils ne paient pas le prix d'exercice tant qu'ils n'exercent pas l'option. Le délai de paiement est particulièrement important lorsque les taux d'intérêt sont élevés et que l'option a une échéance lointaine : *la valeur d'une option s'accroît sous l'effet conjugué du taux d'intérêt et du délai d'échéance.*

Point C. *Le prix de l'option est toujours supérieur à sa valeur minimale* (sauf lorsque le cours de l'action est nul). Nous avons vu que les droites et la courbe en pointillés coïncident lorsque le cours de l'action est nul (point *A*), mais dans tous les autres cas, les courbes divergent ; le prix de l'option doit être supérieur à la valeur minimale donnée par la droite en gras. L'explication en est donnée par l'examen du point *C*.

Au point *C*, le cours de l'action est exactement identique au prix d'exercice. L'option est donc sans valeur si on l'exerce aujourd'hui. Supposons que l'option n'expire pas avant trois mois : nous ne savons pas combien vaudra le cours de l'action à la date d'échéance. Il y a à peu près 50 % de chances qu'il soit supérieur au prix d'exercice et 50 % de chances qu'il soit inférieur. Les possibilités d'indemnisations sont alors les suivantes :

Situation	Règlement
Le cours de l'action augmente (50 % de probabilité)	Cours de l'action moins prix d'exercice (l'option est exercée)
Le cours de l'action diminue (50 % de probabilité)	Zéro (l'option expire sans valeur)

S'il existe une probabilité positive d'un règlement positif et si le règlement sans valeur est nul, l'option doit avoir de la valeur. Cela signifie que le prix de l'option au point *C* est supérieur à sa limite minimale, égale à zéro. En général, le prix de l'option sera supérieur à sa limite inférieure tant qu'il restera du temps avant l'échéance.

L'un des déterminants les plus importants de la *hauteur* de la courbe en pointillés (c'est-à-dire de la différence entre la valeur actuelle et la limite inférieure) est la probabilité de mouvements significatifs du cours de l'action. Une option sur une action dont le prix a une faible probabilité de varier de +1 % ou +2 % n'aura pas beaucoup de valeur ; une option sur une action dont le prix peut diminuer de moitié ou doubler a beaucoup de valeur.

En tant que détenteur d'option, la volatilité vous est profitable car les gains ne sont pas symétriques. Si le prix de l'action tombe en dessous du prix d'exercice, votre option d'achat sera sans valeur, indépendamment de l'ampleur de l'écart. De l'autre côté, pour chaque dollar d'augmentation du prix de l'action au-dessus du prix d'exercice, votre option d'achat vaudra un dollar de plus. Par conséquent, le détenteur de l'option est bénéficiaire d'une volatilité accrue à la hausse, et ne perd rien à la baisse.

Les parties (a) et (b) de la figure 20.11 illustrent cette remarque. Elles comparent les règlements à expiration de deux options de même prix d'exercice et de même cours du sous-jacent. Elles supposent que ce dernier est égal au prix d'exercice (comme au point *C* de la figure 20.10), bien que cette hypothèse ne soit pas nécessaire[14]. La seule différence est que le cours de l'action *Y* à la date d'échéance de l'option sera plus difficile à prévoir que celui de l'action *X*. Vous pouvez le voir en superposant les distributions de probabilité de chaque partie de la figure.

Dans les deux cas, il y a environ 50 % de chances que le cours de l'action diminue, rendant les options sans valeur, mais si les cours des actions X et Y augmentent, l'option sur Y augmentera plus que celle de X. Ainsi, il y a plus de chances d'obtenir un rendement élevé avec l'option sur Y. Puisque la probabilité d'une indemnité nulle est la même, l'option sur l'action Y a plus de valeur que celle sur X. La figure 20.12 illustre l'évolution de la valeur de l'option lorsque la volatilité du cours de l'action augmente. La courbe la plus élevée montre les valeurs d'une option d'achat sur Amgen qui reposent sur l'hypothèse que le cours de l'action Amgen est hautement variable. La courbe du dessous suppose un degré de volatilité plus faible (et plus réaliste)[15].

La probabilité de fortes variations du cours de l'action pendant la durée de vie résiduelle d'une option dépend de deux éléments : (1) la variance (c'est-à-dire la volatilité) du cours de l'action *par période* et (2) le nombre de périodes avant l'échéance. S'il reste t périodes et si la variance par période est σ^2, la valeur de l'option dépendra de la variabilité cumulée[16] $\sigma^2 t$. Toutes choses égales par ailleurs, vous préférerez détenir une option sur un titre volatil (σ^2 élevée). À volatilité donnée, vous choisirez une option avec une plus grande durée de vie résiduelle (t élevé). Ainsi, la valeur d'une option augmente *en fonction à la fois de la variabilité d'une action et du délai jusqu'à la maturité.*

---

14. Dans la figure 20.11, nous avons supposé que la distribution des cours de l'action autour de sa valeur moyenne était symétrique. En fait, cette hypothèse n'est pas nécessaire, ce que nous étudierons plus attentivement dans le prochain chapitre.

15. Les valeurs des options utilisées à la figure 20.12 ont été établies grâce au modèle de valorisation des options de Black-Scholes (nous présenterons ce modèle au chapitre 21).

16. Il y a une explication intuitive : si le cours de l'action suit une marche au hasard (voir section 2, chapitre 13), des changements de prix successifs sont statistiquement indépendants. Le cumul des variations de cours avant l'échéance est la somme de t variables aléatoires. La variance d'une somme de variables indépendantes est la somme de leurs variances. Ainsi, si σ^2 est la variance de la variation quotidienne du cours, et s'il y a t périodes avant l'échéance, la variance des variations de prix cumulées est $\sigma^2 t$.

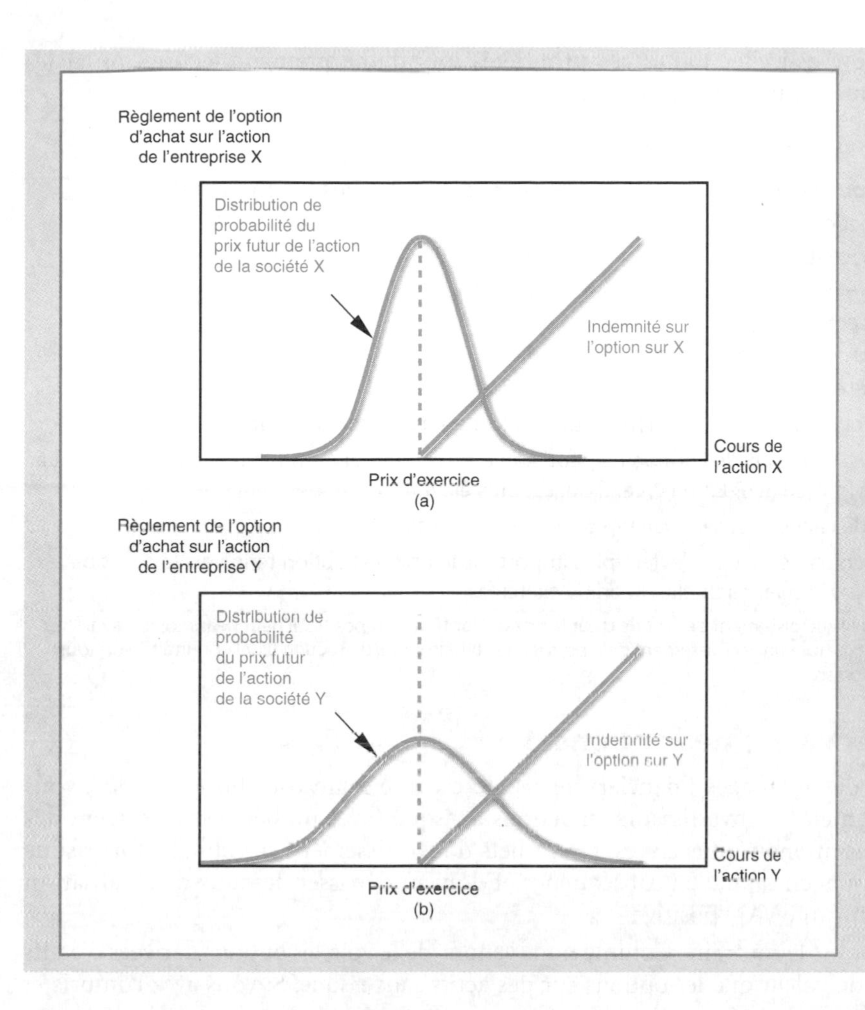

Figure 20.11 - Les options d'achat découlent des cours des entreprises X (a) et Y (b). Dans chaque cas, la valeur actuelle de l'action est égale au prix d'exercice. Ainsi, chaque option a 50 % de chances de terminer sans valeur (si le cours de l'action diminue) et 50 % de chances de terminer « dans la monnaie » (si le cours augmente). Pourtant, la probabilité d'un règlement important est plus élevée pour l'action Y, qui est plus volatile et a donc plus de potentiel de hausse.

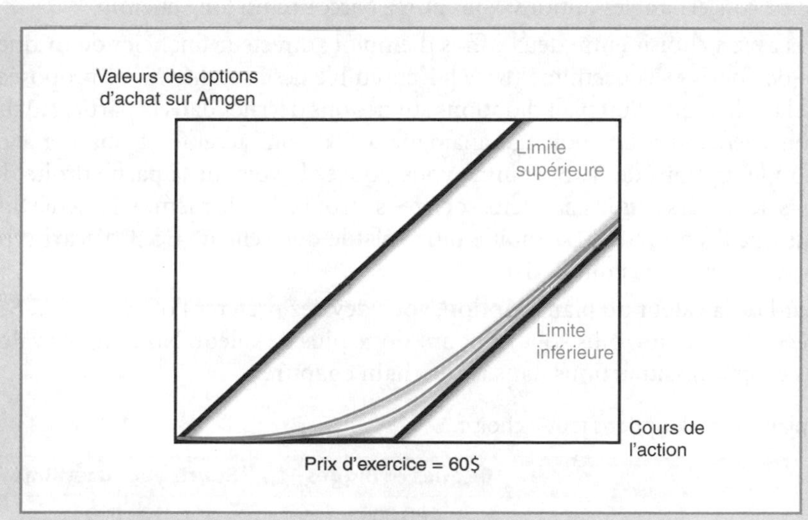

Figure 20.12 - Voici comment la valeur de l'option d'achat sur Amgen voit sa prime augmenter avec la volatilité du cours de l'action. Chacune des courbes décrit la valeur de l'option en fonction de cours d'actions différents. La seule différence vient du fait que la courbe la plus élevée repose sur l'hypothèse d'un niveau d'incertitude plus élevé quant aux cours futurs de l'action Amgen.

Il n'est pas facile d'assimiler toutes ces propriétés lors d'une première lecture. Aussi les avons-nous résumées dans le tableau 20.2.

Tableau 20.2 - De quoi dépend le prix de l'option d'achat

1. S'il y a une *augmentation* du :	Les variations du prix de l'option d'achat seront :
– cours de l'action (*P*)	positives
– prix d'exercice (EX)	négatives
– taux d'intérêt (r_f)	positives *
– délai avant échéance (t)	positives
– volatilité du cours de l'action (σ)	positives *

2. Autres propriétés

a. *Limite supérieure.* Le prix de l'option est toujours inférieur au cours de l'action.

b. *Limite inférieure.* Le prix de l'option ne peut jamais être inférieur à l'indemnité correspondant à un exercice immédiat (*P*-EX ou 0, celui qui est plus élevé).

c. Si le cours de l'action est sans valeur, l'option est sans valeur.

d. Lorsque le cours de l'action devient plus important, le prix de l'option tend vers le cours de l'action moins la valeur actuelle du prix d'exercice.

* Les effets directs de l'accroissement de r_f et de σ sur le prix de l'option sont positifs. Il peut néanmoins y avoir des effets indirects. Par exemple, un accroissement de r_f pourrait réduire le cours de l'action P. Cela pourrait à son tour réduire le prix de l'option.

3.1 Risque et valeur des options

Dans la plupart des montages financiers, le risque est une mauvaise chose ; on doit vous payer pour l'assumer. Les investisseurs en actions à risque (avec un bêta élevé) exigent des taux de rentabilité attendus plus élevés. Les projets d'investissement en capital à fort risque présentent des coûts en capital en conséquence et doivent dépasser des taux d'actualisation élevés pour obtenir une VAN positive.

Pour les options, c'est le contraire. Comme nous venons de le voir, les options dérivées d'actifs volatils ont plus de valeur que les options sur des actifs sans risque. Si vous avez compris et retenu ce seul principe concernant les options, vous aurez parcouru un long chemin.

Supposons que vous ayez à choisir entre deux offres d'emploi : directeur financier de Briques et Biques (B&B) ou de Souris et Vouzêtfilmé (S&V). L'ensemble des rémunérations proposées par B&B comprend la délivrance d'un plan d'options sur actions décrites dans la partie gauche du tableau 20.3. Vous demandez un montage analogue à S&V qui accepte et observe avec beaucoup d'attention les options de B&B, comme vous pouvez le voir sur la partie droite du tableau 20.3 (le cours actuel des actions des deux sociétés se trouve être le même). La seule différence vient du fait que l'action S&V est moitié plus volatile que celle de B&B (l'écart type annualisé est de 36 %, contre 24 % pour B&B).

Si votre choix dépend de la valeur du plan d'option, vous devriez préférer l'offre de S&V. Ses options sont dérivées d'une action plus volatile et ont donc plus de valeur. Nous allons valoriser ces deux plans d'options sur actions dans le prochain chapitre.

Tableau 20.3. Quel plan de stock-options faut-il choisir ?

	Briques et Biques	Souris et Vouzêtfilmé
Nombre d'options	100 000	100 000
Prix d'exercice	25 €	25 €
Échéance	5 ans	5 ans

Tableau 20.3. Quel plan de stock-options faut-il choisir ? (...)

	Briques et Biques	Souris et Vouzêtfilmé
Cours de Bourse actuel	22 €	22 €
Volatilité du titre	24 %	36 %

Résumé

Si vous êtes parvenu jusqu'ici, vous avez probablement besoin d'un gin tonic et d'une pause. Nous allons donc résumer ce que nous avons appris jusqu'ici, et reprendre notre étude des options au prochain chapitre lorsque vous serez reposé (ou fin saoul). Nous allons résumer ce que nous avons appris jusqu'ici et nous reviendrons sur le thème des options dans le prochain chapitre.

Il y a deux catégories essentielles d'options. Une option d'achat à l'américaine est une option d'achat sur un actif à un prix d'exercice défini qui peut être exercée à tout moment jusqu'à une échéance définie. De la même manière, une option de vente à l'américaine est une option de vente sur un actif à un prix défini avant et jusqu'à une échéance définie. Les options d'achat et de vente à l'européenne sont parfaitement similaires, si ce n'est qu'elles ne peuvent être exercées avant la date d'échéance. Options d'achat et de vente constituent des éléments de base qui peuvent être combinées pour donner toutes sortes d'indemnisations.

Qu'est-ce qui détermine la valeur d'une option d'achat ? Le bon sens nous fait dire qu'elle devrait dépendre de trois éléments :

1. Afin d'exercer une option, vous devez payer le prix d'exercice. Moins vous êtes obligé de payer, mieux c'est. Par conséquent, la valeur d'une option augmente avec le ratio cours de l'actif/prix d'exercice.
2. Vous n'avez pas à payer le prix d'exercice tant que vous ne vous décidez pas à exercer l'option. Par conséquent, celle-ci vous procure un prêt gratuit. Plus le taux d'intérêt est élevé et plus le délai de maturité est long, plus un prêt gratuit aura de la valeur. La valeur de l'option augmente donc avec le taux d'intérêt multiplié par la durée de vie résiduelle de l'option.
3. Si le prix de l'actif chute au-dessous du prix d'exercice, vous n'exercerez pas l'option. Par conséquent, vous perdrez 100 % de votre investissement dans l'option quelle que soit l'ampleur de la dépréciation de l'actif au-dessous du prix d'exercice. D'un autre côté, plus le cours de l'actif *dépasse* le prix d'exercice et plus vous ferez de profit. Par conséquent, le détenteur d'une option ne perd pas d'argent suite à une hausse de la variabilité lorsque les choses tournent mal, mais il en gagne lorsqu'elles tournent bien. La valeur d'une option s'accroît avec la variance de la rentabilité de l'action par période multipliée par le nombre de périodes jusqu'à l'échéance.

Il faut toujours se rappeler qu'une option dérivée d'un actif risqué (à forte variance) a plus de valeur qu'une option basée sur un actif sans risque. Il est assez facile de l'oublier, parce que dans presque tous les autres domaines de la finance, l'accroissement du risque diminue la valeur actuelle.

Lectures complémentaires

À voir au chapitre 21.

Activités

Révision des concepts

1. Expliquez la différence entre une option américaine et une option européenne.
2. « Celui qui vend une option ne peut que perdre de l'argent. » Vrai ou faux ?
3. Tracez le diagramme de situation pour l'acheteur d'une option de vente. Quel est le gain maximal possible ?

Tests de connaissances

1. Complétez les phrases suivantes :
   Une option _______ donne à son détenteur l'opportunité d'acheter une action à un prix défini qui est généralement appelé prix _________. Une option _______ donne à son détenteur l'opportunité de vendre une action à un prix défini. Les options que l'on peut seulement exercer à la date d'échéance sont appelées options ____________.
   Les actions ordinaires des entreprises qui empruntent représentent une option ________. Les actionnaires vendent effectivement les ________ de la société aux _________, mais conservent le droit de racheter les _______. Le prix d'exercice est le _________.
2. Soit la figure 20.13. Complétez chacune des parties (a et b) avec l'une des expressions suivantes :
   - Acheteur d'une option d'achat
   - Vendeur d'une option d'achat
   - Acheteur d'une option de vente
   - Vendeur d'une option de vente

Figure 20.13 - Veuillez vous reporter à la question 2.

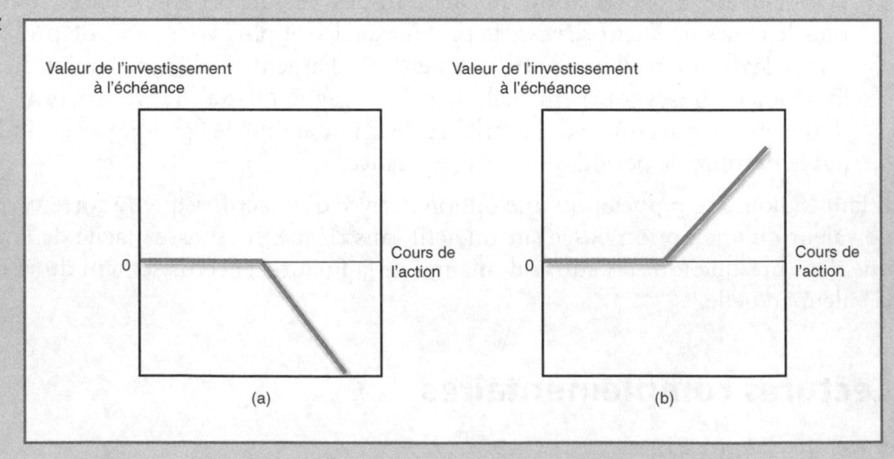

3. Vous détenez une action et une option de vente sur le titre de la question 2. Quel est le résultat à l'échéance de l'option lorsque :
   - **a.** Le cours du sous-jacent est inférieur au prix d'exercice ?
   - **b.** Le cours du sous-jacent est supérieur au prix d'exercice ?
4. Qu'est-ce que la parité option d'achat-option de vente ? Est-ce que l'on peut appliquer cette formule de parité à des options d'achat et des options de vente de prix d'exercice différents ?
5. Il existe une autre stratégie que celle consistant à acheter des options d'achat et à emprunter ou prêter qui procure le même résultat que celle décrite à la question 3. Quelle est-elle ?
6. Le Dr Livingstone I Presume détient 600 000 $ d'actions des Mines d'Afrique de l'Est. Il a besoin de l'assurance absolue qu'à la fin, dans six mois, il disposera de 500 000 $ pour monter une expédition. Décrivez deux moyens lui permettant d'y parvenir. Il existe un marché actif des options d'achat et des options de vente sur les actions Mines d'Afrique de l'Est, et le taux d'intérêt est de 6 % par an.
7. Vous achetez une option d'achat à l'européenne à un an sur l'action Poulpes Frétillants au prix d'exercice de 110 € et vous vendez une option de vente à l'européenne à un an au même prix d'exercice. Le cours actuel de l'action est de 100 € et le taux d'intérêt est de 10 %.
   - **a.** Dessinez un graphique de position représentant les résultats de vos investissements.
   - **b.** Combien cette combinaison vous coûte-t-elle ? Expliquez.
8. Observez de nouveau la figure 20.13. Il apparaît que l'acheteur d'une option d'achat sur la partie (b) ne peut pas perdre et que le vendeur d'une option sur la partie (a) ne peut pas gagner. Est-ce correct ? Expliquez. (*Indication :* dessiner un diagramme de position pour chaque situation.)
9. Quelle est la valeur d'une option d'achat si :
   - **a.** Le cours de l'action est nul ?
   - **b.** Le cours de l'action est très élevé par rapport au prix d'exercice ?
10. Comment la prime d'une option d'achat réagit-elle aux variations suivantes, toutes choses étant égales par ailleurs ? Est-ce que la prime de l'option d'achat augmente ou diminue ?
    - **a.** Le cours de l'action augmente.
    - **b.** Le prix d'exercice est augmenté.
    - **c.** Le taux d'intérêt sans risque augmente.
    - **d.** La date d'échéance de l'option est retardée.
    - **e.** La volatilité du cours de l'action diminue.
    - **f.** Le temps passe et la date d'échéance de l'option approche.
11. Répondez aux affirmations suivantes :
    - **a.** « Je suis un investisseur prudent. Je préférerais bien davantage détenir une option d'achat sur une action sûre comme Elf-Aquitaine qu'une action volatile comme Air Lib. »
    - **b.** « Lorsqu'une entreprise se retrouve en détresse financière, les actionnaires sont mieux protégés si le directeur financier se réoriente vers des investissements et des stratégies plus sûres. »

Questions et problèmes

1. Expliquez brièvement le risque attaché à chacune des opérations suivantes :
   - **a.** Acheter une action et une option de vente sur l'action.
   - **b.** Acheter une action.
   - **c.** Acheter une option d'achat.
   - **d.** Acheter une action et vendre une option de d'achat sur l'action.
   - **e.** Acheter une obligation.

f. Acheter une action, acheter une option de vente et vendre une option d'achat.

g. Vendre une option de vente.

2. « L'acheteur d'une option d'achat et le vendeur d'une option de vente espèrent tous les deux que le cours de l'action va augmenter. Par conséquent, les deux positions sont équivalentes. » Est-ce que cette proposition est correcte ? Illustrez votre réponse avec un exemple simple.

3. Le cours habituel de l'action Vins d'Arbois est de 200 €. Une option d'achat à l'américaine d'un an au prix d'exercice de 50 € est évaluée à 75 €. Comment pourriez-vous tirer avantage de cette formidable opportunité ? Supposons maintenant qu'il s'agisse d'une option à l'européenne. Que devriez-vous faire ?

4. Il est possible d'acheter des options d'achat et des options de vente à trois mois sur l'action Cancoillotte. Les deux options ont un prix d'exercice de 60 € et sont toutes deux valorisées à 10 €. Une option d'achat à six mois avec un prix d'exercice de 60 € aura-t-elle plus ou moins de valeur qu'une option de vente de mêmes caractéristiques ? *Indice :* vous pouvez utiliser la formule de la parité.

5. En novembre 2003, une option d'achat à huit mois sur l'action Amazon.com, prix d'exercice 50 €, est vendue à 9,05 €. Le cours de l'action est de 54 €. Le taux sans risque est de 1,5 %. Combien seriez-vous prêt à payer pour une option de vente sur l'action Amazon.com de même échéance et de même prix d'exercice ? Vous supposerez que les options sur Amazon sont des options européennes.

6. Allez sur le site de l'*International Stock Exchange* (**www.iseoptions.com**) et relevez les cotations retardées d'Amgen pour différents prix d'exercice et différentes échéances.

a. Vérifiez que le prix d'exercice le plus élevé correspond aux primes d'options d'achat les plus faibles et les primes des options de vente les plus élevées.

b. Vérifiez que les primes les plus élevées des options d'achat et de vente correspondent aux maturités les plus élevées.

c. Choisissez une option de vente sur Amgen et une option d'achat de même prix d'exercice et de même maturité[17]. Vérifiez la parité entre les deux. *Note :* vous devrez choisir un taux d'intérêt sans risque approprié.

7. La Banque Sicilienne est parvenue à embaucher la trader vedette sur le marché des changes, Laurène Zo. Son plan de rémunération comprend un bonus annuel de 20 % basé sur les bénéfices qu'elle dégagera au-delà de 100 millions d'euros. Est-ce que Mme Zo détient une option ? Est-ce motivant pour elle ?

8. Supposons que M. Grison emprunte 100 €, acquière une option de vente sur l'action Y à échéance de six mois, prix d'exercice de 150 €, et vende une option de vente sur l'action Y échéance dans six mois, prix d'exercice 50 €.

a. Dessinez un diagramme de position qui décrive les résultats obtenus lorsque les options arrivent à échéance.

b. Proposez deux autres combinaisons d'emprunt, d'options et d'actif financier sous-jacent qui procureraient à M. Grison les mêmes résultats.

9. Laquelle des propositions suivantes est correcte ?

a. Valeur de l'option de vente + valeur actuelle du prix d'exercice = valeur de l'option d'achat + cours de l'action.

b. Valeur de l'option de vente + cours de l'action = valeur de l'option d'achat + valeur actuelle du prix d'exercice.

---

17. La parité se vérifie telle quelle à condition que les options soient à parité, c'est-à-dire pour un prix d'exercice équivalent au cours du support.

c. Valeur de l'option de vente – cours de l'action = valeur actuelle du prix d'exercice – valeur de l'option d'achat.

d. Valeur de l'option de vente + valeur de l'option d'achat = cours de l'action – valeur actuelle du prix d'exercice.

La proposition correcte met en équation deux stratégies d'investissement. Représentez les résultats de chacune des stratégies en fonction du cours de l'action. Montrez qu'elles fournissent des résultats identiques.

10. Vérifiez la formule qui relie les cours des options d'achat et de vente pour expliquer les valeurs relatives des options d'achat et de vente négociées. (Notez que cette formule n'est exacte que pour les options à l'européenne. La plupart des options négociées sont à l'américaine.)

11. a. Si vous ne pouvez pas vendre un actif à découvert, vous pouvez aboutir exactement au même résultat par une combinaison d'obligations et d'options. Quelle est cette combinaison ?

b. Décrivez le mélange d'actions et d'options qui fournit le même résultat qu'un placement sans risque.

12. L'action ordinaire de l'entreprise Air Solide se négocie à 90 €. Une option d'achat sur l'action Air Solide à vingt-six semaines est vendue 8 €. Le prix d'exercice de l'option d'achat est de 100 €. Le taux d'intérêt sans risque annuel est de 10 %.

a. Supposons que l'option de vente sur Air Solide ne soit pas disponible, mais que vous souhaitiez en acheter une. Comment faudrait-il faire ?

b. Supposons que les options de vente soient négociées. Quel serait le prix d'une option de vente de maturité vingt-six semaines et de prix d'exercice 100 € ?

13. Briques et Biques a pour 10 millions de titres à recouvrer qui se négocient à 25 € par titre. Cette société a également un montant important de dettes à régler, toutes dans un an. La dette produit un intérêt à 8 % l'an. Elle représente une valeur nominale de 350 millions, mais qui est actuellement négociée à une valeur de marché de seulement 280 millions. Le taux d'intérêt sans risque à un an est de 6 %.

a. Déclinez la formule de parité option d'achat-option de vente concernant les actions, les dettes et les actifs de Briques et Biques.

b. Quelle est la valeur de l'option de défaillance attribuée par Briques et Biques aux créanciers ?

14. Les négociateurs sur options se réfèrent souvent aux « stellages » (*straddles*) et « papillons » (*butterflies*). Voici un exemple de chacune de ces combinaisons :

– *Stellage* : achat simultané d'une option d'achat et d'une option de vente au prix d'exercice de 100 €.

– *Papillon* : opération simultanée d'achat d'une option d'achat au prix d'exercice de 100 €, de vente de deux options d'achat au prix d'exercice de 110 €, et d'achat d'une option d'achat au prix d'exercice de 120 €.

Dessinez des diagrammes de résultats pour le stellage et le papillon et montrez les résultats nets que procurent ces combinaisons à l'investisseur. Chaque stratégie représente un pari sur la volatilité. Expliquez brièvement la nature de chacun des paris[18].

15. Observez les cours comptants enregistrés sur le marché pour les options d'achat sur actions pour vérifier si elles se comportent comme il est prévu par les théories qui ont été présentées dans ce chapitre. Par exemple :

a. Suivez quelques options à mesure qu'elles approchent de l'échéance. Comment la prime va-t-elle se comporter, selon vous ? Réagit-elle ainsi ?

---

18. En réalité, un papillon correspond à un arbitrage sur les prix d'une même série d'options plutôt qu'à un pari sur la volatilité.

b. Comparez deux options d'achat dérivées de la même action avec la même maturité mais avec des prix d'exercice différents.

c. Comparez deux options d'achat dérivées de la même action avec le même prix d'exercice mais de maturités différentes.

16. Est-il plus valable de détenir une option d'achat d'un portefeuille d'actions ou de détenir un portefeuille d'options d'achat comptant d'une action individuelle chacune ? Expliquez brièvement pourquoi.

17. Le tableau 20.4 fournit quelques primes d'options sur des actions ordinaires (les prix sont affichés à l'euro le plus proche). Le taux de l'intérêt annuel est de 10 %. Pouvez-vous détecter une erreur de prix ? Que devriez-vous faire pour en tirer profit ?

Tableau 20.4. Primes d'options sur actions ordinaires

Action	Échéance	Prix d'exercice	Cours de l'action	Prix option de vente	Prix option d'achat
Pastis Mastic	6 mois	50	80	20	52
Fromage de Kangourou	6 mois	100	80	10	15
Cap Soyouz	3 mois	40	50	7	18
Pochette surprise	6 mois	40	50	5	17
Teckel à poil dur	6 mois	50	50	8	10

18. Vous venez juste d'achever une étude de plusieurs mois sur les marchés de l'énergie. Vous êtes parvenu à la conclusion que les prix de l'énergie seront beaucoup plus volatils l'année prochaine que dans le passé. À supposer que vous ayez raison, quels types de stratégies à options devriez-vous entreprendre ? *Note :* vous pouvez acheter ou vendre des options sur actions de compagnies pétrolières ou sur le prix de livraisons futures de pétrole brut, gaz naturel, fuel…

Problèmes avancés

1. La figure 20.14 représente quelques diagrammes de positions compliquées. Décrivez les combinaisons d'actions, d'obligations et d'options qui aboutissent à chacune de ces situations.

2. En 1988, l'entreprise australienne Bond Corporation a vendu un titre portant sur un terrain qu'elle possédait près de Rome pour 110 millions de dollars, ce qui lui a permis de propulser ses résultats à près de 74 millions de dollars. En 1989, une émission de télévision a révélé que l'on avait proposé à l'acheteur une option de vente pour céder son titre sur le terrain à Bond Corporation pour 110 millions de dollars et que Bond Corporation avait payé 20 millions de dollars pour une option d'achat permettant de racheter le titre immobilier pour le même prix[19].

a. Que se passerait-il si le terrain valait plus de 110 millions de dollars à l'échéance de l'option ? Même question si le terrain valait moins.

b. Utilisez des diagrammes de position pour montrer les conséquences nettes de la vente du terrain et des transactions sur options.

19. Voir le *Sydney Morning Herald* du 14 mars 1989, p. 27. Les options ont été renégociées après cette affaire.

c. Faites l'hypothèse que les options seront à maturité dans un an. Pouvez-vous déduire le taux d'intérêt ?

d. L'émission de télévision a fait valoir qu'il s'agissait d'une manœuvre frauduleuse destinée à enregistrer un profit sur la vente du terrain. Qu'en pensez-vous ?

3. Trois options d'achat à six mois sont négociées en Bourse sur le titre Hérisson Vénérable :

Prix d'exercice	Prix des options d'achat
90 $	5 $
100 $	11 $
110 $	15 $

Comment pourriez-vous gagner de l'argent en négociant ces options ? (*Indication :* dessinez un graphique avec en ordonnée le prix de l'option et en abscisse le ratio cours de l'action/prix d'exercice. Représentez les trois options d'achat sur votre graphique. Est-ce que cela corrobore ce que vous savez quant à la manière dont le prix d'une option devrait fluctuer selon le ratio cours de l'action/prix d'exercice ?) Maintenant, regardez dans un journal les primes d'options ayant la même maturité, mais pour des prix d'exercice différents. Pouvez-vous dégager des possibilités de gagner de l'argent ?

4. Mme Brutus s'est vue offrir un autre plan de motivation (voir section 2). Elle recevra une prime de 500 000 € si le cours de l'action à la fin de l'année dépasse les 120 €, sinon, elle ne recevra rien.

a. Représentez graphiquement les résultats d'un tel plan.

b. Quelle combinaison d'options aboutirait à de tels résultats ? (*Indication :* vous aurez besoin d'acheter un grand nombre d'options avec un seul prix d'exercice et de vendre un nombre équivalent d'options de vente mais à des prix d'exercice différents.)

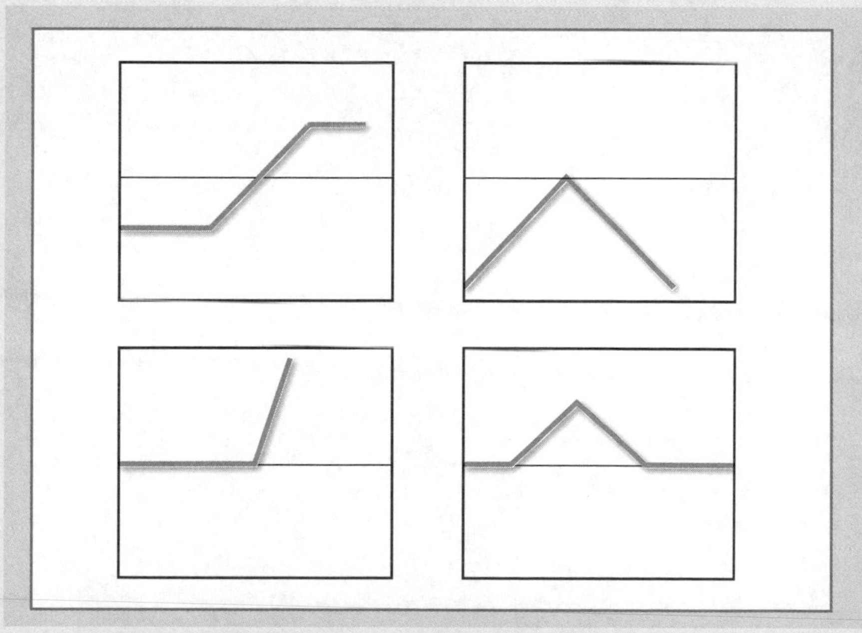

Figure 20.14 - Quelques diagrammes de positions compliqués. Se reporter à la question 1.

Chapitre 21

L'évaluation des options

Au cours du dernier chapitre, nous vous avons présenté les options d'achat et les options de vente. Les premières procurent à leur détenteur le droit d'acheter un actif à un prix d'exercice déterminé ; les secondes fournissent le droit de vente. Nous avons également commencé à comprendre l'évaluation des options. La valeur d'une option d'achat dépend de cinq variables :

1. Plus le cours de l'action est élevé, plus une option pour l'acheter aura de la valeur.
2. Plus le prix auquel vous exercerez l'option d'achat sera faible, plus une option aura de la valeur.
3. Vous n'avez pas besoin de verser le prix d'exercice avant la date d'expiration de l'option. Ce délai prend de la valeur lorsque le taux d'intérêt augmente.
4. Lorsque le cours de l'action est inférieur au prix d'exercice à l'échéance, l'option d'achat n'a pas de valeur, que le prix soit inférieur d'un euro ou de 100 euros. Néanmoins, pour chaque euro de hausse du cours du sous-jacent au-dessus du prix d'exercice, le détenteur d'une option gagne ce même euro : la valeur d'une option d'achat s'accroît avec la volatilité du cours de l'action.
5. Finalement, une option de long terme vaut plus qu'une option de court terme. Une échéance éloignée retarde le moment où le détenteur devra régler le prix d'exercice et augmente la probabilité d'une forte augmentation du cours de l'action avant que l'option n'arrive à maturité.

Dans ce chapitre, nous allons présenter la manière dont ces variables peuvent être incorporées dans un modèle d'évaluation précis – une formule dans laquelle nous pouvons entrer les paramètres pour obtenir une réponse définitive. Nous allons tout d'abord présenter une méthode facile pour valoriser les options, connue sous le nom de méthode binomiale. Ensuite nous introduirons la formule de Black-Scholes d'évaluation des options. Enfin, nous fournirons une boîte à outils qui permettra d'utiliser ces deux méthodes pour résoudre des problèmes pratiques d'options.

La seule manière pratique d'évaluer des options consiste à utiliser un ordinateur. Mais dans ce chapitre, nous allons travailler manuellement sur quelques exemples simples. Nous procédons ainsi parce que tant que vous n'aurez pas assimilé les principes de base, vous ferez des erreurs dans la résolution des questions sur les options et vous ne saurez pas comment interpréter les résultats de l'ordinateur et encore moins les expliquer aux autres.

Au cours du dernier chapitre, nous vous avons présenté les options d'achat et de vente sur l'action Amgen. Dans celui-ci, nous allons reprendre cet exemple et vous montrer comment évaluer ces options. Mais vous ne devez pas oublier pourquoi vous avez besoin de comprendre l'évaluation des options : non pas pour monter un programme de gain rapide, mais parce que beaucoup de plans budgétaires et de décisions de financement contiennent des options cachées. Nous en présenterons quelques-unes dans les chapitres suivants.

1 Un modèle simple d'évaluation d'option

1.1 Pourquoi ne peut-on pas utiliser les « cash-flows actualisés » pour valoriser des options ?

Pendant de nombreuses années, les économistes ont recherché une formule concrète pour valoriser les options jusqu'à ce que Fisher Black et Myron Scholes finissent par découvrir la solution. Avant de montrer le résultat de leurs recherches, nous voudrions exposer en quelques mots pourquoi cette recherche fut si difficile.

Notre système habituel de valorisation d'un actif consiste en (1) la prévision des flux monétaires (*cash-flows*) attendus et (2) l'actualisation au coût d'opportunité du capital. C'est ce qu'on appelle la méthode des cash-flows actualisés (*discounted cash-flows*, ou DCF, dans la langue de Mike Wazowski). Malheureusement, ce n'est pas une solution pour les options. La première étape est délicate mais envisageable, alors que trouver *le* coût d'opportunité du capital est impossible, car le risque d'une option se modifie chaque fois que le cours de l'action varie[1] et nous savons qu'il changera selon une marche au hasard tout au long de la durée de vie de l'option.

Quand vous achetez une option d'achat, vous *prenez une position* sur l'action, mais en fournissant des fonds moins importants que dans le cas d'un achat direct de l'action. Ainsi, une option est toujours plus risquée que l'actif sous-jacent. Elle a un bêta plus élevé et un écart type de rentabilité plus important.

Le risque de l'option dépend du cours de l'action par rapport au prix d'exercice. Une option qui est dans la monnaie (le cours du titre sous-jacent est plus élevé que le prix d'exercice) est plus sûre qu'une option qui est hors la monnaie (le cours du sous-jacent est moins élevé que le prix d'exercice). Ainsi, une hausse du cours de l'action augmente le cours de l'option *et* réduit son risque. Lorsque le cours de l'action baisse, le prix de l'option baisse *et* son risque augmente. C'est pourquoi le taux de rentabilité attendu d'une option demandé par les investisseurs change chaque fois que le cours de l'action varie.

Répétons la règle générale : plus le cours du titre sous-jacent est élevé par rapport au prix d'exercice, moins l'option est risquée, bien qu'elle soit toujours plus risquée que l'action. Le risque de l'option se modifie chaque fois que le cours de l'action varie.

1.2 Construire des équivalents aux options à partir de titres ordinaires et d'emprunts

Si vous avez bien assimilé ce que nous avons dit jusqu'ici, vous pouvez apprécier combien les options sont difficiles à évaluer par les formules standard de flux monétaires actualisés et pourquoi les économistes ont esquivé pendant plusieurs années une technique d'évaluation

1. Il varie aussi dans le temps même avec un cours de l'action constant.

rigoureuse des options. La barrière fut franchie lorsque Black-Scholes s'exclamèrent : « Eurêka ! Nous l'avons trouvée[2] ! » L'astuce consiste à élaborer un *équivalent de l'option* par la combinaison de l'investissement en titre ordinaire et de l'emprunt. Le coût net de l'achat de l'équivalent-option doit être égal au prix de l'option.

Nous allons vous montrer comment cela fonctionne à l'aide d'un exemple chiffré simple. Replaçons-nous en novembre 2003 et observons une option d'achat à huit mois sur le titre Amgen au prix d'exercice de 60 $. Le cours de l'action Amgen à cette période était proche de 60 $: l'option était *à la monnaie*. Le taux d'intérêt sans risque de court terme était un peu inférieur à 1,5 % par an, soit environ 1 % pour huit mois.

Pour simplifier les choses, nous supposerons que l'action Amgen ne peut faire que deux choses au cours de ces huit mois : ou bien le cours chute à 45 $ ou bien il augmente à 80 $.

Si le cours de l'action Amgen chute à 45 $, l'option d'achat sera sans valeur, mais si le prix augmente à 80 $, l'option vaudra 80 – 60 = 20 $. Les indemnités possibles pour l'option sont par conséquent :

	Cours de l'action = 45 $	Cours de l'action = 80 $
1 option d'achat	0 $	20 $

Maintenant, comparons ces résultats à ceux que vous auriez obtenus si vous aviez acheté 4/7 d'une action Amgen et emprunté 25,46 $ à la banque[3]:

	Cours de l'action = 45 $	Cours de l'action = 80 $
Achat de 4/7 d'action	25,71 $	45,71 $
Remboursement de l'emprunt et intérêts	–25,71 $	–25,71 $
Résultat global	0 $	20,00 $

Notez que les résultats d'un investissement en actions financé par emprunt sont les mêmes que les indemnités sur l'option d'achat. Les deux investissements doivent donc avoir la même valeur :

$$\begin{aligned}\text{Valeur de l'option d'achat} &= \text{valeur de 0,5714 action} - 25{,}46\ \$ \text{ d'emprunt bancaire} \\ &= (60 \times 0{,}5714) - 25{,}46 = 8{,}83\ \$\end{aligned}$$

Le tour est joué ! Vous avez évalué une option.

Pour valoriser l'option Amgen, nous avons emprunté de l'argent et acheté l'action de manière à exactement répliquer le résultat provenant d'une option d'achat. On appelle cela le **portefeuille répliqué**. Le nombre d'actions dont vous avez besoin pour répliquer une option d'achat est appelé le **ratio de couverture** ou **delta de l'option**. Dans notre exemple, une option d'achat est répliquée à l'aide d'une opération financée par emprunt sur 4/7 d'un titre : le delta de l'option est de 4/7, soit 0,5714.

2. Nous devons avouer que nous ne savons pas si, à l'instar d'Archimède, Black et Scholes étaient dans leur baignoire à cet instant.

3. Le montant que vous désirez emprunter à la banque est simplement la valeur actuelle de la différence entre les indemnités de l'option et les résultats provenant de 4/7 d'une action. Le cours de l'action peut augmenter ou chuter ; ce montant reste inchangé. Dans notre exemple, le montant emprunté est égal à :

$$(4/7 \times 45 - 0) / 1{,}01 = (0{,}5714 \times 80 - 20) / 1{,}01 = 25{,}46\ \$.$$

Comment avons-nous su que l'option d'achat sur Amgen était équivalente à une opération financée par emprunt portant sur 0,5714 fois le titre ? Nous avons utilisé une formule qui dit que :

$$\text{Delta} = \frac{\text{Écart entre les différentes valeurs de l'option}}{\text{Écart entre les différentes valeurs de l'action}} = \frac{20 - 0}{80 - 45} = \frac{20}{35} = \frac{4}{7}$$

Vous n'avez pas seulement appris à évaluer une option. Vous avez aussi appris que vous pouviez répliquer un investissement dans une option par un investissement dans l'actif sous-jacent financé par emprunt. Ainsi, si vous ne pouvez acheter ou vendre une option sur un actif, vous pouvez créer une option artisanale en répliquant une stratégie d'achat ou de vente d'un nombre delta de titres et en empruntant ou en prêtant l'équivalent.

La méthode de la neutralité au risque Examinons pourquoi l'option d'achat sur Amgen doit être vendue à 8,83 $. Si le prix de l'option était supérieur à 8,83 $, vous pourriez réaliser un profit certain en achetant 4/7 d'un titre, en vendant une option d'achat, et en empruntant 25,46 $. De la même manière, si le prix de l'option était inférieur à 8,83 $, vous pourriez réaliser un profit certain équivalent en vendant 4/7 d'action, en achetant une option d'achat et en prêtant l'équivalent. Dans chaque cas, on aurait une machine à euros[4].

S'il y a un gain systématique, chacun va se précipiter pour en tirer avantage. Ainsi, lorsque nous disions que le prix de l'option doit être de 8,83 $, nous n'avions pas besoin de connaître les attitudes des investisseurs face au risque. Le prix ne peut pas dépendre du simple fait que les investisseurs détestent le risque ou s'en moquent éperdument.

Cela suggère une autre manière de déterminer la valeur de l'option. Nous pouvons *supposer* que tous les investisseurs sont *indifférents* au risque, qu'ils déterminent dans un tel environnement la valeur future escomptée de l'option et qu'ils l'actualisent au taux d'intérêt sans risque pour trouver la valeur actuelle. Vérifions que cette méthode donne le même résultat.

Si les investisseurs sont indifférents au risque, la rentabilité attendue de l'action doit être égale au taux d'intérêt :

$$\text{Rentabilité attendue sur l'action Amgen} = 1{,}0\ \%\ \text{pour 8 mois}$$

Nous savons que le cours de l'action Amgen peut augmenter de 33,3 % jusqu'à 80 $ ou chuter de 25 % jusqu'à 45 $. Nous savons donc calculer la probabilité qu'un prix augmente dans notre monde hypothétique de neutralité face au risque :

$$\begin{aligned}\text{Rentabilité attendue} &= [\text{probabilité de hausse} \times 33{,}3] + [(1 - \text{probabilité de hausse}) \times (-25)] \\ &= 1\ \%\end{aligned}$$

Par conséquent :

$$\text{Probabilité de hausse} = 0{,}446 \text{ ou } 44{,}6\ \%$$

Il ne s'agit pas de la *vraie* probabilité que l'action d'Amgen augmente. Puisque les investisseurs n'aiment pas le risque, ils vont presque certainement réclamer de l'action un taux de rentabilité escomptée plus élevé que le taux d'intérêt sans risque : la vraie probabilité sera plus élevée que 44,6 %.

4. Ou à dollars. Mais dans l'état actuel des taux de change, mieux vaut des euros. Bien sûr, vous ne deviendrez pas franchement riche en négociant 4/7 d'une action. Mais si vous multipliez chacune de vos transactions par un million, ça commence à ressembler à de l'argent, quelle que soit la devise…

La formule générale pour déterminer la probabilité sans risque d'un accroissement de la valeur est :

$$p = \frac{\text{taux d'intérêt} - \text{coefficient de baisse}}{\text{coefficient de hausse} - \text{coefficient de baisse}}$$

Dans le cas de l'action Amgen :

$$p = \frac{0{,}015 - (-0{,}25)}{0{,}3333 - (-0{,}25)} = 0{,}446$$

Nous savons que si le cours s'accroît, l'option d'achat vaudra 20 $; s'il chute, l'option d'achat n'aura plus de valeur. Par conséquent, si les investisseurs sont en position de neutralité face au risque, la valeur attendue de l'option d'achat sera :

$$[\text{Probabilité de hausse} \times 20] + [(1 - \text{probabilité de hausse}) \times (0)]$$
$$= (0{,}446 \times 20) + (0{,}554 \times 0)$$
$$= 8{,}92\ \$$$

Et la valeur actualisée de cette option d'achat sera :

$$\frac{\text{Valeur future attendue}}{1 + \text{taux d'intérêt}} = \frac{8{,}92}{1{,}01} = 8{,}83\ \$$$

Soit le même résultat que celui que nous avons obtenu tout à l'heure !

Nous disposons maintenant de deux moyens de déterminer la valeur d'une option :

1. Trouver la combinaison de titres et de dettes qui réplique un investissement en option. Comme ces deux stratégies fournissent les mêmes revenus dans le futur, elles doivent avoir le même prix aujourd'hui.
2. Affirmer que les investisseurs ne s'intéressent pas au risque, de sorte que la rentabilité de l'action est égale au taux d'intérêt. Calculer la valeur future attendue de l'option dans cet hypothétique univers *sans risque* et actualiser au taux d'intérêt. Dans le chapitre 9, nous avons montré comment on pouvait valoriser un investissement en actualisant les flux monétaires espérés à un taux d'actualisation ajusté du risque ou en transformant les flux monétaires espérés en *équivalents certains* pour ensuite les actualiser au taux sans risque. Nous avons tout simplement utilisé la seconde méthode pour évaluer l'option Amgen. Les flux monétaires équivalents certains de l'action et de l'option sont les flux monétaires espérés dans un univers de neutralité au risque.

1.3 Comment valoriser l'option de vente sur Amgen ?

L'évaluation de l'option d'achat sur Amgen pourrait vous apparaître comme tombée du ciel. Pour vous donner une seconde chance de comprendre la démarche, nous allons utiliser la même méthode pour valoriser une autre option – cette fois-ci, l'option de vente sur Amgen à huit mois au prix d'exercice de 60 $[5].

5. Quand vous évaluez des options de vente à l'américaine, vous devez accepter la possibilité qu'il puisse y avoir exercice avant l'échéance. Nous parlerons de cette complication dans le prochain chapitre, mais ce n'est pas très important pour évaluer l'option de vente Amgen et nous l'ignorerons ici.

Si le cours de l'action Amgen passe à 80 $, l'option de vente à 60 $ sera sans valeur. Si le prix chute à 45 $, l'option de vente vaudra 60 – 45 = 15 $. Ainsi, les indemnités de l'option seront :

	Cours de l'action = 45 $	**Cours de l'action = 80 $**
1 option de vente	15 $	0 $

Nous commençons par calculer le delta de l'option en utilisant la formule que nous avons présentée plus haut[6] :

$$\text{Delta de l'option} = \frac{\text{Écart de prix possible sur l'action}}{\text{Écart de prix possible sur l'option}} = \frac{0 - 15}{80 - 45} = -\frac{3}{7} \text{ soit environ } -0{,}429$$

Notez que le delta d'une option de vente est toujours négatif, parce que vous devez *vendre* un nombre delta de titres d'action pour répliquer une option de vente. Dans l'exemple, vous pouvez répliquer les indemnités sur l'option de vente par la *vente* de 3/7 d'action Amgen et par le *prêt* de 33,95 $. Puisque vous avez vendu l'action à découvert, vous devrez débourser l'argent à la fin des six mois pour racheter l'action, mais vous disposerez de l'argent provenant du remboursement du prêt. Vos revenus nets seront exactement les mêmes que ceux qui ont été retirés de l'achat d'une option de vente :

	Cours de l'action = 45 $	**Cours de l'action = 80 $**
Vente de 0,4286 action	–19,29 $	–34,29 $
Remboursement du prêt et intérêts	+34,29 $	+34,29 $
Résultat global	15 $	0 $

Comme les deux investissements fournissent les mêmes revenus, ils doivent avoir la même valeur :

$$\text{Valeur de l'option de vente} = -3/7 \text{ action} + 33{,}95\ \$ \text{ de prêt à la banque} =$$
$$-\,0{,}4286 \times 60 + 33{,}95 = 8{,}23\ \$ - 0{,}4286 \times 60 + 33{,}95 = 8{,}23\ \$$$

L'évaluation de l'option de vente par la méthode de la neutralité au risque Il est facile d'évaluer l'option de vente par la méthode de la neutralité au risque. Nous savons déjà que la probabilité de hausse du cours de l'action est de 0,446. La valeur attendue de l'option de vente dans un univers sans risque est donc :

$$[\text{Probabilité de hausse} \times 0] + [(1 - \text{probabilité de hausse}) \times (15)]$$
$$= (0{,}446 \times 0) + (0{,}554 \times 15)$$
$$= 8{,}31\ \$$$

6. Le delta d'une option de vente est toujours égal au delta d'une option d'achat dont le prix d'exercice est le même moins une unité. Dans notre exemple, le delta de l'option de vente est égal à 4/7 – 1, soit – 3/7.

La valeur actuelle de l'option de vente devient :

$$\frac{\text{Valeur future attendue}}{1 + \text{taux d'intérêt}} = \frac{8{,}31}{1{,}01} = 8{,}23 \text{ €}$$

La relation entre les primes d'option d'achat et d'option de vente Nous avons montré précédemment que, pour les options à l'européenne, il existe une relation simple entre les valeurs de l'option d'achat et de l'option de vente[7] :

Valeur de l'option de vente = valeur de l'option d'achat – cours du titre sous-jacent + valeur actuelle du prix d'exercice

Nous pourrions utiliser cette relation pour trouver la valeur de l'option de vente :

$$\text{Valeur de l'option de vente} = 8{,}83 - 60 + \frac{60}{1{,}01} = 8{,}23 \text{ \$}$$

Tout se vérifie.

2 L'évaluation des options par la méthode binomiale

L'astuce essentielle pour l'évaluation de n'importe quelle option consiste à construire un ensemble d'investissement dans l'action et dans un emprunt qui réplique exactement les résultats financiers de l'option. Nous pouvons supposer que les investisseurs sont indifférents au risque, calculer les revenus financiers escomptés de l'option dans cet univers de neutralité au risque fictif et actualiser au taux sans risque pour déterminer la valeur actuelle de l'option.

Ces concepts sont totalement généraux, mais il y a plusieurs moyens de trouver un ensemble de placements synthétiques. L'exemple de la section précédente utilisait une version simplifiée de ce qui est connu sous le nom de méthode binomiale. Cette méthode commence par la réduction à deux cas des variations possibles (à la hausse et à la baisse) du cours de l'action pour la prochaine période. Cette simplification est correcte si la période de temps est très courte. Mais il serait farfelu de supposer qu'il n'y ait que deux prix possibles pour l'action Amgen à l'issue des huit mois.

Nous pouvons rendre le problème un tant soit peu plus réaliste en supposant qu'il y a un changement possible de cours pour chacune des périodes de quatre mois. Cela nous procurera une plus grande variété de prix possibles à l'issue des huit mois. Et il n'y a pas de raison pour s'arrêter à des périodes de quatre mois. On pourrait aller plus loin en adoptant des intervalles de plus en plus courts, chacun d'eux permettant une variation possible pour le cours de l'action et procurant ainsi une variété plus large de cours pour l'échéance des huit mois.

Cela est représenté sur la figure 21.1. Les deux diagrammes de gauche correspondent à notre hypothèse de départ : deux prix possibles à l'issue des huit mois. En nous déplaçant vers la droite, nous pouvons voir ce qui se passe lorsqu'il y a deux prix possibles à l'issue de chaque période de quatre mois. On aboutit à trois solutions de prix lorsque l'option arrive à maturité.

7. *Rappel* : cette formule s'applique uniquement lorsque les deux options ont un même prix d'exercice et une même date d'échéance.

À la figure 21.1(c), nous sommes allés jusqu'à diviser les huit mois en 17 périodes de deux semaines, au cours desquelles le prix pouvait adopter l'une ou l'autre des variations de prix. La distribution des cours observable à l'issue des huit mois est maintenant plus réaliste.

Nous pourrions poursuivre et décomposer la période en intervalles de plus en plus courts, jusqu'à aboutir à une situation où le cours de Bourse évolue en continu et obtenir une distribution continue des cours de Bourse futurs possibles.

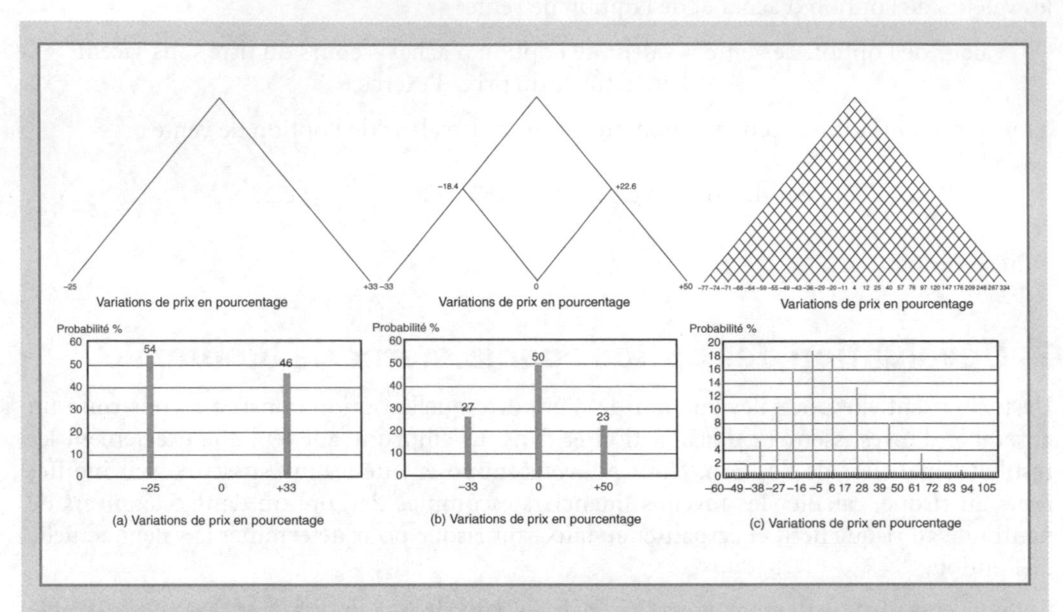

Figure 21.1 - Cette figure reprend les variations possibles du cours de l'action Amgen au bout de huit mois en supposant que le marché n'observe qu'une variation à la hausse ou à la baisse au cours des huit mois [figure 21.1(a)], qu'une variation de prix tous les quatre mois [figure 21.1(b)] ou qu'une variation de prix toutes les deux semaines [figure 21.1(c)]. Nous disposons d'un histogramme des variations de prix possibles au bout de huit mois, en supposant que les investisseurs sont indifférents au risque.

2.1 Exemple : la méthode binomiale à deux périodes

Diviser la période en de plus faibles intervalles ne modifie pas la méthode de base de valorisation des options d'achat. Nous pouvons également reproduire l'option d'achat avec un investissement dans l'action financé par emprunt, mais nous aurons besoin d'ajuster le degré d'endettement à chaque étape. Nous allons le démontrer avec notre modèle simple à deux périodes de la figure 21.1(b). Ensuite, nous l'étendrons à la situation où les cours évoluent selon un processus en continu.

La figure 21.2 est tirée de la figure 21.1(b), et montre les variations possibles de l'action Amgen, en supposant que l'on ait une variation de cours tous les quatre mois : une hausse de 22,6 % ou une baisse de 18,4 %[8]. Nous avons, entre parenthèses, les valeurs possibles de l'option d'achat sur l'action à l'issue des huit mois pour un prix d'exercice de 60 $ (par

8. Nous expliquerons bientôt pourquoi nous avons choisi ces chiffres.

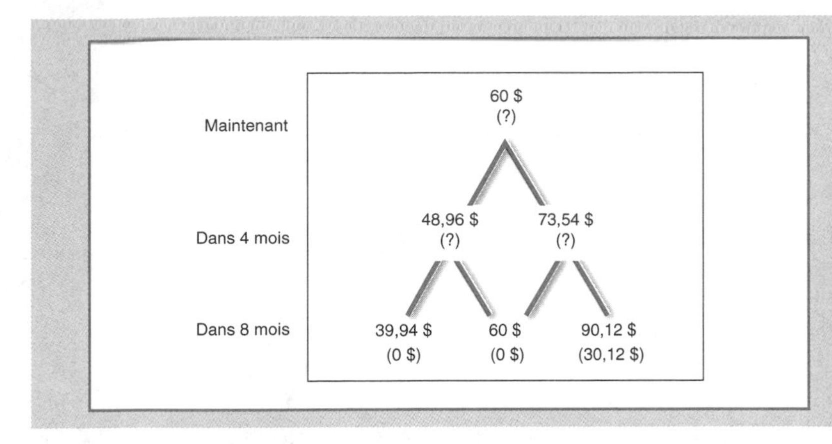

Figure 21.2 - Les valeurs actuelles et futures possibles de l'action Amgen, en supposant que l'on ait une variation de cours tous les quatre mois : une hausse de 22,6 % ou une baisse de 18,4 %. Les chiffres entre parenthèses correspondent aux valeurs d'une option d'achat d'échéance huit mois et d'un prix d'exercice de 60 $.

exemple, lorsque le cours de l'action Amgen est de 39,94 $, l'option d'achat sera sans valeur ; lorsque le cours de l'action Amgen monte jusqu'à 90,12 $, l'option vaudra 90,12 $ – 60 $ = 30,12 $). Jusqu'ici nous ne nous sommes pas intéressés à la valeur de l'option avant l'échéance, ce que nous allons faire maintenant.

La valeur de l'option après quatre mois Pour déterminer la valeur de l'option sur Amgen aujourd'hui, nous allons commencer par établir ses valeurs possibles au quatrième mois pour ensuite remonter dans le temps jusqu'à aujourd'hui. Supposons qu'au bout de quatre mois le cours de l'action soit de 73,54 $. Dans ce cas, les investisseurs savent que, à la maturité de l'option, le cours de l'action sera soit 60 $, soit 90,12 $ et que le cours correspondant de l'option sera 0 $ ou 30,12 $. Nous pouvons donc utiliser notre formule de base pour déterminer combien de titres nous devons détenir dans quatre mois pour répliquer l'option :

$$\text{Delta de l'option} = \frac{\text{Écart de prix possible sur l'action}}{\text{Écart de prix possible sur l'option}} = \frac{30{,}12 - 0}{90{,}12 - 60} = 1{,}0$$

Nous pouvons maintenant construire une position financée par emprunt avec delta titres qui procure les mêmes résultats financiers que l'option :

Cours de l'action au bout de huit mois	**60 $**	**90,12 $**
Achat d'un titre	60	90,12
Emprunt de la valeur actuelle 60	–60	–60
Résultat total	0	30,12

Puisque ce portefeuille fournit des résultats identiques pour l'option, nous savons que la valeur de l'option dans quatre mois doit être égale au prix d'un titre moins les 60 $ empruntés actualisés sur quatre mois à 1,5 % par an, soit 0,5 % pour les quatre mois :

$$\text{Valeur de l'option au bout de quatre mois} = 73{,}54\ \$ - 60\ \$ / 1{,}005 = 13{,}83\ \$$$

Par conséquent, si le cours de l'action progresse au cours des quatre premiers mois, l'option vaudra 13,83 $. Mais que se passe-t-il si le cours de l'action chute à 48,96 $? Dans ce cas, le mieux que vous puissiez espérer est que le cours de l'action revienne à 60 $. Par conséquent, la valeur de l'option est automatiquement nulle au bout de huit mois, et sera sans valeur au bout de quatre mois.

Figure 21.3 - Les valeurs actuelles et futures possibles de l'action Amgen. Les chiffres entre parenthèses correspondent aux valeurs d'une option d'achat d'échéance huit mois et d'un prix d'exercice de 60 $.

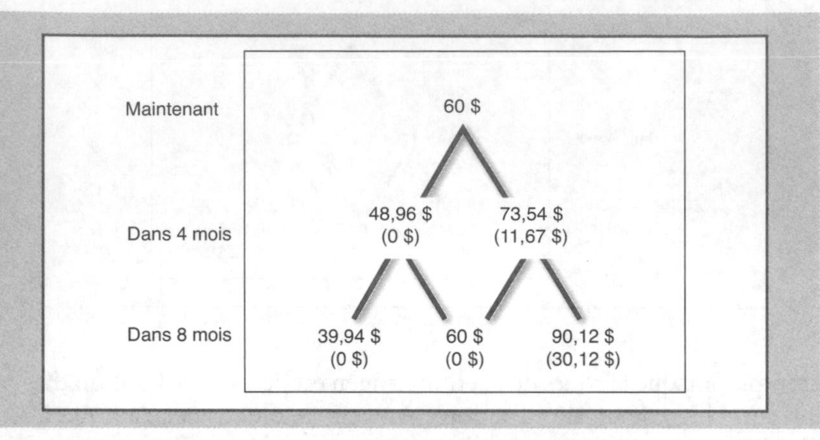

La valeur de l'option aujourd'hui Nous pouvons maintenant éliminer deux points d'interrogation de la figure 21.2. La figure 21.3 montre que lorsque la valeur du titre au bout de quatre mois est de 73,54 $, la valeur de l'option est de 13,83 $, et que lorsque la valeur du titre est de 48,96 $, la valeur de l'option est nulle. Il ne reste plus maintenant qu'à déterminer la valeur de l'option aujourd'hui.

Comme précédemment, nous débutons par le calcul du delta de l'option :

$$\text{Delta de l'option} = \frac{\text{Écart de prix possible sur l'action}}{\text{Écart de prix possible sur l'option}} = \frac{13{,}83 - 0}{73{,}54 - 48{,}96} = 0{,}563$$

Nous pouvons maintenant construire une position financée par emprunt avec delta titres qui procure les mêmes résultats financiers que l'option :

Cours de l'action au bout de quatre mois	48,96 $	73,54 $
Achat de 0,563 titre	27,55	41,39
Emprunt de la valeur actuelle de 27,55	–27,55	–27,55
Résultat total	0	13,83

La valeur de l'option sur Amgen aujourd'hui est égale à la valeur de cette position financée par emprunt :

$$\text{Valeur actuelle de l'option} = \text{valeur actuelle } (0{,}563 \text{ titre}) - \text{valeur actuelle } (27{,}55\ \$)$$
$$= 0{,}563 \times 60\ \$ - 27{,}55 / 1{,}005 = 6{,}35\ \$$$

2.2 Le modèle binomial dans le cas général

Envisager un modèle à deux périodes dans le cas de l'option Amgen a probablement contribué à plus de réalisme. Mais il n'y a pas de raison d'en rester là. Nous pourrions poursuivre, comme dans la figure 21.1, en adoptant des périodes de plus en plus courtes. Nous pourrions encore utiliser le modèle binomial pour déduire la valeur actuelle des valeurs finales. Bien sûr, il serait fastidieux de réaliser un tel calcul à la main, mais il est simple de le faire avec un ordinateur.

Tableau 21.1. Éventail des variations possibles dans la valeur de l'actif

Nombre d'intervalles sur un an*	Variation par intervalle en pourcentage		Valeurs estimées pour l'option
	À la hausse	À la baisse	
1	+33,3	–25,0	8,83 $
2	+22,6	–18,4	6,35 $
8	+10,7	–9,7	6,92 $
34	+5,1	–4,8	7,08 $
		Valeur de Black et Scholes =	7,13 $

* Lorsque le nombre d'intervalles augmente, il est nécessaire d'ajuster le pas de variation du prix de l'action afin de conserver le même écart type. Néanmoins, on se rapproche de plus en plus de la valeur de l'option sur Amgen, telle que calculée par la formule de Black et Scholes.
Note : l'écart type est de $\sigma = 0{,}3523$.

Les données de ce tableau, comme celles de tous les tableaux de ce chapitre, sont disponibles sur *www.gestion financiere.pearsoned.fr*

Puisqu'un actif peut prendre un nombre presque illimité de valeurs futures, le modèle binomial fournit une mesure plus réaliste et plus précise de la valeur de l'option dès lors que l'on travaille avec un grand nombre de sous-périodes. Mais cela soulève une question importante : comment devons-nous faire pour déterminer les chiffres les plus fiables pour les variations de valeur, à la hausse et à la baisse ? Par exemple, comment avons-nous déterminé les chiffres de 22,6 % et de –18,4 % lorsque nous avons évalué l'option sur Amgen avec deux sous-périodes ? Il existe une formule simple qui relie les mouvements haussier et baissier du prix à l'écart type des rendements de l'actif :

$$1 + \text{mouvement haussier} = h = e^{0{,}3523\sqrt{0{,}67}}$$

$$1 + \text{mouvement baissier} = b = 1 / h$$

où :

$$e = \text{exponentielle} = 2{,}718$$

$$\sigma = \text{écart type des rentabilités annuelles de l'actif (capitalisées en continu)}$$

$$t = \text{période mesurée en fraction d'années}$$

Lorsque nous disions que la valeur du titre Amgen pourrait progresser de 33,3 % ou chuter de 25 % en huit mois ($t = 0{,}667$), ces chiffres correspondaient à un écart type de rentabilité annuelle de l'ordre de 35,23 %[9].

$$1 + \text{mouvement haussier (période de huit mois)} = h = e^{0{,}3523\sqrt{0{,}67}} = 1{,}333$$

$$1 + \text{mouvement baissier} = b = 1/h = 1/1{,}333 = 0{,}75$$

9. Pour calculer l'écart type compte tenu de t, on transforme la formule de la façon suivante :

$$\sigma = \log(h)/\sqrt{t}$$

avec : Log = logarithme népérien

Dans notre exemple :

$$\sigma = \log(1{,}333)/\sqrt{0{,}667} = 0{,}2877/\sqrt{0{,}667} = 0{,}3523$$

Pour déduire les variations équivalentes haussière et baissière quand on décompose la période en deux périodes de quatre mois ($t = 0{,}333$), on utilise la même formule :

$$1 + \text{mouvement haussier (période de quatre mois)} = h = e^{0{,}3523\sqrt{0{,}67}} = 1{,}226$$
$$1 + \text{mouvement baissier} = b = 1 / h = 1/1{,}226 = 0{,}816$$

Les colonnes centrales du tableau 21.1 représentent l'équivalent des mouvements haussiers et baissiers quant à la valeur de la firme lorsqu'on décompose l'année en sous-périodes mensuelles et hebdomadaires, et la dernière colonne reprend les conséquences sur la valeur estimée de l'option (nous reviendrons bientôt sur la valeur de l'option suivant la formule de Black et Scholes).

2.3 La méthode binomiale et les arbres de décision

Déterminer la valeur des options par la méthode binomiale représente simplement un processus de résolution des arbres de décision. On commence à une date future et on revient progressivement vers le présent.

La méthode binomiale s'apparente-t-elle à une nouvelle application des arbres de décision, cet outil d'analyse abordé au chapitre 10 ? La réponse est non pour au moins deux raisons. Premièrement, la théorie de l'évaluation des options est absolument indispensable pour l'actualisation à l'intérieur des arbres de décision. L'actualisation classique ne fonctionne pas à l'intérieur des arbres de décision pour la même raison que celle qui fait qu'elle ne fonctionne pas pour les options d'achat et les options de vente. Comme nous l'avons montré dans la section 1, il n'y a pas un taux d'actualisation unique et constant pour les options, car le risque de l'option évolue au cours du temps et quand le cours de l'actif sous-jacent se modifie. Il n'y a pas de taux d'actualisation unique à l'intérieur d'un arbre de décision, parce que si l'arbre comprend des décisions futures pleines de significations, il comprend aussi des options. La valeur de marché des flux monétaires futurs décrite par l'arbre de décision doit être calculée à l'aide de la méthode d'évaluation des options.

Deuxièmement, la théorie des options fournit un cadre simple pour décrire des arbres de décision complexes. Par exemple, supposons que vous disposiez d'une option pour prolonger un investissement sur plusieurs années. L'arbre de décision complet remplirait le plus grand des tableaux de classe. Mais maintenant que vous en savez suffisamment sur les options, vous pouvez interpréter l'opportunité de prolonger un investissement comme « une option d'achat à l'américaine perpétuelle avec un rendement constant ». Tous les problèmes concrets n'ont pas un équivalent option aussi visible, mais nous pourrons souvent approcher les arbres de décision complexes à l'aide d'un assemblage simple d'actifs et d'options. Un arbre de décision d'achat peut se rapprocher de la réalité, mais le temps et la dépense peuvent ne pas y avoir de valeur. Beaucoup d'hommes achètent leurs costumes en prêt-à-porter même si un costume sur mesure de chez Saville Row leur irait mieux et leur donnerait meilleure allure.

3 La formule de Black-Scholes

Regardez de nouveau la figure 21.1 qui retrace ce qui se passe lorsque la distribution des cours possibles de l'action Amgen se modifie à mesure que la durée de vie de l'option est éclatée en un nombre croissant de sous-périodes. Vous pouvez voir que la distribution des variations de prix devient plus lisse.

Si nous continuons de décomposer en ce sens la durée de vie de l'option, nous atteindrons la situation décrite dans la figure 21.4, où la répartition des cours possibles à l'échéance est une série continue. La figure 21.4 est un exemple de distribution lognormale qui est souvent utilisée pour résumer la probabilité des variations du cours de la Bourse[10]. Elle a à son actif un bon nombre d'interprétations. Par exemple, elle reconnaît qu'un cours de Bourse ne peut pas chuter de plus de 100 %, mais qu'il y a une chance, sans doute faible, qu'il puisse s'accroître de plus de 100 %.

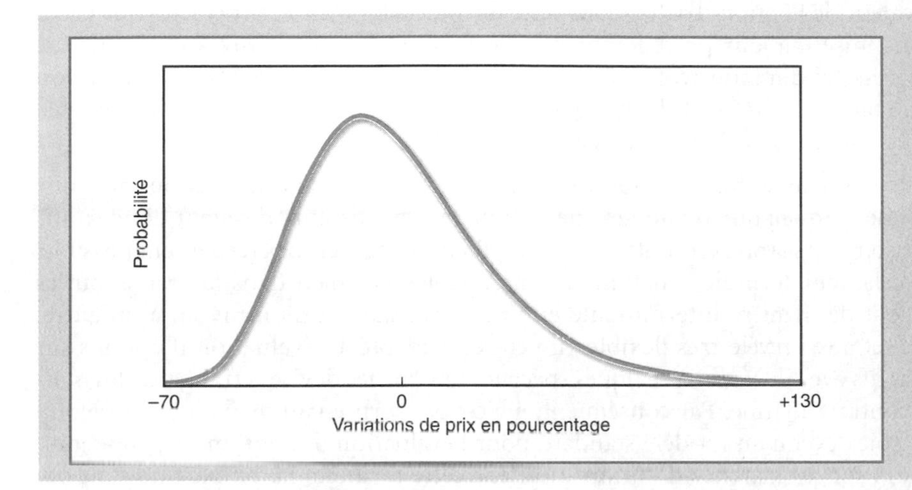

Figure 21.4 - À mesure que la durée de vie de l'option est divisée en un nombre croissant de sous-périodes, la distribution des valeurs possibles des variations de cours de Bourse tend vers une distribution lognormale.

Diviser la durée de vie de l'option en un nombre infini de petites tranches ne modifie pas le principe de valorisation des options. Nous pourrions tout à fait répliquer l'option d'achat à l'aide d'un investissement en action financé par emprunt, mais nous devrions ajuster cette combinaison en continu. Le calcul de la valeur de l'option avec un nombre infini de sous-périodes peut apparaître comme un travail ennuyeux et désespérant. Heureusement, Black-Scholes ont trouvé une formule qui fait le travail. Cette formule n'est pas très agréable à regarder, mais quand vous la connaîtrez mieux, vous la trouverez particulièrement élégante et utile. Elle est la suivante :

$$\text{Valeur de l'option d'achat} = [\text{delta} \times \text{prix de l'action}] - [\text{emprunt bancaire}]$$

$$[N(d_1) \times P] - [N(d_2) \times \text{VA(PE)}]$$

avec : $d_1 = \text{Log}\,[P / \text{VA(PE)}] / \sigma t^{1/2} + \sigma t^{1/2} / 2$

$$d_2 = d_1 - \sigma t^{1/2}$$

$N(d)$ = fonction de densité de la loi normale cumulée[11]

10. Lorsque nous avons travaillé sur la distribution des cours de Bourse au chapitre 8, nous avons supposé que ces variations étaient normalement distribuées. Nous avions admis à ce moment qu'il s'agissait d'une approximation acceptable pour de courtes périodes, mais la distribution des variations sur des périodes plus longues est mieux approchée par une loi lognormale.

11. Cela veut dire que $N(d)$ est la probabilité qu'une variable aléatoire x normalement distribuée puisse être inférieure ou égale à d. $N(d_1)$, dans la formule de Black-Scholes, est le delta de l'option. Ainsi, la formule nous indique que la valeur d'une option d'achat est égale à un investissement de $N(d_1)$ dans l'action moins l'emprunt de $N(d_2) \times \text{VA(PE)}$.

PE = prix d'exercice de l'option ; VA(PE) (valeur actuelle du prix d'exercice) est calculée en actualisant au taux d'intérêt sans risque r_f en continu

t = temps jusqu'à la date d'échéance en fraction d'année

P = cours actuel du titre sous-jacent

σ = écart type par période du taux de rentabilité de l'action (capitalisation en continu)

Notez que la valeur de l'option d'achat dans cette formule a les mêmes propriétés que celles que nous avons mises au jour précédemment. Elle s'accroît lorsque le niveau du cours de l'action P progresse et diminue avec la valeur actuelle du prix d'exercice VA(PE), qui à son tour dépend du taux d'intérêt et de la durée de vie résiduelle. Elle s'accroît également avec la durée de vie résiduelle et la variabilité de l'action ($\sigma\ t^{1/2}$).

Pour dériver leur formule, Black-Scholes ont supposé que le cours de l'action était une variable continue, et que pour répliquer une option, les investisseurs devaient donc continuellement ajuster leurs avoirs en actif sous-jacent. Bien sûr, ce n'est pas réellement possible, mais, malgré cela, leur formule fonctionne remarquablement bien dans la réalité, où les actifs s'échangent de manière intermittente et où les prix sautent d'un niveau à un autre. Leur modèle s'est aussi révélé très flexible ; il peut être adapté à l'évaluation d'options sur une variété d'actifs avec des caractéristiques spéciales tels que les devises étrangères, les obligations et les contrats à terme. Par conséquent, il n'est pas surprenant qu'il ait eu beaucoup d'influence et soit devenu un modèle standard pour l'évaluation des options. Chaque jour, des négociateurs sur les marchés d'options utilisent cette formule. La plupart ne sont pas rompus aux calculs de dérivées sur les fonctions ; ils n'ont qu'à utiliser un ordinateur pour déterminer la valeur de l'option.

3.1 Comment utiliser la formule de Black-Scholes ?

La formule de Black-Scholes peut sembler difficile, mais elle est très facile à appliquer. Nous allons l'utiliser pour évaluer l'option d'achat sur Amgen. Voici les informations dont nous avons besoin :

P = cours actuel du titre sous-jacent = 60

PE = prix d'exercice de l'option = 60

σ = écart type par période du taux de rentabilité de l'action (capitalisation en continu) = 0,3523

t = temps jusqu'à la date d'échéance en année = 0,667

r_f = taux d'intérêt annuel = 1,5 % (le taux équivalent pour huit mois est de 0,99975 %)[12]

12. Lorsque le taux d'intérêt actuariel annuel est de 1,5 %, son équivalent pour huit mois est de 0,99975 %. Cela donne VA(PE) = 60 / $(1{,}1015)^{0{,}667}$ = 59,407. (Dans les exemples précédents employant le modèle binomial, nous avons utilisé un taux proportionnel à huit mois de 1 %.)
Lorsqu'on évalue les options, il est plus fréquent d'actualiser en continu les taux d'intérêt (voir section 3, chapitre 3). Lorsque le taux annuel est de 1,5 %, son équivalent par l'actualisation en continu est de 1,489 % (le Log népérien de 1,015 est 0,01489 et $e^{0{,}01489} = 1{,}015$). En utilisant la capitalisation constante des intérêts, $60 \times e^{-0{,}667 \times 0{,}01489} = 59{,}407$ €. La seule petite précaution à prendre pour cette étape est de s'assurer, lorsqu'on utilise un tableur pour faire les calculs, qu'on entre bien un taux d'intérêt composé continuellement, si c'est ce que le tableur exige. Sinon, cela conduira à une erreur de faible ampleur, mais qui prendra beaucoup de temps à être identifiée…

La formule de Black-Scholes est :

$$[N(d_1) \times P] - [N(d_2) \times \text{VA(PE)}]$$

avec :

$$d_1 = \text{Log}\ [\text{P} / \text{VA(PE)}] / \sigma\, t^{1/2} + \sigma\, t^{1/2} / 2$$

$$d_2 = \text{d1} - \sigma\, \text{t}^{1/2}$$

N(d) fonction de répartition cumulée de la loi normale.

Le calcul de la valeur de l'option d'achat Amgen se déroule en trois étapes.

Première étape

Il faut calculer d_1 et d_2, en introduisant les nombres dans la formule (pour mémoire, Log signifie logarithme népérien) :

$$d_1 = \log\ [\text{P/VA(PE)}] / \sigma \sqrt{t} + \sigma \sqrt{t} / 2$$

$$d_1 = \log\ [60/(60/\ 1{,}01)] / 0{,}3523 \sqrt{0{,}667} + 0{,}3523 \sqrt{0{,}667} / 2$$

$$= 0{,}1783$$

$$d_2 = d_1 - \sigma\, \text{t}^{1/2} = 0{,}1783 - 0{,}3523 \sqrt{0{,}667} = -0{,}1093$$

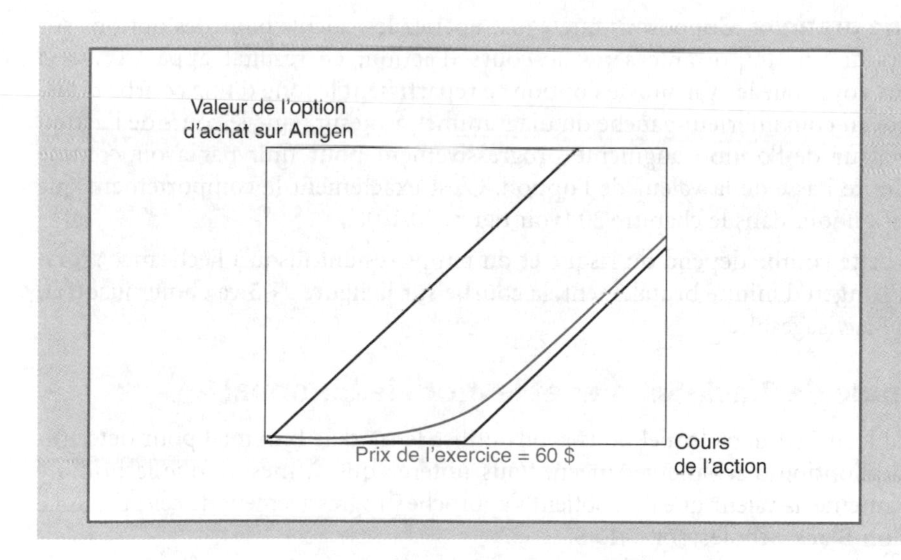

Figure 21.5 - La courbe bleue montre comment varie la valeur de l'option d'achat sur Amgen à mesure que le cours d'Amgen varie.

Deuxième étape

Il faut trouver $N(d_1)$ et $N(d_2)$. $N(d_1)$ est la probabilité pour qu'une variable normalement distribuée soit plus faible que l'écart type d_1 au-dessus de la moyenne. Lorsque d_1 est élevé, $N(d_1)$ est proche de 1 (la variable sera sûrement inférieure à l'écart type d_1 au-dessus de la moyenne). Lorsque d_1 est proche de zéro, $N(d_1)$ est proche de 0,5 (il y a 50 % de chances que la variable soit inférieure à la moyenne).

Le moyen le plus simple de trouver $N(d_1)$ consiste à utiliser la fonction de votre tableur LOI.NORMALE.STANDARD. Par exemple, lorsqu'on saisit LOI.NORMALE.STANDARD (0,1783), le résultat sera qu'il y a une probabilité de 0,5708 pour qu'une variable normalement distribuée soit inférieure à 0,1783 fois l'écart type au-dessus de la moyenne. Autrement, vous pouvez utiliser une table de la loi normale identique à celle figurant en dans le tableau 6 de l'annexe A, dans laquelle vous devrez interpoler les probabilités de $d_1 = 0{,}17$ et $d_1 = 0{,}18$.

De nouveau, vous allez utiliser la fonction pour déterminer la valeur de $N(d_2)$. Si vous saisissez LOI.NORMALE.STANDARD (–0,1093), vous obtiendrez comme réponse 0,4565. En d'autres termes, il y a une probabilité de 0,4565 pour qu'une variable normalement distribuée soit inférieure à 0,1093 fois l'écart type *au-dessous* de la moyenne. Vous pouvez aussi utiliser une table de la loi normale, dans laquelle vous choisirez la valeur pour +0,1093 que vous retrancherez à 1,0 :

$$N(d_2) = N(-0{,}1093) = 1 - N(+0{,}1093)$$
$$= 1 - 0{,}5435 = 0{,}4565$$

Troisième étape

Introduisez ces valeurs dans la formule de Black et Scholes. Vous pouvez maintenant déterminer la valeur de l'option d'achat sur Amgen :

$$\text{Valeur de l'option d'achat} = [\text{delta} \times \text{prix de l'action}] - [\text{emprunt bancaire}]$$
$$[N(d_1) \times \text{P}] - [N(d_2) \times \text{VA(PE)}]$$
$$(0{,}5708 \times 60) - [0{,}4565 \times 60 \,/\, (1{,}015)^{0{,}667}] = 7{,}13\ \$$$

Un peu plus de pratique Supposons que vous répétiez les calculs pour des options sur achat Amgen pour une importante série de cours d'action. Le résultat apparaît sur la figure 21.5. Vous voyez que les valeurs de l'option se répartissent le long d'une courbe croissante qui débute au coin inférieur gauche du diagramme. À mesure que le cours de l'action augmente, la valeur de l'option augmente progressivement pour finir par avoir comme asymptote la limite basse de la valeur de l'option. C'est exactement le comportement que nous avions mis au jour dans le chapitre 20 (voir figure 20.10).

L'ordonnée de cette courbe dépend du risque et du temps restant jusqu'à l'échéance : lorsque le risque d'Amgen diminue brutalement, la courbe sur la figure 21.5 va chuter jusqu'au cours de Bourse envisageable.

3.2 La formule de Black-Scholes et le modèle binomial

Revenons au tableau 21.1 dans lequel nous avons utilisé le modèle binomial pour déterminer la valeur de l'option d'achat sur Amgen. Vous noterez que, à mesure que le nombre d'intervalles augmente, la valeur que l'on obtient s'approche progressivement de celle produite par le calcul selon Black-Scholes, soit 7,13 $.

La formule repose sur le temps et des résultats en continu. C'est, dans la réalité, plus vraisemblable que ce nombre restreint de résultats que suppose le modèle binomial. La formule est aussi plus précise et plus rapide à utiliser que le modèle binomial. Alors pourquoi employer ce modèle ? La réponse est qu'il y a des circonstances dans lesquelles on ne peut utiliser la formule de Black-Scholes, alors que le modèle binomial délivrera une approche correcte de la valeur des options. Nous aborderons quelques-uns de ces cas de figure dans la section 21.5.

4 Black-Scholes par la pratique

Pour illustrer les principes d'évaluation des options, nous nous sommes focalisés sur l'exemple d'Amgen. Les dirigeants financiers utilisent le modèle de Black-Scholes pour estimer la valeur de différents types d'options. En voici quatre exemples.

4.1 Les stock-options

En 2000, les entreprises figurant dans l'indice S & P 500 ont octroyé à leurs cadres des stock-options pour un montant total de 119 milliards de dollars[13]. Bien que ces options impliquent des coûts équivalents aux salaires et bonus, les entreprises ont soutenu avec succès qu'elles n'étaient pas obligées de faire figurer ces coûts dans leurs rapports annuels. Cependant, certaines entreprises ont choisi de les faire figurer tout de même. Par exemple, entre juin 2002 et juin 2003, les dirigeants de Microsoft ont reçu des options d'une durée de vie de 7 ans, leur permettant d'acheter 254 millions d'actions au prix d'exercice moyen de 24,27 $ l'action. Ces options étaient *à la monnaie* ; en d'autres termes, leur prix d'exercice était égal au prix actuel des actions. La valeur totale de ces options s'élevait à 3,07 milliards de dollars selon les rapports financiers de l'entreprise. Comment est-elle arrivée à ce résultat ? Elle a utilisé le modèle de Black-Scholes en supposant un écart type de 42 % et un taux d'intérêt de 3,9 %[14].

Nous pouvons à présent utiliser la formule de Black-Scholes pour évaluer les plans de stock-options qui vous avaient été proposés à la section 20.3 (voir tableau 20.3). Le tableau 21.2 détermine la valeur des options de l'entreprise Briques et Biques à 5,26 $ chacune. Les options de l'entreprise Souris et Vouzêtfilmé valent quant à elles 7,40 $. Félicitations[15].

Tableau 21.2. Utiliser la formule de Black-Scholes pour évaluer un plan de stock-options pour deux entreprises (voir tableau 20.3)

	Briques et Biques	**Souris et Vouzêtfilmé**
P = cours actuel du titre sous-jacent	22	22
PE = prix d'exercice de l'option	25	25
r_f = taux d'intérêt annuel	0,04	0,04
t = temps jusqu'à la date d'échéance en année	5	5
σ = écart type	0,24	0,36
$d_1 = \text{Log}\,[P / VA(PE)] / \sigma t^{1/2}$	0,3955	0,4873
$d_2 = d1 - \sigma t^{1/2}$	–0,1411	–0,3177
Valeur de l'option de l'achat $[N(d_1) \times P] - [N(d_2) \times VA(PE)]$	5,26	7,40

13. Les dotations en options en 2000 ont été exceptionnellement importantes. Voir B. J. Hall et K. J. Murphy, « The Trouble with Stock Options », *Journal of Economic Perspectives*, 17 (été 2003), pp. 49-70.

14. Microsoft a depuis revu sa manière de rémunérer ses dirigeants, et n'offre plus de stock-options.

15. La formule de Black-Scholes permet de déterminer le coût de vos options pour l'entreprise. Si la possession de ces stock-options vous contraint à détenir un portefeuille moins diversifié que ce que vous souhaiteriez, il est conseillé d'appliquer une décote à ces stock-options. Remarquez également que, pour cette raison, vous pourriez avoir envie d'exercer ces options plus tôt que ce que vous auriez fait normalement.

4.2 Les bons de souscription d'action

Lorsqu'en 2001, Kindred Healthcare est sorti de la protection accordée par le régime de la faillite, ses créanciers junior ont été remboursés par un mélange d'actions et de bons de souscription d'échéance 5 ans. Les bons de souscription A donnaient à leurs détenteurs l'option d'acheter l'action à 33 $ et les bons de souscription B d'acheter l'action à 33,33 $. Vous pouvez être sûr que, lorsqu'on a demandé aux créanciers d'approuver ce plan de réorganisation, ils ont calculé la valeur des bons de souscription sous différentes hypothèses de volatilité des actions Kindred Healthcare. La formule de Black-Scholes convient parfaitement à ce genre de calculs.

4.3 L'assurance de portefeuille

Le fonds de pension de votre entreprise détient un portefeuille diversifié d'un montant de 800 millions d'euros composé d'actions qui suivent de près l'indice de marché. Pour le moment, le financement du plan de retraite est complètement assuré, mais vous vous inquiétez du fait qu'une baisse de 20 % du marché pourrait le mettre en danger. Supposons que votre banque vous offre de vous assurer pendant un an contre cette possibilité. Quelle somme seriez-vous prêt à payer pour cette assurance ? Pour répondre à cette question, il faut revenir à la section 20.2 (voir figure 20.6) dans laquelle nous avons montré que l'on pouvait se prémunir d'une chute des cours en achetant une option de vente pour se protéger. Dans notre exemple, la banque va vous vendre une option de vente d'une durée de vie de un an sur le cours des actions avec un prix d'exercice 20 % en dessous du niveau actuel. La formule de Black-Scholes vous permet de calculer la valeur de cette option.

4.4 Calculer les volatilités implicites

Jusqu'ici nous avons utilisé notre modèle d'évaluation pour déterminer la valeur d'une option étant donné l'écart type du rendement du sous-jacent. Il est parfois utile de retourner le problème et de se demander en quoi le cours de l'option peut nous renseigner quant à la volatilité du sous-jacent. Par exemple, sur Euronext, on négocie des options sur indices boursiers. Supposons que l'indice boursier CAC 40 s'élève à 4 630 points, tandis qu'une option d'achat à sept mois à la monnaie est cotée 55,50. Si l'on suppose correcte la formule de Black et Scholes, une option évaluée à 55,50 n'a de sens que si les investisseurs estiment la volatilité annuelle du rendement de l'indice boursier de l'ordre de 10 %. Il peut être intéressant de comparer ce chiffre avec ceux donnés dans la figure 21.6, qui montre la volatilité implicite du marché des actions ces dernières années. On remarque l'augmentation brutale de l'incertitude des investisseurs quant à la valeur des actions cotées sur le CAC 40 lors de la crise russe de l'été 1998 ou des attentats du 11 septembre 2001. Cette incertitude a fait augmenter le prix que les investisseurs étaient prêts à payer pour des options.

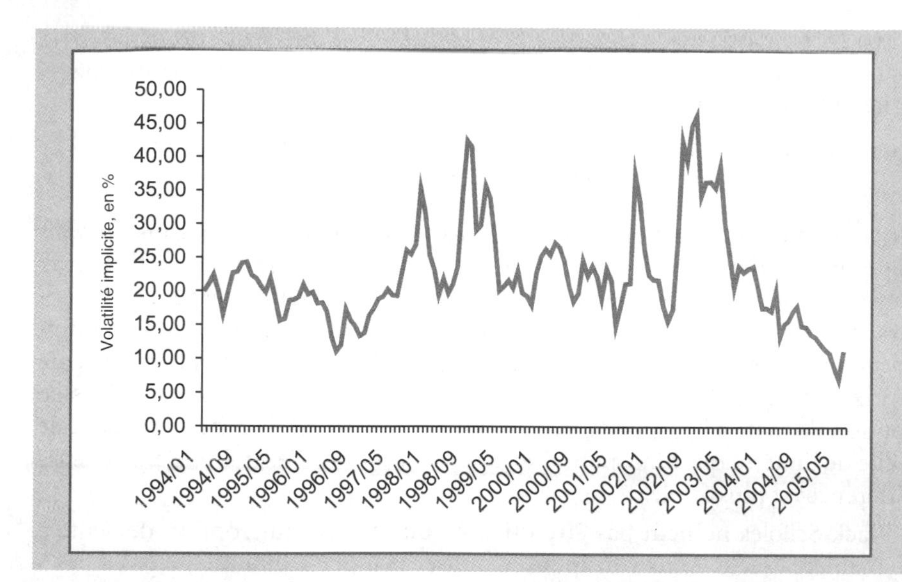

Figure 21.6 - Volatilité implicite du marché (mesurée par l'écart type), telle que mesurée à l'aide des prix des options sur indices.

Source : Euronext, **http://www.euronext.com/tools/documentation/wide/0,5371,1679_201302359,00.html**.

5 L'évaluation d'options un peu moins sympathiques

Jusqu'ici, notre discussion sur la valeur des options a supposé que les investisseurs conservent leurs titres jusqu'à l'échéance. C'est sans aucun doute le cas avec les options à l'européenne, qui ne peuvent pas être exercées avant, mais c'est différent avec les options à l'américaine. Ainsi lorsque nous avons évalué l'option d'achat sur Amgen, nous avons pu ignorer les dividendes, parce que Amgen n'en versait pas sur cette période. La même méthode peut-elle être appliquée aux options à l'américaine et aux titres qui versent des dividendes ?

La dilution est un autre point intéressant. Lorsque des investisseurs achètent puis exercent des options, cela n'influe pas sur le nombre d'actions émises par l'entreprise. Cependant, parfois l'entreprise elle-même peut donner des options à des cadres ou les vendre à des investisseurs. Lorsque ces options sont exercées, le nombre d'actions en circulation augmente *bel et bien* et par conséquent la participation des actionnaires actuels est diluée. Les modèles standard d'évaluation d'option peuvent-ils tenir compte de cet effet-dilution ?

Dans cette section, nous analyserons comment la possibilité d'un exercice prématuré et les dividendes affectent la valeur d'une option, et nous aborderons le problème de la dilution dans l'annexe de ce chapitre.

Option d'achat à l'américaine : pas de dividendes Nous savons qu'en l'absence de dividendes, la valeur d'une option d'achat augmente avec le délai de maturité. Si vous avez exercé prématurément une option d'achat à l'américaine, vous avez donc inutilement réduit sa valeur. Puisqu'une option d'achat à l'américaine ne doit pas être exercée avant sa maturité, sa valeur est la même qu'une option à l'européenne et la formule de Black-Scholes s'applique aux deux options.

Option de vente à l'européenne : pas de dividendes Si l'on veut déterminer la valeur d'une option de vente à l'européenne, nous pouvons utiliser la formule du chapitre 20 sur la parité option d'achat-option de vente :

Valeur de l'option de vente = valeur de l'option d'achat – valeur de l'action
+ valeur actuelle(prix d'exercice)

Option de vente à l'américaine : pas de dividendes Il peut être parfois payant d'exercer une option de vente à l'américaine avant maturité de manière à réinvestir le prix d'exercice. Par exemple, si, immédiatement après avoir acheté une option de vente à l'américaine, le cours de l'action chute à zéro, il n'y a aucun avantage à conserver l'option puisqu'elle *ne peut pas* voir sa valeur augmenter. Il est préférable d'exercer l'option de vente et d'investir le prix d'exercice. Ainsi, une option de vente à l'américaine a toujours plus de valeur qu'une option de vente à l'européenne. Dans notre cas extrême, la différence est égale à la valeur actuelle de l'intérêt que vous pourriez gagner sur le prix d'exercice. Dans tous les autres cas, la différence est plus faible.

La formule de Black-Scholes ne peut pas être utilisée pour évaluer une option de vente à l'américaine de manière exacte. Mais vous pouvez utiliser le modèle binomial « pas à pas » pour autant que vous vérifiiez à chaque étape que l'option a plus de valeur exercée que non exercée pour ensuite utiliser la plus forte des deux valeurs.

Options d'achat à l'européenne sur des actions délivrant des dividendes Une partie de la valeur du titre est constituée par la valeur actuelle des dividendes, sur lesquels le détenteur d'option n'a aucun droit.

Lorsqu'on utilise le modèle de Black-Scholes pour évaluer une option d'achat à l'européenne sur un actif qui délivre des dividendes, il faut déduire du prix de l'actif la valeur actuelle des dividendes qui seront payés avant l'échéance de l'option.

Les dividendes ne se présentent pas toujours avec une pancarte dans le dos, donc il faut guetter les situations où le détenteur d'une action obtient un bénéfice et pas le détenteur d'une option. Ainsi, lorsque vous achetez des devises étrangères, vous pouvez les investir pour toucher les intérêts ; mais si vous détenez une option pour acheter des devises étrangères, vous passerez à côté de ce revenu. Lorsqu'on évalue une option d'achat sur une devise étrangère, il faut donc déduire la valeur actuelle de l'intérêt sur cette devise du prix actuel de la devise[16].

Options d'achat à l'américaine portant sur des actions qui délivrent un dividende Nous avons vu que lorsque l'action ne délivre pas de dividendes, une option d'achat à l'américaine a *toujours* plus de valeur non exercée qu'exercée. En conservant votre option, vous ne conservez pas seulement votre option **en position ouverte**, vous gagnez aussi les intérêts sur le prix de l'exercice. Même lorsqu'il y a des dividendes, vous ne devriez jamais exercer prématurément si le dividende que vous obtenez est plus faible que les intérêts que vous perdez en ayant à payer plus tôt le prix d'exercice. Pourtant, si le dividende est suffisamment élevé, vous pourriez souhaiter l'obtenir en exerçant l'option avant la date de paiement du dividende.

16. Par exemple, supposons qu'il en coûte actuellement 2 € pour acheter une livre sterling et que celle-ci puisse être investie pour obtenir 5 % par an. Le détenteur de l'option passe à côté de l'intérêt de 0,05 × 2 € = 0,10 €. Donc, avant d'appliquer la formule de Black-Scholes pour évaluer une option d'achat sur la livre sterling, il faut ajuster le cours actuel de la livre.
Cours ajusté de la livre = cours actuel – VA (intérêt)
= 2 € – 0,10 / 1,05 = 1,905 €

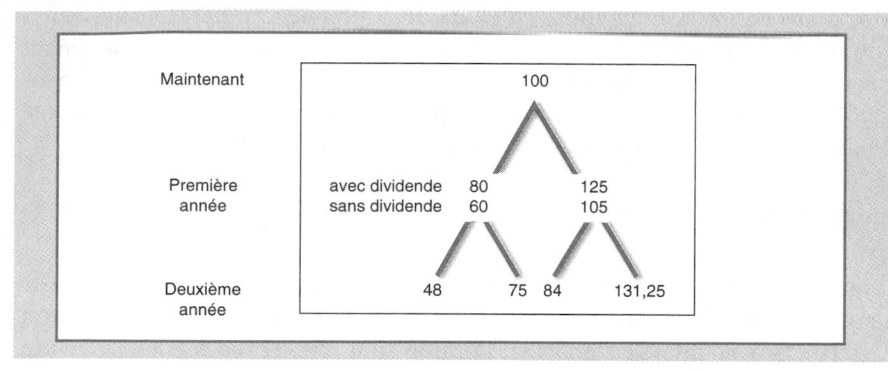

Figure 21.7 - Valeurs possibles de l'action « Air Gazeux ».

La seule méthode générale d'évaluation d'une option d'achat à l'américaine sur un actif distribuant des dividendes consiste à utiliser le modèle binomial pas à pas. Dans ce cas, vous devez vérifier à chaque étape que l'option a plus de valeur si elle est exercée avant la date de paiement du dividende plutôt que conservée au moins jusqu'à l'étape suivante.

Exemple : voici la dernière chance d'exercer vos talents pour l'évaluation d'option en valorisant une option d'achat à l'américaine sur un actif délivrant des dividendes. La figure 21.7 résume les variations possibles du prix de l'action « Air Gazeux ». Le cours actuel de l'action est de 100 €, mais l'année prochaine, il pourrait chuter de 20 % pour atteindre 80 € ou progresser de 25 % jusqu'à 125 €. Dans chaque cas, la société versera ensuite régulièrement un dividende de 20 €. Immédiatement après le paiement de ce dividende, le cours de l'action chutera à 80 – 20 = 60 € ou à 125 – 20 = 105 €. Au cours de la seconde année, le cours diminuera de 20 % ou progressera de 25 % par rapport au prix observé après versement du dividende[17].

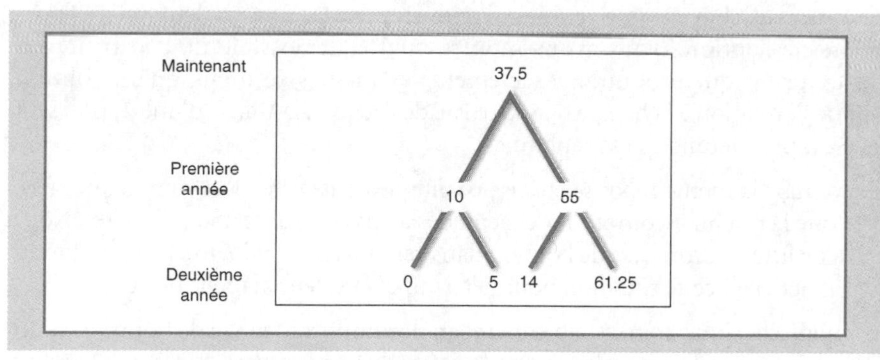

Figure 21.8 - Valeurs d'une option d'achat à deux ans sur l'action « Air Gazeux ». Le prix d'exercice est de 70 €. Bien que la figure reprenne les valeurs sur deux ans, l'option n'ira pas jusque-là. Elle sera exercée au bout d'un an.

Supposons que vous souhaitiez évaluer l'option d'achat à l'américaine à deux ans sur l'action « Air Gazeux ». La figure 21.8 illustre les valeurs possibles de l'option à chaque étape, sous l'hypothèse d'un prix d'exercice de 70 € et d'un taux d'intérêt de 12 %. Nous n'allons pas détailler tous les calculs, mais nous allons nous attarder sur les valeurs de l'option à la fin de l'année 1.

17. Observons que le paiement d'un dividende fixe au cours de l'année 1 se traduit par quatre cours possibles pour l'action à la fin de l'année 2. En d'autres termes, 60 × 1,25 n'est pas égal à 105 × 0,8. Ne vous laissez pas déstabiliser par cela. Vous partirez de la fin et remonterez dans le temps pour obtenir les différentes valeurs possibles de l'option à chaque date.

Supposons que le cours de l'action ait chuté au cours de la première année. Quelle sera la valeur de l'option si vous la conservez pour la période suivante ? Vous devriez être maintenant habitué à ce type de problème. Pour commencer, supposons que les investisseurs soient neutres face au risque et calculons la probabilité d'une augmentation du cours. Cette probabilité est de 71 %[18]. Maintenant calculons les revenus anticipés et actualisés au taux de 12 % :

$$\text{Valeur de l'option sans exercice au cours de la 1}^{\text{re}}\text{ année} = \frac{[(0{,}71 \times 5) + (0{,}29 \times 0)]}{1{,}12} = 3{,}18\ €$$

Ainsi, si vous conservez l'option, elle vaut 3,18 €. Pourtant, si vous exercez l'option juste avant le paiement du dividende, vous paierez un prix d'exercice de 70 € pour un titre qui est évalué à 80 €. Ces 10 € provenant de l'exercice de l'option sont plus élevés que les 3,18 € qui proviennent de la conservation de l'option. Par conséquent, dans la figure 21.8, nous attribuons 10 € à l'option si le cours de l'action chute au bout de la première année.

Vous pourriez aussi vouloir exercer l'option si le cours *s'accroît* au cours de l'année 1. L'option est évaluée à 42,45 € si vous la conservez, mais à 55 € si vous l'exercez. Par conséquent, à la figure 21.8, nous avons attribué la valeur 55 € à l'option si le cours s'accroît.

Le reste du calcul n'est que routine. Calculez les revenus anticipés de l'option pour la première année et actualisez-les au taux de 12 % pour obtenir la valeur de l'option aujourd'hui :

$$\text{Valeur de l'option aujourd'hui} = \frac{[(0{,}71 \times 55) + (0{,}29 \times 10)]}{1{,}12} = 37{,}50\ €$$

Résumé

Dans ce chapitre, nous avons introduit les principes de base de l'évaluation des options en considérant une option d'achat sur une action qui pouvait prendre une ou deux valeurs possibles à la maturité de l'option. Nous avons montré qu'il était possible de construire un ensemble action-emprunt qui produirait exactement les mêmes résultats qu'une option indépendamment de l'évolution à la hausse ou à la baisse de l'action : la valeur d'une option sera la même que celle du portefeuille qui la réplique.

Nous sommes parvenus à la même réponse en supposant que les investisseurs sont neutres face au risque, de sorte que le revenu escompté sur chacun des actifs est égal au taux d'intérêt. Nous avons calculé la valeur future escomptée de l'option dans cet univers imaginaire de neutralité au risque et nous avons actualisé cette situation pour déterminer la valeur actuelle de l'option.

La méthode binomiale classique apporte du concret en décomposant la vie de l'option en un certain nombre de sous-périodes pour lesquelles le cours de l'action peut chaque fois varier de deux manières. Découper la période en intervalles plus courts ne modifie pas le principe de la méthode classique d'évaluation d'une option. Nous pouvons aussi répliquer l'option d'achat avec un ensemble action-emprunt, mais cet ensemble devra être ajusté à chaque changement de sous-période.

Finalement, nous avons présenté la formule de Black-Scholes, qui établit le prix d'une option sur le cours d'une action, variable continue d'espérance constante.

18. Il suffit d'utiliser la formule donnée à la section 1 : p = (taux d'intérêt – coefficient de baisse) / (coefficient de hausse – coefficient de baisse) = [12 – (–20)] / [25 – (–20)] = 0,71.

Annexe : Comment la dilution peut-elle affecter la valeur d'une option ?

Si vous achetez une option d'achat sur un marché et que vous l'exercez, cela n'aura pas d'impact sur le nombre d'actions en circulation. L'investisseur qui a vendu l'option d'achat vous transmet simplement la propriété d'une action. Cependant, il peut arriver que l'entreprise émette des options pour racheter ses propres actions. Par exemple, nous avons vu à la section 4 qu'en 2003 Microsoft a accordé à ses cadres dirigeants des options leur permettant d'acheter 254 millions d'actions.

Les entreprises émettent également des obligations convertibles qui permettront un jour aux investisseurs d'échanger leurs obligations contre des actions ordinaires. Par conséquent, une obligation convertible peut être vue comme la somme d'une obligation ordinaire et une option d'achat sur les actions de l'entreprise. L'entreprise peut également vendre des titres composés d'une obligation et d'un bon de souscription. Ces bons de souscription sont des options d'achat à long terme qui permettent d'acheter des actions de l'entreprise. Cette dernière espère sans doute que les bons de souscription serviront de « produit d'appel », à savoir que l'introduction des bons de souscription incitera les investisseurs à payer un prix plus élevé. Si les détenteurs d'options ou de bons de souscription décident d'exercer leurs droits, l'entreprise doit émettre des actions supplémentaires pour eux.

Les options qui sont émises par l'entreprise sont plus difficiles à évaluer que les options négociées en Bourse. Lorsque ces options sont exercées, les actifs de l'entreprise et les profits sont répartis entre un grand nombre d'actions. Parfois, cette dilution est négligeable et peut passer inaperçue. Mais puisque le nombre d'actions peut augmenter substantiellement, il faut prendre ce phénomène en considération lorsque vous évaluez les options. Pour illustrer la façon dont on peut procéder, nous prendrons comme exemple le cas des bons de souscription Colle à gènes.

Tableau 21A.1. Valeurs de marché du bilan de Colle à gènes (en millions d'euros)

	Avant l'émission		
Actifs	–	4 €	Dette
		12 €	Actions (1 million d'actions à 12 € l'une)
Total	16 €	16 €	Total
	Après l'émission		
Actifs	16 €	4 €	Dette
Nouveaux actifs financés par émission d'obligations et de bons de souscription	2 €	1,5 €	Nouvelles dettes sans les bons
		5,5 €	Dette totale
		0,5 €	Bons de souscription
		12 €	Actions
		12,5 €	Total des capitaux propres
Total	18 €	18 €	Total

Exemple : l'évaluation des bons de souscription « Colle à gènes »

Colle à gènes vient d'émettre pour 2 millions d'obligations et de bons de souscription. Voici les informations nécessaires à l'évaluation des bons de souscription :

- Nombre de titres en circulation (N) : 1 million
- Cours actuel du titre (P) : 12 €
- Nombre de bons de souscription émis par titre en circulation (q) : 0,10
- Nombre total de bons de souscription émis (Nq) : 100 000
- Prix d'exercice des bons de souscription (EX) : 10 €
- Échéance des bons de souscription (t) : quatre ans
- Écart type annualisé des variations du cours de l'action (σ) : 0,40
- Taux d'intérêt sans risque (r) : 10 %
- Le titre ne verse pas de dividendes.

Supposons que la dette obligataire – hors bons de souscription – soit de 1,5 million. Dans ce cas, les souscripteurs ont à payer 0,5 million d'euros pour les bons de souscription :

Coût des bons de souscription = coût total du financement
– valeur des obligations sans les bons de souscription
500 000 = 2 000 000 – 1 500 000

Le coût de chaque bon de souscription pour un investisseur est de 500 000 / 100 000 = 5 €.

Le tableau 21A.1 reprend les valeurs de marché des actifs et des dettes de la société Colle à gènes, avant et après l'émission.

Faisons maintenant une pause pour observer si les bons de souscription valent réellement les 500 000 € payés par les investisseurs. Puisqu'un bon de souscription est en fait une option d'achat sur le titre, nous pouvons utiliser la formule de Black-Scholes pour le valoriser. On obtient 6,15 € comme prix d'une option d'achat sur Colle à gènes de durée de vie 4 ans et de prix d'exercice 10 €[19]. Ainsi l'émission de bons de souscription semble être une bonne affaire pour les investisseurs et une mauvaise pour Colle à gènes : les investisseurs payent 5 € pour des bons de souscription qui en valent 6,15.

Comment la dilution influence-t-elle la valeur des bons de souscription ?

Malheureusement, nos calculs sur les bons de souscription Colle à gènes ne prennent pas en compte tous les éléments. Souvenez-vous que lorsque les investisseurs exercent une option d'achat ou une option de vente négociée, il n'y a aucune modification, ni sur les actifs de la société ni sur le nombre de titres en circulation. Mais si les bons sur Colle à gènes sont exercés, le nombre de titres en circulation va augmenter de $Nq = 100\,000$. Les actifs vont aussi

19. En introduisant les données de Colle à gènes dans la formule de Black-Scholes, on trouve :

$$d_1 = \log[12/(10/1{,}1^4)]/(0{,}40 \times \sqrt{4}\ ) + 0{,}40 \times \sqrt{4}\ /2 = 1{,}104$$

et $d_2 = 1{,}104 - 0{,}40 \times \sqrt{4} = 0{,}304$. On trouve N(d1) = 0,865 et N(d2) = 0,620. Par conséquent, la valeur théorique du bon de souscription est égale à 0,865 × 12 – 0,620 × (10 / 1,14) = 6,15 €.

augmenter du montant du prix d'exercice ($Nq \times$ EX = 100 000 × 10 € = 1 000 000 €). Il y a donc une dilution qu'il faut prendre en compte pour évaluer les bons de souscription.

Appelons V la valeur des capitaux propres de Colle à gènes :

$$V = \text{valeur totale des actifs} - \text{valeur des dettes}$$

Si les bons de souscription sont exercés, la valeur des capitaux propres va s'accroître du montant des prix d'exercice $V + Nq$EX. Dans le même temps, le nombre des titres va s'accroître jusqu'à $N + Nq$. Ainsi, le cours de l'action après exercice des bons de souscription sera :

$$\text{Valeur du titre après exercice : } (V + Nq\text{EX}) / N + Nq$$

À l'échéance, le détenteur du bon de souscription peut soit le laisser expirer, soit l'exercer et recevoir la différence entre le cours de l'action et le prix d'exercice. Donc, la valeur des bons de souscription sera égale au cours de l'action moins le prix d'exercice ou zéro, en fait la valeur qui est la plus élevée. Une autre façon de l'écrire est :

Valeur du bon de souscription à l'échéance = maximum (cours de l'action – prix d'exercice ; zéro)

$$= \text{maximum } [\ (V + Nq\text{EX}) / (N + Nq) - \text{PE} \ ; 0\ ]$$

$$= \text{maximum } [\ (V / N - \text{EX}) / (1 + q) \ ; 0\ ]$$

$$= 1 / (1 + q) \text{ maximum } [\ V / - \text{EX} \ ; 0\ ]$$

Cela nous renseigne sur l'effet de la dilution sur la valeur des bons de souscription. La valeur du bon est la valeur de 1 / (1 + q) options d'achat basées sur une société équivalente à Colle à gènes quant à la valeur V des capitaux propres, *mais sans bons de souscription en circulation*. Le cours de l'action de cette société équivalente serait égal à V/N – c'est-à-dire la valeur totale des capitaux propres de Colle à gènes (V) divisée par le nombre de titres en circulation (N)[20] – et il est plus volatil que le cours de l'action de Colle à gènes. Ainsi, lorsque nous calculons la valeur de l'option d'achat sur cette société équivalente, nous devons utiliser l'écart type des variations de V/N.

Nous pouvons recalculer les valeurs des bons de souscription de Colle à gènes en tenant compte de la dilution. Premièrement, nous trouvons la valeur de l'action d'une société équivalente :

Valeur actuelle des capitaux propres de la société équivalente = V = valeur totale des actifs de Colle à gènes – valeur de la dette = 18 – 5,5 = 12,5 millions d'euros

Valeur actuelle du cours de l'action de la société équivalente = V/N = 12,5 millions / 1 million = 12,5 €

20. Les modifications à prendre en compte du fait de la dilution lors de l'évaluation des bons de souscription furent tout d'abord proposées par F. Black et M. Scholes, « The pricing of Options and Corporate liabilities », *Journal of Political Economy*, 81 (mai-juin 1973), pp. 637-654. Notre démonstration fait suite à une proposition de D. Galai et M. I. Schneller, « Pricing of Warrants and the valuation of the Firm », *Journal of Finance*, 33 (décembre 1978), pp. 1333-1342.

Supposons que l'écart type des variations du cours de l'action de la société équivalente soit $\sigma^* = 0{,}41$[21].

La formule de Black-Scholes donne une valeur de 6,64 € pour une option d'achat sur une action avec un prix d'exercice de 12,50 € et un écart type de 0,41. La valeur des bons de souscription est égale à la valeur de $(1 / 1 + q)$ × valeur de l'option d'achat sur la société équivalente. Par conséquent, la valeur des bons de souscription devient :

$$1 / (1 + q) \times \text{valeur de l'option d'achat sur la société équivalente} = 1/1{,}1 \times 6{,}64 = 6{,}04\ €$$

Cela représente une valeur un peu plus faible que celle que nous avions déterminée en ignorant la dilution, mais elle reste une mauvaise affaire pour Colle à gènes.

Il ne faut pas nécessairement connaître la valeur des bons de souscription si l'on veut pouvoir calculer leur valeur. La formule ne permet pas d'établir leur valeur, mais celle de V, valeur des fonds propres de Colle à gènes (titres plus bons de souscription). Connaissant cela, la formule établit comment la totalité de la valeur des fonds propres doit être répartie entre les actions et les bons de souscription. Supposons qu'un intermédiaire financier vous informe que vous pourriez obtenir 500 000 € de plus en émettant des obligations à bons de souscription d'actions (OBSA) plutôt que des obligations nues. Est-ce un bon prix ? Vous pourrez le vérifier en utilisant la formule de Black-Scholes prenant en compte l'ajustement pour l'effet de la dilution.

Enfin, nous pouvons remarquer que ces modifications sont nécessaires pour appliquer la formule de Black-Scholes à l'évaluation des bons de souscription. Elles ne sont pas nécessaires pour le détenteur d'un bon de souscription qui doit simplement décider s'il doit ou non exercer à l'échéance. Il le fera, évidemment, si le cours de l'action est supérieur au prix d'exercice du bon.

---

21. Comment peut-on calculer concrètement σ^* ? Ce serait facile si nous pouvions attendre jusqu'à ce que les bons de souscription aient été négociés depuis un certain temps. Dans ce cas, σ^* pourrait être calculé à partir de la rentabilité d'un ensemble constitué de *tous* les titres de la société et des bons. Dans le cas présent, nous avons besoin de la valeur des bons *avant* qu'ils ne soient négociés. Nous allons faire comme suit : l'écart type des *actifs* avant l'émission est égal à l'écart type de l'ensemble action ordinaire et dette actuelle. Par exemple, supposons que la dette de la société soit sans risque et que l'écart type de la rentabilité de l'action *avant* l'émission d'OBSA soit de 38 %. Ensuite, nous calculons l'écart type des actifs initiaux comme suit :

$$\text{Écart type de l'actif initial} = \text{ratio des actions sur total passif} \times \text{écart type des actions ordinaires}$$
$$= 12 / 16 \times 38 = 28{,}5\ \%$$

Maintenant, supposons que les actifs après l'émission des bons de souscription soient tout aussi risqués. Alors :
Écart type des actifs après émission = ratio des capitaux propres après émission × écart type des capitaux propres (σ^*)

$$28{,}5 = 12{,}5 / 18 \times \text{écart type des capitaux propres } (\sigma^*)$$

L'écart type des capitaux propres σ^* est = 41 %.
Notons que, dans notre exemple, l'écart type de la rentabilité de l'action *avant* l'émission de bons de souscription était légèrement plus faible que l'écart type de l'ensemble (action ordinaire et bon). Néanmoins, les détenteurs de bons supportent proportionnellement plus de risques que ne le font les actionnaires ; l'ensemble (obligation et bon) pourrait donc soit accroître soit réduire le risque de l'action.

Lectures complémentaires

Les articles classiques concernant l'évaluation des options sont :

F. Black et M. Scholes, « The Pricing of Options and Corporate Liabilities », *Journal of Political Economy*, 81 (mai-juin 1973), pp. 637-654.

R. C. Merton, « Theory of Rational Option Pricing », *Bell Journal of Economics and Management Science*, 4 (printemps 1973), pp. 141-183.

Deux articles accessibles sur le modèle de Black-Scholes :

F. Black, « How We Came up with the Option Formula », *Journal of Portfolio Management*, 15 (1989), pp. 4-8.

F. Black, « The Holes in Black-Scholes », *RISK* Magazine 1 (1988), pp. 27-29.

Il existe toute une série de bons ouvrages sur l'évaluation des options. Entre autres :

J. M. Dalbarade, *Mathématiques des marchés financiers*, 2e éd., Eska, 2000.

J. Hull, *Options, Futures et autres actifs dérivés*, 5e éd., Pearson Education France, 2004.

R. Jarrow et S. Turnbull, *Derivative Securities*, 2e éd., Cincinnati, OH : South-Western, 1999.

R. L. McDonald, *Derivatives Markets*, Reading, MA : Pearson Addison Wesley, 2002.

P. Wilmott, *Paul Wilmott on Quantitative Finance*, New York : John Wiley & Sons, 2000.

Activités

Révision des concepts

1. Pourquoi l'actualisation des cash-flows (DCF) ne fonctionne-t-elle pas pour les options ?
2. Il existe deux façons équivalentes d'évaluer une option. L'une est de créer un portefeuille répliqué. Quelle est la deuxième ?
3. Expliquez ce que signifie l'expression « delta de l'option ».

Tests de connaissances

1. Le prix de l'action Laure & Al ne change qu'une fois par mois : ou il augmente de 20 %, ou il chute de 16,7 %. Son prix actuel est de 40 €. Le taux d'intérêt est de 12,7 % par an, soit environ 1 % par mois.
   - **a.** Quelle est la valeur d'une option d'achat à un mois dont le prix d'exercice est de 40 € ?
   - **b.** Combien vaut le delta de cette option ?
   - **c.** Montrez comment les résultats financiers de cette option peuvent être reconstitués par l'acquisition d'actions Laure & Al et l'obtention d'un emprunt.
   - **d.** Quelle est la valeur d'une option d'achat à deux mois dont le prix d'exercice est de 40 € ?
   - **e.** Combien vaut le delta de cette option à deux mois, au bout d'un mois ?
2. **a.** Le delta d'une option d'achat peut-il être supérieur à 1,0 ? Justifiez.
   - **b.** Peut-il être inférieur à zéro ?
   - **c.** Comment évolue le delta d'une option d'achat lorsque le cours du sous-jacent augmente ?
   - **d.** Comment évolue-t-il si le risque de l'action augmente ?
3. Utilisez les méthodes du portefeuille synthétique et du risque neutre pour valoriser une option d'achat, puis une option de vente à huit mois sur l'action Amgen à un prix d'exercice de 55 $ (voir tableau 20.1). Vous supposerez que le cours d'Amgen est de 60 $.
4. Imaginons que le cours de l'action Amgen puisse augmenter de 25 % ou chuter de 20 % au cours des huit prochains mois (voir section 21.1). Recalculez la valeur de l'option d'achat (prix d'exercice 60 $) en utilisant (a) le portefeuille synthétique, (b) la méthode du risque neutre. Expliquez intuitivement pourquoi la valeur de l'option chute par rapport à celle obtenue à la section 21.1.
5. Pour l'année à venir, le cours de l'action Ars & Laure va diminuer de moitié à 50 € par rapport à son cours actuel de 100 € ou augmenter jusqu'à 200 €. Le taux d'intérêt annuel est de 10 %.
   - **a.** Quel est le delta d'une option d'achat sur l'action Ars & Laure d'échéance un an pour un prix d'exercice de 100 € ?
   - **b.** Utilisez la méthode du portefeuille synthétique pour valoriser l'option d'achat.
   - **c.** Dans un contexte de risque neutre, quelle est la probabilité que le cours de l'action Ars & Laure monte ?

d. Utilisez la méthode du risque neutre pour vérifier votre valorisation de l'option sur Ars & Laure.

e. Si quelqu'un vous informait qu'en réalité il y a 60 % de chances pour que le cours de l'action grimpe jusqu'à 200 €, changeriez-vous votre point de vue sur l'évaluation de l'option ? Justifiez.

6. Utilisez la formule de Black-Scholes pour évaluer les options suivantes :

a. Une option d'achat sur un titre vendu 60 € par action avec un prix d'exercice de 60 €. La volatilité du titre est de 6 % par mois. L'option est à échéance dans trois mois. Le taux d'intérêt sans risque est de 1 % par mois.

b. Une option de vente sur le même titre pour le même mois avec le même prix d'exercice et la même échéance.

Trouvez le portefeuille de synthèse constitué d'actions et d'actifs sans risque qui les réplique.

7. « Une option est toujours plus risquée que le titre sous-jacent dont elle est issue. » Vrai ou faux ? Comment le risque d'une option se modifie-t-il à mesure que le cours de l'action change ?

8. Pour laquelle des options ci-dessous est-il rationnel d'exercer prématurément ? Justifiez brièvement votre réponse.

a. Une option de vente à l'américaine sur une action ne délivrant pas de dividendes.

b. Une option d'achat à l'américaine – le paiement de dividende est de 5 € par an, le prix d'exercice est de 100 €, et le taux d'intérêt est de 10 %.

c. Une option d'achat à l'américaine – le taux d'intérêt est de 10 % et le montant du dividende représente 5 % de la valeur future de l'action. *Indice :* le dividende dépend du cours de l'action, qui peut progresser ou régresser.

Questions et problèmes

1. Comme devoir à la maison sur les dérivés, le professeur de Frank O'Depor demande la valorisation d'une option d'achat d'échéance douze mois sur l'action Port-Chalut. L'action est actuellement négociée à 45 € et présente une volatilité de 24 %. Frank commence par construire un arbre de décision analogue à celui de la figure 21.2, dans lequel le cours augmente ou diminue tous les six mois. Ensuite, il réalise un arbre plus réaliste, en supposant que le cours de l'action augmente ou diminue trois fois, puis quatre fois par an.

a. Construisez ces deux arbres de décision.

b. Comment seraient modifiés ces arbres de décision si la volatilité passait à 30 % ? *Indication :* soyez bien sûr de définir correctement les pourcentages de hausse et de baisse.

2. Soit une action qui peut augmenter de 15 % ou diminuer de 13 % au cours de la prochaine année. Vous détenez une option de vente d'échéance un an. Le taux d'intérêt est de 10 % et la valeur actuelle de l'action est de 60 €.

a. Quel est le prix d'exercice pour lequel vous êtes indifférent au fait de conserver l'option ou de l'exercer dès maintenant ?

b. Comment évolue ce prix d'exercice « critique » lorsque le taux d'intérêt augmente ?

3. Le cours de l'action Mines de la Moria est de 100 €. Au cours de chacun des deux prochains semestres, ce cours pourrait progresser de 25 % ou chuter de 20 %. Cela équivaut à un écart type annuel de 31,5 %. À la fin du premier semestre, la société versera un dividende de 20 €. Le taux d'intérêt est de 10 % pour une période de six mois. Quelle est la valeur d'une option d'achat à l'américaine d'une durée d'un an et avec un prix d'exercice de 80 € ? Recalculez la valeur de l'option en supposant que le dividende sera équivalent à 20 % du cours de l'action avec versement du dividende.

4. Le cours de l'action Heavy Metal (HM) est de 220 €, il pourrait doubler ou être divisé par deux au cours de chaque semestre (soit un écart type annuel de 98 %). Une option d'achat à un an sur HM a un prix d'exercice de 165 €. Le taux d'intérêt est de 21 % l'an.
   a. Quelle est la valeur de l'option d'achat sur le titre Heavy Metal ?
   b. Déterminez maintenant le delta de l'option pour le second semestre si (1) le cours de l'action augmente jusqu'à 440 € et (2) si le cours diminue jusqu'à 110 €.
   c. Comment varie le delta de l'option d'achat en fonction du niveau du cours de l'action ? Expliquez intuitivement pourquoi.
   d. Supposons que dans six mois le cours de l'action soit de 110 €. Comment à ce moment pourriez-vous répliquer un investissement dans l'action en combinant des options d'achat et un emprunt au taux d'intérêt sans risque ? Montrez que votre stratégie procure effectivement la même rentabilité que l'investissement direct dans l'action.
5. Vous détenez une option de vente à l'américaine sur le titre Heavy Metal (voir question 4) dont le prix d'exercice est de 220 €.
   a. Y a-t-il une chance pour que vous souhaitiez exercer préalablement votre option ?
   b. Calculez la valeur de l'option de vente.
   c. Comparez cette valeur avec celle d'une option de vente à l'européenne équivalente.
6. Reprenez le calcul de la valeur de l'option d'achat sur Heavy Metal (voir question 4), en supposant que l'option est à l'américaine et qu'à l'issue du semestre, la société verse un dividende de 25 € : le prix à la fin de l'année a doublé ou est divisé par deux par rapport au prix avant mise en paiement du dividende à la fin du premier semestre. Comment serait modifiée votre réponse s'il s'agissait d'une option à l'européenne ?
7. Supposons que vous déteniez une option qui vous permette de vendre l'action Heavy Metal (voir question 4) au bout de six mois à 165 €, ou de l'acheter au bout de douze mois, toujours pour 165 €. Quelle serait la valeur de cette option particulière ?
8. Le cours actuel de l'action Contrebasses électriques SA est de 100 €. Au cours de chaque semestre, le cours peut augmenter de 11,1 % ou chuter de 10 % (soit un écart type annuel de 14,9 %). Le taux d'intérêt semestriel est de 5 %.
   a. Calculez la valeur d'une option de vente à l'européenne d'échéance un an sur le titre Contrebasses électriques dont le prix d'exercice est de 102 €.
   b. Reprenez le calcul de la valeur de l'option de vente en supposant qu'il s'agit d'une option à l'américaine.
9. Le cours actuel de l'action Presse-Citrouilles est de 200 €. L'écart type annuel est de 22,3 % et le taux d'intérêt annuel est de 21 %. Une option d'achat d'échéance annuelle a un prix d'exercice de 180 €.
   a. Utilisez la formule de Black-Scholes pour évaluer l'option d'achat sur Presse-Citrouilles.
   b. Utilisez la formule présentée dans la section 21.2 pour déterminer les coefficients haussier et baissier que vous auriez à utiliser si vous souhaitiez évaluer l'option par la méthode binomiale à une période. Évaluez l'option à l'aide de cette méthode.
   c. Reprenez le calcul des coefficients haussier et baissier et réévaluez l'option par la méthode binomiale à deux périodes.
   d. Utilisez une partie de votre réponse à la question (c) pour déterminer le delta de l'option (1) aujourd'hui, (2) à la prochaine période si le cours augmente et (3) à la prochaine période si le cours diminue. Indiquez, dans chaque cas, comment vous pourriez répliquer une option d'achat à l'aide d'une acquisition du titre financée par emprunt.
10. Supposons que vous adoptiez une position couverte constituée de l'achat financé par emprunt d'un nombre delta de titres sous-jacents et de la vente d'une seule option d'achat. À mesure que le prix du sous-jacent évolue, le delta de l'option change et vous devez ajuster votre position

couverte. Vous pouvez minimiser le coût de ces ajustements lorsque des variations du cours de l'action ont peu d'effet sur le delta de l'option. Construisez un cas pour illustrer comment le delta de l'option va évoluer selon que l'option est « à la monnaie », « hors la monnaie » ou « dans la monnaie ».

11. Toutes choses égales par ailleurs, laquelle de ces options à l'américaine préféreriez-vous exercer prématurément ?

a. Une option de vente sur un titre qui délivre un fort dividende ou une option d'achat sur le même titre ?

b. Une option de vente sur un titre qui se négocie au-dessous du prix d'exercice ou une option d'achat sur le même titre ?

c. Une option de vente lorsque le taux d'intérêt est élevé ou la même option de vente lorsque le taux d'intérêt est bas ?

Illustrez vos réponses à l'aide d'exemples, et en utilisant la méthode binomiale à deux périodes.

12. Est-il préférable d'exercer une option d'achat avant ou après versement du dividende ? Qu'en est-il pour l'option de vente ? Expliquez.

Combien devez-vous dépenser pour évaluer le prix de l'option ? Justifiez.

13. Prenez dans un journal la composition de l'indice Euronext 100. Choisissez trois sociétés. Pour chacune d'elles, construisez un cours mensuel ajusté sur une feuille de tableur[22]. Calculez l'écart type des rendements mensuels à partir des informations fournies par la feuille. La fonction de tableur est ECARTYPE. Annualisez l'écart type mensuel en multipliant ce dernier par la racine carrée de douze.

a. Utilisez la formule de Black-Scholes pour évaluer une option d'achat à trois, six et neuf mois pour chacune des sociétés. Vous supposerez que le prix d'exercice est égal au cours de Bourse actuel et vous utiliserez un taux d'intérêt annuel sans risque.

b. Pour chaque action, choisissez une option qui a été négociée avec un prix d'exercice à peu près égal au cours de Bourse de l'action. Utilisez la formule de Black-Scholes et votre estimation de la volatilité pour évaluer cette option. Votre résultat est-il proche du cours de l'option que vous avez choisie ?

c. Votre réponse à la question b ne correspondra pas complètement au prix réel constaté sur un marché. Essayez différentes valeurs pour l'écart type jusqu'à ce que votre résultat soit très proche du prix réel des options. Quelles sont les volatilités implicites ? Qu'indiquent ces volatilités implicites sur les prévisions des investisseurs quant à la volatilité future ?

14. Abordons une question sur la dilution. Baignoires lyophilisées SA a mis en circulation 2 000 actions avec une valeur de marché totale de 20 000 € plus 1 000 bons de souscription dont la valeur de marché totale s'élève à 5 000 €. Chaque bon donne à son détenteur le droit d'acheter une action à 20 €.

a. Pour évaluer les bons de souscription, vous avez tout d'abord besoin d'évaluer une option d'achat sur une autre action. Comment allez-vous calculer son écart type ?

b. Supposons que la valeur d'une option d'achat sur cette deuxième action est de 6 €. Les bons de souscription Baignoires lyophilisées sont-ils sous-évalués ou surévalués ?

15. Revenez à la section 4. Construisez une feuille de tableur avec la formule de Black-Scholes pour :

a. Vérifier la valeur des stock-options octroyées aux cadres de Microsoft.

b. Estimer la valeur des bons de souscription de types A et B de Kindred Healthcare en supposant un écart type annuel de 60 % et un taux d'intérêt (annuellement composé) de 3,5 %.

---

22. Microsoft Excel ou OpenOffice Calc.

16. Bâtissez une feuille de tableur avec la formule de Black-Scholes pour estimer combien vous devriez payer pour assurer la valeur du portefeuille de fonds de pension au cours de l'année à venir. Faites des hypothèses raisonnables sur la volatilité du marché et utilisez les taux d'intérêt actuels. N'oubliez pas de soustraire la valeur actuelle des versements probables de dividendes du niveau actuel de l'indice de marché.

Problèmes avancés

1. Utilisez la formule qui relie les valeurs des options d'achat et des options de vente (voir section 21.1) et le modèle binomial à une période pour démontrer que le delta d'une option de vente est bien égal au delta d'une option d'achat moins « un ».

2. Montrez comment évolue le delta d'une option à mesure que le cours du sous-jacent augmente par rapport au prix d'exercice. Expliquez sans calculs complexes (Que se passe-t-il pour le delta d'une option lorsque le prix d'exercice de l'option est zéro ? Que se passera-t-il si le prix d'exercice tend vers l'infini ?).

3. Votre entreprise vient juste de vous récompenser avec un plan de stock-options généreux. Vous pensez que le conseil d'administration va augmenter le dividende ou annoncer un programme de rachat d'actions. Que souhaitez-vous secrètement qu'il choisisse ? Justifiez (en vous reportant au chapitre 16).

4. Certaines sociétés ont émis des bons de souscription *perpétuels*. Les bons de souscription sont des options d'achat émises par une entreprise permettant à leurs détenteurs d'acheter des actions de l'entreprise. Nous aborderons les bons de souscription au chapitre 25. Pour le moment, nous nous focaliserons sur une option d'achat perpétuelle.

a. Que prédit la formule de Black-Scholes sur la valeur d'une option d'achat éternelle d'une action ne versant pas de dividendes ? Expliquez la valeur obtenue. (*Indice :* qu'arrive-t-il à la valeur actuelle du prix d'exercice d'une option à échéance lointaine ?)

b. Pensez-vous que cette prédiction soit réaliste ? Si ce n'est pas le cas, expliquez avec soin pourquoi. (*Indice :* une raison parmi d'autres : si le prix d'une action d'une entreprise a suivi la marche aléatoire supposée par Black-Scholes, l'entreprise peut-elle faire faillite avec un prix de l'action égal à 0 ?)

Mini-cas

Ce fut une année très décevante pour Luc Ratif, le responsable de la clientèle privée de la Banque Route (Transylvanie). Bien sûr, l'activité clientèle privée a gagné de l'argent, mais il n'y a pas eu de progression en 2005. La banque a beaucoup de déposants fidèles, mais seulement quelques nouveaux clients.

Luc Ratif pense à quelque chose depuis un certain temps : proposer que les clients de la banque puissent investir de l'argent en Bourse simplement et *sans risque*. Comment faire pour qu'ils profitent des hausses de la Bourse – ou, à tout le moins, d'une partie de ces hausses – et pas des baisses ?

Luc imagine la publicité :

« Aimeriez-vous investir en actions transylvaniennes sans aucun risque ? Vous pouvez le faire avec le nouveau *fonds indexé sur actions* de la Banque Route. Vous profiterez des meilleures années, vous éviterez les mauvaises.

Voici comment ça marche. Vous déposez chez nous 100 € pour un an. À la fin de cette période, vous récupérez 100 € plus 5 € pour chaque hausse de 10 % de la valeur de l'indice boursier transylvanien. Et si l'indice boursier chute au cours de cette période, la banque vous reversera en totalité les 100 €.

Il n'y a pas de risque de perte. La Banque Route est votre garantie. »

Luc a déjà lancé l'idée et n'a rencontré que scepticisme et dérision : « Face ils gagnent, pile on perd. C'est bien ce que vous proposez, agent Ratif ? » Luc n'avait pas de réponse toute prête. Est-ce que la banque pouvait proposer un produit aussi attractif ? Comment devait-il placer l'argent confié par ses clients ?

Il a travaillé ces questions au cours des deux dernières semaines, sans parvenir à élaborer une réponse satisfaisante. Il estime que le marché boursier transylvanien est actuellement correctement évalué, mais il sait que certains de ses collègues sont plus optimistes que lui quant à la hausse future des actions.

Heureusement, la banque vient de recruter un jeune diplômé de l'enseignement supérieur, Marc Etting. Marc est certain de pouvoir répondre aux questions de Luc Ratif. Il a collecté des données sur le marché boursier pour se faire une première idée de la manière dont le fonds indexé pourrait fonctionner. Ces données sont reprises dans le tableau 21.3. Il vient juste de commencer quelques calculs rapides lorsqu'il reçoit un mail de Luc :

« Marc, j'ai eu une autre idée. Un bon nombre de nos clients pensent comme moi que le marché est actuellement surévalué. Pourquoi ne pas aussi leur fournir une opportunité de gagner de l'argent en proposant un "fonds pour marché baissier" ? Si le marché progresse, ils ne feront que récupérer leur mise de fonds de 100 €. S'il baisse, ils retrouveront leurs 100 €, plus 5 € pour chaque baisse de 10 % de l'indice boursier. Pouvez-vous me dire si nous pourrions faire quelque chose comme ça ? »

Question

1. Quelle sorte d'option Luc Ratif est-il en train de proposer ? À combien serait valorisée l'option ? Est-ce que les fonds « indexés actions » et « pour marché baissier » peuvent rapporter de l'argent à la Banque Route ?

Tableau 21.3. Taux d'intérêt et rendement des actions en Transylvanie 1986-2005

Année	Taux d'intérêt	Rendement du marché	Taux de dividende de fin d'année
1986	13,3	–20,2	4,5
1987	14,6	–10,7	5,6
1988	11,1	70,1	4,0
1989	11,0	–4,8	5,1
1990	15,3	46,5	4,6
1991	15,4	47,7	3,9
1992	12,8	1,6	4,8
1993	12,1	16,8	5,4
1994	16,8	19,9	5,5
1995	14,2	–14,1	6,0
1996	10,0	37,8	3,8
1997	6,3	–0,5	3,8
1998	5,0	38,7	3,2
1999	5,7	–6,8	4,1

Tableau 21.3. Taux d'intérêt et rendement des actions en Transylvanie 1986-2005 (...)

Année	Taux d'intérêt	Rendement du marché	Taux de dividende de fin d'année
2000	7,6	17,3	3,9
2001	7,0	10,4	3,6
2002	5,3	10,3	3,6
2003	4,8	14,5	3,8
2004	4,7	13,8	3,5
2005	5,9	–0,9	3,2

Chapitre 22

Les options réelles

Lorsque vous utilisez les cash-flows actualisés (*discounted cash-flows,* DCF) pour évaluer un projet, vous supposez implicitement que votre entreprise va gérer celui-ci passivement. En d'autres termes, vous ignorez les options réelles qui lui sont attachées, ces options dont les dirigeants performants peuvent tirer profit. Vous pourriez dire que la méthode DCF ne reflète pas la valeur de l'équipe dirigeante. Les dirigeants qui détiennent des options réelles peuvent réagir, c'est-à-dire prendre des décisions pour amplifier les bons résultats et alléger les pertes. L'opportunité de prendre de telles décisions ajoute sans conteste de la valeur lorsque les revenus du projet sont incertains.

Le chapitre 10 a introduit les quatre principales catégories d'options réelles :

- l'option de poursuite d'investissement si le projet d'investissement immédiat est un succès ;
- l'option d'attendre (et d'apprendre) avant d'investir ;
- l'option de réduction ou d'abandon de projet ;
- l'option de modification du volume de production de l'entreprise ou de ses méthodes de production.

Il a fourni quelques exemples simples d'options réelles. Nous vous avons également montré comment utiliser les arbres de décision pour dégager les revenus futurs possibles et les décisions à prendre. Mais nous ne vous avons pas montré comment évaluer ces options réelles. C'est l'objet de ce chapitre. Nous allons appliquer les concepts et les principes d'évaluation appris dans le chapitre 21.

Dans la plupart des cas, nous allons travailler avec des exemples numériques simples. Mais nous allons aussi vous présenter les résultats de quelques exemples plus compliqués, comprenant :

- une stratégie d'investissement dans le secteur de l'informatique ;
- l'évaluation d'une option d'achat sur un avion ;
- l'option de développement de l'immobilier commercial ;
- la décision d'exploiter ou de mettre en réserve un pétrolier.

Ces exemples montrent de quelle manière les dirigeants évaluent les options réelles dans la réalité.

1 La valeur des opportunités d'expansion d'un investissement

Nous sommes en 1982. Vous êtes l'assistant du directeur financier de Blitzen Computers, un fabricant d'ordinateurs qui observe d'un œil curieux le développement rapide du marché des ordinateurs personnels. Vous devez aider le directeur financier à évaluer le lancement de l'ordinateur « Blitzen Mark I ».

Le tableau 22.1 présente les cash-flows prévus et la VAN de ce projet. Malheureusement, le projet ne peut atteindre le taux de rentabilité exigé habituellement chez Blitzen (20 %), et présente une VAN négative de 46 millions d'euros. Or, les dirigeants sont convaincus que Blitzen devrait s'implanter sur le marché des micro-ordinateurs. Le directeur financier vous a appelé pour discuter du projet :

> « Mark I ne peut se justifier d'un point de vue financier », dit-il, « mais nous devons le lancer pour des raisons stratégiques. Je préconise que nous poursuivions le projet. »
>
> « Mais vous oubliez un aspect financier très important, chef », répondez-vous.
>
> « Ne m'appelez pas chef. Quel aspect financier ? »
>
> « Si nous ne lançons pas Mark I, il sera très difficile d'entrer sur le marché des ordinateurs personnels plus tard lorsque Apple, IBM et d'autres seront fermement installés. Si nous prenons le risque de le lancer, nous pourrons poursuivre un investissement qui pourrait se révéler extrêmement rentable. Mark I ne fournit pas seulement ses propres cash-flows, mais aussi une *option d'achat* pour lancer les micro-ordinateurs Mark II. Cette option d'achat est la vraie source de valeur stratégique. »
>
> « D'accord, vous appelez ma "raison stratégique" une "option d'achat", mais ça ne me dit pas combien vaut l'investissement dans Mark II. Ce pourrait être un grand projet ou bien un fiasco. Nous n'en savons rien. »
>
> « C'est dans ce cas qu'une option d'achat présente le plus de valeur ! », faites-vous remarquer avec brio. « L'option d'achat vous laisse la possibilité d'investir dans Mark II si ça vaut le coup et de laisser tomber si c'est un fiasco. »
>
> « Alors quelle en est la valeur ? »
>
> « Difficile à dire avec précision, mais j'ai fait un petit calcul rapide qui indique que la valeur de l'option à investir dans Mark II pourrait largement compenser la VAN négative de 46 millions d'euros de Mark I (les calculs sont présentés dans le tableau 22.2). Si l'option d'investissement vaut 55 millions d'euros, la valeur totale de Mark I est constituée de sa propre VAN, –46 millions d'euros, plus les 55 millions d'euros pour l'option qui lui est attachée, soit +9 millions d'euros. »

Tableau 22.1. Résumé des cash-flows du projet Mark I (en millions d'euros)

Les données de ce tableau, comme celles de tous les tableaux de ce chapitre, sont disponibles sur *www.gestion financiere.pearsoned.fr*

	Années					
	1982	**1983**	**1984**	**1985**	**1986**	**1987**
Cash-flows d'exploitation nets d'impôt (1)		+110	+159	+295	+185	0
Investissement (2)	450	0	0	0	0	0
Variation du besoin en fonds de roulement (3)	0	50	100	100	–125	–125
Cash-flows nets (1) – (2) – (3)	–450	+60	+59	+195	+310	+125

VAN à 20 % = –46,45 soit environ –46 millions

Tableau 22.2. Évaluation de l'option d'investissement dans le micro-ordinateur Mark II

Hypothèses :

1. La décision d'investir dans Mark II devra être prise en 1985.
2. La taille de l'investissement dans Mark II est le double de celle de Mark I. L'investissement nécessaire est de 900 millions d'euros (prix d'exercice considéré comme une donnée fixe).
3. Les cash-flows issus du projet Mark II représentent aussi le double de ceux de Mark I, avec une valeur actuelle d'environ 807 millions d'euros en 1985, soit $807 / (1{,}20)^3 = 463$ millions d'euros en 1982.
4. La valeur future des cash-flows de Mark II est très incertaine. Cette valeur évolue comme le cours d'une action dont l'écart type annuel est de 35 %.
5. Le taux d'intérêt annuel est de 10 %.

Interprétation :
L'opportunité d'investir dans Mark II est une option d'achat à trois ans sur un actif dont la valeur actuelle est de 467 millions d'euros et dont le prix d'exercice est de 900 millions d'euros.

Évaluation :

$$\text{Valeur actuelle du prix d'exercice} = \text{VA(PE)} = \frac{900}{(1{,}1)^3} = 676$$

$$\text{Valeur de l'option d'achat} = [N(d_1) \times P] - [N(d_2) \times \text{VA(PE)}]$$

$$d_1 = \text{Log}[P/\text{VA(PE)}]/\sigma (t)^{1/2} + \sigma(t)^{1/2}/2$$

$$d_1 = \text{Log}[0{,}691]/0{,}606 + 0{,}606 / 2 = -0{,}3072$$

$$d_2 = d_1 - \sigma(t)^{1/2} = -\,0{,}3072 - 0{,}606 = -0{,}9134$$

$$N(d_1) = 0{,}3793,\ N(d_2) = 0{,}1805$$

$$\text{Valeur de l'option d'achat} = [0{,}3793 \times 467] - [0{,}1805 \times 676] = 55{,}12 \text{ millions d'euros}$$

« Vous surestimez le projet Mark II », répond le directeur financier sur un ton bourru. « C'est facile d'être optimiste pour un investissement qui ne débutera que dans trois ans. »

« Non, non », répondez-vous avec patience. « Le projet Mark II ne devrait pas être plus rentable que le projet Mark I. Il sera juste deux fois plus élevé et, par conséquent, deux fois plus mauvais en termes de cash-flows actualisés. J'estime *qu'en moyenne* il aura une VAN négative d'environ 100 millions d'euros. Mais il y a une chance pour que Mark II soit extrêmement profitable. L'option d'achat fournit à Blitzen la possibilité d'encaisser ces profits en cas de succès. Cela devrait bien valoir 55 millions d'euros. Bien sûr, ces 55 millions sont une évaluation approximative, mais ça illustre que les opportunités d'investissement peuvent avoir de la valeur, surtout si l'incertitude est grande et si le marché progresse rapidement. De plus, le projet Mark II nous procurera une option d'achat sur Mark III, et le Mark III sur le Mark IV, etc. Mes calculs ne tiennent pas compte de ces options d'achat supplémentaires. »

« Je crois que je commence un peu à comprendre la stratégie d'entreprise », marmonne le directeur financier.

1.1 Questions et réponses concernant Blitzen Mark II

Question : Je sais comment utiliser la formule de Black-Scholes pour évaluer des options d'achat de titres, mais ce cas me semble plus difficile. Quelle valeur choisir pour le cours du sous-jacent ? Je ne vois aucune valeur cotée.

Réponse : Avec les options d'achat sur titres, vous pouvez repérer la valeur de l'actif sous-jacent parce qu'il y a « option d'achat » écrit dessus. Dans notre cas, il s'agit d'une option pour acheter un actif réel non négociable, le Mark II. On ne peut observer sa valeur ; nous devons la calculer. Les cash-flows prévus pour Mark II sont repris dans le tableau 22.3. Le projet comprend une dépense initiale de 900 millions en 1985. Les flux de trésorerie débutent l'année suivante et ont une valeur actuelle de 807 millions en 1985, ce qui équivaut à 467 millions en 1982 (voir tableau 22.3). De cette manière, l'option réelle pour investir dans Mark II s'apparente à une option d'achat à trois ans sur un actif sous-jacent qui vaut 467 millions, avec un prix d'exercice de 900 millions. Vous observez que l'analyse des options réelles ne remplace pas les cash-flows actualisés.

Question : Dans le tableau 22.2, on utilisait un écart type de 35 % par an. D'où vient cette valeur ?

Réponse : Nous vous proposons d'observer des projets comparables, des actions négociées sur un marché avec des risques industriels analogues à notre opportunité d'investissement[1]. Pour Mark II, la comparaison idéale correspondrait à une valeur de croissance dans le domaine de l'informatique personnelle ou un échantillon plus large de valeurs du secteur des hautes technologies. Utilisez l'écart type des bénéfices d'entreprises comparables pour cerner le risque de l'opportunité d'investir[2].

Tableau 22.3. Les cash-flows du micro-ordinateur Mark II (en millions d'euros), prévus en 1982

	Années							
	1982		1985	1986	1987	1988	1989	1990
Cash-flows d'exploitation nets d'impôt				+220	+318	+590	+370	0
Augmentation du besoin en fonds de roulement				100	200	200	–250	–250
Cash-flows nets				+120	+118	+390	+620	+250
Valeur Actuelle à 20 %	+467	⟵	+807					
Investissement à 10 %	+676	⟵	–900					
VAN prévue en 1985			–93					

1. Vous pouvez aussi utiliser l'analyse des scénarii, que nous avons décrite dans le chapitre 10. Dégagez « le meilleur » et « le pire » pour faire apparaître l'étendue des valeurs futures possibles. Ensuite, trouvez l'écart type annualisé qui se traduirait par cette différence sur la durée de vie de l'option. Pour Mark II, une amplitude de 300 millions à 2 milliards d'euros couvrirait 90 % des revenus possibles. Cette étendue, reprise à la figure 22.1, est cohérente avec un écart type de 35 %.

2. Soyez sûr de ne pas influer sur les écarts types, en éliminant la volatilité issue du financement de la dette. Le chapitre 9 a traité des procédures de non-manipulation de bêta. Les mêmes principes s'appliquent pour l'écart type : vous souhaitez connaître l'écart type d'un portefeuille constitué de toute la dette et des fonds propres émis par une société comparable.

Question : Dans le tableau 22.3, on actualise les cash-flows de Mark II au taux de 20 %. Je comprends ce taux d'actualisation élevé, parce que le projet Mark II est risqué. Mais pourquoi l'investissement de 900 millions est-il actualisé au taux sans risque de 10 % ?

Réponse : Black et Scholes ont supposé que le prix d'exercice était fixe, et certain. Nous appliquons donc leur raisonnement. Si le prix d'exercice était incertain, vous pourriez changer pour une formule d'évaluation légèrement plus compliquée[3].

Question : Si je devais décider en 1982, une fois pour toutes, d'investir ou non dans Mark II, je ne le ferais pas. Est-ce correct ?

Réponse : Correct. La valeur actuelle nette de la décision d'investir dans Mark II est négative :

$$\text{VAN (1982)} = \text{VA (flux encaissés)} - \text{VA (investissement)}$$
$$= 467\ € - 676\ € = -209 \text{ millions d'euros}$$

L'option d'investissement dans Mark II est « hors la monnaie » parce que la valeur de Mark II est plus faible que l'investissement nécessaire. Néanmoins, l'option est évaluée à 55 millions. C'est essentiellement dû au fait que Mark II est un projet risqué qui présente beaucoup de gains potentiels. La figure 22.1 illustre la probabilité de distribution des valeurs actuelles de Mark II en 1985. Le revenu espéré (la moyenne) est notre prévision de 807 millions[4], mais la valeur actuelle pourrait dépasser 2 milliards.

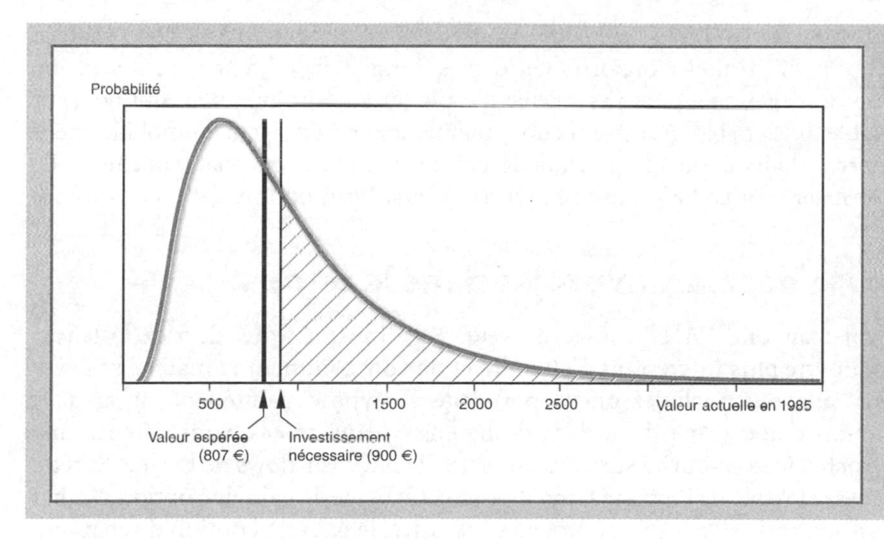

Figure 22.1 - La distribution montre l'éventail des possibilités de valeurs actuelles du projet Mark II en 1985. La valeur espérée est d'environ 800 millions, moins la valeur de l'investissement nécessaire de 900 millions. L'option d'investissement devient rentable dans la zone hachurée au-dessus de 900 millions.

3. Lorsque l'investissement nécessaire est incertain, vous avez, en fait, une option pour échanger un actif risqué (la valeur future du prix d'exercice) pour un autre (la valeur future des cash-flows encaissés par le projet Mark II). Voir W. Margrabe, « The value of an Option to Exchange One Asset for Another », *Journal of Finance*, 33 (mars 1978), pp. 177-186.

4. Nous avons dessiné les valeurs futures de Mark II sous la forme d'une distribution lognormale, en accord avec les hypothèses de la formule de Black-Scholes. Les distributions lognormales sont asymétriques vers la droite, de sorte que le résultat moyen est plus élevé que le résultat le plus vraisemblable (le plus vraisemblable est le point le plus élevé de la distribution des probabilités).

Question : Est-ce que cela pourrait se situer loin en dessous de 807 millions ?

Réponse : Ce cas défavorable n'a pas de sens, puisque Blitzen n'investira pas à moins que la valeur actuelle de Mark II ne devienne supérieure à 900 millions. Le revenu net de l'option est nul pour toutes les valeurs inférieures à 900 millions.

Dans une analyse de cash-flows actualisés (DCF), vous actualisez le revenu espéré de 807 millions, qui égalise les situations défavorables et favorables, les mauvais résultats et les bons. La valeur d'une option d'achat ne dépend que des cas favorables. Vous voyez qu'il y a danger à essayer d'évaluer un investissement futur avec les DCF.

Question : Quelle est la règle de décision ?

Réponse : La valeur actuelle ajustée. Le projet Mark I coûte 46 millions (VAN = – 46 millions), mais on l'accepte parce qu'il compte une option de poursuite pour le projet Mark II. Cette option de poursuite est évaluée à 55 millions, d'où :

$$\text{VAN} = -46 + 55 = +9 \text{ millions}$$

Bien sûr, nous n'avons pas pris en compte les autres opportunités de poursuite. Si les projets Mark I et Mark II sont des succès, il y aura une option pour investir dans Mark III, peut-être dans Mark IV, etc.

1.2 D'autres options d'expansion

Vous pensez probablement qu'il y a beaucoup d'autres cas où les entreprises dépensent de l'argent aujourd'hui pour profiter d'opportunités dans le futur. Telle entreprise peut acquérir des droits dans un domaine qu'il n'est pas valable d'exploiter aujourd'hui, mais qui pourrait devenir très rentable si les prix de sa production augmentaient. Un agent immobilier peut investir dans un terrain loin de tout qui pourrait devenir un centre commercial si une nouvelle autoroute était construite. Dans chaque cas, l'entreprise acquiert une option réelle d'expansion.

2 L'option de décaler un projet dans le temps

Le fait qu'un projet ait une VAN positive ne veut pas dire que vous devriez le lancer aujourd'hui. Il peut être plus intéressant d'attendre et de voir comment le marché se développe. Supposons que vous analysiez une opportunité du type « maintenant ou jamais » pour la construction d'une usine de sorbets de harengs. Dans ce cas, vous détenez une option d'achat proche de sa maturité sur la valeur actuelle des cash-flows de l'usine. Si cette valeur prévue dépasse le coût de l'investissement pour cette usine, le gain de l'option d'achat sera la VAN du projet. Mais si la VAN du projet est négative, le gain de l'option d'achat sera nul, car la société ne s'engagera pas dans cet investissement.

Maintenant, supposons que vous puissiez retarder la construction de l'usine. Vous détenez toujours une option d'achat, mais vous êtes face à un dilemme. Lorsque le résultat est hautement incertain, il est tentant d'attendre pour voir si le marché des sorbets de harengs décolle ou non. D'un autre côté, si le projet est vraiment rentable, plus vite vous capturerez les cash-flows du projet, mieux ce sera. Si ces derniers sont suffisamment élevés, vous voudrez exercer votre option tout de suite.

Les cash-flows d'un projet d'investissement jouent le même rôle que les dividendes pour une action. Lorsque l'action ne délivre pas de dividendes, une option d'achat à l'américaine aura toujours plus de valeur vivante que morte et ne devrait jamais être exercée prématurément.

Mais le paiement d'un dividende avant la maturité de l'option réduit le prix de l'actif et les gains possibles à l'échéance de l'option. Envisageons un cas extrême : si une société vend tous ses actifs pour payer un dividende exceptionnel, le cours de l'action doit être nul et l'option d'achat sera sans valeur. Ainsi, toute option d'achat « dans la monnaie » devrait être exercée juste avant la mise en paiement d'un tel dividende exceptionnel.

Les dividendes n'engendrent pas toujours d'exercice prématuré, mais s'ils sont suffisamment importants, les détenteurs d'option d'achat se les approprient en exerçant leur option juste avant la date de distribution. Nous voyons des dirigeants agir de la même manière : lorsque les cash-flows anticipés d'un projet d'investissement sont suffisamment importants, ils les « capturent » en investissant immédiatement[5]. Mais, lorsque les flux sont faibles, ils ont tendance à conserver leur option d'achat plutôt qu'à investir, même si la VAN du projet est positive[6]. Cela explique pourquoi ils sont parfois réticents à lancer des projets à VAN positive. Cette prudence est rationnelle tant que l'option d'attente reste possible et suffisamment valable.

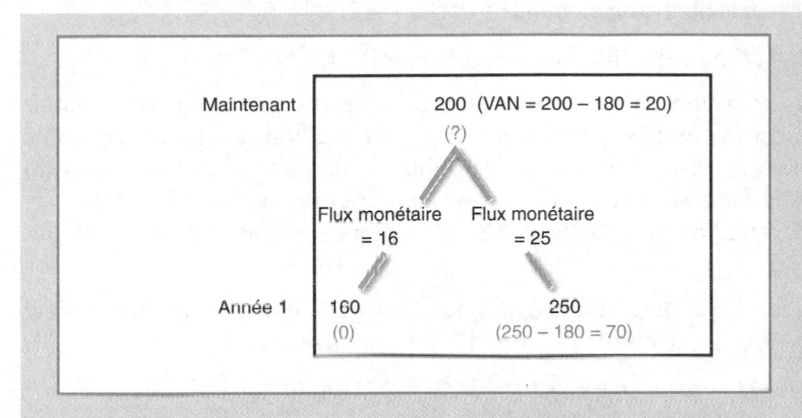

Figure 22.2 - Les cash-flows possibles et les valeurs de fin de période pour la première année du projet sorbets de harengs sont représentés en noir. Le projet coûte 180 millions, maintenant comme plus tard. Les valeurs en bleu entre parenthèses montrent les résultats d'une option pour attendre et investir plus tard si le projet a une VAN positive à l'année 1. Attendre entraîne la perte du premier cash-flow pour l'entreprise. Le problème consiste à dégager la valeur actuelle de l'option.

2.1 L'évaluation de l'option sur sorbets de harengs

La figure 22.2 représente les différents cash-flows possibles et les valeurs en fin d'année pour le projet. Si vous faites un investissement de 180 millions, la valeur actuelle du projet sera de 200 millions d'euros. Si la demande est faible au cours de la première année, le cash-flow ne sera que de 16 millions d'euros et la valeur du projet chutera à 160 millions d'euros. Mais si la demande est forte, le cash-flow passera à 25 millions d'euros et la valeur du projet à 250 millions d'euros. Bien que le projet ait une durée infinie, nous supposerons que l'investissement ne peut être retardé au-delà de la fin de la première année. Si vous entreprenez

5. Dans ce cas, la valeur de l'option d'achat est égale à sa limite basse parce qu'elle est exercée immédiatement.

6. Nous avons été un peu flous quant aux « cash-flows anticipés du projet ». Si les investisseurs peuvent saisir et emporter des liquidités que vous auriez pu gagner, l'explication est claire. Mais qu'en est-il de la décision concernant l'exploitation d'un gisement pétrolier ? Choisir maintenant de retarder le projet ne se traduit pas par la perte de barils de pétrole dans le sol ; cela implique simplement un retard de la production et des cash-flows qui lui sont associés. Le coût de l'attente correspond à la diminution de la valeur actuelle aujourd'hui des revenus de la production. La valeur actuelle diminue lorsque le taux d'accroissement futur des prix du pétrole n'est pas suffisamment élevé, c'est-à-dire si le prix actualisé du pétrole est plus faible que son prix actuel.

l'investissement rapidement, vous vous appropriez le cash-flow (16 ou 25 millions d'euros) ; si vous attendez, vous ratez ce cash-flow, mais vous aurez plus d'informations sur la manière dont le projet peut évoluer.

Nous pouvons utiliser la méthode binomiale pour évaluer cette option. La première étape consiste à supposer que les investisseurs sont neutres face au risque et à déterminer les probabilités de forte et faible demandes dans ce cas. Si la demande est élevée, l'usine de sorbets de harengs présente un cash-flow de 25 millions d'euros et une valeur de fin d'année de 250 millions d'euros. La rentabilité totale est (25 + 250)/200 – 1 = 0,375 ou 37,5 %. Si la demande est faible, l'usine présente un cash-flow de 16 millions d'euros et une valeur en fin d'année de 160 millions d'euros. La rentabilité totale est (16 + 160) / 200 – 1 = –0,12 ou –12 %. Dans un univers de neutralité face au risque, la rentabilité attendue devrait être égale au taux d'intérêt, que nous fixerons à 5 % :

$$\text{Rentabilité attendue} = (\text{probabilité de demande forte}) \times 37{,}5\ \% + (1 - \text{probabilité de demande forte}) \times (-12\ \%) = 5\ \%$$

On obtient la probabilité (simulée) d'une forte demande, soit 34,3 %.

Nous souhaitons valoriser l'option d'achat sur ce projet avec un prix d'exercice de 180 millions d'euros. Nous commençons comme d'habitude par la fin et travaillons à rebours. Le bas de la figure 22.2 reprend les valeurs possibles de cette option à la fin de l'année. Si la valeur du projet est de 160 millions d'euros, l'option d'investissement est sans valeur. À l'opposé, si la valeur du projet est de 250 millions d'euros, la valeur de l'option est de 250 – 180 = 70 millions d'euros.

Pour déterminer la valeur de l'option aujourd'hui, nous allons établir les gains anticipés et les actualiser au taux de 5 %. La valeur de l'option d'investissement sera :

$$[(0{,}343 \times 70) + (0{,}657 \times 0)]\ /\ 1{,}05 = 22{,}9 \text{ millions}$$

Combien vaut l'opportunité d'exercer l'option immédiatement ? L'option est évaluée à 22,9 millions d'euros si vous la maintenez ouverte, et elle vaut la VAN du projet, soit 200 – 180 = 20 millions d'euros si elle est exercée immédiatement. Ainsi, le fait que le projet de sorbets de harengs ait une VAN positive ne constitue pas une raison suffisante pour investir. Il existe une meilleure stratégie : « attendre et voir ».

2.2 Choisir le meilleur moment en construction immobilière

Il peut être parfois intéressant d'attendre longtemps, y compris pour des projets qui disposent déjà d'une VAN élevée. Supposons que vous possédiez un terrain en friche dans une banlieue[7]. Cette terre peut être utilisée pour ériger un hôtel ou de l'immobilier de bureau, mais pas les deux. Un hôtel pourrait par la suite être reconverti en immobilier de bureau, tout comme l'immobilier de bureau en hôtel, mais en supportant le coût de transformation. Vous hésitez donc sur le choix d'investissement, même si les deux projets ont une VAN positive.

Vous disposez de deux options d'investissement dont une seule peut être exercée. L'attente va vous permettre d'apprendre deux choses. Premièrement, vous en saurez plus sur le *niveau* général des cash-flows retirés d'une construction, par exemple par l'observation des biens

7. L'exemple qui suit est tiré de P. D. Childs, T. J. Riddiough et A. J. Triantis, « Mixed Used and The Redevelopment Option », *Real Estate Economics* (automne 1996), pp. 317-339.

immobiliers aux alentours de votre terrain. Deuxièmement, vous pourrez réestimer les cash-flows prévisionnels retirés d'un hôtel *relativement* à ceux de l'immobilier de bureau.

La figure 22.3 présente les conditions finales selon que vous aurez choisi l'un ou l'autre des projets. Sur l'axe horizontal, on a les cash-flows produits par un hôtel, sur l'axe vertical, les cash-flows produits par de l'immobilier de bureau. Pour simplifier, nous supposerons que chacun de ces investissements aura une VAN parfaitement nulle avec un cash-flow de 100. Ainsi, si vous étiez contraint d'investir aujourd'hui, vous choisiriez le projet dont le cash-flow est le plus élevé, en supposant qu'il soit supérieur à 100.

Lorsque les cash-flows des deux projets correspondent à la partie bleue en bas à droite de la figure 22.3, vous choisissez l'hôtel. Pour se retrouver dans cette surface, les cash-flows de l'hôtel doivent surmonter deux obstacles : ils doivent avoir dépassé un niveau minimal de 240 et être suffisamment plus élevés que ceux de l'immobilier de bureau. Dans le cas inverse, avec des cash-flows pour l'immobilier de bureau au-dessus de 240 et significativement plus élevés que ceux de l'hôtel, vous construirez l'immobilier de bureau : les cash-flows se situent dans la zone colorée en haut et à gauche de la figure.

Vous observerez que la zone « retarder la construction » s'étire le long d'une droite à 45°. Lorsque les cash-flows de l'immobilier de bureau et de l'hôtel sont à peu près les mêmes, vous devenez très attentif avant de choisir l'un ou l'autre projet.

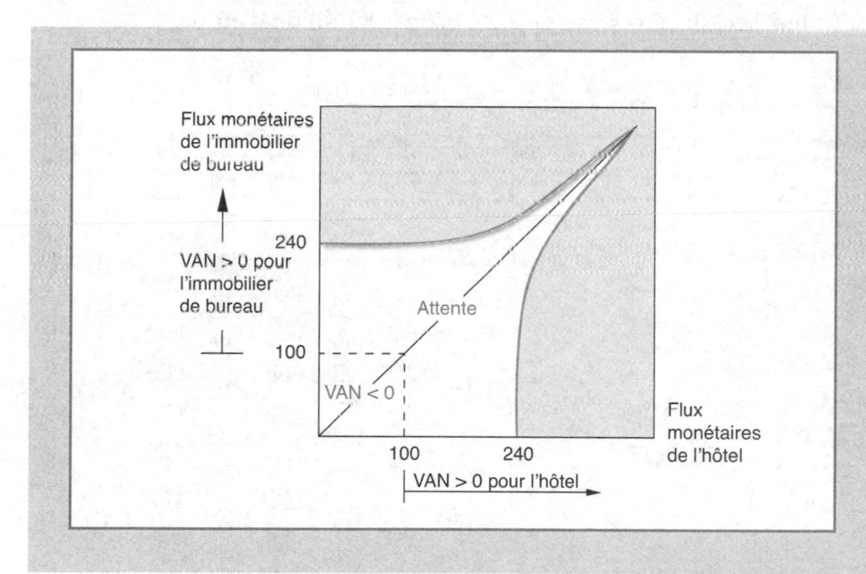

Figure 22.3 - Option de construction pour une terre en friche, en supposant deux projets alternatifs, immobilier de bureau ou hôtel. Le promoteur doit « attendre pour voir », à moins que les cash-flows de l'immobilier de bureau et de l'hôtel n'aboutissent dans l'une ou l'autre des surfaces colorées.

Source : adapté du schéma proposé par P. D. Childs, T. J. Riddiough et A. J. Triantis, « Mixed Uses and the redevelopment Option », *Real Estate Economics*, 24 (1996), pp. 317-339.

Vous pouvez être surpris du niveau élevé auquel doivent se situer les cash-flows pour justifier l'investissement. Il y a trois raisons. Premièrement, construire l'immobilier de bureau suppose de ne pas construire l'hôtel, et réciproquement. Deuxièmement, les calculs sous-jacents à la figure 22.3 ont supposé que les cash-flows étaient faibles mais croissants : les coûts d'attente avant investissement sont donc très faibles. Troisièmement, les raisonnements n'envisagent pas le fait que quelqu'un puisse construire un hôtel concurrent ou de l'immobilier de bureau juste à côté. Dans ce cas, la surface « ne t'en fais pas et attends » de la figure 22.3 se réduirait fortement.

3 L'option d'abandon

La valeur d'expansion est très importante. Si les investissements tournent bien, l'activité pourra être rapidement et facilement prolongée. Mais si de mauvaises nouvelles arrivent, les cash-flows seront au-dessous des prévisions. Dans ce cas, il est utile de disposer d'une option de dégagement et de recouvrement de la valeur des actifs du projet. L'**option d'abandon** est équivalente à une option de vente. Vous exercerez votre option d'abandon lorsque la valeur de vente des actifs du projet sera supérieure à la valeur actuelle de poursuite du projet sur au moins une période. La méthode binomiale est parfaitement adaptée à la plupart des options d'abandon. En voici un exemple.

3.1 Le projet semi-conducteur Zircon

Laure Ambar, la directrice financière de Semi-Remorque-Onducteurs, doit décider de lancer ou non la production des semi-conducteurs Zircon. Le projet nécessite un investissement de 12 millions d'euros : 2 millions pour les voiries et l'aménagement du site et 10 millions pour le matériel. Les coûts opérationnels sont de 700 000 € par an. Pour simplifier, nous ignorerons les autres coûts et taxes.

Au prix d'aujourd'hui, le projet se traduit par des revenus de 2,5 millions par an. La production annuelle sera constante, de sorte que le revenu sera proportionnel aux prix. Si le gisement était exploité aujourd'hui, le cash-flow serait de 2,5 – 0,7 = 1,8 million d'euros.

Figure 22.4 - Arbre binomial du projet semi-conducteur. Le cash-flow (valeur supérieure) et la valeur actuelle en fin de période sont calculés en millions d'euros pour chaque nœud de l'arbre. L'abandon aura lieu si les cash-flows diminuent jusqu'aux cases grisées. La valeur actuelle de démarrage est de 14,7 millions d'euros.

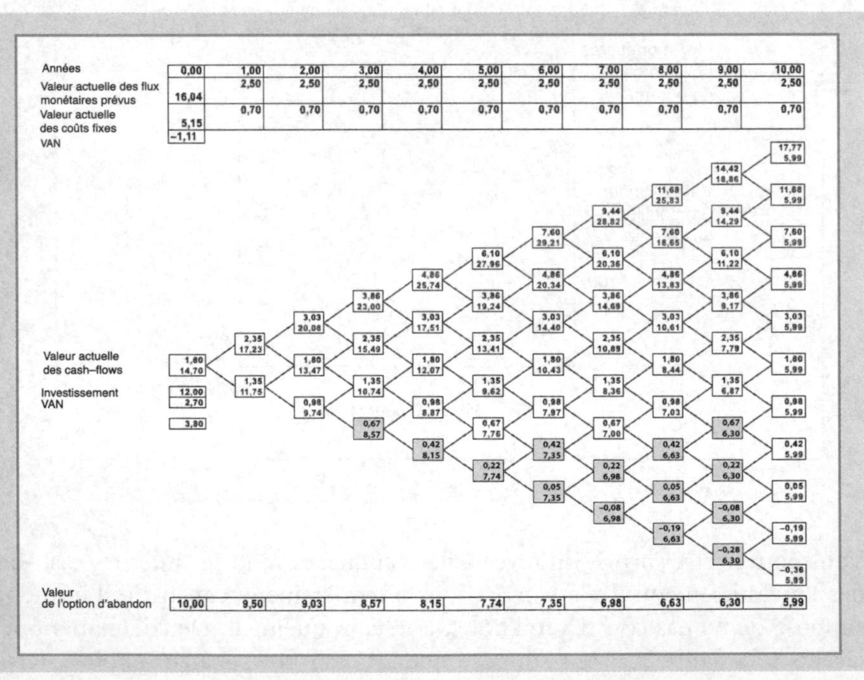

Calculer la valeur actuelle du projet La première étape d'évaluation des options réelles consiste à valoriser l'actif sous-jacent, c'est-à-dire le projet sans option attachée. Ceci est habituellement réalisé avec les cash-flows actualisés. Dans ce cas, la principale source d'incertitude est la valeur de vente future du semi-conducteur. Par conséquent, Laure Ambar commence par établir la valeur actuelle des revenus futurs. Elle prévoit des prix stables pour les dix prochaines années. Les coûts fixes sont constants à 0,7 million par an. La partie la plus haute de la figure 22.4 reprend ces prévisions de cash-flows et les calculs de valeurs actuelles : environ 16 millions de revenus après actualisation au taux de 9 % compte tenu du risque et 5,15 millions de coûts fixes, après actualisation au taux sans risque de 6 %[8]. La VAN du projet, en supposant qu'il n'y ait aucune valeur résiduelle ou d'abandon au-delà de dix ans, est :

$$\begin{aligned}\text{VAN} &= \text{VA (recettes)} - \text{VA (coûts fixes)} - \text{investissement nécessaire}\\ &= 16{,}044 - 5{,}152 - 12{,}00 = -1{,}108 \text{ million}\end{aligned}$$

La VAN est légèrement négative, mais Laure Ambar n'a pas encore introduit la valeur d'abandon.

Construire un arbre binomial Maintenant, Laure Ambar va construire un arbre binomial pour les recettes et leur valeur actuelle. Elle observe que le prix des semi-conducteurs a suivi un cheminement aléatoire avec un écart type annualisé d'environ 20 %. Elle construit un arbre binomial avec une étape par année. Les valeurs « hautes » représentent 122 % de la valeur de l'année précédente et les valeurs « basses » 82 %[9]. De cette manière, les recettes hautes et basses s'élèvent respectivement pour la première année à 2,5 × 1,22 = 3,05 et à 2,5 × 0,82 = 2,05 millions d'euros. Après déduction des coûts fixes, les cash-flows hauts et bas seront de 2,35 et 1,35 millions d'euros. Les deux premières années, les arbres correspondants seront :

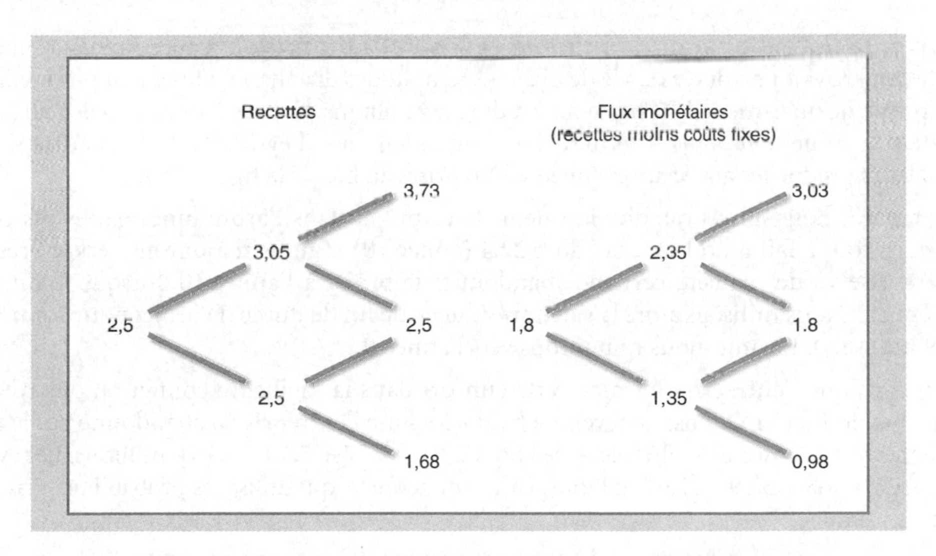

La figure 22.4 reprend la totalité de l'arbre, qui commence avec les cash-flows de l'année 1 (il n'y a pas de recette l'année 0 car la production n'a pas encore démarré). Le nombre supérieur

8. Pourquoi calculer séparément les valeurs actuelles des recettes et des coûts fixes ? Parce qu'il est plus facile de construire un arbre binomial pour les recettes, qui sont censées suivre un cheminement aléatoire avec un écart type constant. Nous soustrairons les coûts fixes après que l'arbre binomial aura été construit.

9. La formule (déjà présentée à la section 21.2) pour le pourcentage de hausse est $h = e^{\sigma\sqrt{t}}$ avec s, écart type des rentabilités annuelles de l'actif (capitalisées en continu) et t, la période mesurée en fraction d'années. Dans notre cas, $t = 1$ et $e^{\sigma} = e^{0,2} = 1{,}22$. Le coefficient de baisse est b = 1 / *h* = 0,82.

est la valeur actuelle de fin d'année de tous les cash-flows constatés, incluant la valeur de l'équipement productif si le projet est abandonné. Nous verrons plus tard de quelle manière ces valeurs actuelles sont établies.

Finalement, Laure Ambar calcule les probabilités « risque-neutre » de hausse et de baisse des recettes, respectivement p et $1 - p$. N'oublions pas que nous avons actualisé les revenus à un taux ajusté au risque de 9 %. Ainsi la valeur actuelle des revenus de l'année 1 n'est pas de 2,5 millions mais seulement de

$$\text{VA} = \frac{2{,}5}{1{,}09} = 2{,}29 \text{ millions}$$

Ainsi, Laure Ambar a besoin de calculer les probabilités « risque-neutre » qui permettent d'atteindre une rentabilité anticipée égale au taux sans risque, 6 %[10].

$$\text{Rentabilité anticipée} = \frac{3{,}05p + 2{,}01(1-p)}{2{,}29} = 0{,}06$$

$$\text{Probabilité de hausse} = 0{,}382$$
$$\text{Probabilité de baisse} = 0{,}618$$

On peut utiliser ces probabilités pour chaque nœud de l'arbre binomial, parce que les variations à la hausse et à la baisse sont identiques à chaque nœud.

Trouver la date d'abandon optimale et la valeur du projet Laure Ambar a supposé que le projet avait une durée de vie de dix ans. Au bout des dix ans, l'équipement productif qui se déprécie normalement de 5 % par an vaudra 5,99 millions. Cette valeur résiduelle représente la valeur à laquelle il pourrait être revendu ou sa valeur s'il était affecté à un autre usage. Les valeurs résiduelles année après année sont reprises au bas de la figure 22.4.

Maintenant, nous allons calculer la valeur de ce projet dans l'arbre binomial. Nous commençons tout à fait à droite de la figure 22.4 (année 10) et nous remontons vers le présent. L'entreprise va de manière certaine abandonner le projet à l'année 10, lorsque le minerai sera épuisé. Nous utilisons alors la valeur résiduelle de fin de durée de projet pour l'année 10 (5,99 millions). Ensuite, nous remontons vers l'année 9.

Supposons que l'entreprise termine cette année 9 dans la meilleure configuration, avec un cash-flow de 14,42 millions. Le revenu « haut » lorsque l'entreprise n'abandonne pas le projet correspond au nœud le plus élevé de l'année 10 : 17,77 + 5,99 = 23,76 millions. Le revenu « bas » est 11,68 + 5,99 = 17,67 millions. La valeur actuelle, qui utilise les probabilités « risque-neutre », sera :

$$\text{VA} = [(0{,}382 \times 23{,}76) + (0{,}618 \times 17{,}67)] \,/\, 1{,}06 = 18{,}86 \text{ millions}$$

L'entreprise pourrait abandonner à la fin de l'année 9 : elle recevrait la valeur de revente de l'équipement de 6,30 millions. Mais continuer est plus rentable. Par conséquent, nous prenons en compte les 18,86 millions, valeur de fin d'année 9, pour le nœud supérieur de la figure 22.4.

10. Vous remarquerez que les valeurs « hautes » des revenus sont égales à 122 % au niveau actuel de revenus mais à 133 % de la valeur actuelle des revenus prévus pour l'année suivante. Ainsi, la probabilité de hausse nécessaire pour atteindre une rentabilité moyenne de 6 % est relativement faible.

Nous pouvons établir les valeurs des autres nœuds de la période 9 de la même manière. Mais pour quelques points, à mesure que nous descendons vers des cash-flows de plus en plus faibles, nous tombons sur un nœud où il devient préférable d'abandonner plutôt que de continuer. Cela se produit lorsque le cash-flow est de 0,67 million. La valeur actuelle de poursuite est alors seulement de :

$$VA = 0{,}382 \times (0{,}98 + 5{,}99) + 0{,}618 \times (0{,}42 + 5{,}99) / 1{,}06 = 6{,}25 \text{ millions}$$

Le revenu en cas d'abandon est de 6,30 millions, qui sera préféré à l'année 9 pour tous les nœuds dont le cash-flow est inférieur ou égal à 0,67 million.

Les cash-flows de la fin de l'année 9 sont les revenus en cas de poursuite lors de l'année 8. Nous calculons ensuite les revenus de l'année 8, en vérifiant à chaque nœud s'il faut abandonner, pour l'année 7 et ainsi de suite jusqu'à l'année 0. Dans cet exemple, l'entreprise devrait abandonner le projet dès qu'un cash-flow devient inférieur à 0,67 million à l'année 3, 0,42 million à l'année 4, 0,22 million à l'année 5 ou 0,42 million ou moins aux années 6 à 8. Nous avons grisé les nœuds sur la figure 22.4 lorsque le projet était abandonné.

En procédant de manière récursive en partant de l'année 10, nous obtenons une valeur actuelle pour l'année 0 de 14,695 millions, de sorte que le projet a une VAN de 14,695 – 12 = 2,695 millions[11]. L'évaluation par les cash-flows actualisés (DCF) en haut à droite de la figure 22.4 est de –1,108 million[12]. Par conséquent, l'option d'abandon vaut 2,695 + 1,108 = 3,803 millions[13]. Nous obtenons donc :

$$\begin{aligned} \text{VAN ajustée} &= \text{VAN sans abandon} + \text{valeur d'option d'abandon} \\ &= -1{,}108 + 3{,}803 = 2{,}695 \text{ millions} \end{aligned}$$

Ce projet semble rentable, mais Laure Ambar pourrait décider d'attendre.

3.2 Valeur d'abandon et durée de vie du projet

Laure Ambar a supposé que le projet avait une durée de vie de dix ans. Dans la plupart des cas, ce n'est qu'une estimation de départ. Les cash-flows d'un nouveau produit peuvent ne durer qu'une seule année, si ce produit ne satisfait pas le marché. Mais en cas de succès, cette production pourra être prolongée pendant plusieurs décennies.

La durée de vie économique d'un projet peut être aussi difficile à établir que ses cash-flows prévisionnels. En choix d'investissement classique (cash-flows actualisés), le projet est censé se terminer à une date précise. La théorie des options réelles permet de relâcher cette hypothèse. Voici comment[14].

11. Nous avons fait pour vous les calculs. Vous pouvez bien sûr les vérifier.

12. On peut également réévaluer l'arbre binomial en ramenant toutes les valeurs résiduelles à zéro. La valeur actuelle à l'année 0 tombe à 10,902 millions, soit VAN = 10,902 – 12 = –1,098 million. Vous pouvez faire ce calcul dans la feuille de tableur fournie sur le CD et le site Internet. Il faut simplement remplir la case « Valeur résiduelle en t= 0 » avec 0.

13. Il apparaît, pourtant, que la valeur d'un abandon précoce est un exemple relativement rare. Supposons que Maine Semi-conducteurs puisse récupérer la valeur de revente de 5,99 millions à la fin de l'année 10, mais pas avant. La valeur actuelle de cette récupération à l'année 0, avec un taux d'actualisation de 6 %, est de 3,34 millions. La VAA dans ce cas devient –1,108 + 3,34 = 2,23 millions, tout juste un peu moins que la VAA de 2,695 lorsqu'un abandon précoce est possible.

14. Voir S. C. Myers et S. Majd, « Abandonment Value and Project Life », dans F. Fabozzi (ed.), *Advances in Options and Futures Research*, JAI Press, 1990.

1. Prévoyez les cash-flows pour une durée dépassant largement votre estimation de la durée de vie du projet. Si votre estimation est par exemple de dix ans, vous pourriez établir un arbre analogue à celui de la figure 22.4 vous projetant sur les vingt-cinq prochaines années.
2. Évaluez ensuite le projet, en incluant la valeur d'abandon. Dans le scénario le plus optimiste, la durée de vie sera de vingt-cinq ans – cela n'aurait aucun sens d'abandonner avant. Dans le scénario le plus pessimiste, la durée de vie du projet sera beaucoup plus courte, parce que le projet aura plus de valeur mort que vivant. Si votre première estimation de la durée de vie du projet est correcte, alors pour des scénarii intermédiaires, l'abandon se produira autour de l'année 10.

Cette démarche relie la durée de vie du projet à sa performance. Cela n'impose pas une date de fin arbitraire, sauf pour un futur éloigné.

3.3 L'abandon temporaire

Les entreprises sont souvent confrontées à des options complexes qui leur donnent la possibilité d'abandonner temporairement un projet, c'est-à-dire de le cryogéniser[15] jusqu'à ce que les conditions s'améliorent. Supposons que vous possédiez un pétrolier qui navigue selon les conditions actuelles du marché : vous louez le pétrolier au tarif trajet par trajet, quels que soient les prix constatés au début du voyage. L'exploitation du pétrolier coûte annuellement 5 millions d'euros et produit des recettes de 5,25 millions d'euros par an. Le pétrolier est par conséquent rentable, mais il n'y a pas de quoi faire la fête. Maintenant, les tarifs des pétroliers plongent d'environ 10 %, amenant les recettes à 4,7 millions. Allez-vous débaucher immédiatement le personnel et mettre en réserve le pétrolier jusqu'à ce que les prix augmentent de nouveau ? La réponse est clairement oui, à condition que l'activité du pétrolier puisse être interrompue et redémarrée aussi facilement qu'on tourne un robinet. Mais cela n'est pas réaliste. Il y a un coût à immobiliser un pétrolier. Vous ne souhaitez pas supporter ce coût pour regretter votre décision le mois d'après parce que les prix ont retrouvé leur valeur initiale. Plus les coûts de mise en réserve sont élevés et les tarifs de transport fluctuants, et plus grande sera la perte que vous accepterez d'encaisser avant de mettre en réserve le navire.

Supposons que vous preniez la décision de retirer le navire du marché[16]. Deux ans plus tard, votre confiance est récompensée : les tarifs de transport augmentent et les recettes d'exploitation tirées du pétrolier repassent au-dessus des coûts d'exploitation, de 5 millions. Réagissez-vous immédiatement ? Non, si cela entraîne des frais. Il est plus raisonnable d'attendre que le projet soit bien dans le positif et que vous puissiez être raisonnablement sûr que vous ne regretterez pas le coût de la remise en service.

Ces choix sont illustrés dans la figure 22.5. La courbe bleue montre comment la valeur d'un pétrolier en activité varie en fonction du tarif des transports. La courbe noire montre la valeur du pétrolier quand il est mis en réserve[17]. M représente le niveau de prix où il faut mettre le pétrolier au rancart, et R correspond au niveau où on peut le ressortir du placard. Plus les coûts de l'immobilisation et de la remise en service ainsi que la volatilité des tarifs de

15. C'est une image. Nous aurions aussi bien pu dire « le mettre dans la naphtaline », ce qui aurait mieux collé au terme anglo-saxon *to mothball*. Traduttore traditore.

16. Nous supposerons que mettre en réserve le navire a un sens. Si les cours chutent suffisamment, il sera valable de nettoyer le pétrolier.

transport sont élevés, et plus ces points seront éloignés l'un de l'autre. Ici, c'est intéressant de mettre le pétrolier en réserve dès que sa valeur en inactivité atteint celle d'un pétrolier en activité plus les coûts de l'immobilisation. Il sera rentable de le remettre en activité quand sa valeur en activité dépassera celle de la mise en réserve plus les coûts de la remise en service. Lorsque les tarifs baissent au-dessous de M, la valeur du pétrolier correspond à la courbe noire. Lorsque les tarifs sont entre M et R, la valeur du pétrolier dépend de son état : mis en réserve ou en activité.

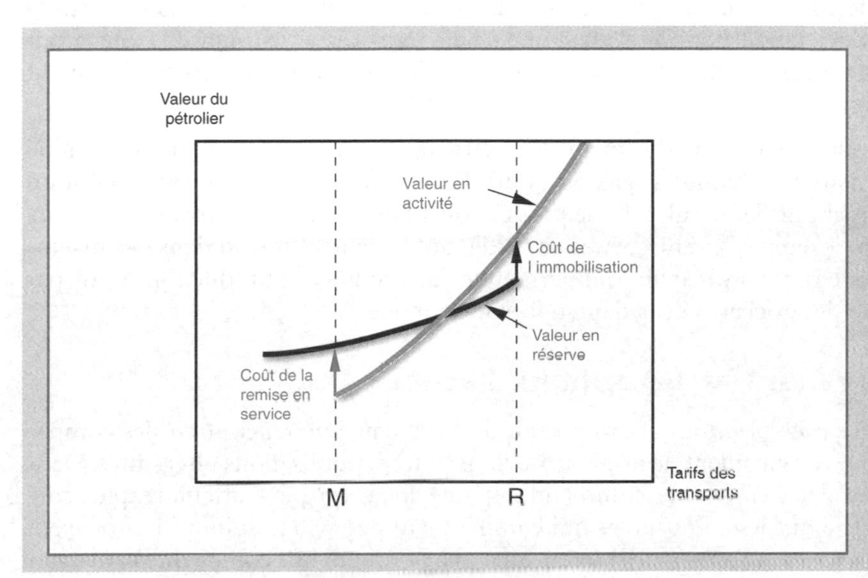

Figure 22.5 - Un pétrolier devrait être mis en réserve lorsque les tarifs de transport descendent en M, là où la valeur du pétrolier mis en réserve est suffisamment au-dessus de sa valeur lorsqu'il est en activité pour couvrir les coûts de l'immobilisation. Le pétrolier est remis en service à partir de R.

4 Les moyens de production variables – et quelques réflexions sur les options d'achat d'avions

Les entreprises disposent souvent d'options pour faire varier leurs approvisionnements ou la production elle-même. Par exemple, une centrale électrique peut être conçue pour fonctionner avec du pétrole ou du gaz naturel. Un industriel peut investir dans un système de conception assistée par ordinateur qui permet de modifier la répartition de la production.

Dans de tels cas, l'entreprise dispose d'une option pour acquérir un actif en échange d'un autre. Analysons la décision d'une compagnie électrique de construire une centrale fonctionnant au fioul, qui puisse être convertie pour fonctionner au gaz. Vous pouvez considérer que la compagnie électrique dispose d'une option pour acheter une centrale au gaz en échange d'une centrale au fioul. Si les cours du pétrole sont certains, il s'agira d'une simple option d'achat avec un prix d'exercice fixé (la valeur d'une centrale au fioul plus le coût de la

17. Dixit et Pindyck évaluent ces seuils de valeurs pour un pétrolier de taille moyenne et montrent comment ils dépendent des coûts et de la volatilité des tarifs de fret. Voir A. K. Dixit et R. S. Pindyck, *Investment under Uncertainty*, Princeton University Press, Princeton, 1994, chapitre 7. Brennan et Schwartz proposent une analyse d'un investissement dans des activités d'exploitation minière qui incorpore également une option d'abandon temporaire. Voir M. Brennan et E. Scwartz, « Evaluating Natural Resource Investments », *Journal of Business*, 58 (avril 1985), pp. 135-157.

transformation). Lorsque le prix du gaz est suffisamment bas, il peut être rentable d'exercer l'option et de passer au gaz.

En pratique, les cours du pétrole et du gaz sont variables. Mais si les cours du pétrole et du gaz se déplacent parallèlement euro pour euro, votre option de passage au gaz n'aura pas de valeur. Le bénéfice d'un accroissement de la valeur de l'actif sous-jacent (la centrale alimentée au gaz) devrait exactement compenser l'accroissement du prix d'exercice (la valeur de la centrale alimentée par le fioul). La situation idéale correspondrait à une corrélation négative entre les cours des deux matières premières. Dans ce cas, tandis que le cours du pétrole s'accroît, le gaz deviendrait de moins en moins cher. Dans ces circonstances (tout à fait improbables), l'option de transfert de l'une à l'autre énergie aurait une valeur particulièrement importante.

Dans cet exemple, la production est la même (l'électricité) ; la valeur de l'option provient de la flexibilité des matières premières (gaz ou fioul). Dans d'autres cas, la valeur de l'option provient de la possibilité de basculer d'une production à une autre sans changer de facteurs de production. Par exemple, les entreprises de textile ont fortement investi dans des machines à coudre assistées par ordinateur, qui permettent de modifier la production motif par motif, en fonction des exigences de la demande et de la mode.

4.1 Un autre regard sur les options d'achat

Pour notre dernier exemple, nous allons revenir au problème que rencontrent les compagnies aériennes qui commandent de nouveaux avions pour des utilisations ultérieures. Dans cette industrie, le délai entre une commande et une livraison peut atteindre plusieurs années. Cela signifie que les compagnies qui commandent des avions aujourd'hui peuvent ne plus en avoir besoin au moment de la livraison. Voilà pourquoi une compagnie peut avoir intérêt à négocier une option d'achat sur un avion.

Dans la section 10.3, nous avons utilisé des options d'achat sur avions pour illustrer l'option d'expansion. C'est vrai, mais ce n'est pas toute la vérité. Essayons un autre regard. Supposons qu'une compagnie aérienne anticipe l'usage d'un nouvel Airbus A440 dans quatre ans[18]. Elle a au moins trois possibilités.

- *Commander maintenant*. Elle peut commander l'avion maintenant. En échange, Airbus propose de bloquer le prix et la date de livraison.
- *Acquérir une option*. Elle peut demander une option d'achat à Airbus qui lui permette de décider plus tard si elle achète ou non. Une option d'achat fixe le prix et la date de livraison en cas d'exercice de l'option.
- *Attendre et décider plus tard*. Airbus sera ravi de vendre un autre A440 à tout moment dans l'avenir. Cependant, la compagnie aérienne pourrait avoir à payer un prix plus élevé et attendre plus longtemps pour la livraison.

La moitié supérieure de la figure 22.6 présente les caractéristiques classiques d'une option d'achat sur un Airbus A440. L'option devra être exercée la troisième année, lorsque l'assemblage final de l'avion aura commencé. L'option définit le prix d'achat et la date de livraison pour l'année 4.

18. L'exemple suivant est fondé sur J. E. Stonier, « What is an aircraft Purchase Option Worth ? Quantifying Asset Flexibility Created Through Manufacturer Lead-Time Reductions and Product Commonality », dans G. F. Butler et M. R. Keller (eds), *Handbook of Airline Finance*, Aviation Week Books, 1999.

Actualités financières

Évaluer la flexibilité

Avec le concours de la faculté de Stanford, Hewlett-Packard a expérimenté les options réelles depuis les années 1990. Au cours de la décennie 80, HP a fabriqué ses imprimantes à jet d'encre pour des marchés étrangers et les a expédiées déjà assemblées. Assembler à l'usine revient moins cher que de le faire réaliser à l'extérieur. Mais HP voulait tenir compte d'une mauvaise prévision de la demande, qui à la fin se traduisait, par exemple, par trop d'imprimantes configurées pour le marché français et pas assez pour le marché allemand.

Les responsables de la production ont pris conscience qu'il serait plus intelligent d'assembler partiellement les imprimantes et de les stocker telles quelles pour les configurer en fonction de la demande. C'est vrai, la configuration sur place coûte plus cher. Mais bien que le coût de production ait augmenté, HP a économisé 3 millions d'euros grâce à une meilleure adéquation au marché, nous rapporte Corey A. Billington, le professeur de Stanford qui a dirigé le groupe de modélisation stratégique de HP.

Du bon sens ? Bien sûr. Mais vous pouvez aussi l'interpréter comme une solution théorique au problème des options réelles. L'accroissement du coût de production est en fait le prix payé par HP pour l'option de retardement du choix d'assemblage jusqu'au moment optimal.

Source : P. Coy, « Exploiting Uncertainty », *Business Week* (7 juin 1999).

	Année 0	Année 3	Année 4	Année 5 ou plus tard
Acheter une option	Compagnie aérienne et constructeurs conviennent du prix et de la date de livraison	Exercer ? (oui ou non)	Avion livré si l'option est exercée	
Attendre	Attendre	Acheter maintenant ? si oui, négocier le prix et attendre la livraison		Avion livré si acheté en année 3

Figure 22.6 - L'option d'achat sur l'avion, si elle est exercée à l'année 3, garantit une livraison pour l'année 4 à un prix bloqué. Sans cette option, la compagnie pourrait aussi commander l'appareil l'année 3, mais le prix serait incertain et le délai de livraison plus long.

Source : cet exemple est basé sur J. E. Stonier, « What is an aircraft Purchase Option Worth ? Quantifying Asset Flexibility Created Through Manufacturer Lead-Time Reductions and Product Commonality », dans G. F. Butler et M. R. Keller (eds), *Handbook of Airline Finance*, Aviation Week Books, 1999.

La moitié basse de cette même figure reprend les conséquences d'une décision « attendre et décider plus tard », intervenant l'année 3. Si la décision est l'achat, la compagnie aérienne paiera le prix en vigueur l'année 3 et se mettra dans la file d'attente pour des livraisons en année 5 ou plus tard.

Les résultats de la décision « attendre et décider plus tard » ne peuvent jamais être meilleurs que les résultats consécutifs à une option d'achat sur un avion, puisque la compagnie peut abandonner l'option et en négocier une autre si elle le désire. Dans la plupart des cas, la compagnie sera en meilleure situation avec une option que sans ; la compagnie est, au final, assurée de figurer dans la file d'attente de la chaîne de production et elle peut avoir obtenu un prix garanti avantageux. Mais combien valent ces avantages aujourd'hui, comparés à la stratégie « attendre-décider-plus-tard » ?

La figure 22.7 illustre les réponses d'Airbus à ce problème. Elle suppose une option d'achat à trois ans avec un prix d'exercice équivalent au prix actuel d'un Airbus A440 de 45 millions d'euros. La valeur actuelle de cette option dépend à la fois de celle d'un Airbus A440 à ce prix et du délai d'attente prévu pour la livraison si la compagnie ne détenait pas d'option et qu'elle décide de prendre commande au cours de l'année 3. Plus la durée d'attente sera longue en année 3, plus il sera rentable de posséder aujourd'hui une option d'achat (souvenez-vous que le détenteur d'une option d'achat dispose d'un droit dans le planning de production de l'Airbus A440 qui lui garantit une livraison au cours de l'année 4).

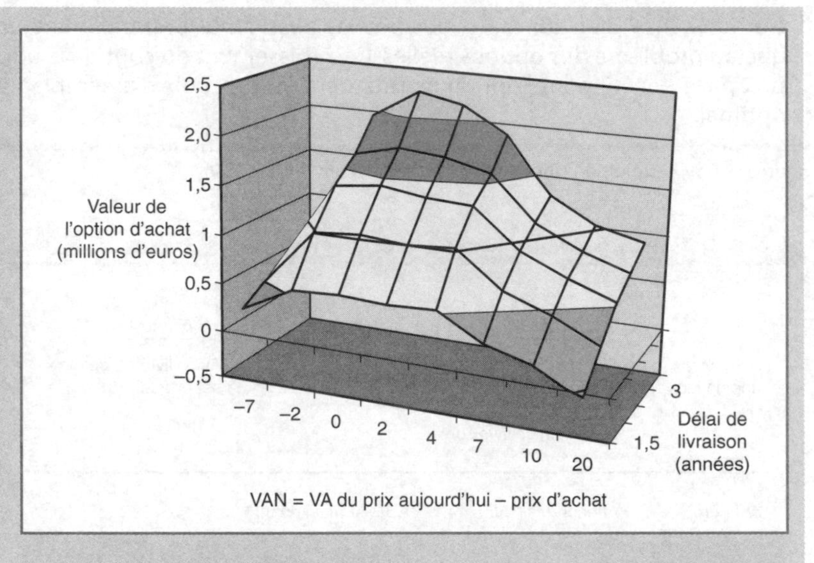

Figure 22.7 - Valeur de l'option d'achat d'un avion : sur-valeur de l'option par rapport à une situation d'attente et la possibilité de négocier le prix ultérieurement (voir figure 22.6). L'option d'achat vaut plus lorsque la VAN de l'achat aujourd'hui est proche de 0 et lorsque le délai prévu de livraison est long.

Source : adapté à partir de la figure 17.20 de J. Stonier, « What is an Aircraft Purchase Option Worth ? Qualifying Asset Flexibility Created Through Manufacturer Lead-Time Reductions and Product Commonality », dans G. F. Butler et M. R. Keller (eds), *Handbook of Aviation Finance. ©1999 Aviation Week Books ; reproduit avec l'autorisation de The McGraw-Hill Companies, Inc.*

Si la VAN de l'achat d'un Airbus A440 est aujourd'hui très élevée (partie droite de la figure 22.7), la future VAN sera probablement aussi élevée et la compagnie voudra acheter indépendamment du fait qu'elle dispose ou non d'une option. Dans ce cas, la valeur de l'option d'achat provient plus de la valeur d'une livraison garantie en année 4[19].

19. Le modèle des options réelles d'Airbus suppose que le prix futur de l'A440 augmentera lorsque la demande s'élèvera, mais jusqu'à un certain point. Ainsi, la compagnie qui attend et se décide plus tard peut aussi avoir une opportunité de VAN positive avec une forte demande et des prix en augmentation. La figure 22.7 montre la différence entre une option d'achat et l'opportunité d'attendre pour se décider. Cette différence peut apparaître lorsque la VAN est élevée, spécialement si le délai d'attente prévu est court.

Lorsque la VAN est très faible, l'option aura une faible valeur parce que la compagnie aérienne ne l'exercera sans doute pas (une VAN faible aujourd'hui signifie une VAN faible dans trois ans). L'option d'achat a le plus de valeur, comparée à la stratégie « attendre-décider-plus-tard », lorsque la VAN est proche de zéro. Dans ce cas, la compagnie aérienne peut exercer l'option, obtenant un bon prix et une livraison plus rapide, si la VAN est plus élevée que prévu, et abandonne l'option si la VAN est décevante. Bien sûr, si elle l'abandonne, elle peut envisager de négocier avec Airbus pour une livraison à un prix plus faible que celui retenu pour le prix d'exercice de l'option.

Cet exemple illustre bien comment sont construites et utilisées les options réelles : Airbus offre plus qu'une option d'achat de base (on parle de *plain vanilla option*). Airbus peut négocier des options renouvelables (*rolling*), qui garantissent le prix d'achat, mais pas la place dans le programme de production (l'exercice de l'option *rolling* signifie que la compagnie prend sa place en fin de queue). Il propose également des options d'achat qui comprennent le droit d'échanger un A440 contre un A439, un avion un peu plus petit.

5 Un problème conceptuel ?

Lorsque nous avons introduit les modèles d'évaluation d'option au chapitre 21, nous avons suggéré que l'astuce consistait à construire un ensemble constitué de l'actif sous-jacent et d'un emprunt, le tout fournissant exactement les mêmes revenus que l'option. Si les deux produits ne se vendent pas au même prix, alors il y a des opportunités d'arbitrage. Mais beaucoup d'actifs ne sont pas vendus librement. Nous ne pouvons donc plus nous appuyer plus longtemps sur des arguments d'arbitrage pour justifier l'utilisation des modèles d'option.

Il suffit d'imaginer que chaque opportunité d'investissement réel a un « clone », que ce soit un titre ou un portefeuille, avec un risque identique. Alors, le taux de rendement anticipé présenté par le clone sera aussi le coût du capital de l'investissement réel et le taux d'actualisation de l'évaluation des DCF du projet. Que devraient payer les investisseurs pour une option *réelle* sur le projet ? La même chose que pour une option négociable identique établie à partir du clone. L'option négociable n'a pas besoin d'exister ; il est suffisant de savoir comment elle serait évaluée par les investisseurs (utilisant les méthodes de l'arbitrage ou de la neutralité face au risque). Les deux méthodes fournissent évidemment la même réponse.

Lorsqu'on évalue une option réelle par la méthode de la neutralité face au risque, on détermine la valeur de l'option comme si elle pouvait être négociée sur un marché financier. C'est tout à fait équivalent à ce qui se fait en gestion des investissements. Si les détenteurs de titres peuvent acheter des actifs négociables ou des portefeuilles qui présentent les mêmes conditions de risque que les investissements réels envisagés par l'entreprise, alors ils voteront à l'unanimité l'approbation de tout investissement réel dont la valeur de marché est supérieure à l'investissement nécessaire. Cette hypothèse clé repose à la fois sur l'actualisation des cash-flows et la méthode d'évaluation des options réelles.

5.1 Problèmes pratiques

Les problèmes qui se posent lors d'une analyse reposant sur les options réelles ne sont pas conceptuels mais pratiques. Ce n'est pas toujours facile et voici quelques-unes des explications possibles.

Tout d'abord, les options réelles peuvent être complexes, et il peut être nécessaire de mobiliser des compétences analytiques pointues, en même temps qu'une puissance de calcul non négligeable. Il ne tient qu'à vous de savoir si vous êtes prêt à vous investir à ce point. Parfois une réponse approximative obtenue rapidement peut se révéler plus utile qu'une réponse « parfaite » obtenue après de très longs calculs, d'autant plus si cette réponse parfaite est le fruit d'un modèle complexe que les autres dirigeants considéreront comme une impénétrable boîte noire.

L'un des avantages de l'analyse par options réelles est qu'elle est relativement facile à expliquer, à condition de la simplifier un peu. Des arbres de décision complexes sont souvent décrits comme les résultats d'une ou deux options d'achat simples.

Le deuxième problème est le manque de *structure*. Pour quantifier la valeur d'une option réelle, vous devez en spécifier les résultats possibles, ce qui dépend de toute une série de valeurs de l'actif sous-jacent, des prix d'exercice, de la temporalité de l'exercice, etc. Dans ce chapitre, nous avons toujours choisi des exemples bien structurés pour lesquels il est facile d'entrevoir le prévisionnel des résultats possibles. Dans d'autres cas, il se peut que vous n'ayez pas du tout ce prévisionnel. Par exemple, la lecture de cet ouvrage peut vous pousser à exercer votre option d'achat « travailler dans le domaine de la gestion financière », mais ce sera difficile pour vous d'établir les conséquences de ce choix sur l'arbre binomial de votre future carrière.

Un troisième problème peut survenir lorsque vos *concurrents* ont des options réelles. Cela ne pose pas de problème dans les secteurs où les produits sont standardisés et où aucun concurrent ne peut modifier la demande et les prix. Mais lorsque vous faites face à une poignée de concurrents disposant tous d'options réelles, alors les options peuvent interagir. Si c'est le cas, vous ne pouvez évaluer vos propres options sans prendre en considération les mouvements de vos concurrents. Et ces derniers auront le même raisonnement.

Une analyse des interactions concurrentielles nous entraînerait dans d'autres branches de l'économie et notamment la théorie des jeux. Mais vous pouvez vous rendre compte du danger de tabler sur la passivité de vos concurrents. Songez à l'option « attendre et voir ». Une analyse simple par options réelles vous incitera souvent à attendre et à vous informer avant d'investir sur un nouveau marché. Mais soyez attentif à ce qu'un concurrent n'agisse pas pendant que vous attendez et réunissez de l'information[20] !

En conclusion, la compréhension des options réelles est toujours un atout, même si la quantification est difficile. Si vous pouvez identifier des options réelles, vous serez un consommateur plus raffiné d'analyses en termes de DCF et bien mieux armé pour investir judicieusement l'argent de votre entreprise.

Résumé

Nous avons décrit quatre options réelles importantes :

1. *L'option d'expansion d'un investissement.* Les sociétés mettent souvent en avant la « stratégie » pour engager des projets à VAN négative. Un regard attentif aux revenus du projet révèle des options d'expansion du projet qui s'ajoutent aux cash-flows immédiats. Les investissements d'aujourd'hui peuvent être à l'origine d'opportunités demain.

20. Être le « first mover » sur un nouveau marché n'est cependant pas toujours la meilleure stratégie. Parfois le « later mover » l'emporte. Pour une étude sur les options réelles et la concurrence sur le marché des biens, voir H. Smit et L. Trigeorgis, *Strategic Investment, Real Options and Games*, Princeton, NJ : Princeton University Press, 2004.

2. *L'option d'attendre (et d'en savoir plus) avant d'investir.* C'est équivalent à la détention d'une option d'achat sur le projet d'investissement. Celle-ci est exercée lorsque la société engage le projet. Mais souvent, il est préférable de retarder un projet à VAN positive pour conserver l'option d'achat. La technique du différé est plus attirante lorsque l'incertitude est grande et que les cash-flows immédiats du projet, perdus ou retardés par l'attente, sont faibles.
3. *L'option d'abandon.* L'option d'abandonner un projet fournit une assurance partielle contre l'échec. Il s'agit d'une option de vente ; le prix d'exercice de l'option de vente est la valeur des actifs du projet s'ils étaient vendus ou déplacés vers une utilisation plus rentable.
4. *L'option de modifier la production de la société ou ses méthodes de production.* Les sociétés introduisent souvent de la flexibilité dans leurs outils de production de manière à pouvoir utiliser les matières premières les moins onéreuses ou produire les catégories de biens les plus rentables : elles acquièrent effectivement une option pour échanger un actif contre un autre.

Les options réelles rencontrées dans la pratique sont le plus souvent complexes. Mais les outils que vous avez découverts dans ce chapitre et les précédents peuvent être utilisés au quotidien. La formule de Black-Scholes suffit le plus souvent pour évaluer l'option d'expansion. Les problèmes de la date d'investissement et de la date d'abandon optimales peuvent être formalisés à l'aide des arbres binomiaux qui sont des cousins des arbres de décision. Vous remontez le long de l'arbre des résultats vers la valeur actuelle. Chaque fois qu'une décision future doit être prise, vous prenez le choix qui maximise la valeur, en utilisant les principes de l'évaluation des options, et inscrivez la valeur correspondante sur le nœud de l'arbre.

N'en concluez pas que les modèles d'évaluation des options réelles peuvent remplacer la méthode de l'actualisation des cash-flows (DCF). Premièrement, la méthode DCF s'applique très bien aux cash-flows certains. Elle marche aussi très bien pour des actifs ou des domaines d'activité dont la valeur dépend en priorité des cash-flows prévus, et non pas des options réelles. Deuxièmement, le point de départ de la plupart des analyses des options réelles est la valeur actuelle de l'actif sous-jacent. Et pour évaluer l'actif financier sous-jacent, vous avez naturellement besoin des DCF.

Les options réelles sont rarement des actifs négociés sur un marché. Lorsqu'on évalue une option réelle, on estime sa valeur comme si elle pouvait être négociée. C'est l'approche classique de la finance d'entreprise, la même démarche que celle de l'actualisation des cash-flows. L'hypothèse clé est que les détenteurs de titres peuvent acheter des actifs négociables ou des portefeuilles avec les mêmes conditions de risque que les investissements réels envisagés par l'entreprise. Dans ce cas, ils seront toujours partants pour un projet dont la valeur de marché est supérieure à son coût d'investissement. Cette hypothèse clé repose à la fois sur l'actualisation des cash-flows et la méthode d'évaluation des options réelles.

Lectures complémentaires

Les conseils de lecture du chapitre 10 contiennent quelques articles introductifs sur les options réelles. Le numéro de l'été 2001 du Journal of Applied Corporate Finance *en contient d'autres, notamment une analyse de la manière dont les options réelles sont utilisées dans la réalité :*

A. Triantis et A. Borison, « Real Options : State of the Practice », *Journal of Applied Corporate Finance*, 14 (été 2001), pp. 8-24.

Les textes de référence sur la valorisation des options réelles sont :

M. Amran et N. Kulatilaka, *Real Options : Managing Strategic Investments in an uncertain World*, Harvard Business School Press, Boston, 1999.

T. Copeland et V. Antikarov, *Real Options : A Practitioner Guide*, Texere, New York, 2001.

A. K. Dixit et R. S. Pindyck, *Investment under Uncertainty*, Princeton, NJ : Princeton, University Press, 1994.

H. Smit et L. Trigeorgis, *Strategic Investment, Real Options and Games*, Princeton, NJ : Princeton University Press, 2004.

L. Trigeorgis, *Real Options*, Cambridge, MA : MIT Press, 1996.

Le numéro de l'automne 1993 du Financial Management *consacre six articles aux options réelles ainsi qu'à une description des méthodes pour évaluer un site industriel pouvant être alimenté en gaz ou en pétrole :*

N. Kulatilaka, « The Value of Flexibility : The Case of a Dual-Fuel Industrial Steam Boiler », *Financial Management*, 22 (automne 1993), pp. 271-280.

Mason et Merton ont passé en revue un ensemble d'applications des options à la finance d'entreprise :

S. P. Mason et R. C. Merton, « The role of Contingent Claims Analysis in Corporate Finance », dans E. I. Altman et M. G. Subrahmayan (eds.), *Recent Advances in Corporate Finance*, Richard D. Irwin, Inc., Homewood, IL, 1985.

Brennan et Schwartz ont travaillé sur une application intéressante des options réelles aux investissements en ressources naturelles :

M. J. Brennan et E. S. Schwartz, « Evaluating Natural Resource Investments », *Journal of Business*, 58 (avril 1985), pp. 135-157.

Quelques références francophones :

P. Barneto, « L'évaluation des sociétés T.M.T. par les options réelles : émergence d'une nouvelle approche ? », *Revue du Financier*, n° 130 (mars 2001), pp. 85-102.

M. Bellalah, « Le choix des investissements, les options réelles et l'information : une revue de la littérature », *Cahiers du CREGE*, 2001.

Activités

Révision des concepts

1. Quelles sont les différentes catégories d'options réelles ? (Il en existe 4.)
2. Décrivez les options réelles dans chacun des cas suivants :
   - **a.** Icare Airlines paie Airbus pour obtenir une option d'achat sur l'Airbus A440 à partir de 2008.
   - **b.** Icare Airlines achète des Airbus A440 à portes élargies et plancher renforcé, ce qui permet la conversion rapide de l'avion en cargo.
   - **c.** Total paie 75 millions d'euros pour obtenir des droits de forage dans le Costaguana méridional. L'exploitation de ces champs pétrolifères est actuellement non rentable, mais une augmentation du prix du baril de pétrole peut faire changer cela.
   - **d.** Forêts de France achète des hectares de forêts en haute Lozère. L'exploitation est à VAN positive, mais Forêts de France décide de ne pas débuter l'exploitation.

Tests de connaissances

1. Reprenons la valorisation de l'option d'investissement dans le projet Mark II du tableau 22.2. Envisageons une modification de chacune des variables suivantes. Cela se traduirait-il par une hausse ou une baisse de la valeur de l'option d'expansion ?
   - **a.** L'accroissement de l'incertitude (un écart type plus élevé).
   - **b.** Des prévisions plus optimistes (une valeur espérée plus élevée) pour Mark II en 1985.
   - **c.** Une augmentation de l'investissement nécessaire en 1985.
2. Commentez les propositions suivantes :
   - **a.** « On n'a pas besoin de la théorie de la valorisation des options pour évaluer la flexibilité. Un arbre de décision suffit. On actualise les cash-flows de l'arbre avec le coût du capital de l'entreprise. »
   - **b.** « Ces méthodes d'évaluation des options ne sont que des supercheries. Elles affirment que des options réelles sur des actifs risqués ont plus de valeur que des options sur des actifs sans risque. »
   - **c.** « L'utilisation des options réelles élimine le besoin de passer par une évaluation FMA pour évaluer des projets d'investissement. »
3. Vous possédez une parcelle de terre en friche. Vous pouvez l'exploiter maintenant ou plus tard.
   - **a.** Quel avantage y a-t-il à attendre ?
   - **b.** Qu'est-ce qui pourrait vous décider à l'exploiter maintenant ?

Questions et problèmes

1. Décrivez chacune des situations suivantes en termes d'options :
   a. Les droits de forage sur un gisement non exploité de pétrole brut dans le nord de Dieppe. Exploiter dès maintenant le pétrole se traduirait par une VAN négative. (Le point mort est à 32 $ le baril, alors que le cours actuel est de 20 $.) De plus, la décision d'exploiter peut être retardée pendant cinq ans. Les charges d'exploitation devraient progresser de 5 % par an.
   b. Un restaurant rapporte des cash-flows nets de 700 000 € par an, une fois toutes les dépenses payées. La tendance des cash-flows est parfaitement stationnaire, mais ils peuvent fluctuer de 15 % par an. Le local occupé par le restaurant est possédé et non loué, et pourrait être vendu 5 millions d'euros. Vous ne tiendrez pas compte des impôts.
   c. Une variante de (b) : supposons que le restaurant soit maintenant confronté à des coûts fixes de 300 000 € par an, et ce aussi longtemps qu'il sera en activité. Dans ce cas :

      Cash-flow net = marge sur coûts variables – coûts fixes

      700 000 € = 1 000 000 € – 300 000 €

      L'écart type annuel de l'erreur sur la marge sur les coûts variables est de 10,5 %. Le taux d'intérêt est de 10 %. Ne tenez pas compte de la fiscalité.
   d. Une papeterie peut être fermée dans les périodes de faible demande et rouverte lorsque la demande se redresse suffisamment. Les coûts de fermeture et de réouverture de la papeterie sont connus.
   e. Un promoteur immobilier utilise un terrain en ville comme aire de stationnement bien que la construction d'un hôtel ou d'un immeuble présente une VAN positive.
   f. Air France négocie une option d'achat sur dix avions fabriqués par Boeing. Air France devra confirmer sa commande en 2008. Dans le cas contraire, Boeing sera libre de vendre ces avions à une autre compagnie aérienne.
2. Revenons au tableau 22.2. De quelle manière la valeur de l'option d'investissement dans le projet Mark II sera-t-elle modifiée si :
   a. L'investissement nécessaire pour Mark II est de 800 millions (au lieu de 900 millions) ?
   b. La valeur actuelle de Mark II en 1982 est de 500 millions (au lieu de 467 millions) ?
   c. L'écart type de la valeur actuelle de Mark II est seulement de 20 % (au lieu de 35 %) ?
3. Vous détenez une option d'achat à un an sur un terrain appartenant à la ville de Los Angeles. Le prix d'exercice en est de 2 millions de dollars, et la valeur actuelle du marché estimée est de 1,7 million. Le terrain est, en ce moment, utilisé comme parking et dégage tout juste de quoi couvrir l'impôt foncier. L'écart type annuel est de 15 % et le taux d'intérêt de 12 %. Combien vaut votre option d'achat ? Utilisez la formule de Black-Scholes.
4. Une variante sur la question 3 : supposons que le terrain soit occupé par un entrepôt qui procure des revenus locatifs de 150 000 $, après impôt foncier et autres charges. La valeur du terrain plus l'entrepôt est de nouveau de 1,7 million de dollars. Les autres informations sont identiques à celles de la question 3. Vous disposez d'une option d'achat à *l'européenne*. Quelle est sa valeur ?
5. Dans la section 22.4, nous avons décrit le problème rencontré par une centrale électrique lors de l'étude du choix d'un investissement qui permettrait la bicombustion fioul et gaz. Comment l'option de la bicombustion serait-elle modifiée si (1) les prix à la fois du fioul et du gaz devenaient très volatils, (2) les prix du fioul et du gaz étaient fortement corrélés ?
6. Vous détenez une option d'achat sur tous les actifs de Chemins de Fer Maritimes pour 2,5 milliards de dollars. L'option arrive à échéance dans neuf mois. Vous estimez que la valeur actuelle (au temps 0) de CFM est de 2,7 milliards. CFM génère des cash-flows trimestriels après impôts de 50 millions (fin de trimestre). Si vous exercez votre option au début de chaque trimestre, le cash-flow du trimestre vous est dû. Si vous n'exercez pas, le cash-flow ira aux propriétaires actuels de CFM.

À chaque trimestre, la valeur actuelle de CFM augmente de 10 % ou diminue de 9,09 %. Cette valeur actuelle inclut le cash-flow après impôts trimestriel de 50 millions. Après ce paiement, la valeur actuelle chute de 50 millions. L'arbre binomial pour le premier trimestre se présente comme suit (chiffres en millions) :

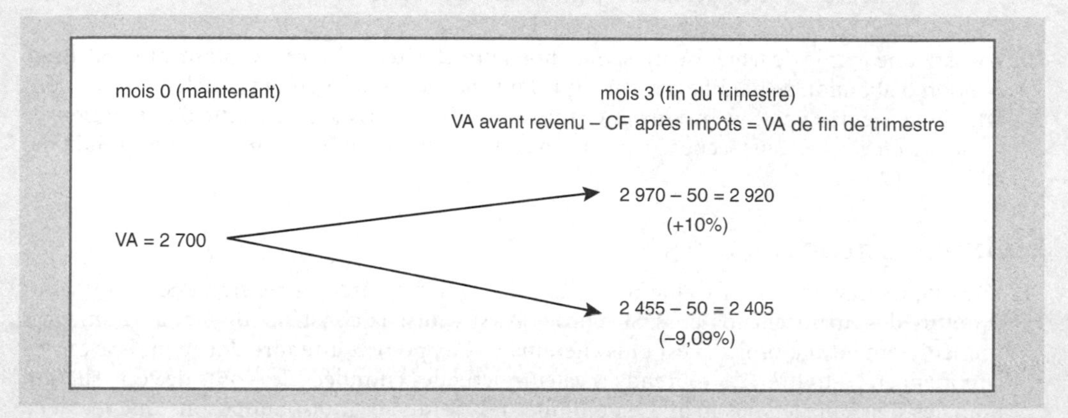

Le taux d'intérêt sans risque est de 2 % pour le trimestre.

a. Construisez l'arbre binomial pour CFM, avec une hausse ou une baisse pour chaque période trimestrielle (trois étapes pour couvrir les neuf mois).

b. Supposons que vous puissiez seulement exercer votre option maintenant ou dans neuf mois (et non dans trois mois, ni six mois). Exercerez-vous maintenant ou attendrez-vous ?

c. Supposons que vous puissiez exercer votre option maintenant, dans 3, 6 ou 9 mois. Que vaut votre option aujourd'hui ? Devriez-vous l'exercer ou attendre ?

7. À la section 10.3, nous avons étudié deux technologies pour la construction de moteurs hors-bord à vapeur. La technologie Goldorak était la plus intéressante, mais n'avait pas de valeur de revente si le moteur hors-bord était un échec commercial. La technologie Casimir était moins performante, mais procurait une valeur de revente de 10 millions d'euros.

La figure 10.7 présente les valeurs actuelles du projet (18,5 millions ou 8,5 millions) pour l'année 1 si la technologie Goldorak est utilisée. Supposons que la valeur actuelle soit de 11,5 millions à l'année 0.

a. Avec la technologie Casimir, les résultats sont de 18 millions ou de 8 millions. Quelle est la valeur actuelle du projet pour l'année 0 si c'est la technologie Casimir qui est choisie ? *Indice :* les résultats avec la technologie Casimir ont une différence constante de 0,5 million par rapport à Goldorak. Le taux sans risque est de 7 %.

b. La technologie Goldorak peut être abandonnée à la fin de l'année 1 pour une valeur de revente de 10 millions. Déterminez la valeur de l'abandon.

8. Revenons à la question 7. Supposons que la technologie Goldorak présente une valeur de revente de 7 millions à la place de 0. La valeur actuelle du projet Goldorak est de 11,5 millions pour l'année 0, en supposant qu'il n'y ait pas d'abandon. Le taux sans risque est de 7 %.

a. Construisez un arbre binomial à une période pour ce projet, avec une branche haute ou basse à chaque étape trimestrielle (soit quatre au total). Les coefficients de hausse sont de 25 %, les coefficients de baisse sont de –16,7 %.

b. Supposons que la décision d'abandon ne puisse être prise qu'à la fin de l'année 1. Dans quelles circonstances abandonneriez-vous ? Quelle est la valeur de l'abandon pour l'année 0 ?

9. Juste Pourrir, trop pressé, a seulement lu une partie du chapitre 10. Il décide d'évaluer une option réelle en (1) construisant un arbre de décision avec des cash-flows et des prévisions de probabilités pour chaque résultat futur ; (2) en décidant ce qu'il faut faire à chaque point de décision de l'arbre ; (3) et en actualisant les cash-flows espérés qui en résultent au coût du capital de l'entreprise. Cette démarche permet-elle d'aboutir au bon résultat ? Étayez votre réponse.
10. Bâtissez une feuille de tableur correspondant au projet Zircon. Montrez comment la valeur de l'option d'abandon se modifie à mesure que l'on change les différentes variables. Pouvez-vous faire le lien entre vos conclusions et ce que vous avez appris sur la valeur d'une option de vente ? *Indice :* si vous séchez, vous trouverez sûrement utile de revenir un instant au tableau 20.2.

Problèmes avancés

1. Vous pensez avoir besoin d'une nouvelle usine qui sera prête dans trente-six mois pour produire des turbo-encubateurs. Si le projet A est choisi, la construction devra commencer immédiatement. Le projet B est plus cher, mais vous pouvez attendre douze mois avant de commencer. La figure 22.8 reprend les valeurs actuelles cumulées des coûts de construction pour les deux projets jusqu'à la date limite des trente-six mois. Supposons que les deux projets, une fois construits, soient aussi productifs et disposent des mêmes capacités de production.

Figure 22.8 - Coûts de construction cumulés de deux projets d'usine. L'usine A a besoin de trente-six mois pour être construite, l'usine B seulement de vingt-quatre. Mais l'usine B coûte plus cher.

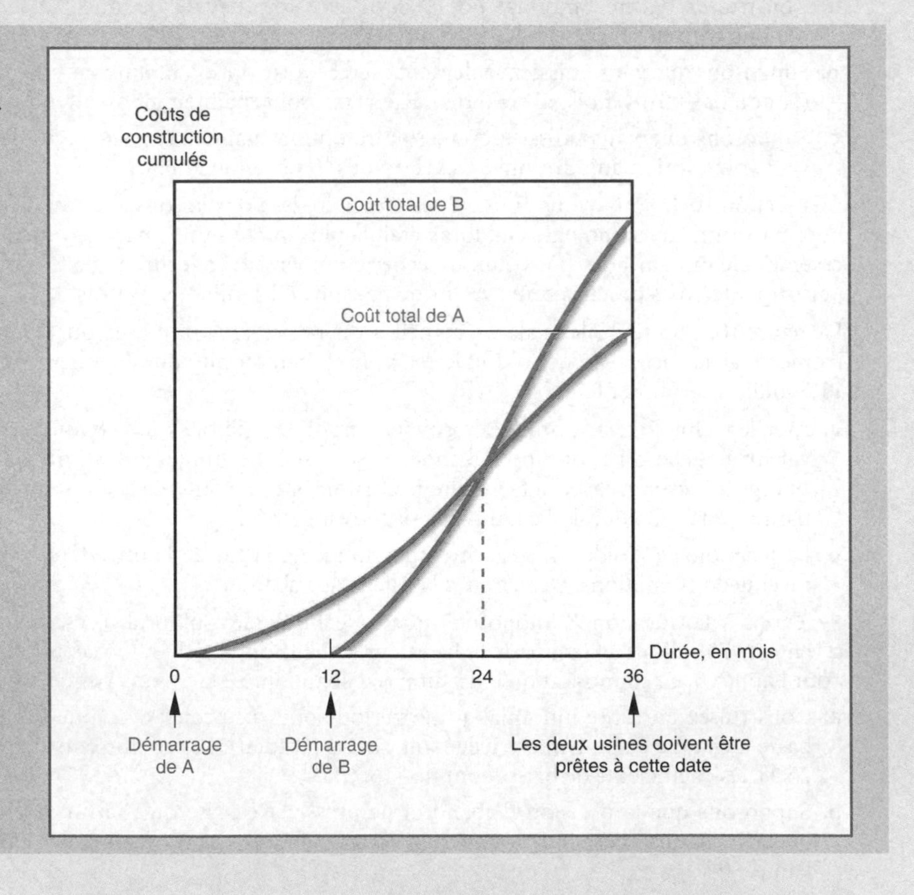

L'analyse traditionnelle de la VAN conclut au choix de A plutôt que B. Mais supposons que la demande pour les turbo-encubateurs baisse et qu'une nouvelle usine soit superflue ; comme le montre la figure 22.8, l'entreprise est alors avantagée avec le projet B, sous réserve que la décision d'abandon soit prise avant le vingt-quatrième mois.

Décrivez ce cas de figure comme le choix entre deux options d'achat (complexes). Puis décrivez-le au travers de deux options d'abandon (complexes). Les deux descriptions doivent correspondre à des revenus identiques, sachant que les stratégies d'exercice sont optimales.

2. Dans le chapitre 4, nous avons exprimé la valeur d'une action sous la forme :

$$P_0 = \frac{BPA_1}{r} + VAOC$$

Où BPA_1 est le bénéfice par action dégagé avec les actifs existants, r le taux de rentabilité escompté par les investisseurs et VAOC la valeur actuelle des opportunités de croissance. VAOC consiste en réalité en un portefeuille d'options de poursuite.

a. Quel sera l'effet d'un accroissement de VAOC sur l'écart type ou le bêta du taux de rentabilité de l'action ?

b. Supposons que le Medaf soit utilisé pour calculer le coût du capital pour une entreprise en croissance (VAOC élevée). Si tout est financé sur fonds propres, ce coût du capital représentera-t-il le taux correct pour évaluer des projets d'expansion de l'entreprise, ou de lancement de nouveaux produits ?

Partie 7

Le financement par emprunt

Le niveau des taux d'intérêt, à leur plus bas depuis quarante ans, a incité les entreprises à recourir à l'endettement, faisant de 2003 une année record en la matière. C'est General Motors (GM) qui détient le record de la plus grosse émission, à 17 milliards de dollars.

L'offre de GM était constituée de plusieurs types de titres. Les obligations libellées en dollars affichaient différentes maturités, allant de trois à trente ans. Les titres à trois ans délivraient un rendement d'à peu près 4,5 %, tandis que les titres à trente ans rapportaient près de 7,5 %, soit 4 points au-dessus du rendement des obligations d'État.

Quelles raisons ont amené GM à émettre des titres à trente ans, alors que les taux étaient plus faibles sur des titres à trois ans ? Est-ce que c'est le taux à trois ans qui est faible ou le taux à trente ans qui est élevé ? Et pourquoi les sociétés privées paient-elles plus d'intérêts que l'État ? La septième partie expliquera tout d'abord comment sont évaluées les obligations d'État, puis pourquoi les taux d'intérêt de court terme diffèrent des taux de long terme. Le chapitre 24 examine le problème du risque de défaut, et explique pourquoi GM et les autres entreprises doivent payer des intérêts plus élevés que l'État américain. Nous étudions également les différentes mesures du risque lié à l'endettement. Nous présentons tout d'abord la manière de mesurer la probabilité de défaut (faillite) de l'entreprise, avant d'analyser la « value at risk » lorsque la probabilité de défaut change.

Les sociétés disposent d'un très large choix quant à la nature de leur endettement. Par exemple, l'émission de GM était certes constituée d'une majorité de dettes en dollars, mais comportait également pour 6 milliards de titres en livres sterling et en euros. La plupart de ces titres servent un taux d'intérêt fixe, mais d'autres sont à taux variable, c'est-à-dire fluctuant avec le niveau général des taux d'intérêt. D'autres titres vendus par GM donnent aux investisseurs le droit de convertir la dette détenue en actions de l'entreprise. Le chapitre 25 présente ces différents titres, ainsi que les nombreux autres choix à la disposition des emprunteurs.

Finalement, le chapitre 26 décrira les formules de crédit-bail et expliquera comment elles sont évaluées. Le crédit-bail intègre beaucoup de caractéristiques des obligations.

Chapitre 23

L'évaluation des emprunts d'État

Comment fait-on pour estimer la valeur actuelle des obligations d'une société ? La réponse est simple. On prend les cash-flows et on les actualise au coût d'opportunité du capital. Ainsi, si l'obligation délivre des cash-flows de *CF* euros par an pendant *N* périodes et si elle est remboursée à sa valeur nominale (1 000 €), la valeur actuelle sera :

$$\text{VA} = \frac{CF}{1 + r_1} + \frac{CF}{(1 + r_2)^2} + \frac{CF}{(1 + r_3)^3} + \ldots + \frac{CF}{(1 + r_N)^n} + \frac{1\,000\ \text{€}}{(1 + r_N)^n}$$

où $r_1, r_2 \ldots, r_N$ représentent les taux d'actualisation correspondant aux cash flows qui seront versés au détenteur d'obligation pour les périodes 1, 2…, *N*.

Ceci ne pose aucun problème, mais cela ne nous dit pas comment il faut *déterminer* les taux d'actualisation. Par exemple :

1. Les obligations assimilables du Trésor (OAT) émises en 1993 (échéance 10 ans) offraient un rendement annuel de 8,19 %[1]. Les mêmes produits à 10 ans procurent début 2006 du 3,3 % lors de leur émission. Comment expliquer qu'un même titre offre des rentabilités aussi différentes selon la période concernée ?
2. En décembre 2005, le Trésor français pouvait emprunter pour un an au taux d'intérêt de 2,71 %, mais il devait payer un taux d'environ 3,61 % sur des emprunts à trente ans[2]. Pourquoi des obligations de maturités différentes offrent-elles des taux d'intérêt différents ? Pourquoi y a-t-il *une structure par terme* des taux d'intérêt ?
3. Début 2006, l'État français pouvait émettre des titres à long terme à un taux d'environ 3,3 %. Mais même les entreprises les plus prestigieuses de la cote boursière devaient verser des taux supérieurs (de 0,1 à 0,5 % pour la meilleure notation) sur leur endettement de long terme. Comment expliquer la prime que ces entreprises doivent payer ?

---

1. Voir **www.aft.gouv.fr**.
2. Voir **www.bloomberg.com/markets/france.htm**.

Ceci nous amène à approfondir des sujets qui préoccuperont encore les économistes pendant des années. Mais nous pouvons fournir des réponses générales et par la même occasion exposer quelques principes fondamentaux.

Pourquoi un gestionnaire financier devrait-il se préoccuper de ces questions ? Dans la mesure où le marché obligataire est liquide et efficient, qui a besoin de connaître comment les obligations sont évaluées ? Un marché efficient devrait protéger l'intervenant naïf. S'il devenait nécessaire de vérifier que le prix proposé lors d'une émission d'obligations est correct, il suffirait de s'informer du cours d'obligations similaires. Il serait inutile de se soucier de l'évolution dans le temps des taux d'intérêt, de leur structure par terme et des points abordés dans ce chapitre.

Nous ne croyons pas que l'ignorance soit souhaitable, même si elle est sans conséquences. Vous devez au moins être capable de lire les pages obligataires des *Echos* ou de *La Tribune* et de parler avec des banquiers du prix des récentes émissions d'obligations. Plus important, vous allez rencontrer beaucoup de problèmes d'évaluation des obligations pour lesquelles il n'existe pas d'équivalent négocié sur le marché en ce moment. Comment pourrez-vous évaluer un placement privé dont l'échéancier de remboursement est construit sur mesure ? *Quid* des contrats financiers de location ? Au chapitre 26, nous verrons qu'il s'agit essentiellement de contrats d'emprunt ; le plus souvent ils sont extrêmement complexes et des obligations négociées n'en représentent pas un équivalent correct. Beaucoup d'entreprises, notamment des banques et sociétés d'assurance, sont exposées au risque de variation des taux d'intérêt. Pour contrôler leur exposition au risque de taux d'intérêt, ces entreprises doivent comprendre pourquoi les taux d'intérêt évoluent[3]. La terminologie, les concepts et les situations présentés dans ce chapitre sont indispensables à l'analyse de ces problèmes financiers concrets.

Alors, commençons ce chapitre en posant la première question : « Pourquoi le niveau général des taux d'intérêt évolue-t-il au cours du temps ? » Ensuite, nous nous intéresserons à la relation entre taux d'intérêt à court terme et taux d'intérêt à long terme. Nous travaillerons sur trois propositions :

- Le cash-flow de chaque période devrait être actualisé à un taux qui lui est propre, mais les investisseurs calculent le plus souvent le rendement à l'échéance comme évaluation approchée du taux de l'obligation. Nous expliquerons tout d'abord comment ces mesures sont établies.
- Nous montrerons pourquoi une variation de taux d'intérêt a un impact plus important sur les emprunts obligataires à long terme que sur les titres à court terme.
- Nous étudierons quelques théories qui expliquent pourquoi les taux courts et les taux longs sont différents.

Lorsque vous achetez une OAT, vous êtes certain que la dette sera remboursée. En revanche, un investisseur achetant une obligation d'entreprise fait face au risque que cette dernière se retrouve en difficulté, voire dans l'incapacité de rembourser ses dettes. Le chapitre 24 se consacrera aux titres émis par les entreprises, notamment à l'examen du risque de défaut et de son impact sur le prix des titres.

3. Nous verrons dans le chapitre 27 comment les sociétés se protègent contre le risque de taux d'intérêt.

1 Taux d'intérêt nominal et taux d'intérêt réel

1.1 Les obligations indexées et le taux d'intérêt réel

Dans le chapitre 3, nous avons présenté la distinction entre taux d'intérêt nominal et taux d'intérêt réel. La plupart des obligations proposent un taux d'intérêt nominal fixe. Le taux d'intérêt réel que vous recevez dépend du taux de l'inflation : si une obligation à un an délivre un rendement de 10 % et que le taux de l'inflation prévu est de 4 %, le taux de rendement réel attendu sur le titre sera 1,10/1,04 – 1 = 0,058 ou 5,8 %. Comme le taux de l'inflation est incertain, le taux de rendement réel de l'obligation l'est aussi : si l'inflation devient supérieure au taux attendu de 4 %, le taux de rendement réel deviendra inférieur à 5,8 %.

Vous pouvez verrouiller le taux de rendement réel en achetant une obligation indexée dont les versements sont liés à l'inflation. Le Trésor français a émis à partir de 1998 des obligations indexées sur l'inflation (OATi). Pour ces premières émissions, seul le capital était indexé, tandis que le coupon était fixé à 3 %. L'avantage de l'indexation du capital a permis au Trésor de diminuer le revenu. Depuis, le Trésor a élargi la palette des titres indexés sur l'inflation en augmentant les échéances disponibles et la gamme des indices de référence. En octobre 2005, le rendement moyen des OATi échéance 2009 était de 2,83 %, et de 3,25 % pour l'échéance 2013.

Pour l'instant, le Trésor n'a pas encore émis de véritable titre indexé où le revenu annuel dépendrait de l'indice des prix. Mais ce projet est à l'étude.

Quels sont les principaux déterminants des taux d'intérêt ? La réponse des économistes classiques est résumée par le titre du célèbre ouvrage d'Irving Fisher : *The Theory of Interest : As Determinated by Impatience to Spend Income and Opportunity to Invest it*[4]. Selon Fisher, le taux d'intérêt réel est le prix qui égalise l'offre et la demande de capital. L'offre est fonction de la propension des agents à épargner – c'est-à-dire à retarder leur consommation[5]. La demande est fonction des opportunités d'investissement productif.

Par exemple, supposons que les opportunités d'investissement augmentent de manière générale. Les entreprises ont plus de bons projets, elles sont alors incitées à investir davantage que précédemment, quel que soit le taux d'intérêt. Le taux doit donc s'accroître pour amener des agents à épargner le montant marginal dont les entreprises ont besoin pour investir[6]. Inversement, si les opportunités d'investissement se détériorent, il y aura une chute du taux d'intérêt réel.

La théorie de Fisher met en évidence le fait que le taux d'intérêt réel dépend de phénomènes réels. D'un point de vue macroéconomique, une forte propension à épargner peut être associée à des facteurs tels qu'un degré de richesse élevé (les gens riches épargnent davantage),

---

4. *La théorie de l'intérêt déterminée par l'impatience à dépenser un revenu et l'opportunité de l'investir*, publication originale de 1930, Augustus M. Kelley, Publishers, New York,1965.

5. Une partie de cette épargne est réalisée de manière indirecte. Par exemple, si vous détenez 100 titres d'Air Liquide, et que l'entreprise conserve un bénéfice de 1 € par titre pour le réinvestir, Air Liquide épargne pour votre compte 100 €.

6. On supposera que les investisseurs épargnent plus lorsque le taux d'intérêt augmente. Mais ce n'est pas obligatoirement vrai ; voici un exemple de taux d'intérêt élevé qui pourrait se traduire par *moins* d'épargne : supposons que, dans vingt ans, vous ayez besoin de 50 000 € pour faire face aux dépenses d'éducation de vos enfants. Combien devez-vous épargner aujourd'hui pour couvrir ces frais ? La réponse est la valeur actuelle de 50 000 € dans vingt ans, soit 50 000 / $(1 + r)^{20}$. Plus le taux d'actualisation r est élevé, plus la valeur actuelle est faible et moins vous aurez à épargner.

une distribution inégale des richesses (une distribution inégale se traduit par quelques personnes riches), et une forte proportion de personnes d'un âge moyen (les jeunes n'ont pas besoin d'épargner et les personnes âgées ne le souhaitent pas). De même, une forte propension à investir peut être associée à un niveau élevé d'activité industrielle ou des avancées technologiques importantes.

Les taux d'intérêt réels sont variables mais de manière graduelle. Prenons le cas de la France. La courbe bleue de la figure 23.1 montre que le rendement (réel) des titres a fluctué dans de beaucoup plus faibles proportions que leur rendement nominal.

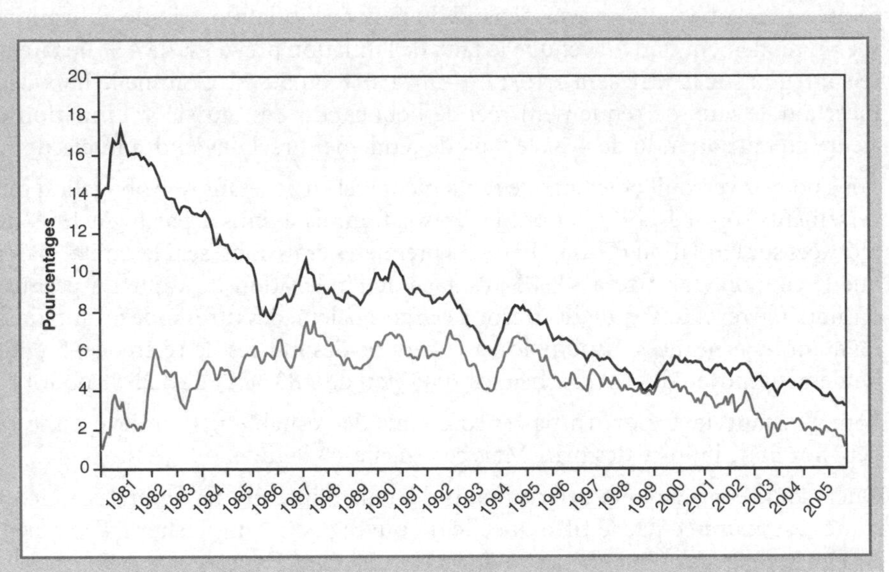

Figure 23.1 - Rendements nominaux et réels sur les obligations d'État françaises à 10 ans. Observez que les taux réels ont été plus stables que les taux nominaux.

1.2 L'inflation et les taux d'intérêt

Supposons que les consommateurs soient aussi heureux avec 100 pommes aujourd'hui qu'avec 105 pommes dans un an. Le taux d'intérêt réel, le taux « pomme », est de 5 %. Supposons aussi que je sache que le prix des pommes va augmenter de 10 % au cours de l'année. Dans ce cas, si on me rembourse 115 € à la fin de l'année, je veux bien placer 100 €. Ces 115 € représentent ce qu'il me faut pour acheter 5 % de pommes de plus par rapport à ce que je peux m'acheter aujourd'hui avec 100 €. Autrement dit le taux d'intérêt nominal (ou taux de l'argent) doit être égal au taux d'intérêt réel (le taux pomme) plus le taux d'inflation anticipé[7]. Lorsque le taux d'inflation anticipé varie de 1 %, le taux d'intérêt nominal varie de 1 %. Ceci est la théorie de Fisher : une variation du taux d'inflation anticipé induit la même variation du taux d'intérêt nominal ; il n'a aucun impact sur le taux d'intérêt réel requis[8].

Les taux d'intérêt nominaux ne peuvent être négatifs ; si c'était le cas, chacun préfèrerait détenir des liquidités sur lesquelles on ne paie pas d'intérêt[9]. Mais qu'en est-il des taux réels ? Par exemple, serait-il possible que le taux d'intérêt monétaire soit de 5 % tandis que le taux anticipé de l'inflation soit de 10 %, se traduisant ainsi par un taux d'intérêt négatif ? Si c'était le cas, vous devriez être capable de fabriquer de la monnaie de la manière suivante : vous empruntez 100 € au taux d'intérêt de 5 % et vous utilisez les fonds pour acheter des pommes. Vous stockez les pommes et les vendez à la fin de l'année au prix de 110 €, ce qui vous laisse assez d'argent pour rembourser l'emprunt et conserver 5 €.

Puisque les moyens de gagner facilement de l'argent sont assez rares, nous pouvons en conclure que si stocker des marchandises ne coûte rien, le taux d'intérêt monétaire ne peut être inférieur au taux d'accroissement anticipé des prix. Mais beaucoup de marchandises sont bien plus coûteuses à stocker que des pommes, tandis que d'autres ne peuvent pas être stockées du tout. Pour ces biens, le taux d'intérêt monétaire peut être inférieur au taux d'accroissement anticipé des prix.

1.3 En quoi la théorie de Fisher est-elle une bonne explication des taux d'intérêt ?

Tous les économistes ne sont pas d'accord avec l'idée avancée par Fisher selon laquelle le taux d'intérêt réel n'est pas lié au taux d'inflation. Par exemple, si des variations de prix sont générées par des variations du niveau de l'activité industrielle, dans un contexte inflationniste, on peut alors souhaiter obtenir plus ou moins que 105 pommes dans un an d'ici pour compenser la perte de 100 pommes aujourd'hui.

Il ne nous est pas possible de vous présenter des données historiques de taux d'intérêt *et* d'anticipations d'inflation. Au lieu de cela, nous avons opté pour la meilleure solution de substitution. La figure 23.2 représente les rendements des obligations à dix ans en France, ainsi que le taux d'inflation annuel réalisé. Remarquez que le rendement des obligations d'État a été en règle générale un peu au-dessus de l'inflation. Le rendement réel moyen annuel pour ces titres s'élève ainsi à 2,23 % sur cette période.

Examinons maintenant la relation entre le taux d'inflation et le taux d'intérêt des obligations d'État. La figure 23.2 montre que lorsque l'inflation s'est accélérée, les investisseurs ont exigé un taux d'intérêt plus élevé. Il semble donc que la théorie de Fisher fournisse un cadre d'analyse utile pour les directeurs financiers. Lorsque le taux d'inflation anticipé se modifie, il y a fort à parier qu'il y aura une modification équivalente des taux d'intérêt.

---

7. Nous simplifions trop. Si les pommes valent 1 € pièce aujourd'hui et 1,10 € l'année prochaine, vous aurez besoin de 1,10 × 105 = 115,50 € l'année prochaine pour acheter 105 pommes. Le taux d'intérêt nominal est de 15,5 % et non de 15 %. La formule exacte qui relie taux réel et taux nominal est :

$$(1 + r_{\text{nominal}}) = (1 + r_{\text{réel}})(1+i)$$

où i représente le taux de l'inflation anticipée. Ainsi :

$$r_{\text{nominal}} = r_{\text{réel}} + i + i(r_{\text{réel}})$$

Dans notre exemple, le taux nominal devrait être :

$$r_{\text{nominal}} = 0{,}05 + 0{,}10 + 0{,}10(0{,}05) = 0{,}155$$

Lorsque nous avons dit que le taux nominal devrait être de 15 %, nous avons ignoré le produit $i(r_{\text{réel}})$. Il s'agit d'une règle courante de simplification, car ce terme est généralement négligeable. Mais il y a des pays où il est important (parfois 100 % l'an, voire plus). Dans de tels cas, cela vaut la peine d'utiliser la formule exacte.

8. L'exemple de la pomme a été emprunté à R. Roll, « Interest rates on monetary assets and Commodity Price Index Changes », *Journal of Finance*, 27 (mai 1972), pp. 251-278.

9. Il semble bien que chaque règle ait son exception. Fin 1988, le manque de solvabilité de certaines banques japonaises s'est traduit par d'importants dépôts en yens auprès des banques occidentales. Quelques-unes de ces banques ont facturé à leurs clients des intérêts sur leurs dépôts ; le taux d'intérêt nominal était alors négatif.

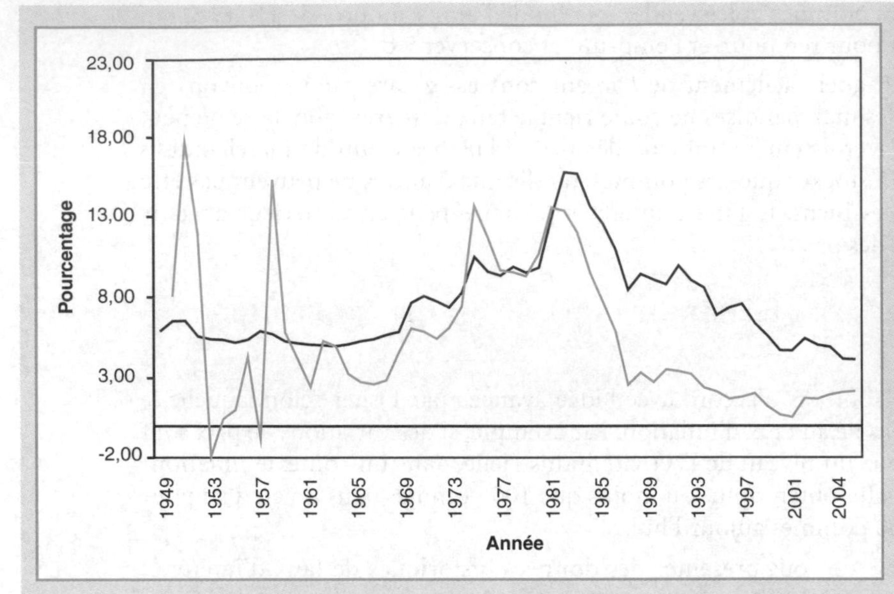

Figure 23.2 - Taux d'intérêt sur les obligations d'État françaises et taux d'inflation en France, 1950-2004.

*Source : International Financial Statistics (**http://ifs.apdi.net/imf/logon.aspx**), base de données du FMI.*

2 La structure par terme des taux et les taux de rendement à l'échéance

Nous allons maintenant passer à la différence entre les taux à court terme et les taux à long terme. Supposons que vous déteniez un simple titre qui délivre 1 € à la fin de la période 1. La valeur actuelle du titre est :

$$\text{VA} = \frac{1}{1 + r_1}$$

Ainsi, le cash-flow se trouve actualisé au taux r_1, taux approprié pour un titre ayant une durée d'une période. Ce taux est déterminé aujourd'hui ; il est fréquemment appelé **taux d'intérêt au comptant** sur une période. Si nous disposions d'un titre qui délivre 1 € pour les périodes 1 et 2, la valeur actuelle serait :

$$\text{VA} = \frac{1}{1 + r_1} + \frac{1}{(1 + r_2)^2}$$

Ainsi le cash-flow de la première période est actualisé au taux d'intérêt au comptant sur une période et le cash-flow de la deuxième période est actualisé au taux d'intérêt au comptant sur deux périodes. La série des taux d'intérêt au comptant r_1, r_2… est l'un des moyens de représenter la structure par terme des taux d'intérêt.

2.1 Le rendement à l'échéance

Plutôt que d'actualiser chacun des cash-flows à un taux d'intérêt différent, on pourrait trouver un seul taux d'actualisation qui produirait la même valeur actuelle. Un tel taux est connu sous le nom de **rendement à l'échéance** ou *taux de rendement actuariel (TRA)*, en réalité, le taux de rentabilité interne (TRI), caché sous une autre appellation. Si l'on appelle ce taux de rendement à l'échéance *r*, nous pouvons écrire la valeur actuelle d'un titre à deux ans comme suit :

$$\text{VA} = \frac{1}{(1 + TRI)} + \frac{1}{(1 + TRI)^2}$$

Tout ce dont on a besoin pour déterminer *r*, c'est le cours de l'obligation, son coupon annuel et sa maturité. Vous pourrez rapidement obtenir ce taux de rendement à l'échéance à l'aide d'une calculatrice financière ou d'un tableur. Le rendement à l'échéance est facile à calculer et sans ambiguïté. C'est l'outil de base de tout négociateur en titres obligataires. Mais maintenant, vous devez avoir appris à considérer le taux interne de rentabilité avec méfiance[10]. Plus vous examinez ce rendement à l'échéance, moins il vous semble apporter d'informations. Voici un exemple.

Exemple. Nous sommes en N. Vous vous interrogez sur un investissement en OAT et vous tombez sur les cotations suivantes de deux titres[11]:

Obligation	Cours	Taux de rendement (TRA)
5 % – échéance 5 ans	85,21 %	8,78 %
10 % – échéance 5 ans	105,43 %	8,62 %

L'expression « 5 % – échéance 5 ans (ou N+5) » signifie que l'obligation arrive à échéance en N+5 et fournit un intérêt annuel (coupon) qui s'élève à 5 % de la valeur nominale de l'obligation. En Europe continentale, l'usage est de payer annuellement les coupons ; aux États-Unis, ils sont en général payés tous les six mois, de sorte qu'un « 5 % – N+5 » verserait 2,5 % de la valeur faciale du coupon chaque semestre. *Pour simplifier les calculs, nous supposerons tout au long de ce chapitre que tous les coupons sont versés en une fois chaque année.* À la maturité, en N+5, la valeur nominale vous sera remboursée avec le dernier coupon.

Le prix de chaque obligation est coté en pourcentage de la valeur nominale. Par conséquent, puisque la valeur nominale est de 1 €[12], si vous en achetez 1 000, vous aurez à payer 852,11 € pour acquérir les titres et votre rendement sera de 8,78 %. Soit $t = 0$ en N, $t = 1$ en N+1…, nous obtiendrons les chiffres suivants pour les cash-flows actualisés :

Obligation	Cash-flows						Rendement à l'échéance
	CF_0	CF_1	CF_2	CF_3	CF_4	CF_5	
5 % – N+5	–852,11	50	50	50	50	1 050	8,78 %
10 % – N+5	–1 054,29	100	100	100	100	1 100	8,62 %

10. Se reporter à la section 3, chapitre 5.

11. La cotation d'une obligation est appelée « au pied du coupon ». Le prix que verse l'acheteur est égal au prix au pied du coupon auquel on ajoute le *coupon couru* qui est le revenu accumulé par le vendeur depuis le dernier versement de coupon. Il faut connaître le prix au pied du coupon pour trouver le rendement à l'échéance.

12. Lors de la bascule à l'euro le 4 janvier 1999, tous les États de l'UEM ont choisi d'adopter le même montant nominal pour leurs dettes. Le choix le moins contestable fut logiquement un euro. En pratique, les intervenants échangent des « paquets » plus consistants et onéreux de ces titres.

Bien que ces deux obligations arrivent à échéance à la même date, elles ont vraisemblablement été émises à des dates différentes, celle à 5 % lorsque les taux d'intérêt étaient bas, et celle à 10 % lorsqu'ils étaient plus élevés.

Tableau 23.1. Déterminer la valeur actuelle de deux obligations lorsque les taux d'intérêt à long terme sont plus élevés que les taux d'intérêt à court terme

Les données de ce tableau, comme celles de tous les tableaux de ce chapitre, sont disponibles sur *www.gestion financiere.pearsoned.fr*

		Calculs de valeur actuelle			
		5 % – N+5		10 % – N+5	
Période	**Taux d'intérêt**	**Flux**	**VA au taux r_t**	**Flux**	**VA au taux r_t**
T = 1	$r_1 = 0{,}05$	50 €	47,62 €	100 €	95,23 €
T = 2	$r_2 = 0{,}06$	50 €	44,50 €	100 €	89,00 €
T = 3	$r_3 = 0{,}07$	50 €	40,81 €	100 €	81,63 €
T = 4	$r_4 = 0{,}08$	50 €	36,75 €	100 €	73,50 €
T = 5	$r_5 = 0{,}09$	1 050 €	682,43 €	1 100 €	714,92 €
		Totaux	852,11 €		1 054,29 €

Le titre 5 % – N + 5 constitue-t-il un meilleur achat ? Est-ce que le marché fait une erreur en évaluant ces deux titres selon des rendements différents ? Le seul moyen de le savoir avec certitude consiste à déterminer les valeurs actuelles de ces obligations en utilisant la gamme des taux au comptant : r_1 pour N+1, r_2 pour N+2… C'est ce qui est fait dans le tableau 23.1.

L'hypothèse importante faite dans ce tableau est que les taux d'intérêt à long terme sont plus élevés que les taux d'intérêt à court terme. Nous avons supposé que le taux d'intérêt à un an était $r_1 = 0{,}05$, à deux ans $r_2 = 0{,}06$, et ainsi de suite. Lorsque chaque cash-flow est actualisé au taux qui lui correspond, on voit que la valeur actuelle de chaque obligation est parfaitement égale au prix qui est coté. Ainsi, chacune des obligations est correctement évaluée.

Pourquoi le titre à 5 % a-t-il un meilleur rendement ? Parce que pour chaque euro que vous avez investi dans ce titre, vous recevez un cash-flow relativement faible pendant les quatre premières années et un relativement élevé à l'issue de la dernière année. Par conséquent, bien que les deux obligations aient la même date d'échéance, celle à 5 % délivre une plus grande proportion de ses cash-flows en N+5. En ce sens, le titre à 5 % représente un investissement à plus long terme que celui à 10 %. Son plus fort rendement à l'échéance reflète le fait que les taux d'intérêt à long terme soient plus élevés que les taux à court terme.

On ne peut ignorer les problèmes que pose le rendement à l'échéance. Premièrement, lorsqu'on calcule le rendement à l'échéance d'une obligation, on utilise le *même* taux pour actualiser *tous* les versements reçus par l'obligataire. Mais dans notre exemple, celui-ci peut demander des taux de rentabilité différents (r_1, r_2, etc.) pour chacune des périodes. À moins que les deux titres n'offrent exactement le même échéancier de flux, ils auront des rendements différents à l'échéance. Le rendement à l'échéance du titre 5 % – N+5 ne peut donc offrir qu'une indication approximative du rendement adéquat du titre 10 % – N+5.

2.2 Mesurer la structure par terme des taux d'intérêt

Les gestionnaires financiers qui souhaitent simplement disposer d'une mesure rapide et sommaire des taux d'intérêt vont se reporter à la presse financière pour trouver le rendement à long terme des titres d'État. Mais si vous voulez comprendre pourquoi des obligations différentes se vendent à des prix différents, vous devez observer les taux propres à chacun des cash-flows, celui à un an, celui à deux ans, et ainsi de suite. Autrement dit, vous devez étudier les taux au comptant.

Pour déterminer un taux d'intérêt au comptant, vous aurez besoin du prix d'une obligation qui délivre simplement un seul flux futur. Heureusement, de tels titres existent. Ils sont appelés *titres démembrés* ou *strips*. Les titres démembrés sont apparus aux États-Unis lorsque plusieurs banques d'investissement ont acheté des obligations du Trésor américain et ont procédé à l'émission de leurs propres mini-obligations, chacune d'elles ne délivrant qu'un seul flux. Cette innovation devint populaire auprès des investisseurs, qui ont bien accueilli la possibilité d'acheter des mini-obligations plutôt qu'un ensemble complet. Il n'a pas fallu longtemps avant que le Trésor n'émette lui-même ses propres titres démembrés[13]. Les cours de ces obligations sont publiés chaque jour dans les quotidiens financiers. De tels titres existent aussi en France (leur encours représentait environ 48 milliards d'euros en 2005).

Une alternative consiste en des *obligations à zéro coupon*. Celles-ci sont des obligations qui n'ont pas eu à être démembrées, puisque dès l'origine, elles étaient émises sans coupon (la rémunération pour l'obligataire consiste uniquement en la différence entre la valeur de remboursement finale et le prix de souscription initial). La figure 23.3, qui présente la *courbe des taux* en France, est en fait une courbe représentant les rémunérations des obligations zéro coupon suivant leur échéance.

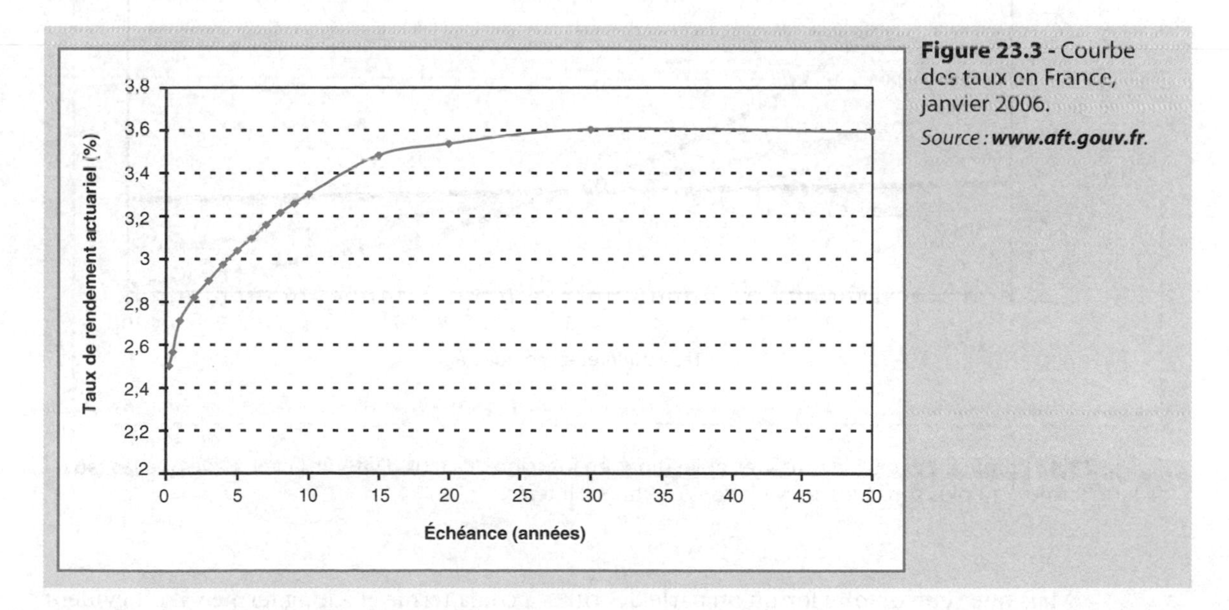

Figure 23.3 - Courbe des taux en France, janvier 2006.

Source : ***www.aft.gouv.fr***.

13. Le Trésor a poursuivi les enchères de titres ordinaires avec coupon, mais les investisseurs peuvent les échanger auprès de la Banque centrale contre des titres démembrés.

Nous avons utilisé les cours des obligations zéro coupon à différentes échéances pour représenter une structure par terme des taux d'intérêt au comptant entre 1 et 50 ans : les investisseurs exigent un taux d'intérêt d'environ 2,5 % pour un titre qui délivre un paiement uniquement à la fin de l'année 1 et un taux de rendement de presque 3,6 % pour une obligation qui ne délivre un cash-flow qu'à l'année 2055.

3 De quelle manière le cours des obligations est-il affecté par les variations de taux d'intérêt ?

3.1 La duration et la sensibilité des obligations

Au chapitre 7, nous avons observé les performances historiques des différentes catégories de titres. Nous avons observé que les titres d'État à long terme avaient présenté une rentabilité moyenne plus élevée que les bons à court terme, mais qu'ils avaient aussi été plus volatils. La figure 23.4 montre en quoi les titres de long terme sont plus sensibles. Chaque ligne décrit comment le cours d'une obligation à taux fixe 5 % évolue en fonction des taux d'intérêt.

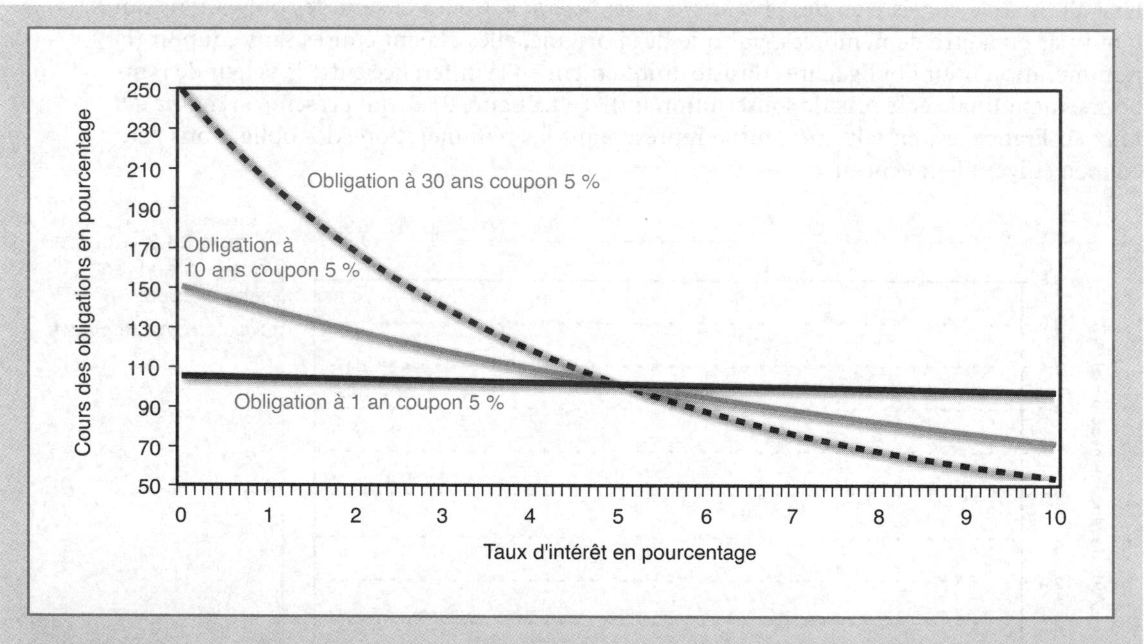

Figure 23.4 - Comment évolue le cours des obligations en fonction des taux d'intérêt. On observe que les taux de long terme sont plus sensibles aux variations des taux d'intérêt.

Mais que veut-on dire lorsqu'on parle des titres à court terme et à long terme ? Il est évident que les titres démembrés ne donnent lieu qu'à un seul versement. En revanche, un titre qui arrive à échéance dans dix ans va générer des versements d'intérêts pour chacune des années 1 à 10. Il est donc inexact de décrire une obligation comme un titre à 10 ans.

Tableau 23.2. Les quatre premières colonnes montrent que le cash-flow de la cinquième année ne représente que 77,5 % de la valeur actuelle de l'obligation à taux fixe 6,875 % d'échéance N+5. La dernière colonne décrit comment calculer la moyenne des cash-flows pondérée par les durées qui les séparent d'aujourd'hui. Cette moyenne représente la duration de l'obligation

Année	Flux t	VA (CFt) à 4,9 %	Proportion de la valeur totale [VA(CFt)/Vt]	Proportion de la valeur totale multipliée par le temps
1	68,75	65,54	0,060	0,060
2	68,75	62,48	0,058	0,115
3	68,75	59,56	0,055	0,165
4	68,75	56,78	0,052	0,209
5	1 068,75	841,39	0,775	3,875
	V =	1 085,74	1,000	Duration = 4,424 années

Imaginons un titre du Trésor 6,875 % – N+5 avec une valeur actuelle de 108,57 % de sa valeur nominale, et procurant un rendement de 4,9 %. Les troisième et quatrième colonnes du tableau 23.2 expliquent l'origine de cette valeur actuelle. Vous remarquerez que le cash-flow de la cinquième année n'intervient que pour 77,5 % de la valeur. Environ 22,5 % de la valeur provient des cash-flows précédents.

Les analystes obligataires utilisent le terme de **duration** pour illustrer le délai moyen de versement. Si nous appelons la valeur totale du titre V, alors la duration sera déterminée comme suit[14] :

$$\text{Duration} = \frac{[1 \times \text{VA}(CF_1)]}{V} + \frac{[2 \times \text{VA}(CF_2)]}{V} + \frac{[3 \times \text{VA}(CF_3)]}{V} + \ldots$$

Pour le titre 6,875 % – N+5,

$$\text{Duration} = [1 \times 0{,}06] + [2 \times 0{,}058] + [3 \times 0{,}055] + \ldots = 4{,}424 \text{ années}$$

Un titre du Trésor 4,625 % – N+5 a la même échéance que le titre à coupon 6,875 %, mais les coupons des quatre premières années entrent dans une proportion plus faible dans la valeur totale de l'obligation. En ce sens, l'obligation à 4,625 % est *plus longue* que l'obligation à 6,875 %.

Envisageons maintenant ce qui se passe pour la valeur actuelle de chacune de ces obligations lorsque les taux d'intérêt changent :

	6,875 % - N+5		4,625 % - N+5	
	Nouveau cours	Variation	Nouveau cours	Variation
Le rendement baisse de 0,5 %	1 108,96	+2,14 %	1 009,91	+2,21 %
Le rendement augmente de 0,5 %	1 063,16	–2,08 %	966,81	–2,15 %
Différence		4,22 %		4,36 %

14. Cette évaluation est également connue sous le nom de duration de Macaulay, du nom de son inventeur. Voir F. Macaulay, *Some theorical problems suggested by the movements of interest rates, bond yields and stock prices in the United States since 1856*, National Bureau of Economic Research, New York, 1938.

Ainsi pour une variation de 1 % du taux d'intérêt, le cours du titre 6,875 % varie de 4,22 %. Nous pouvons dire que ce titre a une **sensibilité** (on parle parfois de *volatilité*) de 4,22 %, tandis que le 4,625 % a une sensibilité de 4,36 % : le titre à 4,625 % présente une plus forte sensibilité et a aussi la plus forte duration. La sensibilité de l'obligation est directement liée à sa duration[15].

$$\text{Sensibilité (en pourcentage)} = \frac{\text{duration}}{(1 + \text{TRA})}$$

Soit dans le cas du 6,875 % :

$$\text{Sensibilité (en pourcentage)} = \frac{4{,}424}{(1 + 4{,}9\ \%)} = 4{,}22\ \%$$

Sur la figure 23.4, nous avons montré comment le cours des obligations varie en fonction du niveau des taux d'intérêt. Chaque sensibilité d'obligation est tout simplement la pente de la courbe représentative du cours des obligations au taux d'intérêt. Vous pouvez l'observer plus facilement sur la figure 23.5, où la courbe convexe retrace le cours d'une obligation à trente ans au taux de 5 % en fonction des taux d'intérêt.

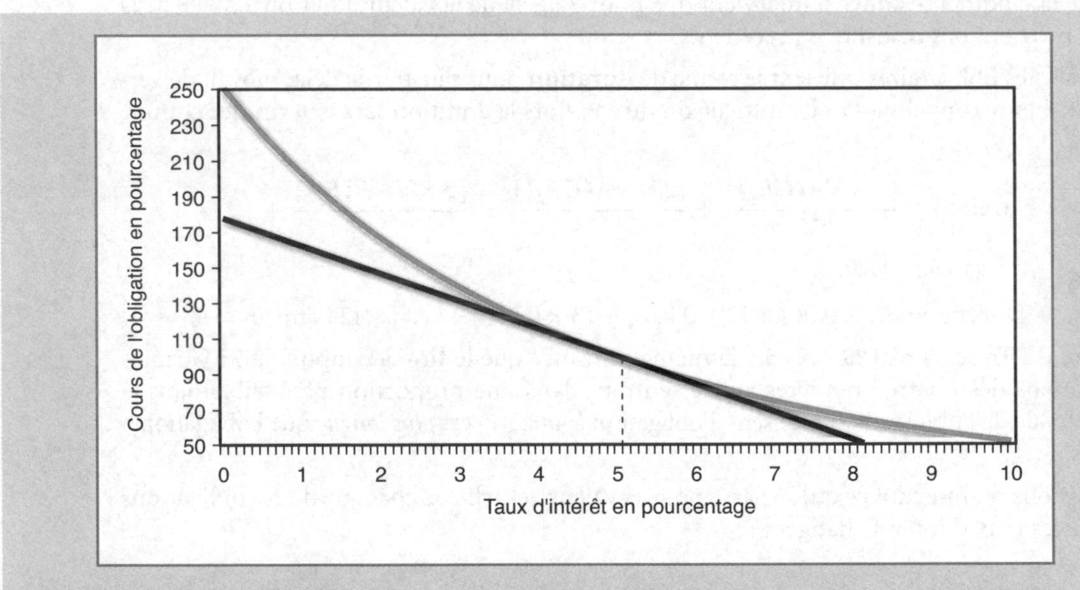

Figure 23.5 - La sensibilité est la pente de la courbe représentative du cours de l'obligation en fonction du taux d'intérêt. Par exemple, une obligation à trente ans au taux fixe de 5 % présente une sensibilité de 15,4 % lorsque le taux d'intérêt est de 5 %. En ce point, la variation de prix représente 15,4 fois la variation du taux d'intérêt. La sensibilité est plus élevée à mesure que le taux d'intérêt diminue (la courbe s'élève) et diminue lorsque le taux augmente (la courbe s'aplatit).

15. Pour cette raison, on appelle également la sensibilité *duration modifiée*.

3.2 Gérer le risque de taux d'intérêt

La sensibilité mesure l'effet probable d'une variation du taux d'intérêt sur la valeur de l'obligation. Plus la duration du titre est longue, plus la sensibilité est élevée. Au chapitre 27 nous utiliserons la relation entre duration et sensibilité pour illustrer comment les sociétés peuvent se protéger contre les variations de taux d'intérêt. Voici un exemple pour vous y préparer.

Supposons que votre société ait promis de verser une pension aux employés retraités. La valeur actualisée des versements de cette pension est de 1 million d'euros : la société doit mettre de côté dans un fonds de pension 1 million d'euros et l'investir dans des obligations du Trésor. Ainsi la société a une dette de 1 million d'euros et un actif adossé pour une valeur de 1 million d'euros. Mais, en fonction des variations de taux d'intérêt, la valeur de la dette va changer tout comme le fera la valeur des titres au sein du fonds de pension. De quelle manière la société peut-elle s'assurer que la valeur des obligations couvrira toujours la valeur de la dette ? En vérifiant que la duration des obligations sera toujours la même que la duration de la dette destinée à la pension.

3.3 Avertissement

La sensibilité mesure l'impact sur les cours des obligations d'un déplacement du taux d'intérêt. Par exemple, nous avons calculé que le titre à 6,875 % avait une sensibilité de 4,22 %. Ceci signifie qu'une variation d'un point de pourcentage du taux d'intérêt conduit à une variation en sens inverse de 4,22 % du cours de l'obligation :

$$\text{Variation du cours de l'obligation} = 4{,}22 \times \text{variation du taux d'intérêt}$$

Cette relation est parfois appelée *modèle à un seul facteur* du rendement des obligations, une modification unique sur l'ensemble des taux d'intérêt. Les modèles à un seul facteur ont été d'une aide très efficace pour les sociétés qui désiraient comprendre comment elles étaient soumises au risque de taux d'intérêt et de quelle manière elles pouvaient s'en protéger.

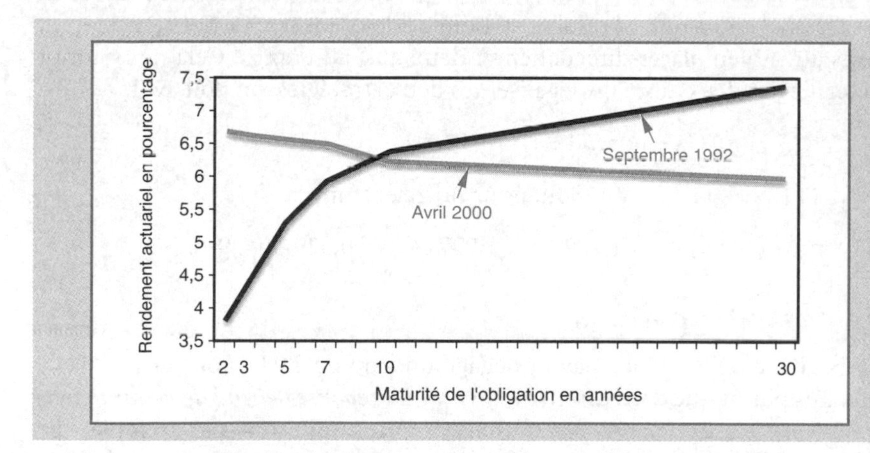

Figure 23.6 - Les taux de court terme et de long terme ne se déforment pas de la même manière. Entre 1992 et 2000, les taux courts ont pratiquement doublé tandis que les taux longs ont diminué en Grande-Bretagne.

Si les rendements de tous les titres d'État se modifiaient tous exactement dans la même proportion, les variations de prix de chaque obligation seraient exactement proportionnelles à leur duration. Par exemple, le cours d'une obligation de long terme d'une duration de vingt ans varierait toujours deux fois plus vite que celui d'une obligation de moyen terme de duration dix ans. Toutefois, la figure 23.6 montre que les taux de court terme et de long terme ne se déforment pas de la même manière. Entre 1992 et 2000, en Grande-Bretagne, les taux courts ont nettement augmenté tandis que les taux longs ont diminué de moitié ou presque. Résultat, la structure des taux, qui était à l'origine clairement croissante, s'est transformée en courbe décroissante. Comme les taux courts et les taux longs ne se déplacent pas parallèlement, un modèle à un seul facteur ne peut tout expliquer et les dirigeants doivent se préoccuper non seulement du risque d'une variation globale des taux d'intérêt, mais aussi d'une déformation partielle de la courbe des taux.

4 Comment expliquer la structure par terme des taux d'intérêt ?

La **structure par terme des taux d'intérêt** (ou *courbe des taux*) est croissante dans la figure 23.3. En d'autres termes, les taux longs sont plus élevés que les taux courts. C'est la situation la plus courante, mais l'inverse peut aussi se rencontrer. Comment expliquer ces variations ?

Prenons un exemple simple. La figure 23.3 montre que, début 2006, le taux d'intérêt au comptant sur des emprunts d'État français à un an (r_1) était d'environ 2,7 %. Le taux d'intérêt au comptant à deux ans (r_2) était plus élevé, à 2,8 %. Supposons qu'en 2006 on investisse dans un bon du Trésor à un an. On devrait gagner le taux d'intérêt au comptant à un an et à la fin de l'année, chaque euro investi aurait été transformé en $(1+ r_1) = 1{,}027$ €. Si on avait investi pour deux ans, on devrait profiter du taux d'intérêt au comptant à deux ans r_2 et on recevrait à la fin des deux années $(1+ r_2)^2 = (1{,}028)^2 = 1{,}0568$ €. En conservant notre argent investi pour une année supplémentaire, notre placement passe de 1,027 € à 1,0568 €, soit une augmentation de 2,9 %. Ce rendement supplémentaire de 2,9 % que l'on obtient en investissant sur deux années plutôt qu'une seule est appelé **taux d'intérêt à terme** ou f_2.

Comment avons-nous calculé ce taux d'intérêt à terme ? Supposons que l'on place à 1 an au taux r_1, puis que l'on replace le résultat au taux f_2 (taux que nous ne connaissons pas, et qui correspond au *taux à 1 an dans un an*). Le résultat au bout de deux ans sera de $(1+ r_1) \times (1+ f_2)$. Mais nous pouvions aussi bien placer directement à deux ans, au taux r_2. Cela nous aurait donné $(1+ r_2)^2$ au terme des deux ans. Pour égaliser les deux stratégies, on doit avoir

$$(1+ r_2)^2 = (1+ r_1) \times (1+ f_2)$$

On en déduit que $f_2 = (1+ r_2)^2 / (1+ r_1) - 1$. Soit, pour notre exemple :

$$f_2 = (1+ r_2)^2 / (1+ r_1) - 1 = (1{,}028)^2 / (1{,}027) - 1 = 0{,}029 \text{ ou } 2{,}9\ \%$$

4.1 La théorie des anticipations

Auriez-vous été satisfait, au début 2006, d'avoir dégagé un gain de 2,9 % pour avoir investi dans un titre à deux ans plutôt que dans un titre à un an ? *La réponse dépend de vos anticipations quant aux variations de taux d'intérêt pour l'année à venir.* Supposons, par exemple, que vous pensiez que le taux d'intérêt va s'accroître fortement, de sorte que *dans un an* le taux d'intérêt à un an soit de 4 %. Dans ce cas, plutôt que d'investir dans un titre à deux ans et dégager un revenu de 2,9 % pour la seconde année, vous feriez mieux d'investir dans une obligation à un an, et lorsqu'elle sera arrivée à maturité, de réinvestir pour une seconde année à 4 %. Mais si les autres investisseurs partagent votre point de vue, personne ne va acheter le titre à deux ans et son prix devrait chuter. Son prix s'arrêtera de chuter lorsque le revenu retiré de la détention du titre à deux ans pour la seconde année sera égal au taux d'intérêt anticipé pour la seconde année. Nous allons appeler le taux d'intérêt de cette seconde obligation ${}_1r_2$: c'est-à-dire *le taux d'intérêt dans un an pour une dette arrivant à échéance dans deux ans*[16]. La figure 23.7 montre que, pour ce point, les investisseurs attendraient le même revenu anticipé d'un investissement dans un titre à deux ans que d'un investissement dans deux titres successifs à un an.

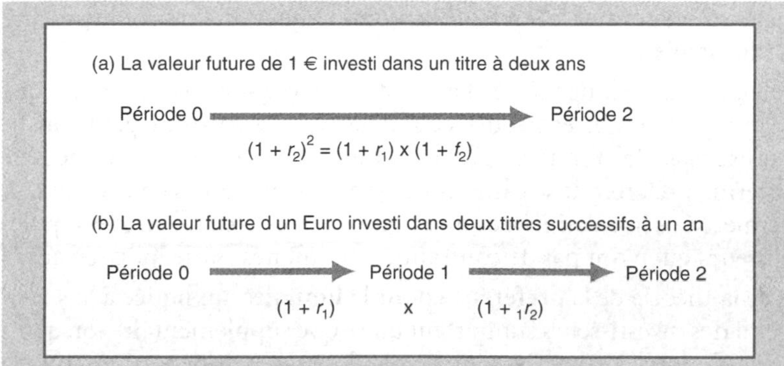

Figure 23.7 - Un investisseur peut investir à deux ans de deux manières : (a) investir directement dans un titre à deux ans ou (b) investir dans deux titres successifs à un an. La théorie des anticipations nous explique que, à l'équilibre, les revenus anticipés retirés de ces deux formes de placement doivent être identiques ; en d'autres termes, le taux d'intérêt à terme f_2 doit être égal au taux d'intérêt au comptant anticipé ${}_1r_2$.

Ceci est connu sous le nom de **théorie des anticipations** sur la structure des taux d'intérêt[17]. Elle énonce que, à l'équilibre, le taux d'intérêt à terme f_2 doit être égal au taux d'intérêt anticipé pour dans un an, ${}_1r_2$. La théorie des anticipations affirme que la seule raison pour laquelle on observe une structure des taux croissante est que les investisseurs anticipent que les taux courts vont augmenter ; de même, la seule explication pour laquelle on observe une structure des taux décroissante est que les investisseurs anticipent que les taux courts vont baisser[18]. La théorie des anticipations soutient également qu'investir dans une succession de titres obligataires à un an procure exactement le même rendement anticipé qu'un placement en obligations de long terme.

Lorsque les taux de court terme sont significativement inférieurs aux taux longs, il devient alors tentant d'emprunter à court terme plutôt qu'à long terme. La théorie des anticipations implique que des stratégies aussi naïves ne marchent pas. Lorsque les taux courts sont plus faibles que les taux longs, alors les investisseurs vont s'attendre à ce que les taux augmentent.

La théorie des anticipations a ses fidèles défenseurs, mais la plupart des économistes pensent que les anticipations quant au taux d'intérêt futur exercent un impact important sur la structure des taux d'intérêt. Par exemple, la théorie des anticipations implique que lorsque le taux à terme est à un point au-dessus du taux d'intérêt au comptant, la meilleure estimation que vous puissiez faire est que le taux au comptant va s'accroître de un point. Dans une étude sur le marché des bons du Trésor sur la période 1959-1982, Eugene Fama a établi que

16. Faites attention à bien distinguer ${}_1r_2$ de r_2. r_2 est le taux d'intérêt *au comptant* (actuel) d'un titre à deux ans. La valeur ${}_1r_2$ est le taux au comptant *à un an*, c'est-à-dire qui sera connu dans un an.

17. La théorie des anticipations est habituellement attribuée à Lutz et Lutz. Voir F. A. Lutz et V. C. Lutz, *The theory of investment of the firm*, Princeton University Press, NJ, 1951.

18. Ceci prolonge notre exemple. Lorsque le taux au comptant à deux ans, r_2, est plus élevé que le taux à un an r_1, alors le taux à terme f_2 sera supérieur à r_1. Lorsque le taux à terme est égal au taux anticipé ${}_1r_2$, alors ${}_1r_2$ doit être plus élevé que r_1. Bien entendu, l'inverse se trouve également vérifié.

le taux à terme précède en moyenne un accroissement du taux au comptant mais que cet accroissement est plus faible que la théorie ne l'avait prédit[19].

4.2 La théorie de la préférence pour la liquidité

Qu'est-ce qui a été oublié par la théorie des anticipations ? La réponse la plus évidente est le risque. Si vous êtes convaincu quant au niveau futur des taux d'intérêt, vous choisirez simplement la stratégie qui procure le rendement le plus élevé. Mais *si vous n'êtes pas certain de vos prévisions*, il se peut que vous adoptiez la stratégie la moins risquée, même si elle procure le rendement attendu le plus faible.

Souvenez-vous que les obligations de long terme et à duration élevée sont plus volatiles que les titres à court terme. Pour quelques investisseurs, ce supplément de volatilité peut constituer une motivation. Par exemple, les fonds de pension et les compagnies d'assurance-vie qui ont des dettes à long terme préféreront se garantir des rendements futurs en investissant dans des titres de long terme. Mais la volatilité des titres à long terme crée un risque supplémentaire pour les investisseurs qui n'ont pas de contraintes spécifiques sur le long terme.

Nous avons ici les bases de la théorie de la **préférence pour la liquidité** appliquée à la structure par terme des taux[20]. Si des investisseurs supportent un risque supplémentaire lorsqu'ils détiennent des obligations de long terme, ils vont demander une compensation sous la forme d'un revenu espéré plus élevé. Dans ce cas, le taux à terme doit être plus élevé que le taux au comptant espéré. Cette différence entre le taux à terme et le taux au comptant espéré est couramment appelée **prime de liquidité**. Si la théorie de la prime de liquidité est exacte, la structure par terme devrait donc être naturellement plutôt croissante. Bien sûr, lorsque les anticipations de taux au comptant sont à la baisse, la structure pourrait être décroissante. Mais la théorie de la préférence pour la liquidité se traduirait par une courbe moins décroissante que celle issue de la théorie des anticipations.

4.3 Le risque lié à l'inflation

Les cash-flows *nominaux* d'une obligation émise par le Trésor sont certains, mais les cash-flows réels ne le sont pas, car les obligations du Trésor sont aussi soumises au risque de l'inflation. Observons d'abord comment l'inflation influe différemment sur le risque des obligations selon leur maturité[21].

Supposons qu'Irving Fisher ait raison et que les taux d'intérêt à court terme intègrent toujours en totalité les dernières prévisions du marché concernant l'inflation. Si aujourd'hui le marché n'a qu'une idée très floue quant à l'inflation pour l'année 2, d'ici un an on peut s'attendre à ce qu'il fasse une meilleure prévision. Les investisseurs seront en bien meilleure position dans un an pour évaluer le taux d'intérêt le plus approprié pour l'année 2.

---

19. Voir E. F. Fama, « The Information In The Term Structure », *Journal of Financial Economics*, 13 (décembre 1984), pp. 509-528. Le marché des bons du Trésor fournit la preuve que la prime à terme a quelque pouvoir dans la prévision des variations de taux d'intérêt ; ceci a été établi par J. Y. Campbell, A. W. Lo et A. C. Mackinlay, *The Econometrics of Financial Markets*, Princeton University Press, NJ, 1997, pp. 421-422.

20. La théorie de la préférence pour la liquidité est en général attribuée à Hicks. Voir J. R. Hicks, *Value and Capital : An Inquiry into Some Fundamental Principles of Economic Theory*, 2e éd., Oxford University Press, Oxford, 1946. Pour un développement théorique, on peut se reporter à Roll, *The Behavior of Interest Rates : An application of the Efficient-Market Model to U.S. Treasury Bills*, Basic BooksInc., New York, 1970.

21. Le développement suivant s'appuie sur un article de R. A Brealey et S. M. Schaefer, « Term Structure and Uncertain Inflation », *Journal of Finance*, 32 (mai 1977), pp. 277-290.

Envisageons que vous épargniez pour votre retraite. Laquelle de ces stratégies est la plus risquée : investir dans une succession de bons du Trésor à un an ou investir dans une obligation à vingt ans ? Si vous achetez un titre à vingt ans, vous savez quelle somme vous obtiendrez au bout de vingt ans, mais vous faites un pari de long terme sur l'inflation. L'inflation peut sembler accessoire pour le moment, mais qui sait ce qu'elle sera dans dix ou vingt ans ? Cette incertitude contient sa part de risque.

L'incertitude sur l'inflation peut aider à expliquer pourquoi les obligations de long terme délivrent une prime de liquidité. Si l'inflation fait supporter un risque supplémentaire aux prêteurs à long terme, les emprunteurs doivent proposer un petit plus s'ils veulent conduire les prêteurs à investir à long terme. Par conséquent, le taux d'intérêt à terme f_2 doit être plus élevé que le taux au comptant anticipé $E({}_1r_2)$.

4.4 Les relations entre les revenus des obligations

Ces différentes théories de la structure des taux d'intérêt nous expliquent comment le cours des obligations peut être déterminé à un moment donné. Plus récemment, des économistes financiers ont avancé d'importantes propositions théoriques sur la manière dont les *mouvements* de prix sont reliés les uns aux autres. Ces théories s'appuient sur le fait que les rentabilités des obligations de maturités différentes connaissent la même évolution. Par exemple, lorsque les taux d'intérêt à court terme sont élevés, on peut raisonnablement parier que les taux longs seront élevés. Lorsque les taux d'intérêt à court terme chutent, les taux à long terme chutent également. Les modèles utilisés par les opérateurs de marché pour tirer parti de ces liens peuvent être très complexes et nous ne pouvons les détailler ici. En voici un exemple.

Supposons que vous envisagiez d'investir dans trois titres émis par l'État : un bon du Trésor à trois mois, une obligation à moyen terme et une obligation à long terme. Le rendement trimestriel du bon à trois mois est certain (2 %). Le rendement de chacune des deux obligations dépend de ce qui arrivera aux taux d'intérêt. Supposons que l'on ne prenne en compte que deux cas de figure possibles, une forte hausse des taux ou une forte baisse. Le tableau 23.3 résume de quelle manière évolue le cours de chacun de ces trois titres : le titre à long terme présente une duration plus élevée et par conséquent des marges de fluctuations de prix plus importantes.

Voici les éléments du puzzle. Vous connaissez le prix du bon du Trésor et de l'obligation à long terme. Mais pouvez-vous remplacer les deux points d'interrogation qui figurent dans le tableau 23.3 et dégager ce que devrait valoir l'obligation à moyen terme ?

Tableau 23.3. Résultats obtenus pour chacun des trois titres d'État. On remarque que les fluctuations les plus importantes correspondent au titre à la plus forte duration. Nous ne savons pas ce que vaut le titre à moyen terme ; nous devrons l'établir à partir de ses variations de prix suite à une augmentation ou une diminution des taux d'intérêt

		Variation de prix		
	Prix de départ	Si le taux d'intérêt augmente	Si le taux d'intérêt diminue	Valeur finale
Bon du Trésor	98	+2	+2	100
Obligation à moyen terme	?	–6,5	+10	?
Obligation à long terme	105	–15	+18	90 ou 123

Supposons que l'on parte de 100 €. Vous placez la moitié sur le titre à court terme et l'autre moitié sur le titre à long terme. Dans ce cas, la variation de valeur de votre portefeuille sera $(0,5 \times 2) + [0,5 \times (-15)] = -6,5$ € lorsque le taux d'intérêt augmente et $(0,5 \times 2) + [0,5 \times (+18)] = +10$ € lorsque le taux d'intérêt diminue. Ainsi, indépendamment du fait que les taux augmentent ou diminuent, votre portefeuille fournira exactement les mêmes résultats qu'un investissement dans un titre de moyen terme. Puisque les deux investissements procurent les mêmes résultats, ils doivent avoir le même prix. Ainsi, la valeur du titre à moyen terme doit se situer à mi-chemin de la valeur du titre à trois mois et de l'obligation à long terme : $(98 + 105) / 2 = 101,5$. Vous pourrez également déterminer sa valeur l'année suivante, soit $101,5 - 6,5 = 95$ soit $101,5 + 10 = 111,5$.

Chaque chiffre peut maintenant être vérifié : indépendamment du fait que le taux d'intérêt augmente ou diminue, le titre à moyen terme procure le même résultat qu'un ensemble constitué du bon du Trésor et du titre à long terme et doit donc coûter le même prix :

		Valeur finale	
	Débours initial	**Si le taux d'intérêt augmente**	**Si le taux d'intérêt diminue**
Portefeuille équivalent de bon du Trésor et de titre à long terme	(0,5 × 98) + (0,5 × 105) = 101,5	(0,5 × 100) + (0,5 × 90) = 95	(0,5 × 100) + (0,5 × 123) = 111,5
Obligation à moyen terme	101,5	101,5 – 6,5 = 95	101,5 +10 =111,5

Notre exemple est grossièrement simplifié, mais vous aurez probablement noté que l'idée de base est la même que celle que nous avons utilisée lorsque nous avons évalué une option : pour évaluer une option sur un actif, nous avons construit un portefeuille avec un prêt à taux sans risque et une action qui reproduisait exactement les résultats obtenus avec une option. Ceci nous a permis de valoriser l'option sachant le prix du prêt sans risque et le cours du titre. Dans notre cas, nous valoriserons l'obligation en construisant un portefeuille de deux obligations ou plus qui vont procurer les mêmes revenus[22].

Notre exemple fournit trois messages. Premièrement, les opérateurs de marchés sur obligations se focalisent sur les variations du cours des obligations et sur la manière dont les variations de cours des différentes obligations sont reliées entre elles. Deuxièmement, les variations du cours des obligations peuvent être reliées à un petit nombre de facteurs. Troisièmement, dès que les liens entre différents cours d'obligations peuvent être mis à plat, chaque obligation peut être évaluée à partir d'un ensemble d'autres obligations.

22. Deux modèles qui utilisent les conditions de non-arbitrage pour modéliser la structure des taux d'intérêt ont été établis par O. Vasicek « An equilibrium characterization of the term structure », *Journal of Financial Economics*, 5 (novembre 1977), pp. 177-188 et par J. C. Cox, J. E. Ingersoll et S. A. Ross, « A theory of the term structure of interest rates », *Econometrica*, 53 (mai 1985), pp. 385-407.

Résumé

Une gestion efficace de la dette suppose que vous ayez compris comment les obligations sont évaluées. Vous devez donc envisager trois paramètres :

1. Qu'est-ce qui détermine le niveau général des taux d'intérêt ?
2. Qu'est-ce qui détermine la différence entre les taux à long terme et les taux à court terme ?
3. Qu'est-ce qui détermine la différence entre les taux d'intérêt sur la dette des entreprises et sur celle de l'État ?

Voici plusieurs choses à retenir. Le taux d'intérêt dépend de l'offre et de la demande de capitaux. La *demande* provient de sociétés qui souhaitent investir dans de nouveaux équipements ou de nouvelles usines. L'*offre* de capitaux provient d'agents individuels qui acceptent de consommer demain plutôt qu'aujourd'hui. Le taux d'intérêt d'équilibre est le taux qui fournit l'*équilibre* entre l'offre et la demande.

La théorie la plus connue quant aux effets de l'inflation sur les taux d'intérêt est celle proposée par Irving Fisher : le taux d'intérêt nominal est égal à la somme du taux d'intérêt réel anticipé et du taux d'inflation anticipé. Si le taux d'inflation anticipé augmente de 1 %, le taux d'intérêt nominal fera de même. Au cours des cinquante dernières années, la théorie simple de Fisher n'a pas fourni de mauvais résultats pour l'explication des variations de taux d'intérêt à court terme aux États-Unis.

La valeur de n'importe quelle obligation est égale aux cash-flows actualisés au taux d'intérêt au comptant. Par exemple, la valeur d'une obligation à dix ans dont le coupon est de 5 % est égale à

$$\text{VA (en pourcentage de la valeur nominale)} = \text{VA} = \frac{5}{(1+r_1)} + \frac{5}{(1+r_2)^2} + \ldots + \frac{105}{(1+r_{10})^{10}}$$

Les négociateurs en obligations observent généralement le niveau du rendement à l'échéance. Il s'agit simplement du taux interne de rentabilité, appelé ici taux de rendement actuariel (*TRA*), tel que

$$\text{Cours de l'obligation} = \text{VA} = \frac{5}{(1+\text{TRA})} + \frac{5}{(1+\text{TRA})^2} + \ldots + \frac{105}{(1+\text{TRA})^{10}}$$

Ce TRA représente une moyenne compliquée des taux d'intérêt au comptant r_1, r_2, etc. Comme beaucoup de moyennes, cela peut être une mesure résumée très utile, mais cela peut aussi cacher beaucoup d'informations intéressantes. Nous vous suggérons de vous reporter aux rendements des *obligations démembrées* (ou des *obligations à zéro coupon*) pour la mesure des taux d'intérêt au comptant.

Lorsque vous investissez dans une obligation, vous recevez normalement le paiement d'intérêts réguliers et ensuite le remboursement du principal. La *duration* mesure le temps moyen de versement des cash-flows. Il s'agit d'une mesure résumée et utile de la durée de l'emprunt. C'est également important, car il existe une relation directe entre la *duration* d'une obligation et sa *sensibilité*. Une variation des taux d'intérêt a un impact plus grand sur le cours de l'obligation lorsque la duration est longue.

Le taux d'intérêt au comptant pour une période r_1 peut s'avérer très différent du taux au comptant pour deux périodes r_2. En d'autres termes, les investisseurs requièrent souvent un taux d'intérêt annuel différent pour des prêts à un ou deux ans. Pourquoi en est-il ainsi ? La *théorie des anticipations* énonce que les obligations sont évaluées de manière à ce que les taux de rendement anticipés d'un investissement en obligations pour quelque période que ce soit, soient indépendants de la maturité des obligations détenues par l'investisseur. La théorie des anticipations énonce que le taux r_2 sera plus élevé que r_1 uniquement si le taux à un an de la prochaine période est anticipé à la hausse.

La théorie des anticipations ne peut représenter une explication complète de la structure des taux d'intérêt dès lors que les investisseurs sont en situation d'aversion au risque. Les obligations de long terme peuvent représenter une sécurité pour les investisseurs qui possèdent des actifs longs à taux fixe. Mais les autres investisseurs peuvent ne pas apprécier la forte volatilité des titres longs et seront attentifs au moindre soubresaut de l'inflation qui pourrait largement entamer la valeur réelle de ces obligations. De tels investisseurs accepteront de détenir des titres à long terme uniquement si ces derniers offrent une *prime de liquidité* – c'est-à-dire un taux d'intérêt plus élevé.

Enfin, nous en arrivons à notre troisième paramètre : « Qu'est-ce qui détermine la différence entre les taux d'intérêt sur la dette du secteur privé et sur celle de l'État ? » La dette des sociétés privées se vend à un prix plus faible. La différence représente la valeur de l'option de défaillance de la société. Nous avons montré comment la valeur de cette option évolue en fonction du degré d'endettement et du délai de maturité.

Les agences de notation sont largement utilisées pour étalonner le risque des dettes. Pourtant, les banques et les cabinets de consultants reconnaissent également que l'option de faillite est une option de vente, et ils ont développé des modèles pour estimer la probabilité pour que les emprunteurs exercent leur option de défaillance.

Lectures complémentaires

Deux bons ouvrages classiques sur les marchés de capitaux :

R. Ferrandier et V. Koen, *Marchés de capitaux et techniques financières*, 4e éd., Economica, 1997.

A. Sundaresan et S. Sundaresan, *Fixed Income Market and Their Derivatives*, South Western College Publishing, Cincinnati, Ohio, 2e éd., 2001.

Fama et Shiller, Campbell, et Schoenholtz procèdent à des tests empiriques de la structure par terme des taux d'intérêt :

E. F. Fama, « The Information in the Term Structure », *Journal of Financial Economics*, 13 (décembre 1984), pp. 509-528.

E. F. Fama « Term Premium in Bond returns », *Journal of Financial Economics*, 13 (décembre 1984), pp. 529-546.

R. J. Shiller, J. Y. Campbell et K. L. Schoenholtz, « Forward Rates and Future Policy : Interpreting the Term Structure of Interest Rates », *Brookings Papers on Economic Activity*, 1 (1983), pp. 173-217.

Activités

Exercices sur Internet

1. Connectez-vous sur **www.smartmoney.com** (site en anglais) et trouvez la courbe des taux dynamique (*the living yield curve*), qui montre l'évolution de la courbe des taux au fil du temps. Y a-t-il une différence entre la courbe d'aujourd'hui et la courbe moyenne ? Comment pouvez-vous expliquer l'évolution des taux court terme par rapport aux taux longs ?

Révision des concepts

1. Expliquez la différence entre une obligation classique et une obligation indexée (par exemple sur l'inflation). Pourquoi ne pouvez-vous pas comparer directement les rendements des deux titres ?
2. De quelles variables le taux d'intérêt *réel* est-il fonction ?
3. Qu'explique Fisher à propos de la relation entre inflation et taux d'intérêt ?

Tests de connaissances

1. En 2034, le titre du Trésor 13,875 % – 2044 offre un taux de rendement *semestriel* actuariel de 8,01 %. Sachant que les coupons sont payés semestriellement, déterminez le cours de l'obligation.
2. Voici les cours en N pour quatre obligations d'État de la péninsule scandinave de maturités semblables :

Obligation		Cours (%)
Danemark	7 % – N+10	116,58
Finlande	6 % – N+10	111,58
Norvège	6,75 % – N+10	108,15
Suède	6,5 % – N+10	113,19

   a. Sous hypothèse d'un paiement annuel du coupon, quelle est l'obligation qui procure le plus fort rendement ? Le plus faible ?

   b. Quelles sont les obligations qui ont les plus fortes et les plus faibles durations ?

3. **a.** Quelle est la formule d'évaluation d'une obligation à deux ans, au taux fixe de 5 % sur la base des taux au comptant ?

   b. Quelle est la formule de cette valeur sur la base du taux de rendement actuariel (TRA) ?

   c. Lorsque le taux d'intérêt au comptant à deux ans est supérieur au taux à un an, est-ce que le rendement à l'échéance est plus ou moins élevé que le taux d'intérêt au comptant à deux ans ?

d. Dans chacune des propositions suivantes, choisissez celle qui est exacte parmi les deux entre parenthèses :

« La formule du (taux de rendement actuariel / taux au comptant) actualise tous les cash-flows attachés à une obligation au même taux même s'ils se produisent à différentes dates. »
« La formule du (taux de rendement actuariel / taux au comptant) actualise tous les cash-flows se produisant à une même date au même taux, même s'ils proviennent d'obligations différentes. »

4. Construisez quelques exemples simples pour illustrer vos réponses aux questions suivantes :

a. Lorsque le taux d'intérêt augmente, le cours des obligations augmente-t-il ou diminue-t-il ?

b. Lorsque le rendement de l'obligation est plus élevé que le coupon, le cours est-il supérieur ou inférieur à 100 ?

c. Lorsque le cours de l'obligation est supérieur à 100, le rendement est-il supérieur ou inférieur au coupon ?

d. Des obligations à fort coupon se négocient-elles à un cours plus élevé que des obligations à faible coupon ?

e. Lorsque le taux d'intérêt se modifie, le cours des obligations à fort coupon change-t-il proportionnellement plus ou moins que le cours des obligations à faible coupon ?

5. Le tableau suivant reprend les cours d'obligations à zéro coupon du Trésor en octobre N. Ces obligations ne délivrent qu'un seul flux de 1 € à leur maturité.

Maturité		Cours (€)
Octobre	N+2	96,76 %
Octobre	N+8	70,28 %
Octobre	N+9	68,21 %
Octobre	N+10	64,78 %
Octobre	N+25	22,2 %

a. Estimez les taux de rendement actuariel pour chaque année.

b. La courbe des taux est-elle croissante ou décroissante ?

c. Pensez-vous que le taux de rendement d'une obligation à coupon à échéance octobre N+25 sera plus ou moins élevé que le rendement d'une obligation à zéro coupon de même échéance ?

d. Estimez les taux de rendement actuariel *à un an* pour l'année N+9. Faites de même pour N+10.

6. a. Une obligation à cinq ans, taux fixe 8 %, procure un TRA de 6 %. Si ce rendement ne varie pas, quel sera son cours dans un an ? Vous supposerez un paiement annuel des coupons.

b. Quel serait le rendement total pour un investisseur qui aurait détenu le titre pour cette année ?

c. Que pouvez-vous déduire de la relation entre le rendement d'une obligation sur une période donnée et les TRA au début et à la fin de cette période ?

7. Vrai ou faux ? Justifiez vos réponses.

a. Les obligations de maturité longue ont obligatoirement de longues durations.

b. Plus la duration d'une obligation est élevée, plus sa sensibilité est faible.

c. Toutes choses égales par ailleurs, plus le coupon est faible, plus la sensibilité est élevée.

d. Lorsque les taux d'intérêt augmentent, la duration des obligations augmente aussi.

8. Déterminez les durations et les sensibilités des titres A, B et C. Leurs cash-flows sont indiqués ci-après. Le taux d'intérêt est de 8 %.

	Période 1	Période 2	Période 3
A	40	40	40
B	20	20	120
C	10	10	110

9. a. Supposons que le taux d'intérêt au comptant à un an à l'année 0 soit de 1 % et que le taux au comptant à deux ans soit de 3 %. Que sera le taux d'intérêt à terme pour l'année 2 ?

b. Que dit la théorie des anticipations quant à la relation entre le taux à terme et le taux au comptant à un an à l'année 1 ?

c. Pendant une très longue période, la structure des taux d'intérêt en France a été plutôt croissante. S'agit-il d'un argument pour ou contre la théorie des anticipations ?

d. Que nous enseigne la théorie de la préférence pour la liquidité quant à la relation entre le taux à terme et le taux comptant à un an à l'année 1 ?

e. En supposant que la théorie de la préférence pour la liquidité constitue une bonne approximation et que vous ayez à effectuer des placements à long terme, est-il plus sûr d'investir dans des titres à long terme ou à court terme ? Vous supposerez que l'inflation peut être prévue.

Questions et problèmes

1. Soit une obligation à six ans, à taux fixe 6 %, de rendement 12 %, et une autre à six ans, de coupon 10 % et de rendement 8 %. Déterminez le taux au comptant à six ans. (Vous ferez l'hypothèse d'un paiement annuel des coupons.)

2. Le rendement des titres à fort coupon est-il plus élevé que celui des titres à faible coupon lorsque la structure des taux est croissante ou bien décroissante ?

3. Le taux d'intérêt au comptant pour un an est $r_1 = 6$ %, et le taux à terme d'un prêt à un an remboursable dans deux ans est $f_2 = 6{,}4$ %. De même, $f_3 = 7{,}1$ %, $f_4 = 7{,}3$ % et $f_5 = 8{,}2$ %. Quels sont les taux au comptant r_2, r_3, r_4 et r_5 ? Si la théorie des anticipations est respectée, que pouvez-vous dire des taux d'intérêt futurs anticipés ?

4. Votre société reçoit 100 millions d'euros au temps $t = 4$, mais doit effectuer un versement de 107 millions d'euros en $t = 5$. Les taux au comptant et les taux à terme sont ceux de la question 3. Montrez comment la société peut garantir le taux d'intérêt du placement qu'elle va effectuer en $t = 4$. Les 100 millions d'euros, investis au taux garanti, seront-ils suffisants pour rembourser la dette de 107 millions d'euros ?

5. Utilisons encore une fois les taux de la question 3. Prenons les obligations suivantes qui ont toutes une durée de cinq ans. Calculez le rendement à l'échéance de chacune d'elles. Quel est le meilleur investissement (ou sont-elles toutes aussi attractives) ? Chacune a une valeur nominale de 1 000 $ et délivre des coupons annuels.

Coupon	Cours
5	92,07 %
7	100,31 %
12	120,92 %

6. Vous avez relevé les taux d'intérêt au comptant comme suit :

Année	Taux au comptant
1	$r_1 = 5{,}00$ %
2	$r_2 = 5{,}40$ %
3	$r_3 = 5{,}70$ %
4	$r_4 = 5{,}90$ %
5	$r_5 = 6{,}00$ %

a. Quels sont les coefficients d'actualisation pour chaque date (c'est-à-dire la valeur actuelle de 1 € payé à l'année *t*) ?
b. Quels sont les taux à terme pour chacune des périodes ?
c. Calculez la valeur actuelle de chacun des titres du Trésor suivants :
i. Titre à deux ans, coupon de 5 %
ii. Titre à cinq ans, coupon de 5 %
iii. Titre à cinq ans, coupon de 10 %
d. Expliquez intuitivement pourquoi le TRA du titre à 10 % est plus faible que celui du titre à 5 %.
e. À combien devrait se monter le TRA d'un titre zéro coupon de maturité cinq ans ?
f. Montrez que le TRA exact d'un titre à cinq ans remboursable par annuités constantes est de 5,75 %.
g. Expliquez intuitivement pourquoi le rendement du titre d'État à cinq ans décrit à la question *(c)* doit se situer entre le rendement d'un titre zéro coupon à cinq ans et un titre à cinq ans remboursable par annuités.

7. Revenons aux taux d'intérêt au comptant présentés à la question 6. Supposons que quelqu'un vous ait dit que le taux d'intérêt au comptant à six ans est de 4,80 %. Pourquoi ne le croiriez-vous pas ? Comment pourriez-vous gagner de l'argent si c'était vrai ? Quelle est la valeur minimale possible pour le taux au comptant à six ans ?

8. Regardez encore les taux d'intérêt au comptant présentés à la question 6. Que pouvez-vous dire quant au taux d'intérêt comptant à un an dans quatre ans si :
a. La théorie des anticipations est correcte ?
b. La théorie de la préférence pour la liquidité est correcte ?
c. La structure par terme contient une prime d'incertitude liée à l'inflation ?

9. Prenez le cours de dix obligations assimilables du Trésor (OAT) dont les coupons et les maturités sont différents. Déterminez comment le cours est modifié lorsque le rendement à l'échéance augmente d'un point de pourcentage. Les titres longs ou les titres courts sont-ils plus affectés par la variation de rendement ? Les titres à fort coupon et ceux à faible coupon sont-ils le plus sensibles à la variation ?

10. Dans la section 23.3, nous avons établi qu'en N la duration de l'obligation 6,875 % – N+5 était de 4,424 années. Construisez un tableau identique au tableau 23.2 pour calculer la duration de l'obligation 4,625 % – N+5.

11. La formule de duration pour une obligation perpétuelle qui délivrerait un paiement identique chaque année indéfiniment est (1 + revenu) / revenu. Lorsque le rendement des obligations est de 5 %, laquelle a la plus longue duration : une obligation perpétuelle ou une obligation à zéro coupon remboursable dans quinze ans ? Même question quand le rendement est de 10 %.

12. Vous venez d'être débarqué de votre poste de PDG. En guise de dédommagement, le conseil d'administration vous accorde un contrat de consultant rémunéré 150 000 euros par an, sur une durée de cinq ans. Quelle est la duration de ce contrat si votre taux emprunteur personnel est de 9 % ? Utilisez la duration afin de calculer la variation de la valeur actuelle du contrat lorsque votre taux emprunteur s'accroît d'un demi-point de pourcentage.

13. Observez l'exemple de la section 23.4 concernant le bon du Trésor et les obligations à moyen et long terme. Maintenant, supposons que le cours de l'obligation à moyen terme puisse chuter à 10,75 € ou atteindre 14 €. Que pouvez-vous dire concernant la relation entre les valeurs de ces trois obligations ?

Problèmes avancés

1. Trouvez l'opportunité (les opportunités ?) d'arbitrage.

Obligation	Maturité en années	Coupon (€)	Cours (€)
A	3	zéro	751,30
B	4	50	842,30
C	4	120	1 065,28
D	4	100	980,57
E	3	140	1 120,12
F	3	70	1 001,62
G	2	zéro	834,00

Vous supposerez pour simplifier que les coupons sont payés annuellement. Dans chaque cas, la valeur nominale de l'obligation est de 1 000 €.

2. La duration d'une obligation perpétuelle qui délivrerait un coupon constant chaque année, et ce indéfiniment, serait de (1 + rendement) / rendement. Pouvez-vous démontrer ce résultat ?

3. Quelle est la duration d'une *action* dont les dividendes anticipés vont progresser à un taux croissant à perpétuité ?

4. a. Quels sont les taux d'intérêt au comptant et à terme induits par les titres du Trésor suivants ? Le cours d'un bon du Trésor à un an est de 93,46 %. On supposera pour simplifier que les obligations n'effectuent qu'un versement de coupon par an.

Maturité (en années)	Coupon (%)	Cours (%)
2	4	94,92
3	8	103,64

Indication : imaginez un ensemble de positions acheteur et vendeur de ces obligations qui procurerait un seul versement d'espèces pour l'année 2 ? Pour l'année 3 ?

b. Une obligation à trois ans avec un coupon de 4 % est négociée à 95,00 %. Existe-t-il une opportunité de profit ? Si c'est le cas, comment pourriez-vous en bénéficier ?

5. Revenons à notre exemple de la section 4 des obligations à court, moyen et long terme. Souvenez-vous que nous avons énoncé que les cours devaient respecter une logique particulière, faute de quoi il y aurait une opportunité d'arbitrage. Ceci veut dire que l'on peut tirer avantage de l'astuce de la neutralité au risque que nous avons utilisée pour la valeur des options. *Supposons que les investisseurs soient indifférents au risque.* Maintenant, répondez aux questions suivantes :

a. Si le cours d'une obligation à court terme est de 98 et le cours à moyen terme est de 83, quel est le cours du titre long ?

b. Quels sont les cours futurs possibles de ces trois obligations à l'issue des trois mois si les taux augmentent ou s'ils baissent ?

c. Quel sera le rendement espéré pour chacun des trois titres pour les trois prochains mois ?

d. Quelle est la probabilité pour qu'un taux augmente ?

e. Montrez que le taux de rendement espéré est le même pour chacun des titres.

Chapitre 24

Le risque de crédit

Lorsque le Trésor américain emprunte de l'argent, il y a très peu de risques qu'à l'échéance du prêt, il ne rembourse pas l'argent emprunté augmenté des intérêts dus. Le risque de n'être pas remboursé varie en fonction de la qualité de l'emprunteur. Ainsi, dans le monde en 2004 16,2 milliards[1] de dettes faisant l'objet d'une notation émis par des entreprises n'ont pas été remboursés. Les prêteurs savent que le risque de n'être pas remboursé existe et exigent donc un taux d'intérêt plus élevé lorsqu'ils prêtent à des entreprises plutôt qu'à un État. Ce chapitre débute par l'étude du lien entre la probabilité qu'une entreprise fasse faillite et la valeur de sa dette. Sont abordées ensuite les techniques que les agences de notation, mais aussi les banques et les porteurs d'obligations, utilisent pour prévoir le risque de défaillance. Pour terminer, la section 4 présente les techniques de mesure des pertes potentielles d'un créancier.

1 Valeur de la dette d'une entreprise

En 2005, la société Alstom, grande entreprise française du secteur de l'énergie et des transports, sort de quatre années de difficultés financières sérieuses, et l'année en cours s'annonce à peine meilleure. Au mois de mai 2005, les obligations émises par ce groupe à 6,25 % d'échéance 2010 avaient une valeur de marché de 92,50 et offraient un rendement de 12,7 %. Un investisseur naïf qui comparerait ce chiffre aux 3,4 % de rendement des bons du Trésor pourrait conclure que l'achat d'obligations d'Alstom est très rentable. Mais, bien entendu, la rentabilité réelle pour l'investisseur ne sera pas de 12,7 %, à moins que l'entreprise ne parvienne à trouver les capitaux nécessaires au remboursement total de ses obligations. Puisqu'il existe un risque non négligeable que l'entreprise fasse faillite, la rentabilité *anticipée* des obligations est inférieure à 12,7 %.

Prenons un exemple. On suppose que le taux d'intérêt d'une obligation sans risque qui arrive à échéance dans un an est de 5 %. Une entreprise décide d'émettre des obligations, de taux d'intérêt facial de 5 %, d'échéance un an et de valeur faciale 1 000 €. À quel prix cette entreprise peut-elle vendre ses obligations ? Si l'entreprise n'a aucun risque de défaillance

1. *Standard & Poor's 2004 Annual Corporate Default Study*, **www.standardandpoors.com**.

sur sa dette, la réponse est facile : il suffit d'actualiser la valeur faciale de l'obligation (1 000 €) et les intérêts payés (50 €) au taux d'actualisation annuel de 5 % :

$$\text{Valeur actuelle d'une obligation} = \frac{1\,000 + 50}{1{,}05} = 1000\text{ €}$$

Mais si le risque de défaillance n'est pas nul, les choses se compliquent un peu. Si le risque de n'être pas remboursé est de 20 % et que le remboursement des obligations en cas de défaillance de l'entreprise n'est que de la moitié de la valeur faciale de l'obligation, soit 500 €, alors les acheteurs d'obligations toucheront dans un an :

	Remboursement	Probabilité
Remboursement total	1 050 €	80 %
Remboursement partiel	500 €	20 %

L'espérance dece paiement est de 0,8 × 1 050 + 0,2 × 500 = 940 €.

On peut valoriser ces obligations comme n'importe quel actif risqué, en actualisant les cash-flows anticipés au coût d'opportunité du capital approprié. On peut ici utiliser le taux sans risque (5 %) si le risque de défaillance de l'entreprise n'est pas corrélé à d'autres événements affectant l'économie. Dans ce cas, le risque de défaillance est parfaitement diversifiable et le bêta des obligations est nul. Le prix de vente des obligations sera donc de :

$$\text{Valeur actuelle des obligations risquées} = \frac{940}{1{,}05} = 895\text{ €}$$

Un investisseur qui achète une obligation à 895 € peut donc avoir une rentabilité attendue de 17,3 % :

$$\text{Rentabilité attendue} = \frac{1\,050}{895} - 1 = 0{,}173\text{, soit } 17{,}3\ \%$$

Cela signifie que l'investisseur bénéficiera d'une rentabilité de 17,3 %, *si l'entreprise ne fait pas défaut, c'est-à-dire si elle rembourse les 1 050 à l'échéance*. Les spécialistes des obligations peuvent parfois dire que le « rendement de cette obligation est de 17,3 % ». L'investisseur avisé sait, lui, que la rentabilité anticipée de ces obligations est seulement de 5 %, identique à celle des titres sans risque.

Le raisonnement précédent suppose que le risque de défaillance associé aux obligations est totalement diversifiable et qu'il n'y a donc pas de risque de marché. Or, les obligations risquées présentent bien un risque de marché (leur bêta est positif), parce que les défaillances surviennent plus fréquemment en période de récession économique qu'en période de croissance forte. Si on suppose que les investisseurs demandent une prime de risque de 3 % et donc un taux de rentabilité anticipé de 8 %, les obligations risquées se vendent alors à 940 / 1,08 = 870 €, ce qui leur permet d'afficher une rentabilité faciale de (1 050 / 870) – 1 = 0,207, soit 20,7 %.

1.1 Dette risquée et dette sans risque

Les entreprises peuvent toujours décider de ne pas rembourser leurs dettes et de se mettre en faillite. Une telle possibilité n'est pas ouverte à l'État[2]. Le fait que les entreprises puissent décider de faire défaut, ou non, est un choix qui possède une valeur financière ; on parle d'option de défaillance. Si cela semble difficile à croire, répondez à cette question : préféreriez-vous, toutes choses égales par ailleurs, être actionnaire d'une société à responsabilité limitée, ou d'une société sans limitation de votre responsabilité ? Tout le monde répondra qu'il préfère posséder une fraction du capital d'une entreprise qui affranchit ses actionnaires de la responsabilité de ses dettes. Malheureusement, rien n'est gratuit et la limitation de la responsabilité des actionnaires a un coût : ce que demandent les prêteurs en échange, à savoir un prix de vente de la dette plus faible et un taux d'intérêt plus élevé que ceux d'un titre émis par l'État.

On peut illustrer la nature de cette option de défaillance en revenant à l'entreprise Cabernet (voir chapitre 18), qui a emprunté 50 € par action. Depuis notre dernière visite, l'entreprise a rencontré des difficultés et la valeur de marché de ses actifs a chuté à 30 €. Les cours des obligations et des actions de l'entreprise ont respectivement chuté à 25 € et 5 €. La valeur de marché du bilan est donc :

Entreprise Cabernet (en valeurs de marché)

Valeur des actifs	30 €	5 €	Capitaux propres (actions)
		25 €	Dettes (obligations)
	—	—	
	30 €	30 €	Valeur de l'entreprise

Si les dettes de Cabernet étaient exigibles immédiatement, l'entreprise ne pourrait rembourser les 50 € empruntés à l'origine. Il y aurait défaut de paiement ; les obligataires recevraient des actifs valant 30 € et les actionnaires n'auraient droit à rien. Pourtant, la valeur des actions de Cabernet n'est pas nulle. En effet, la dette n'est *pas* exigible tout de suite mais seulement dans un an. Un coup de chance en affaires pourrait suffisamment faire augmenter la valeur de l'entreprise, ce qui lui permettrait de rembourser intégralement les détenteurs d'obligations et de donner un surplus aux actionnaires.

Lorsqu'une entreprise s'endette, elle acquiert par la même occasion une option de défaillance. Cela signifie qu'elle n'est pas obligée de rembourser les capitaux empruntés à l'échéance du prêt. Si la valeur de ses actifs est inférieure à ce qu'elle doit à ses créanciers, l'entreprise choisira de faire défaut et les porteurs d'obligations deviendront propriétaires des actifs de l'entreprise. Pour le dire autrement, en prêtant des capitaux, le créancier achète les actifs de l'entreprise et les actionnaires obtiennent le droit de les racheter en remboursant la dette.

2. Mais les États ne peuvent pas imprimer la monnaie de pays étrangers. Ils peuvent donc être contraints à la défaillance sur la dette libellée en devises. Ainsi, l'Argentine a fait défaut en décembre 2001 sur sa dette libellée en devises (155 milliards de dollars). Il est aussi arrivé, quoique très rarement, que des gouvernements ne remboursent pas une dette libellée dans leur propre monnaie. Le gouvernement ouest-allemand, après la Seconde Guerre mondiale, aurait ainsi pu imprimer suffisamment de monnaie pour rembourser sa dette, mais a préféré faire défaut plutôt que de prendre le risque d'une hyperinflation.

Ces derniers ont acheté une option d'achat sur les actifs de l'entreprise. Le bilan de Cabernet se présente donc comme :

Entreprise Cabernet (en valeurs de marché)

Valeur des actifs	30 €	25 €	Obligations (valeur des actifs – valeur de l'option d'achat)
		5 €	Actions (valeur de l'option d'achat
	—	—	
	30 €	30 €	Valeur de l'entreprise (valeur des actifs)

Figure 24.1 - La valeur de l'action de Cabernet est la même que celle de l'option d'achat sur les actifs de l'entreprise de prix d'exercice 50 euros.

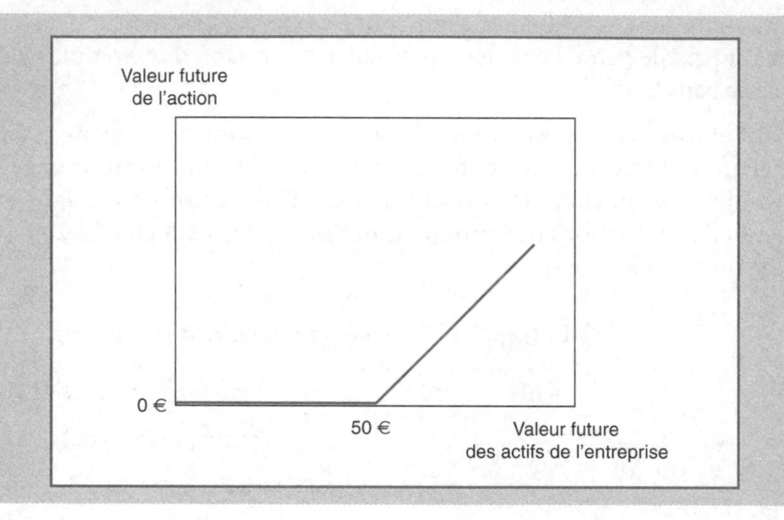

La figure 24.1 représente les cash-flows que pourront toucher les actionnaires de Cabernet à échéance des obligations, dans un an. Si la valeur future des actifs de l'entreprise est inférieure à 50 €, Cabernet sera en cessation de paiement et les actions seront sans valeur. Si la valeur de ces actifs est supérieure à 50 €, les actionnaires recevront la valeur de ces actifs *moins* les 50 € payés aux porteurs d'obligations. Les cash-flows de la figure 24.1 sont identiques à une option d'achat sur les actifs de l'entreprise, au prix d'exercice de 50 €. Maintenant, revenons à la relation de base établie entre options d'achat et de vente (voir chapitre 20) :

Valeur de l'option d'achat + valeur actuelle du prix d'exercice = valeur de l'option de vente + valeur de l'action

Pour l'appliquer à Cabernet, il faut lire à la place de « valeur de l'action » « valeur de l'actif », parce que l'action est en fait une option d'achat des actifs de l'entreprise. De même, la « valeur actuelle du prix d'exercice » est la valeur actuelle associée par les créanciers à un remboursement certain de 50 € dans un an. Ainsi :

Valeur de l'option d'achat + valeur actuelle du remboursement promis aux obligataires = valeur de l'option de vente + valeur de l'actif

Il est donc maintenant possible d'établir la valeur des obligations de Cabernet. Elle est égale à la valeur des actifs de la société moins la valeur de l'option d'achat sur ces mêmes actifs détenus par les actionnaires :

Valeur de l'obligation = valeur de l'actif – valeur de l'option d'achat
= valeur actuelle du remboursement promis aux obligataires – valeur de l'option de vente

Les détenteurs d'obligations de Cabernet ont en effet acheté une obligation sans risque et donné aux actionnaires une option de vente des actifs de la société pour le montant de la dette.

Lorsqu'une entreprise fait défaut, ses actionnaires exercent en fait l'**option de défaillance**. La valeur de cette option de vente est la valeur de la responsabilité limitée – le droit des actionnaires de ne pas rembourser les dettes de l'entreprise en échange de l'intégralité des actifs de l'entreprise, ceux-ci devenant la propriété des créanciers. Dans le cas de Cabernet, cette option a une grande valeur, parce que la défaillance est vraisemblable. À l'autre extrême, la valeur de l'option de défaillance de LVMH est insignifiante en comparaison de la valeur de ses actifs. Les professionnels des options diraient que l'option de vente sur Cabernet est « dans la monnaie » parce que, aujourd'hui, la valeur des actifs (30 €) est bien en dessous du prix d'exercice (50 €). Pour LVMH, l'option de vente est « hors la monnaie », car la valeur de ses actifs excède largement la valeur de sa dette. La valorisation d'une obligation émise par une entreprise est donc un processus à deux étapes :

Valeur de l'obligation = valeur de l'obligation en supposant le risque de défaillance nul
– valeur de l'option de vente des actifs

La première étape est simple. Il suffit de calculer la valeur de l'obligation en supposant que le risque de défaillance est nul. Pour cela, il faut actualiser le principal et les intérêts au taux d'intérêt d'une obligation du Trésor. Ensuite, il faut calculer la valeur d'une option de vente de la valeur des actifs, de maturité égale à celle de l'obligation et de prix d'exercice égal au remboursement promis aux créanciers.

On peut aussi voir les choses différemment. Détenir une obligation émise par une entreprise est équivalent à posséder les actifs de l'entreprise tout en ayant vendu une option d'achat sur ces actifs :

Valeur de l'obligation – Valeur des actifs – Valeur d'une option d'achat des actifs

On peut donc, grâce à cette formule, calculer la valeur de l'obligation en estimant la valeur d'une option d'achat des actifs de l'entreprise puis en soustrayant cette valeur de celle des actifs (la valeur de l'option d'achat n'est rien d'autre que la valeur des actions de l'entreprise). On peut ainsi valoriser des options d'achat et de vente sur les actifs de l'entreprise ; il est donc possible de valoriser sa dette[3].

1.2 Valeur de l'option de défaillance

La figure 24.2 utilise la théorie des options pour évaluer la dette d'une entreprise. On voit que le taux d'intérêt attendu de la dette se modifie avec le niveau et la maturité de la dette[4]. Avec un taux d'endettement de 20 % et une échéance de sa dette de 25 ans, la société devrait offrir un rendement supérieur d'environ un demi-point d'intérêt de plus que le taux d'emprunt du Trésor afin de compenser le risque de défaillance. Et cette prime augmente avec le levier. Sauf dans le cas de taux d'endettement très élevés, les rendements escomptés

3. Toutefois, les procédés employés pour valoriser les options ne peuvent pas être utilisés pour valoriser les actifs de l'entreprise. Les options doivent être évaluées en tant que proportion de l'actif de l'entreprise. Par exemple, la formule de Black et Scholes (voir section 3, chapitre 21) implique la connaissance du cours de Bourse de l'entreprise pour obtenir la valeur d'une option.

4. Le levier à la figure 24.2 est défini comme la valeur faciale de la dette actualisée au taux sans risque rapportée à la valeur de marché des actifs de l'entreprise.

progressent avec la maturité, ce qui est logique : plus le délai est long, plus le risque que les choses tournent mal augmente. Pourtant, lorsque la société traverse déjà des difficultés et que ses actifs ont moins de valeur que sa dette, les taux de rendement escomptés sont plus faibles pour les maturités courtes. La logique est là aussi respectée : plus vous attendez, plus la probabilité que la société parvienne à éviter la faillite augmente[5].

Pour la construction de la figure 24.2, nous avons fait quelques hypothèses artificielles. Ainsi, la société ne paie pas de dividendes, et ne rachète pas d'actions. Si jamais elle distribuait régulièrement une partie de ses actifs aux actionnaires, il y aurait probablement moins d'actifs pour indemniser les obligataires en cas de problème. Dans ce cas, le marché pourrait exiger un rendement à l'échéance plus élevé.

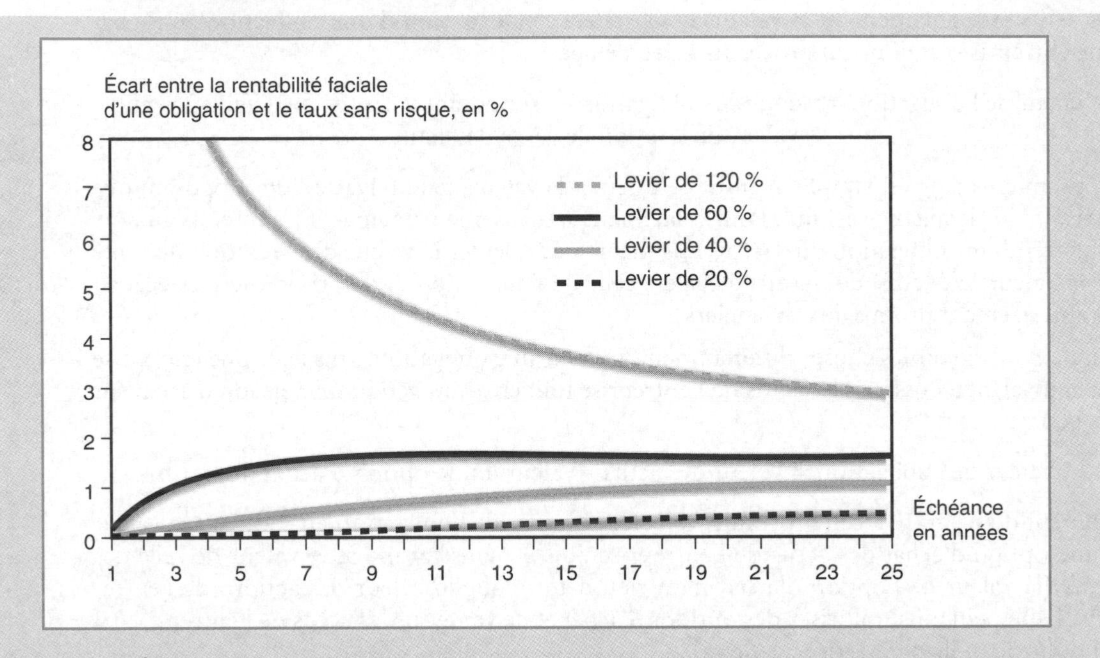

Figure 24.2 - Évolution du taux d'intérêt sur des dettes risquées en fonction du levier et de l'échéance.
Ces courbes sont établies sur la base de la théorie de l'évaluation des options sous les hypothèses suivantes : (1) le taux sans risque est constant pour toutes les échéances ; (2) l'écart type annuel du rendement des actifs de l'entreprise est de 25 % ; (3) la dette se présente sous la forme d'obligations à zéro coupon ; et (4) le levier financier est le ratio D / V, avec D la valeur nominale de la dette actualisée au taux sans risque, et V la valeur de marché des actifs.

5. Sarig et Warga ont étudié la différence de rentabilité entre les titres émis par des entreprises et les titres du Trésor américain. Ils confirment que l'écart de rentabilité s'accroît avec la durée de la dette pour les sociétés les mieux notées et qu'il diminue pour les sociétés moins bien notées. Voir Sarig et Warga « Bond Price Data and Bond Market Liquidity », *Journal of Financial and Quantitative Analysis*, 44 (1989), pp. 1351-1360.

Il existe d'autres difficultés qui compliquent la valorisation des dettes des entreprises. Par exemple, dans la figure 24.2, nous avons supposé que la société avait émis des obligations zéro coupon à dix ans. Si l'entreprise émet à la place une obligation à 10 ans à coupon annuel, on peut encore considérer le titre de la société comme une option d'achat qui peut être exercée en procédant aux remboursements promis. Mais il y a dix paiements et non un seul. Pour évaluer l'action, il est alors nécessaire d'évaluer dix options d'achat successives. La première peut être exercée en procédant au premier versement d'intérêts lorsqu'il est dû. Par ce versement, les actionnaires acquièrent une seconde option d'achat, qui pourra être exercée en procédant au versement du deuxième flux d'intérêts. La récompense de cet exercice est une troisième option obtenue par les actionnaires et ainsi de suite. Finalement, par l'exercice de la dixième option (remboursement du capital et paiement des intérêts de la 10e année), les actionnaires reprennent possession des actifs de la société débarrassés de droits externes.

Bien évidemment, si la société n'effectue aucun des versements lorsqu'ils sont dus, les obligataires font valoir leurs privilèges et les actionnaires perdent tout : par le non-exercice d'une option d'achat, les actionnaires perdent tout droit sur les options ultérieures.

Valoriser les capitaux propres lorsque l'obligation à dix ans est émise revient à évaluer la première des dix options. Mais il est impossible de l'évaluer sans connaître la valeur des neuf suivantes[6]. Cet exemple sous-estime encore les difficultés pratiques, car les grandes entreprises peuvent avoir des douzaines d'emprunts obligataires en circulation, avec des intérêts et des maturités spécifiques, et avant que les obligations n'arrivent à échéance, les entreprises peuvent procéder à de nouvelles émissions. Heureusement, les ordinateurs peuvent résoudre ces problèmes, par application d'algorithmes de calcul reposant sur la force brute, lorsqu'il n'existe pas de solutions simples et exactes au problème de valorisation.

En pratique, les écarts de taux d'intérêt tendent à être plus importants que ceux de la figure 24.2. Les obligations du secteur privé les mieux notées proposent habituellement une prime de risque d'environ 1 point par rapport aux obligations de l'État américain. Il est très difficile de justifier le différentiel de rendement uniquement par la prise en compte du risque de défaillance. Quels sont les autres facteurs pertinents ? L'une des possibilités est que les investisseurs demandent un rendement supplémentaire de manière à compenser la non-liquidité des obligations des entreprises. En effet, les investisseurs ont une préférence pour les titres qui peuvent être facilement achetés et vendus. Pour preuve, il est possible de détecter de faibles différences de rendement sur le marché des bons du Trésor, sur lequel les dernières émissions (dites à émission continue) sont beaucoup plus négociées et présentent un rendement inférieur de quelques points de base à celui des émissions plus irrégulières.

1.3 Valorisation des garanties d'emprunt accordées par l'État

En 2002, la compagnie aérienne America West Airlines (AWA) avait désespérément besoin d'argent. La chute du trafic aérien consécutive aux attaques du 11 septembre 2001 avait causé une baisse importante des bénéfices de AWA et les banques étaient réticentes à prêter à une entreprise aussi risquée. Pour sauver l'entreprise, le gouvernement américain a accepté

6. L'autre moyen d'évaluer la dette de la société (soustraire la valeur de l'option de vente de celle d'une obligation sans risque) n'est pas plus aisé. L'analyste serait confronté non pas à une simple option de vente mais à dix options de vente successives.

de garantir 380 millions de dollars de nouveaux prêts à AWA. Si l'entreprise se révélait incapable de rembourser ces prêts, les créanciers seraient remboursés directement par l'État.

L'octroi par l'État d'une garantie de prêt a aidé AWA à traverser une passe difficile. Le gouvernement a cherché à savoir quel était le coût de la garantie accordée. Pour cela, il disposait d'une estimation de la probabilité que la garantie joue et a actualisé les coûts attendus au taux d'intérêt des bons du Trésor. Par cette procédure, le gouvernement a obtenu une valeur de la garantie d'environ 85 millions de dollars.

Mais les calculs gouvernementaux ignorent le fait que la garantie a réduit le risque supporté par les créanciers. La garantie a transformé la dette risquée de AWA en une dette sans risque. La valeur actuelle de la garantie est donc en fait la différence entre la valeur d'un prêt au Trésor et celle d'un prêt risqué. Et la différence peut être importante, particulièrement quand le montant du prêt est élevé et que la probabilité de défaut est grande.

On peut donc conclure que la valeur de la garantie d'un prêt par l'État peut être considérée comme une option de vente sur les actifs de l'entreprise, de maturité égale à la durée du prêt et de prix d'exercice égal au montant des intérêts et du principal promis aux créanciers. Ainsi, pour partir de la définition de la valeur de la garantie,

Valeur de la garantie = Valeur du prêt garanti par l'État – Valeur du prêt sans la garantie

Avec la garantie, le prêt est aussi sûr qu'un prêt au Trésor. Sans la garantie, c'est un prêt à une entreprise risquée. On sait déjà calculer la différence de valeur entre ces deux types de dettes. C'est la valeur associée au droit que possèdent les actionnaires de ne pas rembourser l'emprunt de l'entreprise s'ils le décident, en échange de l'intégralité des actifs de l'entreprise. Ainsi, la valeur de la garantie du prêt est la valeur de cette option de vente[7].

Dans une étude préparée pour le Congressional Budget Office[8], Lucas, Phaup et Prasad ont montré comment les modèles de valorisation des options peuvent être utilisés pour améliorer la mesure du coût des garanties de prêt accordées par le gouvernement[9]. D'après leurs calculs, le coût réel de la garantie accordée à AWA était de 133 millions de dollars, 48 de plus que les estimations officielles[10].

Ainsi, la théorie de l'évaluation des options pourrait fournir une méthode de calcul de la valeur actuelle des nombreux programmes de garanties de prêts accordés par le gouvernement. Ce serait une bonne chose. La dette potentielle du gouvernement américain au travers des programmes garantis est énorme. Par exemple, en 2003, 365 milliards de dollars de nouveaux prêts ont été garantis par l'État. La plupart de ces prêts sont utilisés par les ménages américains pour acheter des maisons, mais certains vont aux compagnies aériennes, ports et armateurs, aciéries, entreprises pétrolières, etc.

---

7. On comprend maintenant pourquoi les calculs du gouvernement sous-estiment le coût de la garantie. On sait depuis le chapitre 21 que la valorisation d'une option implique que l'actualisation soit appliquée à des flux financiers *équivalents certains*.

8. L'équivalent de la Commission des finances à l'Assemblée nationale (N.d.T.).

9. « Estimating the value of subsidies for Federal Loans and Loan Guarantees », Congrès des États-Unis d'Amérique, Congressional Budget Office, Washington DC, août 2004.

10. Ce coût était partiellement couvert par le fait que AWA, pour obtenir la garantie, a été contrainte par le gouvernement de payer une somme forfaitaire et de lui donner des options de long terme permettant d'acheter une partie du capital de l'entreprise. Lucas, Phaup et Prasad estiment que le coût net pour le gouvernement a été de 26 millions.

2 Notation des obligations et probabilité de défaut

Les banques et autres institutions financières ne souhaitent pas seulement savoir quelle est la valeur des prêts qu'elles ont accordés. Elles s'intéressent aussi au risque qu'elles courent de n'être pas remboursées. Certaines banques se reposent sur les jugements émis par des agences spécialisées dans l'évaluation du risque de défaillance. D'autres ont mis au point leurs propres modèles de prédiction. Nous présentons tout d'abord la notation des entreprises avant de détailler deux modèles de prédiction de défaillance.

Il existe trois principales agences de notation : Moody's, Standard & Poor's et Fitch[11]. Le tableau 24.1 détaille les notes données par les agences. Par exemple, les obligations de la meilleure qualité sont notées triple-A (Aaa) par Moody's, puis double-A (Aa) et ainsi de suite. Les obligations notées Baa ou mieux sont qualifiées d'obligations « qualité-investissement ». Les banques commerciales, beaucoup de fonds de pension et d'institutions financières ne sont pas autorisés à investir dans des obligations moins bien notées[12].

Tableau 24.1. Les notes données par les principales agences de notation

es données
e ce tableau,
omme celles
de tous les
bleaux de ce
hapitre, sont
ponibles sur
ww.gestion
financiere.
earsoned.fr

Moody's	Standard & Poor's et Fitch
Obligations « qualité-investissement »	
Aaa	AAA
Aa	AA
A	A
Baa	BBB
Obligations spéculatives	
Ba	BB
B	B
Caa	CCC
Ca	CC
C	C

Les obligations moins bien notées que Baa sont connues sous le nom d'obligations à haut rendement, ou **obligations « pourries »** (*junk bonds*). Autrefois, la plupart des obligations « pourries » étaient « des anges déchus », c'est-à-dire des obligations de sociétés qui traversaient des passes difficiles. Mais au cours des années 1980, les émissions d'obligations « pourries » ont été multipliées par dix à mesure que de plus en plus de sociétés en émettaient pour financer des acquisitions ou pour se défendre elles-mêmes contre des offres d'achat hostiles. Pour la première fois, de petites sociétés ont pu prendre le contrôle de très grandes sociétés, grâce à l'émission d'obligations.

Beaucoup d'émetteurs de ces obligations « pourries » se sont retrouvés avec des taux d'endettement de 90 à 95 %. L'augmentation du taux de défaillance au début des années 1990 a asséché le marché, avant que la prospérité de la décennie 90 ne vienne ramener ce taux de défaillance sous

11. La SEC a pris conscience du pouvoir que se partageaient ces trois agences de notation et a décidé en 2003 d'accorder son visa à une quatrième agence, Dominion Bond.

12. Les services de notation fournissent aussi des notes plus précises. Ainsi, une obligation peut être notée A-1, A-2, ou A-3 (la plus basse des notes A). En plus de ces notes, l'agence peut indiquer que l'obligation est *sous surveillance avec implication positive ou négative.*

les 2 % ; cela a donné un nouvel essor au marché des obligations pourries. Ce nouvel engouement n'a pas non plus duré. En 2001, 10 % des obligations pourries émises aux États-Unis étaient en défaut et les entreprises mal notées ont de nouveau eu du mal à placer leurs titres.

Les notations d'obligations représentent un jugement sur les perspectives commerciales et financières des sociétés. Il n'existe pas de formule précise pour le calcul des notes. Mais les banquiers d'investissement, les gérants de portefeuilles obligataires et tous ceux qui suivent attentivement le marché obligataire peuvent se faire une idée correcte de la manière dont une obligation sera notée en regardant quelques chiffres clés tels que le ratio dettes sur capitaux propres, le ratio EBIT sur intérêts et la rentabilité des actifs, comme l'illustre le tableau 24.2.

Tableau 24.2. Ratios financiers des entreprises en fonction de la note accordée à leurs obligations. Ratios médians sur 3 ans (1998-2000)

Ratio	AAA	AA	A	BBB	BB	B	CCC
EBIT/intérêts payés *	21,4	10,1	6,1	3,7	2,1	0,8	0,1
Rentabilité des actifs (en %)	34,9	21,7	19,4	13,6	11,6	6,6	1,0
Taux de marge brute (en %)	27,0	22,1	18,6	15,4	15,9	11,9	11,9
Dette totale/capital (en %)	22,9	37,7	42,5	48,2	62,6	74,8	87,7

* *Earnings before interest and tax* (EBIT) rapporté aux intérêts payés par l'entreprise.

Source : Standard & Poor's, *Credit Week* (8 juillet 2001). Reproduit avec la permission de Standard & Poor's, une filiale de McGrawHill Companies, Inc.

Le tableau 24.3 détaille les liens entre notation des obligations et probabilité de défaillance. Depuis 1980, aucune obligation qui avait été initialement évaluée AAA par Standard & Poor's n'a fait l'objet d'un défaut de paiement dans l'année suivant l'émission et seulement 5 sur 1 000 ont présenté une défaillance dans les dix ans qui ont suivi l'émission. À l'autre extrême, plus de la moitié des obligations notées CCC ont fait l'objet d'une défaillance avant dix ans. La défaillance sur les titres obligataires n'est pas le fruit du hasard. À mesure que le temps passe, les agences révisent à la baisse la note des obligations pour refléter l'accroissement du risque de défaillance.

Tableau 24.3. Taux de défaillance des obligations émises par des entreprises, selon la note accordée par Standard & Poor's lors de leur émission, 1981-2004

	Pourcentage de défaillance sous		
Notation à l'émission	**1 an**	**5 ans**	**10 ans**
AAA	0,0	0,1	0,5
AA	0,0	0,2	0,8
A	0,0	0,4	1,8
BBB	0,3	2,2	5,3
BB	1,0	10,0	17,3
B	8,3	29,4	36,3
CCC	28,8	50,9	56,5

Source : *Standard & Poor's 2004 Annual Corporate Default Study*, **www.standardandpoors.com**. Reproduit avec la permission de Standard & Poor's, une filiale de McGrawHill Companies, Inc. Voir aussi E. Paget-Blanc, Rating et probabilité de défaut des entreprises européennes, *Banque & Marchés*, n° 65, juillet-août 2003, pp. 38-48.

Les agences de notation se trompent parfois. Lorsque Enron a mis la clé sous la porte en 2001, les agences de notation n'avaient procédé à des dégradations de la note d'Enron que très tardivement : seulement deux mois plus tôt, l'entreprise disposait d'une note « qualité-investissement » ! Comme l'illustre l'encadré page suivante, la notation d'obligation est un travail solitaire qui ne fait pas de vous l'ami idéal…

Puisque les notes reflètent la probabilité de défaillance, il n'est pas surprenant qu'il y ait une corrélation forte entre les notes obtenues par une obligation et le rendement qu'elle propose. La figure 24.3 montre l'écart existant entre le rendement d'obligations émises par des entreprises et le rendement d'un titre d'État. En moyenne les obligations triple-A rapportent un point de plus qu'un bon du Trésor, les obligations pourries 5 points de plus. Mais ces écarts sont variables au fil du temps ; lorsque la conjoncture est difficile et que les faillites sont fréquentes, les investisseurs se réfugient dans des titres sûrs, ce qui oblige les entreprises mal notées souhaitant émettre des obligations à proposer un rendement plus élevé, parfois jusqu'à plus de 10 points au-dessus du rendement offert par un titre d'État.

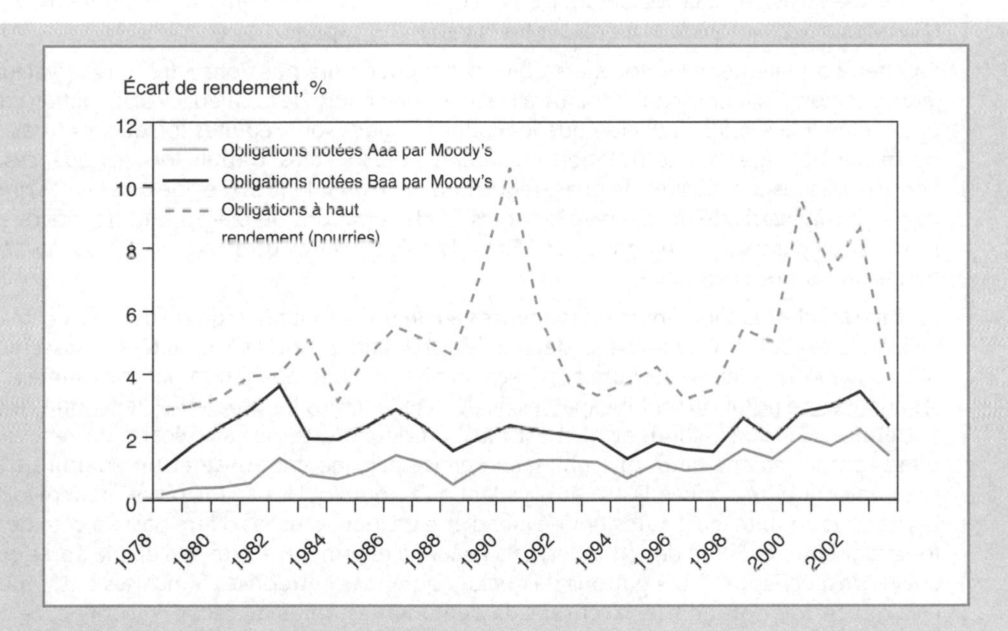

Figure 24.3 - Écart de rendement entre les obligations émises par des entreprises et les bons du Trésor 10 ans.
Source : **www.federalreserve.gov** *et*
E. I. Altman avec G. Fanjul, « Defaults and returns in the high yield bond market : the year 2003 in review and market outlook », Salomon Center, Leonard N. Stern School of Business, New York University, 2004.

Rappelons que ces taux sont des rendements promis et que les entreprises ne tiennent pas toujours leurs promesses. Parmi les émetteurs d'obligations pourries, on a constaté beaucoup de défaillances ; inversement, ceux qui ont connu les succès les plus éclatants ont remboursé par anticipation leurs dettes, privant ainsi les créanciers de coupons élevés. Si le rendement promis des obligations pourries a été en moyenne de 5 points plus élevé que celui des bons du Trésor, le rendement effectif annuel a été supérieur de seulement 1,1 point.

Les obligations de la meilleure signature se voient décerner un triple A. Les obligations « qualité-investissement » (*investment grade*) obtiennent une note supérieure ou égale à Baa, ou BBB. En dessous de cette note, on retrouve des obligations à haut rendement, ou obligations pourries (*junk bonds*)

Sale temps pour les agences de notation

Une fois de plus, les grandes agences de notation sont sur la sellette. Leur incapacité à détecter les signes avant-coureurs de la chute d'entreprises trop ambitieuses comme Enron, World-Com ou d'autres a conduit les organismes de contrôle à se demander quelles étaient les sources des informations utilisées par les agences, comment elles les analysaient et si leurs opinions étaient fiables. Au cours de deux journées d'auditions publiques à Washington, les 15 et 21 novembre 2002, la SEC a remis en cause le travail de ces agences, en se demandant si la taille des trois plus grandes – Standard & Poor's (S&P), Moody's Investors Service et Fitch Ratings – n'était pas excessive, au point de nuire aux entreprises notées.

S&P, Moody's et leur concurrent de moindre importance, Fitch, doivent leurs statuts particuliers à une décision de la SEC datant de 1934 qui introduit des minima sur le montant du capital des courtiers autorisés à opérer sur les marchés des capitaux.

En effet, normalement, les courtiers doivent « couper leurs positions » (réduire la valeur de leurs positions) si leur capital diminue à la suite d'une chute de la valeur des obligations qu'ils détiennent. Mais la SEC a décidé que les coupes exigées sont réduites lorsque les titres sont notés par des agences de notation reconnues et respectées. Depuis lors, les agences ont endossé des responsabilités de quasi-régulation. Par exemple, la SEC exige que la plus grande partie des milliards de dollars placés par les fonds communs de placement monétaire – des produits d'épargne non garantis par l'État – le soit dans des titres notés Aaa ou Aa par au moins une agence reconnue.

Lorsque les choses tournent mal, les agences en prennent pour leur grade des deux côtés. Les investisseurs qui ont continué à détenir les obligations notées « qualité-investissement » d'Enron alors que leur prix chutait en deçà du niveau d'une obligation pourrie estiment que les agences de notation sont incapables de détecter à temps les problèmes rencontrés par les entreprises. Certains affirment qu'il est plus judicieux de se fier aux écarts de rendement offerts sur le marché entre une obligation émise par une entreprise et un emprunt d'État, pour une maturité donnée. D'autres signalent qu'aujourd'hui les agences préfèrent revoir à la baisse tout de suite leurs notes pour éviter d'être un jour accusées d'être passé à côté de dysfonctionnements. Selon des critiques, cela revient à refermer la porte de l'écurie après que le cheval s'est échappé… Les patrons de quelques grandes entreprises françaises ont vilipendé les agences de notation, les accusant de dégrader les notes de façon injustifiée, ce qui a provoqué plusieurs crises d'endettement. Le PDG d'Alcatel, Serge Tchuruk, a comparé les agences de notation à « des pompiers pyromanes » alors que le patron de Vivendi Universal, Jean-René Fourtou, les a qualifiées de « bourreaux ».

Source : extrait de « Global Agenda », *The Economist Online* (**www.economist.com**), 20 novembre 2002, p. 1. Reproduit avec la permission de The Economist Newspaper Group, Inc. Toute autre reproduction est interdite.

3 Comment déterminer la probabilité de défaut ?

3.1 La méthode des scores

Si vous faites une demande pour obtenir un crédit immobilier, il vous faudra sans doute remplir un questionnaire complet concernant votre profession, votre lieu d'habitation et votre situation financière. Ces informations sont ensuite utilisées pour établir un **score** de crédit global. Les candidats à un prêt qui ont un score global insuffisant n'obtiendront probablement pas le prêt souhaité, ou se verront soumis à une analyse plus détaillée.

Les banques utilisent également des modèles automatiques fondés sur le calcul d'un score pour estimer les risques de défaillance des entreprises auxquelles elles accordent des prêts. Par exemple, supposons que vous vouliez élaborer un tel modèle de calcul de score, pour savoir s'il est souhaitable d'octroyer un crédit supplémentaire à une petite entreprise. Le tableau 24.2 indique qu'il existe une probabilité supérieure à la moyenne pour que les entreprises qui ont une faible rentabilité de leurs actifs ainsi qu'un ratio EBIT sur intérêts faible fassent défaut.

L'une des méthodes possibles est de se fonder sur un échantillon de prêts accordés par le passé pour élaborer un graphique qui indique pour chaque emprunteur (représenté par un point sur la figure 24.4) la rentabilité de ses actifs ainsi que son ratio EBIT sur intérêts. Les entreprises qui ont remboursé leurs prêts sont indiquées par un point noir ; celles qui ne l'ont pas fait sont représentées en bleu. À présent, essayez de tracer une droite qui divise les deux groupes. Il est impossible de parfaitement les dissocier mais la droite doit les séparer aussi distinctement que possible (on remarque qu'il n'y a que trois points noirs en dessous de la ligne et trois points bleus au-dessus). Cette droite nous indique que pour *discriminer* les bons des mauvais risques, vous devez accorder cinq fois plus d'importance au ratio EBIT sur intérêts payés qu'à la rentabilité des actifs. L'indice de solvabilité de l'emprunteur est :

$$\text{Indice de solvabilité} = \text{score } Z = \text{rentabilité des actifs} + 5 \times \text{ratio EBIT sur intérêts payés}$$

Vous minimisez le risque d'erreur si vous supposez que les candidats ayant un score supérieur à 5 rembourseront leurs dettes et que ceux ayant un score inférieur à 5 ne le feront pas. En pratique, il y a plus de deux variables ; dans ce cas, il n'est plus possible de trouver les pondérations des variables simplement avec un graphique. *L'analyse discriminante multiple (multiple discriminant analysis, ou MDA)* est une technique statistique simple pour calculer ces pondérations, dans le but de distinguer les entreprises solvables des autres.

Edward Altman a utilisé l'analyse discriminante pour aboutir à l'indice de solvabilité des emprunteurs suivant[13] :

$$Z = 0{,}72\,\frac{\text{Besoin en fonds de Roulement}}{\text{Actif total}} + 0{,}85\,\frac{\text{Réserves}}{\text{Actif total}}$$

$$+\ 3{,}1\,\frac{\text{EBIT}}{\text{Actif total}} + 0{,}42\,\frac{\text{Capitaux propres}}{\text{Dettes totales}} + 1{,}0\,\frac{\text{Ventes}}{\text{Actif total}}$$

Les entreprises ayant un score inférieur à 1,20 ont, en moyenne, une probabilité de survie très faible. Pour des scores compris entre 1,20 et 2,90, il est délicat de se prononcer sur la survie ou la faillite de l'entreprise.

---

13. Les modèles de score Z de prévision de faillite ont à l'origine été développés par E. I. Altman, « Financial Ratios and the Prediction of Corporate Bankruptcy », *Journal of Finance*, 23 (septembre 1968), pp. 589-609. L'équation reprise ici est tirée de E. I. Altman, *Corporate and Bankruptcy Financial Distress*, 2e éd., New York : John Wiley, 1993, p. 29.

Des versions améliorées et des variantes du modèle de score Z de Altman sont régulièrement utilisées par les banques et les institutions financières. Nous aurions aimé pouvoir vous montrer l'une de ces versions améliorées mais elles sont toutes secrètes, car disposer d'une bonne méthode d'identification des bons et mauvais emprunteurs représente un gros avantage concurrentiel.

L'utilisation de tels modèles d'évaluation des risques clients requiert cependant un peu de prudence. Lorsque vous élaborez un indice de risque, il est tentant d'expérimenter différentes combinaisons de variables jusqu'à ce que vous trouviez l'équation qui aurait donné le meilleur résultat dans le passé. Malheureusement, si vous exploitez les données de cette manière, vous constaterez que cette méthode produira un résultat nettement moins bon dans le futur. Un excès de confiance en votre modèle, fondé sur ses succès passés, peut vous induire en erreur et vous pousser à refuser des prêts à certains bons clients potentiels. Les profits que vous perdrez en éconduisant ces clients peuvent annuler, voire transformer en pertes, les gains réalisés en évitant quelques mauvais payeurs. Le résultat peut être pire que si vous aviez décidé de ne pas faire de différence entre les clients et d'accorder des crédits à tous.

Il ne suffit pas d'avoir un bon système, il faut encore savoir à quel point on peut s'y fier.

3.2 Modélisation du risque de défaillance à partir de données de marché

Les modèles d'évaluation des risques clients reposent essentiellement sur l'analyse des comptes annuels des entreprises afin de déterminer leur probabilité de défaillance. S'il n'existe que peu d'alternatives en ce qui concerne les petites entreprises, en revanche on peut utiliser des données de marché pour les grandes entreprises cotées. Ces modèles font l'hypothèse que les actionnaires exerceront leur option de défaillance si la valeur de marché des actifs de l'entreprise chute en dessous du montant du remboursement de la dette.

Figure 24.4 - Les points noirs représentent un groupe d'entreprises qui ont honoré leurs engagements ; les points bleus représentent les entreprises qui ont fait défaut. La droite sépare les deux groupes sur la base de la rentabilité des actifs et du ratio EBIT sur intérêts. La droite représente l'équation Z = rentabilité de l'actif + 5 × EBIT sur intérêts = 5. Les entreprises au-dessus de la ligne ont un score Z supérieur à 5.

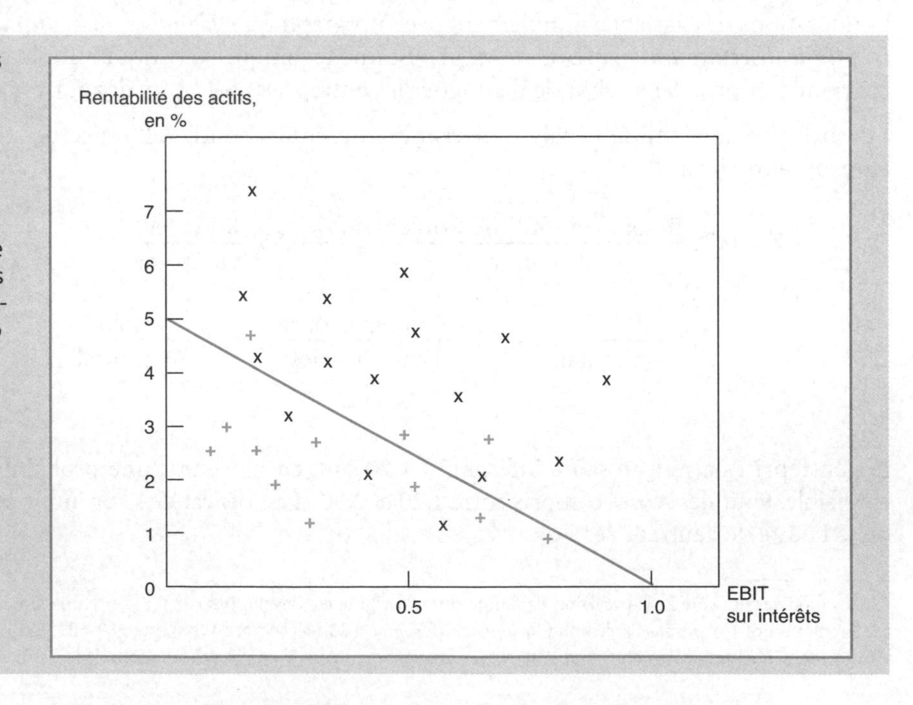

Supposons que les actifs de Alcide Nitrik SA aient une valeur de marché actuelle de 100 € et que sa dette ait une valeur nominale de 60 € (soit un levier de 60 %), la dette devant être intégralement remboursée à la fin de la cinquième année. La figure 24.5 illustre l'éventail des valeurs possibles des actifs de la société au jour de l'échéance de la dette. La valeur espérée des actifs est de 120 €, mais rien n'est certain. Il existe une probabilité de 20 % pour que la valeur de l'actif soit inférieure à 60 €, auquel cas la société ne pourra pas rembourser sa dette. Cette probabilité apparaît en hachuré sur la figure 24.5.

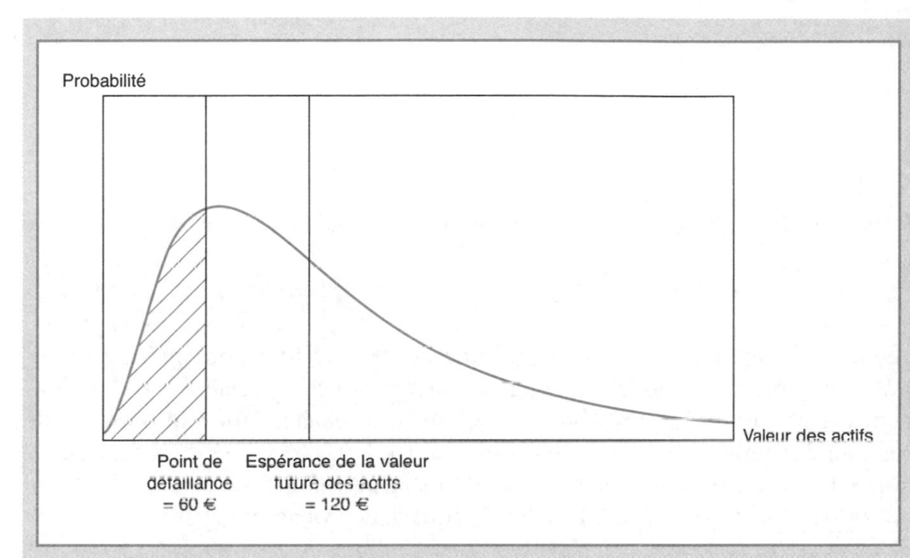

Figure 24.5 - Alcide Nitrik SA a contracté un endettement à cinq ans d'une valeur faciale de 60 euros. La zone hachurée montre qu'il existe une probabilité de 20 % pour que la valeur des actifs de la société au bout de cinq ans soit inférieure à 60 euros, auquel cas la société choisira de faire défaut sur sa dette.

Pour déterminer la probabilité de défaillance de Nitrik, il est nécessaire de connaître la croissance anticipée de la valeur de marché de ses actifs, la valeur faciale et la maturité de sa dette, ainsi que la volatilité de la valeur future des actifs. La réalité est sans doute plus complexe que notre exemple. En effet, les sociétés peuvent avoir plusieurs types de dettes, d'échéances différentes. On peut donc avoir des situations dans lesquelles il est rentable pour les actionnaires de réinjecter de l'argent dans l'entreprise pour lui permettre de faire face à sa dette de court terme, ce qui lui permettra de survivre et d'avoir l'espoir d'être capable de rembourser sa dette de long terme.

Néanmoins, les banques et les cabinets de conseil estiment désormais qu'ils peuvent utiliser ces idées pour mesurer le risque des crédits en cours. Prenons l'exemple de WorldCom. En juillet 2002, WorldCom a connu la faillite la plus coûteuse de l'histoire des États-Unis (plus de 100 milliards de dollars). L'ampleur des difficultés de la société a été en partie dissimulée par d'importantes manipulations comptables, mais la société ne pouvait cacher à ses investisseurs le poids de sa dette ou les problèmes posés par la surcapacité des réseaux de fibres optiques.

À quel point WorldCom était-elle proche du dépôt de bilan ? La figure 24.6 fournit un élément de réponse. La courbe bleue reprend la valeur de marché des actifs de WorldCom et la courbe noire illustre la valeur des actifs en dessous de laquelle la société choisira de ne pas rembourser sa dette. On peut voir qu'en 2002 la valeur des actifs de la société s'est progressivement rapprochée du point de défaillance.

Figure 24.6 - La valeur de marché des actifs de WorldCom s'approche du point à partir duquel la société choisira de faire défaut sur sa dette.

Source : Moody's KMV.

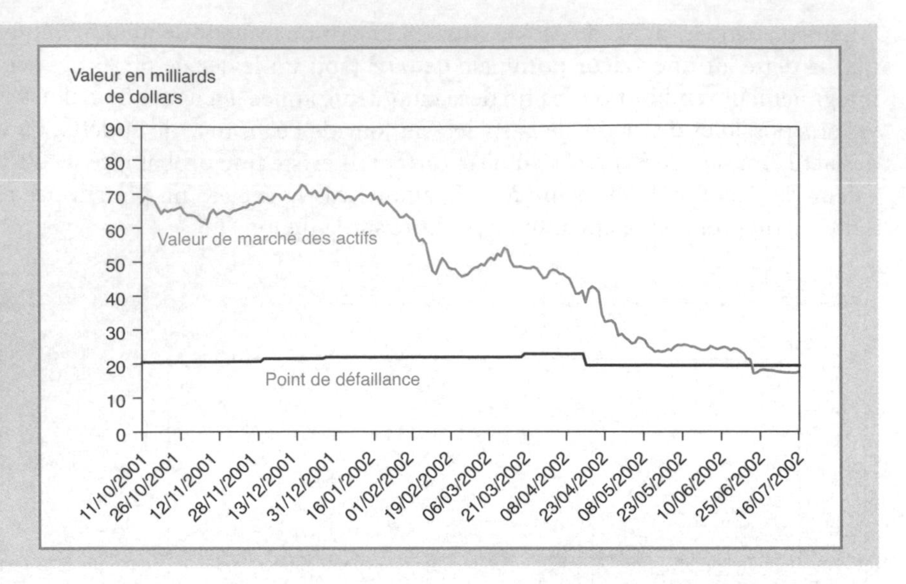

Bien évidemment, personne n'avait à disposition une boule de cristal pour prédire ce qui allait arriver à WorldCom, mais Moody's KMV, un cabinet de conseil spécialisé dans l'évaluation du risque de crédit, a estimé la probabilité de faillite de la société. Pour n'importe quelle société, la probabilité estimée par KMV s'échelonne entre 0,02 % et 20 %. La figure 24.7 montre comment KMV a progressivement augmenté son évaluation de la probabilité de défaillance de WorldCom, jusqu'en mai 2002, date à laquelle la probabilité était maximale.

Figure 24.7 - Estimations par Moody's KMV de la probabilité de défaillance dans l'année de WorldCom.

Remarque : Les probabilités de KMV sont comprises entre 0,02 et 20 % au maximum.

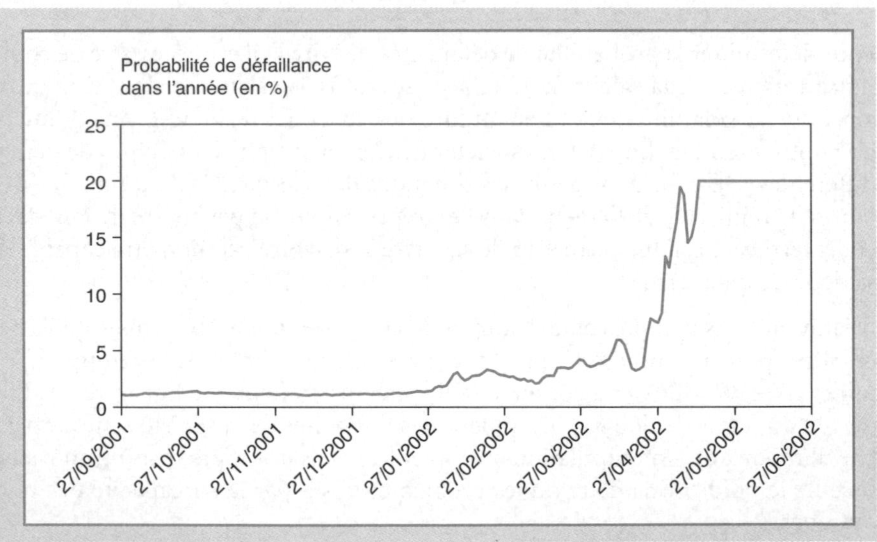

4 La value at risk (VaR)

Nous sommes en octobre 2003 et vous détenez des obligations émises par Alcan (4,3 % – échéance 2013). Ces obligations sont notées A par Standard & Poor's ; elles sont cotées sur le marché à 97,67, ce qui leur permet d'offrir un rendement attendu de 4,8 %. Si vous planifiez de conserver ces obligations pendant encore un an, quelle est votre rentabilité *espérée* et quel risque prenez-vous de voir le rendement de vos obligations chuter ?

Il peut être tentant de jeter un coup d'œil au taux historique de défaillance des obligations émises par des entreprises notées A. Vous en conclurez sûrement que votre investissement est presque aussi sûr qu'un bon du Trésor américain. Mais bien évidemment, ce calcul ignore la possibilité que les perspectives d'Alcan se dégradent d'ici à la fin de l'année, même si la probabilité d'une défaillance à court terme d'Alcan est très faible. Cela entraînerait une dégradation de leur note ainsi qu'une chute de leur valeur.

Les banques et les cabinets de conseil ont développé de nombreux moyens de mesurer les risques auxquels les créanciers font face suite à une détérioration de la qualité des emprunteurs. Par exemple, un des modèles les plus populaires, *Creditmetrics*, prend en considération l'impact potentiel des modifications des notations des obligations[14]. Le tableau 24.4 détaille la fréquence à laquelle les obligations ont connu une amélioration ou une dégradation de leurs notes entre 1981 et 2003. Les obligations Alcan ont été notées A ; il faut donc se concentrer sur l'analyse de la troisième ligne du tableau. On remarque que par le passé 91,37 % des obligations notées A ont conservé leur note pendant un an et que quelques-unes d'entre elles ont même vu leur note augmenter, jusqu'à un double ou un triple A. Cependant, 5,79 % des obligations ont baissé d'un cran en obtenant une note BBB et certaines ont même chuté jusqu'à entrer dans la catégorie des obligations pourries, voire jusqu'à n'être pas remboursées.

Appliquons cela à Alcan. En octobre 2003, les obligations notées AAA offraient un rendement moyen de 4,43 %. Supposons qu'en octobre 2004 les obligations Alcan voient leur note améliorée, jusqu'à AAA, et qu'en conséquence leur rendement ait baissé jusqu'à 4,43 %. Dans ce cas, leur prix sera de 100,51[15] :

$$\frac{4,5}{1,0443} + \frac{4,5}{1,0443^2} + \ldots + \frac{104,5}{(1,0443)^9}$$

Le scénario le plus favorable est donc que les obligations Alcan soient renotées AAA, auquel cas votre investissement s'apprécierait de (100,51 / 97,67) – 1 = 0,029 ou 2,9 %[16].

Le tableau 24.5 montre le rendement moyen des obligations en octobre 2003 pour chaque note et calcule les effets d'une modification de notation sur la valeur des obligations Alcan. Dans l'éventualité peu probable que ces obligations soient dégradées jusqu'à CCC et que les investisseurs exigent un rendement de 15,15 %, vous pouvez encourir une perte de 49,4 %. Le pire qui puisse vous arriver serait que la société soit défaillante et ne rembourse pas ses dettes. Dans ce cas, vous ne toucheriez que 46 % de la valeur nominale de votre prêt[17]. Le prix du marché de l'obligation Alcan est actuellement de 97,67. Ainsi, en cas de défaut de paiement de la dette, la valeur de votre investissement chuterait de 52,9 %, (46 / 97,67) – 1 = –0,529.

14. *Creditmetrics* a été développé à l'origine par J. P. Morgan. Pour une description de *Creditmetrics*, voir les manuels en ligne sur **www.riskmetrics.com**.

15. Par souci de simplicité, on suppose l'existence de versements annuels d'intérêts.

16. En plus, vous pouvez recevoir le coupon à 4,5 %, de telle sorte que la rentabilité totale sur l'année serait de (100,51 + 4,5) / 97,67 – 1 = 0,0752 ou 7,52 %.

17. La section 3, chapitre 25 détaille davantage la manière dont les taux de recouvrement varient en fonction des types de dettes.

Les risques de perte associés à la détention d'une obligation émise par une entreprise sont plus importants que les espoirs de gain. Même si les obligations sont revalorisées et obtiennent un triple AAA, vos gains resteront relativement modestes. En revanche, si les perspectives de l'entreprise se détériorent brutalement, vous pouvez perdre une grande partie de votre investissement. Pour calculer l'effet attendu du risque de crédit sur la valeur des obligations d'Alcan, il faut pondérer chaque résultat possible par la probabilité de son occurrence. Le résultat attendu est une perte de capital de $[0{,}0005 \times (-2{,}9)] + [0{,}0209 \times 1{,}9] + \ldots + [0{,}0005 \times -52{,}9] = -0{,}25\ \%$.

Les banquiers et les porteurs d'obligations se réfèrent souvent à la **value at risk** (*VaR*) d'un prêt. Par exemple, les détenteurs d'obligations d'Alcan peuvent se dire qu'à un niveau de confiance de 5 %, la *value at risk* est à peu près de 4,0 %. Cela signifie qu'il y a environ 5 % de chances (précisément 6,48 % selon le tableau 24.4[18]) pour que les détenteurs d'obligations perdent 4,0 % ou plus au cours de l'année à venir.

Tableau 24.4. Pourcentage d'obligations dont la note a été modifiée entre 1981 et 2003

Note au début de l'année (%)	Note à la fin de l'année (%)							
	AAA	**AA**	**A**	**BBB**	**BB**	**B**	**CCC**	**Défaillance**
AAA	92,08	7,09	0,63	0,15	0,06	0,00	0,00	0,00
AA	0,62	90,83	7,76	0,59	0,06	0,10	0,02	0,01
A	0,05	2,09	91,37	5,79	0,44	0,16	0,04	0,05
BBB	0,03	0,21	4,10	89,38	4,82	0,86	0,24	0,37
BB	0,03	0,08	0,40	5,53	83,25	8,15	1,11	1,45
B	0,00	0,08	0,27	0,34	5,39	82,41	4,92	6,59
CCC	0,10	0,00	0,29	0,58	1,55	10,54	52,80	34,14

Source : Standard & Poor's, « Rating Performance 2003 : Default, Transition, Recovery, and Spreads », **www.standardandpoors.com**. Reproduit avec l'autorisation de Standard & Poor's, filiale de McGrawHill Companies, Inc.

Il existe plusieurs méthodes pour améliorer l'estimation de cette *value at risk*. On a ainsi supposé que la probabilité de défaillance et le taux probable de recouvrement étaient constants. Mais en pratique, en période de récession, les obligations ont plus de risques de ne pas être remboursées, et il est probable que les détenteurs d'obligations recevront moins que ce qui leur est dû[19]. Par ailleurs, pour le calcul de la *value at risk* des obligations Alcan, nous nous sommes contentés de prendre en compte le risque de crédit. Pour avoir une

18. En utilisant les données du tableau 24.4, la probabilité d'une chute d'au moins 4,0 % de la valeur des obligations est de 5,79 + 0,44 + 0,16 + 0,05 = 6,48 %.

19. Voir V. V. Acharya, S. T. Bharath et A. Srinivasan, « Understanding the Recovery Rates on Defaulted Securities », *working paper*, London Business School (avril 2004).

mesure plus fiable de la *value at risk*, il faudrait aussi tenir compte du fait que le taux sans risque peut également fluctuer au cours de l'année à venir.

Les banques et les porteurs d'obligations ne sont pas seulement intéressés par le risque inhérent à chaque crédit octroyé ; ils aimeraient également connaître le risque que comporte l'ensemble de leur portefeuille. Pour cela, les spécialistes en risque de crédit doivent savoir tenir compte de la corrélation entre les événements. Un portefeuille de prêts accordés à des magasins d'alimentation tous situés dans la banlieue de Plougasnou est bien plus risqué qu'un portefeuille composé de prêts accordés à des emprunteurs très différents[20].

Les banques ont été les premières à développer des modèles de *value at risk* de portefeuilles de prêts. Les transformations de la régulation bancaire ont stimulé leur intérêt en la matière. En effet, les organismes de contrôle exigent de chaque banque qu'elle ait des capitaux propres à proportion des éventuelles pertes de son portefeuille. Plus le risque du portefeuille de prêts est élevé, plus les capitaux propres doivent être importants afin d'éviter que la banque ne fasse faillite. Pendant longtemps, les organismes de contrôle ont utilisé des principes de base assez approximatifs pour estimer ce risque. Mais ces dernières années, ils ont reconnu que la plupart des grandes banques avaient développé des modèles sophistiqués pour mesurer le risque de leurs portefeuilles de prêts et ils les ont donc autorisées à les utiliser pour déterminer le montant de capitaux propres qu'elles devaient posséder.

Tableau 24.5. Variation des rendements des obligations en fonction de la note et effet probable d'un changement de la note sur le prix des obligations Alcan

Note après un an	Rendement (en %) pour une note donnée*	Fluctuation implicite du prix (en %) des obligations Alcan suite à une modification de leur notation
AAA	4,43	+2,9
AA	4,56	+1,9
A	4,80	+0,2
BBB	5,40	–4,0
BB	9,45	–27,5
B	11,70	–37,3
CCC	15,15	–49,4
Défaillance	—	–52,9**

* Rendements moyens des obligations notées, octobre 2003.

** Fondé sur le taux de recouvrement moyen des obligations défaillantes non garanties, 1988-2002.

20. Un portefeuille de prêts diversifié peut présenter le même niveau de risque qu'un portefeuille non diversifié si le créancier ne peut pas surveiller ses débiteurs. Voir V. V. Acharya, I. Hasan et A. Saunders, « Should Banks Be Diversified ? Evidence from Individual Bank Loan Portfolio », *working paper*, 118, Bank of International Settlements (septembre 2002).

Résumé

La responsabilité des entreprises est limitée. Si elles sont incapables de rembourser leurs dettes, elles peuvent déposer leur bilan. Les créanciers sont conscients qu'ils peuvent recevoir moins que ce qui leur est dû et que le rendement *espéré* d'une obligation d'entreprise est inférieur au rendement *promis*.

L'option de défaillance de l'entreprise équivaut à une option de vente. Lorsque la valeur des actifs de l'entreprise est inférieure au montant de la dette, l'entreprise peut choisir de faire défaut sur sa dette. Cela autorise les créanciers à prendre le contrôle des actifs. Cependant, l'évaluation d'une option de vente est complexe car la plupart des entreprises ont différents emprunts en cours, d'échéances variées.

Lorsque les investisseurs veulent mesurer le risque portant sur les obligations d'une entreprise, ils regardent habituellement sa note, attribuée par une agence de notation telle que Moody's, Standard & Poor's ou Fitch. Ils savent que la probabilité que les obligations notées triple-A soient défaillantes est beaucoup plus faible que celle des obligations « pourries ».

Les banques, les agences de notation et les cabinets de conseil ont également développé un certain nombre de modèles pour estimer les probabilités de défaillance. Les modèles d'évaluation des risques clients, tels que le célèbre modèle score Z, prennent en compte toute une série de ratios comptables et d'indicateurs de la santé de l'entreprise et les pondèrent pour produire une mesure unique de défaillance. Moody's KMV utilise une méthode différente et cherche à mesurer la probabilité que la valeur de marché des actifs de l'entreprise chute en dessous du niveau à partir duquel l'entreprise choisira de faire défaut sur sa dette plutôt que d'essayer de faire face à ses échéances.

L'absence de risque immédiat de défaillance ne signifie pas pour autant que le risque est nul. Si la qualité des obligations se détériore, les investisseurs exigeront un rendement plus élevé et le prix de l'obligation chutera. Une façon de calculer la *value at risk* est de regarder la probabilité de modification éventuelle de la note et d'estimer l'effet que cela pourrait avoir sur le prix de l'obligation.

Lectures complémentaires

Un article incontournable traitant de l'évaluation de l'option de défaillance sur la dette des entreprises :

R. Merton, « On the Pricing of Corporate Debt : The Risk Structure of Interest Rates », *Journal of Finance*, 29 (mai 1974), pp. 449-470.

Les sites web des principales agences d'évaluation des crédits et celui de Moody's KMV contiennent de nombreux rapports utiles sur les risques de crédit.

Altman fournit une synthèse des modèles de score pour évaluer les risques clients dans :

E. I. Altman, *Corporate Financial Distress and Bankruptcy*, 2e éd., New York : John Wiley, 1993.

Il existe de nombreux ouvrages sur la modélisation du risque de crédit. Par exemple :

A. Saunders, *Credit Risk Measurement*, New York : John Wiley, 1999.

D. Duffie et K. J. Singleton, *Credit Risk Pricing Measurement and Management*, Princeton, NJ : Princeton University Press, 2003.

Voir aussi :

E. Paget-Blanc, Rating et probabilité de défaut des entreprises européennes, *Banque & Marchés*, n° 65, juillet-août 2003, pp. 38-48.

Activités

Révision des concepts

1. Pourquoi le rendement *espéré* d'une obligation d'entreprise diffère-t-il de son rendement *promis* ?
2. Expliquez pourquoi il est possible de considérer une action comme une option d'achat sur les actifs de l'entreprise.
3. Pourquoi les obligations versant des coupons sont-elles plus difficiles à valoriser que les obligations zéro coupon ?

Tests de connaissances

1. Vous détenez une obligation à 5 % de maturité 2 ans, dont le prix est de 87 %. Supposons qu'il y ait 10 % de chances pour qu'arrivée à maturité, l'obligation ne soit pas remboursée et pour que vous ne receviez alors que 40 % du paiement promis. Quel est le rendement promis de l'obligation ? Quel est son rendement espéré ?
2. Toutes choses égales par ailleurs, doit-on s'attendre à ce que la différence entre le prix d'un bon du Trésor et celui d'une obligation émise par une entreprise diminue ou augmente en fonction :
   a. Du risque inhérent à la vie de l'entreprise ?
   b. Du ratio d'endettement ?
3. La différence entre la valeur d'une obligation d'État et celle d'une obligation émise par une entreprise est égale à la valeur d'une option. Quelle est cette option et quel est son prix d'exercice ?
4. Le tableau suivant présente certaines données financières de deux entreprises :

	Kirk	**Spock**
Actif total	1 552,1 €	1 565,7 €
Besoin en fonds de roulement	861,5	–58,5
Réserves	105,1	7,3
EBIT	182,6	41,3
Capitaux propres	738,1	28,6
Dettes totales	814,0	1 537,1
Ventes	260,9	778,0

Utilisez la formule de la section 3 pour calculer les scores Z des deux entreprises. Dans quelles zones sont les entreprises ?

5. De quelles variables a-t-on besoin pour utiliser une approche fondée sur des données de marché afin de calculer la probabilité qu'une entreprise fasse défaut sur sa dette ?
6. Vous possédez une obligation notée BBB. En vous fondant sur les données historiques, quelle est la probabilité pour que cette obligation conserve sa note pendant un an ? Quelle est la probabilité pour que sa note soit revue à la baisse ?
7. Vous détenez une obligation notée A. L'amélioration de la note de l'entreprise est-elle plus probable que sa dégradation ? Auriez-vous répondu la même chose si l'obligation avait été notée B ?
8. Pourquoi est-il plus difficile d'estimer la *value at risk* d'un portefeuille de prêts que d'un prêt unique ?

Questions et problèmes

1. R2 a émis une unique obligation zéro coupon d'une maturité de 10 ans. L'entreprise D2 a quant à elle émis une obligation versant des coupons, d'une maturité de 10 ans. Expliquez pourquoi il est plus difficile d'évaluer la dette de l'entreprise D2 que celle de l'entreprise R2.
2. Luke SA a emprunté 150 € qu'elle doit rembourser cette année et 50 € arrivant à échéance dans 10 ans. L'entreprise Dark SA a emprunté 200 € qu'elle doit rembourser dans 5 ans. Dans les deux cas, la valeur de l'actif est de 140 €. Pourquoi l'entreprise Luke devrait-elle éviter de faire défaut, contrairement à l'entreprise Dark ?
3. Analysez les problèmes qu'engendre le développement d'un modèle d'évaluation du risque de crédit pour évaluer des prêts individuels. Vous ne pouvez tester votre modèle qu'en utilisant les données fournies par les candidats qui ont obtenu un crédit par le passé. Est-ce un problème potentiel ?
4. Quels problèmes rencontrerez-vous certainement en utilisant une approche fondée sur des données de marché pour estimer la probabilité qu'une entreprise fasse défaut ?
5. Supposons qu'en 2003 vous possédiez une obligation notée B de maturité 10 ans, de coupon 11,70 % et de prix 100. Utilisez les données des tableaux 24.4 et 24.5 pour mesurer la *value at risk*.

Problèmes avancés

1. Reprenez l'exemple du début de la section 1. Supposons que le bilan de l'entreprise soit le suivant :

Alcide Nitrik SA (valeurs comptables)			
Actif immobilisé net	1 600	1 000	Capitaux propres
Besoin en fonds de roulement	400	1 000	Dettes
Total de l'Actif	2 000	2 000	Total du Passif

La dette arrive à échéance dans un an et le taux d'intérêt promis est de 9 %. Ainsi, le paiement promis aux créanciers de Nitrik s'élève à 1 000 €. La valeur de marché des actifs est de 1 200 € et l'écart type de la valeur de l'actif est de 45 % par an. Le taux sans risque est de 9 %. Calculez la valeur de la dette et des capitaux propres de Nitrik.

2. Utilisez le modèle de Black et Scholes et refaites la figure 24.1 en supposant que l'écart type de la rentabilité des actifs de l'entreprise est de 40 % par an. Ne faites les calculs que pour des taux d'endettement de 60 et de 100 % (il est plus simple de supposer que le taux sans risque est nul). Que pouvez-vous déduire quant à l'effet de l'évolution du risque sur l'écart de rendement des obligations émises par les entreprises très bien notées et très mal notées ?

Chapitre 25

La grande variété des titres d'emprunt

Dans les chapitres 17 et 18, nous avons analysé combien une entreprise devrait emprunter. Mais les sociétés doivent aussi réfléchir à la nature de la dette à émettre. Elles doivent choisir entre des dettes de court terme ou de long terme, entre des obligations classiques ou des obligations convertibles, préférer une émission domestique ou internationale, déterminer s'il s'agira d'une émission publique ou d'un placement privé auprès de quelques gros investisseurs.

En tant que dirigeant financier, vous devrez choisir la catégorie de dette qui correspond le mieux aux besoins de votre entreprise. Par exemple, les dettes en devises seront plus appropriées lorsque la société a une activité importante à l'étranger. Les dettes de court terme seront plus utilisées par les sociétés qui ont des besoins de financement temporaires. Parfois, vous pourrez tirer avantage de la concurrence entre les prêteurs qui procure des opportunités momentanées sur un secteur donné du marché des emprunts. La conséquence peut se limiter à quelques points de base de réduction sur le rendement, mais pour des émissions importantes, cela peut entraîner une économie de quelques millions d'euros.

Notre objectif dans ce chapitre porte sur les dettes à long terme standard[1]. Nous allons commencer notre exposé par la présentation des différents types d'obligations. Nous allons examiner les différences entre obligations prioritaires et subordonnées, entre les dettes garanties et non garanties. Ensuite, nous décrirons comment les obligations peuvent être remboursées par le biais d'un fonds d'amortissement, et comment l'emprunteur ou le prêteur peut détenir une option pour un rachat anticipé. La section 6 examine les obligations convertibles et un produit très proche, la combinaison obligations/bons de souscription en actions (ou OBSA).

La dette peut être vendue au public ou placée en privé auprès de grandes institutions financières. Comme les placements privés d'obligations sont à peu près similaires aux émissions publiques, nous ne les détaillerons pas. Mais nous exposerons une autre forme de dette privée, le financement de projet. Il s'agit de la partie la plus prestigieuse du marché de la dette.

1. Nous décrirons les dettes de court terme dans le chapitre 30.

Les mots de *financement de projet* laissent transparaître des images de prêts de millions d'euros destinés au financement d'aventures minières dans les contrées exotiques du monde. Vous trouverez que ça ressemble un peu à l'image que l'on s'en fait, mais que ce n'est pas toute l'histoire.

Nous terminons par une présentation de quelques obligations particulières, avant d'examiner les raisons de l'innovation sur le marché de la dette.

Au fur et à mesure de ces développements, nous nous attacherons à expliquer les raisons de l'existence des fonds d'amortissement, des options de remboursement, des titres convertibles et autres. Par exemple, les entreprises peuvent déguiser leur dette en créant des entreprises *ad hoc* de déconsolidation (*special purpose entities*, SPE, dans la langue de Marvin Gaye). Ces dernières lèvent des fonds sous forme d'actions et de dette, afin de refinancer la société mère. C'est à l'aide de SPE qu'Enron a pu conserver une grande partie de sa dette hors-bilan, ce qui ne l'a toutefois pas empêchée de faire faillite. Depuis le scandale Enron, les comptables ont décidé de durcir les règles de présentation des dettes aux SPE.

Les entreprises ont d'autres formes d'engagements à long terme. Par exemple, les contrats de crédit-bail sont très semblables à de la dette. L'utilisateur de l'équipement s'engage à procéder à une série de versements, faute de quoi il peut être mis en faillite. Le crédit-bail est présenté au chapitre 26.

Les engagements de retraite et de complémentaire santé peuvent également constituer des dettes de taille importante. Par exemple, General Motors (GM) affichait en 1993 un déficit de 19 milliards de dollars sur les retraites à verser. Pour y faire face, GM a procédé à une émission d'obligations dont la plus grande partie fut investie dans son fonds de retraite. Vous pourriez considérer que la dette de l'entreprise s'est accrue, mais en réalité GM a remplacé une dette longue (ses engagements de retraite) par une autre (les obligations). La gestion des plans de retraite est en dehors du champ de cet ouvrage, mais les directeurs financiers passent une bonne partie de leur temps à s'inquiéter de la « dette » produite par les engagements de retraite.

Il convient d'observer que les marchés obligataires nord-américains sont beaucoup plus développés et fournis que leurs homologues européens. Cela tient à la différence de culture bancaire et financière, et à l'importance respective des titres émis par les gouvernements. En conséquence, dans ce qui suit, la conservation des exemples américains fournis par l'édition originale nous a semblé plus profitable. Néanmoins, il faut garder à l'esprit que la situation de l'Europe traduit un retard volontaire qui va irrésistiblement être comblé dans les toutes prochaines années : le standard nord-américain est, comme dans d'autres domaines, en passe de devenir le standard international.

1 Obligations domestiques, obligations étrangères et obligations internationales

Une société peut émettre des obligations dans son propre pays ou dans un autre. Les obligations vendues dans un autre pays sont dénommées *obligations étrangères*. Les États-Unis sont de loin le plus grand marché d'obligations étrangères, mais le Japon et la Suisse détiennent également des marchés de taille substantielle. Ces obligations portent une grande variété de surnoms : une obligation vendue par une société étrangère aux États-Unis est appelée une *obligation yankee*, celle qui est vendue par une société étrangère au Japon, une obligation *samuraï*, et ainsi de suite. Bien sûr, toute société qui lève des capitaux à l'étranger est soumise aux règles du pays dans lequel elle le fait. Par exemple, toute émission d'obligations négociables en France doit être enregistrée auprès de l'AMF.

Il existe aussi un marché international pour les obligations de long terme. Ces émissions d'obligations internationales sont réalisées simultanément dans plusieurs pays étrangers par le biais d'un syndicat de placement international, le plus souvent localisé à Londres. On y retrouve les succursales londoniennes des banques d'affaires américaines, européennes et japonaises. Les monnaies les plus utilisées sont le dollar et l'euro.

2 Le contrat obligataire

Pour vous donner un aperçu du contrat obligataire (et de quelques-uns des termes avec lesquels il est rédigé), nous avons résumé dans le tableau 25.1 les conditions d'une obligation à quinze ans émise par Air France – KLM[2]. Nous allons observer tour à tour chacun des termes employés.

es données ce tableau, mme celles le tous les bleaux de ce apitre, sont ponibles sur vw.gestion inanciere. earsoned.fr

Tableau 25.1. Résumé des conditions de l'obligation 2020 taux fixe 2,75 % émise par Air France – KLM

Émetteur	Air France
Montant de l'émission	402 499 993 euros (449 999 989,50 euros en cas d'exercice en totalité de l'option de surallocation).
Nombre d'obligations	19 634 146 (21 951 219 en cas d'exercice en totalité de l'option de surallocation).
Valeur nominale unitaire	20,50 euros.
Prix d'émission	Au pair (soit 100 %, ou 20,50 euros).
Date de jouissance et de règlement des obligations	22 avril 2005.
Intérêt annuel	2,75 % du nominal l'an, payable à terme échu le 1er avril de chaque année. Le premier coupon sera payé le 1er avril 2006 et sera calculé *prorata temporis* (premier coupon couru).
Modalités de remboursement	Les obligations seront amorties (remboursées) en totalité le 1er avril 2020 par remboursement au pair (soit 20,50 euros).
Durée	14 ans et 344 jours à compter de la date de règlement des obligations.
Notation	L'emprunt n'a pas fait l'objet d'une demande de notation.
Lieu de cotation	Euronext Paris.
Établissements chargés du placement des obligations	Chefs de file teneurs de livre associés : BNP Paribas, JP Morgan Securities, Societé Générale. Autres établissements assurant le placement : Barclays Capital, CALYON, Citigroup, HSBC-CCF.
Exigibilité anticipée en cas de défaut	Le représentant de l'assemblée des obligataires pourra être fondé à demander leur remboursement immédiat dans les cas suivants (la suite est résumée) : défaut de paiement sur les obligations, mise en liquidation de la société, etc.

2. L'émission évoquée ici concerne une obligation avec option de conversion ou d'échange contre des actions nouvelles ou existantes (OCEANE). Nous avons synthétisé les informations, qui sont disponibles de manière plus détaillée (262 pages) dans le prospectus (la note d'opération) de cette émission, disponible sur les sites de l'AMF et d'Air France – KLM. Nous nous concentrons pour l'instant sur l'emprunt obligataire, et n'évoquerons pas ici la possibilité de conversion.

2.1 Le contrat ou acte de fiducie

L'offre d'Air France-KLM est une émission publique d'obligations qui a été enregistrée par la *Commission des opérations de Bourse* (COB) à l'époque, qui est devenue l'*Autorité des marchés financiers* (AMF). Les obligations sont cotées sur Euronext Paris. Dans le cas d'une émission publique, l'accord d'obligation prend la forme d'un contrat ou acte de fiducie entre l'emprunteur et la compagnie de fiducie[3]. La société de fiducie représente les détenteurs d'obligations (l'ensemble des détenteurs d'obligations est appelé **la masse**). Elle doit s'assurer que les termes du contrat sont respectés, gérer tout fonds d'amortissement et défendre les intérêts des détenteurs d'obligations en cas de défaillance. Une copie du contrat d'obligation est jointe au document d'enregistrement. Il s'agit d'un document légal très indigeste. Ses principales dispositions sont résumées dans l'avis d'émission.

2.2 Les conditions de l'obligation

La valeur nominale des obligations est une information secondaire. Les titres d'État émis en euros ont pour valeur nominale 1 €, les obligations privées ont des nominaux fixés plus librement. Ici, le nominal est de 20,5 €. Notons, pourtant, que le cours d'une obligation est présenté sous la forme d'un pourcentage du nominal (ici, 100 % à l'émission). Ainsi, le cours est établi « net du coupon couru » : l'acheteur d'obligation doit payer non seulement le cours coté, mais aussi la portion des intérêts déjà accumulés. Par exemple, si un investisseur souhaite acheter une de ces obligations le 30 septembre 2007, et que celle-ci cote 98 % ce jour-là, il faudra rajouter le *coupon couru*. Étant donné que les coupons sont versés chaque 22 avril, il se sera écoulé 153 jours depuis le dernier coupon, et le coupon couru sera de $153 / 365 \times 2,75 = 1,153$ %[4]. L'investisseur paiera alors $98 + 1,153 = 99,153$ % du nominal, soit 20,33 €.

Puisque les obligations ont été émises à un cours de 100 %, et remboursées au pair, les investisseurs qui conserveront les titres jusqu'à l'échéance ne recevront pas de gain en capital au bout de quinze ans. S'il y avait eu une différence entre le prix d'émission et la valeur de remboursement, on aurait parlé d'une *prime de remboursement*. Ici, la rentabilité provient du paiement régulier des intérêts. L'intérêt annuel ou **coupon** réglé sur chaque obligation est de 2,75 % de 20,5 €, soit 0,56375 €. Cet intérêt est payable annuellement. En revanche, la plupart des obligations américaines reçoivent leurs intérêts deux fois par an, voire quatre fois par an. Cet usage se développe en Europe, par exemple l'obligation assimilable du Trésor OAT TEC 10 (pour taux de l'échéance constante à dix ans) délivre un coupon trimestriel.

Le paiement régulier des intérêts sur les obligations est la barrière que la société doit franchir[5]. Si elle devait manquer un paiement d'intérêts, les prêteurs pourraient demander à récupérer leur capital plutôt que d'attendre que d'autres événements ne confirment la

3. Dans le cas d'émissions internationales d'obligations, il y a un intermédiaire fiscal qui supporte en gros des attributions analogues à celle d'un dépositaire d'obligations.

4. Aux États-Unis, les intérêts courus sur le marché obligataire privé sont calculés sous hypothèse de douze mois de trente jours ; sur d'autres marchés (tels que le marché obligataire européen) les calculs utilisent le nombre de jours effectif du calendrier (365 ou 366 jours).

5. Il existe une catégorie d'obligation pour laquelle l'emprunteur est obligé de payer les intérêts uniquement s'ils sont couverts par des bénéfices annuels. De telles obligations à revenus sont rares et ont été largement émises à l'occasion de la réorganisation des chemins de fer. Pour une discussion des attraits de l'obligation à revenus, voir J. J. McConnel et G. G. Schlarbaum, « Returns, Risks, and Pricing of Income Bonds, 1956-1976 (Does money have an Odor ?), *Journal of Business*, 54 (janvier 1981), pp. 33-64.

dégradation. De cette manière, le paiement des intérêts fournit une protection supplémentaire pour les prêteurs[6].

Parfois, les obligations sont vendues avec un faible paiement d'intérêts mais une forte réduction par rapport à leur valeur faciale, de manière à ce que les investisseurs reçoivent une part significative de leur rendement sous la forme d'une plus-value en capital[7]. Le cas limite est celui de l'obligation à zéro coupon, qui ne délivre aucun paiement d'intérêts : la totalité de la rentabilité provient d'une appréciation du capital[8].

Le paiement des intérêts pour Air France est déterminé pour la durée de vie de l'obligation, mais pour certaines émissions, le paiement est fonction du niveau général des taux d'intérêt. Par exemple, le règlement peut être lié au taux des bons du Trésor ou à l'EURIBOR (*Euroland interbank offered rate* – taux interbancaire offert en Euroland) qui est le taux auquel les banques prêtent des euros à d'autres banques. Souvent, ces bons à taux flottant comportent un taux d'intérêt minimum (*floor*) ou maximum (*cap*)[9]. Vous pourrez aussi rencontrer des « *collars* » (tunnels) qui comprennent à la fois un minimum et un maximum.

3 Les dettes prioritaires et leurs garanties

La plupart des dettes émises par les sociétés industrielles et financières sont généralement des obligations non garanties. Certaines sont garanties : si la société est défaillante, le syndicat de garantie ou le prêteur peut prendre possession des actifs disponibles. S'ils sont insuffisants pour couvrir les exigences des créanciers, la dette résiduelle restera exigible conjointement à toute autre dette sur les autres actifs de la firme.

La majorité des dettes garanties consiste en **obligations hypothécaires** ou **obligations foncières.** Certaines de ces hypothèques ou de ces nantissements procurent parfois un droit sur un bâtiment désigné, mais elles sont le plus souvent garanties sur la majorité des actifs de la société[10]. Bien sûr, la valeur d'une hypothèque ne dépend pas seulement du plus ou moins bon entretien du matériel mais aussi de sa valeur pour d'autres usages. Une machine exclusivement destinée à la fabrication de fouets pour charrette n'aura pas beaucoup de valeur si le marché des fouets pour charrette disparaît.

---

6. Voir F. Black et J. C. Cox, « Valuing Corporate Securities : Some effects of Bond Indenture Provisions », *Journal of Finance*, 31 (mai 1976), pp. 351-367. Black et Cox ont montré que le paiement des intérêts constituerait une barrière triviale si la société devait vendre ses actifs pour régler les intérêts. De telles ventes sont par conséquent réglementées.

7. Une obligation à zéro coupon est souvent appelée « obligation de capitalisation ». Toute obligation qui est émise avec un taux de réduction est connue sous le nom d'obligation à *émission avec réduction.* Le Trésor français utilise beaucoup ces obligations obtenues par « démembrement » de titres obligataires classiques.

8. Le cas le plus extrême fut une obligation à zéro coupon perpétuelle émise pour le compte d'une association de charité.

9. Au lieu d'émettre un bon à taux flottant standard (sans *cap*), une société peut parfois émettre un bon à taux flottant non assorti d'un *cap* et en même temps acheter le *cap* à un autre investisseur. La banque versera les intérêts en excédent du niveau spécifié.

10. Lorsque l'hypothèque est fermée, aucune autre obligation ne peut être émise avec la même garantie. Néanmoins, habituellement, il n'existe pas de limite particulière au montant des obligations qui peuvent être garanties (dans le cas où l'hypothèque est dite ouverte). Beaucoup d'obligations hypothécaires sont garanties non seulement sur les possessions existantes, mais aussi sur les possessions « acquises-après ». Néanmoins, si la société achète uniquement des biens déjà hypothéqués, le détenteur d'obligations disposera simplement d'une dette subordonnée sur la nouvelle possession. Par conséquent, les obligations hypothécaires avec des clauses de possession « acquises-après » réduisent aussi la possibilité pour la société d'acheter des actifs supplémentaires déjà hypothéqués.

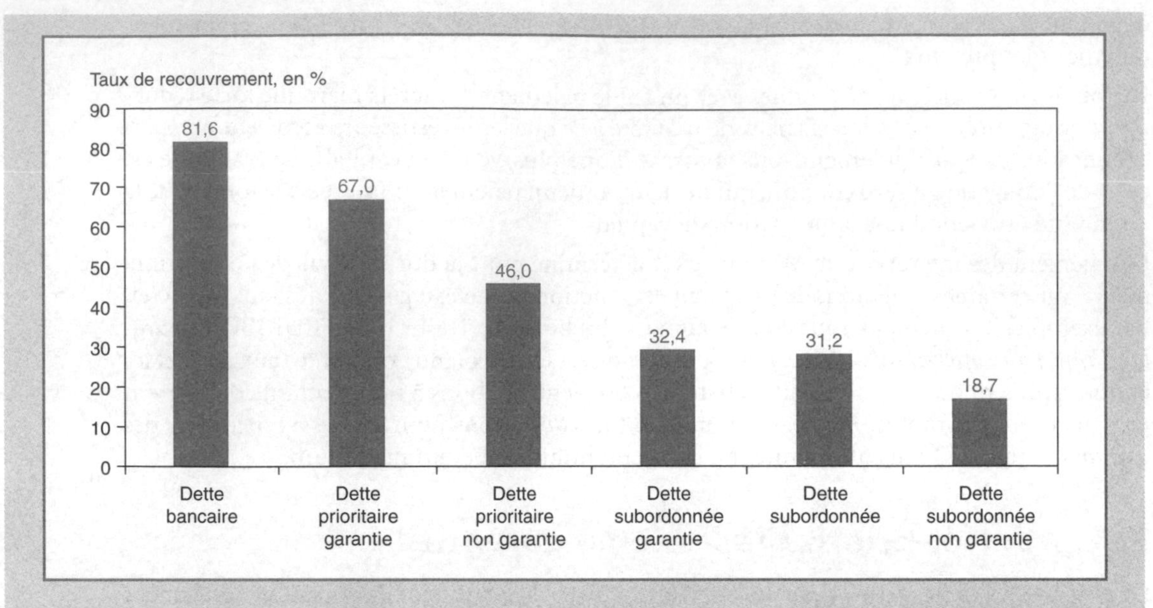

Figure 25.1 - Pourcentage final de recouvrement sur des dettes en défaut, classées par priorité (séniorité) et garanties, 1988-2002. *Source* : Standard & Poor's, « Ratings performance 2002 », **www.standardandpoors.com**.

Les sociétés qui possèdent des titres peuvent aussi les utiliser en tant que garantie pour un emprunt. Par exemple, les sociétés « holding » sont des firmes dont les actifs consistent principalement en actions de plusieurs filiales. Ainsi, lorsque ces sociétés « holding » désirent emprunter, elles utilisent généralement ces titres comme garantie. Le problème pour le prêteur est que ces titres sont subordonnés à tous les autres privilèges sur les actifs de la filiale.

La troisième principale forme de dette garantie est le **titre garanti par nantissement du matériel**. Ceci est plus fréquemment utilisé pour le financement des nouveaux matériels roulants, mais aussi pour financer des camions, des avions, et des bateaux. Compte tenu de cet accord, le syndicat de garantie obtient la propriété formelle de l'équipement. La société effectue un versement initial sur le coût de l'équipement et le solde est fourni par un ensemble de titres garantis aux maturités différentes qui sont en général étalées de un à quinze ans. Des agences de notation telles que Moody's ou Standard & Poor's évaluent naturellement le titre garanti par nantissement du matériel avec une meilleure note que les dettes ordinaires des sociétés.

Les obligations peuvent constituer des privilèges de premier rang, être subordonnées à des obligations prioritaires ou à *tous* les autres créanciers[11]. Si la société est défaillante, les obligations prioritaires viennent au premier rang des créances indemnisées. Celui qui possède une dette subordonnée sera servi après les créanciers ordinaires de la société (mais avant les actionnaires privilégiés et les actionnaires ordinaires).

Comme on peut le voir sur la figure 25.1, lorsque la défaillance survient, on règle en premier les dettes prioritaires et garanties. En moyenne, les détenteurs de ces créances peuvent espérer recouvrer plus de la moitié de leur créance. En revanche, le taux de recouvrement d'une dette obligataire secondaire non garantie est inférieur à 20 % de la valeur nominale.

11. Lorsqu'une obligation n'est pas précisément présentée comme subordonnée, vous pourrez supposer qu'elle est prioritaire.

3.1 Les titres adossés à des actifs et la titrisation

Au lieu d'emprunter directement de l'argent, les sociétés regroupent un ensemble d'actifs et revendent les flux monétaires issus de ces actifs. Ces titres sont connus sous le nom de titres adossés à des actifs.

Supposons que votre société ait accordé un grand nombre de crédits hypothécaires à des acheteurs d'immobilier d'habitation ou à vocation commerciale. Cependant, vous ne voulez pas attendre que les prêts soient remboursés ; vous voudriez récupérer votre argent tout de suite. Voici ce qu'il faut faire.

Vous constituez une société distincte (fonds commun de créances) qui acquiert les crédits. Pour financer cet achat, la société émet des *mortgage pass-through certificates*. Le détenteur de ces certificats reçoit simplement une part des revenus issus du bien immobilier. Par exemple, lorsque les taux d'intérêt diminuent et que les prêts sont remboursés par anticipation, les détenteurs de ces certificats sont aussi remboursés par avance. Ce n'est pas très populaire auprès de ces détenteurs, parce qu'ils récupèrent leur argent juste au moment où ils n'en veulent pas, lorsque les taux d'intérêt sont bas[12].

Les sociétés immobilières ne sont pas les seules à souhaiter transformer des encaissements futurs en flux monétaires immédiats. Les crédits automobiles, les prêts étudiants et les encours de cartes de crédit sont aussi regroupés et titrisés pour être revendus sur le marché. En fait, les banquiers semblent capables de titriser n'importe quel paquet de créances. En 1997, David Bowie, la star du rock britannique, a créé une société pour racheter les droits de ses albums actuels. La société a financé cette acquisition en vendant 55 millions de dollars d'obligations à dix ans à un taux fixe de 7,9 %. Les droits reçus ont été utilisés pour le service de la dette, principal et intérêts. Lorsqu'on a demandé au chanteur comment il avait réagi à cette idée, son agent a répondu : « Il a froncé les sourcils et m'a dit : Quoi ? »[13]

La titrisation reste une activité récente en Europe puisqu'elle ne représentait que 1,1 milliard d'euros en 1998, pour augmenter à 20,7 milliards en 2001. L'estimation 2003 porte sur 31 milliards. Mais la France ne représente que 3 % de l'Europe derrière la Grande-Bretagne et l'Italie. Les principaux exemples correspondent à EDF, France Télécom, et Thales qui titrisent une partie de leur patrimoine immobilier grâce aux CMBS. Il semble que la technique du *sales and lease back* tende à se développer, mais en novembre 2002, un texte de la Commission des opérations de Bourse et de la Commission bancaire est venu renforcer les contraintes comptables liées à la déconsolidation des actifs immobiliers titrisés (par exemple, lorsque le cédant veut rester dans les lieux et qu'il possède une option d'achat pour reprendre le bien). La titrisation reste une activité sous haute surveillance en France.

4 Clause de remboursement anticipé

4.1 Les fonds d'amortissement

La date d'échéance de l'obligation Air France est le 1er avril 2020 et le remboursement aura lieu en totalité à cette date[14]. Mais dans le cas d'autres emprunts, le remboursement se fait

---

12. Parfois, au lieu d'émettre une seule catégorie de titres « pass-through », la société peut en émettre plusieurs catégories, connus sous le nom de *collaterized mortgage obligations* ou CMOs. Par exemple, tout versement anticipé sera en priorité destiné à l'une des catégories de certificats et ce n'est qu'après que les autres seront remboursées.
13. Voir J. Mathews, « David Bowie Reinvents Self, This Time as a Bond Issue », Washington Post (7 février 1997).
14. Pour plus de détails sur cette émission, reportez-vous au prospectus déjà mentionné.

par tranches, tout au long de la durée de vie de l'emprunt. Dans les deux cas, il faut disposer de capital pour rembourser. Pour ce faire, la société effectue un versement régulier à un fonds d'amortissement (*sinking fund*, pour Bruce Willis), et l'argent est placé. Lorsqu'elle verse du cash au fonds d'amortissement, le syndicat de garantie choisit des obligations par tirage au sort et utilise le cash pour rembourser les titres à leur valeur nominale[15]. Comme autre solution au règlement en numéraire, la société peut acheter des obligations sur le marché et les payer avec le fonds[16]. C'est une option valorisante pour la société. Lorsque le cours de l'obligation est bas, la société va satisfaire les exigences du fonds d'amortissement par l'acquisition de titres sur le marché ; si le cours est élevé, elle remboursera des titres au pair par tirage au sort.

Nous avons vu plus haut que les paiements d'intérêts fournissaient une preuve régulière de la solvabilité de la société. Les fonds d'amortissement fournissent une barrière supplémentaire que la société doit franchir. Si elle ne peut pas alimenter le fonds d'amortissement, les prêteurs peuvent se demander comment ils pourront récupérer leur argent. Voici pourquoi, pour les obligations de longue durée, les émissions de mauvaise qualité comportent des fonds d'amortissement importants.

4.2 L'option de rachat anticipé

Les émissions d'obligations privées comprennent souvent une option d'achat qui autorise la société à racheter sa dette par anticipation. De manière occasionnelle, vous pourrez rencontrer des obligations qui donnent à l'investisseur le droit de revendre leurs obligations. Ces obligations rachetables ou revendables donnent à l'investisseur le droit à un remboursement anticipé, tandis qu'une option d'extension leur permet de prolonger la durée de vie de l'obligation.

Pour certaines sociétés, des obligations comportant une option de rachat anticipé représentent une forme naturelle de protection. Prenons l'exemple des prêts hypothécaires à taux fixe et à taux variable proposés aux acquéreurs immobiliers. Lorsque les taux d'intérêt diminuent, les propriétaires fonciers sont enclins à rembourser leur emprunt à taux fixe afin de contracter un nouvel emprunt à un taux plus faible. Ceci peut sérieusement grever les revenus du cabinet. Par conséquent, pour eux-mêmes se protéger d'une baisse des taux d'intérêt, ces agences émettent des quantités importantes d'emprunts à long terme incluant une option de rachat anticipé. Lorsque les taux d'intérêt diminuent, les agences peuvent diminuer leur coût de financement en rachetant leurs obligations et en les remplaçant par des obligations à un taux moins élevé. Dans l'idéal, la diminution des intérêts sur les obligations doit exactement compenser la réduction de revenu sur les prêts.

Air France dispose d'une option de rachat, ou option d'achat, pour la totalité de l'émission. La société est soumise à certaines restrictions dans l'usage de son option : par exemple, elle ne peut exercer l'option avant le 1er avril 2010 ; cela dépend aussi du prix de l'obligation en Bourse.

Lorsque le taux d'intérêt diminue et que le cours de l'obligation augmente, l'option de rachat anticipé à un prix prédéfini peut être très intéressante. La société peut racheter l'obligation et en émettre une nouvelle à un cours plus élevé et un taux plus faible. Comment une

15. Tout investisseur rêve de détenir tous les titres qui seront remboursés par le fonds d'amortissement à leur valeur nominale, alors qu'il les aurait achetés au-dessous de cette valeur. Manipuler un tel marché est agréable à rêver, mais très difficile à faire. Pour un exposé sur ce thème, voir K. B. Dunn et C. S. Spatt, « A Strategic Analysis of Sinking Fund Bonds », *Journal of Financial Economics*, 13 (septembre 1984), pp. 399-424.

16. Lorsque les obligations sont placées en privé, la société ne peut bien évidemment pas les racheter sur le marché : il faut les racheter à leur valeur nominale.

société peut-elle savoir s'il faut racheter les obligations ? La réponse est simple : toutes choses égales par ailleurs, si elle désire optimiser la valeur de ses actions, elle doit minimiser la valeur de ses obligations. Par conséquent, la société ne devrait jamais racheter les obligations lorsque leur valeur de marché est inférieure au cours de rachat, parce qu'elle accorderait un cadeau aux détenteurs d'obligations. Inversement, une société *devrait* racheter les titres lorsque leur valeur de marché est *supérieure* à leur valeur de rachat.

Bien sûr, les investisseurs prennent l'option de rachat en compte quand ils achètent ou vendent les obligations. Ils savent que la société exercera son droit de rachat dès que l'obligation vaudra plus que son cours de rachat. Il n'y aura donc pas un investisseur pour payer plus que le cours de rachat de l'obligation. La valeur de marché de l'obligation peut, ainsi, atteindre le cours de rachat, mais ne pourra jamais le dépasser. Ceci donne à la société une règle de comportement quant au rachat de ses obligations : *racheter l'obligation si, et seulement si, le prix de marché tend vers le prix de rachat*[17].

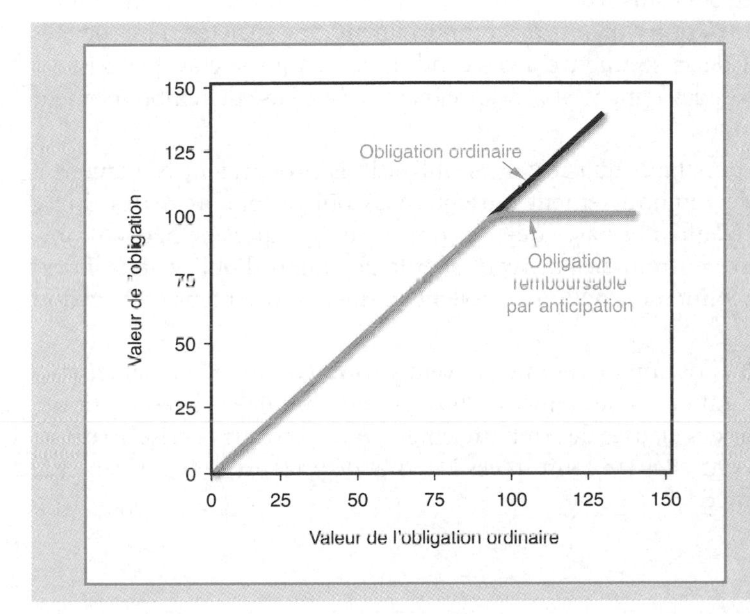

Figure 25.2 - Relation entre la valeur d'une obligation remboursable par anticipation et une obligation ordinaire (non remboursable). Hypothèses : (1) les deux obligations ont un coupon de 8 % et une échéance de cinq ans ; (2) l'obligation remboursable peut être rachetée à tout moment avant son échéance ; (3) le taux d'intérêt à court terme suit une marche au hasard et les rendements escomptés des obligations sur chacune des maturités sont identiques.

Source : M. J. Brennan et E. S. Schwartz, « Savings bonds, Retractable Bonds, and Callable Bonds », *Journal of Financial Economics*, 5 (1977), pp. 67-88.

Si l'on sait comment va évoluer le cours de l'obligation, nous pourrons modifier notre modèle d'évaluation de base des options du chapitre 21 pour obtenir la valeur de la clause de remboursement, sachant que l'investisseur sait que la société va procéder au rachat des titres dès que le prix de marché atteint le prix de rachat. Par exemple, la figure 25.2 illustre la relation entre la valeur d'une obligation ordinaire de coupon 8 % et de maturité cinq ans et une

17. Voir M. J. Brennan et E. S. Schwartz, « Savings bonds, Retractable Bonds, and Callable Bonds », *Journal of Financial Economics*, 5 (1977) pp. 67-88. Bien sûr, cela suppose que l'obligation soit correctement évaluée, que les investisseurs agissent rationnellement et que les investisseurs s'attendent à ce que la société agisse rationnellement. Ainsi, nous ignorons quelques complications. Premièrement, vous pourriez ne pas souhaiter rembourser l'obligation s'il vous est impossible d'émettre une dette de remplacement en raison d'une clause de non-recyclage. Deuxièmement, la pénalité de remboursement anticipé est une charge déductible d'impôt pour la société, mais elle est taxée comme plus-value en capital pour le détenteur d'obligation. Troisièmement, il peut y avoir d'autres conséquences fiscales pour les deux sociétés et pour l'investisseur à remplacer une obligation à faible coupon par une obligation à coupon plus élevé. Quatrièmement, il y a des coûts lors du remboursement de la dette et à l'occasion d'une nouvelle émission de titres.

autre obligation identique mais remboursable par anticipation. Supposons que la valeur de l'obligation ordinaire soit très faible : il y a une faible probabilité pour que la société souhaite un jour racheter ses obligations (il faut se rappeler qu'elle ne les rachètera que lorsque le cours est supérieur au prix de rachat). La valeur de l'obligation remboursable par anticipation sera donc quasiment identique à celle de l'obligation ordinaire. Supposons maintenant que l'obligation ordinaire ait exactement pour valeur 100. Dans ce cas, il y a de bonnes chances pour que la société souhaite racheter les titres dans un futur proche. La valeur de l'obligation remboursable par anticipation sera alors légèrement inférieure à celle de l'obligation ordinaire. Lorsque le taux d'intérêt continue de diminuer, le cours de l'obligation ordinaire va continuer à progresser, mais personne ne paiera *plus* que le prix d'acquisition pour une obligation remboursable par anticipation.

Une clause de remboursement anticipé procure à l'émetteur une option dont la valeur peut être établie, mais cela se traduit par un prix à l'émission plus faible. Alors pourquoi les sociétés s'embêtent-elles avec des clauses de remboursement ? Parce que les contrats d'obligations comportent des restrictions quant au comportement des sociétés. Les sociétés accepteront plus facilement de se soumettre à ces conditions surtout si elles peuvent s'y soustraire lorsque ces dernières deviennent trop contraignantes. La clause de remboursement équivaut à une sortie de secours.

Nous avons relevé un peu plus haut que certaines obligations procuraient également à l'investisseur une option de remboursement anticipé. Ces obligations assorties d'une option de revente sont très fréquentes parce que les contrats obligataires ne peuvent prévoir tout ce qui peut décider l'entreprise à désavantager le détenteur d'obligations. Lorsque la valeur des obligations diminue, l'option de revente permet au détenteur d'obligation d'être remboursé.

Mais les obligations assorties d'option de revente peuvent parfois conduire leurs émetteurs vers de très gros problèmes. Au cours des années 1990, bon nombre de sociétés asiatiques avaient accordé à leur prêteur des clauses de remboursement. Aussi lorsque la crise asiatique a éclaté en 1997, ces sociétés ont-elles été confrontées à un flot de prêteurs venus réclamer le remboursement de leur créance.

5 Clauses restrictives

Les investisseurs savent s'il existe un risque de défaillance lorsqu'ils achètent des obligations du secteur privé. Mais ils souhaitent aussi être convaincus que la société va jouer franc jeu. Ils ne veulent pas qu'elle spécule avec leurs fonds. Par conséquent, l'obligation non garantie inclut un certain nombre de *clauses restrictives* pour empêcher la société d'accroître volontairement la valeur de son option de défaillance[18].

Les prêteurs craignent qu'après l'octroi du prêt, l'entreprise accumule encore plus de dettes et accroisse ainsi sa probabilité de défaut. Ils se protègent contre ce risque en interdisant à l'entreprise d'émettre davantage de dettes, sauf si le ratio dette sur fonds propres reste en deçà d'une certaine limite.

Toutes les dettes n'accordent pas les mêmes droits. Si la firme fait défaut, ce sont les dettes prioritaires (*senior*) qui sont liquidées en premier, et elles doivent l'être intégralement avant

18. Nous avons décrit dans la section 3, chapitre 18 quelques manœuvres des dirigeants au détriment des détenteurs d'obligations.

que les détenteurs de dettes subordonnées (*junior*) ne touchent un centime[19]. Ainsi, lorsqu'une entreprise émet de la dette prioritaire, les prêteurs restreindront les possibilités d'émission de ce type de dette. Mais ils la laisseront libre du montant de dette subordonnée qu'elle peut émettre. Dans la mesure où les détenteurs de dette prioritaire sont en début de queue, ils considèrent les dettes subordonnées au même titre que des capitaux propres : ils se réjouissent d'assister à de telles émissions. Bien évidemment, l'inverse n'est pas vrai. Les détenteurs de dettes subordonnées sont aussi attentifs au montant total de la dette qu'au montant prioritaire par rapport à leurs titres. Par conséquent, le contrat d'émission d'une dette subordonnée contient généralement une restriction sur le montant total de la dette et sur le montant de la dette prioritaire.

Tous les détenteurs d'obligations s'inquiètent de voir la société émettre de nouvelles dettes garanties. Une émission de dettes hypothécaires introduit généralement des limites sur le montant de la dette garantie. Aussi longtemps que les détenteurs d'obligations non garanties seront traités de la même manière, ils ne se soucieront pas de la manière dont vous hypothéquez vos actifs. Ainsi, certains contrats obligataires contiennent une clause dite de **non-nantissement exclusif** par laquelle les détenteurs d'obligations non garanties disent simplement : « moi aussi ».

Au lieu d'emprunter pour acheter un actif, des sociétés peuvent s'engager à long terme dans un contrat pour le louer. Pour le créancier, cet arrangement est tout à fait semblable à un emprunt garanti. Par conséquent, les contrats d'emprunt incluent aussi des restrictions à l'usage du crédit-bail de longue durée.

Nous avions évoqué comment un emprunteur sans scrupules peut tenter d'accroître la valeur de l'option de défaillance par l'émission de dettes supplémentaires. Mais il y a d'autres possibilités pour une société de spolier ses actuels détenteurs d'obligations. Par exemple, nous savons que la valeur d'une option est influencée par le versement de dividendes. Lorsque la société verse un important dividende à ses actionnaires et ne remplace pas ces disponibilités par une émission d'actions, il y aura moins d'actifs pour garantir la dette. Par conséquent, la plupart des émissions d'obligations restreignent le montant des dividendes que la société peut payer[20].

Les clauses restrictives ont une vraie utilité. En étudiant l'impact des acquisitions financées par emprunt sur la valeur de la dette des entreprises, Asquith et Wizman montrent que l'achat a conduit à une chute de 5,2 % de la valeur des obligations s'il n'y avait pas de restrictions sur des émissions ultérieures de titres, paiements de dividendes ou fusions[21]. Lorsque l'obligation était protégée par des clauses très contraignantes, une même annonce conduisait à une augmentation du cours de l'obligation de 2,6 %.

---

19. En pratique, les cours de justice ne respectent pas toujours très scrupuleusement les règles de priorité. Par conséquent, les détenteurs de dettes subordonnées peuvent recevoir un certain paiement même lorsque les détenteurs de dettes prioritaires ne sont pas totalement remboursés.

20. Voir A. Kalay, « Stockholder-Bondholder Conflict and Dividend Constraints », *Journal of Financial Economics*, 10 (1983), pp. 211-233. Par exemple, ces restrictions peuvent empêcher la société de verser des dividendes si leur montant cumulé excède (1) le revenu net cumulé, (2) le produit de la vente des actions ou de la conversion de la dette et (3) un montant en dollars égal à environ un an de dividendes.

21. Paul Asquith et Thierry Wizman, « Event Risk, Bond Covenants, and the return to Existing Bondholders on Corporate Buyouts », *Journal of Financial Economics*, 27 (septembre 1990) pp. 195-213. On parle en règle générale de LBO (*leverage buyouts*) pour désigner ce type d'acquisitions financées par des émissions massives de dettes (généralement sans garantie). Les LBO sont présentés au chapitre 33.

Malheureusement, il n'est pas toujours facile de détecter tous les bricolages comptables, comme les détenteurs d'obligations de Marriott Corporation le découvrirent en 1992. Le ciel leur tomba sur la tête lorsque l'entreprise indiqua qu'elle décomposerait ses activités en deux entités distinctes. La première, Marriott International Inc., gérerait la chaîne d'hôtels de Marriott et accueillerait la plus grande part des revenus. La seconde, Host Marriott, détiendrait les actifs immobiliers et aurait pour fonction principale d'amortir la dette de 3 milliards de dollars de l'ancienne société. Le prix des obligations de Marriott chuta donc de près de 30 %, et les investisseurs commencèrent à réfléchir à la façon de se protéger contre de telles dégradations inopinées de l'environnement financier des entreprises (en anglais, on parle d'*event risk*). Par exemple, des détenteurs d'obligations commencèrent à imposer des clauses « *poison-put* », obligeant l'emprunteur à rembourser sa dette en cas de changement de direction de l'entreprise et de dégradation des obligations.

Pourtant, il y a toujours de mauvaises surprises au coin du bois. L'encadré suivant présente l'exemple du réveil douloureux des détenteurs d'obligations de la société US Shoe.

Actualités financières

Le propriétaire d'US Shoe déclenche la colère des détenteurs d'obligations avec la restructuration de sa dette

Imaginez une entreprise essayant de mettre ses obligations en situation de défaut, de façon à pouvoir les rembourser avant qu'elles atteignent leur échéance. Des analystes financiers soutiennent que c'est la manœuvre mise au point par le groupe italien Luxottica SpA (le nouveau propriétaire de US Shoe Corp.) avec ses obligations à 8 5/8 %.

Alors que Luxottica se défend de vouloir spolier délibérément les détenteurs d'obligations, sa stratégie apparaît comme le dernier avatar de l'Amérique des entreprises destiné à arracher les titres à haut rendement des mains des investisseurs avant leur échéance, selon certains analystes. Alors que les taux d'intérêt ont beaucoup baissé, un grand nombre d'entreprises émettrices (des industries lourdes aux sociétés financières) se sont empressées de racheter leurs obligations à haut rendement avec des émissions à coupon plus faible. Tant que les obligations peuvent être « rappelées » (i.e. remboursées par anticipation), il n'y a ordinairement aucun problème. Néanmoins, les entreprises émettrices tentent de plus en plus de racheter des dettes qui ne peuvent être reprises aux investisseurs avant leur échéance, et ce à l'aide de moyens inhabituels.

Selon les analystes financiers, Luxottica a tenté de mettre les obligations à 8 5/8 % échéance 2002 en situation technique de défaut en faisant émettre à l'entreprise pour 1,4 milliard de dollars de dette prioritaire plus tôt dans l'année. Ceci fut possible grâce à une clause négligée du contrat d'émission. Cette dernière précisait en effet que les obligations étaient en défaut technique dès lors que la société ajoutait une nouvelle dette prioritaire à son passif sans adosser simultanément les titres à 8 5/8 % à un actif dédié. Ces obligations se trouvaient alors traitées au même niveau que la dette bancaire.

C'est l'absence de soutien de Luxottica aux titres à 8 5/8 % qui déclenche l'ire des détenteurs d'obligations, alors même que l'entreprise a émis beaucoup de dettes prioritaires cette année. Maintenant, Luxottica essaie de racheter les obligations rapidement, arguant du droit que lui donne la clause concernant les émissions en défaut technique.

Actualités financières

C'est l'absence de soutien de Luxottica aux titres à 8 5/8 % qui déclenche l'ire des détenteurs d'obligations, alors même que l'entreprise a émis beaucoup de dettes prioritaires cette année. Maintenant, Luxottica essaie de racheter les obligations rapidement, arguant du droit que lui donne la clause concernant les émissions en défaut technique.

« Ces agissements sont dix fois plus répréhensibles que ceux de Marriott aux pires moments, parce que Marriott n'a jamais transgressé une clause explicite », souligne Max Holmes, un analyste de Salomon Brothers Inc.

Source : Anita Raghaven, « Le propriétaire d'US Shoe déclenche la colère des détenteurs d'obligations avec la restructuration de sa dette », *The Wall Street Journal*, 18 octobre 1995, reproduit avec l'autorisation du *Wall Street Journal*,

6 Obligations convertibles et bons de souscription en actions

6.1 Qu'est-ce qu'une obligation convertible ?

À la différence des obligations ordinaires, un titre convertible peut changer de nature. Il commence son existence en tant qu'obligation (ou action préférentielle), mais peut se transformer par la suite en action ordinaire (l'OCEANE d'Air France, déjà évoquée, en est un exemple). En 1999, Amazon.com a émis pour 1 250 millions de dollars d'obligations convertibles à 4 3/4 % de taux d'intérêt nominal remboursables en 2009. Elles pouvaient être converties à tout moment en 12,82 actions[22] : l'investisseur disposait d'une option d'achat à dix ans pour restituer l'obligation à la société et recevoir en échange 12,82 actions. Le nombre de titres qui peuvent être obtenus en échange d'une obligation est appelé *ratio de conversion* de l'obligation.

Afin de pouvoir recevoir les 12,82 titres, le détenteur devait restituer des obligations pour une valeur nominale de 1 000 $. Par conséquent, pour recevoir une action, le souscripteur devait rendre un montant nominal de 1 000 / 12,82 = 78,03 $. Cette valeur s'appelle le *prix de conversion*. Toute personne qui a acquis l'obligation 1 000 $ dans le but de la convertir en 12,82 actions a payé l'équivalent de 78,03 $ par titre.

Vous pouvez voir l'obligation convertible comme la combinaison d'une obligation normale et d'une option d'achat d'actions ordinaires. Lorsque les détenteurs d'obligations convertibles exercent leur option, ils n'avancent pas d'argent. À la place, ils échangent leurs obligations contre des actions. En 1999, les obligations Amazon.com se seraient probablement échangées autour de 600 $ si elles n'avaient pas été convertibles. Ce montant était donc le prix d'exercice de l'option.

La différence entre le prix d'une obligation convertible et d'une obligation normale équivalente représente la valorisation de l'option de conversion par les investisseurs. Par exemple, un investisseur qui a payé 1 000 $ en 1999 pour l'obligation convertible Amazon aurait payé 1 000 – 600 = 400 $ pour l'option d'acquisition de 12,82 actions.

---

22. Lorsque l'obligation a été émise, les investisseurs étaient censés la convertir en 6,41 actions ordinaires. Ce chiffre fut par la suite ajusté lorsque l'entreprise divisa son action en deux, et que la valeur de chaque action fut réduite de moitié.

6.2 L'évaluation des obligations convertibles à l'échéance

D'ici à l'échéance de l'obligation convertible Amazon, les investisseurs vont devoir choisir entre conserver l'obligation ou la convertir en actions ordinaires. La figure 25.3(a) décrit les valeurs possibles de l'obligation à l'échéance. Remarquez que la valeur de l'obligation est simplement égale à la valeur faciale tant qu'Amazon ne fait pas défaut. Néanmoins, si la valeur des actifs d'Amazon tombe suffisamment bas, les détenteurs d'obligations vont recevoir moins que la valeur faciale. Dans le cas extrême où les actifs n'ont plus de valeur, les détenteurs d'obligations ne recevront rien[23].

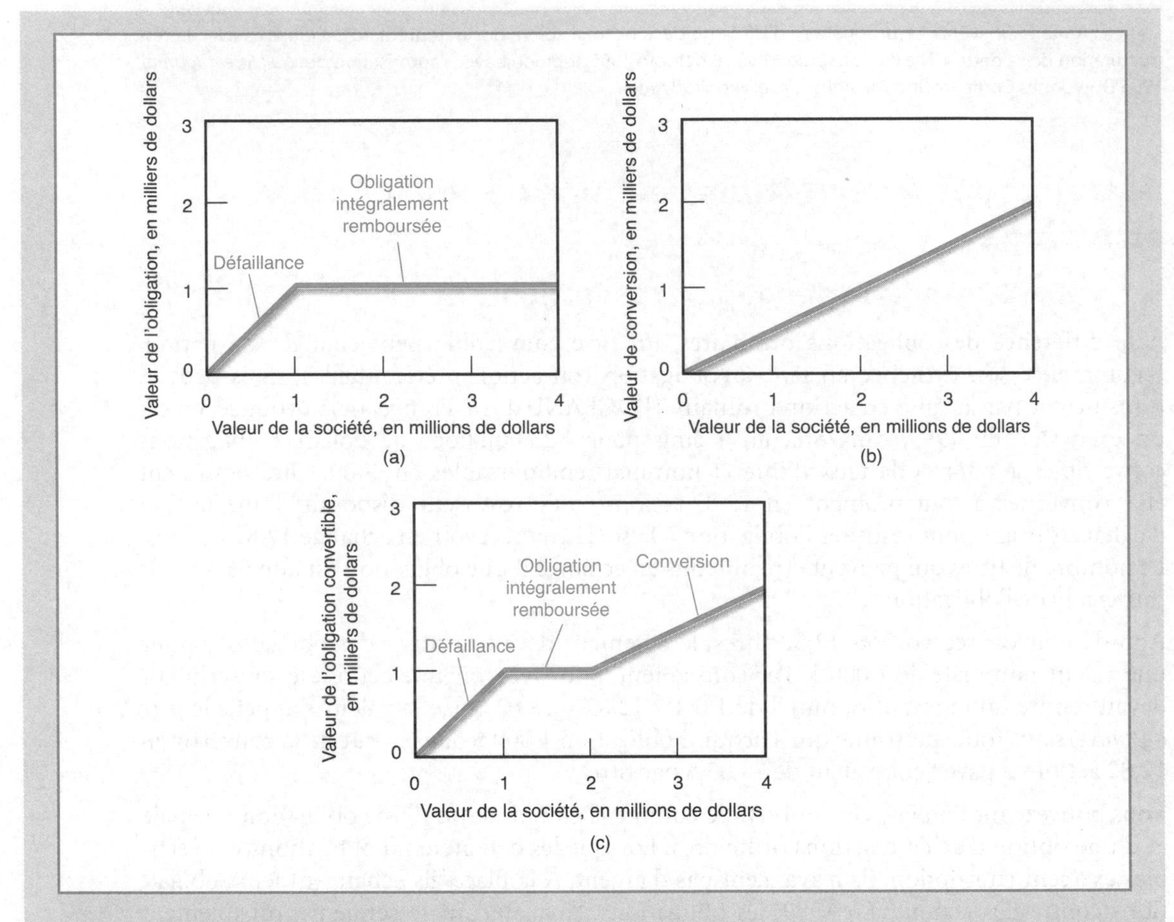

Figure 25.3 - (a) Valeur de l'obligation lorsque le titre convertible Amazon arrive à maturité. Lorsque la valeur de la société est au moins égale à la valeur faciale de la dette d'Amazon, l'obligation est remboursée à sa valeur faciale. (b) Valeur de conversion à l'échéance. S'il y a conversion, la valeur de l'obligation convertible augmente proportionnellement à celle de la société. (c) À l'échéance, le détenteur d'obligation convertible peut choisir entre recevoir le remboursement du principal de l'obligation ou convertir en action. La valeur de l'obligation convertible est par conséquent plus élevée que celle de son obligation et que sa valeur de conversion.

23. Vous pouvez interpréter cette figure comme un diagramme de position pour une obligation sans risque de défaut moins une option de vente sur les actifs de l'entreprise, avec un prix d'exercice à la valeur faciale des obligations (voir section 1, chapitre 24).

Vous pouvez interpréter la valeur de l'obligation comme une limite inférieure, un « plancher », au prix du titre convertible. Mais ce plancher a une pente dangereuse : si la compagnie traverse une passe difficile, l'obligation peut ne plus valoir grand-chose. En 2001, par exemple, le prix de l'action Amazon s'était effondré à 6 $, bien en dessous de son prix de conversion de 78,03 $. Les détenteurs d'obligations convertibles auraient pu espérer que la valeur de l'obligation représentait un plancher sûr pour la valeur de leur investissement. À ce stade, malheureusement, les obligations Amazon n'apparaissaient plus aussi sûres qu'auparavant, et le prix de l'obligation convertible chuta jusqu'à environ 400 $.

La figure 25.3(b) représente les valeurs de conversion possibles à l'échéance des obligations convertibles. Si les actifs d'Amazon sont sans valeur, les actions contre lesquelles les titres convertibles peuvent être échangés sont également sans valeur. Mais la valeur de conversion croît avec la valeur des actifs.

Le titre convertible d'Amazon ne peut pas non plus être vendu pour une valeur inférieure à son cours de conversion. Si c'était le cas, des investisseurs astucieux achèteraient le titre convertible, l'échangeraient rapidement contre des actions et revendraient les actions. Leur profit serait égal à la différence entre la valeur de conversion et le cours de la convertible. Il existe donc *deux* limites inférieures au cours de la convertible : sa valeur d'obligation et sa valeur de conversion. Les investisseurs ne convertiront pas si la valeur obligataire est supérieure à la valeur de conversion, et le feront dans le cas contraire. Autrement dit, le cours de la convertible à son échéance est représenté par la plus élevée des deux droites tracées sur les figures 25.3(a) et 25.3(b). C'est illustré à la figure 25.3(c).

6.3 Comment provoquer la conversion ?

En 2002, Amazon dispose d'une option d'achat ou plutôt de « rachat » de l'obligation convertible à un prix majoré d'une petite prime par rapport à leur valeur faciale. Dans ce cas, les détenteurs peuvent choisir de convertir ou restituer les obligations. Si le montant offert est supérieur à la valeur de conversion, ils prendront la somme en numéraire. Sinon, l'investisseur préférera convertir l'obligation. Une option de rachat peut donc *provoquer la conversion* lorsque le cours de l'action est suffisamment élevé.

Avant 2002, Amazon n'aurait pas pu racheter ses convertibles en dehors d'une circonstance particulière. La société aurait pu racheter les titres avant la fin du délai suspensif de rachat si le prix de l'action avait dépassé 117 $, auquel cas les investisseurs auraient tiré un profit de conversion substantiel. Comme nous l'avons vu plus tôt, racheter l'obligation ne modifie bien évidemment pas la taille totale du gâteau que constitue la société, mais cela peut changer la taille des parts individuelles. L'entreprise maximise la part des actionnaires si :

1. Elle n'accorde pas aux détenteurs d'obligations un profit superflu en rachetant les obligations alors qu'elles se situent *en dessous* du prix de rachat.
2. Elle ne laisse pas circuler des obligations lorsque leur valeur est *au-dessus* du prix de rachat.

Réfléchissez à ce que cela implique pour Amazon. Lorsque le délai suspensif de rachat sur l'obligation convertible Amazon prit fin en 2002, son prix était toujours très en dessous du prix de rachat. Dans la mesure où le rachat des obligations convertibles aurait accordé à leurs détenteurs un bénéfice superflu, Amazon a décidé d'y renoncer.

Supposez maintenant qu'à la fin du délai suspensif de rachat en 2002, le cours de l'action Amazon se soit établi à 100 $, de telle sorte que les obligations auraient pu être converties en actions pour 12,82 * 100 = 1 282 $. En ce cas, il aurait été intéressant pour l'entreprise de racheter immédiatement les obligations. Les détenteurs ne pourraient plus attendre avant de décider ou non la conversion. Ils auraient été contraints d'exercer leur option et de convertir leurs obligations en actions[24].

- Que se serait-il passé si le délai suspensif de rachat avait expiré alors que la valeur de conversion était à peine au-dessus du prix de rachat ? Si Amazon avait annoncé un rachat, les détenteurs d'obligations auraient eu 30 jours pendant lesquels ils auraient pu décider de convertir ou de racheter. Le cours de l'action aurait facilement pu descendre au-dessous du prix de rachat pendant cette période, obligeant la société à rembourser en espèces. Par conséquent, le directeur financier d'Amazon aurait probablement choisi d'attendre. Habituellement, les rachats ne sont pas annoncés tant que le cours de l'action n'est pas à peu près à 20 % au-dessus du prix de rachat. Cela fournit une marge de sécurité pour garantir la conversion[25].
- Les sociétés suivent-elles ces recommandations de base ? Apparemment non, car il y a beaucoup d'exemples de convertibles vendues bien au-dessus du prix de rachat. Mais l'explication semble reposer sur le délai suspensif de rachat, pendant lequel les sociétés ne sont pas autorisées à racheter leurs obligations. Paul Asquith a établi que la plupart des obligations convertibles qui valent la peine d'être rachetées le sont aussi rapidement que possible après la fin de cette période[26]. Le délai habituel est de moins de quatre mois après que la valeur de conversion a dépassé pour la première fois le prix de rachat.

6.4 Pourquoi les sociétés émettent-elles des obligations convertibles ?

Vous êtes contacté par un banquier en capital-investissement qui cherche à vous convaincre que votre société devrait émettre des obligations convertibles avec un prix de conversion fixé au-dessus du cours actuel de l'action. Il vous fait valoir que les investisseurs seraient prêts à accepter un rendement inférieur des obligations convertibles, ce qui en fait une dette meilleur marché qu'une obligation conventionnelle[27]. Vous faites remarquer que si l'action de votre entreprise évolue aussi favorablement que vous le souhaitez, les investisseurs convertiront le titre. « Formidable, répond le banquier, en ce cas, vous aurez vendu les actions à un bien meilleur prix que celui auquel vous pourriez les vendre aujourd'hui. C'est une affaire gagnant-gagnant. »

---

24. Le directeur financier peut retarder le rachat si les paiements d'intérêts sur la convertible sont inférieurs aux dividendes supplémentaires qui seraient payés après conversion. Ce report réduirait les versements en numéraire aux détenteurs d'obligations. Rien n'est perdu quand les gestionnaires financiers rachètent « sur une phase décroissante ». Remarquez que les investisseurs peuvent convertir volontairement si ce moyen leur permet d'accroître leur revenu.

25. À ce sujet, on peut se reporter à P. Asquith et D. Mullins, « Convertible Debt : Corporate Call Policy », *Journal of Finance*, 46 (septembre 1991), pp. 1273-1290.

26. Voir Paul Asquith, « Convertibles Bonds are not called late », *Journal of Finance*, 50 (septembre 1995), pp. 1275-1289.

27. Il peut également vous faire remarquer qu'en 2002 plusieurs sociétés japonaises ont pu émettre des obligations convertibles avec un rendement négatif. Il fallait donc en réalité *les payer* pour détenir leur dette.

Le banquier d'affaires a-t-il raison ? Les obligations convertibles sont-elles de la dette bon marché ? Bien sûr que non. Elles consistent en un assemblage d'obligations standard et d'options. Le prix plus élevé que les investisseurs sont disposés à payer pour les convertibles renvoie à leur valorisation de l'option. La convertible ne sera « bon marché » que si l'option est surestimée.

Qu'en est-il de l'argument considérant que l'émission équivaut à une vente différée d'actions à un prix attractif ? Une obligation convertible accorde le droit aux investisseurs d'acheter des actions en donnant en échange une obligation[28]. Des détenteurs d'obligations peuvent décider de le faire, mais ils peuvent aussi le refuser. Ainsi, l'émission d'une obligation convertible *peut* être assimilée à une vente d'actions différée. Mais si la société *a besoin* de capitaux propres, une émission de convertibles ne représente pas le meilleur moyen d'y parvenir.

Une enquête portant sur les sociétés ayant sérieusement envisagé d'émettre des convertibles a montré que 58 % des gestionnaires concernés voyaient les convertibles comme un moyen peu onéreux d'émettre des fonds propres « retardés ». 42 % des entreprises examinées considéraient les convertibles comme moins coûteuses que la dette conventionnelle[29]. Prises au premier degré, ces affirmations n'ont aucun sens. Nous croyons cependant qu'elles dissimulent des motivations rationnelles plus complexes.

Vous observerez que les convertibles tendent à être émises par les sociétés les plus petites et les plus spéculatives. Ces obligations sont presque toujours sans garantie et sous la forme de dette subordonnée. Maintenant mettez-vous à la place d'un investisseur potentiel. Vous êtes contacté par une petite entreprise dont la gamme de produits n'a pas été testée et qui souhaite émettre un emprunt subordonné non garanti. Vous savez que si les choses se passent bien vous récupérerez votre argent, mais dans le cas contraire, vous pourriez vous retrouver « sans rien ». Étant donné qu'il s'agit d'un nouveau secteur d'activité, il est difficile d'évaluer le risque de perte. Par conséquent, vous ne savez pas quel est le taux d'intérêt requis. Vous pouvez également craindre que, une fois l'emprunt obtenu, les dirigeants ne soient tentés de prendre des risques supplémentaires. Ils peuvent décider d'émettre un emprunt supplémentaire non subordonné ou décider d'étendre leurs activités et ainsi perdre votre argent. En réalité, si vous demandez un taux d'intérêt très élevé, vous pouvez encourager de tels comportements.

Que peuvent faire les dirigeants pour vous éviter une mauvaise estimation du risque et pour vous garantir que leurs intentions sont honorables ? Ils peuvent vous intéresser aux bénéfices. Cela vous sera égal que la société prenne des risques inconsidérés puisque vous serez intéressé aux gains aussi bien qu'aux pertes[30]. Les titres convertibles se justifient chaque fois qu'il est anormalement coûteux d'évaluer le risque d'un emprunt ou lorsque les

---

28. Cela revient à peu près à détenir dès à présent l'action avec le droit de la vendre pour le prix de l'obligation convertible. En d'autres termes, au lieu de considérer la convertible comme une obligation assortie d'une option d'achat, il vaut mieux l'envisager comme une action assortie d'une option de vente. Vous comprenez maintenant pourquoi il est faux de penser qu'une obligation convertible est équivalente à la vente d'actions ; elle est équivalente à la vente simultanée d'actions et d'options de vente. Tant que les investisseurs souhaiteront conserver leur titre, l'option de vente aura une certaine valeur.

29. Voir J. R. Graham et C. R. Harvey, « The Theory and Practice of Finance : Evidence from the Field », *Journal of Financial Economics*, 61 (2001), pp. 187-243.

30. Voir M. J. Brennan et E. S. Schwartz, « The Case of Convertibles », *Journal of Applied Corporate Finance*, 1 (été 1988), pp. 55-64.

investisseurs redoutent de voir les dirigeants ne pas agir dans l'intérêt des créanciers obligataires[31].

Le taux relativement faible du coupon des obligations convertibles peut aussi constituer une opportunité pour les sociétés dont la croissance est rapide et qui sont confrontées à de lourdes dépenses en capital[32]. Elles peuvent accepter de distribuer des options de conversion afin de réduire dès à présent les flux monétaires générés par le service de la dette. Sans l'option de conversion, les créanciers pourraient exiger des taux d'intérêt très élevés pour compenser la probabilité de défaillance. Ce qui obligerait non seulement la société à collecter plus de fonds propres pour alimenter le service de la dette, mais augmenterait aussi le risque de difficultés financières. Paradoxalement, les efforts des créanciers pour se couvrir contre une défaillance peuvent en fait alimenter la probabilité de difficultés financières en augmentant le poids du service de la dette de l'entreprise.

6.5 L'évaluation des obligations convertibles

Nous avons vu qu'une obligation convertible correspond à la combinaison d'une obligation et d'une option d'achat d'actions. Cela signifie que le modèle d'évaluation des options décrit au chapitre 21 peut également être utilisé afin de valoriser l'option de conversion. Nous ne revenons pas sur ces concepts, mais trois points importants doivent être gardés à l'esprit lors de l'évaluation d'une convertible :

1. *Les dividendes.* Lorsque vous détenez une action, vous pouvez recevoir des dividendes. Mais le détenteur de l'option de conversion en actions n'y a pas droit. Il est en fait pénalisé chaque fois qu'un dividende est payé, car le dividende diminue le cours de l'action et donc la valeur de l'option de conversion. Si les dividendes sont suffisamment élevés, il peut même être profitable d'exercer l'option de conversion avant son échéance afin de récupérer ce revenu supplémentaire[33]. Nous avons montré comment le versement de dividendes influence la valeur des options dans la section 21.5.
2. *La dilution.* Une autre complication vient du fait que l'exercice des options de conversion accroît le nombre de titres. Cela signifie que les actifs et les profits de la société seront répartis sur un plus grand nombre d'actionnaires[34]. Ce problème de *dilution* ne se

---

31. Des modifications du risque devaient être plus vraisemblables lorsque la société est de petite taille et que sa dette est mal notée. Si c'est le cas, nous devrions observer que les obligations convertibles de telles entreprises offrent à leurs détenteurs un potentiel plus élevé de détenir un titre de propriété. Cela semble être le cas le plus fréquent. Voir C. M. Lewis, R. J. Rogalski et J. K. Seward, « Understanding the design of convertible Debt », *Journal of Applied Corporate Finance*, 11 (printemps 1998), pp. 45-53.

32. Bien sûr, l'entreprise pourrait également faire une augmentation de capital plutôt qu'une émission de dettes classiques ou convertibles. Cependant, une émission de convertibles constituait pour les investisseurs un meilleur signal qu'une émission de fonds propres classiques. Comme nous l'avons décrit au chapitre 15, l'annonce de l'émission d'actions ordinaires déclenche des craintes de surévaluation et contribue à en déprécier le cours. Les convertibles sont des titres hybrides composés de dettes et de fonds propres et envoient un signal moins négatif. Ainsi, s'il devient vraisemblable que la société va avoir besoin de fonds propres, son intention d'émettre des convertibles et d'accepter le risque que le cours de l'action progresse suffisamment pour permettre des conversions forcées est aussi un signe de confiance des dirigeants. Voir J. Stein, « Convertibles Bonds as Backdoor Equity Financing », *Journal of Financial Economics*, 32 (1992), pp. 3-21.

33. Cela n'a de sens que dans le cas où le dividende versé est plus important que les intérêts qui pourraient être gagnés sur le prix d'exercice. Mais en n'exerçant *pas*, le détenteur du bon de souscription conserve des fonds équivalents au prix d'exercice et peut faire travailler la somme correspondante.

34. Dans leurs états financiers, les sociétés reconnaissent la possibilité de dilution en montrant comment les gains sont affectés en cas d'émission d'actions supplémentaires.

pose jamais avec les options échangées. Si vous achetez une option sur un marché d'option et l'exercez par la suite, il n'y a aucun effet sur le nombre d'actions du flottant. Nous avons montré la façon dont la dilution affecte la valeur de l'option dans l'annexe du chapitre 21.

3. *La variation de la valeur de l'obligation.* Lorsque les investisseurs convertissent en actions, ils abandonnent leurs obligations. Par conséquent, le prix d'exercice de l'option correspond à la valeur du titre auquel ils renoncent. Mais la valeur de cette obligation n'est pas constante. Si la valeur de l'obligation à l'émission est inférieure à la valeur faciale (ce qui est habituellement le cas), elle va vraisemblablement varier à l'approche de l'échéance. La valeur de l'obligation évolue également avec les variations de taux d'intérêt ou les changements de qualité de signature de l'entreprise. Si une possibilité de défaut apparaît, les investisseurs ne peuvent même pas être certains de la valeur du titre à échéance. Le chapitre 21 ne s'est toutefois pas aventuré dans les complexités des prix d'exercice incertains.

6.6 Autour des obligations convertibles : les mandatory convertibles (convertibles obligatoires) et les reverse convertibles (convertibles inversées)

L'obligation convertible Amazon présente des caractéristiques assez courantes, mais de nombreuses variantes de cette convertible standard existent. Nous décrirons plus loin dans le chapitre deux variantes exotiques, mais il existe également des produits plus « tranquilles ». Depuis quelques années, par exemple, un grand nombre d'entreprises ont émis des obligations ou des actions préférentielles qui sont *automatiquement* converties en fonds propres après plusieurs années. Les détenteurs de ces obligations *mandatory convertibles* bénéficient d'un revenu supérieur à celui des actionnaires normaux, mais il existe d'habitude une limite à la valeur des actions ordinaires qu'ils reçoivent à la fin. Aussi, leur part de l'appréciation de l'action ordinaire se borne à cette limite. Lorsque le cours de l'action s'accroît au-delà, le nombre d'actions reçues par le détenteur d'obligations convertibles diminue proportionnellement.

Une autre sorte d'obligation convertible est assez répandue en Allemagne et en Suisse. Les obligations « reverse convertibles » accordent le bénéfice de l'option à l'entreprise plutôt qu'à l'investisseur. Imaginez que la société ait des problèmes et que le cours de l'action plonge. Plutôt que d'effectuer un versement en numéraire à l'échéance de l'obligation, l'entreprise peut ainsi rembourser l'obligation avec des actions de faible valeur. La *reverse convertible* permet alors à l'entreprise de réduire le poids de sa dette en cas de difficulté[35].

6.7 Une troisième variante des obligations convertibles : l'ensemble obligations/bons de souscription d'actions (OBSA)

Au lieu d'émettre une obligation convertible, les entreprises peuvent vendre un ensemble constitué d'obligations standard et de bons de souscription d'actions. Ces derniers sont simplement des options d'achat à long terme, accordant à l'investisseur le droit d'acheter des

35. Les *reverse convertibles* sont décrits dans C. Culp, « Contingent Capital : Integrating Corporate Financing and Risk Management Decisions », *Journal of Applied Corporate Finance*, 15 (printemps 2002), pp. 46-56.

actions de l'entreprise. Par exemple, chaque bon de souscription peut autoriser le détenteur à acheter une action au prix de 50 $ à tout moment durant les cinq prochaines années. Évidemment, les détenteurs de bons de souscription espèrent que le cours de l'action va décoller, de façon à tirer bénéfice de l'exercice du bon. Mais si le cours de l'action reste en dessous de 50 $, les détenteurs préféreront ne pas l'exercer, et les bons de souscription expireront sans avoir pu être utilisés.

Les obligations convertibles correspondent à la combinaison d'une obligation standard et d'une option. C'est également le cas d'une émission d'obligations et de bons de souscription. Mais il existe des différences :

1. *Les bons de souscription sont le plus souvent émis de manière privée.* À l'inverse, la plupart des obligations convertibles sont lancées avec appel public à l'épargne.
2. *Les bons peuvent être détachés.* Lorsque vous achetez un titre convertible, l'obligation et l'option sont solidaires l'une de l'autre. Vous ne pouvez pas les vendre séparément. Cela peut constituer un inconvénient. Si votre fiscalité ou votre attitude face au risque vous font préférer les obligations, vous pourriez ne pas souhaiter détenir d'options. Avec des bons détachables, vous pouvez conserver l'obligation et vendre le bon de souscription.
3. *L'exercice des bons donne lieu à un règlement en espèces.* Lorsque vous convertissez votre obligation, vous l'échangez simplement contre des actions ordinaires. Lorsque vous exercez vos bons de souscription, vous versez généralement la différence sous forme d'espèces, mais parfois il faut restituer l'obligation. Cela signifie que les obligations à bon de souscription d'action et les obligations convertibles ont des conséquences différentes sur la trésorerie de la société et sur sa structure de capital.
4. *Un ensemble obligation plus bon de souscription peut être imposé différemment.* Il existe quelques différences de traitement fiscal entre les bons de souscription et les convertibles. Supposons que vous vous interrogiez sur l'opportunité d'émettre une obligation convertible à 100. Vous pouvez la considérer comme un ensemble constitué d'une obligation classique de valeur 90, et d'une option évaluée à 10. Si vous émettez l'obligation et le bon de souscription séparément, le fisc va considérer que l'obligation est émise au-dessous du pair et que son prix va s'accroître de 10 points tout au long de sa vie. Il vous autorisera, en tant qu'émetteur, à étaler dans le temps cette augmentation de prix prévue, et à la déduire de vos bénéfices imposables. Le fisc va également réintégrer cette plus-value dans les revenus imposables des détenteurs d'obligations. Ainsi, en émettant un ensemble obligation plus bon de souscription à la place d'une obligation convertible, vous pourrez diminuer les impôts payés par la société émettrice et augmenter les impôts payés par les souscripteurs[36].
5. *Les bons de souscription d'action peuvent être émis seuls.* Il n'est pas obligatoire que des bons soient émis en accompagnement d'autres titres. Beaucoup de sociétés distribuent aussi à leurs cadres supérieurs des options d'achat à long terme. Elles ne sont pas appelées bons de souscription (cherchez le nom, ça commence par stock et ça finit par option), mais c'est exactement ce qu'elles sont. Les sociétés peuvent aussi vendre des bons directement à des investisseurs.

36. Voir J. D. Finnety, « The Case For Issuing Convertible Bonds », *Midland Corporate Finance Journal*, 4 (automne 1986), pp. 73-82.

7 Placements privés des titres et financement de projet

Comme nous l'avons vu à la section 5, chapitre 15, cela coûte moins cher de monter un emprunt à diffusion privée que de faire appel public à l'épargne sur les marchés. Mais il existe trois autres aspects pour lesquels le placement privé d'obligations peut être différent de son équivalent public.

Premièrement, si vous placez votre émission de manière privée avec une ou deux institutions financières, on peut simplement signer une reconnaissance de dettes. Il s'agit d'un billet à ordre qui indique quelques conditions que l'emprunteur doit remplir. Pourtant, lorsque vous procédez à l'émission publique de dettes, vous devez vous inquiéter de savoir qui devra représenter les emprunteurs pour toute négociation future et des procédures requises pour procéder au règlement des intérêts et du principal : l'accord contractuel est beaucoup plus complexe.

La seconde caractéristique est que les obligations émises publiquement sont des produits standardisés. Ils *doivent* l'être, car les investisseurs sont continuellement en train d'en acheter et d'en vendre sans vérifier un détail précis du contrat. Ceci n'est pas nécessaire pour les placements privés, de sorte que le contrat obligataire peut être fait sur mesure pour s'adapter aux sociétés qui ont des problèmes particuliers ou des opportunités spécifiques. La relation entre l'emprunteur et le prêteur est beaucoup plus intime. Imaginons un emprunt de 20 millions de dollars émis et placé de manière privée par une compagnie d'assurances, et comparons le à une émission publique équivalente qui serait souscrite par 200 investisseurs anonymes. La compagnie d'assurances peut se permettre une analyse plus approfondie de la société concernée et sera donc plus favorable à l'accord de clauses et conditions inhabituelles[37].

Tous les contrats obligataires visent à protéger le prêteur en imposant plusieurs conditions à l'emprunteur. Dans le cas de placements privés, ces restrictions tendent à être plus sévères. Les emprunteurs sont enclins à accepter ces conditions parce qu'ils savent que dans le cas où la dette est placée en privé, les conditions pourront ensuite être modifiées si cela doit avoir un sens.

Ces caractéristiques procurent aux placements privés un rôle de niche sur le marché des dettes privées, dénommé prêts aux petites et moyennes entreprises. Ce sont des sociétés confrontées au coût plus élevé des émissions publiques, qui nécessitent plus de détails d'information et qui requièrent des conditions de prêts plus flexibles et plus spécifiques. Pourtant, beaucoup de grandes sociétés utilisent aussi les placements privés.

Les avantages d'un placement privé ne sont cependant pas gratuits, car les prêteurs demandent un intérêt plus élevé afin de compenser la détention d'un actif non liquide. Il est difficile de généraliser quant à la différence de taux d'intérêt entre placement privé et émission publique, mais un écart standard de 50 points de base semble cohérent.

7.1 Le financement de projet

Nous n'allons pas insister sur le thème des placements privés, parce que la plupart de ce que nous avons présenté pour les émissions publiques reste vrai pour les placements privés. Pourtant, nous devons dire quelques mots d'une forme tout à fait différente de prêt privé, très étroitement attachée à la fortune dégagée par un projet particulier et qui minimise

37. Bien évidemment, une dette avec les mêmes conditions peut aussi se rencontrer dans les émissions publiques, mais alors 200 analyses différentes seraient nécessaires, proposition bien plus contraignante.

l'exposition de leurs promoteurs : ce prêt, spécialité des grandes banques internationales, fait habituellement référence au financement de projet.

Le financement de projet signifie que la dette est alimentée par le projet et pas par la société qui met en œuvre le projet. Les ratios d'endettement sont néanmoins très élevés parce que la dette n'est pas seulement portée par les actifs du projet mais par une panoplie de contrats et de garanties fournies par les clients, les fournisseurs aussi bien que par les propriétaires du projet.

7.2 Un exemple de financement de projet

Voici comment le financement de projet a été utilisé pour construire une importante centrale électrique au fioul au Pakistan. Premièrement, une société individuelle, la Hub Power Company (Hubco) a été mise en place pour détenir la centrale électrique. Hubco a ensuite constitué un consortium de sociétés dirigé par la société japonaise Mitsui & Co, pour construire la centrale électrique, tandis que la société britannique, National Power, prenait en charge sa gestion et son fonctionnement. Hubco avait accepté d'acheter le pétrole à la Pakistan State Oil Company et de vendre la production de la centrale à une autre instance gouvernementale, Water and Power Development Authority (WAPDA).

Les avocats de Hubco ont imaginé tout un ensemble complexe de contrats pour s'assurer que chacune des parties honorerait ses engagements. Par exemple, les signataires se sont engagés à livrer dans les délais la centrale et ont assuré qu'elle répondrait aux critères définis. National Power, le gestionnaire de la centrale, a accepté d'assurer la maintenance de la centrale et de la faire fonctionner de manière optimale. La Pakistan State Oil Company a signé un contrat de long terme pour garantir l'alimentation en pétrole de Hubco et WAPDA et a accepté d'acheter à Hubco sa production pendant les trente prochaines années[38]. Puisque WAPDA va payer l'électricité en roupies, Hubco est soumis au risque d'une baisse de valeur de la roupie. La Banque Centrale du Pakistan, par conséquent, a pris des dispositions sur le marché des changes pour garantir à Hubco la contre-valeur des roupies.

La conséquence de ces contrats fut de garantir que chaque risque était balisé par le partenaire qui était le plus à même de l'évaluer et de le contrôler. Par exemple, les associés étaient les mieux placés pour s'assurer que la centrale serait terminée dans les délais, de sorte qu'il était logique de leur demander d'assumer le risque de retard dans la construction. De même, l'exploitant de la centrale était le mieux placé pour gérer la centrale de manière efficace et serait pénalisé s'il ne respecte pas l'objectif. Les associés et le gérant de la centrale étaient préparés à endosser ces risques parce que ce projet comportait une technologie reconnue et qu'il y avait relativement peu de chances pour de désagréables surprises.

Tandis que ces contrats visaient à être aussi précis que possible quant aux responsabilités de chacune des parties, ils ne pouvaient garantir toutes les éventualités ; inévitablement les contrats furent incomplets. Ainsi, pour respecter les obligations légales et formelles, les associés et le gérant de la centrale devinrent les actionnaires majoritaires de Hubco.

---

38. WAPDA a signé un accord du type « tu prends ou tu paies » avec Hubco ; s'il ne prend pas l'électricité, il doit tout de même la payer. Dans le cas de projets d'oléoducs, le contrat signé avec le client prend souvent la forme d'un accord « *throughput* », par lequel l'acheteur s'engage sur une utilisation minimum de l'installation. Un autre montage qui transfère le risque de recette sur le client est le contrat « à péage », par lequel le client accepte de fournir à la société en charge du projet les matières premières qu'il faut transformer et délivrer au client. L'un des objectifs du transfert de risque de recette sur le client est d'inciter le consommateur à évaluer très précisément leurs besoins en production.

Cela signifiait que s'il y avait des écarts budgétaires dans la construction et le fonctionnement de la centrale, ils se partageraient les pertes.

Les fonds de Hubco étaient fortement empruntés. Plus de 75 % du 1,8 milliard investi dans ce projet étaient financés par dette. Une partie correspondait à une dette subordonnée envers un fonds qui avait été mis en place par la Banque mondiale et des agences publiques japonaises et occidentales. L'essentiel de l'endettement était une dette prioritaire accordée par un pool de grandes banques internationales[39]. Les banques étaient incitées à investir parce qu'elles savaient que la Banque mondiale et plusieurs gouvernements se trouvaient en première ligne et qu'ils supporteraient le risque si le projet était défaillant. Mais ils étaient concernés si le gouvernement du Pakistan empêchait Hubco de rapatrier ses devises, s'il mettait en place un impôt particulier ou s'il interdisait à la société d'amener le personnel spécialisé dont elle avait besoin. Ainsi, pour protéger Hubco contre de tels risques politiques, le gouvernement a promis de verser une compensation s'il devait interférer dans le déroulement du projet. Bien sûr, le gouvernement ne pouvait pas être empêché d'annuler cet accord, mais, s'il l'avait fait, Hubco avait le droit de réclamer une garantie de 360 millions de dollars auprès de la Banque mondiale et de la Banque Import-Export du Japon. Cela était censé garantir l'honnêteté du gouvernement du Pakistan pendant la construction et l'exploitation de la centrale. Paradoxalement, les gouvernements peuvent être indifférents à la colère d'une société privée, mais ils sont très réticents à casser un contrat qui laisserait la Banque mondiale avec une forte ardoise.

Ces négociations furent pour Hubco, complexes, coûteuses et consommatrices de temps. Rien ne fonctionnait correctement. Le projet fut suspendu pour un an en raison de la guerre du Golfe et faillit être entravé une nouvelle fois par un tribunal pakistanais arguant que le taux d'intérêt sur la dette était contraire à la loi islamique. Dix ans après le début des négociations, l'accord final sur le financement du projet était signé et après un court délai, Hubco produisait déjà un cinquième de l'électricité pakistanaise.

Pourtant, ce ne fut pas la fin de l'histoire de Hubco. Après la chute du gouvernement de Benazir Bhutto au Pakistan, le nouveau gouvernement a dénoncé le contrat avec Hubco et annoncé une diminution de 30 % des tarifs de l'électricité. Ceci conduisit inévitablement à un conflit avec la Banque mondiale, qui fit valoir que, tant que le conflit ne serait pas résolu, rien ne serait fait concernant de nouveaux prêts[40].

7.3 Les financements de projets : quelques caractéristiques communes

Il n'y a pas deux financements de projets qui se ressemblent, mais tous présentent quelques caractéristiques communes :

- Le projet est monté par une société distincte.
- Les associés et le gérant du projet en deviennent des actionnaires majoritaires et se partagent les risques d'une défaillance du projet.

39. Vous observerez que le projet n'était pas financé par l'émission publique d'obligations. La concentration des détenteurs de la dette bancaire suppose que les prêteurs aient attentivement étudié le projet et vont contrôler son bon déroulement. Ceci facilite également la renégociation de la dette si le projet rencontre des difficultés.

40. Le conflit entre Hubco et le gouvernement du Pakistan est décrit par C. Hill, « Power failure », *Institutional Investor* (novembre 1999), pp. 109-119.

- La société en charge du projet engage une série complexe de contrats qui répartissent les risques entre les partenaires, le responsable, les fournisseurs et les clients.
- Le gouvernement peut garantir qu'il accordera les permis nécessaires, acceptera l'acquisition de devises étrangères…
- Les accords contractuels détaillés et les garanties du gouvernement font qu'une part essentielle du financement du projet peut être réalisée sous la forme d'une dette bancaire ou d'un autre emprunt placé de manière privée.

7.4 Le rôle du financement de projet

Le financement de projet est largement utilisé dans les pays en voie de développement pour lancer des projets d'énergie, de télécommunication et de transport. Mais il est aussi utilisé dans les pays développés, par exemple pour construire des centrales électriques : une société de distribution d'électricité peut s'associer à une entreprise industrielle pour construire une centrale à bi-génération qui délivre de l'électricité pour le public tandis que la chaleur perdue est utilisée par une industrie voisine. Les banques sont enchantées de prêter plus de 90 % du coût du projet parce qu'elles savent que, dès que le projet sera lancé, les flux monétaires seront indépendants de la plupart des risques associés à une activité classique[41].

À mesure qu'ils ont acquis une expérience dans le financement de projet, les prêteurs ont élargi le champ d'actifs éligibles et se sont mis à soutenir des projets plus risqués. Dans de tels cas, ils ont réduit les montants qu'ils étaient disposés à prêter ou ont recherché une caution afin de se protéger dans l'éventualité d'un défaut.

8 Quelques innovations sur le marché obligataire

Tableau 25.2. Quelques exemples d'innovations dans la confection des obligations

Liquid yield option note (LYON)	Remboursable par anticipation au gré de l'émetteur ou du souscripteur, convertible, obligation à zéro coupon.
Titre adossé à un actif ou titrisation	Beaucoup de petits prêts sont regroupés et se résument à des obligations.
Obligation catastrophe (CAT)	Les versements seront diminués si une catastrophe naturelle précise survient.
Obligation à taux flottant inversé	Ce sont des obligations à taux flottant qui versent un taux d'intérêt élevé lorsque les autres taux d'intérêt baissent et un taux plus faible lorsque les autres augmentent.
Obligations traçantes	Les versements sont indexés sur la performance d'un indice du marché boursier.

41. Néanmoins, il y a quelques conséquences réglementaires intéressantes. Lorsqu'une entreprise publique construit une centrale électrique, elle s'attend à disposer d'un rendement sur investissement intéressant : les régulateurs sont supposés facturer des charges aux clients qui permettront à l'entreprise de compenser son coût du capital. Malheureusement, le coût du capital n'est pas facile à mesurer. Mais lorsque l'État acquiert une centrale électrique, le coût du capital est noyé dans le prix du contrat et il est traité comme une charge d'exploitation. Dans ce cas, le transfert vers les clients est moins controversé.

Tableau 25.2. Quelques exemples d'innovations dans la confection des obligations (...)

Obligation « pay in kind »	L'émetteur peut choisir de verser un intérêt soit en espèces soit sous la forme d'une obligation de valeur nominale équivalente. Le Trésor français a émis dans les années 1980 un tel titre sous le nom d'OSCAR (obligation spéciale à coupon à réinvestir).
Obligations dépendant du taux d'intérêt	Le taux du coupon évolue avec le coût du crédit.
Obligation à cliquet	Ce sont des obligations à taux flottant dont le coupon peut seulement être révisé à la baisse.

Obligations domestiques et obligations internationales ; obligations à taux fixe ou à taux flottant ; obligations avec ou sans coupon ; obligations prorogeables, rachetables ou remboursables par anticipation ; obligations garanties ou non ; obligations prioritaires ou subordonnées ; obligations placées en privé ou financement de projet – vous pourriez penser qu'elles vous procureront autant de choix que vous souhaitez. En fait, tous les jours, de nouvelles catégories d'obligations sont émises.

Le tableau 25.2 présente une liste de quelques obligations intéressantes qui ont été imaginées ces dernières années[42]. Plus tôt dans ce chapitre, nous avons cité le cas de l'obligation « Bowie » comme exemple d'obligations adossées à des actifs. Au chapitre 27, nous étudierons également les obligations « catastrophe » dont les versements sont liés à la survenance de catastrophes naturelles.

Puisque nous avons présenté les obligations convertibles il y a peu, il semble judicieux de présenter une ou deux convertibles exotiques. Considérons un exemple de *LYON*[43] (*liquid yield option note*, titre à rendement optionnel des liquidités) dans le cas de Motorola. Il s'agit d'une option d'achat plus une option de vente plus une obligation à zéro coupon – et il n'est guère possible de faire plus compliqué. Le LYON de Motorola était une obligation à zéro coupon à vingt ans, convertible à tout moment en 54,8 actions. Les obligations ont été émises en 1989 au prix de 306,56 $. À cette époque, les obligations se seraient probablement vendues à moins de 200 $ si elles n'avaient pas été convertibles. Ceci représentait le coût d'exercice en 1989 de leur option pour les investisseurs. Les investisseurs qui ont patienté vingt ans avant de procéder à la conversion pourraient vendre une obligation d'une valeur de 1 000 $ (tant que l'entreprise est toujours solvable). Aussi le coût d'exercice de l'option de conversion pour le LYON de Motorola s'élève à mesure que l'obligation approche de l'échéance.

Le LYON de Motorola contient deux autres options. Depuis 1990, la société avait le droit de racheter l'obligation avec du numéraire. Le prix d'exercice de cette option commença à 325,23 $ et s'est accru chaque année jusqu'à ce qu'il atteigne 1 000 $ en 2009. Les détenteurs d'obligations avaient également une option, avec trois possibilités entre 1994 et 2004 de demander le remboursement des obligations. Le prix de remboursement commença à 412 $ en 1994 et augmenta à 744 $ en 2004. Ces prix de vente servent à fournir un plancher solide

42. Pour une liste plus exhaustive des innovations, voir K. A. Carrow et J. J. McConnell, « A Survey of US Corporate Financing Innovations : 1970-1997 », *Journal of Applied Corporate Finance*, 12 (printemps 1999), pp. 55-69.

43. Il n'existe pas d'équivalent strict en langue française. Tout au plus, peut-on indiquer que la « ménagerie française » fut agrémentée de FELINS (fonds d'État libérés d'intérêt nominal)…

à l'émission. Même si les taux d'intérêt avaient augmenté et le prix des autres titres avait chuté, les détenteurs de LYON avaient durant ces trois journées un prix garanti auquel ils pouvaient vendre leurs obligations[44]. Évidemment, les investisseurs ayant exercé leur option de vente ont renoncé à la conversion de leurs obligations en actions. Cela valait donc la peine de jouer sur la garantie seulement si le prix de conversion des obligations était très inférieur au prix d'exercice de l'option de vente[45].

Voyons maintenant notre second exemple de convertible exotique. On a ainsi vu se multiplier, à la fin des années 1990, les émissions de convertibles à prix variables (floating-price convertibles), plus couramment nommées convertibles « spirale de la mort » (death-spiral ou toxiques[46]). Lorsqu'une convertible *death-spiral* est émise, le prix de conversion est fixé en dessous du prix courant de l'action. De plus, chaque obligation peut se convertir non pas en un *nombre fixe* d'actions mais en actions avec une *valeur fixée*. C'est pourquoi plus le cours de l'action diminue, plus le nombre d'actions délivrées au détenteur de l'obligation s'accroît. Avec une convertible normale, la valeur de l'option de conversion diminue avec la valeur des actifs de l'entreprise. Ainsi, la perte est partagée entre le détenteur de la convertible et les actionnaires. Avec une convertible *death-spiral*, le détenteur a droit à des actions avec une valeur fixe : l'effet de la baisse de la valeur des actifs se répercute donc intégralement sur les actionnaires. Les convertibles *death-spiral* ont été principalement émises par des entreprises qui étaient déjà dans une situation désespérée, et beaucoup d'entre elles ne s'en sortirent jamais. Après le boom initial d'émissions, les convertibles *death-spiral* semblent avoir été renvoyées dans les poubelles des innovations ratées.

Certaines innovations financières sont stimulées par l'État, à l'occasion de modifications réglementaires ou fiscales. Nous avons déjà vu comment le marché des euro-obligations constituait une réaction à l'imposition des achats de titres étrangers par le gouvernement américain. À d'autres époques, les nouveaux instruments financiers parviennent à s'imposer parce qu'ils élargissent la palette de choix des investisseurs. Les économistes soulignent que ces titres aident à « rendre le marché complet ». Par exemple, le climat particulier des années 1997-1998 découlant d'El Niño encouragea un grand nombre d'entreprises à mettre sur le marché des contrats financiers qui généreraient des revenus en cas de conditions climatiques inhabituelles. Ces entreprises espéraient que ces *dérivés climatiques* deviendraient populaires auprès des sociétés du secteur énergétique récemment déréglementé, des entrepreneurs agricoles, et grand nombre d'autres secteurs pouvant chercher à se protéger contre les aléas climatiques. La demande pour les dérivés climatiques fut suffisamment conséquente pour que les marchés de contrats à terme rejoignent le mouvement et que l'on commence à négocier des *futures* sur le climat.

---

44. Bien sûr, cette garantie ne vaudrait pas grand-chose si l'entreprise faisait face à des difficultés financières et ne pouvait racheter ses obligations.

45. Les raisons pour émettre des LYON sont présentées dans J. J. McConnell et E. S. Schwartz, « The Origin of LYONs : A Case Study in Financial Innovation », *Journal of Applied Corporate Finance*, 4 (hiver 1992), pp. 40-47. Pour les questions liées à l'évaluation des LYON, voir J. J. McConnell et E. S. Schwartz, « Taming LYONs », *Journal of Finance*, 41 (juillet 1986), pp. 561-576.

46. La performance des « death-spirals » est analysée par P. Hillion et T. Vermaelen, « Death Spiral Convertibles », *Journal of Financial Economics*, 71 (février 2004), pp. 381-416.

Résumé

Maintenant que vous avez lu ce chapitre, vous devez avoir une idée précise de ce que vous intégrerez lorsque vous procéderez à l'émission d'obligations sur le marché. Vous pourrez procéder à une émission sur le marché obligataire domestique, sur un marché obligataire étranger ou sur le marché international.

Le contrat obligataire détaillé expose le contrat existant entre votre société et le syndicat de garantie, mais les principales dispositions sont résumées dans le prospectus de l'émission.

Le contrat indique si les obligations sont prioritaires ou subordonnées, et si elles sont garanties ou non. Beaucoup d'obligations sont non garanties ou sont des bons à moyen terme. Cela veut dire qu'il y a des privilèges ordinaires sur la société. Les principales exceptions sont les obligations hypothécaires et les obligations garanties par nantissement du matériel. En cas de défaillance, le syndicat de garantie de ces titres peut reprendre les actifs de la société pour rembourser les dettes.

La plupart des obligations à long terme sont accompagnées d'un fonds d'amortissement. Cela veut dire que la société doit mettre de côté chaque année suffisamment d'argent pour rembourser un certain nombre d'obligations. Un fonds d'amortissement réduit la durée de vie moyenne de l'obligation, et cela fournit une preuve annuelle de la capacité de la société à assurer le service de la dette. Par conséquent cela protège les détenteurs d'obligations du risque de défaillance.

Les obligations à long terme sont aussi souvent remboursables avant leur échéance. Habituellement la société doit payer une pénalité de rachat qui est au départ égale au coupon et qui diminue progressivement jusqu'à zéro. L'option de rachat peut avoir beaucoup de valeur : lorsque le taux d'intérêt décroît et que le cours des obligations s'accroît, on peut racheter l'obligation dont la valeur est largement supérieure à la valeur de rachat. Bien sûr, lorsque les investisseurs savent que vous pouvez racheter l'obligation, le cours de rachat jouera le rôle de cours plafond sur le marché. Votre meilleure stratégie consistera en l'achat de l'obligation dès que le prix du marché dépasse le prix d'exercice. Vous n'aurez rien d'autre de mieux à faire que de la racheter.

Le contrat obligataire impose également un certain nombre de conditions à l'emprunteur. Voici quelques exemples de *clauses restrictives* :

1. Les émissions d'obligations prioritaires interdisent à la société d'émettre des dettes supplémentaires, prioritaires ou subordonnées lorsque le ratio dette prioritaire/actifs corporels nets est trop élevé.

2. Les émissions de dettes subordonnées peuvent aussi interdire à la société d'émettre d'autres dettes prioritaires et subordonnées lorsque le ratio de *toutes* les dettes sur les actifs nets corporels est trop élevé.

3. Les obligations non garanties contiennent une *clause de non-nantissement*, qui interdit à la société l'émission de dettes prioritaires et subordonnées supplémentaires sans accorder un traitement égal aux détenteurs actuels de dettes non garanties.

4. La plupart des obligations indiquent une restriction au versement de dividendes par la société.

Les placements privés sont moins standardisés que les émissions publiques et imposent des clauses plus contraignantes, mais leur ressemblent beaucoup. Parfois, les dettes privées prennent la forme de financement de projet. Dans ce cas, la dette est liée aux résultats d'un projet particulier.

Il existe une très grande variété d'émissions d'obligations, et de nouvelles formes de titres apparaissent presque tous les jours. Certaines innovations ont du succès parce qu'elles élargissent le choix des investisseurs et leur permettent de mieux gérer leur risque de taux d'intérêt. D'autres trouvent leur origine dans les dispositions fiscales et la régulation menée par les gouvernements.

Lectures complémentaires

T. Granier et C. Jaffeux, *La titrisation aspects juridique et financier*, Economica, 266 pages, 1997.

Un ouvrage général utile sur les titres de dettes :

F. J. Fabozzi (ed.), *The Handbook of Fixed Income Securities*, 6e éd., New York : McGraw-Hill, 2000.

Pour un exposé accessible sur la valorisation des obligations convertibles et les raisons de leur utilisation, voir :

M. J. Brennan et E. S. Schwartz, « The Case for Convertibles », *Journal of Applied Corporate Finance*, 1 (été 1988), pp. 55-64.

C. M. Lewis, R. J. Rogalski et J. K. Seward, « Understanding the Design of Convertible Debt », *Journal of Applied Corporate Finance*, 11 (été 1998), pp. 45-53.

Quelques présentations du financement de projet :

B. C. Esty, *Modern Project Finance : A Casebook*, New York : John Wiley, 2003.

B. C. Esty, « Returns on Project-Financed Investments : Evolution and Managerial Implications », *Journal of Applied Corporate Finance*, 15 (été 2002), pp. 71-86.

R. A. Brealey, I. A. Cooper et M. Habib, « Using Project Finance to Fund Infrastructure Investments », *Journal of Applied Corporate Finance*, 9 (automne 1996), pp. 25-38.

Les lectures conseillées à la fin du chapitre 17 comprennent plusieurs articles traitant de l'innovation financière.

Activités

Révision des concepts

1. *Test de vocabulaire.* Définissez les termes suivants : contrat obligataire ou acte de fiducie, obligation subordonnée, clause de rachat, fonds d'amortissement, obligation étrangère, clause de non-nantissement exclusif.
2. Expliquez la différence entre une obligation prioritaire (*senior*) et une obligation subordonnée (*junior*).
3. Expliquez la différence entre obligation convertible et obligation à bon de souscription.

Tests de connaissances

1. Choisissez l'expression la plus appropriée parmi celles entre parenthèses :
   - **a.** (Les obligations du secteur public de bonne notation/les obligations industrielles de faible notation) n'ont en général que de faibles exigences quant au fonds d'amortissement.
   - **b.** Les obligations garanties par nantissement de titres sont souvent émises par (le secteur public/ les groupes industriels).
   - **c.** (Les obligations du secteur public/les obligations du secteur industriel) sont en général non garanties.
   - **d.** Les titres garantis par nantissement de matériel sont en général émis par (les compagnies ferroviaires/les sociétés financières).
   - **e.** Les certificats hypothécaires « pass-through » sont un exemple de (titre adossé à un actif/ financement de projet).
2. Pour chacun des fonds d'amortissement suivants, indiquez si le fonds augmente ou diminue la valeur de l'obligation au moment de l'émission (ou encore si c'est impossible à déterminer) :
   - **a.** Un fonds d'amortissement optionnel par rachat au pair.
   - **b.** Un fonds d'amortissement obligatoire fonctionnant par rachat au pair ou bien au prix de marché.
   - **c.** Un fonds d'amortissement obligatoire fonctionnant par rachat au pair.
3. **a.** En tant que détenteur, aimeriez-vous que la société émette plus de dette prioritaire, préféreriez-vous qu'elle ne le fasse pas ou êtes-vous indifférent ?
   - **b.** Vous détenez des dettes garanties sur des possessions actuelles de la société. Aimeriez-vous que la société émette plus de dette non garantie, préféreriez-vous qu'elle ne le fasse pas ou êtes-vous indifférent ?
4. Allez sur le site de l'AMF pour récupérer le prospectus d'une émission obligataire, et bâtissez un tableau comme le tableau 25.1 :
   - **a.** Quels sont les principaux membres du syndicat de garantie de l'émission ?

  - **b.** À quel prix l'obligation est-elle émise ?
  - **c.** Combien la société va-t-elle recevoir ? Y a-t-il une option de surallocation ?
  - **d.** Comment s'effectue le remboursement ?
  - **e.** Y a-t-il une clause de remboursement anticipé ?

5. Regardez le tableau 25.1. Calculez le prix à payer pour un achat de l'obligation le 21 avril 2008 (le cours de l'obligation, ce jour-là, est de 102 %).

6. Donnez les trois explications principales qui font que les obligations du secteur privé sont différentes de celles émises par l'État.

7. Vrai ou faux ? Expliquez brièvement dans chacun des cas.
  - **a.** Les prêteurs d'un financement de projet exercent rarement de recours contre les promoteurs du projet lorsque celui est défaillant.
  - **b.** La plupart des titres d'emprunt nouveaux et exotiques sont déclenchés par la législation et la fiscalité. Lorsqu'elles sont modifiées, les titres nouveaux disparaissent.
  - **c.** Les clauses de rachat anticipé fournissent une option valorisante aux investisseurs.
  - **d.** Les clauses restrictives ont été mises en place pour protéger les détenteurs de la dette lorsqu'un rachat est financé par d'importants montants de dettes.
  - **e.** Les émissions de dettes placées dans le privé incluent des clauses plus restrictives que les émissions publiques. Pourtant, les clauses des dettes émises dans le public sont plus difficiles et plus chères à renégocier.

8. Vrai ou faux ?
  - **a.** Lorsqu'une société tombe en faillite, il est courant qu'il soit plus intéressant pour les actionnaires de liquider la société plutôt que de la réorganiser.
  - **b.** Un plan de restructuration doit être présenté et approuvé par chaque catégorie de créanciers.
  - **c.** Les services fiscaux disposent d'un privilège de premier rang sur les actifs de la société en cas de faillite.
  - **d.** Dans une réorganisation, les créanciers peuvent être indemnisés à l'aide d'un panachage de trésorerie et de titres.
  - **e.** Lorsqu'une société est liquidée, l'un des actifs qui a le plus de valeur en cas de vente est souvent le report d'impôts.

9. Expliquez pourquoi les fonds propres peuvent parfois avoir une valeur positive même lorsque les sociétés entament une procédure de faillite.

Questions et problèmes

1. L'obligation Air France a été émise à sa valeur nominale. Supposons que les investisseurs exigent un rendement de 9,5 %. Que pensez-vous de l'évolution du cours de l'obligation à mesure que le premier versement de coupon approche et juste après (faites un schéma). Qu'en est-il du cours de l'obligation avec les intérêts courus ?

2. Procurez-vous la publicité d'une émission d'obligations récente et comparez les conditions et les termes de cette dernière avec l'émission d'Air France. Qu'est-ce qui peut expliquer les différences ?

3. Le cours des obligations peut chuter soit en raison d'une hausse généralisée des taux d'intérêt soit à cause d'un accroissement du risque de défaillance. Dans quelle mesure les obligations à taux flottant et les obligations à clause de remboursement anticipé protègent-elles les investisseurs de chacun de ces risques ?

4. Proctor Power possède des actifs immobilisés d'une valeur de 200 millions de dollars et un besoin en fonds de roulement net évalué à 100 millions de dollars. Cette société est partiellement financée par des fonds propres et par trois émissions d'obligations. Elles consistent en 250 millions de dollars d'obligations avec une garantie de premier rang sur les actifs immobilisés de la société, 100 millions de dollars de dette prioritaire et 120 millions de dollars de dette subordonnée. Si la dette devait être payée aujourd'hui, combien chacun des détenteurs d'obligations pourrait-il s'attendre à recevoir ?

5. Après une forte variation des taux d'intérêt, les obligations récemment émises proposent habituellement des taux de rendement à l'échéance différents des obligations en circulation de même qualité. Une explication proposée tient à la différence de valeur de l'option de rachat. Expliquez comment cela peut se produire.

6. Supposons qu'une société émette simultanément des obligations à zéro coupon et des obligations à coupon de même maturité. Toutes choses égales par ailleurs, quelle est celle qui va offrir le meilleur rendement ? Pourquoi ?

7. **a.** Lorsque les taux d'intérêt augmentent, des obligations remboursables par anticipation et des obligations ordinaires, lesquelles voient leur cours diminuer le plus ?

   b. On peut parfois rencontrer des obligations qui peuvent être remboursées à leur valeur nominale après une date convenue au gré *ou bien* du souscripteur *ou bien* du gouvernement. Si le prix d'exercice de chacune des options est le même et que chacune des parties agisse rationnellement, que devrait-il se passer si l'on peut exercer les options (vous négligerez l'existence de coûts de transaction ou de coûts d'émission) ?

8. Une obligation remboursable par anticipation est une obligation qui peut être remboursée avant l'échéance au gré de l'investisseur. Tracez un diagramme analogue à celui de la figure 25.2 montrant la relation entre la valeur d'une obligation standard et celle d'une obligation remboursable.

9. Quelles sont les restrictions à la liberté d'une société d'émettre d'autres dettes ? Soyez aussi précis que possible. Justifiez attentivement les raisons de telles restrictions.

10. Est-ce qu'une dette subordonnée supplémentaire nuit aux détenteurs prioritaires ? Pourriez-vous répondre de la même manière lorsque la dette subordonnée arrive à maturité *avant* la dette prioritaire ? Expliquez.

11. Alpha Corp. n'a pas le droit d'émettre d'autre dette prioritaire à moins que la valeur nette des actifs réels vaille plus du double de la dette prioritaire. Actuellement, la société a émis pour 100 millions de dette prioritaire et dispose d'un actif réel net de 250 millions. Combien de dette prioritaire supplémentaire Alpha Corp. peut-elle émettre ?

12. Expliquez précisément pourquoi les contrats obligataires imposent des limites aux comportements suivants :

    a. La vente des actifs de la société.

    b. Le versement de dividendes aux actionnaires.

    c. L'émission d'une dette prioritaire supplémentaire.

13. Recherchez une émission récente d'obligation inhabituelle dans le périodique *Euromoney*. Pourquoi, d'après vous, cette obligation a-t-elle été émise ? À quels investisseurs est-ce destiné ? Comment pourriez-vous évaluer les caractéristiques inhabituelles ?

14. Expliquez dans quel cas il est préférable pour une maison mère de recourir au financement de projet plutôt qu'à des emprunts ordinaires.

Problèmes avancés

1. Dorlcote Milling a émis pour 1 million d'euros d'obligations hypothécaires à 3 % de maturité dix ans. Le coupon des nouvelles dettes émises par la société se monte à 10 %. Le directeur financier, M. Tulliver, ne parvient pas à déterminer s'il y a un avantage fiscal à racheter les obligations existantes sur le marché et à les remplacer par de nouvelles obligations à 10 %. Qu'en pensez-vous ?

2. Reportez-vous au projet Hub Power de la section 7. Il y avait plusieurs solutions pour le financement du projet Hubco. Par exemple, une agence gouvernementale aurait pu investir dans la centrale électrique et la louer à National Power qui l'aurait fait tourner. Ou bien National Power aurait pu posséder la centrale en direct et financer son coût par un mélange de nouveaux emprunts et la vente de titres. Que pensez-vous des avantages qu'il y avait à monter une société financée séparément pour engager le projet ?

3. Mme Blavatsky propose de lancer une nouvelle start-up avec des actifs de départ de 10 millions d'euros. Elle peut investir cet argent dans un projet, à choisir parmi deux. Chacun a le même gain espéré, mais l'un est plus risqué que l'autre. Le projet relativement sûr offre un gain de 12,5 millions d'euros avec une probabilité de 0,4, et de 8 millions d'euros avec une probabilité de 0,6. Le projet risqué offre un gain de 20 millions d'euros avec une probabilité de 0,4 et un gain de 5 millions d'euros avec une probabilité de 0,6.

   Mme Blavatsky propose tout d'abord de financer l'entreprise au moyen d'une émission de dette normale avec une promesse de paiement de 7 millions d'euros, elle-même devant recevoir le gain résiduel. Décrivez les gains possibles du prêteur et de Mme Blavatsky si (a) elle choisit le projet sûr et (b) si elle choisit le projet risqué. Quel projet va vraisemblablement choisir Mme Blavatsky ? Lequel le prêteur voudra-t-il qu'elle choisisse ?

   Imaginez maintenant que Mme Blavatsky propose de rendre la dette convertible en 50 % de la valeur de l'entreprise. Montrez qu'en ce cas, le prêteur reçoit le même gain espéré des deux projets.

4. On dit parfois qu'il est préférable d'émettre des obligations convertibles plutôt que des actions lorsque ces dernières sont sous-évaluées. Imaginez que le directeur financier de la société Butternut Furniture dispose d'informations privées indiquant que le cours de l'action Butternut est trop bas. Les bénéfices futurs de Butternut seront en fait supérieurs à ce que les investisseurs attendent. Imaginez en outre que les informations privées ne puissent être divulguées sans gâcher un avantage concurrentiel de valeur. Vendre des actions au cours faible d'aujourd'hui serait clairement désavantageux pour les actionnaires actuels de Butternut. Seront-ils également perdants si des obligations convertibles sont émises ? Si c'est le cas, la perte est-elle supérieure ou inférieure à ce qu'elle serait en cas d'émission d'actions nouvelles ?

   Imaginez maintenant que les investisseurs prévoient les bénéfices de façon précise, mais continuent à sous-valoriser l'action parce qu'ils surestiment le risque opérationnel actuel de Butternut. Cela change-t-il vos réponses aux questions posées dans le paragraphe précédent ? Expliquez.

Mini-cas

La disparition brutale de M. Thorndike

Ce fut l'un des cas les plus déroutants de Morse. Ce matin-là, Rupert Thorndike, le PDG autocratique de Thorndike Oil, fut retrouvé mort, baignant dans son sang sur le sol de sa chambre. On lui avait tiré dans la tête, mais portes et fenêtres étaient fermées de l'intérieur et il n'y avait aucune trace de l'arme du crime.

Morse rechercha en vain des indices dans le bureau de Thorndike. Il lui fallait chercher ailleurs. Il décida d'enquêter sur les circonstances financières entourant la disparition de M. Thorndike. La structure du capital de l'entreprise se présentait comme suit :

- Obligations 5 % : valeur faciale de 250 millions de dollars. Les obligations arrivent à échéance dans 10 ans et offrent un rendement de 12 %.
- Capital : 30 millions d'actions, qui clôturèrent à 9 $ la veille de l'assassinat.
- Obligations convertibles subordonnées 10 % : les titres arrivent à échéance dans un an, et sont convertibles à tout moment à un ratio de conversion de 110. Le jour précédant le meurtre, ces titres étaient cotés 5 % au-dessus de leur valeur de conversion.

Le jour précédent, Thorndike avait catégoriquement rejeté une offre de T. Spoone Dickens de racheter toutes les actions ordinaires à 10 $ l'unité. Avec Thorndike hors de son chemin, il semble que l'offre de Dickens sera acceptée, au grand profit des autres actionnaires de Thorndike Oil[47].

Les deux nièces de Thorndike, Doris et Patsy, et son neveu John avaient tous trois des investissements substantiels dans Thorndike Oil. Ils étaient en profond désaccord avec le rejet de l'offre de Dickens par leur oncle. Leurs patrimoines sont présentés dans le tableau suivant :

	Obligations 5 % (valeur faciale)	**Nombre d'actions, en millions**	**Obligations convertibles (valeur faciale)**
Doris	4 millions de dollars	1,2	0 million de dollars
John	0	0,5	5
Patsy	0	1,5	3

Toutes les dettes émises par Thorndike Oil seraient remboursées à leur valeur faciale si l'offre de Dickens était acceptée. Les détenteurs de convertibles pourraient choisir de convertir et offrir leurs actions à Dickens.

Morse ne cessait de revenir à la question du mobile. Qui des deux nièces ou du neveu devait gagner le plus en éliminant Thorndike et en permettant ainsi le succès de l'offre de Dickens ?

Question

1. Aidez Morse à résoudre l'affaire. Lequel des parents de Thorndike avait le plus à gagner à sa disparition ?

47. Les actions de Rupert Thorndike iront à une œuvre de charité destinée à favoriser la recherche en ingénierie financière et à promouvoir son rôle crucial dans le progrès et la paix dans le monde. Les gestionnaires de la fondation n'ont aucune raison de s'opposer *a priori* à la prise de contrôle.

Chapitre 26

Le crédit-bail

Beaucoup d'entre nous louent de manière occasionnelle une voiture, un vélo ou un bateau. Le plus souvent, ces locations individuelles sont de courte durée, une journée ou une semaine. Mais en finance d'entreprise, les locations de longue durée sont plus courantes. Un contrat de location qui s'étend sur plus d'un an et qui s'accompagne d'une série de versements fixes s'appelle un **crédit-bail**.

Les entreprises interprètent le crédit-bail comme une alternative à l'achat d'équipement. Les ordinateurs, les camions, les wagons, les avions sont souvent loués. Toute sorte d'actif a un jour fait l'objet d'un crédit-bail par quelqu'un, y compris les centrales électriques, les terrains de handball et les zoos animaliers.

Chaque crédit-bail comprend deux intervenants. L'utilisateur de l'actif est le *locataire*. Il effectue des versements périodiques au *propriétaire* de l'actif, qui est le *loueur*.

Vous verrez souvent des annonces sur l'industrie du crédit-bail. Elles font référence aux loueurs. La plupart des entreprises sont un jour ou l'autre locataires, au moins pour un petit contrat. Mais qui sont les loueurs ?

Quelques-uns des loueurs les plus importants sont des fabricants d'équipement. Par exemple, IBM est un loueur important d'ordinateurs, John Deere est un loueur important de matériel de construction agricole.

Les deux autres catégories de loueurs importants sont les banques et les sociétés de crédit-bail indépendantes. Les sociétés de crédit-bail jouent un rôle important dans le domaine aéronautique. Une partie importante des compagnies aériennes s'en remet en totalité au crédit-bail pour financer leur flotte.

Les sociétés de crédit-bail offrent des services variés. Certaines font de la négociation de crédit-bail (elles montent les contrats de crédit-bail) tout en étant aussi loueurs traditionnels. D'autres se spécialisent dans le crédit-bail pour automobiles, pour camions, pour équipement industriel standard : leur succès tient au fait qu'elles peuvent acheter des biens en grande quantité, assurent un service efficace, et si nécessaire les revendent à un bon prix.

Nous allons commencer ce chapitre par la présentation des différentes catégories de crédit-bail et quelques raisons de leur utilisation. Ensuite nous verrons comment les contrats à court terme, avec option de résiliation, peuvent être interprétés avec des coûts annuels équivalents. Le reste de ce chapitre analyse le crédit-bail à long terme utilisé comme substitut au financement par emprunt.

1 Qu'est-ce qu'un crédit-bail ?

Les contrats de crédit-bail peuvent prendre de nombreuses formes, mais dans tous les cas, le locataire (le bénéficiaire) promet au loueur (le propriétaire) de procéder à une série de versements. Le contrat de crédit-bail indique si les versements sont mensuels ou semestriels, le premier paiement étant en général dû dès la signature du contrat. Les paiements sont habituellement constants, mais leur importance dans le temps peut être ajustée en fonction des besoins du bénéficiaire. Si un industriel loue une machine pour réaliser une production complexe, il y aura une période d'apprentissage avant que la production ne démarre. Dans ce cas, on peut obtenir des paiements réduits la première année.

Lorsqu'un contrat de crédit-bail est terminé, l'équipement loué revient au loueur. Néanmoins, le contrat de location offre souvent la possibilité à l'utilisateur de racheter l'équipement ou bien de souscrire un nouveau contrat de crédit-bail.

Quelques contrats sont à court terme et peuvent être interrompus pendant la durée du contrat au gré du bénéficiaire. Ils sont généralement connus sous le nom de *crédit-bail d'exploitation*. D'autres portent sur la quasi-totalité de la durée de vie économique de l'actif et ne peuvent pas être résiliés, sauf si le loueur est indemnisé de toutes ses pertes. Ils sont appelés *crédit-bail en capital*, *financier* ou encore *à remboursement total*.

Les contrats de crédit-bail financiers constituent des sources de financement. Signer un contrat de crédit-bail financier revient à emprunter de l'argent. Il y a une entrée de fonds immédiate parce que le locataire est dispensé du paiement du bien. Mais le bénéficiaire accepte aussi l'obligation contingente de procéder aux règlements indiqués dans le contrat. L'utilisateur pourrait avoir emprunté la totalité du prix d'achat de l'actif en acceptant la contrainte contingente de procéder au paiement des intérêts et du capital auprès du prêteur. Ainsi, les flux monétaires du crédit-bail et de l'emprunt sont similaires. Une part importante de ce chapitre sera consacrée à la comparaison du crédit-bail et de l'emprunt en tant que solutions financières alternatives.

Les contrats de crédit-bail diffèrent aussi par la nature des services fournis par le loueur. Dans un contrat de crédit-bail *tout compris*, le loueur s'engage à entretenir et assurer l'équipement et à régler tous les impôts sur la propriété. Dans un contrat de crédit-bail *net*, le bénéficiaire accepte d'entretenir le bien, de l'assurer et de régler tous les impôts sur la propriété. Le crédit-bail financier est habituellement un crédit-bail net.

La plupart des contrats de crédit-bail financiers concernent des actifs neufs. Le bénéficiaire choisit l'équipement, s'arrange pour que la société de crédit-bail l'achète auprès du fabricant, et signe un contrat avec la société de crédit-bail. Il s'agit d'un crédit-bail direct. Dans d'autres cas, la société revend un actif qu'elle possédait déjà pour le relouer à l'acheteur. Ces contrats de location-cession sont courants dans le domaine de l'immobilier. Par exemple, l'entreprise A désire obtenir de la trésorerie en vendant une usine mais souhaite toujours utiliser cette usine. Elle peut y parvenir par la vente de l'usine contre des espèces auprès d'une société de crédit-bail et par la signature simultanée d'un contrat de crédit-bail à long terme portant sur l'usine. La propriété légale de l'usine est transférée à la société de crédit-bail, mais l'entreprise conserve le droit d'usage.

Vous pouvez aussi rencontrer des contrats de crédit-bail *empruntés*. Ce sont des contrats de crédit-bail financiers pour lesquels le loueur emprunte une partie du prix d'achat de l'actif loué, et utilise le contrat de crédit-bail comme une garantie pour le prêt. Ceci ne modifie pas les obligations du locataire, mais peut compliquer l'analyse du loueur.

2 Pourquoi le crédit-bail ?

On entend beaucoup de justifications sur les raisons qui poussent les entreprises à louer de l'équipement plutôt que l'acheter. Observons quelques raisons évidentes, puis quatre autres plus discutables.

2.1 Les raisons évidentes du crédit-bail

Les contrats de crédit-bail à court terme représentent des opportunités Supposons que vous souhaitiez utiliser une voiture pendant une semaine. Vous pourriez en acheter une et la revendre au bout de sept jours, mais ce serait idiot. En dehors du simple fait que l'enregistrement de la propriété représente un coût, vous allez perdre du temps à choisir une voiture, en négocier l'achat et trouver un contrat d'assurance. Ensuite, à la fin de la semaine, vous devrez négocier la revente et annuler la police d'assurance. Lorsque vous avez besoin d'une voiture pour une courte durée, il est nettement plus intéressant de la louer. De la même manière, il est préférable de payer une société pour louer un équipement dont on n'a besoin que pour un an ou deux.

Parfois, le coût des locations de court terme peut sembler prohibitif. Vous pouvez avoir du mal à louer des équipements fragiles que l'on peut endommager par un usage intempestif, quel que soit le prix. Le loueur sait que des utilisateurs occasionnels ne prendront pas les mêmes précautions que s'il s'agissait de leur propre équipement. Lorsque le risque d'abus devient trop important, le marché de la location à court terme ne peut survivre. Ainsi, il est assez facile d'acheter une Lamborghini Diablo, si vos poches sont suffisamment garnies, mais il est pratiquement impossible d'en louer une.

Les options d'annulation peuvent être précieuses Quelques contrats de crédit-bail qui *semblent* être chers sont en réalité correctement évalués puisqu'ils comportent une option d'abandon qui est réelle. Nous reviendrons sur ce point dans la prochaine section.

La maintenance est fournie Dans le cadre d'un crédit-bail « service compris », l'utilisateur bénéficie de la maintenance et d'autres services. Beaucoup de loueurs sont bien équipés pour fournir une maintenance efficace. Pourtant, pouvoir profiter de ces avantages se traduira par des loyers de crédit-bail plus élevés.

La standardisation conduit à des coûts administratifs et commerciaux plus faibles Supposons que vous travailliez dans une société de crédit-bail qui est spécialisée dans le crédit-bail financier pour camions. Effectivement, vous prêtez de l'argent à un grand nombre de sociétés (les locataires) qui peuvent différer considérablement en termes de taille et de risque. Mais, parce que dans chaque cas, l'actif sous-jacent est le même (un camion), vous pouvez sans risque « prêter » de l'argent (louer le camion) sans avoir à mener une analyse détaillée de l'activité de chacune des sociétés. Vous pouvez utiliser un contrat de crédit-bail simple et standard. Cette standardisation permet de « prêter » de petites sommes d'argent sans devoir supporter d'importants coûts légaux, administratifs et d'analyse.

Pour ces raisons, le crédit-bail représente souvent une source de financement relativement bon marché pour les petites entreprises. Cela procure un financement sur des bases flexibles et sur mesure, avec de faibles coûts de transaction par rapport à une émission publique ou privée d'obligations ou d'actions.

Les déductions d'impôts peuvent être utilisées Le loueur possède l'actif loué et déduit son amortissement de son revenu imposable. Lorsque le loueur peut faire un meilleur usage des déductions fiscales de l'amortissement que ne le pourrait l'utilisateur de l'actif, il peut sembler logique que la société de crédit-bail possède l'équipement et transfère une partie des bénéfices au locataire sous la forme de loyers de crédit-bail plus faibles.

2.2 Quelques justifications plus discutables du crédit-bail

Le crédit-bail permet d'éviter le contrôle des dépenses d'investissement Dans beaucoup de sociétés, les offres de crédit-bail sont analysées avec autant de précautions que les propositions de dépenses en capital, mais dans d'autres, grâce au crédit-bail, un responsable de la production peut contourner la procédure d'approbation indispensable à l'acquisition d'un actif. Même s'il s'agit d'un argument douteux en faveur du crédit-bail, il peut être valable, surtout dans le secteur public. Un exemple nous est fourni par la marine des États-Unis qui a loué une flotte de nouveaux pétroliers et de navires de ravitaillement plutôt que de demander au congrès de l'argent pour les acheter.

Le crédit-bail permet d'économiser le capital Les sociétés de crédit-bail fournissent « un financement à 100 % » : elles avancent la totalité du coût de l'actif loué. Par conséquent, elles font valoir que le crédit-bail économise le capital, permettant aux sociétés de conserver leurs encaisses pour d'autres usages.

Mais la société peut aussi économiser du capital en empruntant de l'argent. Lorsqu'une compagnie de bus loue un bus de valeur 100 000 € plutôt que de l'acheter, elle conserve 100 000 € d'encaisse. Elle peut aussi (1) acheter le bus en payant comptant et (2) emprunter 100 000 €, en utilisant le bus comme garantie de l'emprunt. Son solde bancaire est identique qu'elle ait loué le bus ou qu'elle l'ait financé par emprunt. Elle a le bus dans les deux cas, et elle a une dette de 100 000 € dans les deux cas. En quoi le crédit-bail est-il donc particulier ?

Le crédit-bail peut constituer un financement hors bilan Dans certains pays comme l'Allemagne ou la France, les contrats de crédit-bail financiers constituent des financements hors bilan : une société peut acquérir un actif, le financer au travers d'un crédit-bail financier et ne jamais faire apparaître l'actif ou le contrat de crédit-bail dans son bilan, sauf au travers des loyers payés (par l'intermédiaire du compte de résultat).

En revanche, aux États-Unis, tous les contrats de crédit-bail *financiers* doivent être *capitalisés :* la valeur actuelle des redevances de crédit-bail doit être calculée et présentée dans les comptes comme une dette au passif du bilan. La même valeur figure en tant qu'immobilisation à l'actif du bilan[1].

Tous les autres contrats de crédit-bail sont considérés comme « d'exploitation » à condition que les comptables soient concernés.

Beaucoup de gestionnaires financiers ont essayé de tirer avantage de ces limites arbitraires entre crédit-bail d'exploitation et financier. Supposons que vous souhaitiez financer une machine-outil à commande numérique d'un coût de 1 million d'euros. La durée de vie théorique de la machine-outil est de douze ans. Vous pourriez signer un contrat de crédit-bail pour huit ans et onze mois (vous ne respectez pas de justesse la condition 3) avec une

1. Cet actif peut être amorti sur la durée de vie du crédit-bail. L'amortissement est déduit du résultat, tout comme un amortissement est déduit d'un actif qui a été acheté.

valeur actuelle des redevances de crédit-bail de 899 000 € (la condition 4 n'est pas non plus respectée). Vous devez vérifier que le contrat ne satisfait pas aux conditions 1 et 2. Résultat ? Vous avez un financement hors bilan. Ce contrat de crédit-bail n'a pas besoin d'être capitalisé, bien qu'il s'agisse clairement d'un engagement ferme et de long terme.

Venons-en maintenant à la question à 64 000 € : « Pourquoi chercher à savoir s'il s'agit ou non d'un financement hors bilan ? Est-ce que le gestionnaire financier ne devrait pas plutôt se préoccuper du contenu plutôt que de l'apparence ? »

Lorsqu'une société obtient un financement hors bilan, les mesures traditionnelles du levier financier, telles que le ratio dettes/capitaux propres, en sous-estiment le degré. Certains pensent que les analystes financiers ne remarquent pas toujours les engagements de crédit-bail répertoriés hors bilan, (qui sont pourtant indiqués en note) ou la plus grande volatilité des gains qui résulte de redevances de crédit-bail constantes. C'est peut-être vrai, mais nous ne pensons pas qu'une telle négligence soit courante.

Le crédit-bail modifie le bénéfice comptable Le crédit-bail peut artificiellement améliorer la présentation du bilan et du compte de résultat en augmentant le bénéfice net et en diminuant la valeur nette des actifs ou les deux à la fois.

Un crédit-bail qui est défini comme un financement modifie le bénéfice comptable d'une seule manière : les redevances de crédit-bail constituent une dépense. Lorsqu'une société achète un actif plutôt que d'emprunter pour le financer, les charges financières et les amortissements sont déduits. Habituellement, les contrats de crédit-bail sont conçus de manière que les versements des premières années soient inférieurs au montant « amortissement plus charges financières » de la solution achat financé par emprunt. Le crédit-bail améliore donc le bénéfice comptable dans les premières années de vie du bien. Le taux de rentabilité comptable peut augmenter très sensiblement parce que la valeur nette comptable des éléments d'actifs (le dénominateur dans le calcul du taux de rendement comptable) est sous-évaluée lorsque le locataire ne fait jamais apparaître le bien dans le bilan de la société.

En soi, l'impact du crédit-bail sur le bénéfice comptable ne devrait pas modifier la valeur de la société. Sur des marchés financiers efficients, les investisseurs verront en transparence au-delà des résultats comptables de la société pour établir la vraie valeur des actifs et les dettes engagées pour les financer.

3 Les contrats de crédit-bail d'exploitation

Vous souvenez-vous de notre exposé sur les coûts annuels équivalents au chapitre 6 ? Nous avons défini le coût annuel équivalent d'une machine comme le coût de location annuel suffisant pour couvrir la valeur actuelle de tous les coûts de possession et d'entretien qui lui sont attachés.

Dans les exemples du chapitre 6, les coûts de location étaient hypothétiques – il s'agissait seulement de convertir la valeur actuelle en coût annuel. Mais dans l'activité de crédit-bail, les redevances sont réelles. Supposons que vous décidiez de louer une machine-outil pour un an. Quel sera le coût de la location dans le secteur d'activité concurrentiel du crédit-bail ? Le coût annuel équivalent du loueur, bien évidemment.

3.1 Exemple de crédit-bail d'exploitation

Le petit ami de la fille du directeur de la production de Blizart l'a emmené en promenade dans une superbe limousine gris perle. Le directeur de la production est très impressionné. Il décide que Blizart devrait en posséder une pour le transport des hôtes de marque. Le directeur financier de Blizart suggère prudemment de choisir un crédit-bail d'exploitation pour un an et contacte Périgord Crédit Bail (PCB) pour obtenir un tarif.

Le tableau 26.1 décrit l'analyse de PCB. Supposons l'achat d'une nouvelle limousine pour 75 000 €, qu'il est prévu de louer pour sept ans (années 0 à 6). Ce tableau présente les prévisions de PCB pour l'exploitation, l'entretien, les coûts administratifs, mais aussi le coût de négociation du contrat, le suivi des versements et des documents de travail et la recherche d'un locataire de remplacement à la fin de l'année. Pour simplifier, on supposera l'inflation nulle et un taux de 7 % pour le coût réel du capital. On supposera aussi que la limousine présente une valeur résiduelle nulle à la fin de la sixième année. La valeur actuelle de tous les coûts, en partie compensée par la valeur des amortissements fiscalement déductibles[2], est de 98 150 €. Combien PCB doit-il proposer de manière à atteindre son point mort ?

Tableau 26.1. Le calcul du taux de location à VAN nulle (ou coût équivalent annuel) d'une limousine allongée gris perle pour Blizart (les chiffres sont en milliers d'euros)

Les données de ce tableau, comme celles de tous les tableaux de ce chapitre, sont disponibles sur www.gestion financiere.pearsoned.fr

*	Année						
	0	1	2	3	4	5	6
Coût initial	–75						
Entretien, assurance, coûts administratifs et commerciaux	–12	–12	–12	–12	–12	–12	–12
Déduction fiscale sur les coûts	+4,2	+4,2	+4,2	+4,2	+4,2	+4,2	+4,2
Déduction fiscale sur amortissement**		+5,25	+8,40	+5,04	+3,02	+3,02	+1,51
Total	–82,20	–2,55	0,60	–2,76	–4,78	–4,78	–6,29
VAN au taux de 7 % = –98,15 €***							
Point mort de location	26,18	26,18	26,18	26,18	26,18	26,18	26,18
Impôts	–9,16	–9,16	–9,16	–9,16	–9,16	–9,16	–9,16
Point mort de location après impôts	17,02	17,02	17,02	17,02	17,02	17,02	17,02
VAN au taux de 7 % = –98,15 €***							

* *Note* : on a supposé qu'il n'y a pas d'inflation et un taux de 7 % pour le coût réel du capital. De même, on fera l'hypothèse d'un taux d'impôt de 35 %.

* Les déductions fiscales sur amortissement sont déterminées selon le barème à cinq ans du tableau 6.4.

** Observez que le premier versement de ces annuités intervient tout de suite. La formule traditionnelle des annuités doit être multipliée par $1 + r = 1{,}07$.

2. Les amortissements déductibles sont des flux monétaires certains si le taux d'imposition ne change pas et que PCB est certaine de payer des impôts. Si 7 % est un taux d'actualisation correct pour les autres flux du tableau 26.1, les amortissements déductibles méritent un taux faible. Une analyse plus précise actualiserait les amortissements déductibles à un taux de prêt ou emprunt après impôts. Voir la section 5 du chapitre 19 ou la prochaine section de ce chapitre.

PCB peut accepter d'acheter et de louer la limousine uniquement si les revenus de la location prévus sur les six années ont une valeur actuelle d'au moins 98 150 €. Le problème est alors de déterminer une annuité pour les six ans qui ait une valeur actuelle de 98 150 €. Nous allons suivre les usages en vigueur dans le crédit-bail et supposer que les redevances sont versées en début de période[3]. Comme le montre le tableau 26.1, l'annuité requise est de 26 180 €, c'est-à-dire environ 26 000 €[4]. La valeur actuelle de cette annuité (après impôts) est parfaitement égale à la valeur actuelle des coûts après impôts liés à la possession et l'exploitation de la limousine. L'annuité procure à PCB un taux de rentabilité attendu compétitif de 7 % sur son investissement. PCB pourrait tenter de faire payer plus cher que 26 000 € à Blizart, mais si le directeur financier est assez malin pour demander des propositions à des concurrents de PCB, le loueur gagnant finira par recevoir cette somme.

Souvenez-vous que Blizart n'est pas obligé de poursuivre la location au-delà d'un an. PCB pourrait avoir à trouver de nouveaux locataires pour la durée de vie économique restante de la limousine. Même si Blizart prolonge la location, elle peut renégocier le nouveau loyer quel que soit le taux en vigueur dans le futur. Ainsi, PCB ne sait pas combien facturer la première année et les suivantes. Si le gris perle n'a plus les faveurs des adolescents et du directeur de la production, PCB n'aura pas eu de chance.

Dans la réalité, PCB devra prendre en compte plusieurs autres choses. Par exemple, pendant combien de temps la limousine restera-t-elle immobilisée après son retour au bout d'un an ? Si le délai d'immobilisation avant qu'un nouveau locataire ne soit trouvé est significatif, les redevances devront être plus élevées[5].

Dans un crédit-bail exploitation, le *loueur* supporte ces risques, pas le locataire. Le taux d'actualisation utilisé par le loueur doit inclure une prime suffisante pour indemniser les actionnaires du risque lié à l'achat et à la conservation d'un bien destiné à la location. Autrement dit, le taux de 7 % de coût réel du capital choisi par PCB doit couvrir les risques d'investissement dans une limousine allongée.

3.2 Louer ou acheter ?

Si vous avez besoin d'une limousine uniquement pour une journée ou une semaine, vous choisirez sûrement de la louer ; si vous en voulez une pour cinq ans, vous l'achèterez probablement. Entre les deux, il y a une zone d'indécision où le choix entre achat et location n'est pas évident. La règle de décision pourrait en principe être claire : si vous avez besoin d'un actif pour votre activité, *achetez-le si le coût annuel équivalent de la possession et de la gestion est inférieur au meilleur taux de location que vous pourriez obtenir de quelqu'un d'extérieur*. Autrement dit, achetez si vous pouvez « louer à vous-même » pour moins cher que d'autres ne le feraient. (Nous précisons bien que cette règle est applicable au crédit-bail d'exploitation.)

---

3. Dans la section 3, chapitre 6, les loyers hypothétiques étaient payés à la fin.

4. C'est une annuité constante puisque nous avons supposé qu'il n'y a pas d'inflation, les services liés à la location d'une limousine vieille de six ans ne sont pas différents de ceux portant sur une limousine flambant neuve. Si les utilisateurs de limousines usagées les considèrent comme obsolètes ou bien passées de mode, ou si les nouvelles limousines sont moins chères, alors les loyers de location des vieilles limousines devront être réduits. Cela aboutirait à une annuité décroissante : les premiers utilisateurs paieront plus cher que le montant proposé dans le tableau 26.1, les utilisateurs suivants moins.

5. Si, par exemple, la limousine n'est pas louée et reste immobilisée 20 % du temps, le taux de loyer devra être 25 % plus élevé que celui indiqué au tableau 26.1.

Si vous projetez d'utiliser un actif pour une période assez longue, votre coût annuel équivalent de possession de l'actif sera naturellement plus faible que le coût du crédit-bail exploitation. Le loueur doit relever le coût de la location pour couvrir les coûts administratifs et commerciaux de la location, la perte de revenu quand un bien n'est pas loué et qu'il est immobilisé, etc. Ces coûts sont évités lorsque la société achète et loue pour elle-même.

Il y a deux cas où le crédit-bail d'exploitation prend tout son sens même lorsque la société projette d'utiliser l'actif sur une longue période. Premièrement, lorsque le loueur est en mesure d'acheter et de gérer l'actif pour un coût moins élevé que le locataire. Par exemple, les grandes sociétés de leasing de camions achètent des milliers de camions chaque année. Cela leur donne une position de négociation très avantageuse avec les constructeurs de camions. Ces sociétés savent aussi obtenir la meilleure valeur résiduelle lorsque les camions ne servent plus et qu'il est temps de les revendre. Une petite entreprise ne peut obtenir autant de réductions et trouvera souvent moins cher de louer ces camions plutôt que de les acheter.

Deuxièmement, les contrats de crédit-bail exploitation contiennent souvent des options utiles. Supposons que PCB offre à Blizart les deux contrats suivants :

1. Un crédit-bail à un an pour 26 000 €.
2. Un crédit-bail à six ans pour 28 000 € avec une option de résiliation du contrat à tout moment au bout d'un an[6].

Le second contrat de crédit-bail présente un avantage évident. Supposons que le directeur de la production de Blizart devienne fana de la limousine et qu'il souhaite l'utiliser une deuxième année. Si les prix augmentent, le second contrat permet à Blizart de poursuivre avec l'ancien tarif. Si les tarifs diminuent, Blizart peut annuler le deuxième contrat et renégocier un prix plus faible auprès de l'un des concurrents.

Bien sûr, le second contrat est une proposition plus coûteuse pour PCB : il procure à Blizart une police d'assurance la protégeant contre un accroissement des prix futurs du crédit-bail. La différence de coût entre les deux formules correspond à la prime d'assurance annuelle : les locataires peuvent payer une assurance lorsqu'ils n'ont aucune idée de la valeur future de leurs actifs ou des tarifs de location. Une société de crédit-bail acquiert ces informations au cours de son activité et peut en général vendre ce type d'assurance avec profit.

Les compagnies aériennes sont confrontées à des fluctuations de la demande pour leurs services et à la répartition des avions dont elles ont besoin. Beaucoup de compagnies aériennes louent donc une partie de leur flotte avec des possibilités d'annulation à court terme et sont conduites à verser une prime aux loueurs pour qu'ils supportent le risque d'annulation. Les loueurs d'avions spécialisés sont bien placés pour assumer ce risque puisqu'ils espèrent trouver de nouveaux clients pour chaque avion qui leur sera restitué. Pensez à vérifier les options avant d'accepter (ou de rejeter) un contrat de crédit-bail d'exploitation[7].

---

6. PCB pourrait aussi offrir un contrat à un an à 28 000 € avec la possibilité de prolonger le contrat dans les mêmes conditions jusqu'à cinq ans. Ceci est, bien sûr, identique à la proposition n° 2. Il est indifférent que le locataire ait une option de résiliation (option de vente) ou bien une option de prolongation (option d'achat).

7. McConnell et Schalheim déterminent la valeur des options d'un crédit-bail exploitation sous des hypothèses variables quant au risque de l'actif, la diminution des taux, etc. Voir J. J. McConnell et J. S. Schalheim, « Valuation of Asset Leasing Contracts », *Journal of Financial Economics*, 12 (août 1983), pp. 237-261.

4 L'évaluation des contrats de crédit-bail financier

Pour les contrats de crédit-bail d'exploitation, la décision est centrée sur « crédit-bail contre achat ». Pour les contrats de crédit-bail financier, la décision devient « crédit-bail contre emprunt ». Les contrats de crédit-bail financiers s'étendent sur la quasi-totalité de la durée de vie économique du bien loué. Ils n'ont *pas* d'option de résiliation. Les redevances de crédit-bail sont des obligations précises équivalentes au service de la dette.

Les contrats de crédit-bail financier deviennent logiques lorsque la société est prête à assumer le risque des affaires lié à la possession et l'exploitation du bien loué. Si Blizart signe un crédit-bail financier pour la limousine allongée, elle sera collée avec cet actif. Le crédit-bail financier est juste un autre moyen d'emprunter de l'argent pour acheter la limousine.

Les contrats de crédit-bail offrent des avantages particuliers à certaines sociétés dans certains cas de figure. Néanmoins, il est inutile de prolonger cette discussion avant que vous ne sachiez comment évaluer les contrats de crédit-bail financier.

4.1 Exemple d'un crédit-bail financier

Mettez-vous à la place d'Émile Auguste Saloire, président des lignes de bus Savvahfor. La société a été fondée par votre grand-père qui prévoyait la croissance de la demande de transport entre Marmande et sa proche banlieue et avait investi en conséquence. La société est propriétaire de tous ses bus depuis sa création ; vous voulez reconsidérer cette politique. Votre responsable de la production souhaite acheter un nouveau bus qui coûte 100 000 €. Le bus ne servira que huit ans avant d'être mis à la casse. Vous êtes convaincu que cet investissement supplémentaire n'est pas justifié. Toutefois, le représentant du constructeur de bus a fait valoir que sa société pourrait vous louer le bus contre huit loyers annuels de 16 900 €. Savvahfor serait responsable de l'entretien, l'assurance et des dépenses d'exploitation.

Le tableau 26.2 présente les flux monétaires directs induits par la signature du contrat de crédit-bail. (Un effet indirect important sera mis à jour plus tard.) Voici ces flux :

Tableau 26.2. Les flux monétaires induits par la signature du contrat de crédit-bail proposé à Savvahfor (les chiffres sont en milliers d'euros ; le résultat de certaines colonnes est arrondi)

	Année							
	0	1	2	3	4	5	6	7
Coût du nouveau bus	+100							
Amortissement déductible d'impôt non utilisé		−7,00	−11,20	−6,72	−4,03	−4,03	−2,02	0
Loyer de crédit-bail	−16,9	−16,9	−16,9	−16,9	−16,9	−16,9	−16,9	−16,9
Économie d'impôt sur loyer de crédit-bail	+5,92	+5,92	+5,92	+5,92	+5,92	+5,92	+5,92	+5,92
Flux monétaire du crédit-bail	+89,02	−17,99	−22,19	−17,71	−15,02	−15,02	−13,00	−10,98

1. Savvahfor n'a pas à payer le bus. C'est un flux monétaire entrant équivalent à 100 000 €.
2. Savvahfor ne possédera pas le bus et ne pourra l'amortir. Par conséquent, cela supprime une économie d'impôt précieuse. Dans le tableau 26.2, nous avons supposé que l'amortissement devait être calculé en utilisant un plan d'amortissement fiscal à cinq ans (voir tableau 6.4).
3. Savvahfor doit verser 16 900 € par an pendant huit ans au loueur. Le premier versement est exigible immédiatement.
4. Néanmoins, les redevances de crédit-bail sont déductibles en totalité. Au taux d'imposition marginal de 35 %, la redevance de crédit-bail génère une économie d'impôt de 5 920 € par an. Vous pourriez considérer que le coût après impôts du loyer de crédit-bail est 16 900 € – 5 920 € = 10 980 €.

Il faut rappeler que le tableau 26.2 suppose que Savvahfor paie des impôts au taux de 35 %. Si la société était certaine de perdre de l'argent, et par conséquent de ne pas payer d'impôt, les lignes 2 et 4 pourraient être laissées en blanc. Les déductions fiscales n'ont aucune valeur pour une société qui ne paie pas d'impôt. Le tableau 26.2 suppose aussi que la valeur résiduelle du bus est nulle lorsqu'il est mis au rebut à la fin de l'année 7. Dans le cas contraire, il y aurait un chiffre pour la valeur résiduelle.

4.2 Qui possède réellement l'actif loué ?

Pour un avocat ou un comptable, c'est une question idiote : le loueur est sans équivoque le propriétaire légal de l'actif loué. C'est pourquoi il est autorisé à déduire fiscalement l'amortissement de son revenu imposable.

Selon un point de vue économique, vous pourriez dire que le *locataire* est le propriétaire effectif parce que dans le cadre d'un crédit-bail *financier*, l'utilisateur est confronté aux risques et reçoit les récompenses de la propriété. Savvahfor ne peut annuler le crédit-bail financier. Si le nouveau bus devenait irrémédiablement coûteux, et inadapté aux trajets de Savvahfor, ce serait le problème de Savvahfor, pas celui du loueur. Si c'était un grand succès, les profits iraient à Savvahfor, pas au loueur. Le succès ou l'échec des activités commerciales de la société ne dépendent pas du mode de financement du bus, crédit-bail ou autre instrument financier.

Par plusieurs aspects, un crédit-bail financier est équivalent à une dette garantie. Le locataire doit effectuer une série de versements constants ; si le locataire était défaillant, le loueur pourrait reprendre possession de l'actif. Ainsi, nous pourrions présenter le bilan comme suit :

Lignes de bus Savvahfor (en milliers d'euros)

Bus	100	100	Emprunt garanti par le bus
Autres actifs	1 000	450	Autres emprunts
		550	Fonds propres
Total des actifs	1 100	1 100	Total des ressources

qui serait économiquement équivalent au bilan suivant :

Lignes de bus Savvahfor (en milliers d'euros)

Bus	100	100	Crédit-bail financier
Autres actifs	1 000	450	Autres emprunts
		550	Fonds propres
Total des actifs	1 100	1 100	Total des ressources

On doit immédiatement ajouter deux précisions. Premièrement, la propriété légale entraîne une grosse différence : lorsque le crédit-bail financier arrive à expiration, le loueur conserve la valeur résiduelle de l'actif. Une fois la dette garantie remboursée, l'utilisateur prend possession totalement et gratuitement du bien.

Deuxièmement, les loueurs et les prêteurs garantis sont considérés différemment en cas de faillite. Si la société est défaillante pour un loyer de crédit-bail, on peut penser que le loueur va récupérer le bien et le rapporter chez lui. Mais lors de la faillite, le tribunal de commerce pourrait considérer que l'actif est « essentiel » pour l'activité du locataire, et « confirmer » le crédit-bail. Ensuite, la société en faillite peut continuer à utiliser le bien, *mais* elle doit aussi poursuivre le règlement des autres loyers. Ce peut être une bonne nouvelle pour le loueur : il est payé tandis que les autres créanciers voient leurs créances gelées. Même des prêteurs garantis ne sont pas payés tant que la procédure de faillite n'est pas terminée.

Si le crédit-bail n'est pas confirmé mais « rejeté », le loueur peut reprendre le bien loué. Si sa valeur est plus faible que celle des paiements futurs promis par le locataire, le loueur peut essayer de diminuer sa perte. Mais dans ce cas, le prêteur doit prendre en compte les créanciers sans garantie.

Bien sûr, ni le loueur ni les créanciers garantis ne peuvent être sûrs qu'ils récupéreront la totalité. Notre opinion est que les loueurs et les prêteurs garantis ont des droits différents lorsque des problèmes apparaissent chez l'utilisateur du bien.

4.3 Un premier aperçu de l'évaluation d'un contrat de crédit-bail

Lorsque nous avons laissé Émile Auguste Saloire, président de Savvahfor, il venait d'établir les flux monétaires du tableau 26.2 pour le crédit-bail financier proposé par le constructeur de bus.

Ces flux monétaires sont naturellement supposés être à peu près aussi sûrs que les intérêts et le remboursement du principal d'un emprunt garanti émis par le locataire. L'hypothèse est réaliste pour les redevances de crédit-bail parce que le loueur prête effectivement de l'argent au locataire. Mais les déductions fiscales diverses peuvent s'accompagner de suffisamment de risques pour mériter un taux d'actualisation plus élevé. Par exemple, Savvahfor peut être confiant dans sa capacité à payer les redevances de crédit-bail mais moins confiant dans le fait de dégager suffisamment de revenu imposable pour utiliser les déductions fiscales. Dans ce cas, les flux monétaires générés par les économies d'impôt mériteraient probablement un taux d'actualisation plus élevé que le taux de l'emprunt utilisé pour les loyers de crédit-bail.

Un locataire peut, en principe, utiliser un taux d'actualisation distinct pour chacune des lignes du tableau 26.2, chacun des taux étant choisi pour coller au risque des flux monétaires de la ligne. Mais les sociétés saines et profitables estiment en général plus logique de simplifier en actualisant toutes les catégories de flux monétaires présentés dans le tableau 26.2 à un seul taux fonction du taux d'intérêt que la société aurait eu à payer si elle avait emprunté au lieu de louer. Nous supposerons que le taux d'emprunt de Savvahfor est de 10 %.

À ce stade, nous devons revenir à notre discussion du chapitre 19 sur les flux de l'emprunt équivalent. Lorsqu'une société prête de l'argent, elle paie des impôts sur les intérêts qu'elle reçoit. Son revenu net est un revenu après impôts. Lorsqu'une société emprunte de l'argent, elle peut déduire les intérêts payés de son résultat. Le coût net de l'emprunt est un taux après impôts. Ainsi, le taux d'intérêt après impôts représente le taux effectif auquel la société peut transférer les flux de l'emprunt équivalent d'une période sur l'autre. Par conséquent, pour évaluer des flux monétaires croissants issus de la location, nous devons les actualiser à un taux après impôts.

Puisque Savvahfor peut emprunter à 10 %, nous devrions actualiser les flux monétaires de la location à $r_D\,(1 - T_{\text{société}}) = 0{,}10\,(1 - 0{,}35) = 0{,}065$ ou 6,5 %. Ceci donne :

$$\text{VAN du crédit-bail} = +89{,}02 - \frac{17{,}99}{(1{,}065)} - \frac{22{,}19}{(1{,}065)^2} - \frac{17{,}71}{(1{,}065)^3} - \frac{15{,}02}{(1{,}065)^4} - \frac{15{,}02}{(1{,}065)^5}$$

$$- \frac{13{,}00}{(1{,}065)^6} - \frac{10{,}98}{(1{,}065)^7}$$

$$= -0{,}70 \text{ ou } -700\ €$$

Puisque le crédit-bail présente une VAN négative, Savvahfor a intérêt à acheter le bus.

Une VAN positive ou négative n'est pas un concept abstrait ; dans ce cas les actionnaires de Savvahfor seront plus pauvres de 700 € si la société choisit le crédit-bail. Vérifions maintenant comment nous sommes arrivés à ce résultat. Regardons à nouveau le tableau 26.2. Les flux monétaires du crédit-bail sont les suivants :

	Années							
	0	**1**	**2**	**3**	**4**	**5**	**6**	**7**
Flux monétaire du crédit-bail	+89,02	−17,99	−22,19	−17,71	−15,02	−15,02	−13,00	−10,98

Les loyers de crédit-bail constituent des obligations contractuelles au même titre que le paiement des intérêts et le remboursement du principal pour un emprunt garanti. Ainsi, vous pourriez considérer les flux monétaires croissants de l'année 1 à l'année 7 comme le « service de la dette » du crédit-bail. Le tableau 26.3 présente un prêt avec *exactement* le même service de la dette que le crédit-bail. Le montant initial de l'emprunt est de 89,72 milliers d'euros. Si Savvahfor avait emprunté cette somme, il n'aurait pas eu à payer les intérêts de la première année soit $0{,}10 \times 89{,}72 = 8{,}97$ et *devrait* recevoir une déduction fiscale sur ces intérêts de $0{,}37 \times 8{,}97 = 3{,}14$. Savvahfor pourrait alors rembourser 12,15 sur l'emprunt, soit un flux monétaire décaissé de 17,99 (exactement comme pour le crédit-bail) pour l'année 1 et un capital restant dû au début de l'année 2 de 77,56.

Pendant que vous vous promenez au milieu des chiffres du tableau 26.3, vous pouvez voir qu'il en coûte exactement la même chose de régler le service d'une dette qui apporte un flux monétaire de 89,72 € comme on aurait à le faire avec le crédit-bail, qui apporte seulement 89,02. C'est pourquoi nous concluons que le crédit-bail a une valeur actuelle nette de 89,02 – 89,72 = –0,7, ou –700 €. Si Savvahfor loue le bus plutôt que d'emprunter un montant équivalent[8], il y aura 700 € de moins sur le compte bancaire de Savvahfor.

Notre exemple illustre deux caractéristiques générales du crédit-bail et de l'emprunt équivalent. Premièrement, si vous pouvez obtenir un échéancier d'emprunt qui procure les mêmes flux monétaires que le crédit-bail pour chacune des périodes à venir avec un flux monétaire instantané plus élevé, il ne faut pas louer. Si, en revanche, l'emprunt équivalent procure les mêmes flux monétaires à décaisser que le crédit-bail, mais un flux d'encaissement immédiat plus faible, le crédit-bail est le meilleur choix.

Tableau 26.3. Détails de l'emprunt équivalent au crédit-bail proposé aux lignes de bus Savvahfor (les chiffres sont en milliers d'euros ; les flux monétaires décaissés sont présentés avec un signe négatif)

	Années							
	0	1	2	3	4	5	6	7
Montant emprunté en valeur en fin d'année	89,72	77,56	60,42	46,64	34,66	21,89	10,31	0
Intérêts payés à 10 %		–8,97	–7,76	–6,04	–4,66	–3,47	–2,19	–1,03
Économie d'impôt sur les intérêts à 35 %		+3,14	+2,71	+2,11	+1,63	+1,21	+0,77	+0,36
Intérêts payés après impôts		–5,83	–5,04	–3,93	–3,03	–2,25	–1,42	–0,67
Remboursement du principal		–12,15	–17,14	–13,78	–11,99	–12,76	–11,58	10,31
Flux monétaire du crédit-bail	+89,02	–17,99	–22,19	–17,71	–15,02	–15,02	–13,00	10,98

Deuxièmement, notre exemple suggère deux méthodes pour évaluer un contrat de crédit-bail :

1. *La méthode difficile.* Construire un tableau comme le tableau 26.3 représentant l'emprunt équivalent.
2. *La méthode facile.* Actualiser chaque flux monétaire au taux d'intérêt *après impôts* que la société aurait à payer sur l'emprunt équivalent. Les deux méthodes fournissent le même résultat, dans notre cas une VAN de –700 €.

8. Lorsque nous comparons le crédit-bail à son équivalent en emprunt, nous ne voulons pas dire que le bus seul pourrait supporter toute cette dette. Une partie de l'emprunt pourrait être supportée par les autres actifs de Savvahfor. De la même manière, une partie du crédit-bail pourrait être supportée par les autres actifs.

4.4 La suite de l'histoire

Nous avons conclu que le contrat proposé aux lignes de bus Savvahfor n'était pas attractif parce que le crédit-bail fournissait 700 € de financement en moins que son emprunt équivalent. Le principe sous-jacent est le suivant : un crédit-bail financier est préférable à un achat et un emprunt si le financement obtenu par le crédit-bail est supérieur au financement issu de l'emprunt équivalent. Le principe débouche sur cette formule :

$$\text{Valeur nette du crédit-bail} = \text{financement initial obtenu} - \sum_{t=1}^{N} \frac{\text{Flux monétaire du crédit-bail}_t}{[1 + r(1 - T_{\text{société}})]^t}$$

où N est la durée du crédit-bail.

Le financement initial obtenu est égal au coût de l'actif loué moins tout versement immédiat de loyer de crédit-bail ou de tout autre flux décaissé au titre du crédit-bail. Vous remarquerez que la valeur du crédit-bail correspond à sa valeur croissante en fonction de l'emprunt par le biais du prêt équivalent. Une valeur positive du crédit-bail signifie que *si* vous achetiez l'actif, le financer par crédit-bail serait plus avantageux. Ceci ne dit pas que vous deviez acquérir le bien.

Pourtant, parfois des conditions avantageuses de crédit-bail peuvent sauver un projet d'investissement en capital. Supposons que Savvahfor ait décidé de *ne pas* acheter un nouveau bus parce que la VAN de l'investissement à 100 000 € était à –5 000 € avec un financement normal. Le constructeur de bus pourrait sauver la transaction en proposant un crédit-bail avec une valeur, disons, de +8 000 €. En offrant un tel contrat, le constructeur aurait en fait à réduire le prix du bus à 92 000 €, donnant ainsi à l'ensemble « bus + crédit-bail » une valeur positive pour Savvahfor. Nous pouvons l'exprimer plus formellement en considérant la VAN du crédit-bail comme un élément favorable qui ajoute à la valeur actuelle ajustée du projet (VAA)[9] :

$$\text{VAA} = \text{VAN du projet} + \text{VAN du crédit-bail} = -5\,000 + 8\,000 = +3\,000\ €$$

Observez également que notre formule s'applique aux contrats de crédit-bail financier nets. L'assurance, l'entretien, et les autres coûts d'exploitation pris en charge par le loueur doivent être évalués séparément et ajoutés à la valeur du crédit-bail. Si le bien a une valeur résiduelle à la fin du contrat, cette valeur doit aussi être prise en compte.

Supposons, par exemple, que le constructeur de bus propose de fournir l'entretien courant pour un coût après impôts annuels d'environ 2 000 €. En conséquence, l'entreprise reconsidère son choix et décide que le bus vaudra probablement 10 000 € au bout de huit ans (précédemment, on supposait que le bus n'aurait aucune valeur à l'issue du contrat). La valeur du crédit-bail augmente alors en raison de la valeur actuelle de l'économie d'entretien et diminue en raison de la valeur résiduelle perdue.

9. Voir le chapitre 19 pour une présentation générale et une discussion sur la VAA.

L'entretien et la valeur résiduelle sont plus difficiles à prévoir parce que les flux monétaires présentés au tableau 26.2 sont normalement actualisés à un taux plus élevé. Supposons que l'on utilise 12 %. Alors, les économies d'entretien auront pour valeur :

$$\sum_{t=0}^{7} \frac{2\,000}{(1{,}12)^t} = 11\,100\ €$$

La valeur résiduelle perdue a pour valeur 10 000 € / $(1{,}12)^8$ = 4 000 €[10]. Souvenez-vous que nous avons précédemment calculé la valeur du crédit-bail à –700 €. La valeur corrigée est –700 + 11 100 – 4 000 = 6 400 €. Le crédit-bail apparaît alors comme une transaction intéressante.

5 Quand le crédit-bail financier est-il profitable ?

Nous avons examiné la valeur d'un crédit-bail du point de vue du locataire. Les critères du loueur sont tout simplement inversés. Aussi longtemps que le loueur et le locataire sont dans la même tranche fiscale, tout flux monétaire décaissé par le locataire est encaissé par le loueur et *vice versa*. Dans notre exemple chiffré, le constructeur de bus va envisager des flux comme indiqué dans le tableau 26.2, mais avec des signes inversés. La valeur du crédit-bail pour le constructeur serait :

$$\text{Valeur du crédit-bail pour le loueur} = -89{,}02 + \frac{17{,}99}{(1{,}065)} + \frac{22{,}19}{(1{,}065)^2} + \frac{17{,}71}{(1{,}065)^3} + \frac{15{,}02}{(1{,}065)^4}$$

$$+ \frac{15{,}02}{(1{,}065)^5} + \frac{13{,}00}{(1{,}065)^6} + \frac{10{,}98}{(1{,}065)^7}$$

$$= +0{,}70 \text{ ou } +700\ €$$

Dans ce cas, les valeurs pour le locataire et pour le loueur sont exactement inversées (–700 € + 700 = 0). Le loueur peut seulement gagner aux dépens du locataire.

Mais le loueur et le locataire peuvent tous deux être gagnants lorsque leur taux d'imposition est différent. Supposons que Savvahfor ne paie pas d'impôt ($T_{\text{société}} = 0$). Alors les seuls flux monétaires du crédit-bail du bus seraient :

	Années							
	0	**1**	**2**	**3**	**4**	**5**	**6**	**7**
Coût du nouveau bus	+100							
Loyer de crédit-bail	–16,9	–16,9	–16,9	–16,9	–16,9	–16,9	–16,9	–16,9

Ces flux pourraient être actualisés à 10 %, parce que $r_D\,(1\text{-}T_{\text{société}}) = r_D$ quand $T_{\text{société}} = 0$.

10. Pour simplifier, nous avons supposé que les dépenses d'entretien étaient payées en début d'année et que la valeur résiduelle était prise en compte à la *fin* de l'année 8.

La valeur du crédit-bail est :

$$\text{Valeur du crédit-bail} = +100 - \sum_{t=0}^{7} \frac{16{,}9}{(1{,}10)^t} = +100 - 99{,}18 = +0{,}82 \text{ ou } 820\ €$$

Dans ce cas, il y a un gain net de 700 € pour le loueur (qui est imposé à 35 %) *et* un gain net de 820 € pour le locataire (qui n'est pas imposé). Ces gains respectifs se font au détriment de l'État. D'un côté, l'État tire avantage du contrat de crédit-bail parce que les redevances de crédit-bail sont imposées. D'un autre côté, le contrat permet au loueur de tirer avantage de la déduction des amortissements et des intérêts qui ne seront pas utilisés par le locataire. Pourtant, parce que l'amortissement est accéléré et parce que le taux d'intérêt est positif, l'État supporte une perte nette dans la valeur actuelle de ses recettes fiscales qui est la conséquence du crédit-bail.

Vous devez maintenant commencer à comprendre dans quel cas de figure l'État constate une perte sur le crédit-bail alors que les deux autres parties sont gagnantes. Toutes choses égales par ailleurs, les gains potentiels du loueur et du locataire sont les plus élevés lorsque :

- Le taux d'imposition du loueur est sensiblement plus élevé que celui du locataire.
- La déduction fiscale des amortissements intervient au début de la période de crédit-bail.
- La durée du crédit-bail est longue et les redevances de crédit-bail sont concentrées sur la fin de la période.
- Le taux d'intérêt r_D est élevé : s'il était nul, il n'y aurait aucun avantage en termes de valeur actuelle à retarder les impôts.

Résumé

Un crédit-bail représente juste une extension d'un contrat de location. Le propriétaire de l'équipement (le loueur) permet à l'utilisateur (le locataire) d'exploiter le matériel en échange de versements réguliers de loyers.

Il y a une grande variété de contrats possibles. Les contrats de court terme qui peuvent être interrompus sont appelés contrats de *crédit-bail d'exploitation*. Dans ces contrats, le loueur supporte les risques attachés à la propriété. Les contrats de crédit-bail à long terme, qui ne peuvent être résiliés, sont appelés contrats de *crédit-bail financier*, *crédit-bail en capital*, *crédit-bail à remboursement intégral*. Dans ces contrats, c'est le locataire qui supporte les risques. Le crédit-bail financier est une source de financement pour des actifs que la société souhaite obtenir et utiliser pour une longue période.

La clé de compréhension des contrats de crédit-bail d'exploitation est le coût de l'emprunt équivalent. Dans un marché de crédit-bail compétitif, les redevances annuelles de crédit-bail seront poussées à la baisse jusqu'au coût de l'emprunt équivalent annuel pour le loueur. Les contrats de crédit-bail d'exploitation sont attractifs pour les utilisateurs d'équipement si le loyer de crédit-bail est inférieur au coût de l'emprunt équivalent lié à l'achat de l'équipement pour l'*utilisateur*. Les contrats de crédit-bail d'exploitation prennent tout leur sens lorsque les utilisateurs ont besoin de l'équipement pour une période courte lorsque le loueur est mieux à même de supporter les risques d'obsolescence ou lorsque le loueur peut assurer l'entretien pour un coût très intéressant. Souvenez-vous également que les contrats de crédit-bail d'exploitation contiennent souvent une option de résiliation précieuse.

Un crédit-bail financier porte sur la quasi-totalité de la durée de vie du bien de l'actif loué et ne peut être annulé par le locataire. Signer un contrat de crédit-bail financier équivaut à signer un emprunt garanti pour financer l'achat du bien loué. Avec les contrats de crédit-bail financier, le choix n'est pas « louer ou acheter », mais « louer ou emprunter ».

Beaucoup de sociétés ont des raisons valables de se financer par le biais du crédit-bail. Par exemple, les sociétés qui ne paient pas d'impôt peuvent normalement obtenir un contrat favorable de la part d'un loueur qui lui paie des impôts. Enfin, il peut s'avérer moins coûteux et moins long de signer pour un contrat de crédit-bail standard plutôt que de négocier pour un emprunt de long terme garanti.

Lorsqu'une société emprunte de l'argent, elle paie un intérêt après impôts sur sa dette. Par conséquent le coût d'opportunité du crédit-bail financier est le taux d'intérêt après impôts applicable aux obligations de la société. Pour évaluer un crédit-bail financier, nous avons besoin d'actualiser les flux monétaires croissants du crédit-bail au taux d'intérêt après impôts.

Un emprunt équivalent au crédit-bail est un emprunt qui donne lieu exactement aux mêmes flux monétaires futurs. Lorsque nous calculons la valeur actuelle du crédit-bail, nous mesurons la différence entre le montant du financement procuré par le crédit-bail et le financement procuré par l'emprunt équivalent :

$$\text{Valeur du crédit-bail} = \begin{array}{c}\text{financement procuré par}\\ \text{le crédit-bail}\end{array} - \begin{array}{c}\text{financement procuré par}\\ \text{l'emprunt équivalent}\end{array}$$

Nous pouvons aussi analyser le crédit-bail du point de vue du loueur, en utilisant la même approche que celle adoptée pour le locataire. Lorsque le loueur et le locataire sont dans la même tranche d'impôt, ils recevront exactement les mêmes flux monétaires, mais avec des signes inversés. Ainsi, le locataire ne peut gagner qu'aux dépens du loueur et inversement. Pourtant, si le taux d'imposition du locataire est plus faible que celui du loueur, les deux peuvent gagner aux dépens de l'État.

Lectures complémentaires

Deux références d'ordre général très utiles sur le crédit-bail :

Lamy, *Droit du Financement*, Édition annuelle.

J. S. Schallheim, *Lease or buy ? Principles for sound decisionmaking*, Harvard Business School Press, Boston, MA, 1994.

La démarche de valorisation des contrats de crédit-bail financiers présentée dans ce chapitre est basée sur :

S. C. Myers, D. A. Dill et A. J. Bautista, « Valuation of Financial Lease Contracts », *Journal of Finance*, 31 (juin 1976), pp. 799-819.

J. R. Franks et S. D. Hodges, « Valuation of Financial Lease Contracts : a Note », *Journal of Finance*, 33 (mai 1978), pp. 647-669.

Parmi d'autres contributions utiles, on trouve le livre de Nevitt et Fabozzi, l'exposé théorique de Miller et Upton et celui de Lewellen, Long et McConnell :

P. K. Nevitt et F. J. Fabozzi, *Equipment Leasing*, 3e éd., Dow Jones-Irwin, Homewood, Ill., 1988.

M. H. Miller et C.W. Upton, « Leasing, Buying and the Cost of Capital Services », *Journal of Finance*, 31 (juin 1976), pp. 761-786.

Lewellen, Long et McConnell, « Asset Leasing in Competitive Capital Markets », *Journal of Finance*, 31 (juin 1976), pp. 787-798.

Harold Bierman fournit une présentation détaillée du crédit-bail et de l'impôt alternatif minimum :

H. Bierman, « Buy versus Lease with an Alternative Minimum Tax », *Financial Management*, 17 (hiver 1988), pp. 87-92.

Les options contenues dans la plupart des opérations de crédit-bail sont analysées dans :

T. E. Copeland et J. F. Weston, « A note on the Evaluation of Cancellable Operating Leases », *Financial Management*, 11 (été 1982), pp. 68-72.

J. J. McConnell et J. S. Schalheim, « Valuation of Asset Leasing Contracts », *Journal of Financial Economics*, 12 (août 1983), pp. 237-261.

S. R. Grenadier, « Valuing Lease Contracts : A Real Options Approach », *Journal of Financial Economics*, 38 (juillet 1995), pp. 297-331.

Activités

Révision des concepts

1. Expliquez la différence entre crédit-bail d'exploitation et crédit-bail financier.
2. Faites une liste des bonnes raisons de recourir au crédit-bail, puis de quelques mauvaises raisons.
3. De quelle façon un directeur financier devrait-il calculer la VAN d'un crédit-bail opérationnel ?

Tests de connaissances

1. Les termes suivants sont souvent utilisés pour décrire le crédit-bail :
   a. Direct
   b. Tout compris
   c. Exploitation
   d. Financier
   e. Location
   f. Net
   g. Financé par emprunt
   h. Vente et location cession
   i. Remboursement total

   Affectez un ou plusieurs de ces termes à l'une des propositions suivantes :
   a. La période initiale du crédit-bail est plus courte que la durée de vie économique de l'actif.
   b. La période initiale du crédit-bail est suffisamment longue pour que le loueur puisse récupérer la valeur du bien.
   c. Le loueur fournit l'entretien et l'assurance.
   d. Le locataire fournit l'entretien et l'assurance.
   e. Le loueur achète l'équipement au constructeur.
   f. Le loueur achète l'équipement au locataire potentiel.
   g. Le loueur finance le contrat de crédit-bail par l'émission d'une dette et de fonds propres garantis par le contrat.
2. Quelques-uns des arguments en faveur du crédit-bail sont justifiés. D'autres ne le sont pas ou supposent que les marchés financiers sont imparfaits ou inefficients. Parmi les propositions suivantes, lesquelles sont valables ?
   a. Le locataire n'a qu'un besoin temporaire de l'actif loué.
   b. Les loueurs spécialisés sont plus aptes à supporter le risque d'obsolescence.
   c. Le crédit-bail fournit 100 % du financement et préserve ainsi le capital.
   d. Le crédit-bail permet aux sociétés au faible taux d'imposition de « vendre » les déductions fiscales sur amortissement.

e. Le crédit-bail accroît le bénéfice par action.
f. Le crédit-bail diminue les coûts de transaction liés à l'obtention d'un financement externe.
g. Le crédit-bail permet d'éviter les restrictions de dépenses en capital.
h. Le crédit-bail peut réduire l'imposition minimum alternative.

3. Expliquez pourquoi les propositions suivantes sont vraies :
a. Sur un marché de crédit-bail compétitif, la redevance annuelle d'un crédit-bail d'exploitation est égale au coût annuel équivalent du loueur.
b. Les contrats de crédit-bail d'exploitation sont attractifs pour les utilisateurs d'équipement lorsque le loyer de crédit-bail est inférieur au coût annuel équivalent de l'utilisateur.

4. Vrai ou faux ?
a. Les loyers de crédit-bail sont en général versés à chaque début de période. Ainsi le premier versement est généralement effectué dès que le contrat de crédit-bail est signé.
b. Les contrats de crédit-bail financier peuvent aussi représenter un financement hors bilan.
c. Le coût du capital pour un crédit-bail financier est le taux d'intérêt que la société aurait payé pour un emprunt bancaire.
d. Le capital d'un emprunt équivalent plus les versements d'intérêts après impôts correspondent exactement aux flux monétaires après impôts du crédit-bail.
e. On ne devrait pas souscrire à un crédit-bail financier lorsqu'il procure plus de financement que l'emprunt équivalent.
f. Il est logique pour les sociétés qui ne paient pas d'impôt de louer à des sociétés qui en paient.
g. Toutes choses égales par ailleurs, l'avantage fiscal net du crédit-bail augmente à mesure que les taux d'intérêt nominaux augmentent.

5. PCB a étendu son activité à la location de matériel de bureau pour les sociétés jeunes et innovantes. Prenons un bureau de 3 000 €. Les bureaux ont une durée de vie économique de six ans et peuvent être amortis sur cinq ans selon le plan d'amortissement présenté au tableau 6.5. Quel est le point mort d'un crédit-bail exploitation pour un bureau neuf ? Supposons que les coûts de crédit-bail pour des bureaux neufs ou d'occasion soient les mêmes et que les coûts administratifs avant impôts de PCB soient de 400 € par bureau et par an. Le coût du capital est de 9 % et le taux d'imposition de 35 %. Les loyers de crédit-bail sont payables d'avance, c'est-à-dire, au début de chaque année. Le taux d'inflation est nul.

6. Revenons de nouveau à la question 5. Supposons qu'une société de bonne notoriété demande un crédit-bail financier de six ans pour un bureau de 3 000 €. La société vient tout juste d'émettre des obligations à cinq ans au taux d'intérêt de 6 % par an. Quel est le point mort du crédit-bail dans ce cas ? On supposera que les coûts administratifs s'élèvent à 200 € par an. Expliquez pourquoi vos réponses aux questions 5 et 6 sont différentes.

7. Supposons que Sovax ait devant elle une proposition de crédit-bail financier pour quatre ans. La société construit un tableau comme le tableau 26.2. La ligne du bas de ce tableau présente les flux monétaires du crédit-bail :

	Année 0	Année 1	Année 2	Année 3
Flux monétaires du crédit-bail	+62 000	–26 800	–22 200	–17 600

Ces flux correspondent au coût de la machine, la déduction fiscale sur amortissement et les loyers de crédit-bail après impôts. Vous négligerez la valeur résiduelle. Supposons que la société puisse emprunter à 10 % et que son taux d'imposition soit de 35 %.
a. Quelle est la valeur de l'emprunt équivalent ?

b. Quelle est la valeur du crédit-bail ?

c. Supposons que la VAN de la machine avec un financement ordinaire soit de –5 000 €. Est-ce que Sovax devrait investir ? Devrait-elle signer un contrat de crédit-bail ?

Questions et problèmes

1. À la question numéro 5 du test de connaissances, nous avons supposé que les tarifs de crédit-bail étaient identiques pour les bureaux neufs ou vieux.

a. Comment se modifie le point mort initial du crédit-bail lorsque le taux d'inflation anticipé est de 5 % par an ? Supposons que le coût *réel* du capital ne change pas. (*Indice :* reportez-vous à la discussion sur les coûts équivalents annuels du chapitre 6.)

b. Comment votre réponse à (a) serait-elle modifiée si l'usure conduisait PCB à diminuer les tarifs de crédit-bail de 10 % en terme réel par an pour un bureau d'occasion ?

2. Reportez-vous au tableau 26.1. Comment se modifierait le point mort d'origine pour le crédit-bail exploitation si des évolutions technologiques rapides concernant la fabrication d'une limousine réduisaient le coût de location de 5 % par an ? (*Indication* : nous avons discuté des changements technologiques et du coût annuel équivalent au chapitre 6.)

Les questions suivantes portent toutes sur le crédit-bail financier.

3. Regardez de nouveau le crédit-bail pour le bus présenté au tableau 26.2.

a. Quelle sera la valeur du crédit-bail si le taux d'imposition marginal de Savvahfor est $T_c = 20\ \%$?

b. Quelle serait la valeur du crédit-bail si Savvahfor devait utiliser fiscalement le mode d'amortissement linéaire ?

4. Dans la section 4 nous avons montré que le crédit-bail proposé à Savvahfor avait une VAN positive de +820 € lorsque Savvahfor n'était pas imposé *et* de +700 € pour un loueur imposé à 35 %. Quel loyer de crédit-bail minimum le loueur accepterait-il dans ces conditions ? Quel montant maximum Savvahfor pourrait-il payer ?

5. Dans la section 5 nous avons présenté quatre situations pour lesquelles on relève des gains potentiels au crédit-bail. Vérifiez-les en menant une analyse de sensibilité avec l'exemple du crédit-bail des lignes de bus Savvahfor, en supposant la société non imposable. Envisagez tour à tour, (a) un taux d'imposition du loueur de 50 % (plutôt que 35 %), (b) un amortissement immédiat la première année de 100 % (plutôt qu'un mode d'amortissement dégressif sur cinq ans), (c) un crédit-bail sur trois ans avec 4 loyers annuels (plutôt qu'un crédit-bail sur huit ans), et (d) un taux d'intérêt de 20 % (plutôt que 10 %). Dans chaque cas, trouvez le loyer minimum que pourrait accepter le loueur et calculez la VAN du locataire.

6. Dans la section 5 nous avions affirmé que lorsque le taux d'intérêt était nul, il n'y avait aucun avantage à retarder les impôts et donc pas d'avantage à monter un crédit-bail. Évaluez le crédit-bail des lignes de bus Savvahfor avec un taux d'intérêt nul. Vous supposerez que Savvahfor est non imposable. Pourriez-vous trouver les conditions d'un contrat qui satisferaient à la fois le loueur et le locataire ? Si vous le pouvez, nous serions heureux de vous entendre.

7. Un crédit-bail avec un schéma de location variable s'appelle un crédit-bail structuré. Essayez de structurer le crédit-bail de Savvahfor pour accroître la valeur pour le locataire tout en préservant la valeur pour le loueur. Vous supposerez que Savvahfor est non imposable. (*Note* : en pratique, le fisc peut autoriser de structurer les loyers de la location mais peut ne pas être satisfait de certaines combinaisons que vous aurez inventées.)

8. Votre collège a besoin d'un nouvel ordinateur. Il peut soit l'acheter pour 250 000 € soit le louer à OrdiBail. Les termes du contrat exigent que le collège effectue 6 versements d'avance de 62 000 €. Le collège n'est pas imposable. OrdiBail est imposé à 35 %. OrdiBail peut amortir fiscalement l'ordinateur sur cinq ans. L'ordinateur n'aura pas de valeur résiduelle à la fin de la cinquième année. Le taux d'intérêt est de 8 %.

a. Quelle est la VAN du crédit-bail proposé au collège ?

b. Quelle est la VAN pour OrdiBail ?

c. Quel est le gain total du crédit-bail ?

9. La société des rasoirs Senrisk dispose d'un déficit fiscal reportable important et pense ne pas avoir à payer d'impôts avant dix ans. La société se propose par conséquent de louer une nouvelle machine de 100 000 €. Les termes du contrat consistent en 8 redevances annuelles de crédit-bail payables d'avance. Le loueur peut amortir en dégressif sur sept ans suivant le mode d'amortissement présenté au tableau 6.5. Il n'y aura pas de valeur résiduelle à la fin de la durée de vie économique de la machine. Le taux d'impôt est de 35 %, et le taux d'intérêt de 10 %. Vincent Coupuhr, président des rasoirs Senrisk, veut connaître le montant maximum du loyer de crédit-bail que sa société pourrait accepter et le loyer minimum que le loueur pourrait consentir. Pouvez-vous l'aider ?

Comment votre réponse serait-elle modifiée si le loueur était contraint d'utiliser un amortissement fiscal linéaire ?

10. Beaucoup de sociétés déterminent le taux interne de rentabilité à partir des flux monétaires supplémentaires après impôts liés à un crédit-bail financier. Selon vous, quels problèmes cela peut-il soulever ? À quel taux faudrait-il comparer le TIR ?

Problèmes avancés

1. Il a été demandé à Magna Charter d'affréter un avion de brousse pour une société minière qui explore le nord et l'ouest de Fort Liard. Magna aurait un contrat d'un an avec la société et espère que le contrat sera renouvelé pour les cinq ans que va durer le programme de prospection. Si la société renouvelle le contrat au bout d'un an, elle s'engage à louer l'avion pour quatre ans de plus.

Magna Charter dispose des choix suivants :

– Acheter l'avion pour 500 000 €.

– Prendre un crédit-bail exploitation pour un an. Le coût de location est de 118 000 €, payables d'avance.

– Monter un crédit-bail financier à cinq ans, non résiliable au coût annuel de 75 000 €, payables d'avance.

Ce sont des contrats de crédit-bail nets : tous les coûts d'exploitation sont supportés par Magna Charter.

Comment pourriez-vous conseiller Agnès Magna, directeur d'exploitation de la société ? Pour simplifier, supposons que l'amortissement autorisé fiscalement est linéaire sur cinq ans. Le taux d'imposition de la société est de 35 %. Le coût moyen pondéré du capital pour l'activité de cet avion de brousse est de 14 %, mais Magna peut emprunter à 9 %.

Le taux d'inflation anticipé est de 4 %.

Mme Magna pense que l'avion vaudra 300 000 € au bout de cinq ans. Mais si le contrat avec la société minière ne prolonge pas le contrat au bout d'un an, Magna peut sous-louer l'avion, c'est-à-dire le louer à un autre utilisateur.

Faites d'autres hypothèses si nécessaire.

2. Voici une variante de la question 1. Supposons que l'on ait proposé à Magna Charter un crédit-bail à cinq ans pouvant être résilié, pour un coût annuel de 125 000 €, payables d'avance. Comment feriez-vous pour analyser ce contrat de crédit-bail ? Vous ne disposez pas de toutes les informations pour réaliser une évaluation complète de l'option, mais vous pouvez calculer les coûts et les valeurs actuelles des différents scénarios.

Partie 8

La gestion des risques

Pour ajouter de la valeur, les entreprises doivent prendre des risques. Mais elles essaient d'éviter les risques qui ne comportent pas de gain en compensation. Considérons par exemple le « Café de la Montagne Verte » (CMV) qui achète et grille chaque année environ pour 11 millions de livres de café. Au cours des quatre dernières années, le cours du café a fluctué entre 0,40 euro et 3 euros la livre. CMV aurait pu être assommée par de telles fluctuations. Elle a par conséquent fixé à l'avance le prix d'environ 40 % de ses besoins en café et a utilisé le marché à terme et d'options du café pour réduire et même devancer le risque de chocs inattendus sur les cours.

Il n'y a pas deux sociétés qui soient exposées aux mêmes risques. Quelques dirigeants financiers ne dorment plus pour surveiller le cours du pétrole ou du cuivre ; d'autres vont se couvrir contre les variations de taux d'intérêt ou de change. La huitième partie décrit comment chacun peut faire le calme dans sa tête. Nous commencerons avec le chapitre 27 qui présente un tour d'horizon des objectifs de la gestion des risques et des contrats d'assurance-entreprises. La fin du chapitre se concentre sur le risque de variation du cours des matières premières et des taux d'intérêt. Nous y découvrirons comment fonctionnent les marchés à terme de matières premières et sur instruments financiers.

Le chapitre 28 se concentrera sur les risques spécifiques liés au commerce international. Ils sont largement induits par les fluctuations de taux de change, c'est pourquoi nous expliquerons pourquoi les taux de change sont reliés aux différentiels de taux d'intérêt et d'inflation.

Chapitre 27

Comment gérer les risques

La plupart du temps, on considère le risque comme une fatalité. Un titre ou une affaire a son bêta, et c'est comme ça. Ses flux monétaires sont soumis à des variations imprévisibles des coûts de matières premières, de la fiscalité, de la technologie et une longue liste d'autres variables. Le gestionnaire financier ne peut intervenir sur aucun d'eux.

Ce n'est pas tout à fait vrai. Dans une certaine mesure, les gestionnaires financiers peuvent sélectionner les risques que supporteront leurs activités. Par exemple, une usine pétrochimique qui fonctionne soit au fioul soit au gaz naturel réduit l'impact négatif d'une variation du prix du fioul. Autre exemple : une entreprise qui utilise des machines-outils standard plutôt qu'un équipement spécialisé réduit ses coûts d'abandon lorsque ses produits ne se vendent plus. En d'autres termes, le fait d'avoir opté pour des machines-outils standard lui permet de disposer d'une option d'abandon précieuse.

Nous avons traité des options réelles au chapitre 22. Ce chapitre illustre la façon dont les entreprises utilisent les contrats financiers pour se protéger contre divers risques. Nous analyserons les avantages et les inconvénients des polices d'assurance qui permettent aux entreprises de se protéger contre certains risques spécifiques comme les incendies, les inondations ou les catastrophes écologiques. Nous décrirons plus loin les contrats forwards et futures, utilisés pour fixer le prix futur de matières premières telles que le pétrole, le cuivre ou les tourteaux de soja. De la même façon, les contrats à terme *financiers* permettent à l'entreprise de fixer les prix d'actifs financiers tels que le taux d'intérêt ou les taux de change. Nous étudierons également les swaps qui sont des portefeuilles de contrats forwards.

La plus grande partie de ce chapitre se focalise sur les diverses méthodes pour réduire les risques économiques. Mais pourquoi se tracasser ? Pourquoi les *actionnaires* devraient-ils se préoccuper de savoir si les profits futurs de l'entreprise sont liés aux futurs changements du taux d'intérêt, des taux de change ou des prix des matières premières ? C'est avec cette question que nous débutons ce chapitre.

1 Pourquoi gérer les risques ?

La réduction des risques n'est pas gratuite. Les transactions qui ne visent qu'à la réduction des risques ne créent pas de valeur ajoutée. Pourquoi ? Il existe deux principaux facteurs d'explication :

- *Raison 1 : Se couvrir est un jeu à somme nulle.* Une entreprise qui s'assure ou se couvre contre un risque ne l'élimine pas. Elle se contente de le transmettre à quelqu'un d'autre. Par exemple, supposons qu'un distributeur de fioul passe un contrat avec une raffinerie pour acheter à un prix fixe toutes les livraisons de fioul de l'hiver à venir. Ce contrat est *un jeu à somme nulle*, parce la raffinerie perd ce que le distributeur gagne et *vice versa*[1]. Si, au cours de l'hiver, le prix du fioul est inhabituellement élevé, le distributeur ressort gagnant parce qu'il a bloqué les prix à un faible niveau. *A contrario*, la raffinerie est forcée de vendre en dessous du prix de marché. De la même façon, si le prix du fioul est inhabituellement *bas*, la raffinerie y gagne parce que le distributeur est forcé d'acheter à un prix élevé. Bien évidemment, au moment où le contrat est conclu, aucune des deux parties ne connaît les prix du fioul qui auront cours l'hiver prochain, mais ils prennent en compte tout un éventail de prix possibles, et sur un marché efficient, ils négocient des termes qui sont justes (c'est-à-dire à VAN nulle) pour les deux parties contractantes.
- *Raison 2 : Les actionnaires peuvent se couvrir eux-mêmes.* Les entreprises ne peuvent pas faire augmenter la valeur de leurs actions en réalisant des transactions que les investisseurs peuvent aisément entreprendre eux-mêmes. Lorsque les actionnaires du distributeur de fioul ont investi dans l'entreprise, ils étaient probablement conscients des risques de l'affaire. S'ils ne voulaient pas être exposés aux fluctuations des prix de l'énergie, ils pouvaient se protéger de plusieurs manières. Par exemple, en achetant des actions de l'entreprise de distribution de fioul et de la raffinerie. Ils ne se préoccupent donc pas de savoir si au cours de l'hiver prochain l'un gagnera aux dépens de l'autre.

Les actionnaires ne peuvent ajuster leur exposition au risque que si les entreprises les informent correctement des transactions qu'elles réalisent. Par exemple, lorsqu'un groupe de banques centrales européennes a annoncé en 1999 qu'il allait limiter les ventes d'or, le prix de l'or a immédiatement augmenté. Ceux qui avaient investi dans des mines d'or se sont frotté les mains à la perspective d'un accroissement de leurs profits. Mais ils ont vite déchanté lorsqu'ils ont découvert que certaines de ces entreprises s'étaient couvertes contre les fluctuations des prix et qu'ils ne profiteraient donc pas de la hausse[2].

Certains actionnaires de ces mines d'or souhaitaient faire le pari d'une hausse des prix de l'or ; d'autres pas. Mais tous ont envoyé le même message aux gestionnaires. Le premier groupe a dit : « Ne vous protégez pas ! Je suis heureux de supporter les risques de la fluctuation des prix de l'or parce que je pense que le prix de l'or va augmenter. » Le deuxième s'est exclamé : « Ne vous protégez pas ! Je préfère le faire moi-même. » Nous avons déjà rencontré ce principe de « capacité des actionnaires à se protéger eux-mêmes ». Par quels autres moyens une entreprise pourrait-elle réduire les risques auxquels elle est exposée ? Elle pourrait diversifier ses activités par exemple, en acquérant une autre entreprise dans une branche

1. Dans la théorie des jeux, « un jeu à somme nulle » signifie que les résultats de chacun des joueurs s'annulent de telle sorte qu'un joueur ne peut gagner qu'aux dépens des autres.
2. C'était pire pour les actionnaires de Goldfields Ashanti, la grande compagnie minière ghanéenne. Ashanti a connu l'extrême opposé en pariant que les prix de l'or allaient chuter. La hausse de 1999 l'a presque mise en faillite.

totalement différente. Mais nous savons bien que les investisseurs peuvent le faire eux-mêmes et que la diversification opérée par l'entreprise est alors redondante[3].

Les entreprises peuvent également diminuer les risques en empruntant moins. Néanmoins, nous avons déjà souligné au chapitre 17 que la réduction du levier financier n'enrichit ni n'appauvrit les actionnaires. En effet, ces derniers peuvent eux-mêmes réduire le risque financier en empruntant moins (ou en prêtant plus) sur leurs comptes personnels. Modigliani et Miller (MM) ont prouvé que la politique d'endettement d'une entreprise est neutre sur des marchés financiers parfaits. On pourrait généraliser leur démonstration en disant que la gestion du risque n'a elle aussi aucun sens sur des marchés financiers parfaits.

Pourtant au chapitre 18, nous avons affirmé que la politique d'endettement *était utile* non parce que MM avaient tort mais parce que d'autres facteurs interviennent, comme les impôts, les problèmes d'agence et les coûts de détresse financière. Des arguments analogues peuvent être appliqués à notre sujet. Si la gestion du risque a un impact sur la valeur de l'entreprise, c'est sans doute dû à « d'autres facteurs explicatifs » et non au fait que la réduction du risque présente une valeur ajoutée intrinsèque.

Nous allons à présent analyser les raisons pour lesquelles, en pratique, les transactions qui réduisent le risque sont utiles[4].

1.1 Réduire les risques liés à un manque de liquidités ou à la détresse financière

Les transactions réduisant les risques simplifient la planification financière et réduisent la probabilité d'un manque fâcheux de liquidités. Un découvert se traduit au moins par une visite à la banque, mais son financement étant difficile à obtenir dans un délai rapide, la société peut être conduite à amputer son programme de dépenses d'investissement. Dans des cas extrêmes, un événement non couvert peut acculer à la faillite.

Les banques et les détenteurs d'obligations ne peuvent ignorer cette éventualité et, avant de vous accorder des prêts, ils insisteront souvent pour que votre société soit correctement assurée, ou qu'elle mette en place des programmes de couverture. La gestion des risques et la prudence financière cessent d'être complémentaires pour se substituer l'une à l'autre. Ainsi une entreprise peut couvrir une part de ses risques, pour fonctionner sans danger avec un taux d'endettement plus élevé.

Les gestionnaires financiers les plus habiles s'assurent que du cash (ou un financement immédiatement disponible) sera accessible si le nombre d'opportunités d'investissement rentable s'accroît. Cependant, cette heureuse rencontre du cash et des opportunités d'investissement ne nécessite pas forcément une couverture. Prenons deux exemples opposés.

---

3. Voir la section 5, chapitre 7 ainsi que notre analyse des fusions à des fins de diversification au chapitre 32. Notez que la diversification diminue le risque global mais pas nécessairement le risque de marché.

4. Il existe d'autres raisons spéciales que nous n'aborderons pas ici. Par exemple, les gouvernements peuvent être prompts à imposer les profits mais réticents à accorder des déductions fiscales aux entreprises qui réalisent des pertes. Aux États-Unis, les pertes peuvent seulement être déduites des impôts des deux dernières années. Toute autre perte qui ne peut pas être compensée de cette façon peut être reportée et utilisée pour réduire les impôts futurs. Ainsi une entreprise avec des revenus volatils et des pertes fréquentes se voit appliquer un taux d'imposition effectif plus élevé. Une entreprise peut réduire les fluctuations de ses revenus en utilisant des produits de couverture. Pour la plupart des entreprises, cette incitation à la réduction des risques n'a cependant pas grande importance. Voir J. R. Graham et C. W. Smith, Jr., « Tax Incentives to Hedge », *Journal of Finance*, 54 (décembre 1999), pp. 2241-2262.

Cirrus Oil exploite plusieurs champs pétrolifères et investit pour découvrir et exploiter de nouveaux champs. La société devrait-elle se couvrir contre les fluctuations des prix du pétrole ? Probablement pas, parce que ses opportunités d'investissement se multiplient lorsque les prix du pétrole augmentent et diminuent lorsqu'ils chutent. En fixant les prix du pétrole (par couverture), elle risquerait de se retrouver avec trop de cash lorsque les prix du pétrole chutent et d'en manquer, par rapport à ce qu'exigent ses opportunités d'investissement, lorsque les prix augmentent.

La société *Cumulus Pharmaceutical* vend ses médicaments dans le monde entier et touche la moitié de ses revenus en devises. La plus grande partie de sa R&D a lieu aux États-Unis. Devrait-elle couvrir au moins une partie de son exposition au risque de change ? Oui, probablement parce que les programmes R&D pharmaceutiques sont des investissements à long terme et très coûteux. *Cumulus* ne peut pas stopper ou relancer ses programmes de R&D en fonction de son bénéfice annuel. Ainsi, elle souhaitera sans doute stabiliser ses flux monétaires en se couvrant contre les fluctuations des taux de change.

1.2 La gestion du risque peut diminuer les coûts d'agence

Dans certains cas, la couverture permet de décider si le gestionnaire doit être félicité ou blâmé. Supposons que votre département de confiseries voie un accroissement de 60 % de son profit dans une période où le cours du cacao a baissé de 12 %. Quelle est la part de l'accroissement qui est imputable à la variation du cours du cacao et quelle est celle qui revient à une bonne gestion ? Le dirigeant de la division mérite-t-il d'être licencié sans ménagement ou au contraire d'être augmenté ? Si le cours du cacao a été couvert, c'est probablement l'effet d'une bonne gestion. Si ce n'est pas le cas, il faudrait regarder de plus près pour savoir ce que serait devenu le profit si le cours du cacao avait été couvert.

Les fluctuations des prix du cacao ne sont pas contrôlées par le directeur de la division. Mais il s'en inquiéterait sans doute si ses résultats et son bonus en dépendaient. Une couverture contre les fluctuations des prix du cacao lierait son bonus aux risques qu'il peut réellement contrôler et le pousserait probablement à accorder plus d'attention à ces risques[5].

Couvrir les risques externes qui pourraient affecter les gestionnaires ne signifie pas nécessairement que l'*entreprise* finira par les couvrir. Certaines grandes entreprises autorisent leurs services opérationnels à couvrir des risques sur un « marché » interne. Le marché interne fonctionne avec des prix du marché (externe) réels, transférant des risques de la division concernée vers le service financier central. Le trésorier décide ensuite s'il faut couvrir l'exposition agrégée de l'entreprise.

Ce genre de marché interne s'avère utile pour deux raisons. Premièrement, les risques supportés par les divisions d'une entreprise peuvent s'annuler. Par exemple, votre raffinerie peut profiter d'une augmentation des prix du fioul au moment où votre service distribution de fioul en souffre. Deuxièmement, parce que si les dirigeants d'une division ne passent pas de contrats financiers réels, il n'y a aucun danger pour qu'ils mettent l'entreprise dans des positions spéculatives. Par exemple, supposons que les profits diminuent à la fin de l'année et que l'espoir de toucher le bonus de fin d'année s'évanouisse. Pourriez-vous être tenté de

5. Un pétrolier texan qui a perdu des centaines de millions de dollars au cours de transactions malheureuses répliquait : « Pourquoi devrais-je être inquiet ? L'inquiétude convient aux esprits forts et aux caractères faibles. » Si des gestionnaires aux esprits faibles et aux caractères forts nous lisent, nous leur conseillons vivement de se couvrir contre les risques dès qu'ils le peuvent.

maquiller cette perte par un résultat rapidement obtenu sur le marché à terme du cacao ? Bon… peut-être pas vous, bien sûr, mais vous connaissez sans doute quelqu'un qui tenterait – juste une fois, bien sûr ! – ce genre de petite aventure spéculative.

Les dangers d'autoriser les gestionnaires de divisions à opérer sur un marché financier externe sont évidents. Le gestionnaire de votre service de confiserie est un amateur sur les marchés à terme du cacao. S'il était un trader professionnel compétent, il ne dirigerait probablement pas des usines de chocolat[6].

1.3 Quelques éléments empiriques à propos de la gestion du risque

Quelles entreprises font de la gestion de risque ? Dans une certaine mesure, presque toutes. La plupart contractent des polices d'assurance contre les risques d'incendie, d'accidents, de vols, et de temps en temps, elles couvrent leurs risques de change, de prix des matières premières ou de taux d'intérêt. De nombreuses entreprises ont passé des contrats qui fixent le prix des matières premières ou de la production, au moins pour un futur proche.

Certaines entreprises exploitant des ressources naturelles travaillent dur pour se couvrir ; d'autres haussent les épaules et laissent les prix fluctuer à leur gré. Il est difficile d'expliquer pourquoi certaines sociétés se protègent et d'autres pas. L'étude de Peter Tufano sur l'industrie aurifère suggère que l'aversion au risque des gestionnaires semble être un facteur déterminant. Il semble plus courant de couvrir les risques liés aux fluctuations du prix de l'or lorsque la direction a d'importantes parts dans l'entreprise. C'est moins répandu lorsque la direction détient beaucoup de stock-options (souvenez-vous que la valeur d'une option diminue lorsque le risque de l'actif sous-jacent se réduit). L'étude de David Haushalter sur les producteurs de gaz et de pétrole conclut que les entreprises qui se sont le plus couvert sont celles qui présentent des taux d'endettement élevés, pas de suivi de la dette par une agence de notation et de faibles ratios de distribution des bénéfices. Il semblerait que, pour ces entreprises, les programmes de couverture des risques soient destinés à améliorer l'accès de l'entreprise à un financement par endettement et à réduire l'éventualité d'une détresse financière[7].

2 L'assurance

La plupart des activités nécessitent des assurances contre toute une variété d'incertitudes – le risque d'incendie pour une usine, que des avions ou des véhicules soient détruits par des accidents, que la société soit tenue pour responsable de dommages naturels…

Lorsqu'une société prend une assurance, cela consiste simplement en un transfert de risque vers la compagnie d'assurances. Les compagnies d'assurances ont des avantages à porter les risques. Premièrement, elles peuvent avoir une expérience importante dans l'assurance de risques similaires, de sorte qu'elles sont les mieux placées pour évaluer la probabilité de perte et déterminer précisément le prix du risque. Deuxièmement, elles peuvent être spécialisées

6. La spéculation en amateur est doublement dangereuse lorsque les échanges initiaux du gestionnaire sont perdants. À ce point, le gestionnaire se trouve déjà en grande difficulté et n'a rien de plus à perdre en courant à la faillite.

7. Voir P. Tufano, « The Determinants of Stock Price Exposure : Financial Engineering and the Gold Mining Industry », *Journal of Finance*, 53 (juin 1998), pp. 1014-1052, et G. D. Haushalter, « Financing Policy, Basis Risk and Corporate Hedging », *Journal of Finance*, 55 (février 2000), pp. 107-152.

dans la fourniture de conseils sur les mesures à prendre pour réduire les risques et accorder des primes d'assurance plus faibles aux entreprises qui adoptent ces mesures. Troisièmement, une compagnie d'assurances peut regrouper et *syndiquer* les risques par la détention d'un portefeuille de polices largement diversifié. Les avantages sur chacune des polices sont hautement incertains, mais les avantages sur un portefeuille peuvent être plus réguliers. Bien sûr, les compagnies d'assurances peuvent diversifier les risques macroéconomiques : les sociétés utilisent les assurances pour réduire leur risque spécifique et elles utilisent d'autres méthodes pour gérer les risques macroéconomiques.

Les compagnies d'assurances subissent aussi quelques *inconvénients* liés à la couverture des risques, et ceux-ci se reflètent dans les prix qu'elles fixent. Supposons que votre société détienne une plate-forme pétrolière flottante de 1 milliard d'euros. Un météorologiste vous a averti qu'il y avait une chance sur 10 000 par an pour que la plate-forme soit détruite par une tempête. Alors, la perte *attendue* liée à la tempête vaut 1 milliard d'euros / 10 000 = 100 000 €.

Le risque de dommages liés à la tempête n'est pas un risque macroéconomique et peut être diversifié. Vous pouvez donc vous attendre à ce qu'une compagnie d'assurances soit prête à assurer la plate-forme contre une telle destruction à condition que la prime soit suffisante pour couvrir la perte attendue. Autrement dit, une prime correcte pour assurer la plate-forme serait de 100 000 € par an[8]. Une telle prime constituerait une transaction de VAN nulle pour vous. Malheureusement, aucune compagnie d'assurances ne proposerait de police d'assurance uniquement pour 100 000 €. Pourquoi ?

- *Première raison : les coûts de fonctionnement.* Une compagnie d'assurances, comme n'importe quelle autre activité, supporte des coûts divers pour confectionner les assurances et distribuer les indemnisations. Par exemple, les contestations concernant les responsabilités des dommages naturels peuvent consommer des millions d'euros en honoraires de justice. Les compagnies d'assurances doivent intégrer ces coûts lorsqu'elles établissent leurs primes.
- *Deuxième raison : la sélection adverse.* Supposons qu'un assureur propose des polices d'assurance du type « pas de renseignement médical, pas de questions posées ». Devinez qui sera le plus tenté par ce genre d'assurance ? Il s'agit d'un exemple extrême du problème de *la sélection adverse*. À moins qu'une compagnie d'assurances ne puisse faire la distinction entre les bons et les mauvais risques, les responsables des derniers seront presque toujours les plus pressés de prendre une assurance. La prime d'assurance de votre plate-forme pétrolière devra tenir compte de cet élément.
- *Troisième raison : l'aléa moral.* Deux fermiers se rencontrent sur le chemin de la ville. « Georges, dit le premier, j'ai été désolé d'apprendre que ta grange avait brûlé. » « Chut !, répond l'autre, c'est demain soir. » Cette histoire est un exemple d'un autre problème rencontré par les assureurs, connu sous le nom de *l'aléa moral*. Dès qu'un risque est assuré, le propriétaire peut être moins attentif à prendre les précautions appropriées pour éviter le sinistre. Les compagnies d'assurances en sont conscientes et l'intègrent dans leurs prix.

---

8. Ceci est imprécis. Si la prime est payée au début de l'année et si l'indemnisation n'est pas réclamée avant la fin de l'année, alors la prime de VAN nulle est égale au montant actualisé de l'indemnisation attendue soit 100 000 € / $(1 + r)$.

Il est rare de rencontrer des formes extrêmes de sélection adverse et d'aléa moral (aussi rare que l'incendie volontaire d'une grange ?) dans la finance d'entreprise professionnelle. Mais ces problèmes surviennent de manière plus subtile. Cette plate-forme pétrolière peut très bien ne pas être un « mauvais risque », mais la compagnie pétrolière en connaît davantage sur les faiblesses de ses plates-formes que la compagnie d'assurances. La compagnie pétrolière ne va pas volontairement saborder sa plate-forme, mais une fois assurée, elle pourra être tentée de faire des économies sur la maintenance ou le renforcement des structures de la plate-forme. Ainsi, la compagnie d'assurances finira peut-être par payer des études d'ingénierie ou un programme de contrôle de la maintenance. Tous ces coûts sont incorporés dans la prime d'assurance.

Lorsque ces coûts d'administration, de sélection adverse ou d'aléa moral sont faibles, l'assurance sera proche d'une transaction à VAN nulle. Lorsqu'ils sont importants, l'assurance peut représenter un moyen coûteux de se protéger contre ce risque.

Beaucoup de risques qui sont assurés sont des risques capricieux, un jour il n'y a aucun nuage à l'horizon et le jour suivant, c'est l'ouragan qui se déchaîne. Les risques peuvent aussi être énormes. Par exemple, l'ouragan Andrew, qui a dévasté la Floride, a coûté aux compagnies d'assurances 17 milliards de dollars ; l'attaque contre le World Trade Center devrait donner lieu à des règlements de plus de 35 milliards.

Beaucoup d'industriels s'inquiètent qu'un jour, une catastrophe majeure puisse engager une forte proportion du capital des sociétés du secteur de l'assurance. C'est pourquoi les compagnies d'assurances ont recherché des méthodes permettant de partager ces risques avec leurs clients. L'une des solutions consiste pour les compagnies d'assurances à émettre des obligations « catastrophe » (ou *cat bonds*). Le versement d'une cat bond dépend de la survenance d'une catastrophe et des pertes qu'elle engendre[9].

La première émission publique d'obligations catastrophe a été réalisée par le géant suisse de l'assurance, Winterthur. En tant que grande compagnie d'assurances automobile, Winterthur souhaitait se protéger contre le risque de tempête qui puisse donner lieu à un nombre inhabituel d'indemnisations. C'est pourquoi, lorsqu'elle a émis cette obligation, la compagnie a stipulé qu'elle ne paierait pas d'intérêt annuel dans le cas où une tempête de grêle en Suisse occasionnerait des sinistres pour au moins 6 000 voitures qu'elle a assurées. En fait, les détenteurs d'obligations catastrophe Winterthur ont pris en charge une partie du risque supporté par la compagnie.

2.1 Comment British Petroleum a modifié sa stratégie d'assurance[10]

En général, les grandes entreprises s'assurent contre des pertes potentiellement importantes et pratiquent l'autoassurance pour les pertes ordinaires. L'idée est que les pertes importantes peuvent entraîner une détresse financière. De plus, les pertes ordinaires peuvent être

9. Pour un exposé sur les cat bonds et les autres techniques de mesure des risques d'assurance, voir N. A. Doherty, « Financial Innovation in the Management of Catastrophe Risk », *Journal of Applied Corporate Finance*, 10 (fin 1997), pp. 84-95, et K. Froot, « The Market for Catastrophe Risk : A Clinical Examination », *Journal of Financial Economics*, 60 (2001), pp. 529-571.

10. Notre présentation de la stratégie d'assurance de BP s'appuie largement sur l'article de N. A. Doherty et C. W. Smith Jr., « Corporate Insurance Strategy : The Case of British Petroleum », *Journal of Applied Corporate Finance*, 6 (fin 1993), pp. 4-15.

prévues : il y a un faible avantage à payer des primes d'assurance et à recevoir en retour un montant à peu près constant d'indemnisations.

BP a remis en question cette prudence conformiste. Comme toutes les compagnies pétrolières, BP est exposé à un certain nombre de pertes potentielles. Certaines proviennent d'événements ordinaires tels qu'accidents de véhicules et dommages industriels. Certaines peuvent résulter de catastrophes telles qu'une marée noire ou la perte d'une plate-forme pétrolière flottante. Par le passé, BP a eu un recours considérable aux assurances externes[11]. Au cours des années 1980, BP a payé une moyenne de 115 millions de dollars par an en primes d'assurance et a été indemnisé de 25 millions par an.

BP a ensuite jeté un regard critique sur sa stratégie d'assurance et a décidé de permettre aux responsables sur site de s'assurer contre les risques relativement courants, ceux pour lesquels les compagnies d'assurances présentent un avantage dans la fixation du prix du risque et sont en compétition ouverte les unes contre les autres. Néanmoins, il fut décidé de ne pas se couvrir pour des dommages supérieurs à 10 millions de dollars. Au-dessus, pour des risques plus spécialisés, BP a estimé que les compagnies d'assurances étaient moins aptes à déterminer un prix pour le risque et moins bien placées pour conseiller des mesures de protection. En conclusion, BP a estimé que le prix des assurances contre les grands risques n'était pas compétitif.

À combien s'élèvent ces risques que BP n'a pas souhaité assurer contre des pertes majeures ? BP a évalué que des pertes supérieures à 500 millions de dollars pouvaient se produire une fois tous les trente ans. Or BP est une société gigantesque dont les fonds propres valent environ 200 milliards de dollars. Donc, une perte de 500 millions de dollars, qui pourrait mettre en faillite beaucoup de sociétés, se traduisait par une perte après impôts de moins d'un pour cent de la valeur des fonds propres : le risque en valait la peine. Autrement dit, BP a conclu que pour des risques élevés de faible probabilité, le marché boursier absorberait plus efficacement les risques que l'industrie de l'assurance.

3 La couverture sur les marchés à terme

La couverture consiste à prendre un risque qui en compense un autre. Nous allons expliquer rapidement comment monter une couverture, mais nous allons d'abord fournir quelques exemples et décrire quelques outils qui sont particulièrement destinés à la couverture. Il s'agit des contrats à terme et des swaps. Avec les options, ils sont connus sous le nom d'**instruments dérivés**, ou **dérivés**, parce que leur valeur dépend de la valeur d'un autre actif.

3.1 Un contrat forward simple

Nous allons commencer avec le plus ancien des instruments dérivés activement négociés, le **contrat à terme**. Piètre Olé, un distributeur de fioul ibère, projette de livrer un million de litres de fioul à ses clients au détail en janvier prochain. Piètre Olé redoute des prix élevés du fioul l'hiver prochain et veut fixer le coût d'achat. La Raffinerie Rhétorique se trouve dans la situation inverse. Elle va produire du fioul pour l'hiver prochain, mais ne sait pas à combien elle pourra le vendre (car les ibères sont rudes). Les deux entreprises concluent donc un

11. Pourtant, il y a eu une ou deux exceptions où les assurances n'ont pas fonctionné pour des pertes très importantes de 500 millions de dollars et plus.

marché : Piètre Olé accepte en septembre d'acheter un million de litres de fioul de la Raffinerie Rhétorique, à raison de 0,80 € le litre, qu'il paiera à la livraison, en janvier donc. La Raffinerie Rhétorique accepte de vendre et de livrer en janvier un million de litres à Piètre Olé au prix de 0,80 € le litre.

Les deux entreprises sont maintenant les deux *contreparties* d'un contrat à terme forward. Le **prix à terme** est de 0,80 € par litre. Ce prix est fixé aujourd'hui, en septembre dans notre exemple, mais le paiement et la livraison se feront plus tard (le prix d'une livraison immédiate est appelé le **prix au comptant**). Piètre Olé, qui a accepté d'acheter en janvier, a dans le contrat une *position longue*. La Raffinerie Rhétorique, qui a accepté de vendre en janvier, a une *position courte*. Les deux entreprises ont éliminé le risque économique : Piètre Olé a fixé ses coûts et la Raffinerie Rhétorique a fixé ses revenus, et ce jusqu'à une production d'un million de litres[12].

Il ne faut pas confondre ce contrat à terme forward avec une option. La société de Piètre Olé n'a pas le choix d'acheter ou non. Elle est tenue d'acheter le fioul aux conditions fixées, même si le prix au comptant en janvier est inférieur à 0,80 € le litre. La société Raffinerie Rhétorique n'a pas non plus le choix. Elle ne peut pas se désengager même si le prix au comptant à la livraison en janvier est supérieur à 0,80 € le litre. Notez cependant que les deux doivent se préoccuper du *risque de contrepartie* qui est le risque que l'autre partie ne se conduise pas comme prévu.

3.2 Marchés à terme et contrats futures

Le distributeur de fioul et la raffinerie ne sont pas tenus de négocier un contrat unique, bilatéral. Chacun peut aller signer un contrat là où des contrats à terme standardisés sur le fioul sont négociés. Le distributeur achètera des contrats et la raffinerie en vendra.

Le vocabulaire lié au domaine des contrats à terme est un peu trompeur. Lorsqu'un contrat à terme standardisé est conclu sur un marché, il est appelé **contrat future**, à la différence des contrats forwards qui sont taillés sur mesure et s'échangent de gré à gré. Le marché sur lequel s'échangent des futures est appelé **marché à terme**. Un contrat future et un contrat forward qualifient donc la même chose, mais ils s'appellent différemment. La distinction entre contrat « future » et contrat « forward » ne s'applique pas au contrat en tant que tel mais à la façon dont il est conclu. Nous décrirons le commerce des contrats de futures un peu plus loin.

Le tableau 27.1 liste les contrats à terme les plus importants sur matières premières et les marchés à terme sur lesquels ils s'échangent[13]. Notre raffinerie et notre distributeur peuvent acheter et vendre leurs contrats sur le New York Mercantile Exchange (NYMEX). Une entreprise spécialisée dans les produits forestiers et une entreprise de maçonnerie peuvent acheter et vendre des contrats à terme sur le bois de construction sur le Chicago Mercantile Exchange (CME). Un agriculteur cultivant du blé et un meunier peuvent acheter et vendre

12. Pour le moment, nous mettons de côté certaines complications. Supposons, par exemple, que les prix du fioul pour le particulier fluctuent en fonction du prix de vente en gros. Dans ce cas, le distributeur de fioul est naturellement couvert parce que les coûts et les revenus fluctuent ensemble. Bloquer les coûts grâce à un contrat à terme pourrait en réalité rendre les profits du distributeur plus volatils. Voir A. C. Shapiro et S. Titman, « An Integrated Approach to Risk Management », *Midland Corporate Finance Journal*, 3 (été 1985), pp. 41-56.

13. Au moment où vous lirez ces lignes, la liste des futures ne sera sans doute plus à jour, puisque des contrats auront été abandonnés et que de nouveaux auront été introduits.

des contrats à terme sur le blé sur le Chicago Board of Trade (CBT) ou sur un marché régional plus petit.

Tableau 27.1 - Les contrats à terme sur les marchandises les plus liquides et les principales bourses sur lesquelles ils sont négociés

Les données de ce tableau, comme celles de tous les tableaux de ce chapitre, sont disponibles sur *www.gestion financiere.pearsoned.fr*

Contrat	Bourse	Contrat	Bourse
Orge	WPG	Jus d'orange	NYBOT
Maïs	CBT, MCE	Sucre	LIFFE, NYBOT
Avoine	CBT, WPG		
Blé	CBT, KC, MCE, MPLS	Aluminium	LME
		Cuivre	COMEX, LME
		Or	COMEX
Tourteaux de soja	CBT, MCE	Plomb	LME
Farine de soja	CBT	Nickel	LME
Huile de soja	CBT	Argent	COMEX
		Étain	LME
Bétail sur pied	CME	Zinc	LME
Cochon maigre	CME		
		Pétrole brut	IPE, NYMEX
Cacao	LIFFE, NYBOT	Fioul	IPE
Café	LIFFE, NYBOT	Fioul de chauffage	NYMEX
Coton	NYBOT	Gaz naturel	IPE, NYMEX
Bois de construction	CME	Essence sans plomb	NYMEX

Signification des abréviations :

CBT	Chicago Board of Trade	LME	London Metal Exchange
CME	Chicago Mercantile Exchange	MGEX	Minneapolis Grain Exchange
COMEX	Commodity Exchange, New York	NYBOT	New York Board of Trade
IPE	International Petroleum Exchange of London	NYMEX	New York Mercantile Exchange
		WPG	Winnipeg Commodity Exchange
KC	Kansas City Board of Trade		
LIFFE-Euronext	London International Financial Futures Exchange		

Pour beaucoup d'entreprises, les grosses fluctuations des taux d'intérêt et des taux de change sont devenues au moins aussi importantes que les risques issus des variations du cours des matières premières. Les futures financiers sont semblables aux contrats sur matières premières : vous donnez l'ordre d'acheter ou de vendre un actif financier pour une date future. Le tableau 27.2 fournit la liste des futures financiers les plus importants. La liste est loin d'être exhaustive. Vous pouvez en effet négocier des futures sur l'indice du marché actions de Thaïlande, le forint hongrois, les obligations du gouvernement finlandais…

Les futures financiers ont représenté une innovation au succès remarquable. Ils furent inventés en 1972 : en quelques années, l'activité sur ces futures financiers a dépassé celle des contrats à terme sur matières premières.

Tableau 27.2. Quelques contrats à terme sur les instruments financiers et les principaux marchés sur lesquels ils sont échangés

Contrat à terme	Bourse
Obligations du Trésor américain	CBT
Bons à moyen terme du Trésor américain	CBT
Bons à moyen terme des agences du gouvernement américain	CBT
Obligations du gouvernement allemand	Eurex
Obligations du gouvernement japonais	Simex, TSE
Obligations du gouvernement britannique	LIFFE- Euronext
Bons à court terme du Trésor américain	CME
Euribor (Taux interbancaire offert à Londres)	CME
Dépôts en eurodollars	CME
Dépôts en euroyens	CME, Simex, TIFFE
Indice boursier Dow Jones Industrial Average	CBT
Indice boursier Standard and Poor's 500	CME
Indice boursier Dow Jones Euro Stoxx	Eurex
Indice boursier français CAC 40	MATIF-Euronext
Indice boursier allemand DAX 30	Eurex
Indice boursier japonais Nikkei 225	CME, OSE, Simex
Indice boursier britannique FTSE	LIFFE- Euronext
Livre Sterling	CME
Euro	CME
Yen japonais	CME

Signification des abréviations :

CBT	Chicago Board of Trade	OSE	Osaka Stock Exchange
CME	Chicago Mercantile Exchange	SIMEX	Singapore International Monetary Exchange
LIFFE	London International Financial Futures and Options Exchange	TIFFE	Tokyo International Financial Futures Exchange
MATIF	Marché à terme International de France	TSE	Tokyo Stock Exchange

3.3 Le principe des échanges de contrats à terme

Lorsque vous achetez ou vendez des contrats à terme, le prix est fixé le jour même, mais le règlement aura lieu plus tard. Néanmoins, vous devrez constituer une réserve sous la forme d'espèces ou d'obligations du Trésor pour prouver que vous avez assez d'argent pour honorer vos engagements. Tant que les intérêts sur les titres mis en garantie vous reviennent, cela ne vous coûtera rien.

En outre, les contrats à terme sont à tout moment *évalués au prix du marché*. Cela veut dire qu'on calcule chaque jour tous les profits et les pertes sur chaque contrat ; vous verserez à la Bourse toutes les pertes et encaisserez tous les profits. Par exemple, supposons qu'en septembre Piètre Olé achète un million de litres grâce à un contrat à terme sur le fioul arrivant à maturité en janvier. Le prix à terme est de 0,80 € le litre. Le lendemain, le prix du contrat arrivant à maturité en janvier augmente à 0,82 € le litre. Piètre Olé bénéficie maintenant d'un profit de 0,02 € × 1 000 000 = 20 000 €. Par conséquent, la chambre de compensation lui verse 20 000 € sur son compte de marge. Si le prix redescend ensuite à 0,81 €, 10 000 € seront prélevés du compte par la chambre de compensation. C'est comme si Piètre Olé fermait sa position tous les jours et ensuite en ouvrait une nouvelle au nouveau prix à terme.

La Raffinerie Rhétorique se trouve évidemment dans la situation opposée. Supposons qu'elle vende un million de litres grâce à un contrat à terme janvier sur le fioul à un prix fixé à 0,80 € le litre. Si le prix augmente à 0,82 €, l'entreprise perd 0,02 € × 1 000 000 = 20 000 € et doit verser ce montant à la chambre de compensation. En fait, la raffinerie ferme sa position avec une perte de 0,02 € par litre et en ouvre une nouvelle pour livrer en janvier à 0,82 € le litre. Notez que ni le distributeur ni la raffinerie n'ont à s'inquiéter de savoir si l'autre partie honorera son engagement. Le marché à terme garantit les contrats et se protège lui-même en faisant le calcul des profits et des pertes tous les jours. Passer par un marché à terme permet d'éliminer le risque de contrepartie.

À présent voyons ce qui se produit tout au long de la vie des contrats à terme. Supposons que Piètre Olé et la Raffinerie Rhétorique prennent des positions inverses, à savoir courtes et longues dans des contrats arrivant à échéance en janvier (pas directement avec l'un et l'autre mais avec le marché à terme). Supposons qu'une vague de froid fasse grimper le prix au comptant du fioul en janvier à 0,90 € le litre. Ainsi, le prix à terme à la fin du contrat sera également de 0,90 € le litre[14]. La société de Piètre Olé bénéficie d'un profit cumulé de (0,90 – 0,80) × 1 000 000 = 100 000 €. Elle peut prendre livraison d'un million de litres en payant 0,90 € par litre ou 900 00 €. Son coût *net*, en prenant en compte les profits des contrats à terme, s'élève à 900 000 € – 100 000 = 800 000 € soit 0,80 € le litre. Ainsi, Piètre Olé a bloqué à 0,80 € le prix du litre, soit exactement au prix négocié en septembre lorsqu'il a pour la première fois acheté le contrat à terme. Il est facile de vérifier que le coût net de Piètre Olé s'élève toujours à 0,80 € le litre, quel que soit le prix au comptant et le prix à terme final du fioul en janvier.

La Raffinerie Rhétorique pâtit de pertes cumulées d'un montant de 100 000 € si le prix de janvier est de 0,90 €. Voici pour la mauvaise nouvelle ; côté bonne nouvelle, elle peut vendre et livrer du fioul à 0,90 € le litre. Ses revenus nets s'élèvent à 900 000 € – 100 000 = 800 000 € soit 0,80 € le litre, le prix à terme de septembre. À nouveau, vous pouvez vérifier sans difficulté que le prix de vente net de Raffinerie Rhétorique finit toujours par revenir à 0,80 € le litre.

Piètre Olé n'est pas obligé de se fournir directement sur le marché à terme et la société Raffinerie Rhétorique n'est pas forcée de livrer sur le marché à terme. Les deux entreprises vont probablement fermer leurs positions à terme juste avant que le contrat à terme ne s'achève, enregistrant leurs pertes et profits, et achetant ou vendant sur le marché au comptant[15].

14. Rappelez-vous que le prix au comptant est le prix pour une livraison immédiate. Les contrats à terme s'approchent du prix au comptant pour une livraison immédiate lorsque le contrat arrive à son terme en janvier. Par conséquent, le prix à la fin des contrats « forward » ou de « futures » doit converger vers le prix au comptant à la fin du contrat.

15. Certains marchés à terme financiers interdisent la livraison. Toutes les positions sont fermées au prix au comptant au moment où le contrat à terme arrive à maturité.

En effet, prendre livraison directement sur un marché à terme peut s'avérer coûteux et présenter certains inconvénients. Par exemple, lorsqu'un contrat à terme sur le fioul est passé sur le NYMEX, il est précisé que la commande sera systématiquement livrée au port de New York. Il serait plus avantageux pour Piètre Olé d'acheter directement le pétrole là où il en a besoin. De même, la société Raffinerie Rhétorique aurait plutôt intérêt à livrer du fioul aux clients résidant près de la raffinerie plutôt que d'acheminer sa marchandise jusqu'à New York. Les deux parties peuvent néanmoins utiliser les contrats à terme de NYMEX pour couvrir leurs risques.

L'efficacité de cette couverture dépend de la corrélation entre les changements du prix du fioul là où les contreparties sont et à New York. Pour les deux contreparties, les prix seront positivement corrélés du fait d'une dépendance commune aux prix mondiaux de l'énergie. Mais la corrélation n'est pas parfaite. Que se passe-t-il si une vague de froid touche les clients de Piètre Olé mais pas New York ? Une couverture longue sur les contrats à terme de NYMEX ne couvrira pas Piètre Olé contre l'augmentation du prix au comptant local consécutive à la vague de froid.

C'est un exemple de **risque de base** (***basis risk***). Nous reviendrons sur les problèmes que cela engendre plus loin dans ce chapitre.

3.4 L'échange et la fixation des prix des futures sur instruments financiers

Les futures sur instruments financiers s'échangent de la même façon que les futures sur marchandises. Supposons que le gestionnaire du fonds de pension de votre entreprise considère que la Bourse allemande fera de meilleurs résultats que les autres marchés européens au cours des six mois à venir. Il prévoit une rentabilité de 10 % sur six mois. Comment peut-il profiter de son anticipation ? Il peut acheter des actions allemandes bien sûr. Mais il peut également acheter des futures sur l'indice DAX, qui sont échangés sur le marché à terme Eurex. Supposons qu'il achète dix contrats à terme six mois cotés 4 000. Chaque contrat rapporte 25 fois le niveau de l'indice. Il a donc une position longue de $10 \times 25 \times 4\,000 = 1\,000\,000$ €. Cette position est réévaluée sur le marché quotidiennement. Si le DAX grimpe, l'Eurex inscrit le profit sur le compte de marge de votre fonds, et si le DAX chute, le compte de marge baisse aussi. Si le gestionnaire du fonds de pension a raison à propos de la Bourse allemande et que le DAX finit à 4 600 au bout de six mois, alors le profit cumulé de votre fonds de pension sur les positions à terme est de $10 \times (4\,600 - 4\,000) \times 25 = 150\,000$ €. Le gestionnaire du fond de pension peut alors utiliser ces profits pour compenser le coût d'achat des actions allemandes après la hausse.

Lorsque vous voulez acheter un titre, vous avez le choix entre l'acheter avec une livraison immédiate pour un prix au comptant et passer un ordre avec livraison différée, en payant un prix à terme. Lorsque vous achetez un contrat à terme, vous obtiendrez le titre exactement comme si vous l'aviez acheté sur un marché au comptant. Il existe pourtant deux différences. Premièrement, vous n'avez pas à régler l'achat tout de suite et vous pouvez gagner les intérêts sur son prix d'achat. Deuxièmement, vous passez à côté de tout dividende ou intérêt qui pourrait être versé dans l'intervalle. Ceci nous renseigne sur la nature des relations entre le prix au comptant et le prix à terme :

$$F_t = S_0\,(1 + r_f - y)^t$$

avec F_t le prix à terme pour un contrat s'achevant dans t périodes, S_0 le prix au comptant actuel, r_f le taux d'intérêt sans risque, et y le taux de dividende ou le taux d'intérêt[16].

À l'aide d'un exemple, nous allons voir comment et pourquoi cette formule se vérifie.

Exemple Soit un contrat à terme sur le DAX à six mois coté 4 000 tandis que l'indice DAX actuel (au comptant) est coté 3 970,22. Le taux d'intérêt annuel est de 3,5 % (environ 1,75 % pour 6 mois), et le taux moyen de distribution des dividendes des actions appartenant à l'indice est de 2 % par an (environ 1 % pour 6 mois). La formule est vérifiée :

$$F_t = 3\,970{,}22 \times (1 + 0{,}0175 - 0{,}01) = 4\,000$$

Mais ces données sont-elles cohérentes ? Supposons que vous veniez d'acheter l'indice DAX pour 3 970,22 aujourd'hui. Dans six mois, vous posséderez l'indice et toucherez des dividendes d'un montant de 0,01 ∞ 3 970 = 39,70. Mais au lieu de cela, vous pouvez décider d'acheter un contrat à terme coté 4 000 et vous placez alors 3 970,22 à la banque. Au bout de six mois, le compte en banque s'est enrichi de 1,75 % d'intérêts, de telle sorte que vous disposez à présent de 3 970,22 × 1,0075 = 4 039,70 €. C'est assez pour vous permettre d'acheter l'indice coté 4 000 avec 39,70 € restants. Ce qui suffit à couvrir les dividendes que vous avez manqués en achetant à terme plutôt qu'au comptant. Vous aurez ce pour quoi vous avez payé[17].

3.5 Prix au comptant et à terme sur les marchandises

La différence entre acheter des *marchandises* et acheter des contrats à terme de marchandises est plus compliquée. Premièrement, comme le règlement est là aussi retardé, l'acheteur de contrat à terme économise les intérêts sur ses encaisses. Deuxièmement, il n'a pas besoin de gérer les marchandises et par conséquent, économise des coûts de stockage. D'un autre côté, le contrat à terme ne fournit aucun *rendement d'opportunité*, qui correspond au fait de posséder quelque chose de réel. Le dirigeant d'un supermarché ne pourra pas brûler des contrats à terme sur le pétrole pour se réchauffer s'il y a un coup de froid, et

16. Cette formule est strictement vérifiée uniquement pour les contrats forwards qui ne sont pas évalués au prix du marché. Sinon, la valeur du contrat à terme dépend du comportement des taux d'intérêt jusqu'à la date de livraison. En pratique cette différence n'est pas importante et la formule fonctionne pour tous les contrats à terme. Voir J. C. Cox, J. E. Ingersoll et S. A. Ross, « The Relationship between Forward and Futures Prices », *Journal of Financial Economics*, 9 (1981), pp. 321-346.

17. On peut décliner notre formule de la façon suivante. Prenons S_6 la valeur de l'indice au bout de six mois. Aujourd'hui S_6 est inconnu. Vous pouvez investir S_0 dans l'indice aujourd'hui et obtenir $S_6 + yS_0$ au bout de six mois. Vous pouvez également acheter un contrat à terme, déposer S_0 à la banque et utiliser cet argent pour payer le prix à terme F_6 dans six mois. Dans cette stratégie, vous touchez $S_6 - F_6 + S_0(1 + r_f)$ au bout de six mois. Puisque l'investissement est le même quelle que soit la stratégie adoptée, et que vous terminez avec S_6 dans les deux cas, les résultats doivent être identiques :
$S_6 + yS_0 = S_6 - F_6 + S_0(1 + r_f)$
$F_6 = S_0(1 + r_f - y)$
Nous supposons ici que r_f et y sont des taux à six mois. Si les taux étaient mensuels, la formule générale serait $F_t = S_0(1 + r_f - y)^t$, avec t le nombre de mois. Si les taux sont annuels, la formule est $F_t = S_0(1 + r_f - y)^{t/12}$.

il ne pourra pas mettre en rayon des contrats à terme sur le jus d'orange s'il est en rupture de stock à 13 heures le dimanche. Ceci veut dire que pour toutes les marchandises :

$$\frac{\text{prix à terme}}{(1 + r_f)^t} = \text{prix au comptant} + \text{VA (coût de possession)} - \text{VA (rendement d'opportunité)}$$

Personne ne voudra détenir un contrat à terme à un cours à l'échéance plus élevé ou détenir des marchandises à un cours à l'échéance moins élevé[18].

Il est intéressant de comparer les formules de prix à terme pour des contrats financiers et sur marchandises. La VA (rendement d'opportunité) joue le même rôle que la VA (dividendes et versement d'intérêts à venir). Mais les actifs financiers ne coûtent rien en détention : la VA (coût de détention) n'apparaît pas dans la formule des contrats à terme sur instruments financiers.

Vous pouvez observer distinctement la VA (rendement d'opportunité) et la VA (coût de détention), mais vous trouvez la valeur de leur différence par comparaison du cours au comptant et du prix à terme actualisé. La différence (rendement d'opportunité moins coût de détention) est appelé *rendement d'opportunité net.*

Exemple En juillet 2004, le prix au comptant du café était de 0,7310 € par livre et le prix à terme à 10 mois était de 0,8285 € la livre. Le taux d'intérêt était très faible, environ 1,5 %, soit 1,3 % au bout de 10 mois. Ainsi,

$$F_t = S_0\,(1 + r_f + \text{coûts de détention} - \text{rendement d'opportunité})^t$$
$$0{,}8285 = 0{,}7310\,(1{,}013 - \text{rendement d'opportunité net})$$

Le rendement d'opportunité net était donc négatif. En effet, rendement d'opportunité net = rendement d'opportunité – coûts de détention = –0,121 ou –12,1 % sur 10 mois. Les coûts entraînés par le maintien des stocks de café sont supérieurs au rendement d'opportunité assuré par ces stocks. En 2004, l'offre de café était abondante, il était donc évident que les torréfacteurs n'avaient aucun doute quant à leur approvisionnement au cours des mois suivants.

La figure 27.1 représente le rendement d'opportunité net en pourcentage pour le café sur une période de 10 ans. Vous observerez que l'écart entre les cours au comptant et à terme est très instable. Lorsqu'il y a des ruptures ou des craintes d'interruption de l'offre, les négociants se mettent à payer une prime de 50 % par an pour disposer tout de suite de café plutôt que la promesse d'une livraison future.

Il y une autre difficulté à avancer. Il existe des matières premières qui ne peuvent pas être stockées. C'est par exemple le cas de l'électricité. Le résultat est que l'électricité qui sera offerte dans six mois est une matière première différente de celle qui est livrée aujourd'hui et il n'existe pas de lien simple entre le cours d'aujourd'hui et celui d'un contrat à terme pour acheter ou vendre celle-ci au bout de six mois. Bien sûr, les responsables des centrales et les consommateurs auront leur propre opinion sur ce que le cours au comptant devrait être

18. Notre formule pourrait surestimer le cours à terme lorsque personne ne souhaite détenir les marchandises, c'est-à-dire si le stock devient nul ou s'il est à un minimum incompressible.

lorsque les six mois se seront écoulés et ils seront plus ou moins habiles pour déterminer aujourd'hui le cours auquel ils vont l'acheter ou la vendre[19].

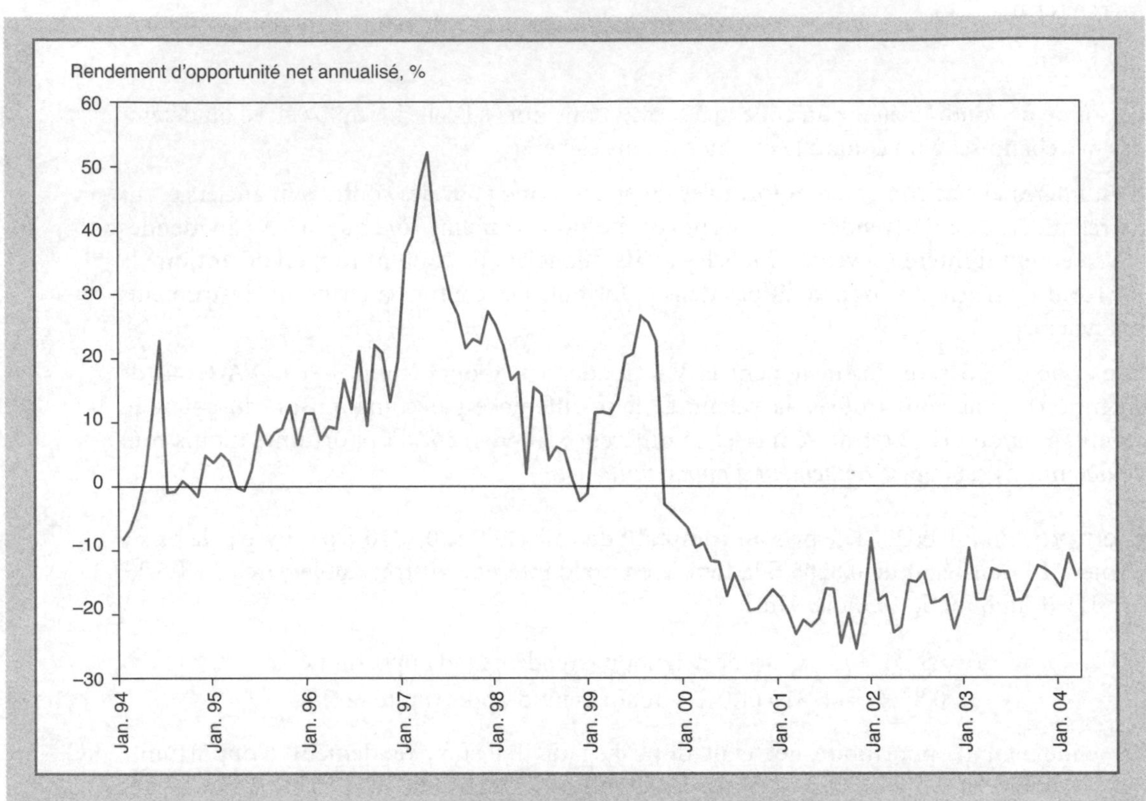

Figure 27.1 - Rendements d'opportunité nets annualisés en % (rendement d'opportunité moins coûts de détention) du café.

3.6 Quelques précisions sur les forwards, ou contrats à terme de gré à gré

Chaque jour des milliards d'euros de contrats à terme sont achetés et vendus. Cette liquidité est rendue possible par la standardisation des caractéristiques des contrats et le nombre réduit des échéances disponibles dans l'année.

19. Les détracteurs et les défenseurs des marchés à terme débattent pour savoir si les marchés à terme permettent la « découverte du prix ». Ils se demandent si les prix à terme révèlent les prévisions des opérateurs quant au prix au comptant qui prévaudra lorsque les contrats à terme arriveront à maturité. Si vous croisez un jour la route de l'un de ces individus, nous vous conseillons de lui répondre par une autre question : « Les prix à terme révèlent-ils de l'information sur les prix au comptant qui n'est pas *encore* intégrée dans les prix au comptant d'aujourd'hui ? » Notre formule fournit la réponse à cette question. Des informations utiles transparaissent dans les prix à terme, mais elles concernent les rendements d'opportunité et les coûts de détention ou même le paiement des dividendes et des intérêts dans le cas de contrats à terme financiers. Les prix à terme ne fournissent de l'information sur les prix au comptant que lorsqu'une marchandise n'est pas stockée et ne peut pas l'être. Alors le lien entre les prix à terme et au comptant est brisé, et les prix à terme peuvent aider à la découverte du prix.

Heureusement il y a habituellement d'autres moyens de se couvrir. Lorsque les caractéristiques du contrat ne correspondent pas particulièrement à vos propres besoins, vous avez la possibilité d'acheter ou de vendre un **contrat forward**, un contrat à terme taillé sur mesure. Le principal marché « forward » est un marché des changes[20].

Il est aussi possible de monter un contrat sur taux d'intérêt à terme. Par exemple, supposons que vous sachiez que dans six mois, vous aurez besoin d'un prêt de trois mois. Vous pouvez fixer dès à présent le taux d'intérêt de ce prêt de trois mois en achetant un contrat de *forward rate agreement* (FRA, ou accord futur de taux AFT) à une banque[21]. Par exemple, la banque pourrait vous vendre un contrat de FRA de trois mois dans six mois à Euribor 7 %[22]. Si à l'issue des 6 mois, Euribor 3 mois est au-dessus de 7 %, la banque vous versera la différence, si Euribor 3 mois est au-dessous de 7 %, vous verserez la différence à la banque[23].

3.7 Construire son propre contrat de FRA (forward rate agreement)

Supposons que vous empruntiez 90,91 € pour un an au taux de 10 % et que vous prêtiez 90,91 € pour deux ans au taux de 12 %. Ces intérêts à un an et à deux ans concernent des opérations engagées aujourd'hui : il s'agit de taux d'intérêt au comptant. Les flux monétaires attachés à ces transactions sont les suivants :

	Année 0	Année 1	Année 2
Emprunt à 1 an à 10 %	+90,91	–100	
Prêt à 2 ans à 12 %	–90,91		+114,04
Flux monétaires nets	0	–100	+114,04

Remarquez que vous n'avez aucun flux monétaire à décaisser aujourd'hui, mais vous vous êtes engagé à décaisser de l'argent dans un an. Le taux d'intérêt de cet engagement à terme est de 14,04 %. Pour déterminer ce taux d'intérêt à terme, nous avons simplement établi le surplus de rendement sur le prêt deux ans par rapport à un an :

$$\text{Taux d'intérêt à terme} = \frac{(1 + \text{taux au comptant pour 2 ans})^2}{1 + \text{taux au comptant pour 1 an}} - 1$$

$$= \frac{(1{,}12)^2}{1{,}10} - 1 = 0{,}1404 \text{ ou } 14{,}04\ \%$$

20. Pour être plus explicite, on peut indiquer que le marché à terme des changes est un marché de « futures », tandis que le marché des changes à terme est un marché « forward »...

21. Notez que la partie qui tirera profit d'une hausse des taux est considérée comme « l'acheteur ». Dans notre exemple, on dira que vous avez acheté de l'argent 6 contre 9 mois, ce qui signifie que le contrat de FRA porte sur un prêt de 3 mois dans 6 mois.

22. L'Euribor (*Euroland interbank offered rate*) est le taux d'intérêt auquel les principales banques se prêtent les unes aux autres en euros.

23. À la différence des contrats à terme, les contrats de FRA ne sont pas évalués au prix de marché. Ainsi, les gains et les pertes sur ces contrats sont réglés à la maturité du contrat.

Dans notre exemple, vous avez reconstitué un prêt à terme en combinant un emprunt à court terme et un prêt à long terme. Mais vous pouvez aussi procéder à l'envers. Si vous souhaitez déterminer aujourd'hui le taux auquel vous allez emprunter l'année prochaine, vous emprunterez à long terme et vous prêterez à court terme, jusqu'à ce que vous en ayez besoin l'année prochaine.

4 Les swaps, ou contrats d'échange des intérêts ou de devises

Certaines entreprises ont des flux monétaires constants. D'autres voient leurs flux monétaires varier avec le niveau des taux d'intérêt, le taux de change ou le cours des marchandises. Ces caractéristiques ne conduisent pas nécessairement au profil de risque désiré. Par exemple, une entreprise qui paie un taux d'intérêt fixe sur sa dette pourrait préférer payer un taux flottant, tandis qu'une autre entreprise qui reçoit des flux monétaires en euros préfèrerait les recevoir en yens. Les contrats de swaps vont leur permettre de modifier ces risques selon leur souhait.

Le marché des swaps est gigantesque. En 2000, le montant du capital de référence du total des swaps créés était estimé à plus de 50 000 milliards d'euros. La plupart d'entre eux correspondaient à des swaps de taux, mais il existe aussi des swaps de devises, d'indices boursiers, de matières premières[24]. Nous allons tout d'abord présenter comment fonctionne un swap de taux d'intérêt, puis décrire un swap de devises. Nous conclurons par une rapide présentation des défauts des swaps. Un défaut de swap est un exemple de *dérivé de crédit*, une boîte à outils relativement nouvelle dans la gestion des risques.

4.1 Les swaps de taux d'intérêt

La banque Ardelor a contracté un emprunt à cinq ans de 50 millions d'euros pour financer une partie de la construction d'un grand projet de production d'électricité. L'emprunt possède un taux fixe de 8 %. Les versements d'intérêts annuels sont de 4 millions d'euros. Les intérêts sont payés annuellement et tout le capital sera remboursé la cinquième année.

Supposons qu'au lieu de recevoir des intérêts fixes de quatre millions d'euros par an, la banque choisisse de recevoir des intérêts à taux variable. Elle peut l'obtenir en échangeant des annuités à taux fixe de quatre millions sur cinq ans contre des annuités à taux flottant sur cinq ans. Nous allons tout d'abord montrer de quelle manière Ardelor peut mettre en œuvre son propre swap artisanal. Nous décrirons ensuite une méthode plus simple.

La banque pourrait emprunter à taux fixe 6 % pour cinq ans[25]. Par conséquent, les 4 millions d'intérêts qu'elle reçoit pourraient financer un emprunt de 4/0,06 = 66,67 millions d'euros. La banque peut élaborer son propre swap comme suit : elle emprunte 66,67 millions d'euros au taux fixe de 6 % et, simultanément, prête le même montant au taux de

24. Les chiffres sur les swaps ont été fournis par la Banque des règlements internationaux (Bank for International Seetlements ; voir **www.bis.org/statistics**). Le swap classique de fonds propres implique qu'une partie reçoive le capital et les dividendes sur un indice boursier, tandis que l'autre partie recevra un taux d'intérêt fixe ou flottant. De manière analogue, dans un swap de matières premières une des parties reçoit un versement indexé sur le cours d'une matière première tandis que l'autre reçoit un taux d'intérêt.

25. L'écart entre le taux d'emprunt de la banque à 6 % et le taux de prêt à 8 % correspond à la marge de la banque sur le financement de ce projet.

l'Euribor. Nous supposerons que l'Euribor vaut au départ 5 %[26]. Comme Euribor est un taux d'intérêt à court terme, les montants des versements d'intérêt vont fluctuer à mesure que l'investissement de la banque est transformé.

Tableau 27.3. La partie haute du tableau reprend les flux monétaires du contrat de swap artisanal. La partie basse présente les flux monétaires d'un contrat de swap standard

	Années					
	0	**1**	**2**	**3**	**4**	**5**
Contrat de swap reconstitué :						
1. Emprunt 66,67 € au taux fixe 6 %	+66,67	–4	–4	–4	–4	–(4 + 66.67)
2. Prêt 66,67 € à taux flottant Euribor (5 % à l'origine)	–66,67	+0,05 × 66,67	+Euribor$_1$ × 66,67	+Euribor$_2$ × 66,67	+Euribor$_3$ × 66,67	+Euribor$_4$ × 66.67
Flux monétaire net	0	–4 +0,05 × 66,67	–4 +Euribor$_1$ × 66,67	–4 +Euribor$_2$ × 66,67	–4 +Euribor$_3$ × 66,67	–4 +Euribor$_4$ × 66,67
Contrat de swap standard taux fixe contre taux variable :						
Flux monétaire Net	0	–4 +0,05 × 66,67	–4 +Euribor$_1$ × 66,67	–4 +Euribor$_2$ × 66,67	–4 +Euribor$_3$ × 66,67	–4 +Euribor$_4$ × 66,67

Les flux monétaires nets de cette stratégie sont repris sur la partie haute du tableau 27.3. Observez qu'il n'y a pas de flux monétaire net pour l'année 0 et que pour l'année 5 le montant du capital de l'investissement à court terme est utilisé pour rembourser les 66,67 millions du prêt. Que reste-t-il ? Un flux monétaire égal à la différence entre le taux d'intérêt gagné (Euribor × 66,67) et les 4 millions décaissés sur la dette à taux fixe. La banque reçoit aussi 4 millions par an qui proviennent du financement du projet, et ainsi elle a transformé un paiement fixe en un paiement flottant indexé sur l'Euribor.

Bien sûr, il y a un moyen plus facile de le faire, qui est présenté dans la partie inférieure du tableau 27.3. La banque peut tout simplement contracter un swap sur cinq ans[27]. Naturellement, Ardelor choisira le moyen le plus facile.

Ardelor contacte un négociant en swap, activité classique pour une banque commerciale ou d'investissement, et accepte d'échanger des versements sur un capital emprunté de 66,67 millions à taux fixe contre des règlements équivalents sur un prêt à taux flottant. Ce swap est connu sous le nom de swap taux fixe contre taux variable et le montant de

26. Peut-être que le taux d'intérêt à court terme est au-dessous du taux à 5 ans parce que les investisseurs s'attendent à ce que les taux d'intérêt augmentent.

27. Ces deux stratégies sont équivalentes à une série de contrats à terme sur l'Euribor. Les prix à terme sont de 4 millions pour chacun des Euribor$_1$ × 66,67, Euribor$_2$ × 66,67, etc. Les prix à terme négociés séparément ne seraient pas de 4 millions pour chacune des années, mais la valeur actuelle des « annuités » des prix à terme serait identique.

66,67 millions est appelé montant principal notionnel du swap. Ardelor et le négociant sont les contreparties du swap.

Le négociant cote un taux d'intérêt pour un swap à cinq ans de 6 % contre Euribor[28]. Ce contrat est parfois coté sous la forme d'un différentiel vis à vis du taux des bons du Trésor. Par exemple, si le taux de rendement des taux sur les bons du Trésor est de 5,25 %, le swap sera coté 0,75 %[29].

Le premier versement du swap a lieu à la fin de la première année, il est calculé sur le taux Euribor de 5 % initial[30]. Le négociant (qui paie le flottant) doit à la banque 5 % de 66,67 millions d'euros, tandis que la banque (qui paie le fixe) doit au négociant 4 millions d'euros (6 % de 66,67 millions d'euros). La banque effectuera alors un versement net au négociant de 4 – (0,05 × 66,67) = 0,67 million :

Banque	⟶	4 €	⟶	Contrepartie
Banque	⟵	0,05 × 66,67 € = 3,33 €	⟵	Contrepartie
Banque	⟶	Net = 0,67 €	⟶	Contrepartie

Le second versement est basé sur l'Euribor de l'année 1. Supposons qu'il soit passé à 6 %. Alors le versement net est nul :

Banque	⟶	4 €	⟶	Contrepartie
Banque	⟵	0,06 × 66,67 € = 4 €	⟵	Contrepartie
Banque	⟶	Net = 0 €	⟶	Contrepartie

Et ainsi de suite.

Vous observerez que lorsque les deux parties se sont engagées sur le swap, l'échange était parfaitement équitable. En d'autres termes, les flux monétaires nets étaient nuls. Qu'en est-il de la *valeur* du swap à mesure que le temps passe ? Cela dépendra des taux d'intérêt à long terme. Par exemple, supposons qu'après deux ans les taux soient inchangés, alors l'obligation à 6 % émise par la banque resterait négociée à sa valeur nominale. Dans ce cas, le contrat de swap aurait une valeur nulle (vous pourrez le vérifier en constatant que la VAN d'un nouveau swap de durée 3 ans est nulle). Mais lorsque les taux longs augmentent, disons à 7 %, la valeur de l'obligation pour 3 ans restant à courir chute jusqu'à :

$$\text{VA} = \frac{4}{1{,}07} + \frac{4}{(1{,}07)^2} + \frac{(4 + 66{,}67)}{(1{,}07)^3} = 64{,}92 \text{ millions d'euros}$$

28. Observons que le taux du swap fait toujours référence au taux d'intérêt sur la jambe fixe du swap. Les taux sont généralement cotés contre Euribor, bien que des négociants aient aussi l'habitude de coter les taux contre d'autres dettes à court terme.

29. Les différentiels de swaps fluctuent. Après la crise de liquidité de la Russie en 1998, le fonds d'investissement LTCM (*long term capital management*) était au bord de la faillite, les différentiels des swaps à 5 ans ont pratiquement doublé de 0,5 à 0,8 point de pourcentage.

30. Plus couramment, les swaps de taux d'intérêt sont basés sur l'Euribor 3 mois, et supposent des versements trimestriels.

Désormais, les règlements fixes que la banque s'est engagée à verser ont moins de valeur et le contrat de swap vaut 66,67 – 64,92 = 1,75 million d'euros. Comment pouvons-nous savoir que le contrat de swap vaut 1,75 million d'euros ? Envisageons la stratégie suivante :

1. La banque peut prendre un nouveau swap à 3 ans pour lequel elle s'engage à *payer* Euribor pour le même montant notionnel de 66,67 millions.
2. En retour, elle reçoit des intérêts fixes au taux de 7 %, c'est-à-dire, $0,07 \times 66,67$ € = 4,67 € par an.

Le nouveau contrat de swap annule les flux monétaires du précédent, mais procure un supplément de 0,67 million pendant trois ans. Ce flux monétaire supplémentaire vaut :

$$\text{VA} = \sum_{t=1}^{3} \frac{0{,}67}{(1{,}07)^t} = 1{,}75 \text{ million d'euros}$$

Souvenez-vous, les swaps de taux n'ont ni coût initial ni valeur (VA = 0), mais leur valeur s'écarte de zéro à mesure que le temps passe et que les taux d'intérêt à long terme fluctuent. L'une des contreparties gagne ce que l'autre perd.

Dans notre exemple, le négociant en swap perd à mesure que les taux montent. Les intervenants vont essayer de couvrir le risque de fluctuation des taux d'intérêt en adoptant un ensemble de contrats à terme ou en prenant un swap exactement inversé avec une troisième contrepartie. Le cauchemar incessant des responsables du swap est qu'une partie soit défaillante, laissant le négociant avec une forte position non couverte : c'est le risque de contrepartie.

4.2 Les swaps de devises

Supposons que la société Lamarge désire emprunter 11 millions d'euros pour financer des opérations en Europe. Nous supposerons que le taux d'intérêt de l'euro est d'environ 5 % tandis que le taux sur le dollar est de 6 %. Parce que Lamarge est mieux connue aux États-Unis, le directeur financier décide de ne pas emprunter directement en euros. La société émet aux États-Unis pour 10 millions d'obligations de durée 5 ans, au taux de 6 %. Simultanément, Lamarge monte avec une contrepartie un contrat pour échanger sa dette en dollars contre une dette en euros. En vertu de cet accord, la banque accepte de payer à Lamarge suffisamment de dollars pour assurer le service de sa dette en dollars. En échange, Lamarge accepte de procéder à une série de versements annuels en euros à la contrepartie. Voici les flux monétaires de Lamarge (en millions d'euros) :

	Année 0		Années 1 à 4		Année 5	
	USD	EUR	USD	EUR	USD	EUR
1. Émission de l'emprunt en $	+10		–0,6		–10,6	
2. Swap USD/EUR(€)	–10	+11	+0,6	–0,55	+10,6	–11,55
3. Flux monétaires nets	0	+11	0	– 0,55	0	–11,55

Regardons tout d'abord les flux monétaires de l'année 0. Lamarge reçoit 10 millions de dollars suite à l'émission d'une obligation, qu'ensuite elle verse à la contrepartie du swap. En retour, la contrepartie adresse à Lamarge un chèque de 11 millions (en supposant que le taux de change actuel de 10 millions de dollars, soit 11 millions d'euros).

Maintenant déplaçons-nous vers les années 1 à 4. Lamarge a besoin de verser 6 % d'intérêt sur sa dette, soit 0,06 × 10 = 0,6 million de dollars. La contrepartie du swap a accepté de fournir chaque année à Lamarge suffisamment de trésorerie pour payer ses intérêts tandis qu'en retour Lamarge effectue un versement annuel de 5 % de 11 millions d'euros, ou 0,55 million. Finalement, lors de l'année 5, la contrepartie du swap verse à Lamarge suffisamment pour réaliser le dernier versement d'intérêt et le capital sur son obligation (10,6 millions de dollars) tandis que Lamarge verse à la contrepartie 11,55 millions.

L'effet combiné des deux opérations de Lamarge (ligne 3) consiste à convertir une dette en dollars à 6 % en une dette en euros à 5 %. Vous pouvez considérer les flux monétaires du swap (ligne 2) comme une succession de contrats de change à terme. Pour chacune des années 1 à 4, Lamarge accepte d'acheter pour 0,6 million de dollars au coût de 0,5 million d'euros ; pour l'année 5 Lamarge accepte d'acheter 10,6 millions de dollars pour un coût de 11,55 millions d'euros[31].

4.3 Les dérivés de crédit

Au cours des dernières années, nous avons assisté à un considérable développement des dérivés de crédit qui protègent le prêteur contre le risque de défaut d'un emprunteur. Par exemple, la banque peut hésiter à refuser un prêt à un client important X, mais s'inquiète du montant global de son exposition au risque sur ce client. La banque A peut accorder le prêt, mais utilisera le dérivé de crédit pour se débarrasser du risque sur la banque B.

Le plus connu des dérivés de crédit est le swap de défaut. La banque A s'engage à payer une somme fixe chaque année à la banque B tant que la société X honore sa dette. Si X est défaillant, B compense la perte pour A, mais ne paie plus rien. De cette manière, vous pouvez considérer que B fournit à A une assurance de long terme contre le défaut en contrepartie d'une prime d'assurance annuelle[32].

Les banques qui ont un portefeuille de crédits peuvent être plus concernées par un risque de défaut global que par le risque de défaut sur un prêt isolé. En principe, elles peuvent négocier un swap de défaut sur chaque prêt individuel. En pratique, il est généralement plus simple de s'engager sur un swap de défaut de portefeuille qui procure une protection sur la totalité du portefeuille de prêts.

5 Comment monter une couverture

Pour couvrir son risque, la société achète un actif et vend un autre actif de même montant. Par exemple, notre fermier possédait 100 000 boisseaux de blé et a vendu à terme 100 000 boisseaux. Tant que le blé détenu par le fermier est identique à celui qu'il a promis de livrer,

31. Habituellement dans un swap de devises, les deux parties réalisent un versement initial l'une à l'autre (ainsi, Lamarge verse à la contrepartie 10 millions de dollars et reçoit 11 millions d'euros). Pourtant, ce n'est pas nécessaire, et Lamarge peut préférer acheter les 11 millions d'euros à une autre contrepartie.

32. Une autre forme de dérive de crédit est le crédit option. Dans ce cas, A verse une prime « up-front » et B supportera le risque de payer A en cas de défaut de X.

cette stratégie minimise le risque. Dans la réalité, il y a peu de chances pour que le blé détenu par le fermier soit strictement identique à celui qui fait l'objet du marché à terme. Dans ce cas, les prix respectifs des blés ne vont pas fluctuer exactement de la même manière.

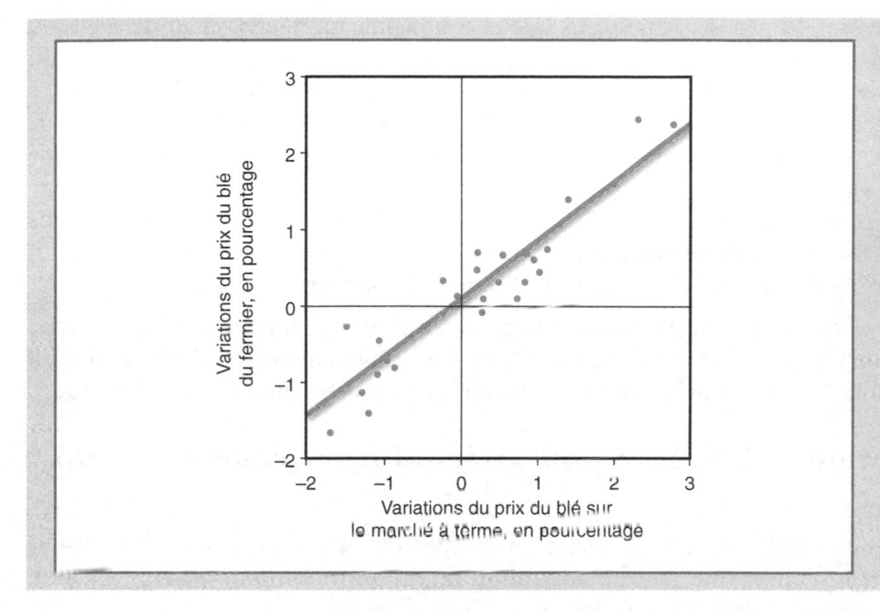

Figure 27.2 - Simulation des variations passées du prix du blé du fermier comparées aux variations du prix du blé sur le marché à terme. Une variation de 1 % du cours à terme du blé se traduit en moyenne par une variation de 0,8 % du prix du blé du fermier.

La figure 27.2 montre la dépendance des variations de prix des deux catégories de blé par le passé. Vous observerez deux choses : premièrement les nuages de points suggèrent que les variations de prix sont imparfaitement corrélées. Il ne sera pas possible de monter une couverture qui élimine totalement le risque. Un risque résiduel, ou « de base », peut subsister. Deuxièmement, la pente de la droite indique que pour 1 % de variation dans le prix du blé du marché à terme, la variation moyenne du prix du blé de notre fermier est de 0,8 %. Parce que le prix du blé du fermier est relativement indépendant des variations du prix du blé du marché à terme, il aura besoin de vendre à terme 0,8 × 100 000 boisseaux de blé pour couvrir son risque.

Nous pouvons maintenant généraliser. Supposons que vous déteniez actuellement un actif A (par exemple, du blé), et que vous souhaitiez vous couvrir contre le risque de fluctuation du prix de cet actif en compensant par la vente d'un autre actif B (par exemple un contrat à terme sur le blé). Supposons également que les variations en pourcentage du prix de votre actif soient corrélées comme suit aux variations en pourcentage du prix de l'actif B :

$$\text{Variation de valeur anticipée pour A} = a + \delta(\text{variation de la valeur de B})$$

Delta (δ) mesure la sensibilité des variations de A aux variations de B. Il est aussi égal au *ratio de couverture*, c'est-à-dire le nombre d'unités de B qui doivent être vendues pour couvrir l'achat de A. Vous aurez couvert le risque si vous compensez votre position sur A par la vente de δ unités de B[33].

33. Observez que A, l'article que vous souhaitez couvrir, est une variable dépendante. Delta mesure la sensibilité de A aux variations de B.

Tout l'art de monter une couverture consiste à évaluer le delta ou ratio de couverture. Cela demande parfois une bonne dose de savoir-faire. Par exemple, supposons que Air Antartique souhaite se protéger contre une hausse du cours du pétrole. En tant que responsable financier, vous avez besoin de savoir de combien la valeur de l'entreprise serait affectée par une hausse du cours du pétrole. Supposons que la compagnie ait dépensé l'an dernier 200 millions d'euros de fioul. Toutes choses égales par ailleurs, un accroissement de 10 % du cours du pétrole lui coûterait 20 millions supplémentaires (0,10 × 200). Mais peut-être peut-on partiellement compenser la hausse du carburant par une hausse du prix des billets, auquel cas les bénéfices chuteront de *moins* de 20 millions de dollars. Ou peut-être la hausse du pétrole va-t-elle se traduire par une baisse de l'activité et par voie de conséquence une baisse du nombre des voyageurs. Dans ce cas les bénéfices chuteront de *plus* de 20 millions de dollars. L'effet le plus vraisemblable sur la valeur de l'entreprise est même plus délicat à soutenir, parce qu'il dépend de la permanence ou non de la hausse.

Parfois, comme dans notre exemple du fermier produisant du blé, un peu d'histoire passée peut aider à évaluer la sensibilité de la valeur de l'actif A aux fluctuations de valeurs de B. Il est également possible d'avoir recours à une petite théorie sur la construction d'une couverture.

5.1 L'utilisation de la théorie pour construire une couverture : un exemple

Lasuma Crédit-Bail vient tout juste d'acheter un équipement et s'est engagé à le louer pour 2 millions d'euros pendant huit ans. Le taux d'intérêt est de 12 %. Le revenu de location perçu par Lasuma a une valeur actuelle de 9,94 millions d'euros[34].

$$\text{VA} = \frac{2}{1{,}12} + \frac{2}{(1{,}12)^2} + \ldots + \frac{2}{(1{,}12)^8} = 9{,}94 \text{ millions d'euros}$$

Lasuma propose de financer ce contrat par l'émission d'un ensemble constitué de 1,91 million d'euros de dettes à un an et 8,03 millions d'euros de dettes à six ans, chacune avec un coupon de 12 %. On peut considérer ce nouvel actif (les flux de revenus locatifs) et les nouvelles dettes (les deux emprunts) comme un ensemble. Lasuma va-t-il gagner ou perdre sur l'ensemble lorsque les taux d'intérêt vont varier ?

Pour répondre à ces questions, il peut être utile de revenir au concept de duration que nous avons introduit au chapitre 24. Vous devez vous souvenir que la duration correspond à la moyenne de chaque flux monétaire pondéré par le temps. La duration est importante parce qu'elle est directement liée à la sensibilité. Lorsque deux actifs ont la même duration, leurs prix seront modifiés dans les mêmes proportions suite à des variations de taux d'intérêt. Si nous appelons *V* la valeur totale des revenus locatifs de Lasuma, la duration de *V* est calculée comme suit :

$$\text{Duration} = \frac{1}{V} \times \{[\text{VA}(\text{CF}_1) \times 1] + [\text{VA}(\text{CF}_2) \times 2] + [\text{VA}(\text{CF}_3) \times 3] + \ldots\}$$

$$= \frac{1}{9{,}94}\left\{\left[\frac{2}{1{,}12} \times 1\right] + \left[\frac{2}{(1{,}12)^2} \times 2\right] + \ldots + \left[\frac{2}{(1{,}12)^8} \times 8\right]\right\} = 3{,}9 \text{ années}$$

34. Nous négligerons la fiscalité dans cet exemple.

Nous pouvons aussi calculer la duration des nouvelles dettes de Lasuma. La duration de la dette à un an est de 1 an, et celle de l'emprunt à six ans est de 4,6 années. La duration de l'ensemble est une moyenne pondérée des durations respectives des emprunts :

$$\text{Duration des emprunts} = \left(\frac{1{,}91}{9{,}94}\right) \times \text{duration de l'emprunt à 1 an}$$

$$+ \left(\frac{8{,}03}{9{,}94}\right) \times \text{duration de l'emprunt à 6 ans}$$

$$= (0{,}191 \times 1) + (0{,}808 \times 4{,}6) = 3{,}9 \text{ années}$$

Ainsi, l'actif (la location) et la dette (le paquet des emprunts) ont une duration de 3,9 années. Par conséquent, les deux ont la même sensibilité aux taux d'intérêt. Lorsque les taux augmentent, la valeur actuelle des revenus locatifs de Lasuma va baisser, mais la valeur de ses dettes va elle aussi diminuer dans des proportions identiques. En égalisant les durations de l'actif et des emprunts, Lasuma s'est *immunisée* elle même contre les variations de taux d'intérêt. Ceci révèle que les dirigeants financiers de Lasuma semblent savoir une chose ou deux sur les techniques de couverture.

Lorsque Lasuma monte une couverture, elle a besoin de trouver un ensemble d'emprunts qui ont une valeur présente de 9,94 millions d'euros et une duration de 3,9 années. Appelons la proportion de valeur de l'emprunt à six ans x et la proportion de l'emprunt à un an $(1\text{-}x)$. Alors :

$$\text{Duration globale} = (x \times \text{duration de l'emprunt à 6 ans})$$

$$+ [(1 - x) \times \text{duration de l'emprunt à 1 an}]$$

$$3{,}9 \text{ années} = (x \times 4{,}6 \text{ années}) + [(1 - x) \times 1 \text{ an}]$$

$$x = 0{,}808$$

Tableau 27.4. Lasuma peut se couvrir en émettant des obligations à fonds d'amortissement pour lesquelles on décaisse 2 millions par an

Flux monétaires en millions d'euros								
	Année							
	1	2	3	4	5	6	7	8
Capital de début d'année	9,94	9,13	8,23	7,22	6,08	4,81	3,39	1,79
Intérêts à 12 %	1,19	1,10	0,99	0,87	0,73	0,58	0,40	0,21
Versements au fonds d'amortissement	0,81	0,90	1,01	1,13	1,27	1,42	1,60	1,79
Intérêts + versements au fonds d'amortissement	2,00	2,00	2,00	2,00	2,00	2,00	2,00	2,00

Puisque l'ensemble des emprunts doit atteindre 9,94 millions d'euros, Lasuma a besoin d'émettre $0{,}808 \times 9{,}94 = 8{,}03$ millions d'euros d'emprunts à six ans.

Une caractéristique importante de cette couverture est d'être dynamique. À mesure que les taux d'intérêt changent et que le temps passe, la duration de l'actif de Lasuma ne sera jamais aussi longue que celle de ses dettes. Ainsi, afin de rester couvert contre les variations de taux d'intérêt, Lasuma doit agir pour ajuster la duration de sa dette.

Si Lasuma n'est pas prêt à suivre la dynamique de sa stratégie de couverture, il y a une alternative. Il peut envisager l'émission d'un emprunt dont les flux monétaires seront exactement adossés aux revenus tirés de la location. Par exemple, supposons qu'il émette un emprunt à huit ans avec fonds d'amortissement ; le montant du versement au fonds d'amortissement sera de 810 000 € la première année, et ce versement augmente de 12 % chaque année. Le tableau 27.4 indique que les versements liés à l'obligation (intérêts plus versements au fonds d'amortissement) sont de 2 millions d'euros chaque année.

Puisque les flux monétaires sur l'actif sont exactement adossés à ceux de la dette, le gestionnaire financier de Lasuma peut maintenant se reposer. Chaque année, il récupère simplement 2 millions d'euros de revenus locatifs qu'il reverse aux détenteurs d'obligations. Quoi qu'il advienne des taux d'intérêt, la société est parfaitement protégée.

Pourquoi le gestionnaire financier de Lasuma ne procède-t-il pas *toujours* de manière à adosser actifs et dettes ? Une des raisons est que cela peut se révéler très onéreux d'émettre une obligation avec des flux monétaires taillés sur mesure. Une autre est que Lasuma passe son temps à signer de nouveaux contrats et à émettre de nouvelles obligations. Il sera plus simple de maintenir les durations des actifs et des dettes au même niveau plutôt que de monter un adossement parfait des flux monétaires.

5.2 Options, delta et bêta

Il y a un autre cas où la théorie peut vous aider à monter une couverture. Au chapitre 20, nous avons abordé les contrats d'option. Cela vous procure le droit, mais pas l'obligation, d'acheter ou de vendre un actif. Les options sont des produits dérivés ; leur valeur dépend uniquement du prix de l'actif sous-jacent.

Le *delta de l'option* résume le lien entre l'option et l'actif. Par exemple, lorsque vous détenez une option d'achat sur l'action Disney, la variation de la valeur de votre investissement sera la même que celle observée par celui qui détient un nombre delta d'actions Disney.

Puisque le cours de l'option est lié au prix de l'actif, les options peuvent être utilisées pour la couverture. Ainsi, si vous détenez une option d'achat sur le titre Disney et qu'en même temps, vous vendiez delta titres Disney, toute variation de la valeur de position sur l'action sera exactement compensée par la valeur de votre position sur option[35]. Autrement dit, vous serez parfaitement couvert, mais seulement pour un délai assez court. Les delta d'option changent à mesure que les cours changent et que le temps passe. Par conséquent, les couvertures basées sur le delta de l'option doivent être fréquemment ajustées.

Les options peuvent aussi être utilisées pour couvrir les marchandises. Le meunier pourrait couvrir les variations du cours futur du blé en achetant des options d'achat sur le blé (ou sur le prix à terme du blé). Mais ce n'est pas la stratégie la plus simple si le meunier souhaite verrouiller le coût futur du blé. Il devrait évaluer le delta de l'option pour déterminer combien

35. Nous avons supposé que vous déteniez un contrat d'option et que vous étiez couvert par la vente de δ titres. Si vous possédiez un titre et que vous souhaitiez vous couvrir par la vente d'options, vous auriez besoin de $1/\delta$ contrats d'options.

d'options acheter, et devrait surveiller les variations du delta de l'option pour modifier la couverture dès que nécessaire[36].

Il en est de même pour les actifs financiers. Supposons que vous déteniez un portefeuille bien diversifié d'actions dont le bêta vaille 1 et qui soit presque parfaitement corrélé avec le rendement du marché. Vous souhaitez couvrir la valeur de ce portefeuille pour la fin de l'année. Vous pourrez l'obtenir en vendant des options d'achat sur l'indice, mais pour maintenir la couverture, vous devrez fréquemment ajuster votre position sur options. Il est plus simple de vendre tout simplement un contrat à terme sur indice dont l'échéance est la fin de l'année.

Parlons des bêta… Que se passe-t-il lorsque le bêta de votre portefeuille est de 0,60 et non de 1 ? Votre couverture utilisera 40 % de contrats à terme supplémentaires. Et dans la mesure où votre portefeuille à faible bêta ne sera pas parfaitement corrélé au marché, il subsistera un certain risque de base. Dans ce cas, notre vieille connaissance (β) et le ratio de couverture (δ) ne font qu'un. Souvenez-vous, pour couvrir A avec B, vous devez connaître δ parce que :

$$\text{Variation escomptée de la valeur de A} = a + \delta \text{ (variation de la valeur de B)}$$

Lorsque A est une action ou un portefeuille et que B représente le marché, nous trouvons β à partir de la même relation :

$$\begin{gathered}\text{Variation escomptée de la valeur de l'action ou du portefeuille} \\ = a + \beta \text{ (variation de la valeur de l'indice boursier)}\end{gathered}$$

6 Est-ce que « dérivé » est un gros mot ?

Notre exemple précédent du fermier et du meunier a montré qu'il était possible de réduire le risque dans les affaires. Pourtant, si vous faisiez comme le fermier qui vend des contrats à terme sur le blé sans être adossé à la détention de blé, vous ne seriez pas en train de *réduire* le risque : vous seriez en train de *spéculer*.

Les spéculateurs à la recherche de profits élevés (et prêts à accepter des pertes importantes) sont attirés par l'effet de levier que procurent les marchés dérivés. C'est-à-dire qu'il n'est pas nécessaire de mettre en jeu beaucoup d'argent et que les profits et les pertes peuvent représenter plusieurs fois la mise initiale[37]. La « spéculation » a mauvaise presse, mais pour bien fonctionner, un marché à terme a besoin des spéculateurs qui sont disposés à prendre des risques et permettent de se couvrir à des intervenants comme le fermier ou le meunier. Par exemple, s'il y a trop de fermiers qui souhaitent vendre des contrats à terme sur le blé, le prix à terme va être poussé à la baisse à moins qu'il n'y ait des spéculateurs acheteurs de contrats attirés par l'espoir d'un profit. S'il y a un excès de meuniers désirant acheter des contrats à terme sur le blé, c'est l'inverse qui se produira. Le cours à terme du blé sera poussé à la hausse jusqu'à ce que des spéculateurs soient vendeurs.

---

36. *Question* : quelle est la position du meunier s'il achète des options d'achat sur le blé et qu'il se contente de les conserver jusqu'à l'échéance ?

37. Par exemple, lorsque vous achetez ou vendez à terme, il n'y a pas d'argent échangé avant l'échéance du contrat, vous avez juste à verser un dépôt de garantie pour prouver que vous pourrez tenir vos engagements. Ce dépôt de garantie n'est pas obligatoirement sous forme d'espèces, il peut s'agir de titres sans risque.

Actualités financières

La débâcle de Metallgesellschaft

En janvier 1994, le géant industriel Metallgesellschaft a surpris les investisseurs en annonçant de gigantesques pertes chez sa filiale pétrolière, MGRM. Ces pertes, plus tard estimées à plus d'un milliard de dollars, conduirent la compagnie au bord de la faillite et elle dut son salut à un plan de sauvetage de 1,9 milliard mené par 120 banques.

L'année précédente, MGRM s'était embarqué dans quelque chose qui ressemblait à une machine à faire systématiquement de l'argent. Elle proposait à ses clients des contrats à terme sur la livraison d'essence, de fioul de chauffage, et de gasoil pour des durées allant jusqu'à dix ans. Ces garanties de prix devinrent extrêmement populaires. En septembre 1993, MGRM avait vendu à terme plus de 150 millions de barils dont le prix au baril était de 3 à 5 $ supérieur au cours constaté sur le marché au comptant.

Tant que le cours du pétrole ne s'est pas sensiblement accru, MGRM continuait d'engranger de confortables profits sur ses contrats à terme, mais si le cours du pétrole devait retrouver les niveaux constatés quelques années auparavant, le résultat pouvait se transformer en une perte calamiteuse. MGRM avait bien évidemment tenté d'éviter un tel résultat en achetant à terme de l'énergie. Malheureusement, les contrats à terme de longue échéance qui étaient nécessaires à MGRM pour compenser les garanties accordées n'existaient pas. La solution de MGRM fut d'adopter une technique de couverture connue sous le nom de « stack and roll » (empiler et renouveler). En d'autres termes, GRM achetait un certain volume de contrats à terme d'échéance rapprochée et lorsque ces contrats étaient proches de leur échéance, elle les remplaçait par de nouveaux paquets de contrats de courte échéance.

MGRM était confiante malgré le décalage entre la maturité longue de ses garanties de prix et l'échéance plus courte de ses contrats à terme. Elle s'appuyait sur l'histoire récente pour justifier de cette confiance. Ainsi pendant longtemps les négociants en énergie ont fortement investi dans la possession de pétrole plutôt que dans la promesse de livraison future. En d'autres termes, le rendement d'opportunité net sur le pétrole a été généralement positif. Aussi longtemps que cette situation perdurerait, alors chaque fois que MGRM renouvellerait ses contrats, elle les revendrait à un cours plus élevé que celui auquel elle les avait achetés permettant de financer l'acquisition des nouveaux contrats. Néanmoins, si le rendement d'opportunité net devait devenir négatif, les contrats arrivant à maturité seraient revendus moins cher que les contrats de plus longue échéance. Malheureusement, c'est ce qui se produisit en 1993. Au cours de cette année, il y avait pléthore de pétrole, les réservoirs de stockage étaient pleins, et personne n'aurait accepté de payer plus cher pour détenir plus de pétrole. Le résultat fut que MGRM fut contrainte de verser une prime pour renouveler chaque ensemble de contrats arrivant à échéance.

La chute des cours du pétrole eut une autre conséquence désastreuse pour MGRM. Les contrats à terme sont évalués au prix du marché. Ceci signifie qu'il faut supporter les hausses et les baisses sur chaque contrat à mesure qu'elles se produisent. Comme le cours du pétrole a continué de baisser courant 1993, MGRM a dû supporter des pertes sur ses achats à terme de pétrole. Il s'en est suivi d'énormes appels de marge. À l'inverse, la bonne nouvelle était que la baisse des cours du pétrole signifiait qu'à long terme, les contrats à terme deviendraient profitables, mais ces profits ne se transformaient pas en argent à la banque.

La spéculation peut être nécessaire pour un marché dérivé actif, mais elle peut mettre des sociétés en difficulté. L'encadré Actualités financières décrit comment la société allemande de négociation de pétrole et des métaux Metallgesellschaft a perdu un milliard de dollars sur le marché à terme du pétrole. Metallgesellschaft possédait beaucoup de sociétés. Une société japonaise, Sumitomo Corporation, a perdu plus de deux milliards de dollars lorsqu'un escroc a tenté d'acheter suffisamment de cuivre pour prendre le contrôle de ce marché[38]. En 1995, Baring Brothers, une banque d'affaires britannique renommée, vieille de deux cents ans, est devenue insolvable. La raison : un négociant de son bureau à Singapour, Nick Leeson, avait fait un très gros pari sur l'indice boursier japonais qui s'est soldé par une perte de 1,4 milliard de dollars.

Ces histoires de malheurs doivent être interprétées comme des messages de prudence pour les entreprises. Pendant les décennies 1970 et 1980, beaucoup de sociétés ont transformé leurs opérations de trésorerie en centres de profit et ont annoncé fièrement des profits tirés de leurs transactions sur instruments financiers. Mais il n'est pas possible d'enregistrer de profits importants sur les marchés financiers sans prendre aussi des risques importants, et ces profits devraient servir de signes d'avertissement plutôt que de sujets de satisfaction.

Un Boeing pèse 400 tonnes, vole à près de 1 000 kilomètres à l'heure, ce qui est par nature très dangereux. Mais on ne va pas interdire les 747, on doit juste prendre des précautions pour s'assurer qu'ils volent en toute sécurité. De la même manière, il serait idiot de suggérer que les sociétés s'interdisent d'utiliser les marchés dérivés, mais il est évident qu'il faut prendre des précautions contre leurs dysfonctionnements. Voici deux recommandations de bon sens :

- *Première précaution.* Ne vous laissez pas surprendre. Nous voulons dire par-là que les responsables doivent vérifier régulièrement les positions de la société sur les instruments dérivés et savoir quels paris la société a fait. Au minimum, cela implique de savoir ce qui se passerait si le taux d'intérêt ou les taux de change variaient de 1 %. Mais les grandes banques et les cabinets de consultants ont aussi élaboré des modèles très sophistiqués permettant d'évaluer le risque lié aux positions sur les instruments dérivés. J. P. Morgan, par exemple, propose à ses clients son logiciel *RiskMetrics* pour qu'ils conservent une trace de leur risque.
- *Deuxième précaution.* Ne faites de pari que lorsque vous avez un avantage comparatif qui vous garantisse que le résultat est en votre faveur. Si une banque annonce qu'elle va faire du forage pétrolier ou rechercher une nouvelle soupe en poudre, vous douterez à juste titre de ses chances de succès. Inversement, lorsqu'une entreprise industrielle fait des paris importants sur les taux d'intérêt ou sur les taux de change, elle entre en compétition avec des professionnels très bien payés des banques et autres institutions financières. À moins qu'elle soit mieux informée qu'eux sur les taux d'intérêt et les taux de change à terme, elle ferait mieux d'utiliser les marchés dérivés pour se protéger et non pour spéculer.

La spéculation imprudente représente sans aucun doute une cause de soucis pour les actionnaires, mais est-ce pour autant une préoccupation plus générale ? Certains le pensent. Ils mettent en avant le volume gigantesque des transactions sur les marchés dérivés et font valoir que les pertes liées à la spéculation pourraient se traduire par des faillites importantes

38. La tentative a échoué, la société accepta plus tard de payer 150 millions de plus en amendes et dédommagements.

qui pourraient déstabiliser le système financier. Ces inquiétudes ont conduit à des appels pour un accroissement du contrôle des marchés dérivés.

Ce n'est pas ici le lieu d'en discuter, mais nous devions vous avertir de la taille inconsidérée des marchés dérivés et de leurs possibilités de pertes. En septembre 2002, le montant notionnel du capital des contrats dérivés échangés dans le monde était estimé à 10 687 milliards de dollars, dont 3 118 en Europe[39]. C'est une somme très importante, mais cela ne nous dit *rien* du montant d'argent qui est risqué. Par exemple, supposons qu'une banque s'engage pour un swap portant sur 10 millions d'intérêts et que la contrepartie soit en faillite le jour suivant. Combien la banque a-t-elle perdu ? Rien. Elle n'a rien eu à payer ; les deux parties s'étaient simplement promis de se payer réciproquement dans le futur. Maintenant, la transaction est caduque.

Supposons que la contrepartie ne soit pas en faillite. Dans l'année, les taux d'intérêt ont évolué en faveur de la banque, ce qui devrait se traduire par une réception d'argent supérieure à ce qu'il faut décaisser au titre du swap. Lorsque la contrepartie fait défaut, la banque perd la différence entre les intérêts qui devaient être encaissés et ceux qui étaient à décaisser. Mais ceci ne représente pas une perte de 10 millions[40].

La seule mesure pertinente des pertes potentielles induites par les faillites est le montant que cela coûterait aux sociétés bénéficiaires pour remplacer leurs positions de swap. Cet exemple est une toute petite partie de l'encours de référence des contrats de swap[41].

Résumé

En tant que gestionnaire, vous êtes payé pour prendre des risques, mais pas n'importe quel risque. Quelques-uns uns ne sont que de mauvais paris, d'autres pourraient remettre en cause les succès de la société. C'est pour ceux-là que vous devez étudier les moyens de s'assurer ou de se couvrir.

La plupart des activités comportent des assurances contre une variété de risques. Les compagnies d'assurances ont une expérience considérable dans l'évaluation des risques et sont en mesure de syndiquer les risques en détenant des portefeuilles diversifiés. L'assurance fonctionne moins bien lorsque les polices d'assurance n'attirent que les mauvais risques (sélection adverse) ou lorsque la société assurée est tentée de rogner sur la maintenance ou les mesures de protection (l'aléa moral).

L'assurance est généralement achetée auprès de compagnies d'assurances spécialisées, mais dans quelques cas, la société peut utiliser des options financières pour s'assurer contre la baisse de valeur de certains actifs.

Les entreprises peuvent également utiliser des contrats à terme, futures ou forwards pour se couvrir. Un contrat forward est un ordre d'achat ou de vente futur d'un actif. Le prix est fixé aujourd'hui, mais le paiement final n'interviendra pas avant la date de livraison. Les contrats

39. Banque des règlements internationaux, « Statistiques sur les dérivés » (Bank for International Settlements ; voir **www.bis.org/statistics**).

40. Ceci ne veut pas dire que les sociétés se désintéressent du risque de faillite, il existe plusieurs moyens pour elles d'essayer de se protéger. Dans le cas des contrats de swap, les firmes sont réticentes à monter des transactions avec des banques qui n'ont pas la notation la plus élevée.

41. *United States General Accounting Office, op. cit.* Ceci ne veut pas dire que les swaps ont *accru* le risque. Lorsque les contreparties utilisent les swaps pour couvrir des risques, elles sont *moins sujettes* à la faillite.

à terme échangés sur un marché organisé sont appelés des futures. Les futures sont standardisés et échangés dans des volumes importants. Ils permettent aux sociétés de passer des ordres futurs pour des douzaines de marchandises différentes, de titres ou de devises.

- Au lieu d'acheter ou de vendre des contrats à terme standardisés, vous avez la possibilité de monter des contrats à terme sur mesure avec votre banque. Ces contrats à terme sur mesure sont appelés contrats « forwards ». Les sociétés se protègent régulièrement elles-mêmes contre les risques de change par l'achat ou la vente de ces contrats de change à terme. Les FRA (*forward rate agreements*) permettent ainsi de se protéger contre des variations du taux d'intérêt. Il est aussi possible de construire ses propres contrats « forwards ». Par exemple, si vous empruntez de l'argent sur deux ans tout en prêtant sur un an, vous avez construit un prêt forward.

- Au cours des dernières années, des entreprises ont également utilisé des swaps pour se couvrir. Par exemple, une société peut s'arranger pour payer à une banque un taux d'intérêt à long terme fixe, et recevoir de la banque un taux d'intérêt court terme variable. L'entreprise a réalisé un swap taux fixe-taux variable. Un tel swap est d'actualité lorsqu'une entreprise dispose d'un accès facile aux emprunts de court terme mais ne souhaite pas être exposée aux variations de court terme du taux d'intérêt. Les swaps peuvent également être utilisés pour se couvrir contre des risques de devise, de crédit, et autres.

Le principe de la couverture est simple. Vous cherchez deux actifs étroitement corrélés. Ensuite, vous achetez l'un tandis que vous vendez l'autre dans des proportions telles que le risque de votre position soit minimal. Si les actifs sont parfaitement corrélés, vous pouvez obtenir une position nette sans risque.

L'astuce consiste à établir le ratio de couverture ou delta, c'est-à-dire le nombre d'unités d'actifs nécessaires pour compenser les variations de valeur de l'autre actif. Parfois, la meilleure solution consiste à observer comment les prix des deux actifs se sont comportés dans le passé l'un par rapport à l'autre. Par exemple, supposons qu'une variation de 1 % de la valeur de B se soit accompagnée en moyenne d'une variation de 2 % de la valeur de A. Delta est égal à 2 : pour couvrir chaque euro investi dans A, vous aurez besoin de vendre 2 euros de B.

Dans d'autres cas, un peu de théorie pourra vous aider à réaliser la couverture. Par exemple, l'impact d'une variation des taux d'intérêt sur la variation de la valeur d'un actif dépend de la duration de l'actif. Lorsque deux actifs ont la même duration, ils seront affectés de manière identique par les fluctuations de taux d'intérêt.

La plupart des risques présentés dans ce chapitre sont statiques. Dès que vous avez monté une couverture, vous pourrez prendre de longues vacances, certain que la société est bien protégée. Néanmoins, certaines couvertures, comme celles qui adossent les durations, sont dynamiques. À mesure que le temps passe et que les prix évoluent, vous devez rééquilibrer votre position pour maintenir la couverture.

Au lieu d'utiliser les marchés dérivés pour se couvrir, certaines sociétés ont estimé que la spéculation était plus excitante, et cela leur a parfois causé quelques problèmes. Nous ne croyons pas qu'une telle spéculation ait de sens pour une société industrielle, mais nous ne pensons pas que les marchés dérivés constituent un danger pour le système financier.

Lectures complémentaires

Il y a deux articles généraux sur la gestion des risques d'entreprise :

C. W. Smith et R. M. Stultz, « The Determinants of Firm's Hedging Policy », *Journal of Financial and Quantitative Analysis*, 20 (décembre 1985), pp. 391-405.

K. A. Froot, D. Scharfstein et J. C. Stein, « A Framework for Risk Management », *Journal of Applied Corporate Finance*, 7 (automne 1994), pp. 22-32.

Les deux articles suivants examinent la gestion du risque et les politiques de couverture dans l'industrie pétrolière et la prospection aurifère.

P. Tufano, « The Determinants of Stock Price Exposure : Financial Engineering and the Gold Mining Industry », *Journal of Finance*, 53 (juin 1998), pp. 1014-1052.

G. D. Haushalter, « Financing Policy, Basis Risk and Corporate Hedging : Evidence from Oil and Gas Producers », *Journal of Finance*, 55 (février 2000), pp. 107-152.

Le magazine Risk *couvre les derniers développements sur la gestion du risque. Vous pouvez également vous référer aux ouvrages suivants :*

C. W. Smith, Jr., C. H. Smithson et D. S. Wilford, *Managing Financial Risk*, 3e éd., New York : McGraw-Hill, 1998.

R. M. Stulz, *Risk Management and Derivatives*, Cincinnati, OH : Thompson-Southwestern Publishing, 2003.

L'article de Schaefer est une analyse utile sur la manière dont les mesures de duration peuvent être utilisées pour immuniser les dettes à taux fixe :

S. M. Schaefer, « Immunisation and Duration : A Review of Theory, Performance and Applications », *Midland Corporate Finance Journal*, 3 (automne 1984), pp. 41-58.

La débâcle de Metallgesellschaft a donné lieu à des articles passionnants. Par exemple :

F. Edwards, « The Collapse of Metallgesellschaft : Unhedgeable Risks, Poor Hedging Strategy, or Just Bad Luck ? », *Journal of Futures Markets*, 15 (mai 1995).

Activités

Révision des concepts

1. Pourquoi une entreprise a-t-elle intérêt à entreprendre des transactions financières pour réduire le risque de fluctuations du prix des matières premières ? Donnez deux bonnes raisons.
2. Laquelle de ces deux entreprises serait plus encline à couvrir le prix de ses matières premières ?
   - **a.** Une entreprise mature sans dette.
   - **b.** Une entreprise en pleine croissance qui dépend de prêts pour financer ses investissements futurs en capital.
3. Pourquoi la société BP décide-t-elle de s'assurer contre les risques mineurs tels que les accidents de voiture et les accidents du travail mais pas contre les risques majeurs tels que la perte d'une plate-forme pétrolière ?

Tests de connaissances

1. Test de vocabulaire. Définissez les termes suivants :
   - **a.** Prix au comptant
   - **b.** Contrat forward et contrat future
   - **c.** Position longue et position courte
   - **d.** Risque de base
   - **e.** Valorisation au prix du marché
   - **f.** Rendement d'opportunité net
2. Vrai ou faux ?
   - **a.** Les transactions à des fins de couverture sur des marchés à terme liquides ont des VAN nulles ou légèrement négatives.
   - **b.** Lorsque vous achetez un contrat à terme, vous payez maintenant pour livrer à une date ultérieure.
   - **c.** Le détenteur d'un contrat à terme tire avantage de la possession de la marchandise sous-jacente.
   - **d.** Le détenteur d'un contrat à terme sur instrument financier n'a droit à aucun dividende ni aucun paiement d'intérêts effectués sur l'actif sous-jacent.
3. Hier, vous avez vendu un contrat à terme d'échéance six mois sur l'indice boursier allemand DAX au cours de 5 820. Aujourd'hui le DAX clôture à 5 800 points et le contrat à terme clôture à 5 840. Vous achetez un call auprès de votre intermédiaire qui vous rappelle que votre position à terme est ajustée selon le marché chaque jour. Vous demande-t-il de verser de l'argent ou propose-t-il de vous en restituer ?

4. Calculez la valeur d'un contrat à terme d'échéance six mois sur une obligation du Trésor. Vous disposez des informations suivantes :

– Taux d'intérêt pour six mois : 10 % par an, ou 4,9 % pour six mois.

– Cours au comptant de l'obligation : 95.

– Mise en paiement de coupon pendant les six mois à venir : valeur actuelle de 4.

5. « Le fermier n'évite pas le risque en vendant des contrats à terme sur le blé. Si le prix du blé reste autour de 2,80 € par boisseau, alors il aura perdu pour avoir vendu des contrats à terme à 2,50 €. » Ce commentaire est-il correct ?

6. Calculez la VA (valeur de possession) pour des copeaux d'aluminium à l'aide des informations suivantes :

– Cours au comptant : 2 550 € la tonne.

– Prix à terme : 2 408 € pour un contrat à 1 an.

– Taux d'intérêt : 12 %.

– VA (coût de stockage) : 100 € par an.

7. Les habitants du nord-est de la France ont souffert d'un record de froid entre novembre et décembre 2005. Le prix du fioul de chauffage s'est accru de 25 %, jusqu'à 2 € par litre.

a. Quelles ont été les conséquences sur le coût de possession et sur la relation entre le prix au comptant et le prix à terme ?

b. À la fin de l'année 2006 les raffineurs et les distributeurs ont été surpris par les records de douceur des températures. Quelles ont été les conséquences sur le coût de possession et sur la relation entre le prix au comptant et le prix à terme ?

8. Suite à des moissons records, les silos à grain sont pleins à ras bord. Est-ce que les coûts de stockage vont augmenter ou baisser ? Qu'est-ce que cela implique pour le rendement d'opportunité net ?

9. Il y a un an, votre banque a conclu un swap de taux d'intérêt à 5 ans pour 50 millions d'euros. Elle a accepté de payer chaque année à la société A un taux fixe de 6 % et de recevoir en contrepartie Euribor + 1 %. Lorsque la banque a conclu ce swap, l'Euribor était à 5 % mais, depuis, les taux d'intérêt ont augmenté et un swap de taux à 4 ans se négocierait à 6,5 % contre Euribor + 1 %.

a. Est-ce que le swap est gagnant ou perdant pour la banque ?

b. Supposons qu'à ce moment, la société A contacte votre banque et vous demande d'interrompre le contrat de swap. S'il reste encore quatre versements annuels, quelle sera l'indemnité demandée par la banque à A pour dénoncer le swap ?

10. Qu'est-ce que le risque de base ? Dans ce qui suit, quels sont les cas où ce risque est important ?

a. Un courtier qui détient un gros paquet d'actions Disney se couvre en vendant à terme l'indice boursier.

b. Un producteur de colza couvre le prix de vente de sa production par la vente de contrats à terme sur le colza à Paris.

c. Un importateur doit régler 9 millions de dollars dans six mois. Il se couvre par l'achat de dollars à terme.

11. Vous possédez un portefeuille de 1 million d'euros sur des actions du secteur aéronautique avec un bêta de 1,2. Vous êtes optimiste sur l'avenir de ce secteur, mais plus circonspect quant aux perspectives de l'ensemble du marché. Expliquez comment vous pourriez vous couvrir contre le risque systématique en vendant à découvert le marché. Combien devez-vous vendre ? Comment faire en pratique pour « vendre le marché » ?

12. a. Marshall Arts vient d'investir 1 million d'euros dans des bons du Trésor à long terme. Marshall s'inquiète d'une augmentation de la volatilité des taux d'intérêt. Il décide de couvrir le risque en utilisant des futures sur les obligations. Devrait-il acheter ou vendre de tels contrats ?

b. Le trésorier de Zeta Corporation projette d'émettre des obligations dans trois mois. Il s'inquiète lui aussi de la volatilité des taux d'intérêt et veut fixer le prix auquel son entreprise pourrait vendre des obligations à 5 % de taux de coupon. Comment utilisera-t-il les futures sur obligations pour couvrir les risques ?

Questions et problèmes

1. Les grandes sociétés dépensent chaque année des millions d'euros en assurance. Pourquoi ? Devraient-elles assurer elles-mêmes tous leurs risques, ou l'assurance se justifie-t-elle pour certains plus que pour d'autres ?

2. Pour certaines obligations catastrophe, les revenus sont réduits lorsque les indemnisations réclamées à l'émetteur dépassent un certain montant. Dans d'autres cas, les revenus sont réduits seulement si ces réclamations à l'ensemble de l'industrie dépassent une certaine somme. Quels sont les avantages et les inconvénients de chacune des options ? Quelle est celle qui entraîne le moins de risques ? Quelle est celle qui génère le moins d'aléa moral ?

3. Listez certains futures sur matières premières échangés sur les marchés à terme. Selon vous, qui pourrait réduire utilement ses risques en achetant chacun de ces contrats ? Selon vous, qui souhaiterait vendre chacun de ces contrats ?

4. Phoenix Motors veut fixer le coût des 10 000 onces de platine qui seront utilisées pour son prochain trimestre de production de pots catalytiques. L'entreprise achète des futures à trois mois pour 10 000 onces à un prix de 550 € l'once.

a. Supposons que le prix au comptant du platine chute à 525 € au bout de trois mois. L'entreprise a-t-elle fait un profit ou essuyé une perte sur le contrat à terme ? Avait-elle besoin de fixer le coût d'achat du platine ?

b. Votre réponse est-elle modifiée si le prix au comptant du platine augmente jusqu'à 625 € au bout de trois mois ?

5. En juillet 2004, le contrat à terme à trois mois sur l'indice boursier brésilien se négociait à 21 950, tandis que l'indice au comptant valait 21 317. Le taux d'intérêt était de 16 % et le taux de dividende était d'environ 4 %. Le cours à terme est-il correctement valorisé ?

6. Lorsque vous achetez à terme pour neuf mois un bon du Trésor, cela revient pour vous à acheter un bon à trois mois dans neuf mois. Supposons que les bons du Trésor procurent les rendements suivants :

Durée en mois	Rendement annuel
3	6 %
6	6,5 %
9	7 %
12	8 %

Quelle est la valeur à terme du bon du Trésor ?

7. Le tableau 27.5 contient des cours au comptant et des cours à terme pour une échéance de 6 mois portant sur différentes marchandises et sur des instruments financiers. Il peut y avoir quelques opportunités de machines à argent. Voyez si vous pouvez en détecter quelques-unes, et expliquez comment les négocier pour en tirer profit. Le taux d'intérêt est de 14,5 % par an, ou bien 7 % sur la durée de vie de six mois des contrats.

Tableau 27.5. Cours au comptant et à terme pour six mois de quelques marchandises et de titres financiers

Marchandise	Prix comptant	Prix à terme	Commentaire
Magnésium	2 550 € par tonne	2 728,50 € par tonne	VA(coût de stockage) = VA(rendement d'opportunité).
Quiche surgelée	0,50 € par livre	0,514 € par livre	VA(coût de stockage) = 0,10 € par livre ; VA(rendement d'opportunité) = 0,05€ par livre.
Nevada Hydro 8 %-2002	77	78,39	Le coupon semi-annuel de 4 % est payé juste avant l'expiration du contrat.
Costaguanan pulgas	9 300 pulgas	6 900 pulgas	Le taux d'intérêt pour 1 an sur cette devise est de 95 %.
Actions ordinaires d'établissements industriels	95 € par trimestre.	97,54 €	L'établissement paie un dividende de 2 €. Le prochain dividende est dans deux mois.
Vin de table blanc	12 500 € par tonneau	14 200 € par tonneau	VA (rendement d'opportunité) = 250 € par tonneau. Votre société a un stock inattendu et peut stocker sans frais 5 tonneaux.

8. Le tableau ci-après reprend le cours à terme de l'or pour des contrats de différentes échéances. L'or est principalement un investissement, et pas une marchandise industrielle.

   Les investisseurs détiennent de l'or parce que cela diversifie leur portefeuille et parce qu'ils espèrent que son prix va monter. Ils ne le détiennent pas pour son rendement d'opportunité.

   Calculer le taux d'intérêt révélé par les négociateurs en contrats à terme sur l'or pour chacune des échéances présentées ci-après. Le cours au comptant est de 295,20 $ l'once.

	Durée des contrats en mois				
	1	3	9	15	21
Prix à terme	296,49 $	300,11 $	312,32 $	325,57 $	339,65 $

9. En septembre 2008, les courtiers en swap cotaient un taux à 4,5 % contre Euribor (le taux d'intérêt à court terme pour les emprunts en euros) pour des swaps sur taux d'intérêt en euros à 5 ans. L'Euribor à ce moment-là était à 4,1 %. Supposons que A convienne avec un courtier d'échanger un emprunt en euros à taux fixe sur 5 ans de 10 millions d'euros contre un emprunt en euros à taux flottant équivalent.

   a. Quelle est la valeur de ce swap au moment où il est conclu ?

   b. Supposons que juste après que A a conclu ce swap le taux d'intérêt à long terme augmente de 1 point. Qui en ressort gagnant et qui y perd ?

   c. À présent, quelle est la valeur du swap ?

10. Les titres A, B et C possèdent les flux monétaires suivants :

	Période 1	Période 2	Période 3
A	40 €	40 €	40 €
B	120 €	–	–
C	10 €	10 €	110 €

a. Calculez leurs durations si le taux d'intérêt est de 8 %.

b. Supposons que vous ayez investi 10 millions d'euros dans A. Quelle combinaison de titres B et C immuniserait votre investissement contre les fluctuations du taux d'intérêt ?

c. À présent, supposons que vous ayez investi 10 millions d'euros dans B. Comment vous protégerez-vous ?

11. Que veut dire le mot « delta » dans un contexte de couverture ? Donnez quelques exemples des moyens d'estimer et de calculer delta.

12. Une société d'extraction aurifère est préoccupée par la volatilité à court terme de ses revenus. L'or se négocie actuellement à 300 $ l'once, mais le cours est très volatil et pourrait chuter à 280 $ ou atteindre 320 $ l'once le mois prochain. La société va offrir 1 000 onces sur le marché le mois prochain.

a. Quels seraient ses revenus totaux si la société restait non couverte pour des cours de l'or de 280 $, 300 $ et 320 $ l'once ?

b. Le cours à terme de l'or pour une livraison dans un mois est de 301 $. Quels seront les revenus totaux de la société pour chaque cours de l'or si la firme vend des contrats à terme sur l'or pour une échéance d'un mois et portant sur 1 000 onces d'or ?

c. Que seront les revenus totaux de la société si elle achète des options de vente à un mois au prix d'exercice de 300 $? La prime d'une option de vente sur une once est de 2 $.

13. Étienne Verni possède pour 1 million d'euros de titres dans le fonds collectif Sovlavan Stoxx 50 : c'est un fonds collectif qui réplique l'indice Stoxx 50. Il souhaite récupérer son argent maintenant, mais son comptable lui a conseillé d'attendre six mois pour retarder l'imposition de ce gain en capital important. Expliquez à Étienne comment il peut utiliser les contrats sur indice pour couvrir sa position contre les fluctuations du marché pour les six prochains mois. Pourrait-il encaisser ses avoirs sans vendre tout de suite ses titres ?

14. Votre banque d'affaires a une position d'investisseur pour 100 millions d'euros en actions de Krigano et une position courte sur les actions de Solitec. Voici l'historique récent des cours de ces deux actions :

	Variation de prix en pourcentage	
Mois	**Krigano**	**Solitec**
Janvier	–10	–10
Février	–10	–5
Mars	–10	0
Avril	+10	0
Mai	+10	+5
Juin	+10	+10

Au vu de ces six mois, quel doit être le montant de la couverture maximal de votre position courte sur Solitec contre les fluctuations du prix de Krigano ?

15. Les variations de prix de 2 titres sur des mines d'or ont révélé une forte corrélation positive. Leur dépendance passée est :

Variation relative moyenne de A = 0,001 + 0,75 (variation relative de B)

Les variations de B expliquent 60 % des variations de A ($R^2 = 0{,}60$)

a. Supposons que vous déteniez 100 000 € de A. Combien de B faudrait-il vendre pour minimiser le risque de votre position globale ?

b. Quel est le ratio de couverture ?

c. Voici la dépendance passée entre A et le cours de l'or :

Variation relative moyenne de A = 0,002 +1,2 (variation relative moyenne de l'or)

Si $R^2 = 0{,}5$, pouvez-vous diminuer le risque de votre position nette en vous couvrant avec de l'or (ou un contrat à terme sur l'or) plutôt qu'avec l'action B ? Justifiez.

16. À la section 27.5, nous avons affirmé que la duration du crédit-bail de Lasuma était égale à la duration de sa dette.

a. Montrez que tel est le cas.

b. À présent, supposons que le taux d'intérêt chute à 3 %. Montrez comment les valeurs du crédit-bail et de la dette sont affectées par une augmentation ou une chute de 0,5 % du taux d'intérêt. Que devrait faire Lasuma pour rétablir sa couverture sur le taux d'intérêt ?

17. Mazout Parfums (MP) est préoccupée par un accroissement possible du prix du fioul lourd, qui est l'une de ses principales matières premières. Montrez comment MP peut utiliser soit les options soit les contrats à terme pour se protéger d'un accroissement du prix du pétrole brut. Montrez comment les indemnités pourraient varier selon que le prix du baril de pétrole est de 28,20 ou 32 €. Quels avantages et inconvénients pour MP y a-t-il à utiliser les contrats à terme plutôt que des options pour réduire le risque ?

18. Observons les marchandises et les actifs financiers présentés dans le tableau 27.6. Le taux d'intérêt sans risque est de 6 % par an, et la structure par terme des taux d'intérêt est plate.

Tableau 27.6. Prix au comptant de quelques marchandises et actifs financiers

Actif	Prix au comptant	Commentaires
Magnésium	2 800 € par tonne	Rendement d'opportunité net = 4 % par an
Avoine	0,44 € par boisseau	Rendement d'opportunité net = 0,5 % par mois
Indice boursier Biotechnologie Action ordinaire	140,2	Taux de dividende = 0
Action d'Allen Fresh, Inc.	58,00 €	Dividende payé = 2,4 € par an
Bon du Trésor à 5 ans	108,93	Coupon de 8 %
Roublar de Westonie	3,1 roublars = 1 €	12 % de taux d'intérêt en roublars

a. Calculez le prix à terme six mois dans chacun des cas.

b. Expliquez comment un producteur de magnésium peut utiliser le marché à terme pour « verrouiller » le prix de vente d'une expédition programmée de 1 000 tonnes de magnésium dans six mois.

c. Supposons que le producteur adopte ce que vous avez recommandé en (b), mais qu'au bout d'un mois, le prix du magnésium ait chuté à 2 200 €. Que se passe-t-il ? Est-ce que le producteur doit souscrire à de nouveaux contrats à terme pour reconstituer sa couverture ?

d. Est-ce que le prix à terme de l'indice des valeurs biotechnologiques fournit des informations utiles quant aux performances futures attendues des actions du secteur de la biotechnologie ?

e. Supposons que le cours de l'action Allen Fresh chute brutalement à 10 €. Les investisseurs sont confiants dans le maintien du dividende. Que se passera-t-il pour le prix à terme ?

f. Supposons que les taux d'intérêt chutent brutalement à 4 %. La structure par terme des taux d'intérêt reste plate. Que va-t-il se passer pour le prix à terme d'échéance six mois des bons du Trésor à cinq ans ? Que se passera-t-il pour un négociateur en position courte de 100 obligations pour le prix à terme qui avait été déterminé en (a) ?

g. Un importateur doit procéder à un règlement de 1 million de roublars dans trois mois. Expliquez les *deux* stratégies que l'importateur pourrait utiliser pour se couvrir contre des mouvements défavorables du taux de change roublar-euro.

19. « Les spéculateurs souhaitent que les contrats à terme ne soient pas correctement évalués. » Pourquoi ?

Problèmes avancés

1. La société des tournevis Phillip's a emprunté 20 millions d'euros à une banque à un taux d'intérêt flottant de 2 % au-dessus du taux sur les bons du Trésor à trois mois, dont le rendement actuel est de 5 %. Vous supposerez que les versements d'intérêt sont trimestriels et que la totalité de l'emprunt est remboursée en une fois au bout de cinq ans.

Phillip's veut transformer sa dette en emprunt à taux fixe. Elle aurait pu émettre une obligation à cinq ans à taux fixe pour un rendement à l'échéance de 9 %. Une telle obligation ne se vendrait pas à sa valeur nominale en ce moment. Le rendement à l'échéance des obligations du Trésor à cinq ans est actuellement de 7 %.

a. Phillip's est-elle assez stupide pour préférer une dette à long terme à un taux d'intérêt de 9 % ? Elle empruntera à la banque au taux fixe de 7 %.

b. Expliquez comment la conversion pourrait être obtenue avec un swap de taux d'intérêt. Quelles seront les conditions initiales du swap ? (Vous ignorerez les coûts de transaction et le profit de l'intermédiaire.)

Un an plus tard, les rendements des obligations à moyen et long terme du Trésor ont baissé jusqu'à 6 %. Le taux de rendement des bons du Trésor à court terme est monté à 6 %, se traduisant par une structure des taux plate. La notation d'emprunt de Phillip's n'a pas changé ; il lui est toujours possible d'emprunter à 2 points de pourcentage au-dessus du taux de rendement du Trésor.

c. Quel est le paiement net sur le swap que Phillip's aura à verser ou à recevoir ?

d. Supposons que Phillip's souhaite maintenant annuler le swap. Combien faudrait-il verser au négociateur de swap ? Justifiez.

Chapitre 28

La gestion des risques internationaux

Dans le dernier chapitre, nous avons vu les risques des variations de taux d'intérêt et de prix des produits. Mais les entreprises implantées à l'étranger supportent bien d'autres variables aléatoires, par exemple les risques politiques et les fluctuations des monnaies. Les *risques politiques* concernent la possibilité qu'un gouvernement étranger hostile vous exproprie sans aucune compensation, ou qu'il bloque vos bénéfices.

Pour comprendre le risque de change, vous devez d'abord comprendre comment fonctionne le marché des changes et comment sont fixés les cours des devises. Nous commencerons donc ce chapitre avec quelques données institutionnelles sur le marché des changes et examinerons quelques théories qui expliquent les liens entre les cours de change, les taux d'intérêt et l'inflation. Nous utiliserons ces théories pour montrer comment les entreprises déterminent et couvrent leur risque de change.

Quand nous avons présenté les décisions d'investissement dans le chapitre 6, nous avons montré que les gestionnaires financiers n'ont pas besoin de prévoir les cours de change pour évaluer leurs projets à l'étranger. Il leur suffit de prévoir les cash-flows en devises et de convertir ces flux au coût du capital en devises. Dans ce chapitre, nous expliquons pourquoi cette règle est toujours valable : c'est la possibilité de se couvrir contre le risque de change qui permet aux entreprises d'ignorer le cours de change futur dans leurs décisions d'investissement.

Nous concluons le chapitre par une discussion sur le risque politique. Nous montrons que même si les entreprises n'ont aucune emprise sur les gouvernements étrangers, elles peuvent gérer leurs activités pour réduire le risque de législations hostiles.

La caractéristique particulière de la gestion financière internationale est que vous devez travailler avec de multiples devises. Vous devez donc connaître le fonctionnement des marchés des changes, savoir pourquoi les cours de change évoluent et comment vous protéger contre le risque de change.

1 Le marché des changes

Une entreprise française qui importe des marchandises des États-Unis peut avoir besoin de dollars pour payer sa facture. Une entreprise française qui exporte aux États-Unis peut recevoir des dollars qu'elle vend contre des euros. Les deux entreprises utilisent le marché des changes.

Le marché des changes n'a pas d'existence concrète. Les transactions s'effectuent de manière électronique. Les principaux intervenants sont les grandes banques commerciales et d'investissement. Une entreprise qui veut acheter ou vendre des devises le fait en général par l'intermédiaire de sa banque. Les échanges sur le marché des changes sont considérables. À Londres, dans les dernières années, les échanges de devises ont représenté plus de 750 milliards de dollars *chaque jour*, ce qui correspond à des échanges annuels de plus de 200 000 milliards de dollars. New York et Tokyo réalisent à eux deux plus de 400 milliards de dollars de transactions par jour[1].

Le tableau 28.1 est tiré du *Financial Times*. Les cours de change sont en général exprimés en nombre d'unités de la devise nécessaire pour acheter un euro. On parle de *cotation à l'incertain*. Dans la première colonne du tableau 28.1, la cotation à l'incertain pour le peso mexicain indique que l'on peut acheter 10,9815 pesos avec 1 $. Ceci s'écrit peso : 10,9815 / $.

Les données de ce tableau, comme celles de tous les tableaux de ce chapitre, sont disponibles sur *www.gestion financiere.pearsoned.fr*

Tableau 28.1. Cours de change au comptant et à terme du dollar au 22 mars 2004

	Cours au comptant*	Cours à terme*		
		1 mois	3 mois	1 an
Europe :				
Euro	1,2375	1,2364	1,2346	1,2285
Couronne norvégienne	6,8168	6,8217	6,8292	6,8610
Couronne suédoise	7,4509	7,4601	7,4738	7,5284
Franc suisse	1,2559	1,2549	1,2532	1,2451
Livre sterling	1,8472	1,8421	1,8325	1,7877
Amérique du Nord :				
Dollar canadien	1,3276	1,3289	1,3311	1,3388
Peso mexicain	10,9815	11,0338	11,1260	11,5775
Pacifique/Afrique :				
Dollar de Hong Kong	7,7928	7,7858	7,7740	7,7390
Yen japonais	106,83	106,72	106,53	105,505
Rand sud-africain	6,4662	6,5107	6,5917	6,9812
Won sud-coréen	1 160,5	1 163,8	1 169,2	1 186,0

* Les taux indiquent le nombre d'unités de la devise par dollar américain, à l'exception de l'euro et la livre sterling qui indiquent le nombre de dollars américains par unité de la devise.

Source : *Financial Times* (23 mars 2004).

1. Les résultats de la revue triennale des échanges sur le marché des changes sont publiés sur **www.bis.org/publ**.

Une cotation *au certain* indique combien de dollars vous pouvez acheter pour une unité de monnaie étrangère. Ainsi, le tableau 28.1 montre que 1 £ vaut 1,8472 $ ou, de manière plus concise, $1,8472 / £. De ce fait, 1 £ permet d'acheter 1 / 1,8472 = 0,5414 £ : la cotation à l'incertain pour la livre sterling est £0,5414 / $[2].

Les cours de change de la première colonne du tableau 28.1 sont les prix de la devise pour une livraison immédiate. On les appelle les **cours de change au comptant** (ou *spot*). Par exemple, le cours comptant du peso est peso 10,9815 / $ et le taux au comptant de la livre sterling est $1,8472 / £.

Il y a aussi un *marché à terme* (forward). Sur ce marché, vous achetez et vendez des monnaies pour une livraison future. Si vous savez que vous allez devoir payer ou recevoir des devises dans le futur, vous pouvez vous assurer contre un risque de perte en achetant ou en vendant à terme. Ainsi, si vous avez besoin d'un million de pesos dans trois mois, vous pouvez passer un *contrat à terme* à 3 mois. Le *cours à terme* sur ce contrat est le prix que vous paierez dans trois mois quand les pesos seront reçus. Dans le tableau 28.1, on a le cours à trois mois pour le peso : peso 11,1260 / $. Si vous achetez des pesos pour une livraison dans trois mois, vous obtiendrez un peu plus de pesos contre votre dollar que si vous les achetez au comptant. Dans ce cas, on dit que le peso a un *déport* à terme par rapport au dollar, parce que les pesos à terme sont moins chers qu'au comptant. Exprimé en taux annuel, le déport est[3] :

$$4 \times \left(\frac{10,9815}{11,1260} - 1\right) = 0,052, \text{ soit } -5,2\ \%$$

Vous pourriez aussi dire que le *dollar* est vendu avec un *report à terme*.

Un achat ou une vente à terme est une transaction sur mesure entre l'entreprise et sa banque. Elle est réalisée pour telle monnaie, tel montant et tel jour de livraison. Par exemple, vous pouvez acheter 99 999 dôngs vietnamiens ou gourdes haïtiennes pour une échéance à un an et un jour pourvu que vous trouviez une banque prête à vous les vendre. La plupart des transactions à terme sont au maximum de six mois, mais les banques acceptent d'acheter et de vendre les principales devises pour des échéances de plusieurs années[4].

Il existe aussi un marché organisé pour la livraison future de devises, connu sous l'appellation de marché des *futures* (*marchés à terme*) de devises. Les contrats à terme de devises sont standardisés ; ils n'existent que pour les principales monnaies, pour des montants précis et pour un choix limité de dates de livraison[5].

Quand vous achetez un contrat au comptant ou à terme, vous vous engagez à prendre livraison des devises. Vous pouvez aussi prendre une *option* d'achat ou de vente d'une monnaie dans le futur à un prix fixé dès aujourd'hui. Les options de devises sur mesure peuvent être

2. Les cambistes appellent en général le taux de change livre sterling-dollar le *cable*. Dans le tableau 28.1, le *cable* est de 1,8472.
3. Ce calcul constitue un point possible de confusion. En effet, comme la cotation du peso est indirecte, nous calculons le report en faisant le rapport entre le cours comptant et le cours à terme. Si nous utilisions une cotation directe, nous aurions besoin de calculer le cours à terme par rapport au cours comptant. Dans le cas du peso, le report par la cotation directe est $4 \times [(1 / 11,1260) / (1 / 10,9815) - 1] = -0,052$, soit –5,2 %.
4. Les transactions au comptant et à terme sont souvent réalisées simultanément. Par exemple, une entreprise peut avoir besoin d'utiliser des pesos pour 1 mois. Dans ce cas, elle achètera des pesos au comptant et les vendra à terme. Ceci s'appelle un *swap*, mais ne doit pas être confondu avec les swaps à long terme sur les devises et les taux d'intérêt étudiés au chapitre 27.
5. Voir le chapitre 27 pour plus de détails sur la différence entre les contrats au comptant et à terme.

achetées auprès des principales banques alors que les options standardisées sont traitées sur les marchés d'options.

2 Quelques relations de base

Vous ne pouvez pas avoir une gestion internationale cohérente tant que vous ne comprenez pas les liens entre cours de change et taux d'intérêt. Vous devez donc partir des quatre problèmes suivants :

1. Pourquoi le taux d'intérêt sur le dollar ($r_\$$) est-il différent du taux sur le peso (r_p) ?
2. Pourquoi le cours de change à terme ($f_{p/\$}$) est-il différent du cours comptant ($s_{p/\$}$) ?
3. Qu'est-ce qui détermine le cours de change au comptant anticipé de l'année prochaine entre le dollar et le peso, $E(s_{p/\$})$?
4. Quelle est la relation entre le taux d'inflation aux États-Unis ($i_\$$) et l'inflation au Mexique (i_p) ?

Supposons que les agents soient indifférents au risque et qu'il n'y ait aucune barrière et aucun coût dans le commerce international. Dans ce cas, les cours de change au comptant, les cours de change à terme, les taux d'intérêt et les taux d'inflation seraient liés par la relation simple suivante :

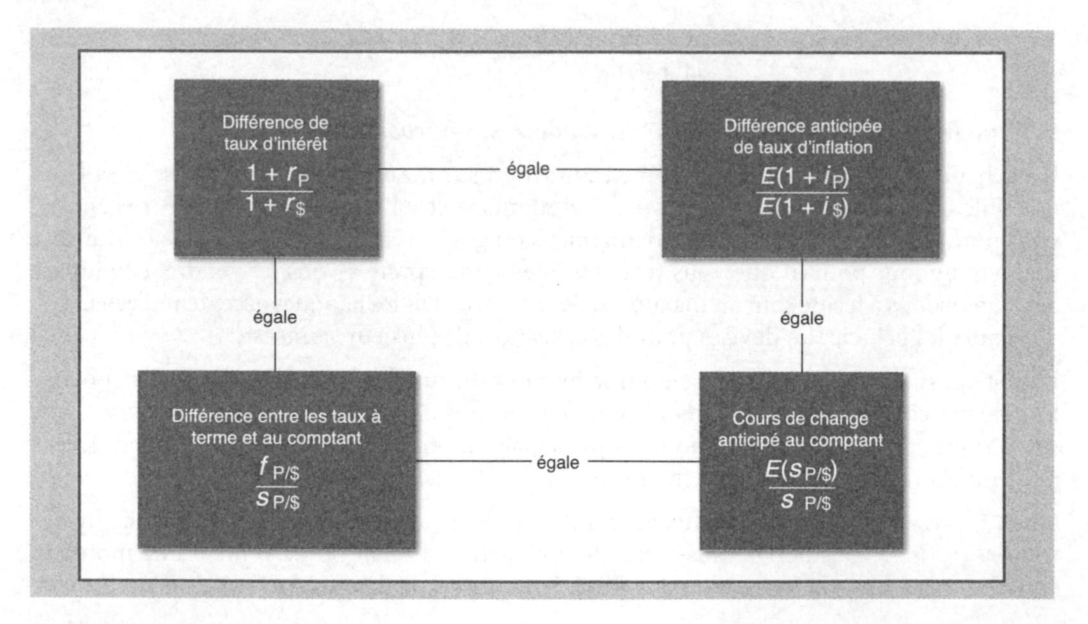

Pourquoi en serait-il ainsi ?

2.1 Les taux d'intérêt et les cours de change

En mars 2006, vous avez 1 million d'euros à placer pour un an. Les dépôts en dollars rapportent 1,22 % ; les dépôts en pesos mexicains rapportent un pourcentage (attractif ?) de 6,70. La décision est-elle évidente ? Vérifions :

- *Prêt en dollars.* Le taux d'intérêt sur un dépôt en dollars à un an est de 1,22 %. À la fin de l'année, vous obtenez donc 1 000 000 × 1,0122 = 1 012 200 dollars.

- *Prêt en pesos.* Le cours de change est 10,9815 / \$. Pour 1 million de dollars, vous pouvez acheter 1 000 000 × 10,9815 = 10 981 500 pesos. Le taux d'intérêt sur un dépôt en pesos à un an est de 6,7 %. À la fin de l'année, vous obtenez donc 10 981 500 × 1,067 = 11 717 261 pesos. Bien sûr, vous ne connaissez pas le cours de change dans un an. Mais cela n'a pas d'importance. Vous pouvez fixer aujourd'hui le prix auquel vous vendrez vos pesos : le cours à un an est 11,5775 / \$. Donc, en vendant à terme, vous pouvez être sûr de recevoir 11 717 261 / 11,5775 = 1 012 072 \$ à la fin de l'année.

Ainsi, les deux investissements offrent presque exactement la même rentabilité[6], ce qui est normal puisqu'ils sont tous les deux sans risque. Si le taux d'intérêt national était différent du taux étranger « couvert », vous auriez une machine à fabriquer des dollars.

Si vous effectuez le prêt en pesos, vous bénéficiez d'un taux d'intérêt supérieur. Mais vous subissez également une perte parce que vous vendez vos pesos à terme à un prix inférieur au prix d'aujourd'hui. Le différentiel de taux d'intérêt est

$$\frac{1 + r_P}{1 + r_\$}$$

et le différentiel entre les cours de change à terme et au comptant est

$$\frac{f_{p/\$}}{s_{p/\$}}$$

Selon la *théorie de la parité des taux d'intérêt*, la différence entre les taux d'intérêt doit être égale à la différence entre les cours de change à terme et au comptant :

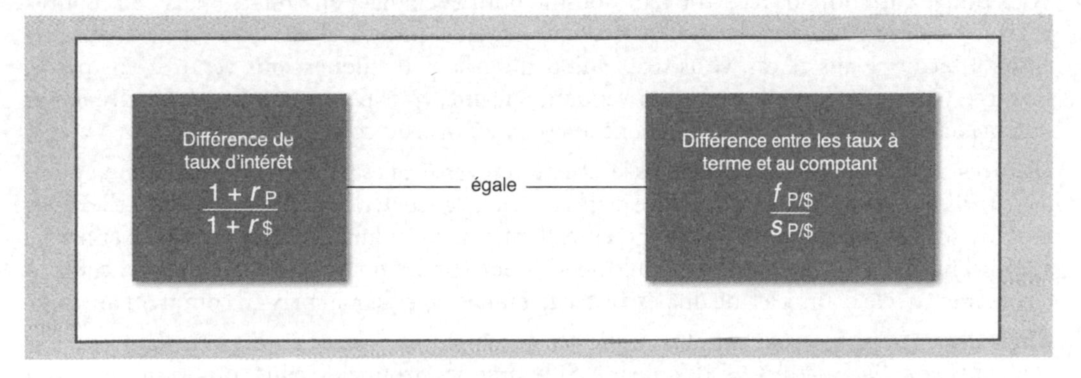

Dans notre exemple,

$$\frac{1{,}0006}{1{,}0122} = \frac{11{,}5775}{10{,}9815}$$

6. La différence minime des sommes en fin d'année est due aux arrondis des taux d'intérêt.

2.2 Le report à terme et les fluctuations des cours comptant

Si les agents économiques étaient indifférents au risque, le cours de change à terme ne dépendrait que de leurs anticipations du cours comptant. Par exemple, si le cours à un an sur le peso était peso 11,5775 / $, ce serait uniquement parce que les opérateurs anticipent un taux au comptant dans un an de peso 11,5775 / $. S'ils anticipaient un taux de, disons, peso 12 / $, personne ne voudrait vendre de pesos à terme. Ils obtiendraient plus de pesos pour leurs dollars en attendant puis en achetant au comptant.

La *théorie des anticipations* des cours de change explique donc que la différence en pourcentage entre le cours à terme et le cours comptant aujourd'hui est égale à la variation anticipée du cours comptant :

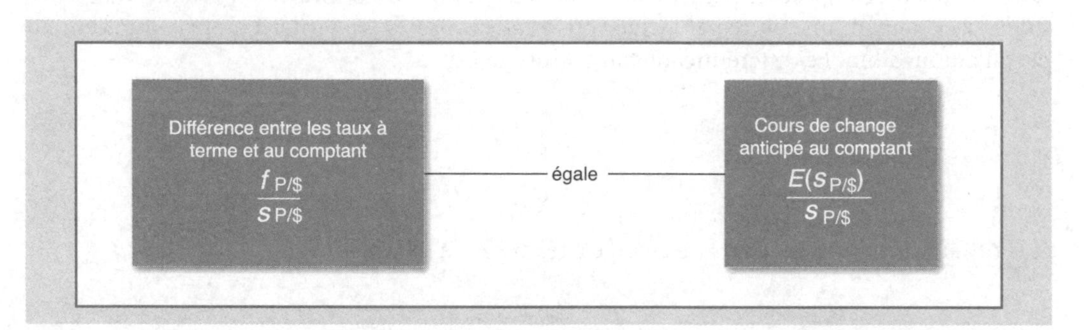

Bien sûr, cela suppose que les opérateurs n'aient pas d'aversion au risque. Dans le cas contraire, le cours à terme pourrait être soit supérieur soit inférieur au cours comptant anticipé. Par exemple, supposez que vous deviez recevoir un million de pesos dans trois mois. Vous pouvez attendre de recevoir cette somme pour la changer en dollars, mais vous courez le risque que le cours du peso baisse pendant ces trois mois. L'alternative est de vendre les pesos à terme. Dans ce cas, vous fixez aujourd'hui le prix auquel vous vendrez vos pesos. Comme vous supprimez le risque en vendant à terme, vous pouvez souhaiter le faire *même si* le prix à terme du peso est légèrement *inférieur* au prix au comptant anticipé.

D'autres entreprises peuvent être dans la situation inverse. Elles peuvent avoir à payer en pesos dans trois mois. Elles peuvent attendre cette échéance et acheter alors des pesos, mais elles courent le risque que le cours du peso augmente. Il est plus sûr pour ces entreprises de fixer le prix aujourd'hui en *achetant* des pesos à terme. Ces entreprises pourront donc vouloir acheter à terme même si le cours à terme du peso est légèrement *supérieur* au prix au comptant anticipé.

Ainsi, des entreprises trouvent plus sûr de *vendre* des pesos à terme tandis que d'autres trouvent plus sûr d'*acheter* des pesos à terme. Si le premier groupe est plus important, le prix à terme du peso sera inférieur au cours comptant anticipé. Si le second groupe est plus important, le prix à terme sera supérieur au cours comptant anticipé. En moyenne, le cours à terme aura autant tendance à sous-estimer qu'à surestimer le cours comptant anticipé.

2.3 Les variations de change et les taux d'inflation

Nous arrivons maintenant au troisième côté de notre quadrilatère, la relation entre les variations du cours de change au comptant et les taux d'inflation. Supposez qu'une once d'argent puisse être achetée à Mexico 60 pesos et vendue au États-Unis 7,50 $. Vous pensez faire une bonne affaire. Vous prenez 5 463,74 $ et les changez contre 5 463,74 × 10,9815 pesos = 60 000 pesos. C'est assez pour acheter 1 000 onces d'argent. Vous mettez le métal dans le premier avion pour les

États-Unis où vous le vendez pour 7 500 $. Vous faites un profit brut de 2 000 $. Bien sûr, vous devez payer les coûts de transport et d'assurance, mais il devrait encore vous rester un petit profit.

Les machines à fabriquer des euros n'existent pas, ou du moins ne fonctionnent pas longtemps. Quand d'autres personnes observeront la disparité entre le prix de l'argent au Mexique et aux États-Unis, le prix diminuera au Mexique et montera aux États-Unis jusqu'à ce que toute opportunité de profit disparaisse. L'arbitrage fera que le prix en dollars de l'argent sera à peu près le même dans les deux pays. Bien sûr, l'argent est un bien standardisé et facilement transportable, mais les mêmes mécanismes agiront pour égaliser les prix des autres biens. Les biens qui peuvent être achetés meilleur marché à l'extérieur seront importés, ce qui fera baisser le prix national de ces produits. De même, les biens qui peuvent être achetés meilleur marché aux États-Unis seront exportés, ce qui fera baisser les prix étrangers.

Ceci est appelé la *théorie de la parité des pouvoirs d'achat*[7]. Tout comme le prix des biens au Printemps doit être à peu près le même que le prix des biens aux Galeries Lafayette, le prix des biens au Mexique quand il est converti en dollars doit être à peu près le même que le prix aux États-Unis :

$$\text{Prix en dollars des biens aux États-Unis} = \frac{\text{prix en pesos des biens au Mexique}}{\text{nombre de pesos par dollar}}$$

La théorie de la parité des pouvoirs d'achat implique que le différentiel des taux d'inflation sera compensé par une modification du cours de change. Par exemple, si les prix augmentent de 1,5 % aux États-Unis et de 6,5 % au Mexique, le nombre de pesos que vous pouvez acheter pour 1 $ doit être augmenté de (1,0654 / 1,015) – 1, soit environ de 5,0 %. Par conséquent, la théorie de la parité des pouvoirs d'achat affirme que, pour estimer les fluctuations ducours de change au comptant, vous devez estimer les différences entre les taux d'inflation[8] :

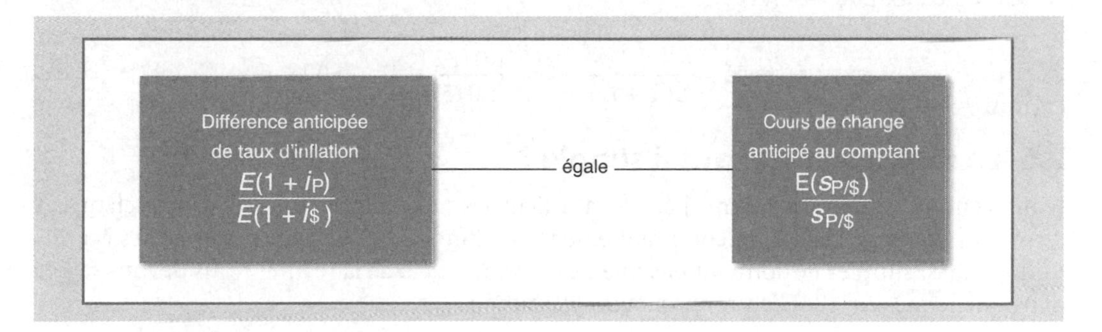

Dans notre exemple,

Cours comptant actuel × différence anticipée des taux d'inflation = cours comptant anticipé

$$\frac{10{,}9815 \times 1{,}065}{1{,}015} = 11{,}5$$

7. Les économistes utilisent l'expression *théorie de la parité des pouvoirs d'achat* pour expliquer la notion selon laquelle le niveau des prix des biens doit être en général le même dans les deux pays. Ils utilisent l'expression *loi du prix unique* quand ils parlent du prix d'un seul bien.

8. En d'autres termes, la différence *anticipée* des taux d'inflation égale la variation *anticipée* du cours de change. Interprétée de façon stricte, la théorie de la parité des pouvoirs d'achat implique aussi que la différence *réelle* des taux d'inflation égale toujours la variation *réelle* du cours de change.

2.4 Les taux d'intérêt et les taux d'inflation

Voyons maintenant le quatrième élément. De même que l'eau coule toujours dans le sens de la pente, les capitaux vont toujours là où la rentabilité est la plus importante. Mais les investisseurs ne sont pas intéressés par la rentabilité *nominale ;* ils s'intéressent au pouvoir d'achat de leur argent. Ainsi, s'ils constatent que les taux d'intérêt réels sont plus élevés au Mexique qu'aux États-Unis, ils se déplaceront vers le Mexique jusqu'à ce que la rentabilité réelle attendue soit la même dans les deux pays. Si les taux d'intérêt réels attendus sont égaux, la différence des cours de change sera égale à la différence des taux d'inflation anticipée[9] :

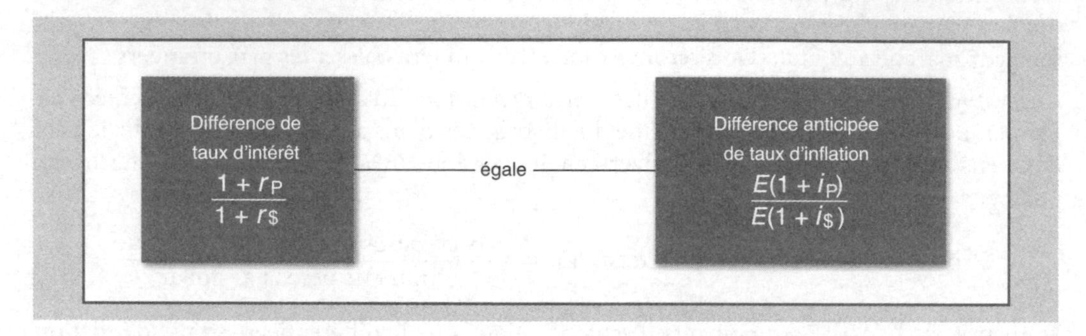

Au Mexique, le taux d'intérêt réel à un an est proche de 0 % :

$$r_P \text{ (réel)} = \frac{1 + r_P}{E(1 + i_P)} - 1 = \frac{1{,}067}{1{,}065} - 1 = 0{,}002$$

et de même aux États-Unis :

$$r_\$ \text{ (réel)} = \frac{1 + r_\$}{E(1 + i_\$)} - 1 = \frac{1{,}0122}{1{,}015} - 1 = -0{,}003$$

2.5 La réalité est-elle aussi simple ?

Nous venons de décrire quatre théories qui lient les taux d'intérêt, les cours de change à terme, les cours de change au comptant et les taux d'inflation. Bien sûr, des théories économiques aussi simples ne donnent pas une description fidèle de la réalité. Nous devons savoir dans quelle mesure elles s'en rapprochent. Examinons-les.

1. **La théorie de la parité des taux d'intérêt.** Selon la théorie de la parité des taux d'intérêt, le taux d'intérêt sur le yen couvert pour le risque de change doit être le même que le taux sur le dollar. Dans notre exemple, nous utilisions les taux d'intérêt sur les dépôts en dollars et en pesos à Londres. Comme l'argent peut facilement circuler entre ces dépôts, la théorie de la parité des taux d'intérêt est presque toujours vérifiée. En fait, les opérateurs *fixent* le prix à terme du peso en fonction de la différence entre les taux d'intérêt en dollars et en pesos.

9. Dans la section 1, chapitre 23 nous avons analysé la théorie d'Irving Fisher selon laquelle, à long terme, la modification des taux d'intérêt nominaux est reflétée dans les modifications de hausse des prix anticipée. Ici, nous disons que le différentiel international des taux d'intérêt nominaux est aussi reflété dans le différentiel de hausse des prix anticipée. Cette théorie est parfois appelée l'*effet Fisher international.*

2. **La théorie des anticipations des cours à terme.** Comment cette théorie explique-t-elle les cours à terme ? Les chercheurs ont trouvé que quand le cours à terme semble prédire une forte hausse du cours comptant (un report), le cours à terme tend à surestimer la hausse du cours comptant. Inversement, quand le cours à terme semble prédire une baisse de la devise (un déport), il tend à surestimer cette baisse[10].

   Ce résultat n'est pas compatible avec la théorie des anticipations. Il apparaît plutôt que les entreprises sont parfois prêtes à abandonner une faible rentabilité pour acheter une monnaie à terme et que dans d'autres cas, elles sont prêtes à abandonner leur rentabilité pour vendre une monnaie à terme. Donc, les cours à terme semblent intégrer une prime de risque, mais le signe de cette prime change fréquemment[11]. Vous pouvez le voir sur la figure 28.1. La moitié du temps, le cours à terme du franc suisse surestime le cours comptant futur vraisemblable et le sous-estime la moitié du temps. En moyenne, le cours à terme et le cours comptant futur sont presque identiques. Ceci est important pour le gestionnaire financier, car cela signifie que l'utilisation du marché à terme pour se protéger contre les mouvements des cours de change ne conduit pas à surpayer cette couverture.

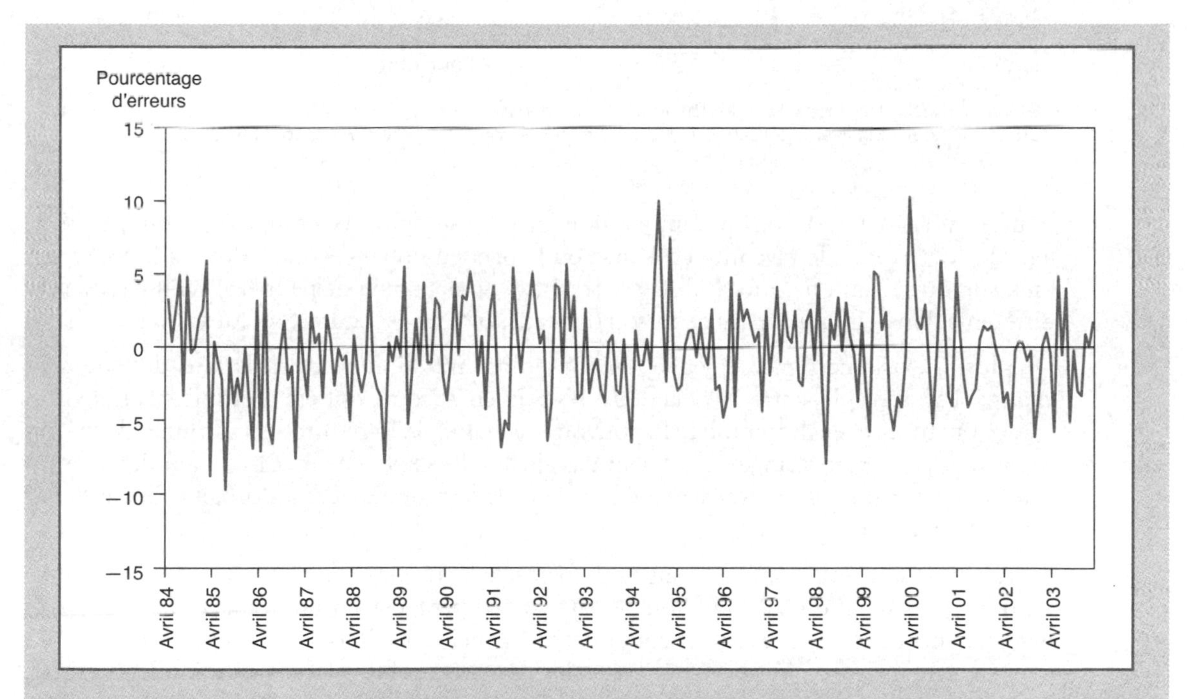

Figure 28.1 - Erreur en % de l'utilisation du cours à un mois du franc suisse pour prévoir le cours comptant du mois suivant. Notez que le cours à terme surestime et sous-estime le cours comptant de manière égale.

10. Beaucoup de chercheurs ont même trouvé que, quand le cours à terme prédit une hausse, le cours comptant tend à baisser et *vice versa*. Pour une discussion de cette conclusion, voir K. A. Froot et R. H. Thaler, « Anomalies : Foreign Exchange », *Journal of Political Economy*, 4 (1990), pp. 179-192.

11. Pour comprendre que les cours de change à terme contiennent des primes de risque qui sont parfois positives et parfois négatives, voir, par exemple, E. F. Fama, « Forward and Spot Exchange Rates », *Journal of Monetary Economics*, 14 (1984), pp. 319-338.

3. **La théorie de la parité des pouvoirs d'achat.** Revenons au troisième côté de notre quadrilatère, la théorie de la parité des pouvoirs d'achat. Regardez le tableau 28.2 qui donne le prix d'un Big Mac dans différents pays. Au cours de change du marché, un Big Mac coûte 4,90 € en Suisse, mais seulement 2,90 € aux États-Unis. Pour que les prix soient les mêmes en Suisse et aux États-Unis, le nombre de francs suisses pouvant acheter un dollar devrait monter de 4,90 / 2,90 – 1 = 0,69, soit 69 %.

Tableau 28.2. Prix en dollars des hamburgers Big Mac dans différents pays

Pays	Prix local converti en $	Pays	Prix local converti en $
Afrique du Sud	1,86	Mexique	2,08
Canada	2,33	Philippines	1,23
Chine	1,26	Royaume-Uni	3,37
Danemark	4,46	Russie	1,45
États-Unis	2,90	Suisse	4,90
Japon	2,33	Zone euro	3,28

Source : « The Big Mac Index : Food for Thought », *The Economist* (29 mai 2004), pp. 75-76. The Economist Newspaper Group, Inc. Reproduit avec autorisation. Toute autre reproduction est interdite (**www.economist.com**).

Pourquoi n'achèteriez-vous pas un hamburger par exemple aux Philippines pour l'équivalent de 1,23 $ pour le revendre en Suisse où le prix en dollars est de 4,90 ? La réponse est, bien sûr, que le gain ne couvrirait pas les coûts. Le même bien ne peut être vendu à des prix différents dans différents pays en raison du transport qui est coûteux et lourd[12].

De plus, il existe certainement une relation entre l'inflation et les variations des cours de change. Par exemple, entre 1999 et 2003, les prix en Turquie ont été multipliés par environ 7,2. On peut dire, également, que le pouvoir d'achat de la livre turque a diminué d'environ 86 %. Si les cours de change ne s'étaient pas ajustés, les exportateurs turcs n'auraient pas pu vendre leurs produits. Heureusement, la valeur de la monnaie turque a baissé de 79 % par rapport au dollar.

La Turquie est un cas extrême, mais nous avons reporté à la figure 28.2 la variation relative du pouvoir d'achat d'un échantillon de pays par rapport à la variation du cours de sa monnaie. La Turquie est située dans le coin inférieur gauche, les États-Unis sont plus proches du coin supérieur droit[13]. Vous pouvez constater que même si la relation est loin d'être exacte, de grandes différences de taux d'inflation sont généralement compensées par le cours de change[14].

12. Bien sûr, même *à l'intérieur* d'un pays, il peut y avoir de grandes variations de prix. Le prix des Big Mac, par exemple, diffère sensiblement d'un côté à l'autre des États-Unis.

13. La Turquie n'a pas le taux d'inflation le plus élevé ou la monnaie qui se déprécie le plus rapidement. Cet « honneur » revient à la République démocratique du Congo, suivie de près par l'Angola. Ces deux pays sont représentés par les deux points les plus en bas à gauche de la figure 28.2.

14. Notez que certains des pays représentés sur la figure 28.2 ont des économies fortement administrées et leurs taux de change ne sont donc pas ceux qui existeraient sur un marché non contraint. La même mise en garde est valable pour les taux d'intérêt représentés sur la figure 28.4.

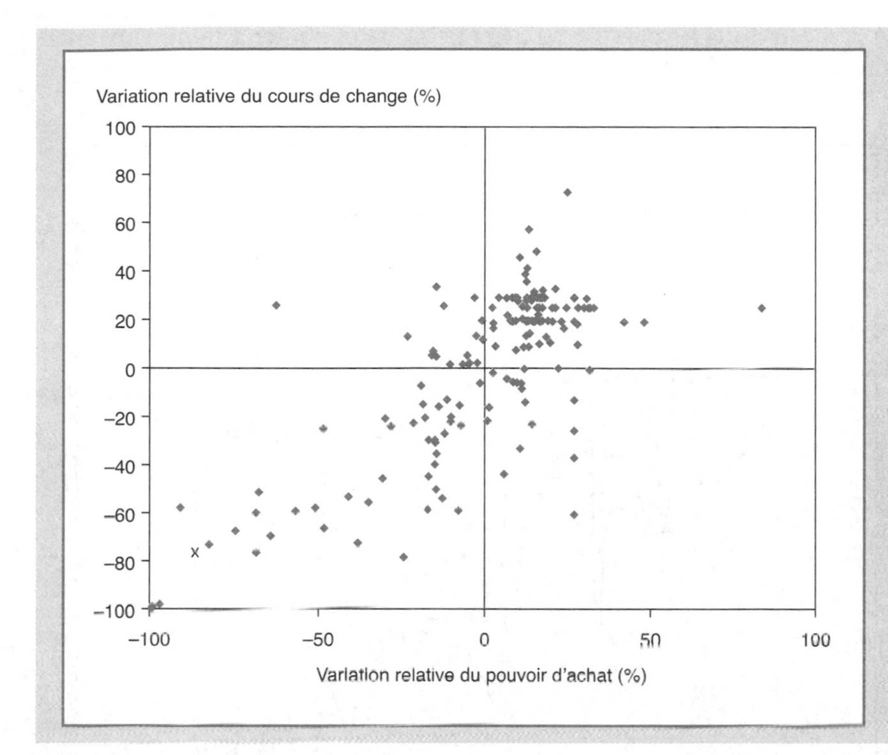

Figure 28.2 - Une baisse du cours de change et une baisse du pouvoir d'achat vont souvent de pair. Sur cette figure, chacun des 163 points représente un pays entre 1997/1998 et 2002/2003. L'axe vertical mesure la variation relative de la valeur d'une monnaie étrangère par rapport à la moyenne. L'axe horizontal mesure la variation du pouvoir d'achat de la monnaie par rapport à la moyenne. Le x dans le coin inférieur gauche représente la Turquie ; les États-Unis sont dans le coin supérieur droit.

Au sens strict, la théorie de la parité des pouvoirs d'achat implique que le différentiel de taux d'inflation est toujours identique à la variation du cours de change. Mais nous n'avons pas besoin d'aller aussi loin. Nous serions satisfaits si la différence *anticipée* des cours d'inflation était égale à la variation *anticipée* du taux au comptant. Ceci reflète ce que nous écrivions sur le troisième côté de notre quadrilatère.

Regardez, par exemple, la figure 28.3. La ligne noire montre qu'en 2003 1 livre sterling permettait d'acheter 60 % de dollars en moins qu'au début du siècle. Mais cette baisse du prix de la livre était largement compensée par le taux d'inflation supérieur au Royaume-Uni. La ligne bleue montre que le cours de change tenant compte de l'inflation, ou *réel*, atteignait, à la fin du siècle, à peu près le même niveau qu'au début[15]. Bien sûr, le cours de change réel *change*, quelquefois de manière dramatique. Par exemple, la valeur réelle de la livre a presque été divisée de 25 % entre décembre 2001 et décembre 2003. Si vous étiez un gestionnaire financier chargé d'estimer la variation à long terme de la valeur de la livre, vous n'auriez pas pu faire beaucoup mieux que de supposer que ces variations de la valeur de la monnaie compenseraient le différentiel des taux d'inflation.

4. **L'égalité des taux d'intérêt réels.** Nous arrivons enfin à la relation entre les taux d'intérêt dans différents pays. Avons-nous un seul marché mondial des capitaux avec le même

15. Le cours de change réel est égal au cours de change nominal multiplié par le différentiel d'inflation. Par exemple, supposons que la valeur de la livre baisse de 1,54 $ = 1 £ à 1,40 $ = 1 £ en même temps que le prix des biens augmente de 10 % plus vite au Royaume-Uni qu'aux États-Unis. Le cours de change ajusté de l'inflation, ou réel, est invariable à :
Cours de change initial × $(1 + i£)/(1 + i_{\$})$ = 1,40 × 1,1 = \$1,54 / £

taux d'intérêt *réel* dans tous les pays ? Le différentiel de taux d'intérêt nominaux est-il égal au différentiel de taux d'inflation attendu ?

Figure 28.3 - Depuis 1900, la valeur de la livre sterling a fortement baissé par rapport au dollar. Mais cette baisse a largement compensé le taux d'inflation supérieur au Royaume-Uni. La valeur réelle de la livre est restée approximativement constante.

Source : N. Abuaf et P. Jorion, « Purchasing Power Parity in the Long Run », *Journal of Finance*, 45 (mars 1990), pp. 157-174. Nous avons revu et actualisé les données jusqu'en 2003.

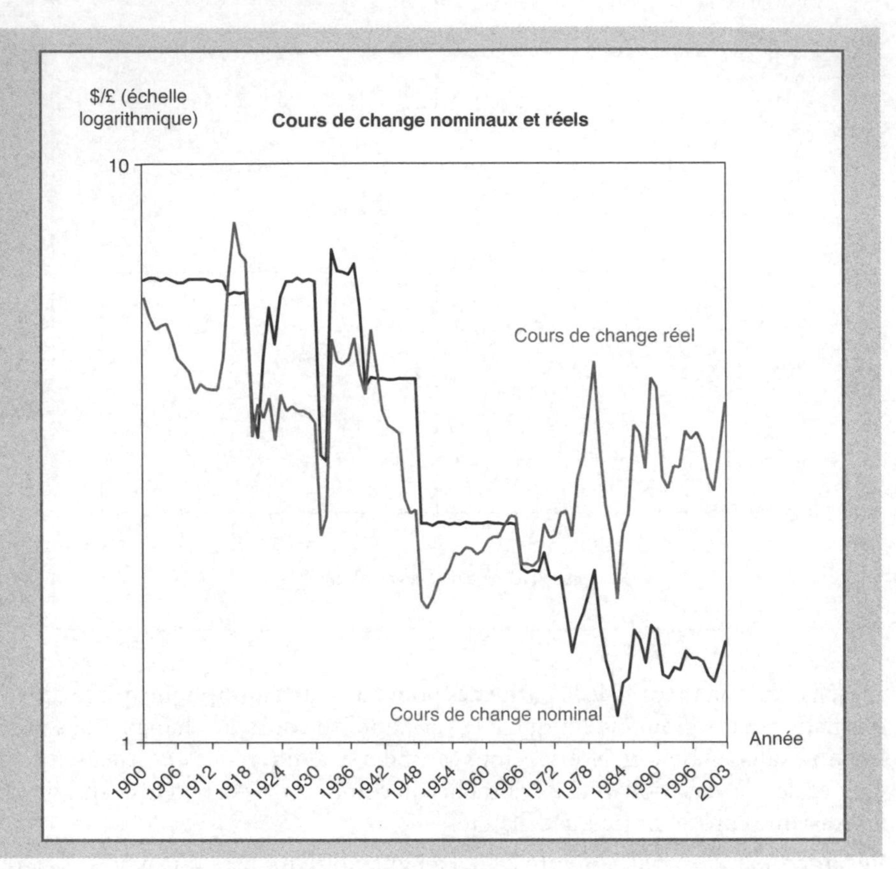

La réponse n'est pas facile parce qu'il n'est pas possible d'observer l'inflation *attendue*. Sur la figure 28.4 nous avons reporté le taux d'intérêt moyen de 129 pays par rapport à l'inflation qui est apparue parallèlement. Le Japon est répertorié dans le coin en bas à gauche du graphique, tandis que le Malawi est représenté par le repère en haut à droite. Vous pouvez voir qu'en général, les pays avec les taux d'intérêt les plus élevés avaient aussi les taux d'inflation les plus élevés. En d'autres termes, il y a des différences beaucoup plus faibles entre les taux d'intérêt réels qu'entre les taux nominaux[16].

16. Dans le chapitre 24, nous avons vu que dans ces pays les pouvoirs publics ont émis des obligations assurant un intérêt réel fixé. Le paiement annuel des intérêts et le montant remboursé à l'échéance augmentent en même temps que l'inflation. Dans ces cas, on peut observer et comparer le taux d'intérêt réel. Les taux d'intérêt réels au Canada, en France, au Japon, au Royaume-Uni, en Suède et aux États-Unis se cantonnaient entre 1,2 et 2,4 %. L'exception est l'Australie où la rentabilité des obligations indexées est inférieure à 3 %.

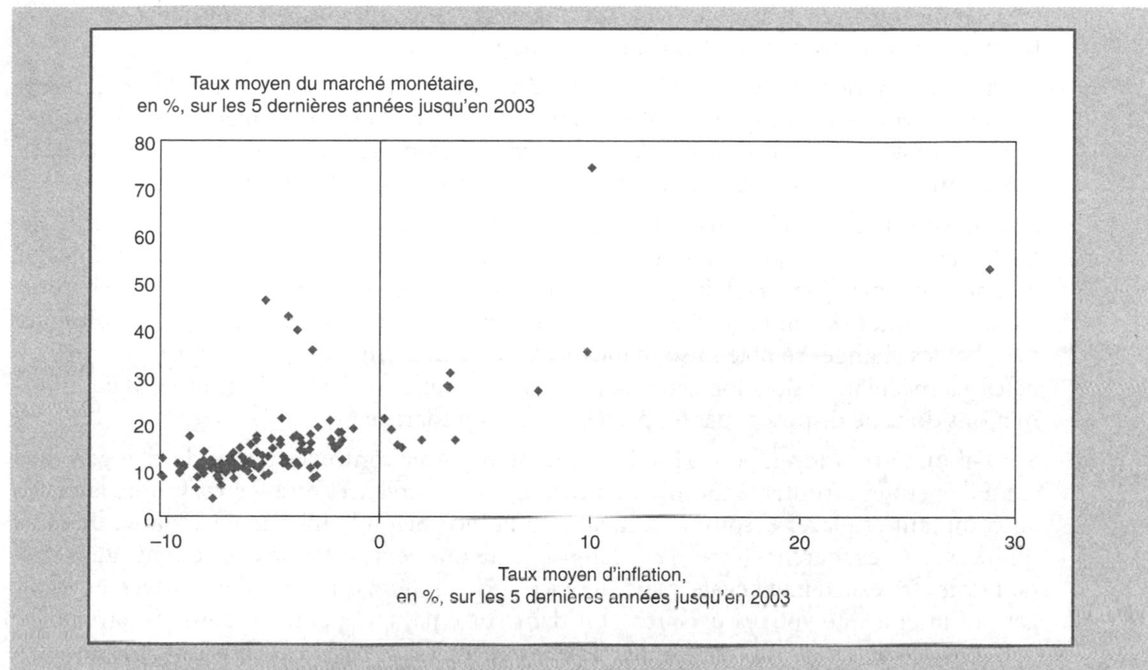

Figure 28.4 - Les pays avec les taux d'intérêt les plus élevés ont généralement les taux d'inflation les plus élevés. Chacun des 129 points représente un pays.

3 La couverture contre le risque de change

De fortes variations de change peuvent grandement entamer les profits des entreprises. Nous allons étudier une société européenne, Homlet SA, et examiner ses problèmes de change.

3.1 Homlet SA

Homlet SA a toujours eu une activité export réduite mais rentable. Les contrats stipulent de longs délais de paiement, mais comme l'entreprise a toujours eu une politique de facturation en francs (en euros, désormais), elle est totalement protégée contre les variations des cours de change. Depuis un certain temps, le service export est mécontent de cette pratique et pense qu'elle occasionne des pertes de commandes auprès d'entreprises qui préfèrent être facturées dans leur propre monnaie.

Vous êtes d'accord avec ces arguments, mais vous vous inquiétez de savoir comment l'entreprise devra fixer le prix de ses exportations en devises. Si la valeur de ces dernières diminue avant le paiement, l'entreprise supportera une perte importante. Vous souhaitez identifier le risque de change, mais vous voulez aussi laisser autant de liberté d'action que possible à la force de vente.

Notez que Homlet SA peut s'assurer contre ce risque de change en vendant la devise à terme. Cela signifie que vous pouvez séparer le problème de la négociation des contrats individuels de la gestion du risque de change. La force de vente peut tenir compte du risque de change en fixant les prix sur la base du cours de change à terme. Et vous, en tant que gestionnaire financier, vous pouvez décider si l'entreprise *doit* s'assurer.

Quel est le coût de la couverture ? Vous entendez parfois dire qu'il est égal à la différence entre le cours à terme et le cours comptant d'*aujourd'hui*. Ceci est faux. Si Homlet SA ne s'assure pas, elle recevra le cours comptant à la date de paiement. Donc, le coût de l'assurance est la différence entre le cours à terme et le cours comptant anticipé (date de règlement).

Se couvrir ou spéculer ? Nous optons généralement pour la couverture. Tout d'abord, cela facilite la vie de l'entreprise et lui permet de se consacrer à son activité principale[17]. Ensuite, cela ne coûte pas cher. (En fait, le coût est nul en moyenne si le cours à terme égale le cours comptant anticipé, comme la théorie des anticipations des cours à terme l'indique.) Enfin, le marché des changes semble raisonnablement efficient, au moins pour les monnaies principales. La spéculation doit donc être un jeu à somme nulle, sauf si les dirigeants ont des informations dont ne disposent pas les professionnels du marché.

Y a-t-il un autre moyen pour Homlet SA de se protéger contre les pertes de change ? Bien sûr. Elle peut emprunter la monnaie en échange de ses créances étrangères, vendre la devise au comptant et placer la somme recueillie en France. Selon la théorie de la parité des taux d'intérêt, sur les marchés libres, la différence entre une vente à terme et une vente au comptant doit être exactement égale à la différence entre l'intérêt que vous devez payer à l'étranger et l'intérêt que vous pouvez recevoir dans votre pays. Cependant, dans les pays où les marchés de capitaux sont très régulés, il peut être meilleur marché d'emprunter à l'étranger que de se couvrir à terme[18].

Notre analyse illustre quatre conséquences pratiques de nos théories sur les cours de change. D'abord, vous pouvez utiliser les cours à terme lors de l'établissement de prix contractuels. Ensuite, selon la théorie des anticipations, la couverture contre le risque de change est en général valable. De plus, la théorie de la parité des taux d'intérêt nous rappelle que vous pouvez vous couvrir soit en vendant à terme, soit en empruntant une devise et en vendant au comptant. Quatrièmement, le coût de la couverture à terme n'est pas la différence entre le cours à terme et le cours comptant d'*aujourd'hui* ; c'est la différence entre le cours à terme et le cours comptant anticipé quand le contrat à terme arrive à échéance.

Peut-être peut-on ajouter une cinquième conséquence. Vous ne pouvez pas gagner de l'argent simplement en achetant des devises qui s'apprécient et en vendant celles qui se déprécient. Par exemple, supposons que vous achetiez des ducats d'Elseneur et les vendiez au bout d'un an 2 % de plus que les avez payés. Devrez-vous être satisfait ? Tout dépend du gain que vous obtenez sur vos ducats. Si le taux d'intérêt sur les ducats est de 2 % de moins que le taux d'intérêt sur les euros, le profit sur la monnaie est exactement annulé par la baisse de la rémunération d'intérêt. Ainsi, vous pouvez gagner de l'argent sur la spéculation des changes seulement si vous pouvez prévoir que le cours de change variera plus (ou moins) que le différentiel de taux d'intérêt, c'est-à-dire si le cours de change variera plus ou moins que le report ou le déport à terme.

---

17. Cela rassure aussi les actionnaires qui s'inquiètent de l'exposition au risque de change qu'ils supportent s'ils achètent les actions de la société.

18. Quelquefois, les pouvoirs publics essaient aussi d'empêcher la spéculation sur la monnaie en limitant le montant que les entreprises peuvent vendre à l'étranger.

3.2 Le risque de transaction et le risque économique

Le risque de change de Homlet SA provient des délais des paiements en devises et est appelé *risque de transaction*. Le risque de transaction peut être facilement identifié et couvert. Comme une baisse de 1 % de la valeur de la devise entraîne une baisse de 1 % des recettes en euros de Homlet SA, pour chaque dollar et chaque yen que Homlet SA doit recevoir de ses clients, il lui faut vendre à terme un dollar ou un yen[19].

Homlet SA peut cependant être affectée par les changes même si ses clients ne lui doivent rien. Par exemple, Homlet SA peut être en concurrence avec des producteurs d'acier suédois. Si la valeur de la couronne suédoise, s'affaiblit, Homlet SA devra baisser ses prix pour rester concurrentiel[20]. Homlet SA peut se protéger contre une telle éventualité en vendant des couronnes à terme. Dans ce cas, sa perte sera compensée par le profit sur la vente à terme.

Notez que le risque vis-à-vis de la couronne n'est pas limité aux transactions qui ont déjà été effectuées. Les directeurs financiers se réfèrent souvent à cette sorte d'exposition plus large appelée *risque économique*[21]. Le risque économique est moins facile à mesurer que le risque de transaction. Ainsi, il est clair que la valeur de Homlet SA est corrélée positivement à la valeur de la couronne, et qu'elle doit couvrir sa position en vendant des couronnes à terme. Mais il sera difficile en pratique de dire exactement *combien* de couronnes Homlet SA a besoin de vendre.

Le risque économique est une source majeure de risque pour beaucoup d'entreprises. Par exemple, lorsque l'euro s'est apprécié à partir de 2003, les constructeurs de voitures européens ont subi des pertes sur leurs ventes à l'étranger. Volkswagen, le plus grand constructeur de voitures européen, a calculé que les 20 % d'augmentation de la valeur de l'euro avaient diminué ses profits de près de 1 milliard de dollars. Il en fut de même des concessionnaires européens qui détenaient une franchise pour la vente de ces automobiles. Des concurrents tels que Ford et GM, en revanche, ont bénéficié de la déconfiture de leurs rivaux. Ainsi, les producteurs de voitures européens et américains et leurs concessionnaires ont été affectés par les variations des cours de change, même sans transactions en devises. Ils supportaient un risque économique aussi bien qu'un risque de transaction.

DSM, un laboratoire pharmaceutique néerlandais, supporte également un risque de transaction dans la mesure où les deux tiers de sa production se font dans la zone euro, mais les 4/5 de ses ventes sont réalisés en dollars. Ainsi, une baisse de 1 % de la valeur du dollar réduit le résultat d'exploitation de DSM de 7 à 11 millions d'euros. Pour se protéger contre ce risque économique et réduire en partie le risque de change, DSM a cherché à délocaliser une plus grande partie de sa production en dehors de la zone euro et a acheté une usine pharmaceutique américaine. La société a également augmenté la proportion de sa dette en dollars par rapport à sa dette en euros. Lorsque le dollar chute, l'impact sur les profits de

19. Pour expliquer cela autrement, le ratio de couverture est de 1.

20. Bien sûr, si la théorie de la parité des pouvoirs d'achat était toujours vérifiée, la baisse de la valeur de la couronne serait compensée par une accélération de l'inflation en Suède. Le risque pour Homlet SA est que la valeur *réelle* de la couronne puisse diminuer, de telle sorte que mesurés en euros, les coûts suédois soient encore plus bas que prévus. Malheureusement, il est beaucoup plus facile de se couvrir contre une variation du cours de change *nominal* que contre une variation du cours *réel*.

21. Ils se réfèrent aussi à *l'exposition de conversion* qui mesure l'effet d'une variation du cours de change sur les états financiers de l'entreprise.

DSM se trouve en partie compensé par une réduction du nombre d'euros nécessaires au paiement des intérêts de sa dette[22].

L'expérience de DSM illustre que les entreprises qui vendent à l'étranger peuvent se protéger contre le risque de change de deux façons. Elles peuvent s'aménager une couverture sur les marchés financiers (soit en empruntant dans une devise étrangère, soit en vendant la devise à terme[23]) ; elles peuvent également construire des unités de production à l'étranger.

3.3 La spéculation sur les devises

Le risque de change de Homlet SA peut être couvert en utilisant soit les marchés à terme de devises, soit des prêts en devises. Quelquefois, cependant, les entreprises choisissent délibérément le risque de change dans l'espoir d'en retirer un profit. Ce n'est pas une erreur si vous le faites à la suite d'une prévision consciente, mais nous voudrions vous mettre en garde contre les stratégies naïves.

Supposons, par exemple, qu'une entreprise française observe que le taux d'intérêt sur le franc suisse est inférieur à celui sur l'euro. Cela signifie-t-il qu'il est moins cher d'emprunter des francs suisses ? Demandez-vous d'abord pourquoi le taux d'intérêt suisse est si bas. À moins que le gouvernement suisse n'ait décidé de maintenir délibérément un taux faible par des restrictions sur l'exportation de capitaux, vous devrez penser que le coût du capital est en gros le même en Suisse que partout ailleurs. Le taux d'intérêt nominal n'est faible que parce que les investisseurs s'attendent à un taux d'inflation national faible et une monnaie forte. L'avantage du taux d'intérêt faible est donc compensé par le fait qu'il faudra débourser des euros supplémentaires pour acheter les francs suisses du remboursement.

Vous ne pouvez pas faire avec certitude un profit simplement en empruntant dans les pays où les taux d'intérêt nominaux sont bas : si la monnaie s'apprécie *plus* rapidement que le pensent les investisseurs, vous paierez cher pour l'achat de la monnaie servant à assurer le service de votre dette en devises. En 1989, plusieurs banques australiennes ont appris la leçon à leurs dépens. Elles avaient incité leurs clients à emprunter en Suisse à des taux d'intérêt faibles. Quand le franc suisse s'est apprécié fortement, les banques ont été poursuivies par leurs clients pour ne pas les avoir prévenus du risque de hausse du franc suisse.

4 Le risque de change et les décisions d'investissement international

Supposons que l'entreprise pharmaceutique suisse Roche évalue un projet de construction d'une nouvelle usine aux États-Unis. Pour calculer la valeur actuelle nette (VAN) du projet, Roche prévoit les cash-flows suivants du projet :

Cash-flows (millions de dollars)					
CF_0	CF_1	CF_2	CF_3	CF_4	CF_5
–1 300	400	450	510	575	650

22. L'exemple de DSM est donné dans « Tested by the Mighty Euro », *The Economist* (20-26 mars 2004), pp. 77-78.
23. Notez que si une couverture sur les marchés financiers réduit le risque, elle n'est pas censée influencer les décisions de l'entreprise sur le choix du lieu de production et de vente de la production.

Ces cash-flows sont donnés en dollars (USD), Roche doit donc les actualiser au coût du capital en dollars (rappelez-vous que les dollars ont besoin d'être actualisés au coût du *dollar*, et non au coût du franc suisse). Supposons que ce coût du capital *en dollars* soit de 12 %. Il s'ensuit que :

$$\text{VAN} = -1\,300 + \frac{400}{1{,}12} + \frac{450}{(1{,}12)^2} + \frac{510}{(1{,}12)^3} + \frac{575}{(1{,}12)^4} + \frac{650}{(1{,}12)^5} = 513 \text{ millions de dollars}$$

Pour convertir cette valeur actuelle en francs suisses (CHF), le gestionnaire peut simplement multiplier la valeur actuelle en dollars par le cours de change au comptant. Par exemple, si le cours comptant est 2 CHF/USD, la VAN en francs suisses est :

$$\text{VAN en CHF} = \frac{\text{VAN en USD} \times \text{USD}}{\text{USD}} = 513 \times 2 = 1\,026 \text{ millions de CHF}$$

Notez que Roche n'a pas besoin de prévoir si le dollar va s'apprécier ou se déprécier par rapport au franc suisse. Aucun calcul monétaire n'est nécessaire, parce que l'entreprise peut couvrir son exposition au risque de change. Ainsi, la décision d'accepter ou de rejeter le projet aux États-Unis est totalement indépendante du pari sur l'évolution du dollar. Par exemple, il serait irresponsable pour Roche d'accepter un projet peu rentable aux États-Unis, simplement parce que les financiers sont optimistes sur l'évolution du dollar ; si Roche souhaite spéculer, il lui suffit d'acheter des dollars à terme. De même, il serait inepte de rejeter un bon projet simplement parce que les financiers craignent l'évolution du dollar : l'entreprise doit simplement mettre son projet à exécution et vendre des dollars à terme. Ainsi, elle tire le meilleur parti des deux situations[24].

Quand Roche ignore le risque de change et actualise les cash-flows en dollars au coût du capital en dollars, c'est en supposant de manière implicite que son risque de change est couvert. Vérifions cette affirmation en calculant le montant de francs suisses que Roche recevrait, si son risque de change était couvert par la vente à terme de chaque dollar attendu.

Nous avons besoin de calculer le cours de change à terme entre le dollar et le franc suisse. Ce cours dépend des taux d'intérêt aux États-Unis et en Suisse : supposons qu'ils soient respectivement de 6 % et 4 %. La théorie de la parité des taux d'intérêt nous dit alors que le cours de change à terme à un an est

$$\frac{S_{\text{CHF/USD}} \times (1 + r_{\text{CHF}})}{(1 + r_{\text{USD}})} = \frac{2 \times 1{,}04}{1{,}06} = 1{,}962$$

De même, le taux à terme à deux ans est

$$\frac{S_{\text{CHF/USD}} \times (1 + r_{\text{CHF}})^2}{(1 + r_{\text{USD}})^2} = \frac{2 \times 1{,}04^2}{1{,}06^2} = 1{,}925$$

24. Ceci constitue une caractéristique générale qui ne doit pas être simplement confinée à la sphère monétaire. Chaque fois que vous devez faire face à un investissement qui semble avoir une VAN positive, décidez à partir de ce résultat et réfléchissez ensuite pour savoir s'il n'y a pas un autre moyen d'y parvenir. Par exemple, si une mine de cuivre semble rentable uniquement parce que vous êtes optimiste sur le cours du cuivre, sans doute vaudrait-il mieux acheter des contrats à terme sur le cuivre ou d'autres producteurs de cuivre plutôt que d'ouvrir une mine.

Ainsi, si Roche se couvre contre le risque de change, le montant des francs suisses reçus chaque année sera égal aux cash-flows en dollars multipliés par le cours de change à terme :

Cash-flows (en millions de francs suisses)					
CF_0	CF_1	CF_2	CF_3	CF_4	CF_5
−1 300 × 2 =−2 600	400 × 1,962 =785	450 × 1,925 =866	510 × 1,889 =963	575 × 1,853 =1 066	650 × 1,818 =1 182

Ces cash-flows sont en francs suisses et doivent donc être actualisés au taux d'actualisation en francs suisses, ajusté au risque. Comme le taux d'intérêt suisse est inférieur au taux d'intérêt américain, le taux d'actualisation ajusté au risque doit aussi être inférieur. La formule pour convertir l'exigence de rentabilité en dollars dans l'exigence de rentabilité en francs suisses est[25] :

$$(1 + \text{exigence de rentabilité en CHF}) = (1 + \text{exigence de rentabilité en USD}) \times \frac{1 + \text{taux d'intérêt suisse}}{1 + \text{taux d'intérêt américain}}$$

Dans notre exemple :

$$(1 + \text{exigence de rentabilité en CHF}) = \frac{1{,}12 \times 1{,}04}{1{,}06} = 1{,}099$$

Ainsi, le taux d'actualisation ajusté au risque en dollars est de 12 %, mais le taux d'actualisation en francs suisses est seulement de 9,9 %.

Il reste à actualiser les cash-flows en francs suisses avec le taux correspondant :

$$\text{VAN} = -2\,600 + \frac{785}{1{,}099} + \frac{866}{(1{,}099)^2} + \frac{963}{(1{,}099)^3} + \frac{1\,066}{(1{,}099)^4} + \frac{1\,182}{(1{,}099)^5} = 1\,026 \text{ millions CHF}$$

Vérifions les calculs. Nous obtenons exactement la même VAN (a) en ignorant le risque de change et en actualisant les cash-flows en dollars de Roche au coût du capital en dollars ou (b) en calculant les cash-flows en francs suisses avec l'hypothèse que Roche couvre son risque de change puis actualise ses cash-flows en francs suisses au coût du capital en francs suisses.

Résumons : quand on décide s'il faut investir à l'étranger, il faut séparer la décision d'investissement de la décision de prendre le risque de change. Cela signifie que nos prévisions sur les cours de change futurs *ne doivent pas* influer sur la décision d'investissement. Le moyen le plus simple de calculer la VAN d'un investissement à l'étranger est de prévoir les cash-flows dans la monnaie étrangère puis de les actualiser au coût du capital de cette monnaie étrangère.

25. L'exemple suivant donne l'idée générale qui est derrière cette formule. Supposons que le cours comptant du franc suisse soit 2CHF = 1 $. La théorie de la parité des taux d'intérêt nous dit que le taux à terme doit être 2 × 1,04/1,06 = 1,9623 CHF/$. Supposons maintenant qu'un titre cote 100 $ et que l'on en attende 112 $ à la fin de l'année. Le coût pour les investisseurs suisses est 100 × 2 = 200 CHF. Si les investisseurs suisses vendent à terme le résultat, ils devraient recevoir 112 × 1,9623 = 219,80 CHF. La rentabilité attendue en francs suisses est 219,80 / 200 – 1 = 0,099 soit 9,9 %. Plus simplement, la rentabilité du franc suisse est 1,12 × 1,04 / 1,06 = 0,099.

L'autre moyen est de calculer les cash-flows que l'on doit recevoir si l'on se couvre contre le risque de change. Dans ce cas, il faut transformer les cash-flows en devises dans sa propre monnaie *en utilisant le cours de change à terme* puis actualiser ces flux au coût du capital domestique. Si les deux méthodes ne donnent pas le même résultat, c'est que l'on s'est trompé.

Quand Roche analyse la proposition de construire une usine aux États-Unis, c'est en ignorant la perspective d'évolution du dollar *tout simplement parce qu'il est possible de se couvrir contre le risque de change*. Comme l'investissement dans une usine pharmaceutique est indépendant du placement en dollars, l'opportunité pour les entreprises de se couvrir permet de prendre de meilleures décisions d'investissement.

4.1 Quelques compléments sur le coût du capital

Nous avons envisagé le problème de l'estimation de la rentabilité requise pour l'investissement à l'étranger de Roche dans le chapitre 9. Il faut décider quel serait le risque supporté par un investissement dans le secteur pharmaceutique américain pour un investisseur suisse. Un bon point de départ pourrait être de se reporter aux bêta d'un échantillon d'entreprises pharmaceutiques américaines *par rapport à l'indice du marché suisse*[26]. Supposons que l'on décide que le bêta de l'investissement par rapport au marché suisse est de 0,7 et que la prime de risque en Suisse est de 8,4 %. La rentabilité requise sur le projet peut alors être estimée à :

$$\text{Rentabilité requise} = \text{taux d'intérêt suisse} + (\text{bêta} \times \text{prime de risque sur le marché suisse})$$
$$= 4 + (0,7 \times 8,4) = 9,9\ \%$$

Ceci est le coût du capital du projet mesuré en francs suisses. Nous l'avons utilisé ci-dessus pour actualiser les cash-flows attendus *en francs suisses* si Roche couvre son projet contre le risque de change. Nous ne pouvons l'utiliser pour actualiser les cash-flows en *dollars* du projet. Pour actualiser les cash-flows attendus en *dollars*, nous avons besoin de convertir le coût du capital en francs suisses en coût du capital en dollars. Cela revient à utiliser notre calcul précédent de manière opposée :

$$(1 + \text{exigence de rentabilité en USD}) = (1 + \text{exigence de rentabilité en CHF}) \times \frac{1 + \text{taux d'intérêt américain}}{1 + \text{taux d'intérêt suisse}}$$

Dans notre exemple :

$$(1 + \text{exigence de rentabilité en dollars}) = 1,099 \times \frac{1,06}{1,04} = 1,12$$

Nous avons utilisé ce coût du capital en dollars de 12 % pour actualiser les flux attendus en dollars du projet.

26. Nous avons insisté dans le chapitre 9 sur le fait que quand on utilise le bêta par rapport à l'indice américain pour estimer la rentabilité requise par les investisseurs américains, on suppose que l'indice du marché américain est un portefeuille efficient pour ces investisseurs. De même, quand on utilise le bêta par rapport à l'indice suisse pour estimer la rentabilité que les investisseurs suisses réclament, on suppose que l'indice du marché suisse est un portefeuille efficient pour ces investisseurs. Les investisseurs investissent beaucoup, mais pas totalement, sur leur propre marché.

5 Le risque politique

Nous avons insisté sur la gestion du risque de change, mais les dirigeants sont aussi soucieux du risque politique, c'est-à-dire de la crainte que les pouvoirs publics modifient les règles du jeu – par exemple en annulant un accord – *après* que l'investissement a été fait. Bien sûr, les risques politiques ne concernent pas que les investissements étrangers. Toutes les activités sont exposées au risque d'actions non prévues de la part des pouvoirs publics. Mais dans certaines parties du monde, les entreprises étrangères sont particulièrement vulnérables.

Un certain nombre d'entreprises offrent des analyses des risques politiques et dressent des notations de pays[27]. Par exemple, le tableau 28.3 donne un extrait de la notation des risques politiques en 2003, fournie par PRS Group. On se rend compte que chaque pays est évalué en fonction de 12 critères. Le Luxembourg est en tête de la notation et la Somalie est en queue[28].

Tableau 28.3. La notation du risque politique pour un échantillon de pays (2003)

	A	B	C	D	E	F	G	H	I	J	K	L	Total
Score maximal	12	12	12	12	12	6	6	6	6	6	6	4	100
Luxembourg	11	11	12	12	12	5	6	6	6	5	5	4	95
Pays-Bas	9	11	12	11	12	5	6	5	6	5	6	4	91
Singapour	11	9	12	11	12	5	6	5	5	6	2	4	87
Royaume-Uni	9	10	12	10	9	5	6	6	6	4	6	4	86
Japon	11	8	12	12	10	4	6	6	5	6	5	4	86
Allemagne	9	8	12	11	10	5	6	6	5	4	5	4	83
États-Unis	11	8	12	11	8	4	5	5	5	5	6	4	81
Italie	9	9	12	11	11	3	6	4	3	5	4	3	78
Chine	11	7	8	12	11	2	3	5	5	5	1	2	71
Brésil	9	6	8	11	11	4	4	6	2	3	5	2	69
Russie	12	7	9	9	10	2	5	6	4	2	4	1	68

Signification des lettres

A.Stabilité gouvernementale	E.Conflits externes	I.Lois et ordre
B.Conditions socio-économiques	F.Corruption	J.Tensions ethniques
C.Profil des investissements	G.Rôle des militaires en politique	K.Responsabilité démocratique
D.Conflits internes	H.Tensions religieuses	L.Qualité bureaucratique

Source : International Country Risk Guide, Groupe PRS (**www.prs.group.com**), 2004.

27. Pour une discussion de ces services, voir C. Erb, C. R. Harvey et T. Viskanta, « Political Risk, Financial Risk and Economic Risk », *Financial Analysis Journal*, 52 (1996), pp. 28-46. La page Web de Campbell Harvey (**www.duke.edu/-charvey**) est également une source d'informations sur le risque politique.

28. La France n'est pas représentée, car ce tableau est un extrait. Rassurez-vous, elle est située dans le haut du tableau. Cela dit, la France est souvent mal notée sur le critère de la corruption…

Tableau 28.3. La notation du risque politique pour un échantillon de pays (2003) (...)

	A	B	C	D	E	F	G	H	I	J	K	L	Total
Inde	9	4	9	8	9	2	4	1	4	2	6	3	59
Indonésie	9	4	6	8	11	1	3	1	2	2	4	2	52
Somalie	5	1	3	5	4	1	1	3	2	2	1	0	27

Signification des lettres

A.Stabilité gouvernementale	E.Conflits externes	I.Lois et ordre
B.Conditions socio-économiques	F.Corruption	J.Tensions ethniques
C.Profil des investissements	G.Rôle des militaires en politique	K.Responsabilité démocratique
D.Conflits internes	H.Tensions religieuses	L.Qualité bureaucratique

Source : International Country Risk Guide, Groupe PRS (**www.prs.group.com**), 2004.

Quelques dirigeants considèrent le risque politique comme le fait de Dieu, comme un ouragan ou un tremblement de terre. Mais la plupart des entreprises multinationales florissantes structurent leurs activités de façon à réduire ce risque. Il y a peu de chances que des gouvernements étrangers exproprient une entreprise si cette dernière ne peut pas fonctionner sans l'aide de sa société mère. Par exemple, les filiales étrangères de fabricants d'ordinateurs ou de sociétés pharmaceutiques auraient relativement peu de valeur si elles étaient privées du savoir-faire de leurs sociétés mères. De telles entreprises ont beaucoup moins de chances d'être expropriées que, par exemple, une entreprise minière qui peut être exploitée de manière indépendante.

Nous ne vous recommandons pas de transformer votre mine d'argent en société pharmaceutique, mais vous devez être capable de planifier les activités de fabrication à l'étranger pour améliorer votre position de négociation avec les gouvernements étrangers. Par exemple, Ford a intégré ses activités à l'étranger de telle sorte que la fabrication de composants, d'assemblages et d'automobiles soit répartie dans des usines de divers pays. Aucune de ces usines n'aurait beaucoup de valeur par elle-même et Ford peut échanger la production entre les différentes usines si le climat politique dans un pays se détériore.

Des entreprises multinationales ont aussi mis au point des arrangements financiers pour aider les gouvernements étrangers à rester honnêtes. Par exemple, supposons que votre entreprise cherche à investir 500 millions de cortez pour rouvrir la mine d'argent San Tomé à Costaguana, avec des machines modernes, un équipement non polluant et des installations de transport[29]. Le gouvernement du Costaguana accepte d'investir dans des routes et autres infrastructures et de prendre 20 % de l'argent produit par la mine, plutôt que des impôts. L'accord doit durer vingt-cinq ans.

La VAN du projet sur la base de ces hypothèses est assez attractive. Mais que se passe-t-il si un nouveau gouvernement arrive au pouvoir dans les cinq ans et fixe un taux d'imposition de 50 % sur « toute exportation de métal précieux de la République Bénie de Costaguana » ? Ou si la part exigée par le gouvernement passe de 20 à 50 % ? Ou si le gouvernement prend le pouvoir de la mine « avec une juste compensation symbolique, déterminée en temps utile par Son Excellence le ministre des Ressources Naturelles » ?

29. L'histoire de la mine de San Tomé est décrite dans *Nostromo* de Joseph Conrad.

Aucun contrat ne peut vraiment contrôler un pouvoir souverain. Mais vous pouvez prévoir un financement de projet qui rende ces actes aussi douloureux que possible pour le gouvernement concerné. Ainsi, la mine peut être établie comme une filiale qui emprunte une grande part des montants nécessaires à un groupe de grandes banques internationales. Si votre entreprise cautionne le prêt, assurez-vous que la garantie ne marche que si le gouvernement du Costaguana honore son contrat. Le gouvernement hésitera à rompre le contrat si cela entraîne un non-remboursement du prêt et supprime pour le pays le crédit du système bancaire international.

Si possible, vous devez passer un accord avec la Banque mondiale (ou une de ses émanations) pour financer une partie de votre projet ou pour garantir vos prêts contre le risque politique[30]. Peu de gouvernements osent affronter la Banque mondiale. Voici une autre variation sur le même thème : arrangez-vous pour emprunter, disons 450 millions de cortez, par l'intermédiaire de l'Agence de développement du Costaguana. Autrement dit, l'Agence de développement va emprunter sur les marchés internationaux et prêter à votre mine de San Tomé. Votre entreprise acceptera de garantir le prêteur tant que le gouvernement honore ses promesses : s'il rompt un accord, le prêt restera *sa* responsabilité.

Le risque politique ne se limite pas au seul risque d'expropriation. On reproche souvent aux entreprises multinationales de prélever les fonds des pays dans lesquels elles opèrent et, les gouvernements sont donc tentés de limiter leur liberté de rapatrier leurs fonds. Ceci a plus de chance de se produire en cas de grande incertitude sur le cours de change, c'est-à-dire, en général, quand vous souhaitez le plus retirer votre argent. Là encore, une petite prévision peut se révéler utile. Par exemple, il y a souvent plus de restrictions sur le paiement de dividendes à la société mère que sur le paiement des intérêts ou du principal des dettes. Les paiements des redevances et les droits administratifs sont politiquement moins sensibles que les dividendes, surtout s'ils sont prélevés de façon égale sur toutes les activités étrangères. Une entreprise peut aussi, dans certaines limites, modifier le prix des biens qui sont achetés ou vendus à l'intérieur du groupe et de telles marchandises peuvent requérir un paiement plus ou moins rapide.

Résumé

Une direction financière internationale doit faire face à des monnaies, des taux d'intérêt et des taux d'inflation différents. Il faut des modèles reliant ces paramètres entre eux. Nous avons décrit quatre théories très simples mais très utiles.

La théorie de la parité de taux d'intérêt stipule que le différentiel d'intérêt entre deux pays doit être égal au différentiel des cours de change à terme et au comptant. Sur les marchés internationaux, l'arbitrage permet à cette parité de presque toujours exister. Il existe deux moyens pour se couvrir contre le risque de change : l'un est de se couvrir à terme, l'autre est d'emprunter ou de prêter en devises. La parité des taux d'intérêt nous dit que les coûts des deux méthodes doivent être identiques.

30. Nous avons décrit dans la section 7, chapitre 25 comment la Banque mondiale a financé le projet de Hubco par un accord contre le risque politique.

La théorie des anticipations nous indique que le cours à terme est égal au cours comptant anticipé. Dans la pratique, les cours incorporent une prime de risque, mais cette prime est aussi souvent négative que positive.

Dans sa forme stricte, la théorie de la parité des pouvoirs d'achat démontre qu'un euro doit avoir le même pouvoir d'achat dans tous les pays. Cela ne correspond pas vraiment à la réalité, car le différentiel de taux d'inflation n'est pas parfaitement lié aux variations des cours de change. Cela implique donc qu'il peut y avoir de véritables risques de change quand on fait du commerce international. D'un autre côté, le différentiel de taux d'inflation a plus de chance d'être supérieur qu'inférieur à la variation du cours de change.

Enfin, nous avons vu que, dans un marché de capitaux mondial, les taux d'intérêt réels devraient être partout les mêmes. En pratique, la régulation publique et la fiscalité peuvent entraîner des différences de taux d'intérêt réels. Mais n'empruntez pas seulement là où les taux d'intérêt sont les plus bas. Il y a des chances pour que ces pays aient également les taux d'inflation les plus bas et les monnaies les plus fortes.

Avec ces principes en tête, nous avons montré comment on peut utiliser les marchés de devises et de taux à terme pour se couvrir contre le risque de change issu des délais dans les paiements en devises. Mais les entreprises subissent aussi l'influence des variations de change sur la valeur de leurs activités. On appelle cela le risque économique.

Comme les entreprises peuvent se couvrir contre le risque de change, la décision d'investir à l'étranger ne dépendra pas des fluctuations des changes. Il existe deux méthodes pour une entreprise de calculer la VAN d'un projet à l'étranger. La première est de prévoir les cash-flows en monnaie étrangère et de les actualiser au coût du capital en cette monnaie. La seconde est de convertir ces flux en monnaie nationale en supposant qu'ils seront couverts contre le risque de change. Ces flux en monnaie nationale peuvent être alors actualisés au coût du capital national. Les deux résultats sont identiques.

En plus du risque de change, les opérations étrangères peuvent être exposées au risque politique. Les entreprises peuvent cependant structurer leur financement pour réduire la probabilité que les pouvoirs publics changent les règles du jeu.

Lectures complémentaires

Il existe un grand nombre de textes de base en finance internationale. En voici une petite sélection :

M. Cherif, *Les taux de change*, Revue Banque ed., Paris, 2002.

D. K. Eiteman, A. I. Stonehill et M. Moffet, *Gestion Financière Internationale*, 10e éd., Pearson Education, 2004.

J. O. Grabbe, *International Financial Markets*, 3e éd., NJ : Prentice-Hall, Inc., Englewood Cliffs, 1995.

J. Peyrard, *Gestion financière internationale,* 5e éd., Vuibert, Paris, 1999.

P. Sercu et R. Uppal, *International Financial Markets and the Firm*, OH : South-Western College Publishing, Cincinnati, 1995.

A. C. Shapiro, *Multinational Financial Management*, 7e éd., John Wiley & Sons, New York, 2002.

Y. Simon, S. Mannaë, *Techniques financières internationales*, Economica, Paris, 2002.

Voici quelques articles généraux sur les décisions d'investissement international et les risques de change qu'elles comportent :

D. R. Lessard, « Global Competition and Corporate Finance in the 1990s », *Journal of Applied Corporate Finance*, 3 (hiver 1991), pp. 59-72.

M. D. Levi et P. Sercu, « Erroneous and Valid Reasons for Hedging Foreign Exchange Exposure », *Journal of Multinational Financial Management*, 1 (1991), pp. 25-37.

A. C. Shapiro, « International Capital Budgeting », *Midland Corporate Finance Journal*, 1 (printemps 1983), pp. 26-45.

La liste ci-après reprend quelques articles sur le lien entre taux d'intérêt, cours de change et inflation :

Cours de change à terme et au comptant

P. Artus, « Le taux de change euro/dollar, une perspective de long terme », *Caisse des Dépôts et Consignations*, 2001.

M. D. Evans et K. K. Lewis, « Do Long-Term Swings in the Dollar Affect Estimates of the Risk Premia ? », *Review of Financial Studies*, 8 (1995), pp. 709-742.

E. F. Fama, « Forward and Spot Exchange Rates », *Journal of Monetary Economics*, 14 (1984), pp. 319-338.

La parité des taux d'intérêt

K. Clinton, « Transaction Costs and Covered Interest Arbitrage, Theory and Evidence », *Journal of Political Economy*, 96 (avril 1988), pp. 358-370.

La parité des pouvoirs d'achat

K. Froot et K. Rogoff, « Perspectives on PPP and Long-run Real Exchanges Rates », dans G. Grossman et K. Rogoff (eds.), *Handbook of International Economics*, North-Holland Publishing Company, Amsterdam, 1995.

K. Rogoff, « The Purchasing Power Parity Puzzle », *Review of Economic Literature*, 34 (juin 1996), pp. 667-668.

Activités

Exercices sur Internet

1. Le site **www.globalfindata.com** contient d'excellentes données de long terme, incluant des données sur les taux de change et les prix à la consommation en Australie, au Canada et au Japon. Construisez un graphique semblable à celui de la figure 28.3 afin de représenter les taux de change nominal et réel pour l'un de ces pays contre le dollar américain au cours du siècle dernier (attention : vérifiez bien si les taux de change mentionnés sont cotés au certain ou à l'incertain). Est-ce que le pays présentant la plus forte inflation a également la devise la plus faible ? Lequel est le plus stable : le taux de change nominal ou le taux de change réel ? (Vous trouverez sans doute que les résultats obtenus ne sont pas aussi tranchés que dans notre exemple sur la livre sterling.)

Révision des concepts

1. Expliquez la différence entre la cotation au certain et à l'incertain. Quelles sont les deux devises pour lesquelles il est courant d'utiliser une cotation au certain contre le dollar ?
2. Expliquez la différence entre un taux de change au comptant et un taux à terme. Si vous achetez des pesos à terme à un mois, les paierez-vous maintenant ou dans un mois ?
3. Expliquez la théorie de la parité des pouvoirs d'achat. Si l'inflation est plus forte en Australie qu'aux États-Unis, est-ce que le dollar américain permettra d'acheter plus ou moins de dollars australiens que par le passé ?

Tests de connaissances

1. Regardez le tableau 28.1.
   - **a.** Combien de yens pouvez-vous obtenir contre un dollar ?
   - **b.** Quel est le cours à terme un mois pour le yen ?
   - **c.** Le yen a-t-il un déport ou un report vis-à-vis du dollar ?
   - **d.** Utilisez le cours à un an pour calculer le pourcentage du déport ou du report annuel sur le yen.
   - **e.** Si le taux d'intérêt capitalisé annuellement à un an sur le dollar est de 1,5 %, quel est le taux d'intérêt sur le yen à un an ?
   - **f.** Selon la théorie des anticipations, quel est le taux au comptant anticipé pour le yen sur une période de 3 mois ?
   - **g.** Selon la théorie du prix unique, quel est alors le différentiel anticipé du taux d'inflation aux États-Unis et au Japon ?

2. Définissez chacune des théories suivantes en une phrase ou une équation simple :

a. La théorie de la parité des taux d'intérêt.

b. La théorie des anticipations des cours à terme.

c. La théorie de la parité des pouvoirs d'achat.

d. L'équilibre du marché international des capitaux (relation entre les taux d'intérêt réels et nominaux dans différents pays).

3. En mars 1997, le cours de change de la roupie indonésienne était R 2,419 = 1 $. L'inflation annuelle en mars 1998 était d'environ 30 % en Indonésie et de 2 % aux États-Unis.

a. Si la théorie de la parité des pouvoirs d'achat est juste, quel devait être le cours de change nominal en mars 1998 ?

b. Le cours de change réel en mars 1998 (au milieu de la crise monétaire asiatique) était R 8,325 = 1 $. Quelle était la variation du cours de change *réel* ?

4. Le tableau suivant indique des taux d'intérêt et des cours de change pour l'euro et la couronne danoise (DKK). Le cours de change au comptant est DKK 7,4263 = 1 €. Complétez les informations manquantes :

	1 mois	**3 mois**	**1 an**
Taux d'intérêt sur l'euro (capitalisé annuellement)	3,2 %	3 %	?
Taux d'intérêt sur la couronne danoise (capitalisé annuellement)	4,1 %	?	5,3 %
Couronne danoise à terme par euro	?	?	7,7856
Déport à terme sur la couronne danoise (% par an)	?	3,9 %	?

5. Un importateur en France doit prendre livraison de vêtements en provenance du Danemark dans six mois. Le prix est fixé en couronnes danoises. Lesquelles des opérations suivantes peuvent éliminer le risque de change de l'importateur ?

a. La vente d'options d'achat à six mois sur la couronne danoise.

b. L'achat de couronnes danoises à terme.

c. La vente de couronnes danoises à terme.

d. La vente de couronnes danoises sur le marché à terme des devises.

e. L'emprunt de couronnes danoises ; l'achat d'euros au cours de change au comptant.

f. La vente de couronnes danoises au cours de change au comptant ; le prêt d'euros.

6. Une société française s'est engagée à payer dans un an 10 millions de couronnes à une entreprise suédoise. Quel est le coût (en valeur actuelle) de cette dette si elle est couverte par l'achat à terme de couronnes ? Le taux d'intérêt en Suède est de 2,25 %, et les cours de change sont indiqués dans le tableau 28.1. Expliquez brièvement.

7. Une entreprise située en France doit recevoir dans un délai de huit ans un règlement de 1 million de dollars. Elle aimerait se protéger contre une dépréciation du dollar, mais estime difficile de se couvrir à terme sur une aussi longue période. Existe-t-il une autre méthode de couverture ?

8. En septembre 2002 les taux d'intérêt à court terme étaient d'environ 3,2 % dans la zone euro et de 0,06 % au Japon. Le cours de change au comptant était ¥118,44 / €. Supposons qu'une année plus tard les taux soient de 3 % dans les deux pays, tandis que la valeur du yen s'est appréciée à ¥115 / €.

François Perret, de Paris, a acheté une obligation française à zéro coupon à deux ans en septembre 2002 et la revend en septembre 2003. Quel était son rendement ?

Mme Butterfly, d'Osaka, a aussi investi dans une obligation à zéro coupon à deux ans en septembre 2002 et l'a vendue en septembre 2003. Quel était son rendement en *yens* ?

Supposons que Mme Butterfly ait correctement anticipé le prix auquel elle vendrait son obligation et qu'elle ait couvert son investissement contre le risque de change. Comment a-t-elle pu faire ? Quel aurait été son rendement en yens ?

9. Nous sommes en 2008 et Vannes SA envisage la construction d'une nouvelle usine aux États-Unis. Les cash-flows anticipés en millions de dollars sont les suivants :

C_0	C_1	C_2	C_3	C_4	C_5
–80	+10	+20	+23	+27	+25

Le cours de change au comptant est 1 € = 1,2 $. Le taux d'intérêt dans la zone euro est de 8 % et le taux aux États-Unis est de 6 %. Vous pouvez supposer que la production est sans risque.

a. Calculez la VAN des cash-flows en dollars du projet. Quelle est la VAN en euros ?

b. Quels sont les cash-flows en euros du projet si l'entreprise se couvre contre les variations des cours de change ?

c. Supposez que l'entreprise anticipe une dépréciation du dollar de 5 % par an. Comment cela affectera-t-il la valeur du projet ?

Questions et problèmes

1. Regardez le tableau des cours de change dans un numéro récent des *Echos* ou de *La Tribune*.
   a. Combien d'euros vaut un dollar américain aujourd'hui ?
   b. Combien de dollars américains vaut un euro aujourd'hui ?
   c. Supposez que vous deviez aujourd'hui acheter des dollars américains à 90 jours. Combien d'euros pouvez-vous acheter avec un dollar américain ?
   d. Si les cours à terme reflètent simplement les anticipations du marché, quel est le cours de change au comptant le plus probable pour un dollar canadien à 90 jours ?
   e. Regardez dans le tableau des taux d'intérêt à court terme du même journal. Quel est le taux d'intérêt à 3 mois sur l'euro ?
   f. Pouvez-vous en déduire le taux d'intérêt le plus probable à trois mois pour le franc suisse ?
   g. Vous pouvez aussi acheter une devise pour une livraison future sur le marché à terme. Quel est le cours de change des dollars américains livrables dans environ six mois ?
2. Le tableau 28.1 montre le taux à terme à 90 jours sur le franc suisse.
   a. L'euro a-t-il un déport ou un report sur le franc suisse ?
   b. Quel est le *pourcentage* annuel du déport ou du report ?
   c. Si vous n'avez aucune autre information sur les deux monnaies, quelle est votre meilleure anticipation du cours comptant du franc suisse d'ici trois mois ?
   d. Supposez que vous vous attendiez à recevoir 100 000 francs suisses dans trois mois. Combien vaudront-ils en euros ?
3. Regardez le tableau 28.1. Si le taux d'intérêt sur le dollar à trois mois est de 1 %, quel sera le taux d'intérêt du rand sud-africain à trois mois ? Expliquez ce qui arriverait si le taux était substantiellement supérieur à ce chiffre.
4. Regardez *Les Echos* ou *La Tribune*. Combien de francs suisses pouvez-vous acheter avec un euro ? Combien de dollars de Hong Kong pouvez-vous acheter ? Quel cours pensez-vous qu'une banque suisse fixerait pour acheter ou vendre des dollars de Hong Kong ? Expliquez ce qui arriverait si elle fixait un cours substantiellement supérieur à ce chiffre.

5. Roger Touperdu, trésorier de Gronn-Az, a relevé que le taux d'intérêt au Japon est inférieur aux taux de la plupart des autres pays. Il suggère donc que son entreprise émette des obligations en yens. Est-ce une bonne idée ?
6. Vous avez été parachuté trésorier d'Air France. Comment la valeur de cette société peut-elle être affectée par les variations de cours de change ? Quelles politiques adopteriez-vous pour réduire le risque de change ?
7. Des entreprises peuvent être touchées par des variations du cours de change nominal ou réel. Expliquez comment cela peut se traduire. Quels risques sont les plus faciles à couvrir ?
8. Un concessionnaire Renault en France peut être exposé à une dépréciation du yen si cela conduit à une baisse du prix des voitures japonaises. Supposons que ce concessionnaire estime qu'une baisse de 1 % de la valeur du yen conduit à une réduction permanente de 5 % de ses profits. Comment peut-il se couvrir contre ce risque et comment doit-il calculer la valeur de sa position de couverture ? Vous pouvez trouver la réponse en vous aidant de la section 27.5.
9. Vous avez soumissionné pour une commande possible à l'exportation qui vous fournirait un flux d'encaisse de 1 million de dollars dans six mois. Le cours de change au comptant est 1 € = 1,2375 $ et le cours à six mois est 1 € = 1,2318 $. Il y a deux raisons d'incertitude : (1) le dollar peut s'apprécier ou se déprécier, et (2) vous pouvez ou non recevoir la commande. Illustrez dans chaque cas les profits et les pertes que vous pouvez faire si :
   a. Vous vendez un million de dollars à terme.
   b. Vous achetez une option de vente en dollars à six mois à un prix d'exercice de 1 € = 1,2318 $.
10. En août 2004, un investisseur français achète 1 000 actions d'une société mexicaine à un cours de 500 pesos pièce. L'action ne fournit aucun dividende. Une année plus tard, il revend les actions à 550 pesos chacune. Les cours de change au moment de la vente sont donnés dans le tableau 28.1. Supposons que le cours à terme soit alors de 12 pesos = 1 €.
    a. Combien d'euros doit-il investir ?
    b. Quel est le rendement total en pesos ? En euros ?
    c. Pensez-vous que l'investisseur ait fait un profit ou une perte de change ? Expliquez.
11. Le tableau 28.4 montre le taux d'intérêt (capitalisé annuellement) et les cours de change du dollar contre différentes monnaies. Y a-t-il des possibilités d'arbitrage ? Si oui, comment pouvez-vous assurer un gain positif aujourd'hui, en annulant les gains futurs ?

Tableau 28.4. Taux d'intérêt et cours de change

	Taux d'intérêt (%)	Cours de change au comptant	Cours de change à un an*
États-Unis (dollar)	3	—	—
Costaguana (cortez)	10 000	10 000	11 942
Westonie (roublar)	5	2,6	2,65
Gloccamorra (pinte)	8	17,1	18,2
Anglosaxophonie (wasp)	4,1	2,3	2,28

* Nombre d'unités de monnaie étrangère qui peuvent être échangées contre 1 $.

12. « L'année dernière, nous avions une grosse rentrée en livres que nous avons couverte par une vente à terme de livres. Dans le cas où la livre s'apprécie, notre décision de vendre à terme nous a coûté beaucoup d'argent. Je pense que dans le futur nous devrions soit arrêter de couvrir

notre exposition au risque de change, soit simplement nous couvrir quand nous pensons que la livre est surévaluée. » En tant que gestionnaire financier, que répondez-vous à votre supérieur hiérarchique ?

13. Nausée SA se propose de construire une nouvelle usine de sacs en Europe. Les deux principaux candidats sont l'Allemagne et la Suisse. Les cash-flows prévus sont les suivants :

	CF_0	CF_1	CF_2	CF_3	CF_4	CF_5	CF_6	IRR (%)
Allemagne (millions d'euros)	–60	+10	+15	+15	+20	+20	+20	18,8
Suisse (millions de francs suisses)	–120	+20	+30	+30	+35	+35	+35	12,8

Le cours de change au comptant vis-à-vis de l'euro est 1$ / €, tandis que le cours du franc suisse est 1,5CHF / $. Le taux d'intérêt est de 5 % aux États-Unis, 4 % en Suisse et 6 % dans les pays de la zone euro. Le responsable financier a suggéré que, si les cash-flows étaient calculés en dollars, une rentabilité de plus de 10 % serait acceptable.

L'entreprise doit-elle mettre l'un ou l'autre de ses projets à exécution ? Si elle doit choisir entre les deux, lequel doit-elle prendre ?

Problèmes avancés

1. Si les investisseurs acceptent que l'inflation et les cours de change influent sur les cash-flows d'une entreprise, ces variations doivent se refléter sur les cours des actions. Comment le cours des actions de chacune des entreprises suisses suivantes serait affecté par une appréciation non anticipée du franc suisse de 10 %, seulement 2 % pouvant être justifiés par une inflation accrue dans le reste du monde (relativement au taux de l'inflation suisse) ?

- **a.** *Une compagnie d'aviation suisse*. Plus des deux tiers de ses salariés sont suisses. La plupart des recettes proviennent de billets internationaux établis en dollars américains.
- **b.** *Nestlé*. Un peu moins de 5 % de ses salariés sont suisses. La plupart des recettes proviennent de ventes de biens de consommation dans un large éventail de pays en concurrence avec des producteurs nationaux.
- **c.** *Union Bank of Switzerland*. La plupart de ses salariés sont suisses. Toutes les positions monétaires exprimées dans une autre monnaie que le franc suisse sont totalement couvertes.

2. Alpha et Oméga sont des entreprises américaines. Alpha possède une usine à Hambourg qui importe des composants des États-Unis, les assemble et vend le produit fini en Allemagne. Oméga est dans la situation inverse. Elle a aussi une usine à Hambourg, mais achète ses matières premières en Allemagne et exporte sa production aux États-Unis. Comment chaque entreprise est-elle normalement affectée par une baisse de la valeur de l'euro ? Comment chaque entreprise peut-elle se couvrir contre le risque de change ?

Mini-cas

Exacta SA est un important producteur français de pièces pour machines de précision, situé à Lyon. Environ les deux tiers de sa production sont exportées. La majorité de ses ventes se fait à l'intérieur de l'Union européenne. L'entreprise a cependant une activité florissante aux États-Unis, malgré une féroce concurrence de la part d'entreprises américaines. Exacta reçoit en général les règlements de ses exportations dans les deux mois de l'envoi de la facture, de telle sorte qu'à tout moment, seulement un sixième de ses exportations annuelles aux États-Unis est exposé au risque de change.

L'entreprise estime que ses activités aux États-Unis sont dorénavant assez importantes pour justifier une installation locale de fabrication, et elle a récemment décidé d'implanter une usine en Stéphanie du Sud. La plus grande partie de la production de cette usine serait vendue aux États-Unis, et l'entreprise estime qu'elle va avoir des opportunités pour des ventes au Canada et au Mexique.

L'usine de Stéphanie du Sud nécessite un investissement total de 380 millions de dollars et l'opération doit se faire en 2007. Les recettes annuelles de l'usine sont estimées à environ 420 millions de dollars et l'entreprise prévoit des profits nets annuels de 52 millions de dollars. Une fois l'usine installée et en fonctionnement, elle doit être capable de tourner plusieurs années sans investissements complémentaires.

Même s'il y a un consensus pour le projet, plusieurs membres de la direction ont exprimé leur crainte sur un éventuel risque de change. M. Bacmoinsdeux, le directeur financier, les rassure en leur disant que l'entreprise n'est pas en terre inconnue, puisqu'elle exporte déjà pour environ 320 millions de dollars de pièces de machines chaque année aux États-Unis et gère la conversion de ses recettes en euros sans pertes importantes. Mais pratiquement personne n'est convaincu par cet argument. Ainsi, le PDG, M. Bac'Asabl, insiste sur le fait que l'investissement de 380 millions de dollars augmente considérablement le montant risqué si le dollar se déprécie par rapport à l'euro. M. Bac'Asabl a une aversion notoire pour le risque en matière financière et pousse « pour qu'on se tricote une couverture complète ».

M. Bacmoinsdeux essaie de rassurer le président. En même temps, il partage secrètement la crainte générale sur le risque de change, notamment avec le passé récent de l'euro par rapport au dollar. Pratiquement toutes les recettes de l'usine en Stéphanie du Sud seraient en dollars, et le plus gros de l'investissement de 380 millions de dollars serait aussi contracté aux États-Unis. Environ les deux tiers des coûts de fonctionnement seraient en dollars et le tiers restant représente le paiement pour les composants apportés de Lyon plus les frais de siège et l'utilisation de brevets. L'entreprise doit encore décider si elle doit facturer son activité américaine en dollars ou en euros pour ces achats à la société mère.

M. Bacmoinsdeux est optimiste, car l'entreprise peut se couvrir contre le risque de change. Sa solution préférée est que Exacta finance l'usine par émission d'obligations en dollars, pour 380 millions. L'investissement en dollars serait ainsi adossé à une dette en dollars correspondante. Une autre solution est que l'entreprise vende à terme au début de chaque année les recettes attendues de l'usine américaine. Mais il sait par expérience que ces solutions simples peuvent cacher des dangers. Il décide de suspendre sa décision et de réfléchir plus précisément au risque de change additionnel de l'opération américaine.

Questions

1. Quel est le véritable risque de change pour Exacta dans son opération américaine et comment modifie-t-il l'exposition antérieure de l'entreprise ?
2. En fonction de cette exposition, quelle est l'approche la plus efficace et la moins chère pour se couvrir ?

Partie 9

Planification financière et gestion à court terme

En 1994, Jean-Marie Messier, alors âgé de 39 ans, devint président-directeur général de la Générale des Eaux. Il entreprit immédiatement de métamorphoser cette belle endormie spécialisée dans le traitement et la distribution d'eau en une multinationale des médias et des télécommunications. L'entreprise, désormais rebaptisée Vivendi, se lança dans une série d'acquisitions parmi lesquelles le rachat pour 42 milliards de dollars de Seagram, propriétaire des studios Universal. Pour financer sa croissance, Vivendi augmenta sa dette de 35 milliards de dollars et accrut son ratio d'endettement en rachetant 104 millions de ses propres actions pour un montant de 6,3 milliards de dollars. Certaine de la hausse du prix de ses actions, la société se risqua même à émettre un grand nombre d'options d'achat sur ses propres actions.

Cette stratégie rendit Vivendi vulnérable à la moindre baisse de son flux de trésorerie opérationnel. Au moment où ses bénéfices commencèrent à fondre, la société fut rapidement à court de trésorerie. Ses banques étaient réticentes à prolonger ses lignes de crédit, et ses obligations passèrent au rang de junk bonds. En juillet 2002, une action Vivendi valait moins de 10 % de sa valeur deux ans auparavant. Avec une société proche de la faillite, M. Messier fut remercié et les nouveaux dirigeants entreprirent de réduire les coûts et de vendre des actifs afin de diminuer la charge de la dette[1].

---

1. L'ascension et la chute de Vivendi sont relatées par J. Johnson et M. Orange dans *The Man Who Tried to Buy the World : Jean-Marie Messier and Vivendi Universal*, Portfolio, 2003.

Les problèmes de Vivendi ont certes été exacerbés par un énorme gaspillage et une folie des grandeurs, mais sa quasi-faillite était avant tout liée à un manque de planification financière. Les objectifs de croissance de la société étaient insoutenables et il restait peu de possibilités pour survivre à une baisse du flux de trésorerie opérationnel. La partie 9 montre comment les entreprises peuvent lier leur stratégie de croissance et leurs plans de financement. Le chapitre 29 explique comment les dirigeants gèrent la santé financière de l'entreprise et développent leurs plans financiers à long terme. Les chapitres 30 et 31 traitent de la planification à court terme, en s'attachant d'abord à la gestion des actifs à court terme avant d'insister sur la construction d'un budget de trésorerie.

Chapitre 29

L'analyse et la planification financières

Un chameau a l'apparence d'un animal fait de bric et de broc. Si une entreprise prend toutes ses décisions financières les unes après les autres, elle finira comme un chameau financier. Les dirigeants financiers sérieux prennent donc en considération l'influence globale des décisions de financement et d'investissement.

Savoir où l'on en est aujourd'hui est le préalable nécessaire pour déterminer où l'on en sera dans le futur. Nous commençons donc ce chapitre par une rapide synthèse des états financiers d'une entreprise et nous montrons comment on peut utiliser ces états pour estimer sa performance générale et sa situation financière actuelle.

Pour éviter des surprises, les analystes financiers calculent quelques ratios financiers clés qui résument les forces et les faiblesses financières de l'entreprise. Ces ratios ne remplacent pas une boule de cristal, mais aident à répondre à de bonnes questions. Par exemple, quand l'entreprise a besoin d'un prêt bancaire, le dirigeant financier peut s'attendre à un certain nombre de questions sur le ratio d'endettement et la part des profits absorbée par les frais financiers. De même, des ratios financiers peuvent alerter des dirigeants : si une entité a une faible rentabilité ou si ses marges sont peu importantes, les dirigeants demanderont des explications.

Les entreprises en croissance ont besoin d'investir en besoin en fonds de roulement (BFR), usines et équipements, développement de produits et ainsi de suite. Tout ceci nécessite de l'argent. Nous expliquerons donc comment les entreprises utilisent la planification financière pour prévoir leur activité.

Notre horizon dans ce chapitre est le long terme. Ainsi, des entreprises peuvent avoir un horizon de planification à cinq ou dix ans. Dans le chapitre suivant, nous verrons comment les entreprises développent aussi des stratégies plus courtes pour s'assurer qu'elles peuvent vivre les tout prochains mois.

1 Les états financiers

Les actionnaires, les obligataires, les banquiers, les fournisseurs, les salariés, les dirigeants : tous ces tiers ont besoin d'avoir un œil sur l'entreprise afin de s'assurer que leurs intérêts sont sauvegardés. Ils se servent des états financiers de l'entreprise pour obtenir les informations nécessaires.

Quand on examine les comptes d'une entreprise, il est important d'avoir à l'esprit que les comptables disposent toujours d'une certaine liberté d'action pour présenter les résultats et les valeurs comptables. Ainsi, ils ont la liberté du traitement des actifs incorporels comme les brevets et les franchises. Certains estiment qu'en incluant ces éléments dans le bilan, ils donnent une meilleure évaluation de l'entreprise en tant qu'affaire qui marche. D'autres prennent une position plus conservatrice et excluent les actifs incorporels. Ils estiment que si l'entreprise est liquidée, ces actifs seront très sous-estimés.

Malgré une harmonisation en cours, il existe des différences considérables dans les règles comptables des différents pays. Dans les pays anglo-saxons comme les États-Unis ou le Royaume-Uni qui ont des marchés de titres importants et actifs, les règles sont édictées pour sécuriser les actionnaires. En revanche, en Allemagne, l'accent des règles comptables est mis sur l'assurance que les créanciers sont correctement protégés.

Selon Ray Ball, les différences entre les pratiques allemandes et américaines existent aussi parce que « les lois et les accords institutionnels allemands lient étroitement les résultats annoncés par les entreprises allemandes aux paiements de dividendes et aux bonus qui sont payés aux dirigeants et aux salariés. Le rôle économique des résultats annoncés est analogue à une tarte divisée annuellement entre les principaux tiers (État, salariés, actionnaires et dirigeants), la taille de la tarte étant déterminée dans un esprit prudent au regard de la stabilité financière de l'entreprise… Annoncer une perte élimine tout bonus, dividende et impôt, au grand regret de tous les tiers[1] ».

Une autre différence est la fiscalité du compte de résultat. Ainsi, en France et en Allemagne, les impôts sont payés sur les profits déclarés et la méthode d'amortissement doit donc être approuvée à cet égard. Il n'en est pas ainsi dans les pays anglo-saxons où les valeurs fournies dans les comptes publiés *ne sont pas* en général la base du calcul des impôts dus par l'entreprise. Par exemple, la méthode d'amortissement utilisée pour calculer les profits publiés peut différer de la méthode d'amortissement utilisée par les services fiscaux.

L'impact de ces différences dans les règles comptables peut parfois être important. Quand le constructeur automobile allemand Daimler-Benz décida d'introduire ses actions à la Bourse de New York en 1993, il fut obligé de réviser ses pratiques comptables pour se conformer aux règles américaines. Tandis qu'il annonçait un petit profit dans la première moitié de 1993 en utilisant les règles comptables allemandes, il annonçait une perte de 592 millions d'euros sous les règles américaines, principalement en raison de différences dans le traitement des réserves.

Pour les investisseurs et les multinationales, ces différences dans les règles comptables peuvent se révéler gênantes. Les organisations comptables internationales se sont réunies afin de réfléchir à la façon d'aplanir ces différences. Et ce n'est pas un chantier facile (voir l'encadré ci-après).

1. Voir R. J. Ball, *Daimler-Benz (Daimler-Chrysler) AG: Evolution of Corporate Governance from a Code-law « Stakeholder » to a Common-law « Shareholder Value » System*, Graduate School of Business, University of Chicago.

Actualités financières

Un corpus unique de règles comptables : la quête du Saint-Graal

Alors que subsistent encore des différences significatives entre les règles comptables des différents pays, les organisations comptables internationales travaillent depuis quelque temps à réduire les divergences entre les régimes. Le but ultime est de créer un seul ensemble de règles comptables qui devrait permettre, selon eux, de redynamiser l'investissement international, renforcer les marchés internationaux de capitaux et permettre à de nombreuses multinationales, qui sont confrontées à de multiples systèmes comptables, de gagner du temps et de l'argent.

En décembre 2003, le Financial Accounting Standards Board (FASB) a proposé certains changements visant à rapprocher les règles américaines des normes internationales. Deux jours plus tard, l'International Accounting Standards Board (IASB) proposait d'aligner le mode de comptabilisation des produits dérivés sur les règles américaines.

Cependant, les hommes d'affaires et les politiques se sont montrés beaucoup moins satisfaits par ces changements que ne l'escomptaient leurs promoteurs. Aux États-Unis, des cercles d'affaires se sont déjà plaints d'au moins une des quatre propositions du FASB. Cela demande en effet aux sociétés de recalculer les revenus des années antérieures chaque fois qu'intervient un changement comptable, au lieu d'autoriser un seul retraitement (cumulatif) comme c'est le cas actuellement. Selon ces cercles d'affaires, depuis les grandes falsifications comptables d'Enron et de WorldCom, les investisseurs sont particulièrement sur leurs gardes au moindre retraitement comptable, même le plus insignifiant.

Mais, aux États-Unis, cette grande bagarre est sur le point de reprendre en début d'année prochaine lorsque le FASB va rouvrir le débat sur les stock-options qui sont comptabilisées comme des dépenses en Europe mais pas (encore) aux États-Unis. Le dernier affrontement en date a eu lieu en 1993 ; le FASB avait dû baisser les bras après que certains parlementaires, poussés en cela par le lobby des industries technologiques (qui utilise largement les stock-options octroyées aux salariés), ont menacé de lui retirer son pouvoir normatif.

En Europe, les nouvelles règles comptables pour les produits dérivés ont-elles aussi été sujettes à controverse. À l'heure actuelle, les sociétés européennes comptabilisent les produits dérivés à leur valeur d'achat, qui est souvent proche de zéro. Les nouvelles règles les obligeraient à les comptabiliser à la dernière valeur de marché connue de ces instruments, comme le font déjà les sociétés américaines et japonaises. Les banques et les sociétés d'assurances, grands utilisateurs de ces instruments financiers, sont agacées et se plaignent que ces nouvelles règles vont accroître démesurément la volatilité de leurs résultats. Des poids lourds politiques comme le président de la Banque centrale européenne, Jean-Claude Trichet, ou le Président français, Jacques Chirac, se sont rangés à cette opinion.

La Commission européenne a certes annoncé que toutes les sociétés européennes devraient appliquer les normes comptables de l'IASB à partir de 2005. Mais à l'avenir, le Parlement européen garde néanmoins le pouvoir de rejeter toute nouvelle norme qui viendrait à lui déplaire. Jusqu'à présent, cela n'a pas été le cas, mais il est toujours possible que les politiques s'opposent à ces nouvelles règles.

Plus inquiétant encore, les règles qui ont été proposées jusqu'à présent étaient les plus faciles. L'IASB et le FASB ont l'ambition de s'attaquer à des problématiques comptables bien plus ardues comme le traitement des fusions et la date de comptabilisation des revenus. Lorsque ces changements seront proposés, la résistance sera encore plus féroce.

Source : adapté de « A Move towards Global Accounting Standards Is Proving Controversial », *The Economist* (20 décembre 2003), p. 115.

2 Les états financiers de Papelar SA

Votre travail est d'estimer la situation financière de la société Papelar SA. Peut-être êtes-vous un analyste financier de Papelar et aidez-vous à mettre au point un plan financier à cinq ans. Peut-être êtes-vous employé par une entreprise concurrente qui a envie de prendre le contrôle de Papelar. Ou peut-être êtes-vous un banquier qui doit estimer si la banque peut prêter à l'entreprise. Dans chaque cas, votre première étape est d'estimer la situation *actuelle* de l'entreprise. Vous disposez du bilan, du compte de résultat et du tableau emplois-ressources.

2.1 Le bilan

Le bilan de Papelar SA du tableau 29.1 représente une photographie de l'actif de l'entreprise et des sources de fonds utilisées pour acheter ces actifs.

Les données de ce tableau, comme celles de tous les tableaux de ce chapitre, sont disponibles sur *www.gestionfinanciere.pearsoned.fr*

Tableau 29.1. Bilan de Papelar SA (en millions d'euros)

Actif	Déc. n-1	Déc. n	Variations
Actif immobilisé			
Forêt, usine, et équipement	929,5	1 000	+ 70,5
Amortissements	396,7	450	+ 53,3
Actif immobilisé net	532,8	550	+ 17,2
Actif circulant			
Stocks	339,9	350	+ 10,1
Comptes clients	433,1	440	+ 6,9
Disponibilités et VMP*	75,0	110	+ 35
Total actif circulant	848,0	900	+ 52
Total de l'actif	1 380,8	1 450	+ 69,2
Passif	**Déc. n-1**	**Déc. n**	**Variations**
Capitaux propres	509,3	540	+ 30,7
Dettes à long terme	425,0	450	+ 25
Dettes à court terme			
Dettes d'exploitation	349,9	360	+ 10,1
Dettes financières à court terme	96,6	100	+ 3,4
Total des dettes à court terme	446,5	460	+ 13,5
Total du passif	1 380,8	1 450	+ 69,2
Autres informations financières			
Valeur de marché des capitaux propres	598,0	708	
Nombre d'actions, en millions	14,16	14,16	
Cours de l'action, en euros	42,25	50	

* Valeurs mobilières de placement : disponibilités placées.

Les postes du bilan sont classés par ordre de liquidité croissante. Par exemple, on peut voir qu'en comptabilité on commence par inscrire les actifs à long terme, en général non liquides, tels que les usines de pâte à papier, les bureaux, et les terres boisées. Le bilan n'indique pas la valeur de marché actuelle des actifs à long terme. Le comptable enregistre en fait chaque actif à son coût d'acquisition initial (coût historique), puis, s'agissant de l'usine et de l'équipement, déduit une somme fixe pour amortissement. Le bilan n'inclut pas tous les actifs de l'entreprise. Quelques-uns des plus importants sont immatériels, comme les brevets, la notoriété, le savoir-faire de la direction et une main-d'œuvre qualifiée. Les comptables sont généralement peu disposés à chiffrer ces actifs dans le bilan, à moins que ces derniers ne puissent être rapidement identifiés et évalués.

Les autres postes du bilan sont composés d'actifs les plus susceptibles de se transformer en liquidités dans un futur proche, à savoir les stocks de matières premières, de produits en cours, et de produits finis, les créances clients (les sommes dues par les clients de l'entreprise), les valeurs mobilières de placement (l'argent placé) et les disponibilités. Ces actifs sont également appelés *actifs circulants*.

Examinons maintenant la partie droite du bilan de Papelar qui montre d'où viennent les fonds ayant permis d'acheter les actifs[2]. Le comptable commence par les fonds propres, qui appartiennent aux actionnaires. Une partie de ces fonds propres vient de la vente d'actions aux investisseurs et le reste des résultats que l'entreprise n'a pas distribués mais qu'elle a réinvestis. Puis viennent les dettes, c'est-à-dire les fonds dus par l'entreprise. On présente d'abord les dettes financières à long ou moyen terme, constituées d'emprunts bancaires ou obligataires. La somme des capitaux propres et des dettes financières à long ou moyen terme s'appelle les *capitaux permanents*. Puis viennent les dettes d'exploitation, constituées des dettes fournisseurs (c'est-à-dire les sommes dues par l'entreprise à ses fournisseurs) et des dettes fiscales et sociales. Enfin, le passif se termine par les dettes financières à court terme.

La différence entre les capitaux permanents et l'actif immobilisé s'appelle le *fonds de roulement* (FDR). Pour Papelar en n, on a :

$$\begin{aligned}\text{FDR} &= \text{capitaux propres} + \text{dettes long moyen terme} - \text{actif immobilisé}\\ &= 540 + 450 - 550 = 440 \text{ millions d'euros}\end{aligned}$$

Ce fonds de roulement sert à financer le bas du bilan. Si l'on soustrait aux actifs d'exploitation les dettes d'exploitation, on obtient le *besoin en fonds de roulement* (BFR) :

$$\begin{aligned}\text{BFR} &= \text{stocks} + \text{créances clients} - \text{dettes d'exploitation}\\ &= 350 + 440 - 360 = +430\end{aligned}$$

Ce montant représente l'investissement net que l'entreprise a dû faire dans son exploitation (se constituer des stocks et livrer des clients). Une fois que le FDR a financé le BFR, il reste la

2. Les Britanniques et les Américains n'arrivent jamais à se mettre d'accord sur la présentation du bilan. Les comptables britanniques placent en effet le passif à gauche et l'actif à droite.

trésorerie, qui est aussi égale à la différence entre les disponibilités et les dettes financières court terme[3] :

Trésorerie = FDR – BFR = 440 – 430 = 10
= disponibilités – dettes financières court terme = 110 – 100 = 10

Le tableau 29.1 fournit d'autres informations financières sur Papelar. Par exemple, il indique la valeur de marché des actions. Il est souvent utile de comparer la *valeur comptable* des fonds propres (qui figure dans les comptes de l'entreprise) à la *valeur de marché* déterminée sur les marchés de capitaux.

2.2 Le compte de résultat

Si le bilan de Papelar ressemble à une photographie de l'entreprise à un moment donné, son compte de résultat correspond à un film. Il montre pourquoi l'entreprise a été bénéficiaire l'année précédente.

Regardez le résumé du compte de résultat dans le tableau 29.2. Vous pouvez remarquer que l'année n Papelar a réalisé un chiffre d'affaires de 2 200 millions d'euros et que le coût de production et de vente de ces marchandises a été de 1 980 millions d'euros. Outre ces dépenses, Papelar a également supporté des amortissements des actifs immobilisés pour un montant de 53,3 millions d'euros. Le résultat avant intérêts et impôts (EBIT) de Papelar a donc été :

EBIT = chiffre d'affaires – coût des marchandises vendues – amortissements
= 2 200 – 1 980 – 53,3 = 166,7 millions d'euros

Sur cette somme, 42,5 millions d'euros ont permis de payer les intérêts sur la dette à court et long terme (rappelez-vous que les frais financiers sont déduits du revenu avant impôts) et 49,7 millions d'euros ont été versés au titre des impôts à l'État. Les 74,5 millions restants sont la propriété des actionnaires. Papelar leur a versé 43,8 millions d'euros sous forme de dividendes et a réinvesti dans l'affaire les 30,7 millions d'euros restants.

Tableau 29.2. Compte de résultat année n de Papelar (en millions d'euros)

Chiffre d'affaires	2 200,0
Coût des produits vendus	1 980,0
Résultat avant amortissement, intérêts et impôt (EBITDA)	220,0
Amortissements	53,3
Résultat avant intérêts et impôts (EBIT)	166,7
Intérêts	42,5
Impôts	49,7
Résultat net	74,5

3. Les Anglo-Saxons n'utilisent que deux indicateurs : le fonds de roulement (*working capital*) et la différence entre les actifs et les passifs à court terme (*net working capital*). Cet indicateur correspond à la somme du BFR et de la trésorerie. Pour notre exemple, il vaut :

stocks + créances clients + disponibilités – dettes d'exploitation – dettes à court terme
= 350 + 440 + 110 – 360 – 100 = 440

Tableau 29.2. Compte de résultat année n de Papelar (en millions d'euros) (...)

Dividendes	43,8
Mise en réserves	30,7
Résultat par action, en euros	5,26
Dividende par action, en euros	3,09

2.3 Les ressources et emplois de fonds

Le tableau 29.3 montre comment Papelar a levé des fonds et comment ils ont été utilisés.

Tableau 29.3. Ressources et emplois de fonds de Papelar en année n (en millions d'euros)

	Millions d'euros	Notes
Ressources :		
Résultat net	74,5	Voir tableau 29.2
Amortissements	53,3	Voir tableau 29.2
Capacité d'autofinancement	127,8	
Émission de dettes financières	28,4	Voir tableau 29.1 (450 + 100 – 425 – 96,6)
Émissions d'actions	0	Voir tableau 29.1 et 29.2 (540 – 509,3 – (74,5 – 43,8)
Total des ressources	156,2	
Emplois :		
Hausse du BFR	6,9	Voir tableau 29.1 : 440 – 423,1
Investissements	70,5	Voir tableau 29.1 : 1000 – 929,5
Dividendes	43,8	Voir tableau 29.2
Variation des disponibilités	35	Voir tableau 29.1 : 110 – 75
Total des emplois	156,2	

Regardez tout d'abord les emplois des fonds. L'argent que Papelar génère est soit utilisé pour investir dans le BFR ou acquérir des actifs immobilisés, soit versé aux actionnaires sous forme de dividendes, ou contribue à augmenter le solde de disponibilités. Ainsi :

Total des emplois = croissance du BFR + investissements + dividendes
+ variation des disponibilités

Le tableau 29.1 montre qu'en année n Papelar a commencé l'année avec un BFR de 339,9 + 433,1 – 349,9 = 423,1 millions. À la fin de l'année, celui-ci était passé à 350 + 440 – 360 = 430 millions. Ainsi, l'entreprise a investi 6,9 millions de plus en BFR. Sur la même période, les actifs immobilisés sont passés de 929,5 millions d'euros à 1 000 millions d'euros, soit une hausse de 70,5 millions d'euros. Par ailleurs, le compte de résultat du tableau 29.2 montre que Papelar a distribué 43,8 millions d'euros sous forme de dividendes. Finalement, les disponibilités ont augmenté de 35 millions sur l'année. Au total, l'entreprise a investi ou versé en dividendes 6,9 + 70,5 + 43,8 + 35 = 156,2 millions.

D'où ses fonds proviennent-ils ? Il y a deux sources : le cash-flow généré par l'activité et l'argent frais reçu des investisseurs :

Total des ressources = cash-flow issu de l'activité + nouvel endettement + émissions d'actions

Le compte de résultat montre qu'en année n l'entreprise a généré 127,8 millions de cash-flow à partir de son activité. Ceci provient des 53,3 millions d'amortissements (rappelons que les amortissements ne constituent pas une sortie d'argent) et les 74,5 millions de résultat net. Ceci conduit à un déficit de 156,2 – 127,8 = 28,4 millions que Papelar a eu besoin de lever sur le marché des capitaux. Vous pouvez voir à partir du bilan que l'entreprise a levé cet argent par de nouvelles dettes (la dette long terme s'est accrue de 425 à 450 millions, et la dette court terme a augmenté de 96,6 à 100 millions). Papelar n'a pas augmenté son capital en année n. Pourquoi, alors, le bilan montre-t-il une hausse du capital de 540 – 509,3 = 30,7 millions d'euros ? La réponse est que la hausse provient du résultat que l'entreprise a mis en réserves et réinvesti sous le contrôle de ses actionnaires (mise en réserves = résultat net – dividendes = 74,5 – 43,8 = 30,7 millions d'euros).

3 La situation financière de Papelar SA

Les états financiers de Papelar SA permettent d'estimer sa situation financière actuelle. Ces comptes contiennent beaucoup de données – beaucoup plus que ce qui est contenu dans les états simplifiés de l'entreprise. Pour condenser ces données sous une forme utilisable, les dirigeants financiers se réfèrent souvent à quelques ratios financiers clés.

Le tableau 29.4 synthétise les ratios financiers clés pour Papelar[4]. Nous expliquerons comment calculer ces ratios et les utiliserons à la lumière de cinq questions :

- Combien l'entreprise a-t-elle emprunté ? Le montant de la dette peut-il conduire à un désastre financier ?
- L'entreprise est-elle liquide ? Peut-elle facilement puiser dans son encaisse si nécessaire ?
- L'entreprise est-elle productive ? Ses actifs ont-ils été utilisés de manière efficiente ?
- L'entreprise est-elle rentable ?
- Comment l'entreprise est-elle évaluée par les investisseurs ? Les anticipations des investisseurs sont-elles raisonnables ?

Tableau 29.4. Ratios financiers de Papelar SA et de l'industrie papetière en année n

		Papelar SA	Industrie papetière*
Ratios d'endettement			
Endettement à terme	$\frac{\text{Dette à long terme}}{\text{Capitaux propres + Dette à long terme}}$	0,45	0,53
Endettement total	$\frac{\text{Dette à long terme + Dette à court terme}}{\text{Capitaux propres + Dette à long terme + Dette à court terme}}$	0,50	0,56

4. En plus des ratios que nous décrivons ci-dessous, le tableau 29.4 contient quelques autres ratios que vous pouvez rencontrer. Certains sont simplement d'autres moyens d'exprimer le même résultat, d'autres correspondent à des calculs différents.

Tableau 29.4. Ratios financiers de Papelar SA et de l'industrie papetière en année n (...)

		Papelar SA	Industrie papetière*
Levier	$\frac{\text{Dette à long terme}}{\text{Capitaux propres}}$	0,83	1,12
Couverture des intérêts	$\frac{\text{EBITDA}}{\text{Intérêts}}$	5,2	2,9
Ratios de liquidité			
BFR/FDR	$\frac{\text{Besoin de fonds de roulement}}{\text{Fonds de roulement}}$	0,98	0,95
Liquidité courante	$\frac{\text{Créances clients + Disponibilités}}{\text{Dettes d'exploitation + Dettes financières à court terme}}$	1,2	0,7
Liquidité immédiate	$\frac{\text{Disponibilités}}{\text{Dettes financières à court terme}}$	1,1	0,7
Ratios de profitabilité			
Rotation de l'actif	$\frac{\text{Ventes}}{\text{Actif total moyen}}$	1,55	0,90
Rotation des stocks	$\frac{\text{Stock moyen}}{\text{Coût des produits vendus}} \times 365$	63,6	59,1
Délai moyen de paiement des clients	$\frac{\text{Créances clients moyennes}}{\text{Ventes}} \times 365$	72,1	45,9
BFR en jours de ventes	$\frac{\text{BFR}}{\text{Ventes}} \times 365$	71,4	25,9
Ratios de marge et rentabilité			
Marge nette	$\frac{\text{EBIT – impôts}}{\text{Ventes}}$	5,3 %	–0,5 %
Rentabilité de l'actif	$\frac{\text{EBIT – impôts}}{\text{Actif total moyen}}$	8,3 %	–0,4 %
Rentabilité des fonds propres	$\frac{\text{Résultat net}}{\text{Capitaux propres moyens}}$	14,2 %	–10,3 %
Taux de distribution	$\frac{\text{Dividendes par action}}{\text{Bénéfice par action}}$	0,6	n. d.
Ratios de valeur de marché			
PER	$\frac{\text{Cours de l'action}}{\text{Bénéfice par action}}$	9,5	n. d.
Rendement de l'action	$\frac{\text{Dividendes par action}}{\text{Cours de l'action}}$	6,2 %	1,8 %
$\frac{\text{Valeur de marché}}{\text{Valeur comptable}}$	$\frac{\text{Cours de l'action}}{\text{Valeur comptable par action}}$	1,3	3,6

* Ratios année n pour les produits de papeterie et les produits proches.

Il n'existe malheureusement pas de « bonne » série de ratios à laquelle toutes les entreprises aspirent. Prenez, par exemple, la structure du financement. L'endettement a des avantages et des inconvénients. Même s'il y avait un niveau optimal d'endettement pour l'entreprise A, il ne s'appliquerait pas forcément à l'entreprise B.

Quand les dirigeants examinent la situation financière d'une entreprise, ils partent souvent de la comparaison entre les ratios de l'année en cours et ceux des années précédentes. Il est aussi possible d'examiner comment l'entreprise se compare aux autres entreprises du même secteur. Ainsi, dans le tableau 29.4, nous avons comparé les ratios financiers de Papelar SA à ceux de l'industrie papetière[5].

3.1 L'endettement de Papelar

Quand une entreprise emprunte de l'argent, elle s'engage à le rembourser. Les actionnaires ne recevant que ce qui reste après que les créanciers de l'entreprise ont été payés, on dit que l'emprunt permet de réaliser un *effet de levier financier*. Dans des cas extrêmes, si des difficultés surviennent, une entreprise peut être incapable de rembourser ses dettes.

Les banquiers et les créanciers de l'entreprise veulent aussi être certains que Papelar SA n'emprunte pas de manière excessive. Ainsi, quand l'entreprise souhaite faire un nouveau prêt, les prêteurs examinent certains ratios pour savoir si l'entreprise emprunte trop et lui demandent de *conserver* son endettement dans des limites raisonnables. De telles limites d'emprunts sont données en termes de ratios financiers.

Le ratio d'endettement L'endettement est habituellement mesuré par le ratio de la dette à long terme sur l'ensemble du passif à long terme. Pour Papelar, cela donne :

$$\text{Ratio d'endettement} = \frac{\text{Dette à long terme}}{\text{Capitaux propres + Dette à long terme}} = \frac{450}{(450 + 540)} = 0{,}45$$

Un autre moyen de dire la même chose est de mesurer le ratio dettes/capitaux propres (levier) de Papelar :

$$\text{Levier} = \frac{\text{Dette à long terme}}{\text{Capitaux propres}} = \frac{450}{540} = 0{,}83$$

Notez que ces deux ratios utilisent les valeurs comptables plutôt que les valeurs de marché[6]. D'un autre côté, la valeur de marché comprend la valeur des actifs incorporels générés par la recherche et le développement, la publicité, la formation du personnel, etc. Ces actifs ne sont pas facilement vendables, et ils peuvent perdre leur valeur si l'entreprise traverse des moments difficiles. Dans certains cas, il peut être bon de suivre la démarche comptable et

5. Les ratios financiers de différents secteurs sont publiés par le ministère du Commerce, Dun and Bradstreet, l'Association Risk Management parmi d'autres organismes.

6. Dans le cas des actifs en crédit-bail, les comptables essaient de calculer la valeur actuelle des engagements. S'agissant des dettes à long terme, ils retiennent simplement la valeur nominale qui peut parfois s'avérer très différente de la valeur actuelle. Par exemple, la valeur actuelle d'une obligation ayant un faible coupon peut ne représenter qu'une fraction de sa valeur nominale. La différence entre la valeur comptable des capitaux propres et leur valeur de marché peut être encore plus importante.

d'ignorer ces actifs incorporels. C'est ce que font les prêteurs lorsqu'ils contraignent les emprunteurs à ne pas dépasser un ratio d'endettement comptable maximum.

Les ratios d'endettement sont quelquefois définis de manière différente. Par exemple, des analystes intègrent la dette à court terme et les dettes fournisseurs. Il faut préciser un point général important. Il existe une grande variété de méthodes pour définir la plupart des ratios financiers mais aucune loi ne précise ceux qui *doivent* être définis. Attention donc : n'acceptez jamais un ratio sans comprendre comment il a été calculé.

La couverture des intérêts Une autre mesure de l'endettement est de voir comment les intérêts sont couverts par le résultat avant amortissement, intérêts et impôts (EBITDA). Dans le cas de Papelar[7] :

$$\text{Couverture des intérêts} = \frac{\text{EBITDA}}{\text{Intérêts}} = \frac{220}{42{,}5} = 5{,}2$$

Le paiement régulier des intérêts représente un obstacle que les entreprises doivent absolument franchir si elles veulent éviter la faillite. Le ratio de couverture des intérêts mesure la hauteur qui sépare l'obstacle du coureur qui le franchit.

L'endettement de Papelar est-il dans la norme générale ou est-ce une source d'inquiétude ? Le tableau 29.4 fournit quelques réponses. Vous pouvez constater que le ratio d'endettement est un peu inférieur à celui de l'industrie papetière et la couverture des intérêts est significativement supérieure à celle de ses concurrents.

3.2 La liquidité de Papelar

Si Papelar emprunte à court terme, ou a des factures à payer, vous voulez être assuré qu'il y aura de la trésorerie quand cela sera nécessaire. On ne s'intéresse pas seulement au montant des dettes. Les banquiers et les fournisseurs de l'entreprise ont aussi besoin d'avoir un œil sur la liquidité de Papelar. Ils savent que les entreprises illiquides ont plus de chances de disparaître et de ne pas payer leurs dettes.

De plus, la valeur comptable de l'usine de papier journal de Papelar peut ne pas être très représentative de sa véritable valeur, mais on sait au moins ce que vaut le compte en banque de l'entreprise. Les ratios de liquidité ont aussi des caractéristiques *moins* agréables. Le montant de l'actif et le passif à court terme pouvant facilement évoluer, les mesures de la liquidité peuvent devenir rapidement obsolètes. Vous pouvez ignorer ce que vaut réellement l'usine de papier journal, mais vous êtes quasiment certain qu'elle ne s'évaporera pas pendant la nuit.

Le ratio BFR/FDR Le fonds de roulement représente le solde qui reste des financements à long terme, après investissement dans l'actif immobilisé. Ce solde va être affecté aux autres investissements nécessaires, et en premier lieu, au besoin en fonds de roulement. Ce ratio donne ainsi une idée de la couverture du BFR par le FDR : si ce ratio dépasse 1, cela signifie

7. On peut définir le numérateur de ce ratio de plusieurs façons. Parfois, les amortissements en sont exclus. D'autres fois, on retient seulement le résultat plus les intérêts – c'est-à-dire le résultat avant intérêts mais *après* impôts. Cette dernière définition nous semble farfelue parce que si l'EBIT devient inférieur aux charges d'intérêts, l'entreprise n'aura même pas de quoi payer ses impôts (les intérêts sont versés *avant* que l'entreprise règle ses impôts).

qu'une partie du BFR a été financée par des dettes financières à court terme, par exemple des découverts. Pour Papelar, on a :

$$\frac{\text{Besoin en fonds de roulement}}{\text{Fonds de roulement}} = \frac{430}{440} = 0{,}98$$

La liquidité courante Certains actifs se convertissent plus facilement en liquidités que d'autres. En cas de difficultés, les stocks peuvent se révéler invendables. (Les consommateurs n'achètent pas ou bien les entrepôts de l'entreprise sont alors encombrés de produits non demandés.) Les gestionnaires ne tiennent donc compte que des disponibilités (y compris les valeurs mobilières de placement) et des factures non encore payées par les clients pour rembourser les dettes courantes :

$$\text{Liquidité courante} = \frac{\text{Créances clients + Disponibilités}}{\text{Dettes d'exploitation + Dettes financières à court terme}}$$

$$= \frac{(440 + 110)}{(360 + 100)} = 1{,}2$$

La liquidité immédiate Les actifs les plus liquides d'une entreprise sont les disponibilités et les valeurs mobilières de placement. C'est pourquoi les analystes financiers s'intéressent aussi au ratio de liquidité immédiate :

$$\text{Liquidité immédiate} = \frac{\text{Disponibilités}}{\text{Dettes financières à court terme}} = \frac{110}{100} = 1{,}1$$

Bien entendu, ces mesures synthétiques de la liquidité ne permettent pas de s'assurer absolument que l'entreprise peut payer ses factures. Dans le prochain chapitre, nous décrirons comment les entreprises prévoient leurs besoins de trésorerie et dressent un plan financier à court terme pour éviter une insuffisance de trésorerie.

3.3 Comment Papelar utilise-t-elle ses actifs ?

Les analystes financiers recourent à un autre ensemble de ratios pour apprécier l'efficacité avec laquelle les entreprises exploitent leurs investissements en actifs circulants et immobilisés.

La rotation de l'actif Le ratio des ventes par rapport à l'actif total montre comment l'entreprise tire parti de ses actifs :

$$\frac{\text{Ventes}}{\text{Actif total moyen}} = \frac{2\,200}{(1\,380{,}8 + 1\,450)/2} = 1{,}55$$

L'actif est mesuré comme la somme de l'actif immobilisé et de l'actif circulant. Notez que la valeur de l'actif de l'entreprise pouvant varier entre le début et la fin de l'année, on calcule la valeur *moyenne* de l'actif en prenant les valeurs au début et à la fin de l'année. Il est fréquent de calculer la moyenne lorsqu'on rapporte un *flux* (dans le cas présent, les ventes) à un *stock* ou à une valeur à un moment donné (l'actif total).

Notez également que pour chaque euro d'investissement Papelar génère 1,55 € de ventes, un montant beaucoup plus élevé que chez les autres entreprises de papier. Il y a plusieurs explications possibles : (1) Papelar utilise ses actifs de manière plus efficiente ; (2) Papelar fonctionne au maximum de sa capacité, ce qui peut rendre difficile d'augmenter les ventes sans investissement supplémentaire ; (3) comparativement à ses concurrents, Papelar fabrique de grosses quantités de produits à marge faible[8]. Il faut approfondir un peu pour trouver l'explication correcte. Rappelez-vous le commentaire précédent – les ratios financiers aident à *poser* les bonnes questions, pas à y *répondre*.

Au lieu d'envisager le ratio ventes/*actif total*, les gestionnaires examinent parfois comment certaines sources importantes du capital sont utilisées. Ainsi, on observe que le ratio ventes/*actif circulant* de Papelar est inférieur à celui des autres entreprises papetières. C'est en fait son ratio ventes/*actif immobilisé* qui est meilleur que celui de ses concurrentes.

La rotation des stocks La vitesse à laquelle une entreprise renouvelle son stock est mesurée par le nombre de jours pendant lesquels ses produits sont fabriqués et vendus. On convertit d'abord le coût des biens vendus sur une base quotidienne en le divisant par 365. On exprime ensuite les stocks comme un multiple de ce coût quotidien des produits vendus :

$$\text{Rotation des stocks} = \frac{\text{Stock moyen}}{\text{Coût des produits vendus}} \times 365 = \frac{(339{,}9 + 350)/2}{1\,980} \times 365 = 63{,}6 \text{ jours}$$

Notez que Papelar semble avoir une rotation relativement faible de ses stocks. Peut-être s'agit-il pour l'entreprise d'une façon d'économiser des investissements dans la constitution de ses stocks.

Le délai moyen de paiement des clients Ce ratio mesure la vitesse à laquelle les clients règlent leurs factures :

$$\text{Délai moyen de paiement des clients} = \frac{\text{Créances clients moyennes}}{\text{Ventes}} \times 365$$

$$= \frac{(433{,}1 + 440)/2}{2\,200} \times 365 = 72{,}4 \text{ jours}$$

La période de recouvrement de Papelar est un peu plus longue que la moyenne du secteur. L'entreprise peut avoir une politique volontariste d'offre de conditions attractives de crédit pour attirer les clients, mais il faut aller plus loin pour savoir si le gestionnaire du crédit est laxiste dans la chasse aux payeurs retardataires.

Le BFR en jours de ventes Le BFR représente l'investissement monétaire réalisé par l'entreprise dans son exploitation. Il est courant de l'exprimer en jours de ventes, ce qui permet de le comparer à ses constituants (les stocks, les créances clients, les dettes d'exploitation).

$$\frac{\text{BFR}}{\text{Ventes}} \times 365 = \frac{430}{2\,200} \times 365 = 71{,}4 \text{ jours}$$

8. Nous verrons rapidement que cette dernière explication ne tient pas.

Ici, l'investissement en BFR représente, à taille égale, plus de 2,5 fois celui de l'industrie papetière. Ceci est la conséquence d'importants délais de paiements consentis aux clients. On pourrait aussi exprimer les dettes fournisseurs en jours de coût des ventes, pour estimer le délai moyen de paiement de la société à ses fournisseurs : on trouverait probablement un délai *inférieur* à celui du secteur.

3.4 Quelle est la profitabilité de Papelar ?

La marge nette Pour connaître la proportion des ventes qui se transforme en profit, on calcule la marge nette[9] :

$$\text{Marge nette} = \frac{\text{EBIT} - \text{impôts}}{\text{Ventes}} = 0{,}053 \text{ soit } 5{,}3\ \%$$

Les rentabilités Les gestionnaires mesurent souvent la performance d'une entreprise par le ratio entre le résultat et l'actif total (le résultat est habituellement défini comme le résultat avant intérêts mais après impôts). Ce résultat est connu sous l'appellation *rentabilité de l'actif* ou *retour sur investissement (ROI)*[10] :

$$\text{Rentabilité de l'actif} = \frac{\text{EBIT} - \text{impôts}}{\text{Actif total moyen}} = 0{,}083 \text{ soit } 8{,}3\ \%$$

Une autre mesure met l'accent sur la rentabilité des capitaux propres de l'entreprise (*ROE*) :

$$\text{Rentabilité des capitaux propres} = \frac{\text{Résultat net}}{\text{Capitaux propres moyens}} = 0{,}142 \text{ soit } 14{,}2\ \%$$

La rentabilité de l'actif et des capitaux propres de Papelar est très différente de celle du reste du secteur qui était négative en N.

Il est logique de comparer la rentabilité de Papelar avec le coût d'opportunité du capital. Les actifs sont bien entendu évalués dans les états financiers sur la base de leur *valeur comptable*

---

9. La marge nette est parfois mesurée par le rapport entre le résultat net et le chiffre d'affaires. Cette mesure néglige les intérêts versés aux créanciers de l'entreprise et ne devrait donc pas servir à comparer des entreprises aux structures de capital différentes. Lorsqu'on effectue des comparaisons entre entreprises, il faut logiquement tenir compte du fait que les entreprises qui paient plus d'intérêts paient moins d'impôts. Nous vous suggérons de calculer les impôts que l'entreprise aurait à payer si elle se finançait exclusivement par actions. Pour cela, il faut corriger les impôts en ajoutant les économies d'impôt procurées par les intérêts (intérêts × taux marginal d'imposition). Le taux marginal d'imposition étant supposé être de 40 %, on obtient :

$$\text{Marge nette} = \frac{\text{EBIT} - \text{impôts}}{\text{Ventes}} = \frac{166{,}7 - [49{,}7 + (0{,}4 \times 42{,}5)]}{2\ 200} = 0{,}45 \text{ soit } 4{,}5\ \%$$

10. Lorsqu'on compare la rentabilité de l'actif total d'entreprises dont les structures du capital diffèrent, il convient de réintroduire les économies d'impôts dues aux intérêts (voir note précédente). Ce ratio ajusté mesure alors la rentabilité obtenue par une entreprise qui se serait financée intégralement par l'émission d'actions.
Le profit étant un flux et l'actif un stock, les analystes ont pour habitude de diviser le profit par la valeur moyenne de l'actif en début et en fin d'année. La raison en est que l'entreprise peut augmenter considérablement son capital au cours de l'année et l'utiliser. Une partie du résultat de l'année est donc attribuable au supplément de capital. Cependant, c'est une mesure potentiellement trompeuse ; prenez garde de ne pas comparer ce ratio au coût du capital. Lorsque nous avons défini la rentabilité attendue par les actionnaires d'un investissement sur les marchés de capitaux, nous avons divisé le profit anticipé par la mise de fonds initiale, et non pas par une moyenne des sommes investies en début et en fin de période.

nette, c'est-à-dire de leur coût d'acquisition moins l'amortissement[11]. Une faible rentabilité de l'actif ne signifie pas nécessairement que ces actifs pourraient être mieux utilisés ailleurs.

Dans un secteur concurrentiel, les entreprises peuvent s'attendre à avoir un gain seulement égal à leur coût du capital. Les dirigeants dont les affaires rapportent plus que ce coût ont donc tendance à se frotter les mains tandis que ceux qui gagnent moins doivent affronter des questions difficiles ou même pire. Même si les actionnaires aiment voir leur entreprise disposer d'une rentabilité de l'actif élevée, les associations de consommateurs et les institutions de surveillance regardent souvent une rentabilité élevée comme une certitude que l'entreprise a fixé des prix excessifs. De telles conclusions sont bien sûr rarement aussi évidentes.

Le taux de distribution Ce ratio mesure la proportion du résultat distribuée en dividendes :

$$\text{Taux de distribution} = \frac{\text{Dividendes par action}}{\text{Bénéfice par action}} = \frac{43{,}8}{74{,}5} = 0{,}6 \text{ soit } 60\ \%$$

Nous avons vu dans la section 2, chapitre16 que les responsables n'aiment pas réduire les dividendes quand il y a une baisse du résultat. Par conséquent, si les résultats d'une entreprise sont variables, ils préféreront probablement fixer par prudence un ratio moyen de distribution peu élevé. Lorsque le résultat chute d'une façon imprévisible, le taux de distribution a toute chance d'augmenter temporairement. De même, si l'on s'attend à une augmentation du résultat l'année suivante, les responsables estimeront qu'ils peuvent verser des dividendes plus importants que d'habitude.

3.5 Comment Papelar est-elle évaluée par les investisseurs ?

Aucune loi ne vous interdit de recourir à d'autres données que les comptes de l'entreprise. Par exemple, pour estimer l'efficience de Papelar, vous pouvez vous intéresser au coût de production d'une tonne de papier. De même, dans le cas d'une compagnie aérienne, vous calculeriez le chiffre d'affaires par passager et par kilomètre, etc. Si vous jugez utile de savoir comment Papelar est évalué par les investisseurs, vous devez calculer des ratios qui combinent des données comptables et des données boursières. En voici trois exemples.

Le PER (*price earning ratio*, ou ratio cours/résultat) Le PER mesure le prix que les investisseurs sont disposés à payer pour un euro de résultat. Dans le cas de Papelar :

$$\text{PER} = \frac{\text{Cours de l'action}}{\text{Bénéfice par action}} = \frac{50}{5{,}26} = 9{,}5$$

Nous avons expliqué dans la section 4, chapitre 4 qu'un PER élevé peut signifier que les investisseurs prévoient de bonnes opportunités de croissance pour l'entreprise ou que ses résultats sont relativement sûrs et qu'elle vaut donc plus. Bien entendu, cela peut aussi signifier une baisse temporaire du résultat. Quand une entreprise fait faillite, son résultat comptable est nul et son PER est infini.

---

11. Pour effectuer des comparaisons plus précises entre la rentabilité de l'actif et le coût du capital, il est nécessaire de tenir compte des biais introduits par les mesures comptables. Nous avons étudié ces biais dans le chapitre 12.

Le rendement de l'action Le rendement de l'action de Papelar est simplement son dividende par rapport au cours de l'action. Ainsi :

$$\text{Rendement de l'action} = \frac{\text{Dividendes par action}}{\text{Cours de l'action}} = \frac{3{,}09}{50} = 0{,}062 \text{ soit } 6{,}2\ \%$$

Souvenez-vous que la rentabilité pour un investisseur se décompose en deux parties – un rendement en dividendes et une plus-value. Le rendement relativement élevé de Papelar peut signifier que les investisseurs réclament un taux de rentabilité relativement élevé ou qu'ils ne s'attendent pas à une croissance rapide des dividendes et à des plus-values conséquentes.

Le ratio valeur de marché/valeur comptable (*market-to-book*) Ce ratio divise le cours de l'action par la valeur comptable par action. Pour Papelar

$$\frac{\text{Cours de l'action}}{\text{Valeur comptable par action}} = \frac{50}{540/14{,}16} = 1{,}3$$

La valeur comptable par action se définit simplement comme la valeur comptable des capitaux propres (situation nette) divisée par le nombre d'actions en circulation. La valeur comptable des capitaux propres est égale à la somme des actions ordinaires et des résultats non distribués[12]. Le ratio de la valeur de marché par rapport à la valeur comptable de Papelar s'élève donc à 1,3 et signifie que l'entreprise vaut 30 % de plus que ce que les actionnaires ont investi jusqu'ici.

3.6 Le système Dupont

Certains des ratios de profitabilité et d'efficience décrits ci-dessus peuvent être liés de différentes façons. Ces relations sont souvent appelées le système Dupont, du nom de l'entreprise chimique qui les a rendues célèbres.

La première relation lie la rentabilité de l'actif (ROA) à la rotation de l'actif de l'entreprise et à sa marge nette :

$$\begin{aligned} \text{ROA} = \frac{\text{EBIT} - \text{Impôts}}{\text{Actif total moyen}} &= \frac{\text{EBIT} - \text{Impôts}}{\text{Ventes}} \times \frac{\text{Ventes}}{\text{Actif total moyen}} \\ &= \text{marge nette} \times \text{rotation de l'actif} \end{aligned}$$

Toutes les entreprises aimeraient obtenir une rentabilité de leur actif plus élevée mais leur aptitude à le faire est limitée par la concurrence. Si la rentabilité attendue de l'actif est fixée par la concurrence, les firmes doivent faire un arbitrage entre leur ratio ventes/actif et leur marge nette. Ainsi, les chaînes de restauration rapide qui ont tendance à renouveler fréquemment leurs actifs tendent également à avoir une marge faible. Les hôtels de standing ont des marges relativement élevées, mais cela est compensé par des ratios ventes/actif plus faibles.

Les entreprises cherchent souvent à augmenter leur marge nette en s'intégrant davantage verticalement ; par exemple, elles peuvent acheter un fournisseur ou un client.

12. Les résultats non distribués sont mesurés nets d'amortissement. Ils représentent les investissements supplémentaires consentis par les actionnaires au-delà des sommes requises pour maintenir les actifs existants de l'entreprise.

Malheureusement, à moins d'avoir une bonne expérience dans ces nouvelles activités, elles risquent de voir l'augmentation de la marge compensée par une baisse du ratio ventes/actif.

La rentabilité des capitaux propres (ROE) peut être décomposée comme suit :

$$\text{ROE} = \frac{\text{Résultat net}}{\text{Capitaux propres}}$$

$$= \frac{\text{Actif}}{\text{Capitaux propres}} \times \frac{\text{Ventes}}{\text{Actif}} \times \frac{\text{EBIT} - \text{Impôts}}{\text{Ventes}} \times \frac{\text{EBIT} - \text{Impôts} - \text{Intérêts}}{\text{EBIT} - \text{impôts}}$$

$$= \text{Endettement} \times \text{Rotation de l'actif} \times \text{Marge nette} \times \text{« Poids » de l'endettement}$$

Notez que le produit des deux termes du milieu correspond à la rentabilité de l'actif. Tout dépend de la production de l'entreprise et de sa capacité de vente, et ce résultat est indépendant de la structure du financement. En revanche, le premier et le quatrième terme dépendent de la structure de l'endettement par rapport aux capitaux propres[13]. Le premier terme mesure le ratio actifs/capitaux propres tandis que le dernier mesure comment les profits sont grevés par les frais financiers. Si l'entreprise a un effet de levier, le premier terme est supérieur à 1 (les actifs sont supérieurs aux capitaux propres, donc il y a des dettes) et le quatrième est inférieur à 1 (une part des profits est absorbée par les intérêts). Au total, l'effet de levier peut soit accroître soit réduire la rentabilité des capitaux propres. Dans le cas de Papelar

$$\text{ROE} = \text{Ratio de levier} \times \text{Ratio ventes/Actif} \times \text{Marge nette} \times \text{Poids des dettes}$$
$$= 2{,}70 \times 1{,}55 \times 0{,}53 \times 0{,}637 = 0{,}14$$

Ainsi, pour Papelar, le ratio d'endettement (les actifs représentent 2,70 fois les capitaux propres, ou encore, pour 2,7 d'actifs, on a 1 de capitaux propres et 1,7 de dettes) fait plus que compenser le poids de la dette (0,637). Dans ce cas, le levier de l'entreprise augmente la rentabilité de ses capitaux propres.

4 La planification financière

Les comptes de Papelar non seulement vous aident à comprendre le passé, mais constituent aussi le point de départ pour construire un plan financier pour l'avenir. C'est ici que se rejoignent finance et stratégie. Un plan financier cohérent demande de comprendre comment une société peut accroître sur le long terme ses revenus en fonction de deux éléments : le choix du secteur d'activité et le positionnement au sein de ce secteur[14]. Prenons le cas d'Emerson Electric, un fabricant américain de produits industriels, comme les moteurs électriques et les compresseurs[15]. Son fonctionnement repose en particulier sur des processus de planification sophistiqués intégrant des outils de finance et de stratégie. Chaque division prépare un plan détaillé avec projection des résultats financiers à cinq ans et un argumentaire pour expliquer la cohérence des hypothèses. Les responsables de chaque

13. Ceci constitue une difficulté parce que le montant des impôts payés est fonction de la structure financière. Il serait meilleur de retirer de l'impôt les économies d'impôts dues aux intérêts, pour calculer la marge de l'entreprise.

14. Nous avons détaillé les différents moyens d'accroître ses revenus dans le chapitre 11.

15. Nous sommes reconnaissants à John Percival pour cet exemple. Voir C. F. Knight, « Emerson Electric : Consistent profits, Consistently », *Harvard Business Review*, 70 (janvier-février 1992), pp. 57-71.

division doivent montrer qu'ils connaissent sur le bout des doigts la façon dont ces plans seront mis en œuvre et en quoi les projections sont réalistes d'un point de vue marketing et stratégique.

Lorsque des sociétés préparent un plan financier, elles n'envisagent pas simplement les conséquences financières les plus probables. Elles planifient aussi celles qui ne sont pas attendues. Un moyen pour le faire est d'envisager les conséquences des hypothèses et d'utiliser ensuite l'*analyse de sensibilité* pour modifier l'une après l'autre ces hypothèses. Une autre approche est d'examiner les implications de différents scénarii[16]. Un scénario peut prendre en considération des taux d'intérêt élevés conduisant à un ralentissement de la croissance économique mondiale et des prix à la consommation plus faibles. Le second scénario peut conduire à une économie nationale plus optimiste, une forte hausse des prix et une monnaie faible.

5 Les modèles de planification financière

Supposons que la direction vous ait demandé de partir d'une croissance annuelle de 20 % des ventes et des profits de Papelar dans les cinq prochaines années. L'entreprise peut-elle s'attendre de manière réaliste à financer une telle croissance par son autofinancement et un recours à l'endettement ou doit-elle prévoir une augmentation de capital ? Des bilans prévisionnels permettent de répondre à de telles questions. Examinons-les.

Les ressources et les emplois nous disent que :

les fonds externes nécessaires = la capacité d'autofinancement (CAF)
– les dépenses en BFR
– les investissements en actif immobilisé
– les dividendes
– la hausse des disponibilités[17]

Il y a alors quatre étapes pour déterminer les fonds nécessaires pour Papelar et les conséquences sur son ratio d'endettement :

Étape 1. Prévoir la CAF pour l'année suivante (CAF = résultat net + amortissements et provisions), en supposant une hausse des ventes de 20 %. La CAF représente la source de fonds en l'absence de toute nouvelle émission de titres. Regardez, par exemple, la seconde colonne du tableau 29.5 qui donne la prévision de la CAF pour l'année n+1 pour Papelar.

Étape 2. Prévoir quelle dépense supplémentaire en BFR et en actif immobilisé sera nécessaire pour permettre cette croissance, et quel résultat net sera payé sous forme de dividendes, compte tenu de la variation de trésorerie. La somme de ces dépenses vous donne le total des *emplois* de fonds. La deuxième colonne du tableau 29.6 donne la prévision des emplois de fonds de Papelar.

16. Pour une description de l'utilisation de différents scénarii de planification du groupe Royal Dutch/Shell, voir P. Wack, « Scenarios : Uncharted Waters Ahead », *Harvard Business Review*, 63 (septembre-octobre 1985) et « Scenarios : Shooting the Rapids », *Harvard Business Review*, 64 (novembre-décembre 1985).

17. Pour ne pas surcharger le tableau, nous n'avons pas détaillé la hausse des disponibilités d'une part, et des dettes court terme d'autre part : nous raisonnons en variation de trésorerie (variation des disponibilités – variation des dettes financières court terme).

Étape 3. Calculer la différence entre la CAF prévue (étape 1) et les emplois prévus (étape 2). Cela donne les disponibilités qu'il sera nécessaire de lever par une émission de titres. Ainsi, vous pouvez voir à partir du tableau 29.6 que Papelar aura besoin de s'endetter pour 158,6 millions d'euros de dettes en n+1 pour se développer au taux fixé et ne pas réaliser d'augmentation de capital.

Étape 4. Finalement, construire un bilan qui tienne compte des actifs supplémentaires et de l'accroissement de la dette et des capitaux propres. Ceci est fait dans la deuxième colonne du tableau 29.7. Les capitaux propres de Papelar augmentent de la nouvelle mise en réserves (résultat net moins dividendes) tandis que sa dette à long terme est accrue de 158,6 millions d'euros.

Tableau 29.5. Comptes de résultat de Papelar SA (en millions d'euros)

	n	n+1	n+5
Chiffre d'affaires	2 200	2 640	5 474
Coûts (90 % du chiffre d'affaires)	1 980	2 376	4 927
Amortissements (10 % de l'actif immobilisé au début de l'année)	53,3	55	114
EBIT	166,7	209	433,4
Intérêts (10 % de la dette à long terme au début de l'année)	42,5	45	131,3
Impôt (40 % du résultat avant impôt)	49,7	65,6	120,8
Résultat net	74,5	98,4	181,2
CAF	127,8	153,4	295,3

Tableau 29.6. États des ressources et des emplois de fonds de Papelar SA (en millions d'euros)

	n	n+1	n+5
Investissements en actif immobilisé (AI) (en supposant AI = 25 % des ventes)	70,2	165	342,1
Hausse du BFR + variation de la trésorerie* (en supposant une croissance à 20 %)	38,5	88	182,5
Dividendes (60 % du résultat net)	45,6	59	108,7
Total des emplois de fonds	129,3	312	633,4
Fonds externes nécessaires = total des emplois de fonds – CAF	25	158,6	338,1

* Pour ne pas surcharger le tableau, nous avons globalisé la hausse du BFR et la variation de la trésorerie (variation des disponibilités – variation des dettes financières court terme), « à l'américaine ».

Une fois que le bilan prévisionnel est dressé, il est facile d'élargir les prévisions sur plusieurs années. Les dernières colonnes des tableaux 29.5 à 29.7 montrent le compte de résultat, les ressources et emplois de fonds et le bilan pour l'année n+5 en supposant que l'entreprise continue à estimer son taux de croissance de sa mise en réserves et d'endettement à 20 % par an. Sur la période des cinq années, Papelar a besoin d'emprunter 1,2 milliard d'euros de plus, et en n+5 son ratio d'endettement se montera à 67 %. La plupart des dirigeants financiers jugeraient ces résultats comme trop mauvais et le ratio d'endettement bien au-dessus de ce qu'accepteraient les banquiers et les créanciers de l'entreprise.

Tableau 29.7. Bilans de Papelar SA (en millions d'euros)

	n	n+1	n+5
Actif immobilisé net (25 % du chiffre d'affaires)	550	660	1 369
BFR (20 % des ventes)*	430	516	1 070
Trésorerie*	10	12	25
Actif total	990	1 188	2 464
Capitaux propres	540	579,4	812
Dette à long terme	450	608,6	1 651
Passif total	990	1 188	2 463

* On retrouve bien la variation du BFR et de la trésorerie, par exemple pour n + 1 : 516 – 430 + 12 – 10 = 88 (voir tableau 29.6)

La solution évidente pour l'entreprise est de combiner endettement et augmentation de capital, mais il existe d'autres possibilités que le directeur financier peut vouloir explorer. Une possibilité peut être de ne pas distribuer de dividendes pendant cette période de croissance rapide, mais il apparaît que même un gel total de dividendes continuera à obliger Papelar à obtenir 750 millions d'euros de fonds additionnels. Une autre possibilité est de savoir si l'entreprise peut réduire son BFR. En effet, nous avons vu que ses clients paient leurs factures en moyenne au bout de 72 jours. Peut-être un contrôle plus rigoureux des recouvrements permettrait d'économiser des fonds.

Maintenant, l'industrie papetière est très exposée au ralentissement économique. Ainsi, vous souhaiteriez certainement que Papelar puisse faire face à une baisse cyclique de ses ventes et de sa marge nette. L'analyse de sensibilité ou l'analyse par scénarii peut vous aider à y parvenir.

5.1 Les pièges dans la conception du modèle

Le modèle de Papelar que nous venons de développer est trop simple pour une véritable application. Vous avez sans doute déjà pensé à plusieurs façons de l'améliorer – par exemple, en gardant la trace du nombre d'actions existantes ou en tenant compte du résultat et du dividende par action. Ou vous pouvez vouloir distinguer les opportunités de prêts et d'emprunts à court terme, incorporées pour le moment indistinctement dans la trésorerie.

Le modèle développé est connu sous la forme du *modèle du pourcentage des ventes*. Presque toutes les prévisions de l'entreprise sont proportionnelles aux niveaux prévus des ventes. Dans la réalité, beaucoup de variables *ne* seront cependant *pas* proportionnelles aux ventes. Ainsi les stocks (composante importante du BFR), ou bien la trésorerie, augmenteront souvent moins rapidement que les ventes. De plus, l'actif immobilisé comme les usines ou les équipements ne peut pas augmenter par petites quantités comme les ventes. Les usines peuvent fonctionner sans être utilisées à pleine capacité, ce qui implique que l'entreprise peut augmenter sa production sans accroissement de sa capacité. Il se peut, cependant, que si les ventes continuent à augmenter, l'entreprise puisse avoir besoin de faire un nouvel investissement important.

Mais attention à ne pas trop compliquer : il est toujours tentant de construire un modèle plus important et plus détaillé. Mais vous pouvez alors arriver à un modèle exhaustif qui soit trop lourd pour une utilisation courante. La fascination du détail, si vous y succombez, dévie votre attention des décisions importantes comme l'émission de titres et la politique des dividendes.

5.2 Il n'y a pas de gestion financière dans les modèles financiers des entreprises

Pourquoi disons-nous cela ? Premièrement la plupart de ces modèles intègrent une vision comptable du monde. Ils servent à prévoir des états comptables. Ils ne prennent donc pas en considération les instruments de la finance : les cash-flows différentiels, la valeur actuelle, le risque de marché, etc.[18]

Il faut attribuer aux prévisions financières le poids qu'elles peuvent avoir. Cependant, on entend quelquefois des responsables fixer les objectifs de leur entreprise en termes comptables. Ils disent : « Notre objectif est d'atteindre une croissance annuelle de nos ventes de 20 % » ou « Nous voulons une rentabilité de nos capitaux propres de 25 % et une marge nette de 10 % ». De tels objectifs n'ont pas vraiment de sens. Les actionnaires veulent être plus riches et se moquent d'une marge nette de 10 %. De même, un objectif fixé en termes de ratios comptables n'a pas d'intérêt à moins de se traduire en décisions pour les activités de l'entreprise. Par exemple, qu'implique une marge nette de 10 % : des prix plus élevés, des coûts plus faibles, un accroissement de l'intégration verticale, des produits nouveaux ou plus rentables ?

Mais alors pourquoi les responsables définissent-ils des objectifs de cette manière ? En partie parce que ces objectifs peuvent être une exhortation mutuelle à travailler encore plus, comme faire chanter l'hymne de l'entreprise avant de travailler. Mais nous suspectons les responsables d'utiliser souvent un code pour communiquer leurs vrais objectifs. Par exemple, l'objectif de croissance rapide des ventes peut refléter le fait qu'ils croient que l'augmentation de la part de marché est nécessaire pour réaliser des économies d'échelle. L'objectif du taux de profit peut être une façon de dire que l'entreprise a poursuivi la croissance des ventes aux dépens du profit. Le danger est que tout le monde peut oublier le code et que les objectifs comptables peuvent être pris comme des objectifs réels.

---

18. Il n'y a, bien sûr, aucune raison pour que le gestionnaire ne puisse pas utiliser la production pour calculer la valeur actuelle de l'entreprise (avec quelques hypothèses sur la croissance au-delà de la période de planification) et c'est ce qui est parfois fait.

La seconde raison pour dire qu'il n'y a pas de finance dans ces modèles de planification est qu'ils ne donnent aucune indication des décisions financières optimales. Ils n'indiquent même pas quelles alternatives valent la peine d'être examinées. Par exemple, nous avons vu que Papelar planifie une croissance rapide de ses ventes et de son résultat par action. Mais s'agit-il de bonnes nouvelles pour les actionnaires ? Pas nécessairement : tout dépend du coût d'opportunité du capital. Si le nouvel investissement rapporte plus que le coût du capital, il y aura une VAN positive et plus de richesse pour les actionnaires. Mais la rentabilité que Papelar anticipe sur son nouvel investissement est un peu supérieure au taux d'intérêt sur sa dette, et presque certainement inférieure à son coût du capital. L'investissement prévu par l'entreprise appauvrira donc les actionnaires, même si la société s'attend à une croissance continue de son résultat par action.

Les fonds dont Papelar a besoin sont fonction de sa décision de verser les deux tiers de son résultat sous forme de dividendes. Mais le modèle de planification financière ne dit rien sur l'objectif de ce paiement de dividendes ou de la combinaison de capitaux propres et de dettes que l'entreprise doit obtenir. La direction doit en dernier ressort décider. Nous aimerions vous dire exactement comment elle doit faire son choix, mais nous ne le pouvons pas. Il n'existe pas de modèle qui traite toutes les difficultés rencontrées dans la planification financière.

Dans la réalité, il n'existera jamais un seul modèle. Cette affirmation audacieuse se fonde sur la troisième loi de BAtMan[19] :

- *Axiome :* le nombre de problèmes non résolus est infini.
- *Axiome :* le nombre de problèmes non résolus qu'un individu peut garder à l'esprit se limite toujours à 10.
- *Loi :* dans tout domaine, il y aura donc toujours 10 problèmes qui peuvent être abordés, mais qui n'auront pas de solution formelle.

La troisième loi de BAtMan implique qu'aucun modèle ne peut trouver la meilleure de toutes les stratégies financières[20].

6 Le financement externe et la croissance

Rappelez-vous que Papelar finissait l'année n avec un actif de 990 millions d'euros. En n+1, elle prévoit de réinvestir ses profits à hauteur de 39,4 millions d'euros, de telle sorte que son actif net augmentera de 39,4/990 soit 3,98 %. L'entreprise peut donc croître de 3,98 % sans avoir besoin d'augmenter ses fonds. Le taux de croissance qu'une entreprise peut atteindre sans faire appel à des fonds extérieurs est connu sous l'expression *taux de croissance interne.* Pour Papelar :

$$\text{Taux de croissance interne} = \frac{\text{Profits mis en réserve}}{\text{Actif net}} = 3{,}98\ \%$$

19. La deuxième loi est présentée dans la section 2, chapitre 12.

20. Il est possible de construire des modèles de programmation linéaire qui aident à rechercher la meilleure stratégie financière répondant aux hypothèses et contraintes spécifiées. Ces modèles peuvent s'avérer plus efficaces pour projeter les différentes stratégies financières.

Nous pouvons avoir un aperçu plus détaillé de ce qui détermine le taux de croissance en décomposant ce ratio ainsi :

$$\text{Taux de croissance interne} = \frac{\text{Profits mis en réserve}}{\text{Actif net}}$$

$$= \frac{\text{Profits mis en réserve}}{\text{Résultat net}} \times \frac{\text{Résultat net}}{\text{Capitaux propres}} \times \frac{\text{Capitaux propres}}{\text{Actif net}}$$

$$= \text{Taux d'autofinancement} \times \text{Rentabilité des capitaux propres} \times \frac{\text{Capitaux propres}}{\text{Actif net}}$$

En n+1, Papelar s'attend à réinvestir ses profits à hauteur de 40 % de son résultat net et à avoir une rentabilité de 18,22 % sur les capitaux propres avec lesquels elle a commencé l'année. Au début de l'année, ses capitaux propres financent 54,55 % de l'actif net de l'entreprise. D'où :

$$\text{Taux interne de croissance} = 0{,}40 \times 0{,}1822 \times 0{,}5455 = 0{,}0398 \text{ soit } 3{,}98\ \%$$

Notez que si Papelar souhaite croître plus rapidement sans augmenter ses capitaux propres, elle devra (1) autofinancer une grande partie de son profit, (2) avoir un taux de rentabilité de ses capitaux propres (ROE) supérieur et (3) avoir un ratio de dette par rapport à ses capitaux propres faible[21].

Au lieu de se polariser sur la rapidité avec laquelle l'entreprise peut croître sans *aucun* financement externe, le directeur financier de Papelar SA peut être intéressé par le taux de croissance envisagé sans émission nouvelle d'*actions*. Bien sûr, si l'entreprise obtient un endettement suffisant, pratiquement n'importe quel taux de croissance peut être financé. Il est davantage plausible de supposer que l'entreprise a fixé une structure de capital optimum qu'elle maintiendra même si les capitaux propres sont augmentés par des profits mis en réserves. L'entreprise s'endette juste assez pour conserver constant son ratio de dette. Le *taux de croissance soutenable* est le taux de croissance le plus élevé que l'entreprise puisse maintenir sans accroître son taux d'endettement. Il s'avère que le taux de croissance soutenable dépend seulement du taux de réinvestissement (ou taux d'autofinancement) et de la rentabilité des capitaux propres :

$$\text{Taux de croissance soutenable} = \text{taux de réinvestissement} \times \text{rentabilité des capitaux propres}$$

Pour Papelar :

$$\text{Taux de croissance soutenable} = 0{,}40 \times 0{,}1822 = 0{,}0729 \text{ soit } 7{,}29\ \%$$

Nous avons déjà rencontré cette formule dans le chapitre 4, quand nous l'avons utilisée pour évaluer les capitaux propres d'une entreprise.

Ces formules simples nous rappellent la nécessaire cohérence des plans financiers. Les entreprises peuvent croître rapidement à court terme en recourant à l'emprunt, mais cette croissance ne peut se maintenir sans provoquer des niveaux d'endettement excessifs.

21. Le taux de croissance interne ne reste pas constant. Si l'entreprise s'autofinance, le ratio dettes/capitaux propres diminue et le taux de croissance interne peut augmenter.

Résumé

Les dirigeants utilisent les états financiers pour contrôler la performance de leur entreprise, pour arriver à comprendre la politique d'un concurrent ou pour mesurer la solvabilité d'un client. Mais ils courent le risque d'être débordés par le volume de l'information. C'est pourquoi ils utilisent un certain nombre de ratios significatifs pour exprimer l'endettement financier de l'entreprise, sa liquidité, son efficience, sa rentabilité et sa valeur de marché. Nous avons étudié certains des ratios financiers les plus fréquemment utilisés.

Voici ce que nous conseillons aux utilisateurs de ces ratios :

1. Les ratios financiers fournissent rarement des réponses, mais ils aident à poser les bonnes questions.
2. Il n'existe pas de norme internationale pour les ratios financiers. La réflexion et le bon sens valent mieux que l'application aveugle des formules.
3. Comparez les ratios financiers de cette année avec ceux des années précédentes et avec ceux des autres entreprises du secteur.

Comprendre le passé est la première étape pour préparer le futur. La plupart des entreprises préparent un plan financier qui décrit la stratégie financière de l'entreprise et projette ses conséquences futures au moyen de bilans, de comptes de résultat, de tableaux de ressources et d'emplois de fonds. Le plan fixe les objectifs financiers et constitue la référence pour l'évaluation des performances ultérieures.

Le plan constitue un aboutissement, mais le processus qui aboutit au plan est en soi important. En premier lieu, la planification contraint le responsable financier à considérer les effets combinés de toutes les décisions d'investissement et de financement de l'entreprise. C'est un point important parce que ces décisions sont interdépendantes et ne doivent pas être prises isolément. En second lieu, la planification oblige le directeur financier à prendre en considération les événements qui pourraient compromettre le développement de l'entreprise et à imaginer des stratégies de secours pour contre-attaquer en cas de mauvaises surprises.

Aucune théorie ni aucun modèle ne conduisent directement à *la* stratégie financière optimale. C'est pourquoi la planification financière procède par approximations successives. Avant que l'une d'elles ne soit finalement choisie, plusieurs stratégies différentes peuvent être examinées à partir d'un ensemble d'hypothèses relatives au futur. Les nombreuses projections différentes qu'on peut établir au cours de ce processus de tâtonnement génèrent une masse énorme de calculs. Des entreprises ont donc réagi en développant des modèles de planification pour prévoir les conséquences financières de différentes stratégies. Nous avons montré comment l'on peut utiliser un modèle simple à partir de bilans pour analyser les stratégies de Papelar SA. Mais rappelez-vous qu'il n'y a pas d'approche financière dans tous ces modèles. Leur objectif principal est de fournir des états comptables.

Lectures complémentaires

Il existe quelques bons manuels généraux sur l'analyse des comptes. Voir par exemple :

F. Bonnet, *Du bilan comptable au bilan financier*, Economica, Paris, 2002.

J. Langot, *Comptabilité anglo-saxonne*, 4e éd., Economica, 2002.

M.-A. Leutenegger, *Les tableaux d'analyse des flux*, Economica, Paris, 1999.

K. G. Palepu, V. L. Bernard et P. M. Healy, *Business Analysis and Valuation*, South-Western College Publishing, Cincinnati, OH, 3e éd., 2003.

B. Solnik, *Gestion financière*, 6e éd., Dunod, Paris, 2001.

S. Penman, *Financial Statement Analysis*, 2e éd. McGraw-Hill/Irwin, New York, 2003.

Il existe une abondante littérature sur la planification au sein des entreprises. Parmi les bons livres et les bons articles :

G. Donaldson, « Financial Goals and Strategic Consequences », *Harvard Business Review*, 63 (mai-juin 1985), pp. 57-66.

G. Donaldson, *Strategy for Financial Mobility*, Harvard Business School Press, Boston, 1986.

A. C. Hax et N. S. Majluf, *The Strategy Concept and Process – A Pragmatic Approach*, 2e éd., Prentice-Hall, Inc., Englewood Cliffs, N.J., 1996.

Les relations entre la gestion des investissements, la stratégie, et la planification financière sont analysées dans :

L. Batsch, *Finance et stratégie*, Economica, Paris, 1999.

S. C. Myers, « Finance Theory and Financial Strategy », *Interfaces*, 14 (janvier-février 1984), pp. 126-137.

Voici trois références sur les modèles de planification utilisés par les entreprises :

W. T. Carleton, C. L. Dick, Jr., et D. H. Downes, « Financial Policy Models, Theory and Practice », *Journal of Financial and Quantitative Analysis*, 8 (décembre 1973), pp. 691-709.

W. T. Carleton et J. M. McInnes, « Theory, Models and Implementation in Financial Management », *Management Science*, 28 (septembre 1982), pp. 957-978.

S. C. Myers et G. A. Pogue, « A Programming Approach to Corporate Financial Management », *Journal of Finance*, 29 (mai 1974), pp. 579-599.

Activités

Exercices sur Internet

1. Le site Internet edgarscan.pwcglobal.com permet de comparer les ratios financiers d'une façon très conviviale. Utilisez le Benchmarking Assistant pour entrer le nom d'une grande compagnie de transport aérien. Trouvez et sélectionnez d'autres compagnies et intégrez leurs ratios financiers sur un graphique. Comment se comporte la solidité financière de cette compagnie face aux autres sociétés du transport aérien ?
2. Vous pouvez trouver les ratios financiers des secteurs d'activité sur la base de données du Market Insight (**www.mhhe.com/edumarketinsight**) ou sur **www.census.gov/csd/qfr**. Pouvez-vous expliquer certaines différences entre les secteurs d'activité ?

Révision des concepts

1. Nous avons dit que les ratios financiers servaient à mettre en lumière cinq questions. Quelles sont ces questions ? Donnez un exemple de chacun des cinq types de ratios financiers.
2. Le système Dupont exprime la rentabilité de l'actif (ROA) en termes de ratio ventes/actif et de marge nette. Quelle est la relation entre eux ? Vous attendez-vous à ce qu'une société qui a une marge nette élevée ait un ratio ventes/actif élevé ? Pourquoi ou pourquoi pas ?
3. Listez les principaux éléments d'un plan financier.

Tests de connaissances

1. Le tableau 29.8 donne le bilan et le compte de résultat abrégés de Weyerhaeuser Company. Calculez les ratios financiers suivants :

   a. Le ratio d'endettement.

   b. La couverture des intérêts.

   c. Le ratio BFR/FDR.

   d. Le ratio de liquidité courante.

   e. La marge nette.

   f. La rotation des stocks.

   g. La rentabilité des fonds propres (ROE).

   h. Le taux de distribution.

Tableau 29.8. Compte de résultat et bilan de Weyerhaeuser Company, N (en millions d'euros)

	Compte de résultat	
Ventes nettes	15 980	
Coût des marchandises vendues	12 035	
Autres dépenses	1 412	
Amortissement	859	
Résultat avant intérêts et impôts (EBIT)	1 674	
Intérêts nets	351	
Impôts	483	
Résultat	840	
Dividendes	263	
	Bilan	
	À la fin de l'année	**Au début de l'année**
Actif immobilisé corporel	10 427	9 582
Autres actifs à long terme	4 480	4 214
Stocks	1 499	1 329
Comptes clients	1 247	1 296
Autres actifs à court terme	427	278
Disponibilités et valeurs mobilières de placement	115	1 640
Total de l'actif	18 195	18 339
Capitaux propres	6 832	7 173
Dettes à long terme et crédit-bail	5 114	5 100
Autres dettes à long terme	3 544	3 113
Comptes fournisseurs	921	961
Autres dettes d'exploitation	1 050	1 083
Dettes financières à court terme	723	909
Total du passif	18 195	18 339

2. Il n'y a pas de définition universellement reconnue des ratios financiers, mais cinq ratios parmi les suivants n'ont pas de sens. Remplacez-les par les définitions correctes.

a. Levier = (dette à long terme + valeur des contrats de crédit-bail) / (dette à long terme + valeur des contrats de crédit-bail + capitaux propres)

b. Rentabilité des capitaux propres = (EBIT – impôts) / capitaux propres moyens

c. Taux de distribution = dividende par action / cours de l'action

d. Marge nette = (EBIT – impôts) / ventes

e. Rotation des stocks = stock moyen × 365 / ventes

f. Ratio BFR/FDR = BFR/FDR

g. BFR en jours de ventes = BFR moyen × 365 / Ventes

h. Délai moyen de paiement des clients = (créances clients moyennes × 365) / Ventes

i. Liquidité immédiate = (actif circulant – stocks) / dettes à court terme

3. Vrai ou faux ?

a. Le ratio dettes/fonds propres d'une entreprise est toujours inférieur à 1.

b. Le ratio de liquidité immédiate est toujours inférieur au ratio BFR/FDR.

c. La rentabilité des fonds propres est toujours inférieure à la rentabilité de l'actif.

d. Si un projet atteint lentement sa pleine rentabilité, l'amortissement linéaire produira probablement une surestimation des résultats durant les premières années.

e. Une nouvelle campagne publicitaire importante d'une entreprise de cosmétiques tendra à déprécier les résultats et provoquera une baisse du PER.

4. Les stocks d'une entreprise s'élèvent à 30 000 euros. Cela représente 30 jours de ventes. Quel est le coût annuel des marchandises vendues ? Quelle est la rotation des stocks (en jours) ?

5. Cosmétiques SA réalise une marge nette de 4 % et la rotation de l'actif est égale à 3.

a. Quelle est la rentabilité de l'actif ?

b. Quelle est la rentabilité des fonds propres, sachant que le levier (dette/capitaux propres) est égal à 1, les intérêts et les impôts s'élèvent à 10 000 euros chacun, et l'EBIT est de 40 000 euros ?

6. Le levier à terme (dette à long terme/capitaux propres) d'une entreprise est égal à 0,4. Les capitaux propres s'élèvent à 1 million d'euros. L'actif circulant est de 200 000 euros, et le ratio actif circulant/passif circulant est de 2. L'actif à long terme est de 1,5 million d'euros. Calculez le ratio endettement/total des fonds à long terme.

7. Les comptes clients de Flûtes enchantées SA s'élèvent à 3 000 euros, soit 20 jours de ventes. L'actif total moyen est de 75 000 euros. La marge nette de l'entreprise est de 5 %. Calculez la rentabilité de l'actif et la rotation d'actif de l'entreprise.

8. Voici le bilan simplifié de Barré SA :

Actifs à long terme	500	190	Capitaux propres
		280	Dettes à long terme
Actifs circulant	100	70	Dettes d'exploitation
Disponibilités	0	60	Dettes à court terme
	600	600	

a. Calculez le ratio dettes/capitaux propres.

b. À combien s'élèvent le BFR et le total des fonds à long terme de Barré SA ? Calculez le ratio des dettes par rapport au total des fonds à long terme.

9. Les dettes à court terme de Roger Louis s'élèvent à 200 millions d'euros. Sa faillite immédiate – pardon – sa *liquidité immédiate* est de 0,05. Quel est le montant de ses disponibilités et valeurs mobilières de placement ?

10. Les clients de Merle SA règlent leurs factures en moyenne en 60 jours. Les ventes annuelles de Merle SA étant de 500 millions d'euros, à combien s'élèvent en moyenne les comptes clients ?

11. Vrai ou faux ?

a. La planification financière devrait viser à minimiser le risque.

b. Le but premier de la planification financière est d'obtenir de meilleures prévisions des flux monétaires futurs et des résultats.

c. La planification financière est nécessaire parce que les décisions d'investissement et de financement sont interdépendantes et ne devraient pas être prises séparément.

d. L'horizon de planification de l'entreprise excède rarement trois ans.

e. La planification financière exige des prévisions justes.

f. Les modèles de planification financière devraient inclure le plus de détails possible.

12. Le tableau 29.9 donne un résumé du compte de résultat et du bilan en fin d'année n de l'entreprise Louki Look (vêtements scandinaves). Le directeur financier de Louki prévoit une augmentation de 10 % des ventes et des coûts en n+1. On s'attend à ce que la rotation de l'actif *moyen* demeure à 0,40. Les intérêts représentent 5 % de la dette au début de l'année.

a. À combien s'élève l'actif à la fin de n+1 ?

b. Supposons que l'entreprise verse 50 % de son résultat net en dividendes. Quelle somme l'entreprise devra-t-elle lever sur les marchés de capitaux en n+1 ?

c. Dans le cas où Louki Look ne serait pas disposée à émettre de nouvelles actions, quel serait le ratio d'endettement à la fin de n+1 ?

Tableau 29.9. États financiers de Louki Look pour l'année n (milliers d'euros)

Compte de résultat			
Ventes	1 000	(40 % de l'actif moyen)*	
Charges	750	(75 % des ventes)	
Intérêts	25	(5 % de la dette au début de l'année)**	
Résultat avant impôt	225		
Impôt	90	(40 % du résultat avant impôt)	
Résultat net	135		
Bilan			
Actifs	2 600	Capitaux propres	2 100
		Dettes	500
Total	2 600	Total	2 600

* Le montant de l'actif à la fin de n-1 était de 2 400.

** La dette à la fin de l'année n-1 était de 500.

13. Le tableau 29.10 présente les comptes de l'entreprise Éviers Leviers. Si les ventes augmentent de 10 % en n+1 et si tous les autres postes, dette comprise, augmentent dans la même proportion, quel poste réalisera l'ajustement ? À combien s'élèvera-t-il ?

Tableau 29.10. États financiers d'Éviers Leviers pour l'année n

Compte de résultat					
Ventes	4 000				
Charges, y compris intérêts	3 500				
Résultat net	500				
Bilan en fin d'année					
	n-1	**n**		**n-1**	**n**
Actif	2 700	3 200	Capitaux propres	1 667	2 000
			Dette	1 033	1 200
Total	2 700	3 200	Total	2 700	3 200

14. Quel est le taux de croissance maximum possible pour Éviers Leviers (voir question 15) si le ratio de distribution est fixé à 50 % et si (**a**) l'entreprise n'emprunte pas ni n'émet d'actions nouvelles et si (**b**) l'entreprise maintient un taux d'endettement fixe mais n'émet pas d'actions nouvelles ?

Questions et problèmes

1. Regardez les rapports annuels de quelques entreprises sur leur site Web (souvent dans la rubrique « Relations actionnaires ») et dressez, ou commentez, le tableau des emplois et des ressources de fonds pour la dernière année. N'oubliez pas le fait que les comptes réels sont plus compliqués que ceux proposés pour Papelar SA.

2. Regardez les rapports annuels de quelques entreprises sur leur site Web (souvent dans la rubrique « Relations actionnaires ») et calculez les ratios suivants pour la dernière année :

a. Endettement.

b. Couverture des intérêts.

c. Ratio BFR/FDR.

d. Liquidité courante.

e. Marge nette.

f. Rotation des stocks.

g. Rentabilité des capitaux propres.

h. Taux de distribution.

3. Sélectionnez un échantillon d'entreprises du même secteur avec leurs comptes (consultables sur leur site Web, dans la rubrique « Relations actionnaires ») et comparez leur rotation des stocks et le délai moyen de paiement des clients. Pouvez-vous expliquer ces différences entre sociétés ?

4. a. Donnez quatre exemples d'actifs, de dettes ou de transactions qui n'apparaissent pas dans les états financiers.

b. De quelle façon les investissements en actifs incorporels, par exemple les dépenses de recherche et développement, affectent-ils les ratios comptables ? Donnez au moins deux exemples.

5. Discutez des mesures possibles du levier financier. Doit-on utiliser la valeur comptable ou la valeur de marché des capitaux propres ? Vaut-il mieux utiliser la valeur de marché de l'endettement, la valeur comptable ou la valeur comptable actualisée au taux d'intérêt sans risque ? Comment devez-vous traiter les engagements hors bilan tels que les engagements de retraite ? Comment traiteriez-vous les obligations remboursables en actions, les provisions pour impôts différés et la part des actionnaires minoritaires ?

6. Supposons qu'à la fin de l'année n Papelar SA dispose d'une ligne de crédit qui lui permettrait d'emprunter 300 millions d'euros, à court terme, pour acheter des valeurs mobilières de placement. (a) L'entreprise apparaîtrait-elle comme plus ou moins liquide ? (b) Le levier financier aurait-il augmenté ou diminué ? Calculez les ratios financiers appropriés.

7. Quelle serait l'incidence des décisions suivantes sur le BFR et la trésorerie d'une entreprise ?

a. Les stocks sont vendus.

b. L'entreprise obtient un prêt bancaire pour régler ses fournisseurs.

c. Un client paye ses factures.

d. L'entreprise utilise sa trésorerie pour constituer des stocks supplémentaires.

8. Régis SA vend l'intégralité de sa production à Magasins Unis. Dans le tableau suivant figurent quelques données, en millions d'euros, relatives aux deux entreprises :

	Ventes	Résultats	Actif
Magasins Unis	100	10	50
Régis SA	20	4	20

Calculez la rotation d'actif, la marge nette et la rentabilité de l'actif des deux entreprises. Supposez à présent que les deux entreprises fusionnent. Si les ventes de Magasins Unis demeurent à 100 millions d'euros, quel sera l'effet de la fusion sur ces trois ratios ?

9. L'action de Vanne SA a un rendement de 4 %. Le dividende par action est de 2 euros et on compte 10 millions d'actions en circulation. Le ratio valeur comptable/valeur de marché de l'entreprise étant de 1,5, quelle est la valeur comptable des capitaux propres ?

10. Comme vous pouvez le constater, quelqu'un a versé de l'encre sur certains postes du bilan et du compte de résultat des Chemins de fer de Transylvanie (voir tableau 29.11). Pouvez-vous utiliser les informations suivantes pour retrouver les valeurs manquantes ?

- Levier financier : 0,4
- Couverture des intérêts : 8
- Actif circulant/passif circulant : 1,4
- Liquidité immédiate : 0,2
- Liquidité courante : 1
- Rentabilité de l'actif total : 0,18
- Rentabilité des fonds propres : 0,41
- Rotation des stocks : 73 jours
- Délai moyen de paiement des clients : 71,2 jours

Tableau 29.11. Bilan et compte de résultat des Chemins de fer de Transylvanie (millions d'euros)

	Décembre n	Décembre n-1
Bilan		
Immobilisations nettes	■■■	25
Stocks	■■■	26
Comptes clients	■■■	34
Disponibilités	■■■	20
Total actif	■■■	105
Capitaux propres	■■■	30
Dettes financières à long terme	■■■	20
Dettes fournisseurs	25	20
Dettes financières à court terme	30	35
Total passif	115	105
Compte de résultat		
Ventes	■■■	
Coût des marchandises vendues	■■■	
Frais de ventes, frais généraux et frais administratifs	10	
Amortissements	20	
EBIT	■■■	
Intérêts	■■■	
Résultat avant impôts	■■■	
Impôts	■■■	
Résultat disponible pour les actionnaires	■■■	

11. Voici quelques données relatives à cinq entreprises d'un même secteur :

	Entreprise				
	A	B	C	D	E
Résultat net (millions d'euros)	10	0,5	6,67	–1	6,67
Actif total, valeur comptable (millions d'euros)	300	30	120	50	120
Nombre d'actions en circulation (millions)	3	4	2	5	10
Cours de l'action (euros)	100	5	50	8	10

On vous demande de calculer un indice du PER du secteur. Discutez de quelles façons vous pourriez calculer cet indice. Un changement de la méthode de calcul aurait-il un effet significatif sur vos résultats ?

12. De quelle façon l'inflation affecte-t-elle la fidélité et la pertinence du bilan et du compte de résultat d'une entreprise industrielle ? Votre réponse dépend-elle du montant des dettes contractées par l'entreprise ?

13. Supposons que vous souhaitiez estimer le risque de l'action d'une entreprise en vous servant de ratios financiers. Parmi ceux que nous avons étudiés dans ce chapitre, lesquels sont susceptibles de vous aider ? Peut-on imaginer d'autres mesures comptables du risque ?

14. Constituez un échantillon d'entreprises en difficulté. Faites un graphique de l'évolution des principaux ratios financiers au cours des dernières années. Des tendances apparaissent-elles ?

15. Le modèle conçu pour l'entreprise Papelar SA est un exemple de modèle de planification financière « de haut en bas » (*top-down*). D'autres entreprises utilisent plutôt un modèle de planification « de bas en haut » (*bottom-up*) qui comprend des prévisions relatives au chiffre d'affaires et aux coûts pour des produits particuliers, des plans de publicité, des projets d'investissement considérables, etc. Quel genre d'entreprises devrait utiliser chaque type de modèle et dans quel but ?

16. On utilise souvent les plans financiers pour comparer les résultats ultérieurs aux objectifs fixés. Que peut révéler une telle comparaison (avantages/inconvénients) ?

17. La variable d'ajustement, dans le modèle de planification de Papelar SA, est la dette. Que signifie l'expression « variable d'ajustement » ? Que se passerait-il si les dividendes devenaient la variable d'ajustement ? Dans ce cas, suggérez un moyen de déterminer la somme à emprunter.

18. En vous appuyant sur votre réponse à la question 17, construisez un nouveau modèle pour Papelar SA. Votre modèle génère-t-il un plan financier acceptable pour n+1 ? (*Indication :* si votre modèle ne fonctionne pas bien, vous devrez peut-être envisager une émission d'actions.)

19. **a.** Utilisez le modèle adopté par Papelar SA (voir tableaux 29.5 à 29.7) pour produire les comptes de résultat, les bilans et le tableau des emplois – ressources pour les années n+1 et n+2. Supposons que les différents postes soient stables, à l'exception des ventes et des coûts qui augmenteront de 30 % par an, tout comme les actifs immobilisés et le BFR. Le taux d'intérêt devrait demeurer à 10 % et l'on exclut toute émission d'actions. L'entreprise prévoit aussi qu'elle maintiendra son taux de distribution de dividendes à 60 %.

b. En vertu de ce plan, quel est le ratio d'endettement de l'entreprise et quel est le ratio de couverture des intérêts ?

c. L'entreprise peut-elle continuer à financer son expansion en empruntant ?

20. Le tableau 29.12 montre les comptes pour l'année n de l'entreprise Frometon SA. L'amortissement annuel est de 10 % sur les immobilisations au début de l'année, plus 10 % sur le nouvel investissement. L'entreprise envisage d'investir 200 000 € par an en immobilisations sur les cinq prochaines années. Elle prévoit que la rotation de l'actif (pris en début d'année) demeurera constante à 1,75. Les coûts fixes devraient demeurer à 53 000 € et les coûts variables à 80 % du chiffre d'affaires. La politique de l'entreprise consiste à verser les deux tiers du résultat net en dividendes et à maintenir un ratio d'endettement de 20 %.

a. Construisez un modèle comme celui des tableaux 29.5 à 29.7 pour Frometon SA.

b. Utilisez votre modèle pour produire une série d'états financiers pour l'année n+1.

Tableau 29.12. États financiers de l'entreprise Frometon pour l'année n (en milliers d'euros)

Compte de résultat		
Chiffre d'affaires	1 785	
Coûts fixes	53	
Coûts variables (80 % du C.A.)	1 428	
Amortissements	80	
Intérêts (à 11,8 %)	24	
Impôts (à 40 %)	80	
Résultat net	120	
Ressources et emplois des fonds		
Ressources :		
CAF	200	
Nouveaux emprunts	36	
Émission d'actions	104	
Total des ressources	340	
Emplois :		
Augmentation du BFR	60	
Investissement	200	
Dividendes	80	
Total des emplois	340	
Bilan en fin d'année		
	n	**n-1**
Actif :		
Actifs immobilisés	800	680
BFR	400	340
Actif total	1 200	1 020
Passif :		
Capitaux propres (valeur comptable)	960	816
Dettes	240	204
Passif total	1 200	1 020

21. Les comptes de Eagle Sport Supply figurent dans le tableau 29.13. Pour simplifier, on supposera que la rubrique « Charges » comprend les intérêts et que l'actif de Eagle est proportionnel à son chiffre d'affaires.

a. Trouvez le montant des fonds que Eagle doit se procurer à l'extérieur si la société maintient un taux de distribution de dividendes de 60 % et si elle prévoit un taux de croissance de 15 % en n+1.

b. Quelle variable fera office d'ajustement si Eagle choisit de ne pas émettre de nouvelles actions ? Quel sera le montant de cette variable ?

c. Supposons à présent que l'entreprise envisage plutôt d'augmenter sa dette à long terme à 1 100, et ne souhaite pas émettre de nouvelles actions. Les dividendes versés doivent-ils devenir la variable d'ajustement ? Pourquoi ? Combien vaudront-ils ?

Tableau 29.13. États financiers de Eagle Sport Supply pour l'année n

Compte de résultat	
Ventes	950 €
Charges, y compris intérêts	250 €
Résultat avant intérêts et impôts (EBIT)	700 €
Impôts	200 €
Résultat net	500 €

Bilan en fin d'année					
	n-1	n		n-1	n
Actif	2 700	3 000	Capitaux propres	1 800	2 000
			Dette	900	1 000
Total	2 700	3 000	Total	2 700	3 000

22. a. Quel est le taux de croissance interne de Eagle Sport (voir question 21) si le taux de distribution de dividendes est fixé à 60 % et le ratio capitaux propres/actif à 2/3 ?

b. Quel est le taux de croissance soutenable ?

23. La croissance de l'entreprise Bio-Plasma est de 30 % par an. Cette entreprise est financée exclusivement par capitaux propres et son actif total s'élève à 1 million d'euros. La rentabilité des capitaux propres est de 20 %. Le taux de réinvestissement est de 40 %.

a. Quel est le taux de croissance interne ?

b. À combien s'élèvent les besoins de financements externes cette année ?

c. Quel serait son taux de croissance si son taux de distribution tombait à zéro ?

d. Quelle conséquence cela aurait-il sur le besoin de financement externe ? Quelle conclusion en tirez-vous sur les relations entre la politique de dividendes et les besoins de financement externes ?

Problèmes avancés

1. Voici un complément d'informations sur l'entreprise Barré SA dont le bilan simplifié vous a été proposé à la question 8 du test de connaissances :

Actif circulant		Dettes à court terme		Autres dettes	
Stocks	35	Fournisseurs	35	Impôts différés	32
Clients	50	Impôts à payer	10	Engagements de retraite	22
Disponibilités	15	Dettes financières	15	Provision pour démantèlement	16
	100		60		70

Le poste « provision pour démantèlement » correspond aux coûts futurs du démontage d'une usine chimique et à la restauration de l'environnement.

On peut calculer de plusieurs façons le ratio d'endettement de Barré SA. Supposons qu'on veuille estimer le risque de la dette de Barré SA et calculer un ratio d'endettement de façon à établir une comparaison avec les ratios des autres entreprises du même secteur. Calculeriez-vous ce ratio en référence au passif total ou aux capitaux permanents ? Incluriez-vous dans la dette les dettes financières à court terme, les impôts différés, la provision pour démantèlement, les engagements de retraite ? Expliquez les raisons de votre choix.

2. Prenez quelques entreprises d'un secteur donné dont vous aurez récupéré les comptes sur Internet et faites quelques hypothèses plausibles sur la croissance future et sur les actifs nécessaires pour assurer cette croissance. Utilisez alors un programme de prévision pour développer un plan financier sur cinq ans. Quel financement est nécessaire pour réaliser la croissance prévue ? Chaque entreprise est-elle vulnérable en cas d'erreur de vos prévisions ?

Chapitre 30

Les actifs et passifs circulants

La majeure partie de cet ouvrage est consacrée aux décisions financières à long terme, comme le choix d'investissement et le choix de la structure de financement. Il est temps de nous intéresser à la gestion des actifs et des dettes à court terme : ceux-ci sont appelés *actifs et passifs circulants*. Le tableau 30.1 donne une décomposition de ces postes pour les sociétés industrielles françaises en 2003. Notez que les actifs à court terme sont supérieurs aux dettes à court terme.

Nous allons détailler les quatre principaux types d'actifs circulants. Nous étudierons d'abord les **créances clients**. Les sociétés vendent fréquemment des biens à crédit. Le paiement peut alors intervenir des semaines ou des mois après. Ces factures non payées sont comptabilisées comme des créances. Nous expliquerons comment le responsable crédit d'une société détermine les modalités de paiement, à quels clients un crédit peut être octroyé et fait en sorte d'être payé rapidement.

Nous aborderons en second lieu la gestion des **stocks**. Pour travailler, les entreprises ont besoin de réserves de matières premières, de produits semi-finis et de produits finis. Mais le stockage peut se révéler particulièrement cher et il immobilise du capital. C'est pourquoi la gestion des stocks implique un arbitrage entre l'avantage de détenir de larges stocks et son coût. Dans les entreprises industrielles, le directeur de la production est le mieux placé pour s'occuper de ce problème. Le responsable financier n'étant généralement pas directement impliqué dans la gestion des stocks, nous ne nous appesantirons pas sur ce sujet.

Nous discuterons ensuite des **disponibilités**. Le trésorier fait face à deux problèmes. Le premier est de décider combien de liquidités l'entreprise doit détenir et par conséquent quel montant peut être investi en placements rémunérés. Le second problème est d'avoir une gestion efficace de la trésorerie et des paiements. Vous ne voulez tout de même pas que les chèques à encaisser traînent sur un bureau jusqu'à ce qu'on se décide à les apporter à la banque ; vous voulez encaisser cet argent sur votre compte le plus vite possible. Nous décrirons plusieurs techniques utilisées par des entreprises pour faire circuler l'argent efficacement.

Il existe toute une gamme de placements à court terme pour placer ses disponibilités. Certains ont une échéance d'un jour, d'autres de plusieurs mois. Dans la section 4, nous décrirons les différents types de placements et nous verrons comment comparer leurs rendements.

Le responsable crédit, le directeur de la production et le trésorier participent tous à la gestion des actifs circulants. Mais, bien entendu, ils ne peuvent pas prendre leurs décisions séparément ; l'entreprise doit s'assurer de la cohérence d'ensemble. Ainsi, dans le chapitre 31, nous verrons comment les entreprises projettent leurs besoins à court terme sur plusieurs mois et comment elles se procurent de l'argent pour faire face à un besoin passager de trésorerie.

Tableau 30.1. Actifs et passifs circulants des sociétés non financières françaises, 2003 (en milliards d'euros)

Les données de ce tableau, comme celles de tous les tableaux de ce chapitre, sont disponibles sur *www.gestion financiere.pearsoned.fr*

Actifs à court terme		Dettes à court terme	
Disponibilités	170,8	Dettes financières court terme	270,2
Valeurs mobilières de placement	226,5	Dettes fournisseurs	583,9
Créances clients	566,2	Dettes fiscales	85,9
Stocks	283,1	Intérêts sur la dette	69,5
Autres créances	190,9	Autres dettes	101,9
Total	1 437,5		1 111,40

La différence entre les actifs et les dettes à court terme est de 1 437,5 – 1 111,40 = 326,10 milliards d'euros.

Source : INSEE, comptes nationaux annuels 2003 (**http://www.insee.fr/fr/indicateur/cnat_annu/base_2000/cnat_annu_2000.htm/**).

1 La gestion du crédit

Les *créances clients* sont généralement un actif circulant important. Quand une entreprise vend des biens à une autre entreprise, elle ne s'attend généralement pas à être payée immédiatement. Ces effets de commerce, ou **crédit interentreprises**, constituent la majeure partie des créances clients. Les sociétés vendent aussi à crédit au consommateur final. Ce **crédit à la consommation** constitue le reste des créances clients.

La gestion du crédit interentreprises nécessite de répondre aux cinq séries de questions suivantes :

1. Quel délai accordez-vous à vos clients pour régler leurs factures ? Êtes-vous disposé à accorder un escompte pour paiement anticipé ?
2. De quelle preuve d'endettement avez-vous besoin ? Demandez-vous à l'acheteur de signer un simple reçu ou exigez-vous un engagement plus formel ?
3. Quels sont les clients en mesure de payer leurs factures ? Pour le déterminer, consultez-vous une agence de notation, demandez-vous une référence bancaire, ou analysez-vous les états financiers du client ?
4. Quel montant de crédit êtes-vous disposé à accorder à chaque client ? Jouez-vous la sécurité en refusant tout crédit à des clients peu sûrs ? Ou acceptez-vous le risque de

quelques créances douteuses comme le coût nécessaire à la constitution d'une clientèle fidèle ?

5. Comment obtenez-vous le paiement lorsque l'échéance arrive ? Comment conservez-vous la trace des règlements ? Quelle attitude adoptez-vous face aux débiteurs retardataires ou récalcitrants ?

Nous étudierons successivement ces différentes questions.

1.1 Les conditions de vente

Toutes les ventes ne se font pas à crédit. Par exemple, si vous vendez des biens à un grand nombre de clients irréguliers, vous pouvez préférer qu'ils paient **comptant**. Si votre produit est cher et fabriqué sur commande, vous pouvez demander des **avances** (acomptes) à mesure que le travail avance.

Chaque secteur a ses propres usages quant aux conditions de paiement[1]. Ces normes suivent une certaine logique. Par exemple, des entreprises qui vendent des biens de consommation durables accordent généralement un délai plus long que celles qui vendent des produits périssables. De même, un vendeur accepte en général un délai de paiement plus important si ses clients présentent peu de risques, si leurs créances sont importantes, s'il leur faut du temps pour s'assurer de la qualité des produits et si ceux-ci ne sont pas revendus rapidement.

Pour inciter les clients à payer avant la date prévue, il est souvent accordé un escompte (ou ristourne, ou remise) pour paiement anticipé. Par exemple, une entreprise peut demander un règlement à 30 jours, mais offrir un escompte de 2 % aux clients qui paient dans les 10 jours. On dit alors « 2/10, net 30 ».

À partir du moment où des marchandises sont achetées régulièrement, il devient gênant de demander le règlement à chaque livraison. La solution consiste à proposer que tous les achats du mois en cours soient payés en fin du mois (FDM). Ainsi, les produits peuvent être vendus aux conditions de 8/10 FDM, net 60. Cette solution permet au client de bénéficier d'un escompte de 8 % si la facture est payée dans les 10 jours qui suivent la fin du mois, sinon le paiement doit être effectué dans les 60 jours à compter de la date de la facture.

Les escomptes sont en général très importants. Un client qui achète aux conditions 2/10, net 30 peut décider de ne pas bénéficier de l'escompte et de payer à 30 jours : il obtient un crédit supplémentaire de 20 jours, mais paie ses marchandises environ 2 % de plus. Ceci équivaut à emprunter de l'argent à un taux de 44,6 % par an[2]. Bien évidemment, toute entreprise qui paie au-delà de la date d'échéance bénéficie d'un prêt bon marché, mais cela nuit à sa réputation de bon payeur.

---

1. Les conditions de crédit habituelles dans les différents secteurs aux États-Unis sont reprises dans O. K. Ng, J. K. Smith et R. L. Smith, « Evidence on the Determinants of Credit Terms Used in Interfirm Trade », *Journal of Finance*, 54 (juin 1999), pp. 1109-1129.

2. La remise vous permet de payer 98 € au lieu de 100 €. Si vous choisissez de ne pas bénéficier de la remise, vous obtiendrez un crédit de 20 jours, mais vous paierez 2/98 = 2,04 % de plus pour vos biens. Le nombre de périodes de 20 jours dans une année est de 365/20 = 18,25. Un euro investi pour 18,25 périodes à 2,04 % devient $(1{,}0204)^{18{,}25} = 1{,}446$ €, soit un rendement de 44,6 % sur l'investissement initial. Si un client est content d'emprunter à ce taux, c'est qu'il ou elle doit être désespérément à la recherche d'argent (ou qu'il ou elle n'entend rien au calcul des intérêts). Pour une discussion sur ce problème, voir J. K. Smith, « Trade Credit and Information Asymmetry », *Journal of Finance*, 42 (septembre 1987), pp. 863-872.

1.2 La promesse de paiement

Des ventes régulières à des clients nationaux sont presque toujours réalisées à partir d'un *compte courant* et le contrat est implicite. Il y a simplement une écriture dans les livres du vendeur et un reçu signé par l'acheteur.

Si vous voulez un engagement ferme de l'acheteur avant la livraison des marchandises, vous pouvez créer une **traite commerciale**[3]. La procédure est la suivante : vous émettez une traite donnant l'ordre au client de payer et l'envoyez à la banque du client en même temps que les documents d'expédition. Si un paiement immédiat est exigé, la traite est appelée *traite à vue* ; sinon, elle est appelée *traite à échéance*. Selon qu'il s'agit d'une traite à vue ou d'une traite à échéance, le client soit paie soit reconnaît la dette en inscrivant le mot *accepté* et en signant. La banque transmet alors les documents d'expédition au client et envoie les fonds nécessaires ou une **acceptation commerciale** à vous, le vendeur.

Si votre crédit au client semble présenter, pour quelque raison que ce soit, un risque, vous pouvez demander à la banque de votre client de donner sa garantie à la traite à échéance. Dans ce cas, la banque cautionne la dette du client. Ces **acceptations de banque** (ou *confirmations de crédit*) sont souvent utilisées dans le commerce international : elles présentent une qualité supérieure et une négociabilité plus grande que les acceptations commerciales. Si vous ne voulez pas attendre pour toucher votre argent, vous pouvez vendre cette acceptation à la banque ou à une entreprise qui a des disponibilités à investir.

Si vous exportez, vous pouvez demander à votre client d'accepter une *lettre de crédit irrévocable*. Dans ce cas, la banque du client vous envoie une lettre stipulant qu'elle a ouvert un crédit en votre faveur auprès d'une banque nationale. Vous savez dès à présent que l'argent est disponible dans votre pays. Vous émettez alors une traite sur la banque du client et la présentez à votre banque nationale en même temps que la lettre de crédit et les documents d'expédition. La banque nationale s'efforce que la traite soit acceptée ou payée et fait parvenir les documents à la banque du client.

Si vous vendez des marchandises à un client qui s'avère insolvable, vous ne pouvez pas récupérer ces marchandises. Vous devenez simplement créancier chirographaire de l'entreprise, au même titre que les autres créanciers. Vous pouvez éviter de vous retrouver dans cette situation en faisant une *vente conditionnelle* (vente avec réserve de propriété) grâce à laquelle le vendeur reste propriétaire des marchandises jusqu'à leur règlement complet. Ce type de vente est fréquent en Europe. Aux États-Unis, il n'est utilisé que pour les marchandises qui sont achetées à tempérament. Dans ce cas, si l'acheteur ne paie pas aux échéances prévues, les marchandises peuvent être immédiatement reprises par le vendeur.

1.3 L'analyse du crédit

Les entreprises n'ont le droit de faire ni de la discrimination entre leurs clients en imposant différents prix, ni des conditions de crédit différentes au même prix. Mais vous *pouvez* proposer des conditions de vente différentes à des *catégories* différentes d'acheteurs. Par exemple, vous pouvez offrir des remises pour achats par grandes quantités ou à des clients qui acceptent des contrats d'achats sur une longue durée. Si vous avez un client qui ne présente pas toutes les garanties, vous devez conserver les conditions de vente habituelles et vous protéger en réduisant la quantité de marchandises que ce client peut acheter à crédit.

3. Les traites commerciales sont également appelées *lettres de change*.

Il existe plusieurs moyens pour savoir si vos clients sont solvables. Vous devez faire davantage confiance à vos anciens clients qui ont payé régulièrement dans le passé. Pour vos nouveaux clients, vous pouvez utiliser ses états financiers pour vous faire votre propre idée, ou vous pouvez déduire l'information des cours des actions de l'entreprise[4]. Cependant, le moyen le plus simple pour évaluer la situation de crédit d'une entreprise est de se fier à l'avis d'un spécialiste de la notation des crédits. Par exemple, dans le chapitre 24, nous avons montré comment les agences d'évaluation des dettes, comme Moody's et Standard & Poor's, fournissent un guide pratique du risque présenté par les emprunts d'une entreprise.

Les notations d'emprunts ne sont en général disponibles que pour les grandes entreprises. Vous pouvez cependant obtenir des informations sur des entreprises plus petites grâce aux agences de crédit. Dun and Bradstreet est la plus importante de ces agences et ses données portent sur plus de 64 millions de sociétés dans le monde. On peut aussi citer le groupe Coface, société initialement créée par l'État français[5]. Aux États-Unis, les bureaux de crédit représentent une autre source d'information sur le profil des emprunteurs. En plus des informations sur les petites entreprises, ils proposent des informations sur les consommateurs, ainsi qu'une notation du risque de crédit par individu fondée sur les informations disponibles et l'historique de leurs opérations[6].

Vous pouvez aussi obtenir cette information en demandant à votre banque de vous dresser un état de solvabilité. Elle se mettra en rapport avec la banque de votre client et lui demandera des renseignements sur son solde bancaire moyen, son accès au crédit bancaire et sa réputation.

Bien entendu, vous ne réaliserez pas la même analyse pour toutes les commandes. Il est plus judicieux de vous concentrer sur les plus importantes et les plus risquées.

1.4 La décision d'accorder un crédit

Supposons que vous ayez franchi les trois premières étapes pour réaliser une bonne opération de crédit : vous avez fixé vos conditions de vente ; vous avez décidé que les clients doivent s'engager par signature sur le contrat ; vous avez établi une procédure pour estimer la probabilité de défaut de chaque client. L'étape suivante est de déterminer à quels clients vous pouvez accorder un crédit.

Si les commandes ne sont pas fréquentes, la décision est relativement simple. La figure 30.1 résume votre choix. D'une part, vous pouvez refuser le crédit. Dans ce cas, vous ne faites ni profit ni perte. D'autre part, vous pouvez accorder un crédit. Supposons que la probabilité que le client paye est p. S'il paye réellement, vous recevez un revenu supplémentaire (revenu marginal REV) et vous supportez des coûts supplémentaires (coûts marginaux) ; votre gain net est la valeur actuelle de REV – COÛT. Mais vous ne pouvez être certain que le client paiera : il y a un risque $(1 - p)$ qu'il fasse défaut, ce qui signifie que vous ne recevrez rien tout

---

4. Nous avons vu comment utiliser ces sources d'informations dans la section 3, chapitre 24.

5. **www.coface.fr**.

6. Nous avons abordé les modèles de notation dans la section 3, chapitre 24. Les notations des bureaux de crédit sont aussi appelées « scores FICO » parce que la plupart des bureaux de crédit utilisent un modèle de notation du crédit développé par Fair Isaac and Company. Les scores FICO sont fournis aux trois principaux bureaux de crédit (Equifax, Experian et TransUnion).

en supportant les coûts marginaux. Le profit *anticipé* de chaque branche de l'arbre de décision est alors le suivant :

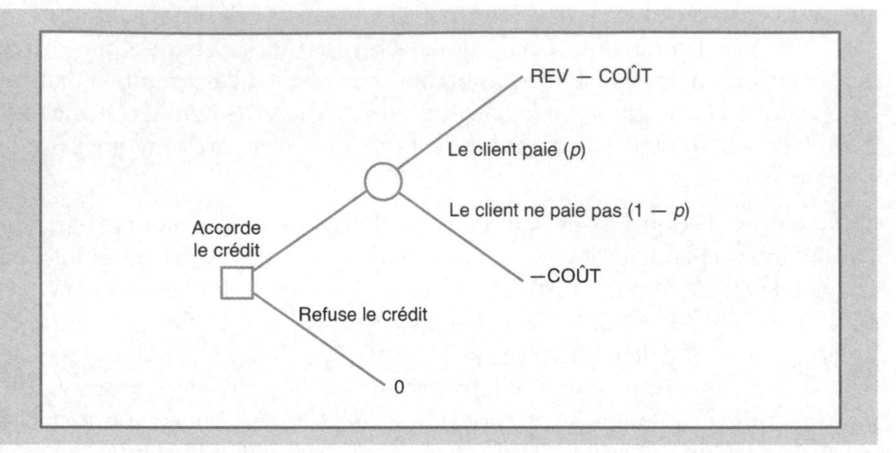

Figure 30.1 - Si vous refusez le crédit, vous ne faites ni profit ni perte. Si vous accordez le crédit, il existe une probabilité p que le client vous paie et vous réaliserez un profit REV – COÛT ; il existe une probabilité (1 – p) qu'il soit défaillant et vous perdrez COÛT.

Vous devrez accorder le crédit si le profit anticipé en accordant le crédit est supérieur au profit anticipé en le refusant.

Prenons le cas de l'entreprise Mouise SA. Pour chaque vente payée, elle reçoit des recettes d'une valeur actuelle de 1 200 € et supporte des coûts de 1 000 €. Si elle accorde le crédit, le profit attendu est donc de :

$$p\text{VA}(\text{REV} - \text{COÛT}) - (1 - p)\text{VA}(\text{COÛT}) = p \times 200 - (1 - p) \times 1\,000$$

Si la probabilité de recouvrement est de 5/6, le point mort est obtenu quand :

$$\text{Profit anticipé} = \frac{5}{6} \times 200 - (1 - \frac{5}{6}) \times 1\,000 = 0$$

La politique de Mouise SA doit donc être d'accorder un crédit quand sa probabilité d'être payée est supérieure à 5/6.

Jusqu'à présent, nous avons ignoré la possibilité de commandes successives. Mais l'une des raisons pour accorder un crédit aujourd'hui est justement de s'attacher un client régulier.

La figure 30.2 illustre ce cas[7]. Un nouveau client demande un crédit à Mouise SA. Il existe peu d'informations sur cet acheteur, mais vous pensez que la probabilité qu'il paie n'est pas supérieure à 80 %. Si vous accordez le crédit, le profit prévisible sur la commande de ce client sera :

$$\begin{aligned}\text{Profit prévisible sur une première commande} &= p_1 \times \text{VA}(\text{REV} - \text{COÛT}) - (1 - p_1) \times \text{VA (COÛT)} \\ &= (0{,}8 \times 200) - (0{,}2 \times 1\,000) = -\,40\text{ €}\end{aligned}$$

Vous décidez de refuser le crédit.

7. Exemple emprunté à H. Bierman Jr, W. H. Hausman, « The Credit Granting Decision », *Management Science*, 16 (avril 1970), pp. B519-B532.

C'est la bonne décision s'il n'y a aucune chance qu'une nouvelle commande soit passée. Mais observez l'arbre de décision de la figure 30.2. Si le client paie, il passera une nouvelle commande l'année suivante. Comme il a payé une fois, vous pouvez être sûr à 95 % qu'il continuera à payer. Toute nouvelle commande devient rentable :

$$\text{Profit prévisible d'une nouvelle commande l'année suivante} = p_2 \times \text{VA}(\text{REV}_2 - \text{COÛT}_2) - (1 - p_2) \times \text{VA}\ (\text{COÛT}_2) = (0{,}95 \times 200) - (0{,}05 \times 1\ 000) = 140\ €$$

Vous pouvez maintenant réexaminer la décision de crédit. Si vous l'accordez, vous recevez le profit attendu sur la première commande *plus* l'opportunité d'accorder un nouveau crédit l'année suivante.

Profit total attendu = profit attendu sur la première commande
+ probabilité de paiement et de commande successive
× VA (profit attendu sur la nouvelle commande de l'année suivante)
= – 40 + 0,8 × VA (140)

Avec un taux d'actualisation normal, vous devez accorder le crédit même si vous vous attendez à subir une perte sur la première commande. La perte prévue est plus que compensée par la possibilité de s'attacher un client régulier et sûr. Mouise SA n'est pas obligée de continuer à vendre à ce client par la suite, mais en accordant ce crédit aujourd'hui, la société s'ouvre une *option* pour le faire. Cette option ne sera exercée que si le client démontre en payant rapidement que vous avez eu raison de lui accorder un crédit.

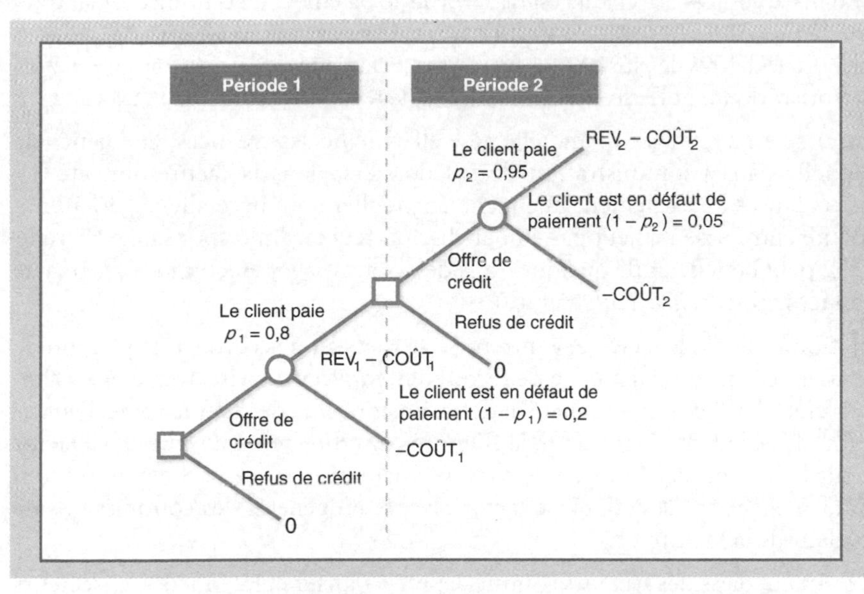

Figure 30.2 - Dans cet exemple, il y a seulement une probabilité de 0,8 que votre client paie dans la période 1 ; mais si le paiement est effectué, il y aura une autre commande dans la période 2, avec une probabilité de paiement de 0,95. L'opportunité de cette bonne commande fait plus que compenser la perte prévisible de la première période.

Dans la réalité, les cas sont souvent plus complexes que dans nos exemples théoriques. Comme la plupart des décisions financières, accorder un crédit nécessite un bon jugement. Nos exemples ont pour but d'expliquer les grands principes plutôt que de donner des recettes toutes faites. Les principes de base dont il faut se souvenir sont les suivants :

1. *Maximisez le profit.* En tant que directeur du crédit, vous ne devez pas minimiser le nombre de mauvaises créances ; votre tâche est de maximiser le profit attendu. Vous devez faire face

aux éléments suivants : le mieux qui puisse arriver est que le client paie rapidement ; le pire est qu'il ne paie pas. Dans le premier cas, l'entreprise reçoit la totalité des recettes engendrées par la vente moins les coûts engagés ; dans le second cas, elle ne reçoit rien et supporte les coûts. Vous devez pondérer chacune de ces possibilités par leurs probabilités respectives. Si la marge de profit est élevée, vous pouvez adopter une politique de crédit libérale ; si elle est faible, vous ne pouvez pas vous permettre d'avoir beaucoup de dettes douteuses[8].

2. *Concentrez vos efforts sur les créances risquées.* Si la demande de crédit porte sur un montant faible ou semble sans problème, votre décision doit être guidée par l'habitude ; en revanche, si elle est d'un montant élevé ou présente des risques, vous devez vous livrer à une analyse plus détaillée. La plupart des responsables du crédit ne décident pas sur la base d'une seule commande, mais fixent une ligne de crédit à chaque client. Le vendeur ne doit soumettre la demande à approbation que si le client dépasse le plafond autorisé.
3. *Regardez au-delà de la demande immédiate.* Le fait d'accorder ou non un crédit requiert une approche dynamique du problème. Il peut valoir la peine d'accepter un risque assez élevé si l'on estime que le client peut devenir un acheteur régulier et fiable. Les nouvelles entreprises doivent donc s'attendre à détenir plus de créances douteuses que des entreprises plus anciennes. Cela fait partie du coût de fidélisation d'une clientèle.

1.5 La politique de recouvrement

La dernière étape dans la gestion des crédits est de recevoir le paiement à l'échéance. Quand un client est en retard, la procédure normale est de lui envoyer la situation de son compte, puis des coups de téléphone ou des lettres de plus en plus pressantes. Si aucune de ces solutions n'a d'effet, la plupart des entreprises donnent la créance à une société de recouvrement ou à un avocat.

Une grande entreprise est avantagée quand elle gère elle-même ses créances. Elle bénéficie d'économies d'échelle dans l'administration de ses dossiers, dans la facturation, etc. Le recouvrement des créances est également une tâche particulière qui nécessite expérience et jugement. Une petite entreprise ne peut pas embaucher ou former un responsable de crédit spécialisé. Mais elle peut bénéficier de quelques-uns de ces avantages en confiant une partie de ce travail à un **factor** (ou *société d'affacturage*).

L'affacturage fonctionne ainsi : le factor et l'entreprise se mettent d'accord sur le plafond de crédit de chaque client et sur le délai moyen de recouvrement. L'entreprise avertit alors chaque client que la société d'affacturage a acheté sa dette. Ensuite, lors de chaque vente, l'entreprise envoie un double de la facture au factor, le client réglant directement celui-ci. Le factor paie l'entreprise sur la base du délai moyen de recouvrement prévu, que le client ait ou non payé. Cette opération engendre des coûts : le factor prélève en général des commissions de 1 % à 2 % de la valeur de la facture[9].

L'affacturage est fréquent dans des secteurs comme le prêt-à-porter et les jouets. Ces secteurs sont caractérisés par un grand nombre de petits fabricants et détaillants qui n'ont pas de relations très suivies entre eux. Comme le même factor peut être employé par plusieurs

8. Regardez à nouveau le cas de Mouise SA. Nous avons conclu que la société avait raison d'accorder un crédit lorsque la probabilité d'être payée dépassait 5/6. Si le client paie, la marge bénéficiaire de Mouise SA sera de 200/1 200 = 1/6. En d'autres termes, la société a raison d'accorder un crédit lorsque la probabilité d'être payée dépasse 1 – marge bénéficiaire.
9. En général, le factor accepte souvent d'avancer 70 % à 80 % du montant des créances à un taux d'intérêt intéressant.

fabricants, il traite une plus grande proportion de transactions que ne le ferait une entreprise seule et il est mieux placé pour apprécier la solvabilité de chaque client[10].

Si vous ne voulez pas être aidé pour le recouvrement mais être simplement protégé contre les créances douteuses, vous pouvez bénéficier d'une **assurance-crédit**. La plupart des pays ont créé des compagnies pour assurer les crédits à l'exportation. En France, c'est la Coface (Compagnie française d'assurances au commerce extérieur) qui est passée au statut privé en 1994. Aux États-Unis, ce risque est couvert par la *Export-Import Bank* (*Ex-Im Bank*) associée à plusieurs compagnies d'assurances connues sous le nom de Foreign Credit Insurance Association (FCIA). Les banques sont beaucoup plus enclines à accorder des crédits lorsque les factures de ventes sont assurées.

Il y a toujours un conflit potentiel d'intérêt entre le service du recouvrement et le service commercial. Les vendeurs se plaignent souvent de voir le service du recouvrement harceler les nouveaux clients dès la vente effectuée. Le directeur du recouvrement, de son côté, regrette que la force de vente ne soit concernée que par la signature de commandes sans se soucier de savoir si les ventes seront ensuite payées.

Il existe cependant des exemples de coopération entre la direction des ventes et la direction financière qui s'efforcent d'assurer ensemble les recouvrements. Ainsi, le service de produits chimiques d'une grande société pharmaceutique a fait un prêt à un client important que sa banque a soudainement abandonné. L'entreprise pharmaceutique a estimé qu'elle connaissait mieux son client que la propre banque de celui-ci. Le pari fut payant. Le client s'organisa pour obtenir un autre financement bancaire, remboursa l'entreprise pharmaceutique et devint même un bon client. C'est un bel exemple d'une direction financière aidant le service commercial.

Il n'est pas habituel que des fournisseurs accordent des prêts de ce type à leurs clients, mais ils prêtent de l'argent indirectement quand ils accordent un délai de paiement. Le crédit commercial peut constituer une source importante de fonds à court terme pour des clients qui ne peuvent obtenir des prêts bancaires. Mais cela conduit à une question importante : si la banque refuse de prêter, comment comprendre que vous, le fournisseur, continuiez à accorder un crédit commercial ? Deux raisons peuvent expliquer une telle décision. D'abord, comme dans le cas de la société pharmaceutique, vous pouvez avoir davantage d'informations que la banque n'en a sur la situation du client. Ensuite, vous devez regarder au-delà de la transaction actuelle et savoir que votre entreprise peut manquer des ventes rentables dans le futur si le client disparaît[11].

2 La gestion des stocks

Un autre actif à court terme important est constitué par les *stocks* (matières premières, travaux en cours ou produits finis dans l'attente d'être vendus et expédiés). Les entreprises ne sont pas obligées d'avoir des stocks. Elles pourraient acheter au jour le jour. Mais elles paieraient

10. Ce point est analysé par S. L. Mian et C. W. Smith Jr, « Accounts Receivable Management Policy : Theory and Evidence », *Journal of Finance*, 47 (mars 1992), pp. 169-200.

11. Bien sûr, les banques ont aussi besoin de connaître les opportunités futures pour rentabiliser les prêts à l'entreprise. La question est donc de savoir si les fournisseurs ont des intérêts *supérieurs* dans la prospérité future de l'entreprise. Pour des précisions sur les déterminants de l'offre et de la demande de crédit commercial, voir M. A. Petersen et R. G. Rajan, « Trade Credit : Theories and Evidence », *Review of Financial Studies*, 10 (1997), pp. 661-692.

alors un prix plus élevé pour des achats en petites quantités et risqueraient de subir des retards dans leur production si les matières n'étaient pas reçues à temps. On peut éliminer ces problèmes en commandant plus que nécessaire. De même, les entreprises pourraient se débarrasser des stocks de produits finis en ne produisant que ce qu'elles pensent pouvoir vendre immédiatement. Mais cette stratégie est dangereuse. Si le stock de produits finis est faible, le risque est de se retrouver en rupture de stock, le producteur se révélant incapable de répondre rapidement aux commandes. En outre, stocker beaucoup de produits finis présente l'avantage d'allonger sa campagne de production et donc de diminuer ses coûts.

Mais détenir des stocks coûte aussi à l'entreprise : l'entreposage et l'assurance doivent être payés ; il existe aussi un risque de détérioration ou d'obsolescence. En outre, l'argent ainsi immobilisé ne rapporte aucun intérêt. De ce fait, les directeurs de la production doivent arbitrer entre les avantages et les coûts qu'il y a à détenir des stocks.

Les sociétés tendent désormais à réduire leurs stocks. Il y a trente ans, les stocks des entreprises américaines représentaient 12 % de leurs actifs. De nos jours, ce chiffre a quasiment été réduit de moitié.

Une des façons de réduire ses stocks est d'adopter l'approche du « juste-à-temps ». Le **juste-à-temps** a été inventé au Japon par Toyota. Les stocks de pièces automobiles sont réduits au strict minimum et les fournitures ne sont commandées que lorsque cela se révèle nécessaire. Les livraisons de composants aux usines Toyota se font chaque jour et toutes les heures. Toyota est capable de fonctionner avec des stocks aussi bas uniquement parce que l'entreprise a mis en œuvre des mesures afin d'éviter que les grèves, les embouteillages ou tout autre événement n'empêchent l'acheminement des composants et ne paralysent la production. Beaucoup de sociétés ont tiré des leçons de l'exemple de Toyota. Il y a trente ans, Ford faisait tourner ses stocks cinq fois par an, aujourd'hui c'est plus de vingt fois.

Les entreprises pensent aussi qu'elles peuvent réduire leurs stocks de produits finis en produisant à la commande. Par exemple, Dell Computer a découvert qu'il n'était pas nécessaire de garder un stock important de machines finies. Ses clients sont capables d'utiliser Internet pour spécifier les caractéristiques de leur PC. L'ordinateur est alors assemblé et envoyé au client[12].

3 Les disponibilités

Les autres actifs à court terme sont les disponibilités[13]. Financièrement, la détention de liquidités ne rapporte rien. On peut alors se demander pourquoi des personnes et des entreprises détiennent des milliards d'euros en espèces et en dépôts à vue. Pourquoi, plutôt, ne placez-vous pas *votre* argent en titres rémunérés ? La réponse est que la trésorerie est plus *liquide* que les titres. Vous pouvez l'utiliser pour acheter des biens. Certes, il est parfois difficile de payer un chauffeur de taxi à Paris avec un billet de 100 €, mais c'est totalement impossible avec une action ou une part de Sicav.

---

12. Ces exemples de juste-à-temps et de fabrication à la commande sont tirés de T. Murphy, « JIT When ASAP Isn't Good Enough », *Ward's Auto World* (mai 1999), pp. 67-73 ; R. Schreffler, « Alive and Well », *Ward's Auto World* (mai 1999), pp. 73-77 ; « A Long March : Mass Customization », *The Economist* (14 juillet 2001), pp. 63-65.

13. Nous utiliserons indifféremment les termes disponibilités, encaisse ou trésorerie pour parler de l'argent dont dispose l'entreprise, et qu'elle peut placer à court terme. Rappelons que la *trésorerie nette*, elle, est composée des disponibilités et VMP *moins* les dettes financières court terme (voir chapitre 29).

En choisissant entre de la trésorerie et des titres à court terme, le responsable financier fait face au même problème d'optimisation que le directeur de la production. Après tout, la trésorerie n'est qu'une matière première de plus dont on a besoin pour produire, et le « stock » de liquidités entraîne à la fois des avantages et des coûts. Si la trésorerie était investie en titres, elle serait rémunérée. D'un autre côté, vous ne pourriez pas utiliser ces titres pour payer les factures de la société. Si vous deviez les vendre chaque fois que vous devez payer une facture, vous subiriez des coûts de transaction élevés. Le responsable financier doit arbitrer entre le coût de détention d'un stock de liquidités (perte des intérêts) et les bénéfices (économie sur les coûts de transaction).

Pour les petites entreprises, cet arbitrage peut être important, tandis que pour les grandes les coûts de transaction liés à l'achat et la vente de titres deviennent dérisoires comparés au coût d'opportunité lorsqu'on laisse des liquidités dormir. Supposons que le taux d'intérêt soit de 5 % par an ou environ 5/365 = 0,137 % par jour. Chaque jour, pour 1 million d'euros placés, les intérêts s'élèvent à 0,000137 × 1 000 000 = 137 €. Même avec un coût de 50 € par transaction, ce qui est déjà très élevé, il vaut mieux acheter des billets de trésorerie aujourd'hui et les revendre le lendemain au lieu de laisser 1 million d'euros dormir. Prenez le cas de Wal-Mart qui réalise un chiffre d'affaires annuel de 250 milliards de dollars et un flux de trésorerie moyen de 250 000 000 000 $ / 365, soit environ 700 millions de dollars par jour. Les entreprises de cette taille finissent généralement par acheter ou vendre des titres une fois par jour, et ce chaque jour.

Les banques ont mis à la disposition des entreprises des services pour investir ces liquidités. Par exemple, elles fournissent des **programmes de gestion automatique de l'encaisse** (*sweep programs*) : les banques transfèrent automatiquement les surplus vers des comptes de dépôts du marché monétaire (*money market deposit account*, *MMDA*) qui sont rémunérés. Les banques sont d'autant plus enclines à proposer ce type d'opérations que ce type de compte est exclu de l'assiette de calcul des réserves requises pour les dépôts à vue.

Dans ces conditions, pourquoi les grandes entreprises détiennent-elles autant de liquidités ? Il y a avant tout deux raisons à cela. Premièrement, la trésorerie peut être laissée sur des comptes non rémunérés pour rétribuer les banques pour les services qu'elles fournissent. Deuxièmement, les grands groupes peuvent avoir des centaines de comptes dans des douzaines de banques différentes. Il vaut souvent mieux laisser des liquidités dormir sur ces comptes que surveiller tous les jours chaque compte et effectuer quotidiennement des transferts.

Une des principales explications de la prolifération des comptes bancaires est la décentralisation des responsabilités. Vous ne pouvez pas donner à une filiale une autonomie opérationnelle sans octroyer aux responsables le droit de dépenser et recevoir des liquidités. Cependant, une bonne gestion de trésorerie implique un certain niveau de centralisation. Il vous est impossible de maintenir à l'échelle d'un groupe un certain niveau de trésorerie si toutes les filiales sont responsables de leurs propres réserves d'encaisse. Mieux vaut aussi éviter des situations où une filiale investit ses propres liquidités à 5 % pendant qu'une autre emprunte à 8 %. Il n'est donc pas surprenant de constater que même les entreprises les plus décentralisées maintiennent généralement un contrôle centralisé sur la trésorerie et les relations avec les banques.

3.1 Gérer efficacement sa trésorerie

La plupart des petits achats sont réglés par pièces ou billets (en numéraire). Aux États-Unis et en France, l'autre moyen de paiement populaire est le chèque. Aux États-Unis, 70 milliards de chèques sont émis chaque année par les particuliers et les entreprises, et plus de 4 milliards en France en 2004.

Cette utilisation effrénée des chèques n'est pas générale. La figure 30.3 compare les moyens de paiement dans différents pays. Vous pouvez constater que les chèques sont pratiquement inconnus en Allemagne, aux Pays-Bas et en Suède. La plupart des paiements y sont effectués par cartes de paiement, débits directs ou virements[14].

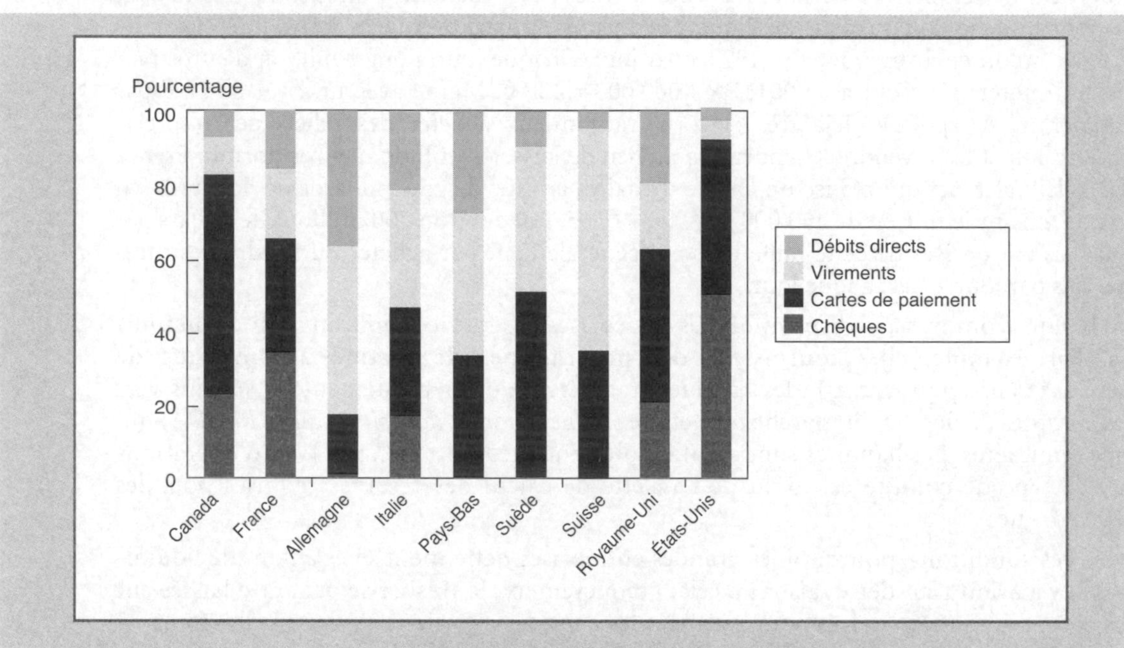

Figure 30.3 - Comment les achats sont effectués. Pourcentage du volume total des transactions en 2002, hors paiement en liquide. Les données ne comprennent pas l'utilisation de monnaie électronique par carte.

Source : « Statistics on Payments and Settlement Systems in Selected Countries », Banque des Règlements Internationaux, *mars 2004.* ***www.bis.org/publ.***

Les sociétés qui reçoivent beaucoup de chèques ont mis en œuvre différents moyens pour recouvrer cet argent aussi vite que possible. Par exemple, aux États-Unis, de nombreuses sociétés utilisent la **centralisation bancaire** pour accélérer les recouvrements. Dans ce cas, les clients d'une même région paient à une succursale locale plutôt qu'à la société mère. La succursale locale dépose alors les chèques sur un compte bancaire local. Les fonds excédentaires sont périodiquement transférés sur un *compte central* dans l'une des banques

14. Les cartes de paiement permettent à leurs détenteurs de transférer de l'argent directement sur le compte bancaire du bénéficiaire. Avec un virement, le débiteur est à l'origine de la transaction, par exemple en donnant à sa banque un ordre de faire régulièrement un paiement. Avec un débit direct, c'est le bénéficiaire qui est à l'origine de la transaction, effectuée le plus souvent de manière électronique.

principales de la société. La centralisation bancaire réduit la trésorerie flottante de deux façons. D'abord, étant donné que les succursales locales sont plus proches des clients, le délai postal est réduit. Ensuite, le chèque du client pouvant être tiré sur une banque locale, le délai de compensation est également diminué.

La centralisation bancaire est souvent couplée au **système de boîte postale** (*lockbox*). Les clients de la société doivent envoyer leurs paiements à une boîte postale régionale. La banque locale s'occupe alors des tâches administratives en vidant la boîte et en déposant les chèques sur le compte local de la société.

3.2 Les paiements électroniques

L'utilisation de chèques diminue partout dans le monde. Pour les consommateurs, ils ont été remplacés par les cartes de crédit ou de paiement. D'autres dépenses récurrentes comme le paiement des services publics (eau, gaz, électricité), des hypothèques et des primes d'assurance sont de plus en plus réglées par prélèvement direct[155]. Avec le paiement direct, les clients vous autorisent tout simplement à débiter leur compte bancaire du montant dû. Ce dispositif permet à l'entreprise de savoir exactement quand l'argent sera encaissé mais lui évite aussi le traitement fastidieux de milliers de chèques.

Dans le cas des entreprises, les règlements se font de plus en plus par voie électronique. Aux États-Unis, le **transfert électronique de fonds** représente 93 % des paiements en valeur. Au total, on dénombre trois systèmes de paiement électronique spécialisés dans le traitement de grands montants – Fedwire et CHIPS aux États-Unis, SWIFT en Europe. Fedwire est géré par la Réserve fédérale et relie plus de 10 000 institutions financières américaines à la Fed et donc les unes aux autres. Les règlements internationaux de montants élevés sont gérés par CHIPS (système privé américain connectant 115 grandes banques américaines et étrangères) ou SWIFT (système privé dont le siège social est en Belgique et implanté dans plus de 200 pays). Les paiements impliquant une grande liste de diffusion comme les salaires ou les dividendes sont généralement émis par dépôt direct. Dans ce cas, l'entreprise a simplement besoin de fournir un fichier d'instructions à sa banque qui débite alors le compte de l'entreprise et envoie les règlements sur les comptes bancaires des salariés et actionnaires. Ces dépôts directs transitent par le système de la compensation automatique (*automated clearinghouse, ACH*). C'est le système le plus important des États-Unis. En 2003, il a pris en charge 10 milliards de paiements pour un montant de 27 000 milliards de dollars[166].

Ces systèmes de paiement électronique ont au moins trois avantages :

- La conservation des enregistrements et les transactions de routine sont faciles à automatiser quand l'argent circule de manière électronique. Le service de gestion de la trésorerie de Campbell Soup s'occupe de la gestion de la trésorerie, des prêts et des emprunts à court terme et des relations avec ses banques avec seulement sept personnes. Les flux de trésorerie de l'entreprise étaient d'environ 5 milliards de dollars annuels[177].

15. Les consommateurs peuvent aussi recevoir et payer électroniquement leurs factures *via* leur ordinateur. À l'heure actuelle, la facturation en ligne ne représente qu'une faible part du total des paiements, mais il est prévu pour les années à venir une forte croissance de ce mode de paiement.
16. Données fournies par Automated Clearinghouse Network, **www.nacha.org**.
17. James D. Moss, « Campbell Soup's Cutting-Edge Cash Management », *Financial Executive*, 8 (septembre-octobre 1992), pp. 39-42.

- Le coût marginal des transactions est très faible. En effet, cela coûte moins de 10 $ pour transférer de très grosses sommes d'argent en utilisant Fedwire, et seulement quelques cents par transfert ACH.
- Les transferts électroniques ne génèrent aucune trésorerie flottante. Par exemple, des trésoriers de la société Occidental Petroleum remarquèrent qu'un site payait environ 8 millions de dollars par mois trois à cinq jours plus tôt que la date d'échéance pour éviter toute pénalité si les chèques arrivaient en retard par la poste. La solution fut évidente : les responsables de l'entité payèrent les factures importantes de manière électronique ; ce moyen leur assurait que les paiements arrivaient à l'heure[18].

3.3 La gestion de la trésorerie internationale

La gestion de la trésorerie des entreprises nationales est un jeu d'enfant comparée à celle des grandes sociétés multinationales travaillant dans des dizaines de pays, chacun avec sa propre monnaie, son système bancaire et sa structure juridique.

Avoir un système unique de gestion de trésorerie est impossible pour ces sociétés. Supposons par exemple que vous soyez le trésorier d'une entreprise multinationale travaillant dans toute l'Europe (ce qui exclut pour une grande partie un problème supplémentaire : celui du risque de change). Vous pouvez autoriser chaque entité à gérer sa propre trésorerie, mais cela serait coûteux et aurait sans aucun doute pour résultat que chacune accumule de petites réserves de trésorerie. La solution est de mettre sur pied un système régional. L'entreprise ouvre alors un seul compte local dans une banque de chaque pays. Toute la trésorerie excédentaire est concentrée quotidiennement sur des comptes à Londres ou dans une autre place bancaire européenne. Cette trésorerie est placée dans des valeurs mobilières de placement ou est utilisée pour financer les filiales qui ont une trésorerie négative.

Les paiements peuvent aussi s'effectuer en dehors du système régional. Par exemple, afin de payer les salaires dans chaque pays européen, l'entreprise a juste besoin d'envoyer à sa banque principale un fichier d'instructions comprenant les caractéristiques des paiements à effectuer. La banque trouve alors les moyens les moins chers de transférer l'argent des comptes centraux de l'entreprise et s'arrange pour que les fonds soient crédités le jour dit sur les comptes des salariés dans chaque pays.

Les entreprises qui conservent des soldes propres à chaque pays risquent de se retrouver avec un excédent de trésorerie dans un pays et un déficit dans un autre. Dans ce cas, l'entreprise peut placer l'excédent et emprunter le déficit auprès des banques. Ceci risque d'être coûteux, car les banques ont l'habitude d'imposer un taux d'intérêt plus élevé aux emprunteurs que le taux qu'elles accordent aux prêteurs. La solution la plus simple est de faire le nécessaire pour que la banque compense tous vos surplus et déficits de trésorerie. Dans ce cas, il n'y a pas de transfert d'argent entre les comptes. La banque additionne les surplus et les déficits et verse en cas de surplus des intérêts calculés sur le taux octroyé aux prêteurs.

Les plus grandes multinationales ont plusieurs banques dans chaque pays, mais plus elles en utilisent, moins elles contrôlent leurs soldes de trésorerie. Ainsi, le développement des systèmes de gestion de trésorerie régionale avantage les banques qui peuvent offrir un réseau de succursales dans le monde entier. Ces banques peuvent aussi avoir les moyens d'investir les

18. Robert J. Pisapia, « The Cash Manager's Expanding Role : Working Capital », *Journal of Cash Management*, 10 (novembre-décembre 1990), pp. 11-14.

dizaines de milliards qui sont nécessaires pour gérer les systèmes informatiques permettant d'assurer les paiements et les réceptions de fonds dans de nombreux pays différents.

3.4 Le paiement des services bancaires

Une grande partie de la gestion de trésorerie – traitement des chèques, transfert des fonds, trace des comptes de l'entreprise – est faite par les banques qui fournissent aussi bien d'autres services non directement liés à la gestion de la trésorerie, par exemple effectuer les paiements et recevoir les règlements en monnaies étrangères ou assurer la garde de titres[19].

Tous ces services sont payants. Le paiement se fait en général sous la forme d'une commission mensuelle, mais les banques peuvent accepter d'abandonner ce droit tant que l'entreprise conserve un solde moyen minimum dans un compte de dépôts non rémunéré. Ainsi, après avoir mis de côté une proportion de fonds dans un compte de réserves, elles peuvent reprêter ces fonds afin de toucher des intérêts. Les dépôts à vue conservés pour payer les services bancaires sont appelés *soldes compensateurs*. Ces derniers servent comme moyen de règlement des services bancaires, mais la tendance est de se passer de l'utilisation des soldes compensateurs et d'aller vers des soldes libres.

4 Les titres échangeables sur le marché

Fin 2003, la trésorerie de Microsoft s'élevait à 49 milliards de dollars, soit plus de 60 % du total des actifs de la société. La société gardait 1,3 milliard de dollars en banque pour faire face aux opérations au jour le jour et investissait le surplus comme suit :

Investissement	Montant
Papier commercial	0,9
Titres d'État et d'organismes publics	7,3
Titres municipaux	9,3
Certificats de dépôts	0,3
Fonds mutuel en instruments du marché monétaire	1,3
Obligations d'État (hors États-Unis)	5,4
Bons de caisse et obligations d'entreprise	16,9
Titres hypothécaires	6,3
Total	49

La plupart des entreprises ne peuvent pas se payer le luxe de détenir des surplus de trésorerie aussi importants, mais elles peuvent placer toutes les liquidités disponibles qui ne sont pas immédiatement mobilisées pour des besoins de court terme. Le marché de ces placements à court terme est appelé **marché monétaire.** Ce marché n'existe pas concrètement. Il est constitué d'un vaste ensemble de banques et de courtiers reliés par télex, téléphones et

19. Les banques prêtent aussi de l'argent et donnent aux entreprises l'*option* d'emprunter à l'intérieur d'une ligne de crédit (voir section 5, chapitre suivant).

micro-ordinateurs. Mais un volume considérable de titres y est régulièrement traité dans un climat de forte concurrence.

La plupart des grandes entreprises gèrent elles-mêmes leurs placements sur le marché monétaire. Les petites entreprises trouvent parfois plus commode de passer par une société de gestion de fonds ou de placer leur trésorerie dans un organisme de placement collectif en valeurs mobilières (OPCVM) qui investit dans des titres à court terme à risque très faible[20]. C'est cet OPCVM qui investit dans des titres à court terme et peu risqués. Malgré son important surplus, Microsoft investissait une faible part de sa trésorerie sur le marché des OPCVM.

4.1 Le calcul du rendement des placements sur le marché monétaire

Beaucoup de placements sur le marché monétaire sont avec capitalisation. Cela signifie qu'ils n'entraînent pas le versement d'intérêts. Leur rémunération provient de la différence entre le montant reçu à l'échéance et le montant versé à l'origine. Souvent, l'administration fiscale considère qu'il ne s'agit pas d'une plus-value en capital, mais d'un véritable revenu, imposé en tant que tel.

Les taux d'intérêt sur les placements du marché monétaire sont souvent cotés sur une base d'escompte. Supposons par exemple que des bons à trois mois soient émis sur la base d'un escompte de 5 %. Ceci est une méthode plutôt complexe pour dire que le prix d'un bon à trois mois est de $100 - 3/12 \times 5 = 98{,}75$. Pour 98,75 € investis aujourd'hui, vous recevrez 100 € dans trois mois. Le rendement sur ces trois mois est donc de $1{,}25 / 98{,}75 = 0{,}0127$, soit 1,27 %, équivalant à un taux d'intérêt simple de 5,08 % et à un taux d'intérêt composé de 5,18 %. On peut noter que le rendement est supérieur à l'escompte. Quand vous lisez qu'un produit a un taux d'escompte de 5 %, il ne faut pas en conclure qu'il s'agit de son rendement[211].

4.2 Les rendements des placements sur le marché monétaire

Quand on évalue la dette à long terme, il est important de tenir compte du risque de non-remboursement. Presque tout peut arriver en trente ans ; même l'entreprise la plus sûre aujourd'hui peut connaître dans l'avenir des difficultés. C'est la raison essentielle pour laquelle les obligations d'entreprise offrent des rendements supérieurs aux bons du Trésor.

La dette à court terme non plus n'est pas sans risque. Quand, en 2001, la Californie était empêtrée dans la crise de l'énergie, Southern California Edison et Pacific Gas and Electric ont dû suspendre les paiements sur près de 1 milliard de billets de trésorerie arrivés à échéance[22]. De tels exemples sont les exceptions qui confirment la règle ; en général, le danger de non-remboursement est moindre pour les titres du marché monétaire émis par les entreprises que pour les obligations de ces mêmes entreprises, ceci pour deux raisons.

---

20. Nous avons étudié ces organismes dans la section 3, chapitre 17.

21. Pour compliquer encore les choses, les participants au marché monétaire cotent souvent les taux comme s'il n'y avait que 360 jours par an. Ainsi, un escompte de 5 % sur un titre de maturité 91 jours correspond à un prix de $100 - 5 \times (91/360) = 98{,}74$ %.

22. Les billets de trésorerie sont des dettes à court terme émises par des sociétés. Nous décrivons ces instruments dans la section 5, chapitre 31.

D'abord, l'éventail des possibilités est moins large pour les placements à court terme. Même si le futur est incertain, vous pouvez, en général, être sûr qu'une entreprise particulière survivra pendant au moins les prochains mois. Ensuite, la plupart du temps, seules les entreprises bien installées peuvent emprunter sur le marché monétaire. Si vous souhaitez prêter pour une seule journée, vous ne pouvez consacrer beaucoup de temps à évaluer le prêt : vous ne vous intéressez qu'aux emprunteurs les plus sûrs.

Malgré la grande qualité des placements sur le marché monétaire, il existe souvent d'importantes différences de rendement entre les titres d'entreprise et ceux de l'État. Pourquoi ? Une réponse est le risque de non-remboursement. Une autre est que les placements présentent différents degrés de liquidité. Les épargnants préfèrent les bons du Trésor, car ils sont plus faciles à vendre rapidement. Les titres qui peuvent être convertis en trésorerie rapidement et avec le minimum de pertes offrent des rendements relativement plus faibles.

En période de troubles sur le marché, les investisseurs accordent souvent une grande attention à l'accès facile à la liquidité. En de telles occasions, le rendement des titres non liquides peut augmenter de façon dramatique. Ceci est arrivé à l'automne 1998 quand un important fonds d'arbitrage, Long Term Capital Management (LTCM), fut proche de l'écroulement[23]. De peur que LTCM ne soit contraint à liquider ses énormes positions, les investisseurs ont eu un mouvement de recul face aux titres illiquides. C'est ce qu'on a appelé la « fuite vers la qualité » (flight to quality). L'écart entre les rendements des billets de trésorerie et des bons du Trésor atteignit jusqu'à 120 points de base (1,20 %), presque quatre fois son niveau du début d'année.

4.3 Le marché monétaire international

Dans le chapitre 25, nous avons noté qu'il existe deux principaux marchés d'obligations libellées en dollars : le marché américain et le marché des eurobonds basé à Londres. De la même façon, en plus du marché monétaire national, il existe un marché monétaire international pour les investissements à court terme libellés en dollars qui est connu sous le nom de marché *eurodollar.*

Les eurodollars n'ont rien à voir avec la monnaie de l'Union européenne. Ce sont simplement des dollars déposés dans des banques en Europe. Supposons qu'une société pétrolière américaine achète du pétrole brut à un cheik arabe et paie contre un chèque d'un million de dollars émis par JP Morgan Chase. Le cheik va déposer son chèque sur son compte à la Barclays à Londres. La Barclays détient donc un actif sous la forme d'une créance d'un million de dollars vis-à-vis de JP Morgan Chase. Elle a aussi un passif qui vient en compensation sous la forme d'un dépôt en dollars. Puisque ce dépôt en dollars est placé en Europe, on l'appelle dépôt en eurodollars[24].

De la même manière que coexistent un marché monétaire américain et un marché eurodollar, au marché monétaire japonais correspond un marché européen à Londres pour l'euroyen. Si une entreprise américaine souhaite effectuer un placement à court terme libellé

23. Les fonds d'arbitrage sont spécialisés dans des placements dans des titres qui sont considérés comme sous-évalués tandis qu'ils vendent ceux qui leur paraissent surévalués. L'histoire de LTCM est racontée par R. Lowenstein, *When Genius Failed : The Rise and Fall of Long Term Capital Management*, Random House, New York, 2000, et par N. Dunbar, *Inventing Money : The Story of Long Term Capital Management and the Legends behind It*, John Wiley, New York, 2000.

24. Ce cheik arabe peut tout aussi bien déposer le chèque dans la succursale londonienne d'une banque américaine ou japonaise. C'est toujours un dépôt en eurodollars.

en yens, elle peut soit déposer des yens sur un compte bancaire à Tokyo, soit déposer des euroyens sur un compte à Londres. Le raisonnement est le même pour les euros de la zone euro et le marché monétaire en euros à Londres[25]. Et ainsi de suite.

Les principales banques internationales installées à Londres prêtent aux autres banques à un taux appelé LIBOR (*london interbank offered rate*). De la même manière, elles prêtent des yens au taux du yen LIBOR et des euros au *taux interbancaire offert en Europe* (*Europe interbank offered rate*, ou Euribor), qui est la référence de taux pour de nombreux types de prêts à court terme. Par exemple, une société européenne peut émettre des titres à court terme à taux variable, indexé sur l'Euribor.

Si nous vivions dans un monde sans réglementations ni taxes, le taux d'intérêt d'un prêt en eurodollars devrait être le même que s'il était effectué sur le marché domestique américain. Or, lorsque les États tentent de réguler leur marché domestique, ils ne font qu'encourager l'essor des marchés internationaux de dette. Lorsque le gouvernement américain limita le taux d'intérêt que les banques pouvaient offrir pour les dépôts domestiques, il suffisait aux sociétés américaines de placer leurs dollars en Europe. Dès que ces restrictions furent levées, le différentiel de taux diminua fortement.

À la fin des années 1970, le gouvernement américain s'inquiéta de voir sa législation provoquer une fuite des capitaux vers les banques étrangères ou les succursales de banques américaines. C'est dans le but de rapatrier ces capitaux que les **facilités bancaires internationales (FBI)** furent créées. Ces facilités sont l'équivalent financier des zones de libre-échange ; elles sont physiquement localisées aux États-Unis mais ne requièrent pas la constitution de réserves auprès de la Réserve fédérale, et les déposants ne sont pas imposés[26]. D'importantes restrictions existent néanmoins puisque les sociétés américaines ne peuvent ni effectuer des dépôts ni emprunter par ce biais.

4.4 Les placements sur le marché monétaire

Le tableau 30.2 synthétise les principaux placements sur le marché monétaire français. Nous les décrirons les uns après les autres.

Tableau 30.2. Les placements à court terme en France

Placement	Émetteur	Échéance à l'émission	Négociabilité	Appréciations
Bons du Trésor	État	13, 26 et 52 semaines	Marché secondaire animé	Adjudications hebdomadaires
Dépôts à terme et bons de caisse	Banques	1 mois à 5 ans	Absence de marché secondaire	Pallient l'interdiction de rémunération des dépôts à vue
Certificats de dépôts négociables	Banques	1 jour à 1 an	Marché secondaire peu animé	Dépôts à terme négociables

25. On les appelle de temps en temps (mais seulement de temps en temps) des « euroeuros ».

26. Pour ces raisons, les dollars détenus sur un compte FBI sont qualifiés d'eurodollars.

Tableau 30.2. Les placements à court terme en France (...)

Placement	Émetteur	Échéance à l'émission	Négociabilité	Appréciations
Billets de trésorerie	Entreprises non financières	1 jour à 1 an	Marché secondaire peu animé	Rémunération intéressante
Bons à moyen terme négociables	Entreprises et banques	À partir de 1 an	Marché secondaire peu animé	Répondent à des besoins spécifiques
Réméré	Investisseurs institutionnels	Aucune	Absence de marché secondaire	Pratique lourde
Fonds communs de créances	Banques	Aucune	Marché secondaire animé	Accessibles à tout investisseur

Les bons du Trésor français Le premier instrument du tableau 30.2 est constitué par les **bons du Trésor français.** Ils sont émis chaque semaine pour des échéances à trois mois (13 semaines), six mois (26 semaines) et un an (52 semaines). L'État français émet aussi des bons du Trésor à moyen terme (deux et cinq ans). Les ventes se font aux enchères auprès de banques habilitées qui revendent ensuite les bons aux investisseurs. Il existe également un bon marché secondaire.

Les dépôts à terme et les bons de caisse Les **dépôts à terme** sont des comptes rémunérés sur des durées d'un mois à deux ans. L'argent est bloqué sur la durée prévue. Les **bons de caisse** sont des titres, à ordre ou au porteur, représentatifs d'un prêt de sommes d'argent à court ou moyen terme à une banque. Leur rémunération, fixe ou indexée sur un taux du marché monétaire, est déterminée librement par les parties, en tenant compte des contraintes fixées aux banques par le Conseil national du crédit et du titre. Les bons sont anonymes ou nominatifs, la principale différence portant sur la fiscalité applicable. À côté des bons à échéance fixe existent des bons d'épargne à intérêt progressif à cinq ans, remboursables à tout moment au bout de trois mois. Les intérêts augmentent en fonction de la durée du dépôt.

Les certificats de dépôts négociables (CDn) Les **certificats de dépôts** à terme représentés par des titres émis par des banques, au porteur ou à ordre, permettant à leurs détenteurs de ne pas attendre l'échéance pour retrouver leurs fonds. D'une durée maximale d'un an, à échéance fixe et d'un montant minimal de 152 449,02 € (l'équivalent d'un million de francs), les CDn permettent aux banques de se financer à des taux de marché.

Les billets de trésorerie Correspondant au *commercial paper* américain, les **billets de trésorerie** constituent les principaux titres de créances négociables dématérialisés créés en France au milieu des années 1980. Ils sont l'une des causes de la désintermédiation bancaire. D'une durée maximale d'un an, les trois quarts des billets ont une durée effective de moins de trois mois.

Obligatoirement au porteur, les billets de trésorerie ont une valeur nominale unitaire minimale de 152 449,02 € (un million de francs) et une rémunération proche des taux de marché. Ils présentent une grande sécurité, car ils sont émis par des sociétés bien notées, domiciliés dans une banque qui en assure le placement et peut accorder un « engagement de substitution » à la demande de l'émetteur pour lui garantir un crédit au cas où le renouvellement des billets ne serait pas possible. Les billets de trésorerie bénéficient d'une rentabilité légèrement supérieure à celle des autres placements à court terme négociables.

On trouve également ce type de produits sur les marchés internationaux, sous l'appellation d'euro-billets de trésorerie (ou *euro-commercial paper*). D'une durée effective moyenne de six mois (légalement de sept jours à un an), ces titres présentent les mêmes caractéristiques.

Les bons à moyen terme négociables (BMTN) Plus récents que les autres titres de créances négociables, les **bons à moyen terme** (émis par des entreprises et des banques) répondent à une volonté de créer en France un nouveau marché de titres à moyen terme pour attirer les investisseurs acquérant ce type de produits à Londres (marché des *euro medium term notes*) et permettre à des entreprises de trouver un financement à moyen terme concurrentiel par rapport au crédit bancaire.

Comme tous les titres de créances négociables, les BMTN ont une valeur nominale unitaire minimale de 152 449,02 € (un million de francs) et peuvent être émis en euros ou en devises. Leur durée minimale est d'un an (et non de deux selon la règle française du moyen terme), mais ils peuvent être rachetés par l'émetteur avant leur échéance. Leur rémunération, fixe ou variable, est librement déterminée au moment de l'émission. Les bons à moyen terme circulent sur un marché secondaire peu actif.

Le réméré Le **réméré** (le plus souvent sur obligations, mais parfois sur actions) consiste en une acquisition temporaire de titres par un investisseur qui les rend à son propriétaire au bout d'une période fixée lors de la signature du contrat. Pendant sa détention, l'investisseur bénéficie des droits afférents aux titres. En général de courte durée (moins d'un mois), le réméré est rémunéré par un taux d'intérêt proche des taux du marché monétaire. Il n'existe pas de marché secondaire du réméré. Des OPCVM « de réméré » permettent de mettre cette pratique à la portée d'un plus grand nombre d'entreprises.

Les fonds communs de créances (FCC) Copropriété de créances, le **fonds commun de créances** est l'exemple typique d'une opération de titrisation. Son objet est d'acquérir des créances (détenues par des banques ou des compagnies d'assurances) en vue d'émettre des parts dématérialisées (valeurs mobilières) représentatives de ces créances et vendues à des investisseurs. La valeur nominale minimale de chaque part est de 152,45 € (1 000 F). Le détenteur est rémunéré par un intérêt proche des taux du marché monétaire. Les parts sont négociables sur le marché boursier.

Parmi les organismes de placement collectif en valeurs mobilières, on trouve des Sicav et des FCP monétaires permettant aux investisseurs de souscrire à des actions ou des parts composées de titres à court terme et rémunérées à des taux voisins des taux du marché monétaire.

Résumé

Les sociétés investissent dans quatre principaux actifs à court terme – les créances clients, le stock, les disponibilités et les placements à court terme. Chacun de ces investissements doit être correctement géré.

La gestion du crédit (gestion des créances) comprend cinq étapes.

1. Décider de l'échéance du paiement et de l'importance des escomptes en cas de paiement rapide.
2. Décider de la forme du contrat qui vous lie à votre client. Si vous hésitez à proposer un crédit, vous pouvez demander au client d'obtenir une caution bancaire. Dans ce cas, le paiement est garanti par la banque du client.
3. Évaluer la solvabilité de chaque client. Vous pouvez vous fonder sur votre expérience personnelle ou encore vous appuyer sur la notation d'une agence ou d'un bureau de crédit spécialisé dans la collecte d'informations sur la solvabilité d'entreprises ou de particuliers.
4. Fixer le plafond du crédit. L'objectif du responsable du crédit n'est pas de minimiser le nombre de créances douteuses, mais de maximiser le profit. Il vaut parfois la peine d'accepter un postulant marginal s'il y a une chance qu'il devienne un client régulier et fiable.
5. Recouvrer la créance. Vous devez être ferme face à un client indélicat, mais ne pas commettre l'erreur de blesser le bon client en lui envoyant des lettres recommandées alors que son chèque n'a pas été reçu pour des raisons de retard de la poste.

Les stocks sont un autre actif circulant : stocks de matières premières, de produits semi finis et de produits finis. Une entreprise tire des bénéfices de la détention d'un stock. Par exemple, un stock important de matières premières réduit l'éventualité d'un arrêt de la production du fait d'une rupture de stock. La détention d'un stock a aussi un coût : coût d'opportunité du capital et coût d'entreposage. Le rôle du directeur de production est de trouver un équilibre entre ces coûts et ces bénéfices. Ces dernières années, beaucoup d'entreprises ont décidé de moins stocker qu'auparavant. Certaines ont adopté un système de *juste-à-temps* qui permet de garder des stocks au minimum en recevant régulièrement des composants ou des matières premières.

On peut considérer les disponibilités comme un autre type de matière première. Il y a toujours des avantages à détenir d'importants « stocks » de liquidités. Cela réduit le risque d'être à court ou d'avoir à lever rapidement des fonds. D'un autre côté, garder une trésorerie importante au lieu de la placer a aussi un coût. En mettant en regard ces coûts et ces bénéfices, le trésorier a un rôle comparable à celui du directeur de production. Cet arbitrage est encore plus important pour les petites entreprises pour qui la levée et la vente de fonds sont relativement plus coûteuses que la détention d'encaisse.

Une bonne gestion de la trésorerie implique une circulation efficace des liquidités. Par exemple, si une entreprise perçoit beaucoup de chèques de faible montant, elle doit s'assurer qu'ils sont encaissés rapidement. Nous avons décrit comment la centralisation bancaire et les systèmes de boîte postale sont utilisés pour accélérer la collecte. Les paiements plus importants sont effectués électroniquement par télétransfert. Les sociétés peuvent faire des économies en transférant rapidement des sommes depuis une banque locale vers une banque centralisatrice. Le transfert électronique de fonds accélère lui aussi les paiements et permet d'automatiser encore plus les processus de gestion de trésorerie.

Si vous détenez plus de trésorerie que vous n'en avez en général besoin, vous pouvez la placer sur le marché monétaire. Il existe un grand choix de placements sur le marché monétaire, avec différents degrés de liquidité et de risque.

Les principaux instruments à court terme aux États-Unis sont :

- les bons du Trésor américains ;
- les titres des administrations fédérales ;
- les titres à court terme défiscalisés ;
- les dépôts à terme et les certificats de dépôts ;
- les accords de rachat ;
- le papier commercial ;
- les acceptations bancaires.

Les principaux instruments à court terme en France sont :

- les bons du Trésor français ;
- les dépôts à terme et bons de caisse ;
- les certificats de dépôts négociables ;
- les billets de trésorerie ;
- les bons à moyen terme négociables ;
- les fonds communs de créances.

Figure 30.4 - Actifs à court terme* détenus par les sociétés non financières françaises, 2e trimestre 2005

* DAV : Dépôts à vue

TCN : Titres de créance négociables.

*Source : Banque de France, DESM-SESOF (**http://www.banque-france.fr/fr/stat_conjoncture/comptefi/page3b.htm**).*

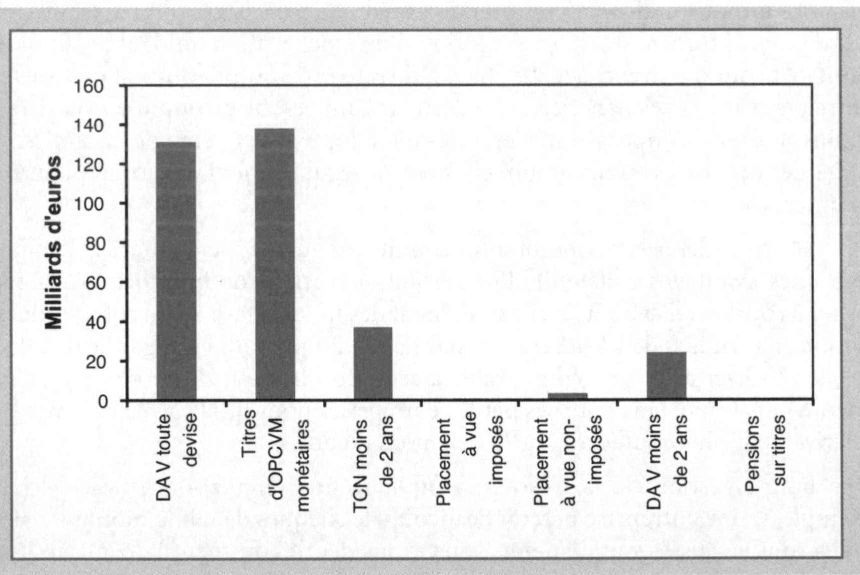

Lectures complémentaires

Un texte classique sur la pratique, le problème institutionnel de la gestion du crédit :

R. H. Cole, L. Mishler, *Consumer, Business Credit Management*, 11e éd., McGraw-Hill, New York, 1998.

Pour une discussion plus analytique de la politique de crédit :

M. Levasseur, A. Quintart, « La capacité d'endettement », *Banque & Marchés*, 45 (mars-avril 2000), pp. 5-21.

S. Mian, C. W. Smith, « Extending Trade Credit, Financing », *Journal of Applied Corporate Finance*, 7 (printemps 1994), pp. 75-84.

M. A. Peterson, R. G. Rajan, « Trade Credit, Theories, Evidence », *Review of Financial Studies*, 10 (1997), pp. 661-692.

Deux classiques sur l'application des modèles de stockage à la gestion de la trésorerie :

W. J. Baumol, « The Transactions Demand for Cash, An Inventory Theoretic Approach », *Quarterly Journal of Economics*, 66 (novembre 1952), pp. 545-556.

M. H. Miller, D. Orr, « A Model of the Demand for Money by Firms », *Quarterly Journal of Economics*, 80 (août 1966), pp. 413-435.

Pour une description détaillée du marché monétaire et des opportunités de prêts à court terme, voir :

F. J. Fabozzi, *The Handbook of Fixed Income Securities*, 6e éd., McGraw-Hill Companies, Inc., New York, 2000.

F. J. Fabozzi, S. V. Mann et M. Choudhry, *The Global Money Market*, John Wiley, New York, 2002.

B. Thiry, « Remarques sur la titrisation d'actifs d'entreprise », *Banque Stratégie*, 195 (juillet-août 2002), pp. 24-27.

En français, on pourra se référer à :

Banque de France, *Score BDFI*, Centrale des Bilans, Paris, 2000.

M. Bardos, *Analyse discriminante, application au risque, scoring financier*, Dunod, Paris, 2001.

Dossier « Cash management », *Revue Banque*, n° 674, novembre 2005, pp. 28-48.

Activités

Exercices sur Internet

1. Le site Internet de Dun and Bradstreet (**www.dnb.com**) contient un exemple de rapport complet sur une petite entreprise. Feriez-vous crédit à cette dernière ? Pourquoi ou pourquoi pas ?
2. Les trois principaux bureaux de crédit présentent sur leurs sites Internet des exemples de leurs activités et des rapports sur les consommateurs. Allez sur le site **www.equifax.com** et regardez un exemple de rapport sur une petite entreprise. Quelles sont les informations les plus utiles pour quelqu'un voulant octroyer un crédit ?
3. Allez sur le site de la Réserve fédérale (**www.federalreserve.gov**) et regardez les taux d'intérêt du marché monétaire. Imaginez que votre entreprise détienne 7 millions de dollars pour payer une dépense dans trois mois. Comment les investiriez-vous dans ce laps de temps ? Votre décision serait-elle la même s'il y avait quelque chance que vous ayez besoin de cet argent avant terme ?

Révision des concepts

1. Vocabulaire. Définissez les termes suivants :
   - **a.** Acceptation bancaire.
   - **b.** Factor.
   - **c.** Système du juste-à-temps.
   - **d.** Boîte postale.
   - **e.** Eurodollar.
   - **f.** LIBOR.
2. Que signifie 2/10,net 30 ?
3. Quelles sont les principales sources d'information sur la solvabilité d'une petite entreprise ?

Tests de connaissances

1. L'entreprise Decourant vend sur les bases de 1/30, net 60 jours. Le client Y achète pour 1 000 € de marchandises.
   - **a.** Combien Y peut-il déduire de la facture s'il paie le trentième jour ?
   - **b.** Quel est le taux d'intérêt annuel effectif s'il paie à la date d'échéance plutôt que le trentième jour ?
   - **c.** Les conditions de paiement changent-elles si :
     - **i.** Les marchandises sont des denrées périssables.
     - **ii.** Les marchandises ne sont pas rapidement revendues.
     - **iii.** Les marchandises sont vendues à des entreprises présentant des risques élevés ?

2. Le laps de temps entre la date d'achat et l'échéance à laquelle le paiement est exigible s'appelle les *conditions de paiement*. Le laps de temps entre l'échéance à laquelle le paiement est exigible et la date à laquelle l'acheteur paie réellement est le *délai de recouvrement* et le laps de temps entre l'achat et la date réelle de paiement est le *délai de paiement*. Ainsi,

Délai de paiement = conditions de paiement + délai de recouvrement.

Comment les situations suivantes modifient-elles chaque type de délai ?

a. L'entreprise facture des frais aux payeurs retardataires.

b. Un ralentissement des affaires réduit la trésorerie des clients.

c. L'entreprise modifie ses conditions de net/10 à net/20.

3. La société Fer H Veaux vend ses fers en gros à 50 € pièce. Son coût de production est de 40 € pièce. Il y a 25 % de chances que le grossiste Q fasse faillite l'année prochaine. Il commande 1 000 fers et demande un crédit de 6 mois. Doit-on accepter la commande ? Le taux d'actualisation est de 10 % par an, on suppose qu'il n'y a aucune chance d'avoir une nouvelle commande et que Q paiera soit la totalité soit rien.

4. Revoyez la section 1. Les coûts de Mouise SA ont augmenté de 1 000 € à 1 050 €. En supposant qu'il n'y ait aucune chance d'avoir de nouvelles commandes, répondez aux questions suivantes :

a. Quand doit-elle accorder ou refuser le crédit ?

b. S'il lui coûte 12 € pour savoir si un client a été un payeur correct ou en retard, quand doit-elle entreprendre une telle recherche ?

5. Toujours sur Mouise SA et la section 1. Si $p_1 = 0,8$, quel est le niveau minimum de p_2 auquel l'entreprise doit accorder un crédit ?

6. Vrai ou faux ?

a. Les exportateurs qui veulent être sûrs d'être payés font signer à leurs clients un connaissement en échange d'un certificat de paiement.

b. L'analyse discriminante est souvent utilisée pour construire un indice de solvabilité. Cet indice est généralement appelé le score *Z*.

c. Il est bon de mesurer la performance du responsable du crédit à partir de la proportion de créances douteuses.

d. Si un client refuse de payer malgré de multiples réclamations, l'entreprise donne en général la créance à un factor ou à un avocat.

e. La Coface assure les crédits à l'exportation.

7. Comment votre volonté d'octroyer un crédit est-elle affectée par des différences de (**a**) marge bénéficiaire, (**b**) taux d'intérêt, (**c**) probabilité de commandes répétées ? Pour chaque cas, illustrez votre réponse par un exemple.

8. Quels sont les arbitrages intervenant dans le choix de détenir une plus ou moins grande quantité de stocks ? De quelle manière le trésorier est-il lui aussi confronté à un arbitrage comparable ?

9. Anne Tiquité, responsable financière d'une entreprise produisant des meubles, envisage la mise en place d'un système de boîte postale. Elle prévoit que 300 paiements par jour seront reçus avec un montant moyen de 1 500 euros par règlement. La banque demande pour ce système soit une commission de 0,40 € par chèque, soit un dépôt minimum de 800 000 €.

a. Si le taux d'intérêt est de 9 %, quelle méthode de paiement est la moins chère ?

b. Quelle diminution du temps de collecte et d'encaissement de chaque chèque est nécessaire pour que ce système de boîte postale soit rentable ?

10. Complétez le passage ci-après en choisissant le terme approprié dans la liste suivante : Fedwire, CHIPS, trésorerie flottante à payer, centralisation bancaire, trésorerie flottante à recevoir, trésorerie flottante nette.

Le solde disponible de l'entreprise est égal à son solde comptable plus _________ et moins le _________. La différence entre le solde disponible et le solde comptable est souvent appelée _________. Les entreprises peuvent augmenter leurs ressources de trésorerie en accélérant les recouvrements. Un moyen consiste en ce que les paiements soient faits à des succursales régionales qui déposent les chèques dans une banque locale. Ceci est connu sous le nom de _________. Les fonds en excédent sont alors transférés de la banque locale à l'une des principales banques de la société. Les transferts peuvent être faits de manière électronique par les systèmes _________ ou _________.

11. Vous pouvez soit garder des disponibilités non rémunérées, soit acheter des titres rapportant un intérêt de 8 %. Les titres ne sont pas facilement vendables dans un bref délai. Vous devez donc prévoir de faire face à un déficit de trésorerie en tirant sur une ligne de crédit bancaire qui coûte 10 %. Devez-vous acheter plus ou moins de titres dans les circonstances suivantes ?

a. Vous n'êtes pas certain des flux de trésorerie.

b. Le taux d'intérêt des prêts bancaires augmente à 11 %.

c. Les taux d'intérêt sur les titres et sur les prêts bancaires augmentent dans la même proportion.

d. Vous révisez à la baisse vos prévisions de besoins futurs de trésorerie.

12. En janvier N, les bons du Trésor à 26 semaines (182 jours) sont émis avec un taux d'escompte de 2,75 %. Quel est leur rendement annuel ?

Questions et problèmes

1. Voici quelques conditions classiques de vente. Que signifient-elles ?

a. 2/30, net 60.

b. Net 10.

c. 2/5, FDM, net 30.

2. Certaines des conditions de la question 1 comprennent des escomptes. Dans chaque cas, calculez le taux d'intérêt supporté par les clients qui paient à l'échéance au lieu de bénéficier de l'escompte.

3. Pépita SA vend de manière habituelle ses produits avec paiement à la livraison. Cependant, le directeur financier estime qu'en offrant des conditions de crédit 2/10 net 30, l'entreprise peut augmenter ses ventes de 4 %, sans coûts supplémentaires significatifs. Si le taux d'intérêt est de 6 % et la marge de 5 %, recommanderiez-vous cette offre de crédit ? Supposez d'abord que tous les clients bénéficient d'un escompte. Supposez ensuite qu'ils paient à 30 jours.

4. En tant que trésorier de la société Lit Universel, Procruste est inquiet de son ratio de créances douteuses qui s'élève à 6 %. Il pense qu'en imposant une politique de crédit plus stricte, il réduirait ses ventes de 5 % mais qu'en même temps, son taux de créances douteuses baisserait à 4 %. Si le coût des marchandises vendues représente 80 % du prix de vente, Procruste doit-il adopter sa nouvelle politique ?

5. Jim Khana, le directeur du crédit de la société Dédale, réexamine la politique de crédit de son entreprise. Dédale vend en appliquant les conditions net 30. Le coût des marchandises vendues représente 85 % des ventes et les coûts fixes 5 %. Ses clients sont classés selon une échelle de 1 à 4. Au cours des cinq dernières années, la pratique du recouvrement a été la suivante :

Le taux d'intérêt moyen était de 15 %.

a. Quelles conclusions (le cas échéant) pouvez-vous tirer de la politique de crédit de Dédale ?

b. Quels autres facteurs doivent être pris en considération avant de la changer ?

Catégorie	Défauts (% des ventes)	Durée moyenne de recouvrement des clients qui paient correctement (en jours)
1	0	5
2	2	2
3	10	0
4	20	0

6. En partant de la question 5, supposons (a) qu'il revient à 95 € de classer chaque postulant à un crédit et (b) qu'une proportion à peu près égale de nouveaux demandeurs se retrouve dans chacune des 4 catégories. Dans quelles circonstances Khana ne doit-il pas chercher à vérifier les dossiers ?

7. Jusqu'à maintenant, Augias Nettoyage vendait ses produits selon les conditions net 60, avec une période moyenne de recouvrement de 75 jours. Pour essayer d'amener ses clients à payer plus rapidement, elle a changé ses conditions en 2/10, FDM, net 60. Le premier résultat de ces nouvelles conditions est le suivant :

Période moyenne de recouvrement (en jours)		
Pourcentage des ventes avec escompte	**Escompte de règlement**	**Net**
60	30*	80

* Certains clients déduisent l'escompte même s'ils paient après la date prévue.

Calculez l'effet des nouvelles conditions en supposant :

a. Que la quantité de ventes soit inchangée.

b. Que le taux d'intérêt soit de 12 %.

c. Qu'aucun client ne fasse défaut.

d. Que le coût des biens vendus représente 80 % des ventes.

8. Revenons à la question 7. Supposons que les modifications des conditions de crédit conduisent à une augmentation de 2 % des ventes. Calculez l'effet de ces modifications.

9. Téléchargez quelques rapports annuels de sociétés depuis leur site. Comparez leurs temps de collecte de paiements clients (voir section 3, chapitre précédent). Pouvez-vous expliquer pourquoi certaines sociétés octroient plus de crédits que d'autres ?

10. La société Rock Fort est un distributeur national de fournitures de quincaillerie. Elle utilise un système centralisé de facturation pour ses ventes à crédit d'un montant de 180 millions d'euros par an. PNB, sa principale banque, lui propose un nouveau système de centralisation bancaire pour un coût fixe de 100 000 € par an. La banque estime que les délais postaux et de recouvrement peuvent être réduits de trois jours. De combien la trésorerie flottante à recevoir sera-t-elle réduite avec ce nouveau système ? Avec un taux d'intérêt de 12 %, combien d'intérêts supplémentaires le nouveau système rapportera-t-il si les fonds excédentaires sont utilisés pour réduire l'emprunt à l'intérieur de la ligne de crédit accordée par la banque à Rock Fort ? Enfin, Rock Fort doit-elle accepter l'offre de sa banque si les coûts de recouvrement dans l'ancien système sont de 40 000 € par an ?

11. Comment pensez-vous que le solde de trésorerie d'une société devrait réagir aux changements suivants ?

a. Hausse des taux d'intérêt.

   b. Baisse de la volatilité des flux quotidiens de liquidités.
   c. Hausse du coût de transaction à l'achat et à la vente des placements sur le marché.

12. Une société mère règle les soldes des comptes de recouvrement de fonds de ses filiales une fois par semaine (ce qui signifie que, chaque semaine, elle transfère tous les soldes des comptes sur un compte unique). Le coût d'un transfert électronique est de 10 €. Le coût du transfert d'un chèque est de 0,80 €. La trésorerie transférée électroniquement est disponible le même jour, mais la société mère doit attendre trois jours pour que les chèques soient compensés. La trésorerie peut être placée à 12 % par an. Quelle somme doit-il y avoir dans un compte de recouvrement pour qu'il soit intéressant de faire un transfert électronique ?

13. Il y a plusieurs années, Merrill Lynch a augmenté sa trésorerie flottante en postant ses chèques tirés sur des banques de la côte Ouest des États-Unis à des clients de la côte Est et ses chèques tirés sur des banques de la côte Est à des clients de la côte Ouest. Une action judiciaire importante contre Merrill Lynch a montré qu'en vingt-huit mois, à partir de septembre 1976, ce dernier a payé 1,25 milliard de dollars avec 365 000 chèques pour ses seuls clients de l'État de New York. L'avocat d'un plaignant a calculé qu'en utilisant une banque éloignée, Merrill Lynch a accru sa trésorerie flottante en moyenne d'un jour et demi.
   a. Combien Merrill Lynch a-t-elle payé par jour pour ses clients de l'État de New York ?
   b. Quel a été le gain total pour Merrill Lynch sur ces vingt-huit mois, en supposant un taux d'intérêt de 8 % ?
   c. Quelle a été la valeur actuelle de l'accroissement de trésorerie flottante si l'on suppose que les profits engendrés ont été permanents ?
   d. Supposons que l'utilisation de banques éloignées ait conduit Merrill Lynch à des dépenses supplémentaires. Quel était le coût supplémentaire maximal par chèque acceptable pour Merrill Lynch ?

14. Un bon du Trésor à trois mois et un bon à six mois sont vendus tous les deux à un taux d'escompte de 10 %. Lequel propose le taux d'intérêt le plus élevé ?

15. Dans la section 30.4, nous avons décrit un bon du Trésor à six mois émis sur la base d'un intérêt composé annuellement de 5,18 %. Supposez qu'un mois se soit écoulé et que le bon continue à offrir le même intérêt composé annuellement. Quel est le taux d'escompte en pourcentage ? Quel a été le rendement sur le mois ?

16. Revenons à la question 15. Supposons qu'un autre mois se soit écoulé, le bon n'ayant plus que trente et un jours à vivre. Il est maintenant cessible à un taux d'escompte de 5 %. Quel est le rendement calculé sur la base d'un intérêt simple ? Quel a été votre rendement sur les deux mois ?

17. Trouvez les taux d'intérêt offerts par différents placements à court terme. Supposez que votre entreprise dispose d'un million d'euros de trésorerie à placer pour les deux prochains mois. Comment placerez-vous cette trésorerie ? Pourquoi votre réponse serait-elle différente si la trésorerie excédentaire était de 5 000 €, 20 000 €, 100 000 € ou 100 millions d'euros ?

Problèmes avancés

1. La société Parapluies Fiables a été approchée par Ombrelles de Pournoy-La-Chétive, intéressée par un premier achat de 5 000 parapluies à 10 € l'unité aux conditions normales de la société : 2/30, net 60. Ombrelles estime que si les parapluies sont bien accueillis par le public, ses achats peuvent se monter à environ 30 000 unités par an. Après déduction des coûts variables, ce client rapporterait un profit de 47 000 € à la société Parapluies Fiables.

Parapluies Fiables souhaite s'approprier le marché juteux de Pournoy-La-Chétive, mais son directeur du crédit n'est pas sûr d'Ombrelles qui, depuis cinq ans, est engagée dans un ambitieux programme d'ouverture de magasins. L'an dernier (N-1), des problèmes sont apparus.

La récession et une guerre des prix agressive ont entraîné des problèmes de trésorerie. Ombrelles a licencié des salariés, fermé un magasin et reporté l'ouverture d'autres magasins. La notation de Dun et Bradstreet est seulement moyenne. Une enquête auprès de fournisseurs d'Ombrelles révèle que, bien qu'Ombrelles ait toujours payé avec des escomptes, elle a récemment réglé avec un retard de trente jours. Une enquête de la banque de Parapluies Fiables indique aussi qu'Ombrelles n'a pas utilisé son plafond de crédit de 350 000 € mais négocie la reconduction d'un prêt à long terme de 1 500 000 €, remboursable à la fin de l'année. Le tableau 30.3 résume les derniers états financiers d'Ombrelles.

Tableau 30.3. Ombrelles, états financiers synthétiques (en millions d'euros)

	N-1	N-2		N-1	N-2
Immobilisations	5,1	4,3	Capitaux propres	10,5	11,7
Stocks	10,9	11,6	Dette long terme	1,8	2,6
Clients	1,5	1,6	Fournisseurs	2,3	2,5
Disponibilités	1	1,2	Dette court terme	3,9	1,9
Total actif	18,5	18,7	Total passif	18,5	18,7

	N-1	N-2
Ventes	55	59
Coût des marchandises vendues	32,6	35,9
Frais généraux	20,8	20,2
Frais financiers	0,5	0,3
Impôt	0,5	1,3
Bénéfice net	0,6	1,3

En tant que directeur financier de Parapluies Fiables, quelle est votre position par rapport à la demande de crédit d'Ombrelles ?

2. La société Galenic est un grossiste en produits pharmaceutiques. Galenic a une marge de 5 %, avant déduction des pertes sur créances irrécouvrables. Depuis longtemps, l'entreprise utilise un système de score de crédit avec un petit nombre de ratios clés, ce qui lui permet d'avoir un ratio de 1 % de créances douteuses.

   Galenic a entrepris une étude statistique sur les conditions de paiement de ses clients au cours des huit dernières années. Elle a identifié cinq variables qui peuvent servir de base pour un nouveau système d'évaluation. Ainsi, Galenic a calculé, pour chaque tranche de 10 000 comptes, les taux de défaut suivants :

	Nombre de comptes		
Score de crédit avec le système proposé	**Défaillants**	**Ayant payé**	**Total**
Supérieur à 80	60	9 100	9 160
Inférieur à 80	40	800	840
Total	100	9 900	10 000

En refusant d'accorder un crédit aux entreprises ayant un mauvais score de crédit (moins de 80), Galenic calcule qu'elle réduira son ratio de créances douteuses à 60/9160, c'est-à-dire légèrement inférieur à 0,7 %. Ceci peut sembler insignifiant, mais le directeur du crédit de Galenic estime qu'il entraînerait une réduction de 1/3 du ratio de créances douteuses et engendrerait une hausse significative du taux de profit.

a. Quel est le taux de profit habituel de Galenic, y compris les créances douteuses ?

b. En supposant que les estimations de taux de défaut soient exactes, comment le nouveau système d'évaluation du crédit affectera-t-il le résultat ?

c. Pourquoi peut-on suspecter que les estimations de Galenic sur les taux de défaut ne se réaliseront pas dans la réalité ? Quelles sont les conséquences d'un tel calcul d'évaluation du crédit ?

d. Supposons que l'une des variables du système d'évaluation proposé est de savoir si le client a un compte avec Galenic (les nouveaux clients faisant défaut plus souvent). Comment cela affectera-t-il votre jugement de la proposition ?

Chapitre 31

La planification financière à court terme

Dans le chapitre précédent, nous vous avons présenté les principaux actifs à court terme – créances clients, stocks, trésorerie et titres cotés sur le marché. Mais les choix concernant ces actifs ne peuvent être faits isolément. Par exemple, imaginons que vous accordiez un délai de paiement supplémentaire à vos clients. Cela aura pour effet de diminuer votre solde de trésorerie. Peut-être adopterez-vous un système de juste-à-temps pour gérer les commandes auprès de vos fournisseurs afin de réduire vos stocks et donc accroître vos disponibilités. Dans ce chapitre, nous verrons comment les décisions d'une entreprise peuvent influer sur son besoin en fonds de roulement et son solde de trésorerie. Nous aborderons ensuite la façon dont les entreprises élaborent des budgets de trésorerie.

Les décisions financières à court terme concernent habituellement des actifs et des dettes ayant une durée de vie courte et sont en général facilement réversibles. Comparez, par exemple, un prêt bancaire à soixante jours et une émission d'obligations à vingt ans. Le prêt bancaire constitue véritablement une décision à court terme. L'entreprise peut le rembourser deux mois plus tard et revenir à son point de départ. Une entreprise pourrait émettre des obligations à vingt ans en janvier et les rembourser en mars, mais ce serait extrêmement difficile et coûteux. En pratique, une telle émission est une décision à long terme, non seulement en raison de l'échéance à vingt ans des obligations, mais aussi parce que la décision d'émettre n'est pas réversible rapidement.

Un gestionnaire financier responsable des décisions financières à court terme ne doit pas se projeter trop loin dans le temps. La décision de se procurer un crédit bancaire à soixante jours pourrait être fondée sur des prévisions de flux de trésorerie à deux ou trois mois. La décision d'émettre des obligations doit normalement refléter des prévisions de besoins de trésorerie pour les cinq ou dix années à venir, voire plus.

Les décisions à court terme semblent plus faciles à prendre que les décisions à long terme, mais elles n'en sont pas moins importantes. Une entreprise peut avoir des opportunités d'investissement extrêmement valables, trouver un taux d'endettement optimal, suivre une politique parfaite de distribution de dividendes, et cependant disparaître parce que personne ne s'est préoccupé de lever les fonds nécessaires pour payer ses échéances du mois prochain. D'où le besoin d'une planification à court terme.

Nous commençons ce chapitre par une revue des principales catégories d'actifs et de dettes à court terme. Nous montrons comment les décisions financières à long terme modifient le problème de la planification financière à court terme de l'entreprise. Nous décrivons comment les gestionnaires financiers gèrent les variations de trésorerie et comment ils prévoient leurs besoins ou surplus de trésorerie. Nous concluons en précisant les solutions de financement à court terme. Dans la dernière section de ce chapitre, nous présentons une liste des placements à court terme.

1 Les liens entre les décisions financières à long terme et à court terme

Toutes les affaires nécessitent du capital, c'est-à-dire de l'argent investi dans une usine, des machines, des stocks, des créances clients et tous les autres actifs qu'une entreprise utilise pour mener à bien ses activités. En général, ces actifs ne sont pas tous achetés en une fois mais acquis progressivement. Le coût total de ces actifs correspond au *besoin en fonds de roulement* (BFR) de l'entreprise.

La plus grande partie du besoin en fonds de roulement des entreprises augmente de manière irrégulière, comme le montre la courbe ondulée de la figure 31.1. Cette courbe montre une nette tendance à la hausse à mesure que les activités de l'entreprise augmentent. Mais il y a aussi une variation saisonnière autour de cette tendance : sur le graphique, les besoins en capital atteignent un maximum plus tardivement chaque année. Enfin, il y a des fluctuations hebdomadaires et mensuelles imprévisibles, mais nous n'avons pas essayé de les représenter sur la figure 31.1.

Figure 31.1 - Le besoin en fonds de roulement de l'entreprise (BFR, courbe pleine) correspond à l'investissement cumulatif dans tous les actifs nécessaires pour son activité. Dans ce cas, le besoin augmente chaque année, mais il y a des fluctuations saisonnières. Le besoin de financement à court terme est la différence entre le financement à long terme (lignes A, B et C) et le BFR. Si le financement à long terme suit la ligne C, l'entreprise a toujours besoin de se financer à court terme. Sur la ligne B, le financement est saisonnier. Sur la ligne A, l'entreprise n'a jamais besoin de financement à court terme. Il y a toujours un excédent de trésorerie à placer.

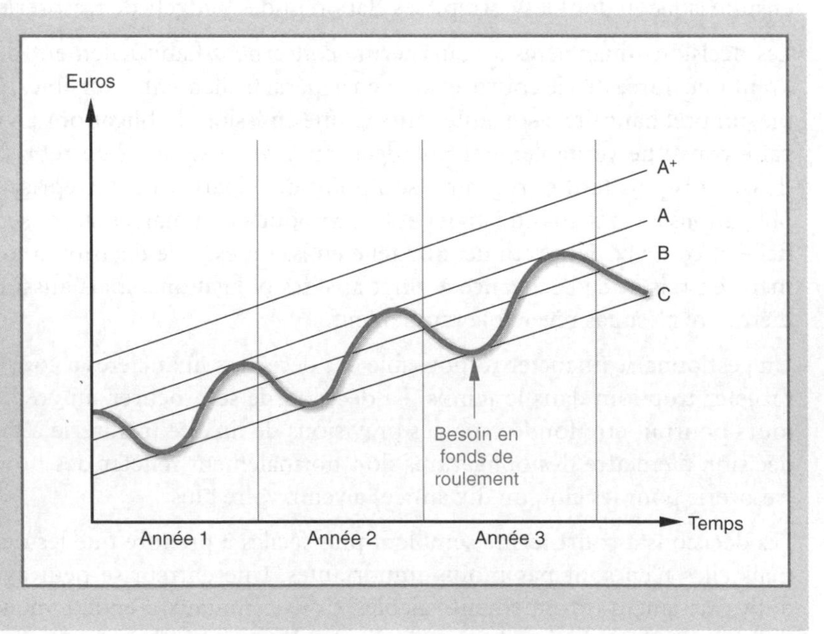

Le BFR peut exister aussi bien pour le financement à court terme qu'à long terme. Quand le financement à long terme ne couvre pas le BFR, l'entreprise doit lever des capitaux à court terme pour combler la différence. Quand le financement à long terme couvre *plus* que le BFR, l'entreprise dispose d'un excédent de trésorerie disponible pour l'investissement à court terme. Ainsi, le montant de financement à long terme levé, étant donné le BFR, permet de déterminer si l'entreprise est un emprunteur ou un prêteur à court terme.

Les droites A, B et C de la figure 31.1 illustrent cette situation. Chacune dépeint une stratégie financière à long terme différente. La stratégie A implique toujours un surplus de trésorerie à court terme. La stratégie C implique un besoin permanent d'emprunt à court terme. Avec B, qui est sans doute la stratégie la plus fréquente, l'entreprise est un prêteur à court terme pendant une partie de l'année et un emprunteur le reste du temps.

Quel est le *meilleur* niveau de financement à long terme par rapport au BFR ? C'est difficile à dire. Il n'existe pas d'analyse théorique convaincante à ce sujet. Nous pouvons cependant faire des observations pratiques. Premièrement, la plupart des responsables financiers essaient d'« adosser les échéances » d'actifs et de dettes[1]. Cela signifie qu'ils financent des actifs à long terme comme les usines et les machines avec des emprunts à long terme et des capitaux propres. Nous avons vu, au chapitre 29, que la différence entre les financements à terme et les investissements à terme est appelée le **fonds de roulement** (FDR). Deuxièmement, la plupart des entreprises disposent d'un investissement permanent en besoin en fonds de roulement (BFR, soit stocks + créances clients – dettes d'exploitation). Cet investissement est financé par des ressources à long terme, c'est-à-dire le *fonds de roulement*.

Les actifs circulants peuvent être convertis en disponibilités plus facilement que les actifs à long terme. Par conséquent, les sociétés disposant d'importantes quantités d'actifs circulants bénéficient d'une meilleure trésorerie. Bien entendu, certains de ces actifs sont plus liquides que d'autres. Les stocks ne sont convertibles en disponibilités que lorsque les biens sont produits, vendus et payés. Les créances sont plus liquides ; elles deviennent des liquidités dès que les clients paient leurs factures. Les titres à court terme peuvent généralement être vendus en cas de besoin urgent de liquidités. Ils sont donc encore plus liquides.

Certaines entreprises choisissent de détenir plus de liquidités que d'autres. Dans le secteur des nouvelles technologies, des sociétés comme Intel ou Cisco détiennent d'importantes quantités de titres à court terme. *A contrario*, les entreprises manufacturières traditionnelles (chimie, papier, acier) gèrent beaucoup moins de liquidités. Pourquoi cela ? En premier lieu parce que les sociétés connaissant une croissance rapide de leurs bénéfices génèrent plus de trésorerie qu'elles ne peuvent en absorber dans des investissements à VAN positive. Le surplus de trésorerie est alors investi en titres à court terme. Bien entendu, les sociétés confrontées

1. Une étude menée par Graham et Harvey a montré que les dirigeants considéraient que la volonté d'adosser les échéances des dettes et des actifs était le principal déterminant dans l'arbitrage entre les dettes à court et long terme. Voir J. R. Graham et C. R. Harvey, « The Theory and Practice of Finance : Evidence from the Field », *Journal of Financial Economics*, 61 (mai 2001), pp. 187-243. Stohs et Mauer confirment que les sociétés ayant plus d'actifs à court terme tendent à émettre des dettes à court terme. Voir M. H. Stohs et D. C. Mauer, « The Determinants of Corporate Debt Maturity Structure », *Journal of Business*, 69 (juillet 1996), pp. 279-312.

à un tel accroissement de leur encaisse peuvent adapter leur politique de distribution. Nous avons vu, dans le chapitre 16, comment Microsoft a réduit sa trésorerie en payant un dividende spécial et en rachetant ses actions.

Il y a certains avantages à détenir beaucoup de liquidités, particulièrement pour les petites entreprises pour lesquelles il est difficile et onéreux de lever rapidement des fonds. Dans le secteur de la pharmacie, les entreprises ont besoin d'énormément de trésorerie à partir du moment où leurs médicaments reçoivent une autorisation de mise sur le marché (AMM). De ce fait, elles conservent généralement une encaisse substantielle pour financer leur besoin potentiel d'investissement. Quand les temps se font difficiles, une réserve de liquidités peut aussi protéger l'entreprise et lui donner la possibilité de procéder à des changements opérationnels. Ce n'est pas toujours dans l'intérêt des actionnaires ; parfois on ne fait que repousser l'inéluctable. L'encadré ci-dessous décrit comment la société d'habillement L. A. Gear utilisa sa trésorerie pour survivre durant six ans à d'importantes pertes et utilisa toute une gamme de stratégies aussi drastiques qu'infructueuses.

Imaginons que c'est par précaution que les entreprises accumulent des actifs liquides. Dans ces conditions, les petites entreprises de secteurs très risqués devraient détenir d'importantes réserves. Une étude de Tim Opler et *al.* confirme ce postulat[2].

Une entreprise avec un surplus de financement à long terme et des liquidités en banque n'a jamais à s'inquiéter de l'obtention d'un emprunt pour payer ses effets des prochains mois. Mais le responsable financier est-il payé pour ne pas se faire de souci ? Les entreprises placent en général leur surplus en valeurs mobilières de placement. Ceci est au mieux un investissement à VAN nulle pour une entreprise imposée[3]. Ainsi, nous pensons que les entreprises avec un surplus de trésorerie permanent doivent le réduire, diminuant leur détention de titres à long terme pour réduire le financement à long terme au niveau ou en dessous du BFR de l'entreprise.

Actualités financières

Grandeur et décadence de L. A. Gear

La société d'habillement L. A. Gear fut une des sociétés phares des années 1980. Les fillettes américaines adoraient leurs baskets roses pailletées et leurs chaussures de sport en lamé or. Les investisseurs avaient eux un faible pour le cours de l'action de la société et ses 1 300 % de croissance gagnés en l'espace de quatre ans. Mais la société ne put réagir face aux changements du secteur de la mode durant les années 1990 et les ventes et les bénéfices s'évaporèrent très vite. En janvier 1998, L. A. Gear fut mise en faillite.

Le déclin de L. A. Gear montre comment les disponibilités d'une société peuvent se révéler utiles pour tenter de s'extraire de la discipline de marché et survivre à des pertes à répétition.

2. T. Opler, L. Pinkowitz, R. Stulz et R. Williamson, « The Determinants and Implications of Corporate Cash Holdings », *Journal of Financial Economics*, 52 (avril 1999), pp. 3-46.

3. S'il y a un avantage fiscal à emprunter, comme la plupart des gens le croient, il doit y avoir un *inconvénient* fiscal correspondant à prêter, et l'investissement en bons du Trésor aura une VAN négative (voir section 1, chapitre 18).

Actualités financières

Le tableau suivant résume les changements dans les profits et les actifs de L. A. Gear :

Ventes, revenus et actifs de L. A. Gear entre 1989 et 1996 (en millions de dollars)

	1989	1990	1991	1992	1993	1994	1995	1996
Ventes	617	820	619	430	398	416	297	196
Résultat net	55	31	66	72	33	22	51	62
Créances clients	101	156	112	56	73	77	47	24
Stocks	140	161	141	62	110	58	52	33
Disponibilités et placements	0	3	1	84	28	50	36	34
Actifs circulants	257	338	297	230	220	194	138	93
Total des actifs	267	364	326	250	255	225	160	101

Les deux premières lignes du tableau montrent qu'après 1990 les ventes de L. A. Gear ont chuté. À partir de ce moment, la société n'a cessé de perdre de l'argent. Les autres lignes présentent les actifs de la société. La fabrication des chaussures et vêtements étant sous-traitée, L. A. Gear détenait plus de liquidités, de créances et de stocks que d'actifs immobilisés. Quand les ventes baissèrent, deux phénomènes apparurent. D'une part, la société fut en mesure de réduire ses stocks de produits finis. D'autre part, les clients réglèrent les factures en suspens. De ce fait, en dépit de pertes importantes, la détention de liquidités et de placements à court terme augmenta dans un premier temps.

Le tableau suivant montre la structure de financement de L. A. Gear. Vous remarquerez qu'après 1991 la société n'avait presque plus de dettes bancaires à court terme. Elle était donc libre des contraintes habituelles d'une société dans l'obligation de demander le renouvellement de ses prêts bancaires*. Au fur et à mesure que les pertes s'accumulaient, le cours de ses actions baissait et le ratio d'endettement augmenta de 92 %. Cependant, même en 1996, les disponibilités de L. A. Gear représentaient huit fois le paiement des intérêts de l'année.

	1989	1990	1991	1992	1993	1994	1995	1996
Actions préférentielles	0	0	100	100	100	100	108	116
Actions ordinaires	168	206	132	88	47	18	41	111
Dettes à long terme	0	0	0	0	50	50	50	50
Dettes bancaires	37	94	20	0	4	1	1	0

Grâce à la baisse des créances et des stocks, et en l'absence de dettes arrivant à échéance, la société put survivre six ans malgré d'importantes pertes et se lança dans de multiples changements stratégiques majeurs, qui allèrent de la spécialisation dans les chaussures sportives haut de gamme aux chaussures pour enfants. Toutes ces stratégies échouèrent. Il aurait été bien plus difficile de survivre aussi longtemps pour une société ayant beaucoup d'actifs immobilisés peu liquides.

* Nous avons vu dans le chapitre 25 que L. A. Gear disposait d'une ligne de crédit auprès de Bank of America. Elle servait à apporter aux fournisseurs de L. A. Gear des lettres de crédit en garantie du paiement. Bien que la banque réduisît progressivement cette ligne, les ventes de L. A. Gear chutèrent elles aussi, ce qui diminua d'autant le besoin d'une telle ligne.

Source : le déclin de L. A. Gear est relaté dans H. DeAngelo, L. DeAngelo et K. H. Wruck, « Asset Liquidity, Debt Covenants, and Managerial Discretion in Financial Distress : The Collapse of L. A. Gear », *Journal of Financial Economics*, 64 (2002), pp. 3-34.

2 Retracer les variations de trésorerie et de besoin en fonds de roulement

Le tableau 31.1 compare les bilans des fins d'années n-1 et n de la société Matelas Dynamou. Le tableau 31.2 montre son compte de résultat en n. Notons que le solde de la trésorerie de Dynamou a augmenté de 1 million de dollars en n. Qu'est-ce qui a entraîné cette hausse ? L'emprunt à long terme additionnel de Dynamou, ses résultats réinvestis, la trésorerie libérée par la réduction de son stock ou encore le crédit supplémentaire provenant de ses fournisseurs ? (Remarquez l'accroissement des dettes fournisseurs.)

Tableau 31.1. Bilans de fin d'année n-1 et n de la société Matelas Dynamou (en millions de dollars)

Les données de ce tableau, comme celles de tous les tableaux de ce chapitre, sont disponibles sur ***www.gestion financiere. pearsoned.fr***

	n-1	n
Immobilisations :		
Investissements bruts	56	70
Moins amortissements	–16	–20
Immobilisations nettes	40	50
Actifs à court terme :		
Stocks	26	25
Créances clients	25	30
Valeurs mobilières de placement	0	5
Disponibilités	4	5
Total des actifs à court terme	55	65
Total de l'actif	95	115
Capitaux propres	65	76
Dettes à long terme	5	12
Dettes à court terme		
Dettes fournisseurs	20	27
Prêts bancaires	5	0
Total des dettes à court terme	25	27
Total du passif	95	115

Tableau 31.2. Compte de résultat pour l'année n de la société Matelas Dynamou (en millions de dollars)

Ventes	350
Frais généraux	–321
EBITDA	29
Amortissement	–4
EBIT	25

Tableau 31.2. Compte de résultat pour l'année n de la société Matelas Dynamou (en millions de dollars) (...)

Intérêt	−1
Résultat avant impôts	24
Impôt à 50 %	12
Résultat net	12

Note : Dividende = 1 million de dollars ; mise en réserves = 11 millions de dollars.

La réponse correcte est « tout ce qui est cité ci-dessus ». Les analystes financiers synthétisent souvent les sources et les emplois de la trésorerie dans un tableau identique au tableau 31.3.

Tableau 31.3. Ressources et emplois en n de la trésorerie de la société Matelas Dynamou (en millions de dollars)

Ressources :	
Capacité d'autofinancement (CAF) = Résultat net + Amortissement	12 + 4
Réduction des stocks	1
Augmentation des dettes fournisseurs	7
Nouvelle dette à long terme	7
Ressources totales	31
Emplois :	
Investissement en immobilisations	14
Augmentation des créances clients	5
Dividendes	1
Remboursement de prêt à court terme	5
Achat de valeurs mobilières de placement	5
Emplois totaux	30
Accroissement des disponibilités	1

Dynamou *a généré* de la trésorerie grâce aux sources suivantes :

1. Elle a émis 7 millions de dollars de dettes à long terme.
2. Dynamou a réduit son stock, libérant 1 million de dollars.
3. Elle a augmenté ses dettes fournisseurs, elle leur doit 7 millions de dollars de plus.

La source la plus importante de liquidité provient des activités d'exploitation de Dynamou qui ont généré 16 millions de dollars (voir tableau 31.2). Remarquons que le résultat (12 millions de dollars) sous-estime le flux de trésorerie parce que les amortissements sont déduits du calcul du résultat. L'amortissement ne constitue pas une dépense. Aussi doit-il être ajouté pour obtenir la capacité d'autofinancement (CAF).

Dynamou *a utilisé* sa trésorerie de la manière suivante :

1. Elle a payé 1 million de dollars de dividendes. (*Note :* la hausse de 11 millions de dollars du capital de Dynamou provient des réserves : 12 millions de dollars de résultat moins 1 million de dollars de dividendes.)
2. Elle a remboursé un prêt bancaire à court terme[4] de 5 millions de dollars.
3. Elle a investi 14 millions de dollars. Cela est visible au niveau de l'accroissement des immobilisations brutes dans le tableau 31.1.
4. Elle a acheté 5 millions de dollars de valeurs mobilières de placement.
5. Elle a laissé les créances clients augmenter de 5 millions de dollars, ce qui signifie qu'elle a accordé ce montant supplémentaire de crédits à ses clients.

2.1 Retracer les variations du besoin en fonds de roulement

Les analystes financiers trouvent souvent utile de réunir les actifs et les dettes d'exploitation en une seule valeur représentant le besoin en fonds de roulement (BFR). Les soldes du BFR de Dynamou étaient les suivants (en millions de dollars) :

	Stocks	+	créances	–	dettes d'exploitation	=	BFR
Fin n–1	26	+	25	–	20	=	31
Fin n	25	+	30	–	27	=	28

On peut, de la même manière, calculer l'endettement net, exprimé comme les dettes financières moins les disponibilités et les VMP :

	Dettes financières	–	disponibilités	–	VMP	=	Endettement net
Fin n–1	5 + 5	–	4	–	0	=	6
Fin n	12 + 0	–	5	–	5	=	2

Le tableau 31.4 donne les bilans en présentant le BFR et l'endettement net, et non les éléments d'actifs et de dettes à court terme[5].

En n–1, Dynamou a dégagé de l'argent en :

- émettant une dette à long terme de 7 millions de dollars ;
- générant une capacité d'autofinancement de 16 millions de dollars.

4. Ceci est l'amortissement du capital et non les intérêts. Le paiement d'intérêts est parfois considéré comme une utilisation de fonds. Dans ce cas, la capacité d'autofinancement serait définie *avant* intérêts, c'est-à-dire comme le résultat net plus les intérêts plus les amortissements.

5. Nous avons dressé un tableau des *ressources et emplois de fonds* pour Papelar SA dans la section 2, chapitre 29.

Tableau 31.4. Bilans synthétiques des fins d'années n–1 et n de la société Matelas Dynamou (en millions de dollars)

	2001	2002
Immobilisations		
Investissements bruts	56	70
Moins amortissements	–16	–20
Immobilisations nettes	40	50
Besoin en fonds de roulement	31	28
Capitaux engagés	71	78
Capitaux propres	65	76
Endettement net	6	2
Capitaux engagés	71	78

Elle a utilisé cet argent en :

1. investissant 14 millions de dollars ;
2. payant 1 million de dollars de dividendes.

Ces variations sont résumées dans le tableau 31.5 de ressources et d'emplois de fonds.

Tableau 31.5. Ressources et emplois de fonds en année n pour la société Matelas Dynamou (en millions de dollars)

Ressources :	
Capacité d'autofinancement (CAF) = Résultat net + Amortissement	12 + 4
Augmentation de l'endettement net	–4
Ressources totales	12
Emplois :	
Investissement en immobilisations	14
Augmentation du BFR	–3
Dividendes	1
	12

Note : l'augmentation du BFR est ici négative, c'est une diminution qui génère de la trésorerie, au lieu d'être un investissement qui en consomme. L'endettement net diminue aussi, ce qui correspond à une consommation d'argent.

2.2 Les résultats et la trésorerie

Référons-nous au tableau 31.3 qui indique les ressources et les emplois induisant la *variation de trésorerie*. Nous souhaitons insister sur deux points au sujet de l'entrée appelée *capacité d'autofinancement* (CAF). Elle peut ne pas représenter réellement des dollars effectifs – dollars avec lesquels vous pouvez acheter de la bière, par exemple.

D'abord, les amortissements peuvent ne pas être la seule charge non monétaire déduite du calcul du résultat. Ensuite, le compte de résultat enregistre les ventes quand elles sont réalisées et non quand le paiement du client est reçu. Comme il n'y a pas de flux de trésorerie, il n'y a pas de variation du solde de trésorerie de l'entreprise, même s'il y a un accroissement du besoin en fonds de roulement sous la forme d'une hausse de ses créances clients. Aucune entrée nette ne serait indiquée dans un tableau de ressources et d'emplois comme dans le tableau 31.3. L'accroissement de trésorerie provenant de ces opérations de gestion serait compensé par une hausse des créances clients.

Plus tard, quand les factures sont payées, il y a un accroissement du solde de trésorerie. Il n'y a cependant à ce stade ni profit supplémentaire ni hausse du besoin en fonds de roulement. L'accroissement du solde de trésorerie est exactement compensé par une diminution des créances clients.

Ceci met en évidence des caractéristiques intéressantes du besoin en fonds de roulement. Imaginez une société qui ait une activité très simple. Elle achète des matières premières au comptant, les transforme en produits finis puis les vend à crédit. Le cycle complet des opérations est le suivant :

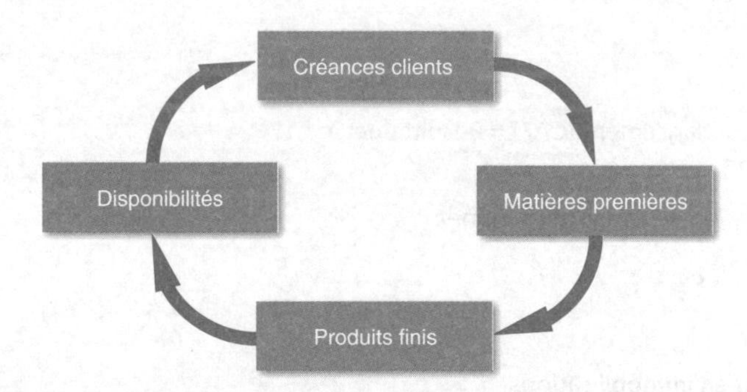

Si vous dressez un bilan au début des opérations, vous pouvez constater la présence de disponibilités. Après un petit délai, vous voyez que ces disponibilités sont remplacées par des stocks de matières premières, puis par des stocks de produits finis. Quand les biens sont vendus, les stocks laissent la place aux créances clients et, enfin, quand les clients paient leurs factures, l'entreprise dégage un profit et retrouve son solde de disponibilités.

Il n'y a qu'une seule constante dans ce processus, à savoir le besoin en fonds de roulement. Les composantes du BFR changent constamment. La valeur du besoin en fonds de roulement cache beaucoup d'informations intéressantes. Dans notre exemple, les disponibilités ont été transformées en stocks, puis en créances clients avant de redevenir de la trésorerie. Mais ces actifs présentent différents degrés de risque et de liquidité. Vous ne pouvez pas payer avec des stocks ou avec des créances clients, vous ne pouvez payer qu'avec de l'argent.

3 Le budget de trésorerie

Le passé n'est intéressant que pour les leçons que l'on peut en retirer. Le problème du responsable financier est de prévoir les ressources et emplois *futurs* de la trésorerie. Ces prévisions ont deux objectifs. D'abord, elles fournissent une norme pour apprécier la performance économique. Ensuite, elles signalent au gestionnaire financier ses futurs besoins de trésorerie. La trésorerie, comme nous le verrons, a l'habitude de fondre rapidement.

3.1 La préparation du budget de trésorerie : les flux d'entrée

Il existe de très nombreux moyens de réaliser un budget de trésorerie. Beaucoup de grandes entreprises ont développé des modèles élaborés ; d'autres utilisent un programme standard pour planifier leurs besoins de trésorerie. Les procédures utilisées par des entreprises de plus petite taille peuvent être moins formelles. Mais il existe des règles communes que toutes les entreprises doivent suivre quand elles font leurs prévisions. Prenons l'exemple de Matelas Dynamou.

La majorité des flux d'entrée de Dynamou provient de la vente de matelas. Nous partons donc de la prévision de ventes par trimestre[6] pour n+1 :

	Premier trimestre	Deuxième trimestre	Troisième trimestre	Quatrième trimestre
Ventes (en millions de dollars)	87,5	78,5	116	131

Les ventes sont d'abord des créances clients avant de devenir de la trésorerie. Les flux de trésorerie proviennent du *recouvrement* de ces créances.

Beaucoup d'entreprises établissent un délai moyen pour le paiement des factures des clients. Elles peuvent ainsi prévoir la proportion des ventes d'un trimestre converties en paiement au cours de ce trimestre et la proportion qui sera encaissée le trimestre suivant au titre des créances clients. Supposons que 80 % des ventes sont encaissées au cours du même trimestre

6. Beaucoup d'entreprises font leurs prévisions par mois plutôt que par trimestre. Des prévisions hebdomadaires ou même quotidiennes sont aussi faites. Mais présenter une prévision mensuelle triplerait le nombre de colonnes du tableau 31.6 et des tableaux suivants. Nous avons voulu présenter les exemples les plus simples possibles.

et 20 % encaissées au cours du trimestre suivant. Le tableau 31.6 indique les encaissements prévus sous cette hypothèse.

Tableau 31.6. Pour prévoir les encaissements des créances clients de Matelas Dynamou, vous devez prévoir les ventes et les taux de recouvrement (en millions de dollars)

	Premier trimestre	Deuxième trimestre	Troisième trimestre	Quatrième trimestre
1. Créances clients en début de période	30	32,5	30,7	38,2
2. Ventes	87,5	78,5	116	131
3. Recouvrement				
Ventes de la période (80 %)	70	62,8	92,8	104,8
Ventes de la période précédente (20 %)	15 *	17,5	15,7	23,2
Total des encaissements	85	80,3	108,5	128
4. Créances clients en fin de période 4 = 1 + 2 – 3	32,5	30,7	38,2	41,2

* Les ventes du quatrième trimestre de l'année précédente étaient de 75 millions de dollars.

Au cours du premier trimestre, par exemple, les encaissements des ventes de la période s'élèvent à 80 % de 87,5 soit 70 millions de dollars. Mais l'entreprise reçoit aussi 20 % des ventes du trimestre précédent, soit 0,2(75) = 15 millions de dollars. Les encaissements totaux sont donc de 70 M$ + 15 M$ = 85 millions de dollars.

Dynamou a démarré le premier trimestre avec 30 millions de dollars de créances clients. Les ventes du trimestre de 87,5 millions de dollars se sont *ajoutées* aux créances clients, mais les encaissements de 85 millions de dollars ont été soustraits. Comme le tableau 31.6 le montre, Dynamou finit donc le trimestre avec des créances clients de 30 M$ + 87,5 M$ – 85 M$ = 32,5 millions de dollars. La formule générale est :

Créances clients en fin de période = Créances clients en début de période + ventes – encaissements

Le haut du tableau 31.7 indique les sources anticipées de trésorerie de Matelas Dynamou. Le recouvrement des créances clients est la source principale mais pas la seule. L'entreprise prévoit peut-être de disposer de rentrées diverses, comme un remboursement d'impôt ou le paiement d'une indemnité d'assurance. Tous ces éléments figurent dans les « autres » ressources. Vous pouvez aussi augmenter les capitaux en empruntant ou en cédant des titres, mais nous laissons de côté cette possibilité. Pour le moment, nous supposerons que Dynamou n'augmentera pas son financement à long terme.

3.2 La préparation du budget de trésorerie : les flux de sortie

Il semble toujours y avoir beaucoup plus d'emplois que de ressources de trésorerie. Pour simplifier, nous avons résumé les emplois en quatre catégories dans le tableau 31.7.

Tableau 31.7. Budget de trésorerie de Matelas Dynamou pour l'année n+1 (en millions de dollars)

	Premier trimestre	Deuxième trimestre	Troisième trimestre	Quatrième trimestre
Encaissements				
Encaissements de créances	85	80,3	108,5	128
Autres	0	0	12,5	0
Encaissements totaux	85	80,3	121	128
Décaissements				
Règlements de dettes fournisseurs	65	60	55	50
Salaires, frais généraux et autres charges	30	30	30	30
Investissements	32,5	1,3	5,5	8
Impôts, intérêts et dividendes	4	4	4,5	5
Décaissements totaux	131,5	95,3	95	93
Variation de trésorerie	–46,5	–15	+26	+35
Calcul des besoins de financement à court terme :				
1. Trésorerie au début de la période	5	–41,5	–56,5	–30,5
2. Variation de trésorerie	–46,5	–15	+26	+35
3. Trésorerie à la fin de la période* (1 + 2)	–41,5	–56,5	–30,5	+4,5
4. Solde de trésorerie minimum	5	5	5	5
5. Besoin cumulé** (4 – 3)	46,5	61,5	35,5	0,5

* Bien sûr, les entreprises ne peuvent pas détenir un montant négatif de trésorerie. Ceci est le montant que l'entreprise doit avoir pour pouvoir payer ses factures.

** Un signe négatif devrait indiquer un *excédent* de trésorerie. Mais, dans notre exemple, l'entreprise a besoin de trésorerie tous les trimestres.

1. *Les règlements des dettes fournisseurs.* Vous devez payer vos factures de matières premières, pièces détachées, électricité, etc. La prévision de flux de trésorerie suppose que toutes ces factures sont payées à bonne date, même si Dynamou peut sans doute en décaler quelque peu le règlement. Les paiements différés sont souvent appelés *étalement des règlements*. Cet étalement est une source de financement à court terme, mais pour la plupart des entreprises, c'est une source coûteuse, car en étalant les paiements, elles perdent les escomptes de règlements offerts aux entreprises qui paient rapidement. Ceci est étudié plus en détail à la section 1, chapitre 1.

2. *Les salaires, les dépenses administratives et autres.* Cette catégorie comprend toutes les autres charges d'exploitation courantes.

3. *Les dépenses d'investissement.* Notez que Matelas Dynamou planifie une sortie importante de fonds au premier trimestre.

4. *Les paiements d'impôts, d'intérêts et de dividendes.* Ceci comprend les intérêts sur la dette à long terme déjà émise mais non les intérêts sur les emprunts supplémentaires pour faire face aux besoins de trésorerie en n+1. À ce niveau de l'analyse, Dynamou ne sait pas combien elle doit emprunter ou, même, si elle doit emprunter.

La variation de trésorerie prévue (ressources moins emplois) est encadrée au milieu du tableau 31.7. Notez la valeur négative importante du premier trimestre : une prévision de *sortie* de 46,5 millions de dollars. Il y a une sortie plus faible prévue au second trimestre et d'importantes entrées dans la seconde moitié de l'année.

La partie inférieure du tableau 31.7 indique quel est le montant du financement que Dynamou doit obtenir si ses prévisions sont exactes. Elle démarre l'année avec 5 millions de dollars de trésorerie. Il y a une sortie de trésorerie de 46,5 millions de dollars au premier trimestre. Ainsi, Dynamou doit obtenir au moins 46,5 millions de dollars – 5 millions de dollars = 41,5 millions de dollars de financement supplémentaire. L'entreprise aura ainsi un solde de trésorerie anticipé nul au début du deuxième trimestre.

Pour la plupart des responsables financiers, un solde de trésorerie planifié de zéro est trop dangereux. Ils établissent un *solde de trésorerie minimum* pour amortir des entrées et des sorties imprévues. Nous supposerons que le solde de trésorerie minimum de Dynamou est de 5 millions de dollars. Cela signifie qu'elle doit obtenir la totalité des 46,5 millions de dollars du premier trimestre et des 15 millions de dollars du deuxième trimestre. Son besoin financier cumulé est de 61,5 millions de dollars au deuxième trimestre. C'est le maximum, heureusement : ce besoin cumulé baisse au troisième trimestre de 26 millions de dollars à 35,5 millions de dollars. Au dernier trimestre, Dynamou est presque à flot : son solde de trésorerie est de 4,5 millions de dollars, soit à 0,5 million de dollars de son solde minimum.

L'étape suivante consiste à mettre au point un *plan de financement à court terme* qui couvre les besoins prévus de la manière la plus économique possible. Nous développerons le sujet après deux observations générales :

1. Les sorties de trésorerie importantes des deux premiers trimestres ne sont pas nécessairement une source de problèmes pour Matelas Dynamou. D'une part, elles reflètent l'investissement réalisé au premier trimestre : Dynamou dépense 32,5 millions de dollars, mais elle le fait en acquérant une valeur d'actif de ce montant ou même plus. D'autre part, les sorties de trésorerie reflètent les faibles ventes de la première moitié de l'année ; les ventes s'améliorent dans la seconde moitié[7]. Comme il s'agit d'un modèle de prévision saisonnier, l'entreprise n'aura pas de difficultés à emprunter pour combler les mois les plus défavorables.
2. Le tableau 31.7 est la meilleure prévision des flux de trésorerie futurs. Ce serait une bonne idée d'introduire l'*incertitude* dans les estimations. Par exemple, vous pouvez réaliser une analyse d'élasticité, dans laquelle vous examinerez comment les besoins de Dynamou seraient affectés par une baisse de ses ventes ou par un décalage de ses encaissements. La difficulté avec de telles analyses d'élasticité est que vous changez seulement un élément à la fois, tandis que dans la réalité une récession économique peut affecter, par exemple, les niveaux des ventes *et* les taux de recouvrement. Une autre solution, plus compliquée, est de construire un modèle du budget de trésorerie puis de simuler la probabilité de besoins de trésorerie significativement au-dessus ou au-dessous des

7. Peut-être les gens achètent-ils plus de matelas à la fin de l'année quand les nuits sont plus longues.

prévisions du tableau 31.7[8]. Si les besoins de trésorerie sont difficiles à prévoir, vous pouvez souhaiter détenir de la trésorerie supplémentaire ou des valeurs mobilières de placement pour couvrir une éventuelle sortie de trésorerie imprévue.

4 Le plan financier à court terme

Le budget de trésorerie de Dynamou présente le problème suivant : son directeur financier doit trouver un financement à court terme pour couvrir les besoins de trésorerie prévus de l'entreprise. Il y a des dizaines de sources de financement à court terme, mais pour simplifier, nous supposerons qu'il n'y a que deux possibilités.

4.1 Les possibilités de financement à court terme

1. *Les prêts bancaires*. Dynamou a un accord avec sa banque lui permettant d'emprunter jusqu'à 38 millions de dollars à un taux d'intérêt de 10 % par an, soit 2,5 % par trimestre. L'entreprise peut emprunter et rembourser quand elle le veut tant qu'elle ne dépasse pas le plafond autorisé.
2. *L'étalement des paiements*. Dynamou peut aussi augmenter ses capitaux en retardant le paiement de ses factures. Le directeur financier estime que Dynamou peut différer les montants suivants tous les trimestres :

	Premier trimestre	Deuxième trimestre	Troisième trimestre	Quatrième trimestre
Montant différé (millions de dollars)	52	48	44	40

Ainsi, 52 millions de dollars peuvent être mis de côté au premier trimestre *en ne payant pas* des factures au cours de ce trimestre. (Notez que les prévisions de flux de trésorerie du tableau 31.7 supposaient que ces factures *étaient* payées au premier trimestre.) De même, 48 millions de dollars de factures du deuxième trimestre peuvent être décalés, et ainsi de suite.

Cependant, l'étalement des paiements est souvent coûteux même si aucune maladie n'est incurable. En effet, les fournisseurs offrent souvent des escomptes pour paiement rapide. Dynamou perd cet escompte si elle paie avec retard. Dans l'exemple, nous supposons la perte d'escompte à 5 % du montant différé. En d'autres termes, si un paiement de 100 $ est reporté, l'entreprise doit payer 105 $ au cours du trimestre suivant.

4.2 Le plan de financement de Dynamou

Avec ces deux possibilités, la stratégie de financement à court terme est évidente : tout d'abord utiliser le prêt bancaire, jusqu'au plafond de 38 millions de dollars si nécessaire. S'il y a toujours un déficit de trésorerie, étaler les paiements.

Le tableau 31.8 montre le plan de financement qui en résulte. Au premier trimestre, le plan nécessite d'emprunter la totalité du montant disponible auprès de la banque (38 millions de dollars) et d'étaler 3,5 millions de dollars de paiements (lignes 1 et 2 du tableau). De plus, l'entreprise vend les 5 millions de dollars de valeurs mobilières de placement qu'elle détenait

8. Autrement dit, vous pouvez utiliser la simulation de Monte Carlo (voir section 2, chapitre 10).

à la fin de l'année n-2 (ligne 8). Ainsi, elle lève 38 + 3,5 + 5 = 46,5 millions de dollars de trésorerie au premier trimestre (ligne 10).

Tableau 31.8. Plan de financement de Matelas Dynamou (en millions de dollars). Les montants sont arrondis

	Premier trimestre	Deuxième trimestre	Troisième trimestre	Quatrième trimestre
Nouveaux emprunts				
1. Ligne de crédit	38	0	0	0
2. Paiements étalés	3,5	19,7	0	0
3. Total	41,5	19,7	0	0
Remboursements				
4. Ligne de crédit	0	0	4,3	33,7
5. Paiements étalés	0	3,5	19,7	0
6. Total	0	3,5	24	33,7
7. Nouveaux emprunts nets	41,5	16,2	–24	–33,7
8. Plus titres vendus	5	0	0	0
9. Moins titres achetés	0	0	0	0,4
10. Financement total	46,5	16,2	–24	–34,1
Paiement des intérêts*				
11. Prêt bancaire	0	1	1	0,8
12. Paiements étalés	0	0,2	1	0
13. Intérêts sur titres vendus**	0	0,1	0,1	0,1
14. Intérêts nets payés	0	1,2	2	0,9
15. Encaisse nécessaire pour opérations courantes***	46,5	15	–26	–35
16. Encaisse totale nécessaire	46,5	16,2	–24	–34,1

* Nous supposons que le paiement du premier intérêt intervient un trimestre après l'obtention du prêt.

** Dynamou vend 5 millions de dollars de valeurs mobilières de placement au premier trimestre. Leur rémunération est censée être de 2 % par trimestre.

*** D'après le tableau 31.7.

Au second trimestre, le plan de financement montre que Dynamou doit continuer à emprunter 38 millions de dollars à sa banque et à étaler le règlement de 19,7 millions de dollars de dettes. Ceci lui permet de lever 16,2 millions de dollars après paiement des 3,5 millions de dollars d'effets étalés au premier trimestre.

Pourquoi lever 16,2 millions de dollars quand Dynamou n'a un besoin supplémentaire que de 15 millions de dollars ? La réponse est que l'entreprise doit payer des intérêts sur l'emprunt qui est contracté au premier trimestre et qu'elle renonce aux intérêts sur les valeurs mobilières de placement qui sont vendues[9].

Aux troisième et quatrième trimestres, le plan indique que Dynamou doit rembourser sa dette et acheter un petit montant de valeurs mobilières de placement.

4.3 L'évaluation du plan

Le plan décrit dans le tableau 31.8 résout-il le problème financier à court terme de Dynamou ? Non : le plan est réalisable, mais Dynamou peut probablement faire mieux. La faiblesse la plus évidente de ce plan est sa dépendance vis-à-vis des paiements différés, un moyen de financement extrêmement coûteux. Rappelons que l'étalement des paiements coûte 5 % *par trimestre* à Dynamou, soit 20 % par an à intérêt simple. Ce plan devrait simplement inciter le responsable financier à chercher des sources d'emprunt à court terme moins onéreuses.

Le gestionnaire financier devrait également se poser d'autres questions. Par exemple :

1. Grâce à ce plan, les ratios habituels les plus simples sont-ils satisfaisants[10] ? Ses banquiers peuvent-ils être inquiets si ces ratios se détériorent[11] ?
2. Y a-t-il des coûts fixes dus aux paiements décalés ? Les fournisseurs commencent-ils à douter de la crédibilité de Dynamou ?
3. Le plan pour l'année n+1 laisse-t-il Dynamou dans une bonne situation financière pour n+2 ? (La réponse est ici positive, car Dynamou aura remboursé tous ses emprunts à court terme à la fin de l'année.)
4. Dynamou doit-elle essayer d'obtenir un financement à long terme pour les principales dépenses d'investissement au premier trimestre ? Cela semble possible si l'on applique la règle selon laquelle les actifs à long terme méritent un financement à long terme. Cela réduirait aussi le besoin d'emprunt à court terme de manière sensible. Un contre-argument est que Dynamou finance ses investissements *seulement de manière temporaire* par des emprunts à court terme. À la fin de l'année, l'investissement est payé par les flux de trésorerie provenant de la gestion. Ainsi, la décision initiale de Dynamou de ne pas rechercher le financement à long terme immédiat peut refléter une préférence pour, en fin de compte, financer l'investissement avec des résultats mis en réserves.
5. Peut-être les plans de gestion et d'investissement de l'entreprise peuvent-ils être ajustés pour faciliter le financement à court terme. Existe-t-il un moyen simple de différer la grosse sortie de fonds du premier trimestre ? Par exemple, supposons que l'important investissement du premier trimestre concerne des machines pour rembourrer les matelas qui doivent être livrées et mises en place dans la première moitié de l'année. Il n'est pas prévu d'utiliser les nouvelles machines à leur pleine capacité avant août. Peut-être peut-on convaincre le fabricant de la machine d'accepter 60 % du prix d'achat à la livraison et 40 % quand les machines seront installées et fonctionneront de manière satisfaisante.

---

9. Le prêt bancaire coûte des intérêts trimestriels de $0{,}025 \times 38 = 0{,}95$ million de dollars, l'escompte perdu sur le paiement retardé des dettes s'élève à $0{,}05 \times 3{,}5 = 0{,}175$ million de dollars et l'intérêt perdu sur les valeurs mobilières de placement atteint $0{,}02 \times 5 = 0{,}10$ million de dollars.

10. Ces ratios sont étudiés au chapitre 29.

11. Nous n'avons pas calculé explicitement ces ratios, mais vous pouvez déduire du tableau 31.8 qu'ils seront bons à la fin de l'année mais relativement mauvais au milieu, quand les emprunts de Dynamou sont élevés.

6. Dynamou peut également dégager de la trésorerie en réduisant le niveau des autres actifs à court terme. Par exemple, elle peut réduire les créances clients en étant stricte avec les clients qui paient leurs factures en retard, le coût étant qu'à l'avenir les clients peuvent aller acheter ailleurs. Elle peut également essayer de travailler avec des stocks de matelas plus faibles, le coût étant alors qu'elle peut perdre des affaires s'il y a un afflux de commandes qu'elle ne peut satisfaire.

Les plans de financement à court terme évoluent par tâtonnements successifs. Vous élaborez un plan, y réfléchissez puis le transformez selon différentes hypothèses sur d'autres possibilités d'investissement et de financement. Vous poursuivez ainsi jusqu'à ce que vous pensiez qu'il n'y a plus d'améliorations possibles.

Les tâtonnements sont importants parce qu'ils vous aident à comprendre la vraie nature du problème que l'entreprise doit résoudre. Nous pouvons ici faire une analogie entre le *processus* de prévision et le chapitre 10. Dans ce chapitre, nous avons décrit l'analyse d'élasticité et d'autres moyens utilisés par les entreprises pour découvrir pourquoi des projets d'investissement réussissent ou pas. Le responsable financier de Dynamou fait face aux mêmes problèmes : il ne doit pas seulement choisir un plan mais comprendre ce qui peut ne pas fonctionner et envisager les mesures à prendre au cas où les conditions se modifient subitement[12].

4.4 Une note sur les modèles de planification financière à court terme

Établir un plan à court terme cohérent nécessite des calculs fastidieux[13]. Heureusement, beaucoup de calculs peuvent être faits sur ordinateur. De grandes entreprises ont construit des *modèles de planification financière à court terme* pour y parvenir. Des entreprises plus petites comme Matelas Dynamou rencontrent des problèmes moins complexes et elles estiment plus facile de travailler avec un programme bilantiel sur un micro-ordinateur. Dans tous les cas, le responsable financier précise les besoins ou les excédents de trésorerie prévus, les intérêts, les plafonds de crédit, etc., et le modèle détermine un plan comme celui indiqué dans le tableau 31.8. L'ordinateur établit alors un bilan, un compte de résultat et tous les calculs particuliers dont le responsable financier peut avoir besoin.

Des entreprises plus petites qui ne souhaitent pas des modèles tout faits peuvent utiliser des modèles généraux proposés par des banques, des experts comptables, des consultants en gestion ou des entreprises de logiciels spécialisées.

La plupart de ces modèles sont des programmes de *simulation*[14]. Ils prennent simplement en compte les conséquences des hypothèses et des politiques précisées par le directeur financier.

---

12. Ce point est encore plus important pour la planification financière à long terme (voir chapitre 29).

13. Si vous en doutez, reportez-vous de nouveau au tableau 31.8. Notez que les besoins de trésorerie de chaque trimestre dépendent des emprunts du trimestre précédent parce que ces emprunts entraînent des intérêts. Ainsi, l'emprunt sur une ligne de crédit peut nécessiter une encaisse supplémentaire pour permettre de respecter le solde à conserver. De ce fait, il faut encore plus d'emprunts et payer des intérêts plus élevés le trimestre suivant. De plus, la complexité du problème aurait été pire si nous n'avions pas simplifié les prévisions en les calculant trimestriellement, mais mensuellement.

14. Identiques aux modèles de simulation présentés dans la section 2, chapitre 10, sauf que les modèles de planification à court terme incluent l'incertitude. Les modèles présentés ici sont construits et utilisés de la même manière que les modèles de planification financière à long terme décrits dans la section 4, chapitre 29.

Des modèles d'*optimisation* pour la planification financière à court terme sont aussi disponibles. Ce sont en général des modèles de programmation linéaire. Ils recherchent le *meilleur* plan à partir d'un échantillon de différentes politiques identifiées par le responsable financier.

Bien sûr, le meilleur plan pour un ensemble d'hypothèses peut se révéler désastreux si les hypothèses sont fausses. Aussi le gestionnaire financier doit-il envisager les conséquences des hypothèses possibles sur les flux de trésorerie, les taux d'intérêt futurs, etc. La programmation linéaire peut aider à trouver les bonnes stratégies, mais même avec un modèle d'optimisation, le plan financier est encore déterminé par tâtonnements.

5 Les emprunts à court terme

Dynamou résout la plus grande partie de son déficit de trésorerie en empruntant auprès de sa banque. Mais les banques ne sont pas la seule source de prêts à court terme. Des organismes financiers spécialisés sont également une source de trésorerie, surtout pour le financement des crédits clients et des stocks[15]. En plus d'emprunter auprès d'intermédiaires comme les banques ou des organismes spécialisés, les entreprises émettent aussi des billets de trésorerie ou des titres à moyen terme directement auprès d'investisseurs. Il est temps d'aborder ces sources de financement à court terme.

5.1 Les prêts bancaires

Si vous demandez un prêt à une banque, son responsable vous posera probablement des questions sur la situation financière de votre entreprise et vos prévisions pour l'avenir. Puis, la banque voudra s'assurer de la situation ultérieure de l'entreprise. Les investisseurs savent que les banques sont difficiles à convaincre et, donc, quand une entreprise annonce qu'elle a obtenu une importante facilité bancaire, le cours de ses titres tend à augmenter[16].

Les prêts bancaires sont multiples. Voici quelques-unes de leurs différences.

Les conditions Souvent, les entreprises attendent d'avoir besoin d'argent pour demander un prêt bancaire alors que près des trois quarts des prêts bancaires ne sont fournis que sous certaines conditions. Aussi l'entreprise demande-t-elle souvent une ligne de crédit qui lui permet d'emprunter à sa banque dans une limite fixée. Cette ligne de crédit peut être un *crédit permanent* sans échéance prévue, mais c'est d'ordinaire un *crédit renouvelable* avec une échéance pouvant aller jusqu'à trois ans.

Les lignes de crédit sont relativement chères, car, en plus de l'intérêt sur l'emprunt, l'entreprise doit payer une commission d'engagement sur le montant non utilisé. En contrepartie, l'entreprise dispose d'une solution précieuse : elle a un accès garanti aux fonds de la banque à une marge fixée au-dessus du niveau général des taux d'intérêt. Cela correspond à une option de vente, car l'entreprise peut s'endetter auprès de la banque à des conditions fixées

15. Les organismes financiers spécialisés (société de caution mutuelle, crédit d'équipement des petites et moyennes entreprises, banque française du commerce extérieur, société de développement régional) sont des dispensateurs de crédits en concurrence avec les banques. Ils disposent de fonds non en recevant des dépôts, comme les banques, mais en émettant du papier commercial et des titres à plus long terme.

16. Voir C. James, « Some evidence on the Uniqueness of Bank Loans », *Journal of Financial Economics*, 19 (1987), pp. 217-235.

même si sa propre solvabilité diminue ou si le coût du crédit augmente. L'augmentation de l'utilisation des lignes de crédit a modifié le rôle des banques. Elles ne sont plus de simples prêteurs, mais elles participent aux affaires en fournissant une assurance de liquidité aux entreprises.

De nombreuses entreprises ont découvert l'importance de cette assurance en 1998 quand la Russie a été défaillante sur sa dette et a été la source de troubles considérables sur les marchés obligataires du monde entier. Toutes les entreprises américaines ont subitement été obligées de s'endetter à un coût beaucoup plus élevé auprès des investisseurs. Celles qui disposaient de lignes de crédit auprès de leurs banques étaient ainsi très avantagées. Le résultat fut que les émissions de titres ralentirent tandis que les prêts bancaires explosaient[17].

La durée Une entreprise peut avoir besoin d'un *crédit relais* à court terme pour financer l'achat de nouveaux équipements ou l'acquisition d'une autre entreprise. Dans ce cas le prêt lui sert de financement temporaire jusqu'à ce que l'achat soit définitif et qu'un financement à long terme soit accordé. Un prêt à court terme peut aussi être nécessaire pour financer un accroissement temporaire de stock. Un tel prêt est dit *s'autoremboursant*, car la vente des produits fournit la liquidité nécessaire pour rembourser le prêt.

Les banques fournissent aussi des prêts à plus long terme, appelés *prêts à terme*. Un prêt à terme a en général une durée de quatre à cinq ans. Le plus souvent, le prêt est remboursé par versements constants pendant toute la période du prêt, quoique, parfois, il y ait, à l'échéance, un versement soit important soit faible. Les banques peuvent accorder des modifications de remboursement en fonction des rentrées de fonds prévues par l'entreprise qui emprunte. Par exemple, le premier remboursement peut être différé d'un an en attendant la fin de la construction d'une nouvelle usine. Souvent, les prêts à terme sont renégociés avant l'échéance. En général, les banques sont d'accord si l'entreprise qui emprunte est un client fidèle, reste solvable et a une bonne raison pour demander la modification[18].

Le taux d'intérêt Les prêts bancaires à court terme sont souvent accordés à un taux d'intérêt fixe, donné sous forme précomptée. Si le taux d'intérêt sur un prêt d'une année est à un taux précompté de 5 %, l'emprunteur reçoit 100 – 5 = 95 € et s'engage à rembourser 100 € au bout d'un an. Le coût d'un tel prêt n'est pas de 5 %, mais de 5 / 95 = 0,0526 soit 5,26 %.

Pour les prêts bancaires à long terme, le taux d'intérêt est souvent lié au niveau général des taux d'intérêt. Les références les plus utilisées sont le Europe interbank offered rate (Euribor), le taux du marché monétaire ou le taux de base bancaire. Ainsi, si le taux est fixé à « Euribor + 1 % », l'emprunteur paiera 5 % le premier trimestre si l'Euribor est à 4 %, puis 6 % le trimestre suivant si l'Euribor passe à 5 %, et ainsi de suite.

Les prêts syndiqués Certains prêts bancaires sont trop élevés pour une seule banque. Dans ce cas, le prêt peut être réalisé par une ou plusieurs banques qui le répartissent dans un syndicat bancaire. Ainsi, quand Vodafone Airtouch a eu besoin d'emprunter 34 milliards de

17. La course pour tirer sur les lignes de crédit bancaires est décrite par M. R. Saidenberg et P. E. Strahan, « Are Banks Still Important for Financing Large Businesses ? », *Federal Reserve Bank of New York, Current Issues in Economics and Finance*, 5 (août 1999), pp. 1-6.

18. Les prêts à terme permettent à l'emprunteur de rembourser avant l'échéance, mais l'accord de prêt stipule le plus souvent que l'entreprise doit payer une pénalité pour remboursement anticipé.

dollars (25 milliards d'euros) pour financer son achat de l'entreprise allemande de téléphonie, Mannesmann, elle s'est entourée de onze banques dans le monde pour former un important syndicat de banques qui a pu fournir les fonds.

Les cessions de prêts Les grandes banques reçoivent souvent plus de demandes de prêts qu'elles ne peuvent en satisfaire ; les banques plus petites sont dans la situation inverse. Les banques avec un excès de demandes de prêts peuvent résoudre le problème en vendant une partie de leurs prêts à d'autres institutions. Les cessions de prêts se sont développées dans les dernières années. En 1991, aux États-Unis, elles ne totalisaient que 8 millions de dollars ; en 2003, elles atteignaient 145 milliards de dollars[19].

Ces ventes de prêts prennent généralement deux formes : des *cessions* ou des *participations*. Dans le premier cas, une partie du prêt est transférée avec l'accord de l'emprunteur. Dans le second cas, la banque chef de file maintient sa relation avec l'emprunteur, mais accepte de verser à l'acheteur une partie des flux de trésorerie qu'elle reçoit.

Les participations concernent souvent un seul prêt, mais elles peuvent porter sur des opérations de centaines de prêts. Comme ces opérations conduisent à transformer un ensemble de prêts bancaires non négociables en valeurs mobilières de placement, on les appelle des *titrisations*. Ainsi, en 1996, la banque anglaise NatWest a titrisé environ un sixième de son portefeuille de prêts. Elle commença par rassembler environ 5 milliards de dollars de 200 prêts à de grandes entreprises dans dix-sept pays. Elle vendit ensuite les titres, chacun étant une promesse de payer une proportion de l'argent reçue de la vente des prêts. Comme les titres permettaient une diversification dans un portefeuille de prêts de bonne qualité, ils ont été très recherchés par les investisseurs du monde entier.

Les garanties Quand une banque supporte le risque de crédit d'une entreprise, elle lui demande une garantie sur son crédit. Comme la banque prête à court terme, la garantie consiste généralement en actifs liquides, tels que des créances sur les clients, des stocks ou des titres. Parfois, la banque accepte une *garantie flottante* sur ces actifs[20]. Cette garantie lui donne un droit sur ces actifs, mais sans qu'ils soient désignés de façon précise, et fixe peu de conditions sur l'utilisation de ces actifs par l'entreprise.

Le plus souvent, la banque demande une garantie particulière. Par exemple, vous pouvez emprunter en utilisant des créances comme garantie. Vous envoyez d'abord à la banque une copie de la facture, avec une autorisation de bénéficier de l'argent reçu de vos clients. La banque vous prêtera alors jusqu'à 80 % de la valeur de vos créances.

Chaque jour, quand l'entreprise fait de nouvelles ventes, votre garantie augmente et vous pouvez emprunter davantage. Chaque jour, aussi, des clients paient leurs factures. L'argent est placé dans un compte de garantie spécial sous le contrôle de la banque et est périodiquement utilisé pour réduire le montant du prêt. Le montant de la garantie et la taille du prêt fluctuent donc en fonction des ventes réalisées par l'entreprise[21].

---

19. Voir Loan Pricing Corporation **www.loanpricing.com**.

20. Les garanties flottantes sont courantes dans de nombreux pays. Dans le cas d'un prêt avec garantie, on parle d'un crédit causé, et dans le cas inverse, d'un crédit non causé.

21. Dans le chapitre 30, nous avons vu comment les entreprises obtenaient parfois de l'argent en vendant leurs créances à un *factor* qui est responsable du recouvrement : c'est *lui* qui subit la perte si les clients ne paient pas. Quand vous utilisez vos créances comme garantie de prêts, c'est *vous* qui restez responsable du paiement et qui supportez la perte si un client est défaillant.

Vous pouvez aussi utiliser vos stocks comme garantie d'un prêt (on parle de *warrants*). Par exemple si vos marchandises sont stockées dans un entrepôt, vous devez contacter une société de gardiennage indépendante pour fournir à la banque un récépissé indiquant que les marchandises sont détenues au nom de la banque. Quand le prêt est remboursé, la banque envoie à la société de gardiennage le récépissé et vous pouvez alors reprendre vos marchandises[22].

Les banques ont naturellement le droit de choisir les garanties qu'elles acceptent. Elles veulent être certaines de pouvoir identifier et de vendre la garantie si vous êtes défaillant. Ainsi, elles peuvent être contentes de vous prêter contre un entreposage rempli de biens non périssables, mais elles peuvent se boucher le nez face à un entreposage de camemberts bien faits, coulants, français quoi.

Détendons-nous avec l'histoire de l'escroquerie à l'huile végétale. Cinquante et une banques et sociétés financières ont prêté près de 200 millions de dollars à la Allied Crude Vegetable Oil Refining Corporation. En contrepartie, l'entreprise acceptait de fournir une garantie sous la forme de réservoirs de stockage pleins d'huile. Malheureusement, les inspections superficielles des réservoirs ont empêché de découvrir qu'ils étaient simplement remplis d'eau de mer et de boue. Quand la fraude fut découverte, le président d'Allied fut emprisonné et les 51 prêteurs ne comprirent pas ce qui leur arrivait, pleurant leurs 200 millions de dollars[23]. Depuis lors, les prêteurs sont plus attentifs, mais l'encadré « Actualités financières » montre que même les vieux pièges peuvent encore fonctionner.

Actualités financières

Les hasards des prêts bancaires garantis

Le Conseil de sécurité nationale (NSC) de la circonscription Victoria en Australie était un service peu actif jusqu'à ce que John Friedrich prenne la relève. Sous sa direction, les membres du NSC s'entraînaient comme des commandos et étaient prêts à aller n'importe où et à faire n'importe quoi. Ils sauvaient les gens de la noyade, éteignaient les incendies, retrouvaient des randonneurs perdus et descendaient au fond des mines. Leur matériel important comprenait 22 hélicoptères, 8 avions et un mini-sous-marin. Rapidement, le NSC vendit ses services dans le monde entier.

Malheureusement, ce service paramilitaire de NSC coûtait des millions de dollars à entretenir, bien plus que ce qu'il percevait comme recettes. Friedrich finança la différence en empruntant 236 millions de dollars australiens. Les banques étaient heureuses de prêter, car la dette de NSC paraissait sûre. À un moment, l'entreprise détenait 107 millions de dollars australiens de créances (de l'argent dû par ses clients) qu'elle donnait comme garantie des prêts bancaires.

22. Il n'est pas toujours possible de conserver des marchandises dans un entrepôt. Par exemple, les concessionnaires automobiles ont besoin de montrer les voitures dans un hall d'exposition. L'une des solutions est de convenir d'un accord de planification d'entreposage par lequel l'organisme prêteur achète les automobiles et le concessionnaire les détient en fiducie. Quand les voitures sont vendues, les fonds perçus sont utilisés pour racheter les automobiles à l'organisme prêteur.

23. Voir N. C. Miller, *The Great Salad Oil Swindle*, Gollancz, London, 1966.

Actualités financières

Plus tard, les règlements révélaient que beaucoup de ces clients ne devaient rien à NSC. Les banques se rassuraient parfois en estimant que leurs prêts étaient garantis par beaucoup de matériel de sauvetage de valeur. Il y avait plus de 100 conteneurs parqués autour du site principal de NSC. Seule une poignée contenait des équipements, mais c'étaient les seuls que les banquiers avaient vus quand ils étaient venus s'assurer que leurs prêts étaient garantis. Il arrivait qu'un banquier suspicieux demande à inspecter un conteneur particulier. Friedrich lui expliquait alors qu'il était actuellement en activité ; il emmenait le banquier en avion à l'autre bout du pays et se contentait de désigner en bas dans la brousse un conteneur bien mis en évidence. Le conteneur était bien entendu vide, mais le banquier n'avait aucun moyen de le savoir.

Six ans plus tard, Friedrich devait être nommé président et sa fraude gigantesque n'était toujours pas découverte. Mais quelques jours avant qu'un warrant ne fût émis, Friedrich disparut. Alors qu'il avait été attrapé et inculpé, il se suicida avant son procès. Les investigations montrèrent qu'il agissait sous un faux nom, s'étant enfui de son Allemagne natale, où il était recherché par la police. Beaucoup de rumeurs continuèrent à courir sur Friedrich. On disait qu'il était un indicateur de la CIA et du KGB, que le NSC se trouvait derrière une tentative de coup d'État aux îles Fidji. Pour les banquiers, il n'y avait qu'une dure vérité. Leurs prêts au NSC qui semblaient si sûrs n'ont jamais été remboursés.

Source : adapté du chapitre 7 de T. Sykes, The Bold Riders, Allen & Unwin, St. Leonards, NSW, Australia, 1994.

5.2 Les billets de trésorerie

Il est parfois utile d'avoir une banque comme intermédiaire. Cela épargne aux prêteurs l'inconvénient de chercher des emprunteurs et d'évaluer leur solvabilité et aux emprunteurs de chercher des prêteurs.

Il y a aussi des cas où *cela ne vaut pas* la peine de payer un intermédiaire pour remplir ces missions. Les grandes entreprises solvables et réputées peuvent se passer du système bancaire en émettant leurs propres billets à court terme non garantis : **les billets de trésorerie** (dans la langue de Louis Armstrong, le papier commercial). Les institutions financières, comme les holdings bancaires et les compagnies financières, émettent aussi du papier commercial (certificats de dépôts négociables, bons des sociétés financières et des institutions financières spécialisées), quelquefois en très grandes quantités. Par exemple, GE Capital European Funding affiche un encours de papier commercial de 25 milliards d'euros. Les principaux émetteurs de papier commercial ont créé leur propre service de commercialisation et vendent leur papier directement aux investisseurs. On peut citer, entre autres, Danone Finance et Nestlé Finance. Des entreprises plus petites vendent leur papier grâce à des intermédiaires qui reçoivent une commission pour placer l'émission.

Les billets de trésorerie sont, sauf stipulation contraire, à échéance fixe, avec une durée minimum de un jour et maximum de un an, mais la plus grande partie est émise entre six et neuf mois.

Le papier commercial est surtout émis par des entreprises bien notées, connues au plan national[24]. En général, les entreprises qui émettent de tels titres disposent d'une ligne de crédit de substitution auprès de leur banque, ce qui garantit aux détenteurs qu'elles pourront rembourser le papier. Le risque de défaut est donc faible.

Les investisseurs rechignent à acheter du papier qui n'a pas les meilleures notations. De fait, certaines sociétés se retrouvent évincées du marché du papier commercial alors qu'elles ont besoin de capitaux à court terme. Ainsi, lorsque les agences de notation dégradèrent la notation des papiers commerciaux de Ford et General Motors, les deux sociétés furent obligées de réduire fortement leurs émissions de papier et de se financer sur les marchés de dette à long terme. L'encours de papier commercial de Ford Credit passa de 45 milliards de dollars fin 2000 à moins de 10 milliards de dollars deux ans plus tard.

Le papier commercial est largement utilisé par les très grandes sociétés. En se passant de tout intermédiaire, elles peuvent emprunter à des taux qui peuvent être inférieurs de 0,5 % au taux de base des banques. Même après avoir payé la commission à l'intermédiaire et supporté le coût de la ligne de crédit de substitution, elles font encore une économie substantielle. Étant donnée la concurrence sur le papier commercial, les banques sont prêtes à réduire leurs taux pour leurs meilleurs clients. En conséquence, l'expression « taux de base » n'a plus la même signification qu'il y a quelques années. Auparavant, il s'agissait du taux que les banques appliquaient à leurs clients les plus solvables. Aujourd'hui les clients privilégiés paient souvent moins que le taux de base.

5.3 Les bons à moyen terme négociables (BMTN)

Certaines grandes sociétés connues émettent aussi régulièrement des **bons à moyen terme négociables** (BMTN).

Il s'agit de titres hybrides entre les obligations et les billets de trésorerie. Comme les premiers, ce sont des instruments à relativement long terme : leur échéance ne peut être inférieure à un an et aucune durée maximum ne leur est imposée. Ces bons peuvent être garantis par des banques.

Résumé

Le plan de trésorerie concerne la gestion des actifs et dettes à court terme de l'entreprise. Les actifs à court terme les plus importants sont les stocks, les créances clients, les valeurs mobilières de placement, et les disponibilités. Les dettes à court terme les plus importantes sont les dettes d'exploitation et les emprunts bancaires. La différence entre les actifs d'exploitation et les dettes d'exploitation s'appelle le besoin en fonds de roulement (BFR).

Les actifs et les dettes d'exploitation se renouvellent plus rapidement que les autres postes du bilan. Le financement à court terme et les décisions d'investissement sont plus rapidement et facilement révisables que les décisions à long terme. Le responsable financier n'a donc pas besoin de se projeter aussi loin dans le futur pour les réaliser.

Une entreprise qui a un montant important de dettes à long terme ou de capitaux propres, ou qui s'autofinance avec ses résultats, peut se retrouver avec des excédents permanents de

24. Des sociétés spécialisées publient des notations sur la qualité du papier commercial. La plupart des investisseurs sont réticents à acheter du papier mal noté.

trésorerie. Dans de tels cas, il n'y a jamais de problèmes pour payer les factures et la planification financière à court terme consiste à gérer un portefeuille de valeurs mobilières de placement. Nous estimons que des entreprises avec des excédents permanents de trésorerie doivent rendre ce surplus à leurs actionnaires.

D'autres entreprises lèvent relativement peu de fonds à long terme et se retrouvent débitrices permanentes à court terme. La plupart de ces entreprises essaient de trouver un moyen idéal en finançant toutes leurs immobilisations et une partie de leurs actifs à court terme avec du capital ou une dette à long terme. De telles entreprises peuvent investir leur excédent de trésorerie durant une partie de l'année et emprunter pendant l'autre partie.

Les entreprises prévoient leurs besoins nets de trésorerie en prévoyant leurs encaissements de créances clients, en ajoutant les autres flux d'entrée et en soustrayant les flux de sortie prévus. Si le solde de trésorerie prévu est insuffisant pour couvrir les opérations quotidiennes et fournir un rempart contre les événements imprévus, vous devez trouver un financement complémentaire. La recherche du meilleur plan de financement à court terme passe nécessairement par des tâtonnements. Le responsable financier doit explorer les conséquences des différentes hypothèses de besoins de trésorerie, de taux d'intérêt, de sources de financement, etc. Les entreprises utilisent de plus en plus des logiciels financiers pour les aider dans leurs choix. Ces modèles vont de simples programmes d'établissement de bilan qui servent juste à faire les calculs jusqu'à des modèles de programmation linéaire qui aident à trouver le meilleur plan financier.

Si vous prévoyez un déficit de trésorerie permanent, le plan financier peut vous amener à augmenter votre financement à long terme. Si le déficit est temporaire, vous pouvez le résorber en ne payant pas vos traites pendant quelque temps ou en choisissant dans la panoplie de prêts à court terme.

Souvent, les entreprises obtiennent de leur banque une *ligne reconductible de crédit* leur permettant d'emprunter un montant fixé quel que soit ce qu'elles ont à financer. Ceci est en général proposé pour faire face à un déficit temporaire de trésorerie qui est donc remboursé en quelques mois. Les banques font également des *prêts à terme* sur cinq ans ou plus. En plus des emprunts auprès des banques nationales, les entreprises peuvent emprunter dans leur devise (ou toute autre monnaie) auprès de banques étrangères ou de succursales étrangères de banques. Ces prêts bancaires internationaux portent le plus souvent sur des sommes d'argent considérables et peuvent alors être *syndiqués* entre un groupe de grandes banques.

Beaucoup de prêts bancaires ne sont pas garantis, mais les emprunteurs les moins solvables peuvent être amenés à fournir des garanties. Ceci consiste parfois en une garantie flottante sur des créances ou des stocks, mais le plus souvent vous serez conduit à vous engager sur des actifs précis. Quand vous empruntez en contrepartie de créances, la banque est au courant de vos ventes de marchandises et les créances en résultant deviennent la propriété de la banque. Quand les clients paient leurs factures, l'argent est mis sur un compte spécial sous le contrôle de la banque. De même, quand vous empruntez en contrepartie de stocks de matières premières, la banque peut exiger que les marchandises soient sous le contrôle d'une société d'entreposage indépendante. Tant que la banque possède le récépissé d'entreposage sur ces marchandises, celles-ci ne peuvent sortir sans son autorisation.

Le taux d'intérêt sur les prêts bancaires à très court terme est généralement fixé pour toute leur durée, mais dans les autres cas le taux fluctue en fonction du niveau général des taux d'intérêt à court terme. Par exemple, il peut être fixé à 1 % au-dessus de l'Euribor (*Europe interbank offered rate*).

Le taux d'intérêt que la banque demande doit bien sûr être suffisant pour couvrir non seulement le coût d'opportunité du capital mais aussi les coûts de fonctionnement du service des prêts. Aussi ceux qui empruntent fréquemment ont-ils trouvé meilleur marché de se passer du système bancaire et d'émettre leur propre dette à court terme, sous forme de billets de trésorerie. Les prêts à plus long terme sont connus sous l'appellation de *bons à moyen terme négociables*.

Lectures complémentaires

Voici quelques textes généraux sur la gestion du besoin en fonds de roulement :

G. W. Gallinger, P. B. Healey, *Liquidity Analysis and Management*, 2e éd., Addison-Wesley Publishing Company, Inc., Reading, MA, 1991.

N. C. Hill, W. L. Sartoris, *Short-Term Financial Management, Text and Cases*, 3e éd., Prentice-Hall, Inc, Englewood Cliffs, NJ, 1994.

K. V. Smith, G. W. Gallinger, *Readings on the Management of Working Capital*, 3e éd., West Publishing Company, New York, 1988.

F. Sauvage, « Les délais de paiement », *Revue d'économie financière*, 54 (octobre 1999), pp. 105-119.

F. C. Scherr, *Modern Working Capital Management, Text and Cases*, Prentice Hall, Inc., Englewood Cliffs, NJ, 1989.

Activités

Exercices sur Internet

1. Le Bulletin de la Federal Reserve publie les résultats d'une étude trimestrielle sur l'emprunt bancaire (**www.federalreserve.gov/releases/E2**). Utilisez la dernière étude pour décrire le modèle d'emprunt bancaire auprès des banques américaines. Examinez, par exemple, comment la plupart des prêts sont garantis et s'ils sont accordés sous certaines conditions. Quelles sont les différentes caractéristiques des petits et des grands prêts ? Comparez ensuite les résultats de cette étude avec une plus ancienne. Y a-t-il d'importantes modifications ?

Révision des concepts

1. Les entreprises en croissance détiennent habituellement plus de trésorerie que les entreprises manufacturières traditionnelles. Pourquoi ? Quels avantages et inconvénients retire-t-on de la détention d'une grande réserve de liquidités ?
2. Pourquoi dit-on que la détention de titres négociables sur le marché représente au mieux un investissement à VAN nulle pour une entreprise soumise à l'impôt ?

Tests de connaissances

1. Voici six transactions que Matelas Dynamou est susceptible de faire. Indiquez comment chaque transaction modifierait (a) la trésorerie et (b) le BFR.
   - **a.** Paiement de 2 millions de dollars de dividendes en espèces.
   - **b.** Règlement de 2 500 $ d'un client (facture provenant d'une vente précédente).
   - **c.** Paiement de 5 000 $ dus depuis quelque temps à l'un de ses fournisseurs.Emprunt de 1 million de dollars à long terme et son utilisation en stocks.
   - **d.** Emprunt de 1 million de dollars à court terme et son utilisation en stocks.
   - **e.** Vente de 5 millions de dollars de valeurs mobilières de placement, versées en disponibilités.
2. Établissez comment chacun des événements suivants affecte le bilan de l'entreprise. Dites si chaque modification est une ressource ou un emploi de fonds.
   - **a.** Un producteur automobile accroît sa production en fonction d'un accroissement prévu de la demande. Malheureusement, la demande n'augmente pas.
   - **b.** La concurrence oblige l'entreprise à accorder des délais supplémentaires à ses clients pour régler leurs achats.
   - **c.** L'inflation augmente la valeur des stocks de matières premières de 20 %.
   - **d.** L'entreprise vend un terrain pour 100 000 €. Le terrain a été acheté cinq ans plus tôt 200 000 €.

e. L'entreprise rachète ses actions.

f. L'entreprise double ses dividendes trimestriels.

g. L'entreprise émet un million d'euros d'obligations à long terme et utilise l'argent pour rembourser un prêt bancaire à court terme.

3. Voici une prévision des ventes de National Bromure pour les quatre premiers mois de l'année n+1 (en milliers d'euros) :

	Mois 1	**Mois 2**	**Mois 3**	**Mois 4**
Ventes au comptant	15	24	18	14
Ventes à crédit	100	120	90	70

50 % des ventes à crédit sont payés en moyenne dans le mois, 30 % le mois suivant et le reste le deuxième mois. Quel est le flux de trésorerie prévu à partir de ces opérations pour les mois 3 et 4 ?

4. Futon prévoit les achats suivants auprès de ses fournisseurs :

	Janvier	**Février**	**Mars**	**Avril**	**Mai**	**Juin**
Valeur des biens (millions d'euros)	32	28	25	22	20	20

a. 40 % des biens sont payés comptant à la livraison. Le reste est payé à un mois. Si Futon commence l'année avec des dettes fournisseurs de 22 millions de dollars, quel est le niveau mensuel prévu de dettes fournisseurs ?

b. Supposez qu'à partir du début de l'année la société étale le paiement de ses dettes fournisseurs en réglant 40 % au bout d'un mois et 20 % au bout de deux mois. (Le reste continue à être payé comptant à la livraison). Recalculez les dettes fournisseurs mensuellement en supposant qu'il n'y ait pas de pénalité pour les paiements décalés.

5. Chacun des événements suivants affecte un ou plusieurs tableaux du chapitre. Montrez les effets de chaque événement en modifiant les tableaux indiqués entre parenthèses :

a. Dynamou rembourse seulement 2 millions de dollars de dette à court terme en n. (Voir tableaux 31.1, 31.3-31.5.)

b. Dynamou émet une dette à long terme de 10 millions de dollars en n et investit 12 millions de dollars dans un nouvel entrepôt. (Voir tableaux 31.1, 31.3-31.5.)

c. En n, Dynamou réduit la quantité de rembourrage de chaque matelas. Les clients ne s'en aperçoivent pas, mais l'opération permet d'abaisser les coûts de 10 %. (Voir tableaux 31.1-31.5.)

d. À partir du troisième trimestre de n+1, Dynamou a de nouveaux dirigeants qui réussissent à persuader les clients de payer plus rapidement. Le résultat est que 90 % des ventes sont payées immédiatement et 10 % au cours du trimestre suivant. (Voir tableaux 31.6 et 31.7.)

e. À partir du premier trimestre de n+1, Dynamou réduit les salaires de 4 millions de dollars par trimestre. (Voir tableau 31.7.)

f. Au deuxième trimestre n+1, un entrepôt inutilisé prend mystérieusement feu. Dynamou reçoit un chèque de 10 millions de dollars de la compagnie d'assurances. (Voir tableau 31.7.)

g. Le trésorier de Dynamou décide qu'il peut réduire son solde de trésorerie opérationnelle de 2 millions de dollars. (Voir tableau 31.7.)

6. Vrai ou faux ?

a. La plupart des prêts bancaires aux entreprises sont faits sous conditions.

b. Une ligne de crédit donne au prêteur une option de vente.

c. Les prêts bancaires à terme ont en général une durée de plusieurs années.

d. Si le taux d'intérêt sur un prêt bancaire d'une année est accordé à un taux d'escompte de 10 %, le coût réel de ce prêt est inférieur à 10 %.

e. Le taux d'intérêt sur les prêts à terme est en général lié au LIBOR ou au taux de base bancaire.

7. Complétez le passage ci-après en sélectionnant les mots les plus appropriés de la liste suivante : garantie flottante, billet de trésorerie, certificat d'entrepôt, garantie, commission d'engagement, ligne de crédit, bons à moyen terme.

Les sociétés à capital variable ont souvent besoin de signer une ______ avec leur banque. Ceci est relativement coûteux parce que ces entreprises ont besoin de payer une ______ sur le montant non utilisé.

Les prêts à court terme garantis sont quelquefois couverts par un ______ sur toutes les créances et les stocks. Généralement, cependant, l'emprunteur met en gage des actifs spécifiques comme ______. Ainsi, si les marchandises sont stockées dans un entrepôt, une société d'entreposage indépendante peut émettre un ______ au nom du prêteur. Les marchandises ne peuvent alors être retirées qu'avec l'accord du prêteur.

Les banques ne sont pas la seule source d'emprunt à court terme. Beaucoup de grandes entreprises émettent leur propre dette non garantie directement auprès des épargnants, souvent de manière régulière. Si l'échéance est inférieure à neuf mois, il est connu sous le nom de ______. Des entreprises proposent aussi leur émission de dette à plus long terme à des investisseurs. Ceci est appelé ______.

Questions et problèmes

1. Le tableau 31.9 fournit les données du budget de Mon Nom & Pearson. La moitié des ventes de la société est faite au comptant, l'autre moitié à un mois. L'entreprise paie tous ses achats à crédit dans un délai d'un mois. Les achats à crédit de janvier étaient de 30 $ et le total des ventes de janvier de 180 $. Complétez le budget de trésorerie du tableau 31.10.

Tableau 31.9. Principales données budgétaires de Mon Nom & Pearson

	Février	Mars	Avril
Ventes	200	220	180
Achats de matières			
Au comptant	70	8 0	60
À crédit	40	30	40
Autres dépenses	30	30	30
Impôts, intérêts et dividendes	10	10	10
Investissements	100	0	0

Tableau 31.10. Budget de trésorerie de Mon Nom & Pearson

	Février	Mars	Avril
Encaissements			
Encaissements de ventes au comptant			
Encaissements de créances clients			
	—	—	—
Encaissements totaux			
Décaissements			
Règlements de dettes fournisseurs			
Achats au comptant de matières			
Autres dépenses			
Investissements			
Impôts, intérêts et dividendes			
	—	—	—
Décaissements totaux			
Flux net de trésorerie			
Trésorerie au début de la période	100		
+ Flux net de trésorerie			
= Trésorerie à la fin de la période			
+ Solde de trésorerie minimum	100	100	100
= Besoin cumulé			

2. Si une entreprise paie ses factures dans un délai de trente jours, quelle part de ses achats paiera-t-elle dans le trimestre en cours ? Dans le trimestre suivant ? Qu'en est-il si le délai est de soixante jours ?
3. Quels éléments du tableau 31.8 seraient affectés par les événements suivants ?
   - **a.** Les taux d'intérêt augmentent.
   - **b.** Les fournisseurs réclament des intérêts sur les paiements retardés.
   - **c.** Dynamou reçoit un avis d'imposition non prévu au troisième trimestre pour non-paiement d'impôts au cours des années précédentes.
4. Le tableau 31.11 montre le bilan de fin d'année n–2 de Matelas Dynamou et le tableau 31.12 son compte de résultat pour n-1. Établissez le budget de trésorerie et le tableau des ressources et emplois de fonds pour n–1.

Tableau 31.11. Bilan de fin d'année n–2 (en millions de dollars)

Immobilisations			
Investissements bruts	50	Capitaux propres	60
Moins amortissements	–14		
Immobilisations nettes	36	Dettes à long terme	5
Actifs à court terme			
Stocks	20		
Créances clients	22	Dettes à court terme	
Valeurs mobilières de placement	2	Dettes fournisseurs	15
Disponibilités	4	Prêts bancaires	4
Total des actifs à court terme	48	Total des dettes à court terme	19
Total de l'actif	84	Total du passif	84

Tableau 31.12. Compte de résultat de l'année n–1 (en millions de dollars)

Ventes	300
Frais généraux	–285
EBITDA	15
Amortissements	–2
EBIT	13
Intérêt	–1
Résultat avant impôts	12
Impôt à 50 %	–6
Résultat net	6

Note : Dividende – 1 million de dollars ; mise en réserves = 5 millions de dollars.

5. Dressez un plan de financement à court terme pour la société Matelas Dynamou, en supposant que le plafond de la ligne de crédit passe de 38 millions à 50 millions de dollars. Pour les autres hypothèses, reprenez celles qui sont utilisées dans le tableau 31.8.
6. Matelas Dynamou décide de louer ses nouvelles machines de rembourrage de matelas plutôt que de les acheter. Le résultat est que son investissement au premier trimestre baisse de 30 millions de dollars, mais l'entreprise doit payer des loyers de 1,5 million de dollars au cours de chacun des quatre trimestres. Supposez que la location n'ait aucun effet sur les paiements d'impôts jusqu'à la fin du quatrième trimestre. Construisez deux tableaux comme les tableaux 31.7 et 31.8 montrant les besoins financiers cumulés de Dynamou et son nouveau plan de financement.
7. Vous avez besoin d'emprunter 10 millions d'euros pour 90 jours. Vous avez les possibilités suivantes :
   a. Émettre des billets de trésorerie bien notés, adossés à une ligne de crédit coûtant 0,3 % par an.
   b. Emprunter à la Société Géniale à un taux d'intérêt de 0,25 % au-dessus de l'Euribor.
   c. Emprunter au Crédil O'Niais au taux de base.

En fonction des taux couramment appliqués sur le marché (voir, par exemple, *Les Echos*), quelle solution choisissez-vous ?

8. Supposons que vous soyez un banquier responsable des prêts aux entreprises. Neuf entreprises recherchent des prêts garantis. Elles proposent les actifs suivants comme gage :

a. Un distributeur de fuel propose un camion-citerne chargé de fuel en transit au Moyen-Orient.

b. Un grossiste en vin propose 1 000 caisses de beaujolais nouveau, localisées dans un entrepôt.

c. Un papetier propose un compte client pour des approvisionnements vendus à la Ville de Paris.

d. Un libraire propose son stock total de 15 000 ouvrages d'occasion.

e. Un épicier en gros propose un wagon plein de bananes.

f. Un intermédiaire en appareils propose son stock de machines à écrire électriques.

g. Un joaillier offre 100 onces d'or.

h. Un intermédiaire en titres publics offre son portefeuille de bons du Trésor.

i. Un constructeur de bateaux offre un yacht luxueux à moitié fini. Le yacht sera terminé dans quatre mois.

Lesquels de ces actifs offrent les meilleures garanties ? Quels sont ceux qui offrent les moins bonnes ? Expliquez.

9. Utilisez Yahoo! Finance France (**fr.finance.yahoo.com**) pour trouver des bilans et des états financiers récents pour deux entreprises. Dressez un état de ressources et d'emplois de trésorerie et un état de ressources et d'emplois de fonds sur le modèle des tableaux 31.3 et 31.5.

10. Utilisez Yahoo! Finance France (**fr.finance.yahoo.com**) pour comparer les investissements en actifs à court terme de différentes entreprises. Lesquelles de ces entreprises réalisent des investissements importants en créances ou en stocks ? Expliquez pourquoi.

Problèmes avancés

1. Le trésorier de La Chimique prévoit un déficit de 1 million d'euros pour le prochain trimestre. Il n'y a, cependant, qu'une probabilité de 50 % que ce déficit survienne réellement. Le trésorier estime qu'il y a une probabilité de 20 % que l'entreprise n'ait pas de déficit du tout et une probabilité de 30 % qu'elle ait besoin de 2 millions d'euros pour son financement à court terme. L'entreprise peut obtenir soit un prêt non garanti à quatre-vingt-dix jours à 1 % par mois soit une ligne de crédit lui coûtant 1 % par mois sur le montant emprunté plus une commission d'engagement de 20 000 euros. Si la trésorerie excédentaire peut être placée à 9 %, quel mode de financement donne le coût anticipé le plus faible ?

2. Les prêts à terme requièrent en général des entreprises qu'elles paient un taux d'intérêt variable. Par exemple, le taux d'intérêt peut être fixé à « 1 % au-dessus de l'Euribor ». L'Euribor varie parfois de plusieurs points en une année. Supposez que votre entreprise décide d'emprunter 40 millions d'euros sur cinq ans. Elle a trois possibilités. Elle peut (a) emprunter à une banque à Euribor = 10 %, remboursement *in fine*. Elle peut (b) émettre des billets de trésorerie à vingt-six semaines à un taux de 9 %. Comme les fonds sont nécessaires sur cinq ans, les billets de trésorerie devront être renouvelés tous les six mois, ce qui signifie que le financement des 40 millions d'euros sur cinq ans nécessitera 10 émissions successives de billets. Elle peut aussi (c) emprunter auprès d'un organisme financier à un taux fixe de 11 %, remboursement *in fine*. Quels facteurs prenez-vous en compte pour analyser ces différentes possibilités ? Dans quelles circonstances choisirez-vous (a) ? Dans quelles circonstances choisirez-vous (b) ou (c) ? (*Indication* : reportez-vous au chapitre 23.)

Partie 10

Les fusions, le contrôle et la gouvernance d'entreprises

En janvier 2000, AOL annonça qu'il avait trouvé un accord pour acquérir Time Warner pour un montant record de 156 milliards de dollars en actions. Les investisseurs et les observateurs furent dans un premier temps enthousiasmés par la nouvelle. Dans le Wall Street Journal, on pouvait lire que la transaction « offre potentiellement des synergies qui font s'extasier certains observateurs. La société fusionnée promet d'offrir aux consommateurs toute la palette de programmes et d'informations dont ils ont besoin ». Mais ces synergies furent plus difficiles à réaliser que prévu et l'euphorie des investisseurs fit long feu. Quand les bénéfices de la nouvelle société plongèrent, le prix des actions chuta de plus de 80 %.

Le chapitre 32 traite des fusions. Nous regarderons les gains potentiels d'une fusion et nous montrerons comment les dirigeants en calculent les coûts et les bénéfices. La fusion AOL-Time Warner était l'exemple d'une opération amicale, mais parfois une des parties est mariée de force. Nous décrirons par conséquent certaines tactiques utilisées par l'attaquant et la société cible dans le cas d'une fusion hostile. Nous conclurons en expliquant pourquoi les fusions interviennent et qui en sort gagnant ou perdant.

Il se pose aussi la question de la direction de la nouvelle société. Le chapitre 33 fera le tour des autres moyens par lesquels les entreprises peuvent changer de propriété et de contrôle. Par exemple, nous envisagerons des cas dans lesquels une société divise une partie de son activité, ou dans lesquels une entreprise est rachetée par un groupe d'investisseurs qui la retirent ensuite du marché.

Dans le chapitre 34, nous élargirons notre propos sur la détention et le contrôle des sociétés en comparant les structures rencontrées dans différents pays à travers le monde. Aux États-Unis, une part importante de l'activité est assurée par des sociétés cotées dont les actions s'échangent activement et qui accèdent aisément aux marchés financiers. Mais il y a d'autres manières d'organiser et financer les entreprises commerciales. En Europe et au Japon, les marchés financiers sont beaucoup moins importants alors que les banques prennent une part active dans le financement et la supervision de l'activité.

Chapitre 32

Les fusions

La taille et la fréquence des fusions peuvent être assez considérables. En 2000, au summum de la frénésie du mouvement, on comptait 1 700 milliards de dollars d'acquisitions aux États-Unis. En 2005, autre année exceptionnelle, les transactions dans le monde ont atteint 2 900 milliards de dollars, dont un tiers pour l'Europe. Dans ces années, les dirigeants passaient le plus clair de leur temps à rechercher les cibles potentielles et à se demander s'ils n'étaient pas eux-mêmes des cibles pour d'autres entreprises.

Une fusion n'ajoute de la valeur que si les deux entreprises intéressées valent davantage regroupées que séparées. Ce chapitre explique comment cela peut être le cas et comment faire pour qu'il en soit ainsi. Le plan est le suivant :

- *Les raisons.* Les sources de valeur ajoutée.
- *Les raisons douteuses.* Ne pas être tenté.
- *Les bénéfices et les coûts.* Il est important de les estimer avec soin.
- *Les processus.* Les réglementations juridiques, fiscales et comptables.
- *Les batailles et les techniques de prises de contrôle.* Nous envisageons quelques fameuses batailles de prises de contrôle. Ces histoires illustrent les tactiques des fusions et soulignent quelques arguments économiques qui en sont à l'origine.
- *Les fusions et l'économie.* Comment peut-on expliquer les vagues de fusions ? Quels sont les gains et les pertes résultant des fusions ?

Ce chapitre est consacré aux fusions classiques, c'est-à-dire au regroupement de deux entreprises reconnues. Nous conservons en suspens la question de savoir pourquoi deux entreprises valent plus regroupées que séparées. Mais les fusions changent aussi le contrôle et la propriété. En effet, presque toujours, une entreprise est l'attaquante tandis que l'autre est la cible, dont la direction démissionne, *en général*, après l'opération.

Les financiers analysent, dorénavant, les fusions comme une partie du *marché plus large du contrôle des entreprises.* L'activité de ce marché va plus loin que les fusions classiques. Elle inclut les acquisitions à effet de levier (*leveraged buyouts*, LBO), les filialisations, les désinvestissements mais aussi les privatisations, lorsqu'un État vend une entreprise publique à des actionnaires privés. Ces opérations seront étudiées au chapitre suivant.

1 Les motifs raisonnables d'une fusion

Les données de ce tableau, comme celles de tous les tableaux de ce chapitre, sont disponibles sur *www.gestion-financiere.pearsoned.fr*

Tableau 32.1. Quelques opérations de fusions-acquisitions récentes

Secteur	Acheteur	Cible	Prix (milliards de dollars)
Télécommunications	Vodafone (UK)	Mannesmann (All)	203
Pharmacie	Sanofi (F)	Aventis (F/All)	64,0
Pharmacie	Pfizer (EU)	Pharmacia (EU)	59,5
Banque	JP Morgan Chase (EU)	Banque One (EU)	58,0
Grande consommation (2005)	Procter & Gamble (EU)	Gillette (EU)	57,0
Banque	Bank of America (EU)	FleetBoston Financial Corp. (EU)	49,3
Télécommunications	Cingular Wireless (EU)	AT&T Wireless Services (EU)	41,0
Santé	Anthem (EU)	Wellpoint Health Network (EU)	16,4
Média	General Electric (EU)	Vivendi Universal Entertainment (F)	

Sources : R. Sidel, « After a Dry Spell, a Merger Flood », *The Wall Street Journal* (28 octobre 2003), p. C1, C3 ; *Mergers and Acquisitions*, différents numéros.

Le tableau 32.1 répertorie quelques fusions récentes. Les fusions qui concernent deux entreprises d'un même secteur sont dites *fusions horizontales*. Les exemples récents sont donnés par des fusions bancaires, comme Paribas avec la BNP. On peut aussi citer les géants énergétiques Exxon et Mobil, Total et Elf, ou E.ON, premier producteur allemand d'électricité, enchérissant sur Endesa, premier producteur espagnol, pour 35 milliards de dollars en 2006. D'autres secteurs, comme la sidérurgie (offre de Mittal sur Arcelor pour 22 milliards de dollars début 2006) ou les compagnies aériennes (Air France – KLM), se sont aussi illustrés.

Une *fusion verticale* concerne des sociétés se situant à différents stades de production. L'acheteur se rapproche de la source de ses matières premières ou du consommateur final. Un exemple est fourni par l'acquisition par Walt Disney du réseau de télévision ABC, pour diffuser *le Roi lion* et d'autres films récents afin d'accroître son audience.

Une *fusion par conglomérat* intéresse des sociétés de secteurs différents. La majorité des fusions des années 1960 et 1970 était de ce type, dont l'attrait faiblit beaucoup dans les années 1980. En fait, depuis lors, de nombreuses opérations ont consisté à démanteler les conglomérats formés dix ou vingt ans plus tôt.

Avec ces différentes distinctions en tête, nous pouvons envisager les motifs des fusions, c'est-à-dire les raisons pour lesquelles deux entreprises peuvent valoir plus réunies que séparées. Nous avancerons avec prudence. Quoique ces fusions soient souvent source de profits, elles ne sont quelquefois que des mirages qui entraînent des dirigeants imprudents et trop sûrs d'eux dans des absorptions désastreuses. L'acquisition de NCR par AT&T pour un montant de 7,5 milliards de dollars en est l'illustration. Le but de l'opération était de consolider les activités d'AT&T dans les ordinateurs et de « relier les gens, les organisations et leurs informations dans un réseau d'ordinateurs global et sans faille »[1]. Ce fut un échec. Plus ennuyeux (à une moindre échelle) fut l'acquisition d'Apex One, un équipementier sportif, par Converse le 18 mai 1995. Apex One ferma ses portes le 11 août de la même année après que Converse se fut révélé incapable de produire les nouveaux modèles suffisamment vite pour satisfaire les distributeurs. Converse perdit un investissement de plus de 40 millions de dollars en 85 jours[2].

De nombreuses fusions qui paraissent justifiées économiquement échouent parce que les dirigeants ne peuvent accomplir la tâche délicate d'intégrer deux entreprises ayant des méthodes comptables, des cultures d'entreprises, des processus de production différents. Ce fut l'un des problèmes de la fusion AT&T – NCR. L'encadré « Ces insaisissables synergies » montre comment la fusion de trois banques japonaises a souffert des mêmes problèmes.

La valeur de nombreuses entreprises dépend de leur capital *humain* : dirigeants, travailleurs qualifiés, chercheurs, ingénieurs. Si ces personnes ne sont pas satisfaites de leur nouveau rôle dans l'entreprise acheteuse, les meilleures partiront. Une banque portugaise (BCP) l'apprit à ses dépens lors du rachat d'une entreprise contre le souhait de ses employés. La totalité du personnel quitta immédiatement celle-ci et en créa une, rivale, avec un nom proche. Il faut éviter de payer trop cher des actifs dont la valeur peut baisser jusqu'à disparaître totalement.

Il existe aussi des cas où la fusion produit des gains mais où l'acheteur est néanmoins perdant car il a payé trop cher (surestimation de la valeur des stocks ou sous-estimation des coûts de rénovation de vieilles machines ou de vieux équipements). Il peut aussi ne pas prendre en compte les garanties sur un produit défectueux. Les acquéreurs doivent être particulièrement attentifs aux lois sur l'environnement. Si les activités du vendeur sont polluantes ou entraînent des déchets toxiques, les coûts de dépollution seront sans doute à leur charge.

Intéressons-nous maintenant aux différentes sources de *synergies* et à la création de valeur qui est censée accompagner les fusions.

Actualités financières

Ces insaisissables synergies

Mizuho Bank est né de la fusion des trois premières banques japonaises. Au moment de la fusion, le groupe totalisait 1 500 milliards de dollars d'actifs sous gestion, soit deux fois plus que le leader mondial Deutsche Bank. Le nom « Mizuho » signifie « grande moisson de riz », et les dirigeants de la banque prévoyaient que la fusion entraînerait une grande moisson de synergies. Dans un message adressé aux actionnaires, le président de la banque affirma que la fusion créerait « un groupe de services intégrés qui s'élancerait vers le XXIe siècle ». Il prédit que la banque « dominerait la prochaine ère grâce à des services financiers intégrés… en exploitant toutes les forces possibles du Groupe qui s'appuient sur une clientèle large et le nec plus ultra des technologies en matière de finance et d'information ».

1. Robert E. Allen, AT&T chairman, cité par J. J. Keller dans « Disconnected Line : Why AT&T Takeover of NCR Hasn't Been a Real Bell Ringer », *The Wall Street Journal* (9 septembre 1995), p. A.1.
2. Mark Maremount, « How Converse Got Its Laces All Tangled », *Business Week* (4 septembre 1995), p. 37.

Actualités financières

Le coût prévisionnel de la fusion des trois banques était de 130 milliards de yens, mais les dirigeants prédirent que les bénéfices futurs atteindraient 466 milliards de yens par an.

Dès les premiers mois qui suivirent cette annonce, des rapports commencèrent à faire état de querelles entre les trois partenaires. Un des problèmes concernait l'informatique. Chacune des trois banques avait son propre fournisseur de système d'information. Au début, on proposa de n'utiliser qu'un des trois systèmes, mais les banques décidèrent finalement de les connecter en utilisant des ordinateurs « relais ».

Trois ans après la première annonce, la nouvelle société commença officiellement ses activités le 1er avril 2002. Cinq jours plus tard, les problèmes informatiques avaient tout compromis. Quelque 7 000 distributeurs automatiques tombèrent en panne, 60 000 comptes furent débités deux fois pour la même transaction, et des millions de factures furent impayées. Le journal *The Economist* rapporta que, deux semaines plus tard, les impayés s'élevaient à 2,2 milliards de yens pour Tokyo Gas, la plus grosse compagnie de gaz nippone, et 12,7 milliards pour NTT, leader de la téléphonie. Devant l'impossibilité de savoir combien de factures avaient été honorées parmi les 760 000 émises, NTT fut contraint d'envoyer à ses clients des relevés où les astérisques remplaçaient les montants dûs.

Un des objectifs qui sous-tendaient la constitution de Mizuho était de faire des économies en informatique. Ce fiasco illustra fort dramatiquement qu'il est plus facile de prédire les synergies liées aux fusions que de les réaliser.

Source : la création de Mizuho Bank et ses problèmes de mise en œuvre sont décrits dans « Undispensable : A Fine Merger Yields One Fine Mess », *The Economist* (27 avril 2002), p. 72 ; « Big, Bold, but… », *Euromoney* (décembre 2000), pp. 30-35 ; et « Godzilla Bank », *Forbes* (20 mars 2000), pp. 132-133.

1.1 Les économies d'échelle des fusions horizontales

De la même manière que la plupart d'entre nous seraient plus heureux s'ils étaient plus riches, les dirigeants d'entreprises semblent penser que leurs sociétés seraient plus compétitives si elles étaient plus grosses. C'est souvent vrai. Ainsi, l'ensemble Calyon, résultant du rachat du Crédit Lyonnais par le Crédit Agricole, voit ses coûts réduits de 750 millions d'euros par an. Le rapprochement opérationnel permit l'élimination des coûts redondants[3]. (Certains de ces « coûts » redondants furent d'ailleurs les responsables financiers eux-mêmes. On comptait deux directeurs financiers avant la fusion mais plus qu'un seul après.)

Les *économies d'échelle* sont le but naturel des fusions horizontales. Mais de telles économies ont également été mises en avant lors de fusions par conglomérat. Leurs artisans ont insisté sur les économies réalisées grâce au partage des services centraux tels que la gestion administrative et comptable, le contrôle financier, la formation des cadres, la gestion au plus haut niveau[4].

Des dirigeants financiers optimistes peuvent anticiper des économies d'échelle potentielles dans presque tous les secteurs. Mais il est plus facile d'acheter une affaire que de réussir son intégration. Certaines sociétés qui se sont regroupées afin de réaliser des économies

3. T. Herrick, « Chevron Texaco's Merger Savings Could Be as Much as $2.2 Billion », *The Wall Street Journal* (30 juin 2002), p. B4.

4. Des économies d'échelle surviennent lorsque le coût unitaire moyen de production diminue quand la production augmente. Un moyen d'y parvenir est d'étaler les coûts fixes sur un volume plus important de production.

d'échelle fonctionnent encore comme des entités indépendantes et parfois concurrentes dans leurs différentes divisions, leurs efforts de recherche ou leurs forces de vente. *A contrario*, des fusions peuvent apporter les gains espérés à condition d'être correctement conduites. Lorsque Hewlett-Packard racheta Compaq Computer, nombreuses furent les critiques pour prédire que la transaction allait s'embourber dans un fouillis de considérations techniques et personnelles. Un plan d'intégration fut mis en œuvre et une équipe de dirigeants commença son travail le lendemain de la fusion. Neuf mois plus tard, les économies dégagées représentaient 3 milliards de dollars par an[5].

1.2 Les économies d'échelle des fusions verticales

Les fusions verticales ont pour but de favoriser des économies dues à ce type d'intégration. Des entreprises essaient de contrôler le mieux possible tout le processus de production, de l'extraction de matières premières à la consommation finale. L'un des moyens d'y parvenir est de fusionner avec un fournisseur ou un client.

L'intégration verticale facilite la coordination et l'administration. Prenons un exemple limite, une compagnie aérienne ne possédant aucun avion. Si elle prévoit un vol Touillon-Pichanges, elle vend les billets et loue un avion pour ce vol à une autre société. Cette stratégie est valable sur une petite échelle, mais devient un cauchemar administratif pour un transporteur important qui devrait coordonner des centaines de contrats de locations par jour. De ce fait, il n'est pas surprenant que les compagnies importantes se soient intégrées en amont, donc loin du consommateur, en achetant et en faisant voler des avions plutôt qu'en favorisant les sociétés de location.

L'intégration verticale n'est pas toujours une réussite. Poussée à l'extrême, elle est totalement inefficace, comme dans le cas de la LOT, la compagnie aérienne nationale de Pologne, qui, à la fin des années 1980, se mit à élever des cochons pour être sûre de servir de la viande fraîche. (Bien sûr, dans une économie centralisée, il peut être nécessaire d'élever votre bétail ou vos cochons, car vous n'êtes pas sûr de pouvoir les acheter.)

Depuis quelque temps, la vague de l'intégration verticale semble refluer. Les entreprises trouvent plus efficace d'externaliser la fourniture de certains services et de divers types de production. Par exemple, dans les années 1950 et 1960, General Motors estimait avoir un avantage de coûts par rapport à ses principaux concurrents, Ford et Chrysler, parce qu'une grande partie des pièces détachées utilisées dans ses voitures était produite en interne. Dans les années 1990, Ford et Chrysler avaient repris le dessus. Ils pouvaient acheter les pièces moins cher chez des fournisseurs, surtout parce que ces derniers utilisaient de la main-d'œuvre non syndiquée, payée à des salaires faibles. Mais il apparaît aussi que les fabricants disposent d'un pouvoir de négociation plus important envers des fournisseurs indépendants que face à une capacité de production qui est une composante du groupe. En 1999, Siemens décida de filialiser la production de puces électroniques et de semi-conducteurs au sein d'une société nommée Infineon, cotée en Bourse. Depuis Siemens continue à acheter en grandes quantités les pièces à Infineon, mais négocie les achats à des conditions normales, comme n'importe quel client. On peut également citer l'exemple de Total, qui s'est séparé d'Elf Antargaz, sa filiale spécialisée dans la distribution de butane-propane, en 2000.

5. P-W Tam, « An Elaborate Plan Forces H-P Union to Stay on Target », *The Wall Street Journal* (28 avril 2003), pp. A1, A10. Hewlett-Packard eut plus de temps que d'habitude pour préparer son plan d'intégration car la prise de contrôle fut retardée de plusieurs mois par la bataille engagée par le fils d'un des fondateurs du groupe.

1.3 Les ressources complémentaires

Beaucoup de petites entreprises sont achetées par des plus grandes qui peuvent fournir les ressources nécessaires à leur croissance. Les deux entreprises ont plus de valeur regroupées qu'indépendantes car chacune obtient quelque chose qu'elle n'a pas (réactivité, innovation, logistique) et à un coût moindre que si elle l'avait acquis seule. Ainsi, la fusion peut offrir des chances qu'aucune des entreprises ne pourrait avoir autrement.

Bien sûr, deux grandes entreprises peuvent aussi fusionner parce que leurs saisons de production sont complémentaires (un producteur d'articles de plage avec un fabricant de luges et de skis…).

1.4 Les fonds excédentaires

Il existe encore un autre motif de fusion. Supposons qu'une entreprise soit, dans un secteur industriel, arrivée à maturité. Elle génère des cash-flows importants, mais a peu d'occasions d'investissement intéressantes. Elle devrait distribuer sa trésorerie excédentaire à ses actionnaires en accroissant ses dividendes ou en rachetant ses actions. Malheureusement, des dirigeants dynamiques reculent souvent face à l'adoption d'une politique réduisant la croissance de leur entreprise. Si l'entreprise ne veut pas racheter ses propres actions, elle peut, à la place, acheter celles d'une autre société. Ce type d'entreprises recourt souvent à des fusions *financées par leur trésorerie* pour redéployer leur capital.

Si une entreprise à trésorerie excédentaire n'alloue pas celle-ci, elle pourra être sujette à une prise de contrôle par d'autres entreprises qui souhaitent utiliser sa trésorerie[6]. Pendant la crise pétrolière du début des années 1980, de nombreuses sociétés pétrolières dans cette situation ont été menacées de prises de contrôle. Ce n'était pas parce que leur trésorerie était leur seul actif. Les acheteurs souhaitaient s'approprier cette trésorerie pour être sûrs qu'elle ne serait pas investie dans des projets d'investissements pétroliers dont la VAN était négative. Nous reviendrons plus loin dans ce chapitre sur ce *free cash-flow* (flux de trésorerie libre) dans les prises de contrôle.

1.5 L'élimination de l'inefficacité

La trésorerie n'est pas le seul actif qui puisse être gaspillé par de mauvais dirigeants. Certaines entreprises n'exploitent pas les possibilités de réduction des coûts et d'accroissement des ventes et des profits. Ce sont des candidates rêvées au rachat par d'autres entreprises mieux gérées. Parfois, « meilleure gestion » signifie simplement volonté de réduire impérativement les coûts ou de réorienter les activités de l'entreprise. Notons que le motif de telles acquisitions n'a aucun rapport avec la recherche de bénéfices par la fusion de deux entreprises. Ce type d'achat est simplement le mécanisme par lequel une nouvelle direction remplace l'ancienne.

---

6. Dans ce cas, les prises de contrôle se font souvent par endettement (voir chapitre 34).

Une fusion n'est pas le seul moyen d'améliorer la gestion, mais c'est parfois le plus simple et le plus pratique. Les dirigeants sont, par nature, réticents à se congédier ou à se rétrograder, et les actionnaires des grandes sociétés publiques n'ont pas, en général, beaucoup d'influence *directe* sur la gestion de l'entreprise ou sur ses dirigeants[7].

Martin et McConnell ont estimé que la direction a quatre fois plus de chances d'être remplacée dans l'année qui suit une prise de contrôle que pendant les années précédentes[8]. Les entreprises qu'ils ont étudiées avaient généralement eu de mauvais dirigeants ; dans les quatre années qui précédaient l'acquisition, les cours des actions étaient inférieurs d'environ 15 % à ceux d'entreprises comparables. Apparemment, beaucoup de ces entreprises connaissaient des difficultés et ont été sauvées, ou restructurées, par la fusion.

1.6 La consolidation sectorielle

Les secteurs les plus propices aux gains d'efficacité semblent être ceux où coexistent un nombre trop élevé d'entreprises et une surcapacité des moyens de production. Ces conditions favorisent les vagues de fusions et acquisitions. Celles-ci obligent les sociétés à réduire leurs capacités ainsi que l'emploi. Au total, elles libèrent des capitaux qui seront réinvestis ailleurs dans l'économie. Ainsi, aux États-Unis, la fin de la guerre froide a été synonyme à la fois de baisse des dépenses militaires et de consolidation de l'industrie de la défense. La consolidation était inévitable mais les prises de contrôle l'ont accélérée.

Plus proche de nous, la conjugaison du prix du pétrole élevé et d'énormes surcapacités dans le secteur de l'emballage a poussé au rapprochement (annoncé en septembre 1999) de Jefferson Smurfit, leader irlandais du secteur, avec Kappa Packaging, société néerlandaise. Dans le secteur du multimédia, le rachat annoncé en décembre 2005 de TPS par Canalsat met fin à une anomalie française en la matière, qui handicapait les deux opérateurs face à une flambée des coûts (droits de retransmission des événements sportifs...). Mais les exemples les plus nombreux et systématiques de fusions recherchant des économies d'échelle nous sont donnés par l'industrie bancaire. Le tableau 32.1 illustre cette consolidation sectorielle. Les États-Unis sont entrés dans la décennie 1980 avec un nombre trop élevé de banques du fait d'anciens règlements concernant le système bancaire des États. Des centaines de petites banques ont été achetées et regroupées dans des entreprises régionales ou « suprarégionales ». Ainsi, le rachat de FleetBoston Financial par Bank of America fait suite à des dizaines d'acquisitions par ces deux sociétés et leurs prédécesseurs, ce qu'illustre en partie la figure 32.1. Le principal motif de ces acquisitions était la diminution des coûts[9].

---

7. Il est difficile de rassembler un groupe assez important d'actionnaires pour s'opposer avec efficacité à la direction et au conseil d'administration en place. Les actionnaires peuvent, toutefois, avoir une influence indirecte. Leur mécontentement peut se manifester par la baisse du cours de l'action de la société. Un cours bas peut encourager la prise de contrôle par une autre entreprise.

8. K. J. Martin et J. J. McConnell, « Corporate Performance, Corporate Takeovers, and Management Turnover », *Journal of Finance*, 46 (juin 1991), pp. 671-687.

9. Houston et al. envisagent 41 fusions de grandes banques dans lesquelles les entreprises prévoient des économies de coûts. En moyenne, la valeur actuelle estimée de ces économies atteint environ 12 % de la valeur de marché des entreprises réunies. Voir J. F. Houston, C. M. James et M. D. Ryngaert : « Where Do Merger Gains Come from ? Bank Mergers from the Perspective of Insiders and Outsiders », *Journal of Financial Economics*, 60, 2001, pp. 285-331.

On retrouve ce phénomène de concentration bancaire au Japon, au Royaume-Uni et dans d'autres pays. En France, on peut citer le rachat d'Indosuez par le Crédit Agricole, la fusion BNP-Paribas, le rachat du Crédit Lyonnais par le Crédit Agricole, ou encore les prises de participation de la Caisse des Dépôts dans la Caisse d'épargne, qui pourraient bloquer le rapprochement Banque Populaire-Caisse d'épargne initié en mars 2006. Au Royaume-Uni, NatWest, une des principales banques du pays, a été la cible d'une tentative de rachat en 1999. La BBC se fait l'écho de la réaction de NatWest de la manière suivante :

> NatWest vient d'annoncer la suppression de 1 650 nouveaux postes en réponse à l'offre hostile de 21 milliards de livres lancée par Bank of Scotland. Ce plan vient en tête du programme de réduction de 10 000 emplois déjà annoncé par les banques de détail en 2001… Greenwich NatWest, Ulster Bank, Gartmore et NatWest Equity Partners sont à vendre avec un surplus de capital réalloué aux actionnaires… NatWest a affiché son mépris pour les arguments de Bank of Scotland au sujet des économies de coûts et des bénéfices attendus de la fusion, affirmant que la société basée à Édimbourg « essayait de s'emparer des économies de coûts qui appartiennent aux actionnaires de NatWest ». (BBC, 27 octobre 1999)

Tout cela pour rien. NatWest fut rachetée par un rival bien plus petit et fut mise à la diète[10].

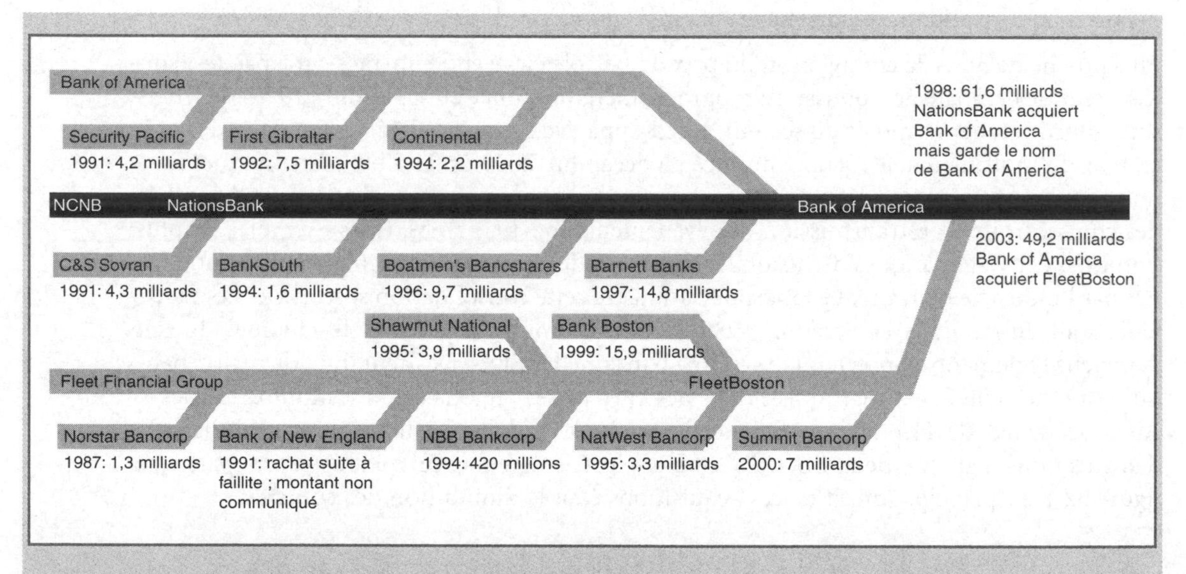

Figure 32.1 - Vue partielle de l'arbre généalogique de Bank of America.

Source : base de données Thomson Financial SDC M&A. Copyright 2004. Réimprimé avec l'autorisation de Thomson Financial.

10. Le vainqueur final fut Royal Bank of Scotland qui se révéla un combattant bien plus tenace que Bank of Scotland, auteur de la première attaque.

2 Quelques raisons douteuses pour une fusion

Les avantages que nous avons décrits jusque-là se justifient d'un point de vue économique. D'autres arguments sont parfois avancés et sont plus douteux. En voici quelques-uns.

2.1 Se diversifier

Nous avons suggéré que les dirigeants d'une entreprise disposant d'une trésorerie excédentaire préfèrent la voir affectée à des acquisitions plutôt que de la distribuer sous forme de dividendes exceptionnels. C'est pourquoi nous voyons souvent des entreprises de secteurs stagnants mais disposant d'un « trésor de guerre » fusionner avec des entreprises de secteurs porteurs.

Mais comment apprécier une diversification envisagée comme une fin en soi ? Il est certain que la diversification réduit le risque. N'est-ce pas un argument positif pour une fusion ?

L'ennui de cet argument est que la diversification est plus facile et meilleur marché pour l'actionnaire que pour l'entreprise. On n'a jamais vu un investisseur verser une prime pour des entreprises diversifiées – comme nous pourrons le voir dans le chapitre 33, une décote est même habituelle. L'annexe de ce chapitre démontre que la diversification des entreprises n'affecte pas la valeur sur des marchés intéressants, tant que les possibilités de diversification pour les investisseurs sont illimitées. C'est le principe de l'*additivité de la valeur* introduit au chapitre 7.

2.2 Accroître ses gains par action : la croissance fictive

Dans les années 1960, quelques conglomérats ont fait des acquisitions qui ne présentaient pas de gains économiques évidents. Cependant, leur stratégie agressive a produit plusieurs années de hausse des profits par action. Pour comprendre ce processus, envisageons l'acquisition de Boue et Fumier par le conglomérat bien connu World company[11].

La situation avant la fusion est indiquée dans les deux premières colonnes du tableau 32.2. Notons que, comme Boue et Fumier a des perspectives de croissance relativement peu favorables, son action est vendue à un PER (*price earning ratio*, ratio cours/bénéfice) inférieur à celui de l'action de World company (ligne 3). Supposons que la fusion n'entraîne aucun profit économique et que les entreprises aient exactement la même valeur regroupées qu'indépendantes. La valeur de marché de World company après la fusion devrait être égale à la somme des valeurs des deux entreprises prises séparément (ligne 6).

Comme l'action de World company est vendue le double de l'action de Boue et Fumier (ligne 2), World company peut acquérir les 100 000 actions de Boue et Fumier contre 50 000 de ses propres actions. Ainsi, elle aura 150 000 actions en circulation après la fusion.

Grâce à la fusion, le bénéfice global double (ligne 5), mais le nombre d'actions n'augmente que de 50 %. Le bénéfice *par action* augmente de 2 $ à 2,67 $. Nous appelons cela la *croissance fictive* parce qu'il n'y a pas réellement de gain créé par la fusion ni d'accroissement de

11. La discussion sur le rôle de la croissance fictive provient de S. C. Myers, « A Framework for Evaluating Mergers », dans S. C. Myers (ed.), *Modern Developments in Financial Management*, Frederick A. Praeger, Inc., New York, 1976.

la valeur combinée des deux entreprises. Comme le cours de l'action est inchangé, le PER diminue (ligne 3).

Tableau 32.2. Impact de la fusion sur la valeur de marché et le bénéfice par action de World company

	World company avant la fusion	Boue et Fumier	World company après la fusion
1. Bénéfice par action*	2 $	2 $	2,67 $
2. Cours par action	40 $	20 $	40 $
3. PER	20	10	15
4. Nombre d'actions	100 000	100 000	150 000
5. Profit total	200 000 $	200 000 $	400 000 $
6. Valeur totale de marché	4 000 000 $	2 000 000 $	6 000 000 $
7. Bénéfice actuel par $ placé dans une action (ligne 1/ligne 2)	0,05 $	0,10 $	0,067 $

* *Note* : quand World company achète Boue et Fumier, il n'y a aucun gain. Le profit total et la valeur totale de marché ne sont pas affectés par la fusion. Mais le bénéfice *par action* augmente. World company émet seulement 50 000 actions (au prix de 40 $) pour acquérir les 100 000 actions de Boue et Fumier (au prix de 20 $).

La figure 32.2 décrit ce qui s'est passé. Avant la fusion, 1 $ placé dans World company permettait d'acheter 0,05 $ du bénéfice actuel et offrait des perspectives de croissance rapide. En outre, 1 $ placé dans Boue et Fumier permettait d'acheter 0,10 $ du bénéfice actuel, mais les perspectives de croissance étaient moins bonnes. Si la valeur de marché *totale* n'est pas modifiée par la fusion, 1 $ placé dans la société fusionnée donne 0,067 $ de bénéfice immédiat, mais avec des perspectives de croissance moins bonnes que celles offertes par World company seule. Les actionnaires de Boue et Fumier obtiennent un bénéfice immédiat inférieur, mais une croissance supérieure. Aucun ne gagne ni ne perd si chacun comprend le résultat de l'opération.

Les manipulateurs financiers essaient parfois de faire en sorte que le marché *ne* comprenne *pas* l'opération. Si les investisseurs sont trompés par l'enthousiasme du président de World company et par sa proposition d'introduire une technique de gestion moderne dans sa nouvelle division *Sciences de la terre* (nouveau nom de Boue et Fumier), ils peuvent prendre la hausse de 33 % après fusion du bénéfice par action pour une croissance réelle. Dans ce cas, le cours de l'action World company augmentera et les actionnaires des deux sociétés recevront quelque chose en échange de rien.

Voici comment se manifeste la croissance fictive. Cette croissance ne repose pas sur des investissements, des améliorations des produits ou une hausse de la productivité, mais sur l'achat d'entreprises à croissance lente avec de faibles ratios cours/bénéfice (*PER*). Si les investisseurs se laissent prendre, le responsable financier peut atteindre des profits par action élevés sans souffrir d'une réduction du ratio cours/bénéfice. Mais pour *maintenir* les investisseurs dans l'erreur, la société doit continuer à se développer par fusion *au même taux*. On ne peut pas le faire éternellement ; un jour, l'expansion ralentira ou s'arrêtera. Alors, la croissance des résultats cessera et le château de cartes s'effondrera.

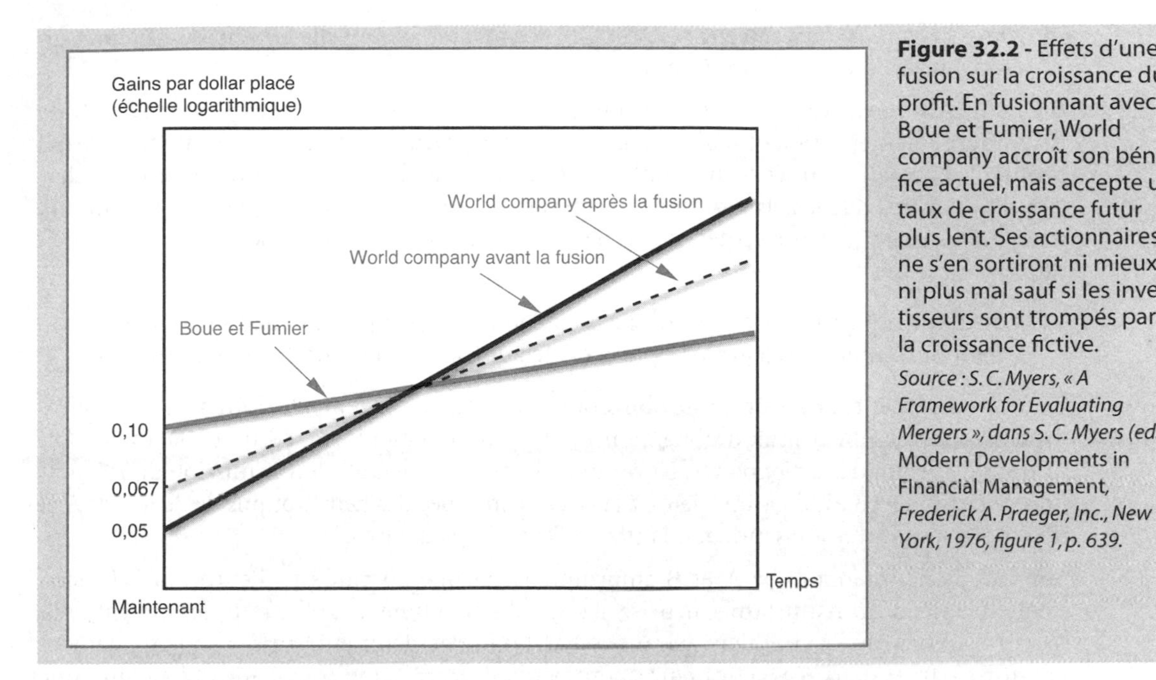

Figure 32.2 - Effets d'une fusion sur la croissance du profit. En fusionnant avec Boue et Fumier, World company accroît son bénéfice actuel, mais accepte un taux de croissance futur plus lent. Ses actionnaires ne s'en sortiront ni mieux ni plus mal sauf si les investisseurs sont trompés par la croissance fictive.

Source : S. C. Myers, « A Framework for Evaluating Mergers », dans S. C. Myers (ed.), Modern Developments in Financial Management, *Frederick A. Praeger, Inc., New York, 1976, figure 1, p. 639.*

Ce type de situation n'est plus d'actualité. Mais il y a encore une croyance largement répandue selon laquelle une entreprise ne doit pas acquérir des sociétés avec des ratios cours/bénéfice supérieurs au sien. Bien sûr, il ne faut pas croire que des actions avec des ratios faibles sont bon marché et que des actions avec des ratios élevés sont chères. Si c'était aussi simple, nous serions tous riches. Méfiez-vous des faux prophètes qui disent que vous pouvez évaluer les fusions sur la base de leur influence immédiate sur le bénéfice par action.

2.3 Des coûts de financement inférieurs

Vous entendez souvent dire qu'une entreprise qui a fusionné peut emprunter à un meilleur taux que des entreprises indépendantes. C'est en partie vrai. Nous avons déjà vu (voir section 4, chapitre 15) que des économies d'échelle significatives peuvent être réalisées en faisant de tels emprunts. Si les entreprises peuvent, après une fusion, faire moins d'emprunts mais d'un montant plus important, il en résulte une économie substantielle.

Mais quand on dit que les coûts des emprunts sont inférieurs pour une entreprise qui a fusionné, en réalité, on ne parle pas de coûts d'émission inférieurs. Simplement, quand deux entreprises fusionnent, la société qui en résulte peut emprunter à des taux d'intérêt plus faibles que ne peut le faire une entreprise indépendante. C'est exactement ce que nous anticipons dans un marché obligataire actif. Tant que les deux entreprises sont indépendantes, elles ne peuvent se garantir mutuellement leurs dettes – si l'une disparaît, l'obligataire ne peut demander le remboursement à l'autre, ce qui devient possible après la fusion. Comme ces garanties mutuelles rendent la dette moins risquée, les prêteurs demandent un taux d'intérêt plus faible.

Cela signifie-t-il un profit net pour la fusion ? Pas nécessairement. En effet, comparez les deux situations suivantes :

- *Émissions séparées.* L'entreprise A et l'entreprise B émettent chacune 50 millions d'euros d'obligations.

- *Émission unique*. Les entreprises A et B fusionnent et la nouvelle entreprise AB émet un emprunt unique de 100 millions d'euros.

Bien sûr, AB paiera un taux d'intérêt inférieur. Mais cela n'a pas de sens pour A et B de fusionner seulement pour obtenir ce taux d'intérêt inférieur. Bien que les actionnaires de AB profitent d'un taux d'intérêt plus faible, ils sont perdants d'avoir à garantir la dette de chacun. En d'autres termes, ils n'obtiennent un taux d'intérêt plus faible qu'en accordant aux obligataires une meilleure protection. Il n'y a aucun gain *net*. Dans les sections 20.2 et 24.5, nous avons montré que :

Valeur d'une obligation = valeur d'une obligation en ne supposant aucun risque de non-remboursement – valeur de l'option de défaut (option de vente) des actionnaires

La fusion augmente la valeur d'une obligation (ou réduit les paiements d'intérêts nécessaires pour supporter une valeur d'obligation *donnée*) uniquement en réduisant la valeur des options de défaut des actionnaires. La valeur de l'option de défaut pour l'émission de 100 millions d'euros de AB est donc inférieure à la valeur combinée des deux options de défaut de A et de B pour leurs émissions indépendantes de 50 millions d'euros.

Supposons maintenant que A et B empruntent chacune 50 millions d'euros, *puis* fusionnent. Si la fusion constitue une surprise, il s'agit d'une bonne nouvelle pour les obligataires. Les obligations qu'ils pensaient garanties par l'une des deux entreprises sont finalement garanties par les deux. Les actionnaires sont perdants, car ils ont donné aux obligataires une meilleure protection mais n'ont rien reçu en échange.

Il existe une situation dans laquelle les fusions peuvent créer de la valeur, en rendant la dette plus sûre. Dans la section 3, chapitre 18, nous avons expliqué le choix d'un ratio de dette optimum comme un arbitrage entre la valeur d'un avantage fiscal sur les intérêts payés par l'entreprise et la valeur actuelle des coûts éventuels de problèmes financiers provoqués par un endettement exagéré. La fusion diminue la probabilité de difficultés financières. Si elle permet un endettement supérieur et augmente la valeur de l'avantage fiscal sur les intérêts, il y aura un gain net[12].

3 L'estimation des gains et des coûts des fusions

Supposons que vous soyez le directeur financier de l'entreprise A et que vous vouliez analyser la possibilité d'achat de l'entreprise B[13]. La première chose qu'il faut savoir est si un *gain économique* peut résulter de la fusion. C'est le cas *seulement si les deux entreprises valent plus ensemble que séparément*. Par exemple, si vous pensez que la nouvelle entreprise aura une valeur V_{AB} et que les entreprises indépendantes ont une valeur V_A et V_B, alors :

$$\text{Gain} = V_{AB} - (V_A + V_B) = \Delta V_{AB}$$

12. Cet avantage d'une fusion fut indiqué pour la première fois par W. G. Lewellen, « A Pure Financial Rationale for the Conglomerate Merger », *Journal of Finance*, 26 (mai 1971), pp. 521-537. Si vous souhaitez en savoir plus sur la controverse et la discussion que cette idée a provoquées, voir R. C. Higgins et L. D. Schall, « Corporate Bankruptcy and Conglomerate Merger », *Journal of Finance*, 30 (mars 1975), pp. 93-114, et D. Galai et R. W. Masulis, « The Option Pricing Model and the Risk Factor of Stock », *Journal of Financial Economics*, 3 (janvier-mars 1976), spécialement pp. 66-69.

13. Les définitions et les interprétations des gains et des coûts présentées dans ce chapitre proviennent de celles présentées par S. C. Myers, « A Framework for Evaluating Mergers », *op. cit.*

Si ce résultat est positif, la fusion est justifiée d'un point de vue économique. Mais vous devez aussi penser au *coût* d'acquisition de la firme B. En cas de paiement comptant, le coût d'acquisition de B est égal à ce montant moins la valeur de B en tant qu'entité séparée. Ainsi :

$$\text{Coût} = \text{paiement comptant} - V_B$$

La valeur actuelle nette pour A de sa fusion avec B est mesurée par la différence entre le gain et le coût. Vous pouvez donc réaliser la fusion si sa valeur actuelle nette définie par :

$$\text{VAN} = \text{gain} - \text{coût} = \Delta V_{AB} - (\text{paiement comptant} - V_B)$$

est positive.

Nous préférons écrire l'équation de la fusion sous cette forme car elle attire l'attention sur deux questions distinctes. Si vous considérez le bénéfice, vous recherchez s'il y a des gains à réaliser grâce à la fusion. Si vous considérez le coût, vous vous intéressez à la répartition de ces gains entre les deux entreprises.

Prenons un exemple. L'entreprise A a une valeur de 200 millions d'euros et B a une valeur de 50 millions d'euros. Fusionner les deux permet d'économiser un coût pour une valeur actuelle de 25 millions d'euros. C'est le gain de la fusion. Ainsi :

$$V_A = 200\ €$$
$$V_B = 50\ €$$
$$\text{Gain} = \Delta V_{AB} + 25\ €$$
$$V_{AB} = 275 \text{ millions d'euros}$$

Supposons que B soit achetée comptant pour 65 millions d'euros. Le coût de la fusion est :

$$\text{Coût} = \text{paiement comptant} - V_B = 65 - 50 = 15 \text{ millions d'euros}$$

Notez que les actionnaires de la société B – les autres personnes intéressées par la transaction – reçoivent 15 millions d'euros. *Leur gain* est égal à *votre coût*. Ils ont récupéré 15 millions d'euros sur le gain de 25 millions de la fusion. Ainsi, quand nous écrivons la VAN de la fusion du point de vue de A, nous calculons en fait cette partie du gain obtenue par les actionnaires de A. La VAN des actionnaires de A est égale au gain total de la fusion moins la partie du gain récupérée par les actionnaires de B :

$$\text{VAN} = 25 - 15 = +10 \text{ millions d'euros}$$

À titre de vérification, recherchons si les actionnaires de A reçoivent réellement 10 millions d'euros. Au départ, ils se trouvent dans une entreprise dont la valeur est $V_A = 200$ millions d'euros. Ils se retrouvent avec une entreprise valant 275 millions d'euros et paient 65 millions d'euros aux actionnaires de B[14]. Leur gain net est donc de :

$$\begin{aligned}\text{VAN} &= \text{richesse avec la fusion} - \text{richesse sans la fusion}\\ &= (V_{AB} - \text{paiement comptant}) - V_A\\ &= (275 - 65) - 200 = +10 \text{ millions d'euros.}\end{aligned}$$

14. Nous supposons que A dispose de suffisamment de trésorerie pour traiter l'affaire ou que cette trésorerie peut être empruntée au taux d'intérêt du marché. Notez que la valeur des actionnaires de A après que l'opération a été réalisée et payée est 275 € – 65 € = 210 €, soit un gain de 10 M €.

Si les investisseurs n'anticipent pas la fusion entre A et B, l'annonce de celle-ci augmentera la valeur de B de 50 à 65 millions d'euros, soit 30 %. S'ils anticipent le même gain que les dirigeants, la valeur de A sur le marché financier augmentera de 10 millions d'euros, soit seulement 5 %.

Il faut donc examiner ce que les investisseurs pensent des gains d'une fusion. Si le prix de l'action de A baisse quand l'accord est annoncé, les investisseurs feront savoir que les bénéfices de la fusion sont aléatoires ou que B est payée trop cher[15].

3.1 Les bons et les mauvais moyens pour estimer les gains des fusions

Certaines sociétés commencent l'analyse d'une fusion en anticipant les cash-flows futurs de la société cible. Toutes les hausses de recettes et les réductions de coûts attribuables à la fusion sont intégrées dans la prévision, puis sont actualisées et comparées au prix d'achat.

Gain net estimé = valeur actuelle des flux de la société cible,
y compris les bénéfices de la fusion – paiement comptant de l'achat

C'est une méthode dangereuse. Même l'analyste le plus brillant et le plus expérimenté peut commettre de graves erreurs en évaluant une entreprise. Le gain net estimé peut être positif, non pas à cause de la fusion mais simplement parce que les prévisions de cash-flows sont trop optimistes. En outre, une bonne fusion peut être abandonnée si l'analyste ne reconnaît pas le potentiel de la société cible en tant qu'unité indépendante.

Notre procédure *part* de la valeur de marché de l'unité indépendante qu'est la société cible (V_B) puis analyse les *modifications* des cash-flows entraînées par la fusion. *Demandez-vous pourquoi les deux entreprises devraient avoir plus de valeur fusionnées que séparément.*

Le même conseil est valable quand vous examinez la *vente* de votre entreprise. Vous n'avez aucune raison de vous dire : « Il s'agit d'une affaire non rentable qui doit être vendue. » Sauf si l'acheteur peut gérer l'entreprise mieux que vous, le prix que vous en tirerez reflétera des perspectives peu encourageantes.

Vous pouvez parfois rencontrer des dirigeants qui pensent qu'il existe des règles simples pour découvrir les bonnes acquisitions. Par exemple, toujours essayer d'acheter dans des secteurs en croissance ou d'acquérir des entreprises qui sont vendues en dessous de leur valeur comptable. Mais nos recommandations du chapitre 11 sur les caractéristiques d'une bonne décision d'investissement s'appliquent aussi à l'achat d'une société dans sa totalité. *Vous ajoutez de la valeur seulement si vous pouvez générer une survaleur économique* – un avantage concurrentiel que les autres entreprises ne peuvent pas avoir et que les dirigeants de la société cible ne peuvent atteindre seuls.

Enfin, un dernier argument de bon sens. Souvent deux sociétés luttent pour acquérir la même société cible. Celle-ci fait alors l'objet d'une enchère. Dans une telle situation, demandez-vous si elle vaut plus pour vous que pour votre concurrent. Si la réponse est négative, vous devez être attentif à ne pas tomber dans les surenchères. Si vous perdez, vous avez simplement gâché votre temps alors que, si vous l'emportez, vous avez probablement payé trop cher.

---

15. Reportez-vous à la section 4, chapitre 13 où nous avons vu comment le prix de l'action Hewlett-Packard chuta quand la société annonça sa décision de fusionner avec Compaq.

3.2 Que se passe-t-il si le prix des titres de la cible anticipe la fusion ?

Le coût d'une fusion est la prime que l'acheteur paie pour l'entreprise vendue, au-dessus de sa valeur en tant qu'entreprise indépendante. Comment cette valeur peut-elle être déterminée ? Si la cible est une entreprise détenue par le public, vous pouvez partir de sa valeur de marché ; prenez simplement le cours de chaque action et multipliez par le nombre d'actions. C'est un problème simple tant que la fusion est payée en espèces. Mais si les investisseurs *anticipent* que A va acheter B ou que *quelqu'un* va acheter B, la valeur de marché de B peut être supérieure à sa valeur comme entreprise indépendante.

C'est l'un des rares endroits dans ce livre où nous faisons une distinction importante entre la valeur de marché (VM) et la valeur effective ou « intrinsèque » (VA) de l'entreprise comme entité séparée. Le problème ici n'est pas que la valeur de marché de B soit fausse, mais que ce n'est peut-être pas sa valeur comme entreprise indépendante. Les acheteurs potentiels des actions de B se trouvent face à deux situations et deux valeurs possibles :

Situation	Valeur de marché de l'action B
1. Sans fusion	V_B : valeur de B comme entreprise indépendante
2. Avec fusion	V_B *plus* une partie du bénéfice de la fusion

Si la seconde situation se produit, VM_B, la valeur de marché de l'action de B, sera supérieure à V_B. C'est exactement ce qui *devrait* arriver sur un marché financier concurrentiel. Malheureusement, cela complique la tâche d'un directeur financier qui évalue une fusion. Supposons que, juste avant l'annonce de la fusion, nous observions les informations suivantes :

	Entreprise A	Entreprise B
Prix de marché par action	200 €	100 €
Nombre d'actions	1 000 000	500 000
Valeur de marché de l'entreprise	200 millions d'euros	50 millions d'euros

L'entreprise A accepte de payer 65 millions en espèces pour B. Si le prix de marché de B reflète simplement sa valeur comme entité séparée, on obtient :

$$\text{Coût} = (\text{paiement au comptant} - V_B) = (65 - 50) = 15 \text{ millions d'euros}$$

Supposons, cependant, que le prix de l'action de B ait déjà augmenté de 12 € en raison de rumeurs d'une offre de fusion intéressante. Cela implique que la valeur intrinsèque est surestimée de $12 \times 500\,000 = 6\,000\,000$ €. La véritable valeur, VM_B, est seulement de 44 millions d'euros. Donc :

$$\text{Coût} = (65 - 44) = 21 \text{ millions d'euros}$$

Comme le gain de la fusion est de 25 millions d'euros, cette opération rend les actionnaires de A plus riches, mais ceux de B ne reçoivent pas la part du lion du gain.

Notons que si le marché se trompe et que la valeur de marché de B soit *inférieure* à sa véritable valeur comme entreprise indépendante, le coût sera négatif. En d'autres termes, B serait une *bonne affaire* et la fusion serait intéressante du point de vue de A, même si les deux entreprises ne valaient pas plus réunies qu'indépendantes. Bien sûr, le gain des actionnaires de A correspondrait à la perte des actionnaires de B parce que B serait vendue moins que sa valeur réelle.

Des entreprises ont fait des acquisitions uniquement parce que leurs dirigeants estimaient qu'ils avaient trouvé une société dont la valeur intrinsèque n'était pas totalement incorporée par le marché. Cependant, avec la théorie de l'efficience des marchés, nous savons que des actions « bon marché » sont en réalité chères. Il n'est pas facile pour des personnes extérieures, investisseurs ou dirigeants, de trouver des entreprises qui sont réellement sous-évaluées par le marché. De plus, si les actions paraissent être de bonnes affaires par rapport à leur cours, A n'a pas besoin d'une fusion pour profiter de cette situation. Il lui suffit d'acheter les actions de B en Bourse et de les conserver, en attendant que d'autres investisseurs s'aperçoivent de la valeur effective de B.

3.3 L'estimation du coût en cas de financement par actions

Au cours des années récentes, environ 70 % des fusions ont conduit à des règlements totalement ou partiellement sous forme d'actions de l'acquéreur. Quand une fusion est financée ainsi, le coût dépend de la valeur des titres de la nouvelle société (titres donnés aux actionnaires de la société vendue). Si les vendeurs reçoivent N actions, chacune valant P_{AB}, on a :

$$\text{Coût} = N \times P_{AB} - V_B$$

Vérifiez que vous utilisez le cours par action *après l'annonce de la fusion* et que les bénéfices sont appréciés par les investisseurs.

Supposons que l'entreprise A offre 325 000 actions au lieu de 65 millions en espèces. Le cours de l'action A avant l'annonce est de 200 €. Si la valeur de B, comme entité indépendante, est de 50 millions d'euros[16], le coût de la fusion *semble* être :

$$\text{Coût apparent} = 0{,}325 \times 200 - 50 = 15 \text{ millions d'euros}$$

Cependant, le coût apparent peut être différent du coût effectif. L'action de A cote 200 € avant l'annonce de la fusion. Avec l'annonce, elle devrait augmenter.

Étant donné ce gain et les termes de l'échange, nous pouvons calculer les cours des actions et les valeurs de marché après l'opération. La nouvelle entreprise doit émettre 1 325 millions d'actions et vaudra 275 millions d'euros[17]. Le prix de la nouvelle action est 275 / 1,325 = 207,55 €. Le coût effectif est donc de :

$$0{,}325 \times 207{,}55 - 50 = 17{,}45 \text{ millions d'euros}$$

16. Dans ce cas, nous supposons que la valeur de l'action de B *n'a pas* augmenté avec la fusion et reflète seulement sa valeur en tant qu'entreprise indépendante.

17. Dans ce cas, l'entreprise n'a pas besoin d'argent pour financer la fusion. Dans notre exemple d'une offre en espèces, 65 millions d'euros seraient payés aux actionnaires de B, conduisant à une valeur finale de l'entreprise de 275 – 65 = 210 millions d'euros. Il y aurait simplement une émission d'un million d'actions, le prix de chacune étant de 210 €. L'opération en espèces est plus intéressante pour les actionnaires de A.

Ce coût peut aussi être calculé à partir du gain des actionnaires de B. Ils se retrouvent avec 325 000 actions, soit 24,5 % de la nouvelle entreprise AB. Leur gain est :

$$0{,}245(275) - 50 = 17{,}45 \text{ millions d'euros}$$

En général, si les actionnaires de B reçoivent une fraction x des deux entreprises rassemblées, on aura :

$$\text{Coût} = x\,V_{AB} - V_B$$

Ainsi, contrairement au paiement en espèces, un paiement en actions implique que le coût de la fusion dépendra des gains, c'est-à-dire du cours de l'action après la fusion.

Le financement par actions atténue l'effet de sur ou sous-évaluation de chaque entreprise. Si A surestime la valeur de B comme entité indépendante, son offre d'achat sera trop généreuse. Les actionnaires de A seront davantage gagnants dans le cas d'un paiement par actions que lors d'un paiement en espèces. En effet, les inévitables mauvaises nouvelles sur la valeur de B seront en partie supportées par les actionnaires de B.

3.4 L'asymétrie d'information

Il y a une seconde différence fondamentale entre les paiements en espèces et par actions. Les dirigeants de A ont en général accès aux informations sur les perspectives de A qu'ignorent les personnes extérieures. Les économistes appellent cela l'*asymétrie d'information.*

Les dirigeants de A peuvent estimer que les actions de A auront une valeur effective de 215 € après la fusion, soit 7,45 € de plus que les 207,55 € de cours du marché que nous venons de calculer. S'ils ont raison, le coût effectif d'une fusion avec B financée par des actions sera :

$$0{,}325 \times 215 - 50 = 19{,}88 \text{ €}$$

Les actionnaires de B obtiennent un « cadeau » de 7,45 € pour chaque action A qu'ils reçoivent – un profit supplémentaire de 7,45 € × 0,325 = 2,42 millions d'euros.

Bien sûr, si les dirigeants de A étaient vraiment aussi optimistes, ils préféreraient de beaucoup financer la fusion en espèces. Le financement par actions serait choisi par des dirigeants *pessimistes* qui estiment que les actions de leur société sont *surévaluées.*

La réussite est-elle toujours assurée pour A ? Non, parce que les actionnaires de B, et, plus généralement, les investisseurs extérieurs à l'entreprise comprennent ce qui va se passer. Si les dirigeants de A préfèrent le financement par des actions plutôt qu'en espèces, vous pouvez en déduire qu'ils sont pessimistes et que les actions de A sont surévaluées, ce qui va conduire à une transaction difficile.

L'asymétrie d'information explique pourquoi les cours des actions des entreprises acheteuses diminuent en général quand les fusions financées par des actions sont annoncées[18]. Andrade, Mitchell et Stafford ont trouvé un ajustement moyen à la baisse par le marché de

18. Le même raisonnement s'applique aux émissions d'actions (voir sections 4, chapitre 15 et 4 , chapitre 18).

1,5 % après l'annonce de fusions financées par des actions entre 1973 et 1998. Ils ont trouvé un petit *gain* (0,4 %) pour un échantillon de transactions financées en espèces[19].

4 Le processus d'une fusion

Acquérir une entreprise est une tâche très délicate. Dans la pratique, les problèmes rencontrés sont souvent *extrêmement* complexes, pour lesquels il faut faire appel à des spécialistes. Nous allons en étudier quelques-uns (juridiques, fiscaux et comptables).

4.1 Les fusions et les lois antimonopoles

Les fusions peuvent être freinées par des lois antitrust, ou antimonopoles. Aux États-Unis, la plus importante est le Clayton Act de 1914 qui interdit l'acquisition d'actifs ou d'actions dans « tout secteur commercial et en tout lieu du pays » dans le but de faire ce qui « *peut conduire* substantiellement à réduire la concurrence ou *tendre* à créer un monopole ». La loi antitrust peut être mise en application par le gouvernement fédéral selon deux moyens : un procès civil intenté par le Justice Department ou des poursuites par la Federal Trade Commission (FTC)[20].

La Commission européenne a aussi mis en place des mécanismes antimonopoles : toute fusion qui crée ou renforce une position dominante[21] est interdite. Par exemple, la fusion Schneider-Legrand fut déclarée « incompatible avec le marché commun », en octobre 2001[22].

Parfois, les fonctionnaires chargés de la lutte antitrust s'opposent à une fusion, mais ils reviennent sur leurs décisions si les entreprises sont d'accord pour se séparer de certains actifs et abandonner certaines opérations. Ainsi, le Justice Department a accepté qu'une participation entre American Airlines et British Airways soit autorisée seulement si les compagnies abandonnaient quelques-unes de leurs lignes et certains de leurs créneaux horaires à l'aéroport de Londres Heathrow.

4.2 La forme de l'acquisition

Une possibilité est de *fusionner* les deux sociétés, auquel cas l'une garantit automatiquement *tous* les actifs et *toutes* les dettes de l'autre. Une telle fusion doit être approuvée par au moins la moitié des actionnaires de chaque entreprise[23].

La deuxième possibilité est simplement d'acheter les actions du vendeur contre de l'argent (offre publique d'achat, OPA), des actions ou d'autres titres (offre publique d'échange, OPE).

19. Voir G. Andrade, M. Mitchell et E. Stafford, « New Evidence and Perspectives on Mergers », *Journal of Economic Perspectives*, 15 (printemps 2001), pp. 103-120. Ce résultat confirme le travail antérieur de Travlos, et de Franks, Harris et Titman. Voir N. Travlos, « Corporate Takeover Bids, Methods of Payment and Bidding Firms' Stock Returns », *Journal of Finance*, 52 (septembre 1987), pp. 943-963, et J. R. Franks, R. S. Harris et S. Titman, « The Postmerger Share-Price Performance of Acquiring Firms », *Journal of Financial Economics*, 29 (mars 1991), pp. 81-96.

20. Les concurrents ou un tiers qui pensent être victimes de la fusion peuvent aussi intenter un procès.

21. Selon la Commission européenne, une société est en position dominante quand elle peut agir sur un marché sans se préoccuper de la réaction de ses concurrents, ses fournisseurs ou ses clients (règlement n° 4064/89 sur les concentrations, notamment les articles 8(3) et 8(4)).

22. Une information sur les litiges en cas de fusion est donnée sur **europa.eu.int/comm/competition/mergers/cases/**.

23. Des statuts de sociétés et des lois exigent parfois des pourcentages supérieurs.

Dans ce cas, l'acheteur peut traiter individuellement avec les actionnaires de la société qui vend. Les dirigeants du vendeur peuvent ne pas être consultés du tout. En général, on recherche leur approbation et leur coopération, mais s'ils ne sont pas d'accord, l'acheteur essaiera d'acquérir la majorité des actions dans le public. En cas de réussite, il prend le contrôle et peut, si nécessaire, compléter la fusion et se séparer des dirigeants en place.

La troisième possibilité est d'acheter une partie ou la totalité des actifs du vendeur. Dans ce cas, la propriété des actifs doit donner lieu à un transfert, et le paiement en est fait à l'entreprise vendeuse plutôt que directement à ses actionnaires.

4.3 La comptabilisation d'une fusion

Les normes comptables sont en constante évolution, avec une tendance à l'harmonisation entre les américaines (appelées US GAAP, ou FAS) et les internationales (IFRS). La comptabilisation d'une fusion est illustrée dans le tableau 32.3 qui décrit l'achat de la société B par la société A. Les bilans initiaux des deux entreprises se trouvent en haut du tableau. En dessous, nous voyons comment se présente le bilan quand les deux entreprises fusionnent. Nous supposons que la société B a été achetée 1,8 million d'euros, soit 180 % de sa valeur comptable.

Tableau 32.3. Comptabilisation de la fusion entre la société A et la société B

Bilans initiaux							
Société A				**Société B**			
Immobilisations	8	7	Capitaux propres	Immobilisations	0,9	1,0	Capitaux propres
BFR	2	3	Dettes	BFR	0,1	0	Dettes
	10	10			1	1	

Bilan de AB groupe			
Écart d'acquisition	0,8	8,8	Capitaux propres
Immobilisations	8,9	3,0	Dettes
BFR	2,1		
	11,8	11,8	

BFR = Besoin en fonds de roulement

Pourquoi A paie-t-elle une prime de 800 000 € au-dessus de la valeur comptable de B ? Il y a deux raisons possibles. D'abord les véritables valeurs des actifs *corporels* de B (ses immobilisations et son BFR) peuvent être supérieures à 1 million d'euros. Nous supposerons que ce n'est *pas* la bonne raison. Autrement dit, que les actifs repris dans son bilan sont correctement évalués[24]. Ensuite, A peut acheter un actif *incorporel* qui n'apparaît pas dans le bilan de B.

24. Si les actifs corporels de B ont une valeur supérieure à leur valeur comptable antérieure, ils seront réévalués et leur valeur actuelle intégrée dans le bilan de la société AB.

Cela peut être constitué, par exemple, par une image de marque, un produit nouveau ou une technologie créée par B. Ou il peut s'agir seulement de la part des gains de la fusion de B.

La société A achète un actif d'une valeur de 1,8 million. Le problème est de savoir comment introduire cet actif dans la partie gauche du bilan de AB. Les actifs corporels de B ne valant que 1 million, il manque donc 0,8 million. Les comptables règlent le problème en créant une nouvelle sorte d'actif, appelé *écart d'acquisition* (*goodwill*), et en l'évaluant à 0,8 million d'euros[25]. Tant que l'écart d'acquisition a cette valeur, il reste dans le bilan et le résultat de l'entreprise ne s'en ressent pas. Cependant, l'entreprise est obligée chaque année d'estimer sa véritable valeur lors d'un *test de validité* (*impairment test*). Si cette estimation tombe en dessous de 0,8 million, le montant qui figure dans le bilan doit être réduit et la provision correspondante déduite du résultat de l'année. Pour certaines entreprises, cela peut constituer une diminution désagréable des profits. Ainsi, quand les nouvelles règles comptables furent introduites, AOL annonça qu'il lui fallait réduire ses actifs d'environ 54 milliards de dollars.

4.4 Quelques considérations fiscales

Une fusion peut être soit imposable soit exonérée d'impôts. Si le paiement est réalisé en espèces, l'acquisition est imposable. Dans ce cas, les actionnaires qui vendent sont supposés avoir *cédé* leurs actions et doivent payer l'impôt sur les plus-values. Si le paiement est réalisé en majorité sous forme d'actions, il y a exonération d'impôts et les actionnaires qui vendent sont considérés comme ayant *échangé* leurs anciennes actions pour des nouvelles : aucune plus ou moins-value n'est prise en compte.

Le traitement fiscal de l'acquisition affecte aussi les contributions que paiera l'entreprise fusionnée. En cas d'exonération, celle-ci est imposée comme si les deux entreprises avaient toujours été regroupées. Dans le cas d'une acquisition imposée, les actifs de la société vendue sont réévalués, la plus ou moins-value résultante étant traitée comme un profit ou une perte imposable : l'amortissement fiscal est recalculé sur la base des valeurs retenues des actifs.

Illustrons ces distinctions par un exemple très simple. En 1990, Capitaine B crée Seacorp qui achète un bateau de pêche 300 000 $. Supposons, pour simplifier, que le bateau est fiscalement amorti sur vingt ans selon la méthode linéaire et que sa valeur de revente sera nulle. L'amortissement annuel est 300 000 $ / 20 = 15 000 $ et en 2000 le bateau a une valeur comptable nette de 150 000 $. Mais, en 2000, Capitaine B estime que, grâce à un entretien soigneux, à l'inflation et à une période de croissance dans l'industrie de la pêche, le bateau vaut réellement 280 000 $. En outre, Seacorp possède des titres pour 50 000 $.

Supposons maintenant que Capitaine B vende son entreprise à Baycorp pour 330 000 $. Les conséquences fiscales éventuelles de l'acquisition sont résumées dans le tableau 32.4. Capitaine B est plus avantagé avec un traitement exonéré car l'impôt sur les plus-values peut être reporté. Baycorp sera sans doute d'accord car elle convoite la récupération fiscale de la dépréciation annuelle supplémentaire de 13 000 $ qu'une fusion imposable générerait, mais

25. Si une partie des 5,8 millions de dollars est destinée à payer des actifs incorporels identifiables comme des brevets, les comptables les placeront dans une catégorie particulière d'actifs. Les actifs incorporels identifiables qui ont une échéance doivent être amortis tout au long de leur vie.

les récupérations fiscales annuelles supplémentaires ne justifient pas de payer des impôts sur la plus-value de 130 000 $.

Tableau 32.4. Conséquences fiscales éventuelles de l'achat par Baycorp de Seacorp

	Fusion imposable	Fusion exonérée
Impact pour Capitaine B	Capitaine B doit déclarer une plus-value de 30 000 $.	Le gain peut être différé jusqu'à ce que Capitaine B vende les actions de Baycorp.
Impact pour Baycorp	Le bateau est réévalué à 280 000 $. Baycorp doit payer l'impôt sur la plus-value de 130 000 $, mais l'amortissement fiscal augmente de 280 000 $/10 = 28 000 $ par an (en supposant encore une durée de dix ans).	La valeur du bateau reste à 150 000 $ et l'amortissement fiscal demeure à 15 000 $/an.

5 Les batailles et les tactiques des fusions

Beaucoup de fusions sont négociées par les conseils d'administration et les dirigeants les plus importants des deux entreprises. Quand celles-ci ont une taille comparable, ces fusions amicales sont souvent présentées comme « des fusions entre égaux ». En pratique, cependant, l'une des équipes de direction prend le pas sur l'autre. Prenons l'exemple de la fusion entre Daimler-Benz et Chrysler. Comme les bénéfices de Chrysler s'effondraient, les plans pour intégrer les deux équipes de direction avec une codirection à Stuttgart et à Deaborn furent abandonnés ; de nombreux cadres supérieurs de Chrysler quittèrent l'entreprise et la direction de Daimler prit le contrôle[26].

Si une fusion amicale semble impossible, l'acheteur peut changer les têtes de la direction de l'entreprise cible et faire appel à ses actionnaires selon deux moyens. D'abord, l'acquéreur peut chercher l'accord des actionnaires de la société cible lors de l'assemblée générale annuelle. Cela est appelé une *attaque par procuration* (*proxy fight*) car le droit de voter grâce à l'action de quelqu'un d'autre est appelé une *procuration*[27].

Les attaques par procuration sont chères et difficiles à réussir. L'autre possibilité pour l'acheteur potentiel est de faire une *offre publique d'achat* (OPA) directement aux actionnaires. La direction de la société cible peut demander à ses actionnaires d'accepter l'offre ou essayer de la combattre.

Les OPA ressemblent à une complexe partie de poker. Le problème de la fixation des règles juridiques est de décider qui a besoin de protection. La direction de la société cible doit-elle disposer d'armes supplémentaires pour se défendre contre des prédateurs ? Doit-on simplement l'encourager à sortir de la lutte ? Doit-on l'obliger à faire une enchère pour obtenir le prix le plus élevé pour ses actionnaires ? Et que doivent faire les acquéreurs potentiels ? Doit-on les forcer à révéler leurs intentions dès le début de l'opération ou leur comportement

26. L'histoire de la fusion Daimler/Chrysler est racontée par B. Vlasic et B. A. Stertz, *Taken for a Ride : How Daimler-Benz Drove Off with Chrysler*, William Morrow & Co., 2000.

27. Peter Dodd et Jerrold Warner ont décrit et analysé de manière détaillée les attaques par procuration. Voir « On Corporate Governance : A Study of Proxy Contests », *Journal of Financial Economics*, 2 (avril 1985), pp. 401-438.

permettra-t-il à d'autres entreprises de s'inspirer de leurs idées et de faire des offres concurrentielles[28] ?

Nous allons présenter deux cas d'offres publiques récentes (Gucci, et TotalFinaElf), puis nous ferons la synthèse de nos observations.

5.1 La prise de contrôle de Gucci : LVMH contre PPR

Dès la fin 1998, un rachat de Gucci par LVMH est envisagé. Gucci représente une marque de luxe internationale dans la maroquinerie, les vêtements et les bijoux, et LVMH détient des marques prestigieuses dans le champagne, le cognac, la haute couture, et plus généralement les produits de luxe. Ce rachat permettrait à LVMH de renforcer ses activités de maroquinerie et de parfumerie, et lui donnerait une meilleure assise pour le marché américain. En février 1999, LVMH a acquis 34,4 % du capital de Gucci (coût estimé : 1,2 milliard d'euros), c'est-à-dire qu'il en est le principal actionnaire. Par la voix de son PDG, Domenico de Sole, Gucci se plaint alors de cette « acquisition sournoise » et demande une annonce officielle d'OPA de la part de LVMH. Bernard Arnault, PDG de LVMH, annonce qu'il ne souhaite pas lancer d'OPA (l'opération aurait été très coûteuse pour le groupe). Gucci met alors en place une augmentation de capital réservée à ses salariés (ESOP, *employee stock-options plan*) avec un prêt sans intérêt de la maison mère, ce qui permet de faire baisser le pourcentage de droits de vote de LVMH. Celui-ci répond alors le 25 février en intentant une action en justice contre Gucci, invoquant l'émission d'actions fictives. Le 19 mars 1999 apparaît le « chevalier blanc » de Gucci : le groupe Pinault-Printemps-Redoute (PPR) entre au capital de Gucci, en achetant 40 % des actions (achat réalisé grâce à une augmentation du capital de Gucci pour 2,65 milliards d'euros). Le groupe PPR apporte dans la corbeille de mariage une acquisition que sa holding vient de réaliser : le pôle beauté de Sanofi, qui possède notamment Yves Saint Laurent et les parfums Van Cleef & Arpeels (LVMH avait fait, sans succès, une proposition d'achat de ce pôle beauté). Cette branche est revendue quelques jours après à Gucci, qui l'intègre dans son activité.

Quelques heures après l'annonce de PPR, le groupe LVMH, contrairement à sa politique précédente, décide de lancer une OPA sur l'ensemble du capital de Gucci. Les deux augmentations de capital successives ont en effet réduit sa participation dans Gucci : de 34,4 %, le groupe est passé à 20,6 % (entrée de PPR au capital), et risquait de descendre à 17 % si les tribunaux reconnaissaient la validité du plan d'épargne des salariés (de fait, cette solution ne sera pas retenue par le tribunal d'Amsterdam).

Prenons un peu de recul sur cette affaire. Il y a d'abord une stratégie des groupes qui apparaît : LVMH souhaite renforcer son portefeuille de marques en continuant à travailler dans le même métier tandis que PPR, fort de son expérience en distribution spécialisée, envisage d'entrer dans le luxe par un coup d'éclat. Enfin, au centre des convoitises, se trouve Gucci, marque prestigieuse, qui est sortie de ses difficultés financières, et qui s'appuierait bien sur un grand groupe à la mesure de ses ambitions. Il y a aussi des contraintes financières. Le chiffre d'affaires de Gucci représente certes moins de 10 % de celui de LVMH ou PPR, mais cette acquisition, surtout si elle est financée par endettement, risque d'être coûteuse pour les équilibres financiers des deux groupes. Ainsi, PPR devrait débourser 5,7 milliards d'euros

---

28. Le Williams Act oblige les entreprises qui détiennent au moins 5 % des actions d'une autre société à indiquer leur plan dans un Programme 13 (d) joint au dossier remis à la SEC.

pour racheter les 58 % qui lui manquent, avec une structure financière déjà fortement endettée[29]. Sans parler du coût d'une guerre pour s'approprier l'entreprise.

En octobre 2001, LVMH et PPR arrivent à un accord : PPR rachète immédiatement 8,3 % du capital de Gucci à LVMH, ce qui porte sa participation à 53,2 %. Le solde des actions restantes doit faire l'objet d'une offre d'achat, en mars 2004, au cours de 101,5 $ par action. Reste le problème du financement de cette acquisition. Pour payer les 8,3 % du capital, PPR a procédé à une émission d'obligations convertibles de 1,4 milliard d'euros (dont 500 millions ont été convertis en actions), et a fortement augmenté son endettement. De plus, pour ne pas léser les actionnaires minoritaires, PPR avait versé un dividende exceptionnel aux actionnaires de Gucci (dont, notamment, LVMH). La trésorerie de Gucci, nécessaire pour son développement, ne peut être « annexée » immédiatement par PPR. Pour le financement du paiement des 47 % restants, en mars 2004, une augmentation de capital avait été évoquée, mais ce fut finalement une cession d'actifs (pour 2,8 milliards d'euros) qui contribua à payer les 2,6 milliards de solde. Par ailleurs, cette bataille financière a fortement pesé sur les cours des actions des trois protagonistes, et pose la question de la valeur des synergies futures. Sachant que l'accord entre LVMH et PPR inclut l'abandon par LVMH de toutes ses poursuites judiciaires, il est probable que les conditions financières de l'accord tiennent compte de la valeur de cet avantage. Cela dit, le jeu en valait peut-être la chandelle : en mars 2006, PPR annonçait un résultat opérationnel 2005 dans lequel Gucci avait contribué pour 45 %...

5.2 TotalFina et Elf : qui rachète qui ?

En 1998, le Belge Petrofina cherche à réaliser une alliance. Après avoir contacté Total et Elf, ce groupe finalise un rapprochement avec Total en décembre 1998, ce qui conduit à la création de TotalFina. Six mois plus tard, début juillet 1999, TotalFina lance une OPE surprise sur Elf, proposant d'échanger 3 actions Elf contre 4 actions TotalFina (prime de 16 % par rapport aux derniers cours). Elf répond quelques jours après par une contre-OPE, en proposant de racheter TotalFina à raison de 5 actions TotalFina pour 3 actions Elf + un paiement de 190 euros. Sur cette stratégie de réponse, on peut donner deux commentaires. D'abord, c'est la première fois qu'une stratégie *Pac Man* était utilisée en France, « expression tirée d'un jeu vidéo électronique où le globule Pac Man finit par gober son assaillant[30] ». Ensuite, les modalités ne sont pas les mêmes, puisque dans le second cas, Elf doit débourser un montant total de 13,5 milliards d'euros. Aux cours du jour de l'annonce de contre-OPE, les offres se situent ainsi :

Offre TotalFina : 4 actions TotalFina ($4 \times 130 = 520$ euros)
contre 3 actions Elf ($3 \times 176 = 528$ euros)

Offre Elf : 3 actions Elf + 190 euros ($[3 \times 176] + 190 = 718$ euros)
contre 5 actions TotalFina ($5 \times 130 = 650$ euros)

Par ailleurs, Elf associe à sa contre-OPE un nouveau projet stratégique : là où TotalFina parle d'intégration, Elf parle de scission, invoquant une meilleure création de valeur si le groupe était scindé en deux sociétés, respectivement dans la chimie et dans le pétrole.

29. Le ratio dettes nettes/capitaux propres de PPR est à l'époque de 74 %, *en tenant compte d'une trésorerie nette de 2 milliards de dollars chez Gucci.*

30. « La défense Pac Man », *Le Monde* (21 juillet 1999).

Deux mois s'écoulent, pendant lesquels aura lieu une bataille juridique (les deux sociétés déposent des recours devant les tribunaux pour contester l'offre concurrente) et médiatique (chaque société est conseillée par plusieurs agences de communication, et plusieurs banques d'affaires). Le 12 septembre 1999, malgré la résistance d'Elf (notamment, la société envisageait de verser un super dividende aux actionnaires qui garderaient leurs actions), un accord est signé entre les deux sociétés : l'échange se fera sur la base de 19 actions TotalFina pour 13 actions Elf, et le PDG d'Elf négocie son départ.

5.3 Quelles leçons tirer de ces opérations ?

Avant de revenir sur les moyens de défense contre une prise de contrôle, nous allons synthétiser quelques remarques sur ces deux exemples :

- Les batailles ne se déroulent pas uniquement dans le domaine de la finance. Les recours juridiques et la communication des parties jouent souvent un rôle prépondérant dans l'issue des négociations.
- Les intérêts des actionnaires sont préservés, et les actionnaires minoritaires veillent régulièrement à ne pas être lésés. Mais ce ne sont pas pour autant les offres les plus généreuses qui l'emportent systématiquement : il y a aussi une question de cohérence du projet de fusion.
- Le temps est très important. Le premier qui lance une OPA/OPE surprise a déjà un avantage. Mais de surcroît, il y a des délais incompressibles. Par exemple, la cour d'appel de Paris a fixé l'examen des recours juridiques de TotalFina et Elf à la date du 7 octobre 1999. L'accord entre les deux sociétés a eu lieu le 12 septembre, presque un mois avant cette date. Un autre exemple : Elf envisageait une augmentation de capital. Cette procédure demande généralement une modification des statuts de la société, c'est-à-dire l'approbation aux deux tiers d'une assemblée générale extraordinaire (AGE), qu'il faut convoquer et dans laquelle il est nécessaire d'avoir un nombre suffisant d'actionnaires représentés.
- Le financement des offres et des stratégies de défense est un paramètre extrêmement important. L'attaquant doit être prêt à surenchérir, en cas de contre-offre ; l'attaqué doit pouvoir lever des fonds rapidement, ou être prêt à procéder à des échanges de titres. Une trésorerie excédentaire n'est pas forcément mobilisable (cas de Gucci), et il faut prévoir éventuellement des versements de dividendes exceptionnels.
- Quand le motif de la fusion est d'éliminer l'inefficacité, la meilleure défense de l'entreprise cible est de faire ce que l'attaquant ferait, en termes de restructuration. Toutefois, face à certains projets présentés par les sociétés attaquées (par exemple, le projet de scission d'Elf), les actionnaires sont en droit de se demander : « Mais pourquoi ne l'ont-ils pas fait plus tôt ? »

5.4 Les moyens de défense face à une prise de contrôle

Les cas présentés illustrent quelques tactiques que les dirigeants utilisent pour faire face à des OPA. La plupart du temps, ils n'attendent pas l'offre pour adopter des décisions de défense. En effet, ils dissuadent des acheteurs potentiels en créant des *pilules empoisonnées* qui rendent leurs sociétés inintéressantes ou ils persuadent les actionnaires d'accepter d'ajouter dans les statuts de la société des clauses qui repoussent les requins[31]. Le tableau 32.5 résume les principaux moyens de défense des premier et second niveaux.

Tableau 32.5. Résumé des moyens de défense face aux prises de contrôle

Type de défense	Description
	Défenses avant l'offre
Amendements des statuts repoussant les « requins » :	
Conseil d'administration tournant	Le conseil d'administration est divisé en trois groupes. L'acheteur ne peut pas immédiatement prendre le contrôle de la cible.
Majorité qualifiée	Un pourcentage élevé d'actions est nécessaire pour que la fusion soit acceptée, en général 80 %.
Prix minimum	Les fusions sont restreintes tant qu'un prix minimum (déterminé par calcul ou évaluation) n'est pas payé.
Restriction des droits de vote	Les actionnaires qui détiennent plus d'une certaine proportion de la cible n'ont pas de droits de vote à moins que cela soit accepté par la direction de la cible.
Période d'attente	Des acheteurs non désirés doivent attendre un certain nombre d'années avant de pouvoir réaliser une fusion.
Autres :	
Pilule empoisonnée	Des actionnaires existants reçoivent des droits qui, en cas d'un important achat d'actions par un offreur, peuvent être utilisés pour acheter des actions supplémentaires à un prix avantageux.
Vente empoisonnée	Des obligataires existants peuvent demander le remboursement si une offre hostile entraîne un changement de contrôle.
	Défenses après l'offre
Litige	Poursuite en justice de l'offreur pour violation des lois antitrust ou sur les titres.
Restructuration d'actifs	Achat d'actifs dont l'acheteur ne veut pas ou qui créent un problème antitrust.
Restructuration du financement	Emission d'actions pour une tierce partie ou accroissement du nombre des actionnaires. Rachat d'actions à des actionnaires existants avec une prime.

Source : ce tableau est adapté de R. S. Ruback, « An Overview of Takeover Defenses », *Working Paper*, n°. 1836-86, Sloan School of Management, M.I.T., septembre 1986, tableaux 1 et 2. Voir aussi L. Herzel et R. W. Shepro, *Bidders and Targets : Mergers and Acquisitions in the U.S.*, Basil Blackwell, Inc., Cambridge, MA, 1990, chap. 8.

31. Comme les actionnaires s'attendent à un profit si leur société est achetée, il n'est pas surprenant qu'ils voient d'un mauvais œil ces obstacles. Voir, par exemple, G. Jarell et A. Poulsen, « Shark Repellents and Stock Prices : The Effects of Antitakeover Amendments since 1980 », *Journal of Financial Economics*, 19 (1987), pp. 127-168.

Pourquoi les dirigeants s'opposent-ils aux prises de contrôle ? Ils peuvent retirer un prix plus élevé de la part de l'acheteur. Ils peuvent également estimer que leur emploi est menacé dans la nouvelle société. Dans ce cas, ils n'essaient pas d'obtenir un meilleur prix, mais veulent seulement arrêter la transaction.

Certaines sociétés réduisent ces conflits d'intérêts en proposant à leurs dirigeants des *parachutes dorés*, c'est-à-dire de généreuses indemnités s'ils perdent leur emploi à cause de la prise de contrôle. Il peut sembler curieux de récompenser des dirigeants qui sont remerciés. Cependant, si cette indemnité met fin à leur opposition à la prise de contrôle, quelques millions de dollars peuvent être un faible prix à payer.

Toute équipe de direction qui essaie d'utiliser des armes de défense sophistiquées doit s'attendre à des suites judiciaires. Au début des années 1980, les juges tendaient à accorder aux dirigeants le bénéfice du doute et respectaient leur appréciation économique de la prise de contrôle. Mais l'attitude des juges, ou des commissions de contrôle comme la Commission européenne, a changé face à la guerre des prises de contrôle. Par exemple, en 1993, des juges ont bloqué la prise de contrôle amicale de Paramount par Viacom, après le refus d'une offre plus élevée de QVC. Paramount fut contraint d'abandonner sa défense par pilule empoisonnée et les stock-options qu'elle avait offertes à Viacom. À la suite de telles décisions, les dirigeants sont devenus beaucoup plus prudents dans leur opposition aux offres d'achat[32].

5.5 Qui gagne le plus dans les fusions ?

Dans les fusions, les vendeurs s'en sortent généralement mieux que les acheteurs. Andrade, Mitchell et Stafford ont montré qu'à la suite de l'annonce d'une offre, les actionnaires vendeurs ont reçu un profit moyen important de 16 %[33]. La valeur totale d'une entité issue d'une fusion augmenterait, à la fois pour l'acheteur et le vendeur, de 2 % en moyenne. De fait, les entreprises issues de fusions valent plus ensemble que séparément. Mais il semble que les prix des actions des sociétés cibles *déclinent* en moyenne[34].

Pourquoi dénombre-t-on autant d'acquisitions destructrices de valeur ? Une des explications relève de la psychologie comportementale ; les acquéreurs peuvent être poussés par l'orgueil et une confiance démesurée dans leur capacité à diriger la société cible mieux que leurs prédécesseurs[35]. C'est parfois vrai mais ne délaissons pas d'autres explications moins sévères. McCardle et Viswanathan ont notamment mis en avant que les sociétés peuvent se lancer sur un nouveau marché soit en construisant une nouvelle unité de production, soit en reprenant une activité existante. Si ce marché n'est pas en expansion, il est plus raisonnable de procéder à une acquisition. Ainsi, à l'annonce de l'acquisition, la valeur de la société peut s'effondrer simplement parce que les investisseurs jugent que le marché va s'arrêter de croître. Dans ce cas, l'acquisition ne détruit pas de la valeur ; elle ne fait que mettre en exergue un marasme préexistant[36]. Pourquoi les vendeurs profitent-ils de rendements supérieurs ?

32. L'internaute intéressé pourra consulter les archives des fusions européennes depuis 1982, sur le site de la Commission européenne : **europa.eu.int/comm/competition/mergers/cases/**.

33. Voir G. Andrade, M. Mitchell et E. Stafford, *op. cit.*, tableau 3, p. 110.

34. Une étude récente fait apparaître que les perdants sont surtout les plus gros acquéreurs ; les actionnaires des autres acquéreurs semblent réaliser un gain. Voir S. B. Moeller, F. P. Schlingemann et R. Stulz, « Firm Size and the Gains from Acquisitions », *Journal of Financial Economics*, 73 (août 2004), pp. 201-228.

35. Voir R. Roll, « The Hubris Hypothesis of Corporate Takeovers », *Journal of Business*, 59 (avril 1986), pp. 198-216.

Il y a deux raisons. D'abord, les entreprises qui achètent sont plus importantes que celles qui vendent. Dans la plupart des fusions, l'acheteur a une telle taille que même des bénéfices nets substantiels ne seraient pas très visibles dans le cours de son action. Si, par exemple, la société A achète la société B dont la taille ne représente qu'un dixième de la sienne et que la valeur en dollars du gain net provenant de la fusion soit répartie également entre A et B[37], les actionnaires de chaque société recevront le même profit en *argent*, mais ceux de B recevront 10 fois le rendement en *pourcentage* de celui de A.

La seconde raison, plus importante, est la concurrence entre les acheteurs potentiels. Lorsque le premier offreur met la société cible « en jeu », un ou plusieurs acheteurs interviennent, quelquefois en tant que chevaliers blancs appelés par la direction de la société cible. Chaque fois qu'un acheteur surenchérit, une partie du gain de la fusion profite à la cible. En même temps, la direction de la société cible peut mettre en place diverses contre-attaques légales et financières, afin de s'assurer que la capitulation, si elle doit se produire, se fera au prix accessible le plus élevé.

Bien sûr, les offreurs et les cibles ne sont pas les seuls gagnants possibles. Des offreurs qui n'ont pas réussi gagnent souvent, aussi, en se débarrassant de leur possession dans des sociétés cibles avec des profits substantiels.

Les autres gagnants sont les banquiers, les avocats, les comptables et, dans certains cas, des arbitragistes qui spéculent sur le succès éventuel des OPA[38]. La « *spéculation* » a une connotation négative, mais elle peut constituer un service social utile. Une OPA peut entraîner les actionnaires à prendre une décision difficile. Doivent-ils accepter, attendre si quelqu'un d'autre fait une offre plus intéressante ou encore vendre leurs actions sur le marché ? Ce choix est une opportunité pour les arbitragistes qui sont des spécialistes dans la réponse à apporter à de telles questions. En d'autres termes, ils achètent aux actionnaires de la société cible et prennent le risque que la transaction ne se réalise pas.

Comme Ivan Boesky l'a démontré, les arbitragistes peuvent même gagner plus d'argent s'ils ont connaissance de l'offre *avant* qu'elle ne soit publiquement annoncée. Comme ils ont la possibilité d'accumuler de grands montants d'actions, ils peuvent avoir une influence importante sur le succès d'une transaction et la société acheteuse ou ses banquiers être tentés de les mettre dans la confidence. C'est le seuil au-delà duquel une activité légitime et habituelle devient une activité illégale et nuisible (délit d'initié).

6 Les fusions et l'économie

6.1 Les vagues de fusions

Les fusions se manifestent toujours par vagues. La première date du début du XXe siècle et la deuxième des années 1920. Il y eut une nouvelle vague de 1967 à 1969 et, à nouveau, dans les années 1980 et 1990 (1999 et 2000 furent des années record). Chaque épisode a coïncidé avec une période de hausse des cours des actions, même si, à chaque fois, il y avait des

---

36. K. F. McCardle et S. Viswanathan, « The Direct Entry versus Takeover Decision and Stock Price Performance around Takeovers », *Journal of Business*, 67 (janvier 1994), pp. 1-43.

37. En d'autres termes, le *coût* de la fusion pour A est la moitié du gain de V_{AB}.

38. À strictement parler, un arbitragiste est un investisseur qui se couvre complètement, c'est-à-dire qui prend une position sans risque. Mais des arbitragistes sur des fusions prennent souvent de très grands risques. Leurs activités sont connues sous l'appellation d'« arbitrage risqué ».

différences importantes dans les catégories d'entreprises qui fusionnaient et les moyens utilisés pour y parvenir.

Nous ne savons pas pourquoi ces périodes de fusions ont cette fréquence. Si les fusions reposent sur des motifs économiques, au moins l'un de ces motifs doit être « ici aujourd'hui et disparu demain » et être associé à des cours d'actions élevés. Mais aucun des motifs économiques que nous avons étudiés dans ce chapitre n'est lié au niveau général des cours boursiers. Aucun n'est apparu en 1967, ne s'est écroulé en 1970 pour réapparaître dans les années 1980 et à nouveau au milieu des années 1990.

Quelques fusions peuvent résulter d'erreurs d'évaluation de la part du marché boursier : l'acheteur peut croire que les investisseurs ont sous-estimé la valeur du vendeur ou peut espérer qu'ils *surestimeront* la valeur de l'entreprise fusionnée. Mais nous voyons (rétrospectivement) que les erreurs sont commises aussi bien quand le marché est à la hausse qu'à la baisse.

L'activité de fusion tend à être concentrée dans un nombre relativement faible de secteurs et est souvent favorisée par la dérégulation et les évolutions technologiques ou la structure de la demande. Ainsi, dans les années 1990, la dérégulation dans les télécommunications et les banques un peu plus tôt dans la décennie a conduit à une avalanche de fusions dans ces deux secteurs. Andrade, Mitchell et Stafford ont découvert que la moitié de la valeur totale des fusions américaines entre 1988 et 1998 a concerné des secteurs qui venaient d'être déréglementés[39].

6.2 Les fusions génèrent-elles des profits nets ?

Il y a des bonnes et des mauvaises acquisitions, mais les économistes n'arrivent pas à se mettre d'accord pour déterminer si elles sont *globalement* bénéficiaires. En effet, il semble y avoir des phases transitoires dans les fusions. Nous savons bien qu'elles génèrent des gains substantiels pour les actionnaires des entreprises achetées. Comme les acheteurs supportent les frais et les vendeurs réalisent des gains, il semble qu'une fusion apporte des bénéfices nets[40]. Mais personne n'est vraiment convaincu. Pour certains, les investisseurs qui analysent les fusions accordent trop d'attention aux gains à court terme, aux dépens des perspectives à long terme.

Comme nous ne pouvons pas observer comment les sociétés se seraient comportées en l'absence d'une fusion, il est difficile de mesurer les effets sur la profitabilité. Ravenscroft et Scherer, qui ont étudié les fusions des années 1960 et du début des années 1970, ont affirmé que la productivité a diminué dans les années suivant la fusion[41]. Mais l'étude de fusions plus récentes laisse supposer qu'elles l'améliorent *réellement*. Par exemple, Healy, Palepu et Ruback ont examiné 50 fusions importantes entre 1979 et 1983 et ont trouvé une hausse

39. G. Andrade, M. Mitchell et E. Stafford, *op. cit.*, pp. 108-109.

40. M. C. Jensen et R. S. Ruback, « The Market for Corporate Control : The Scientific Evidence », *Journal of Financial Economics*, 11 (avril 1983), pp. 5-50, après une revue exhaustive des études empiriques, parviennent à la conclusion que « les prises de contrôle de sociétés génèrent des gains positifs » (p. 47). Richard Roll a passé en revue les mêmes études et affirme que « les gains des prises de contrôle peuvent avoir été surestimés et qu'ils n'existent peut-être même pas ». Voir « The Hubris Hypothesis of Corporate Takeovers », *Journal of Business*, 59 (avril 1986), pp. 198-216.

41. Voir D. J. Ravenscroft et F. M. Scherer, « Mergers and Managerial Performance », dans J. C. Coffee Jr, L. Lowenstein et S. Rose-Ackerman (eds.), *Knights, Raiders and Targets : The Impact of the Hostile Takeover*, Oxford University Press, New York, 1988.

moyenne de 2,4 % des profits avant impôts sur les sociétés[42]. Ils soutiennent que ce gain provenait d'un niveau supérieur de ventes à partir des mêmes actifs. Il n'y a aucune preuve indiquant que les sociétés hypothéquaient leur avenir à long terme en réduisant leurs investissements ; les dépenses d'investissement et de recherche et développement demeuraient dans la moyenne de leur secteur[43].

L'effet le plus important des acquisitions est peut-être supporté par les dirigeants de sociétés qui *ne font pas l'objet* d'une prise de contrôle : la menace d'une prise de contrôle a peut-être poussé l'ensemble des sociétés à être plus performantes. Mais, quand une entreprise s'attend à une prise de contrôle, il peut lui être difficile de prêter autant d'attention qu'elle le devrait à ses affaires courantes[44]. De plus, elle a besoin de payer les services fournis par les banques d'investissement, les juristes et les comptables.

Résumé

Une fusion engendre un gain économique si, ensemble, deux entreprises ont une valeur plus élevée que séparément. Supposons que les entreprises A et B fusionnent pour former une nouvelle entité AB. Le gain de la fusion est :

$$\text{Gain} = V_{AB} - (V_A + V_B) = \Delta V_{AB}$$

Les profits provenant des fusions peuvent refléter des économies d'échelle, des économies d'intégration verticale, une efficacité améliorée, une meilleure utilisation des économies d'impôt, la réunion de ressources complémentaires ou un redéploiement de fonds excédentaires. Dans d'autres cas, il peut ne pas y avoir d'avantages à associer deux affaires, mais l'objectif de l'acquisition est d'installer une équipe de dirigeants plus efficace. Il existe aussi des raisons douteuses. Il n'y a pas de valeur ajoutée par le mécanisme des fusions simplement pour diversifier les risques, pour réduire les coûts d'emprunt ou pour gonfler le résultat par action.

Dans beaucoup de cas, l'objet de la fusion est de remplacer la direction ou d'imposer des changements de politiques financières ou d'investissement. De nombreuses prises de contrôle dans les années 1980 consistaient en des opérations de mise à la diète dans lesquelles les entreprises étaient forcées de vendre des actifs, de réduire les coûts ou les dépenses en capital. Ces modifications ajoutent de la valeur quand l'entreprise cible dispose d'une

---

42. Voir P. Healy, K. Palepu et R. Ruback, « Does Corporate Performance Improve after Mergers ? », *Journal of Financial Economics*, 31 (avril 1992), pp. 135-175. L'étude examine les profits avant impôts des sociétés fusionnées par rapport aux moyennes du secteur. Une étude de Lichtenberg et Siegel arrive à des conclusions identiques. Avant la fusion, les sociétés achetées ont des niveaux plus bas de productivité que les autres entreprises du même secteur, mais sept ans après le changement de contrôle, les deux tiers de l'écart de productivité sont éliminés. Voir F. Lichtenberg et D. Siegel, « The Effect of Control Changes on the Productivity of U.S. Manufacturing Plants », *Journal of Applied Corporate Finance*, 2 (été 1989), pp. 60-67.

43. Des niveaux constants de dépenses d'investissement et de recherche et développement sont aussi observés par Lichtenberg et Siegel, *op. cit.*, et par B. H. Hall, « The Effect of Takeover Activity on Corporate Research and Development », dans A. J. Auerbach (ed.), *Corporate Takeover : Causes and Consequences*, University of Chicago Press, Chicago, 1988.

44. Il est certain que même si les acquisitions conduisent à des progrès dans la productivité de la nouvelle usine, la productivité de l'usine existante de l'entreprise devient plus laxiste. Voir R. McGuckin et S. Nguyen, « On Productivity and Plant Ownership Change : New Evidence from the Longitudinal Research Database », *Rand Journal of Economics*, 26 (1995), pp. 257-276.

importante trésorerie et n'essaie pas assez fermement de réduire ses coûts ou de se défaire d'actifs sous-utilisés.

Vous devez entreprendre une fusion quand le gain est supérieur au coût, celui-ci étant la prime que l'acheteur paie pour l'entreprise vendue sur sa valeur comme entité indépendante. Il est facile de l'estimer quand la fusion est financée par un paiement en espèces. Dans ce cas,

$$\text{Coût} = \text{paiement en espèces} - V_B$$

Quand le paiement est effectué en actions, le coût dépend naturellement de la valeur de ces actions après la fusion. Si celle-ci est réussie, les actionnaires de B se partageront les gains de la fusion.

Les mécanismes de l'achat d'une entreprise sont complexes. D'abord, vous devez vous assurer que vous ne tombez pas sous le coup des lois antitrust. Ensuite, vous devez choisir une procédure : réunir tous les actifs et tous les passifs du vendeur avec ceux de votre propre société ; acheter les actions du vendeur plutôt que l'entreprise elle-même ; acheter seulement les actifs du vendeur. Enfin, vous devez vous préoccuper de l'aspect fiscal de la fusion. Dans une fusion non imposable, la situation fiscale de la société et des actionnaires n'est pas modifiée. Dans une fusion imposable, l'acheteur peut réduire le coût des actifs corporels acquis, mais l'impôt doit être payé sur toute augmentation de la valeur imposable des actifs et les actionnaires de la société vendue sont imposés sur les plus-values.

Les fusions sont souvent négociées à l'amiable entre les dirigeants des deux sociétés, mais elles peuvent se faire par offre publique ou suite à une bataille de votes par procuration, nous l'avons vu. Nous avons aussi noté que quand l'entreprise cible perd, ses actionnaires gagnent : ils bénéficient d'un gain anormalement élevé, tandis que ceux de l'entreprise qui achète réalisent une opération blanche. La fusion type semble générer des gains nets positifs pour les investisseurs, mais la concurrence entre les acheteurs plus la défense active menée par la direction de la société cible font que la plus grande partie des gains se retrouve entre les mains des actionnaires de la société qui vend.

Les fusions vont et viennent par vagues. La dernière vague de fusions horizontales a connu son apogée en 2005 (la précédente datait de 2000). Les fusions fleurissent en période d'expansion et d'euphorie boursière et sont plus fréquentes dans des secteurs en proie à des changements, qu'ils soient technologiques ou réglementaires. Il en a été ainsi des secteurs fraîchement déréglementés qu'étaient la banque et les télécoms dans les années 1990.

Annexe : les fusions par conglomérat et l'augmentation de la valeur

Une fusion par conglomérat pure n'a pas d'effets sur les activités ou la profitabilité des sociétés. Si la diversification des sociétés est réalisée dans l'intérêt de leurs actionnaires, une fusion par conglomérat fera apparaître de façon claire ses bénéfices. Mais si les valeurs actuelles s'additionnent, la fusion par conglomérat n'entraîne aucune modification pour les actionnaires.

Il s'avère que les valeurs s'additionnent *vraiment* quand les marchés de capitaux sont parfaits et les opportunités de diversification des investisseurs ne sont pas restreintes.

Appelons A et B les entreprises fusionnées. L'additivité de la valeur implique :

$$V_{AB} = V_A + V_B$$

avec

V_{AB} = la valeur boursière des entreprises fusionnées juste après la fusion,

V_A, V_B = la valeur boursière des entreprises indépendantes A et B juste avant la fusion.

Par exemple, nous pouvons avoir :

V_A = 100 millions d'euros (200 € par action × 500 000 actions en circulation) et

V_B = 200 millions d'euros (200 € par action × 1 000 000 actions en circulation)

La fusion en une nouvelle entreprise, AB, s'opère avec une action AB échangée contre une action A ou B. Ainsi, il y a 1,5 million d'actions AB émises. *Si* le principe d'additivité de la valeur se vérifie, V_{AB} doit être égale à la somme des valeurs séparées de A et B juste avant la fusion, c'est-à-dire 300 millions d'euros. Cela impliquerait un cours de 200 € par action de AB.

Mais notons que les actions AB représentent un portefeuille des actifs de A et B. Avant la fusion, les investisseurs auraient pu acheter une action de A et deux de B pour 600 €. Par la suite, ils peuvent prétendre détenir *exactement* les mêmes actifs en achetant trois actions de AB.

Supposons que le cours des actions AB juste après la fusion soit effectivement de 200 €. Notre problème est de déterminer s'il s'agit d'un prix d'équilibre c'est à dire qu'il n'y a aucun excès d'offre ni de demande à ce prix.

Pour qu'il y ait un excès de demande, il faut que certains investisseurs veuillent accroître leur détention de A et B du fait de la fusion. Qui peuvent-ils être ? Le seul fait nouveau amené par la fusion est la diversification, mais les investisseurs qui souhaitaient détenir des actifs de A *et* B auront acheté des actions de chaque société avant la fusion. La diversification est superflue et n'attire donc pas de nouvelle demande de titres.

Y a-t-il une possibilité d'excès d'offre ? La réponse est oui. Il peut y avoir certains actionnaires de A qui n'avaient pas investi dans B. Après la fusion, ils détiendront une combinaison donnée de A et B, qui leur paraîtra moins intéressante que les seules actions A. Ils risquent de vendre donc une partie ou la totalité de leurs actions AB. En fait, les seuls actionnaires de AB qui *ne voudront pas* vendre sont ceux qui auront détenu A et B dans une parité exacte de 1 pour 2 dans leurs portefeuilles d'avant fusion !

Comme il n'y a pas de possibilité d'excès de demande mais une possibilité infinie d'excès d'offre, nous aurons :

$$V_{AB} = V_A + V_B$$

Ainsi, la diversification de sociétés peut nuire aux investisseurs en diminuant les catégories de portefeuilles qu'ils peuvent détenir. Mais ce n'est pas tout, car la demande d'investissement pour les actions AB peut provenir d'autres sources si V_{AB} tombe en dessous de $V_A + V_B$.

Pour illustrer ce cas, supposons deux autres entreprises A* et B* qui présentent les mêmes caractéristiques de risque que A et B, respectivement. Avant la fusion,

$$r_A = r_{A^*} \text{ et } r_B = r_{B^*}$$

avec r le taux de rentabilité attendue par les investisseurs. Nous supposerons que $r_A = r_{A^*} = 0{,}08$ et $r_B = r_{B^*} = 0{,}20$.

Un portefeuille, investi pour 1/3 dans A* et 2/3 dans B*, offrira une rentabilité attendue de 16 % :

$$r = x_{A^*} r_{A^*} + x_{B^*} r_{B^*} = 1/3(0{,}08) + 2/3(0{,}20) = 0{,}16$$

comparable à celle de A et B avant leur fusion. Ainsi, le risque est équivalent au portefeuille de A* et de B*. Le cours des actions de AB doit donc s'ajuster de façon à offrir également une rentabilité de 16 %.

Que se passerait-il si les actions de AB descendaient en dessous de 200 €, entraînant une V_{AB} inférieure à $V_{A+}V_B$? Comme les actifs et les bénéfices des entreprises A et B n'ont pas changé, la baisse des cours signifierait que le taux de rentabilité attendue des actions de AB serait supérieur au rendement offert par le portefeuille A*B*. Si r_{AB} est supérieur à $1/3r_A + 2/3r_B$, il doit aussi être supérieur à $1/3r_{A^*} + 2/3r_{B^*}$. Mais c'est impossible : les investisseurs de A* et B* pourraient alors vendre une partie de leur détention (dans un rapport de 1 pour 2), acheter AB, et obtenir un taux de rentabilité supérieur sans accroissement de leur risque.

Inversement, si V_{AB} s'élevait au-dessus de $V_A + V_B$, les actions de AB offriraient une rentabilité attendue inférieure à celle offerte par le portefeuille A*B*. Les investisseurs se débarrasseraient des actions AB, ce qui entraînerait une réduction de leur cours.

Un résultat stable surviendra seulement si les actions de AB demeurent à 200 €. L'additivité de la valeur se vérifiera donc à l'équilibre sur un marché parfait où l'on trouve un grand nombre d'actions substituables à A et B. Mais si A et B ont des caractéristiques de risque uniques, V_{AB} pourra tomber en dessous de $V_A + V_B$. En effet, la fusion diminue la possibilité pour les investisseurs de construire leurs portefeuilles en fonction de leurs besoins et de leurs préférences et réduit leur intérêt à détenir les actions de l'entreprise AB.

En général, la condition d'une augmentation de la valeur est que l'ensemble des opportunités des investisseurs (c'est-à-dire l'ensemble des titres risqués dans lesquels on peut investir) soit indépendant du portefeuille d'actifs détenus par l'entreprise. La diversification en elle-même ne peut jamais accroître l'ensemble des opportunités offertes par des marchés de capitaux parfaits, mais elle peut réduire celles des investisseurs, si les actifs détenus par les entreprises n'ont pas de substituts parmi les titres du marché.

Dans certains cas, l'entreprise peut élargir l'ensemble des opportunités, par exemple lorsqu'elle trouve une opportunité unique d'investissement (un actif réel avec des caractéristiques de risque uniques, ou rares). Dans cette heureuse éventualité, elle ne doit cependant pas se diversifier. Elle doit traiter cet actif unique comme une entreprise indépendante pour étendre à son maximum l'ensemble des opportunités des investisseurs. Si Vinasse SA découvrait, par chance, qu'une petite parcelle de ses vignobles produisait un vin comparable au Château Margaux, cette société ne gâcherait pas ce vin dans des packs en carton.

Lectures complémentaires

Voici des ouvrages sur les prises de contrôle :

L. Herzel et R. Shepro, *Bidders and Targets : Mergers and Acquisitions in the U.S.*, Basil Blackwell, Inc., Cambridge, MA, 1990.

B. Husson, *La prise de contrôle d'entreprise*, PUF, Paris, 1990.

J. F. Weston, K. S. Chung et J. A. Siu, *Takeovers, Restructuring, and Corporate Control*, 3e éd., Prentice Hall, Upper Saddle River, NJ, 2000.

Les vagues de fusions récentes sont envisagées dans :

G. Andrade, M. Mitchell et E. Stafford, « New Evidence and Perspectives on Mergers », *Journal of Economic Perspectives*, 15 (printemps 2001), pp. 103-120.

S. J. Everett, « The Cross-Border Mergers and Acquisitions Wave of the Late 1990s », extrait de *Challenges to Globalization*, University of Chicago Press, Chicago, 2004, sous la direction de R. E. Baldwin et L. A. Winters.

B. Holmstrom et S. N. Kaplan, « Corporate Governance and Merger Activity in the U.S. : Making Sense of the 1980s and 1990s », *Journal of Economic Perspectives*, 15 (printemps 2001), pp. 121-144.

B. Pécherot, « La performance sur une longue période des acquéreurs français », *Banque et Marchés*, 46 (mai-juin 2000), pp. 31-39.

Jensen et Ruback passent en revue l'ensemble des travaux empiriques sur les fusions. Le numéro d'avril 1983 du Journal of Financial Economics *contient aussi un aperçu de quelques-unes des études empiriques les plus importantes :*

M. C. Jensen et R. S. Ruback, « The Market for Corporate Control : The Scientific Evidence », *Journal of Financial Economics*, 11 (avril 1983), pp. 5-50.

Voici enfin quelques études de cas instructives :

G. P. Baker, « Beatrice : A Study in the Creation and Destruction of Value », *Journal of Finance*, 47 (juillet 1992), pp. 1081-1119.

R. Bruner, « An Analysis of Value Destruction and Revovery in the Alliance and Proposed Merger of Volvo and Renault », *Journal of Financial Economics*, 51 (1999), pp. 125-166.

R. S. Ruback, « The Cities Service Takeover : A Case Study », *Journal of Finance*, 38 (mai 1983), pp. 319-330.

B. Burrough et J. Heylar, *Barbarians at the Gate : The Fall of RJR Nabisco*, Harper and Row, New York, 1990.

Activités

Révision des concepts

1. Définissez les termes : fusion horizontale, fusion verticale et fusion par conglomérat.
2. Listez les motifs raisonnables en faveur d'une fusion.
3. Listez les raisons douteuses d'opérer une fusion.

Tests de connaissances

1. Les fusions suivantes sont-elles horizontales, verticales ou des conglomérats ?
   a. IBM achète Dell Computer.
   b. Dell Computer achète Alcatel.
   c. Alcatel achète Carrefour.
   d. Carrefour achète IBM.
2. Lesquels des motifs suivants de fusions se justifient-ils d'un point de vue économique ?
   a. Fusionner pour obtenir des économies d'échelle.
   b. Fusionner pour réduire le risque par une diversification.
   c. Fusionner pour utiliser une trésorerie générée par une entreprise ayant des profits importants mais des opportunités de croissance limitées.
   d. Fusionner pour utiliser totalement des reports fiscaux de déficits.
   e. Fusionner seulement pour augmenter les profits par action.
3. Abondel envisage l'acquisition de Viralux. Les valeurs des deux entreprises comme entreprises indépendantes sont respectivement de 20 millions d'euros et de 10 millions d'euros. Abondel estime qu'en réunissant les deux entreprises, elle réduira les coûts de distribution et les coûts administratifs de 500 000 € par an de manière perpétuelle. Abondel peut soit payer 14 millions d'euros en espèces à Viralux, soit lui offrir une détention de 50 % dans Abondel. Le coût d'opportunité du capital est de 10 % :
   a. Quel est le gain de la fusion ?
   b. Quel est le coût de l'offre en espèces ?
   c. Quel est le coût de l'offre d'actions ?
   d. Quelle est la VAN de l'acquisition avec l'offre en espèces ?
   e. Quelle est la VAN avec l'offre d'actions ?
4. Lesquelles des transactions suivantes *ne* sont *pas* censées être défiscalisées ?
   a. Une acquisition d'actifs.
   b. Une fusion dans laquelle le paiement est entièrement fait sous la forme d'actions normales.
5. Vrai ou faux ?
   a. Les vendeurs gagnent presque toujours dans les fusions.
   b. Les acheteurs gagnent presque toujours dans les fusions.

c. Les entreprises qui vont anormalement bien sont souvent des cibles d'achat.
d. L'activité des fusions varie beaucoup d'une année à l'autre.
e. En moyenne, les fusions conduisent à d'importants gains économiques.
f. Les offres publiques nécessitent l'accord de la direction de l'entreprise vendue.
g. Le coût d'une fusion pour l'acheteur est égal au bénéfice réalisé par le vendeur.

6. Définissez rapidement les expressions suivantes :
a. Écart d'acquisition.
b. Offre publique.
c. Pilule empoisonnée.
d. Chevalier blanc.

Questions et problèmes

1. Étudiez plusieurs fusions récentes et suggérez à chaque fois leurs principaux objectifs.

2. Examinez une fusion récente dans laquelle au moins une partie du paiement fait au vendeur était sous la forme d'actions. Utilisez les cours du marché des actions pour obtenir une estimation du gain et du coût de la fusion.

3. Répondez aux commentaires suivants :

« Le coût de notre dette est dramatiquement élevé, mais nos banques ne veulent pas réduire les taux d'intérêt tant que nous sommes bloqués dans cette branche de gadgets volatils. Nous devons acquérir d'autres entreprises avec des flux de ressources plus saines. »

« Fusionner avec Flubes et Grelots ? Pas question. Leur PER est trop élevé. Cette opération ferait tomber notre bénéfice par action de 20 %. »

« Nos actions valent cher. C'est le moment de faire notre offre sur Piaf SA. Bien sûr, nous devrons offrir une grosse prime aux actionnaires de Piaf, mais nous n'aurons pas à payer en espèces. Nous leur donnerons seulement de nouvelles actions de notre capital. »

4. Il arrive parfois que le prix des actions d'une entreprise cible potentielle augmente en prévision d'une offre de fusion. Expliquez comment cela complique son évaluation par l'acquéreur.

5. Supposez que vous obteniez une information privilégiée – information non disponible pour les investisseurs – indiquant que le prix des actions de Chimie Parisienne subit une sous-évaluation de 40 %. Est-ce une raison pour se lancer dans une offre de prise de contrôle sur Chimie Parisienne ? Expliquez avec précision.

6. En tant que trésorier de Loisirs SA, vous envisagez l'acquisition de Jouets Verts. Vous détenez les informations suivantes :

	Loisirs SA	Jouets Verts
Bénéfice par action	5 €	1,50 €
Dividende par action	3 €	0,80 €
Nombre d'actions	1 000 000	600 000
Cours de l'action	90 €	20 €

Vous estimez que les investisseurs s'attendent à une croissance régulière d'environ 6 % des bénéfices et des dividendes de Jouets Verts. Avec la nouvelle direction, ce taux de croissance devrait augmenter à 8 % par an, sans aucun investissement supplémentaire.

a. Quel est le gain de l'acquisition ?

b. Quel est le coût de l'acquisition si Loisirs paye 25 € en espèces pour chaque action de Jouets Verts ?

c. Quel est le coût de l'acquisition si Loisirs offre une de ses actions pour trois actions de Jouets Verts ?

d. Comment le coût de l'offre en espèces et de l'offre en actions est-il modifié quand le taux de croissance anticipé de Jouets Verts n'est pas modifié par la fusion ?

7. La fusion de Boue et Fumier a échoué (voir section 2). Mais World company est déterminée à avoir un bénéfice par action de 2,67 $. Elle acquiert donc Enjoliveurs SA. Vous avez obtenu les renseignements suivants :

	World company	Enjoliveurs SA	Entreprise fusionnée
Bénéfice par action	2 $	2,50 $	2,67 $
Cours par action	40 $	25 $	?
Ratio cours/bénéfice	20	10	?
Nombre d'actions	100 000	200 000	?
Bénéfices totaux	200 000 $	500 000 $	?
Valeur boursière	4 000 000 $	5 000 000 $	?

Là encore, il n'y a pas de gain à fusionner. En échange des actions d'Enjoliveurs, World company émet juste assez de ses propres actions pour assurer son objectif d'un bénéfice de 2,67 $ par action.

a. Complétez le tableau ci-dessus pour l'entreprise fusionnée.

b. Combien d'actions de World company sont échangées pour chaque action d'Enjoliveurs SA ?

c. Quel est le coût de la fusion pour World company ?

d. Quel est la modification de la valeur totale des actions de World company qui sont en circulation avant la fusion ?

8. Expliquez la distinction entre une fusion défiscalisée et une fusion imposable. Y a-t-il des circonstances dans lesquelles l'acheteur et le vendeur peuvent décider une fusion imposable ?

9. Reportez-vous au tableau 32.3. Supposez que les actifs immobilisés de l'entreprise B soient réexaminés et évalués à 1,2 million d'euros au lieu de 0,9 million d'euros. Comment cela affecterait-il le bilan de la société AB ? Votre réponse est-elle fonction de l'imposition de la fusion ?

Problèmes avancés

1. Examinez une acquisition hostile récente et discutez des tactiques employées à la fois par le prédateur et par la société cible. Pensez-vous que la direction de l'entreprise cible ait essayé de mettre en échec l'attaque ou d'assurer le prix le plus élevé pour ses actionnaires ? Comment chaque annonce par les protagonistes a-t-elle affecté les cours de leurs actions ?

2. Selon vous, comment les fusions doivent-elles être contrôlées ? Par exemple, quelles défenses les sociétés cibles doivent-elles être autorisées à utiliser ? Les dirigeants des entreprises cibles doivent-ils être contraints à rechercher les offres les plus élevées ? Doivent-ils simplement être passifs et assister sans intervenir ?

Chapitre 33

Les restructurations de sociétés

Dans le chapitre précédent, nous avons décrit comment les fusions et acquisitions permettaient aux sociétés de changer de propriétaires et de dirigeants et les obligeaient à changer de stratégie. Mais ce n'est pas la seule façon par laquelle la structure des sociétés peut être modifiée. Dans ce chapitre, nous nous intéresserons à d'autres mécanismes, tels que les acquisitions par effet de levier, les filialisations, les ventes par appartements, les privatisations, les conglomérats et les faillites.

La première section commence avec une fameuse bataille de prise de contrôle, l'acquisition de RJR Nabisco. Puis, dans les sections 1 et 2, nous proposerons une évaluation générale des acquisitions par effet de levier, des filialisations et des privatisations. Le principal point de ces transactions n'est pas de changer seulement le contrôle, même si la direction existante est souvent évincée, mais aussi les objectifs des dirigeants afin d'accroître la performance financière.

La section 3 s'intéresse aux conglomérats. En général, « conglomérat » signifie grande société cotée avec des activités dans de nombreux secteurs ou marchés différents. Nous poserons la question de savoir pourquoi les conglomérats aux États-Unis sont une espèce en voie de disparition, alors qu'il existe de nombreux conglomérats temporaires qui réussissent alors qu'ils ne sont pas des entreprises cotées[1].

Certaines sociétés choisissent de se restructurer alors que d'autres doivent le faire sans l'avoir recherché. Ce sont celles qui font face à des temps difficiles et ne peuvent plus supporter le poids de leur endettement. La conclusion de ce chapitre montre comment les sociétés en détresse tentent de trouver une solution avec leurs créanciers et doivent endurer les procédures de mise en faillite.

1 Les acquisitions par effet de levier

Les **acquisitions par effet de levier** (*leveraged buy-out* ou LBO) diffèrent des acquisitions ordinaires par deux raisons. D'abord, une grande partie du prix d'achat est financée par des emprunts. Une partie, si ce n'est la totalité, de cette dette est « pourrie », c'est-à-dire qu'elle correspond à une notation très faible. Ensuite, le LBO est « fermé » et ses actions ne sont plus négociées sur le marché boursier. Quand elles sont détenues par un groupement d'intérêts

1. Qu'est-ce qu'un conglomérat provisoire ? Désolé, il vous faudra attendre un peu.

d'investisseurs (en général institutionnels), on parle d'activité de **capital-investissement** (**private equity**). Quand ce groupe est conduit par la direction de la société, l'acquisition est appelée **rachat de l'entreprise par ses salariés** (RES, ou MBO pour *management buy-out*).

Dans les années 1970 et 1980, beaucoup de rachats d'entreprises par leurs salariés ont concerné des établissements appartenant à des activités secondaires de grandes sociétés diversifiées. Des unités petites, en dehors des activités principales des entreprises, ne bénéficient pas souvent de l'attention de la direction, et leur administration tombe dans la bureaucratie. Les filialisations occasionnées par les RES provoquèrent la renaissance de nombre d'entre elles. Leurs dirigeants, poussés par le besoin de générer de la trésorerie pour le service de la dette et encouragés par des intérêts personnels, trouvèrent ainsi les moyens de réduire les coûts et de promouvoir la concurrence de manière plus efficace.

Dans les années 1980, l'activité de LBO s'est transformée en achats d'entreprises entières, y compris de grandes sociétés cotées. Le tableau 33.1 donne la liste des LBO les plus importants au cours de ces années et des exemples de transactions plus récentes. Les LBO les plus récents sont généralement plus petits et n'entraînent pas des effets de levier aussi importants qu'alors[2]. Mais leur activité est encore globalement impressionnante. Les rachats se sont élevés à 117 milliards de dollars en 2005.

Tableau 33.1. Les dix plus grands LBO des années 1980 et des exemples plus récents

Les données de ce tableau, comme celles de tous les tableaux de ce chapitre, sont disponibles sur *www.gestion financiere.pearsoned.fr*

Acquéreur	Cible	Secteur	Année	Prix (millions de dollars ou euros)
KKR	RJR Nabisco	Alimentation, tabac	1989	$ 24 720
Carlyle Group & Welsh, Carson Anderson and Stowe	Qwest Dex	Pages jaunes	2002	$ 7 050
KKR	Beatrice	Alimentation	1986	$ 6 250
Blackstone Group	TRW Automotive Holdings	Équipementier automobile	2002	4 700
KKR	PanAmSat	Satellites	2004	4 380
KKR	Safeway	Supermarchés	1986	$ 4 240
Texas Pacific Group, Bain Capital, & Goldman Sachs	Burger King	Restauration rapide	2002	2 260
JC Flowers	NIB Capital	Capital-investissement	2005	2 100 €
KKR et Permira	SBS Broadcasting	Télévision	2005	2 000 €

* La direction a participé directement à l'achat – LBO partiel.

Sources : A. Kaufman et J. Englander, « Kohlberg Kravis Roberts & Co. and the Restructuring of American Capitalism », *Business History Review*, 67 (printemps 1993), p. 78 ; *Mergers and Acquisitions*, différentes références.

2. En 1988, le financement des LBO se faisait en moyenne à 90 % par l'endettement. Dans les opérations plus récentes, ce chiffre est désormais de 60 %. Pour un panorama des LBO en Europe, voir le dossier « LBO » de la *Revue Banque*, n° 673, octobre 2005, pp. 24-43.

Le tableau 33.1 débute avec le LBO le plus important, le plus spectaculaire et le mieux connu de tous les temps : la prise de contrôle en 1988 pour 25 milliards de dollars de RJR Nabisco par Kohlberg, Kravis et Roberts (KKR). Les acteurs, les tactiques et les discussions liés à ces LBO sont décrits de manière exhaustive grâce à cet exemple.

1.1 RJR Nabisco

Le 28 octobre 1988, le conseil d'administration de RJR Nabisco révélait que Ross Johnson, le président de la société, avait regroupé des investisseurs prêts à acheter toutes les actions de RJR, en espèces, à 75 $ chacune afin de soustraire l'entreprise au marché. Le cours de l'action de RJR augmenta rapidement aux alentours de 75 $, fournissant aux actionnaires une plus-value de 36 % sur le cours de la veille (56 $). En même temps, les obligations de RJR baissèrent, car il était évident que les obligataires auraient prochainement à financer plusieurs sociétés[3].

L'offre de Johnson amena RJR sur la liste des entreprises mises à l'encan. Quatre jours plus tard, Kohlberg, Kravis et Roberts (KKR) offrirent 90 $ par action, 79 $ en espèces plus une action privilégiée en nature d'une valeur de 11 $. (Avec cette dernière, les dividendes prioritaires ne sont pas payés en argent, mais en d'autres actions privilégiées.)

Les contre-offres qui suivirent ont provoqué autant de retournements de situation et de surprises qu'un roman d'Alexandre Dumas. À la fin, il restait le groupe de Johnson contre KKR. Celui-ci offrait 109 $ par action, après avoir ajouté 1 $ par action (soit 230 millions de dollars) à la dernière minute[4]. Quatre jours plus tard, l'offre de Johnson était de 112 $ en argent et en titres (81 $ en argent, environ 10 $ en dettes subordonnées convertibles et 18 $ en actions privilégiées). Mais le conseil d'administration de RJR choisit KKR. Bien que Johnson eût offert 3 $ de plus par action, l'évaluation de ses titres était considérée comme peu fiable et sans doute trop élevée. De plus, KKR annonçait des cessions futures d'actifs moins drastiques ; peut-être ses prévisions de gestion des activités inspiraient-elles davantage confiance. Enfin, la proposition de Johnson comprenait un ensemble de rémunérations pour la direction qui semblait extrêmement généreux et avait entraîné une avalanche de critiques dans la presse.

Mais d'où provenaient les profits de la fusion ? Qu'est-ce qui pouvait justifier une offre de 109 $ par action, pour une entreprise qui, seulement trente-trois jours plus tôt, valait 56 $ par action ? KKR et les autres offreurs se fondaient sur deux éléments. D'abord, ils prévoyaient de générer des milliards supplémentaires de cash-flows à partir d'économies d'impôts sur les intérêts, de la diminution des investissements et des ventes d'actifs non indispensables à l'activité principale de RJR. Ces dernières, seules, devaient rapporter 5 milliards de dollars. Ensuite, ils s'attendaient à rendre l'activité principale nettement plus rentable, principalement en réduisant les dépenses de fonctionnement et d'administration. Apparemment, il y avait beaucoup d'économies à réaliser, y compris dans *RJR Air Force* qui a compté jusqu'à 10 avions privés. Dans l'année qui a suivi la prise de contrôle de KKR, la nouvelle direction a vendu des actifs et réduit les dépenses de fonctionnement et d'investissement. Il y eut aussi des licenciements. Comme prévu, des intérêts élevés amenèrent une

3. N. Mohan et R. C. Chen s'intéressent aux rendements anormaux des titres de RJR dans « A Review of the RJR Nabisco Buyout », *Journal of Applied Corporate Finance*, 3 (été 1990), pp. 102-108.

4. L'histoire complète a été reconstituée par B. Burrough et J. Helyar dans *Barbarians at the Gate : The Fall of RJR Nabisco*, Harper & Row, 1990 (voir plus particulièrement le chapitre 18) et dans un film portant le même titre.

perte de près d'un milliard de dollars la première année, mais le revenu d'exploitation avant impôts avait augmenté, malgré des ventes importantes d'actifs.

Dans l'entreprise, les choses se sont bien passées. Mais à l'extérieur, il y eut une grande confusion et les cours sur le marché des *junk bonds* déclinèrent rapidement, entraînant des frais financiers futurs beaucoup plus élevés pour RJR et des conditions plus strictes pour le refinancement. Au milieu des années 1990, KKR fit une augmentation de capital, et en décembre 1990 proposa un échange de 753 millions de dollars de *junk bonds* contre des liquidités et de nouvelles actions. Le directeur financier décrivit cette offre d'échange comme « une étape supplémentaire dans la réduction de l'effet de levier de la société[5] ». Pour RJR, le LBO le plus important du monde, l'effet de levier élevé a été une vertu temporaire et non permanente.

RJR, comme beaucoup d'autres entreprises soustraites au marché par l'intermédiaire d'un LBO, se comporta seulement pendant une courte période comme une société fermée. En 1991, RJR revint sur le marché en vendant 1,1 milliard de dollars d'actions[6]. KKR liquida progressivement ses investissements, et ses intérêts propres subsistant dans la société furent vendus en 1995, en gros au prix de l'achat initial.

1.2 Des barbares aux portes de la ville ?

Le LBO de RJR Nabisco mit sur le devant de la scène la pratique des LBO, le marché des *junk bonds* et les prises de contrôle. Pour beaucoup, c'était l'exemple des dérives de la finance des années 1980, en particulier l'attitude des prédateurs dépeçant des entreprises pour s'enrichir très vite, puis les laissant avec d'énormes dettes.

Il est vrai que les LBO ont donné lieu à beaucoup de confusion, d'erreurs et d'avidité. Tout le monde ne s'est pas très bien comporté. Mais des LBO ont aussi entraîné des hausses énormes de la valeur de marché des entreprises et la plupart des plus-values sont allées aux actionnaires qui ont vendu et non aux prédateurs. Par exemple, les plus grands bénéficiaires du LBO furent les actionnaires de RJR Nabisco.

Les plus importantes sources de valeur ajoutée proviennent de la volonté de rendre RJR plus petit et plus efficace. La nouvelle direction de l'entreprise fut obligée de verser des montants massifs d'argent pour le service de la dette du LBO. Elle avait aussi un enjeu dans l'affaire par la détention d'actions et avait donc de fortes motivations pour se débarrasser des actifs non essentiels, réduire les coûts et favoriser des profits d'exploitation. Les LBO sont presque par définition des opérations de mise à la diète. Mais il y a aussi d'autres motifs. En voici quelques-uns.

Le marché des *junk bonds* Les LBO et les prises de contrôle financées par des dettes peuvent avoir été conduits par l'intermédiaire de fonds artificiellement bon marché prélevés sur le marché des *junk bonds*. Rétrospectivement, il semble que les investisseurs de *junk bonds* aient sous-estimé les risques de défaut de ces titres. Les taux de défaut ont fortement augmenté de 1988 à 1991, puisque 10 % des *junk bonds* émis pour une valeur nominale de 18,9 milliards de dollars ont été en défaut de paiement[7]. Le marché des *junk bonds* est aussi

5. G. Andress, « RJR Swallows Hard Offers $5-a-Share Stock », *Wall Street Journal* (18 décembre 1990), pp. C1-C2.

6. Northwest Airlines, Safeway Stores, Kaiser Aluminium et Burlington Industries sont autant de sociétés à nouveau cotées après un LBO.

7. Voir R. A. Waldman, E. I. Altman et G. Fanjul, « Defaults and Returns in the High Yield Bonds : The Year 2003 in Review and Market Outlook », monographie, Salomon Center, Leonard N. Stern School of Business, New York University, 2004.

devenu beaucoup moins liquide après le retrait, en 1990, de Drexel Burnham, le teneur de marché principal, même si le marché redémarra au milieu des années 1990.

L'effet de levier et les impôts Comme nous l'avons expliqué au chapitre 18, emprunter permet de faire des économies d'impôts. Mais cela ne constitue pas le principal motif des LBOs. Leur valeur due aux intérêts n'était pas assez importante pour expliquer les gains observés dans la valeur de marché[8]. Richard Ruback a estimé la valeur actuelle des économies d'impôts sur les intérêts supplémentaires générées par le LBO de RJR à 1,8 milliard de dollars[9]. Mais le gain sur la valeur de marché pour les actionnaires de RJR a été d'environ 8 milliards de dollars.

Bien sûr, si les économies d'impôts dues aux intérêts étaient le principal motif pour un effet de levier élevé, les responsables de LBO n'auraient pas été si inquiets pour rembourser la dette. Nous avons vu que c'était l'une des premières tâches auxquelles devait faire face la nouvelle direction de RJR Nabisco.

Les autres partenaires Nous devons envisager le gain total de *tous* les investisseurs d'un LBO et non pas seulement celui des actionnaires qui vendent. Il est possible que le gain de ces derniers compense juste la perte des autres et qu'aucune valeur nette ne soit créée.

Les obligataires sont les plus grands perdants. La dette qu'ils estimaient sûre peut devenir pourrie (insolvable) si l'entreprise effectue un LBO. Nous avons noté que les cours de marché de la dette de RJR Nabisco avaient rapidement baissé quand la première offre de LBO fut annoncée. Mais la perte de valeur supportée par les obligataires des entreprises acquises par LBO n'est pas assez importante pour expliquer les gains des actionnaires : l'estimation de pertes des obligataires de RJR par Mohan et Chen[10] était au plus de 575 millions de dollars – douloureux pour les obligataires, mais bien inférieur au gain des actionnaires.

Les incitations liées à l'effet de levier Les dirigeants et les salariés des entreprises acquises par effet de levier travaillent plus durement et souvent plus intelligemment. Ils doivent générer des cash-flows pour le service de la dette. De plus, la fortune personnelle des dirigeants est conditionnée par le succès des LBO. Ils se comportent en propriétaires plutôt qu'en gestionnaires.

Il est difficile de mesurer l'effet des incitations liées aux LBO, mais les premières études semblent montrer que la gestion des entreprises ainsi acquises s'est améliorée. Kaplan, qui a étudié 48 LBO entre 1980 et 1986, a trouvé des hausses moyennes du résultat d'exploitation de 24 % trois ans après le lancement de l'opération. Les ratios du résultat d'exploitation et des cash-flows nets sur les actifs et les ventes ont énormément augmenté. Il a observé des réductions des dépenses d'investissement mais non de l'emploi. Kaplan suggère que ces « changements d'exploitation sont dus aux effets des incitations liées aux LBO plutôt qu'à des licenciements[11] ».

---

8. En outre, les LBO engendrent certains impôts. Par exemple, des actionnaires qui vendent réalisent des plus-values et paient des impôts qui, autrement, auraient été reportés. Voir L. Stiglin, S. N. Kaplan et M. C. Jensen, « Effects of LBOs on Tax Revenues of the U.S. Treasury », *Tax Notes*, 42 (6 février 1989), pp. 727-733.

9. R. S. Ruback, *RJR Nabisco*, étude de cas, Harvard Business School, Cambridge, MA, 1989.

10. Mohan et Chen, *op. cit.*

11. S. Kaplan, « The Effects of Management Buyouts on Operating Performance and Value », *Journal of Financial Economics*, 24 (octobre 1989), pp. 217-254.

Nous venons de voir plusieurs facteurs explicatifs des LBO. Nous ne disons pas que tous les LBO sont bons. Au contraire, il y a des erreurs, et même des LBO bien pensés restent risqués, comme le montrent les faillites de nombreuses transactions à très fort effet de levier. Cependant, nous ne partageons pas l'avis de ceux qui les dépeignent uniquement comme le fait des barbares de Wall Street brisant les us et coutumes du monde des affaires.

1.3 Les restructurations à effet de levier

Le principe du rachat par effet de levier repose bien évidemment sur le levier lui-même. Dans ces conditions, pourquoi ne pas se contenter de l'effet de levier et se dispenser de tout rachat ? Voici comment Sealed Air a entrepris une telle opération et s'est mise à la diète en changeant de structure financière[12].

En 1989, Sealed Air était une entreprise particulièrement rentable, mais sa situation était facile, parce que ses principaux produits étaient protégés par des brevets. Quand les brevets arrivèrent à échéance, une forte concurrence fut inévitable alors que la société n'était pas prête à l'affronter. Ces années de gains faciles et élevés avaient généré un certain laxisme :

> Nous n'avions pas besoin de travailler de manière efficace ; nous n'avions pas besoin de nous faire du souci pour notre trésorerie. Chez Sealed Air, le capital avait tendance à être limité selon la valeur qu'on lui donnait : la trésorerie était perçue comme étant libre et abondante.

La société emprunta 328 millions de dollars pour payer des dividendes. D'un seul coup, la dette de l'entreprise fut multipliée par 10. La valeur comptable de ses capitaux propres fut réduite de 162 millions de dollars à *moins* 161 millions de dollars. La dette passa de 13 % de la valeur comptable de ses actifs à 136 %. La société escomptait que la recapitalisation à effet de levier permettrait de « briser le *statu quo*, promouvoir le changement interne » et simuler « les pressions pour que Sealed Air soit plus concurrentielle dans le futur ». Ce bouleversement était accentué par de nouveaux objectifs de performance et des incitations telles que l'accroissement de l'actionnariat salarié.

Cela fonctionna. Les ventes et les résultats d'exploitation augmentèrent régulièrement, sans nouveaux investissements importants, et le BFR *diminua* de moitié, libérant de la trésorerie pour permettre d'assurer le service de la dette de la société. Le cours de l'action quadrupla dans les cinq ans qui suivirent la restructuration.

La restructuration de Sealed Air n'est pas un cas typique de ce genre d'opérations. C'est un exemple choisi à dessein. Elle a été entreprise par une société en pleine réussite, sans pression extérieure. Mais elle illustre clairement les raisons de la plupart des restructurations à effet de levier. Elles sont réalisées pour contraindre des entreprises matures, rentables mais trop lourdes, à réduire leur trésorerie, leurs coûts d'exploitation et à utiliser plus efficacement leurs actifs[13].

---

12. Voir K. H. Wruck, « Financial Policy as a Catalyst for Organizational Change Sealed Air's Leveraged Special Dividend », *Journal of Applied Corporate Finance*, 7 (hiver 1995), pp. 20-37.

13. Reportez-vous dans le chapitre précédent au cas de Phillips Petroleum pour la description d'une autre restructuration par effet de levier.

1.4 Les LBO et les restructurations à effet de levier

Les conditions financières des LBO et des restructurations à effet de levier sont semblables. Les trois caractéristiques principales des LBO sont :

- *Une dette élevée.* La dette n'a pas vocation à être permanente. Elle est conçue pour être remboursée. L'obligation de générer de la trésorerie pour assurer le service de la dette permet de diminuer les investissements inutiles et forcer à des améliorations dans l'efficacité opérationnelle.
- *Des incitations.* Les dirigeants accordent une attention plus grande à leur affaire par l'intermédiaire d'options ou de propriété directe d'actions.
- *Une société non cotée.* Le LBO *conduit à une sortie du marché*. Il y a une appropriation par un groupement d'investisseurs privés qui contrôle la performance et peut agir immédiatement si quelque chose tourne mal. Mais l'état de société non cotée n'a pas vocation à être permanent. Les LBO les plus réussis retournent sur le marché dès que la dette a été suffisamment réduite et qu'il y a amélioration réelle de la performance opérationnelle.

Les restructurations à effet de levier partagent les deux premières caractéristiques mais continuent en tant qu'entreprises cotées.

2 Les fusions et les scissions dans la finance d'entreprise

La figure 33.1 montre quelques-unes des acquisitions et des cessions du groupe Danone. Partie de l'emballage agroalimentaire, la société s'est diversifiée progressivement dans les produits laitiers, les eaux minérales et les biscuits.

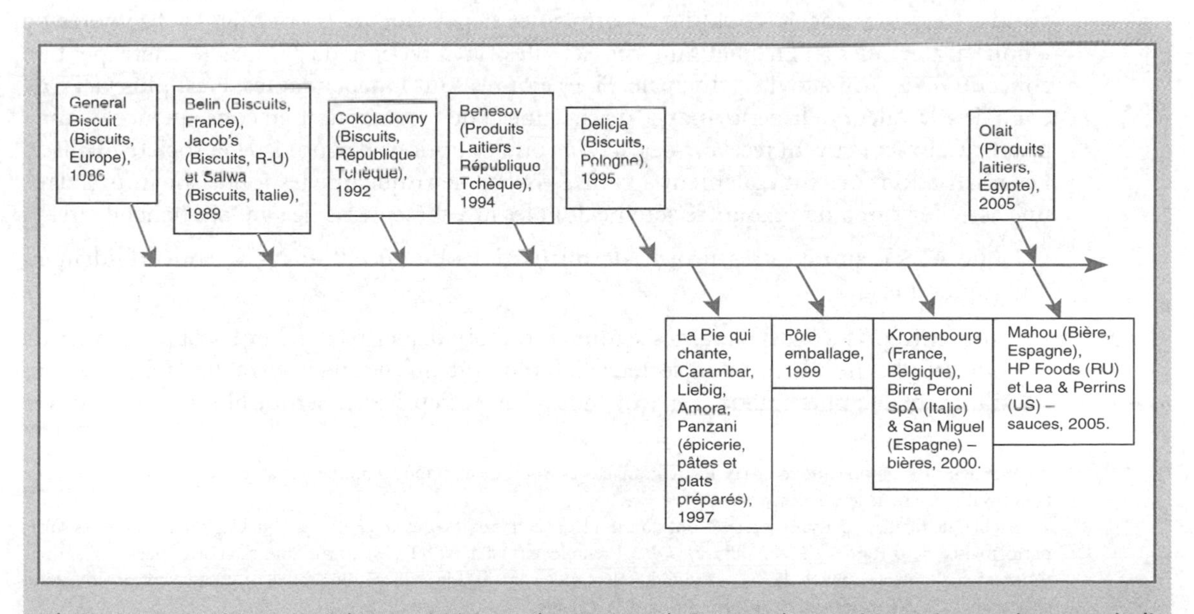

Figure 33.1 - Quelques-unes des acquisitions et des cessions de Danone de 1986 à 2005. Les cessions sont indiquées par des traits sortants.

Comme le secteur de l'agroalimentaire devenait de plus en plus concurrentiel, Danone a acquis plusieurs autres affaires, principalement dans la production de biscuits et les produits laitiers. Quelques-unes de ces acquisitions sont montrées par des flèches entrantes sur la figure 33.1.

Mais le groupe a en même temps *désinvesti* dans des douzaines d'autres affaires, jugées comme étant moins stratégiques. Le groupe s'est par exemple désengagé de l'emballage, son fondement historique, pour se recentrer sur ses cœurs de métier : les biscuits sucrés, les produits laitiers et les eaux minérales. Ces cessions sont montrées par des flèches sortantes sur la figure 33.1.

Sur le marché du contrôle des entreprises, la fusion – fusions et acquisitions – obtient le plus de publicité. Mais la scission (la séparation des actifs et des activités par rapport à l'ensemble) peut être aussi importante. Nous allons voir comment ces séparations sont exécutées par des filialisations, des ventes par appartements, des ventes partielles d'actifs et des privatisations.

2.1 Les filialisations (spin-offs)

Une filialisation consiste à créer une nouvelle entreprise indépendante en détachant une partie des actifs et des activités de la société mère. Les actions de la nouvelle société sont distribuées aux actionnaires de la société mère[14]. En mai 2004, Abbot Laboratories filialisa Hospira, un fabricant de produits hospitaliers. Les actionnaires d'Abbot reçurent une action de Hospira pour dix d'Abbot. Ils étaient ensuite libres de vendre les actions Hospira et Abbot[15].

Les filialisations élargissent le choix des investisseurs en leur permettant d'investir seulement dans une partie de l'affaire. Plus important, elles peuvent améliorer les objectifs des dirigeants. Certaines sociétés qualifient parfois des départements ou des lignes d'activités de « non stratégiques ». En filialisant ces activités, la direction de la société mère peut se concentrer sur son activité principale. Si les affaires sont indépendantes, il est plus facile de connaître la valeur et la performance de chacune et de récompenser en conséquence les dirigeants. Ceux-ci peuvent recevoir des actions ou des options d'actions de la société filialisée. Les filialisations évitent également aux investisseurs le risque que les fonds soient pris dans une activité pour aider une autre activité dont les investissements ne sont pas bénéficiaires[16].

Lorsque AT&T annonça ses projets de filialisations de Lucent et NCR, son président fit remarquer que

> trois entreprises indépendantes seront en mesure d'aller rechercher les opportunités de plus en plus nombreuses du secteur bien plus vite qu'elles ne pourraient le faire au sein d'une société plus grande. Les trois nouvelles entreprises… seront libres de poursuivre

---

14. La valeur des actions que reçoivent les actionnaires est soumise à l'impôt, à moins que au moins 80 % des actions de la nouvelle société ne leur soient attribuées.

15. Au lieu de filialiser, certaines sociétés ont donné à leurs actionnaires des *actions reflet* (*tracking stocks*) indexées sur la performance de certaines de leurs divisions. Par exemple, en 2000, AT&T a distribué une catégorie spéciale d'actions indexées sur la performance de son activité de téléphonie sans fil. Mais ces actions reflet ne connurent pas un grand succès auprès des investisseurs, et un an plus tard, AT&T filialisa AT&T Wireless.

16. L'autre méthode pour se débarrasser de ces « mauvais ajustements » est de les vendre à une autre entreprise. Une étude a montré que plus de 30 % des actifs acquis dans un échantillon de prises de contrôle inamicales de 1984 à 1986 étaient ensuite revendus. Voir S. Bhagat, A. Shleifer and R. Vishny, « Hostile Takeovers in the 1980s : The Return to Corporate Specialization », *Brookings Paper on Economic Activity : Microeconomics*, 1990, pp. 1–12.

> les meilleurs intérêts de leurs clients sans se marcher sur les pieds. Elles sont conçues pour être réactives et spécialisées avec une structure capitalistique adaptée à chacune de leurs activités.

Les investisseurs ont apparemment été convaincus puisque l'annonce de cette filialisation a eu pour effet d'augmenter du jour au lendemain la valeur boursière du groupe de 10 milliards de dollars.

La filialisation de Lucent et NCR reste inhabituelle à plusieurs égards. Mais les spécialistes qui ont étudié le sujet s'accordent sur le fait que les investisseurs accueillent généralement la filialisation comme une bonne nouvelle. Leur enthousiasme apparaît justifié puisque la création de filiales semble s'accompagner de décisions d'investissement plus efficaces et d'une amélioration de la performance opérationnelle[17].

L'annonce d'une filialisation est souvent accueillie comme une bonne nouvelle par les investisseurs[18]. Ceux-ci semblent récompenser les regroupements et pénaliser la diversification. Examinons la dissolution du trust Standard Oil de John D. Rockefeller en 1911. L'entreprise qu'il avait fondée, Standard Oil of New Jersey, fut divisée en sept sociétés. Un an après la division, la valeur totale des actions des sociétés formées avait plus que doublé, amenant la fortune personnelle de Rockefeller à environ 900 millions de dollars (environ 15 milliards de dollars de 2002). Théodore Roosevelt, qui en tant que président avait conduit la décomposition du trust, voulant être réélu en 1912[19], tonnait pendant sa campagne :

> Le cours de l'action a augmenté de plus de 100 %, de telle sorte que M. Rockefeller et ses associés ont vu leur fortune doubler. Il ne faut pas s'étonner que la nouvelle prière de Wall Street soit maintenant : « Oh, Dieu miséricordieux, donnez-nous une autre dissolution. »

Pourquoi la valeur des parties est-elle souvent supérieure à la valeur du tout ? Le meilleur endroit pour répondre à cette question se trouve dans la structure financière des conglomérats. Mais, auparavant, jetons un regard sur les ventes par appartements, les ventes partielles d'actifs et les privatisations.

---

17. Voir R. Gertner, E. Powers et D. Scharfstein, « Learning about Internal Capital Markets from Corporate Spin-offs », *Journal of Finance*, 57 (décembre 2002), pp. 2479-2506 ; S. Ahn et D. J. Denis, « Internal Capital Markets and Investment Policy : Evidence from Corporate Spinoffs », *Journal of Financial Economics*, 71 (mars 2004), pp. 489-516 ; et P. Cusatis, J. Miles et J. R. Woolridge, « Some New Evidence That Spin-offs Create Value », *Journal of Applied Corporate Finance*, 7 (été 1994), pp. 100-107.
18. La recherche sur les filialisations se trouve dans K. Schipper et A. Smith, « Effects of Recontracting on Shareholder Wealth : The Case of Voluntary Spin-offs », *Journal of Financial Economics*, 12 (décembre 1983), pp. 409-436 ; G. Hite and J. Owers, « Security price Reactions around Corporate Spin-off Announcements », *Journal of Financial Economics*, 12, décembre 1983, pp. 437-467 ; J. Miles and J. Rosenfeld, « An Empirical Analysis of the Effects of Spin-off Announcements on Shareholder Wealth », *Journal of Finance*, 38, décembre 1983, pp. 1597-1615 ; P. Cusatis, J. Miles and J. R. Woolridge mentionnant des améliorations de la performance opérationnelle dans les sociétés filialisés. Voir « Some New Evidence that Spin-offs Create Value », *Journal of Applied Corporate Finance*, 7 (été 1994), pp. 100-107.
19. D. Yergin, *The Prize*, Simon & Schuster, New York, 1991, p. 113.

2.2 Les ventes par appartements

Les **ventes par appartements** sont analogues à des filialisations, à la différence que les actions de la nouvelle société ne sont pas données à des actionnaires existants mais vendues lors d'une offre publique. De telles opérations récentes concernent les ventes d'Overnite Corp. (transport routier) par Union Pacific et Pinnacle Airlines par Northwest Airlines.

En général, la société mère conserve une majorité de contrôle de la filiale, avec souvent une détention de 80 %[20]. Les investisseurs s'inquiètent parfois du manque de spécialisation ou des fondements mêmes de l'opération, mais la société mère peut en tout cas définir une rémunération des dirigeants basée sur la performance du prix des actions de la filiale. Quelques entreprises cèdent par appartements des intérêts minoritaires dans une filiale et plus tard vendent ou filialisent les actions restantes. L'encadré « Actualités financières » décrit comment la société Palm a d'abord été vendue par appartements avant d'être filialisée.

Actualités financières

Lorsque 3Com a acheté US Robotics en 1997, elle est par la même occasion devenue propriétaire de Palm, petite start-up spécialisée dans les ordinateurs de poche. Ce fut un rachat chanceux puisque, au cours des trois années suivantes, le Palm Pilot est devenu leader de son marché. Mais comme Palm commençait à accaparer de plus en plus les dirigeants de 3Com, ces derniers décidèrent de se recentrer sur leur métier de base : la vente de système de réseaux pour ordinateurs. En 2000, la société annonça qu'elle allait vendre 5 % de sa participation dans Palm à travers une offre publique et ensuite filialiser les 95 % restants en donnant aux actionnaires de 3Com environ 1,5 action Palm par action 3Com.

La vente par appartements de Palm intervint pratiquement au sommet de la vague des nouvelles technologies et connut un démarrage fulgurant. Le prix public des actions était de 38 $. Le premier jour de cotation, on toucha un plus haut cours de 165 $ par action avant de clôturer à 95 $. Chaque détenteur d'une action 3Com pouvait s'attendre à recevoir dans l'année la valeur équivalente à 1,5 action, soit $1{,}5 \times 95 = 142{,}50$ $. Mais apparemment les actionnaires de 3Com n'étaient pas vraiment convaincus de leur nouvelle richesse puisque le même jour les actions 3Com clôturaient à 82 $, soit 60 $ de *moins* que la valeur de marché des actions Palm qu'ils devaient recevoir*.

Trois ans après la filialisation de Palm par 3Com, Palm s'est mise à son tour à filialiser ses activités en proposant à ses actionnaires PalmSource, filiale en charge du développement et de la vente de licences du système d'exploitation Palm™, les activités restantes, rebaptisées PalmOne, se spécialisant dans la conception de gadgets mobiles. La société avança trois raisons pour expliquer sa décision de scission. En premier lieu, tout comme ceux de 3Com, les dirigeants de Palm croyaient que la société retirerait des bénéfices en clarifiant sa spécialisation et ses missions. En second lieu, ils affirmèrent que la valeur pour l'actionnaire « s'en trouverait accrue à partir du moment où les investisseurs pourraient évaluer et choisir entre les deux activités, ce qui attirerait de nouveaux investisseurs ». En troisième lieu, il semblait que les concurrents de Palm étaient peu enclins à acheter des logiciels à une société qui fabrique elle aussi du matériel de poche.

* Cette différence aurait offert une opportunité d'arbitrage. Un investisseur qui achetait 1 action 3Com et vendait rapidement 1,5 action Palm aurait retiré un profit de 60 $ et aurait détenu les autres actifs de 3Com gratuitement. La difficulté à réaliser cet arbitrage est détaillée dans « Can the Market Add and Subtract ? Mispricing in Tech Stock Carve-Outs » par O. A. Lamont et R. H. Thaler, *Journal of Political Economy*, 111 (avril 2003), pp. 227-268.

---

20. La société mère peut conserver un intérêt de 80 % (95 % en France) pour consolider la filiale avec ses propres comptes fiscaux. Dans le cas contraire, la filiale est imposée comme une société indépendante.

La vente par appartements sans doute la plus réussie dans les années 1980 et 1990 a été Thermo Electron, avec des opérations dans les soins médicaux, les installations de production d'énergie, l'instrumentation, la surveillance de l'environnement et le nettoyage et diverses autres activités. À la fin de l'année 1997, la société mère avait 7 filiales cotées sur les marchés qui, de leur côté, avaient vendu par appartements 15 autres entreprises cotées, lesquelles étaient des petites-filles de Thermo Electron. Les dirigeants de la société sont partis du principe que la vente par appartements aurait pour effet de responsabiliser chaque dirigeant, dont les actions seraient jugées par les marchés financiers. Pendant un moment, cette stratégie sembla fonctionner et l'action Thermo Electron devint une valeur vedette de la cote. Mais cette structure complexe commença à engendrer des pertes d'efficacité, et en 2000 Thermo Electron fit marche arrière. Elle racheta nombre de filiales vendues quelques années auparavant et filialisa plusieurs sociétés filles comme Viasis Helth Care et Kadant Corp., spécialisées dans les équipements pour la fabrication et le recyclage du papier.

Quelques entreprises ont émis des *actions traçantes*[21] (ou *actions reflet*, pour *tracking stocks*) liées à la performance d'activités particulières. Cela ne nécessite ni filialisation ni vente par appartements, seulement la création d'une nouvelle catégorie d'actions. Par exemple, en octobre 2000, Alcatel fut la première société européenne à émettre des *tracking stocks*, fondées sur la performance de sa division optronique.

2.3 Les ventes partielles d'actifs

Le moyen le plus simple pour se séparer d'un actif est de le vendre. La **vente partielle d'actifs** correspond à l'achat d'une *partie* d'une entreprise par une autre. Elles peuvent porter sur des points de ventes ou des usines obsolètes, mais parfois aussi sur l'ensemble des actifs d'une division. Le record pour une telle vente est détenu par AT&T avec la vente en 2001 de Comcast, son activité câble télé, pour un montant de 42 milliards de dollars.

Les ventes partielles d'actifs sont courantes dans l'industrie. Maksimovic et Phillips ont étudié l'évolution année après année d'un échantillon de 50 000 sites industriels américains entre 1974 et 1992. Environ 35 000 sites ont changé de main pendant cette période. La moitié de ces ventes était le résultat de fusions et acquisitions de sociétés entières. L'autre moitié provenait de ventes partielles d'actifs, avec la vente de tout ou partie d'une même division[22].

Les annonces de ventes partielles d'actifs d'une entreprise sont de bonnes nouvelles pour ses investisseurs, car la productivité des actifs vendus augmente, en moyenne, après la cession[23]. Il semble en effet que les ventes d'actifs transfèrent des unités à des entreprises qui peuvent les gérer de manière plus efficace.

2.4 La privatisation

Une **privatisation** est une vente d'une société publique à des investisseurs privés. Ces dernières années, les gouvernements de tous les pays ont mené un programme de privatisation. Voici quelques exemples de privatisations récentes :

Thaïlande : privatisation de Thai Airways (novembre 2003).

---

21. Voir E. Ginglinger, Z. Taktak, Le point sur… les actions reflets (ou tracking stocks), *Banque & Marchés*, n° 65, juillet-août 2003, p. 49.

22. V. Maksimovic et G. Phillips, « The Market for Corporate Assets : Who Engages in Mergers and Asset Sales and Are there Efficiency Gains ? », *Journal of Finance*, 56 (décembre 2001), tableau 1, p. 2000.

23. Voir Maksimovic et Phillips, *op. cit.*

Pakistan : vente de la participation majoritaire dans Habib Bank (février 2004).

Japon : vente de West Japan Railway Company (mars 2004).

Inde : vente de la participation dans ONCG, exploration et production pétrolière (mars 2004).

Turquie : lancement de la vente de la participation dans Turk Telecom (mai 2004).

Ukraine : vente du groupe sidérurgique Kryvorizhstal (juin 2004).

Allemagne : privatisation de Post, première banque de détail du pays (juin 2004).

France : ouverture du capital d'EDF (novembre 2005).

La plupart des privatisations ressemblent plus à des ventes par appartements qu'à des filialisations, parce que les actions sont vendues en espèces et non pas réparties entre des « actionnaires », c'est-à-dire aux citoyens du pays qui vend. Mais plusieurs pays anciennement communistes, comme la Russie, la Pologne et la République tchèque, ont privatisé au moyen de bons distribués à la population. Ces bons pouvaient servir à acheter des actions dans les nouvelles entreprises privatisées[24].

Les privatisations atteignent des sommes considérables pour les gouvernements qui vendent. L'État français a obtenu 70 milliards d'euros de 1986 à 2002[25]. Le Japon a reçu 80 milliards de dollars dans la privatisation de NTT (*Nippon Telephone and Telegraph*) en 1987 et 1988. Les privatisations sont aussi fréquentes dans les compagnies aériennes (par exemple, Japan Airlines, Air New Zealand, voire Air France) et les banques.

Les motivations pour une privatisation semblent se réduire aux trois éléments suivants :

- *Une efficacité accrue.* Grâce à la privatisation, l'entreprise s'expose à la discipline de la concurrence et n'est plus sous l'influence politique pour ses décisions d'investissement et d'exploitation[26]. Les dirigeants et les salariés peuvent être davantage motivés pour réduire les coûts et ajouter de la valeur économique.
- *La détention d'actions.* Les privatisations encouragent la détention d'actions. De nombreuses privatisations fournissent des conditions particulières ou des distributions avantageuses pour les salariés et les petits investisseurs.
- *Des recettes pour les pouvoirs publics.* Dernier avantage, mais pas le moindre.

Les craintes que les privatisations s'accompagnent de licenciements et de chômage n'apparaissent pas fondées. Bien que les sociétés récemment privatisées cherchent à accroître leur efficacité et réduisent le nombre d'emplois, elles ont aussi tendance à se développer plus vite et donc à embaucher. Dans beaucoup de cas, l'effet sur l'emploi se révèle positif.

Sous d'autres aspects, l'impact d'une privatisation est lui aussi presque toujours positif. Une étude comparative sur les privatisations conclut que les sociétés « deviennent presque toujours plus efficaces, plus profitables…, sont en meilleure santé et augmentent leurs dépenses d'investissement »[27].

---

24. Il y a beaucoup d'articles sur les privatisations par bons. Voir, par exemple, M. Boyco, A. Shleifer et R. Vishny, « Voucher Privatization », *Journal of Financial Economics*, 35 (avril 1994), pp. 249-266, et R. Aggarwal et J. T. Harper, « Equity Valuation in the Czech Voucher Privatization Auctions », *Financial Management*, 29 (hiver 2000), pp. 77-100.
25. L. Mauduit, « En France, les privatisations ont rapporté 70 milliards d'euros », *Le Monde* (9 avril 2002).
26. Une comparaison des avantages et inconvénients des deux systèmes est réalisée par R. A. Brealey, I. A. Cooper et M. A Habib dans « Investment Appraisal in the Public Sector », *Oxford Review of Economic Policy*, 13 (1997), pp. 12-28.
27. W. L. Megginson et J. M. Netter, « From State to Market : A Survey of Empirical Studies on Privatization », *Journal of Economic Literature*, 39 (juin 2001), p. 381.

Pour la France, les résultats sont beaucoup plus mitigés : Charreaux et Alexandre identifient certes des améliorations (rentabilité, productivité, investissement), mais « la plupart de ces évolutions ne sont pas significatives, notamment en termes de performance, et [...] en outre certaines d'entre elles se sont produites avant la privatisation[28] ».

3 Les conglomérats

Au fil des fusions et démembrements, les structures de propriété et de contrôle changent. Mais les restructurations peuvent aussi amener les sociétés à modifier leur champ d'activité. Ainsi aux États-Unis, dans les années 1960, la vague de fusions a vu la création d'un grand nombre de conglomérats opérant dans des secteurs très variés. Le tableau 33.2 montre que, dans les années 1970, les plus gros avaient fini de saisir toutes les opportunités et les ouvertures possibles. ITT, le plus important de ces conglomérats, était présent dans 38 secteurs différents et se classait au huitième rang des entreprises américaines pour les ventes. En 1995, il avait déjà vendu ou filialisé plusieurs activités, et séparé ses activités restantes en trois entreprises différentes : l'une dans les hôtels et les casinos, l'autre dans l'équipement automobile, la défense et l'électronique, la dernière dans l'assurance et les services financiers. La plupart des conglomérats ont disparu dans les années 1980-1990[29].

Quels avantages pouvait-on en attendre ? D'abord, la diversification dans plusieurs secteurs était supposée stabiliser les résultats et réduire les risques. C'est difficilement défendable, parce que les actionnaires peuvent se diversifier de manière beaucoup plus efficace et flexible[30]. Ensuite, et de façon plus importante, l'idée est que les bons dirigeants sont substituables : une direction peut aussi bien travailler dans la fabrication de pièces automobiles que dans la tenue d'une chaîne d'hôtels. L'idée était que les conglomérats permettaient de créer de la valeur en remplaçant les dirigeants vieille école par des responsables formés dans les universités aux sciences managériales.

Ces arguments revêtaient une part de vérité. Les premiers conglomérats à connaître la réussite améliorèrent la situation de secteurs matures et assoupis. Le problème était plutôt qu'une entreprise n'a pas besoin de se diversifier pour améliorer l'efficacité d'un secteur en stagnation.

Tableau 33.2. Les plus gros conglomérats américains en 1979

Rang (chiffre d'affaires)	Entreprise	Nombre de secteurs
8	International Telephone Telegraph (ITT)	38
15	Tenneco	28

28. Charreaux et Alexandre soulignent néanmoins le problème de la mesure de performance, particulièrement aigu dans le cas de sociétés privatisées. Voir G. Charreaux, H. Alexandre, « L'efficacité des privatisations françaises : une vision dynamique à travers la théorie de la gouvernance », *Cahiers du FARGO*, Latec, université de Bourgogne, octobre 2001, 38 pages, ou G. Charreaux, H. Alexandre, « Le Privatization Francesi Sono State Efficaci ? », dans F. A. Grassini (éd.), *Guido Carli e le privatizzazioni dieci anni dopo*, Associazione Guido Carli et Luiss Edizioni, 2001, pp. 65-153.

29. En Europe, aujourd'hui, il existe encore des conglomérats. En France, on peut citer le Groupe Bolloré, présent dans les transports maritimes et ferroviaires, la distribution d'énergie, les films plastique… Basée au Royaume-Uni, Virgin vend (en Europe, aux États-Unis, au Canada) des disques, des trajets aériens (ou dans l'espace), des vêtements, ou de l'antenne radio (Oüi FM en France).

30. Voir l'annexe du chapitre 32.

Tableau 33.2. Les plus gros conglomérats américains en 1979 (...)

Rang (chiffre d'affaires)	Entreprise	Nombre de secteurs
42	Gulf & Western Industries	41
51	Litton Industries	19
66	LTV	18

Source : A. Chandler et R. S. Tetlow (eds.), *The Coming of Managerial Capitalism*, Richard D. Irwin, Inc. Homewood, IL, 1985, p. 772 ; voir aussi J. Baskin et P. J. Miranti Jr., *A History of Corporate Finance*, Cambridge University Press, Cambridge, U.K., 1997, chapitre 7.

Enfin, une grande diversification des conglomérats signifiait que leur direction générale pouvait faire des opérations sur un *marché interne de capitaux*. Des cash-flows générés par des unités dans des secteurs traditionnels pouvaient être canalisés par l'entreprise dans d'autres unités avec des possibilités de croissance intéressantes. Ces unités à croissance rapide n'avaient pas besoin de faire appel à des investisseurs extérieurs.

Il existe quelques bons arguments pour des marchés internes de capitaux. Les dirigeants de l'entreprise connaissent mieux ses capacités d'investissement que des investisseurs extérieurs et les coûts d'émission des titres sont évités. De plus, le risque est que les marchés internes de capitaux ne soient pas de vrais marchés mais des combinaisons d'une planification centrale et de négociations entre entreprises. Les budgets financiers des unités sont fonction d'éléments politiques autant qu'économiques. De grandes unités bénéficiaires avec suffisamment de cash-flows ont davantage de pouvoir de négociation que d'opportunités de croissance ; elles peuvent obtenir des budgets financiers généreux alors que des unités plus petites avec de bonnes perspectives mais moins de pouvoir de négociation seront moins bien loties.

Les conglomérats rencontrent d'autres problèmes. Les valeurs de marché de leurs unités ne peuvent pas être observées de manière isolée et il est difficile de donner des objectifs à leurs dirigeants. C'est particulièrement visible quand on demande à ces derniers de se risquer à des coopérations. Comment une start-up dans la biotechnologie peut-elle réussir en tant que division d'un conglomérat traditionnel ? Comment les scientifiques et les cliniciens qui réussissent dans la recherche et le développement biotechnologique peuvent-ils être récompensés ? L'innovation et la prise de risque dans la haute technologie ne sont pas impossibles, mais les difficultés sont évidentes.

Berger et Ofek jugent la sous-estimation moyenne des conglomérats (holdings) à 12-15 %[31]. Cela signifie que la valeur de marché du conglomérat dans son ensemble est inférieure à la somme des valeurs de ses différentes parties. La cause principale de cette sous-évaluation, du moins dans l'exemple de Berger et Ofek, semble provenir d'un surinvestissement et d'une mauvaise allocation de l'investissement. En d'autres termes, les investisseurs diminuent le prix des actions des conglomérats de crainte que leurs directions fassent des investissements à VAN négative dans les unités traditionnelles et d'autres, à VAN positive, ailleurs. Mais cette analyse ne fait pas l'objet d'un consensus. Beaucoup de chercheurs ont

31. P. Berger and E. Ofek, « Diversification's Effect on Firm Value », *Journal of Financial Economics*, 37 (janvier 1995), pp. 39-65.

trouvé une sous-estimation bien moindre, et d'autres ont même conclu à une légère prime[32].

Les marchés internes de capitaux dans les affaires pétrolières Les mauvaises allocations des marchés de capitaux internes ne sont pas limitées aux conglomérats purs. Par exemple, Lamont a trouvé que, au moment où le prix du pétrole a été réduit de moitié en 1986, les entreprises pétrolières diversifiées ont réduit leurs investissements dans leurs unités *non pétrolières*[33]. Celles-ci furent obligées de « partager le pain », alors que la diminution des prix du pétrole ne réduisait pas leurs opportunités d'investissement. *The Wall Street Journal* décrit cet exemple[34] :

> Chevron Corp. réduisit son capital et ses budgets en 1986 d'environ 30 % en raison du plongeon du prix du pétrole : un porte-parole de Chevron dit que la réduction des dépenses serait décidée par la direction et qu'aucune opération ne serait épargnée :
>
> Environ 65 % des 3,5 milliards de dollars de budget seront dépensés en exploration et production de pétrole et de gaz – environ la même proportion qu'avant la révision des budgets. Chevron diminuera aussi ses dépenses de raffinage et de marketing, pour les activités concernant les oléoducs et les gazoducs, les minerais, la chimie et la navigation.

Pourquoi réduire les dépenses sur les minerais ou la chimie ? Les prix faibles du pétrole sont généralement de bonnes nouvelles pour les entreprises chimiques parce que les dérivés du pétrole constituent une importante matière première. Les compagnies pétrolières étaient de grandes et belles sociétés. Elles auraient pu obtenir des capitaux supplémentaires de la part d'investisseurs pour assurer les dépenses de leurs unités non pétrolières. Elles choisirent de ne pas le faire. Nous ne comprenons pas pourquoi. Toutes les grandes entreprises doivent répartir leur capital entre leurs unités ou lignes de produits. Elles ont donc toutes des marchés internes de capitaux et doivent faire attention de ne pas faire d'erreurs ou de mauvaises répartitions. Mais ce danger augmente quand l'entreprise passe de quelques secteurs liés à une diversification de conglomérat. Regardez à nouveau le tableau 33.2 : comment la direction générale d'ITT pourrait-elle conserver une trace précise des opportunités d'investissement dans 38 secteurs différents ?

3.1 Quinze ans après avoir lu ce chapitre

Vous venez juste de prendre le contrôle de La Daurade Holding, après une bataille à gros enjeux et très médiatisée. Vous avez décidé d'augmenter la valeur pour les actionnaires de votre entreprise, rebaptisée El Dorado.

Heureusement, vous vous souvenez de *Principes de gestion financière*. D'abord vous identifiez les unités délaissées d'El Dorado, celles qui n'ont pas reçu leur part de capital ou l'attention de la direction générale, et vous les filialisez supprimant ainsi leur marché interne de capitaux. En tant qu'entreprises indépendantes, ces unités peuvent fixer leurs propres budgets financiers, mais pour obtenir du financement, elles doivent convaincre des investisseurs

---

32. Voir par exemple J. M. Campa et S. Kedia, « Explaining the Diversification Discount », *Journal of Finance*, 57 (août 2002), pp. 1731-1762 ; et B. Villalonga, « Diversification Discount or Premium ? New evidence from the Business Information Tracking Service », *Journal of Finance*, 59 (avril 2004), pp. 479-506.

33. O. Lamont, « Cash Flow and Investment Evidence from Internal Capital Markets », *Journal of Finance*, 52 (mars 1977), pp. 83-109.

34. Cité par Lamont, *op. cit.*, pp. 89-90.

extérieurs que leurs opportunités de croissance sont vraiment à VAN positive. Les dirigeants de ces entreprises peuvent acheter des actions ou recevoir des « stock-options » en rémunération. Les objectifs pour maximiser la valeur sont donc élevés. Les investisseurs savent tout cela, de sorte que le cours de l'action d'El Dorado s'accroît dès que des filialisations sont annoncées.

El Dorado détient aussi quelques grandes affaires traditionnelles qui servent de « vaches à lait ». Vous accroissez encore la valeur en vendant quelques-unes de ces unités à des fonds de LBO. Vous discutez ferme et obtenez un bon prix, permettant au cours de l'action de grimper encore plus. Les unités restantes seront le cœur d'El Dorado. Vous entreprenez une restructuration à effet de levier de ces activités en vous assurant que les cash-flows disponibles seront versés aux investisseurs plutôt qu'investis en participations à VAN négative. Vous décidez d'établir une mesure de la performance et un système de rémunération fondés sur un revenu résiduel[35]. Vous vous assurez aussi que les dirigeants et les salariés les plus importants ont des intérêts significatifs dans le capital. Vous détenez le pouvoir en tant que chef absolu et El Dorado vit et prospère. Cette histoire pourrait être vraie.

3.2 La structure financière des conglomérats américains traditionnels

Cette fiction reprend l'argument en faveur de la *centralisation* et contre la diversification sous forme de conglomérat. Mais nous devons être attentifs à ne pas le pousser trop loin. Par exemple, la holding Nord Est (ex-Continentale d'Entreprise) est diversifiée dans l'extraction et la transformation de minerais, les composants passifs, l'emballage ou le luxe, et son action a eu une progression supérieure à celle du CAC 40 sur les cinq dernières années (mais avec une sous-performance en 2005). De même, aux États-Unis, General Electric donne un exemple de holding (très diversifiée) à succès.

Pour ajouter de la valeur à long terme, la structure des conglomérats nécessite deux axes de décisions pour la direction générale : (1) s'assurer que la gestion de la division et la performance opérationnelle sont meilleures qu'elles n'auraient pu l'être si les unités étaient restées indépendantes et (2) recourir au marché interne de capitaux, qui est plus rentable que le marché externe. En d'autres termes, la gestion du conglomérat doit prendre de meilleures décisions d'investissement que celles que prendraient des entreprises indépendantes responsables de leur propre financement.

La tâche (1) est délicate parce que les valeurs de marché des unités ne peuvent pas être observées de façon séparée et qu'il est difficile de fixer des objectifs pour leurs dirigeants. La tâche (2) est délicate aussi parce que les planificateurs centraux des conglomérats doivent parfaitement comprendre les opportunités d'investissement dans différents secteurs et parce que les marchés internes de capitaux sont soumis à des répartitions par négociations et à des décisions politiques.

Nous allons voir maintenant une catégorie de conglomérats qui semblent ajouter de la valeur. Nous montrerons, cependant, qu'elle correspond à une structure financière différente.

35. C'est-à-dire sur l'EVA. Voir la section 4, chapitre 12.

3.3 Les conglomérats temporaires et les fonds d'investissement

Le tableau 33.3 donne la liste des affaires dans lesquelles un fonds LBO de Kohlberg, Kravis, Roberts (KKR) a investi. C'est bien un conglomérat, mais ce fonds n'est pas une entreprise dont les actions sont cotées.

Tableau 33.3. Liste des affaires subordonnées au fonds LBO de KKR

Chimie	2
Communications	6
Autres produits de consommation	3
Énergie	2
Services financiers	4
Santé	3
Construction de logements	1
Hôtels et loisirs	1
Industrie et produits manufacturés	8
Médias	1
Enseignement	1

En 2005, KKR et ses partenaires détenaient des participations dans 32 sociétés dans les secteurs d'activités ci-dessus. Ce fonds était un conglomérat (temporaire).

Source : Kohlberg Kravis Roberts & Company, **www.kkr.com**.

KKR est un fonds d'investissement non coté et un conglomérat provisoire. Il acquiert des entreprises, généralement dans des secteurs indépendants, mais pas pour les conserver. Son but est d'acheter, de consolider et de vendre. Il achète pour restructurer, céder des actifs et développer des activités. Si le programme de développement est une réussite, il cède, soit en introduisant l'entreprise en Bourse, soit en la vendant à une autre.

KKR est célèbre dans le monde des LBO. Sa structure financière est divisée en fonds d'investissement pour placer dans des start-up, et en fonds de LBO pour acquérir des entreprises non cotées et sans financement, par endettement. Ce sont tous des *fonds privés d'investissement en capital*. La figure 33.2 montre comment un tel groupement est organisé. Les *gestionnaires du fonds* (*general partners*, ou GP) organisent et gèrent la participation (en France, une société de gestion du fonds est constituée sous forme de FCPR, fonds commun de placement à risque). Les *investisseurs*[36] (*limited partners*, LP) apportent l'essentiel de l'argent. Ce sont en général des investisseurs institutionnels, comme des fonds de pension, des fondations et des compagnies d'assurances. Des personnes ou des familles riches peuvent aussi participer.

Une fois que le fonds est formé, les gestionnaires recherchent les entreprises dans lesquelles investir. Les fonds d'investissement recherchent des start-up dans les nouvelles technologies,

36. Les partenaires minoritaires bénéficient d'une participation limitée. Voir la section 2, chapitre 14.

les fonds de LBO cherchent des affaires plus traditionnelles, avec beaucoup de trésorerie disponible et un besoin de renouveau de la direction. Quelques fonds se spécialisent dans des secteurs particuliers, par exemple la biotechnologie ou l'immobilier. Mais la plupart se contentent d'entreprises dans des secteurs différents.

La société de gestion a généralement une durée limitée, 10 ans au maximum. Les sociétés de portefeuilles doivent être vendues et le résultat obtenu doit être réparti. Les gestionnaires *ne peuvent pas réinvestir* l'argent des investisseurs. Une fois que le fonds a démontré sa réussite, les gestionnaires peuvent évidemment redevenir des investisseurs classiques, institutionnels ou sous toute autre forme.

Les gestionnaires obtiennent des frais de gestion, en général 1 ou 2 % du capital engagé, plus les *intérêts produits*, souvent 20 % des profits du fonds. En d'autres termes, les investisseurs commencent par récupérer leur mise puis obtiennent seulement 80 % de tout bénéfice supplémentaire[37].

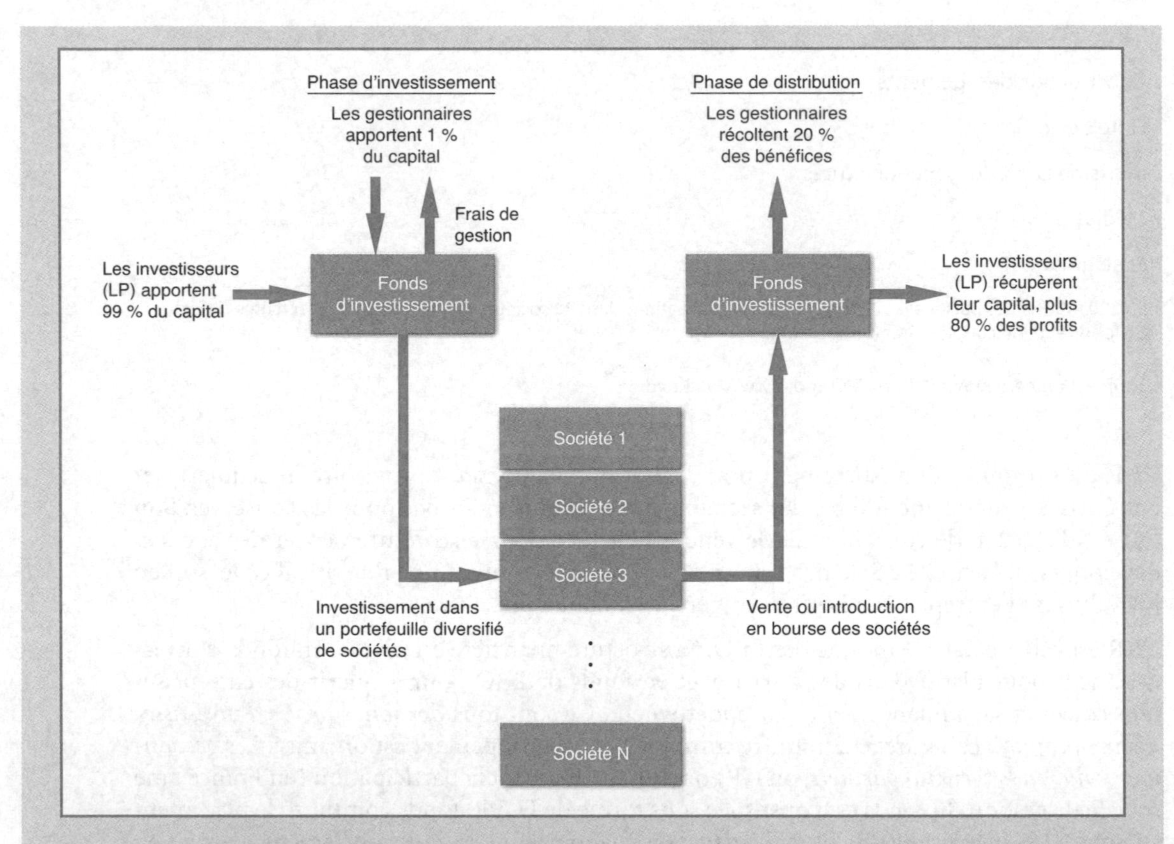

Figure 33.2 - Organisation caractéristique d'un fonds d'investissement non coté dans le capital. Les investisseurs, ayant apporté presque tout l'argent nécessaire, initient la vente des sociétés en portefeuille sous forme de vente ou de mise sur le marché (offre publique). Une fois le retour sur investissement atteint, ils touchent 80 % des bénéfices, et les gestionnaires qui organisent et dirigent le fonds 20 %.

37. Les gestionnaires ont une option d'achat de 20 % sur la valeur du fonds, avec un prix d'exercice égal à la participation des investisseurs.

Le tableau 33.4 synthétise la comparaison faite par Baker et Montgomery des structures financières d'un fonds de LBO et d'un conglomérat coté représentatif. Les deux sont diversifiés, mais les participants minoritaires du fonds n'ont pas à craindre que la trésorerie dégagée soit réinvestie dans des investissements non rentables : le fonds n'a pas de marché interne de capitaux. Le contrôle et la rémunération des dirigeants diffèrent aussi. Dans le fonds LBO, chaque entreprise est gérée comme une affaire indépendante. Les dirigeants sont responsables directement devant les propriétaires, les partenaires du fonds. Les dirigeants de chaque entreprise détiennent des actions ou des stock-options de la société, mais non dans le fonds. Leur rémunération dépend de la valeur de marché lors d'une vente ou d'une mise sur le marché.

Tableau 33.4. Fonds LBO comparés à des conglomérats cotés

Fonds LBO	Conglomérats cotés
Largement diversifiés	Largement diversifiés
Investissements dans des secteurs indépendants	Investissements dans des secteurs indépendants
Le partenariat à durée limitée nécessite la vente des sociétés de portefeuille	Les sociétés cotées sont conçues pour gérer leurs activités sur du long terme
Aucun lien financier ou transfert entre les sociétés de portefeuille	Marché interne de capitaux
Les gestionnaires « font l'opération » puis contrôlent ; les prêteurs contrôlent aussi	La direction de la société évalue les plans et la performance des unités
La rémunération des dirigeants dépend de la valeur finale de la société	La rémunération des dirigeants des unités dépend généralement des résultats

Les deux structures sont diversifiées, investissent dans des secteurs indépendants, mais leurs structures financières diffèrent profondément.

Source : adapté de G. Baker et C. Montgomery, « Conglomerates and LBO Associations : A Comparison of Organizational Forms », working paper, Harvard Business School, Cambridge, MA, juillet 1996.

Dans un conglomérat coté, ces affaires sont des unités et non des sociétés indépendantes. La propriété est dispersée. Les unités ne sont pas évaluées par les investisseurs sur le marché boursier, mais par la direction du conglomérat (ceux qui assurent le marché interne des capitaux). La rémunération des dirigeants ne dépend pas des valeurs de marché des unités puisque les actions ne peuvent être négociées et les prévisions de ventes ou de filialisations ne sont pas un élément de la structure financière du conglomérat.

Les avantages des fonds LBO sont évidents : motivations fortes pour les dirigeants, propriété concentrée (pas de séparation entre la propriété et le contrôle), durée limitée, ce qui assure aux participants minoritaires que la trésorerie ne sera pas investie dans des opérations vouées au gaspillage.

Ces avantages sont supérieurs à ceux des autres types de fonds non cotés, comme les fonds de capital-risque. Cette structure financière n'est pas forcément appropriée pour toutes les affaires. Elle sert pour permettre des modifications, pas pour durer. Mais les conglomérats traditionnels ne semblent pas être très efficaces à long terme, tout du moins aux États-Unis. Nous verrons dans le chapitre suivant que les conglomérats sont plus répandus, et réussissent plutôt bien en apparence, dans d'autres régions du monde.

Résumé

La structure d'une entreprise n'est pas immuable. Les sociétés se réorganisent fréquemment en ajoutant de nouvelles activités ou en se séparant d'activités existantes. Leur structure capitalistique peut changer, de même que la propriété et le contrôle. Dans ce chapitre, nous avons explicité certains mécanismes utilisés par les sociétés pour se transformer.

Nous avons commencé par les opérations à effet de levier (LBO). Un LBO est une prise de contrôle ou une acquisition financée par une dette. Il est détenu, sans être coté, en général par un fonds d'investissement. Le financement de la dette n'est pas, le plus souvent, son objectif. C'est un moyen pour parvenir à une fin. La plupart des LBO sont des opérations de mise à la diète. La nécessité de disposer de trésorerie pour assurer le service de la dette oblige les dirigeants à se débarrasser d'actifs non indispensables, à favoriser une efficacité opérationnelle et à renoncer à des investissements peu rentables. Les dirigeants et les cadres supérieurs reçoivent une participation sous forme de titres de l'affaire, ce qui les conduit à être très motivés pour réaliser ces adaptations.

Les restructurations à effet de levier sont, sous bien des aspects, comparables aux LBO : l'endettement augmente, et les profits sont distribués. L'entreprise est obligée de générer du cash pour assurer le service de la dette, mais il n'y a pas de changement du contrôle, et elle reste cotée.

La plus grande partie des investissements dans les LBO est faite par des fonds d'actions non cotés. Nous les avons appelés des conglomérats temporaires. Conglomérats parce qu'ils sont constitués d'un portefeuille d'entreprises dans plusieurs secteurs indépendants. Temporaires parce que le fonds a une durée limitée, en général autour de dix ans. À la fin de cette période, les investissements du fonds doivent être vendus ou mis sur le marché. Les fonds d'investissement non cotés n'achètent pas pour conserver les actifs ; ils achètent, restructurent et vendent. Les investisseurs du fonds n'ont donc pas à se soucier du gaspillage des cash-flows dégagés en réinvestissements aléatoires. Les dirigeants des LBO savent qu'ils seront capables de se débarrasser de leurs titres si leur entreprise réussit à améliorer son efficience et à rembourser sa dette.

Les fonds non cotés servent aussi aux autres domaines de l'investissement. Les investisseurs, souvent institutionnels comme des fonds de pension, des fondations et des sociétés d'assurances, apportent presque tout l'argent. Ils interviennent surtout quand les investissements du fonds sont vendus. Les gestionnaires qui organisent et gèrent le fonds sont intéressés à ses résultats.

Le marché des actions non cotées a connu une croissance importante. Par opposition aux temporaires, les conglomérats cotés sont en déclin aux États-Unis. Dans ceux-ci, la diversification indépendante semble détruire de la valeur – le tout a une valeur moindre que la somme des parties. Il existe deux raisons pour expliquer cette décote. D'abord la valeur des parties ne peut pas être envisagée de manière séparée et il est malaisé de fixer des objectifs aux dirigeants des différentes unités. Ensuite, leurs marchés de capitaux internes sont inopérants. Il est difficile pour la direction d'apprécier les pertinences d'investissements dans des secteurs différents, et les marchés de capitaux internes sont prédisposés aux surinvestissements et aux aides croisées. Les difficultés pour les faire fonctionner ne sont pas seulement le fait des conglomérats, mais elles sont plus importantes dans ce cas.

Les sociétés vendent autant d'actifs qu'elles en achètent. Les unités sont dépouillées par des ventes d'actifs, des ventes par appartements ou des filialisations. Dans une filialisation, la société mère sépare une activité en la transformant en société cotée et donne à ses actionnaires des actions dans la nouvelle société. Dans une vente par appartements, la société mère lève des fonds en séparant une activité et en vendant ses actions grâce à une offre publique sur le marché. Ces cessions sont en général de bonnes nouvelles pour les investisseurs ; il semble que les unités changent pour de meilleures infrastructures, où elles peuvent être mieux gérées et plus rentables. Les mêmes améliorations d'efficacité et de profitabilité sont souvent observées dans les privatisations qui sont des filialisations ou des ventes par appartements d'affaires détenues par les pouvoirs publics.

Lectures complémentaires

L'article de Kaplan et Stein montre la réalité de l'évolution et de la performance des LBO ; Jensen, l'adepte principal de la théorie de la trésorerie disponible des prises de contrôle, fournit une défense vigoureuse et controversée des LBO :

S. N. Kaplan et J. C. Stein, « The Evolution of Buyout Pricing and Financial Structure (Or, What Went Wrong) in the 1980s », *Journal of Applied Corporate Finance*, 6 (printemps 1993), pp. 72-88.

M. C. Jensen, « The Eclipse of the Public Corporation », *Harvard Business Review*, 67 (septembre-octobre 1989), pp. 61-74.

En français, on peut trouver des renseignements utiles sur les LBO dans :

Dossier « LBO », *Revue Banque*, n° 673, octobre 2005, pp. 24-43.

A. L. Le Naudant, « La performance des sociétés cibles dans les opérations de LBO : étude du marché français », *Analyse financière*, 116 (septembre 1998), pp. 67-85.

D. Mezzez, « Le financement des opérations à effet de levier », *Banques et Marchés*, 39 (mars-avril 1999), pp. 16-26.

X. Thoumieux, *Le LBO : acquérir une entreprise par effets de levier*, Economica, 1996.

Sur les filialisations, on pourra lire :

P. Cusatis, J. Miles et R. Woolridge, « Some New Evidence That Spinoffs Create Value », *Journal of Applied Corporate Finance*, 7 (été 1994), pp. 100-107.

Voici quelques études de cas intéressantes se rapportant à ce chapitre :

B. Burrough et J. Helyar, *Barbarians at the Gate : The Fall of RJR Nabisco*, Harper & Row, New York, 1990.

G. P. Baker, « Beatrice : A study in the Creation and Destruction of Value », *Journal of Finance*, 47 (juillet 1992), pp. 1081-1120.

K. H. Wruck, « Financial Policy as a Catalyst for Organizational Change Sealed Air's Leveraged Special Dividend », *Journal of Applied Corporate Finance*, 7 (hiver 1995), pp. 20-37.

Activités

Révision des concepts

1. Quelles sont les principales caractéristiques des LBO ? Pourquoi avons-nous qualifié les LBO de mise à la diète ?
2. Comment est organisé un fonds d'investissement non coté ? Qui est le gestionnaire du fonds et qui est l'investisseur ?
3. Pourquoi avons-nous décrit le fonds d'investissement non coté comme un conglomérat temporaire ? Quels sont les avantages de cette structure comparés aux conglomérats traditionnels cotés sur le marché ?

Tests de connaissances

1. Définissez les termes suivants :
   - **a.** LBO.
   - **b.** MBO.
   - **c.** Filialisation.
   - **d.** Vente par appartements.
   - **e.** Vente partielle d'actifs.
   - **f.** Privatisation.
   - **g.** Restructuration à effet de levier.
2. Vrai ou faux ?
   - **a.** Une des premières tâches d'un directeur financier d'un LBO est de payer la dette.
   - **b.** Une fois qu'un LBO ou un MBO est non coté, il demeure presque toujours non coté.
   - **c.** Les privatisations sont généralement suivies de remboursements massifs.
   - **d.** La privatisation semble, en général, apporter de l'efficacité et de la valeur ajoutée.
   - **e.** Les cibles des LBO tendaient dans les années 1980 à être des entreprises rentables dans des secteurs traditionnels.
   - **f.** Les « intérêts produits » concernent le paiement des intérêts sur la dette d'un LBO.
   - **g.** À la fin des années 1990, de nouvelles transactions sous forme de LBO étaient extrêmement rares.
3. Quels sont les motifs d'un gouvernement pour privatiser ?
4. Listez les *inconvénients* d'un conglomérat traditionnel aux États-Unis.

Questions et problèmes

1. Vrai, faux ou « ça dépend de… » ?
   a. La plupart des grandes sociétés sont contrôlées par des familles, les pouvoirs publics ou des institutions financières.
   b. Les cadres supérieurs européens ont beaucoup plus de sécurité dans leur travail que leurs homologues américains parce que les actionnaires européens ont moins de pouvoirs que les actionnaires américains.
   c. Vendre par appartements ou filialiser une unité conduit à motiver ses dirigeants.
   d. Les fonds d'investissement non cotés ont des durées limitées. Leur principal objectif est d'obliger les participants généraux à rechercher des retours sur investissement rapides.
   e. Les dirigeants des fonds d'investissement non cotés ont comme objectif de réaliser des investissements risqués.
2. Pour quelles catégories de sociétés une opération LBO ou MBO peut-elle être *non* rentable ?
3. Indiquez les similitudes et les différences entre le LBO de RJR Nabisco et la restructuration par effet de levier de Sealed Air. Les objectifs économiques étaient-ils les mêmes ? Et les résultats ? Pensez-vous que c'était un avantage pour Sealed Air de rester une société cotée ?
4. Examinez quelques exemples récents de cessions et de filialisations. Que pensez-vous des raisons qui les motivaient ? Comment les investisseurs réagissaient-ils aux informations ?
5. Lisez *Barbarians at the Gate* (voir Lectures complémentaires). Quels coûts de siège pouvez-vous identifier ? *Indication* : voir le chapitre 12. Pensez-vous que le LBO était la meilleure solution pour réduire ces coûts ?
6. Expliquez la structure financière d'un fonds d'investissement non coté. Attachez une attention particulière à ses objectifs et sa rémunération. Quelles sortes d'investissements de tels fonds sont-ils susceptibles de faire ?
7. « La privatisation semble apporter des gains d'efficacité car les sociétés cotées sont plus à même de réduire les coûts d'agence. » En quoi cette assertion est-elle exacte (ou inexacte) ?

Chapitre 34

Un tour du monde du gouvernement d'entreprise

La plupart des études consacrées à la finance d'entreprise (et la majeure partie de ce manuel) supposent implicitement que les entreprises ont une structure financière particulière, celle d'une entreprise détenue par de nombreux actionnaires, dont les actions sont cotées sur un marché financier et qui dispose d'un accès aisé aux financements de marché. Mais d'autres structures peuvent exister. Les modalités de propriété, de financement et de contrôle des entreprises diffèrent selon les pays. Ce chapitre est consacré à l'étude de quelques-unes de ces modalités.

Les entreprises peuvent lever des capitaux sur les marchés financiers, mais aussi auprès d'institutions financières. Les marchés financiers occupent une place importante aux États-Unis, au Royaume-Uni et plus généralement dans les pays anglo-saxons. Les institutions financières, au premier rang desquelles les banques, dominent en France, au Japon, en Allemagne et dans beaucoup d'autres pays. Dans les systèmes orientés banque, les investisseurs individuels détiennent directement peu de dettes et d'actions des entreprises ; ce sont les banques, les sociétés d'assurance et les institutions financières qui détiennent ces titres.

Ce chapitre commence par un tour d'horizon des places respectives qu'occupent les marchés financiers, les institutions financières et les autres sources de financement dans le monde. Les situations européennes, japonaises et plus généralement asiatiques sont mises en perspective et comparées aux pays anglo-saxons. La section 2 revient sur les concepts de propriété, de contrôle et de gouvernance, cette fois-ci en partant de la situation des États-Unis et du Royaume-Uni pour ensuite analyser les spécificités européennes et asiatiques. Ces différences dans les mécanismes de gouvernement d'entreprise ont-elles des conséquences importantes ? Un marché financier développé et efficient, des institutions financières saines sont-ils des atouts pour le développement et la croissance économique ? Quels sont les avantages et inconvénients des systèmes orientés marché et orientés banque ? La section 3 tente d'apporter une réponse à ces questions.

Il faut toutefois rappeler que les principes de la finance s'appliquent dans tous les pays du monde : toutes les entreprises du monde utilisent (ou devraient utiliser !) le concept de coût d'opportunité du capital (bien que celui-ci soit difficile à estimer lorsque les marchés financiers sont d'une taille réduite ou très peu actifs) ; les cash-flows actualisés sont les mêmes dans tous les pays ; les options réelles sont utilisées partout ; et, même dans les systèmes orientés banque, les entreprises interviennent sur les marchés financiers mondiaux, en achetant ou en vendant des devises sur le marché des changes, en se couvrant ou spéculant sur les marchés dérivés, etc.

1 Marchés financiers et institutions financières

Dans la plupart des chapitres de ce manuel, on a supposé que le financement par endettement provenait de l'émission d'obligations sur un marché financier. En principe, lorsque l'endettement est contracté auprès d'une banque, cela ne modifie pas le raisonnement. Mais, dans certains pays, le marché de la dette est très peu développé et le financement par emprunt bancaire occupe une place prépondérante. La figure 34.1 détaille les valeurs totales des prêts bancaires, des obligations émises par les entreprises et des actions dans différentes parties du monde en 2003. Pour faciliter les comparaisons internationales, on a rapporté ces chiffres au PIB des différents pays[1].

Le mode de financement des entreprises américaines tranche par rapport au reste du monde. Les États-Unis se caractérisent non seulement par un montant élevé de prêts bancaires rapporté au PIB, mais aussi par un marché boursier et un marché de la dette très développés. Les États-Unis ont donc un système financier orienté marché. La capitalisation boursière des marchés d'actions est aussi très élevée au Royaume-Uni et en Asie[2], mais les prêts bancaires sont beaucoup plus importants que les émissions d'obligations dans ces pays. En Europe[3] et au Japon, le financement bancaire dépasse aussi le financement par émission d'obligations, mais la place des marchés boursiers y est plus réduite. La plupart des pays européens, dont l'Allemagne, la France, l'Italie et l'Espagne, possèdent des systèmes financiers orientés banque. C'est aussi le cas du Japon.

Il est intéressant d'observer les placements effectués par les ménages (c'est-à-dire les investisseurs individuels), toujours par rapport au PIB, d'un autre point de vue (voir figure 34.2)[4]. Les portefeuilles des ménages sont divisés en quatre catégories, dépôts bancaires, polices d'assurance et parts d'organismes de placement collectif, placements en actions et autres. En additionnant les colonnes, on remarque que la détention d'actifs financiers des ménages américains est égale à 327 % du PIB, 306 % au Royaume-Uni, 267 % au Japon et seulement 192 % en Europe. Cela ne signifie pas que les ménages européens sont pauvres, mais seulement qu'ils détiennent une part plus faible de leur richesse sous forme d'actifs financiers. En effet, la figure 34.2 ne prend pas en compte certaines catégories d'actifs, comme la propriété immobilière ou la détention d'actions d'entreprises non cotées. De même, la valeur des pensions de retraite versées par l'État n'est pas comptabilisée. Dans beaucoup de pays, dont la France, les entreprises ne sont pas obligées d'offrir à leurs salariés des fonds de pension, puisqu'elles paient des cotisations qui sont une partie des salaires bruts qu'elles versent à

---

1. Pour obtenir des données plus détaillées et un débat autour des concepts abordés dans cette section, le lecteur pourra se reporter à F. Allen, M. Chui et A. Maddaloni, « Financial Systems in Europe, the US and Asia », *Oxford Review of Economic Policy*, 20 (hiver 2004), pp. 490-508.
2. L'Asie comprend Hong Kong, l'Indonésie, la Corée, la Malaisie, les Philippines, Singapour, Taiwan et la Thaïlande.
3. L'Europe comprend les pays qui ont adopté l'euro, à savoir : l'Autriche, la Belgique, la Finlande, la France, l'Allemagne, la Grèce, l'Irlande, l'Italie, le Luxembourg, les Pays-Bas, le Portugal et l'Espagne.
4. Les données pour l'Asie ne sont pas disponibles pour cette figure et les suivantes.

leurs salariés. Dans ces pays, ce mécanisme réduit les placements en titres financiers des investisseurs institutionnels.

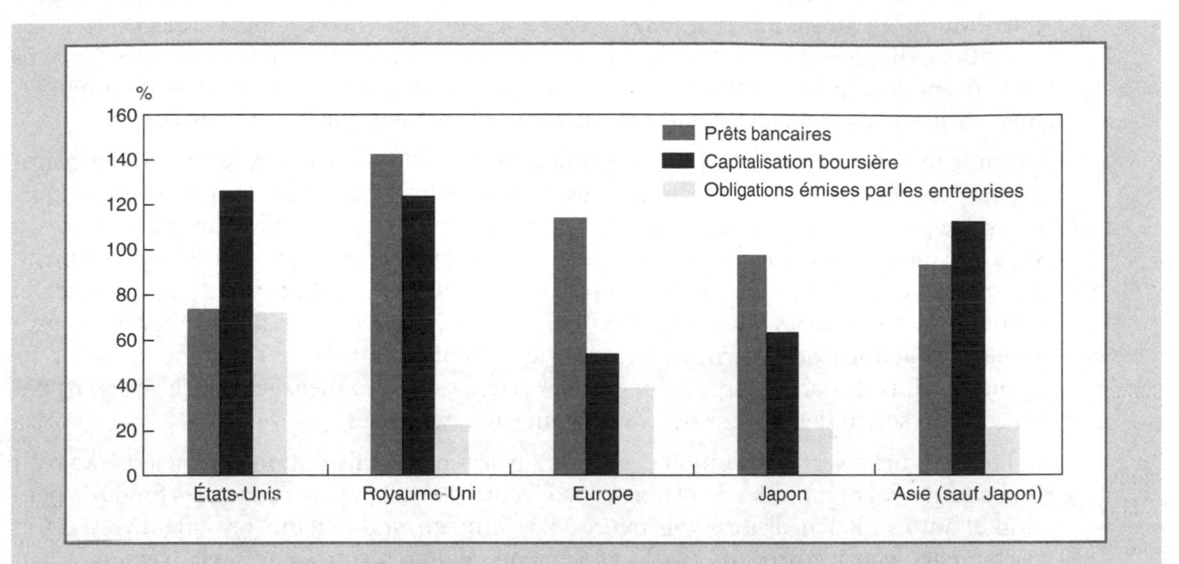

Figure 34.1 - Valeur des actifs financiers en 2003 (en % du PIB).

Sources : CEIC Data Ltd, International Financial Statistics et sources nationales.

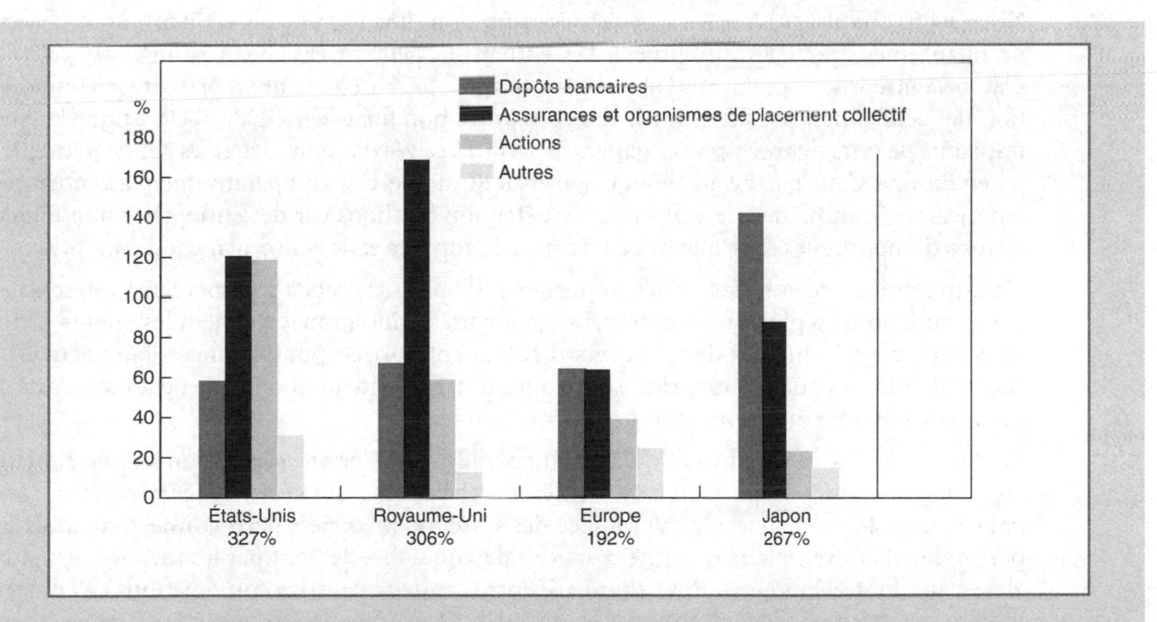

Figure 34.2 - Composition du portefeuille d'actifs financiers des ménages, 1995-2002 (en % du PIB).

Source : Banque centrale européenne, Réserve Fédérale américaine et Banque du Japon.

Aux États-Unis, une part importante du portefeuille des ménages est composée d'actions, détenues directement. Ainsi, les investisseurs individuels peuvent potentiellement jouer un rôle important en termes de gouvernement d'entreprise. La détention directe d'actions est plus limitée au Royaume-Uni, le reste de l'Europe étant encore moins concerné par ces détentions directes. Au Japon, celles-ci ne sont plus qu'anecdotiques. Les ménages japonais ne peuvent donc pas prétendre jouer un grand rôle en termes de gouvernement d'entreprise, même s'ils le désirent : on ne peut pas voter avec des actions que l'on ne possède pas.

Comme le montre la figure 34.2, lorsque la détention directe d'actions est faible, les placements des ménages auprès des banques, sociétés d'assurance et fonds communs sont importants. De plus, dans de nombreux pays, il y a relativement peu d'actionnaires individuels. La majorité des ménages ne place pas directement son épargne en actions, mais indirectement, au travers de sociétés d'assurance, d'organismes de placement collectif, de banques et d'autres intermédiaires financiers. Bien entendu, il est possible de faire remonter la propriété des actions des intermédiaires vers les détenteurs finals de l'épargne, à savoir les ménages. Tous les actifs sont, en définitive, détenus par des ménages ; on ne connaît pas d'actifs qui soient détenus par des investisseurs extraterrestres[5].

Si l'on se tourne vers la détention d'actifs financiers par les institutions financières, à savoir les banques, les organismes de placement collectif, les sociétés d'assurance, les fonds de pension et autres intermédiaires (voir figure 34.3), l'image est différente, presque inversée. Ces placements sont plus réduits aux États-Unis que dans les autres pays, relativement à leur PIB. C'est la conséquence logique d'un système orienté marché. Les institutions financières dans les autres pays (Royaume-Uni, Europe et Japon) ont placé beaucoup de capitaux sous forme de prêts, de dépôts et de devises.

Nous avons étudié le cas des ménages et des institutions financières. Existe-t-il une autre source de financement pour les entreprises ? Les entreprises peuvent également se financer grâce à d'autres entreprises, comme on l'observe sur la figure 34.4. Cette figure représente la composition des actifs financiers détenus par des entreprises non financières. La caractéristique la plus frappante de cette figure est probablement la part très élevée d'actions détenues par des entreprises en Europe. Cette part est élevée au Japon et au Royaume-Uni, comparativement à la situation américaine. Comme nous le verrons, cette détention d'actions par des entreprises non financières a d'importantes conséquences en termes de propriété et de gouvernement d'entreprise.

Un autre point à relever est la place importante des prêts et crédits commerciaux interentreprises au Japon. La plupart des entreprises japonaises utilisent massivement les crédits commerciaux, c'est-à-dire des dettes envers d'autres entreprises, pour financer leurs activités. Bien entendu, ces autres entreprises se retrouvent dans la situation opposée : elles fournissent des financements sous forme de créances à recouvrer.

Les figures 34.1 à 34.4 montrent qu'il est impossible de tracer une séparation simple et nette entre des systèmes « anglo-saxons » orientés marché et des systèmes orientés banque ailleurs dans le monde. Seule une analyse fouillée des systèmes financiers permet une comparaison pertinente. Par exemple, la quantité d'actions détenues directement par les ménages est plus élevée aux États-Unis qu'au Royaume-Uni. Entre ces deux pays, les compositions des portefeuilles d'actifs financiers des ménages, des institutions financières et des entreprises non

5. Il est toutefois possible que les détenteurs d'actifs ne soient pas *encore* présents sur la planète ; ainsi, des organisations à but non lucratif, des organisations charitables ou religieuses peuvent détenir des actifs dont bénéficieront seulement les générations futures.

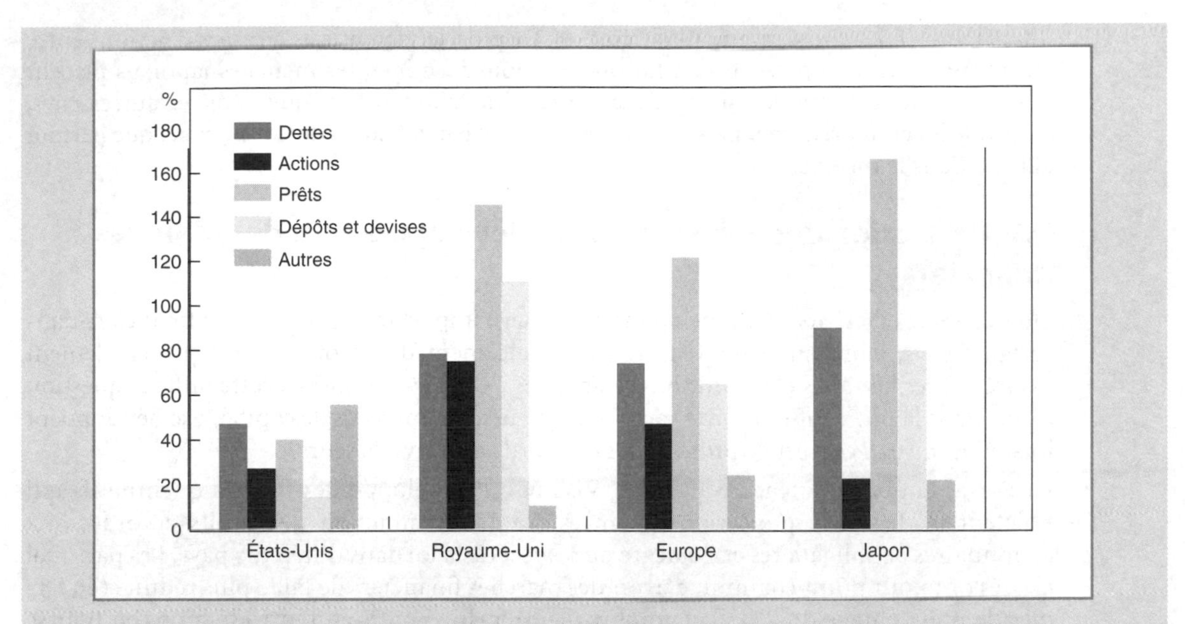

Figure 34.3 - Composition du portefeuille d'actifs financiers des institutions financières, 1995-2002 (en % du PIB).

Source : Banque centrale européenne, Réserve Fédérale et Banque du Japon.

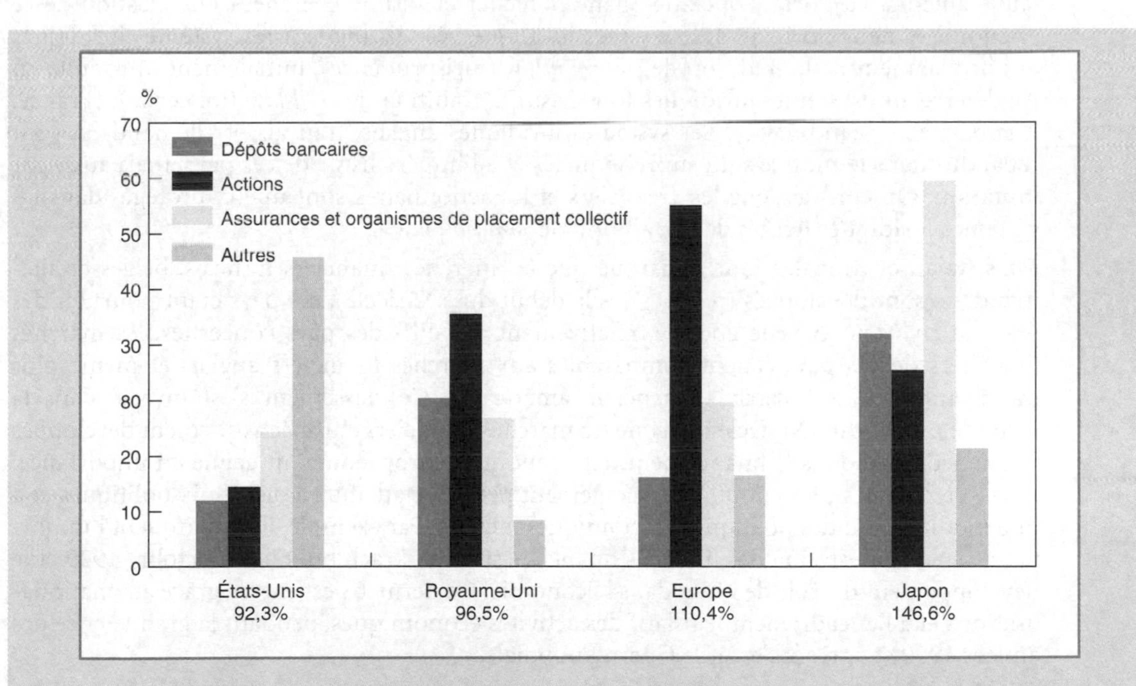

Figure 34.4 - Composition du portefeuille d'actifs financiers des entreprises non financières, 1995-2002 (en % du PIB).

Source : Banque centrale européenne, Réserve Fédérale et Banque du Japon.

financières sont significativement différentes. De plus, les détentions croisées d'actions entre entreprises sont très présentes en Europe. Et, pour terminer, les ménages japonais placent une partie importante de leur épargne auprès des banques, plus que dans les autres pays, alors que les entreprises japonaises recourent plus facilement au crédit commercial que partout ailleurs dans le monde.

1.1 Protection des investisseurs et développement des marchés financiers

Quels sont les facteurs pertinents pour expliquer l'importance des marchés financiers dans certains pays, alors que dans d'autres, le financement de l'économie est principalement assuré par les banques et institutions financières ? Une des réponses à cette difficile question réside dans la protection accordée aux investisseurs. Les marchés de capitaux se développent lorsqu'un niveau correct de protection est accordé aux investisseurs.

La Porta, Lopez-de-Silanes, Shleifer et Vishny ont développé des indices quantitatifs qui reflètent le degré de protection des investisseurs, en fonction des droits accordés aux actionnaires et obligataires et du degré de respect de la loi dans différents pays. Les pays mal classés ont pour point commun d'avoir des marchés financiers de taille plus réduite (en termes de pourcentage du PIB), un nombre d'entreprises cotées et d'introductions en Bourse (une fois rapporté à la population) plus faible et un financement par endettement offert aux entreprises plus réduit[6] que les pays bien classés.

La question suivante est de savoir pourquoi cette protection est forte dans certains pays et faible ailleurs. La Porta, Lopez-de-Silanes, Shleifer et Vishny cherchent l'explication de ce phénomène dans l'origine des systèmes juridiques. Ils distinguent les systèmes juridiques qui proviennent de la tradition de *common law* (jurisprudence), initialement introduite en Angleterre, des systèmes juridiques fondés sur la tradition de *civil law* (loi écrite), (France, Allemagne et Scandinavie). Les systèmes juridiques anglais, français et allemands se sont répandus dans le monde suite aux conquêtes et à l'impérialisme de ces pays, mais aussi par imitation. On constate que les créanciers et les actionnaires sont mieux protégés dans les systèmes juridiques hérités de la tradition de *common law*.

Mais Rajan et Zingales[7] ont remarqué que les marchés financiers français, belges et allemands se sont développés très tôt (dès le début du XXe siècle), ces pays étant pourtant des pays de *civil law*. À cette époque, relativement aux PIB des pays concernés, les marchés financiers de ces pays étaient comparables aux marchés financiers anglais et même plus importants que les marchés financiers américains. Ce classement s'est inversé dans la seconde moitié du XXe siècle bien que les marchés financiers européens se soient développés et que leur rôle dans le financement des économies européennes ait gagné en importance. Rajan et Zingales pensent que ce changement peut être attribué à des choix politiques et à une modification des politiques économiques menées. Par exemple, ils remarquent l'importance de la contestation des marchés financiers suite au krach boursier d'octobre 1929 et le développement du rôle de l'État dans l'économie. Ce dernier s'est exercé grâce aux nationalisations et à l'encadrement législatif des activités économiques, pendant la grande crise des années 1930 et après la Seconde Guerre mondiale.

---

6. La Porta R., F. Lopez-de-Silanes, A. Shleifer et R. Vishny, « Legal determinants of external finance », *Journal of Finance*, 52 (juillet 1997), pp. 1131-1150 et « Law and Finance », *Journal of Political Economy*, 106 (décembre 1998), pp. 1113-1155.
7. Rajan G. et L. Zingales, *Saving capitalism from the capitalists*, New York, Crown Business, 2003.

2 Propriété, contrôle et gouvernement d'entreprise

À qui appartiennent les entreprises ? Aux États-Unis et au Royaume-Uni, la réponse est simple : aux actionnaires. Il n'y a en général qu'une seule classe d'actions ; à chaque action est associé un droit de vote. Certains actionnaires sont peut-être plus influents que d'autres, parce qu'ils détiennent plus d'actions. Dans les autres pays, la réponse n'est pas si simple, comme cette section va le démontrer…

Quel est l'objectif financier des entreprises ? La réponse traditionnelle est « de maximiser la richesse des actionnaires ». Suivant les lois en vigueur aux États-Unis ou au Royaume-Uni, les dirigeants ont un *devoir fiduciaire* envers les actionnaires. En d'autres termes, ils doivent, légalement, agir en accord avec l'intérêt des actionnaires. L'exemple le plus classique est fourni par l'entreprise Ford Motor Company. Henry Ford annonça un jour un dividende exceptionnel, puis changeant d'avis, décida de dépenser l'argent provisionné pour ce dividende en faveur de ses salariés. Un actionnaire mécontent poursuivit Ford en justice, au motif que la finalité de l'entreprise était d'enrichir ses actionnaires, les dirigeants n'ayant pas le droit d'améliorer le sort des salariés au détriment des actionnaires. Ford perdit le procès[8].

Cette idée que l'entreprise existe dans l'intérêt de ses actionnaires a force de loi aux États-Unis et au Royaume-Uni. Le conseil d'administration est supposé représenter les actionnaires. Mais les lois et coutumes des autres pays sont différentes. Nous étudions dans cette section ces différences, en commençant par le Japon.

2.1 Propriété et contrôle des entreprises au Japon

L'aspect le plus spécifique de la finance d'entreprise au Japon est le *keiretsu*. Le *keiretsu* est un réseau d'entreprises, en général organisé autour d'une grande banque. Il existe des relations d'affaires de longue date entre les entreprises du groupe : une entreprise industrielle peut acheter une grande partie de ses matières premières à des fournisseurs du groupe et à son tour vendre sa production à d'autres entreprises du groupe.

La banque et les autres institutions financières au centre du *keiretsu* détiennent des actions de la plupart des sociétés du groupe (même si une banque japonaise est limitée à la détention de 5 % de chaque entreprise). Ces entreprises peuvent, à leur tour, détenir des actions de la banque ou des autres entreprises. Voici un exemple des détentions croisées d'actions en 2000 entre Sumitomo Bank, Sumitomo Corporation, une entreprise de distribution, et Sumitomo Trust, spécialisée dans la gestion d'investissements.

La banque détient donc 4,4 % de Sumitomo Corporation qui détient 1,8 % de la banque. Les deux possèdent des actions de Sumitomo Trust, etc. Le tableau 34.1 illustre la complexité des participations croisées. Du fait de ces participations croisées, le nombre d'actions disponibles à l'achat pour un investisseur ordinaire est très inférieur au nombre d'actions existantes.

8. On apprit plus tard que ce revirement de Ford avait pour but de faire baisser le prix de l'action, lui permettant d'en racheter un grand nombre à bas prix !

Les données de ce tableau, comme celles de tous les tableaux de ce chapitre, sont disponibles sur *www.gestion financiere.pearsoned.fr*

Tableau 34.1. Participations croisées d'actions entre six sociétés du groupe Sumitomo en 2000

	Pourcentage d'actions détenues					
Actionnaires	**Sumitomo Bank**	**Sumitomo Metal Industries**	**Sumitomo Chemical**	**Sumitomo Trust**	**Sumitomo Corporation**	**NEC**
S. Bank	—	3,4	4,7	2,2	4,4	3,0
S. Metal Industries		—				
S. Chemical			—			
S. Trust	2,2	6,8	5	—	4,3	3,2
S. Corporation	1,8	2,1		1,9	—	
NEC				1,9	2,7	—
Autres entreprises du groupe	7,5	4,3	7,8	3,8	9,5	6,8
Total	11,5	16,6	17,5	9,8	20,9	13

En pourcentage du nombre d'actions émises.

Lecture : Il faut lire les colonnes pour avoir le pourcentage du capital d'une entreprise détenu par les autres entreprises du groupe. Ainsi, 3,4 % du capital de Sumitomo Metal Industries est détenu par Sumitomo Bank, 6,8 % par Sumitomo Trust, 2,1 % par Sumitomo Corporation et 4,3 % par d'autres entreprises du groupe non présentes dans le tableau. Les données du tableau ne prennent en compte que les 10 actionnaires les plus importants de chaque entreprise.

Source : Industrial Groupings in Japan : the changing face of Keiretsu, Tokyo, Brown & Co Ltd., 2001.

Les entreprises du *keiretsu* sont liées par d'autres éléments. La plus grande partie des financements par endettement provient des banques du *keiretsu* ou d'autres sources internes au groupe. Les dirigeants peuvent participer aux organes de direction des autres sociétés du groupe et un « conseil des présidents » composé des PDG des plus importantes sociétés du groupe se réunit régulièrement.

Il faut considérer le *keiretsu* comme un système de gouvernance dans lequel le pouvoir est réparti entre la banque principale, les plus grandes entreprises et le groupe dans son ensemble. Cela confère certains avantages financiers. D'abord, les entreprises ont accès à un financement « interne » supplémentaire. Ainsi, une société qui a des cash-flows excédentaires peut se tourner vers la banque principale ou vers d'autres entreprises du *keiretsu* pour les financer. Cela évite des coûts ou le signal négatif qu'entraîne souvent une émission de titres. De plus, quand une entreprise traverse de graves difficultés financières, avec une trésorerie insuffisante pour régler ses effets de commerce ou pour investir, un arrangement est souvent trouvé. La nouvelle direction peut être choisie ailleurs dans le groupe et le financement peut également être obtenu de manière interne.

Hoshi, Kashyap et Scharfstein se sont intéressés aux programmes de dépenses d'un échantillon d'entreprises japonaises – la plupart, mais pas toutes, membres de *keiretsus*. Les investissements des *keiretsus* étaient plus stables et moins exposés aux fluctuations des cash-flows opérationnels ou aux périodes de grandes difficultés financières[9]. Il semble que le soutien financier des *keiretsus* permette à leurs membres d'investir à long terme sans être sensibles aux fluctuations de court terme.

Le droit des sociétés au Japon ressemble à celui des États-Unis, avec quelques différences notables. Par exemple, il est plus simple pour des actionnaires japonais de nommer ou d'élire les dirigeants. De même, la rémunération des dirigeants doit être votée par une assemblée générale des actionnaires[10]. Néanmoins, les actionnaires ordinaires n'ont pas beaucoup de pouvoir. Les conseils japonais peuvent comporter jusqu'à 40 ou 50 membres, dont seulement quelques-uns sont potentiellement indépendants des dirigeants[11]. Le dirigeant contrôle de près les nominations au conseil. Aussi longtemps que la situation financière d'une entreprise japonaise est saine, le dirigeant et les cadres de haut niveau détiennent le contrôle effectif de l'entreprise, les actionnaires extérieurs n'ayant que très peu d'influence.

Compte tenu de cette réalité, à laquelle s'ajoutent les participations croisées des entreprises appartenant au même groupe industriel, il n'est pas surprenant que les prises de contrôle soient très rares au Japon. De même, les entreprises japonaises sont avares de dividendes, ce qui traduit probablement le manque de pouvoir des actionnaires extérieurs. Il faut tout de même noter que les dirigeants japonais n'utilisent pas leur pouvoir pour capter une partie de la richesse de l'entreprise à leur profit puisqu'ils sont moins bien payés que les dirigeants d'entreprises des autres pays (voir la figure 12.1 qui présente les niveaux de revenus moyens des dirigeants d'entreprise au Japon et dans d'autres pays).

2.2 Propriété et contrôle des entreprises en Allemagne

La figure 34.5 représente l'actionnariat de Daimler-Benz, une des principales entreprises allemandes, en 1990[12]. Les actionnaires les plus importants étaient la Deutsche Bank, la plus grande banque allemande, avec 28 %, Mercedes Automobil Holding, avec 25 % et le gouvernement du Koweït avec 14 %. Les 32 % restants des actions étaient détenus par environ 300 000 investisseurs individuels et institutionnels.

Mais cela n'était que l'organigramme apparent. En effet, Mercedes Automobil Holding était détenue pour moitié par 2 sociétés holding, « Stella » et « Stern ». Le reste était largement réparti. Les actions de Stella étaient, à leur tour, divisées en 4 parts : deux banques, une entreprise industrielle (Robert Bosch) et une autre société holding (« Komet »).

9. T. Hoshi, A. Kashyap et D. Scharfstein, « Corporate Structure, Liquidity and Investment Evidence from Japanese Industrial groups », *Quarterly Journal of Economics*, 106 (février 1991), pp. 33-60 et « The Role of Banks in Reducing the Costs of Financial Distress in Japan », *Journal of Financial Economics*, 27 (septembre 1990), pp. 67-88.

10. Ces caractéristiques ont fait émerger une spécificité de l'entreprise japonaise, à savoir l'existence de *sokaiya*, des racketteurs qui demandent des fonds en échange de la promesse de ne pas perturber les assemblées générales.

11. Récemment, plusieurs entreprises japonaises ont modifié leurs structures pour se rapprocher de structures américaines. Ainsi Sony a réduit le nombre de membres de son conseil et a nommé des membres plus indépendants.

12. La structure de l'actionnariat des entreprises allemandes est assez proche des structures actionnariales observées dans le reste de l'Europe continentale. Ainsi, un diagramme de la structure actionnariale d'une grande entreprise française ressemblerait beaucoup à la figure 34.5. Voir par exemple J. Franks et C. Mayeur, « Corporate ownership and Control in the UK, Germany and France », *Journal of Applied Corporate Finance*, 9 (hiver 1997), pp. 30-45.

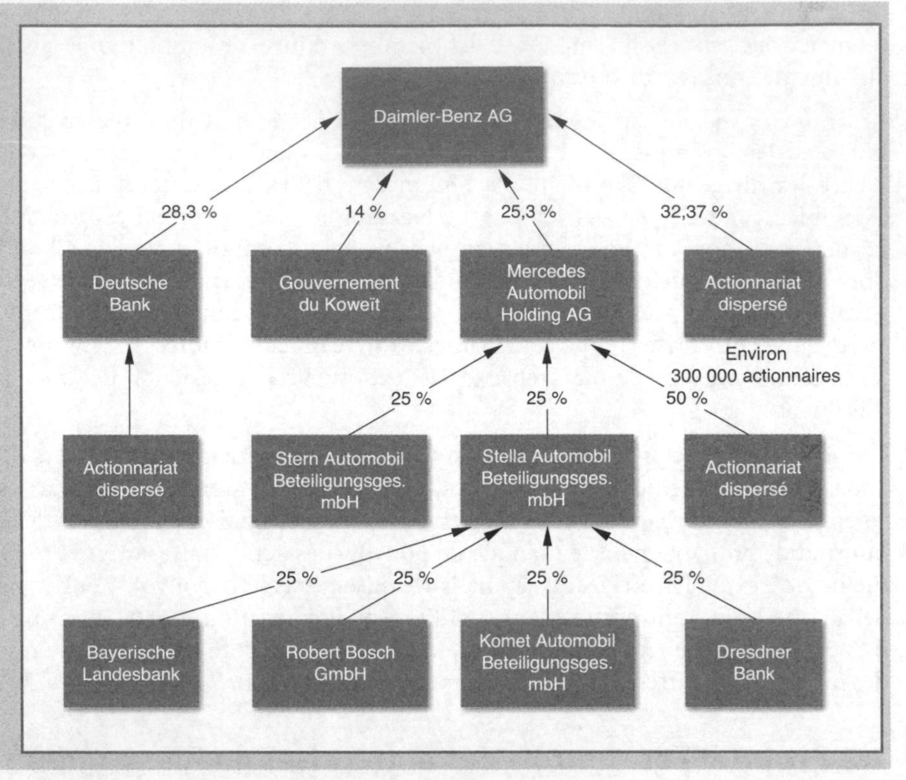

Figure 34.5 - L'actionnariat de Daimler-Benz en 1990.

Source : J. Franks et C. Mayer, « The Ownership and Control of German Corporations », *Review of Financial Studies*, 14 (hiver 2001), graphique 1, p. 949. Reproduit avec la permission de Oxford University Press.

La propriété de Stern était elle aussi divisée en quatre, mais nous manquons de place pour entrer dans les détails[13].

La figure 34.5 illustre bien les différences entre les modèles de propriété en Allemagne et aux États-Unis. On remarque la concentration de la propriété des actions de Daimler-Benz en grands blocs et l'existence de plusieurs niveaux d'actionnaires. Un graphique similaire pour General Motors aurait simplement indiqué « General Motors, 100 % des actions largement réparties ».

En Allemagne, ces blocs sont souvent détenus par d'autres sociétés – une *détention croisée* d'actions – ou par des sociétés holding appartenant à des familles. Franks et Mayer, qui mesuraient la propriété de 171 grandes entreprises allemandes en 1990, en ont trouvé 47 avec des blocs d'actions détenus par d'autres sociétés et 35 avec des blocs appartenant à des familles. Seulement 26 *n'avaient pas* de bloc substantiel d'actions détenu par une entreprise ou une institution financière[14].

---

13. Une structure de propriété à cinq niveaux pour Daimler-Benz est fournie par S. Prowse, « Corporate Governance in an International Perspective : A Survey of Corporate Control Mechanisms among Large Firms in the U.S., U.K., Japan and Germany », *Financial Markets, Institutions and Instruments*, 4 (février 1995), tableau 16.

14. Voir J. Franks et C. Mayer, « The Ownership and Control of German Corporations », *Review of Financial Studies*, 14 (hiver 2001), tableau 1, p. 947.

Il faut également remarquer la place des banques dans l'actionnariat de Daimler-Benz. Cela serait impossible aux États-Unis où la loi fédérale interdit aux banques d'investir en actions de sociétés non financières. Le système de *banques universelles* en Allemagne le permet. De plus, les banques allemandes ont l'habitude de conserver les actions détenues par les ménages, et de cumuler les procurations, pour voter au nom des ménages le jour de l'Assemblée Générale. Par exemple, la Deutsche Bank détenait 28 % de Daimler-Benz pour son propre compte et possédait des procurations qui lui donnaient des droits de vote pour 14 % du capital en plus. Elle avait donc 42 % des droits de vote, ce qui n'était pas loin de la majorité.

Les banques allemandes sont donc proches des entreprises. Elles forment des alliances de long terme avec elles, pas uniquement parce qu'elles leur prêtent des capitaux et qu'elles possèdent des actions mais aussi parce qu'elles détiennent un grand nombre de procurations qu'elles peuvent exercer. Ce système de *hausbank* peut permettre une surveillance des entreprises par un agent extérieur à l'entreprise et réduire les problèmes d'agence entre le dirigeant et les propriétaires de l'entreprise[15]. Mais les banques ont leurs propres problèmes d'agence. Durant les années 1990, par le biais de ces procurations, il est arrivé que la Deutsche Bank détienne les droits de vote sur 47 % de ses propres actions. Dresdner Bank, elle, votait pour 59 % de ses actions et CommerzBank pour 30 %[16].

Daimler-Benz, devenu DaimlerChrysler, constitue une étude de cas intéressante. Au milieu des années 1990, l'entreprise inversa sa stratégie de diversification infructueuse qui l'avait conduite à être présente dans plusieurs secteurs différents dont l'aérospatiale et la défense. En 1998, elle racheta Chrysler. Elle fit coter ses actions à la Bourse de New York et fournit des états financiers conformes à la législation comptable américaine. Elle se tourna vers les marchés de capitaux internationaux pour se financer, émettant même des actions aux États-Unis. Parallèlement, la Deutsche Bank réduisit sa mainmise sur l'entreprise. DaimlerChrysler a officiellement fait part de sa volonté de créer de la valeur pour ses actionnaires.

Néanmoins, les structures d'actionnariat à plusieurs niveaux, comme celle de la figure 34.5, sont toujours d'actualité en Allemagne. Le contrôle des entreprises est toujours principalement dévolu aux banques, sociétés d'assurance et détenteurs de blocs d'actions et non aux actionnaires ordinaires[17]. Le contrôle de l'entreprise s'obtient en achetant ou cumulant des blocs d'actions. Lors d'un changement de contrôle, les vendeurs de blocs d'actions reçoivent en moyenne des primes comprises entre 9 et 16 % du prix de marché de l'action. Le prix de marché de l'action n'augmente que de 2 ou 3 %, donc les gains d'un actionnaire ordinaire lors d'un changement de contrôle sont faibles[18]. Aux États-Unis, au contraire, les grands gagnants des acquisitions sont normalement les actionnaires ordinaires de l'entreprise qui vendent leurs actions.

---

15. Voir R. Elsas et J. P. Krahnen, « Universal banks and relationship with firms », dans J. P. Krahnen et R. H. Schmidt (éds.) *The German financial system*, Oxford, Oxford University Press, 2004, pp. 197-232.
16. J. Charkham, *Keeping good company : a study of corporate governance in five countries*, Oxford : Clarendon Press, 1994.
17. Ainsi, les 5 principaux actionnaires d'un échantillon d'entreprises allemandes contrôlent en moyenne 42 % des actions, contre 25 % en moyenne aux États-Unis, 21 % au Royaume-Uni et 33 % au Japon. Par ailleurs, 25 % des entreprises allemandes sont détenues par un actionnaire unique. Voir Prowse, *op. cit.*, tableaux 9 et 10, pp. 25-29.
18. Franks et Meyer, *op. cit.*, tableau 9, p. 969.

2.3 Les organes de direction en Europe

L'Allemagne se caractérise par un système de cogestion, apparu à la fin du XIXe siècle d'une tentative pour réconcilier les exigences de l'industrialisation et des idées progressistes à propos des droits individuels. Les entreprises les plus importantes (généralement celles qui comptent plus de 2 000 salariés) possèdent *deux* organes de direction : le premier contrôle l'entreprise (*Aufsitchtsrat*), le second se charge de la gestion (*Vorstand*). La moitié des membres de l'organe de contrôle est élue par les *partenaires sociaux* (les salariés, les dirigeants de l'entreprise et les syndicats). L'autre moitié représente les actionnaires. On y retrouve très souvent des cadres travaillant dans les banques liées à l'entreprise. Il y a également un président, nommé par les actionnaires, qui a voix prépondérante pour prendre une décision lorsque le conseil est partagé.

Le conseil de contrôle tente de défendre les intérêts de l'entreprise dans son ensemble, sans avantager excessivement les actionnaires ou les salariés. Il supervise la stratégie, nomme et contrôle l'organe de gestion qui fait fonctionner l'entreprise. Ce conseil de contrôle comporte en général une vingtaine de membres, plus que la moyenne des conseils anglo-saxons, mais tout de même moins que les conseils japonais. Les conseils de gestion comptent une dizaine de membres.

En France, les entreprises ont le choix entre une structure à un seul organe de direction, comme aux États-Unis au Royaume-Uni ou au Japon, ou à deux conseils, comme en Allemagne. Le système à un seul conseil, le plus fréquent, repose principalement sur des membres extérieurs à l'entreprise, représentants des actionnaires et des banques prêteuses. Lorsque l'entreprise choisit une structure à deux conseils, s'ajoute au conseil d'administration un conseil de surveillance, qui ressemble au conseil de contrôle allemand. Les salariés ne sont pas représentés directement au sein de ces conseils, bien que les représentants des salariés aient le droit d'y assister en tant qu'observateurs, du moins dans les entreprises de plus de 50 salariés. Le conseil de surveillance appointe le directoire, responsable de la gestion de l'entreprise.

2.4 Propriété et contrôle dans les autres pays

La Porta, Lopez-de-Silanes et Shleifer ont examiné la propriété d'entreprises dans 27 pays industrialisés[19]. Ils concluent à la rareté du modèle de l'entreprise dont les actionnaires sont dispersés et les actions sont activement échangées. Le cas allemand (poids important des banques et autres institutions financières) est lui aussi peu fréquent. La structure de propriété la plus répandue est celle d'entreprises possédées par de riches familles ou par l'État. L'actionnaire qui dispose effectivement du contrôle final de l'entreprise détient en général la majorité des droits de vote, même lorsqu'il ne dispose pas de la majorité du capital et qu'il touche moins de la moitié des bénéfices ou des dividendes réalisés par l'entreprise.

---

19. R. La Porta, F. Lopez-de-Silanes et A. Schleifer, « Corporate Ownership around the world », *Journal of Finance*, 54 (1999), pp. 471-517.

Le contrôle familial est fréquent en Europe et en Asie. Le tableau 34.2 reprend les résultats d'un article publié par Claessens, Djankov et Lang, qui étudie l'actionnariat de presque 3 000 entreprises asiatiques en 1996. À l'exception du Japon, une forte proportion des entreprises étudiées est détenue ou contrôlée par une famille. Ainsi, à Hong Kong, les 10 familles les plus riches contrôlent 32 % des actifs de toutes les entreprises cotées. En Thaïlande, 46 %. En Indonésie, ce chiffre grimpe à 58 %.

Un contrôle familial ne signifie pas, en général, que cette famille détient plus de la moitié du capital. Le contrôle passe en général par de l'actionnariat croisé (étudié dans le tableau 34.1), des pyramides et l'existence de deux classes d'actions. Détaillons les pyramides et les classes multiples d'actions.

Pyramides Les pyramides sont fréquentes en Asie, ainsi que dans de nombreux pays européens[20]. Dans une pyramide, le contrôle est exercé à travers une succession de positions de contrôle entre différentes couches d'entreprises. Les entreprises qui produisent effectivement des biens sont en bas de la pyramide. Au-dessus de chacune de ces entreprises, on retrouve une entreprise *holding*[21], puis une seconde, voire d'autres. Si on prend comme exemple une pyramide à trois niveaux et une seule entreprise de production et que l'on suppose que la détention de 51 % du capital confère le contrôle effectif d'une entreprise, si la seconde holding – la plus haute de la pyramide – détient 51 % de la première holding et que celle-ci détient à son tour 51 % de l'entreprise de production, alors le contrôle effectif de l'entreprise de production est dévolu à la holding du haut de la pyramide, bien que celle-ci ne contrôle en fait que 26 % de l'entreprise de production ($0,51 \times 0,51 = 0,26$). Un investisseur de la seconde holding peut donc contrôler l'entreprise de production avec seulement 26 millions d'euros d'investissement, si l'entreprise de production a une valeur de 100 millions d'euros. En ajoutant encore un niveau à la pyramide, l'investissement nécessaire tombe à $0,51 \times 26 = 13$ millions d'euros.

Or, en général, moins de 51 % des actions sont nécessaires pour contrôler effectivement une entreprise. Cela signifie que l'investisseur de la seconde *holding* pourra contrôler l'entreprise de production avec un investissement encore plus réduit. La figure 34.6 montre comment la famille Wallenberg contrôle ABB, une des principales entreprises suédoises. ABB, l'entreprise de production au bas de la pyramide, est à droite. À chaque niveau, les droits de vote de la famille représentent au moins 33 % des droits de vote, ce qui est amplement suffisant pour contrôler l'étage inférieur de la pyramide[22].

---

20. L. A. Bebchuk, R. Kraakman et G. R. Triantis, « Stock pyramids, cross-ownership and dual class equity », dans R. Morck (éd.), *Concentrated corporate ownership*, Chicago, University of Chicago Press, 2000, pp. 295-318.

21. Une entreprise *holding* est une entreprise dont les seuls actifs sont des blocs d'actions qui permettent de contrôler d'autres entreprises.

22. La figure 34.6 représente seulement une partie des holdings de la famille Wallenberg. Le groupe contrôle d'autres entreprises et pèse au total presque 50 % de la capitalisation boursière de la Bourse de Stockholm. Voir J. Agnblad, E. Berglof, P. Hogfeld et H. Svancar, « Ownership and Control in Sweden : Strong Owners, Weak Minorities and Social Control », dans F. Barca et M. Becht (éd.), *The Control of Corporate Europe*, Oxford : Oxford University Press, 2001.

Tableau 34.2. L'importance du contrôle familial sur les entreprises asiatiques

	Contrôle*				
	Nombre d'entreprises dans l'échantillon	**Familial**	**Étatique**	**Actionnariat dispersé**	**Pourcentage d'actifs contrôlés** par les 10 familles les plus riches**
Corée	345	48,4	1,6	43,2	36,8
Hong Kong	330	66,7	1,4	7,0	32,1
Indonésie	178	71,5	8,2	5,1	57,7
Japon	1 240	9,7	0,8	79,8	2,4
Malaisie	238	67,2	13,4	10,3	24,8
Philippines	120	44,6	2,1	19,2	52,5
Singapour	221	55,4	23,5	5,4	26,6
Taiwan	141	48,2	2,8	26,2	18,4
Thaïlande	167	61,6	8,0	6,6	46,2

* « Contrôler » signifie détenir des actions qui assurent au moins 20 % des droits de vote. Les pourcentages d'actions détenus par des institutions financières ne sont pas comptabilisés.

** En pourcentage de l'actif total de toutes les entreprises de même nationalité présentes dans l'échantillon.

Source : S. Claessens, S. Djankov et L. H. P. Lang, « The Separation of Ownership and Control in East Asian Corporations », *Journal of Financial Economics*, 58 (octobre-novembre 2000), tableau 6, p. 103 et tableau 9, p. 108.

Tableau 34.3. Valeur du bloc d'actions permettant de contrôler l'entreprise, en % de la valeur de l'entreprise

Afrique du Sud	0,07	Finlande	0,00
Allemagne	0,09	France	0,28
Australie	0,23	Hong Kong	-0,03
Brésil	0,23	Italie	0,29
Canada	0,03	Mexique	0,36
Chili	0,23	Norvège	0,06
Corée	0,48	Royaume-Uni	0,10
Danemark	0,01	Suède	0,01
États-Unis	0,02	Suisse	0,06

Source : T. Nenova, « The value of corporate voting rights and control : a cross-country analysis », *Journal of Financial Economics*, 68 (juin 2003), tableau 4, p. 336.

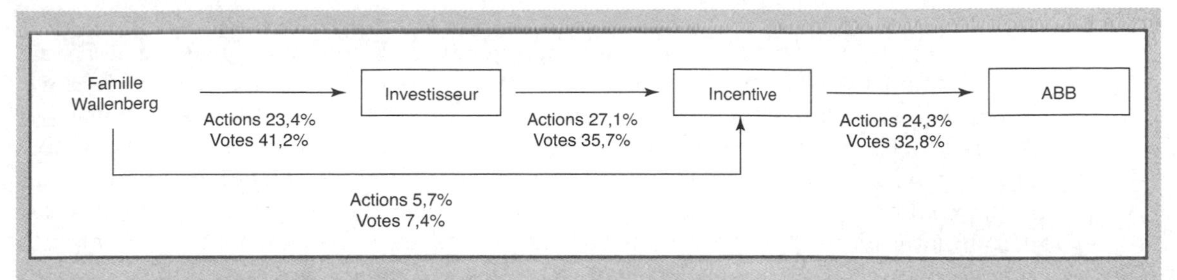

Figure 34.6 - Pyramide contrôlant ABB, une des plus grandes entreprises suédoises.

Source : R. La Porta, F. Lopez-de-Silanes et A. Schleifer, « Corporate Ownership Around the World », *Journal of Finance*, 54 (avril 1999), figure 8, p. 488, reproduit avec la permission de Blackwell Publishers Journal Rights.

Existence de plusieurs classes d'actions Une autre technique envisageable pour conserver le contrôle d'une entreprise est de détenir des actions qui confèrent des droits de vote supplémentaires (voir par exemple les droits de vote de la famille Wallenberg, figure 34.6). Ces votes supplémentaires peuvent être attachés à des classes d'actions particulières. Par exemple, les actions de classe A d'une entreprise peuvent donner 10 droits de vote, contre 1 seul pour les actions de classe B. Cette coexistence d'actions de classes différentes est fréquente au Brésil, au Canada, au Danemark, en Finlande, en Allemagne, en Italie, au Mexique, en Norvège, en Corée du Sud, en Suède et en Suisse. Cela existe, quoique de manière plus rare, en Australie, au Chili, en France, à Hong Kong, en Afrique du Sud, au Royaume-Uni et aux États-Unis. Par exemple, l'entreprise Ford Motor Company est encore contrôlée par la famille Ford, qui détient une classe particulière d'actions leur conférant 40 % des droits de vote. Ce mécanisme est illégal en Belgique, en Chine, au Japon, à Singapour et en Espagne.

Comme on l'a rapidement évoqué au chapitre 14, il existe de grandes différences entre les valeurs associées aux droits de vote entre pays. Le tableau 34.3 détaille les estimations réalisées par Tatiana Nenova[23] de la valeur des blocs de contrôle dans différents pays, en pourcentage de la valeur totale de l'entreprise. Ces estimations sont obtenues grâce à la différence de prix entre les actions ordinaires et les actions à plusieurs droits de vote. Ces valeurs sont très différentes, les pays scandinaves offrant de très faibles primes pour le contrôle d'une entreprise, alors que la Corée du Sud et le Mexique offrent au contraire des primes élevées.

Pourquoi les actionnaires sont-ils prêts à payer une prime pour contrôler une entreprise ? Pour deux raisons. L'actionnaire qui contrôle l'entreprise peut contribuer à faire augmenter la valeur de l'entreprise en la surveillant, en contrôlant les décisions des dirigeants. Par ailleurs, l'actionnaire qui contrôle l'entreprise peut tenter de capter une partie de la richesse de l'entreprise à son profit et au détriment des autres actionnaires.

2.5 Retour sur les conglomérats

Partout dans le monde, et particulièrement dans les pays qui ne disposent pas de marchés financiers complètement développés, le contrôle familial s'étend à un groupe d'entreprises, qui peuvent opérer dans différents secteurs économiques. Ces groupes industriels sont des conglomérats.

---

23. T. Nenova, « The value of corporate voting rights and control : a cross-country analysis », *Journal of Financial Economics*, 68 (juin 2003), tableau 4, p. 336.

En Corée par exemple, les 10 plus grands conglomérats contrôlent à peu près 2/3 de l'économie. Ces *chaebols* sont parmi les plus gros exportateurs de l'économie : Samsung ou Hyundai sont connus dans le monde entier. En Amérique latine, l'entreprise holding chilienne Quinenco possède des entreprises qui opèrent dans des secteurs aussi divers que l'hôtellerie, les boissons, le téléphone mobile, les banques et la fabrication de câbles de cuivre... Ces conglomérats très diversifiés existent aussi en Inde. Le plus grand conglomérat indien, Tata Group, contrôle 80 entreprises, dans l'acier, la production d'électricité, l'immobilier, les télécommunications et les services financiers. Toutes ces entreprises sont cotées, mais le contrôle en revient toujours au Tata Group et en fait à la famille Tata.

Les États-Unis ont connu une vague de création de conglomérats dans les années 1960 et 1970, mais la diversification ne crée pas de valeur à long terme ; la plupart des conglomérats formés à cette époque ont donc disparu depuis. Cette disparition n'a pas eu lieu – bien au contraire – dans les pays en développement. Pourquoi ?

Une partie de la réponse réside dans l'existence d'un actionnariat familial. Une famille très riche peut réduire les risques auxquels est exposé le groupe familial, tout en conservant le contrôle, en le diversifiant vers de nouveaux secteurs économiques. Bien entendu, la famille pourrait aussi diversifier ses risques en achetant des actions d'entreprises extérieures au groupe, mais dans des pays où les marchés financiers sont peu développés et la protection des investisseurs faible, la diversification interne peut venir avant la diversification financière. « Peu développés » ne signifie pas simplement que les marchés sont petits ou peu actifs. Cela peut aussi signifier que des lois ou règlements limitent l'accès des entreprises aux prêts bancaires, que l'approbation du gouvernement est nécessaire avant toute émission d'actions ou d'obligations[24], ou que l'information financière est lacunaire et circule mal. Si les normes comptables sont mal définies et que les entreprises ne publient que peu d'informations, la surveillance exercée par les actionnaires extérieurs est compliquée et coûteuse et les coûts d'agence s'élèvent.

La diversification interne peut aussi être la seule manière de croître : il est impossible d'être une grande entreprise spécialisée dans une petite économie fermée ! En effet, la taille de la plus grande entreprise est alors limitée par celle du marché, or la taille peut être un avantage si cela signifie un accès facilité aux marchés financiers internationaux. Ce point est d'autant plus important que les marchés financiers locaux sont peu développés.

La taille peut aussi se traduire par un pouvoir politique plus important, ce qui est primordial dans des économies administrées ou dans des pays dont la politique économique est susceptible de connaître des changements brutaux, impossibles à anticiper. En Corée, par exemple, le gouvernement a contrôlé l'accès aux prêts bancaires, son accord étant nécessaire pour obtenir un prêt. Les entreprises coréennes qui ont le plus facilement obtenu cet accord appartenaient aux conglomérats.

De nombreux groupes diversifiés ont connu d'importants succès, tout particulièrement dans des pays ayant connu une croissance économique rapide, comme en Corée. Mais ces groupes présentent un inconvénient important. Il peut arriver que ces conglomérats fassent transiter des ressources d'une entreprise du groupe à une autre (pratique du *tunneling*), au détriment des actionnaires minoritaires. L'entreprise Ching peut ainsi transférer de la valeur

---

24. Les instances de surveillance des marchés (AMF en France, SEC aux États-Unis) n'ont pas le pouvoir d'interdire une émission d'actions. Leur mandat leur permet simplement de contrôler que l'information donnée aux investisseurs potentiels est sincère et complète.

vers l'entreprise Chong en lui prêtant de l'argent à un taux d'intérêt très faible, en achetant à Chong des produits à un prix surévalué, ou encore en lui vendant sa propre production à bas prix. Bertrand, Mehta et Mallainathan ont trouvé des éléments en faveur de l'existence de telles pratiques en Inde[25]. Johnson, Boone, Breach et Friedman notent que la tentation de procéder au *tunneling* est plus forte durant les périodes de récession ou de crise financière et avancent la thèse que le *tunneling* et des mécanismes de gouvernement d'entreprise trop laxistes ont contribué à la crise asiatique de 1997-1998[26].

3 Avantages et inconvénients des différents systèmes de gouvernement d'entreprise

Un système financier de bonne qualité, même embryonnaire, peut faire accélérer la croissance économique[27]. Rajan et Zingales prennent l'exemple d'un fabricant de sièges en bambou au Bangladesh, qui a besoin de 22 centimes pour acheter les matières premières nécessaires à la construction d'un siège. Comme le fabricant ne dispose pas de la somme nécessaire, il doit l'emprunter. Mais du fait des intérêts exigés par les intermédiaires, il s'est trouvé contraint de revendre son siège aux prêteurs et a réalisé finalement moins de 2 centimes de profit. À cause d'un système financier trop peu développé, le cercle vicieux de la pauvreté est impossible à briser. Rajan et Zingales prennent au contraire l'exemple de Kevin Tawell et Jim Ellis, deux étudiants de Stanford, titulaires d'un MBA, qui ont pu acheter leur propre entreprise très peu de temps après leur diplôme. Ils ne possédaient pas de capital, mais ont pu trouver les capitaux nécessaires pour financer la recherche de l'entreprise de leurs rêves puis pour l'acheter[28]. Tawell et Ellis ont tiré bénéfice d'un système financier efficient et développé.

Supposons maintenant que vous deviez décider d'octroyer ou non un crédit à une petite entreprise. Vous pouvez immédiatement télécharger un rapport de Dun and Bradstreet, base de données qui comprend plus de 10 millions d'entreprises. Ce rapport détaille les états financiers de l'entreprise, ses engagements auprès des banques et le délai moyen de paiement des factures de l'entreprise. Il comprend aussi un score global de crédit. Une information aussi précise et aussi facile à obtenir fait baisser le coût de la décision de prêt pour la banque et augmente sa capacité de prêt. Cela signifie aussi qu'aucun prêteur n'a le monopole de l'information, ce qui augmente la concurrence entre prêteurs et réduit le coût pour l'emprunteur.

Il est évident que la finance est importante. Mais continue-t-elle à l'être lorsqu'on compare non plus un pays développé avec un pays en développement, mais deux pays développés entre eux ? Existe-t-il des différences entre les systèmes orientés banque et les systèmes orientés marché ? Chaque système a des avantages potentiels.

25. M. Bertrand, P. Mehta et S. Mallainathan, « Ferreting out tunneling : an application to Indian business groups », *Quaterly Journal of Economics*, 117 (février 2002), pp. 121-148.
26. S. Johnson, P. Boone, A. Breach et E. Friedman, « Corporate governance in the Asian financial crisis », *Journal of Financial Economics*, 58 (octobre-novembre 2000), pp. 141-186.
27. R. Levine, « Financial development and economic growth : views and agenda », *Journal of Economic Literature*, 35 (1997), pp. 688-726 et R. Rajan et L. Zingales, « Financial Dependence and growth », *American Economic Review*, 88 (1998), pp. 559-586.
28. R. Rajan et L. Zingales, *Saving capitalists from the capitalists*, New York, Crown Business, 2003, pp. 4-8.

3.1 Risque et court-termisme

Si l'on revient à la figure 34.2, on s'aperçoit que les risques encourus par les ménages du fait de leurs placements financiers sont très différents selon les pays. Le Japon est un cas extrême, puisque les ménages détiennent plus de la moitié de leurs actifs financiers sous forme de dépôts bancaires. En second lieu viennent des polices d'assurance et des fonds de pension, qui sont au Japon principalement à paiements fixes et non liés aux performances boursières. Seule une petite proportion des portefeuilles des ménages japonais est donc corrélée aux performances boursières et au risque des entreprises japonaises. De même, les ménages européens ont en général assez peu d'actifs liés à la Bourse et sont donc peu exposés au risque des entreprises. À l'autre extrême, on trouve les ménages américains, qui placent une part élevée de leur épargne sous forme d'actions et de produits corrélés aux évolutions boursières.

Bien entendu, quelqu'un doit supporter les risques inhérents aux entreprises de chaque pays. Les risques, lorsqu'ils ne sont pas supportés directement par les ménages, sont supportés par les banques ou autres institutions financières et finalement par l'État. Dans la plupart des pays, l'État garantit en effet les dépôts bancaires, explicitement ou non. Si une banque devient insolvable, le gouvernement lui vient en aide et la société tout entière en supporte le coût[29].

Certains avancent l'argument que les entreprises ont plus de facilité à investir dans des projets de long terme dans les systèmes orientés banque, dans lesquels les institutions financières supportent les risques et très peu d'investisseurs individuels détiennent directement des titres financiers. Les liens étroits tissés par les entreprises japonaises et allemandes avec les banques sont supposés protéger l'économie d'un court-termisme redouté. Les entreprises américaines et anglaises sont vues comme captives des actionnaires, qui exigeraient des retours sur investissement rapides ; cela inciterait les entreprises à favoriser la croissance des bénéfices au détriment d'investissements de long terme. Cet argument, qui trouvait un certain écho dans les années 1980, lorsque les économies allemandes et japonaises présentaient des performances robustes[30], est moins entendu aujourd'hui, du fait des performances supérieures des économies disposant de systèmes orientés marché depuis le début de la décennie 90.

3.2 Secteurs industriels en croissance et secteurs en déclin

Les systèmes orientés marché semblent être particulièrement performants pour favoriser les secteurs innovants. Par exemple, le chemin de fer est né au Royaume-Uni, au XIXe siècle, largement financé par le London Stock Exchange. Au XXe siècle, les États-Unis ont été les pionniers du développement de la production de masse dans l'industrie automobile, même si l'automobile a été inventée en Allemagne. L'essor de l'aviation commerciale s'est aussi produit aux États-Unis, tout comme l'industrie informatique après la Seconde Guerre mondiale, et plus récemment, Internet et les biotechnologies. Par opposition, l'industrie

---

29. Une autre possibilité est que les banques adoptent une approche de long terme et qu'elles ne soient pas sujettes à une concurrence intense, ce qui leur laisse la possibilité de lisser les risques entre différentes générations, en accumulant des réserves quand les rentabilités sont élevées et les dépensant lorsque les rentabilités sont plus faibles. La concurrence avec les marchés financiers empêche ce type de partage du risque entre générations. Les générations qui vivent alors que les rentabilités sont élevées veulent recevoir tous les bénéfices qui leur sont dus, ce qui ne permet pas l'accumulation des réserves nécessaires. Voir F. Allen et D. Gale, « Financial markets, Intermediaries and Intertemporal smoothing », *Journal of Political Economy*, 105 (juin 1997), pp. 523-546.

30. Voir M. Porter, « Capital disavantage : America's failing capital investment system », *Harvard Business Review* (septembre-octobre 1992), pp. 65-82.

chimique s'est développée en Allemagne au XIXe siècle. L'Allemagne, le Japon et la France, qui disposent de systèmes orientés banque, ont trouvé leurs avantages comparatifs dans des secteurs déjà établis.

Pourquoi les marchés financiers sont-ils plus efficaces pour stimuler le développement des industries innovantes[31] ? Lorsque des produits ou des processus nouveaux sont découverts, il existe des estimations très différentes des perspectives de profit à tirer de ces nouveautés et des divergences d'opinion sur la meilleure façon de développer ce nouveau secteur. Les marchés financiers savent très bien s'accommoder de cette diversité et permettent aux entreprises jeunes et ambitieuses de rechercher des investisseurs prêts à prendre des risques pour financer leur croissance. Le financement est plus difficile lorsqu'il n'existe comme sources de financement que quelques grandes banques.

Les systèmes orientés marché semblent aussi être plus efficaces pour contraindre les entreprises opérant dans des secteurs en déclin à réduire leur taille et à rendre du capital[32]. Lorsqu'une entreprise n'est plus capable de gagner suffisamment d'argent pour couvrir son coût du capital et qu'une phase de croissance supplémentaire détruirait de la valeur, le prix de l'action chute, ce qui envoie un signal négatif à tous les agents. Dans les systèmes orientés banque, des entreprises non rentables sont souvent sauvées. Lorsque Mazda a traversé des difficultés dans les années 1970, Sumitomo Bank a garanti la dette de Mazda et organisé un sauvetage, allant même jusqu'à inciter ses salariés à acheter des Mazda ! Sumitomo Bank avait un intérêt à sauver Mazda, parce qu'elle savait qu'elle garderait la clientèle de Mazda après le sauvetage. Dans les années 1990, les banques japonaises ont ainsi continué à prêter à des entreprises non rentables, longtemps après qu'il fut devenu évident que ces entreprises ne seraient jamais plus rentables. Une coalition de banques japonaises a par exemple permis à l'entreprise japonaise de vente au détail Sogo de continuer ses activités pendant des années, malgré une insolvabilité évidente. La faillite de Sogo, en 2000, a laissé des dettes non remboursées à hauteur de 1,9 trillion de yens[33].

3.3 Transparence et gouvernement d'entreprise

Malgré tous les avantages des systèmes orientés marché, il leur arrive parfois des accidents sérieux. Par exemple, les nombreuses faillites consécutives à la bulle de la fin des années 1990 dans le secteur des nouvelles techniques d'information et de communication ont coûté très cher. Nous avons déjà parlé dans le dernier chapitre de la faillite de Worldcom – plus de 100 milliards de dollars – aujourd'hui réorganisée et connue sous le nom de MCI. Mais la faillite la plus spectaculaire a été celle d'Enron, à la fin de 2001.

Enron a débuté comme entreprise de fourniture de pipelines de gaz et a connu une croissance très rapide en se tournant vers la vente d'énergie et de matières premières. Enron a réalisé d'importants investissements dans des entreprises de production d'électricité, de communication par câble et de fourniture d'eau. À la fin de 2000, sa capitalisation boursière totale était de 60 milliards de dollars. Un an plus tard, l'entreprise avait disparu.

31. Voir F. Allen et D. Gale, « Diversity of Opinions and the Financing of New Technologies », *Journal of Financial Intermediation*, 8 (avril 1999), pp. 68-89.

32. Voir R. Rajan et L. Zingales, « Banks and Markets : The Changing Character of European Finance », in *European Central Bank 2nd annual conference*, 2003.

33. T. Hoshi et A. Kashyap, « Japan's Financial Crisis and Economic Stagnation », *Journal of Economic Perspectives*, 18 (hiver 2004), pp. 3-26.

Mais les 60 milliards ne se sont pas évaporés au cours de la faillite, parce qu'en fait, ils n'existaient pas. Enron était une coquille vide, son cours boursier étant poussé à la hausse par l'enthousiasme de certains investisseurs plus que par ses résultats financiers. De plus, l'entreprise avait accumulé – et caché – des dettes importantes. Par exemple, Enron empruntait des capitaux en recourant massivement à l'utilisation d'entités ad hoc (SPE pour *special purpose entities*, quand on parle la langue de Sid Vicious). Les dettes de ces SPE n'étaient pas comptabilisées dans le bilan d'Enron, même si, d'après les règles comptables, elles auraient dû l'être (la faillite d'Enron a donc entraîné celle de son cabinet comptable, Arthur Andersen).

Les mauvaises nouvelles ont commencé à filtrer au cours des derniers mois de 2001. En octobre, Enron a annoncé une provision pour dépréciation d'actifs de 1 milliard de dollars pour ses activités d'eau et de câble. En novembre, Enron a consolidé ses SPE rétroactivement, ce qui a brutalement fait augmenter sa dette à 658 millions de dollars et réduit les bénéfices passés à 591 millions[34]. La dette publique a été dégradée par les agences de notation au rang d'investissements spéculatifs le 28 novembre et Enron a déposé un dossier de faillite le 2 décembre.

L'exemple malheureux d'Enron montre l'importance de la transparence dans les systèmes orientés marché. Si une firme est transparente envers ses investisseurs extérieurs – si ces investisseurs peuvent se faire une idée des profits et des perspectives de l'entreprise –, alors l'existence de problèmes dans une entreprise est immédiatement visible de l'ensemble des agents et le prix de l'action chute. Cela attire un surcroît d'attention sur l'entreprise de la part d'analystes financiers, d'agences de notation et d'investisseurs. Cela peut même conduire à une prise de contrôle de l'entreprise.

Mais si la transparence n'existe pas, les dirigeants d'une entreprise opaque faisant face à des problèmes peuvent éviter la baisse du cours de l'action et donc s'affranchir de la discipline imposée par le marché. Ainsi, la discipline de marché a rattrapé Enron seulement un ou deux mois avant la faillite.

L'opacité n'est pas si dangereuse dans un système orienté banque. Les entreprises ont noué des relations de long terme avec les banques qui sont capables de surveiller l'entreprise et de lui imposer de ne pas entreprendre des projets trop risqués ou de redresser les bénéfices. Mais aucun système financier ne peut éviter des faillites occasionnelles.

Parmalat, l'entreprise agroalimentaire italienne, semblait ainsi être une solide entreprise, rentable, avec de bonnes perspectives de croissance. Elle était présente dans 30 pays et comptait 36 000 salariés. Son bilan affichait 2 milliards d'euros de dettes, mais aussi beaucoup de dépôts bancaires et d'actifs financiers de court terme. Des doutes à propos de la solidité financière de l'entreprise ont commencé à se faire jour. Le 19 décembre 2003, on s'aperçut qu'un dépôt bancaire de 3,9 milliards d'euros inscrit à l'actif de Parmalat n'avait jamais existé. Le cours de l'action de l'entreprise a chuté de 80 % dans les deux semaines suivantes et Parmalat a été placée sous administration (la faillite dans le système juridique italien) le 24 décembre. On apprit plus tard que la dette de Parmalat dépassait les 14 milliards d'euros, que quelques milliards d'euros d'actifs supplémentaires n'existaient pas et que les ventes et les bénéfices de l'entreprise étaient surévalués.

---

34. Enron faisait face à d'autres problèmes financiers. Par exemple, l'entreprise avait annoncé aux investisseurs que les risques pris par les SPE étaient couverts, oubliant de préciser que cette couverture était composée en grande partie d'actions Enron. Lorsque le prix de l'action a chuté, la couverture a perdu de son efficacité. Voir P. Healy et K. Palepu, « The Fall of Enron », *Journal of Economics Perspectives*, 17 (printemps 2003), pp. 3-26.

On peut rêver d'un système financier qui protégerait complètement les investisseurs contre les mauvaises surprises du style Enron ou Parmalat. Mais il faut bien admettre qu'une protection totale des investisseurs est impossible. Et même si elle était possible, elle ne serait pas optimale. Pourquoi ? Parce que les investisseurs extérieurs à l'entreprise ne peuvent pas savoir tout ce que font les dirigeants ou pourquoi ils le font. La loi et les règlements peuvent définir ce qui est interdit aux dirigeants, mais ne peuvent pas imposer ce qu'ils devraient faire. Les dirigeants d'une entreprise doivent pouvoir réagir à des problèmes non-anticipés ou saisir rapidement des opportunités et ils doivent donc disposer d'une marge de manœuvre.

Parce que les dirigeants bénéficient de cette marge de manœuvre, ils tentent de défendre leurs intérêts propres en même temps que ceux des actionnaires. L'apparition de problèmes d'agence est inéluctable. Le mieux qu'un système financier puisse faire est de protéger assez bien les investisseurs et de faire le maximum pour que les intérêts des dirigeants et des actionnaires soient convergents. Les problèmes d'agence ont déjà été abordés à plusieurs reprises dans ce livre, mais il est bon d'y revenir encore une fois, pour insister sur les mécanismes qui peuvent aider à en limiter l'ampleur :

- La loi et les règlements pour protéger les investisseurs extérieurs contre des transactions réalisées par ceux qui possèdent des informations privées sur ce qui se passe dans l'entreprise.
- L'obligation de publication des résultats et des normes comptables qui assurent une transparence correcte des entreprises cotées.
- La surveillance exercée par les banques et autres intermédiaires financiers.
- L'existence d'un Conseil de surveillance.
- La crainte d'une prise de contrôle hostile (même si celles-ci sont très rares dans certains pays).
- Des mécanismes d'indexation des revenus des dirigeants aux bénéfices et aux performances boursières de l'entreprise.

Dans ce chapitre, nous avons insisté sur la protection que doit recevoir l'investisseur extérieur à l'entreprise. Cette protection est essentielle pour que se développent les marchés financiers. Mais il ne faut pas en conclure que la protection la plus complète est souhaitable. Une entreprise est une aventure collective, entre les dirigeants, les actionnaires extérieurs et les salariés de l'entreprise. Les dirigeants et les salariés investissent aussi, du capital humain au lieu de capital financier. Une entreprise pour fonctionner a besoin d'un tel mélange des investissements. Donner au capital financier trop de pouvoir empêche l'entreprise d'accumuler du capital humain ; et si par hasard le capital humain existe, il ne sera pas très motivé[35]…

---

35. Il est difficile de mesurer et de quantifier la valeur du capital humain et donc difficile d'établir des mécanismes qui assurent une juste rémunération des deux types de capitaux. Il peut être plus simple et plus rentable d'accorder au dirigeant une certaine liberté de manœuvre pour agir en fonction de ses intérêts propres et préserver son incitation. Les actionnaires peuvent donner cette liberté en ne faisant pas usage de leurs droits et en s'engageant à ne pas protester si les dirigeants et les salariés captent une partie des profits lorsque ceux-ci sont élevés. Pour rendre cet engagement crédible, la cotation de l'entreprise sur un marché financier est une solution. L'intervention directe d'actionnaires d'une entreprise cotée dans les décisions opérationnelles prises par un dirigeant est compliquée et donc rare. Voir M. Burkart, D. Gromb et F. Panunzi, « Large Shareholders, Monitoring and the Value of the Firm », *Quaterly Journal of Economics*, 112 (1997), pp. 693-728 ; S. Myers, « Outside Equity », *Journal of Finance*, 55 (juin 2000), pp. 1005-1037 et S. Myers, « Financial Architecture », *European Financial Management*, 5 (juillet 1999), pp. 133-142.

Résumé

Les États-Unis ont un système orienté marché, du fait de la place qu'occupent les marchés de capitaux. Le Royaume-Uni possède lui aussi un système orienté marché, malgré la taille plus réduite de son marché obligataire, car la Bourse de Londres joue un rôle essentiel dans le financement de l'économie. La France, l'Allemagne et le Japon possèdent des systèmes orientés banque, car la plus grande part des prêts provient du secteur bancaire et les marchés d'actions ne sont pas très développés.

Mais cette distinction simple ne doit pas faire oublier la complexité des systèmes financiers. Par exemple :

- Les ménages anglais ont tendance à détenir des actions indirectement, par le biais de placement auprès des sociétés d'assurance et des fonds de pension. Les placements directs en actions sont beaucoup moins développés qu'aux États-Unis.
- Les ménages japonais supportent une part très faible du risque de l'économie japonaise. Leurs placements sont majoritairement composés de dépôts bancaires et de contrats d'assurance.
- En Europe, les détentions croisées d'actions entre entreprises non-financières sont fréquentes.
- Au Japon, l'usage du crédit commercial est très répandu.

En Europe et au Japon, le rôle des banques ne se réduit pas à simplement prêter des capitaux. Les plus grandes banques japonaises sont membres d'un *keiretsu*, un groupe d'entreprises qui coopèrent. Les entreprises d'un *keiretsu* sont liées par des relations de long terme (qui se traduisent principalement par des participations croisées), et sont dépendantes de la banque du *keiretsu*. Les banques allemandes développent aussi des relations de long terme avec leurs clients (système de *hausbank*). Les banques détiennent des blocs importants d'actions des entreprises qui bénéficient de leurs prêts et y ajoutent un nombre élevé de procurations que leur donnent d'autres investisseurs.

L'actionnariat des grandes entreprises cotées est simple à analyser aux États-Unis et au Royaume-Uni : il existe une seule classe d'actions, échangée sur un marché dynamique ; l'actionnariat est dispersé. Au Japon, il n'existe aussi qu'une seule classe d'actions, mais une partie importante des actions est bloquée par les participations croisées des entreprises au sein des *keiretsu*. Les actionnaires japonais ont donc peu de poids dans le gouvernement d'entreprise. Les actionnaires européens sont dans la même situation, du fait de l'existence d'un actionnariat concentré (banques et autres entreprises).

Aux États-Unis et au Royaume-Uni, la loi impose de considérer avant tout l'intérêt des actionnaires. En Allemagne, au contraire, les dirigeants d'une entreprise doivent répondre de leurs décisions devant un conseil de contrôle qui représente à la fois les salariés et les actionnaires. Les intérêts de l'entreprise, considérée comme un ensemble, passent avant tout.

En dehors de ces quelques grands pays, il existe d'autres formes d'actionnariat. Des groupes d'entreprises contrôlés par des familles, parfois par l'État, sont monnaie courante. Le contrôle de ces groupes est permis par le recours à des participations croisées au sein du groupe, par la création de pyramides, ou par l'existence de différentes classes d'actions. Les familles les plus riches contrôlent une large partie des entreprises des pays en développement, et font fonctionner leurs entreprises comme un conglomérat. Ceux-ci ont progressivement disparu aux États-Unis mais sont toujours bien vivants dans les pays en développement car ils permettent la création d'un marché des capitaux interne au groupe, très utile lorsque les marchés de capitaux sont peu développés. La taille du conglomérat peut aussi fournir à la famille un poids politique, ce qui est utile dans les pays où l'État peut essayer de contrôler l'économie et où la loi n'est pas toujours appliquée de manière équitable.

L'existence d'un tel contrôle familial peut également contraindre les dirigeants des entreprises à maximiser le profit des actionnaires, mais cela ouvre la porte à des pratiques comme le *tunneling*, le transfert de ressources entre entreprises au détriment des actionnaires minoritaires.

La protection accordée aux investisseurs extérieurs varie fortement selon les pays. Lorsque le niveau de protection est élevé, les marchés financiers se développent, ce qui a certains avantages : cela favorise l'innovation et accélère les retraits de capitaux des secteurs en déclin. Toutefois, les systèmes orientés marché peuvent être victimes de surinvestissement dans les secteurs à la mode, comme l'éclatement de la bulle Internet l'a récemment démontré. Les systèmes orientés banque conviennent probablement mieux au développement de secteurs industriels déjà matures. Ces systèmes protègent également mieux les ménages des risques liés aux marchés financiers.

Les systèmes orientés marché ne peuvent fonctionner que lorsque les entreprises sont raisonnablement transparentes. Lorsque la transparence est insuffisante, comme dans le cas d'Enron, des faillites retentissantes peuvent survenir. La surveillance des entreprises opaques est probablement meilleure dans un système orienté banque, car les banques nouent des relations de long terme avec les entreprises et disposent donc d'une grande quantité d'informations à leur sujet.

Lectures complémentaires

Des études qui comparent les systèmes financiers au niveau international :

F. Allen et D. Gale, *Comparing financial systems*, Cambridge, MA : MIT Press, 2000.

T. Hoshi et A. Kashyap, *Corporate financing and governance in Japan : the road to future*, Cambridge, MA : MIT Press, 2001.

J. P. Krahnen et R. H. Schmidt (éds.), *The german financial system*, Oxford: Oxford University Press, 2004.

R. La Porta, F. Lopez-de-Silanes et A. Schleifer, « Corporate ownership around the world », *Journal of Finance*, 54 (avril 1999), pp. 471-517.

Pour une présentation des débats autour du gouvernement d'entreprise :

M. Becht, P. Bolton et A. Röell « Corporate governance and control », in G. Constantinides, M. Harris et R. Stulz (éds.), *Handbook of the Economics of Finance*, Amsterdam, North-Holland, 2003, pp. 1-109.

S. Prowse, « Corporate governance in an international perspective : a survey of corporate control mechanisms among large firms in the US, UK, Japan and Germany », *Financial markets, Institutions and Instruments*, 4 (février 1995), pp. 1-63.

A. Schleifer et R. W. Vishny, « A survey of corporate governance », *Journal of Finance*, 52 (juin 1997), pp. 737-783.

Pour des débats portant sur les liens entre finance, droit et système politique :

R. La Porta, F. Lopez-de-Silanes, A. Shleifer et R. Vishny, « Legal determinants of external finance », *Journal of Finance* 52, (juillet 1997), pp. 1131-1150.

G. Rajan et L. Zingales, *Saving capitalism from the capitalists*, New York, Crown Business, 2003.

En ce qui concerne les liens entre finance et croissance :

R. Levine, « Financial development and economic growth : views and agenda », *Journal of Economic Literature*, 35 (1997), pp. 688-726.

R. Rajan et L. Zingales, « Financial Dependence and growth », *American Economic Review*, 88 (1998), pp. 559-586.

Et pour terminer, sur les histoires de gouvernement d'entreprise qui se terminent mal :

P. Healy et K. Palepu, « The fall of Enron », *Journal of Economics Perspectives*, 17 (printemps 2003), pp. 3-26.

S. Johnson, R. La Porta, F. Lopez-de-Silanes et A. Schleifer, « Tunneling », *American Economic Review*, 90 (mai 2000), pp. 22-27.

Activités

Révisions des concepts

1. Comment les importances relatives des marchés d'actions, des prêts bancaires et des marchés obligataires varient-elles selon les pays ?
2. Quels facteurs peuvent expliquer que les marchés financiers soient plus développés dans certains pays que dans d'autres ?

Tests de connaissances

1. Quels pays possèdent (dans chaque cas, on considère les classements en termes de pourcentage du PIB) :
   a. Les marchés d'actions les plus importants ?
   b. Les marchés obligataires les plus importants ?
   c. La plus faible détention directe d'actions par des investisseurs individuels ?
   d. Les plus importants dépôts bancaires provenant des investisseurs individuels ?
   e. La plus grande détention d'actions par d'autres entreprises ?
   f. La plus forte utilisation du crédit commercial comme source de financement ?
2. Qu'est-ce qu'un *keiretsu* ? Donnez une définition concise.
3. Les investisseurs japonais jouent-ils un rôle important dans les politiques financières des entreprises ? Dans le gouvernement d'entreprise ? Pourquoi ?
4. Les banques allemandes contrôlent souvent une large part des droits de vote des entreprises allemandes. Comment obtiennent-elles ces droits de vote ?
5. Qu'est-ce que le système de cogestion à l'allemande ?
6. Quelle est la forme d'actionnariat la plus fréquente dans le monde ?
7. Supposons qu'un actionnaire puisse effectivement contrôler une entreprise Z en détenant 30 % des actions. Comment cet actionnaire peut-il contrôler l'entreprise Z en créant une holding X^2 qui détient des actions d'une autre holding X, qui à sont tour détient des actions de Z.
8. Pourquoi les systèmes orientés marché sont-ils plus favorables à l'innovation et plus réactifs pour retirer du capital de secteurs économiques en déclin ?
9. Qu'est ce que le *tunneling* ? Pourquoi la menace de *tunneling* complique-t-elle le développement des marchés financiers ?

Questions et problèmes

1. Les problèmes d'agence sont impossibles à éviter. On ne peut jamais s'attendre à ce que les dirigeants d'une entreprise accordent 100 % de leur énergie à la défense des intérêts des actionnaires, en négligeant leurs propres intérêts.
   a. Pourquoi ?

b. Faites une liste des mécanismes utilisés pour limiter les problèmes d'agence.

2. Les banques ne sont pas le seul intermédiaire financier qui peut financer les entreprises. Quels sont les autres intermédiaires financiers ? Quelle est leur importance, relativement aux banques, au Royaume-Uni ? En France ? En Allemagne ? Au Japon ?
3. Pourquoi la transparence est-elle une qualité importante des systèmes financiers orientés marché ? Pourquoi est-ce moins important dans les systèmes orientés banque ?
4. Qu'est-ce qu'une classe d'actions ? Pourquoi peut-il en exister plusieurs ? Cela devrait-il, selon vous, être interdit ou autorisé ?
5. Quel type d'industries pensez-vous qu'un système orienté marché favorise ? Et un système orienté banque ?
6. Pourquoi les pyramides sont-elles fréquentes dans beaucoup de pays, mais pas au Royaume-Uni ni aux États-Unis ?
7. Quels sont les avantages et inconvénients des *keiretsu* japonais ?

Partie 11

Conclusion

Chapitre 35

Conclusion : ce que l'on sait et ce que l'on ne sait pas en finance

Il est temps de terminer, en réfléchissant aux choses que nous connaissons et à celles que nous ne connaissons pas dans le domaine de la finance.

1 Ce que l'on sait : les sept idées les plus importantes en finance

Que répondriez-vous si l'on vous demandait de citer les sept idées les plus importantes en finance ? En ce qui nous concerne, voici notre liste.

1.1 La valeur actuelle nette

Quand vous souhaitez connaître la valeur d'une voiture d'occasion, vous regardez le cours de l'argus. De la même manière, pour connaître la valeur d'un cash-flow futur, vous regardez les cours sur les marchés des capitaux où se négocient les demandes (rappelez-vous, les banquiers sont simplement des marchands de cash-flows d'occasion). Si vous pouvez en acheter pour vos actionnaires à un prix inférieur à celui qu'ils auraient payé sur le marché des capitaux, vous avez augmenté la valeur de leur investissement.

Cette idée simple est à la base de la notion de *valeur actuelle nette* (VAN). Quand nous calculons la VAN d'un projet, nous nous demandons si sa valeur est supérieure à son coût. Pour cela, nous estimons la valeur des cash-flows dans le cas où ils seraient offerts à des investisseurs.

C'est pourquoi nous calculons la VAN en actualisant les cash-flows futurs au coût d'opportunité du capital – le taux de rentabilité offert par des titres ayant le même risque que le projet. Sur des marchés de capitaux efficients, tous les actifs de risque équivalent ont le même prix de façon à offrir la même rentabilité attendue. En actualisant au coût d'opportunité du capital, nous calculons le prix qui offre aux investisseurs la possibilité de réaliser ce taux de rentabilité.

Comme la plupart des bonnes idées, la règle de la valeur actuelle nette paraît « évidente ». Mais c'est une idée fondamentale. Elle permet à des milliers d'actionnaires, avec des niveaux de richesse et des attitudes envers le risque très différents, d'investir dans la même entreprise et de déléguer la gestion à un professionnel. Ils lui donnent une seule instruction : « Maximisez la valeur actuelle. »

1.2 Le Medaf

Certains disent que la finance moderne tourne autour du modèle d'évaluation des actifs financiers (Medaf). C'est un non-sens. Si ce modèle n'existait pas, nos conseils aux gestionnaires financiers seraient les mêmes. Son intérêt est qu'il donne une méthode pour déterminer la rentabilité exigible d'un investissement risqué.

Il existe deux sortes de risques : ceux que vous pouvez diversifier et les autres. Vous pouvez mesurer le risque systématique (risque *non diversifiable*, ou risque *de marché*) d'un investissement par l'ampleur de sa réaction à la variation de la valeur *totale* de tous les actifs de l'économie. Il s'agit du *bêta* de l'investissement. Les seuls risques dont les gens se méfient sont ceux qu'ils ne peuvent pas couvrir – les risques systématiques. C'est pourquoi la rentabilité exigée sur un actif augmente parallèlement à son bêta.

Beaucoup de personnes refusent certaines des hypothèses assez strictes du Medaf ou sont conscientes des difficultés de l'estimation du bêta du projet. Elles ont tout à fait raison. Dans dix ou vingt ans, nous aurons sans doute de bien meilleures théories qu'aujourd'hui. Mais nous serions extrêmement surpris si ces futures théories n'insistaient pas sur la distinction essentielle entre les risques spécifiques et systématiques – qui est l'idée principale à la base du Medaf.

1.3 Les marchés de capitaux efficients

La troisième idée fondamentale est que les cours des titres reflètent exactement l'information disponible et répondent rapidement à toute nouvelle information. Cette *théorie de l'efficience des marchés* prend trois formes, correspondant aux différentes définitions de l'« information disponible ». La forme faible (ou théorie de la marche au hasard) affirme que les prix reflètent toute l'information contenue dans les prix passés. La forme semi-forte stipule que les prix reflètent toute l'information publique et la forme forte soutient que les prix reflètent toute l'information disponible (publique ou privée).

Ne vous méprenez pas sur cette idée. Elle ne dit pas qu'il n'y a ni impôts ni coûts ; elle ne dit pas qu'il n'y a pas des agents économiques intelligents et d'autres stupides. Elle implique seulement que la concurrence sur les marchés de capitaux est intense : il n'existe pas de machines à fabriquer de l'argent et les prix des titres reflètent les véritables valeurs sous-jacentes des actifs.

Les tests empiriques sur l'hypothèse d'efficience des marchés ont débuté dans les années 1970. En 2003, après trente ans d'efforts, ils ont mis au jour des centaines d'erreurs statistiquement significatives. Cela *ne signifie pas* qu'il y a des centaines de moyens de gagner de l'argent en ne faisant rien. Les rentabilités les plus élevées sont difficiles à expliquer. Par exemple, seuls quelques gestionnaires de fonds sont capables d'assurer une forte rentabilité pendant plusieurs années d'affilée et seulement pour des montants faibles[1].

1. Voir par exemple, M. J. Gruber, « Another Puzzle : The Growth in Actively Managed Mutual Funds », *Journal of Finance*, 51 (juillet 1996), pp. 783-810.

1.4 L'additivité de la valeur (loi de la conservation de la valeur)

Le principe de l'*additivité de la valeur* (loi de la conservation de la valeur) stipule que la valeur d'un ensemble est égale à la somme des valeurs de ses parties. Quand nous évaluons un projet qui produit une suite de cash-flows, nous supposons toujours que ces valeurs s'ajoutent. En d'autres termes :

$$\begin{aligned}\text{VA(projet)} &= \text{VA}(CF_1) + \text{VA}(CF_2) + \ldots + \text{VA}(CF_t) \\ &= \frac{CF_1}{1+r} + \frac{CF_2}{(1+r)^2} + \frac{CF_2}{(1+r)^2} + \ldots + \frac{CF_t}{(1+r)^t}\end{aligned}$$

Nous présumons, parallèlement, que la somme des valeurs actuelles des projets A et B égale la valeur actuelle d'un projet combiné AB[2]. Mais l'additivité de la valeur signifie aussi que vous ne pouvez pas augmenter la valeur en regroupant deux entreprises, sauf à accroître le total des cash-flows : aucun bénéfice ne résulte de fusions effectuées seulement dans un but de diversification.

1.5 La théorie de la structure de financement

Si la loi de la conservation de la valeur s'applique quand vous ajoutez des cash-flows, elle doit aussi s'appliquer quand vous en enlevez[3]. Les décisions financières qui divisent simplement des cash-flows d'exploitation n'accroissent donc pas la valeur totale de l'entreprise. C'est l'idée de base qui sous-tend la fameuse proposition de Modigliani et Miller : sur des marchés efficients, les changements de la structure de financement n'affectent pas la valeur. Tant que le cash-flow *total* généré par les actifs de l'entreprise n'est pas modifié par la structure de financement, la valeur est indépendante de cette structure. La valeur d'une pizza ne dépend pas de la manière dont elle est découpée.

Bien sûr, la proposition de Modigliani et Miller n'est pas LA réponse, mais elle nous indique les paramètres pour lesquels les décisions relatives à la structure de financement sont importantes. Les impôts sont une possibilité. La dette procure à l'entreprise une économie d'impôts sur les intérêts et cette économie peut compenser largement le supplément d'impôt personnel que l'investisseur doit payer sur l'intérêt de la dette. De même, une dette élevée peut inciter des dirigeants à travailler davantage et à mener une gestion plus stricte. Mais la dette a ses inconvénients si elle conduit à des difficultés financières.

1.6 La théorie des options

Dans la conversation de tous les jours, nous utilisons souvent le mot *option* comme synonyme de *choix* ou *alternative*. En finance, l'*option* se rapporte de manière spécifique à la possibilité de traiter dans le futur à des conditions qui sont fixées aujourd'hui. Les dirigeants intelligents savent qu'il vaut souvent la peine de payer aujourd'hui pour avoir le droit d'acheter ou de vendre un actif demain.

---

2. Ainsi, si $VA(A) = VA[CF_1(A)] + VA[CF_2(A)] + \ldots + VA[CF_t(A)] + \ldots$
et $VA(B) = VA\,[CF_1(B)] + VA[CF_2(B)] + \ldots + VA[CF_t(B)] + \ldots$
et si, pour chaque période t, $CF_t(AB) = CF_t(A) + CF_t(B)$, alors $VA(AB) = VA(A) + VA(B)$.

3. Si vous avez un cash-flow $CF_t(AB)$ et le divisez en deux parties, $CF_t(A)$ et $CF_t(B)$, la valeur totale est alors inchangée, c'est-à-dire que $VA[CF_t(A)] + VA[CF_t(B)] = VA[CF_t(AB)]$. Voir note 2.

Si les options sont aussi importantes, le gestionnaire financier doit savoir comment les évaluer. Les experts financiers connaissent depuis toujours les facteurs explicatifs : le prix et la date d'exercice de l'option, le risque de l'actif sous-jacent et le taux d'intérêt. Mais Black et Scholes furent les premiers à mettre au point une formule permettant de combiner toutes ces variables.

Elle concerne des options d'achat simples et ne s'applique pas directement à des options plus complexes souvent rencontrées dans la finance d'entreprise. Mais les idées essentielles – par exemple la méthode d'évaluation fondée sur l'hypothèse de neutralité à l'égard du risque – s'appliquent même quand la formule n'est pas utilisable. L'évaluation des options réelles décrite au chapitre 22 peut nécessiter des calculs supplémentaires mais pas de nouveaux concepts.

1.7 La théorie de l'agence

Nous pouvons comparer une entreprise moderne à une équipe composée de dirigeants, d'employés, d'actionnaires et de créanciers financiers. Pendant longtemps, les économistes ont supposé que tous les acteurs agissaient pour le bien commun, mais au cours des trente dernières années, ils ont mis au jour des conflits d'intérêts et la manière dont les entreprises essaient de les résoudre. Ces idées sont connues sous l'appellation de *théorie de l'agence.*

Ainsi, les actionnaires (les *commettants*) veulent que les dirigeants (leurs *agents*) maximisent la valeur de l'entreprise. Aux États-Unis, l'actionnariat des grosses sociétés est très dilué et aucun actionnaire ne peut contrôler les dirigeants ou sanctionner ceux qui sont négligents. Aussi les entreprises cherchent-elles à lier la rémunération des dirigeants à la valeur qu'ils ont créée, pour les encourager à accomplir correctement leurs tâches. Ceux qui négligent en permanence les intérêts des actionnaires courent le risque que leur entreprise soit absorbée et qu'eux-mêmes soient licenciés.

Dans d'autres pays, les sociétés appartiennent davantage à quelques actionnaires majoritaires et il y a donc moins d'antagonismes entre la propriété et le contrôle. En Allemagne, par exemple, les familles, les sociétés et les banques possèdent de nombreux intérêts dans beaucoup de sociétés, et sont à même de peser sur les décisions de la direction, connaissant les affaires « de l'intérieur ». De plus, dans la plupart des cas, elles ont le pouvoir d'imposer les changements qu'elles jugent nécessaires. Cependant, les rachats hostiles de sociétés y sont très rares.

Nous avons envisagé les questions de motivations des dirigeants et du contrôle des entreprises dans les chapitres 12, 14 et 34, mais les problèmes traitant de l'agence ont été peu abordés dans cet ouvrage. Dans les chapitres 18 et 25, nous avons envisagé quelques-uns des conflits qui naissent entre les actionnaires et les créanciers financiers en expliquant comment les accords de prêts essaient d'anticiper et de minimiser ces conflits.

Ces sept idées sont-elles des théories prometteuses ou le fruit du simple bon sens ? Appelez-les comme vous voulez, elles sont à la base du travail de tout gestionnaire financier. Si, en lisant ce livre, vous avez vraiment compris ces idées et comment les appliquer, vous avez appris l'essentiel.

2 Ce que l'on ne sait pas : dix problèmes financiers non résolus

La liste de ce que nous ignorons dans le domaine de la finance est infinie. Mais, selon la troisième loi de BAtMan (voir section 4, chapitre 29), nous établirons et étudierons la liste des dix problèmes non résolus qui semblent pouvoir donner lieu à une recherche intéressante.

2.1 Qu'est-ce qui détermine le risque et la valeur actuelle d'un projet ?

Un bon investissement est celui qui a une VAN positive. Nous avons souvent évoqué la façon de calculer la VAN, mais nous vous avons donné peu d'indications sur la manière de trouver des projets à VAN positive, sauf à dire dans la section 11.2 que les projets ont des VAN positives quand l'entreprise peut profiter de rentes économiques. Mais pourquoi certaines sociétés bénéficient-elles de rentes économiques et d'autres, dans le même secteur, non ? Les rentes sont-elles simplement des gains hasardeux ou peuvent-elles être anticipées et planifiées ? Quelle est leur origine et combien de temps durent-elles avant que la concurrence ne les supprime ? On connaît peu de choses sur ces points importants.

Une autre question : pourquoi certains actifs corporels sont-ils risqués et d'autres relativement sûrs ? Dans la section 9.5, nous avons suggéré quelques raisons qui expliquent les différences de bêta d'un projet – par exemple, les différences des leviers opérationnels ou de l'ampleur avec laquelle les cash-flows d'un projet répondent à la performance de l'économie nationale. Il existe des indices utiles mais nous ne possédons pas encore de procédure générale pour évaluer les bêta d'un projet. L'estimation du risque d'un projet est donc encore largement une question d'expérience.

2.2 Le risque et la rentabilité : qu'avons-nous oublié ?

En 1848, John Stuart Mill écrivait : « Heureusement, il n'y a rien dans les lois sur la valeur qui reste à clarifier pour un auteur actuel ou futur ; la théorie est complète. » Les économistes d'aujourd'hui n'en sont pas si sûrs. Par exemple, le Medaf constitue une étape importante vers la compréhension de l'effet du risque sur la valeur d'un actif, mais beaucoup de questions restent en suspens, tant statistiques que théoriques.

Les problèmes statistiques viennent du fait que ce modèle est difficile à prouver ou à réfuter de manière définitive. Il s'avère que les rentabilités moyennes des actions à faible bêta sont trop élevées (c'est-à-dire supérieures à ce que le modèle prévoit) et que celles des actions à bêta élevé sont trop faibles ; mais cela peut être dû à la manière dont les tests sont conduits et non au modèle lui-même[4]. Nous avons aussi expliqué la curieuse découverte de Fama et French qui estiment que la rentabilité est liée à la taille de l'entreprise et au ratio *book-to-market*. Personne ne comprend pourquoi il en est ainsi ; peut-être ces variables sont-elles corrélées à la variable x, cette mystérieuse variable du risque

4. Voir R. Roll, « A Critique of the Asset Pricing Theory's Tests : 1st Part : On Past and Potential Testability of the Theory », *Journal of Financial Economics*, 4 (mars 1977), pp. 129-176. Pour une critique de la critique, voir D. Mayers et E. M. Rice, « Measuring Portfolio Performance and the Empirical Content of Asset Pricing Models », *Journal of Financial Economics*, 7 (mars 1979), pp. 3-28.

secondaire que les investisseurs peuvent rationnellement prendre en compte pour l'évaluation de leurs actions[5].

Pendant ce temps, les spécialistes travaillent sur le front théorique. Nous avons discuté de certains de leurs travaux dans la section 8.4. Mais, on peut imaginer un autre exemple : supposons que vous aimiez le bon vin. Cela peut vous sembler intéressant d'acheter des actions d'un grand cru, même si cela absorbe une grande partie de votre patrimoine et vous donne un portefeuille relativement peu diversifié. Cependant, vous vous êtes *couvert* contre une hausse du prix du bon vin : votre passion vous coûtera plus dans un marché du vin à la hausse, mais votre pari sur ce cru vous rendra en même temps plus riche. Ainsi, vous détenez un portefeuille relativement peu diversifié pour une raison valable.

Si deux personnes ont des goûts différents, il semble normal qu'elles détiennent des portefeuilles différents. Vous pouvez couvrir vos besoins de consommation en investissant dans la viniculture tandis que quelqu'un d'autre peut préférer investir dans Häagen-Dazs. Le Medaf ne peut pas tenir compte de toutes ces différences. Il suppose que tous les investisseurs ont les mêmes goûts : le « motif de couverture » n'intervient pas et tout le monde détient donc le même portefeuille d'actifs risqués.

Merton a développé le Medaf afin de prendre en compte le motif de couverture[6]. Si suffisamment d'investisseurs essaient de se couvrir contre la même chose, le modèle implique une relation risque-rentabilité plus complexe. Cependant, on ne sait pas encore vraiment qui se couvre contre quoi et, de ce fait, le modèle reste difficile à tester.

Aussi, le Medaf demeure le modèle de référence non à cause d'un manque mais d'un excès de concurrents. Il y a trop de mesures alternatives du risque possibles, ce qui empêche tout consensus sur le chemin à suivre si nous abandonnons le bêta.

Parallèlement, nous devons reconnaître le Medaf pour ce qu'il est : un moyen incomplet mais très utile pour lier le risque à la rentabilité. Il faut convenir également que le point le plus important de ce modèle, à savoir que le risque spécifique est sans importance, est presque unanimement accepté.

2.3 Quelle est l'importance des exceptions à la théorie des marchés efficients ?

La théorie des marchés efficients est sérieuse, mais aucune théorie n'est parfaite ; il y a toujours des exceptions.

Aujourd'hui, quelques-unes d'entre elles peuvent être de simples coïncidences, car plus les chercheurs étudient la performance des actions, plus il est vraisemblable qu'ils trouvent des coïncidences curieuses. Par exemple, on a montré que les rentabilités quotidiennes aux alentours de la nouvelle lune sont en gros le double de celles aux alentours de la pleine lune[7].

---

5. Fama et French insistent sur le fait que les petites entreprises et celles qui ont un ratio *book-to-market* élevé sont aussi des entreprises à faible rentabilité. Elles peuvent davantage souffrir des ralentissements économiques. Ainsi, les critères de taille et de ratio *book-to-market* peuvent être des approximations pour l'exposition au risque afférent aux cycles économiques. Voir E. F. Fama et K. R. French « Size and Book-to-Market Factors in Earnings and Returns », *Journal of Finance*, 50 (mars 1995), pp. 131-155.

6. Voir R. Merton, « An Intertemporal Capital Asset Pricing Model », *Econometrica*, 41 (1973), pp. 867-887.

7. K. Yuan, L. Zheng et Q. Zhu, « Are Investors Moonstruck ? Lunar Phases and Stock Returns », working paper, University of Michigan, septembre 2001.

Il semble difficile de croire qu'il y ait autre chose que de la chance dans cette relation – amusante à lire, mais inquiétante pour des investisseurs ou des responsables financiers sérieux. Mais toutes les exceptions ne peuvent pas être évacuées aussi facilement. Nous avons vu que les actions des entreprises qui annoncent de bons résultats non attendus continuent à bien se comporter dans les deux mois qui suivent l'annonce. Certains chercheurs en concluent que le marché financier est inefficient et que les investisseurs sont régulièrement lents à réagir aux annonces de résultats. Bien sûr, nous ne pouvons pas nous attendre à ce que les investisseurs ne se trompent jamais. S'ils ont été lents à réagir dans le passé, il serait intéressant de savoir s'ils tiennent compte de leurs erreurs et évaluent le prix des titres de façon plus réactive ensuite.

Quelques chercheurs estiment que l'hypothèse d'efficience du marché ignore des aspects importants du comportement humain. Par exemple, les psychologues pensent que les gens accordent trop de place aux événements récents quand ils anticipent le futur. S'il en était ainsi, nous devrions trouver des investisseurs prêts à réagir de manière exagérée à toute nouvelle information. Il serait intéressant de voir si l'observation de tels comportements peut nous aider à comprendre certaines anomalies.

Pendant le boom des sociétés Internet à la fin des années 1990, les prix des actions ont atteint des niveaux astronomiques. L'indice Nasdaq a augmenté de 580 % entre début 1995 et son sommet en mars 2000, puis a perdu plus de 80 % de sa valeur. De telles variations ne se sont pas limitées aux États-Unis. Par exemple, les prix des actions sur le Neuer Markt allemand ont augmenté de 1 600 % dans les trois ans qui ont suivi sa création en 1997, avant de s'effondrer de 95 % en octobre 2002. Sans parler d'indices plus généraux, comme le CAC 40 (–40 % en 2002).

Ce n'est pas la seule fois où les prix des actifs ont atteint des niveaux insoutenables. À la fin des années 1980, le Japon connut une forte hausse des prix des actions et de l'immobilier. À tel point qu'à un moment donné l'espace occupé par le Palais impérial qui se trouve au centre de Tokyo valait le même prix que toute la Californie ou le Canada[8] !

De telles variations de prix peuvent sans doute s'expliquer grâce aux méthodes standard de valorisation[9]. Cependant, d'autres analyses affirment que le prix des actions est responsable des bulles spéculatives, lorsque les investisseurs sont soudain pris d'exubérance irrationnelle[10]. Cela peut être vrai pour tout un chacun mais pourquoi est-ce que des investisseurs aussi rigoureux et intelligents s'entichent d'actions surévaluées ? Peut-être tout simplement parce que ce n'est pas leur argent qu'ils jouent et peut-être parce que la façon dont les performances de gestion sont mesurées et récompensées les incite à adopter un comportement moutonnier[11].

Ce sont des questions importantes. La recherche doit encore progresser afin de comprendre pourquoi les prix des actifs peuvent parfois être autant déconnectés des cash-flows actualisés (DCF).

---

8. Voir W. Ziemba et S. Schwartz, *Invest Japan*, Probus, Chicago, Illinois, 1992, p. 109.

9. Par exemple, Peter Garber affirme que la tulipomanie n'était pas si insensée que cela. Voir P. Garber, « Tulipmania », *Journal of Political Economy*, 97 (1989), pp. 535-560.

10. Voir C. Kindleberger, *Manias, Panics, and Crashes : A History of Financial Crises*, Basic Books, New York, 1978 ; et R. Shiller, *Irrational Exuberance*, Princeton University Press, Princeton, NJ, 2000.

11. Les chargés d'investissements peuvent compter sur le fait que si les actions continuent à bien se comporter, leur activité va elle aussi augmenter ; d'un autre côté, si le cours des actions baisse, ce sont leurs clients qui vont supporter les pertes, et le pire qui puisse leur arriver c'est qu'ils aillent trouver un emploi ailleurs. Voir F. Allen, « Do Financial Instutions Matter ? », *Journal of Finance*, 56 (août 2001), pp. 1165-1174.

2.4 Les dirigeants constituent-ils un engagement hors bilan ?

Les holdings sont des entreprises dont l'actif n'est composé que d'un portefeuille d'actions. On pourrait penser que si vous connaissez la valeur de ses actions, vous connaissez aussi celle de l'entreprise. Mais ce n'est pas le cas. Les actions d'un holding sont souvent vendues à un cours très inférieur à la valeur du portefeuille d'actions[12].

Or, il ne s'agit que de la partie visible de l'iceberg. Par exemple, les actions des sociétés immobilières sont vendues à un cours inférieur à la valeur de marché des actifs nets de ces sociétés. À la fin des années 1970 et au début des années 1980, les valeurs de marché des plus grandes sociétés pétrolières étaient inférieures à celles de leurs réserves en pétrole. Les analystes s'amusaient à dire que l'on pouvait acheter le pétrole moins cher à Wall Street qu'au Texas.

Dans tous ces cas particuliers, il était possible de comparer la valeur de marché de l'entreprise et celle de ses différents actifs. Mais si nous pouvions observer la valeur de chaque composante d'autres entreprises, nous pourrions peut-être trouver que celle de l'entreprise dans son ensemble est souvent inférieure à la somme de celle de ses composantes.

Chaque fois que les entreprises calculent la valeur actuelle nette d'un projet, elles supposent de manière implicite que la valeur de leur projet est simplement égale à la somme des valeurs de tous les cash-flows annuels. Nous avons appelé cette hypothèse la loi de la conservation de la valeur. Si nous ne nous pouvons pas nous référer à cette loi, la partie immergée de l'iceberg pourrait être un sujet brûlant.

Nous ne comprenons pas pourquoi les holdings ou beaucoup d'autres entreprises se vendent avec une décote par rapport à la valeur de leurs actifs. Une explication est que la valeur ajoutée par la gestion du holding est inférieure au coût de cette gestion. C'est pourquoi nous suggérons que la direction soit considérée comme un engagement hors bilan. Par exemple, la décote des actions des compagnies pétrolières par rapport à la valeur des réserves en pétrole peut s'expliquer par le fait que les investisseurs craignent que les profits de l'activité soient gaspillés dans des investissements à VAN négative et des dérives bureaucratiques. La valeur actuelle des opportunités de croissance est alors négative.

Cela ne signifie pas que nous considérons les dirigeants comme des sangsues absorbant les cash-flows comme de simples investisseurs. Ils confient leur capital humain à l'entreprise et s'attendent légitimement à recevoir une rentabilité raisonnable sur cet investissement personnel. Si les investisseurs prélèvent une part trop importante des cash-flows, cela découragera l'investissement personnel et affectera la santé et la croissance à long terme de l'entreprise.

Dans la plupart des entreprises, les dirigeants et les salariés investissent conjointement avec les actionnaires et les créanciers – en capital humain pour les investisseurs internes et en capital financier pour les investisseurs externes. Jusqu'à présent, nous savons peu de choses sur la manière dont cet investissement conjoint fonctionne.

---

12. À ces holdings, sociétés à capital fixe, on peut comparer les Sicav, sociétés d'investissement à *capital variable*. Celles-ci sont toujours prêtes à acheter ou à vendre de nouvelles actions à un cours égal à la valeur de l'actif net par action du fonds. Le cours de l'action d'une Sicav est toujours égal à la valeur de l'actif net par action.

2.5 Comment peut-on expliquer le succès des nouveaux titres et des nouveaux marchés ?

Au cours des vingt dernières années, les institutions financières ont créé un nombre très important de nouveaux titres : options, contrats à terme, options sur contrats à terme ; obligations à zéro coupon, obligations à taux variable ; obligations avec planchers et plafonds, obligations adossées à des actifs ; obligations catastrophiques… la liste est infinie. Dans certains cas, il est facile d'expliquer leur succès. Peut-être permettent-ils aux investisseurs de s'assurer contre de nouveaux risques ou résultent-ils de changement d'imposition ou de réglementation. Un marché se développe parfois en raison de modifications des coûts d'émission ou de négociation des différents titres. Mais, bien souvent, il est difficile d'expliquer leur vogue. Pourquoi les banques qui investissent continuent-elles à inventer et vendre avec succès de nouveaux titres complexes avant même que nous ne soyons en mesure d'en déterminer la valeur ? La vérité est que nous ne comprenons pas pourquoi certaines innovations financières réussissent et d'autres pas.

2.6 Comment peut-on résoudre la controverse sur les dividendes ?

Nous avons passé tout le chapitre 16 sur la politique des dividendes sans avoir pu résoudre la controverse les concernant. Beaucoup de gens estiment qu'ils sont bons, d'autres pensent qu'ils sont mauvais, et d'autres encore qu'ils ne sont pas pertinents. Notre position est que l'on ne peut pas être dogmatique sur ce sujet.

Nous n'avons pas l'intention de dénigrer la recherche actuelle. Nous pensons, au contraire, que davantage de recherche est nécessaire. Ce que la recherche future changera dans l'esprit de chacun est une autre question. Le problème est de démêler plusieurs raisons possibles qui expliquent que la politique des dividendes *puisse* être importante. Le récent changement en matière de taxation des dividendes aux États-Unis et l'alignement du taux d'imposition sur celui des plus-values en capital nous aideront peut-être à y parvenir.

Ces dernières années, les moyens de distribution des bénéfices ont changé. Un nombre croissant de sociétés ne paie plus de dividendes, tandis que les rachats d'actions prolifèrent. Les nouvelles lois fiscales pourraient renverser la tendance, aussi bien aux États-Unis qu'en France (suppression de l'avoir fiscal). Mais pour en être sûrs, nous avons besoin de mieux comprendre à la fois comment les sociétés fixent leur politique de distribution, et comment cette politique affecte la valeur de l'entreprise.

2.7 Quels risques une entreprise doit-elle prendre ?

Les dirigeants financiers finissent toujours par gérer le risque. Par exemple :

- Quand une entreprise se développe, les dirigeants réduisent souvent le coût de l'échec en intégrant l'option de modifier la production ou d'abandonner le projet.
- En réduisant le recours à l'emprunt, les dirigeants peuvent répartir les risques d'exploitation sur une base de capitaux propres plus importants.
- La plupart des dirigeants s'assurent contre toute une série de risques spécifiques.
- Ils utilisent souvent des contrats à terme ou autres dérivés pour se protéger contre des mouvements défavorables des prix de biens, des taux d'intérêt et des taux de change.

Toutes ces actions réduisent le risque, ce qui n'est pas toujours bon. L'objectif de la gestion du risque n'est pas de le réduire, mais d'y ajouter de la valeur. Nous aimerions pouvoir vous donner des indications générales sur les risques qu'une entreprise doit prendre et quel est le niveau *approprié* du risque.

En pratique, les décisions en matière de gestion du risque interfèrent de façon complexe. Par exemple, les entreprises qui se couvrent contre des fluctuations de prix des produits peuvent se permettre une dette plus importante que celles qui ne se couvrent pas. Se couvrir peut être valable si cela permet à l'entreprise de tirer profit d'économies d'impôts sur les intérêts, à condition que les coûts de la couverture soient suffisamment faibles.

Comment une société peut-elle fixer une stratégie de la gestion du risque qui s'intègre dans un tout cohérent ?

2.8 Quelle est la valeur de la liquidité ?

À la différence des bons du Trésor, les disponibilités ne rapportent rien, mais assurent la liquidité. Les gens qui en détiennent doivent estimer que cette liquidité supplémentaire compense la perte d'intérêts. À l'équilibre, la valeur marginale de la liquidité supplémentaire doit être égale au taux d'intérêt des bons du Trésor.

Maintenant, que pouvons-nous dire sur les disponibilités détenues par les sociétés ? Ce serait une erreur d'ignorer le gain de liquidité et de dire que le coût de détention des disponibilités correspond à l'intérêt perdu. Cela impliquerait que les disponibilités ont toujours une VAN *négative*. Il serait également erroné de dire que, du fait que la valeur marginale de la liquidité est égale à la perte d'intérêt, le montant des disponibilités importe peu. Cela impliquerait que les disponibilités ont toujours une VAN *nulle*. Nous savons que la valeur marginale des disponibilités diminue avec le volume détenu, mais nous ne savons pas vraiment comment évaluer le service de liquidité fourni par ces disponibilités, ou comment déterminer leur niveau. Pour compliquer encore plus, notons que celles-ci peuvent être obtenues par emprunt à court terme, la vente d'autres titres, ou d'actifs. Le directeur financier d'une entreprise détenant 1 million d'euros sur une ligne de crédit non utilisée peut être aussi tranquille que celui dont l'entreprise détient 1 million d'euros en placements. Dans nos chapitres consacrés à la gestion du besoin en fonds de roulement, nous avons fait l'impasse sur ces questions en présentant des modèles qui sont vraiment trop simples ou en parlant vaguement du besoin d'assurer une réserve de liquidité « adéquate ».

Une meilleure connaissance de la liquidité nous aiderait aussi à comprendre comment les cours des obligations des entreprises sont fixés. Nous connaissons déjà une partie de la raison pour laquelle ces titres sont vendus à des prix inférieurs à ceux des titres publics : les entreprises peuvent faire disparaître leurs dettes. Cependant, les différences entre les obligations privées et les obligations d'État sont trop importantes pour être simplement expliquées par la possibilité de défaut de remboursement des entreprises. Il est vraisemblable que la différence de prix est en partie due au fait que les obligations des entreprises sont moins liquides que les obligations de l'État. Mais, jusqu'à ce que nous sachions comment évaluer les différences, nous ne pouvons pas vraiment en dire plus.

Les investisseurs semblent évaluer la liquidité de manière plus exagérée à certains moments qu'à d'autres. Quand elle se tarit soudainement, les prix des actifs peuvent devenir très volatils. Cela s'est produit en 1998 quand Long-Term Capital Management, un important fonds d'arbitrage, s'est effondré[13]. Depuis sa création, quatre ans plus tôt, LTCM avait généré des rendements élevés en détenant d'importantes positions dans des actifs illiquides « bon marché », arbitrés par la vente d'actifs liquides. LTCM se comportait, donc, comme un offreur de liquidités face à d'autres investisseurs. Quand la Russie ne remboursa pas ses dettes en 1998, il y eut une ruée des investisseurs pour se débarrasser d'actifs illiquides. Comme la valeur du portefeuille de LTCM diminuait, ses banques lui demandèrent des nantissements supplémentaires pour leurs prêts et LTCM fut forcé de liquider ses positions sur un marché qui est déjà à court de liquidités. En définitive, la Federal Reserve Bank de New York encouragea un groupe d'institutions à reprendre LTCM, mais cela n'a pas empêché des mouvements très brutaux des prix des actifs.

2.9 Comment peut-on expliquer les vagues de fusions ?

En 1968, alors que le mouvement de fusions d'après-guerre était à son maximum, Joel Segall notait : « Il n'y a pas d'hypothèse simple à la fois plausible et générale qui permette d'expliquer le mouvement actuel de fusions. Dans ce cas, on peut dire qu'on ne connaît rien au sujet des fusions ; il n'y a pas de généralisations utiles[14]. » Bien sûr, il y a de nombreuses raisons plausibles pour fusionner. Pour une fusion *particulière*, il est en général possible d'en trouver une. Mais ce dont nous avons besoin, c'est d'une hypothèse *générale* pour expliquer la vague des fusions. Par exemple, à la fin des années 1990, tout le monde voulait fusionner tandis qu'au début du XXIe siècle, les fusions sont passées de mode.

Il existe d'autres exemples de mode en matière financière. Par exemple, de temps en temps, il y a des périodes propices à de nouvelles émissions. Il semble y avoir alors une offre infinie de nouvelles émissions spéculatives en même temps qu'une demande tout aussi infinie. Nous ne comprenons pas pourquoi des hommes d'affaires rationnels semblent parfois se comporter comme un troupeau de moutons, mais l'histoire suivante peut constituer un début d'explication.

C'est le début de soirée et Albator hésite entre deux restaurants, Buffalo Grolles et Bouffe-à-l'eau. Les deux sont vides et, comme il n'y a aucune raison de choisir l'un plutôt que l'autre, Albator joue à pile ou face et choisit Buffalo Grolles. Un peu plus tard, Candy s'arrête devant les deux restaurants. Elle préfère plutôt Bouffe-à-l'eau, mais, voyant qu'Albator se trouve chez Buffalo Grolles et qu'il n'y a personne dans l'autre restaurant, elle estime qu'Albator dispose d'une information qu'elle n'a pas. La décision rationnelle est donc de faire comme Albator. Arctarus est la troisième personne à arriver. Il constate qu'Albator et Candy ont tous deux choisi Buffalo Grolles et, écartant son propre avis, décide de suivre le mouvement. Il en est de même pour les dîneurs suivants qui, voyant simplement les tables occupées dans un restaurant et les tables vides dans l'autre, en tirent des conclusions évidentes. Chaque dîneur se comporte de façon totalement rationnelle en ajustant ses décisions sur les préférences révélées des autres dîneurs. Mais la popularité de Buffalo Grolles ne dépend que du tirage au sort d'Albator. Si Candy était arrivée la première ou si tous les dîneurs avaient confronté leurs informations avant de prendre leurs décisions, Buffalo Grolles aurait très bien pu ne pas récolter le gros lot.

---

13. Les fonds d'arbitrage essaient d'acheter des titres sous-estimés puis de les revendre rapidement. Ils sont en général organisés sous forme de groupements et appartiennent à un petit nombre d'institutions ou d'individus fortunés.
14. J. Segall, « Merging for Fun and Profit », *Industrial Management Review*, 9 (hiver 1968), pp. 17-30.

Les économistes adoptent ce comportement d'imitation en cascade[15]. Il reste à savoir jusqu'à quel point cet enchaînement ou toute autre théorie peuvent aider à expliquer les modes financières.

2.10 Comment peut-on expliquer les différences internationales de la structure financière ?

Dans le chapitre 34, nous avons montré comment la structure de financement varie entre les pays. Il y a d'importantes différences en termes de droit des entreprises, de propriété, de gestion et de financement. Dans beaucoup de pays développés, les grandes entreprises sont des sociétés dont les actions sont cotées et font l'objet de beaucoup d'échanges, l'actionnariat étant très dispersé : ces sociétés disposent d'un accès facile aux marchés financiers. Dans d'autres pays, les entreprises sont détenues de manière plus fermée et leurs propriétaires peuvent plus facilement connaître leur fonctionnement. Les banques jouent souvent un rôle plus important dans leur financement et gardent un œil sur leur développement. Enfin, dans beaucoup de pays, les entreprises appartiennent à des conglomérats diversifiés qui peuvent fournir du financement interne, de celles qui ont un surplus vers celles qui sont en déficit.

Nous ne comprenons pas vraiment pourquoi ces différences de structures organisationnelles existent, même si l'on peut suggérer qu'une partie de la réponse se trouve dans les différences entre les systèmes juridiques et comptables. Nous avons également fait part de quelques observations qualitatives sur les avantages et les inconvénients des différentes structures, mais des commentateurs continuent à débattre sur les dispositions les plus intéressantes. Certains craignent que l'exigence de maximisation de la valeur actionnariale conduise à donner la priorité aux profits à court terme ; d'autres soutiennent qu'une relation trop étroite entre une entreprise et ses sources de financement peut amener à un manque de discipline pour les dirigeants.

3 Un dernier mot

Nous voilà à la fin de notre liste de problèmes non résolus. Nous vous avons livré les dix qui sont pour nous les plus importants. S'il y en a d'autres que vous trouvez plus intéressants et stimulants, construisez votre propre liste et commencez à y réfléchir.

Cela prendra des années pour que nos dix problèmes soient enfin résolus et remplacés par une autre liste. Pendant ce temps, nous vous invitons à *poursuivre* l'étude plus approfondie de ce que nous connaissons *déjà* en finance. Nous vous invitons aussi à appliquer ce que vous avez appris en lisant cet ouvrage.

Maintenant que ce livre est achevé, nous faisons nôtres les propos de Huckleberry Finn, à la fin du livre de Mark Twain :

> Ainsi, il n'y a plus rien à écrire et j'en suis fichtrement content, car si j'avais su le souci que c'était d'écrire un livre, je ne m'y serais jamais attaqué, et je ne suis pas près de recommencer.

---

15. Pour une introduction à la théorie de l'enchaînement, voir S. Blikhchandani, D. Hirschleifer et I. Welch, « Learning from the Behavior of Others : Conformity, Fads and Informational Cascades », *Journal of Economics Perspectives*, 12 (été 1998), pp. 151-170.

Index

F

G

H

I

J

K

L

M

Q

R

T

U

V

W

Y

Dépôt légal : octobre 2007
IMPRIMÉ EN FRANCE

Achevé d'imprimer le 5 octobre 2007
sur les presses de l'imprimerie «La Source d'Or»
63200 Marsat - Imprimeur n° 10184